# ALFRED DREYFUS

# DU MÊME AUTEUR

## Ouvrages et direction

*L'affaire Dreyfus*, Paris, La Découverte, coll. « Repères », 1994 [édition allemande *Die Dreyfus-Affäre. Militärwahn, Republikfeindschaft, Judenhass*, Berlin, Verlag Klaus Wagenbach, 1994]. Nouvelle édition augmentée, 2006.

*Avenirs et avant-gardes en France, XIXᵉ-XXᵉ siècles. Hommage à Madeleine Rebérioux* (co-direction, avec Rémi Fabre et Patrick Fridenson), Paris, La Découverte, 1999.

*Serviteurs de l'État. Une histoire politique de l'administration française 1875-1945* (co-direction avec Marc Olivier Baruch), Paris, La Découverte, coll. « L'espace de l'histoire », 2000.

*Les archives* (avec Sophie Cœuré), Paris, La Découverte, coll. « Repères », 2001.

*Justice, politique et République, de l'affaire Dreyfus à la guerre d'Algérie* (co-direction avec Marc Olivier Baruch), Bruxelles, Complexe, coll. « Histoire du temps présent », 2002.

*La politique et la guerre* (co-direction avec Stéphane Audoin-Rouzeau, Annette Becker, Sophie Cœuré, Frédéric Monier), *La Politique et la guerre. Pour comprendre le XXᵉ siècle européen. Hommage à Jean-Jacques Becker*, Paris, Éditions Agnès Viénot-Noesis, 2002.

*L'histoire contre l'extrême droite. Les grands textes d'un combat français*, Paris, Mille et une nuits, 2002.

*Dictionnaire critique de la République* (co-direction avec Christophe Prochasson), Paris, Flammarion, 2002.

*Il s'est passé quelque chose... le 21 avril 2002* (co-direction avec Christophe Prochasson et Perrine Simon-Nahum), Paris, Denoël, coll. « Médiations », 2003.

*Quel avenir pour la recherche ?* (direction avec Alain Chatriot), Paris, Flammarion, 2003.

*Le gouvernement de la recherche. Histoire d'un engagement politique, de Pierre Mendès France au général de Gaulle (1953-1969)* (co-direction avec Alain Chatriot), Paris, La Découverte, 2006.

*Dreyfus est innocent ! Histoire d'une affaire d'État*, Paris, Larousse, 2006.

## Éditions critiques

Élie Halévy, *Correspondance, 1891-1937*, textes réunis et présentés par Henriette Guy-Loë, préface de François Furet, Paris, Bernard de Fallois, 1996 [notes].

Jean Jaurès, *Les Preuves*, préface de Jean-Denis Bredin, introduction de Madeleine Rebérioux, Paris, La Découverte, 1998 [édition].

*Le Parlement et l'affaire Dreyfus. Douze années pour la vérité*, Paris, Assemblée nationale et Société d'études jauréssiennes, 1998 [édition].

Michel Rocard, *Rapport sur les camps de regroupement et autres textes sur la guerre d'Algérie*, Paris, Mille et une nuit, coll. « Document », 2003 [co-édition avec Pierre Encrevé].

*« Écris-moi souvent, écris-moi longuement... ». Correspondance de l'île du Diable*, préface de Michelle Perrot, Paris, Mille et une nuits, 2005 [édition].

Vincent Duclert

# ALFRED DREYFUS

## *L'honneur d'un patriote*

Fayard

*À Jean-Jacques Becker.*

*À la mémoire de Madeleine Rebérioux, historienne de l'affaire Dreyfus,
et de Madeleine Lévy, petite-fille du capitaine Dreyfus, résistante
au nazisme, morte au camp d'Auschwitz-Birkenau en janvier 1944.*

« Là où la vie emmure, l'intelligence perce une issue. »

Marcel PROUST, *Le Temps retrouvé*, 1927.

« Un peu de lumière dans les ténèbres politiques
et dans le mal social dont nous souffrions. »

Alfred DREYFUS, *Carnets*, 1907.

# Le choix de l'histoire

Alfred Dreyfus a donné son nom à l'un des événements les plus célèbres de l'Histoire, celui qui existe dans la mémoire la plus contemporaine, celui qui a produit des dizaines de milliers d'articles de presse et de revue et des milliers de livres dans toutes les langues. « Son nom a retenti dans l'univers entier », a écrit Jean-Louis Lévy, l'un de ses petit-fils et biographes[1]. « Péguy, qui était dreyfusard, déclara un jour que Dreyfus était devenu l'homme dont le monde avait le plus répété le nom depuis la mort de Napoléon », écrit de son côté Michael Burns, l'universitaire américain qui s'est le plus rapproché d'une biographie du capitaine Dreyfus en faisant le récit d'une famille juive dans le siècle.

C'est la première fois dans l'histoire de l'humanité qu'un homme donna son nom à un événement presque comparable, en durée – 1894-1906 – et en intensité, à la Révolution française. Ce baptême marqua incontestablement l'entrée dans un âge de l'individualisme que le combat *dreyfusard*, le combat pour Dreyfus, transforma en une valeur démocratique. L'ère des masses et de la culture de masse renforça cette identification d'un événement et d'un homme, ressort d'une tragédie tout à la fois intime et universelle. L'affaire Dreyfus, *L'Affaire* même puisqu'il n'y en a qu'une, toutes les autres ayant emprunté pour leur récit à la première, ne laissa jamais indifférent. Elle enflamma les opinions publiques et elle emplit les consciences individuelles d'un patrimoine de liberté et d'émotion. Dans les années soixante, au cœur du quartier de Şişli à Istanbul, une future historienne française se confrontait au sens de l'histoire avec son père, francophile, juif, turc, « qui mythifiait la Révolution française et qui parlait du capitaine Dreyfus les larmes aux yeux[2] ».

Charles Péguy, qui naquit comme écrivain avec l'événement et dont l'écriture fit corps avec son histoire au point d'ériger une morale éternelle de l'Affaire eut pour elle cette phrase si souvent citée : « Faut-il noter une fois de plus qu'il y eut, qu'il y a dans cette affaire Dreyfus, qu'il y aura longtemps en elle, et peut-être éternellement, une vertu singulière. Je veux dire une force singulière ? Nous le voyons bien aujourd'hui, à présent que l'affaire est finie. Ce n'était pas une illusion de notre jeunesse. Plus cette affaire est finie, plus il est évident qu'elle ne finira jamais. Plus elle est finie, plus elle prouve. [...] Ce prix, cette valeur propre de l'affaire Dreyfus apparaît encore, apparaît constamment, quoi qu'on en ait, quoi qu'on fasse. Elle revient malgré tout, comme un revenant, comme une revenante. »[3]

Pour les historiens, cet événement total, cette « affaire culminante », cette « affaire *élue* » posent problème avec son caractère inaliénable et indépassable. Elle oblige à repenser l'écriture et la méthode. Péguy l'avait aussi compris, lui qui annonça, toujours dans *Notre jeunesse*, vouloir donner à ses études sur « la situation faite à l'histoire et à la sociologie dans la philosophie générale du monde moderne » la référence de l'affaire Dreyfus, la « référence de ce que c'est qu'une crise, un événement qui a une valeur propre éminente [4] ».

Mais l'affaire Dreyfus pose un autre problème aux historiens. Ce nom désigne un homme qui a pratiquement disparu de la mémoire et de l'histoire. L'événement qui est né de la situation particulière, terrifiante, faite à une personne a semblé se détacher de lui à mesure qu'elle grandissait et se développait. Aujourd'hui, on se trouve face au paradoxe d'un événement universellement connu et d'un homme absent, presque exclu de son histoire qui se confond avec l'Histoire. Au-delà de tout lien d'empathie avec le sujet, cette situation historiographique très originale ne peut que susciter la curiosité et l'étude.

Le grand écart devient véritablement insoutenable avec l'entrée dans une année anniversaire de l'événement, par la commémoration du centenaire de la réhabilitation pleine et entière d'Alfred Dreyfus par la Cour de cassation. Le 12 juillet 1906, la cour suprême en France a en effet proclamé sa complète innocence et déclaré qu'il avait été condamné à tort pour un crime de haute trahison dont il était innocent. L'événement pouvait se refermer sur cette décision de justice dont on verra qu'elle fut exceptionnelle par sa réalisation et sa signification. Commencée avec le destin fracassé d'un homme, l'affaire Dreyfus s'achevait sur un acte qui ne pouvait certes abolir ses souffrances, mais répondait à une injustice immense par un acte plus fort encore de justice. De la même manière que la France s'arracha à la crise antidreyfusarde par un sursaut qui lui fut supérieur, avant que l'engagement ne retombât.

Le calvaire d'Alfred Dreyfus avait commencé douze ans auparavant lorsque, jeune capitaine d'artillerie, officier d'élite pour une armée nouvelle et une France républicaine, il marchait dans les rues de Paris pour rejoindre l'École militaire et y subir une inspection de routine. Croyait-il. Le monde bascula pour lui ce jour-là, 15 octobre 1894, dans la terreur. Accusé sans preuves et sans mobile du plus terrible des crimes, la haute trahison au profit d'une puissance étrangère ennemie dans un pays encore marqué par la défaite devant la Prusse (1870), mis au secret absolu à la prison militaire du Cherche-Midi, dénoncé pour des forfaits imaginaires et quasi rituels, rejeté comme juif, traître et étranger, condamné à la suite d'un procès arbitraire et d'une machination politico-judiciaire, déporté en Guyane à l'île du Diable dans des conditions de violence extrême, Alfred Dreyfus ne recouvra la liberté que le 19 septembre 1899 après cinq ans de réclusion hors du monde. Mais il n'avait été que gracié par le président de la République après la nouvelle condamnation prononcée par le conseil de guerre de Rennes le 9 septembre. Il ne retrouva son honneur, avec son innocence reconnue et la justice proclamée que sept années plus tard. Il fut incomplètement réintégré dans l'armée, au grade de commandant. Beaucoup de ceux qui s'étaient engagés pour lui durant toutes ces années, les *dreyfusards*, ceux qui avaient multiplié les combats et parfois même les héroïsmes, étaient pour morts ou s'étaient éloignés.

L'inachèvement de la réhabilitation finale passa inaperçue, tandis que l'autorité de l'arrêt de la Cour de cassation était déjà attaquée par des antidreyfusards qui n'avaient jamais renoncé. Non seulement Dreyfus disparut de la mémoire et de l'histoire, mais le souvenir qui resta le figura comme un être au pire indigne, au mieux incapable. L'anti-héros par excellence, pour lequel s'étaient révélés à l'inverse des héros de la vérité et de la justice, de Bernard Lazare à Charles Péguy, d'Auguste Scheurer-Kestner à Ludovic Trarieux, d'Émile Duclaux à Édouard Grimaux, de Georges Clemenceau à Jean Jaurès et, bien sûr, du colonel Picquart à Émile Zola. Fréquemment comparé à ses défenseurs, Dreyfus était rabaissé au rang d'acteur secondaire, moins héroïque qu'eux, pas héroïque du tout, l'homme que l'on préféra oublier pour conserver la cause.

Alfred Dreyfus disparut effectivement de la mémoire. Il existe quelques noms de rues ou de places à Paris, Mulhouse ou Rennes. Il existe une seule statue de l'homme, sculptée en 1985 par Louis Miltelberg (dit Tim), installée depuis 1994 sur une minuscule place du boulevard Raspail et longtemps exilée dans les jardins de Tuileries parce qu'aucune institution n'en avait voulu, ni l'armée, ni la Justice, ni l'Université. François Mitterrand avait soutenu son ministre de la Défense de l'époque, Charles Hernu, contre Jack Lang qui avait eu l'initiative de cette statuaire comme ministre de la Culture et qui voulait qu'elle se dressât à l'École militaire, au lieu même de la dégradation et de la réhabilitation douze ans plus tard. On a bien créé un timbre à l'effigie du capitaine pour l'année 2006, mais c'est bien peu de chose. Dreyfus n'appartient pas au panthéon de la mémoire nationale, tandis que l'Affaire en demeure l'un des emblèmes, du moins dans la conscience collective. Et les pouvoirs publics français restent hésitants devant les commémorations de l'événement. La première à l'avoir vraiment assumé – excepté la panthéonisation d'Émile Zola en 1908 – fut le centenaire de « J'accuse... ! » en janvier 1998. À cette occasion, le président de la République adressa une lettre aux descendants des familles Dreyfus et Zola. Elle est, pour la mémoire de Dreyfus, la première expression d'hommage public d'un chef d'État de toute l'histoire française et mondiale. Étonnant contraste lorsque l'on sait que Dreyfus est l'un des noms les plus connus au monde.

Alfred Dreyfus a disparu aussi de l'Histoire. Il n'existe aucune biographie* de cet homme qui fut acteur de l'histoire, ne serait-ce que pour la raison qu'il survécut à son calvaire, et qu'il ne fut pas seulement le symbole d'un combat qui devait nécessairement le dépasser. Il n'existe aucune étude particulière, à l'exception de préfaces ou de postfaces à certains de ses écrits, ou d'articles et de contributions dus à l'historien Pierre Vidal-Naquet et au docteur Jean-Louis Lévy pour *Cinq années de ma vie*, son journal et ses souvenirs de l'île du Diable, et à Jean-Denis Bredin et Philippe Oriol qui édita en 1994 ses *Carnets* qui sont la suite de son récit. Ces quelques travaux, très précieux au demeurant pour aborder la vie du capitaine Dreyfus, furent précédés du livre que son fils Pierre lui consacra sous la forme d'une édition de ses *Souvenirs et correspondance* en 1936, un an après sa mort. Mais c'est bien peu pour un homme et un nom qui furent sur toutes les lèvres et dans bien des cœurs.

La biographie familiale que l'historien américain Michael Burns réalisa sur les Dreyfus, *A Family Affair, from the French Revolution to the Holocaust*, contient de nombreuses évocations du capitaine Dreyfus mais elles sont toutes rapportées à la dimension familiale et intime plutôt qu'au destin national et historique de l'homme. *L'Affaire*, la grande synthèse de l'avocat et historien Jean-Denis Bredin, inclut d'importants passages dédiés à l'homme, à l'officier, au justiciable. Mais comme son illustre prédécesseur Joseph Reinach, auteur, au début du XXᵉ siècle, des sept volumes d'une histoire générale de l'Affaire aujourd'hui rééditée par les soins d'Hervé Duchêne, Alfred Dreyfus apparaît plus sous son aspect souffrant que comme l'acteur majeur d'une résistance à la raison d'État.

Dans l'énormité de la littérature existante sur l'Affaire, Dreyfus occupe une place très modeste, généralement médiocre, souvent dégradée : la place d'un homme effacé, froid, presque indifférent à son sort, parfois ingrat, muet. Il ne serait sorti vivant de l'île du Diable que grâce au courage de ses défenseurs et la mobilisation des opinions publiques nationales et internationales. L'Affaire et Dreyfus paraîtraient incompatibles. L'Affaire avec son héroïsme, ses grands combats, ses valeurs de justice et de vérité d'un côté, Dreyfus de l'autre avec sa souffrance, son martyre et son effacement de l'événement, voire son ingratitude, ses allures suspectes, son existence grise, des légendes puisées au fond des obsessions antidreyfusardes, irrationnelles et morbides. Il deviendrait de fait impossible d'écrire une histoire de Dreyfus qui soit en même temps une histoire de l'Affaire et

---

* Nous renvoyons à l'approche bibliographique présente en fin de volume.

de la France de l'Affaire. On serait contraint de se limiter aux considé-rations psychologiques et personnelles. Repenser et reconnaître l'évé-nement serait impossible avec Dreyfus puisqu'il en réduisait le sens. La mise au clair des rapports entre l'homme et l'événement s'impo-sait donc, et sur la longue durée. Car la représentation qui fut donnée a pu être très différente entre le moment de l'événement et la postérité. En 1898 et 1899, des hommages considérables furent rendus à un homme considéré comme un héros en France comme dans le monde. Après 1900 et surtout 1906, une vulgate se répandit, celle de réduire le personnage à un être insignifiant, médiocre, même suspect. On l'identifia de surcroît à des traits psychologiques imaginaires, et non à la réalité du combat personnel qu'il mena pour son innocence comme exigence de vérité et de justice. Cette vulgate perdura jusqu'à nos jours. Aucune recherche scientifique n'étant menée sur lui et la mémoire de l'arrêt de réhabilitation s'étant estompée, le vide fut occupé par des images négatives. Dans certains cas, elles ne répon-daient pas à des préoccupations idéologiques. Même dans des milieux clairement dreyfusards, la légende d'un Dreyfus qui aurait été anti-dreyfusard s'il n'avait été Dreyfus persiste fortement. Dans les milieux antidreyfusards – qui existent toujours parce qu'un juif sera toujours un « Français récent », incapable de patriotisme ni d'héroïsme –, l'entreprise de dégradation du personnage travaille puissamment. La légende d'un être louche et douteux est solide. De notre point de vue, elle sert à rejeter l'arrêt de réhabilitation que ne peut accepter ce conservatisme français traversé d'antisémitisme. La réhabilitation de 1906 comme le soutien si large dont Dreyfus a bénéficié dans les mondes les plus divers et souvent les plus élevés restent inacceptable pour beaucoup, si bien que l'histoire de l'Affaire et la mémoire de l'arrêt de la Cour de cassation ont été occultées et le sont toujours. Reste alors seulement, à l'issue de l'Affaire, non pas un homme réha-bilité par la justice, mais un être écrasé sous les soupçons et le rejet.

Disons-le clairement : cette légende répandue d'un Dreyfus anti-dreyfusard constitue le dernier stade de la conspiration développée contre lui. L'arrêt de réhabilitation de la Cour de cassation étant impa-rable en droit et en fait – malgré tous les efforts de l'Action française pour le détruire en accusant les magistrats de faux –, l'acharnement contre Dreyfus se tourna vers cette entreprise de dégradation qui le rendait indigne de la justice rendue. En s'attaquant ainsi à lui, ses ennemis atteignaient l'acte de justice. Cette offensive fut permanente jusqu'en 1945, Charles Maurras n'hésitant pas à réagir à sa condamna-tion pour collaboration en déclarant : « C'est la revanche de Drey-fus[5] ! » Mais le mal était fait, la légende persista soit intentionnellement, soit parce qu'il n'existait aucun autre savoir à dire et à connaître de Dreyfus. Nous sommes toujours dans ce registre émotionnel ou idéologique, et la preuve en est que la troisième affaire Dreyfus, celle qui va de la grâce accordée le 19 septembre 1899 à la réhabilitation proclamée le 12 juillet 1906, reste la moins connue. Or c'est elle qui restitue à Dreyfus son innocence, son honneur, sa dignité. C'est elle aussi qui permet à la France de sortir dignement de cette grande crise nationale et de ce combat – à l'époque improbable – pour la défense d'un juif.

Contre le délitement de la mémoire et de l'Histoire qui frappe aussi bien la réputation d'un homme que celle de la France, la célébration de l'année Dreyfus en 2006 est une excellente occasion pédagogique et scientifique de rectifier le tir, d'affirmer hautement que tout homme ou femme a le droit à la justice. Et de le prouver avec l'histoire.

Aujourd'hui, le problème n'est pas tant cette position parfois décrite du rejet de l'Affaire par ces milieux très conservateurs, souvent d'un catholicisme intransigeant et d'un antisémitisme rentré, pour qui un juif est toujours un juif. La publication de cette biographie et la commémoration de l'arrêt de réhabilitation par la Cour de cassation sont assurément de mauvaises nouvelles pour eux. L'inquiétude porte plutôt sur l'existence de cette opinion commune qui domine la représentation de Dreyfus, y compris chez ceux qui écrivent l'histoire et qui ont pour fonction précisément de briser les idées reçues ou de les analyser. L'opinion commune et érudite sur le capitaine Dreyfus répète en général deux constatations de principe : il était antipathique et il aurait été antidreyfusard s'il n'avait été Dreyfus. Ces deux affirmations peuvent servir à expliquer que, l'homme n'étant pas si clair que cela, son affaire ne l'est peut-être pas totalement, que son innocence n'est finalement pas certaine, qu'il demeure encore des mystères à découvrir, que les auteurs, bien entendu, lèveront. Dans ce *leitmotiv*, il est nécessaire de faire la part entre ceux qui pensent ainsi par conformisme ou appétit du fait divers et ceux qui sous-entendent que la réhabilitation judiciaire de Dreyfus est une décision politique mais qu'il est effectivement coupable. Et le fait qu'il soit juif renforce dans certains cas l'idée qu'il ne puisse être totalement innocent, quoi qu'il arrive.

Même de bonne foi, les deux ou trois affirmations portées contre Dreyfus sont affligeantes dès lors que l'on fait un peu d'histoire. Les témoignages montrent qu'il n'avait rien d'antipathique, qu'il était même plutôt attachant lorsqu'on le connaissait. Sa difficulté à communiquer en public s'était accrue après son retour de déportation, ce qui peut se comprendre. Beaucoup le lui refusèrent pourtant. Au procès de Rennes, qui fit suite immédiatement à son arrivée en France, les jugements sur sa défense ont pu être très négatifs. Le choix de ne pas théâtraliser était volontaire et répondait à des convictions personnelles sur la justice. L'épreuve de la déportation et celle du procès qu'il subit tous les jours pendant un mois pouvaient excuser aussi certains mutismes, simples marques d'épuisement. On ne la comprit pas.

Et puis la question ne réside pas fondamentalement dans cette interrogation : antipathique ou non ? Le problème est surtout dans le fait d'insister sur une telle catégorie alors que tant d'éléments fondamentaux caractérisent par ailleurs le destin de Dreyfus, à commencer par ses actes d'officier, de Français, de citoyen face à ce qu'il subit. Il ne viendrait jamais à l'idée de réduire Winston Churchill ou le général de Gaulle à leur seule psychologie un peu rude. Expliquer par ailleurs que Dreyfus aurait été antidreyfusard s'il n'avait été Dreyfus ne tient pas un instant la route si l'on fait de l'histoire et que l'on réfléchit : comment aurait-il pu l'être alors que son insistance pour être réhabilité allait nécessairement amener la Cour de cassation à révéler publiquement la conspiration de l'État-major ? Or un antidreyfusard vénérait l'ordre et l'armée auxquels il voulait soumettre la justice et la libre opinion. Dreyfus agit au contraire sous ces deux derniers registres. Jamais une personnalité antidreyfusarde n'aurait ainsi prononcé le réquisitoire qu'il délivra en 1904 devant les juges contre le général Auguste Mercier, le ministre de la Guerre de 1894 [6].

La psychologisation est l'une des plaies de la biographie historique. Il faut s'en défier, d'autant plus que cette approche a servi à instruire la dernière accusation portée contre Alfred Dreyfus, définitive et imparable. Sa personnalité était, pour les antidreyfusards, celle d'un traître ou du moins d'un être louche à qui l'on pouvait rattacher de multiples charges imaginaires ou réelles mais totalement étrangères à sa personne. Dès lors que le système policier ou judiciaire le permettait, dès lors que l'opinion publique était réceptive à ce type d'accusation, le procès était pleinement réalisé. Des auteurs dont la bonne foi ne peut être mise en cause s'égarèrent ainsi dans des supputations sans fondement sinon des hypothèses fondées sur l'apparence de l'homme.

L'écrivain Jean-François Deniau, de l'Académie française, expliqua ainsi en 1998 que Dreyfus se défendit mal devant ses juges (encore faut-il le démontrer avec des preuves solides qui n'existent pas). C'était la confirmation de son hypothèse sur le service commandé de l'officier devant se sacrifier pour assurer la réussite d'un plan d'intoxication de l'armée allemande. Aucune preuve n'établit cette hypothèse dont la validation impliquerait, rappelons-le, d'annuler tous les faits de connaissance accumulée sur le complot bureaucratique et antisémite dirigé contre Dreyfus ! Mais qu'importe, l'écrivain persiste, voit dans cette passivité la preuve de la connivence et en fait un livre. Tout est donc possible avec Dreyfus, y compris d'écrire littéralement : « Avec un courage exceptionnel, Dreyfus innocent ne refusa pas, au nom de devoir patriotique, d'être traité en coupable. [...] J'essaie seulement d'ajouter une vérité », conclut Jean-François Deniau [7] sans percevoir les conséquences de ce qu'il écrit. Car je le crois de bonne foi.

Ce qui inquiète, en effet, dans ces procédés, c'est qu'on soit capable d'affirmer *en même temps* l'innocence et la culpabilité de Dreyfus et de croire que les vérités en histoire s'empilent sans confrontation avec les autres vérités démontrées sur un sujet. Cette littérature, qui va d'Edmond Giscard d'Estaing à Michel de Lombarès, de Jean Doise à Armand Israël, n'est pas un danger en soi. Elle procède surtout de la naïveté, de l'ignorance ou de l'idée fixe. Le plus grave est qu'elles ont empêché la mise en chantier de véritables travaux sur Alfred Dreyfus. Ces ouvrages encombrent la bibliographie et détournent de l'essentiel, l'établissement des actes qui fondent la vie de l'officier. Et c'est là que réside l'autre difficulté d'une biographie du capitaine Dreyfus, l'énormité de la tâche dès que l'on aborde les liens entre lui et l'Affaire.

On pénètre alors dans des faits qui semblent complexes lorsqu'on ne les maîtrise pas et qui apparaissent si distendus dans le temps, douze ans – entre 1894 et 1906 –, mais plus nettement encore dix-huit ans – de l'entrée du capitaine à l'École de guerre en 1890 à la tentative d'assassinat perpétrée contre lui lors des cérémonies de panthéonisation de Zola en 1908. L'événement de l'affaire Dreyfus est aussi considérable par la masse documentaire qu'il généra, et pour cause puisqu'elle se répandit dans tous les secteurs de la vie publique mais également privée. Les correspondances montrent bien ce surgissement de l'événement dans le temps des êtres et des nations. Cette surabondance de documents, archives, comptes rendus imprimés, correspondances et mémos, articles et livres, dessins et photographies * est un obstacle à l'écriture de l'histoire quand bien même ceux-ci la fondent et l'illustrent.

Cette épreuve de la complexité et de la surabondance mérite d'être assumée parce que les résultats sont à la hauteur de l'investissement. Une histoire *historienne* – respectueuse des méthodes et des sources – d'Alfred Dreyfus permet d'une part de renverser la connaissance de l'homme intime, une personnalité de raison et de sentiment, d'honneur et de volonté, qui trouva en lui les forces nécessaires pour survivre, résister et vaincre, l'arrêt du 12 juillet 1906 étant bien sa revanche sur la fatalité de l'écrasement. L'anthropologie peut ici nous aider à comprendre ces ressorts psychologiques et nous défier en même temps de gloser à l'infini sur sa sympathie ou son antipathie. Cette histoire permet d'autre part de réconcilier Dreyfus et l'Affaire. On le découvrira, Dreyfus a été un acteur décisif et permanent de l'événement. Les séparer ce n'est pas seulement plonger dans les univers glauques du préjugé, c'est tout simplement commettre une erreur scientifique dans la fabrication de l'histoire. Un homme qui donne son nom à un événement doit nécessairement être interrogé à sa lumière. Et réciproquement. Certes, Alfred Dreyfus lui-même pourrait décourager cette entreprise de biographie historique par certaines postures de modestie, telle cette confession qu'on lui attribue sans preuves : « Je n'étais qu'un officier d'artillerie qu'une tragique erreur a empêché de suivre son chemin[8]. » Dreyfus n'a jamais écrit ou revendiqué ces propos – ceux-ci disent le contraire de ce qu'il a été. Sa confrontation avec l'histoire dans ce qu'elle a de plus dramatique en a fait au contraire un homme déterminé dans le devoir de justice et le progrès des sociétés. Il a représenté la France moderne. Il en a aussi été l'un des acteurs. Il a voulu cette issue positive de l'Affaire.

---

* Nous renvoyons à la note sur les sources présente en fin de volume.

L'histoire du capitaine Dreyfus ouvre sur une nouvelle histoire de l'affaire Dreyfus et de la France républicaine. Le destin de l'officier éclaire les questions majeures de l'arbitraire dans l'État, du pouvoir de la justice et de l'engagement civique. Nos propres travaux antérieurs, menés en collaboration avec de nombreux collègues, ont rendu possible pour nous la réalisation de cette biographie, qui débouche sur une histoire de la République et des citoyens du monde. Le destin d'un homme renvoie ici à la question fondamentale de la justice, du droit et de la loi que la France républicaine a toujours minorée au profit de l'État, du pouvoir et d'une vision impériale d'elle-même. À l'inverse, l'engagement des opinions publiques libérales dans le monde souligna la diffusion des valeurs de légalité et de vérité. Dreyfus dans l'Affaire démontre ainsi la force des idéaux du savoir et de la loi. Lui comme ses amis ont compris que la réhabilitation de 1906 ne pourrait venir que de la recherche de faits nouveaux, inconnus des juges de Rennes. Ils devinrent juristes et historiens. C'est une grande leçon démocratique qui est offerte ici et qu'illustre parfaitement l'exemple du capitaine Dreyfus. Cet intellectuel comprit la force du droit et de l'histoire. Son investissement dans la procédure judiciaire de la Cour de cassation fut emblématique du lien fondé entre le citoyen et la justice, entre la société et la loi.

L'affaire Dreyfus fut un moment, unique dans l'histoire de France, de construction d'un authentique libéralisme démocratique. Il ne survivra pas, mais il a existé. Il a montré qu'un État de droit pouvait s'affirmer contre la raison d'État, qu'une démocratie de la justice pouvait s'exprimer en faveur d'un homme qui les représentait tous – et même les femmes pourtant privées des droits politiques et sociaux. Et même les jeunes privés de l'essentiel et même les indigènes exclus de tout. L'historiographie ne s'est guère intéressée à cette dimension de l'histoire française qui rejoint celle de la philosophie politique du monde occidental. Et c'est alors la surprise de découvrir qu'avec la biographie d'un seul homme on pénètre ces questions fondamentales de la justice, de la vérité et de la loi. Et si cela se produit, c'est en raison de l'action proprement dite de Dreyfus. Il ne fut pas seulement témoin de l'Affaire mais fondamentalement l'un de ses acteurs majeurs. Sans sa résistance à l'île du Diable, il n'y aurait jamais eu d'engagement dreyfusard ni de mobilisation nationale et internationale.

Son volumineux travail de recherche et d'écriture sur l'Affaire le démontre sans conteste. Il suffit d'aller vers cette documentation, de la lire et de la confronter aux sources de l'événement. Le premier, il a fait le choix de l'histoire, telle une autre pratique du devoir de justice.

Enfin, l'histoire conjointe de l'Affaire et de Dreyfus débouche sur une réflexion très présente relative à la mémoire du passé dans la démocratie et au rôle des historiens dans l'avènement d'un savoir public sur les grands événements nationaux. Pas plus que durant l'affaire Dreyfus, les historiens et les chercheurs ne peuvent se tenir à l'abri dans leur tour d'ivoire. C'est une naïveté de croire qu'histoire et politique appartiennent à deux sphères totalement imperméables. Mais c'est un danger aussi de les confondre. Il convient donc de penser ces rapports pour éviter leur domination. De réfléchir à ce qu'implique pour le travail de l'historien la dimension politique de l'histoire. De concevoir quel rôle l'historien peut assumer – dans la fidélité aux règles du métier – dans la construction d'une mémoire publique du passé.

Les hommes politiques français de gauche comme de droite, de l'ancien Premier ministre Lionel Jospin au président de la République Jacques Chirac, ont déclaré régulièrement que les historiens avaient un rôle essentiel dans le travail de pacification de la mémoire nationale. Et que celle-ci devait reposer exclusivement sur la vérité historique. Déclarations justes, reconnaissons-le, et qui ont reçu des concrétisations fortes avec le discours du Vel' d'Hiv' de Jacques Chirac le 16 juillet 1995, à son entrée dans la fonction présidentielle, ou l'appel de Lionel Jospin à la réintégration des soldats mutins de 1917 dans la mémoire nationale, le 11 novembre 1998. Prenons-les au mot.

L'appel aux historiens implique d'être concret, de défendre la recherche publique et de s'intéresser aux archives laissées à l'abandon par exemple. Elle exige aussi d'avoir le courage de fonder effectivement la mémoire publique sur le savoir des historiens. Ce travail montre qu'Alfred Dreyfus fut un patriote exemplaire. La mémoire publique actuelle – en France tout au moins, car le monde anglo-américain sauve l'honneur pour cette question – tient Dreyfus pour un non-événement. Eh bien ! la logique posée par les politiques, que l'historien se borne à leur rappeler sans parti pris aucun, exige des autorités de l'État et de la République un double engagement. Engagement en faveur de la justice puisque la France est sortie de la crise nationaliste et antisémite par un acte de justice à la fois régulier et solennel. Engagement en faveur de l'histoire puisque demeure en elle l'exemple d'un patriote à honorer, Alfred Dreyfus.

*Trégastel - New York - Paris,*
*mai 2005 - mars 2006.*

# Repères chronologiques

| | |
|---|---|
| **9 octobre 1859** | Naissance d'Alfred Dreyfus à Mulhouse. |
| **1878** | Alfred Dreyfus est reçu à l'École polytechnique |
| **1892** | Le capitaine Dreyfus est stagiaire à l'état-major de l'armée. |
| **1894** | *15 octobre* : arrestation du capitaine Dreyfus au ministère de la Guerre. |
| | *19-22 décembre* : procès de Dreyfus devant le premier conseil de guerre de Paris. Il est reconnu coupable de haute trahison et condamné à la dégradation et à la déportation perpétuelle en enceinte fortifiée. |
| **1895** | *5 janvier* : dégradation de Dreyfus à l'École militaire à Paris. |
| | *17 janvier* : début de la déportation vers l'île du Diable. |
| **1896** | *Septembre* : découverte de la culpabilité du commandant Esterhazy et de l'innocence de Dreyfus par le lieutenant-colonel Picquart, chef des services de renseignements. |
| | Enfermement complet de Dreyfus sur l'île du Diable. Mise aux fers la nuit. |
| **1898** | *10-11 janvier* : procès Esterhazy suivi de l'acquittement. |
| | *13 janvier* : « J'Accuse » de Zola. |
| | *14-15 janvier* : pétitions des intellectuels. |
| | *7-23 février* : procès Zola. |

*30-31 août* : aveux et suicide du lieutenant-colonel Henry.

*29 octobre* : début de la révision du procès Dreyfus par la Cour de cassation.

**1899**          *3 juin* : arrêt de révision. Dreyfus est renvoyé devant le conseil de guerre de Rennes.

*22 juin* : gouvernement Waldeck-Rousseau de « Défense républicaine ».

*7 août-9 septembre* : procès de Rennes. Dreyfus est reconnu coupable avec les circonstances atténuantes.

*19 septembre* : grâce présidentielle. Dreyfus est libre.

**1904**          *5 mars* : début de la révision du procès de Rennes par la Cour de cassation.

**1906**          *12 juillet* : la Cour de cassation déclare la pleine innocence du capitaine Dreyfus.

*13 juillet* : loi réintégrant Dreyfus dans l'armée. La réparation est incomplète.

*20 juillet* : le commandant Dreyfus est fait chevalier de la Légion d'honneur.

**1907**          *26 juin* : demande de mise à la retraite.

**1914-1918**          Dreyfus est mobilisé pendant la Première Guerre mondiale. Promu lieutenant-colonel et officier de la Légion d'honneur.

**1935**          *12 juillet* : mort d'Alfred Dreyfus à Paris.

## CHAPITRE PREMIER

# Le basculement du monde

Le samedi 13 octobre 1894, le général Auguste Mercier, ministre de la Guerre du gouvernement de la République, fit appeler à son bureau un officier supérieur, membre du 3e bureau de l'État-major de l'armée, à qui il avait délégué la veille son pouvoir de police judiciaire dans une grave affaire d'espionnage impliquant l'attaché militaire allemand. Il lui ordonna de procéder à l'arrestation du seul suspect identifié depuis peu par des membres du 4e bureau et du service de contre-espionnage français[1]. Les détails de l'opération furent réglés avec le sous-chef d'État-major, le général Arthur Gonse.

En début d'après-midi, un émissaire de l'armée se présenta avenue du Trocadéro au domicile du capitaine Alfred Dreyfus, officier d'artillerie breveté d'état-major, à l'époque en fin de stage à l'État-major général. Il était porteur d'un pli signé du sous-chef d'État-major de l'armée et d'un reçu[2]. Le destinataire était absent.

L'émissaire laissa les deux documents en expliquant qu'il reviendrait en fin d'après-midi pour rechercher le reçu. À 6 heures, il sonnait une nouvelle fois à l'appartement du capitaine Dreyfus. Ce dernier était rentré. Il lui remit le reçu après y avoir apposé sa signature, et il put prendre connaissance de la teneur du pli[3]. Il émanait de l'État-major de l'armée, où il était encore affecté. Il s'agissait d'une note de service portant convocation pour le lundi suivant, à 9 heures du matin, afin d'y subir une inspection réglementaire. L'ordre prescrivait de s'y rendre en « tenue bourgeoise », c'est-à-dire en civil. Cette recommandation expresse, l'heure matinale de l'inspection (qui se déroulait en général en fin d'après-midi) et le soin apporté à obtenir un reçu étonnèrent quelque peu le capitaine Dreyfus. Mais il n'imagina rien de grave. Tout dans son existence lui souriait. Il n'avait aucune raison de redouter une telle convocation. Au contraire. Les inspections ne lui apportaient que des satisfactions. Ses résultats de plus en plus remarquables lui montraient qu'il appartenait désormais à l'élite de l'armée, c'est-à-dire, de par la place que celle-ci occupait en France, à l'élite du pays. Le présent s'offrait à lui, l'avenir était radieux, tout lui réussissait.

À trente-cinq ans, il était l'un des jeunes officiers en vue de l'armée française. Il appartenait à l'arme de l'artillerie, il venait d'une École polytechnique qui avait une longue et prestigieuse histoire de formation des cadres de la nation. Il avait réussi le très difficile concours de l'École supérieure de guerre qui préparait aux carrières les plus enviées, celles d'état-major et de haut commandement. Il était dans les premiers de sa promotion, il achevait deux années de stage dans le saint des saints, l'État-major de l'armée à Paris où il multipliait les succès. Il était reconnu par ses supérieurs, estimé de ses camarades, remarqué par les grands chefs et le premier d'entre eux, le général de Boisdeffre, chef de l'État-major, qui avait déjà apprécié l'étendue de ses connaissances et la finesse de ses analyses. Progressivement, il s'imposait comme l'un des meilleurs experts des armements d'artillerie. Il était servi par une grande mémoire, une faculté d'assimilation, une compréhension rapide et vive des questions militaires. Il aimait le service des armes, il pouvait y déployer tous ses dons intellectuels, et l'armée[4] le lui rendait bien en le notant à sa valeur, en l'affectant à des postes de qualité, à Paris principalement, et en lui faisant une belle place, à lui, jeune Juif alsacien, timide et peu orateur, mais excellent élève et personnalité volontaire.

Le capitaine Dreyfus était devenu un officier élégant, stylé, très bon cavalier, portant la moustache et le lorgnon qui distinguent d'emblée les hommes qui comptent. Ses uniformes étaient parfaits, ses manières excellentes. Sa fortune était connue, enviée. Sa famille, ses alliances, sa réussite, en faisaient un homme d'avenir dans une France qui se redressait après la tragique défaite de 1870 et le début de guerre civile en 1871. Seul de sa famille, il était devenu militaire et l'avait fait par conviction. Alsacien ayant renoncé à l'Alsace, il était forcément patriote et il l'était profondément. Juif, il reconnaissait dans la Révolution française, dans la République et dans la France la seule patrie qui existât puisqu'elle avait donné à sa famille et à ses coreligionnaires la reconnaissance, la liberté et la citoyenneté. En entrant dans l'armée, il renforçait encore ce lien avec la nation et sa confiance dans l'avenir. Il incarnait la fin du Juif errant et la vertu républicaine de l'intégration et de la modernité.

Sa vie personnelle connaissait elle aussi un âge de grand bonheur, de sérénité et de succès. Très aimé de ses frères et sœurs, très largement pourvu matériellement grâce à la fortune familiale qui le mettait à l'abri de tout besoin, Alfred Dreyfus était comblé par l'amour de son épouse et l'affection de ses enfants. Son union, en 1890, avec Lucie Hadamard, riche héritière d'un négociant parisien en pierres précieuses, était un mariage de sentiment, et la venue au monde de leurs deux enfants, Pierre et Jeanne, était le signe même de l'avenir radieux. La vie lui souriait.

Pourquoi alors, comme il l'écrivit en 1900 dans *Cinq années de ma vie* et dans ses *Souvenirs* inédits de 1931, s'inquiéter de la convocation apportée par un planton, au-delà de l'étonnement de sa formulation et de l'insistance mise à la lui remettre ? « J'étais si loin de me douter d'une suspicion quelconque que j'oubliai bien vite les bizarreries de l'ordre de convocation [5]. [...] Je les oubliai vite, n'y attachant aucune importance. Le dimanche soir, nous dînâmes comme d'habitude, ma femme et moi, chez mes beaux-parents, d'où nous partîmes fort gais, heureux comme toujours de ces soirées passées en famille, dans un milieu affectueux [6]. »

Le lundi matin, il prit congé des siens. « Mon fils Pierre, alors âgé de trois ans et demi, qui s'était accoutumé à me conduire jusqu'à la porte quand je sortais, m'accompagna ce matin-là comme d'habitude. » Il l'embrassa, embrassa sa petite fille et sa femme. Il ne devait plus les revoir, en homme libre, avant cinq années au cours desquelles il bascula dans un régime de terreur dont il n'avait jamais imaginé la possibilité, pour lui et pour les autres. Et ses enfants ne pouvaient pas non plus concevoir que leur père n'était plus là et qu'ils ne pourraient plus l'accompagner à la porte de l'appartement, comme chaque matin. Lorsque Pierre revit son père qu'il avait à peine connu – il avait trois ans et demi lorsqu'il disparut presque à jamais –, c'était à Carpentras où ses grands-parents les avaient conduits, sa sœur et lui, vers la fin d'un mois de septembre dont il se souviendra toute sa vie : « Je vois encore nettement notre arrivée et maman nous accueillant, ayant auprès d'elle un monsieur aux cheveux presque blancs, le visage ravagé, l'air très las, les vêtements flottants sur son corps amaigri, mais qui nous regardait avec une telle émotion que nous lui rendîmes ses baisers et l'acceptâmes de suite pour notre papa [7]. »

Le dernier instant où il vit ses enfants, où il embrassa son fils, où il referma la porte de son appartement, resta à jamais figé dans sa mémoire. Il emporta cette humanité au fond de sa cellule, retranché du monde des vivants, torturé par l'incompréhension et le silence absolu. Dans ce basculement du monde qu'il allait affronter seul, éloigné de tous ceux qu'il aimait et des lieux d'où il pouvait résister, les images du bonheur et de la réussite guidèrent ses premiers pas et ne le quittèrent plus jamais.

Le capitaine Dreyfus ne cessa de se remémorer les moindres détails de ce jour terrible, allant au plus profond de l'instant où son existence s'effondra. En 1900, après sa libération, il en consigna le récit dans *Cinq années de ma vie*. Avec le recul, il comprit que l'extrême brutalité de ce moment s'expliquait par le fait d'un ordre d'arrestation déjà pris et dont les conséquences avaient été minutieusement pesées. Cela signifiait aussi qu'il était en sursis et que les moments qui précédaient son entrée au ministère de la Guerre étaient les derniers de sa vie d'homme libre. Il avait vécu ces jours d'avant sans savoir que dans les bureaux de l'État-major se préparait son calvaire. Mais il n'avait eu aucune raison d'imaginer le pire. L'existence lui apportait au contraire les signes les plus clairs d'un avenir sûr et radieux. D'où l'effroi qui allait le saisir en face de l'effondrement de la réalité et des rêves qui s'accomplissaient. « Ma vie était particulièrement heureuse entre ma chère femme et mes enfants quand, en 1894, éclata le coup de foudre qui devait bouleverser ma vie[8]. » Le souvenir du temps harmonieux précédant la pire des catastrophes le hanta longtemps à l'île du Diable. Il lui donna en même temps la raison pour laquelle il devait résister et la force de le faire. Il était de son devoir de lutter pour préserver la possibilité d'un bonheur qui ne devait plus jamais revenir.

LUNDI 15 OCTOBRE 1894, 9 HEURES DU MATIN...

Le lundi 15 octobre 1894, à 9 heures du matin, un jeune officier de l'armée de terre pénétrait dans la cour du ministère de la Guerre à Paris. Le capitaine d'artillerie Alfred Dreyfus répondait à la convocation reçue l'avant-veille à son domicile. Il terminait à ce moment son stage réglementaire de deux ans à l'État-major de l'armée avant de gagner les grades les plus élevés de l'armée française. Il appartenait comme ses camarades à la future élite des officiers sur laquelle comptait la France pour récupérer, le moment venu, les « provinces perdues » d'Alsace et de Moselle, et laver la défaite de 1870. Il était vêtu en civil, comme le prescrivait la convocation. L'inspection qu'il devait subir lui paraissait normale puisque son stage n'avait plus lieu provisoirement dans l'un des quatre bureaux de l'État-major. Depuis le 1er octobre 1894, il faisait un stage réglementaire dans un corps de troupe à Paris. Il était affecté au 39e régiment d'infanterie, à la caserne de la Pépinière près de l'église Saint-Augustin. Ce matin-là, il se replongeait ainsi dans la vie de ses deux années passées rue Saint-Dominique, au ministère de la Guerre où se tenaient aussi les services de l'État-major de l'armée qu'il gagnait tous les matins. Il s'y rendait avec bonheur. Il y construisait sa vie. Il y servait la France. Mais cette matinée-ci avait quelque chose de plus radieux encore. Elle « était belle et fraîche, le soleil s'élevant à l'horizon, chassant le brouillard léger et terne. La traversée des ponts de la Seine était particulièrement belle, cette perspective sur un coin de Paris avait toujours un charme nouveau pour moi[9] ».

Dreyfus arriva quelques instants avant l'heure. Il attendit en marchant, car l'air était encore vif. Il sentait l'odeur un peu âcre des cheminées qu'on avait allumées pour réchauffer les pièces. Puis il entra dans la cour du ministère et se dirigea vers les services du 3e bureau où l'attendait l'un des sous-chefs, le commandant Picquart. Il avait connu cet officier comme professeur à l'École de guerre en 1892-1893 [10] et il l'avait retrouvé dans ce bureau de l'État-major pour son dernier stage. Il savait qu'on tenait en haut lieu le commandant Picquart pour un officier de grande valeur.

## L'arrestation

À 9 heures précises, le capitaine Dreyfus se présenta à l'entrée des bureaux de l'État-major général. Il fut d'abord reçu au 3e bureau par le commandant [11] Georges Picquart dont il dépendait toujours, son stage en régiment se faisant dans le cadre de cette première affectation. Les deux officiers conversèrent quelques instants, puis Picquart le mena au cabinet du chef d'État-major. Dans l'antichambre précédant le bureau du général de Boisdeffre, le capitaine Dreyfus s'étonna de ne pas être mis en présence de ce dernier ou de ne pas rencontrer ses camarades – les inspections étant en général collectives. Il remarqua en revanche la présence de quatre hommes, dont trois civils. Ce détail accrut son étonnement. Il n'avait jamais vu ces hommes jusqu'ici. Les trois civils étaient Félix Gribelin [12], archiviste des services de renseignement et de contre-espionnage militaires connus sous le nom de Section de statistique, Armand Cochefert, commissaire de police de la Sûreté générale détaché au département des enquêtes criminelles de l'armée [13] et enfin son secrétaire, un nommé Boussard [14]. Le quatrième homme était le commandant du Paty de Clam que Dreyfus ne connaissait pas non plus et qui se présenta à lui. Il lui tendit un formulaire vierge d'inspection et lui demanda d'en remplir l'en-tête signalétique [15]. Puis il lui fit une demande que Dreyfus trouva étrange, celle d'écrire sous sa dictée une lettre qu'il devait soumettre à la signature du général de Boisdeffre. Mais il ne pouvait l'écrire lui-même, expliqua-t-il, en raison d'une blessure à la main. Le capitaine Dreyfus ne posa aucune question. Mais son étonnement continua à grandir.

Il s'installa à une petite place qui lui sembla avoir été préparée tout spécialement pour cette tâche et il se tint prêt à écrire. Le commandant du Paty de Clam commença à la lui dicter une lettre au style pour le moins étrange si elle était effectivement destinée à la signature du chef d'État-major.

Paris, 15 octobre 1894.
Ayant le plus grave intérêt, Monsieur, à rentrer momentanément en possession des documents que je vous ai fait passer avant mon départ aux manœuvres, je vous prie de me les faire adresser d'urgence par le porteur de la présente, qui est une personne sûre.
Je vous rappelle qu'il s'agit de :
1° Une note sur le frein hydraulique du canon de 120 et sur la manière dont il s'est comporté aux manœuvres ;
2° Une note sur les troupes de couverture ;
3° Une note sur Madagascar.

Au cours de la dictée, le commandant du Paty de Clam interrompit le capitaine en l'interpellant brutalement : « Vous tremblez ! » Dreyfus lui répondit seulement, d'un ton calme et maître de lui : « J'ai froid aux doigts. » Il est vrai qu'il ne stationnait dans une salle réchauffée par un feu de cheminée que depuis quelques instants. Dehors, l'air était vif, et le bureau du commandant Picquart par lequel il était passé n'était pas chauffé. L'interruption véhémente du commandant, ainsi que son attitude, que Dreyfus percevait comme très hostile, l'inquiétèrent. Mais il ne dit rien et s'apprêta à reprendre l'exercice de la dictée. Du Paty de Clam tenta alors une nouvelle interpellation et lui dit, plus violemment encore que la première fois : « Faites attention, c'est grave ! » Le capitaine se souvint très précisément de l'avertissement et de son choix de ne pas réagir. « Quelle que fût ma surprise de ce procédé aussi grossier qu'insolite, je ne dis rien et m'appliquai simplement à mieux écrire [16]. » Dans un rectificatif qui faisait suite, au procès de Rennes, à la déposition de l'archiviste Gribelin, il expliqua :

> Quand le commandant du Paty de Clam m'a fait la dictée, au bout d'un certain nombre de mots, il m'a demandé : « Qu'avez-vous ? Vous tremblez ? » Je ne tremblais pas du tout. L'interpellation m'a paru tout à fait insolite. Faites une interpellation à quelqu'un qui est en train d'écrire, et vous verrez.
>
> L'interpellation m'a donc paru insolite. J'ai cherché dans mon esprit pourquoi cette interpellation. Je me suis dit : « Il est probable que c'est parce que j'écris lentement », et en effet, j'avais les doigts raidis. Il faisait froid dehors ; c'était le 15 octobre, et il faisait si froid qu'il y avait, il faut bien vous le rappeler, un très grand feu allumé dans le cabinet du chef d'État-major. Je pensais que l'interpellation provenait de ce que j'avais écrit lentement, et c'est précisément parce que j'avais les doigts raidis. C'est pour cela que j'ai répondu : « J'ai froid aux doigts », mais l'interpellation me paraissait tout à fait insolite [17].

Aussitôt la dictée terminée, le commandant du Paty de Clam se leva et, posant la main sur l'épaule du capitaine Dreyfus, lui annonça d'une voix tonnante : « Au nom de la loi, je vous arrête ; vous êtes accusé du crime de haute trahison. » L'officier fut abasourdi. « Nous avons aussitôt procédé à son arrestation au nom de M. le ministre de la Guerre [18] », mentionne le procès-verbal d'arrestation qui comporte seulement quelques mots [19]. Au procès de Rennes, du Paty de Clam revint sur les faits qui avaient motivé sa décision. Ceux-ci n'étaient cependant que de peu d'importance, puisque la décision de l'arrestation avait été prise plusieurs jours auparavant par le ministre de la Guerre et le chef d'État-major en personne et que tous les détails en avaient été réglés à l'avance.

> Dreyfus manifesta un trouble dont on peut discuter la cause, mais non l'existence, puisqu'il a été remarqué par les assistants, et que le capitaine

Dreyfus s'en est excusé, en disant qu'il avait froid aux doigts. Le trouble s'est manifesté à mes yeux par une série de mouvements nerveux de la mâchoire. Ce trouble a été également remarqué par M. Cochefert qui, avec sa grande expérience, y a vu un indice que le capitaine Dreyfus pouvait être coupable. Enfin, l'écriture de la lettre a cessé d'être régulière au cours de la dictée, ce dont on peut s'assurer en plaçant une règle au-dessous de chaque ligne. Il est facile de constater que l'ondulation de la ligne au-dessous de la règle est beaucoup plus marquée dans le corps de la lettre qu'au commencement[20].

Le commissaire Cochefert avança au procès de Rennes une version sensiblement différente où Dreyfus apparaissait effectivement troublé non pas d'avoir à écrire une telle lettre, mais d'être brutalement interrompu par du Paty de Clam[21]. Si Dreyfus n'avait pas tremblé, celui-ci aurait de toute manière conclu à sa culpabilité, comme il l'expliqua au procès qui allait s'ouvrir : « Je voulais voir s'il était prévenu ; interpellé brusquement par moi, il aurait dû trembler. Or il n'a pas tremblé : donc, il simulait : il était prévenu[22]. » Pour Dreyfus, du Paty de Clam avouait là tout simplement que la scène de la dictée, pourtant préparée dans tous ses détails, avait échoué. Mais comme ses accusateurs étaient persuadés qu'il était coupable, sa réaction, quelle qu'elle fût, ne pouvait que l'accabler. Beaucoup plus tard, au cours de l'enquête criminelle de la Cour de cassation pour la seconde révision, du Paty de Clam déclara : « Comme beaucoup de monde, je suis passé par une période de doute, je ne le cache pas [...]. Je me suis dit que le trouble qu'il avait manifesté au moment de la dictée pouvait être attribué à une autre cause que celle que j'avais vue. Je ne me crois pas infaillible ; je crois que personne ne l'est[23]. » Jusqu'en 1906, les témoignages des accusateurs de Dreyfus sur sa réaction pendant la scène de la dictée se modifièrent ainsi, se contredisant même à mesure qu'augmentait l'évidence de son innocence.

Ce flou, cette procédure très étrange, cette réaction qui n'était pas celle d'un coupable, comme l'attitude du capitaine Dreyfus lorsqu'il fut convoqué ne l'était pas non plus[24], n'empêchèrent pas les personnes présentes de lui signifier son arrestation immédiate. Du Paty de Clam la lui annonça en lui indiquant qu'il l'était pour haute trahison. « La foudre tombant à mes pieds n'eût pas produit en moi une commotion plus violente, témoigna Dreyfus[25]. Atteint d'un même coup au cœur et au cerveau, je profère des paroles sans suite, protection déchirante contre l'infâme accusation que rien dans ma vie ne permettait de justifier[26]. » Même prisonnier de l'effondrement le plus soudain, le capitaine Dreyfus parvint cependant à opposer la vérité de son innocence à l'accusation la plus grave qui soit pour un soldat. Ce sursaut initial fut capital[27].

*« Je suis absolument innocent »*

Dès que le commandant du Paty de Clam notifia son arrestation au capitaine Dreyfus, le commissaire Cochefert et son secrétaire se précipitèrent sur lui. Ils le fouillèrent sans ménagement. Il n'opposa aucune résistance. Il s'écria seulement : « Je n'ai jamais eu de relations avec aucun agent étranger. J'ai une femme et des enfants ; j'ai trente mille livres de rentes. Voici mes clefs ; prenez-les ; fouillez chez moi ; vous ne trouverez rien [28]. » Il commença de questionner ses accusateurs : « Montrez-moi au moins les preuves de l'infamie que vous prétendez que j'ai commise. – Les preuves sont accablantes », répondirent les agents qui venaient de l'arrêter. Mais ils n'en dirent pas plus [29].

Le prisonnier subit immédiatement un premier interrogatoire. Il fut conduit successivement par le commandant du Paty de Clam et le commissaire Armand Cochefert, le secrétaire Boussard et l'archiviste Gribelin faisant fonction de greffier pour chacun des deux officiers de police judiciaire. Le capitaine Dreyfus était bouleversé par ce qui venait d'arriver. Ses accusateurs tentèrent de profiter du choc de l'arrestation en le déstabilisant davantage encore afin qu'il avoue sans tarder. Ils avaient déjà échoué à le dominer pendant la scène de la dictée. Ils devaient alors choisir d'autres moyens. Une série de mensonges fut lancée contre lui, ce que reconnut plus tard le chef d'État-major général. Ces faits sont attestés par la Cour de cassation dès les débats sur la recevabilité de la première demande de révision, en octobre 1898. Ils furent portés à la connaissance des magistrats par le conseiller Alphonse Bard chargé du rapport introductif [30]. Toutes les pièces de procédure, dont les procès-verbaux d'arrestation et de premier interrogatoire, sont également annexés à l'instruction que la chambre criminelle de la Cour de cassation conduisit en 1904, dans le cadre de la seconde procédure de révision [31].

Alfred Dreyfus dut d'abord décliner son identité. Puis le commandant du Paty de Clam commença l'interrogatoire [32] en l'informant officiellement de son inculpation pour haute trahison et espionnage au profit d'une puissance étrangère, un crime prévu et puni par les articles 76 et suivants du Code pénal en vigueur à cette époque. Avant même que le capitaine Dreyfus ne réagisse, des questions précises et nombreuses lui furent posées, en rafales, comme pour l'ébranler encore et ne lui laisser qu'une seule issue, l'aveu immédiat. Du Paty l'interrogea vivement sur ses tâches et sur son emploi du temps à l'État-major. Dreyfus s'appliqua à répondre précisément. Oui, il a fait partie du voyage d'état-major dans la deuxième quinzaine de juin, oui, il a surveillé au mois de septembre un tirage de documents – des instructions relatives aux troupes de couverture – au service photographique ; non, il n'a pas eu connaissance d'une note sur Madagascar lorsqu'il était employé aux 2e et 3e bureaux. Non, il ne se connaît pas d'ennemi « susceptible d'avoir, par machination, établi des documents saisis » et entraîné son arrestation ; non, il ne connaît rien des débarquements et des concentrations ; oui, il reconnaît seulement avoir eu entre les mains un document secret sur la couverture. Non, il n'a jamais entendu parler d'un projet de manuel de tir de l'artillerie de campagne. Oui, il a eu une relation de travail avec la section technique de l'artillerie puisqu'il a été chargé, lors de son stage au 2ᵉ bureau, de faire un travail sur l'artillerie allemande qu'il a communiqué au colonel Naquet, à la section technique de la direction de l'artillerie[33].

Il ne comprend pas le sens de ces questions. Il perçoit qu'elles l'entraînent vers des profondeurs terribles. Il tente vainement de revenir vers l'accusation initiale, de la rejeter, de prouver sa bonne foi, de dire son innocence. Il ne cède rien à ses interrogateurs, mais il paraît désespéré d'être accusé ainsi et de vivre une telle épreuve. Au procès de Rennes, il a témoigné de ce moment et de son caractère hallucinant. « Cette scène, qui a duré trois ou quatre heures, a été préparée dans de telles conditions que c'est quelque chose de fantastique. Je ne sais dans quel cerveau elle a pu être imaginée ; mais réellement, j'en suis sorti sous une impression indescriptible ; ma tête tournait absolument[34]. »

Puis vint le tour du commissaire Cochefert, qui n'avait, de son propre aveu, « plus grand-chose à lui demander puisque le commandant du Paty de Clam avait fait lui-même un long interrogatoire[35] ». Il le pria d'indiquer une nouvelle fois son état civil, puis l'informa à son tour des charges pesant sur lui et motivant cette soudaine arrestation : « Vous êtes inculpé du crime de haute trahison et d'espionnage au profit d'une puissance étrangère. Pendant votre passage à l'État-major de l'armée, vous avez été à même de connaître certains secrets touchant la défense nationale. Vous avez eu entre les mains des documents dont vous avez pu prendre copie et à l'aide desquels vous avez pu rédiger des notes qui ont été remises ou communiquées à des agents étrangers. Une longue enquête a été ouverte contre vous, par les soins de l'autorité militaire, à la suite des présomptions graves qui avaient été tout d'abord relevées contre vous, et cette longue enquête a enfin abouti à des preuves indiscutables dont il vous sera donné connaissance au cours de l'instruction actuellement ouverte contre vous[36]. »

À cet acte d'accusation qui lui fut sommairement exposé et à l'injonction de s'expliquer, le capitaine Dreyfus répondit vivement, sans perdre tout son sang-froid, mais avec l'énergie du désespoir :

> Je suis absolument innocent et je proteste énergiquement contre les mesures de rigueur qui sont prises contre moi. Jamais je n'ai communiqué à qui que ce soit la plus petite note intéressant mon service à l'État-major.
> Je ne suis en relation avec aucune ambassade étrangère, et si les faits que l'on me reproche étaient établis, je serais un misérable et un lâche.

C'est mon honneur d'officier que je défends, et si douloureuse que soit ma situation, je me défendrai jusqu'au bout.

Je sens pourtant qu'un plan épouvantable a été préparé contre moi dans un but qui ne m'apparaît pas, mais je veux vivre pour établir mon innocence.

Le commissaire Cochefert insista : « Nous vous adjurons de dire la vérité. Des pièces écrites de votre main, ainsi que cela a été constaté après expertises, sont au pouvoir de l'autorité militaire. Ces pièces, ou tout au moins l'une de ces pièces est parvenue à la personne étrangère à laquelle elle était destinée et elle donne des indications sur la défense militaire de notre territoire. N'avez-vous jamais confié à quelques personnes étrangères à l'armée, à une femme notamment, des notes et documents de la nature de ceux dont nous parlons et dont il aurait pu être fait mauvais usage contre la patrie [37] ? » Le capitaine Dreyfus persista dans ses déclarations : « Jamais, je l'affirme à nouveau, je n'ai commis la plus légère faute ni même un acte de légèreté dans le sens que vous m'indiquez [38]. »

Le sang-froid que Dreyfus réussit à conserver tant bien que mal le sauva aussi d'une manœuvre définitive que ses accusateurs avaient également préparée. Un revolver avait été laissé bien en évidence dans la pièce. *Le Journal*, généralement très bien informé, a raconté la scène dans son édition du 6 janvier 1895. « Tout à coup, sous un dossier, il découvrit un revolver que l'on avait placé intentionnellement. Personne ne le perdait de vue. Allait-il diriger l'arme contre ses gardiens ou la tourner contre soi-même ? Il eut un sourire : "Ah ! un revolver ! Eh bien ! non... non... non... Je ne me brûlerai pas la cervelle. Je préfère me défendre..." » Le commissaire Cochefert a confirmé la réaction du capitaine Dreyfus lors de sa déposition au procès de Rennes :

> Il avait été convenu entre les chefs qui faisaient partie de la réunion qui avait eu lieu la veille ou l'avant-veille au ministère de la Guerre que l'on placerait un revolver d'ordonnance chargé d'une balle à proximité du capitaine Dreyfus, afin que, quand il aurait fait des aveux complets, qu'il était raisonnable de prévoir à ce moment, il pût se faire justice lui-même... Si incorrect que le procédé me parût, il m'a semblé d'accord avec ces traditions d'honneur que je connais et que je sais devoir encore subsister dans l'armée... J'ai donc laissé poser le revolver ; il était couvert d'un dossier. À un moment donné, après le premier interrogatoire, le commandant du Paty de Clam a répondu à certaines questions de Dreyfus, qui disait : « Tuez moi ! mais logez-moi une balle de revolver dans la tête » ; il a répondu : « Il ne nous appartient pas de vous tuer. » À ce moment, le revolver s'est trouvé découvert, je ne sais par quel moyen. Le capitaine Dreyfus l'a vu et a dit : « Je ne veux pas me tuer, parce que je veux vivre pour établir mon innocence [39]. »

*L'application d'un plan diabolique*

Les premières réactions du capitaine Dreyfus sont conformes à ce qu'il est, innocent, intelligent, militaire. Et français au plus haut point, incapable donc de trahir. Mais pour les hommes qui viennent de l'arrêter, cette attitude est une nouvelle preuve de culpabilité. Elle est trop parfaite. Elle ne peut qu'avoir été préparée et répétée. Dreyfus ne faisait là que poursuivre la stratégie diabolique d'un criminel particulièrement dangereux. Le sang-froid du capitaine et ses vives protestations d'innocence constituent la preuve de sa culpabilité. L'archiviste Gribelin expliqua cela devant les juges du procès de Rennes : « J'ai eu, à ce moment-là, le sentiment très net qu'il jouait une comédie et que son arrestation était une éventualité qu'il avait envisagée, à laquelle il s'était préparé, parce que, pendant qu'il parlait, il se regardait complaisamment dans une glace placée à l'autre extrémité de la pièce [40]. » Au même procès de Rennes, le commandant Cordier, qui était à l'époque l'un des agents de la Section de statistique, le service de renseignement chargé de l'enquête, révéla la véritable raison de ce regard dans le miroir. Le capitaine Dreyfus ne s'était pas regardé lui-même, mais avait regardé dans le miroir pour voir autre chose. « Si Dreyfus a regardé dans la glace à ce moment, c'est qu'il a vu d'autres têtes que la sienne. Il y avait un jeu de glaces. Derrière la portière il y avait deux paires d'oreilles qui écoutaient, et si Dreyfus a été troublé à ce moment, c'est qu'il a dû voir autre chose que sa figure dans la glace [41]. » Il venait d'apercevoir le visage d'un autre agent de la Section de statistique, le commandant Henry, tapi dans l'ombre derrière un rideau.

Mais cette explication n'effleura pas la conscience de Gribelin ni celle des autres acteurs de l'arrestation du capitaine Dreyfus. Le commissaire Cochefert, la personne la plus étrangère à la scène, la plus neutre aussi et la plus soucieuse enfin des règles de procédure en matière d'arrestation, a expliqué à Rennes qu'« à ce premier interrogatoire Dreyfus s'était d'abord indigné, mais d'une façon très contenue ; il était très maître de lui ; puis il a protesté d'une façon très violente, produisant des effets scéniques. J'ai eu à ce moment l'impression qu'il était coupable [42]. » Cependant, il avait reçu du ministre de la Guerre lui-même les assurances les plus certaines que le dossier d'accusation réuni contre le capitaine Dreyfus était très lourd [43]. Aussi avait-il lui aussi observé l'officier à la lumière de ces recommandations. C'est ce qu'il déclara au ministre de la Guerre lorsque celui-ci le reçut après les opérations [44].

Les dénégations répétées qu'oppose Dreyfus aux questions du commissaire Cochefert sont encore jugées comme relevant d'un plan préparé. Pour du Paty de Clam, Dreyfus, coupable, a simulé l'innocence, comme il l'écrit dans son rapport final du 31 octobre 1894 remis au

ministre de la Guerre[45]. Gribelin est lui aussi formel. Toutes ces protestations révélaient l'existence d'un plan de défense qu'il avait imaginé au cas où il serait identifié : « Le capitaine Dreyfus s'est refusé
constamment à discuter aucune des charges qui pesaient sur lui. Il s'est
tenu en quelque sorte dans un système de dénégations systématiques.
Il niait les choses les plus évidentes, les choses les moins importantes,
les choses que tout officier du ministre de la Guerre doit savoir. »
L'archiviste de la Section de statistique ne précise cependant pas
quelles sont ces « choses »[46].

L'arrestation prit fin après l'interrogatoire du commissaire Cochefert. Celui-ci se souvient que « le commandant du Paty de Clam a
entrouvert la porte du cabinet du général de Boisdeffre et, s'avançant
dans le couloir, il a prié le commandant qui se trouvait là d'intervenir
à son tour en lui disant : "Commandant, vous n'avez plus qu'à
conduire le capitaine Dreyfus au Cherche-Midi ; il est en état
d'arrestation[47]." »

*Dreyfus au Cherche-Midi*

Le capitaine Dreyfus réitéra toutes ses protestations à cet officier,
vêtu comme lui en tenue bourgeoise. Il n'avait pas reconnu le commandant Joseph Henry qui s'était caché dans la pièce où il avait été
arrêté et qui en était sorti vers la fin de l'interrogatoire. Dans le fiacre
qui l'emmenait vers la prison du Cherche-Midi, Dreyfus lui dit :
« Mon commandant, c'est effrayant ! Je suis accusé d'une chose épouvantable : je suis accusé du crime de haute trahison ! – Diable ! pourquoi ?, lui répondit Henry. – Je ne sais rien ! Je suis comme fou : je
préférerais une balle dans la tête : je ne suis pas coupable ! Cette
accusation est la mort de ma vie, mon commandant, il faut me faire
rendre justice[48] !... C'est une accusation épouvantable ; elle était complètement fausse... Je comprends bien qu'au ministère on n'a pas agi
sans preuves ; elles doivent être convaincantes pour eux et accablantes
pour moi, *mais elles sont fausses*... Je ne crois pas avoir d'ennemis
capables de me poursuivre d'une haine semblable... Je n'y comprends
rien. Je demande qu'on me rende justice[49]. »

Le fiacre roulait à vive allure dans les rues de Paris. Habillé en civil,
le capitaine Dreyfus ne risquait pas d'éveiller l'attention. Le commandant Henry non plus. Un agent de la Sûreté générale veillait aussi sur
le prisonnier. À la prison militaire centrale de Paris, aménagée dans
un ancien couvent, située à l'angle de la rue du Cherche-Midi et du
boulevard Raspail[50], le capitaine fut remis par le commandant Henry
au responsable des établissements pénitentiaires du gouvernement
militaire de la capitale, le commandant Ferdinand Forzinetti. Il fut
procédé à la mise sous écrou. Sur le registre, le nom de Dreyfus fut
écrit « sans autre indication pouvant indiquer qui il était[51] ».

Le jeune officier fut emmené dans une cellule dont la fenêtre donnait sur la cour des condamnés. Il fut soumis au régime du secret le plus absolu. « Toute communication avec les miens me fut interdite. Je n'eus à ma disposition ni papier, ni plume, ni encre, ni crayon. Les premiers jours, je fus mis au régime des condamnés ; puis cette mesure illégale fut rapportée[52]. » Dreyfus fut placé sous la responsabilité unique de l'agent principal de la prison. Celui-ci, en compagnie du sergent de garde, escortait les hommes chargés de lui porter sa nourriture. Il lui fut interdit d'adresser la parole à quiconque. Le commandant Forzinetti témoigna en 1898 des conditions de cette détention : « Dreyfus fut muré vivant dans sa chambre ; nul ne pouvait voir le prisonnier, dont la porte, pendant tout le temps de sa présence au Cherche-Midi, ne devait s'ouvrir qu'en ma présence[53]. »

Dans sa cellule, Dreyfus sombra dans un désespoir sans nom. Il ne contrôlait plus ses nerfs, il se laissait gagner par une excitation proche de la folie. Il est revenu sur ces moments terribles dans son récit consigné et publié en 1900 :

> Quand je me vis dans cette sombre cellule, sous l'impression atroce de la scène que je venais de subir et de l'accusation monstrueuse portée contre moi, quand je pensai à tous ceux que je venais de quitter il y a quelques heures à peine, dans la joie et le bonheur, je tombai dans un état de surexcitation terrible, je hurlai de douleur.
>
> Je marchais dans ma cellule, heurtant ma tête aux murs. Le commandant des prisons vint me voir, accompagné de l'agent principal, et me calma pour quelques instants.

Dans *Cinq années de ma vie*, il se dit heureux de pouvoir rendre hommage à cet homme, le commandant Forzinetti, directeur des prisons militaires, « qui sut allier les devoirs stricts du soldat aux sentiments les plus élevés de l'humanité ». Ces deux ordres de valeur pouvaient ainsi ne pas être contradictoires. Le commandant Forzinetti protégera son prisonnier des rigueurs de la raison d'État du mieux qu'il pourra. Il s'opposera aux demandes les plus exorbitantes formulées par le commandant du Paty de Clam au cours de la phase secrète de l'instruction. Il saisira le chef d'État-major général, le ministre et le gouverneur de Paris dès que l'état de santé du capitaine lui paraîtra alarmant. En 1898 puis en 1899, Forzinetti témoignera du désespoir de Dreyfus, de ses efforts pour l'apaiser, de l'intuition de son innocence : « Je me rendis auprès du capitaine Dreyfus. Il était dans un état de surexcitation impossible ; j'avais devant moi un véritable aliéné, aux yeux injectés de sang, ayant tout bouleversé dans sa chambre. Je parvins, non sans peine, à le calmer. J'eus l'intuition que cet officier était innocent. Il me supplia de lui donner les moyens d'écrire ou de le faire moi-même, pour demander au ministre de la Guerre à être entendu par lui ou par l'un des officiers généraux du ministère. Il me raconta les phases de son arrestation, qui ne furent ni dignes ni militaires [54]. »

*Les perquisitions avenue du Trocadéro*

À l'heure où le capitaine Dreyfus était incarcéré à la prison du Cherche-Midi, trois hommes se présentaient à la porte de son appartement. Du Paty de Clam, en uniforme, était accompagné de Gribelin et de Cochefert, tous deux en civil. La domestique les fit entrer et avisa Lucie Dreyfus. Celle-ci leur demanda de bien vouloir attendre le retour de son mari. Elle savait qu'il n'allait pas tarder à revenir. Il avait quitté l'appartement en tenue civile. Pour rejoindre son régiment après avoir subi l'inspection, il devait nécessairement se changer et revêtir son uniforme.

Mais les trois hommes insistèrent auprès de la domestique pour être reçus sans délai. Lucie Dreyfus y consentit alors. Du Paty de Clam avait décidé d'« apprendre son malheur à une femme avec tous les ménagements possibles [55] ». Il prit aussitôt la parole : « J'ai, madame, une bien triste mission à remplir. » Lucie s'exclama : « Mon mari est mort ! » Du Paty de Clam reprit : « Non, pis que cela ! » Mais il ne poursuivit pas. Elle insista : « Une chute de cheval ? Non, madame, lâcha-t-il brutalement, il est incarcéré. » Du Paty de Clam avait escompté que la révélation violente de l'arrestation de son mari aurait pu lui faire apporter des indices dans le comportement de son épouse, considérée d'emblée comme complice de la même manière que son mari avait été aussitôt pris pour coupable.

Pour Lucie Dreyfus, c'est l'effondrement. Elle tente d'obtenir des nouvelles de son mari. « Où est-il ? Dans quelle prison est-il enfermé ? » répète-t-elle. Du Paty de Clam refuse de répondre. Il ne peut lui communiquer aucune information. L'affaire doit rester absolument secrète. « Le secret de l'arrestation est tel que du Paty ne saurait même transmettre à Dreyfus des nouvelles de sa femme et de ses enfants, dont l'un est malade », précisera Joseph Reinach en 1901, après avoir longuement entendu Lucie Dreyfus sur le déroulement de cette perquisition [56]. Seul le ministre de la Guerre et les enquêteurs connaissent son sort. Rien ne peut lui être révélé. Elle insiste pour que les frères du condamné soient avertis. Tel est son devoir, dit-elle au commandant du Paty de Clam. Il refuse encore. Il se fait menaçant : « Un mot, un seul, prononcé par vous, serait sa perte définitive. Le seul moyen de le sauver, c'est le silence [57]. »

Lucie Dreyfus pressentait probablement que cette exigence de silence absolu n'était pas le meilleur moyen d'aider un homme qu'elle aimait et qui venait soudain d'être frappé. Mais elle ignorait que les charges réunies contre lui étaient inexistantes et qu'une action rapide, menée par des défenseurs expérimentés, aurait eu des chances d'aboutir. La soumission immédiate et sans condition de l'épouse était indispensable. Pour cette raison, les détails de la perquisition et de l'entrevue avaient été réglés la veille entre le général Mercier, le général de Boisdeffre et du Paty de Clam[58]. Lucie Dreyfus dut se résoudre à obéir. Elle commit l'erreur de se taire, mais elle ne pouvait agir autrement. Du Paty de Clam s'était fait menaçant et avait mis le salut de son mari en jeu. D'autre part, la situation d'infériorité des femmes et des épouses les tenait éloignées des sphères du pouvoir. Devant de telles injonctions, elle ne pouvait que se soumettre. Prenant sur elle, comprenant que de son attitude dépendrait le sort de son mari, elle fit « preuve d'un caractère et d'un sang-froid incroyables[59] ».

Cette soumission au silence n'empêcha pas Lucie Dreyfus de « dire hautement sa foi, son mari victime d'une détestable erreur, innocent de toute faute[60] ». Elle n'eut aucune hésitation, pas le moindre doute. Dans une note écrite rédigée à l'intention de Joseph Reinach, elle témoignera de sa détermination croissante à refuser les intimidations et à rejeter le jeu pervers dans lequel cherchait à l'attirer le commandant du Paty de Clam. Elle se défendra en lui opposant les hautes vertus de son mari : « Je lui démontrais son erreur, je lui parlais du caractère de franchise, de la droiture, de la loyauté de mon mari, de ses sentiments de devoir, de son amour de la patrie[61]. » Mais rien ne fit céder l'officier qu'elle avait en face d'elle.

Les trois hommes, et d'abord le commandant du Paty de Clam puisqu'il était, comme le rappela Cochefert, « l'officier instructeur[62] », procédèrent alors à la fouille minutieuse de l'appartement. Ils se firent tout remettre, la correspondance privée du capitaine Dreyfus, ses dossiers de travail, ses livres de comptes. La perquisition fut infructueuse. Du Paty de Clam le reconnut même auprès de Lucie : « Nous n'avons rien trouvé. » Témoin de son retour au ministère de la Guerre, le lieutenant-colonel Picquart rapporta au procès de Rennes que l'officier leur annonça que Dreyfus « avait tout déménagé, il n'y avait plus rien[63] ». Les cours de l'École de guerre de 1890-1892 furent néanmoins saisis, ainsi que de nombreuses lettres de famille. Une seconde perquisition fut aussitôt opérée au domicile des parents de Lucie, rue de Châteaudun. Ils semblaient persuadés que leur prisonnier avait pu dissimuler des pièces compromettantes dans l'appartement de son beau-père. Ou même que celui-ci avait été complice de son gendre. Dès le lendemain, le commandant du Paty de Clam retournait avenue du Trocadéro. Il informa Lucie Dreyfus qu'elle devait se rendre au ministère de la Guerre afin d'apposer sa signature sur les scellés. Il exigea également de disposer de lettres autographes de l'officier. Lucie et sa mère portèrent aussitôt les lettres de fiançailles écrites par Alfred à sa future épouse en 1890 et 1891[64].

LES DERNIERS MOIS

Rien donc ne fut épargné au capitaine Dreyfus et à sa femme dans les moments qui suivirent son arrestation. Aucune information ne leur avait été délivrée, si bien qu'il leur était impossible de se défendre. Et dans le même temps, toutes les facettes de la vie de cet officier devenaient autant de preuves à charge de sa terrible culpabilité, même les éléments qui établissaient très naturellement son innocence comme l'absence de toute trace de documents suspects à son appartement. Pour Lucie Dreyfus, soumise à une forme d'enfermement dans son propre appartement, dans sa propre détresse, livrée à elle-même et ne pouvant compter sur son mari mis au secret dans sa cellule de la prison du Cherche-Midi, le monde avait basculé dans la déraison, dans l'arbitraire, dans la violence. C'était pour lui l'obscurité la plus noire, l'incompréhension la plus totale. Toute son existence jusqu'à ce jour du 15 octobre 1894 avait été le contraire de ce qu'il était en train de subir. Il avait vécu dans la lumière, dans la promesse d'une réussite qu'il voulait éclatante, dans la douceur d'une famille unie, dans la joie de découvrir le monde, de s'ouvrir aux connaissances les plus variés, de goûter la beauté des paysages qu'il aimait.

Dans le vertige de sa soudaine détention, encore sous le choc de son arrestation qui restera sous le nom de « scène de la dictée », se répétant sans fin les accusations définitives des hommes qui l'avaient arraché au monde, se raccrochant à l'espoir que tout était une erreur, un cauchemar qui allait s'arrêter, mais constatant qu'il était toujours à souffrir le martyre dans sa cellule, ne voyant personne sinon ses gardiens et parfois le commandant de la prison, la seule personne qui lui apportait quelque réconfort, torturé par l'inquiétude en pensant à sa femme et à ses enfants qu'il avait laissés il y a quelques heures et qu'il craignait de ne plus revoir, dominé par ses nerfs, incapable pendant de longues heures de se calmer, glissant insensiblement vers la démence, il se souvenait comme un halluciné d'un temps d'avant qui lui était si doux et qui lui semblait déjà si lointain.

*« Sous un jour tout nouveau »*

Les derniers mois qu'avait vécus le capitaine Dreyfus avaient même été les plus beaux de son existence. Il ne s'agit pas d'une reconstruction au regard des événements : il éprouva réellement ce bonheur qui succéda à des années moins faciles. Certes, son mariage avec Lucie, la naissance de ses deux enfants, ses succès professionnels lui rendaient l'existence souriante. Mais, en même temps, les maladies qui avaient menacé ses deux enfants à leur naissance, l'état de santé de sa femme, la mort de son père quelques mois auparavant – un père qu'il ne voyait que trop rarement depuis son départ de Mulhouse lorsqu'il avait treize ans –, son inquiétude peut-être devant la campagne du journal « anti-juif » *La Libre Parole* pour dénoncer en 1892 les officiers israélites de l'armée de la République[65], avaient assombri les premières années de son mariage célébré à Paris le 21 avril 1891.

Avec le printemps et l'été 1894, les plaisirs succèdent aux jours. Lucie et les enfants sont désormais en parfaite santé. Alfred peut recueillir le fruit de son travail, profiter davantage de la vie, de sa famille, de ses beaux-parents. « Ce ne fut vraiment que pendant les quelques mois qui précédèrent son arrestation qu'il fut parfaitement heureux », écrivit Hélène Naville, née Marion, dans un portrait intimiste du capitaine Dreyfus. Convaincue très tôt, avec son mari l'industriel genevois Eugène Naville, de son innocence et s'étant mise avec sa belle-sœur Émilie de Mersier au service de Lucie, elle avait recueilli auprès d'elle et des sœurs d'Alfred de nombreux témoignages sur son caractère de droiture et sur sa vie d'avant. Le 9 juillet 1898, elle reçut à dîner avec son mari à Paris quelques dreyfusards devenus célèbres dont le lieutenant-colonel Picquart. Ce dernier les quitta en début de soirée pour aller rédiger la lettre ouverte au ministre de la Guerre qui provoqua son arrestation. Hélène Naville se décida alors à agir elle aussi. Elle avait déjà composé une pièce en vers en l'honneur du colonel Picquart. Et elle venait, la veille, de mettre un point final à un *Dreyfus intime* qui lui semblait indispensable à écrire tant les calomnies s'accumulaient sur l'officier, mais aussi sur l'homme. Son intimité avec Lucie et ses belles-sœurs lui avait donné accès à une matière inédite de souvenirs et de documents, notamment les lettres qu'Alfred adressait à sa femme depuis l'île du Diable et qui restituaient de nombreux traits de son caractère. Elle porta son manuscrit à l'éditeur des dreyfusards, Pierre-Victor Stock, dont la librairie donnait sur les galeries du Palais-Royal, près du Théâtre-Français. L'ouvrage fut immédiatement édité, sa publication étant certainement aidée financièrement par Eugène Naville, comme l'avaient fait les frères Reinach (Joseph, Théodore et Salomon) pour les débats *in extenso* du procès Zola[66]. Hélène Naville « signa le livre sous le pseudonyme de H. Villemar, formé sur Naville Marion. En tant que citoyenne helvétique, il ne convenait pas que son nom parût car on reprochait déjà trop à des étrangers d'avoir « pris parti pour Dreyfus par haine pour la France », écrivent les rédacteurs du catalogue de l'exposition de 1995 à Genève, *La Suisse face à l'affaire Dreyfus*[67]. On pourrait ajouter que le choix d'un apparent pseudonyme masculin reflétait les idées de ce temps. Un ouvrage de femme, pour l'affaire Dreyfus particulièrement, ne pouvait être pris au sérieux. Telle était la vision du temps intériorisée par les femmes elles-mêmes et par Hélène Naville en particulier. Mais c'était une erreur qui empêchait le progrès de l'égalité des sexes, et qui contredisait même la réalité de l'Affaire dans laquelle de nombreuses femmes s'engagèrent et se passionnèrent pour le sort de l'innocent[68].

Recueillant les témoignages de sa famille, Hélène Naville avait donc compris que les derniers mois du capitaine Dreyfus avant son arrestation avaient été aussi les plus beaux de sa vie. Et qu'au moment où il accédait à la plénitude de l'existence son bonheur lui était arraché : « Entré depuis bientôt deux ans à l'État-major, il était arrivé à cette période de l'existence où parviennent à force de travail les hommes d'action, de volonté, lorsqu'ils ont réussi à orienter leur vie vers le but qu'ils se sont proposé dès leur jeunesse. Il semblait qu'il eût conquis de haute lutte le droit au bonheur : son cœur s'épanouissait aux joies de la famille, aux satisfactions que lui procurait sa brillante carrière ; ce qu'il avait en lui d'un peu froid, d'un peu réservé, disparaissait sous l'influence bénie d'affections loyales et dévouées. La gaieté, qu'il ne connaissait guère, chassant parfois sa gravité naturelle, s'essayait en sourires sur ses lèvres, animait d'un éclat inusité ses regards pensifs. Parmi ses amis intimes, beaucoup pouvaient dire qu'ils ne l'avaient jamais vu ainsi ; le capitaine Dreyfus se révélait à eux sous un jour tout nouveau [69]. » Lui-même le dit dans ses *Souvenirs* inédits, dans ses mots à lui, pudiques et justes : « Ma vie était particulièrement heureuse, entre ma chère femme et mes enfants », et il ajoute : « Quand en 1894 éclata le coup de foudre qui devait bouleverser ma vie [70]. »

### « Tout semblait me sourire »

Cette découverte d'Alfred Dreyfus « sous un jour tout nouveau » tenait à ce qu'il paraissait enfin en paix avec lui-même. Sous des dehors froids et distants, le jeune officier était un être tourmenté, sensible, parfois même vulnérable lorsque l'inquiétude le saisissait, lorsque ses nerfs le dominaient. Bien qu'aidé puissamment par sa famille sur le plan matériel autant qu'affectif, il avait conscience de s'être fait lui-même, avec tous les bonheurs mais aussi avec toutes les douleurs que comportait une pareille expérience. Il recherchait dans la vie, dans les êtres, la réponse à des questions profondes, existentielles dirait-on. Il souffrait incontestablement et dut probablement faire souffrir Lucie qui observait cet être si troublé et en même temps si volontaire. Le fait qu'il continuât à rechercher après son mariage la fréquentation de femmes plus libres que réellement légères ou galantes traduisait de telles interrogations intimes.

Mais l'amour que Lucie lui portait n'avait pas faibli. Plus équilibrée que lui certainement, et très éprise, elle le soutenait dans les moments où il souffrait et ne lui faisait aucun reproche sur sa vie dont elle connaissait les ombres et les désirs. Finalement, Dreyfus comprit que l'équilibre qu'il recherchait vainement au loin était à portée de sa main, là, dans la famille qu'il venait de fonder et dont il ne s'était pas représenté toute l'importance. Sa belle réussite à l'École de guerre, le succès de son stage à l'État-major, l'affection très vive que toute sa famille portait à Lucie et la même affection que les parents de sa femme lui donnaient, à lui qui avait quitté si jeune ses parents, ne pouvaient que le renforcer dans la conviction que le bonheur était cette fois à portée de main. Et qu'il s'agissait d'un bonheur vrai, solide, capable de vaincre ses angoisses, ses doutes, sa forme de mal-être qu'il cachait si bien et qui le travaillait si profondément. Lorsqu'il fut arrêté le 15 octobre 1894, il était ainsi très près de réaliser toutes ses ambitions. Les quelques phrases qui dépeignent ce temps-ci, en ouverture de *Cinq années de ma vie*, expriment la plénitude d'une existence dans une France conquérante.

La carrière m'était ouverte brillante et facile ; l'avenir se montrait sous de beaux auspices. Après les journées de travail, je trouvais le repos et le charme de la vie familiale. Curieux de toutes les manifestations de l'esprit humain, je me complaisais aux longues lectures durant les chères soirées passées auprès de ma femme. Nous étions parfaitement heureux, un premier enfant égayait notre intérieur ; je n'avais pas de soucis matériels, la même affection profonde m'unissait aux membres de ma famille et de la famille de ma femme.

Tout dans la vie semblait me sourire [71].

*Le dernier été*

Le dernier été fut le plus beau. Lucie, Jeanne et Pierre séjournaient à Houlgate en Normandie, au bord de la mer. Alfred les rejoignait pour le week-end. Il avait demandé l'autorisation de revenir à l'État-major seulement le lundi matin [72]. Il passe de longs moments de bonheur avec ses proches. Il est apaisé, il est heureux. Il a, comme le dit Hélène Naville, le sentiment d'avoir atteint un rivage après toutes ces années où il a été seul en France, loin de sa famille, à tenter l'impossible, la plus belle des carrières, lui le Juif alsacien, fils d'un colporteur de foire, malingre et timide. Il sait que son histoire ne tient pas du miracle, mais de sa volonté et des possibilités nouvelles nées de la démocratisation de la République, si imparfaite soit-elle. Il est un des exemples de la promotion républicaine. Certes, il a été aidé par la fortune de son père. Sans elle, il n'aurait pas pu suivre les cours du collège Chaptal et de la préparation de Sainte-Barbe à quatre mille francs l'année, soit deux ans de traitement d'un professeur agrégé de lycée [73]. Il aurait peut-être bénéficié des bourses de l'Instruction publique pour préparer l'École normale supérieure. Et qui sait alors s'il n'aurait pas été l'un de ces jeunes maîtres de conférences de physique d'une université de province à défendre la cause d'un certain capitaine d'artillerie, victime d'une monstrueuse machination d'État...

Au début du mois de septembre, la famille s'en retourna à Paris, dans l'appartement de l'avenue du Trocadéro. Les deux années de formation à l'État-major général s'achevaient. Le 1er octobre, Dreyfus fit un dernier stage, cette fois en garnison, à la caserne de la Pépinière. Le monde s'ordonnait mieux qu'il ne l'aurait imaginé. Il avait enfin surmonté la blessure des années 1870, la guerre alors qu'il était enfant, l'occupation prussienne, le départ d'Alsace et de la maison bien-aimée de Mulhouse, l'exil à Paris dans des collèges qui ressemblaient à des prisons. Il renouait avec la vérité et la force de son enfance, mais cette fois c'était lui qui créait le monde pour Lucie, pour ses enfants, pour sa famille. Il avait enfin des certitudes. Et les valeurs qu'il s'était données, l'amour de la France, la beauté de sa langue, le service de la nation, la vertu de la connaissance, le devoir de s'élever par l'étude et la pratique, l'espoir dans l'armée de demain, l'égalité des personnes dans une société pacifiée, l'éducation de la jeunesse par l'éveil et l'intelligence, elles, devenaient réalité. En lui permettant de réussir, elles se montraient sous leur jour le plus lumineux, prêtes à éclairer le monde et à le rendre meilleur. Alfred Dreyfus ne concevait peut-être pas autant que nous le faisons les certitudes qui l'entouraient à présent. Mais elles étaient bien là et elles le portaient vers l'avenir.

Alors, l'arbitraire de son arrestation, la violence de son incarcération, la monstruosité absolue de l'accusation, ne pouvaient qu'apparaître comme la négation de cet aboutissement si difficilement recherché. Au moment où il pensait avoir approché le monde tel qu'il le rêvait, voici que des officiers de l'armée qu'il vénérait, dans le lieu auquel il croyait pouvoir appartenir, l'arrachaient à ce bonheur en lui signifiant qu'il était pire qu'un imposteur, un criminel. Objectivement, Dreyfus ne pouvait être que totalement perdu, sans aucun point de repère puisque son histoire était si jeune, sa famille si éloignée, ses origines si instables.

## Deux héroïsmes

La comparaison avec le lieutenant-colonel Picquart est instructive à cet égard. Même s'il ne connut pas le même acharnement contre sa personne que celui que vécut Dreyfus, même s'il ne subit pas l'épreuve de la déportation, il fit face à son arrestation le 13 juillet 1898 avec une force, une sérénité, qui impressionnèrent beaucoup ses contemporains. Le nombre d'hommages en témoigne, faisant de l'officier aux yeux bleus le héros de l'Affaire[74]. Mais Picquart connaissait les risques qu'il avait pris pour défendre Dreyfus et défendre son propre honneur de soldat intègre. Il s'attendait à son arrestation et s'y était préparé. Il se savait protégé par son mentor le général de Galliffet qui deviendrait ministre de la Guerre en juin 1899 dans le gouvernement de Waldeck-Rousseau. Il se savait défendu par une grande partie des élites alsaciennes, lui le catholique strasbourgeois aux racines familiales profondes. Il savait que son monde à lui n'était pas menacé par la gesticulation de quelques ministres et qu'au contraire de telles épreuves le renforçaient dans son identité, dans sa vérité. Sans tomber dans les facilités du déterminisme, on pourra remarquer que le lieutenant-colonel Picquart sortit victorieux de l'affaire Dreyfus, fut nommé le 13 juillet 1906 général de brigade, bientôt ministre de la Guerre dans le gouvernement de Georges Clemenceau, tandis que le capitaine Dreyfus vit sa carrière brisée par une réintégration incomplète et qu'il termine sa vie dans l'oubli. Mais le second ne disposait pas de tous les atouts du premier lors de son entrée dans la carrière militaire. L'idée de les opposer, de distinguer le « vrai héros de l'Affaire » de la victime innocente « qui a intériorisé les valeurs de ses bourreaux », comme l'a écrit Jean Daniel un siècle après le procès [75], traduit une ignorance de l'événement et une incompréhension de l'histoire. Il ne suffit pas de reprendre une citation non datée de Clemenceau (« Dreyfus était la victime, Picquart le héros [76] ») pour croire qu'on est dans le vrai. Et il faut avoir vraiment une considération sans borne de soi pour écrire que « Dreyfus n'a été tiré de son conservatisme militaire que par, précisément, un militaire ». C'est le contraire. Picquart a été sorti de lui-même, de son moule conservateur, de sa belle carrière à l'État-major, de son antisémitisme de façade par la lutte du capitaine Dreyfus et de ses défenseurs. Nous le démontrons sans peine. Nous démontrerons que Dreyfus et Picquart furent tous les deux des héros de l'Affaire et que seul le rapprochement de leurs héroïsmes révèle celui de la France devant l'événement.

L'héroïsme, en tout cas, n'est pas une donnée en soi. Le héros surgit lorsque ses vertus correspondent à l'esprit du temps et qu'il mène un combat exemplaire. Les conditions de ce combat ne peuvent donc pas être ignorées. Brutalement arrêté le 15 octobre 1894, exposé à une situation qu'il n'avait jamais pu imaginer, le capitaine Dreyfus voyait son monde s'effondrer, ses certitudes s'enfuir. Il était nu. Il réagit pourtant en faisant confiance à ce qui lui avait toujours réussi : le refus de plier, la foi dans la raison, la volonté de savoir. Alors que son monde paraissait condamné par sa mise en accusation, il choisit de l'investir encore plus fortement. En lui restant fidèle, en lui donnant le visage de sa femme et de ses enfants, il le préserva au moment où il se détruisait. Où on le détruisait. Car ses accusateurs ne cessèrent de se plonger dans son passé pour démontrer que la trahison traversait la vie de cet homme, qu'elle était une seule et même trahison menant ensuite à celle de la France et de son armée. Ils commirent là leur première erreur, car ils firent comprendre à leur prisonnier que leur accusation était vaine puisqu'elle reposait sur tant de mensonges. Face à l'acharnement qu'ils mirent dès le début à le briser, Dreyfus comprit aussi que le monde qu'on lui arrachait était bien celui par lequel il pouvait résister. Et que sa conservation était la première des résistances, le premier moment du salut.

Cette fidélité à ses valeurs et à sa vie fut d'un autre secours. Elle permit de convaincre un grand nombre, et d'abord tous ses proches, qu'il était innocent et qu'il se battait contre une conspiration. Sa résistance extrêmement digne, sa confiance maintenue dans la France, dans son armée, dans ses chefs mêmes comme le général de Boisdeffre chef d'État-major de l'armée, sa défense inlassable de son honneur, de la vérité et de la justice, son refus de salir son nom et son passé suscitèrent progressivement, grâce à l'effort d'information des premiers dreyfusards, de nouveaux ralliements et des actions d'un courage remarquable. Pour tous ceux qui ne connaissaient le capitaine Dreyfus, sa vie tout entière constitua des preuves morales qui ébranlèrent, lentement mais sûrement, bien des consciences. Mais cette issue heureuse, cette preuve donnée de la civilisation et de l'humanité, furent néanmoins possibles parce que la France était certes une république autoritaire laissant un innocent être la victime de la raison d'État, mais aussi une terre libérale où des journaux, des éditeurs, des universités laissaient s'exprimer des avant-gardes plus clairvoyantes que le reste de la société.

*Le monde retrouvé*

Aussi, loin d'être seulement une immense souffrance, la pensée des derniers moments de bonheur fut-elle d'abord pour le capitaine Dreyfus une source de force et de volonté, à l'image du souvenir qu'il porta toujours en lui de son fils l'accompagnant l'ultime matin jusqu'à la porte de l'appartement : « Bien souvent, dans mes nuits de douleur et de désespoir, j'ai revécu cette minute où j'avais serré dans mes bras pour la dernière fois mon enfant ; j'y puisais une nouvelle dose de force et de volonté[77]. » L'arrachement à cet univers, le basculement du monde auquel il était enfin parvenu, pouvaient être ainsi d'une cruauté totale. En même temps, cet amour avait existé, cette réussite n'était pas une fiction, ces succès n'étaient pas illusoires. Il les avait vécus et il aurait continué de les vivre s'il n'avait été brusquement et définitivement soustrait à ce bonheur. Les acquis existaient, l'expérience du bonheur ne pouvait pas lui être enlevée.

Cette réalité des choses, cette dimension du monde vécu, lui furent d'un secours décisif. Elles lui permirent personnellement de résister à toutes les épreuves qui se succédèrent pendant près de cinq années. Alfred Dreyfus savait en effet pour quelles raisons il luttait, il était habité par ce monde perdu et par la volonté de le retrouver ou du moins d'en être toujours à la hauteur. Il ne pouvait supporter de le voir dégradé par ses accusateurs, piétiné à ce point par des hommes sans morale ni dignité. Invité, au procès de Rennes, à présenter ses observations après la déposition calomnieuse de l'archiviste Gribelin sur sa vie, il déclara seulement : « Quant aux insinuations qui ont été faites par le témoin aussi contre mon frère que contre moi, je les dédaigne, je ne veux pas y répondre[78]. » Son attitude devant ses juges, son comportement lors de la dégradation, ses incessantes protestations d'innocence et la dignité avec laquelle il fit face à tout étaient pour lui une manière de préserver ce monde.

Les derniers mois du capitaine Dreyfus, parce qu'ils avaient été si heureux, l'aidèrent ainsi à comprendre comment agir devant l'inconcevable. Il sut toujours pourquoi il se battait. La contrepartie fut une immense nostalgie pour cette époque radieuse qui ne reviendrait plus. Même libéré en septembre 1899, même réhabilité en juillet 1906, le capitaine Dreyfus ne retrouva jamais ce bonheur, cette insouciance, qui lui avaient été enlevés. Son fils témoigna de son repli sur sa souffrance : « Mon père, qui, par nature, n'était pas d'un caractère très expansif, avait été marqué encore par cinq années de tortures et de solitude absolue et s'était concentré sur lui-même. Il vivait une vie intérieure intense, mais ne savait plus guère extérioriser ses sentiments. Il avait perdu l'habitude de les exprimer, et comme par ailleurs il répugnait à se plaindre, à exposer en public ses souffrances, il paraissait très froid, très distant à ceux qui le connaissaient peu [79]. »

Dreyfus était à l'image du siècle qui commençait et qui allait mettre fin à un âge où le meilleur était possible. Le pire allait au contraire commencer. Il a vécu la Grande Guerre et le xxe siècle avant l'âge.

CHAPITRE II

# Le rêve français

L'homme qui fut arrêté le 15 octobre 1894 au matin représentait ce que la Révolution française et la République avaient produit de meilleur. Le capitaine Dreyfus incarnait en effet l'émancipation des Juifs de France, leur intégration à la société moderne et leur appartenance à la patrie nationale. Il était même allé au plus loin de ce mouvement en s'éloignant de la tradition familiale des affaires et de l'enrichissement par l'industrie et le commerce. En embrassant la carrière des armes, il démontrait sa volonté de servir son pays. En choisissant la voie de l'excellence scolaire, il montrait son adhésion au projet républicain de libération des individus et de création de nouvelles élites. En quittant l'Alsace natale pour Paris et ses grandes écoles, il signifiait sa pleine dimension de citoyen, désormais à l'échelle du temps et de l'espace de la République. Il regardait vers un avenir de promesses et de dignité. De sa famille il était ainsi le premier à se saisir du vaste monde et à viser les plus hautes places grâce à son travail et à sa réussite. Dernier de sa génération, il était le premier dans ses espérances. Même Mathieu, à peine plus âgé qu'Alfred, avait renoncé à Saint-Cyr et vivait, entre Belfort et Mulhouse, une existence sereine mais sans risque. Mais déjà plusieurs de ses neveux ambitionnaient de marcher sur ses traces en préparant les grandes écoles d'officiers.

« JE SUIS NÉ À MULHOUSE, EN ALSACE, LE 9 OCTOBRE 1859 »

Les *Souvenirs* inédits d'Alfred Dreyfus constituent une source précieuse pour connaître son enfance et sa jeunesse, et l'image qu'il en conserva ensuite.

*Une origine juive alsacienne*

Alfred Dreyfus est né dans une vieille famille juive alsacienne. Il n'est pas du tout d'origine « étrangère ». Le procureur général près la Cour de cassation s'excusera, le 3 mars 1904, d'avoir pu avancer dans son réquisitoire écrit que Dreyfus pouvait être d'origine badoise [1]. Les documents d'état civil ne remontent pas au-delà de la Révolution française [2]. D'après Michael Burns, biographe de la famille, « les ancêtres du capitaine Dreyfus semblent avoir été parmi les premiers à venir de la Méditerranée. Le toponyme de Trèves (latin *Treveri*), un grand camp romain situé au nord de Rixheim, sur la Moselle, est à l'origine de leur patronyme. Les Juifs qui restèrent après que les Romains eurent été absorbés au Ve siècle par les tribus germaniques adoptèrent la langue des nouveaux venus et rendirent le son latin par les mots « *Drei* » (« trois ») et « *Füss* » (« pieds »). Le nom de Dreÿfuss et toutes ses variantes étaient très répandus, au XVIIIe siècle, parmi les quinze mille Juifs qui vivaient disséminés dans quelque deux cents villages et bourgs au sud-est de la Moselle [3]. »

L'arrière-grand-père du capitaine Dreyfus, Abraham Israël Dreÿfuss, est né en 1749 dans l'une de ces localités, Rixheim, située à l'est de Mulhouse, vers le Rhin, une région qui allait devenir avec la Révolution française le département du Haut-Rhin. Les chevaliers teutoniques s'étaient implantés dans cette petite ville qui comptait presque deux mille âmes au milieu du XVIIIe siècle, dont deux cents Juifs [4]. Ceux-ci ne vivaient pas en ghetto, à la différence des *shtetl* d'Europe de l'Est. Placée sur la grand-route commerciale qui allait de Bâle à Paris, Rixheim était une ville de passage, ouverte sur le monde et peu figée sur elle-même. « L'écheveau serré de ses rues rapprochait les deux communautés, et les rapports commerciaux que Juifs et gentils entretenaient lors des foires empêchaient généralement que ne se constituent des barrières rigides [5]. » Dans les années 1770, Abraham Israël Dreÿfuss tint un commerce de boucherie, fournissant de la viande kasher à ses coreligionnaires, mais vendant aussi aux chrétiens les parties impropres à la consommation selon les rituels judaïques. Le développement de ses activités le dirige vers le prêt d'argent, une pratique essentielle aux économies agricoles locales. En 1779, Abraham épouse Brandel Meyer dont la famille est originaire d'un village de la Forêt-Noire, Mülheim. Les deux époux parlent, d'après Michael Burns, « la même langue, un dialecte judéo-alsacien mêlant l'hébreu, l'araméen, l'allemand et quelques bribes de français [6] ». Le couple a deux enfants, une fille, Rösslein, probablement morte en bas âge des suites de la fièvre endémique répandue dans cette région vers 1789, et un garçon, Jacob, qui naît en 1781 (ou 1783).

Comme beaucoup d'autres familles juives, celle d'Abraham et Brandel Dreÿfuss est victime en 1789 des phénomènes de « grande peur » et de violences contre les « usuriers juifs ». Mais l'Assemblée nationale instituée après le serment du Jeu de paume rend un décret par lequel les Juifs d'Alsace sont placés sous la protection du roi et de la loi. Rassurés par la volonté d'assimilation des élites juives du royaume de France, les députés votent l'émancipation le 21 septembre 1791. Le décret, ratifié par le souverain, porte révocation de toutes les mesures de discrimination envers les Juifs et déclare que chacun d'entre eux qui « prête le serment civique et s'engage à remplir tous les devoirs que la Constitution impose, a droit à tous les avantages qu'elle assure ». La contrepartie de l'émancipation consiste donc dans l'assimilation, dans l'abandon de l'idée de « nation juive ». Seule la religion est tolérée. Du point de vue social et politique, les Juifs de France sont désormais citoyens français, avec les droits et les devoirs qu'implique cette distinction. Ils adhèrent massivement à cet âge civique qui leur accorde pour la première fois dans l'histoire la reconnaissance, l'égalité et la sécurité – dont particulièrement le droit à la propriété.

Cependant, les troubles et les violences continuent en Alsace après 1791, et les Juifs en sont les premières victimes. Ce n'est qu'en 1794 que la République de thermidor met fin aux troubles par l'envoi de troupes qui rétablissent l'ordre public. La paix revenue et la citoyenneté reconnue constituent aussi le cadre de la reprise des affaires. Jacob Dreÿfuss travaille avec son père, mais lui se déplace sur les foires et les places commerciales d'Alsace. Sa mère meurt en 1804 (ou 1805). Huit ans plus tard, lui-même fonde un foyer en épousant Rachel Katz, « sa voisine de Rixheim, de quatre ans sa cadette, qui vient vivre chez lui auprès d'Abraham [7] ». Le 12 mai 1818, les deux époux déclarent la naissance de leur fils Raphaël, le futur père du capitaine Dreyfus.

Mais le développement industriel rapide de Mulhouse menace la petite économie locale à laquelle appartiennent le père et le fils. Jacob décide alors d'y acheter un appartement, rue de la Justice, et de poursuivre en ville ses activités de colportage. Tous quittent Rixheim en 1835. Une nouvelle vie commence. Mulhouse est pleinement française depuis 1798 lorsque la « république » que formait la ville décida de rompre ses liens avec les cantons suisses et d'intégrer le département du Haut-Rhin. Les Dreÿfuss arrivent dans une ville de quinze mille habitants, avec de fortes communautés protestante et juive, près de mille deux cents personnes pour cette dernière. Trois ans après son départ de Rixheim, le 27 mai 1838, Jacob Dreÿfuss meurt brutalement. Sa veuve, qui lui survivra dix ans, n'a plus que son fils cadet, ses deux autres fils Jacob et Joseph ayant disparu en bas âge en 1814 et 1817. Raphaël se marie en 1840 avec une jeune couturière juive de Ribeauvillé, Jeannette Liebman.

Un premier fils naît en 1844 et reçoit le prénom francisé de son grand-père paternel, Jacques. Après la mort de sa mère en 1848, Raphaël déménage rue de la Porte-de-Bâle. Un second enfant naît, une fille, Henriette, puis successivement Berthe, Louise, Ernestine et Léon. Jeannette cesse ses activités de couturière pour élever ses six enfants. La famille déménage une nouvelle fois. Dans l'appartement de la rue Sauvage, dont les fenêtres ouvrent sur la place des Victoires, le choléra emporte Berthe et Ernestine. Mais c'est aussi à cette époque, vers 1850, que le choix de Raphaël Dreÿfuss d'une nouvelle activité économique déterminera profondément son avenir et celui de ses enfants.

## Le pari de Raphaël Dreÿfuss-Dreyfus

À trente-deux ans, le commerçant de foire choisit de se spécialiser dans le négoce des tissus imprimés et brodés dont la fabrication ne cesse de se développer à Mulhouse. « Il agit en qualité d'intermédiaire dans les comptoirs où les industriels présentent les tissus pour la vente en gros et démarche de nouveaux clients à Mulhouse, Colmar, Altkirch et Bâle [8]. » Raphaël Dreÿfuss intervient dans un secteur où la demande, en forte croissance du fait de l'attrait de la grande bourgeoisie pour ces étoffes chamarrées, assure de larges volumes de ventes et permet de dégager des marges élevées. N'ayant pas de frais fixes importants, il peut investir ses bénéfices dans la propriété foncière ou le prêt bancaire, là où de nouveaux profits peuvent être attendus. Il s'associe à un banquier suisse, Jean Forçat, pour réaliser des opérations immobilières d'ampleur. Après la crise textile de 1860 liée à l'accord de libre-échange entre la France et la Grande-Bretagne, et fort de ses compétences à la fois gestionnaires et techniques, Raphaël Dreÿfuss s'associe à Jean Forçat et à l'industriel alsacien André Koechlin pour fonder une société en commandite. Son nom est tout un symbole puisqu'elle porte celui du premier associé dont le patronyme a été francisé : Raphaël Dreyfus et Cie. L'acte de création est du 27 mars 1863. Aussitôt, une vaste filature de coton est construite dans les quartiers industriels du nord-ouest de Mulhouse, à proximité immédiate de la grande cité ouvrière qui est en cours d'édification et dont le plan géométrique s'inspire des villes-champignons américaines [9].

La croissance de la société est rapide et Raphaël Dreyfus s'intègre progressivement à l'élite, plutôt protestante, des barons de l'industrie de la ville. Il s'inspire de leur tradition paternaliste, mais il n'hésite pas non plus à innover dans le domaine de la protection sociale en développant un programme d'assurance accident pour ses ouvriers. Très vite, il décide de former son fils aîné et de l'associer à la gestion de son entreprise. En 1869, Jacques devient officiellement le bras droit de son père.

*L'enfance d'Alfred*

En 1856, Jeannette Dreyfus donne naissance à une fille, Rachel, puis à deux garçons, Mathieu un an plus tard et Alfred, le 9 octobre 1859. Mais ce dernier accouchement se termine mal, et elle tombe gravement malade. Alfred est alors confié à ses sœurs, et particulièrement à l'aînée, Henriette. Elles l'entourent de beaucoup d'affection. Hélène Naville a recueilli leur témoignage pour écrire son *Dreyfus intime*. Les premières pages s'ouvrent sur le portrait d'un enfant fier au cœur profond.

C'était un enfant blond, fin, délicat, chez lequel rien n'annonçait la volonté, l'énergie indomptables qui seront plus tard les traits distinctifs de son caractère. Il était extrêmement facile, aimant, d'un naturel si peu égoïste qu'il ne se montra jamais personnel à un âge où presque tous les hommes le sont. Il obéissait volontiers, à la condition toutefois qu'on lui expliquât pourquoi certaines choses lui étaient ou imposées ou interdites.

Tout petit déjà, il avait des idées exagérées d'honneur, de justice, idées qui, s'accentuant avec le temps, lui firent donner plus tard par les siens le surnom de Don Quichotte. Très réservé en présence d'étrangers, il devenait expansif au milieu de sa famille ; il était à la fois fier et timide ; ces deux dispositions, contre lesquelles il eut de bonne heure à lutter, lui donnaient un air de raideur qui n'était qu'apparent ; sous ces dehors un peu froids se cachait le cœur le plus vibrant, le plus sensible qui ait jamais battu dans une poitrine d'enfant.

Ses premières années ne furent traversées par aucun événement qui vaille la peine d'être relaté ; elles coulèrent doucement sous la protection et l'influence bienfaisante d'affections dévouées, comme un ruisseau qui serpente sous bois sur un lit de mousse avant d'aller heurter ses ondes aux rochers sur lesquels il passera en se brisant [10].

Alfred est le dernier d'une nombreuse famille. Ses frères aînés, Jacques et Léon, travaillent déjà avec leur père à l'usine de textile. Ses sœurs seront bientôt mariées. Restent les deux derniers garçons qui bénéficieront d'une bien meilleure éducation que les aînés, et surtout d'une éducation entièrement en français. Raphaël et Jeannette ont choisi de s'intégrer le plus profondément et le plus rapidement possible à une société, celle de Mulhouse, qui elle-même s'identifie à la distinction française contre la culture allemande. Des signes qui ne trompent pas. Même si les parents maîtrisent mal la langue française, les enfants au contraire sont parfaitement bilingues. Mathieu et Alfred ont même été, dès leur plus jeune âge, élevés dans cette langue. Tous les enfants portent un prénom français, et le patronyme a été francisé en 1850. Les photographies de famille montrent des poses, des costumes, des coiffures qui appartiennent bien plus à une idée consommée du style français qu'à la réminiscence des signes de l'identité juive.

Mulhouse était pour le jeune Alfred une « ville française, mais sans agrément et essentiellement industrielle ». La famille habitait, rue Sauvage, « un modeste appartement », précisa-t-il [11]. En 1860, le déménagement vers une luxueuse demeure de quatre étages située sur le quai de la Sinne marque encore le niveau social auquel elle est si rapidement parvenue et son souci de l'intégration la plus recherchée. Un vaste jardin entoure cette haute villa. C'est un lieu idéal pour les rêves et les jeux de Mathieu et d'Alfred. Au début de *Cinq années de ma vie*, le second se souvient de ce temps-là. « Mon enfance s'écoula doucement sous l'influence bienfaisante de ma mère et de mes sœurs, d'un père profondément dévoué à ses enfants, sous la touchante protection des frères plus âgés [12]. » « Il était particulièrement choyé par ses parents et ses aînés », dit son fils Pierre dans *Souvenirs et Correspondance* [13]. Des précepteurs furent appelés rue de la Sinne pour entamer l'éducation scolaire des derniers enfants. La famille se déplace aussi en France, parfois en Europe semble-t-il [14]. Ces voyages séduisent le jeune Alfred qui commence aussi à lire des romans. Enfant de caractère solitaire, il se passionne pour les épopées. « J'avais l'imagination très vive et je m'occupais beaucoup de littérature [15]. »

En 1868 vraisemblablement, Alfred, âgé de neuf ans, entra à l'école professionnelle de Mulhouse, un établissement créé en 1853 à l'initiative du ministre de l'Instruction publique, qui souhaitait implanter dans cette ville un enseignement théorique et pratique fondé sur les langues vivantes, les sciences exactes et les travaux de laboratoire. La municipalité et les grands industriels de la ville soutinrent le projet et dotèrent fortement la nouvelle école, qui ouvre dès octobre 1854. En 1856, elle acquiert le statut de « collège d'enseignement secondaire spécial », conformément au nouveau règlement des études instauré par l'Université. L'école s'adresse aux jeunes gens de la bourgeoisie et peut les conduire jusqu'à l'École centrale des arts et manufactures à laquelle prépare la classe supérieure. Comme tous les élèves, Alfred Dreyfus porte l'uniforme de l'école. « La tenue se compose d'une tunique en drap bleu avec boutons aux armes de Mulhouse et insigne brodé au collet, d'un pantalon en drap bleu, d'un autre en coutil gris pour l'été, d'un gilet en drap bleu avec boutons d'uniforme [...] ; elle comporte en outre un ceinturon de cuir noir avec plaque de cuivre orné de l'aigle impériale, un képi en drap bleu avec liseré d'or et une cravate de soie noire [16]. »

Mais c'est le temps aussi des premières souffrances pour le jeune garçon. Sa sœur aînée qui l'a si tendrement élevé quitte la maison de l'enfance. En 1870, peu de temps avant la guerre avec la Prusse, Henriette rejoint son mari Joseph Valabrègue, un jeune industriel produisant également du textile, membre de la vieille communauté juive de Carpentras et propriétaire d'une très belle demeure dans les environs appelée la « campagne Villemarie ». Henriette « avait été pour son jeune frère ce qu'est pour son fils la mère la plus tendre, la plus attentive. Peut-être cette séparation fut-elle la première tristesse de cette vie qui devait compter tant d'heures douloureuses ? » écrivit Hélène Naville [17]. Toujours avant la guerre, une autre scène marqua profondément le jeune Alfred. Elle apparaît dans ses *Souvenirs* inédits. « Des grèves éclatèrent à Mulhouse au printemps 1870 et donnèrent lieu à des scènes tumultueuses. Un régiment de cuirassiers avait été appelé pour rétablir l'ordre [18]. » Ces mouvements de protestation sociale, revendiquant de meilleures conditions de travail, se doublent d'antagonismes religieux, les ouvriers à majorité catholique et germanophone défiant les patrons francophones, juifs ou protestants. Les troupes venues de Belfort interviennent au moment où la grève menaçait de se propager à l'usine de Raphaël Dreyfus. Elles repartirent aussitôt, le 15 juillet 1870. Trois semaines plus tard, le jeune Alfred vit les mêmes régiments passer une nouvelle fois sous les fenêtres de sa chambre. Mais c'était la guerre.

## La défaite et l'exil

La guerre franco-allemande de 1870-1871 frappa profondément Alfred Dreyfus. « Ma première impression triste, dont le souvenir douloureux ne s'est jamais effacé de ma mémoire », écrivit-il dans *Cinq années de ma vie*. Elle détermina pour une large part sa vocation à servir la France et à la protéger. « J'étais encore presque un enfant, mais je me souviens avec émotion avoir vu défiler devant mes fenêtres les cuirassiers qui allaient succomber glorieusement au combat de Reichshoffen. Cette vision est restée constante dans mon esprit. » La défaite de Reichshoffen ouvre aux troupes allemandes la route de Mulhouse. Mais il n'y aura pas de combat. Napoléon III a été défait à Sedan, et l'armistice a été décrété. Le 16 septembre 1870, Mulhouse est occupée une première fois. Cette humiliation nationale révolte le jeune garçon. Il se souviendra longtemps des sentiments qu'il éprouva à cet instant. Ses « souvenirs de la guerre de 1870 » restaient à vif dans son cœur, « l'option de mon père, l'exil d'Alsace, mon refus réitéré d'une situation brillante pour servir ma patrie, et ma haine, la haine des miens contre l'étranger ; quand je revis une nuit troublante où, entendant passer sous la fenêtre de la maison qu'habitait mon père, la musique allemande pour l'anniversaire de Sedan, j'en hurlai de rage, j'en mordis mes draps de douleur, je me jurai de me vouer au service de ma patrie [19]. » Les troupes allemandes réinvestissent Mulhouse le 2 octobre 1870. L'occupation entraîne de graves troubles économiques et sociaux. Raphaël Dreyfus tente de sauver ce qui peut l'être, tandis que ses deux fils aînés quittent l'Alsace et s'enrôlent dans la Légion d'Alsace-Lorraine. Mais les armées de la Défense nationale levées par Gambetta échouent à renverser le cours de la guerre au profit de la République proclamée le 4 septembre à Paris.

Le 21 mai 1871, la signature du traité de Francfort, par lequel la France conclut la paix en livrant au nouvel empire allemand l'Alsace et la Moselle, contraint ses habitants à des choix déchirants. S'ils veulent rester dans leur « petite patrie », ils doivent renoncer à la nationalité française et devenir des sujets du Reich allemand. Et s'ils veulent conserver ce lien à la patrie nationale, ils doivent quitter le territoire de l'Alsace et de la Moselle. La France, par la voix des députés réfugiés à Bordeaux, accepte la cession des deux provinces pour prix de la paix avec l'Allemagne et du retour de la souveraineté nationale sur le reste du territoire. Raphaël Dreyfus décide d'exploiter toutes les dispositions du traité. Il veut à la fois maintenir son activité industrielle à Mulhouse – parce qu'il n'a pas les fonds suffisants pour déplacer son usine vers Belfort comme le réalisent d'autres capitaines d'industrie de la ville – et soustraire ses fils à la conscription que Bismarck rend obligatoire dès l'automne 1872. Seuls les vétérans ayant déjà servi dans l'armée française seront exemptés du passage sous les armes allemandes. Pour le chef de famille, cette disposition est inacceptable. Le patriotisme le plus pur règne chez les Dreyfus, pourtant d'origine et de langue allemandes. Mais c'est la France qui leur a reconnu la pleine existence civique et l'égalité. Dans le cas de la conscription, la différence est ainsi complète entre un empire qui interdit aux Juifs les grades d'officiers et une république qui les tient sur un rang d'égalité avec les autres Français, y compris pour l'accès aux grades d'officiers, d'officiers supérieurs et même d'officiers généraux.

Pas question donc d'accepter une nationalité et plus encore un système qui admet un antisémitisme d'État au sein de ce qui est le plus représentatif d'un pays et de sa souveraineté, l'armée. On ne transige pas avec la France et avec son honneur forgé dans son projet démocratique autant que national. Alfred Dreyfus a rappelé à Joseph Reinach que l'un de ses premiers souvenirs fut celui de « l'indignation générale » qu'avait suscitée le mariage de « la sœur de V. [...] avec un Allemand [20] ».

Raphaël Dreyfus décide donc de mettre à l'abri ses enfants les plus jeunes, et surtout ses fils menacés par la conscription allemande, ce qui n'est pas le cas des aînés qui ont servi dans la Légion d'Alsace-Lorraine. Il quitte donc Mulhouse pour Carpentras afin de se faire domicilier chez sa fille et de là d'être en mesure d'opter pour la nationalité française en y incluant ses enfants mineurs. « Le traité de Francfort arracha l'Alsace à la France, expliqua Alfred Dreyfus dans ses *Souvenirs* inédits. Il fallut, pour les habitants, choisir entre la France et l'Allemagne. Sans hésitation, mon père, qui possédait cependant des usines importantes à Mulhouse, opta, pour lui et pour ses enfants mineurs, pour la France, mais il fallut quitter Mulhouse le 1er octobre 1872 [21]. »

Le 23 mai 1872, Raphaël Dreyfus comparaît devant David Guillabert, maire de Carpentras, et déclare « opter pour la nationalité française, qu'il entend conserver », conformément aux articles 2 du traité du 10 mai et 1er de la convention additionnelle du 11 décembre 1871. « Ladite déclaration [est] faite tant au nom personnel de monsieur Dreyfus que comme représentant légal de ses enfants mineurs : 1° Dreyfus Louise, née à Mulhouse (ancien département du Ht-Rhin) le 12 juin 1851, 2° Dreyfus Léon, né à Mulhouse (ancien département du Ht-Rhin) le 28 novembre 1854, 3° Dreyfus Rachel, née à Mulhouse (ancien département du Ht-Rhin) le 5 mars 1856, 4° Dreyfus Mathieu, né à Mulhouse (ancien département du Ht-Rhin) le 2 juillet 1857, 5° Dreyfus Alfred, né à Mulhouse (ancien département du Ht-Rhin) le 9 novembre 1859 [22]. »

Une fois cet acte d'option réalisé, Raphaël retourne à Mulhouse pour y chercher sa famille. À la date du 7 août 1872, le registre de changement de cette ville enregistre sa déclaration indiquant son intention de s'établir à Carpentras. Seul son fils aîné, Jacques, apparemment, demeure dans la ville [23]. Il a accepté la lourde et difficile tâche de maintenir l'activité de l'usine textile. Mais il en va de l'avenir financier de la famille. La fortune de Raphaël est récente, ses activités encore fragiles. Il n'a pas les moyens de diversifier ses activités ou de déplacer en France, de l'autre côté de la nouvelle frontière, celles qui existent. « La compagnie Dreyfus n'a pas fini de rembourser Koechlin et, malgré le succès de son entreprise, Raphaël n'a pas les ressources abondantes de son confrère. La filature de la rue Lavoisier n'a que six ans, et elle a pâti de la guerre [24]. » Cette stratégie de maintien d'un membre de la famille à Mulhouse pour assurer la direction des affaires n'est pas isolée. Près d'une quinzaine d'entrepreneurs font de même [25].

Le 25 septembre 1872, Raphaël obtient l'autorisation de s'installer provisoirement à Bâle, une ville neutre proche de Mulhouse. Il pourra de là continuer de diriger son usine et bénéficiera d'un environnement économique favorable puisqu'il existe à Bâle un important milieu d'affaires. La famille réside successivement au 51, Nonneweg, puis 31, rue de Klingelberg et enfin 25, rue Leonhard, dans un quartier neuf à l'ouest de la vieille ville [26].

Elle demeure à Bâle durant deux ans : en juin 1874, les sources suisses enregistrent son départ. Et le fichier domiciliaire de la ville enregistre son immatriculation à Mulhouse, dans la maison de la rue de Sinne, à la date du 18 juillet. Mais ce retour ne concerne qu'une partie de la famille, à savoir les parents, Léon, qui a vingt ans, et Rachel, âgée de dix-huit ans. Louise, qui a vingt-trois ans, réside peut-être chez sa sœur à Carpentras. Le retour à Mulhouse après deux ans d'exil à Bâle obéit à une logique claire : « Si la double option au moment du départ trahit une stratégie cohérente (il s'agit de conserver la nationalité française et d'éviter aux fils d'avoir à servir dans l'armée prussienne), le retour en Alsace montre bien, malgré les apparences, la poursuite du même projet. Les registres de demandes de naturalisation de Mulhouse signalent à la date du 24 juin l'admission de la requête de Raphaël Dreyfus, père de quatre enfants, trois garçons et une fille (ils s'agit manifestement des plus jeunes), sollicitant la nationalité allemande pour la fille seule. Jacques, exempté de service militaire en 1864, est maintenant trop âgé pour être requis. Léon, qui figure sur la liste de recensement militaire de 1874, est rayé du rôle en raison de l'option de son père. Mathieu et Alfred, qui jouissent également de la nationalité française, vivent en France. [...] Limiter la demande de naturalisation à la dernière fille, qui épouse d'ailleurs quelques années plus tard un industriel de Nancy, permet à la famille Dreyfus de résider légalement à Mulhouse et de préserver les intérêts de l'entreprise tout en garantissant l'avenir[27]. »

Une stratégie qui caractérisa les choix de Jacques pour sa propre famille puisqu'il s'était marié en 1875 avec Louisa Wimpheimer, fille d'un industriel de Philadelphie, et qu'il eut avec elle une fille et six garçons. Pour ces derniers, il utilisa une disposition de la loi allemande qui permettait au père de prendre un permis d'émigration pour le ou les fils qui atteignaient l'âge de dix-sept ans ; ceux-ci perdaient alors la nationalité allemande et ne pouvaient rentrer dans le pays avant quarante-cinq ans. Les fils de Jacques Dreyfus partirent ainsi successivement pour la France[28]. En 1893 et 1894, les deux plus âgés se préparaient même à Paris pour l'École polytechnique et l'école de Saint-Cyr. Sa fille, Lili, née le 6 octobre 1882, allait pour sa part épouser, le 23 janvier 1905, Paul Hadamard, frère de Lucie Hadamard, mariée depuis 1890 à son oncle Alfred.

Pour Raphaël, l'enjeu consistait à demeurer le plus proche possible de la France tout en garantissant des intérêts économiques vitaux pour la réussite de ses enfants, et surtout de ses fils. Seuls d'entre tous, Alfred quitta définitivement l'Alsace et Mulhouse, n'y revenant que pour de brefs séjours, autorisés ou clandestins. Cette existence, qui le sépara de toute sa famille, fut une épreuve pour lui. Les années heureuses d'avant-guerre étaient révolues. La tristesse, la mélancolie, allaient accompagner son adolescence. Mais l'épreuve endurcit son caractère et lui donna le sens des valeurs qui comptaient : la famille, la France, la réussite. Seules elles permettaient de conserver intact le temps passé puisqu'il s'en rendait digne et fidèle.

*Une adolescence tourmentée*

Alfred Dreyfus se souvint de son séjour à Bâle, d'où son « père pouvait encore diriger ses usines ». Là, il suivit les cours d'une école professionnelle, puis ceux du *Realgymnasium*, « mais avec difficulté, car ils étaient faits en allemand ». Il acquit pourtant de cette scolarité exigeante une meilleure maîtrise de la langue germanique qu'il parlait approximativement. D'après les archives bâloises, il ne fréquenta que quelques mois la classe VA du *Realgymnasium*, de novembre 1872 à janvier 1873 [29] ; à cette date, il se rend dans une école française. Lorsque Raphaël Dreyfus décida de rentrer à Mulhouse avec ses enfants, ni Alfred ni Mathieu ne le suivirent. Ils demeurèrent en France et partirent pour Paris. Leur père voulait qu'ils bénéficient des meilleures conditions possibles pour étudier et intégrer les grandes écoles d'ingénieurs. Mathieu entra au collège Chaptal, proche de la gare Saint-Lazare, tandis qu'Alfred, âgé de quinze ans, fut interne au collège Sainte-Barbe, proche du Panthéon. L'expérience est terrible pour lui. Il le dira pudiquement dans ses *Souvenirs* inédits. « Je souffris tellement de l'internat, habitué que j'étais aux douceurs de la vie familiale, que je dus au bout de quelque temps rentrer chez moi. » Il est vrai que les internats parisiens pour garçons avaient une bien mauvaise réputation, même les plus cotés comme Sainte-Barbe. Tout contribuait à faire du jeune garçon le souffre-douleur de ses camarades. Sa timidité, sa frêle constitution, son accent allemand, son origine provinciale et *last but not least*, sa religion dans des milieux réputés volontiers antisémites. Il suffira de constater les événements qui se produiront dans les lycées pendant l'Affaire [30].

Cette expérience des internats et de l'enseignement viril laissera une profonde empreinte sur Dreyfus devenu adulte. Dans plusieurs lettres à sa femme, écrites de l'île du Diable, il insistera sur la vertu essentielle d'une éducation de l'éveil, du respect et de l'intelligence qui ne doit pas tolérer les châtiments corporels, même les plus anodins. Ils sont des sources d'humiliation [31]. Dans ses « cahiers de travail » de l'île du Diable, il développe également de longues réflexions sur l'éducation des enfants, à la manière d'un moraliste qui voit dans les jeunes enfants des personnes à part entière. À l'inverse, il a des mots très durs sur le « déplorable système scolaire » qui étouffe « la joie de la spontanéité [32] ». Sa sœur aînée, qui, de Carpentras, le veillait affectueusement, confia plus nettement les choses à Hélène Naville laquelle les formula ainsi : « L'internat fut très pénible à cet adolescent qui avait été si heureux dans la maison paternelle. Toutes ses délicatesses de sentiments, si pieusement ménagées par ses sœurs autrefois, furent heurtées et blessées chaque jour. Le travail, la société de camarades qui ne le comprenaient pas, ne parvinrent pas à lui faire oublier les douceurs du foyer. Au bout de quelque temps, il fut pris d'un mal du pays si violent que, sa santé s'altérant, il fallut le ramener en Alsace [33]. »

Alfred repart à Mulhouse, auprès de sa mère, dans l'ambiance familiale où il a grandi en pleine sécurité, loin de la violence du monde. « Il laissa alors un moment les études pour s'intéresser aux établissements industriels que dirigeaient son père et son frère aîné. Il commença de s'initier aux affaires. Peut-être y eût-il pris goût [34]. » Mais un événement survint qui n'est connu, semble-t-il, que d'Hélène Naville. Le jeune Alfred fut expulsé de Mulhouse par les autorités allemandes. Il trouva alors refuge chez sa sœur à Carpentras. À la rentrée de 1874, il retourna à Paris, mais cette fois à Chaptal. Il y fut un peu plus heureux. Mais, contrairement à Mathieu qui logeait en ville, Alfred, âgé seulement de quinze ans, était encore interne. Il souffrait toujours de la solitude et de l'enfermement. Ses moments de bonheur, il les passe dans la maison de sa sœur et de son beau-frère à Carpentras, proche de sa petite nièce Lucie et de son neveu Paul. Là, il revoit le temps heureux de son enfance, lorsqu'il vivait entouré de ses sœurs dans la haute demeure de la rue de Sinne. « Là, il essaya de s'intéresser aux affaires commerciales de son beau-frère. Il n'y réussit pas », raconte Hélène Naville. C'est à ce moment que se place, du moins pour la tradition familiale, la naissance de sa vocation. « Il confia à sa sœur ses angoisses et ses hésitations. Poussée par un sentiment bien naturel chez une Alsacienne au lendemain de nos désastres, [Henriette] lui parla de l'École polytechnique, de la carrière militaire. "Ne faut-il pas, lui dit-elle, qu'il y ait au moins un officier dans notre famille pour l'heure de la revanche ?" Ces paroles décidèrent du sort du jeune homme [35]. »

L'année suivante, Alfred connaît une nouvelle déception avec le départ de son frère. Mathieu a renoncé à passer son baccalauréat et à se présenter à l'École militaire de Saint-Cyr comme il en a eu l'intention après la guerre [36]. En 1875, il s'engage pour un an au 9e régiment de hussards de Belfort. Puis, finalement, il revient à Mulhouse et il est associé officiellement à l'entreprise en 1882. Pour Alfred, l'exemple de son frère soldat à dix-huit ans et le nouvel horizon qui s'ouvre avec la perspective de l'École polytechnique donnent un sens à ce temps de solitude et de travail. Il peut de plus revoir toute sa famille à Mulhouse à l'occasion du mariage de son frère aîné Jacques avec Louisa Wimpheimer. La frontière franco-allemande reste à cette époque encore ouverte, le passage en Alsace y est facile. Puis il retourne au début de l'été à Carpentras afin de préparer l'écrit du baccalauréat. Il passe l'année suivante les oraux dans l'académie de Grenoble. Au final, en 1876, il est reçu à l'examen malgré des notes orales décevantes. Sa voix monocorde, sans timbre, si caractéristique par la suite qu'elle sera relevée dans la plupart de ses notations d'officier, y est peut-être pour quelque chose.

Alfred Dreyfus sort d'une scolarité discontinue avec un fort bagage intellectuel et une confiance nouvelle dans ses capacités. Il s'est formé dans toutes les disciplines. Il a acquis une profonde maîtrise de la langue française. Le grammairien Louis Havet, professeur au Collège de France, insistera lors des procès Zola et de Rennes, sur la qualité d'écriture de Dreyfus, sur l'élégance et même la perfection de sa langue. « Le capitaine Dreyfus écrit un français d'une correction parfaite. [...] J'ai cherché en vain dans toutes les lettres du capitaine Dreyfus une incorrection [37]. » Il possède « une langue étonnante de netteté,

de précision et de correction grammaticale. [...] Non seulement il n'y a
pas de fautes de grammaire, mais le capitaine Dreyfus est un excellent
écrivain [38] ».

## LE CHOIX DES ARMES

« Après avoir obtenu mon baccalauréat, je retournai à l'école préparatoire Sainte-Barbe, pour préparer les examens d'entrée à l'École
polytechnique, écrit Alfred Dreyfus dans ses *Souvenirs* inédits. Les
souvenirs de la guerre de 1870 étaient restés si vifs dans mon esprit
que je me décidai à embrasser la carrière militaire, malgré la situation
avantageuse que j'aurais pu avoir dans l'industrie familiale. Je pensai
à l'Alsace frémissante sous le joug de l'étranger, à ceux dont le cœur
était resté français et qui souffraient tant de l'oppression [39]. » Plus
encore que des rêves de gloire, le jeune homme souhaitait se mettre
au service de son pays pour retrouver des provinces auxquelles il était
doublement attaché, en tant que Français et en tant qu'Alsacien. Son
fils Pierre parlera d'un véritable « serment d'enfant » qui triompha
des sollicitations insistantes de ses frères demeurés à Mulhouse et qui
souhaitaient qu'il vînt les rejoindre à la tête de l'entreprise familiale [40].
Confronté à ses bourreaux, Dreyfus ne cessera d'invoquer le sacrifice
de la « brillante situation » qui s'offrait à lui, aux fins de servir son
pays là où les risques étaient les plus grands.

### La réussite au concours de l'École polytechnique

Dans l'immédiat, le choix de l'École polytechnique pouvait être
aussi une manière de gagner du temps sur une décision qui engagerait
sa vie : opter pour une carrière publique au service de la France ou
bien suivre la voie ouverte avec tant de réussite par son père. Paris ou
Mulhouse. Or l'École polytechnique lui offrait les deux possibilités et
donc lui permettait d'attendre. En effet, Alfred Dreyfus pouvait devenir un brillant ingénieur qui aurait pu mettre toutes ses compétences
au service du développement de la société industrielle de Raphaël et
de ses fils, et il pouvait aussi se diriger vers la voie militaire puisque,
à cette époque, l'École polytechnique fournissait près d'un tiers des
officiers diplômés d'une grande école.
Une troisième raison explique le choix d'Alfred pour l'École polytechnique. En tant que Juif, elle lui est en effet bien davantage ouverte
que Saint-Cyr. Dans cette dernière, les Juifs ne sont pas formellement
proscrits, mais le conservatisme idéologique qui règne et surtout le
mode de recrutement les empêchent pratiquement d'y entrer. Les préparations au concours sont tenues fortement par les établissements religieux, les jésuites surtout, dont la fameuse école de la rue des Postes à
Versailles. La préparation à l'École polytechnique, comme aux autres

grandes écoles scientifiques et d'ingénieurs, est davantage publique et laïque. C'est le cas de l'école Sainte-Barbe. Sa scolarité dure deux brèves années, de l'automne 1876 au printemps 1878. Là, Alfred se souvient avoir eu pour condisciple le frère Georges Clemenceau, Albert Clemenceau[41]. Celui-ci allait jouer un rôle certain dans l'affaire Dreyfus et dans la défense de la vérité lorsqu'il fut choisi, aux côtés de Fernand Labori et de son frère. Alfred Dreyfus se lia également d'amitié avec le directeur des études, père du romancier Paul Bourget. À l'opposé des conceptions de son fils, il professait des idées très libérales qui intéressèrent le jeune étudiant et lui plurent. Mais l'essentiel de son temps était voué à la préparation du concours de Polytechnique. « Il travaillait avec ardeur et persévérance ; lorsque ses sœurs, de passage à Paris, venaient le voir et voulaient l'emmener avec elles soit rendre quelques visites, soit au théâtre, il s'y refusait souvent, se raidissant contre la tentation si vive pour lui de prendre un plaisir en commun avec elles. Le sentiment du devoir auquel il obéira pendant toute sa vie, quelque cruel qu'il puisse être, était déjà fortement ancré dans le fond de son âme. Son grand bonheur, puisqu'il ne lui était pas possible de se rendre en Alsace auprès de son père et de sa mère, c'était, une fois les vacances venues, d'aller chez l'une ou l'autre de ses sœurs, se retremper dans la vie simple, la vie d'affection, d'intimité qui avait pour lui un attrait tout particulier. »

Il s'inscrivit au concours de l'École polytechnique le 29 mai 1877. Il fut reçu l'année suivante, en 1878, à l'âge de dix-neuf ans. Son rang d'entrée n'était pas des plus élevés, 182e sur 236, mais il avait réussi le concours dès la première tentative, ce qui était en soi un très beau résultat et la promesse d'un classement de sortie bien plus élevé. Il était de surcroît l'un des plus jeunes de sa promotion, ce qui était un atout précieux.

En novembre 1878, il pénètre dans l'enceinte de l'École, sur la montagne Sainte-Geneviève, à deux pas du collège Sainte-Barbe, proche aussi du Panthéon et des héros civiques. Mais c'est un autre monde qui s'ouvre à lui. Il entre dans une institution voulue par les révolutionnaires de 1789 et fondée en 1794. Pendant tout le XIXe siècle, elle a formé l'élite de la nation, ou plus exactement plusieurs élites, ce qui lui confère sa force sociale. En sont sortis en effet des officiers de haut rang, des ingénieurs allant former les grands corps de l'État, enfin des scientifiques prestigieux. La guerre contre la Prusse et l'avènement de la République lui ont même donné une importance plus grande encore. La France doit reconstruire son armée et la professionnaliser davantage afin de conjurer le double spectre de la défaite de 1870 et de la répression de 1871 contre la Commune. L'École polytechnique occupe toute sa place dans ce grand dessein. Par ailleurs, elle s'intègre parfaitement à l'idéologie républicaine du savoir et du grand savant censés repousser les forces obscurantistes de l'Ancien Régime et de l'Église. Et ce qui relie ces deux évolutions, c'en est une troisième : l'arme savante, l'artillerie, qu'elle incarne à la perfection, vocation à la fois militaire et scientifique. L'institution forme en effet les officiers qu'exige cette arme nouvelle, technique et moderne. L'École produit ainsi l'élite de l'armée de terre à laquelle elle est désormais associée dans les milieux militaires. Elle représente l'institution par laquelle l'armée se transforme profondément. Les hauts techniciens concurrencent désormais, dans l'ordre symbolique autant que du point de vue des effectifs, les chefs de troupe, si héroïques que soient ces derniers. La nécessité de recruter de tels officiers-ingénieurs a changé également le mode de sélection et de promotion, fondé sur les compétences intellectuelles autant que sur le courage au feu.

Un tel système favorise ainsi l'accès de nouvelles couches de la société à l'institution militaire. Il ne s'agit plus seulement des hommes sortis du rang et des fils de la noblesse qui peuplent le corps des officiers. Ces nouveaux cadres issus de l'École polytechnique ont aussi de l'autorité et de l'excellence une autre conception. Elles doivent aussi se prouver par la compétence. Et les réformes de la République donnent en partie raison à ces officiers modernistes. L'École supérieure de guerre, instituée en 1880 sur le modèle de l'Académie militaire de Berlin et qui forme les officiers d'état-major, recrute ses élèves à la suite d'un exigeant concours et détermine leur rang de sortie en fonction de leurs aptitudes intellectuelles. Les officiers polytechniciens y excellent davantage même que les saint-cyriens.

Alfred Dreyfus entre donc dans une École qui lui ressemble et qui peut le servir autant qu'il pourra la servir. Il effectua à Paris les deux années de sa scolarité polytechnicienne. L'institution est encore régie par de fortes traditions d'école militaire et elle possède des codes aussi nombreux que mystérieux pour le profane. La discipline est rigoureuse et l'encadrement étroit, notamment pour contrer les risques de la politisation qui avait montré sa force lors des révolutions de 1830 et 1848 et même pendant la Commune. Mais l'enseignement y est dense et varié, des disciplines scientifiques et techniques à l'histoire et aux langues. Alfred Dreyfus pratique également l'escrime, apprend l'équitation. Lui qui était peu à l'aise avec son corps, gauche et timide comme le montre une photographie en uniforme de l'École, prend de l'assurance et de la prestance.

## L'arme savante

En 1880, il sortit de l'École 128e sur 235 [42], améliorant fortement son classement d'entrée. Après deux ans de scolarité à l'École polytechnique, la décision de poursuivre dans l'armée s'imposa. Il opta pour le corps de l'artillerie. Le choix était presque évident pour un polytechnicien qui disposait de la meilleure formation intellectuelle pour servir cette arme savante par excellence. Les compétences pouvaient remplacer ici les modes de promotion traditionnels de l'armée de métier, le courage au feu qui se mesurait au nombre de campagnes et l'incorporation dans un clan ou une coterie permettant de progresser au fur et à mesure que l'officier général protecteur était promu aux plus hautes fonctions. C'était particulièrement la règle chez les fantassins. Ainsi, le commandant Picquart, considéré comme l'un des officiers d'avenir, était attaché au général de Galliffet, tandis que le plus laborieux commandant Henry dépendait de la carrière du général de Miribel. Le futur capitaine Dreyfus, comme nombre de ses camarades, pouvait échapper en partie à ce système clientéliste et rétrograde qui maintenait l'armée française dans un état certain de médiocrité et d'illusion sur ses propres capacités. Les succès faciles rencontrés sur les terrains d'opération coloniaux renforçaient encore cette certitude de l'excellence qui était très largement factice. L'artillerie était au contraire une arme récente où les traditions étaient moins fortes, les préjugés moins ancrés. Il était plus facile à un Juif alsacien d'y réussir que dans l'infanterie ou la cavalerie où sévissaient encore de nombreux préjugés comme l'incapacité des Juifs à devenir de bons cavaliers.

Le 1er octobre 1880, le futur capitaine Dreyfus fut admis comme sous-lieutenant à l'École d'application de l'artillerie de Fontainebleau. Il y demeura le temps réglementaire de la formation, soit deux années, aux termes desquelles il fut nommé lieutenant. Entré 128e sur 235, il en sortit deux ans plus tard 32e sur 95, soit à un rang bien supérieur et conforté par l'appréciation suivante : « Constitution et santé bonnes, légèrement myope ; physique bien ; pourra faire un bon officier ; il n'y a rien qui le signale d'une manière particulière[43]. »

Le 1er octobre 1882, promu lieutenant en second[44], il est affecté au 31e régiment d'artillerie stationné au Mans. L'année suivante, il est détaché auprès de la 1re division de cavalerie de Paris pour servir aux batteries à cheval. Il semble que cette affectation rapide pour la capitale ait suscité des préventions contre le jeune officier. « À cette époque on commençait à le jalouser, écrit Hélène Naville dans *Dreyfus intime*. Grâce au préjugé funeste que le mérite ne suffit pas, on se demandait autour de lui à quelle protection il devait d'avoir été appelé à Paris[45]. »

À son départ du Mans, son chef de corps rédige la notation suivante : « Juillet 1883. M. Dreyfus est un officier intelligent et rempli de bonne volonté ; il a, depuis son arrivée au corps, montré du zèle dans le service, et de l'application dans les manœuvres, mais il a encore beaucoup à faire pour compléter son instruction militaire. Son intonation est surtout très mauvaise ; néanmoins, en continuant de servir comme il le fait, il pourra devenir un bon officier. » Sa voix, monocorde et de faible puissance, le dessert assurément. Mais puisqu'il ne peut pas imposer son autorité par la force de sa voix, il le fera par la précision et l'intelligence de ses ordres. Ce sont ces qualités qui reviennent, précisément, dans la suite des notations. Elles concernent essentiellement son service dans les batteries à cheval. En 1886, il est même affecté aux batteries de l'École militaire. Les avis de ses supérieurs ne cessent alors de témoigner des progrès constants du jeune lieutenant d'artillerie et de la construction de sa personnalité. La consécration vient en septembre 1889 avec sa promotion au grade de capitaine et son affectation à un nouvel emploi à Bourges.

Janvier 1884. Le lieutenant Dreyfus a été placé à la 11e batterie détachée à Paris. Il pourra faire un bon officier, mais il a encore beaucoup à faire pour être à la hauteur. Il est zélé et consciencieux.

Juillet 1884. Officier instruit et intelligent, a beaucoup d'entrain, convient très bien au service des batteries à cheval.

Janvier 1885. Même note.

Juillet 1885. Officier très actif, cavalier hardi, bon lieutenant de section. A besoin de perfectionner son instruction.

Janvier 1886. Officier plein d'entrain, très hardi cavalier, instruit, intelligent, dirige l'instruction à cheval des recrues de la batterie avec infiniment d'habileté. A malheureusement une déplorable intonation.

Juillet 1886. Le lieutenant Dreyfus a convenablement dirigé l'instruction des batteries de l'École militaire.

Janvier 1887. Excellent lieutenant de batterie à cheval. A montré du zèle et de l'intelligence pendant les manœuvres.

Juillet 1887. Très intelligent, très adroit, commande bien malgré sa mauvaise intonation. Bon lieutenant de batterie malgré quelques manques d'exactitude.

Janvier 1888. Le meilleur lieutenant du groupe des batteries, sait beaucoup et apprend toujours. Servi par une excellente mémoire et une intelligence très vive. A de grandes qualités d'instruction et de commandement, s'est montré plus exact, dirige bien l'instruction à pied et l'artillerie.

Juillet 1888. Continue de mériter les meilleures notes.

Janvier 1889. Toujours excellent lieutenant de batterie. Très bon instructeur ; s'est bien montré aux manœuvres, a gagné un peu pour l'instruction.

Juillet 1889. Très bon lieutenant. Commande sans bruit et conduit très bien son personnel. Sait à fond ses manœuvres, sert très bien quoique préparant ses examens d'admission à l'École supérieure de guerre.

Sa fortune, son origine, sa réussite pouvaient heurter ses camarades et susciter leur jalousie. Néanmoins, on ne constate aucune réserve dans les appréciations sur sa manière de servir. Dreyfus aime le travail, ne dédaigne pas la garnison, respecte ses soldats. Il semble qu'aucun problème ne soit survenu durant ces années-là. Dans les années 1883 et 1884, lorsqu'il revient du Mans à Paris, il noue des contacts étroits avec son capitaine. Ils déjeunent régulièrement ensemble. Dans la pension qu'il fréquente, Dreyfus rencontre le futur général de brigade Jean Brun, auteur du rapport sur les questions techniques du bordereau demandé par le ministre de la Guerre le 5 mai 1904, dans la cadre de la seconde instruction de la Cour de cassation relative à l'annulation du procès de Rennes [46]. Cet environnement favorable explique qu'en quelques années le jeune lieutenant soit passé du stade de bon à très bon officier. Mais cette incontestable réussite lui appartient surtout.

Elle découle de son sérieux exemplaire, de sa force de concentration, de sa faculté à assimiler, de sa capacité à commander et à instruire. Elle correspond ainsi à une phase d'épanouissement individuel, d'estime de soi. Les photographies de cette époque le montrent bel officier, bon cavalier, homme élégant, sûr de lui et même conquérant avec les femmes. À travers ses nombreuses relations galantes, il éprouve celui qu'il est devenu et dont il tire incontestablement une certaine fierté.

*Le destin d'un homme*

Jusqu'à ces années-là, Alfred Dreyfus s'est cependant coulé dans les structures d'un monde qu'il a choisi et où il a très bien réussi. Il profite de ce succès et de la sécurité qu'il lui donne pour vivre pleinement et goûter la joie d'une vocation qui se réalise. Tout lui sourit, son avancement, son commandement, sa séduction des femmes, ses relations avec sa famille. Célibataire, il dispose de beaucoup de temps. Il peut assurer au mieux ses missions de jeune officier d'artillerie en garnison. Mais il peut tout aussi facilement monter chaque matin des chevaux qu'il loue au Mans ou à Paris, pratiquer l'escrime, fréquenter les champs de courses, sortir dans les cafés de la jeunesse aisée, voyager aussi, de Carpentras à Mulhouse et même en Europe. En 1884, il se rend ainsi pendant un mois en Allemagne et en Hollande pour visiter une exposition à Amsterdam. Il séjourne aussi dans les villes de Mayence, Coblence, Cologne, et Bruxelles pour finir[47]. Il se grise parfois de ses succès. Après tant d'efforts, il s'autorise quelques libertés. Mais elles ne vont pas bien loin. Une ou deux fois, il se rend dans une maison de jeu, le Cercle de la presse, semble-t-il en compagnie de son frère, mais il ne joue même pas, se contentant d'y dîner[48]. Mais ce n'est pas son monde, et il n'y retournera pas.

Alfred Dreyfus est davantage attiré par les femmes. « Avant mon mariage, j'ai connu, comme tout garçon, beaucoup de femmes », reconnaîtra-t-il lors des interrogatoires de 1894. Sa belle prestance, son élégance de cavalier confirmé, sa fortune, sont des atouts pour de telles relations. Il semble rechercher la fréquentation de femmes mûres. Clairement, il n'aspire pas à trouver une épouse, mais à connaître des expériences et à rattraper le temps perdu dans les longues études qu'il a menées depuis son adolescence. Il prend la pose devant les objectifs, lisse une belle moustache sur un visage affiné, fume la pipe et le cigare, monte de beaux chevaux. Dans les villes de garnison, il fait partie de ceux qui comptent. Le prestige de l'uniforme, rehaussé du prestige du cavalier, suscite l'admiration et attire les regards.

Son but, avec celles qu'il rencontre, n'est pas la domination virile, mais plutôt la fréquentation de femmes galantes, belles et attirantes, qui lui font découvrir d'autres plaisirs que ceux de l'étude et de la

carrière. Il recherche bien plus cette compagnie que celle de ses camarades de régiment. De telles rencontres donnent à sa vie un caractère
aventureux qui n'est pas fait pour lui déplaire. Son assurance nouvelle
et sa belle prestance lui permettent toutes les audaces. Il a raconté
avoir ainsi, à plusieurs reprises, abordé des femmes dans la rue et en
avoir fait ses maîtresses – ou désiré un moment le faire. En 1884, il
rencontre ainsi à Paris l'épouse d'un industriel de Juvisy, Mme Dida.

> Voici succinctement l'histoire de mes relations avec Mme Dida, indique-
> t-il à ses accusateurs le 24 novembre 1894 à la prison du Cherche-Midi.
> J'avais fait la connaissance de Mme Dida dans le monde, vers 1884 ou
> 1885 ; j'ai eu un échange de lettres avec elle, j'ai été plusieurs fois chez
> elle. Un jour de l'année 1884 ou 1885, on sonne à ma porte, je vois entrer
> un vieux monsieur qui se présente comme le père de Mme Dida ; il me dit
> qu'on a surpris mes lettres avec Mme Dida et qu'il me suppliait de rompre
> avec elle. Je vis ce père tellement malheureux que je lui promis sur l'hon-
> neur de ne jamais revoir sa fille. Je partis en permission ; j'appris à mon
> retour que Mme Dida était venue frapper à ma porte, qu'elle avait été suivie
> par son mari et conduite dans une maison d'Auteuil. Malgré toutes les
> lettres qu'elle m'écrivit depuis, j'ai tenu la parole que j'avais promise au
> père de Mme Dida. Jamais je ne l'ai revue depuis [49].

Alfred Dreyfus rencontra ensuite une autre femme mariée, Georgette Bodson, née Fatay, qui demeurait au bois de Boulogne, avenue
de Malakoff, et dont il fit sa maîtresse. Elle lui avait été présentée par
une amie commune, Mme Parmentier. Leurs relations durèrent trois ou
quatre ans et s'achevèrent en 1889 lorsque Dreyfus découvrit qu'elle
« s'affichait », qu'elle prenait des « allures galantes ». En d'autres
termes, Georgette Bodson multipliait les amants et monnayait parfois
ses faveurs bien que Dreyfus fût formel sur ce point : durant le temps
de leurs relations, elle ne tirait pas profit de sa galanterie [50]. Mais son
amant semblait à ce sujet empreint d'une certaine naïveté. Il se donnait
surtout, avec les femmes qu'il rencontrait, le sentiment peut-être un
peu juvénile d'être amoureux.

Sa famille lui reste pour autant toujours très précieuse. Après Carpentras, le point de ralliement s'est déplacé vers le nord-est. Ce sera
désormais Bar-le-Duc où vit sa sœur Louise qui a épousé l'industriel
Arthur Cahn. Alfred ne se contente pas de cette destination. Il dépose
de nombreuses demandes de séjour pour se rendre à Mulhouse, en
vertu de son statut d'officier étranger à l'Empire allemand. Un dossier
établi sur son compte par les autorités allemandes entre 1884 et 1897 [51]
font état d'une demande annuelle, de 1884 à 1887, qui lui est systématiquement accordée. Il peut ainsi séjourner dans sa famille en septembre 1884, en juillet et août 1885, en octobre 1886 et en
février 1887. La demande de cette dernière visite avait été formulée
par Raphaël Dreyfus pour son fils, afin qu'il puisse assister à la célébration finale du kaddich, la prière des morts qui termine la période

rituelle d'un an consécutive au deuil d'un parent. En effet, la mère d'Alfred est morte en janvier 1886. Déjà, sa visite de 1885 a été vraisemblablement dictée par l'état de santé de sa mère.

Son frère Mathieu est définitivement installé à Mulhouse. Il mène une vie plus facile encore que celle de son cadet. Sa personnalité très affirmée, sa vaste culture, son autorité naturelle rehaussée de son charme indéniable en font le centre de la famille, et plus encore à mesure que déclinent ses parents. Jeannette Dreyfus décède donc le 23 janvier 1886 dans la demeure de la rue de Sinne [52]. Raphaël a près de soixante-dix-sept ans. Ses affaires sont maintenant pleinement sous la responsabilité de ses trois fils Jacques, Léon et Mathieu. Ce dernier, très proche d'Alfred par l'âge et les souvenirs, correspond fréquemment avec lui et lui donne des nouvelles de toute la famille. Il veille tendrement sur son frère de la même manière qu'il s'occupe de toute la parentèle. C'est lui qui organise les rencontres de Bar-le-Duc ou de Carpentras. Son aisance, son affection, contribuent à la qualité des relations entre tous ses membres, frères et sœurs, beaux-frères et belles-sœurs et bientôt neveux et nièces dont les premiers, les enfants de Jacques, arrivent à l'adolescence.

Les affaires de la filature connaissent une forte croissance. Raphaël peut compter sur le travail et l'intelligence de ses fils auxquels il confie progressivement la direction de l'usine. Il les a officiellement associés pour leurs vingt-cinq ans, Jacques en 1869, Léon en 1879 et Mathieu en 1882. Les profits sont élevés, la famille accroît sa fortune. Raphaël a transféré à ses enfants une partie importante de sa richesse, si bien que les dots des trois filles ont été « substantielles » et que les revenus annuels garantis des garçons vont de « dix à vingt mille francs par an [53] ». C'est considérable, surtout eu égard à la solde de lieutenant d'Alfred, à peine supérieure à deux mille francs par an. De surcroît, il dispose auprès de l'usine d'une ligne de crédit de près de trois cent mille francs. Son avenir matériel est largement assuré. Il pourrait se contenter de l'avenir déjà très honorable qui s'offre à lui, en tant que jeune et riche officier.

Pourtant, après la mort de sa mère, Alfred change. Une période d'apprentissage semble prendre fin. Cette aisance, cette réussite, cette fortune, il veut les mettre au service de plus nobles causes. Dont celle de progresser dans la carrière et de fonder une famille pour maintenir ce qui a été si précieux et qui continue à l'émouvoir tant. Sortir du lot des vingt-cinq mille officiers français, prétendre à l'excellence dans l'armée de demain est de l'ordre du possible pour le jeune polytechnicien. Le concours de l'École supérieure de guerre est à sa portée. La préparation de Polytechnique lui a donné les clefs d'accès à cette haute institution militaire. En 1889, il décide de s'y préparer. Il évoque brièvement, dans ses *Souvenirs* inédits, cette décision capitale pour lui, mais aussi pour l'Affaire qui va suivre. « Ma vie durant cette période était heureuse, j'aimais cette vie active, mais, désirant perfectionner

mes connaissances pour mieux servir ma patrie, je préparai les examens d'entrée à l'École supérieure de guerre [54]. »

Une autre raison peut expliquer cette décision de reprendre les
études et de relancer décisivement une carrière qui, en l'état, ne lui
réservait que des promesses limitées de promotion aux grades les plus
élevés et aux missions les plus hautes. Le choix des armes et de
l'installation en France comportait des risques certains. C'était la plongée dans l'inconnu, comparativement à l'avenir tracé qui l'attendait à
Mulhouse. Il ne pouvait pas se permettre d'échouer, alors que son père
s'était, en une génération à peine, hissé au sommet de la société locale.
Alfred Dreyfus avait choisi un chemin difficile, contraignant. Certes,
il savait pouvoir compter sur le soutien absolu de son père et de ses
frères. Mais puisqu'il avait décidé de suivre sa propre voie, il se devait
d'être digne d'eux et de son choix. La réussite à un nouveau concours
national, lui ouvrant les portes de la haute hiérarchie militaire, était
aussi une étape majeure dans ce chemin vers l'excellence, ressort décisif de l'intégration sociale, politique et patriotique

La préparation à l'École de guerre lui demanda de nouveaux sacrifices et un surcroît de volonté. Depuis la sortie de l'École d'application
de l'artillerie en 1882, il n'avait plus fourni d'efforts intellectuels
intenses. Sa carrière se déroulait désormais sans exiger d'investisse-
ments considérables ; ses facilités intellectuelles lui suffisaient. Cette
fois, il s'imposa un nouveau défi et il s'en donna les moyens. Interrogé
au procès de Rennes sur les occasions de s'occuper d'affaires étrangères à son service en discutant çà et là avec d'autres officiers, il
répondit vivement : « Vous me permettez cependant de dire que dans
les conditions où je me trouvais, je n'avais guère le temps d'aller au
café ni ailleurs, puisque je me préparais à l'École de guerre et qu'en
même temps j'étais adjoint à la cartoucherie et que je faisais le cours
de mathématiques aux chefs artificiers proposés pour gardes ; je
n'avais donc guère le temps de fréquenter les cafés [55]. »

En 1889, Alfred Dreyfus sait aussi avoir déjà été placé sur le tableau
d'avancement au grade supérieur. Le 12 septembre 1889, il est promu
capitaine. Simultanément, il est nommé à un nouvel emploi, en tant
qu'adjoint à l'École centrale de pyrotechnie militaire de Bourges. Il y
demeure un an, jusqu'au 1er novembre 1890. Cette période est particulièrement heureuse pour lui. L'enseignement lui plaît beaucoup : il est
donc chargé de cours de mathématiques et de dessin aux chefs artificiers proposés pour gardes d'artillerie [56]. Il continue de préparer le
concours de l'École de guerre dont il passe les écrits au mois de
février 1890. Lorsqu'il revient à Paris, il revoit une femme mariée
qu'il a rencontrée dans la rue en octobre 1889 et qui devint sa maîtresse ; elle le retrouve chez lui. Ses aventures féminines continuent
de le transformer, de lui apprendre cette autre versant de la vie qu'il
a sacrifié dans les internats et dans la préparation de l'École polytechnique. Les historiens des sociétés et des mentalités ont montré la part

d'humanité des expériences illicites et leur rôle d'apprentissage pour des hommes dominés par un modèle bourgeois inéluctable[57].

Déclaré admissible à l'École de guerre, il est appelé à Paris pour les oraux qui se déroulent aux mois de mars et d'avril. Le 20 avril 1890, il apprend qu'il est reçu. La nouvelle tombe la veille de son mariage[58]. Car cette période est aussi le temps de sa rencontre à Paris avec Lucie Hadamard, de dix ans sa cadette. Plus qu'un changement, c'est maintenant un tournant qui se réalise dans sa vie et dans sa carrière. Après une adolescence tourmentée et une jeunesse ardente, il aspire à un bonheur plus sûr et plus serein. Dès sa rencontre avec Lucie, il rompt avec « toute [sa] vie de garçon[59] ». Le bonheur immédiat qu'il vit avec elle le comble au-delà de ce qu'il aurait pu imaginer.

LES ANNÉES HEUREUSES

Lucie Hadamard a vingt ans lorsque Alfred Dreyfus fait sa connaissance dans l'appartement de ses parents, rue de Châteaudun, lors d'une réception donnée au début de l'automne 1889. Ils ressentent aussitôt une grande attirance l'un pour l'autre. Très vite, ils ne vont plus se quitter, et les fiançailles auront lieu au bout de quelques mois.

*Une nouvelle famille*

La future épouse du capitaine Dreyfus appartient à une famille juive parisienne, libérale et très aisée. Son père, David, est négociant en diamants. Le père de ce dernier, Mayer Hadamard, a quitté la Lorraine, berceau de la famille depuis le tout début du XVIIIᵉ siècle. Le premier Hadamard connu à Metz est Mayer Hadamar. Il venait de la petite ville d'Hadamar située à l'est de Coblence en Hesse. Ses quatre fils s'établirent tous à Metz. Nathan, ancêtre de Lucie, fut valet ou commis dans une riche famille de banquiers et de syndics, les Spire-Lévy. Il eut neuf enfants de sa première femme, Rachel, née Cahen, dont Mayer Hadamar né vers 1715-1717. Mort en 1791, il était commerçant en draperies et en bijoux et fut, de 1760 à 1780, l'« agent des Juifs de Metz à Paris », c'est-à-dire le fondé de pouvoir des syndics de la communauté dans la petite colonie des Juifs de Metz qui vivait alors dans la capitale ; « c'est sans doute ce qui explique la précoce orientation parisienne de la communauté », signale Pierre-André Meyer dans un article sur la généalogie des Hadamard[60]. C'est aussi avec lui que la famille Hadamar acquit une certaine notoriété dans la communauté juive de Metz. Le 3 mars 1735, il épousa Cheinlé Nordon. Onze (ou douze) enfants furent issus de cette union, dont David Hadamard, né à Metz en 1752. C'est avec lui et avec sa descendance que se fixa l'orthographe du nom avec un « d » final. Négociant, David mourut en 1802 à l'âge de cinquante ans. Restée veuve, son épouse, Rébecca Lambert, éleva courageusement leurs dix enfants. La force de caractère et l'énergie de cette femme ont laissé des souvenirs dans la communauté juive de Metz, comme le raconte Pierre-André Meyer : « À l'âge de vingt-deux ans, elle fonda une société charitable destinée à fournir des vêtements à des femmes pauvres et en érigea les statuts, qu'elle soumit à la sanction du grand rabbin Lion Asser. Sous la Terreur, elle alla trouver elle-même le représentant du peuple pour obtenir de lui la permission de faire les pains azymes pour la Pâque (pratique interdite au nom de la lutte antireligieuse de la Convention). En 1795, à la suite de la profanation de tombes du cimetière juif qui avait été réquisitionné à des fins militaires, elle passa outre la prudence timorée de ses coreligionnaires et intervint à nouveau auprès des autorités dont elle obtint la punition des coupables[61]. »

Deux des quatre fils nous intéressent directement. Olry, dit Éphraïm, Hadamard, né le 1er novembre 1787, épousa à Metz le 2 juillet 1816 Filliette May avec laquelle il eut cinq enfants. L'un d'eux, Auguste eut lui-même deux enfants dont Paul David, né à Paris le 20 juillet 1858, qui entra à l'École polytechnique en 1876 et devint capitaine d'artillerie. Son frère Amédée, né à Metz le 25 février 1828, fut professeur de latin au lycée Louis-le-Grand. Il épousa Claire Picquart, professeur de piano. Le couple eut deux enfants, Germaine et Jacques, né à Versailles le 8 décembre 1865. En 1884, Jacques Hadamard entra à l'École normale supérieure dans la section scientifique. Il devint un célèbre mathématicien et s'unit avec Louise Trenel, dont l'une des sœurs allait devenir, en 1882, la mère du professeur Robert Debré.

Mayer Hadamard, autre fils de David et Rébecca Hadamard, est le grand-père de Lucie. Né à Metz le 9 août 1797, d'abord fabricant de couvertures en Lorraine, il se fixa à Paris où il devint bijoutier. Il épousa à Paris Sarah Adler. En 1860, ils s'installèrent définitivement rue Bleue et y restèrent jusqu'à la fin de leur vie en 1875-1877. Ils eurent trois enfants : Clotilde, qui épousa David Bruhl (et dont la fille épousa elle-même un agrégé de philosophie, le futur professeur et philosophe célèbre Lucien Lévy dit Lévy-Bruhl), Sophie, et David, le père de Lucie.

David Hadamard naquit à Paris au 14, rue des Marais le 28 avril 1837. Il succéda à son père comme bijoutier et se spécialisa dans le négoce, hautement technique et lucratif, des diamants. Il épousa à Nancy, le 26 août 1867, Louise Eva Hatzfeld, née à Lunéville le 7 décembre 1847, fille de Jean Hatzfeld, polytechnicien, officier d'artillerie puis industriel, directeur des forges d'Ars-sur-Moselle, et de Léontine Brisac. David et Louise Hadamard eurent cinq enfants : Georges, né le 4 septembre 1868 à Chatou où la famille possédait une belle villa avenue de Brimont ; Lucie, également née à Chatou le

23 août 1869 ; Paul Albert, né à Paris le 30 décembre 1871 ; Marie, née à Paris le 21 avril 1873 ; enfin Alice, née elle aussi à Paris le 28 avril 1875.

Cette famille, incontestablement, séduit le jeune capitaine, éloigné de la sienne depuis qu'en janvier 1873, à l'âge de quatorze ans, il a quitté Bâle pour étudier à Paris. Tout concorde pour qu'il l'adopte aussi bien qu'elle-même l'estime digne d'y entrer. Alfred vient d'une famille juive qui se reconnaît comme telle, mais sans exclusive ni ostentation ; l'intégration à la France et à la République est prioritaire. La famille Hadamard agit pareillement. Elle est même en avance sur les Dreyfus sur le plan de l'intégration. Seul le jeune capitaine, par sa réussite à l'École polytechnique et son implantation parisienne, est à leur niveau d'intégration. Mais il est le seul de sa génération à l'être tandis que les Hadamard le sont tous, les frères et sœurs mais aussi les cousins et cousines de Lucie. Même les générations antérieures le sont en partie : le grand-père maternel de Lucie est polytechnicien.

Cette famille vit à Paris, où Alfred a passé près de douze années, mais sans attaches véritables sinon des parents de Joseph Valabrègue qui l'ont, semble-t-il, hébergé lorsqu'il préparait l'École polytechnique au collège Sainte-Barbe. Enfin, Alfred est un quasi-orphelin. Il a été élevé par ses frères et sœurs à une époque où sa mère était très malade, et son père quasi absent de la demeure familiale pour des raisons professionnelles. Ensuite, son départ si jeune de la maison, l'a encore éloigné de ses parents. Avec Lucie, il rencontre aussi des parents qui vont devenir les siens. Ceux-ci se prennent d'affection pour le jeune officier, d'autant que leur aîné Georges n'a pas embrassé une carrière aussi ambitieuse et noble que celle d'Alfred. Leurs relations sont immédiates, réciproques et profondes. Après son mariage avec Lucie, Alfred les appellera « père » et « mère ». Certes, c'est le terme usité dans les familles de la grande bourgeoisie, mais pour Alfred cela correspondra à un sentiment vécu. Leur correspondance en témoigne, de même que le soutien indéfectible des deux parents pour leur gendre lorsqu'il sera brutalement arrêté puis déporté.

Lucie ne peut qu'être acceptée dans la famille d'Alfred. Elle ressemble à ses sœurs qui couvent d'une attention très affectueuse le petit frère qu'elles ont élevé. Elle parle et écrit très bien l'allemand, ce qui lui permet une communication facile avec Raphaël Dreyfus lequel s'exprime plus volontiers dans cette langue [62]. Du point de vue des alliances, Lucie est issue d'une famille riche et sa dot sera forcément élevée, plus même que celle que Raphaël a consentie à ses propres filles. Pour cela, Alfred réalise un « beau mariage ». Enfin, il ne déroge pas à la règle de l'âge au mariage conforme à celui de ses frères. Il a trente et un ans lorsqu'il épouse Lucie, de dix ans sa cadette. Cela est conforme à la logique familiale puisqu'on note pour ses frères un retard au mariage conforme aux règles de la bourgeoisie d'affaires du XIXᵉ siècle : « Jacques et Mathieu se marient à trente ans, quelques années après avoir été associés à l'entreprise de leur père, Alfred à trente et un ans, tous trois épousant des femmes de huit à dix ans plus jeunes qu'eux. Le cas de figure *a contrario* se vérifie pour la sœur préférée d'Alfred, Henriette, qui épouse à vingt et un ans Joseph-Édouard Valabrègue de dix ans son aîné [63]. » Pour David et Louise Hadamard, Alfred est l'homme qui convient à leur fille aînée. Sa fortune et sa carrière sont des assurances certaines pour l'avenir de leur fille. Il leur a été présenté par leur neveu Paul, lui-même polytechnicien. Alfred est juif dans un milieu familial où les mariages mixtes ne sont pas encore admis. Le jeune officier est devenu un bel homme, et il est en même temps sérieux et responsable. Sa propre famille possède toutes les garanties, et même plus, d'honorabilité. Et toutes deux appartiennent au judaïsme mosello-alsacien qui représente une véritable identité.

Enfin, Alfred et Lucie éprouvent de véritables sentiments l'un pour l'autre, une situation peu fréquente dans la grande bourgeoisie – qu'elle soit juive ou non – où les mariages sont généralement arrangés. Du reste, leur première rencontre présente tous les signes de cette stratégie : un camarade d'Alfred Dreyfus, parent de Lucie, a servi d'intermédiaire entre deux prétendants à une belle alliance.

## Une rencontre, un mariage, une famille

Ce ne sont pas uniquement des liens communautaires ou des appartenances sociales qui décidèrent de la rencontre d'Alfred Dreyfus et de Lucie Hadamard, mais plutôt la carrière des armes et l'amitié d'un camarade polytechnicien, Paul Hadamard, d'une promotion légèrement antérieure à la sienne [64], capitaine d'artillerie comme lui et cousin au second degré de Lucie. Les futurs époux sont présentés lors d'une réception dans l'appartement des Hadamard, à l'automne 1889. L'attrait est immédiat. Ils se revoient. Ils se déclarent. Dès l'hiver, ils procèdent à leurs fiançailles. Pendant un an, ils se voient beaucoup. Lorsque Alfred part pour Bourges où il enseigne à l'École centrale de pyrotechnie militaire, ils s'écrivent de longues et belles lettres qui témoignent de la profondeur amoureuse de leurs relations. Seules celles d'Alfred ont été conservées – certaines d'entre elles appartiennent au fonds judiciaire de la Cour de cassation après avoir été saisies par l'autorité militaire à l'arrestation du capitaine Dreyfus [65]. Elles sont toutes écrites de Bourges, de l'appartement de la place Parmentier qu'habitait Alfred et qu'il quittait souvent pour rejoindre Lucie à Paris. Elles évoquent souvent le temps du départ imminent pour la retrouver, occasion de penser à elle et de le lui dire par écrit.

> Ma chère Lucie,
> Tout est bouclé ; les malles sont faites. Je pourrai donc prendre demain le train de 11 h 40 mais je ne serai chez vous que pour l'heure du dîner, car j'arrive avec des quantités de bagages, ayant emporté tout ce qui me

sera nécessaire durant mon congé de deux mois[66]. De la sorte, le séjour que je ferai à Bourges entre mes examens et notre mariage pourra être fort court ; je pense que vingt-quatre ou quarante-huit heures au plus suffiront. Je ne tiens plus en place, tellement je suis heureux de m'en aller et de vous retrouver. C'est vous dire qu'en ce moment je suis fort brouillé avec mes livres et que ma pensée est toute à vous. Je vous embrasse de cœur[67].

Les mots disent l'allégresse amoureuse d'Alfred, ils trahissent l'intimité déjà réelle et le bonheur profond que les jeunes gens éprouvent à se revoir. Les autres lettres d'Alfred, dont l'absence de datation renforce le caractère intemporel, traduisent cette joie de l'amour et de l'avenir radieux. La séparation, qui rime avec souffrance, avive la passion naissante. Alfred parvient à dire son bonheur, à se livrer, lui qui se savait si pudique et réservé. Il découvre avec Lucie une nouvelle jeunesse. Elle le ravit.

M'absenter samedi, dimanche et lundi, c'est partir samedi à 11 h 40 pour arriver à Paris le soir vers 5 heures ; c'est court, je l'avoue, mais ne nous attardons pas sur des regrets qui seraient inutiles. Il vaut mieux profiter d'abord du présent. Mon plaisir est doublé par la joie de penser que la glace est complètement rompue entre nous ; j'espère aussi arriver peu à peu à me faire mieux connaître et à me rendre digne de toute votre affection ; c'est là tout mon but et le plus ardent de mes vœux[68].

Vous ne serez pas étonnée quand je vous dirai combien mon retour hier a été triste. J'avais complètement oublié la réalité, bercé par le charme des quelques jours que je viens de passer auprès de vous. Il me semblait que cela ne devait plus finir, que cela avait toujours été ainsi, et que je vous avais toujours connue et brusquement je retombe dans la réalité. Ce sont des secousses qui sont toujours douloureuses. C'est en arrivant chez moi, surtout dans mon cabinet où tout était triste et paraissait abandonné, que j'ai senti encore plus vivement mon isolement. Vous avouerai-je que j'ai mal dormi ? Je vous en laisse deviner la cause.

Ce matin, heureusement, mes occupations m'ont empêché de m'abandonner à des pensées tristes. Il avait neigé toute la nuit et j'eus toutes les peines du monde à faire avec mon cheval les kilomètres qui me séparent de l'École de pyrotechnie. Mon cheval faisait glissade sur glissade. Maintenant, il dégèle, et la blancheur immaculée de la neige s'est transformée en une mare de boue.

J'ai eu, en interrogeant mes élèves, quelques moments d'impatience et de mauvaise humeur qu'il me fallut réprimer vivement. Ce qui prouve que nous agissons tous quelque peu avec nos passions et qu'il faut une grandeur d'âme bien extraordinaire pour s'en désintéresser absolument.

Et, avec cela, j'ai là devant moi sur mon bureau un dossier énorme de pièces à consulter et auquel je n'ose porter la main. Vraiment, quand je songe qu'avant-hier je maltraitais si durement la paresse matinale, je suis tout honteux quand je songe également à ma faiblesse actuelle.

Je n'ai pas la moindre envie, mais pas la moindre, de me mettre au travail... Et cependant il le faut. Je voudrais croire en la métempsycose et pouvoir me transformer en un *lazzarone*, semblable à ceux que j'ai vus dans la campagne autour de Naples, étendus le dos au soleil, riant de leur misère tant leur joie de ne rien faire était grande. J'ai trouvé ici une longue lettre de ma nièce [Lucie Valabrègue] qui se plaît à retrouver dans [ma] petite ville des sensations de jeunesse. D'ailleurs, me dit-elle, la ville est baignée de soleil et de lumière, et le contraste avec Mulhouse doit être frappant. Elle désire vivement faire votre connaissance et elle en attend impatiemment l'occasion [69].

L'événement de leurs fiançailles conduit Alfred à parler encore de lui et des malentendus que son caractère froid pourrait engendrer.

Ma chère fiancée,
Merci de votre longue et charmante lettre ; elle me rend tout confus quand je songe avec quelle négligence j'écris. C'est un nouveau défaut que je vous dévoile ; j'ai pris la désastreuse habitude d'écrire au hasard de mes impressions, sur le premier bout de papier venu, sans aucun souci de la forme. Je compte sur vous pour me corriger ; en attendant, j'implore votre indulgence.
Vous ne pouvez vous figurer combien ma pensée est toujours auprès de vous. En général, mon isolement me pesait peu ; quelques livres, une plume et du papier suffisaient à me distraire. Il n'en est plus de même aujourd'hui, et constamment ma pensée m'échappe et me reporte loin d'ici.
Je voudrais pouvoir vous convaincre de ma sincérité absolue, dont j'ai peu osé vous parler et dont j'ose à peine parler ici. Et cependant, vous vous plaisez à me signaler mon insensibilité !
Insensibilité extérieure apparente, je vous l'accorde, réelle, non ! J'avoue que je n'ai jamais pu étaler mes sentiments intimes ; il m'eût semblé que je les profanais. Et puis, j'ai si souvent entendu prononcer ces promesses qui sont d'usage quand on se marie, promesses adressées aux parents et à la fiancée, et dont j'ai vu parfois la réalisation si aléatoire, que je n'aurais jamais pu me résoudre à employer le même cliché banal.
Il me semble que ces choses-là se prouvent bien mieux qu'elles ne se disent, qu'elles résultent de l'individualité même des personnes mises en cause et qu'elles sont inhérentes à ces personnes. Ce n'est pas parce que untel aura aujourd'hui, sur l'effort unique de sa volonté, promis monts et merveilles que brusquement il modifiera ses habitudes premières. C'est par toute sa vie passée qu'il faut le juger, elle seule peut donner une appréciation exacte.
Enfin ai-je essayé, quitte à faire croire que j'aimais parler de moi, de vous décrire ma vie passée, de vous faire connaître mes pensées intimes sur des sujets qui se rapprochaient de notre situation, pour que vous puissiez librement apprécier vous-même à qui vous alliez confier désormais votre existence. Et c'est là-dessus que j'espérais que vous me jugeriez, bien plus que sur des paroles banales devenues presque un guide officiel pour tous les fiancés.
Ce que je puis vous assurer, sans aucune espèce de forfanterie, c'est que je chercherai en toute occasion à assurer votre bonheur et à conquérir votre affection complète [70].

Lucie rejoint parfois Alfred à Bourges ; des photographies les montrent sous un beau soleil d'hiver dans la petite ville lumineuse, heureux du temps présent et de l'avenir qui s'ouvre à eux. Tout à sa relation nouvelle avec Lucie, Alfred parvient pourtant à préparer le concours d'entrée à l'École de guerre. La veille des écrits, « la première bataille », il partage avec Lucie ses doutes et son espoir d'avoir encore à ses côtés « cette bonne fée protectrice qu'on appelle "la veine" [71] ». Aussitôt qu'il apprend son admissibilité, il envoie une lettre pleine de bonheur et d'affection à sa jeune fiancée. Ses camarades l'ont félicité. Il est le seul candidat parmi les autres artilleurs candidats à Bourges à avoir franchi la barre de l'admissibilité. « C'est vous, ma chère Lucie, qui m'avez porté bonheur. » Et il ajoute, comme pour parfaire l'harmonie des cœurs : « Au moment où je vous écrivais ces mots, et par une coïncidence bizarre, on me remet une dépêche. Ce sont ces fous de Carpentrassiens qui me félicitent. Je vous envoie le texte de la dépêche ; elle vous montrera bien pourquoi j'ai une telle affection pour eux [72]. »

Moins d'un an après leur rencontre, Alfred et Lucie se marient. Le mariage religieux est célébré le 21 avril 1890 dans la synagogue de la rue de la Victoire, à deux pas de la rue de Châteaudun, puis une belle réception est donnée dans l'appartement des Hadamard. Toute la famille Dreyfus fit le voyage et les « Carpentrassiens » étaient bien sûr présents. Les jeunes mariés partirent ensuite pour un voyage de noces qui dura près de cinq semaines, entre mai et juin 1890 [73]. Il conduisit les époux à la découverte de l'Italie, du lac de Côme jusqu'à Florence. Ils revinrent par la Suisse, s'arrêtèrent à Bâle et, de là, passèrent en fraude à Mulhouse, pour présenter le reste de sa famille à Lucie. Ce voyage fut très réussi. Il combla le désir de paysages et de découvertes d'Alfred (il envisagea même de le refaire deux ans plus tard, en novembre 1892). Il demanda même à cette intention, le 1er novembre, un congé de deux mois, mais il dut y renoncer, car sa femme, enceinte, était très fatiguée. Elle accoucha dans des conditions difficiles le 22 février de l'année suivante, donnant naissance à Jeanne. Alfred décida de ne pas annuler son congé et resta au chevet de sa femme [74].

Lucie aime profondément Alfred. Alfred l'aime probablement d'un amour moins fort, mais il admire ce qu'elle représente et la famille à laquelle il est désormais allié, lui qui est presque seul à Paris, lui dont la mère n'est plus et le père éloigné et bientôt malade. Alfred a fait un mariage d'amour en même temps qu'un beau mariage. L'intégration des Hadamard est plus profonde que celle des Dreyfus, encore provinciaux et dont la fortune, certes confortable, n'atteint pas celle des Hadamard. Par sa vocation intellectuelle et sa décision de servir la France en intégrant l'élite de la haute fonction publique, Alfred Dreyfus a certes fait franchir un pas décisif à sa propre famille, mais

il est le seul de sa génération à être dans ce cas, tandis que les Hadamard se situent déjà à un niveau plus élevé de l'échelle sociale. À
même génération, les cousins et cousines de Lucie se rapprochent des
grandes élites intellectuelles et nationales soit par leur profession, soit
par leurs alliances.

Après le voyage de noces, le couple s'installe dans un appartement
rue François-I<sup>er</sup>, proche du pont de l'Alma qui mène directement à
l'École militaire et à l'École de guerre dans l'immense bâtiment de la
place de Fontenoy[75]. Deux enfants naissent rapidement de leur union :
Pierre, le 5 avril 1891, et Jeanne le 22 février 1893. Les grossesses de
Lucie sont difficiles. Mais le couple put trouver une solide nourrice
alsacienne. Au cours d'un séjour à Mulhouse vers la fin de l'année
1891, la première nourrice, venue avec l'enfant, perdit son lait. Lucie
dut en rechercher d'urgence une autre qui lui donna toute satisfaction.
Alfred et Lucie proposèrent alors à cette nouvelle nourrice, nommée
Virginie Hassler et qui élevait seule un enfant, de la prendre à leur
service à Paris, elle devint aussi leur cuisinière. Alfred était content
de ce choix qui lui rappelait les ambiances de son enfance à Mulhouse.
Virginie Hassler recevait parfois des compatriotes alsaciens, et ils parlaient l'allemand ensemble. « Alsacien moi-même, je n'y voyais pas
de mal. Du reste, l'oncle de ma cuisinière est un ancien cuirassier de
Reichshoffen[76]. »

À la naissance de leur fille Jeanne, ils emménagent dans un grand
et lumineux appartement avenue du Trocadéro. Là, Lucie tente de se
remettre du très difficile accouchement qu'elle vient de vivre – « ses
jours même furent en danger[77] ». Mais elle se rétablit. Très attentif,
Alfred avait recherché pour elle les meilleures conditions et les
meilleurs médecins. Ces solutions étaient coûteuses, mais la fortune et
les revenus les couvraient sans difficulté. Alfred Dreyfus était déjà
riche avant son mariage, et il le fut bien plus encore après son union
avec Lucie. Jusqu'à la catastrophe de 1894.

## Un héritier fortuné

Le train de vie du capitaine Dreyfus, qui est « proportionné à ses
ressources[78] », lui assure en effet une qualité d'existence tout à fait
remarquable, comparativement à ses camarades moins fortunés. Avec
son mariage et la dot de sa femme, son revenu annuel se situe à près
de quarante mille francs[79]. Et il possède, on l'a vu, auprès de la filature
familiale un crédit permanent de plusieurs centaines de mille francs[80].
Ses comptes sont très bien tenus[81].

La succession ouverte le 27 février 1894 après la mort de son père
en 1893 lui laisse un capital important. Comme ses frères et sœurs, il
reçoit une partie de la valeur de la société de filature et de tissage, soit
quatre-vingt-dix mille marks or (cent dix mille francs), et il partage avec
eux la propriété de la demeure familiale, rue de Sinne (en revanche, les

deux places à la synagogue sont attribuées à Jacques et Léon Dreyfus [82]). Ces sommes peuvent sembler assez modestes. La famille Dreyfus n'a pas encore atteint le rang des quatre-vingt-sept capitaines d'industrie millionnaires qui ont été recensés à Mulhouse à la veille de la guerre de 1870. Mais son enrichissement a été exceptionnel, et réalisé en une génération. En 1841, à son mariage avec Jeannette Liebman, Raphaël Dreyfus ne disposait que de quatre mille francs. À sa mort, sa fortune peut être estimée à 800 000 francs. Certes, elle se concentrait presque exclusivement dans la société Raphaël Dreyfus et Cie. Mais celle-ci était en pleine croissance, dégageant de forts bénéfices grâce à la gestion avisée des trois fils.

Juste avant sa mort, le 18 octobre 1893, et pour prendre effet le 1er janvier 1894, Raphaël Dreyfus avait transformé sa société en commandite en société anonyme qui prit le nom de *Aktiengesellschaft für Baumwoll-Spinnerei und Veberei* (Société anonyme de filature et de coton). Elle se donne comme objet la poursuite de l'exploitation des établissements Raphaël Dreyfus, la fabrication et la vente de fils et de tissu de coton, la fondation et l'exploitation ou la location d'entreprises similaires. Elle dispose de deux unités de production, la plus grande à Mulhouse et une plus petite à Frauenalb en pays de Bade. Le capital est réparti entre les trois fils qui possèdent six cent trente-neuf (ou six cent trente-huit) actions chacun, sur un total de mille neuf cent vingt. Raphaël en conserve deux, Henri Bernheim, commerçant à Bâle, et Julien Schwob, commerçant à Héricourt, en reçoivent une. Après la mort de Raphaël, Joseph Valabrègue lui succède au conseil de surveillance de l'entreprise où entre également Alfred.

Le début de la direction des trois frères, après la mort de leur père, est marqué par un incendie qui ravage l'usine de Mulhouse le 24 août 1894. Le bâtiment est entièrement détruit, sauf le local des machines à vapeur. Un mois plus tard, Mathieu Dreyfus dépose une demande de reconstruction d'une filature beaucoup plus moderne que la précédente. Ses frères décident dans la foulée de s'implanter en France. Fin 1894, une usine est créée à Valdoie, près de Belfort, tandis que le tissage de Frauenalb viendra s'ajouter l'année suivante. En 1917, un rapport technique et commercial concernant quatre entreprises de Mulhouse au capital majoritairement français, et mises sous séquestre pour cette raison, incluait la société de Raphaël Dreyfus. À cette date, elle comprenait la filiale de Valdoie et trois usines sous le site : la vieille filature, une nouvelle filature et un tissage construit en 1908. À la fin de 1914, l'entreprise est conduite par deux directeurs financiers, Jacques et Mathieu Dreyfus, et un directeur technique, Charles Dreyfus, l'un des fils de Jacques ; Alfred Dreyfus ainsi qu'Henri Bernheim, Paul Jeanmaire et Julien Schwob restent au conseil de surveillance [83]. Alfred conserve un réel intérêt pour la technique et les produits du textile. Au début de 1894, lors d'un voyage d'état-major sur la frontière de l'Est, à Charmes, dans les Vosges, il obtient du colonel

Roget, sous-chef au 4ᵉ bureau, qui loge chez une dame faisant le commerce de dentelle, qu'il le mette en relation avec cette dame. Et il lui achète « un certain nombre de lots de dentelles [84] ».

L'héritage de son père et la valorisation de la société dès 1894 permettent aux quatre frères Dreyfus de bénéficier d'un haut niveau de revenus. Pour Alfred, qui dispose en sus de la dot de sa femme – qui elle-même héritera en 1902, après la mort de son père –, cet enrichissement l'autorise à financer de nombreuses dépenses liées à son statut social et à ses ambitions de carrière. En 1893, il emménage donc dans leur bel appartement de l'avenue du Trocadéro. Il entretient aussi deux chevaux qu'il monte chaque matin dans le bois de Boulogne. Il devient ainsi un excellent cavalier, remarqué et reconnu. Cette aisance est un atout, on le sait, dans la carrière des armes. L'été, comme en 1894, il peut envoyer sa femme plusieurs semaines à Houlgate tandis qu'il reste à Paris pour les besoins de son service ; il la rejoint chaque fin de semaine pour un long week-end. Il se rend aussi régulièrement à Mulhouse, mais il le fait désormais de manière clandestine comme il le déclare lors de ses interrogatoires à la prison du Cherche-Midi. Depuis la loi sur les passeports allemands, il n'a pu entrer officiellement en Alsace que le 11 décembre 1893, pour se rendre au chevet de son père mourant [85]. L'ambassadeur d'Allemagne lui avait octroyé un laissez-passer. Mais ses autres demandes furent systématiquement rejetées, comme celle du 23 juillet 1892. Alors, il se rend clandestinement en Alsace, « sans autorisation et en cachette à deux ou trois reprises différentes [86] » ou même plus. Il semble qu'il soit assez facile de toute manière de franchir la frontière. Interrogé par le commandant d'Ormescheville sur un voyage qu'il aurait effectué en 1892, le capitaine Dreyfus précise : « Il me semble me rappeler que c'est cette année-là qu'on m'a refusé mon passeport et que j'ai demandé à mes frères d'agir à Strasbourg pour qu'on me l'accordât ; je crois me souvenir qu'on m'a répondu que je n'avais qu'à venir tranquillement, qu'on fermerait les yeux. C'est sans doute à cette époque que j'ai fait ce séjour à Mulhouse qui a pu durer une dizaine de jours [87]. »

## Le sourire de la vie

Élève à l'École de guerre puis stagiaire à l'État-major, Alfred Dreyfus mène une existence faite de satisfactions et d'ambitions. Il est comblé par la vie de famille, le bonheur de ses enfants et l'amour de sa femme. « Après plus d'une décennie de nomadisme dans les écoles militaires et les garnisons de province, écrit Michael Burns, le biographe de la famille Dreyfus, celui qui se qualifiait lui-même de "voyageur errant" est enfin récompensé, à trente-quatre ans, par le tranquille confort domestique de la grande bourgeoisie parisienne : il mène la vie d'un riche et brillant officier dans une nation en paix [88]. »

Alfred Dreyfus a franchi une nouvelle étape dans sa carrière en réussissant le très difficile concours de l'École de guerre. Et il ne manque pas d'ambitions, à la fois professionnelles et personnelles. L'École de guerre doit lui ouvrir les postes les plus recherchés de l'État-major général de l'armée. Il met son travail au service de son dessein d'abord pour obtenir la meilleure place possible aux concours d'entrée et de sortie de l'École de guerre, puis pour prouver ses compétences lors des stages à l'État-major.

Le succès à l'École de guerre l'a rendu particulièrement heureux. Après deux ans de scolarité qui l'ont passionné, il s'attend à sortir dans les premiers de sa promotion. Sa sœur Henriette, qui le reçoit chez elle à Carpentras au cours de l'été 1892, relève sa gaieté, comme elle l'écrit à sa fille Lucie, jeune épouse d'Henri Bernheim : « Alfred est arrivé vendredi soir à 11 heures, il n'a vraiment pas mauvaise mine, au contraire je le trouve très bien portant, seulement un peu maigre. Il est très content et très bien disposé, et il y a longtemps que je ne l'ai pas vu aussi gai, il peut sortir dans les dix premiers de l'École[89]. » Sur cette même lettre, Alfred adresse à sa jeune nièce quelques mots qui disent son bonheur :

> Ma chère Lucie,
> Je suis dans ton beau pays d'enfance, un peu brûlé il est vrai en ce moment par le soleil ; cependant on est très bien à la campagne et l'on n'éprouve nulle envie de se rendre en ville.
> Tu vois que je suis le voyageur errant, passant d'un pays à l'autre, d'un climat doux comme celui de Nice à un climat humide comme celui de Calais. Quel merveilleux jardin que toute cette côte méditerranéenne depuis Toulon jusqu'à Menton en passant par Nice et Monte-Carlo ; je viens d'y passer huit bons jours et je reviens enchanté de ce ciel et de cette mer toujours bleus (sauf quand le mistral souffle), de cette végétation luxuriante et il faut l'avouer enfin de ces villes d'un style ravissant où la main de l'homme est venue achever et compléter l'œuvre de la nature.
> Ici c'est toujours l'atmosphère calme et tranquille où les nerfs se détendent et se reposent. Je n'ai qu'un regret, c'est que nous ne puissions nous y rencontrer au même moment. Je pars ce soir pour Paris, après-demain pour Bar-le-Duc, rejoindre Lucie et mon jeune fils (ne te semble-t-il pas drôle de m'entendre parler de mon jeune fils ?) et de là je reviendrai directement à Calais.
> Tu as dû apprendre que tous nos projets ont été bouleversés par diverses circonstances ; enfin je ne sais pas ce que nous déciderons, ni à quel moment ma femme ira à Mulhouse.
> Mes meilleures amitiés à Henri. Je t'embrasse.
> Ton oncle dévoué. Alfred[90]

Les circonstances qu'évoque Alfred portent sur l'état de santé de Lucie qui séjourne à l'époque à Mulhouse, Alfred étant persuadé que le bon air de l'Alsace ne pourra que la soigner, elle et son bébé de seize mois. La présence de Lucie et de Pierre dans la maison de son enfance revêt aussi pour Alfred la beauté des symboles heureux. Sa famille compte beaucoup pour lui, comme sa belle-famille, ses beaux-parents particulièrement, chez qui il dîne toutes les semaines, occasions de longues discussions ou d'haletantes parties de cartes[91].

Alfred Dreyfus continue à fréquenter des femmes galantes, ni prostituées ni femmes du monde. Un subtil entre-deux. Son récent mariage ne l'a pas pleinement dissuadé de renoncer à ces plaisirs. Et même sa grande affection pour Lucie n'a pas éteint chez lui son désir de plaire et de séduire. Après la grave maladie de sa femme consécutive à la naissance de son second enfant, il renoue en partie avec une vie de garçon. Son attirance va toujours vers des femmes très belles avec lesquelles il éprouve un plaisir amoureux. Il ne franchit pas la distance qui le sépare de l'adultère consommé, mais il s'en rapproche dangereusement. Il vécut deux aventures durant une brève année, entre l'été 1893 et celui de 1894. La première avec une femme de trente-cinq ans, nommée Marie Déry, qu'il aborda après l'avoir rencontrée « très souvent ». Elle était probablement d'origine autrichienne. Alfred Dreyfus savait aussi qu'elle était une « femme galante », une femme qui prenait des amants et aimait l'amour, parfois le monnayait – mais sans qu'il en soit vraiment certain[92]. Lors des interrogatoires dans la prison du Cherche-Midi, il expliquera qu'il s'est rendu chez elle à deux ou trois reprises, mais n'a eu aucune relation intime avec elle et a cessé ses visites à la fin de 1893. « J'adore ma femme et j'ai eu peur qu'elle ne le sût », expliqua-t-il aux enquêteurs après son arrestation, preuve que cette fréquentation avait un goût d'adultère[93].

La seconde rencontre concerna la jeune Suzanne Cron, âgée de vingt-cinq à trente ans[94], en instance de divorce, abordée au concours hippique en avril 1894 et revue chez elle, rue de Calais, près de la place de Clichy[95]. Là aussi, la relation prit un tour aventureux et donc dangereux pour un homme qui aimait et respectait sa femme. Il s'était assurément laissé emporter par une passion à laquelle il se refusait. Dans des moments de griserie, il avait pu lui proposer de lui louer une villa pour l'été à la condition qu'elle serait sa maîtresse. Découvrant jusqu'où il pouvait aller, réalisant qu'il était bel et bien en train de tromper sa femme, il mit fin à leurs rencontres en juillet de la même année[96]. « Au moment décisif, je rompis également avec elle [...]. Chaque fois, mon amour pour ma femme avait surmonté le désir de mes sens[97]. » Mais Suzanne Cron s'accrocha, lui écrivant « une dernière lettre en juillet ou en août, qu'elle terminait par ces mots : "À la vie et à la mort"[98] ». Il s'en inquiéta d'autant plus qu'un an auparavant il avait été pris dans une pénible affaire qui aurait pu nuire à sa réputation si ses origines ne remontaient pas avant son mariage. Mais ses proches surent quel type de fréquentation il recherchait et dans quelles difficultés il pouvait se mettre à cause de sa légèreté amoureuse. En 1890, un chasseur de fortune d'origine russe nommé Pierre Wladimiroff voulut forcer Mme Dida, devenue veuve entre-temps, à l'épouser. Au cours d'une nuit dramatique, l'aventurier assassina de cinq balles de revolver la femme dont s'était épris le lieutenant Dreyfus six ans plus tôt. Il fut alors cité à comparaître devant la justice. Son comportement fut très digne, il défendit son honneur et celui d'une femme assassinée, mais son nom se voyait mêlé à une affaire sombre. Il n'a cependant rien caché à ses interrogateurs de novembre 1894 : « Un jour, le père de Mme Dida est venu me trouver chez moi, rue François-I[er], c'était en 1890 à la fin de l'année, et m'a dit que l'assassin avait déclaré que j'avais été l'amant de Mme Dida. Je lui ai répondu que je n'avais jamais été l'amant de Mme Dida et que j'étais prêt à le déclarer. Je fus convoqué à Versailles un peu après cette visite et je déclarai encore devant le juge d'instruction que je n'avais jamais été l'amant de Mme Dida[99]. » Il est probable qu'après cette pénible situation d'avoir été mêlé à une instruction d'assises ses frères et certainement aussi Lucie le mirent en garde contre des comportements qui pourraient nuire à sa réputation et à celle des deux familles.

Le regard d'Alfred porté, au-delà de Lucie, sur d'autres femmes pourrait relever de la catégorie de l'invariant masculin. Les tenants du genre s'en contenteraient certainement. On pourrait aussi expliquer ces infidélités – qui cessèrent au moment où il en prit conscience – comme résultant de la recherche de la figure de la mère dont il avait été privé dans son enfance. On pourrait également évoquer le besoin des personnalités timides de s'arracher à leur handicap par l'assurance que procurent la séduction et la conquête. Par ailleurs, tous les témoignages, y compris familiaux, montrent un homme touché par la beauté du sexe féminin et ne s'en cachant pas. Il y avait chez Dreyfus une forme de candeur devant les êtres et le monde, qui pouvait laisser songeur. Le fait que Lucie n'ait pas cette beauté éclatante qu'il recherchait pouvait l'attirer vers d'autres femmes plus séduisantes qu'elle. Lucie n'était pas considérée en effet comme une très belle femme, dont l'éclat se serait imposé à tous. Elle était encore très jeune, moins de vingt-cinq ans. Elle était davantage présentée comme « une jeune fille charmante[100] ». Avec l'arrestation et le martyre de son mari, ce fut une tout autre beauté qu'elle révéla, celle du courage et de la passion pour un homme abandonné de tous. Alfred Dreyfus avait recherché ailleurs, dans les bras des « femmes galantes » et des courtisanes modernes, ce que Lucie rêvait de lui offrir mais qu'elle ne pouvait exprimer, compte tenu des normes que la société bourgeoise imposait aux mères et aux épouses. Alfred Dreyfus lui aussi était prisonnier des conceptions sociales qui obligeaient les hommes conquérants à séparer les plaisirs de l'amour des liens du mariage. Ce fonctionnement de la société, dont l'époque présente porte encore la trace douloureuse, court dans l'affaire Dreyfus. Mais le caractère si exceptionnel du sort des deux époux amena Lucie Dreyfus à témoigner, hors de toute convenance et avec une passion sans bornes, de son amour pour son mari, dans les lettres notamment qu'elle lui adressa jusqu'au bout du monde[101].

Enfin, les maternités difficiles de Lucie et les inquiétudes qu'elles suscitèrent, la santé fragile de ses jeunes enfants, ont pu encourager Alfred à rechercher ailleurs une forme de dépaysement, voire à compenser une forme de déception. Lui qui n'avait eu aucune maladie sérieuse et dont la famille était réputée pour sa bonne santé et la longévité de ses membres, il sembla s'impatienter devant les maladies répétées de son épouse. Et qui plus est survenues lors d'événements, accouchements, maternités, dont il n'était pas vraiment familier. Sa vie n'était pas là prioritairement quand bien même il considérait remplir ses devoirs de père et d'époux. Mais il se laissa séduire par l'idée d'un retour vers un autre monde, plus léger, plus facile. Progressivement, il comprit que cette évasion était aussi une source d'égarement et de souffrance. Le meurtre de son ancienne amie de cœur et plus encore la conscience qu'il était dans une forme d'infidélité à l'égard de sa femme l'amenèrent à renoncer à de telles aventures. En devenant plus responsable, Alfred devenait plus heureux. Il découvrait, plus qu'il ne l'imaginait, l'amour profond que lui portait Lucie. L'été 1894 fut particulièrement souriant. Ils vivaient leurs derniers mois de bonheur. Cette plénitude éclipsait les signes avant-coureurs de la catastrophe.

*Le monde de demain*

Ses réussites, le sourire que lui tendaient la vie et ses proches, le sentiment de grandir dans une nation elle-même éprise de civilisation, confortaient le jeune officier dans ses choix et son identité. Choix des armes, choix de l'intégration au plus haut niveau de l'État grâce à l'École de guerre, choix de l'excellence. Le capitaine Dreyfus épousait l'idéal de l'armée de demain, savante, moderne, ouverte sur les élites de la nation, il en était même l'un des plus beaux représentants. Et s'il devait échouer, ce n'était pas lui seulement qui allait chuter. Tout ce projet de réforme intellectuelle et morale, pour reprendre le titre de l'ouvrage célèbre d'Ernest Renan au lendemain de la défaite de 1870 [102], serait lui aussi menacé.

Le rêve d'Alfred Dreyfus était celui de la France moderne, démocratique, intégratrice. Son identité française était faite de ses identités multiples, familiale, militaire, bourgeoise. Autant que sa profession, dans laquelle il excellait, sa culture le dépeint aussi dans sa vérité. On n'en suit pourtant guère la richesse et la profondeur dans ces années de jeunesse, par manque de sources mais aussi parce que Alfred Dreyfus l'exprime peu. Il se l'approprierait plutôt. Mais c'est bien cette culture qui se répandra avec éclat dans tous ses cahiers de travail de l'île du Diable, revisitant les classiques et les modernes, les histoires et les mythes, les paysages et les pays de liberté [103].

Convaincu du sens de l'histoire et que celui-ci allait vers la civilisation et la culture, Alfred Dreyfus ne se préoccupait pas de ce qu'il nommait les « passions ». Il ne méconnaît pas l'antisémitisme, mais il croit en sa disparition par la marche du progrès dont lui-même, désormais, se pense un acteur. Pour lui comme pour ses coreligionnaires officiers, l'antisémitisme se combat comme tout autre désordre politique et social. En mai 1892, au moment où le capitaine Dreyfus achevait l'École de guerre, une vive campagne de dénonciation fut lancée par *La Libre Parole* – le journal « antijuif » que le pamphlétaire Édouard Drumont venait de créer – contre la présence d'officiers juifs dans l'armée [104]. Les articles, derrière lesquels se cachait un informateur militaire qui ne fut jamais identifié, étaient signés d'un certain comte Pradel de Lamase. Un jeune capitaine de dragons André Crémieu-Foa, provoqua en duel Édouard Drumont, au nom des « trois cents officiers de l'armée d'active qui appartenaient au culte israélite ». Le combat, à l'épée, eut lieu le 1er juin 1892. Un certain commandant Walsin-Esterhazy était l'un des deux témoins de l'officier. L'engagement fut si violent que le médecin décida de l'interrompre. Les hommes de main du directeur de *La Libre Parole*, le marquis de Morès, Jules Guérin et Pradel de Lamase, provoquèrent l'officier à leur tour. Un second duel eut lieu, cette fois au pistolet, entre Crémieu-Foa et Lamase. Aucun vainqueur ne fut déclaré.

Indigné que l'auteur déclaré des articles antisémites ne soit pas flétri par le déshonneur, Ernest Crémieu-Foa, frère du capitaine, fit publier la relation du combat, et ce contre tous les usages. Morès provoqua alors en duel le premier témoin de Crémieu-Foa, le capitaine Mayer, alsacien et polytechnicien. Le combat intervint le 23 juin, et Mayer fut mortellement blessé par un coup d'épée de Morès [105]. L'émotion fut considérable, dans la communauté juive et dans les milieux républicains. Les obsèques du capitaine Mayer furent suivies par plus de vingt mille personnes. Le grand rabbin Zadoc Kahn prononça l'hommage funèbre. À la Chambre des députés, le ministre de la Guerre, Charles de Freycinet, déclara : « L'armée ne doit pas faire de distinction entre juifs, protestants et catholiques. » Il ajouta, solennel : « Une telle division de l'armée est un crime contre la nation [106]. » Il semble qu'Alfred Dreyfus n'ait pas participé aux obsèques du capitaine Mayer puisqu'il se trouvait à ce moment dans les Alpes, en voyage d'études pour l'École de guerre. Mais Armand Mayer était l'un de ses camarades de Polytechnique, comme lui il était juif et alsacien. Et le grand rabbin Zadoc Kahn, ami intime de ses beaux-parents, avait célébré son mariage dans la synagogue de la rue de la Victoire.

La campagne de *La Libre Parole* fit une seconde victime, André Crémieu-Foa. L'officier, se sentant déshonoré, demanda à être envoyé au Dahomey. Il y trouva la mort le 17 novembre après avoir été blessé au cours d'un accrochage avec des indigènes. En revanche, les antisémites furent blanchis de toute responsabilité dans la mort du capitaine Mayer. Morès, accusé d'homicide et traduit en cour d'assises, fut acquitté. Ernest Crémieu-Foa tenta de sauver l'honneur en publiant un témoignage *pro domo* [107]. Les deux morts de l'année 1892 jetaient une ombre inquiétante sur l'avenir des Juifs en France et leur intégration, particulièrement dans l'État et dans l'armée de la République. Et ce au moment où les Juifs de France aspiraient à servir de leur mieux le pays qui leur avait donné la reconnaissance civique et qui semblait retrouver, avec la République, les idéaux de justice et d'égalité qui avaient été ceux de la Révolution des droits de 1789[108]. Les assurances données par le ministre de la Guerre devant la représentation nationale et l'unanimité qui avait accompagné le capitaine Mayer à sa dernière demeure ne suffirent pas à inverser un mouvement d'hostilité croissante envers les Juifs. La haine s'exprime particulièrement contre les Juifs présents dans l'appareil d'État, les « fous de la République » comme les baptisa l'historien Pierre Birnbaum[109]. Le sort ultérieur du capitaine Dreyfus montra que l'antisémitisme ne reflua pas au sein de l'état-major et même qu'il s'amplifia. Pour ses partisans, le fait que la « question juive » ait été vivement posée par un organe de presse ne pouvait laisser indifférent même si la manière n'était pas celle des militaires.

Pour le capitaine Dreyfus, l'essentiel restait que l'État-major général était pour lui à portée de main grâce à la reconnaissance du mérite sur laquelle reposait la voie nouvelle d'accès permise par l'École de guerre. Dans le lieu rêvé de son avenir, il constatait que l'antisémitisme n'agissait pas. Et si, par accident, un fait de cette nature survenait, il ne pouvait pas impliquer la moderne et élitaire institution. « Dans une conversation qui a eu lieu, dans la cour de l'École de guerre, entre le colonel Niox et moi, le colonel m'a dit qu'on n'avait jamais fait de différence à l'École entre un Juif et un autre. Je lui ai répondu qu'en effet je n'avais qu'à me louer de toute la sympathie et de toute la bienveillance qu'on m'avait témoignées à l'École de guerre[110] », déclara le capitaine Dreyfus à ses accusateurs qui l'avaient arrêté, parce que juif, parce que menaçant pour l'« arche sainte » de l'armée.

CHAPITRE III

# Le début de la fin

L'étude précise des deux années qui précédèrent le temps de la terreur montre que le capitaine Dreyfus était un officier en sursis à l'État-major. À l'avant-garde d'une nouvelle élite militaire, il avait avancé trop vite, sans protection. Il était seul, en terrain découvert, parfaitement vulnérable. Or son profil représentait un danger pour les tenants de l'ancien régime militaire. Il était juif dans une institution où l'antisémitisme pouvait être puissant, notamment à l'État-major général. Il était donc menaçant pour les cadres qui ne voulaient pas de Juifs, surtout dans le haut commandement. Tout au mieux les tolé-raient-ils dans les régiments. Il est inexact de penser que l'armée dans son ensemble était contre les Juifs. L'affaire Dreyfus démontrera que l'on pouvait être soldat et rester indifférent à l'antisémitisme, voire le refuser et le combattre, et ce sera l'honneur d'un nombre significatif d'officiers de l'armée. Mais à l'État-major il était réel et actif.

Le capitaine Dreyfus faisait encore jouer, pour son malheur, d'autres lignes de fracture. Il symbolisait la voie moderne du recrutement par les écoles, de la promotion par la compétence, de l'autorité par l'intel-ligence. Cette voie nouvelle inquiétait les très nombreux cadres qui obéissaient aux règles traditionnelles. Il était pour cela très menaçant, d'autant qu'il n'hésitait pas à afficher ce style et à négliger les codes. Intellectuel dans un corps qui prônait plus volontiers le sabre, Dreyfus incarnait de plus la figure et les attitudes du civil. Il ne venait pas du monde de l'armée, il provenait au contraire des couches que la Répu-blique promouvait jusque dans l'institution militaire. Le capitaine Dreyfus appliquait à l'armée les modes d'intégration qui avaient été les siens et ceux de sa famille pour être adopté par la République.

L'État-major ne pouvait donc que le rejeter comme un étranger total. De quelque manière que ce soit, à plus ou moins brève échéance, son sort était scellé au haut commandement. Mais personne, même l'officier le plus réactionnaire et le plus antisémite, n'aurait imaginé la manière dont il serait éliminé. Et de plus par l'un des rares ministres de la Guerre connus comme républicains et par le successeur du chef d'État-major jugé le plus moderniste et le plus compétent.

De tout cela Alfred Dreyfus n'eut pas conscience avant son procès. Autrement, il est probable qu'il aurait renoncé de lui-même à la carrière des armes, ou du moins aux fonctions d'état-major. Mais son choix, précisément, apportait la preuve qu'il croyait absolument dans la possibilité d'une France démocratique et civilisatrice.

## LA PASSION DE L'ÉTAT-MAJOR

La réussite du concours de l'École de guerre, le 20 avril 1891, ouvre, on l'a dit, pour Alfred Dreyfus une période excessivement heureuse de sa vie. Il s'apprête à fonder une famille et, davantage encore que ses frères et ses sœurs, il confère à son nom un puissant rayonnement. Il n'est pas resté à Mulhouse, il n'est pas parti pour Carpentras ou pour Belfort, il est à Paris, capitale de France. Il y installe un nouvel âge de la famille Dreyfus. Son beau mariage avec Lucie, sa belle carrière dans l'armée, lui montrent que les plus hautes positions sont de l'ordre du possible. Et que le temps de l'errance, pour lui, pour les siens, peut désormais s'arrêter. Déjà certains de ses neveux veulent suivre ses pas, venir à Paris, préparer les grandes écoles, vivre le rêve français de leur oncle. Celui-ci est porté par sa réussite. Entré 67e à l'École de guerre, dans les derniers de la promotion, il en sort 9e et aurait même pu prétendre à la 3e place si un incident n'était pas survenu. Classé quoi qu'il en soit dans les douze premiers, il fait partie en 1893 des officiers qui entrent à l'État-major pour deux années de stage à l'issue desquelles ils pourront obtenir des postes au sein des bureaux du haut commandement. Là aussi Dreyfus se révèle. Il travaille énormément et exprime son bonheur de servir la France dans cette « arche sainte » où se préparent les victoires futures.

### Une brillante scolarité à l'École de guerre

Si Alfred Dreyfus affiche sans hésitation mais sans ostentation non plus son aisance de cavalier et sa belle prestance, rehaussée d'une fine moustache très courue à cette époque, ses qualités premières sont d'abord intellectuelles. Le jeune capitaine entré à trente et un ans à l'École de guerre est intelligent et travailleur. Il assimile vite et bien, et la tâche ne lui fait pas peur. Tout en se coulant dans le moule de la haute formation militaire, il ne s'interdit pas d'afficher un esprit libre et curieux. Moins que d'autres, il n'a de complexe sur ses origines. Il se considère intégré au point qu'il en oublie que sa famille a dû faire l'effort de l'être. Il agit avec une forme d'évidence qui pourrait apparaître comme naïve ou imprudente dans un contexte d'antisémitisme maintenu. Celui-ci, il le voit probablement, mais il n'envisage pas qu'il puisse le concerner. Un événement survenu à la fin de sa scolarité à l'École lui rappellera pourtant qu'il reste un Juif dans l'armée et que sa situation n'est pas aussi solide qu'il l'imagine. Il protestera contre cette injustice au nom du droit et de l'équité, mais il n'imaginera pas non plus que sa carrière puisse être menacée ou compromise par de telles « passions [1] ». Il continuera de faire confiance à cette institution qui l'a accueilli et qui a reconnu sa valeur.

Sa principale force réside dans ses aptitudes intellectuelles. Il les a d'abord prouvées dans les différentes écoles où il a été élève puis professeur. Il les a montrées dans la conduite des batteries à cheval et dans l'instruction. Il les démontre encore dans sa remarquable progression au cours des deux années d'École de guerre puisqu'il en sort dans les premiers, distingué de surcroît par la mention « très bien ». Il aurait pu prétendre à la troisième place [2] si une note n'avait été volontairement rabaissée par un examinateur antisémite [3]. Durant sa scolarité, qui s'est étendue du 1er novembre 1890 au 1er novembre 1892, de telles qualités se révèlent tout particulièrement. Le type d'études lui convient très bien. Dreyfus se sent très à l'aise dans l'analyse, dans la réflexion, mais il excelle dans l'examen de dossiers très techniques et le travail sur cas. Durant ces deux années, il effectue deux voyages, l'un de cavalerie, l'autre d'artillerie [4]. Le second l'emmène en juillet 1891 vers les places fortes de la frontière de l'est et du nord. Lors de ces déplacements, il se fait remarquer pour la qualité de ses carnets tenus « avec un soin tout particulier » et très riches en détails [5]. Il conserve pour lui-même le résultat de ses observations, mais consent aussi volontiers à aider des camarades en leur prêtant ses précieux carnets [6].

Le futur général Jean-Jules Brun, qui entra comme professeur à l'École de guerre au moment où Dreyfus en sortait, se souvenait d'avoir fait un exercice avec lui à Sedan et de lui avoir fait passer ses examens de sortie [7]. À l'École, il est considéré comme un élève qui compte. En 1891, il est ainsi approché par le commandant Joseph-Jules Ducros, l'un des ingénieurs de l'atelier de Puteaux qui finit de mettre au point un nouveau prototype de canon léger. Il veut le faire adopter par l'État-major et propose au capitaine de l'aider dans ses études en lui faisant passer une « colle [8] », en espérant profiter de cette occasion pour le convaincre d'étudier son projet : « Mon but était de faire passer mes idées à l'École de guerre où elles seraient discutées et d'où elles se répandraient de tous les côtés », expliqua Ducros au procès de Rennes [9].

Si le capitaine Dreyfus souhaite encore se former, c'est d'abord pour se spécialiser. Il n'engrange pas des connaissances de manière aveugle. Sa compétence, ce sera l'artillerie lourde, et non l'artillerie de campagne. De ce point de vue, il déçoit le commandant Ducros qui a eu un entretien avec lui. « Il m'est resté de là, déclare l'officier, et c'est pour moi une impression très nette, que Dreyfus ne s'occupait pas de questions d'artillerie de campagne [10]. » De la même manière, lorsqu'il fut à l'État-major, il ne questionna en rien le commandant Galopin, inventeur d'un système de tourelles destiné à la fortification des forteresses. Les deux officiers se rencontraient pourtant fréquemment sur le trajet de l'École de guerre, place de l'Alma, et au ministère de la Guerre, rue Saint-Dominique [11].

Ces qualités et ce sérieux sont reconnus par ses professeurs, à quelques exceptions près. Le commandant Picquart, professeur de topographie, s'est souvenu au procès de Rennes que la matière qu'il enseignait n'était pas « une des plus fortes du capitaine Dreyfus [12] ». Outre ses notes qui lui confèrent son rang de sortie après délibération du jury, les inspections générales annuelles lui valent des appréciations élogieuses. Il apparaît comme un officier très complet. Et ce qui est le plus remarquable, c'est sa capacité à surmonter ses insuffisances par un surcroît de travail. En 1891, le commandant de l'École de guerre, le général Louis Lebelin de Dionne, écrit : « Officier capable, servant avec zèle et correction. Les notes de cet officier ne parlent pas de son jugement qui paraît très sûr et très sain. Ce n'est pas une qualité si commune. » En 1892, à sa sortie de l'École, il se montre plus laudatif encore : « Physique assez bien. Santé assez bonne ; myope. Caractère facile ; éducation bonne ; intelligence très ouverte ; conduite très bonne, tenue très bonne ; instruction générale très étendue ; instruction militaire théorique très bonne ; pratique, très bonne ; administrative, très bonne ; connaît très bien l'allemand ; monte très bien à cheval ; sert bien. A obtenu le brevet d'état-major avec la mention "très bien" ; très bon officier, esprit vif, saisissant rapidement les questions, ayant le travail facile et l'habitude du travail, très apte au service de l'état-major [13]. »

Au procès de Rennes, Lebelin de Dionne redira l'estime dans laquelle il tenait à cette époque son élève : « Dreyfus était entré avec un mauvais numéro à l'École de guerre ; mais il était très intelligent, et, au bout de très peu de temps, il est arrivé à être un des premiers de sa promotion. Ses notes d'examens étaient très bonnes ; ses travaux étaient bien faits ; je n'avais jamais de plaintes contre lui, de sorte qu'à l'inspection générale de 1892 je n'avais que de bonnes notes à lui donner [14]. »

Son classement dans les douze premiers le fit désigner pour servir à l'État-major général, à Paris.

## Stagiaire à l'État-major

La période de stage à l'État-major du capitaine Dreyfus remporta les mêmes adhésions. Il fut affecté successivement, par semestre, à l'un des quatre bureaux formant les services stratégiques du haut commandement militaire du temps de paix. Pour les besoins de l'accusation, ces deux années de stage dans l'« arche sainte » – expression par laquelle l'opinion célébrait cette haute institution [15] – furent scrutées sous tous les angles afin d'y trouver les preuves du renseignement que l'officier aurait pratiqué pour le compte de l'Allemagne. La plupart de ses camarades et de ses chefs furent entendus par la justice militaire tant au procès de 1894 qu'à celui de Rennes. Pour les plus antisémites ou les plus hostiles au type d'armée qu'annonçait Dreyfus, il ne fut pas difficile de les amener à produire des témoignages considérés comme accablants sur sa pratique du « furetage », sa curiosité malsaine, son insistance à obtenir des informations, etc. Pour la majorité des autres, surtout ses camarades de l'École polytechnique et de l'École de guerre, la tâche fut plus délicate. L'un des camarades polytechniciens [16] du capitaine Dreyfus à l'État-major lui narra la scène suivante : « Le sous-chef d'État-major [le général Gonse] nous réunit pour nous dire que tu étais coupable et qu'on en avait les preuves certaines. [...] Nous en acceptions la certitude sans discussion puisqu'elle nous était donnée par un chef. Dès lors, nous oubliâmes toutes tes qualités, les relations d'amitié que nous avions eues avec toi, pour ne plus rechercher dans nos souvenirs que ce qui pouvait corroborer la certitude qu'on venait de nous inculquer. Tout y fut matière [17]. » La plupart souscrivirent au rôle qu'on exigeait d'eux et témoignèrent à charge contre l'officier soit au cours des procès de justice militaire, soit en rédigeant des attestations ou des notes qui vinrent gonfler le dossier secret établi contre lui dès le procès de 1894. Le capitaine d'Armau de Pouydraguin écrit ainsi, dans la pièce 11 du dossier secret, en date du 8 novembre 1897 : « J'ai souvent pensé que ce que je croyais être le rôle d'un officier travailleur et ambitieux pouvait bien avoir une autre cause [18]. »

Cette documentation militaire, au mieux partiale, au pire inventée, et qui remonte même jusqu'à l'époque des années à Bourges, apporte néanmoins quelques renseignements objectifs sur le déroulement des stages. C'est le cas de la première partie de la « Note au sujet de Dreyfus » du 16 mai 1898, pièce 13 du dossier secret [19]. Elle renseigne sur la nature des stages effectués dans les différents bureaux. La seconde partie consiste en une charge infondée contre sa personnalité.

Le capitaine Dreyfus entra au 1er bureau le 4 janvier 1893. Il « fut employé, dans la section du commandant Jossel, à l'établissement de l'ordre de bataille des armées [20] ». Le chef du 1er bureau, le colonel de Germiny, rendit un rapport très favorable sur sa manière de servir : « Officier très intelligent, rédige très bien, a déjà des connaissances fort étendues et est à même de traiter bien des questions avec ses idées personnelles : veut et doit arriver [21]. »

À partir du 1er juillet 1893, Dreyfus effectua son stage au 4e bureau qui était principalement chargé des chemins de fer. Le service était dirigé par le colonel Fabre assisté de plusieurs sous-chefs dont le commandant Bertin-Mourot et le colonel Roget. Cinq autres officiers étaient stagiaires comme lui, et chacun d'entre eux était affecté à la commission d'un grand réseau. Le capitaine Dreyfus l'était à celle de l'Est [22]. Le colonel Roget expliqua au procès de Rennes les travaux dont Dreyfus avait été chargé à la 3ᵉ section du 4ᵉ bureau : « Dans la 3ᵉ section, on s'occupe du service des chemins de fer et des étapes ; en temps de guerre, cette section comprend la direction générale des chemins de fer aux armées et la direction générale des chemins de fer aux étapes ; on prépare là tous les dossiers qui doivent être remis, au moment de la déclaration de guerre, aux directeurs des chemins de fer aux armées et au directeur général des chemins de fer et des étapes avec, à l'appui, les cartes de concentration des armées, les cartes des quais de débarquement, tous les documents, en un mot, dont on a besoin au moment de la guerre. M. le capitaine Linder, chef de cette section, a fait faire à Dreyfus, pendant qu'il était stagiaire à l'Est, la carte de concentration de ce réseau avec la carte des quais de débarquement [23]. » Plusieurs exercices furent organisés. « Les stagiaires firent une étude de transport pour laquelle on mit à leur disposition tous les documents dont ils pouvaient avoir besoin. Ils firent aussi un voyage sur la ligne de transport qui leur avait été affectée. » Dreyfus put faire son propre voyage, mais bénéficia aussi du déplacement au Mans et à Nantes [24].

Pour ce stage, le capitaine Dreyfus reçut une notation défavorable de la part du colonel Fabre [25]. Ce fut la seule, en quinze ans de carrière. Il avait pourtant effectué très consciencieusement les missions que lui avait assignées le commandant Bertin-Mourot, dont celle, délicate, de se renseigner sur les dispositifs des mines établis auprès du capitaine Cuignet, titulaire à l'État-major et seul spécialiste de la question à la 1ʳᵉ section de ce bureau. Ce dernier va d'abord refuser de donner les renseignements que lui demande Dreyfus, puis finit par accepter sur son instance et lui fait une sorte de conférence pendant laquelle le stagiaire du 4ᵉ bureau prend de nombreuses notes. Si la défiance des chefs du 4ᵉ bureau ne transparaît point dans les appréciations de l'inspection générale de l'année 1893, c'est simplement parce que celle-ci est antérieure à la notation du colonel Fabre. Chargé de cette inspection, le général Gonse écrit que « le capitaine Dreyfus a l'esprit vif et saisit rapidement les questions. Il est depuis trop peu de temps au 4ᵉ bureau pour pouvoir être complètement apprécié. Ses débuts à l'État-major de l'armée ont été bons et ils promettent. Le capitaine Dreyfus est animé du désir de bien faire et d'arriver. Officier d'avenir [26]. »

Le 1ᵉʳ janvier 1894, le capitaine Dreyfus entra pour six mois au 2ᵉ bureau, à la section allemande. Il « fut chargé de faire une étude sur l'artillerie allemande. Il se fit donner les rapports de l'attaché militaire à Berlin, qu'il compulsa très longuement et que le commandant d'Astorg ne lui donnait d'ailleurs qu'à contrecœur. Dreyfus demandait sans cesse au commandant Jeannel, qui s'occupait des artilleries étrangères, non seulement des renseignements sur ces artilleries, mais engageait avec lui des discussions sur l'artillerie, car il savait que le commandant allait souvent à Saint-Thomas d'Aquin [27] et qu'il était au courant de ce qui s'y faisait[28]. » Pour ce zèle et pour ce travail qui semblait le passionner, Dreyfus reçut les éloges de son chef, le colonel de Sancy : « Officier très intelligent, saisissant très vite les affaires, travaillant facilement et peut-être un peu trop sûr de lui. Sait très bien l'allemand et a utilisé consciencieusement son stage au 2e bureau[29]. »

À partir du 1er juillet 1894, il fut affecté au 3e bureau et servit à la section des manœuvres. Le commandant Picquart, qui fut son supérieur à cette époque en tant que sous-chef de ce bureau, raconta au procès de Rennes la nature des missions qui avaient été confiées à Dreyfus : « Pendant les trois mois qu'il a passés dans cette section, le capitaine Dreyfus n'a pas eu à s'occuper d'affaires secrètes, sauf lors de l'autographie de certaines pièces relatives à la couverture. Pour ce service-là, tous les stagiaires du bureau roulaient entre eux, et certainement les camarades de Dreyfus auraient trouvé très mauvais qu'on leur fît faire une corvée qui devait échoir également à leur camarade. Dreyfus a donc, à une époque qui s'étend, il me semble, des derniers jours du mois d'août au milieu de septembre, été employé un nombre de fois que je ne puis pas déterminer exactement à faire autographier des tableaux d'approvisionnement des troupes de couverture. Ce sont des renseignements d'ordre administratif si vous voulez, mais enfin il y a dans ces tableaux certains renseignements d'effectifs qui peuvent être intéressants et précieux[30]. »

Au bout de trois mois, il quitta le 2e bureau pour effectuer, à partir du 1er octobre 1894, un stage réglementaire de trois mois dans un régiment à Paris. Le capitaine Dreyfus fut dirigé vers la garnison de la caserne de la Pépinière, près l'église de Saint-Augustin[31]. Sa période de stage à l'État-major général devait s'achever à la fin de l'année 1894. Mais une proposition favorable lui avait été d'ores et déjà faite, comme l'a révélé au procès de Rennes le capitaine Junck, mais sans donner plus de détails[32]. Pour cette seconde année à l'État-major général, l'appréciation de la main du chef d'État-major est très positive. Le général de Boisdeffre écrit ainsi à propos du capitaine Dreyfus : « Bon officier. Esprit vif, saisissant rapidement les questions, zélé, travailleur, favorablement apprécié partout où il a passé. Fera un bon officier d'état-major. » On note cependant une légère réserve. Le passage de « bon » à « très bon » aurait été légitime au vu des qualités énoncés. Le général Renouard, sous-chef d'état-major (comme le général Gonse) avait été quant à lui plus laudateur : « Officier très intelligent, M. le capitaine Dreyfus a tout ce qu'il faut pour réussir[33]. »

*Un soldat passionné*

Dreyfus apparaît ainsi très impliqué dans sa formation, même enthousiasmé par ce qu'il apprend et pour certaines des missions qui lui sont confiées. Certains de ses supérieurs, attachés au style traditionnel de l'officier d'état-major plus diplomate que véritablement savant, semblèrent s'en étonner. La chose militaire le passionne assurément. Il s'y implique complètement, n'hésitant pas à exprimer sa propre vision et à faire preuve d'esprit critique, ne reculant pas devant le risque de choquer ses interlocuteurs par la franchise de ses jugements. Les témoignages portant sur des faits vérifiables et non sur des jugements de personnalité montrent un jeune officier persuadé qu'en entrant à l'État-major général de l'armée il intégrait un haut lieu de la pensée militaire, ouvert à la recherche, à l'esprit critique et à l'enrichissement commun. Il se trompait radicalement, mais son idéalisme l'empêcha de voir jusqu'à la fin la réalité du monde où il pénétrait et qu'il croyait pouvoir rejoindre.

Le capitaine Boullenger témoigne ainsi de son investissement dans les travaux du 4e bureau qu'il intégrait alors que le capitaine Dreyfus y était déjà stagiaire depuis plusieurs mois : « J'ai donc été amené plusieurs fois à lui demander des renseignements et j'ai constaté qu'il connaissait parfaitement le fonctionnement du service et qu'il avait étudié spécialement les zones de concentration de nos armées[34].» Devant l'un de ses camarades stagiaires, le capitaine de Pouydraguin, il critique ainsi les dispositions prises pour la concentration des armées françaises à la frontière de l'est, en s'aidant d'un schéma qu'il esquisse sur une carte des chemins de fer accrochée au mur[35]. Il ose même affronter ses supérieurs, dont le futur général Roget, à l'époque souschef du 4e bureau chargé de la direction de l'instruction des stagiaires. Au cours du second semestre de 1893, cet officier leur demanda d'élaborer un plan fictif de transport : « J'ai donné alors à chacun d'entre eux un certain nombre de corps d'armée à transporter par une ligne quelconque. » Dreyfus s'adressa à deux reprises à l'instructeur : « Le capitaine Dreyfus vint me trouver pour me dire que les lignes de transport que je lui avais données étaient très difficiles, enfin me faisant de nombreuses objections auxquelles je répondis de mon mieux en lui faisant observer que ses camarades avaient les mêmes difficultés que lui et qu'ils ne rechignaient pas. Il revint à la charge une seconde fois et me dit dans la conversation qu'il serait plus intéressant de transporter les corps par les lignes de transport réelles. Je ne voulus pas consentir à son désir. » Roget ajouta, au procès de Rennes, n'avoir pas attaché « d'autre importance à cela[36] ». Mais il déclara le contraire à un autre moment : « J'ai conservé, je l'avoue, une mauvaise impression de cette demande. C'est d'ailleurs tout ce que j'ai eu à lui reprocher, et c'était un officier remarquable sous tous les rapports. »

Cette contradiction entre les différents témoignages du général Roget n'est pas la seule que l'on puisse relever. La remarque du capitaine Dreyfus sur les lignes de transport réelles est judicieuse si l'on considère la nécessité de former opérationnellement des officiers d'état-major. La dernière sentence du général Roget fonctionne ellemême sur une contradiction : un « officier remarquable » n'agit-il pas justement comme Dreyfus face à un exercice mal posé ? Quant au caractère de difficulté qu'avaient pu représenter les lignes attribuées au capitaine Dreyfus par le colonel Roget, nous n'avons pas de certitude qu'il fut identique pour les autres stagiaires. Il est possible que le colonel Roget ait volontairement placé le capitaine Dreyfus dans une situation d'exercice difficile. Avant même la mise en accusation de son subordonné – dans laquelle Roget joua par la suite un rôle considérable –, ce sous-chef de bureau partageait avec d'autres la conviction que des officiers comme Dreyfus, jeunes, juifs, intellectuels, modernistes en d'autres termes, n'avaient pas leur place à l'État-major général de l'armée et devaient en être écarté. Après avoir produit cette démonstration et rappelé les opinions extrêmement négatives qu'il partageait sur Dreyfus avec le commandant Bertin-Mourot, le général Roget se permit de saluer sa culture militaire très étendue : « Je n'ai revu Dreyfus qu'en 1894. Au moment d'un voyage d'état-major sur la frontière, nous nous sommes trouvés un jour dans la même ville, à Charmes ; il a dîné avec nous. Il a eu ce jour-là une conversation extrêmement intéressante, témoignant qu'il était au courant de toutes les expériences qui se faisaient à Calais et à Bourges, et cette conversation a continué après le repas, dans une promenade, le soir, sur le pont de la Moselle [37]. » Compte tenu de ce qui a été dit précédemment, il pouvait s'agir là d'une nouvelle insinuation du général Roget sur la capacité du capitaine Dreyfus à intégrer de l'information et, par suite, à la livrer. Mais si l'on conserve seulement le témoignage brut, on constate qu'en moins de deux ans de stage le capitaine Dreyfus avait assimilé une somme considérable de connaissances. Or c'est bien ce que l'institution et au-delà le pays étaient en droit d'attendre de ses officiers d'élite.

Le capitaine Dreyfus ne semblait avoir de limites qu'à travers ses propres capacités à aller où il souhaitait parvenir, par le travail, le jugement et la volonté. Et ces limites, il sut les repousser, parfois avec une irrésistible candeur, mais en enregistrant aussi d'incontestables succès. Toujours soucieux du renforcement de la défense nationale, il imagina une méthode pour obtenir des renseignements sur l'armée allemande – meilleurs que ceux qu'il avait relevés dans les dépositions des déserteurs qui passaient la frontière. Il s'en ouvrit au capitaine Maistre, officier du cadre fixe du 2ᵉ bureau lorsqu'il y faisait son stage : « Si on voulait, je pourrais procurer des renseignements plus positifs en faisant interroger certains ouvriers ou contremaîtres de notre usine de Mulhouse qui sont alsaciens et qui ont servi dans l'armée allemande, quelques-uns avec le grade de sous-officier et peut-être même avec l'emploi de secrétaire dans les bureaux [38]. » Il n'informa pas cependant de cette idée le chef de la Section de statistique, le colonel Sandherr, estimant qu'il l'avait certainement déjà eue d'autant qu'il était, comme lui, originaire de Mulhouse. Son désir d'apprendre lui faisait parfois oublier les règles élémentaires de soumission à l'autorité. Lors d'une conférence faite au printemps 1893 par le général Vanson sur la concentration des troupes de réserve conformément au plan alors en vigueur, il s'empressa de prendre des notes alors que le conférencier avait bien spécifié que les informations fournies étaient strictement confidentielles et que les auditeurs devaient oublier le secret du déplacement stratégique une fois la leçon terminée. Le général Vanson lui demanda alors ce qu'il faisait. Et il lui rappela ses recommandations antérieures. « C'est tellement intéressant, mon général », avait répondu le capitaine Dreyfus tout en déchirant ses notes [39].

Il n'arrêtait pas d'apprendre, d'étudier, d'observer [40]. Tout était pour lui motif à intérêt. Il ne négligeait pas le service courant des bureaux, parce qu'il y voyait un bon moyen de connaître rapidement l'ensemble du service [41]. D'après le général Mercier déposant au procès de Rennes, et qui présentait ce témoignage comme accablant pour Dreyfus, celui-ci serait venu demander au capitaine Cuignet de lui faire prononcer « une conférence qui a duré jusqu'à trois heures pour l'initier à ce qu'on appelle les dispositifs des mines, c'est-à-dire aux dispositifs pris sur les différents ouvrages d'art de la frontière pour les détruire en cas d'invasion de l'ennemi. Le capitaine Dreyfus avait beaucoup insisté pour que cette conférence lui fût faite, quoique ce ne fût pas son service, et il prit constamment des notes [42] ». Le caractère suspect d'une telle demande pourrait à la rigueur être constitué si l'officier était affecté à un bureau. Or Dreyfus était en période de stage, il était passé ou il allait passer par tous les bureaux. Il était donc tout à fait logique qu'il souhaitât continuer à se perfectionner de cette manière. Il agissait dans l'esprit de son stage et conformément à ce qu'il était, un jeune officier très épris de savoir. Il était logique avec lui-même. De plus, la demande lui en avait été faite expressément [43].

Le capitaine Dreyfus obtenait des succès intellectuels de premier plan, surtout pour un stagiaire qui n'était même pas encore officier titulaire à l'État-major de l'armée. Mais il s'y voyait déjà, et ses notes lui donnaient raison. Au premier semestre de 1894, alors qu'il était au 2e bureau, il avait établi une comparaison entre l'artillerie française et l'artillerie allemande. Il réussit même à reconstituer un projectile allemand [44]. En 1894 toujours, il prit sur lui de traduire en français l'ouvrage récent du général allemand Will intitulé *Le Canon de l'avenir*, une étude très importante et méconnue, comme le révéla le commandant Ducros, l'un des meilleurs spécialistes pour la conception des armes d'artillerie [45]. Dreyfus se servit de ce travail de traduction pour publier des articles dans la *Revue d'artillerie* et dans la *Revue militaire de l'étranger* [46]. Toujours passionné par la voie qu'il avait choisie, il encouragea son camarade Paul Hadamard, le petit-cousin qui lui avait fait rencontrer sa future femme, à s'engager dans la préparation de l'École de guerre. Il s'offrit à l'aider et entama avec lui une correspondance régulière [47].

Ces initiatives découlaient d'une passion pour l'outil militaire doublée d'une attirance pour l'analyse, la critique et, au final, le progrès.

Et elles pouvaient aussi fournir au capitaine une forme de reconnaissance de la part du haut commandement, dans un contexte de forte sélection entre les stagiaires. Après son stage réglementaire à l'État-major, Dreyfus pouvait prétendre aux fonctions où se dessinait l'armée de demain. Et en premier lieu intégrer l'État-major général comme officier titulaire, diriger une section d'un bureau puis accéder au poste de sous-chef lorsqu'il serait promu au grade de chef d'escadron (commandant). Déjà il avait envisagé certains postes vacants lorsqu'il termina son stage au 4e bureau, en juin 1894, à la veille d'achever son stage à l'État-major de l'armée. Il s'intéressait particulièrement aux fonctions spéciales du temps de guerre sur le réseau ferroviaire de l'Est : « J'ai demandé à les remplir parce qu'elles m'intéressaient beaucoup, d'autant plus que ma lettre de mobilisation portait que j'étais employé au service des étapes d'une armée de réserve, ce qui me mettait fort loin du théâtre de la guerre. Je connaissais la manipulation des dossiers afférents à ces fonctions dont j'avais été chargé de la tenue à jour pendant mon séjour au 4e bureau », expliqua-t-il précisément à ses accusateurs le 15 novembre 1894[48].

Il avait devant les yeux des exemples de brillantes carrières au sortir de l'École de guerre. L'une de celles auxquelles il aurait pu songer concernait son ancien professeur à l'École et son ancien chef au 3e bureau, le commandant Picquart.

L'itinéraire de celui-ci est en effet très révélateur du profil des meilleurs diplômés de l'École de guerre. Alsacien, né à Strasbourg en 1854, entré à Saint-Cyr en 1872 à dix-huit ans, lieutenant en 1876, passé de la cavalerie à l'infanterie, affecté en Algérie puis capitaine en 1880, classé deuxième au concours de sortie de l'École de guerre en 1882, le capitaine Georges Picquart fut détaché au 2e bureau de l'État-major général après son stage. Puis il partit pour le Tonkin, fut promu commandant en 1888 et devint en 1890 professeur de topographie à l'École de guerre. Trois ans plus tard, le 13 décembre 1893, il fut nommé par le général de Boisdeffre sous-chef au 3e bureau de l'État-major général, dans l'attente de prendre la succession du colonel Jean Sandherr à la tête des services de renseignement. Comme Dreyfus, de cinq ans son cadet, il était venu à la carrière par les écoles et les diplômes. Mais il avait su aussi ne pas apparaître uniquement comme un représentant de cette nouvelle voie de formation des chefs, moderniste, égalitaire, savante. Il avait fait aussi largement son temps de campagne – près de quatre ans en Algérie et au Tonkin –, il avait su faire oublier sa période de stage à l'État-major en démontrant ensuite sa capacité à se conformer au profil recherché par les chefs de bureau soucieux de maintenir le système de cooptation. Enfin, bien que d'esprit libre et très cultivé par goût, il savait à l'occasion professer un antisémitisme de salon qui s'exacerba à la fin de l'affaire Dreyfus, lorsque des divergences de stratégie opposèrent Joseph Reinach et Mathieu Dreyfus à Clemenceau ou au philologue Louis Havet, grand ami de Picquart[49].

À l'inverse, le capitaine Dreyfus empruntait trop ostensiblement la voie moderniste. Son attitude était logique puisque le recrutement par les écoles lui avait permis d'arriver là où il se situait. Mais elle était dangereuse dans un contexte de forte tension entre modernistes et traditionalistes, au sein de l'État-major tout particulièrement. Insuffisamment instruit des enjeux de carrière, isolé au milieu d'un environnement majoritairement hostile, le capitaine Dreyfus constituait une cible de choix pour des officiers prêts à contrer le développement de la voie moderniste et à s'opposer, pour l'essentiel d'entre eux, à la venue de Juifs dans l'« arche sainte ».

## LA GUERRE SOUTERRAINE

Les historiens du fait militaire ont su mettre en lumière la guerre souterraine qui se joua dans l'institution militaire durant la décennie 1890, avec en ligne de mire et point de conflit majeur la réorganisation de l'État-major général. Parmi ces spécialistes, plusieurs ont insisté sur ce face-à-face des modernistes et des traditionalistes ; William Serman[50] d'abord, Jérôme Hélie[51] ensuite et le général André Bach pour finir. Ce dernier, ancien chef du Service historique de l'armée de terre, publia en 2004 une très remarquable étude d'histoire politique de l'armée française de Charles X à « l'Affaire ». Sous le titre de *L'Armée de Dreyfus*, cet historien digne des meilleurs suggère que le capitaine Dreyfus, entrant à l'État-major, pénétrait dans l'engrenage qui allait le mener vers l'île du Diable. Mais la démonstration, qui repose sur une élucidation exemplaire des défis posés à l'armée sous la IIIe République, ne suit pas d'assez prêt l'itinéraire du capitaine Dreyfus dans l'arche sainte[52]. C'est ce que nous proposons dans les pages qui suivent après avoir rappelé les enjeux de la guerre souterraine qui secouait l'État-major au moment où Dreyfus y arrivait comme stagiaire.

### La genèse d'un conflit

Dès 1875, le législateur posait le principe de la création d'une école militaire supérieure visant à moderniser le corps des officiers servant dans les états-majors, le premier d'entre eux étant celui du ministre de la Guerre dirigé par un chef de l'État-major général. Mais il ne s'agissait pas d'un État-major général de l'armée. Son chef dépendait à titre personnel des ministres et n'avait pas d'autorité sur les commandants de corps d'armée qui disposaient de leurs propres états-majors. La réforme du corps des officiers d'état-major visait à préparer celle du haut commandement afin de l'unifier et de lui donner un pouvoir distinct de celui du ministre. La France s'inspirait ici du modèle prussien pour moderniser son outil militaire. En 1876, des « cours militaires spéciaux » furent créés afin de recruter sur concours des officiers de toutes armes et de leur apprendre les fonctions d'état-major. En 1877, cette nouvelle institution prend le nom d'École militaire supérieure. C'est la fin de l'ancien système fondé sur l'École d'état-major. Celle-ci, « promise à la disparition, ne recrute plus d'élèves à compter du 1er janvier 1878. Mais le corps d'état-major, âprement défendu par des conservateurs favorables à son recrutement précoce et restreint, subsiste encore[53]. » Il est finalement supprimé par la loi du 20 mars qui crée un service d'état-major ouvert aux officiers de toutes armes, qui dispose du brevet d'état-major délivré par l'École supérieure de guerre, nouvelle appellation de l'École militaire supérieure de 1877. Quatre-vingts officiers justifiant d'au moins cinq ans de service sont recrutés chaque année par concours, pour une scolarité de deux ans qui comprend des cours (tactique générale et par armes, histoire militaire, emploi du chemin de fer, enseignements techniques : fortification, topographie, télégraphie, etc., le service d'état-major et l'administration, l'histoire et la géographie, l'allemand, l'équitation, l'escrime), de nombreux voyages d'étude et des exercices sur le terrain.

Mais cette première réforme du service d'état-major et de son recrutement en préparait une seconde, celle du haut commandement auquel étaient destinés ces nouveaux officiers formés à l'École de guerre. En avril 1888, Charles de Freycinet, républicain historique, ancien collaborateur de Gambetta et de surcroît polytechnicien, accéda au ministère de la Guerre dans le gouvernement de Charles Floquet. Il était le « premier personnage politique civil à devenir ministre de la Guerre après quarante ans de ministres militaires sans solution de continuité[54] ». Sa nomination découlait de sa connaissance de l'armée et de sa stature ministérielle, mais surtout de la nécessité de réaffirmer l'autorité du pouvoir civil sur le pouvoir militaire en pleine crise boulangiste. Il décida de réformer le haut commandement et s'adjoignit comme conseiller le très influent gouverneur militaire de Paris depuis 1884, le général Saussier, qui avait aux yeux des républicains une vertu cardinale : il s'était montré capable de tenir Paris au moment des assauts les plus graves des boulangistes. Freycinet réforma d'emblée le Conseil supérieur de la guerre. Présidée par le ministre de la Guerre, cette institution du haut commandement en temps de guerre disposait désormais d'un poste de vice-président qui correspondait à la fonction de généralissime en chef et qui fut offert au général Saussier. Le Parlement ne s'opposa point à cette réforme dans la mesure où la personnalité de ce généralissime de fait lui inspirait confiance.

Le second volet de la réforme Freycinet consista dans l'institutionnalisation du poste de chef d'État-major de l'armée, conséquence logique de la création du poste de vice-président du Conseil supérieur de la guerre, comme l'explique André Bach : « Pour donner son avis, entouré de ses subordonnés éventuels en temps de guerre, le général commandant les armées, *primus inter pares*, avait absolument besoin d'un aide, clef de voûte entre l'État-major général et lui-même : le chef d'État-major général de l'armée[55]. » Cette proposition s'inspirait directement du modèle allemand derrière lequel courait la France pour préparer la revanche. Freycinet réussit son opération et sut imposer aux républicains un général qui se révéla l'homme de la situation. Polytechnicien, travailleur, organisé, il put faire oublier son image d'élève des jésuites et d'opposant au régime. Il se retrouva à la tête d'une institution créée en 1874, une très puissante administration centrale composée de services spécialisés, assurant la pérennité de l'action et le maintien des grands objectifs quand bien même changeaient le ministre et ses conseillers. Cette stabilité devait permettre à l'armée française de rattraper son retard sur l'armée allemande.

En 1890, les deux grands volets de la réforme étaient réalisés. Freycinet la compléta la même année par une loi qui instituait auprès de chaque compagnie de chemins de fer un commissaire militaire, délégué de l'État-major général, chargé d'organiser la mobilisation des moyens ferroviaires en temps de guerre. Pour la première fois dirigée par un ministre civil, l'armée française rompait avec ses habitudes du temps de paix pour s'engager résolument dans la préparation de la guerre. La réforme n'était cependant pas sans défaut. Le ministre de la Guerre, surtout s'il était militaire, disposait de fait d'un pouvoir inférieur à celui des deux généraux en chef. Mais ces deux véritables têtes de l'exécutif militaire, le vice-président du Conseil supérieur de la guerre et le chef d'État-major, pouvaient aussi entrer en conflit, ce qui se réalisa lorsque le général de Boisdeffre accéda à l'État-major de l'armée à la mort, inattendue, du général de Miribel. Ses relations avec le général Saussier furent très tendues. L'État-major général et son rapide développement menaçaient le pouvoir des directions traditionnelles du ministère ainsi que de nombreux comités. Enfin, le nouvel État-major général de l'armée n'était pas exempt de tensions internes. Elles étaient même très violentes.

## L'« arche sainte »

La transformation profonde du commandement et de son organisation ne pouvait que modifier la donne des carrières, de l'avancement et des emplois. Les relations de pouvoir au sein de l'institution et les pratiques traditionnelles de clientélisme s'en trouvèrent même profondément bouleversées. C'était particulièrement vrai à l'État-major de l'armée, l'« arche sainte », où les officiers du corps d'état-major se voyaient menacés par l'arrivée des officiers sortis frais émoulus de l'École de guerre. Alors que la carrière des premiers reposait sur la cooptation, les seconds parvenaient aux mêmes fonctions par le concours. Mais ceux-ci n'avaient de chance d'intégrer réellement l'institution que s'ils se soumettaient à une nouvelle épreuve, implicite et contraignante, celle de la cooptation. Le système inventé pour moderniser le haut commandement avait été en partie vidé de sa substance moderne. André Bach insiste sur cette solidité de l'ancien système et de ses membres : « Alors que le corps d'état-major a cessé d'exister, ses anciens membres contrôlent ainsi totalement les bureaux de l'État-major et entendent bien conserver la maîtrise du recrutement en ce domaine. Cet État-major, requérant des spécialistes confirmés, se recrute essentiellement parmi les officiers supérieurs ou capitaines anciens. De ce fait, il est aisé de trouver de la ressource parmi les anciens membres de l'École [d'état-major désormais supprimée] et de s'assurer que le style de travail qui a été instauré à l'État-major correspond au type d'image véhiculé par cette école, et pérennisé même lorsque la ressource sera tarie. La longueur des carrières fait que cette extinction n'est pas une menace immédiate [56]. »

Pour ces officiers d'état-major, il apparaît donc hors de question de laisser des officiers plus jeunes non cooptés, recrutés sur des critères intellectuels et non sur une manière de service – et de penser –, occuper les postes de l'État-major général. Les titulaires de ces différents bureaux veillent donc à se faire remplacer par des officiers qu'ils connaissent et qui, en général, sont déjà en place. Le 4e bureau, chargé de la concentration des armées par les moyens ferroviaires, est particulièrement efficace dans le maintien du système de cooptation. Conscient du blocage dans la réalisation d'une partie de la réforme, le général de Miribel décide, l'année de son arrivée à la tête du nouvel État-major de l'armée (1890), de renforcer le système en affectant d'office les douze premiers de chaque promotion de l'École de guerre en stage pour deux ans à l'« arche sainte ». Dans ce milieu ultra-fermé, régi par une stricte cooptation, allaient ainsi pénétrer des officiers au principe de recrutement très différents, aux valeurs plus intellectuelles, aux comportements plus savants et aux origines plus larges. Certes, le stage à l'État-major ne décidait pas d'une affectation automatique à un emploi en son sein, mais il était clair que le pouvoir des officiers d'état-major était menacé. Ils avaient en partie anticipé cette évolution en recrutant des officier sortis de l'École de guerre et en les conditionnant de manière à ce qu'ils puissent subir une forme de cooptation.

Mais la décision du général de Miribel franchissait un cap puisqu'elle remettait en cause ce principe officieux de la cooptation. Du point de vue de la concurrence des écoles, la montée des anciens élèves de l'École polytechnique, dont la formation était mieux adaptée à la réussite du concours de l'École de guerre, pouvait aussi inquiéter les officiers d'état-major issus pour la plupart de l'École militaire spéciale de Saint-Cyr. Contrairement à cette dernière, l'École polytechnique recrutait dans des couches plus larges de la société, en partie à cause de l'existence de préparations publiques tandis que le concours de Saint-Cyr restait solidement dépendant des jésuites de Sainte-Geneviève. Et le fait enfin que le général de Miribel fût polytechnicien ne contribuait pas non plus à les rassurer.

Mais un événement imprévu survint dans ce contexte de guerre souterraine entre le camp traditionaliste et la voie moderniste incarnée par les stagiaires de l'École de guerre : la mort soudaine du général de Miribel et son remplacement par un officier général médiocre et sans autorité.

## La disparition d'un acteur clef

La mort brutale de Miribel, le 12 septembre 1893, fut « un coup du sort lourd de conséquences », écrit à juste titre le général Bach[57]. Il avait préparé sa succession en intronisant le général de Boisdeffre. Ce n'était pourtant pas un choix conforme à sa volonté de réforme. Boisdeffre n'était pas partisan de la transformation de l'État-major général. Il n'avait pas non plus d'autorité par caractère et parce qu'il était aussi un jeune général de division, promu en 1892 seulement, n'ayant qu'une expérience très limitée de commandement à ce grade. Avec la disparition du général de Miribel, il se voyait propulsé au sommet du commandement sans en avoir les moyens. Il était dans l'obligation de faire ses preuves devant le ministre de la Guerre, qui cherchait lui aussi à affirmer son autorité, et en face du tout-puissant général Saussier, vice-président du Conseil supérieur de la guerre et à ce titre généralissime de fait en temps de guerre, gouverneur militaire de Paris depuis 1884, maintenu en activité jusqu'en 1898 grâce à la loi de 1875 sur les généraux commandants en chef. Saussier avait été bien récompensé par le pouvoir républicain pour avoir résisté au boulangisme et avoir solidement tenu la capitale dans cette période de crise.

La disparition du général de Miribel fragilisa incontestablement la situation des stagiaires à l'État-major de l'armée, particulièrement les polytechniciens qui pouvaient escompter une certaine solidarité de corps ou du moins une forme de protection contre les mises à l'écart trop brutales. Avec Boisdeffre, les menaces étaient plus directes pour ces fers de lance de la modernisation que représentaient les stagiaires de l'École de guerre. Les bureaux, sur lesquels Miribel exerçait une réelle autorité, purent retrouver leur pouvoir perdu sur un chef d'État-major incapable de les diriger efficacement et réputé pour sa nonchalance, son attirance pour les mondanités, son goût pour la paresse. Il semble que le général de Miribel l'avait choisi comme adjoint précisément parce que de telles qualités ne risquaient pas de faire de lui un rival. Le témoignage de Joseph Reinach, bien informé des questions militaires, est clair sur ce point : « La fortune de Boisdeffre avait été soudaine. Miribel se l'était adjoint à l'État-major non point à cause de ses qualités, mais de sa nonchalance. Ce grand travailleur, jaloux de son travail, aimait à tout voir, à tout faire par lui-même. La paresse de Boisdeffre ne le gênait pas. Miribel mort, l'ignorance où sont les républicains des choses de l'armée avait laissé prendre à Boisdeffre cette redoutable succession. Il s'y était logé comme dans une prébende, passait quelques heures à peine dans son bureau, laissant sa besogne à des sous-ordres, tout entier à la vie du monde, aux plaisirs coûteux, à la représentation où il excellait avec sa haute stature, l'air d'un gentilhomme militaire et diplomate, décoratif, avec quelque chose, dans le regard, de profond et de sombre, qui donnait à penser[58]. »

Avec Miribel ne disparaissait pas seulement un chef d'État-major compétent, décidé et respecté, mais aussi les valeurs de travail et de réflexion qui caractérisaient son service. Le capitaine Dreyfus ne pouvait bien sûr pas saisir la portée d'un tel changement. Mais l'arrivée de Boisdeffre à la tête de l'État-major eut des conséquences directes sur sa carrière, ou plutôt sur la fin programmée de son passage à l'État-major général. Sa position de jeune stagiaire était devenue très délicate. Les valeurs intellectuelles qui étaient les siennes n'étaient plus reconnues comme par le passé. Sa vulnérabilité était bien plus forte aussi puisque le manque d'autorité du nouveau chef d'État-major avait rendu leur pouvoir aux différents bureaux. Or la plupart de leurs titulaires étaient très hostiles au principe de sélection et défendaient au contraire le maintien du système de cooptation. L'arrivée du général Gonse comme adjoint de Boisdeffre accrut encore la solitude des stagiaires. Le nouveau sous-chef d'État-major avait servi six ans au 4e bureau, de 1878 à 1884, puis il fut coopté pour en prendre la direction en 1890. Il l'abandonne lorsqu'il est nommé sous-chef d'État-major en 1893, mais il coopte à son tour le colonel Fabre qui y a servi de 1886 à 1891 et a été son subordonné. Le général Gonse a également soutenu le colonel Roget qu'il a fait entrer au 4e bureau en 1891 et qui en devient l'un des sous-chefs en 1893 puis le chef en juillet 1897. Enfin, comme le note André Bach, « dans l'ombre de Fabre se profile le commandant d'Aboville, né en 1848, entré au 4e bureau en 1885, et qui, après une seule interruption, atteindra en 1894 le poste de sous-chef dans ce bureau[59] ». On comprend mieux l'incongruité que représente l'arrivée des stagiaires dans ces services et la menace qu'ils représentent puisqu'ils pourraient un jour occuper de tels postes et apporter du changement dans la routine de l'État-major général. Il s'agit pourtant d'une nécessité urgente. Si l'affaire Dreyfus a révélé des comportements criminels de la part d'officiers supérieurs et généraux, à commencer par le général Mercier, ministre de la Guerre, elle a montré aussi les conséquences dramatiques d'un système de cooptation qui pouvait promouvoir jusqu'au sommet des officiers dévoués, mais d'une grande médiocrité. Gonse, sous-chef d'État-major en 1893, est l'un de ceux-là. Son affrontement avec le commandant Picquart sera exemplaire de la volonté des traditionalistes d'éliminer les modernistes. Quant au capitaine Dreyfus, il figurait déjà parmi les stagiaires dangereux. S'identifiant à la vie nouvelle, il était aussi l'annonciateur des nouvelles couches de la société dont l'arrivée pouvait bouleverser l'équilibre de l'institution. De surcroît, il était juif. Non qu'il se présentât comme Juif, mais il était reconnu comme tel, dans un climat d'antisémitisme maintenu à l'État-major.

## Dreyfus et Picquart

On mesure ainsi les conséquences décisives de la mort du général de Miribel sur les derniers mois du capitaine Dreyfus à l'État-major général, et sur l'engrenage qui va mener à son arrestation. Les généraux de Boisdeffre et Gonse furent en effet les principaux acteurs de la machination, en compagnie du ministre de la Guerre et du chef des services de renseignement. Le général de Miribel ne se faisait du reste aucune illusion sur le colonel Sandherr et il avait pris la décision de le remplacer aussi vite que possible. Le général Millet, futur directeur de l'infanterie, et lui avaient proposé le poste au commandant Picquart. Celui-ci se montre formel au procès de Rennes : ce sont ses « études antérieures » qui le qualifiaient pour ce poste aux yeux du haut commandement [60]. Mais Picquart est aussi très prudent. Il sait que cette nomination sera interprétée comme le limogeage d'un vieux chef de bureau par un représentant de ce nouveau corps d'officiers d'état-major sélectionnés pour leurs compétences et anciens stagiaires à l'État-major général. Il refuse donc le poste que lui propose le successeur de Miribel et propose d'attendre que la maladie du colonel Sandherr condamne celui-ci à se retirer. Alors seulement il pourra prendre la direction du service. Sur ce point, la déposition du lieutenant-colonel Picquart au procès de Rennes masque ses véritables motivations. Il n'a pas de « répugnance » pour le service qu'on lui propose. En revanche, les conditions de cette nomination l'inquiètent [61].

Le général Millet insista, puis se résigna et lui proposa, via le général de Boisdeffre, une solution d'attente sous la forme d'une affectation dans un bureau. Son arrivée à la tête des services de renseignement pourrait alors ressembler à une cooptation et éviter de trop grandes tensions. Picquart, qui avait déjà effectué un détachement au 2e bureau en 1883, accepta et se retrouva au 3e bureau quelques mois avant que le capitaine Dreyfus n'y arrive en tant que stagiaire. Le 1er juillet 1896, il accéda enfin à la direction de la Section de statistique à un moment où l'état de santé du colonel Sandherr, profondément dégradé, le rendait incapable de poursuivre son service [62]. Picquart avait été officiellement nommé dès le 18 juin 1895 [63]. Il avait encore le grade de commandant. Le 6 avril 1896, il est promu lieutenant-colonel. Il a sous ses ordres le commandant Henry, l'adjoint du colonel Sandherr, qui estimait que le poste lui revenait de droit par application du principe de cooptation. Mais le général de Boisdeffre n'avait pas osé revenir sur une décision de son ancien supérieur, le général de Miribel, dont la réalisation effective, l'arrivée de Picquart à la tête de la Section de statistique, n'avait été que différée.

Le récit de sa nomination fait par le général de Boisdeffre au procès de Rennes n'est pas celui qu'en proposa l'intéressé. Mais il est plus éclairant encore sur la méfiance que suscita d'emblée cet officier et sur la fonction de « période d'essai » que joua l'affectation au 3e bureau. Ce récit montre aussi comment l'ancien chef d'État-major soutenait le régime de cooptation des cadres, tout en l'assortissant de conditions plus sélectives. Enfin, il minimise le rôle du général Millet dans l'arrivée du commandant Picquart à l'État-major. Le général de Boisdeffre ne voulait diminuer ni son rôle ni son pouvoir. Mais le plus important pour nous est de constater que le commandant Picquart, contrairement au capitaine Dreyfus, est loin d'être isolé. Il bénéficie du soutien très appuyé d'un général, voire de plusieurs, une réalité qui équilibre son statut handicapant, à l'État-major, d'ancien élève de l'École de guerre.

« J'avoue que, quand j'ai pris le colonel Picquart à l'État-major de l'armée, je l'ai pris avec une certaine hésitation. J'avais connu fort peu le colonel Picquart auparavant, le commandant Picquart, puisqu'il l'était à l'époque ; je l'avais vu à des grandes manœuvres et j'avais été un peu frappé de l'air de grand contentement de lui-même et d'un peu de manque de déférence que j'avais trouvé chez lui dans cette période ; de sorte que j'étais peu disposé, au début, à le prendre. Mais j'ai toujours eu pour habitude, à l'État-major général de l'armée, de laisser les chefs de bureau me proposer leurs collaborateurs. Je n'exigeais qu'une chose, c'était que ces collaborateurs fussent pris parmi les officiers très bien notés ou étant sortis les premiers de l'École de guerre. Le chef du 3e bureau, le colonel Boucher, me demanda de prendre le commandant Picquart, comme je vous le disais. J'ai hésité un peu. Cependant, devant l'insistance du chef de bureau, à qui le commandant Picquart avait été recommandé d'une manière instante par le général Millet, qui l'avait eu sous ses ordres à l'état-major du général de Galliffet, à l'École supérieure de guerre, et comme de plus j'avais examiné le dossier du commandant, qui était très bon, je me suis dit qu'il serait vraiment peu juste, sur une impression défavorable très rapide, d'écarter la candidature d'un officier, et je fis nommer le commandant Picquart à l'État-major de l'armée. Du reste, il me fit meilleure impression par son zèle et par son dévouement, et me fit à son entrée une impression qui effaça la première. J'avais eu dès ce moment la pensée que le commandant Picquart devait être le successeur tout désigné pour remplacer le colonel Sandherr à la tête des services de renseignement. [...] D'ailleurs, son passage au 3e bureau semblait être une garantie encore de meilleure direction, parce que cela lui permettait de se rendre compte de la valeur de bien des renseignements qui auraient pu échapper à d'autres [64]. »

Le général de Boisdeffre décrit le mécanisme que propose André Bach pour expliquer comment les cadres de l'État-major de l'armée s'étaient adaptés au système de l'École de guerre qu'on leur avait imposé du haut et auquel tenait particulièrement le général de Miribel. L'effort de modernisation de l'armée devait passer par la transformation de l'encadrement de l'État-major général. Ses titulaires actuels n'en étaient nullement convaincus. Ils tentaient de contourner la manœuvre et ses effets. Ils donnaient l'impression d'accepter la réforme, mais la vidaient complètement de son sens et parvenaient ainsi à maintenir l'ancien système. Sauf lorsqu'ils tombaient sur un officier comme Picquart.

*Les occasions perdues*

Cette attention portée dès maintenant à celui qui sera l'un des artisans principaux du combat, mené à l'intérieur de l'institution, pour la défense du capitaine Dreyfus, n'est pas déplacée. D'une part, les deux officiers ont des points communs très réels. Bien qu'élèves d'écoles militaires différentes, ils partagent le fait d'avoir été d'excellents élèves de l'École de guerre, d'avoir été stagiaires à l'État-major et d'incarner la voie moderniste de l'armée. D'autre part, ils ont été amenés à se rencontrer à plusieurs reprises, à des moments importants voire capitaux. Alfred Dreyfus fut son élève à l'École de guerre. Il fut l'un de ses stagiaires au 3e bureau, et Picquart s'impliqua personnellement pour l'aider, dans une situation où l'antisémitisme pouvait être menaçant. C'est le même commandant Picquart qui fut chargé de le recevoir, un matin d'octobre 1894. L'ordre avait été donné par le général Gonse de le conduire jusqu'au bureau du chef d'État-major général, où son martyre allait commencer... Picquart savait depuis plusieurs jours que son ancien élève et actuel stagiaire était suspecté de trahison. Les preuves paraissaient écrasantes. Et c'est ainsi que l'un des officiers les plus proches professionnellement du capitaine Dreyfus était aussi celui qui le menait vers son calvaire, mais dans l'ignorance du dossier et de la réalité des charges. Picquart aura une attitude très différente lorsqu'en 1896 devenu chef de la Section de statistique et confronté aux charges effectives il découvrira le vide du dossier. Il refusera de se faire plus longtemps le complice de la conspiration.

On mesure rétrospectivement ce qui se serait vraisemblablement passé si le commandant Picquart avait accepté d'emblée la proposition de remplacer le colonel Sandherr. Il aurait été à la tête des services de renseignement lorsque le bordereau était arrivé. Il aurait mené une véritable enquête, celle qu'il a conduite ensuite dans des conditions autrement plus difficiles. Il aurait facilement identifié le commandant Esterhazy comme l'auteur de la trahison. Et s'il ne l'avait pas fait, du moins aurait-il constaté rapidement que le capitaine Dreyfus était innocent. Et il se serait tenu à sa conviction, comme en 1896, lorsqu'il refusa de céder à la raison d'État, aux menaces de ses supérieurs, à une machination presque comparable à celle qui s'était abattue sur Dreyfus. Picquart adhéra à la thèse de la culpabilité quand Dreyfus fut arrêté, au moment où lui-même le conduisit vers un bureau pour y subir une scène hallucinante, parce qu'il était persuadé qu'un lourd dossier accablait son ancien élève et actuel stagiaire. Et qu'il avait déterminé son arrestation comme il conduirait à sa condamnation[65]. On ne refait pas l'histoire. Mais elle aurait été certainement différente si Picquart avait été imposé dès décembre 1893 à la tête de la Section de statistique, si lui-même n'avait pas ressenti le besoin de se protéger en refusant l'honneur qui lui était fait afin de ne pas s'exposer aux réactions des conservateurs, majoritaires à l'État-major de l'armée. On découvre ainsi que les grands effondrements dépendent parfois d'événements mineurs. Et qu'alors ils pourraient être conjurés par des politiques intelligentes et courageuses à même d'éviter, par exemple, ces multiples défaillances aux conséquences dramatiques. En 1940, dans *L'Étrange Défaite*, Marc Bloch ne faisait-il pas l'amer et même constat[66] ? Picquart à la tête des services de renseignement en 1894 aurait certainement évité l'arrestation de Dreyfus et sa condamnation.

*Une fin inéluctable*

Il est en tout cas certain que le capitaine Dreyfus aurait connu de graves difficultés pour demeurer à l'État-major après son stage. C'était pourtant le but de sa scolarité et l'objectif de l'École de guerre. Un jour ou l'autre, il aurait été éliminé. Sa brillante carrière, ses progrès constants, ses notations élogieuses, ses succès qui n'étaient dus à aucune solidarité, à aucune influence, démontraient peut-être qu'avec ses camarades et lui une armée moderne était en train de naître. Mais elle n'allait pas réussir à grandir. Déjà, depuis la disparition du général de Miribel, les choses étaient devenues plus difficiles. Sans puissants soutiens internes, sans volonté politique manifeste, cette voie moderniste avait peu de chances de survivre. Et Dreyfus moins qu'un autre. S'il avait bien les aptitudes demandées à ces nouveaux officiers d'état-major, recrutés pour leur compétence et leur intelligence, Dreyfus ne possédait aucunement les qualités traditionnellement requises pour faire carrière dans le commandement français. Il ne pouvait pas, comme le fit Picquart, négocier habilement son passage dans le régime ancien et faire oublier son statut d'officier sélectionné par les écoles. Plus qu'un autre, il était menacé.

Il était desservi par sa constitution fragile et par l'intonation de sa voix. Il n'appartenait pas aux milieux qui fournissaient l'essentiel des cadres. Il agissait comme un intellectuel dans un corps qui se méfiait du raisonnement et de la critique. Il était juif enfin. Sa religion pouvait devenir un handicap dans un monde plus fermé au reste de la société que véritablement antisémite. Et pourtant Alfred Dreyfus avait remarquablement réussi son entrée dans l'élite des officiers. Avec lui, les qualités qui se répandaient dans la société civile, contribuant à sa civilisation, pénétraient un bastion qui les avait longtemps ignorées. Cette vocation ainsi réalisée, ce voyage qui le porta vers l'École de guerre et l'État-major général pouvait signifier que des mutations importantes s'opéraient au sein de l'armée, que celle-ci s'ouvrait, se perfectionnait, en un mot se démocratisait. Et c'était bien le cas. Le fait qu'un homme comme Dreyfus accédât au « saint des saints » démontrait qu'une nouvelle armée était en train de surgir. Le capitaine n'était pas un exemple isolé. Avec lui, nombre de polytechniciens artilleurs, mais aussi de cyrards intellectuels comme Georges Picquart ou Adolphe Messimy, arrivaient dans l'armée de terre, et ce courant moderniste, intellectuel et civil commençait à changer en profondeur les comportements et les représentations. Cependant, Dreyfus constituait l'exemple extrême. Il ne pouvait être que l'officier à abattre pour les tenants de la conservation du système. Le sort qui lui fut réservé à partir du 15 octobre 1894 ne relève ni du hasard ni de l'erreur. Son élimination brutale et celle de Picquart, moins violente mais tout aussi significative, prouvèrent que les archaïsmes et les préjugés étaient restés les plus forts. Le visage de la France et du monde aurait certainement été changé si la voie moderniste qu'ils incarnaient avait triomphé.

Le sort du capitaine Dreyfus fut extrême. Sans les circonstances de la découverte d'un fait de trahison, cet officier aurait été écarté en douceur de l'État-major général, pour ne plus y revenir. L'avenir de ses camarades, stagiaires comme lui, ne fut pas des plus heureux. Parmi les douze qui firent leur entrée à l'État-major de l'armée, se trouvait un autre artilleur polytechnicien, le capitaine Fonds-Lamothe, un officier du génie, le capitaine Junck, et plusieurs fantassins dont le capitaine d'Armau de Pouydraguin. En 1899, la carrière du capitaine Fonds-Lamothe était déjà terminée. Il déposa au procès de Rennes comme « ingénieur civil »[67]. Et il prit vigoureusement la défense de son ancien camarade.

UN STAGIAIRE DANGEREUX

Lorsque le capitaine Dreyfus y arriva, la décision de Miribel d'affecter les douze premiers des promotions de l'École de guerre en stage à l'État-major de l'armée était très récente et toujours très mal vécue. Alors que l'institution devait faire corps pour résister à ces dangers, lui-même se comporta en officier de l'armée de demain. Il était cohérent avec ce qu'il avait appris dans les écoles et ce qu'il savait du projet républicain, mais il manquait de conformité avec le corps qu'il intégrait. Il apportait avec lui des vertus inacceptables : le principe d'égalité, l'estime de ses origines, la fierté de la réussite, la passion d'apprendre, la liberté de la critique, la part de l'individu. Il arrivait avec sa personnalité, ses valeurs. Il entendait servir, mais ne concevait pas ses relations avec l'institution dans un rapport unique de soumission. Le fait qu'il soit juif le rendait même proprement intolérable à certains cadres qui professaient ouvertement leur volonté d'exclure les Juifs de l'État-major.

## « Il n'était point de leur monde »

En 1901, Joseph Reinach a tenté de situer cet écart irrémédiable qui séparait le capitaine Dreyfus de l'État-major alors même qu'il y avait fait son entrée. Il dressa un portrait excessivement négatif de la haute institution qu'il connaissait en tant que membre de la commission de l'armée de la Chambre. Il est avéré cependant que la manière dont l'État-major fut gouverné se dégrada dans le sens indiqué par Joseph Reinach après la mort en 1893 du général de Miribel et son remplacement par le général de Boisdeffre. La présence du capitaine Dreyfus ne pouvait y être alors que plus illégitime encore. En revanche, l'insistance de Reinach à évoquer sa « race » juive – un terme à l'époque banal pour désigner une origine et une culture – est très excessive puisque Dreyfus lui-même ne revendique pas ces déterminismes. Il relève bien plus d'un profil de cadet de la République que de celui de zélote du judaïsme. Et c'est précisément, aux yeux de ceux qui le refusent à l'État-major, beaucoup plus grave qu'un Juif puisse devenir l'égal des officiers d'élite.

C'est un fait que Dreyfus n'était point aimé de ses camarades. D'abord, il n'était point de leur monde, de la coterie d'aristocrates et de bourgeois-gentilshommes qui, depuis quelques années, envahissait l'État-major, s'y cantonnait, y dominait comme dans une satrapie. Qu'y venait faire ce fils d'industriel, de modeste extraction et qui n'en avait point honte, et qui ne cherchait point à se faire pardonner sa race – tel Bertin, d'origine juive, ou le protestant Lauth – en professant les opinions à la mode ou en courtisant les grands ? Puis il était froid, réservé, car jamais homme n'a été plus incapable d'extérioriser ses sentiments ; tel qu'il apparaîtra dans les plus tragiques épreuves et dans les circonstances solennelles où le moindre cabotinage eût été pour lui le salut, tel il était déjà. Et sa fierté était grande, il avait une haute notion de son grade, de ce métier, le plus noble de tous à ses yeux, qu'il avait choisi avec une si belle ardeur, malgré sa famille et les promesses dorées de la riche usine, là-bas, à Mulhouse, dont il n'eût dépendu que de lui d'être l'un des chefs ; car ce Juif aux aspirations violemment spiritualistes, comme tant d'autres de sa race, avait, lui aussi, dédaigné une occupation lucrative pour une carrière toute de labeur austère et d'honneur. Militaire dans les moelles, avec une telle passion de sa profession où il incarnait toutes les vertus, il eût cru déchoir, ternir son uniforme, manquer à son idéal, s'il s'était abaissé à des courtisaneries indignes d'un soldat. Cet idéal, demain, dans l'affreuse misère, ce sera le pilier d'airain où il se cramponnera.

Ainsi, il n'était ni obséquieux, ni familier, mais seulement poli, tout entier à son travail et à sa vie de famille, vie simple, rangée, tranquille, entre sa jeune femme et deux petits enfants. Il aurait dépensé un peu de son or dans des fêtes qu'il eût compté plus d'amis. Ou, s'il avait fait preuve de moins de zèle, d'un moindre désir de s'instruire et d'un moins vif amour du service, il eût fait moins d'envieux.

Désir de s'instruire qui était aussi celui de se pousser ? Ce désir sévit, en effet, chez presque tous les ambitieux – et il l'était –, chez tous les officiers qui prennent le métier au sérieux. Il existe chez le chrétien comme chez le juif, et parfois, chez celui-ci, ne se cache point assez, s'étale avec une ingénuité qui offusque. Dreyfus ne dédaignait pas les occasions de se faire valoir, recherchait les travaux difficiles où brillaient sa science fraîchement acquise, sa vive compréhension des choses. Quelques-unes de ses études, sur les ressources financières de la mobilisation en temps de guerre, sur la folie du nombre, lui avaient valu de hautes félicitations, et la jalousie qui suit le succès à la piste. Il avait des idées très personnelles qu'il défendait avec conviction, non sans âpreté, même contre tel supérieur qui le consultait. [...] La conscience qu'il avait de sa valeur apparaissait trop [68].

Joseph Reinach ne cède pas ici à la tentation de reconstruire l'itinéraire du capitaine Dreyfus à la lumière de la très longue conspiration qui s'abattit sur lui. Avant même son arrestation, il était bel et bien menacé non de la terrible accusation qui advint au mois d'octobre 1894, mais d'une mise à l'écart progressive de l'État-major dont il dérangeait singulièrement les habitudes et les règles. Du point de vue des principes, cette exclusion était aussi grave que le sort qui allait lui être réservé. Le droit, l'honneur, l'excellence, seraient également niés. Et ce mécanisme a commencé avant même son entrée à l'État-major de l'armée, lorsqu'il est apparu évident que sa brillante scolarité à l'École de guerre allait lui ouvrir toutes les portes. De multiples faits, parfois minimes mais très significatifs, prouvent que son élimination était en marche. Dreyfus allait payer le prix de son excellence.

Cet engrenage enclenché dans les deux ans qui précédèrent son arrestation eut un rôle décisif dans l'écrasement d'un innocent. Les histoires de l'affaire Dreyfus disent en général que l'officier, lorsqu'il fut suspecté d'avoir écrit le bordereau d'Esterhazy, fut désigné comme coupable parce qu'il était juif. L'explication est trop courte, elle signifierait que le haut commandement et le ministère de la Guerre étaient exclusivement dominés par l'antisémitisme. Ils l'étaient, mais pas à ce point. Si la culpabilité s'est imposée si rapidement et si totalement, c'est en raison précisément de l'existence d'une volonté collective d'élimination de l'officier qui gênait par sa personnalité civile, son excellence intellectuelle et sa qualité de Juif. Il était désormais sous le feu des regards, notamment parce que le chef d'État-major l'y avait entraîné avec une détermination dont on peut se demander si elle n'avait pas un objectif caché, le désigner à la haine de ses camarades.

Le capitaine Dreyfus était donc déjà visé par le soupçon. Et les motifs de ce soupçon renforcèrent encore l'évidence de sa capacité à trahir. Sa mémoire, son savoir, sa curiosité, le qualifiaient pour devenir un espion de haut vol. De telles dispositions impliquèrent nécessairement, dans l'esprit de ses accusateurs, qu'il les mettrait au service de l'Allemagne. Mais un tel raisonnement, poussé à l'extrême, aurait conduit le haut commandement à épurer les cadres de tous les officiers intellectuels. Pour certains tenants de l'ancien régime militaire, cet objectif restait inavoué, mais c'était bien celui-là. Avec l'affaire Dreyfus, ils réussirent au-delà de leurs espérances.

Si cette part de l'accusation – qui reposait sur l'aptitude d'un officier intellectuel à trahir – fonctionna si bien, en dépit de son caractère absurde, monstrueux et suicidaire pour une institution nécessitant au contraire une modernisation à marche forcée pour faire face à ses missions, c'est en raison de la confirmation de sa culpabilité apportée aux yeux de ses accusateurs par sa qualité de Juif. Mais c'est aussi parce que de tels argumentaires correspondaient à une forme de revanche de la haute hiérarchie et des courants traditionnels sur l'émergence de la voie moderniste qui se reconnaissait, plus que d'autres, dans ces valeurs, dans le travail, dans l'étude, dans la critique. En soi, ces valeurs ne représentaient pas un danger majeur. Le problème pour les membres de l'État-major est que leur reconnaissance fondait un nouveau système de recrutement du haut commandement. Avec l'École de guerre et le brevet d'état-major, on passait du régime traditionnel de la cooptation endogamique à la sélection des meilleurs. Or, lorsque le capitaine Dreyfus arriva comme stagiaire à l'État-major général, il pénétrait dans une institution qui affrontait de plein fouet cette mutation considérable et qui s'arc-boutait pour la rejeter. Incarnation de cette transformation majeure imposée à l'État-major, le capitaine Dreyfus se présentait de surcroît comme Juif et civil. Plus que tout autre stagiaire, il était celui qui devait être éliminé pour contrecarrer les changements en cours puisqu'il était le meilleur exemple du nouvel officier d'état-major, et aussi le plus exposé, le plus vulnérable. Non seulement il ne pouvait bénéficier d'aucune protection, mais de plus il arrivait à un moment où les partisans de l'ancien régime avaient remporté une victoire avec le remplacement du général de Miribel par le général de Boisdeffre. Les quelques officiers qui auraient pu le protéger, et qui s'y essayèrent comme le commandant Picquart en 1893, n'étaient cependant pas assez nombreux et pas assez puissants. Et lorsque la foudre tomba à ses pieds, pour reprendre l'une de ses expressions, la situation de la voie moderniste était encore plus problématique.

L'arrestation et la condamnation du capitaine Dreyfus n'intervenaient donc pas sous un ciel pur de tout nuage. Au contraire, par bien des aspects, cette élimination était logique. Seules son ampleur, sa violence hors de toute proportion purent surprendre. Mais son mécanisme s'inscrivait dans des logiques structurelles que nous avons rappelées et qui s'illustrent dans les manœuvres du 4e bureau contre le capitaine Dreyfus.

*Une élimination programmée*

La mise en accusation des qualités intellectuelles du capitaine Dreyfus comprend deux étapes : avant et après son arrestation. Dans la
période où il n'est pas encore le « traître », mais seulement un officier
trop brillant et trop différent, ses camarades et ses chefs n'affichent pas
clairement leurs intentions. Mais une lecture fine de la documentation
disponible montre que Dreyfus était de moins en moins accepté au
sein de l'État-major en dépit des appréciations très favorables de ses
supérieurs. Mais celles-ci n'étaient pas si décisives qu'un officier
comme lui pouvait l'imaginer. De plus, deux incidents survinrent au
sujet de ses notations. Ils auraient dû l'alerter.

Ce n'est qu'aujourd'hui qu'il est possible de comprendre ce qui,
réellement, s'est passé au sein de l'État-major durant les deux années
où Dreyfus y fut stagiaire. Alors que dans la conception de l'armée
moderne les vertus intellectuelles dont le capitaine Dreyfus faisait
preuve étaient à son honneur, pour les partisans du régime ancien elles
étaient au mieux inutiles, au pire suspectes. Progressivement, les
marques de son excellence furent renversées et utilisées contre lui,
d'abord quand il était stagiaire, puis bien plus gravement lorsqu'il fut
arrêté pour un crime qu'il n'avait pas commis. Mais une même logique
était à l'œuvre. Elle lui était inconcevable. Mais c'est bien celle qui
expliqua le complet basculement du monde auquel il assista, au secret
le plus absolu dans sa cellule de la prison du Cherche-Midi. Le premier
signe tangible de ce basculement intervint pendant son stage au
4ᵉ bureau. L'encadrement de ce service avait en effet décidé qu'il ne
pourrait pas rester à l'État-major de l'armée et qu'il fallait trouver un
moyen de l'exclure.

*Les agissements du 4ᵉ bureau*

En décembre 1893, le capitaine Dreyfus fut donc évalué négativement par le chef du 4ᵉ bureau de l'État-major général à l'issue de ses
six mois de stage. Cela ne lui était jamais arrivé, à l'exception d'un
événement à la sortie de l'École de guerre, mais ce dernier ne remettait
pas en cause ses qualités intellectuelles et ses dispositions au service.
Il s'agissait du jugement d'un examinateur de l'École de guerre qui
ne dissimulait pas son antisémitisme. Ce fait était grave, comme nous
le verrons, mais il émanait d'une personnalité individuelle et non d'un
groupe de responsables décidant d'éliminer un officier.

Très différent fut l'événement au sein du 4ᵉ bureau, qui était beaucoup plus alarmant même si Dreyfus, contrairement à la première
affaire, n'y prit pas garde. La notation qu'il reçut à l'issue de son stage
lui avait été délivrée par le colonel Fabre, le chef de ce bureau : « Officier incomplet : très intelligent et très bien doué, mais ne remplissant

pas, au point de vue du caractère, de la conscience et de la manière de servir, les conditions nécessaires pour être employé à l'État-major de l'armée [69]. » Si l'on analyse la logique de l'annotation, on peut en déduire que l'intelligence et les facilités intellectuelles ne font pas partie des qualités requises pour servir.

Le colonel, devenu général, déposera au procès de Rennes. Ce qui ressort de sa déposition montre ainsi qu'un officier désireux de se former et d'exercer son sens critique risquait d'être considéré non comme un cadre modèle, mais comme un traître potentiel : « Il s'instruisait en effet, il s'instruisait même trop, mais ne faisait pas son métier », déclare l'ancien chef du 4e bureau de l'État-major, sans expliquer néanmoins en quoi il ne faisait pas son métier. Sauf à narrer un incident qui tendrait au contraire à prouver que Dreyfus remplissait parfaitement sa mission de futur officier d'état-major : « Pendant son stage, à la commission du réseau de l'Est, le capitaine Dreyfus a eu entre les mains le journal de la mobilisation du réseau, sur lequel sont consignées, jour après jour, les opérations de la concentration. Il se l'est assimilé au point que, lorsque le capitaine Boullenger, à son arrivée au service, a eu à prendre lui-même ce document, non seulement le capitaine Dreyfus a pu le renseigner sur tous les points qu'il ne saisissait pas bien, mais encore il a fait ressortir toutes les parties intéressantes de ce journal et lui a commenté les cartes de concentration qui étaient jointes à ce journal de mobilisation, en lui faisant remarquer combien la concentration réelle différait des concentrations théoriques indiquées comme possibles dans les différents cours de l'École de guerre [70]. »

Cette contradiction est très révélatrice du choix d'un chef de bureau de l'État-major de l'armée de tout mettre en œuvre pour en exclure un officier comme Dreyfus. Contrairement à d'autres officiers, camarades ou supérieurs, qui avaient eu, à l'époque de son stage, une excellente impression de son service et qui par la suite, incapables de résister aux pressions, avaient menti pour le charger, le général Fabre qui déposa au procès de Rennes ne le fit pas sous la domination de l'accusation. Avant même l'arrestation pour haute trahison, il le tenait pour une personnalité suspecte, à écarter absolument de l'État-major général. Il endossait de ce point de vue l'avis de ses adjoints qui notèrent eux aussi le service du capitaine ou portèrent à son encontre des jugements définitifs. Car le colonel Fabre ne fut pas le seul à intervenir dans cette affaire. La tentative de barrer l'accès de Dreyfus à l'État-major général n'émane pas de la lubie d'un chef de service plus autocrate que les autres. La décision est collective, elle relève de l'encadrement de tout un bureau central de l'État-major, qui plus est le 4e bureau, dont André Bach a montré la « tendance à se singulariser [71] ».

La notation du chef du 4e bureau reposait sur les avis de ses adjoints immédiats qui dessinaient un jugement collectif sur chaque stagiaire de l'École de guerre et sur le principe même de ce type de recrutement.

Or, pour ce bureau qui prétendait à une position exceptionnelle au sein de l'État-major général, le capitaine Dreyfus présentait deux handicaps dont le cumul le rendait absolument indésirable dans les services du haut commandement : il appartenait au nouveau système de recrutement des cadres fondé sur une sélection par la compétence, et il adhérait pleinement à ce système. Ajoutez à cela qu'il était juif, ce qui pouvait être un handicap supplémentaire aux yeux de nombreux officiers, et son sort était scellé. Le supérieur direct de Dreyfus, le commandant Bertin-Mourot, lui avait reproché de privilégier le perfectionnement de son instruction personnelle au détriment des tâches ordinaires d'un bureau d'état-major. Celui-ci se confia au colonel Roget, qui n'avait pas Dreyfus sous ses ordres directs, mais qui fut amené cependant à le juger et à le noter : « Le commandant Bertin, après quelques mois, eut l'occasion de me parler du capitaine Dreyfus. Il me dit notamment de cet officier qu'il s'intéressait beaucoup à toutes les choses secrètes du bureau, qu'il lisait constamment le journal de mobilisation, les notes pour l'exécution des plans qui donnent toutes les lignes de transport et les points de débarquement, qu'il mordait beaucoup moins au travail courant du bureau, et qu'il ne pouvait pas obtenir de lui, comme stagiaire, les services que rendaient les autres [72]. »

Les remarques du commandant Bertin qualifieraient plutôt le comportement remarquable d'un futur officier d'état-major. Mais c'est le contraire. L'intelligence est suspecte. Ce que reproche le chef à son subordonné, c'est de ne pas être un petit bureaucrate borné et soumis. Or l'objectif de l'École de guerre n'est-il pas précisément de former des cadres d'élite, avec les valeurs auxquelles s'attache le capitaine Dreyfus lors de son stage : l'intelligence, la motivation, le sens de la prospective, l'esprit critique ? Quant à son intérêt jugé suspect pour « les choses secrètes », il est à préciser qu'à l'État-major général, eu égard à l'état de guerre larvé avec l'Allemagne, toutes les informations étaient secrètes. Dreyfus prouvait seulement là son intérêt pour les activités du bureau. C'est l'un de ses traits de caractère les plus nets : il remplit les missions qu'on lui a confiées, dût-il se heurter à des susceptibilités ou à ses supérieurs. Car le stage des brevetés d'état-major a pour but de compléter leur formation, non de les soumettre à la logique d'un bureau et de l'organisation de son travail. Il ne compte pas son temps pour apprendre et se perfectionner, multipliant les voyages et les études. Il se rend ainsi au Mans pour analyser la situation de la gare et des infrastructures ferroviaires dans le cadre de la concentration.

Le capitaine Dreyfus dépendait aussi, pour sa notation, du colonel Roget. L'appréciation que celui-ci transmit au colonel Fabre fut tout aussi négative que celle du commandant Bertin-Mourot. Leurs vifs reproches déterminèrent alors le rapport du responsable du 4e bureau. Au procès de Rennes, l'ancien instructeur du capitaine Dreyfus au

4ᵉ bureau expliqua précisément ce qu'il reprochait à l'officier et les conditions d'attribution de sa note de stage : « Le colonel Bertin me fournit sur le capitaine Dreyfus des notes d'une page et demie de petit format. Quant à moi, je me bornai à faire, en transmettant les notes du colonel Bertin, un résumé de mon impression en cinq ou six lignes ; et je notai le capitaine Dreyfus comme ceci : "Officier très intelligent, très bien doué, ayant beaucoup de mémoire, une très grande facilité d'assimilation, mais dont le caractère ne m'inspire pas une grande confiance et qu'il vaudrait mieux ne pas conserver à l'État-major général de l'armée à la fin de son stage." Quand il a eu fini son stage, M. le colonel Fabre tira de là les notes qu'il lui a données [73]. » On peut légitimement se demander ce que recouvrait le « caractère » d'un officier et le problème grave qui affectait celui du capitaine Dreyfus au point d'annuler toutes ses qualités intellectuelles et de justifier son exclusion de l'État-major général.

Ces faits ne sont pas anodins, relevant des mauvaises dispositions d'un supérieur pour un subordonné, situation somme toute classique dans le monde professionnel, militaire de surcroît. Pour preuve, la volonté du général Roget de banaliser l'incident en expliquant que, de tout manière, la notation du colonel Fabre atténuerait sa propre impression défavorable et celle du commandant Bertin-Mourot [74]. Or c'est faux. L'avis du chef du 4ᵉ bureau est quasi identique à celui de Roget. C'est que l'ensemble des chefs du 4ᵉ bureau avait pris la décision de s'opposer au maintien de Dreyfus à l'État-major. Et cette situation n'était pas isolée. D'autres services, d'autres bureaux, d'autres cadres avaient la même volonté de nuire et d'exclure, y compris en s'engageant dans la voie de l'antisémitisme. L'arrivée du général de Boisdeffre à la tête de l'État-major général avait ouvert la voie à cette offensive contre la voie moderniste, que le général de Miribel aurait vivement contrée. La notation du 4ᵉ bureau date, rappelons-le, du mois de décembre 1893, quelques semaines après la disparition de ce dernier, et alors que l'ancien chef de ce bureau était devenu l'adjoint du général de Boisdeffre. Les officiers qui devaient évaluer Dreyfus imaginaient probablement qu'une ère d'impunité avait commencé.

Six mois plus tard, un fait nouveau advint encore. Au cours du traditionnel voyage d'état-major, un événement symbolique désigna le capitaine Dreyfus à une bonne partie des cadres plus décidés que jamais à contrer la voie moderniste d'accès à l'« arche sainte ». Et plus personne alors n'allait pouvoir ignorer l'excellence du jeune officier et les risques que sa présence pouvait faire courir aux règles internes de l'institution.

*La promenade de Charmes*

Il y a en effet eu un moment précis, dans le stage du capitaine Dreyfus à l'État-major général, où il est apparu aux yeux de ses camarades et de ses chefs comme un personnage menaçant, dérogeant aux règles tacites, trop doué, trop intelligent. Il s'agit d'une scène qui s'est produite au cours d'un voyage d'état-major dans les Vosges au début de l'été 1894. Lors de sa déposition à la Cour de cassation, le général Roget insista beaucoup sur cet événement, en en faisant la preuve non seulement de son attitude hors norme, mais aussi des risques qu'elle représentait pour la sécurité nationale : « Je veux citer un exemple, dont j'ai été témoin personnel, de la profonde instruction qu'avait Dreyfus sur toutes les questions d'artillerie et montrer qu'il était au courant des expériences les plus récentes : Dreyfus faisait partie, en 1894, du 27 juin au 4 juillet, d'un voyage d'état-major que dirigeait le chef d'État-major général. Un jour, le groupe d'officiers dont faisait partie Dreyfus et le groupe du chef d'État-major lui-même, dont je faisais partie, se trouvèrent cantonnés ensemble à Charmes. Le chef d'État-major invita les officiers de ce groupe à prendre leurs repas avec nous. Le soir, pendant le dîner, Dreyfus parla des dernières expériences faites par les commissions de Calais et de Bourges, et nous donna des renseignements intéressants qu'aucun de nous ne possédait, et tellement intéressants qu'il en fut question jusqu'à la fin du dîner. En sortant de table, le chef d'État-major emmena la capitaine Dreyfus et continua à causer avec lui, seul à seul, pendant plus d'une heure, en se promenant sur le pont de la Moselle. Nous suivions par-derrière d'ailleurs, et les jeunes gens remarquèrent fort la faveur spéciale qui était accordée à leur camarade ce jour-là [75]. »

Les mots sont choisis. Dans un corps attaché absolument aux règles de l'avancement, la « faveur spéciale » accordée par le chef d'État-major général à un simple capitaine, stagiaire de surcroît, est un cadeau très embarrassant. Le général de Boisdeffre a-t-il été sincère lorsqu'il a proposé cette promenade au vu et au su de tous les chefs actuels ou futurs de Dreyfus ? Nous l'ignorons. Ce que nous connaissons, c'est son comportement criminel dans la conspiration dirigée contre le capitaine Dreyfus. Mais la relecture d'un passé au regard d'événements qui lui sont postérieurs est toujours problématique. En revanche, l'attitude extrêmement politique de Boisdeffre, qui sait mieux que quiconque le sens du protocole, la manière dont il se comporta en Russie au cours des cérémonies honorant la conclusion de l'alliance franco-russe, sont très éclairantes. Il connaissait les conséquences probables d'une faveur accordée au capitaine Dreyfus ; il n'avait rien de l'officier général bonhomme et paternaliste comme l'armée en comptait beaucoup, mais peu cependant à l'État-major général où les carrières étaient scrutées à la loupe.

Cet honneur soudain accordé au capitaine Dreyfus avait frappé bien au-delà des témoins oculaires. Le général Mercier, qui ne connaissait pas l'existence de Dreyfus avant son arrestation, reprit à son compte cette scène qui révélait un profil d'officier dangereux et menaçant, synthèse de tout ce qui pouvait lui être reproché. La déposition au procès de Rennes de celui qui fit condamner Dreyfus est très éloquente :

Je veux d'abord établir devant vous que le capitaine Dreyfus était un officier extrêmement chercheur, extrêmement intelligent, très au courant de tout et qui, partout, se procurait des renseignements, même en dehors de ce qui concernait son service spécial. Vous recevrez à cet égard la déposition du capitaine Junck qui vous dira comment il lui voyait tracer des graphiques de la concentration des armées. [...] Je n'insiste pas sur les dépositions que vous recevrez de première main des témoins eux-mêmes. Il y en a une cependant sur laquelle je veux appeler votre attention : c'est celle du général Roget qui vous dira qu'à un dîner de voyage d'état-major à Charmes le capitaine Dreyfus, dans le courant du dîner, a parlé des expériences qui se faisaient dans les commissions d'artillerie et en a parlé de façon si compétente et intéressante qu'il a tenu le dé de la conversation jusqu'à la fin du dîner, et qu'à l'issue du dîner le général de Miribel s'est promené seul en tête à tête avec lui pour continuer cette conversation. Vous voyez donc que le capitaine Dreyfus était admirablement au courant des expériences d'artillerie qui se faisaient.

L'ironie, avec cette déposition du général Mercier dont toute la stratégie à Rennes visait à prendre Dreyfus en défaut d'inexactitude, donc de mensonge[76], réside dans l'erreur grossière qu'il commet sur l'identité du chef d'État-major. À la date de ce voyage, le général de Miribel est mort. C'est bien le général de Boisdeffre qui entraîne le capitaine Dreyfus dans cette inutile et venimeuse promenade. Dans *Le Figaro*, Jules Cornély comprit au moment du procès de Rennes la signification morbide de cette promenade[77].

Par son adhésion absolue au culte des études et de la connaissance, par sa conviction que la liberté intellectuelle et l'expression individuelle étaient des valeurs militaires, Dreyfus dérogeait, Dreyfus dérangeait. Il est lui-même, il agit avec une forme de naïveté dans un monde pétri de codes qu'il ne connaît pas et qu'il ne cherche pas à connaître. Pour des militaires de l'ancienne école, il est l'avant-garde d'une évolution qu'ils ne peuvent tolérer. Il est une anomalie dans un monde codifié. Alors il sera brisé tôt ou tard. De ces menaces souterraines, le capitaine Dreyfus n'avait pas conscience précisément parce qu'il se pensait officier dans une armée dont la logique était, pour lui et à travers ce qu'il avait connu, la recherche d'excellence et la modernisation de l'outil. Il appartenait plus qu'un autre au courant moderniste dont les deux principaux caractères étaient la substitution des critères de compétence intellectuelle à ceux de la performance guerrière et l'ouverture du recrutement à l'élite de la société civile. Sans cette orientation, il n'aurait jamais pu intégrer l'armée française. Il était normal qu'il restât fidèle à ce modèle. Et cette fidélité était rassurante pour la France.

On voit en revanche, à travers les jugements portés sur ses initiatives, quelles sont les normes qu'un jeune officier doit suivre absolument : se couler dans le moule, éviter toute discussion qui pourrait attirer l'attention sur lui, ne pas prendre d'initiative sans y avoir été autorisé par un chef, se défier de tout comportement qui pourrait être assimilé à celui d'un intellectuel, cultiver au contraire la virilité, l'esprit de corps, la supériorité sur la société. Dreyfus était perçu comme porteur de conceptions civiles, d'attitudes dangereuses. Qui plus est, il était juif, ce qui aggravait un comportement que l'on acceptait mieux chez un Alsacien catholique comme Picquart. Ainsi, l'élimination de Dreyfus eut pour conséquence de renforcer ces normes rituelles que l'historien Marc Bloch retrouvera intactes, près de cinquante ans plus tard, dans l'armée de la République non plus au niveau de l'État-major général, mais dans les États-majors de campagne[78].

On ne mesure pas suffisamment ce que représenta l'affaire Dreyfus pour ces officiers de la nouvelle école. Nous verrons qu'ils furent nombreux à défendre le capitaine innocent. Mais leur situation était devenue intenable. Beaucoup renoncèrent à la carrière. L'itinéraire du commandant Picquart, devenu ministre de la Guerre en 1906, est une exception ; il la doit à la volonté politique de Georges Clemenceau, mais lui-même n'osa pas changer l'ordre des choses dans l'institution militaire.

## L'ANTISÉMITISME À L'ÉTAT-MAJOR

Parfait représentant d'une armée démocratique et moderniste qu'il fallait encore bâtir, le capitaine Dreyfus n'était point aimé d'une institution qui refusait le changement et plus encore son rapprochement avec les forces nouvelles de la société. « Mais, surtout, comme l'écrit Joseph Reinach, il est juif. » Or, pour l'auteur de l'*Histoire de l'affaire Dreyfus*, « l'antisémitisme, dans ce milieu clérical, surchauffé par la lecture de la prose meurtrière de Drumont, n'a pas cessé, un instant, de le guetter[79] ».

Il ne s'agit pas ici de consentir à ce que trop d'historiens dans le passé se sont contentés de faire, à savoir plaquer sur l'institution militaire les mots d'ordre de la presse antisémite contre les officiers juifs dans l'armée pour dire ensuite que celle-ci était antisémite. Le sujet est capital, et il convient, pour cette biographie d'un capitaine d'origine et de confession juives, de situer précisément la manière dont l'antisémitisme intervient dans son histoire. Ainsi n'est-il pas possible de se satisfaire, pour un tel sujet, de la rhétorique facile de Joseph

Reinach et des deux maigres faits qu'il invoque à l'appui de son assertion. Dans un schéma un peu primaire, il associe le cléricalisme et
l'antisémitisme, la propagande d'Édouard Drumont et la conviction
des officiers qui entourent Dreyfus. Cet avertissement est d'autant plus
important que Dreyfus lui-même voulut accorder peu d'importance à
sa qualité de Juif, qu'il estima n'avoir souffert qu'une seule fois de
ses origines au cours de toute sa carrière (jusqu'à son arrestation), et
qu'il refusa ensuite que son « affaire » se réduise à une affaire juive.

Dans ses *Souvenirs* inédits, il indique qu'il obtint la mention « très
bien » au concours de sortie de l'École de guerre, ce qui le fit désigner
pour servir à l'État-major général de l'armée. Et il ajoute : « Pour mon
malheur [80]. » Il est probable qu'il évoquait là le sort et la fatalité qui
le firent croiser bien malgré lui une affaire d'espionnage. Et d'une
erreur tragique sortit un crime d'État qui lui imposa un calvaire que
peu d'hommes auraient surmonté comme lui. Mais il est possible aussi
qu'il exprime autre chose, comme la conscience d'être entré dans un
monde qui voulait d'emblée sa perte. On sait classiquement que la
machination qui s'empara du capitaine Dreyfus se noua au moment où
son nom fut prononcé pour la première fois par des enquêteurs. Et que
dès lors les préjugés antisémites et l'incompétence notoire des agents
recrutés pour l'occasion le transformèrent en coupable. Ce qui veut
dire qu'il n'y a pas eu à l'origine de plan délibéré pour l'éliminer de
l'État-major. L'affaire Dreyfus commencerait ainsi sur une tragique
méprise. Et ce n'est qu'ensuite que la raison d'État et l'antisémitisme
auraient fait leur œuvre. Les choses sont beaucoup plus compliquées,
et bien plus déterminées, comme on a commencé à le voir.

*Une question historiographique*

Cette version de la vérité est apparue comme la plus fondée. Elle
évitait de juger le système dans son ensemble tout en dégageant des
mécanismes et des responsabilités. Pourtant une étude approfondie des
documents disponibles montre qu'il existait, avant même la découverte
du fait de trahison et le début de toute l'Affaire, une volonté d'écarter
Dreyfus de l'État-major. Il était même, de par ses qualités, un officier
particulièrement menaçant pour les tenants de l'ancienne voie. Il était
un homme à éliminer comme Juif, comme intellectuel, comme jeune
aussi et donc plus menaçant encore puisque disposant pour lui de
l'avenir. Les enquêtes, les auditions, les dépositions accumulées tout
au long de l'Affaire montrent une série d'incidents qui prouvent
qu'avant même d'entrer dans l'histoire il était déjà au cœur, dans ce
combat qu'il découvrait, de cette lutte menée par un certain nombre
d'officiers contre les Juifs à l'État-major. Et comme il était à l'État-
major, comme il était juif, comme il ne se cachait pas, comme il était
fier au contraire de sa réussite et de ses compétences, il apparaissait
bien comme la victime prochaine de cette volonté collective.

Ce fait d'antisémitisme d'État, l'historiographie française sur la IIIe République n'en a pas voulu. Et n'en veut toujours pas. Lorsque des historiens tentent de poser la question d'un antisémitisme de fond, présent notamment dans l'institution militaire, on leur oppose deux arguments. Celui du phénomène coreligionnaire, qui n'est bien sûr pas dit ainsi, mais qui fonctionne comme un non-dit très répandu. Le milieu des historiens assimile souvent des travaux sur l'antisémitisme à la religion juive présumée de leurs auteurs. Ce qui fait qu'il est alors normal, dans leur esprit, qu'un Juif s'occupe d'antisémitisme et qu'il en voie les manifestations là où d'autres ne les verraient pas. De tels travaux sont rangés dans la catégorie des études juives et non dans celle de l'histoire générale. Les autres historiens se montrent polis avec les auteurs de ces études, un rien condescendants parfois. La cause est entendue. Les Juifs ayant tant souffert de l'antisémitisme, il est logique qu'ils en perçoivent davantage l'acuité. Il y aurait une hypersensibilité des historiens réputés juifs (à tort ou à raison, là n'est pas la question). Et celle-ci déformerait leurs analyses. Cette considération des études juives pose, on le voit, un double problème. D'abord parce que, à l'exception de certains travaux trop médiocres pour pouvoir figurer parmi les œuvres historiennes, la plupart de ces études méritent leur place dans l'histoire générale. D'autre part l'enquête sur l'antisémitisme doit-elle nécessairement être considérée comme une question qui concerne les Juifs et seulement eux ? L'antisémitisme n'est-il pas un fléau qui accable les démocraties ? Son étude ne relève-t-elle pas des historiens les plus généralistes ? Doit-on nécessairement confessionnaliser, ou du moins communautariser les travaux sur l'antisémitisme ? Nous pensons qu'en agissant ainsi on commet une grave erreur scientifique. Du reste, l'état de l'histoire contemporaine en France s'explique peut-être par ces postures idéologiques à répétition.

Le second argument utilisé pour minimiser le phénomène antisémite en France et partant les études qui lui sont consacrées consiste à expliquer qu'elles ne parlent pas du passé, mais qu'elles expriment une inquiétude contemporaine, une angoisse présente devant la multiplication en France des actes ou des propos à caractère antisémite [81]. L'analyse du passé serait dominée par le présent et serait, pour cette raison, non valide en tant qu'œuvre scientifique. Cette accusation est clairement portée par le représentant le plus achevé de l'histoire généraliste française dans un ouvrage sur l'histoire de la IIIe République. L'affaire Dreyfus y est singulièrement absente, sauf sous la forme d'un paragraphe qui est repris *in extenso* en quatrième page de couverture du livre : « Cette histoire, dont les élèves connaissaient autrefois par le menu toutes les péripéties, est de plus en plus mal connue. En l'absence d'un enseignement raisonné, le sentiment, le préjugé, envahissent le champ de la conscience et peuplent la mémoire. Quelques épisodes surnagent du désastre et prennent une dimension mythique : l'affaire Dreyfus, à laquelle l'intensité des controverses actuelles sur l'antisémitisme confère une importance disproportionnée, le 6 février, le Front populaire [82]... » Il n'est pas faux de dire que le regard que nous portons sur le passé s'intéresse moins au passé lui-même qu'aux réponses ou aux éclaircissements du présent que nous pourrions y trouver. Si bien que la restitution exacte du passé est quelque peu faussée. Cependant, peut-on dire qu'il y a toujours restitution exacte du passé ? En est-on même capable ? L'histoire n'est-elle pas d'abord une résolution du présent ? En s'intéressant précisément à une époque passée de souveraineté républicaine, René Rémond ne sacrifie-t-il pas aussi à cette règle du présent regardant le passé, à un moment où, en France, la République est tout sauf souveraine et la vie politique, souvent affligeante ? Et si vraiment l'historien souhaitait restituer froidement le passé sans y mêler du présent, il aurait été judicieux de se rapprocher de la froide érudition qui caractérise l'effort de l'historien pour aller vers son sujet et s'y tenir. Or *La République souveraine,* sous-titrée *La vie politique en France 1879-1939,* contrairement au premier volume de cette histoire qui développait un dispositif de sources et de bibliographie très complet [83], ressemble davantage à un essai, sans appareil de notes, sans aucune indication bibliographique, sans tableau des sources. Il est un peu risqué alors, compte tenu de telles faiblesses, de donner des leçons de méthodologie qui, de surcroît, se révèlent inexactes. Premièrement, le caractère mythique des événements n'est pas une tare mais un nouveau sujet d'étude que les antiquisants, de Jean-Pierre Vernant à Pierre Vidal-Naquet, ont su développer et justifier. Secondement, l'antisémitisme dans l'affaire Dreyfus n'est pas un mythe ou une reconstitution du passé, mais une réalité qui peut se démontrer par le recours à des sources d'époque et en les citant longuement afin d'éviter de les tronquer pour mieux faire dire au passé ce que l'on veut voir ou penser dans le présent.

*Un problème de méthode*

C'est ainsi que le contexte de l'arrestation et du procès du capitaine Dreyfus n'est pas celui d'un antisémitisme résiduel qui a pu servir d'accélérateur à un enchaînement tragique de circonstances, lequel a fini par ressembler à de la raison d'État. Toute une série de faits et de témoignages montrent qu'un antisémitisme puissant existait à l'État-major et que Dreyfus, loin d'être un stagiaire anonyme dans une vaste institution, avait été déjà reconnu par les cadres antisémites comme l'officier à abattre. Les historiens ont commencé à valider ce constat, mais imparfaitement encore. André Bach consacre bien, dans son *Armée de Dreyfus,* quelques pages à « l'antisémitisme prononcé » à l'État-major général [84], mais elles ne sont pas convaincantes en raison de l'absence d'une enquête minimale. L'historien se contente ici de témoignages qui surplombent l'institution mais qui n'y plongent pas. De meilleures pistes ont été lancées en 1982 par le chercheur américain

Allan Mitchell, mais son étude ne porte que sur les services du contre-espionnage, à savoir la Section de statistique issue du 2e bureau de l'État-major général [85]. Marcel Thomas, dans son ouvrage de référence sur les mécanismes de la conspiration militaro-judiciaire, appelle à la prudence sur cette question, mais développe aussi l'hypothèse d'un usage de l'antisémitisme contre les tenants de la voie moderniste dès lors qu'ils étaient juifs ou présumés juifs (ce fut le cas du commandant Picquart), par des officiers traditionalistes qui n'étaient pas des antisémites déclarés. Mais tous les moyens furent bons pour protéger l'« arche sainte » des influences extérieures, nécessairement étrangères [86]. Pour autant, Marcel Thomas ne relève pas les manifestations d'antisémitisme dont souffrit le capitaine Dreyfus antérieurement à son arrestation et tend, comme beaucoup d'autres, à relire cette question au regard de l'événement. Mais il est possible aussi de s'en dégager et de vérifier qu'effectivement Dreyfus fut directement visé par l'antisémitisme avant même son arrestation. Et que ce phénomène a donc joué massivement dans son arrestation et dans la fabrication du consensus sur sa culpabilité. Le sort qui fut le sien n'en acquiert alors que plus de gravité, et la résistance qu'il mit à le combattre que plus de force encore.

On pourrait croire légitimement que la condamnation du capitaine Dreyfus aurait libéré la parole antisémite de ses accusateurs au sein de l'armée. C'est surtout à l'extérieur de l'institution que cette parole s'est libérée. Mais une étude minutieuse de « Dreyfus avant Dreyfus » montre que ce jeune capitaine stagiaire à l'État-major est entré dans un milieu d'antisémitisme effectivement « prononcé » et qu'il a été visé nommément par plusieurs faits d'antisémitisme, sans parler de ses manifestations dissimulées derrière la lutte des traditionalistes contre les modernistes – plus acceptable aux yeux des premiers. Il s'agit donc de séparer les phénomènes d'antisémitisme extérieurs à l'armée des situations effectivement produites au sein de l'institution et dont le capitaine Dreyfus est un bon révélateur puisqu'il concentre sur lui un certain nombre de procédés. La campagne lancée par *La Libre Parole* a certainement conforté nombre d'officiers dans leurs convictions antisémites, mais il n'est pas évident que tous les cadres partageant de telles opinions aient prisé cet étalage bruyant et bavard qui n'appartenait pas à leur culture. L'antisémitisme dans l'armée, et particulièrement au niveau du haut commandement et de l'État-major, est un antisémitisme raisonné, rationnel, visant à protéger l'« arche sainte » de ceux qui pourraient l'affaiblir parce que Français de date récente, parce que d'origine étrangère présumée. Au risque de choquer, nous dirions que l'antisémitisme des cadres de l'État-major est davantage organique que véritablement idéologique. C'est une nécessité, mais pas une croisade au sens où l'envisage Édouard Drumont. Pour cette raison, il est difficile à repérer, car il est intégré aux comportements et il ne se professe ouvertement qu'à de rares moments.

Les officiers savent que tels ou tels de leurs camarades sont antisémites, ou bien agissent comme des antisémites. Cependant, il n'existe
pas de proclamations ouvertement antisémites, sauf en privé et de
manière finalement assez rare. C'est davantage une forme de consensus qui se réalise et qui emprunte des voies détournées. Le fait d'être
juif ne peut justifier à lui seul une sanction ou une notation négative.
C'est contraire à l'esprit de neutralité de l'armée. Alors, on entrave la
carrière des officiers réputés juifs en déclarant que leur formation est
incomplète, que leur comportement est désinvolte, que leur assurance
est excessive. Ceux qui connaissent les codes visant à empêcher les
Juifs d'accéder aux plus hauts postes comprendront qu'il s'agit bien
de cela. Les autres feront mine de prendre ces notations au premier
degré. L'exemple du capitaine Dreyfus est édifiant sur ce point. Mais,
devant ces mécanismes subtils et pervers de la discrimination, existe
tout simplement l'antisémitisme viscéral et dogmatique.

## Dreyfus, victime directe

Le capitaine Dreyfus n'a pas voulu accorder une importance excessive à la sanction qu'il subit à sa sortie de l'École de guerre du fait de
l'antisémitisme revendiqué d'un examinateur. Il ne voulut pas non
plus, comme la tradition des Juifs persécutés le suggérait, accepter la
discrimination et se taire. En réagissant pour faire respecter le droit et
la vérité dans cette affaire, il prouvait son haut degré d'intégration. Il
agissait comme l'officier français qu'il était devenu, au grand dam des
antisémites.

Dans ses *Souvenirs* inédits, il raconte qu'à l'obtention de son brevet
d'état-major à l'issue de sa scolarité à l'École de guerre, une injustice
était survenue : « Ma sortie de l'École fut marquée par un incident qui
aurait pu me donner l'éveil sur les sentiments qui régnaient dans certains milieux. Mes notes me classaient troisième ; mais le général [de]
Bonnefond, membre de la commission d'examen, qui m'avait cependant
donné la note 19 (sur 20) pour mon instruction technique, m'attribua
la note 0 pour la cote d'amour, déclarant "qu'il ne voulait pas de Juif
dans l'État-major", ce qui du rang de troisième me rejeta au rang de
neuvième. La cote d'amour, en effet, entre en ligne de compte, avec les
autres notes, suivant un coefficient déterminé [87]. » Face à cette injustice
caractérisée qui le sanctionnait lourdement, ainsi que l'autre élève
d'origine juive, le lieutenant Ernest Picard, Dreyfus choisit de réagir.
Il rendit compte de ses démarches au procès de Rennes :

Un jour, me trouvant chez moi après le déjeuner, un de mes camarades
[Picard] vint très ému me rapporter ce fait qu'un des membres d'une sous-
commission d'examen avait dit, sans nous connaître personnellement, qu'il
ne voulait pas de Juifs à l'État-major et que par conséquent il nous mettrait
cinq comme cote d'amour [88]. Voilà le fait textuel. Mon camarade était très

ému ; j'étais fort ému également et je trouvai le fait indigne, et il me demanda ce qu'il y avait à faire. Comme j'étais plus ancien (il était lieutenant et moi capitaine), je lui dis que la seule chose que nous pouvions faire était de nous adresser à nos chefs hiérarchiques. Cet officier hésita, me dit qu'il allait voir d'autres amis. Je répétai que la seule chose que je puisse faire était de m'adresser à mes chefs et que je me refusais à faire toute autre chose. Deux ou trois jours après il revint, et il fut décidé qu'une démarche serait faite auprès de M. le général Lebelin de Dionne.

J'allai personnellement trouver le général ; il me reçut d'une manière très bienveillante et me dit qu'il regrettait beaucoup. Il constata [...] que mon camarade n'était pas rejeté très loin par cette note, que moi-même, au lieu de sortir quatrième ou cinquième, j'ignore quel eût été mon rang, j'étais rejeté seulement au rang de neuvième, que par conséquent je n'étais pas très atteint non plus et que j'entrerai tout de même à l'État-major. Je remerciai M. le général Lebelin de Dionne, je partis, et l'incident finit là.

À cette date, Lebelin de Dionne fit preuve de compréhension pour l'injustice qui avait frappé le capitaine Dreyfus, mais il ne fit rien pour la réparer. Il ne condamna pas non plus les propos de l'examinateur. Il en avait été pourtant averti par un autre général, Verdière, président de la commission d'examen où siégeait le général de Bonnefond[89]. Par la suite, il alla beaucoup plus loin. Déposant au procès de Rennes, il se justifia de n'avoir rien fait pour réparer l'injustice parce qu'il avait pris des renseignements pour savoir dans « quelle mesure [il devait] le faire » :

> Pour le premier de ces officiers, on ne m'en dit que du bien, la réparation était très facile grâce à la note du général de division commandant l'École[90] ; mais sur le capitaine Dreyfus, les renseignements furent tout autres. J'ai appris qu'il n'était pas aimé de ses camarades et de ses chefs à cause de son caractère cassant, de sa nature haineuse, de son ostentation et de l'intempérance de son langage. Il disait notamment que les Alsaciens étaient bien plus heureux sous la domination allemande que sous la domination française. Je sais que M. Dreyfus a nié le propos, mais les renseignements que j'apporte au conseil sont des renseignements qui ont été contrôlés. Ils ne proviennent pas d'une source unique et présentent tous des garanties. Dreyfus connaissait un certain nombre de femmes galantes. Il s'en vantait, et il se vantait surtout des fortes sommes qu'elles lui coûtaient. Je ne sais pas s'il dépensait de fortes sommes, mais je sais que lui, marié, père de famille, se vantait de ses relations avec des femmes galantes.
> Lorsqu'on me donna tous ces renseignements, je pensai que le capitaine Dreyfus ne devait pas rester à Paris ni figurer à l'État-major général. Cependant je me trouvais en présence d'une injustice à réparer et je ne voulais pas que l'École de guerre fût un lieu de persécution religieuse, je ne lui donnai donc pas une note très mauvaise ; je lui donnai la note qu'il méritait et que j'avais donnée à tous ses camarades. Je laissai à la note donnée par l'examinateur tout son effet. L'effet de cette note était minime en elle et le dommage presque nul ; au lieu de sortir le cinquième il est sorti le neuvième et il a pu rester à l'État-major général. Par conséquent, je ne me suis jamais expliqué ses plaintes et ses récriminations contre le mal qui lui a été fait et

qui était absolument illusoire. Je dois dire, monsieur le président, que j'ai rendu compte de tout cela au ministre de la Guerre... En 1898, le ministre a fait demander une note sur le capitaine Dreyfus. J'ai parlé de ce que je viens de vous dire. Cette note paraît en discordance avec la note de l'inspection. Cela provient de ce que je ne savais pas les faits que je viens d'exposer au conseil [91].

Cette déposition présente une grande confusion. L'ancien commandant de l'École de guerre explique qu'il n'a pas voulu réparer l'injustice faite au capitaine Dreyfus puisqu'il a obtenu des renseignements très négatifs sur son compte. Or ces renseignements, de son aveu même, sont largement postérieurs à la date à laquelle il aurait dû intervenir pour infirmer ou confirmer la note de la « cote d'amour » infligée par le général de Bonnefond. Le capitaine Dreyfus relèvera cette contradiction dans sa réponse à la déposition [92]. Le général reconstruit totalement l'histoire à la lumière du dossier d'accusation qui a été dressé contre le capitaine Dreyfus ; il reprend ici toutes les allégations qui ont été accumulées contre lui jusqu'à ce que la Cour de cassation détruise ces mensonges. Dreyfus lui-même les avait déjà fermement combattus à son procès en décembre 1894. Lebelin de Dionne fait partie de ces nombreux officiers qui ont présenté de faux témoignages reproduisant le système de culpabilité inventé contre l'officier. Sa note au général Gonse du 1er juillet 1898 est de la même teneur [93]. S'il avait effectivement un tel dossier contre Dreyfus dès 1892, il ne se serait pas dérobé à la demande qui lui avait été faite de déposer au procès de 1894 [94].

Contrairement donc à ce qu'il affirme au procès de Rennes en 1899, le général Lebelin de Dionne a décidé de ne pas accorder de réparation au capitaine Dreyfus, non sur la base de renseignements qu'il ne pouvait avoir, notamment parce qu'ils ont été reconstruits par toute la machinerie de l'accusation, de 1894 à 1899, mais simplement parce qu'il adhérait à l'antisémitisme de l'examinateur. Il s'en cachait seulement. Mais la condamnation du capitaine Dreyfus l'a convaincu que tout son comportement d'officier avant son arrestation correspondait à celui d'un traître, et que l'État-major devait être débarrassé des officiers juifs. Dans sa note au sous-chef d'État-major du 1er juillet, il évoque « le Juif Dreyfus ». En décembre 1899, il apporte sa signature comme vingt-sept autres généraux à la retraite (dont Mercier et Bonnefond) aux listes du Monument Henry, la souscription lancée par *La Libre Parole* pour financer les frais de justice dans le procès que la veuve du lieutenant-colonel Henry intentait à Joseph Reinach [95]. Enfin, la déposition de l'ancien commandant de l'École de guerre confirme la réalité d'un double mécanisme d'évaluation et de sélection. Si l'on considère qu'effectivement Lebelin de Dionne a bien obtenu, dès 1892, des renseignements sur son stagiaire − informations, répétons-le, qui sont fausses −, on mesure combien les notes et appréciations officielles comptent comparativement à un système occulte de rumeurs, d'allégations sur les personnes, d'anecdotes qui ne concernent en rien le service, mais qui apparaissent comme si déterminantes pour la carrière. C'est ce système dont la voie moderniste ne voulait plus, parce qu'il favorisait la promotion des médiocres et des serviles, et parce qu'il engendrait un climat délétère dans l'institution. Et ce que nous percevons aujourd'hui, c'est qu'un tel système fonctionnait comme un paravent de l'antisémitisme. Le destin du capitaine Dreyfus avant même son arrestation pour haute trahison le démontre clairement.

Mais l'affaire de la « cote d'amour » ne devait pas s'arrêter là. Après le 15 octobre 1894, elle sera exploitée par ses accusateurs qui verront dans son ressentiment le mobile de son crime : l'officier aurait choisi de trahir par esprit de vengeance contre un pays qui l'aurait sanctionné si injustement. Et ils recherchèrent, auprès de sa femme notamment, la preuve que cette affaire n'avait cessé de l'obséder, en dépit des très claires explications que le capitaine livra dans ses premiers interrogatoires [96].

Ainsi, cet événement est triplement signifiant. On y lit d'abord que Dreyfus est bien victime d'un acte antisémite caractérisé et qu'il refuse d'accepter le sort qui lui est fait. On mesure donc la confiance, peut-être naïve mais réelle, à la hauteur des espoirs qu'il fonde dans cette armée de la compétence et de l'intégration, qu'il place dans l'institution et dans ses chefs. On y perçoit ensuite un milieu où l'antisémitisme peut se déclarer, où il peut même servir comme mode de sélection des officiers qui cumulent, aux yeux des antisémites, le tort d'être juifs et d'appartenir au nouveau système. Enfin, on découvre comment l'antisémitisme peut se cacher derrière la croisade, plus consensuelle et collective, du maintien de l'ancien système, de l'ancienne armée.

## Un antisémitisme déclaré

Au procès de Rennes, le lieutenant-colonel Picquart confirma la réalité de l'antisémitisme au sein du haut commandement. Et il expliqua précisément l'affectation de Dreyfus à la section des manœuvres du 3e bureau par cet antisémitisme qui risquait de le menacer. L'intéressé ignora tout de ces circonstances lorsqu'il commença son stage. « Une des raisons qui ont fait que je l'ai placé à cette section, c'est que j'y avais un excellent ami, le colonel Mercier-Milon. À ce moment-là, les préjugés antisémites étaient déjà répandus à l'État-major. Je savais que le colonel Mercier-Milon était un homme indépendant à ce sujet. Je savais aussi qu'en plaçant un stagiaire israélite à une section qui n'avait pas à s'occuper de choses secrètes je lui éviterais peut-être certains désagréments. Je ne me doutais en aucune façon de ce qui arriverait... Je parle des petites questions d'indiscrétions banales. En le mettant à la section des manœuvres, la chose était tranchée[97].» Toujours concernant Dreyfus et sans que lui-même n'en fût informé, il semble que le colonel Jean Sandherr, chef de la Section de statistique, le service de renseignement et de contre-espionnage, ait tenté de lui barrer la route de l'État-major. Joseph Reinach révèle dans l'*Histoire de l'affaire Dreyfus* que le colonel Sandherr serait allé trouver le général de Miribel, chef d'État-major, pour le conjurer de ne pas accepter le capitaine Dreyfus rue Saint-Dominique. La Section de statistique était particulièrement dominée par cet état d'esprit. Il provenait d'abord de son chef, le colonel Sandherr, réputé très antisémite. Le député au *Reichstag* Auguste Lalance témoigna, au procès Zola, des déclarations que lui fit son compatriote en 1893 à la cure de Bussang dans les Vosges : « Je me méfie de tous les Juifs[98].» Le capitaine Lauth rendit compte pour sa part au procès de Rennes de l'attitude d'un des cadres du bureau, le lieutenant-colonel Cordier : « À cette époque, nous lisions tous les jours une dizaine ou une quinzaine de journaux politiques, il y avait deux journaux qui restaient toujours pour le colonel Cordier, c'étaient *La Libre Parole* et *L'Intransigeant*, que personne de nous ne lisait à cette époque-là. Lui, il les lisait, les dépouillait, venait nous faire des conférences d'un bureau à l'autre et gênait notre travail en nous parlant d'antisémitisme et de l'influence des Juifs. Et en particulier, quand il a été question des stagiaires, c'est lui qui est venu dans notre bureau, disant : "On vient de demander des stagiaires pour nous aider dans notre travail. Le colonel Sandherr en a pris deux, on nous a proposé un Juif, il ne manquerait plus que cela qu'il y en eût un ici"[99].»

Un autre fait d'antisémitisme concernant Dreyfus fut produit devant le conseil de guerre de Rennes. Le général Vanson rédigea un témoignage écrit d'où il ressort que la qualité de juif du capitaine était connue et appréhendée par un certain nombre d'officiers comme une menace pour la défense nationale. Dreyfus devait ainsi faire avec quelques stagiaires d'état-major un voyage qui comportait des études à caractère confidentiel. Le lieutenant-colonel Bardol fut chargé de lui constituer un état-major. Il « m'avait prévenu, expliqua le général, que le capitaine Dreyfus, choisi pour le service des étapes, avait éveillé l'attention des officiers par des investigations répétées, jointes peut-être, disait le colonel, à ce qu'il était israélite ; mais il ajouta que personnellement il n'accordait pas d'importance à ces impressions ou préventions toujours bien fâcheuses[100].»

La prégnance de l'antisémitisme était variable selon les bureaux de l'État-major. Les officiers savaient très bien qui était et qui n'était pas antisémite, ainsi Picquart avec Mercier-Milon. Il est cependant difficile d'obtenir des témoignages directs sur l'état d'esprit des cadres. Les *Souvenirs* inédits du commandant du Paty de Clam, qui furent utilisés en partie dans *L'Affaire sans Dreyfus* de Marcel Thomas, renseignent sur l'état d'esprit du 3ᵉ bureau – où Dreyfus cependant sembla ne pas avoir rencontré de difficultés quelconques. Par un effort instructif pour se déprendre du contexte de la condamnation du capitaine Dreyfus pour haute trahison, du Paty de Clam témoigna de la période immédiatement antérieure, lorsque l'officier entra au 3ᵉ bureau, son service à lui. Les propos traduisent bien l'intensité de la guerre souterraine qui se déroulait au sein de l'État-major et de la réalité de l'antisémitisme déjà notée par Picquart :

> Sans aborder ici la question de la culpabilité de Dreyfus, il est certain que si cet officier n'avait pas été imposé à l'État-major de l'armée par le fonctionnement automatique de l'institution des stagiaires, jamais il n'aurait été accepté au 3ᵉ bureau par les chefs qui se sont succédé à la tête de ce bureau.
> L'un d'eux, Delanne, m'a dit carrément au moment où un officier juif posait sa candidature pour être admis dans notre bureau : "Pas de Juif ici !"
> À cette époque, j'étais imbu de préjugés humanitaires, j'avais de très bonnes relations avec des Juifs intelligents, artistes, savants... L'ostracisme me parut sévère... Or il y a des situations où il n'est pas bon de mettre des gens qui ne soient pas indiscutablement des Français de France...
> Il faut en écarter en principe les officiers dont la famille est à cheval sur deux nationalités. Évidemment, il ne saurait être question ici des familles dont une partie s'est vu imposer par la force une nationalité nouvelle, mais j'entends considérer la nationalité acquise par intérêt ou sans motif bien déterminé... Il faut aussi considérer dans quelles conditions spéciales se trouvait Dreyfus. Sa fortune consistait en partie dans des usines établies à Mulhouse. Par ce fait, il était destiné, sa carrière terminée, à retourner sous la domination allemande [101]...

Si l'on ajoute à ces faits l'événement de la « cote d'amour » du général de Bonnefond, on se trouve devant un dossier déjà volumineux sur la manière dont les cadres de l'État-major s'emploient à exclure les Juifs de leurs rangs, surtout les plus compétents et les moins prudents, comme le capitaine Dreyfus.

## L'antisémitisme caché

La difficulté du repérage de l'idéologie de la haine du Juif dans l'État tient néanmoins dans le fait que les témoignages directs du phénomène ou les revendications *pro domo* des acteurs sont rares. Une mise en garde comme celle du ministre de la Guerre de Freycinet après la mort du capitaine Mayer justifie que la méfiance soit de rigueur. La République récuse officiellement toute forme de haine religieuse. Une revendication publique d'antisémitisme pourrait valoir de graves ennuis à son auteur s'il s'avère qu'il est officier d'active. Aucun militaire professionnel n'a signé d'article dans *La Libre Parole* ou n'a témoigné dans le journal d'Édouard Drumont. Le ministre de la Guerre et le gouvernement sanctionneraient du reste davantage le viol du devoir de réserve que la propagande antisémite en tant que telle. De ce point de vue, les preuves que nous avons pu produire plus haut sont assez exceptionnelles même si elles ne portent pas sur des déclarations publiques. Et le fait que l'antisémitisme y soit explicitement présent indique son intensité.

On l'a vu, l'affaire de la « cote d'amour » est très significative du fonctionnement souterrain de l'antisémitisme. Cette évaluation porte sur l'aptitude générale de l'officier à servir. C'est une note sur la personnalité. Ainsi, le général de Bonnefond ne craint pas de mettre un 0 pour l'aptitude à servir en état-major et 19 pour l'instruction technique, comme si un officier excellent du point de vue intellectuel était totalement incapable de faire un bon officier d'état-major. Seul un fait comme l'antisémitisme pouvait expliquer une telle contradiction. Là, l'intention antisémite a été connue, elle a été revendiquée par son auteur. Dans un cas où nous nous trouvons devant une même situation de notes ou de jugements opposés, on peut légitimement se poser la question de l'antisémitisme. Or c'est précisément le cas avec la notation du capitaine Dreyfus au 4ᵉ bureau.

La déposition du général Roget, même six ans après les faits, est très éclairante [102]. Un officier qui disposerait des hautes valeurs intellectuelles énumérées par Roget serait au contraire très qualifié pour servir à l'État-major général. Le motif du seul « caractère » n'est pas tenable, surtout parce que l'appréciation n'est pas justifiée et qu'elle est parfaitement subjective. Seul l'antisémitisme peut expliquer une telle contradiction dans l'évaluation du général Roget, ou du moins, l'articulation entre des préjugés antisémites forts et la volonté d'éliminer les officiers trop dangereux pour le système traditionnel. Comme Juif, comme intellectuel, le capitaine Dreyfus cumule deux fautes aux yeux de nombreux cadres de l'État-major.

L'affaire Dreyfus est bien un moment de renforcement de l'antisémitisme dans la nation française et l'institution militaire. Sa condamnation est une preuve apportée publiquement aux propagandistes de la haine des Juifs. Et elle le renforce logiquement dans l'armée, comme le montrent le cas du général Lebelin de Dionne ou l'initiative du capitaine Gratteau adressant le 4 novembre 1894 une lettre au ministre de la Guerre, par laquelle il demande à faire partie « du conseil de guerre qui aura à juger Dreyfus ». « Si ma demande toute spontanée et émue vous paraissait incorrecte, et si ma démarche avait besoin d'une excuse, je vous prierais de ne chercher ma justification que dans ma foi patriotique inaltérable et dans mon ardent désir de voir punir d'une façon exceptionnelle le traître israélite Dreyfus [103]. »

Avant même la condamnation du « traître israélite », la présence du capitaine Dreyfus à l'État-major général avait renforcé l'antisémitisme dans l'institution puisqu'il avait été précisément utilisé contre lui. Simplement, il se donnait pour prétexte de lutter contre les officiers modernistes qui avaient, de surcroît, le tort d'être juifs.

L'antisémitisme finissait même par ressembler à un mode de gestion des cadres et des carrières à l'État-major général. Lorsqu'un officier menace le système de la cooptation, on fait de lui un Juif. Le commandant Picquart fut lui-même victime de ce piège d'autant plus absurde qu'il savait être aussi antisémite. Lui qui était catholique alsacien fut donc suspecté d'être juif, et la rumeur se répandit. Elle visait à empêcher sa nomination à la tête de la Section de statistique puisque son arrivée rompait avec le système de la cooptation.

## « Étranger à l'ancien esprit de notre armée »

En définitive, la gravité de l'antisémitisme à l'État-major résiderait dans la fonction qui lui est dévolue, celle de combattre l'« esprit nouveau » dans l'armée. Déconnecté de tels enjeux organiques, il serait finalement assez fragile, capable de s'effondrer brutalement comme on l'observa dans une partie de l'opinion. Cette volatilité explique certes que ses mots d'ordre puissent resurgir aussi brutalement, mais il est, comparativement, moins grave pour les libertés civiles et la démocratie politique que l'antisémitisme structurel, parce que fonctionnel et masqué (la fonction permettant la dissimulation).

Le fait même que le capitaine Dreyfus soit parvenu au niveau où il est arrivé sans avoir été bloqué dans sa carrière inciterait à penser que l'antisémitisme est peu présent dans l'institution militaire. Cependant, plus il s'est rapproché de l'État-major général, plus les rapports se sont tendus et plus la suspicion a été grande. La menace qu'il représentait alors engendra des réactions très caractéristiques dont l'une au moins fut portée à sa connaissance. Il faut voir dans cette hostilité grandissante la conjonction de deux réalités. La première serait l'antisémitisme, le refus qu'un Juif puisse accéder à l'état-major. La seconde serait la crainte de voir le haut commandement basculer du côté d'un esprit nouveau, celui que porte la voie moderniste des artilleurs et des intellectuels. Or c'est cette voie seule qui permet aux Juifs de pénétrer le saint des saints. Si bien des militaires hostiles à la voie moderniste et qui ne seraient pas antisémites seraient tentés quand même de frapper un officier juif puisqu'il apparaîtrait forcément « étranger à l'ancien esprit de notre armée ». D'un côté comme de l'autre, comme juif et comme moderniste, un officier comme Dreyfus est condamné.

La conclusion de la longue lettre que le général Vanson adressa au général Mercier en juin 1899 est très symptomatique de ce mécanisme. Lorsqu'on lui demanda d'écarter le capitaine Dreyfus de la formation de son état-major de campagne, il expliqua avoir répondu qu'il ne pouvait pas « considérer comme suspect un officier admis à l'État-major de l'armée » :

> La question religieuse devait être écartée avec le plus grand soin quant aux nombreux israélites qui travaillaient dans notre armée. Celui-là, étant instruit et travailleur, me paraissait donc bien choisi pour la question

compliquée de la direction des étapes. Toutefois, j'étudiai plus particulièrement le capitaine Dreyfus pendant les quelques jours que dura l'exercice
et, peut-être, à la vérité, sous l'influence des confidences que j'avais reçues,
je crus apercevoir dans son attitude générale une certaine raideur. J'eus
même l'occasion de constater une amertume peu dissimulée dans les appréciations comparatives qu'il se laissa aller à formuler un jour, sur les deux
armées française et allemande, appréciations peu convenables dans la
bouche d'un officier en service, mais que je m'attachai simplement à réfuter
en opposant mon expérience assez longue des deux armées à la sienne, qui
ne datait que de nos revers.

Quoiqu'il en soit, le capitaine Dreyfus me laissa l'impression d'un officier instruit et sérieux, bien qu'assez étranger à l'ancien esprit de notre
armée, et, afin qu'il ne se crût point mis à l'index, je lui dis en le remerciant
de son travail que, le cas échéant, je le verrai encore avec plaisir sous mes
ordres [104].

Tous les officiers ne pensaient pas comme le général Vanson. Et
ceux qui furent, début octobre 1894, chargés d'une enquête d'identification d'un traître étaient les mêmes officiers qui, au 4e bureau, conservaient le plus de prévention contre les Juifs en général et contre le
capitaine Dreyfus en particulier. L'occasion de l'exclure définitivement de l'État-major était à portée de main. Elle fut saisie par une
collectivité nombreuse et déterminée.

## CHAPITRE IV

# Un homme devant ses juges

Le 1er octobre 1894, le capitaine Dreyfus rejoint à la caserne de la Pépinière le régiment dans lequel il devait terminer son stage à l'État-major de l'armée. Il n'était donc pas présent physiquement rue Saint-Dominique, au ministère de la Guerre, lorsque se répandit dans les services la rumeur insistante d'une affaire de trahison. Le commandant Picquart, toujours officier titulaire au 3e bureau, témoigna de la montée de la tension parmi les cadres de l'État-major et des débuts de l'enquête secrète jusqu'au moment où, brutalement, le malaise retomba avec l'identification puis l'arrestation du coupable. C'était le capitaine Dreyfus.

C'est à peu près au moment où il venait de quitter le [3e] bureau que se place l'apparition du bordereau. Voici comment j'ai eu connaissance, pour la première fois, de la pièce appelée *depuis* le bordereau.

Un des matins des premiers jours d'octobre, je crois, mon chef, le colonel Boucher, est venu me présenter la photographie de ce bordereau en me disant que cette pièce avait été saisie, je puis le dire maintenant, puisqu'on le dit partout, dans une ambassade étrangère, et qu'il s'agissait de faire une comparaison d'écriture entre les écritures des officiers du bureau et celle de cette photographie.

Je pris immédiatement un certain nombre de pièces où il y avait de l'écriture de tous les officiers du bureau. J'ai trouvé qu'aucune ne se rapportait suffisamment à l'écriture du bordereau pour que je puisse incriminer l'un quelconque d'entre eux.

La même chose avait été faite dans les différents bureaux de l'État-major, et si vous vous rendez compte que, dans chacun de ces bureaux, le chef et le sous-chef étaient au courant, que souvent l'un de ces messieurs avait des officiers dans lesquels il avait plus de confiance et qu'il avait également informé de la chose, vous pouvez penser qu'avant que l'on ait découvert qui avait écrit ce bordereau, le secret était déjà entre un très grand nombre de personnes.

Qu'est-ce qui est arrivé à la suite de ce fait ? C'est qu'un malaise, un malaise poignant, a régné pendant quelque temps au ministère. Nous étions en train de préparer le nouveau plan ; il y avait une phrase qui a inquiété beaucoup, surtout au 3ᵉ bureau, chargé de ce travail-là ; c'était la phrase : « Note sur les troupes de couverture, quelques modifications seront apportées par le nouveau plan. »

Chacun se demandait si c'était dans son service qu'avait eu lieu l'indiscrétion ; personne ne pensait un instant que la chose avait pu avoir lieu en dehors du ministère.

Si on avait réfléchi, si le sentiment de la responsabilité de chacun n'avait pas été si poignant, on aurait peut-être pu se dire qu'en dehors du ministère il y avait des gens qui pouvaient employer les mots « troupes de couverture » et les mots « plan de mobilisation » ; mais je dois avouer que nous – et j'en suis – ne pensions pas cela à ce moment.

Au 3ᵉ bureau surtout, nous étions excessivement inquiets, et je dois dire – c'est bien humain – que c'est avec un sentiment de satisfaction, de soulagement plutôt, que nous avons appris que l'on avait mis la main sur celui qui avait fait le bordereau, sur celui qu'on appelait le traître.

Les indices sont venus du 4ᵉ bureau ; il paraît qu'au 4ᵉ bureau – je dis ce que j'ai entendu dire à cette époque-là – le chef et le sous-chef – je ne sais lequel le premier – avaient été frappés de la ressemblance de l'écriture du bordereau avec celle du capitaine Dreyfus, qui avait été stagiaire l'année précédente.

La nouvelle s'est répandue comme une traînée de poudre parmi tous les officiers intéressés, et immédiatement mon chef m'a demandé une grande quantité d'écriture du capitaine Dreyfus.

J'avais plusieurs travaux de lui au 3ᵉ bureau, et la comparaison a continué.

Je dois dire, pour ma part, que je ne trouvai pas que la ressemblance fût extraordinaire. Il y avait, à première vue, un grand air de famille entre les deux écritures ; mais réellement, en comparant les mots du bordereau avec les mots de l'écriture de Dreyfus, il me semblait qu'il y avait une différence.

Il y avait, au 3ᵉ bureau, un homme qui s'est toujours mis en avant, chaque fois qu'il y a eu quelque chose de particulier à faire, quelque chose d'en dehors, c'est le [commandant] du Paty de Clam.

On s'est dit : on est embarrassé pour une question d'écriture, il faut un graphologue ; du Paty est graphologue, interrogeons du Paty. Du Paty s'est mis immédiatement à l'œuvre et a trouvé que l'écriture de Dreyfus était tout à fait semblable à celle du bordereau. Dès lors, il était tout désigné pour prendre l'affaire en main, et, comme vous le savez, c'est lui qui a été désigné plus tard comme officier de police judiciaire.

« À ce moment-là, expliqua encore le commandant Picquart, j'ai un peu perdu l'affaire de vue. » Cependant, il avait été encore convoqué par le général Gonse, le nouveau sous-chef d'État-major, pour donner son avis sur la comparaison d'écritures. Et puis, parce que le commandant du Paty de Clam faisait toujours partie du 3ᵉ bureau, celui-ci venait volontiers raconter et les circonstances de l'arrestation de Dreyfus, et les résultats des perquisitions, et la progression de l'enquête. Un jour, alors que du Paty de Clam semblait « de plus en plus découragé, de plus en plus anxieux sur l'issue de l'affaire », le chef du

3ᵉ bureau vint rencontrer le commandant Picquart et lui annonça : « L'affaire prend une autre tournure. Il paraît qu'on a fait des recherches au service des renseignements et qu'on a trouvé des pièces écrasantes pour Dreyfus. » « Par conséquent, à ce moment-là, témoigna le commandant Picquart en se remettant dans les conditions de ces jours d'octobre 1894, la partie semblait gagnée pour l'accusation, et les choses ont suivi leur cours normal [1]. »

Ainsi, le soulagement que le coupable fût identifié puis la certitude qu'un lourd dossier accusateur existait contre lui avaient convaincu l'un des officiers les moins hostiles au capitaine Dreyfus. Les autres, particulièrement ceux du 4ᵉ bureau qui avaient cru l'identifier, et le commandant du Paty de Clam, qui mena la première phase de l'instruction secrète, étaient convaincus de sa culpabilité. Toute son existence alors, toute sa carrière d'officier modèle, tous ses faits et gestes à l'État-major de l'armée, tous ses propos furent interprétés au regard de cette certitude. Alors que sa vie entière ne présentait aucun mobile, alors qu'il n'état pas l'auteur du bordereau, alors qu'il n'avait commis aucune trahison ni même aucune imprudence, Dreyfus fut tenu pour le coupable. Mais il ne put jamais s'expliquer. Ses réponses étaient assimilées à l'application du plan diabolique du coupable se sachant menacé et adoptant une tactique d'innocence mûrement préparée. Il persista pourtant dans cette voie de l'innocence, de l'expression et de la justification de son innocence, en dépit de tout, en dépit de l'acharnement mis par ses accusateurs, du haut en bas de la chaîne de commandement, à détruire ses facultés de défense.

Peu importe que le dossier d'accusation fût inexistant. Et les enquêteurs le savaient puisque, jour après jour, ils échouaient à faire avouer le suspect et à réunir les preuves de sa culpabilité. Mais il était déjà coupable à leurs yeux. Comme on l'a vu, son profil d'officier moderniste, la menace que représentait l'arrivée des diplômés de l'École de guerre, sa qualité d'« étranger » aux traditions de l'armée ancienne, en faisaient l'auteur mécanique d'une trahison dont ils lui révéleront très lentement les ressorts. Mais ils se heurtaient à sa détermination absolue à défendre la vérité, son honneur. Il sombrait parfois dans un désespoir presque total, et puis, par un effort plus grand encore, il se reprenait et tentait encore de faire entendre raison à ses accusateurs. Ce fut une lutte contre la déraison et contre la démence qu'engendrait une situation où l'officier, placé hors du monde, mis au secret le plus complet, combattait la folie qui le menaçait.

Encouragés par le haut commandement, chef et sous-chef d'État-major, ministre de la Guerre, poussés par l'opinion qui s'empara de l'affaire quinze jours seulement après l'arrestation du capitaine Dreyfus et engagea un véritable procès public, ils établirent un acte d'accusation qui n'avait d'utilité qu'à condition de croire l'innocent coupable. Averti enfin, plus d'un mois après son arrestation, des charges effectives pesant sur lui, bénéficiant enfin de la possibilité de correspondre avec sa femme et sa famille, Dreyfus se prépara à son procès. Il s'y défendit fort bien. Mais il y vit aussi la confirmation de l'acharnement mis à l'écraser, à briser ses dernières forces de défense. À le détruire afin qu'il ne puisse même plus s'imaginer comme innocent. Mais là aussi le capitaine Dreyfus fit face, convaincu que la justice de l'armée avait un sens et qu'elle observait les règles de droit et de vérité qui fondaient le système judiciaire depuis la Révolution des droits de 1789. Le verdict de condamnation, à l'unanimité des juges, fut une nouvelle épreuve. Son désespoir fut terrible. Il songea à la mort. Mais il réagit encore, écarta la tentation du suicide, se persuada, grâce à l'aide de sa femme, de son avocat et du commandant de la prison du Cherche-Midi, que son honneur résidait dans la défense, par lui-même, vivant et combattant, de la vérité de son innocence. Son but suprême devint, comme il ne cessa de le dire et de l'écrire à Lucie, à sa famille et aux plus hautes autorités de la République, la révision de son procès et sa pleine et entière réhabilitation. Il résista à tout, à l'application des peines conduites avec la plus extrême dureté, froide barbarie qui agissait pour le détruire et pour qu'il ne puisse plus se défendre.

## L'INSTRUCTION SECRÈTE

Après son arrestation et avant d'être officiellement conduit devant ses juges du premier conseil de guerre permanent du gouvernement militaire de Paris, le capitaine Dreyfus subit une longue période d'interrogatoires conduits dans le plus grand secret. Deux instructeurs militaires, disposant des pouvoirs judiciaires délégués par le ministre puis par le gouverneur militaire de Paris, se succédèrent dans la prison du Cherche-Midi. Les procès-verbaux des interrogatoires ont été révélés par la Cour de cassation lors de sa seconde enquête débouchant sur la réhabilitation, tandis que l'acte d'accusation dressé à l'issue de l'instruction secrète était rendu public dès le mois de janvier 1898 par le journal libéral *Le Siècle*. Ils démontrent l'acharnement des accusateurs à briser un homme qui s'arc-bouta sur son innocence et sur son honneur.

### Les interrogatoires secrets

Arrêté le 15 octobre au matin, jeté dans une cellule de la prison militaire du Cherche-Midi, le capitaine Dreyfus resta trois jours sans nouvelles, sans voir aucun des responsables de son sort. Seul le commandant Forzinetti l'assista et calma sa souffrance. Enfin, le 18 octobre, il revit le commandant du Paty de Clam qui avait procédé à son arrestation. Les interrogatoires commencèrent.

Entre le 18 et le 30 octobre, Dreyfus subit six interrogatoires. Jusqu'au 22, rien ne lui fut dit des charges pesant contre lui ni du document qui l'accusait. En revanche, il dut faire de nombreux exercices d'écriture ordonnés par du Paty de Clam, sur la base de quelques extraits qui lui rappelaient le texte de la lettre qu'on lui avait demandé d'écrire dans les instants qui précédèrent son arrestation. Il se prêta avec beaucoup de bonne volonté à ces exercices. « Je ne demande qu'à faire la lumière », expliqua-t-il. Dix épreuves lui furent infligées. Il allait devoir copier ces éléments d'écriture dans toutes les conditions possibles : debout, assis, la main glissée dans un gant, etc.[2]. Une fois ces exercices réalisés, il réitère ses affirmations quant à l'absence totale de relations avec aucun agent d'une puissance étrangère. Son seul lien avec l'ambassade d'Allemagne concerne une demande de permis de séjour à Mulhouse déposée dans les premiers jours du mois de décembre 1893, au moment où son père était gravement malade. Du Paty de Clam lui présente alors une phrase du document qui l'accuse et lui demande s'il connaît cette écriture. Dreyfus répond par la négative. Il doit alors écrire les mots « manœuvres », « Je vais » et les phrases « Je vais en manœuvres », « Je vais partir en manœuvres » à plusieurs reprises et sur deux feuilles numérotées. Le prisonnier laisse entendre que l'écriture incriminée pourrait être « l'écriture de Bro », un officier du ministère de la Guerre qu'il a croisé. Ignorant la réponse, du Paty de Clam lui pose brutalement la question de sa culpabilité : « Comment expliquez-vous que les experts constatent l'identité de votre écriture avec celle du document dont je viens de vous montrer une ligne ? – La ligne d'écriture que vous m'avez montrée, c'est-à-dire "Je vais partir en manœuvres", n'est pas de moi, il n'y a pas de doute. Quant au reste du document, que je ne connais pas, ou les experts se trompent, ou bien on a pris dans un panier de vieux papiers des morceaux détachés de manuscrits de moi, pour en faire un ensemble[3]. »

Il semble aussi que, lors de ce premier interrogatoire, du Paty de Clam ait fait subir à son prisonnier une nouvelle épreuve, proche dans ses intentions de la scène qu'il avait imaginée pour l'arrestation. Elle n'est mentionnée dans aucun procès-verbal, mais elle a été présentée par du Paty de Clam lors des audiences du conseil de guerre de 1894 :

En interrogeant le capitaine Dreyfus dans sa prison, j'ai attendu le moment où il avait les jambes croisées ; puis je lui ai posé à brûle-pourpoint une question qui devait faire naître l'émotion chez un coupable ; j'avais les yeux fixés sur l'extrémité du pied de la jambe pendante. Le mouvement, presque imperceptible auparavant, de l'extrémité du pied s'est trouvé tout à coup, au moment de ma question, très sensible à mes yeux. Donc le pouls s'accélérait ; le cœur battait plus fort ; l'émotion de Dreyfus trahissait sa culpabilité[4].

Les interrogatoires reprirent deux jours plus tard, le 20 octobre. Le capitaine Dreyfus est questionné sur ses horaires de bureau. Ses réponses sont précises[5]. Du Paty de Clam tente de l'ébranler en lui rappelant qu'il l'a surpris, « un soir du mois de septembre », dans son bureau et qu'il lui a dit spontanément qu'il était venu y chercher quelque chose. Dreyfus répond à nouveau avec calme et précision : « En effet, je me rappelle être revenu plusieurs fois en retard en rapportant les documents que j'avais fait imprimer soit au service intérieur, soit au service géographique. En particulier, un jour, je suis revenu avec des tableaux que je voulais remettre en main propre au capitaine Corvisart qui n'y était plus ; je suis descendu chez M. l'archiviste Tourot les lui remettre. Comme les tableaux étaient mal autographiés, nous sommes montés ensemble chez le commandant Picquart pour les lui présenter, l'un des deux les a gardés, et je suis parti ; il était au moins 6 heures du soir[6]. » Du Paty de Clam tente de l'ébranler une nouvelle fois en lui rappelant une demande de renseignement sur les quais de débarquement, « en vous autorisant de votre chef de bureau ». La réponse du capitaine Dreyfus est précise et sans ambiguïté. Ses autres réponses à des questions portant sur le projet de manuel de tir de l'artillerie de campagne, sur la nouvelle mobilisation de l'artillerie de campagne, sont également justifiées et sûres. En réponse à une ultime question concernant son passage dans les différents bureaux de l'État-major de l'armée, il déclare : « J'y ai fait tout mon devoir et n'ai rien à me reprocher[7]. »

Il comparaît encore le 22 octobre. Du Paty de Clam le met en présence de deux documents présentant respectivement les mots « quelques modifica... » et « troupes de couverture... Madagascar... », des extraits qu'il présente comme émanant du document accusateur. Il lui demande s'il reconnaît son écriture : « Je ne puis affirmer ni infirmer, répond Dreyfus qui ajoute : le peu qu'on me montre est insuffisant. Cependant le mot "Madagascar" m'étonne parce que je ne me suis jamais occupé de cette question et n'ai jamais eu aucun document entre les mains ; par conséquent, je ne crois pas avoir eu ce mot à écrire. Les mots "troupes de couverture" ressemblent à mon écriture. Les mots "quelques modifica..." du document n° 1 ne me semblent pas être de moi. » Du Paty de Clam l'interroge ensuite sur sa connaissance de certains documents (avant-projet du plan de 1895, tableau des formations de l'artillerie de campagne). Il répond très précisément et généralement par la négative. On le questionne sur ses relations avec d'autres officiers. « Non », répond-il ainsi, il n'a pas causé avec le capitaine Moch du frein du canon de 120. « J'ai eu connaissance du frein du canon de 120 mm quand j'étais à Bourges. » Puis l'interrogatoire tourne sur sa capacité, au 2e bureau, à « avoir connaissance des travaux confidentiels des officiers ». Dreyfus fait une longue réponse circonstanciée où il apparaît que de nombreux documents confidentiels sont aisément accessibles, ce qui l'a frappé ainsi que plusieurs de ses camarades stagiaires. Il évoque très ouvertement une « correspondance très active » avec un de ses camarades se préparant à l'École de guerre, en l'occurrence son cousin par alliance Paul David Hadamard, comme il le précisera, le 14 novembre, au second instructeur de son procès [8]. Il répond enfin à une nouvelle question portant sur la phrase « Je vais partir en manœuvres ». Il aurait pu l'écrire à ce camarade pendant son séjour au 2ᵉ bureau, et notamment dans la dernière lettre qu'il lui adressa. « Dans cette lettre, en effet, je le prévenais que je suspendais l'échange de travaux à raison de mon départ prochain. Peut-être ai-je pu terminer ma lettre par la phrase "Je vais partir en manœuvres". Quand cette phrase m'a été mise sous les yeux, lors de mon premier interrogatoire, à la lumière d'une bougie et alors que j'étais dans un état de surexcitation nerveuse et que je ne me souvenais plus du tout de toute cette correspondance, je n'ai plus reconnu mon écriture. » Il achève ce troisième interrogatoire en requérant qu'on l'informe plus en avant sur des charges retenues contre lui. « Désirant que la lumière se fasse le plus entièrement possible, je demande qu'on me montre le document où cette phrase se trouve, ainsi que tous autres documents incriminés afin que je puisse répondre [9]. »

Le 24 octobre, un nouvel interrogatoire a lieu, toujours mené par le commandant du Paty de Clam assisté de l'archiviste Félix Gribelin. Il est encore questionné sur la phrase « Je vais partir en manœuvres », mais il n'est toujours pas mis en présence du document incriminé. Son interrogateur lui demande ensuite s'il pense être l'objet d'une machination. Il proteste alors sur les conditions de sa détention puisque ses raisons lui sont cachées. « Je jure sur la tête de mes enfants que je suis innocent, je ne comprends absolument pas ce qu'on me veut. Si l'on me présentait les pièces incriminées, je comprendrais peut-être. Voilà onze jours que je suis au secret et que je ne sais pas encore de quoi l'on m'accuse. » Sans convoquer explicitement de tels principes, il retrouve cependant l'esprit des garanties fondamentales contenues dans la Déclaration des droits de l'homme et du citoyen du 26 août 1789 qui interdit notamment, par son article 7, d'accuser, d'arrêter et de détenir « nul homme » en dehors des cas déterminés par la loi. Il n'a pas à sa disposition un code de procédure pénale et un code de justice militaire, mais il pressent que sa mise au secret et la forme des interrogatoires sont à l'inverse de ce qu'il sait et de ce qu'il a appris. Il ne perçoit pas, en revanche, qu'il s'agit d'une stratégie voulue pour lui faire perdre tous ses moyens et le pousser à l'aveu. Il se rapproche parfois de ce moment où il pourrait basculer.

La réalité est pour lui si incompréhensible, inimaginable et terrifiante qu'il se croit, comme il le dit à du Paty de Clam, « le jouet d'un cauchemar ». Mais il se reprend aussitôt. « Rien dans ma vie, rien dans mon passé ne pouvait me faire supposer qu'on pût porter contre moi une accusation pareille. J'ai sacrifié ma situation en Alsace pour servir mon pays que j'ai toujours servi avec dévouement. » Il cherche ici à attirer l'attention de son interrogateur sur l'absence de mobile qui aurait pu le mener à trahir, si tant est que la trahison soit constituée par des preuves qu'on lui attribue à tort. Mais sa dernière déclaration est considérée au contraire comme étant un indice de sa culpabilité. Du Paty de Clam lui rétorque en effet : « Vous savez donc de quoi vous êtes accusé, alors que vous me disiez tout à l'heure ne pas savoir. » Dreyfus comprend que l'ignorance dans laquelle il est tenu est une stratégie volontaire pour l'égarer et lui faire avouer, au final, une imaginaire culpabilité. Il proteste une nouvelle fois. « On me dit toujours que j'ai volé des documents sans me montrer les bases de l'accusation ; je demande qu'on me montre les pièces les plus accablantes et je comprendrai peut-être alors la trame infernale qui se joue autour de moi. » Le commandant du Paty de Clam ne répond pas à cette protestation, comme aux précédentes, sur la situation dans laquelle est placée son prisonnier. Il retourne vers des questions techniques, motivées par une remarque faite par Dreyfus lors du précédent interrogatoire. « Pensez-vous qu'on ait pu calquer votre écriture et supposez-vous par quel moyen ? » Réponse immédiate de l'officier : « Comme ma conscience n'a rien à me reprocher, dans une nuit d'insomnie, je me suis dit qu'on avait peut-être calqué mon écriture. »

Le capitaine Dreyfus est ensuite interrogé sur ses anciennes fréquentations féminines, qui auraient pu motiver une vengeance ou justifier une machination. Il reconnaît avoir eu une relation avec Marie Déry. Il parle de la dernière lettre de cette femme, qui s'achevait par ces mots : « À la vie et à la mort. » Mais justement, explique-t-il, il a choisi de mettre fin à cette relation pour ne pas « pousser la connaissance plus loin » et faire de cette femme sa maîtresse. Il reconnaît aussi avoir fréquenté Suzanne Cron. Il mentionne également une liaison lorsqu'il était à Bourges. Puis, brusquement, suivant la stratégie adoptée jusque-là pour déstabiliser le prisonnier et lui arracher des aveux dans un moment de trouble, du Paty de Clam lui assène l'évidence de sa culpabilité. Son prisonnier ignore que les preuves avancées sont loin d'être constituées. Elles sont du reste aussi péremptoires qu'imprécises : « Comment expliquez-vous qu'une lettre annonçant à un agent d'une puissance étrangère l'envoi de documents confidentiels, qu'un officier de l'état-major de l'armée a seul pu se procurer, ait été reconnue être écrite de votre main ? » Dreyfus refuse d'entrer dans une discussion qui ne le concerne pas. « Je nie, comme au premier jour, que jamais je n'ai écrit à aucun agent d'une puissance étrangère ; je n'en connais aucun. Je ne puis m'imaginer qu'une chose, c'est qu'on m'ait volé mon écriture. » Du Paty de Clam ne réagit pas. Il passe aussitôt à un autre mobile de trahison, l'argent, en l'interrogeant sur le montant de ses revenus. « En 1894, lui répond Dreyfus, mon revenu est de vingt-quatre mille francs environ, y compris ma solde. Sans un sinistre, il aurait été de huit à dix mille francs plus élevé. Je ne dépense pas la totalité de mes revenus [10]. »

Le 29 octobre, Dreyfus subit un nouvel interrogatoire. Il est d'abord questionné une nouvelle fois sur la femme habitant rue de Bizet, dont il indique cette fois ne plus se souvenir du nom. Du Paty de Clam a pu voir dans cet oubli la preuve d'une volonté de dissimulation puisqu'il s'agissait seulement de Marie Déry.

Il est enfin mis en présence de « la photographie d'une lettre qui vous est attribuée » et qui a été saisie à l'étranger [11]. Il peut y lire le texte suivant, tracé d'une écriture peu soignée :

Sans nouvelles m'indiquant que vous désirez me voir, je vous adresse cependant, monsieur, quelques renseignements intéressants :

1° Une note sur le frein hydraulique du 120 et la manière dont s'est conduite cette pièce ;

2° Une note sur les troupes de couverture (quelques modifications seront apportées par le nouveau plan) ;

3° Une note sur une modification aux formations de l'artillerie ;

4° Une note relative à Madagascar ;

5° Le *Projet de manuel de tir* de l'artillerie de campagne (14 mars 1894).

Ce dernier document est extrêmement difficile à se procurer, et je ne puis l'avoir à ma disposition que très peu de jours. Le ministère de la Guerre en a envoyé un nombre fixe dans les corps, et ces corps en sont responsables. Chaque officier détenteur doit remettre le sien après les manœuvres. Si donc vous voulez y prendre ce qui vous intéresse et le tenir à ma disposition après, je le prendrai [...]. À moins que vous ne vouliez que je le fasse copier *in extenso* et ne vous en adresse la copie.

Je vais partir en manœuvres.

« Reconnaissez-vous cette lettre pour être de votre écriture ? » lui demande le commandant du Paty de Clam. Pour la première fois, Dreyfus est mis en présence d'un élément tangible de preuve. Il développe aussitôt une étude critique de la pièce incriminée :

J'affirme d'abord que je n'ai jamais écrit cette lettre infâme. Un certain nombre de mots ressemblent à mon écriture, mais ce n'est pas la mienne ; l'ensemble de la lettre ne ressemble pas à mon écriture. On n'a même pas cherché à l'imiter. Quant à ce qui est contenu dans la lettre : 1° ce qui a trait au frein hydraulique de 120 mm, il me serait impossible de fournir à ce sujet aucun renseignement précis, car je ne l'ai plus vu depuis mon séjour à l'École de guerre ; 2° pour les troupes de couverture, mes travaux à l'État-major de l'armée m'eussent permis de les connaître ; 3° « Une note sur les modifications aux formations de l'artillerie ». Je ne sais pas ce qu'on veut dire. Je pense qu'il est question de la nouvelle organisation de l'artillerie que j'aurais pu également connaître ; 4° « Une note relative à Madagascar ». Je n'ai jamais eu entre les mains aucun document à ce sujet et je n'ai jamais eu à m'occuper de cette question. Je ne la connais donc pas ; 5° « Le *Projet de manuel de tir* de l'artillerie de campagne (14 mars 1894). » Jamais je n'ai entendu parler de ce projet de manuel. Je n'ai jamais eu que des conversations générales sur l'artillerie avec le commandant Jeannel.

Malgré la très ferme dénégation du prisonnier quant à l'écriture de la lettre incriminée, du Paty de Clam insiste et introduit un nouvel argument – qui se révélera fallacieux – pour le confondre : « Comment expliquez-vous que des personnes dont c'est la profession de rechercher les identifications déclarent formellement que cette lettre est écrite de votre main ? » Dreyfus rétorque qu'il ne trouve pas qu'elle est de son écriture. Du Paty de Clam lui ordonne alors d'en écrire le texte sous sa dictée. Puis il est à nouveau questionné sur l'identité entre son écriture et celle de la lettre. « Oui, il y a des ressemblances dans les détails de l'écriture, mais l'ensemble n'y ressemble pas, insiste Dreyfus. Je comprends très bien, toutefois, que ce document ait donné prise aux soupçons dont je suis l'objet ; mais je voudrais bien être entendu à ce sujet par le ministre [12]. »

Le lendemain, 30 octobre, Dreyfus subit encore un interrogatoire. Du Paty de Clam tente un nouveau coup de force pour ébranler le prisonnier. « Je vous montre les rapports d'experts qui déclarent que la pièce incriminée est de votre main. Qu'avez-vous à répondre ? » Réponse : « Je vous déclare encore que jamais je n'ai écrit cette lettre. » Nouvelle intervention : « Le ministre est prêt à vous recevoir si vous voulez entrer dans la voie des aveux. » Nouvelle réponse de Dreyfus : « Je vous déclare encore que je suis innocent et que je n'ai rien à avouer. Il m'est impossible, entre les quatre murs d'une prison, de m'expliquer cette énigme épouvantable ; qu'on me mette avec le chef de la Sûreté, et toute ma fortune, toute ma vie seront consacrées à débrouiller cette affaire [13]. »

*« Ma conscience veillait »*

Le 30 octobre, Alfred Dreyfus ignorait qu'il subissait là le dernier des six interrogatoires conduits par le commandant du Paty de Clam. Il en conserva le souvenir d'une entreprise de brutalisation. L'interdiction de pouvoir écrire quoi que ce soit dans sa cellule, l'impossibilité de réunir ses forces pour lutter, le sentiment d'appartenir totalement à son interrogateur le frappèrent profondément. Il considéra ces épreuves comme des tortures psychologiques qui durèrent dix-sept jours très exactement. Il consigna dans *Cinq années de ma vie* puis dans ses *Souvenirs* le mécanisme de ces interrogatoires. Ils ne s'achevaient jamais puisque, après les départ des interrogateurs, la torture continuait pour le capitaine Dreyfus livré à toutes les incertitudes, aux versions contradictoires d'une affaire qu'il ne parvenait pas à saisir, à l'inquiétude la plus vive concernant sa famille, à l'enfermement complet – non seulement dans une cellule, mais aussi dans la folie que du Paty de Clam tentait d'instiller en lui. Il comprit la stratégie de l'officier. Celui-ci n'accordait que peu d'importance aux réponses du capitaine Dreyfus, ses questions cherchant essentiellement à le conditionner pour mieux, au moment où il s'y attendait le moins, oublier toutes ses protestations d'innocence et l'interroger comme un coupable qui aurait avoué. C'est ce qui ressort des procès-verbaux d'interrogatoire et c'est ce qu'il tente d'expliquer dans ses *Souvenirs*.

Il arrivait toujours le soir, fort tard, accompagné de son greffier, l'archiviste Gribelin ; il me dictait des bouts de phrases pris dans la lettre incriminée, faisait passer rapidement sous mes yeux, à la lumière, des mots ou des fractions de mots pris dans la même lettre, en me demandant si je reconnaissais ou non mon écriture. En dehors de ce qui a été consigné dans les interrogatoires, il faisait toute sorte d'allusions voilées à des faits auxquels je ne comprenais rien, puis se retirait théâtralement, laissant mon cerveau en face d'énigmes indéchiffrables. J'ignorais toujours quelle était la base de l'accusation ; malgré mes demandes pressantes, je ne pouvais obtenir aucun éclaircissement sur l'accusation monstrueuse portée contre moi. [...] Je ne possédais ni papier ni encre permettant de fixer mes idées ; à toutes les minutes je retournais dans ma tête les lambeaux de phrases que je lui arrachais et qui ne faisaient que me torturer davantage[14]. [...] Si mon cerveau n'a pas sombré dans ces journées et dans les nuits interminables, ce ne fut pas la faute de du Paty. Il me laissait me débattre dans le vide[15].

Le commandant du Paty de Clam tente d'égarer son prisonnier, de lui enlever tous les repères qui lui permettraient de se défendre efficacement. Il escompte qu'il finira par s'effondrer et avouer. Il le trompe sciemment, multiplie les mensonges, comme lorsqu'il lui annonce que tous les experts ont reconnu son écriture sur le bordereau[16]. Dreyfus proteste encore de son innocence, avance que les experts peuvent faire erreur, envisage que l'on ait contrefait son écriture pour le perdre[17]. Dreyfus échafaude des explications pour comprendre l'incompréhensible, qu'on l'accuse, lui, d'avoir trahi, et qu'on l'accuse sur la base de la pièce incriminée dont il ne voit au départ que quelques mots sur une photographie. Il suggère l'hypothèse qu'on lui aurait « volé son écriture[18] ». Du Paty de Clam y voit un nouvel indice de culpabilité. Son but consiste à ne lui laisser aucun répit, à le perdre lui-même. Il s'agit d'une entreprise de nature terroriste reposant sur une pratique de tortures psychologiques. Des interrogatoires où des questions ne servent pas à ce qu'on leur réponde, mais à ébranler le suspect quelles que soient ses réponses, l'isolement total, l'absence de moyens permettant de regagner un équilibre en analysant, en écrivant, l'inquiétude pour ses proches, l'épreuve de l'attente dans l'ignorance, le sentiment d'effondrement complet de son existence, attestent cette mise en condition extrême pour que le capitaine Dreyfus endosse les habits du coupable. Bien qu'il s'en soit défendu ensuite, le commandant du Paty de Clam agit de manière très intentionnelle. Porteur d'un ordre du ministre de la Guerre enjoignant le commandant Forzinetti de le laisser interroger le prisonnier et de le laisser aller librement dans sa cellule, il voulut en profiter[19]. Il exigea d'en disposer comme il l'entendrait et de pratiquer sur lui tous les actes qu'il jugerait nécessaires. Mais il se heurta au refus du directeur de la prison, qui témoigna au procès de Rennes des intentions de l'officier : « Il me demanda de lui faire ouvrir aussi doucement que possible la porte de la chambre qui renfermait Dreyfus ; il me demanda aussi si je n'avais pas des lampes à projection assez fortes pour surprendre Dreyfus et le "démonter". Je lui répondis que les locaux ne se prêtaient pas à la chose, que d'autre part je n'avais pas de lampes et qu'au surplus, si tout cela était faisable, je ne me prêterais pas à son désir parce que je n'admettais pas qu'on pût agir ainsi [20]. »

Le capitaine Dreyfus parvint cependant à ne pas basculer dans la démence. Pourtant, la souffrance était omniprésente, dès qu'il se replongeait dans la mémoire du monde qu'il avait perdu. « Quand je revoie les souvenirs de bonheur et de joie que j'ai reçus dans ma famille, le cœur se fond et les larmes me montent aux yeux », écrit-il à son frère Mathieu [21]. Pourtant, il put dompter ses nerfs qui menaçaient de le détruire, repousser la tentation de la mort, et tenir à distance Du Paty, ainsi qu'il le précisa encore : « Si mon cerveau n'a pas sombré dans ces journées et dans ces nuits interminables, ce ne fut pas la faute de du Paty. Il me laissait me débattre dans le vide. Mais quelles que fussent mes tortures, ma conscience veillait et me dictait infailliblement mon devoir : "Si tu meurs, me disait-elle, on te croira coupable ; quoi qu'il arrive, il faut que tu vives pour crier ton innocence à la face du monde." Ce furent ce culte, cette passion de l'honneur qui me sauvèrent du suicide, comme de la folie [22]. »

Lors des interrogatoires, le capitaine Dreyfus réussit à rester maître de lui. Il ne s'effondre pas, il ne cède pas à la tentation d'arrêter ces tortures en entrant dans la voie des aveux à laquelle l'invite systématiquement le commandant du Paty de Clam. L'ultime interrogatoire démontre que les stratagèmes employés par l'enquêteur n'ont pas permis de l'ébranler. Il est innocent et il refuse de payer pour un crime qu'il n'a pas commis. Le 29 octobre, il a même demandé à être entendu par le ministre de la Guerre pour lui proposer d'être envoyé « n'importe où pendant un an sous la surveillance de la police, tandis qu'on procédait à une enquête approfondie au ministère de la Guerre [23] ». Il réitère cette proposition le lendemain, déterminé à refuser tous les pièges tendus par du Paty de Clam. S'il demande à voir le ministre, ce n'est pas pour entrer dans la voie des aveux puisqu'il n'a rien à avouer [24].

Très maître de lui pendant les interrogatoires, Dreyfus l'est moins dans sa cellule durant les longues heures qu'il passe seul avec lui-même et avec ses cauchemars. Là, il vacille et entre dans des crises de désespoir intense. Le commandant Forzinetti a été le témoin de sa souffrance sans nom. « La surexcitation du capitaine Dreyfus était toujours très grande. Du corridor, on l'entendait gémir, crier, parlant à haute voix, protestant de son innocence. Il se butait contre les meubles, contre les murs, et il paraissait inconscient des meurtrissures qu'il se faisait. Il n'eut pas un instant de repos, et lorsque, terrassé par les souffrances, la fatigue, il se jetait tout habillé sur le lit, son sommeil était hanté par d'horribles cauchemars. Il avait des soubresauts tels qu'il lui est arrivé de tomber du lit. » Cette « véritable agonie » crût jour après jour. Il refusait de s'alimenter, ne pouvant que boire du bouillon et du vin sucré. Le 23 octobre 1894, neuf jours après le début de son incarcération, son état mental, « voisin de la folie », parut si grave au commandant Forzinetti qu'il voulut « mettre sa responsabilité à couvert » et rendit compte de la situation au ministre de la Guerre et au gouverneur militaire de Paris [25]. Il adressa au ministre de la Guerre une lettre alarmante sur l'état de santé de son prisonnier et il en communiqua le double au gouverneur militaire de Paris. « J'ai l'honneur de vous rendre compte de l'état de M. le capitaine Dreyfus incarcéré par votre ordre et mis au secret. Cet officier est dans un état mental indescriptible. Depuis son dernier interrogatoire subi jeudi, il a des évanouissements et des hallucinations fréquentes. Il pleure et rit alternativement et ne cesse de dire qu'il sent son cerveau s'en aller. Il proteste toujours de son innocence et crie qu'il deviendra fou avant qu'elle ne soit reconnue. Il demande constamment sa femme et ses enfants. Il est à craindre qu'il ne se livre à un acte de désespoir malgré toutes les précautions prises, ou que la folie ne survienne [26]. » Forzinetti fut alors convoqué par le chef d'État-major qui l'accompagna chez le ministre. Dans son bureau, le général de Boisdeffre lui demanda son opinion sur le capitaine Dreyfus. Forzinetti avait alors répondu : « On fait fausse route, cet officier n'est pas coupable. » « Puis, raconta le commandant des prisons militaires de Paris, entré seul dans le cabinet du ministre, le général en ressortait quelques instants après, paraissant fort ennuyé, pour me dire : "Le ministre part pour aller assister au mariage de sa nièce et me laisse 'carte blanche' ; tâchez de me conduire Dreyfus jusqu'à son retour, il s'en arrangera ensuite." Je fus porté à penser que le général de Boisdeffre était resté étranger à l'arrestation ou qu'il ne l'approuvait pas. Néanmoins, le général m'ordonna de faire visiter secrètement le capitaine par le médecin de l'établissement, qui prescrivit des potions calmantes et une surveillance incessante [27]. » Sur l'original de la lettre du commandant Forzinetti du 27 octobre, le général Gonse a porté la mention suivante : « L'ordre a été donné le 27 8bre [octobre] au soir de faire visiter par un médecin le cpne [capitaine] Dreyfus et de lui faire donner tous les soins que réclame son état [28]. »

*Une seconde phase secrète*

Du Paty de Clam n'avait pu que constater l'échec de sa mission. Malgré l'épreuve de la mise au secret, le capitaine Dreyfus ne s'était pas effondré. Il n'était pas entré dans la voie des aveux. L'inquiétude du commandant fut grande [29]. Le lendemain du dernier interrogatoire, le 31 octobre 1894, il décida de clore ses investigations et remit son rapport d'enquête préliminaire au chef d'État-major général. Une nouvelle déconvenue l'attendait ce même jour puisque le secret de l'incarcération, pourtant recherché par tous les moyens possibles, venait de tomber. La presse en avait eu connaissance, d'abord *L'Éclair* par un entrefilet discret puis *La Libre Parole* le 1er novembre avec un titre énorme barrant la une de ce journal « antijuif ». Alfred Dreyfus l'ignorait, de la même manière qu'il ne savait pas que la première phase des interrogatoires avait pris fin depuis la veille. Il constata seulement qu'il n'était plus entendu par le commandant du Paty de Clam. Il ne vit plus personne sinon ses gardiens et le commandant Forzinetti qui les accompagnait systématiquement [30].

Le 3 novembre 1894, Dreyfus était officiellement déféré devant la justice militaire. Le commandant d'Ormescheville fut désigné comme magistrat instructeur par le gouverneur militaire de Paris qui convoqua le conseil de guerre pour le 19 décembre 1894. Il prit connaissance du rapport du commandant du Paty de Clam. Au cours de son enquête, il entendit vingt-trois témoins. Il résuma leurs déclarations dans son rapport de fin d'instruction en date du 3 décembre 1894. Celui-ci concluait à la mise en jugement et tenait lieu, pour ce faire, d'acte officiel d'accusation. Le 5 novembre 1894, il entendit le prisonnier pour la première fois. Dreyfus ignorait tout de la teneur du rapport qui avait été remis sur son compte par du Paty de Clam et des circonstances qui avaient conduit à une nouvelle phase dans son calvaire avec la saisie du conseil de guerre et l'énorme campagne de presse déclenchée contre lui le 1er novembre 1894.

Dreyfus fut donc interrogé par un officier qu'il ne connaissait pas et qui se présenta comme étant le commandant d'Ormescheville, officier instructeur près le premier conseil de guerre du gouvernement militaire de Paris. Les interrogatoires ne se déroulèrent plus dans la cellule, mais dans la salle du greffe de la prison. Ni *Cinq années de ma vie* ni les *Souvenirs* inédits de 1931 n'abordent cette phase de l'instruction. Elle ne présentait que peu d'intérêt. Elle apparaissait comme la répétition de la première phase conduite par du Paty de Clam. Le capitaine avait-il compris dès les interrogatoires que l'enquête du commandant d'Ormescheville était contrôlée en sous-main par du Paty de Clam [31] ? En tout cas, la forme des interrogatoires était très similaire, depuis l'indifférence aux réponses qu'il formulait jusqu'aux brusques offensives portant sur sa culpabilité jugée évidente. Dans une lettre adressée à Joseph Reinach après sa libération le 24 novembre 1899, Dreyfus revint sur de telles méthodes : « Quant à d'Ormescheville, il a toujours refusé de s'expliquer ; je n'ai donc pas pu le questionner sur l'enveloppe [éventuelle du bordereau]. Dès que je voulais lui parler de l'original du bordereau, il se refusait à me répondre. Vous vous souvenez d'ailleurs que dans son acte d'accusation, qui est un pur chef-d'œuvre de bêtise humaine, d'Ormescheville parlait de questions préparées que je lui faisais et auxquelles il refusait de répondre. La discussion a toujours été impossible pour la bonne raison qu'on ne me donnait jamais aucune explication[32]. »

Le 5 novembre 1894, le capitaine Dreyfus subit d'abord l'énoncé des charges pesant sur lui. Il y répondit seulement : « Je suis innocent. » D'Ormescheville s'impatienta : « Vous ne formulez pas d'autres réponses ? » Dreyfus insista : « Je n'ai jamais communiqué aucun document à aucun agent étranger. Je n'ai jamais eu de relations avec aucun agent d'aucune puissance étrangère. [...] Je n'ai écrit ni l'une ni l'autre de ces lettres[33]. » Le magistrat instructeur poursuivit. Le capitaine Dreyfus retrouva la politique d'accusation qui avait déjà été celle du commandant du Paty de Clam. « Il ne fit que reprendre, dans les mêmes termes, les questions de du Paty ; j'y fis les mêmes réponses, sans me contredire une seule fois. Mais que pouvais-je contre des hommes prévenus ? Le juge suspendait à chaque instant ses interrogatoires, me renvoyait dans ma cellule et allait consulter du Paty[34]. »

Il fut encore interrogé le 14 novembre. Les questions portaient sur ses voyages d'état-major. Il n'en avait réalisé qu'un seul durant son stage. « Ce voyage a eu lieu dans la région de la Moselle vers Charmes. Le dernier jour, précise-t-il, je me trouvais dans cette ville avec M. le chef d'État-major général de l'armée. » Il reconnaît aussi avoir, par erreur, surveillé plusieurs tirages de documents secrets au service géographique et au service intérieur. Mais il précise avoir rendu compte de cette erreur. Il répond encore à des questions sur sa connaissance d'« une note relative à Madagascar » (réponse négative), de la mobilisation des troupes, des concentrations et de la couverture (réponse positive), d'un document secret sur la couverture (réponse négative), d'« un *Projet de manuel de tir* de l'artillerie de campagne » (réponse négative). Il dément avoir été en manœuvres en 1894. En revanche, il y a été en 1893, aux environs de Beauvais en septembre. Il en avait averti son cousin par alliance, Paul David Hadamard, qu'il aidait à préparer le concours de l'École de guerre.

Le magistrat instructeur lui réplique, au moyen de deux longues démonstrations qui se veulent imparables, qu'il est coupable et que la justice va bientôt le confondre. Mais le capitaine Dreyfus continue de persister dans sa position initiale, de protester de son innocence et refuse de s'engager dans la discussion des arguments du commandant d'Ormescheville qui ne le concernent pas.

Des documents intéressant la défense nationale ont été adressés et sont parvenus à un agent d'une puissance étrangère, et d'après leur nature ils n'ont pu être livrés que par un employé à l'État-major de l'armée qui, par ses fonctions, a pu en avoir connaissance et qui est parti pour des manœuvres au moment où une lettre annonçant l'envoi de ces documents a été écrite à cet agent ; est-ce vous l'officier en question ?

— Pour moi, ce n'est pas un officier, car jamais un officier n'est capable de commettre un acte pareil.

À la suite d'une enquête prescrite par M. le ministre de la Guerre dans les bureaux de l'État-major de l'armée, on est arrivé à établir que, par la nature des documents livrés, l'officier soupçonné ne pouvait appartenir au cadre fixe de ces bureaux. On a été ainsi amené à chercher parmi les stagiaires qui, pendant le temps de leur présence à l'État-major de l'armée, passent successivement par les différents bureaux et connaissent, par suite, nombre de documents secrets et confidentiels. Deux éléments ont alors servi à trouver le coupable, l'un a été la nature des documents livrés qui avaient plus particulièrement trait à l'artillerie ; l'autre, la comparaison des écritures et leur expertise par des praticiens. Il est résulté de ce qui précède que c'est vous qui auriez écrit la lettre annonçant l'envoi des documents livrés.

— J'affirme encore que je n'ai pas écrit cette lettre. Tout mon passé aurait dû écarter les soupçons de s'arrêter sur moi [35].

Dreyfus critiquait là implicitement l'enquête menée, puisqu'elle n'avait pas recherché les mobiles éventuels de la trahison qu'on lui imputait. Les précisions livrées par le magistrat instructeur lui permettent cependant d'en savoir plus sur les accusations qui pèsent sur lui et de mieux préparer sa défense lorsqu'il sera enfin mis en présence d'un défenseur.

Le 15 novembre, nouvel interrogatoire de d'Ormescheville. Il l'interroge sur ses emplois du temps au ministère de la Guerre, sur l'accusation relayée par du Paty de Clam concernant sa présence seul dans le bureau de l'officier, sur une mission dans les services du 4e bureau, sur ses fréquentations avec d'autres officiers de l'État-major et sur des questions insistantes que Dreyfus aurait pu leur poser. Il est amené à se justifier des discussions qu'il aurait eues avec le capitaine Boullenger, du 4e bureau. On lui rappelle que cet officier a été dans l'obligation de ne pas répondre sur certains points en raison de l'indiscrétion des demandes de Dreyfus. Celui-ci répond ne pas se souvenir de cela. D'Ormescheville revient à la charge : « Le défaut de réponse ne vous a pas paru extraordinaire, il était cependant choquant pour vous, mais vous l'aviez proposé par la nature indiscrète des questions que vous posiez ; qu'avez-vous à dire à ce sujet ? Pourquoi ces questions sur un service dont vous n'étiez et ne deviez plus être chargé ? » Dreyfus répond presque avec colère, avec révolte en tout cas, devant ces insinuations sur un comportement qui devrait au contraire qualifier un officier consciencieux, soucieux de sa mission : « Parce que j'avais appartenu pendant six mois à la section du capitaine Boullenger et que j'y avais travaillé, je ne croyais donc pas mal faire à m'intéresser aux travaux qui pouvaient s'y poursuivre. Je m'étonne de l'attitude du capitaine Boullenger à mon égard que j'estimais beaucoup et je n'ai rien contre lui [36]. » On reproche donc à Dreyfus de se comporter comme un officier très consciencieux, désireux d'apprendre et de comprendre. Nouvel interrogatoire le lendemain, 16 novembre. D'Ormescheville interroge Dreyfus sur sa demande, selon lui insistante et suspecte, d'être chargé, après son départ du 4e bureau, de fonctions spéciales du temps de guerre sur le réseau de l'Est[37]. Le capitaine répond très précisément. Ces fonctions étaient vacantes et elles correspondaient à son affectation en temps de guerre. Suivent d'autres questions tout aussi insidieuses et piégées, sur ce qu'il avait pu retenir de son stage au 4e bureau et sur sa facilité à informer le capitaine Boullenger de bien des questions sans se servir d'aucuns documents. « C'est que je savais beaucoup de choses déjà, me trouvant depuis quatre mois au 4e bureau et que je m'étais mis à la disposition du capitaine Boullenger pour le renseigner[38]. » À une nouvelle question sur son semblant d'identification d'une ligne d'écriture que du Paty de Clam lui avait montrée, Dreyfus se veut très clair aussi, et scrupuleux, à l'inverse de d'Ormescheville. « On m'a montré cette ligne d'écriture, j'ai répondu que ce n'était pas la mienne ; on m'a dit de chercher ; j'ai répondu qu'il me fallait aller au ministère parce que je ne connaissais par les écritures de tous les camarades. J'ai cru vaguement reconnaître l'écriture d'un officier ; j'ignorais d'ailleurs que cette ligne d'écriture appartînt au document incriminé. Je n'accuse aucun de mes camarades d'en être l'auteur. »

Le 19, l'interrogatoire porte de nouveau sur la nature des travaux qu'il a réalisés au 2e bureau. Il maintient ses déclarations antérieures, ajoutant que, de surcroît, ceux-ci n'étaient pas confidentiels. Puis le commandant d'Ormescheville le ramène vers son petit cousin par alliance, le capitaine Hadamard, et sur la correspondance « très active » qu'il aurait échangée avec lui. « Je ne lui ai pas donné de renseignements », répond, catégorique, Dreyfus. Il énumère les travaux d'ordre scolaire pour lesquels il a correspondu avec lui. On lui demande une fois de plus, et très brusquement, de se reconnaître comme l'auteur de la lettre incriminée que d'Ormescheville lui met sous les yeux. Il répète qu'il n'a pas écrit cette lettre. Puis il est interrogé sur ses voyages, voyage à Amsterdam en 1884, voyage en Alsace auprès de sa famille, voyage pendant la scolarité de l'École de guerre[39].

Le 20 novembre, d'Ormescheville lui demande s'il a fait copier des cours de l'École de guerre. Dreyfus proteste avec véhémence : « Jamais ! » S'il a emprunté ou cherché à emprunter des documents lorsqu'il se trouvait à l'État-major : il dément avoir recherché à se procurer le nouveau règlement sur le tir d'infanterie[40]. Le 21, il est confronté à ses déclarations du 15 octobre relatives à « un plan épouvantable » préparé contre lui. Il s'explique, estimant désormais mieux comprendre la situation :

Quand on m'a arrêté, j'étais devenu comme fou tant l'accusation était épouvantable, je ne me rappelle plus aujourd'hui ce que j'ai pu dire et si j'ai dit alors que je sentais qu'un plan épouvantable avait été préparé contre moi dans un but qui ne m'apparaissait pas, c'est qu'on m'avait dit qu'il y avait des charges accablantes contre moi, sans vouloir rien me montrer, et moi je savais que j'étais innocent. Je ne maintiens pas cette déclaration, car maintenant je comprends l'accusation, puisqu'on m'a montré la pièce incriminée.

Dreyfus est ensuite accusé par d'Ormescheville, sur la base des déclarations d'un officier, le capitaine Maistre, de ne pas avoir averti comme il le devait la Section de statistique après avoir découvert que des Alsaciens employés par l'usine familiale auraient pu faire d'excellents agents de renseignement puisque la plupart avaient servi dans l'armée allemande : il n'a rien dit ni rien fait. Mais les choses sont au contraire évidentes pour Dreyfus : « J'ai bien pensé en parler au colonel Sandherr, l'occasion ne s'en est pas présentée, d'ailleurs le colonel Sandherr est également de Mulhouse et doit connaître toutes les familles industrielles [41]. » Il est interrogé sur d'autres déclarations du capitaine Maistre, qui sont relatives à sa bonne mémoire ou à une demande qu'il lui aurait faite afin d'avoir la communication des études qu'il conduisait. Ne faisant aucun commentaire sur sa « bonne mémoire », Dreyfus précise en revanche la portée exacte de sa demande : « Je suis allé, le 10 octobre, pour toucher ma solde, je suis allé trouver le capitaine Maistre avec lequel j'avais beaucoup étudié les questions de jeu de la guerre ; je l'ai prié, quand il aurait fini de traiter ces questions, de me les communiquer. Les questions que traite le capitaine Maistre ont généralement un caractère qui n'est pas confidentiel ; elles intéressent tous les officiers [42]. »
Le 22 novembre, d'Ormescheville le questionne d'abord sur son voyage à la gare du Mans, fin 1893, dans le cadre de son service à l'État-major, et sur des déclarations qu'il aurait faites à deux officiers qu'il connaissait et avec qui il avait pris un café. Il répond qu'il ne se souvient pas de ce qu'il leur a dit. Il est amené ensuite sur le sujet de la « dame Déry », qu'il fréquentait en 1893. Nouvel interrogatoire, le même jour, sur la même dame Déry, une femme galante. Dreyfus a décidé de mettre fin à ses relations avec elle par peur que sa femme ne les apprenne. « J'adore ma femme », confie-t-il à ce moment. Il s'explique aussi sur Suzanne Cron, rencontrée lors d'un concours hippique en avril 1894. Il affirme qu'il a mis fin à cette nouvelle relation quatre mois plus tard et qu'il n'a pas entretenu de « relations intimes » avec elle. Concernant la nature de ses liens avec la dame Bodson, une femme mariée qu'il a rencontrée en 1884 ou 1885, il refuse de répondre. « De moi-même, expliqua-t-il cependant, quand j'ai vu Mme Bodson prendre des allures galantes, je l'ai quittée [43]. »
Le 23 novembre, il est interrogé sur d'autres fréquentations, cette fois avec une patronne de maison close, la dame Cordier dite de

Moncy. Le capitaine dément absolument toute fréquentation de cette « maison de rendez-vous », ainsi que ses relations avec la comtesse Colla de Montelijos qu'il dément également. On l'interroge ensuite sur ses capacités linguistiques, assez élevées, notamment en allemand, comme à sa femme qui l'écrit et le lit au point de pouvoir correspondre dans cette langue avec son beau-père habitant Mulhouse. Dreyfus explique avoir fait des efforts de traduction[44], ce qui justifie la présence chez lui de petits bouts de papier portant des mots en allemand qu'il souhaitait retenir[45]. Le 24 novembre, il doit s'expliquer sur l'affaire de l'assassinat de la « dame Dida », son meurtrier ayant déclaré qu'il avait été l'amant de celle-ci. Il a été entendu par le juge d'instruction devant lequel il avait affirmé qu'il n'avait jamais été son amant, mais d'Ormescheville tente de l'accabler en lui déclarant qu'il ne s'est jamais présenté au procès et qu'il a adressé au procureur de la République de Versailles une lettre d'excuses. Harcelé, il finit par rappeler succinctement l'histoire de ses relations avec cette femme[46]. Il est interrogé ensuite sur toute une série de personnes avec qui il aurait pu être en contact. Il répond en général par la négative. Il dément avoir fait partie du Washington-Club, du Betting-Club, de l'Escrime de Paris. Il reconnaît seulement avoir dîné avant son mariage au Cercle de la presse situé près du café Américain, boulevard des Italiens. Un nouvel interrogatoire, le même jour, lui permet de réaffirmer avec force que jamais il n'a été joueur. Mis devant ses comptes, il explique qu'il joue fréquemment chez ses beaux-parents, mais qu'il ne l'a jamais fait hors de sa famille. Il doit s'expliquer sur sa cuisinière, la fille Hassler, Alsacienne n'ayant pas opté pour la nationalité française, qui a eu un enfant d'un amant n'ayant pas non plus opté, et qui reçoit, selon le magistrat instructeur, « chez elle des hommes d'allures douteuses, parlant mal le français ». Il s'étonne que Dreyfus ne l'ai pas renvoyée. Celui-ci doit s'expliquer et le fait avec fermeté, refusant de céder le moindre terrain à ses interrogateurs[47]. Il est mis en présence des déclarations de sa femme expliquant qu'il a été rendu malade par sa note de sortie de l'École de guerre, qu'il a eu des cauchemars durant la nuit et qu'il lui a dit : « C'est bien la peine de travailler dans cette armée où, quoi qu'on fasse, on n'arrive pas selon son mérite. » « Peut-être à la sortie de l'École ai-je eu un moment de mécontentement dont j'ai fait part à ma femme ; il n'y a rien de plus naturel[48] », se justifie-t-il.

Sur de nouvelles questions du commandant d'Ormescheville, Dreyfus revient sur cet incident. Il choisit cette fois d'insister sur les satisfactions complètes que lui a apportées sa scolarité à l'École de guerre[49]. Il retire les mots qu'il a pu prononcer devant le commandant du Paty de Clam, hors interrogatoires, lorsqu'il était « comme un fou dans [sa] prison sous le coup de l'accusation monstrueuse qui pesait sur [sa] tête[50] ». Il fait un récit circonstancié de l'événement en gommant tout sentiment d'aigreur ou de révolte[51].

Le 27 novembre, il est encore interrogé sur ses fréquentations féminines lorsqu'il était détaché à l'École de pyrotechnie de Bourges. Aussitôt après, il est ramené vers la pièce maîtresse de l'accusation. Il s'explique sur d'anciennes déclarations qui se justifient par les conditions dans lesquelles les premiers interrogatoires ont été réalisés sur sa personne par du Paty de Clam.

Maintenez-vous la déclaration faite, le 24 octobre dernier, au cours de vos interrogatoires devant M. l'officier de police judiciaire : « On m'a volé mon écriture » ? Et, dans ce cas, développez la pensée qui vous l'a dictée.

— Je n'avais pas vu le document incriminé ; dans les fragments qu'on m'a montrés, je n'ai pas reconnu mon écriture ; d'autre part, on m'affirmait que des experts prétendaient que c'était mon écriture ; dès lors, ma pensée était que c'était l'œuvre d'un faussaire, et je l'ai exprimée par ces mots : « On m'a volé mon écriture. »

Il dément aussi nettement avoir confié à quelque personne étrangère à l'armée, à une femme notamment, des notes ou documents de nature secrète ou confidentielle dont il aurait été fait ensuite un usage qu'il n'avait pas prévu. Il est encore interrogé sur sa connaissance des documents visés dans le bordereau. La série de questions rapides lancées par le commandant d'Ormescheville a clairement pour but de le placer en contradiction avec lui-même, de le montrer confus, troublé ou hésitant. Ce qui ne se produit pas. Ses réponses sont toujours brèves et précises. Nouvel interrogatoire le même jour, encore sur ses fréquentations féminines. Il se justifie alors longuement, affirmant que ces infidélités pour lui sans conséquence ne pouvaient fournir le cadre d'une vengeance qui allait le mener à la situation terrible qu'il connaît à cet instant. Il demande aussi qu'on fasse la part des déclarations faites sous l'emprise du désespoir le plus profond [52].

Le 28 novembre, il est encore interrogé sur ses dîners au Cercle de la presse, qu'il a mentionnés dans l'interrogatoire du 24 novembre [53]. On lui demande s'il a encore quelque chose à ajouter. Il prend solennellement la parole :

À la fin de mes interrogatoires, devant M. l'officier de police judiciaire, j'ai demandé à parler au ministre ; je voulais lui dire que j'étais innocent, que je voulais lui proposer tous les moyens compatibles pour déchiffrer cette énigme épouvantable de la lettre incriminée. Je lui ai demandé de travailler avec le chef de la Sûreté, de consacrer toute ma fortune et toute ma vie à dévoiler cette mystérieuse affaire, car tout ce que j'ai de plus cher en ce monde, c'est mon honneur, que je défie qui que ce soit de me prendre [54].

Le lendemain, 29 novembre, il est encore interrogé sur le bordereau et sur ce qu'il jugerait nécessaire de dire eu égard aux documents qui y sont énumérés. Il répète qu'il n'a jamais écrit cette lettre et ajoute qu'il veut prouver qu'il lui était matériellement impossible de l'écrire. Il opère une étude critique très serrée de l'accusation et de son caractère illusoire en reprenant point par point les éléments du document. D'Ormescheville lui communique vraisemblablement la date où aurait été envoyé le bordereau à la « puissance étrangère » puisque Dreyfus intègre cette dimension dans sa longue réponse enregistrée dans les procès-verbaux de l'instruction. Il peut, pour la première fois, démontrer la fausseté des accusations dont il est l'objet puisqu'il possède maintenant des éléments concrets de compréhension. Cette déposition est capitale puisqu'elle établit non seulement l'impossibilité dans laquelle il se trouvait d'avoir écrit le bordereau, mais qu'elle fixe la méthode rationnelle et démonstrative qui sera celle du capitaine Dreyfus pour se défendre et prouver sa pleine innocence :

*J'affirme n'avoir jamais écrit cette lettre et je vais prouver même que matériellement il m'était impossible de l'écrire.* En effet, la personne qui a écrit cette lettre a ajouté à la fin : « Je vais partir en manœuvres.» Or je n'ai pas été aux manœuvres en 1894, je n'ai fait qu'un voyage d'état-major fin juin de la même année. Si l'on admet, ce qui est déjà très discutable, que « Je vais partir en manœuvres» et aller en voyage d'état-major puissent être employés indifféremment l'un pour l'autre, il faudrait attribuer à cette lettre la date du mois de juin. Partant de cette hypothèse, examinons les différents documents énumérés dans la lettre incriminée : 1° « Une note sur le frein hydraulique du 120 et la manière dont s'est conduite cette pièce.» Jamais, à aucune époque de ma carrière, je n'ai possédé aucun document sur le frein hydraulique du 120. La dernière fois que j'ai vu la pièce de 120, c'était pendant mon séjour à l'École de guerre, je l'ai vue au repos, je n'ai jamais vu tirer la pièce ; 2° « Une note sur les troupes de couverture (quelques modifications seront apportées par le nouveau plan).» Depuis le 1er janvier 1894, jusqu'aux premiers jours de juillet de la même année, j'ai travaillé au 2e bureau de l'État-major de l'armée ; dans toute cette période, je n'ai jamais eu à m'occuper d'aucun travail sur la couverture, je n'ai jamais possédé aucun document sur la question. Ce n'est qu'au mois de juillet de la même année que je suis entré au 3e bureau de l'État-major de l'armée, et ce n'est qu'au mois de septembre que j'ai été chargé de surveiller le tirage de documents relatifs à la couverture ; 3° « Une note sur les modifications aux formations de l'artillerie.» Au mois de juin, je ne savais qu'une chose, c'est la suppression des deux régiments d'artillerie-pontonniers et la création de vingt-huit batteries nouvelles. Quant aux formations de campagne de l'artillerie, je les ignorais alors, comme je les ignore encore aujourd'hui. D'ailleurs, d'après ce qui m'a été demandé dans un interrogatoire, ces formations de campagne d'artillerie ne sont parvenues à l'État-major de l'armée que dans le courant du mois de juillet ; 4° « Une note relative à Madagascar.» Jamais, à aucune époque, je n'ai rien lu, je n'ai rien eu entre les mains sur Madagascar ; 5° « Le *Projet de manuel de tir* de l'artillerie de campagne (14 mars 1894).» Jamais à aucune époque je n'ai possédé ce manuel de tir, j'ignorais même sa publication [55].

À une nouvelle et insistante question du magistrat militaire concernant le fait que cette lettre lui est attribuée et les raisons pour lesquelles il se permet de nier qu'il en soit l'auteur, il déclare encore : « Je sais en mon âme et conscience que je ne l'ai pas écrite, donc ça ne peut pas être mon écriture. » Il affirme qu'il existe un mystère autour de cette lettre qu'on lui attribue. Il essaie de comprendre : « J'ai bâti mille hypothèses sur l'origine de cette lettre, ce n'est certainement pas tout seul, avec mon cerveau, que je puis déchiffrer cette affaire. Mais certainement je consacrerais volontiers toute ma fortune et toute ma vie à découvrir le misérable auteur de cette lettre. Est-ce un faussaire ou est-ce autre chose ? Ce n'est pas moi qui peux résoudre cette énigme [56]. » Un second interrogatoire, ce même 29 novembre, va clore l'information ouverte contre le prisonnier. Puis il est informé que l'instruction va prendre fin.

La dernière déclaration du capitaine Dreyfus au magistrat instructeur est alors solennelle : « Voilà plus de six semaines que je suis au secret [57], voilà six semaines que je souffre le martyre le plus épouvantable qu'un innocent puisse supporter. Alsacien, d'une famille protestataire, j'ai abandonné ma situation en Alsace pour venir servir mon pays avec dévouement. Aujourd'hui comme hier, je suis digne de mener mes soldats au feu [58]. »

Ces six semaines ont été pour lui, comme il le dit gravement à l'officier instructeur, « le martyre le plus épouvantable », un temps de tortures psychologiques où il a failli à plusieurs reprises basculer dans la folie. Le commandant Forzinetti, qui a réussi à l'apaiser et à l'arracher à ses crises les plus violentes, a témoigné de son état d'esprit durant cette période. « L'instruction fut longue, minutieuse, et pendant qu'elle se poursuivait, Dreyfus croyait si peu à sa mise en jugement et moins encore à sa condamnation, qu'il dit plusieurs fois : "Quelle compensation vais-je demander ? Je solliciterai la croix [de la Légion d'honneur] et je donnerai ma démission. C'est ce que j'ai dit au commandant du Paty, qui l'a relaté dans son rapport au ministre. Il n'a pu relever aucune preuve contre moi, car il ne peut y en avoir, pas plus que le rapporteur qui, dans le sien, ne procède que par inductions, suppositions, sans rien préciser ni rien affirmer" [59]. »

## La réfutation de l'accusation

Ces procédés d'interrogatoire, le capitaine Dreyfus les retrouve dans le rapport que le commandant d'Ormescheville a rendu à l'issue de la clôture de l'instruction et dont il peut officiellement prendre connaissance. Il doit attendre encore cinq jours avant d'être informé des conclusions de l'enquête. Le mardi 5 décembre 1894, il apprend sa mise en jugement, son renvoi devant un conseil de guerre pour un crime qu'il n'a pas commis, et la fin de sa mise au secret absolu. On l'informe également qu'il disposera d'un défenseur en la personne de l'avocat Edgar Demange, choisi par sa famille. Il est autorisé à écrire à sa femme et à ses proches. À une date que nous n'avons pas pu déterminer, mais qui se situe vraisemblablement le 6 décembre lorsqu'il rencontra pour la première fois son avocat, il est mis en présence du rapport d'Ormescheville [60]. Selon les règles de la justice militaire, ce document fait également office d'acte d'accusation lorsqu'il conclut à la mise en jugement du suspect.

Le capitaine Dreyfus découvre dans le rapport l'étendue – ou plutôt l'inanité des charges présumées et la réalité d'un acharnement porté sur sa personne. Aucune preuve sérieuse n'est apportée à l'appui de sa culpabilité, mais la teneur générale du rapport et l'interprétation de multiples détails insignifiants lui montrent qu'il est considéré comme le traître, comme l'auteur de la lettre dont du Paty de Clam lui a montré une copie le 29 octobre précédent. Ce document constitue, ainsi qu'il le lit, « la base de l'accusation » portée contre lui, « une lettre-missive écrite sur du papier pelure, non signée et non datée, qui se trouve au dossier, établissant que des documents militaires confidentiels ont été livrés à un agent d'une puissance étrangère ». Le commandant d'Ormescheville établit la date approximative du bordereau en écrivant, à propos des documents qui y seraient visés, qu'« il est inadmissible qu'un officier d'artillerie ayant été employé au 1er bureau d'État-major de l'armée ait pu se désintéresser des suites d'une pareille transformation (suppression des pontonniers) *quelques semaines* avant qu'elle ne devienne officielle (29 juin) [61]. » Cette date, comme nous l'avons indiqué lorsque nous avons évoqué les interrogatoires subis par Dreyfus, lui aurait déjà été communiquée puisqu'il fait une réponse en ce sens le 29 novembre.

Le capitaine ignore tout de cette lettre. Il découvre que l'enquête préliminaire menée par du Paty de Clam a établi qu'il était le coupable, qu'il était l'auteur de cette lettre et de la trahison qu'elle révélait. L'officier enquêteur explique qu'une étude poussée du document a permis d'établir au sein des bureaux de l'État-major général un profil de suspect, qu'une recherche d'écriture fut opérée dans la population visée et que « celle du capitaine Dreyfus présentait une remarquable similitude avec l'écriture de la lettre-missive incriminée ». À la suite d'une première expertise, dont il ignorait tout, effectuée par l'expert de la Banque de France et de la cour d'appel, et qui se révéla négative, une seconde fut réalisée par le chef du Service de l'identité judiciaire de la préfecture de police qui proclama l'identité certaine des deux écritures. Puis l'arrestation et la scène de la dictée sont rappelées. Dreyfus découvre que le tremblement de ses doigts est apparu comme une forte présomption de culpabilité.

Il apprend ensuite que l'enquête préliminaire du commandant du Paty de Clam s'est bornée à ses seuls interrogatoires et qu'il n'a entendu aucun témoin ni mené aucune investigation. Le second instructeur reçut vingt-trois dépositions qu'il résuma en les accentuant[62], de manière à attester le comportement hautement suspect du prévenu : « Il ressort de plusieurs dépositions [que le capitaine Dreyfus] s'est arrangé de manière à faire souvent son service à des heures en dehors de celles prévues par le règlement soit en demandant l'autorisation à ses chefs, pour des raisons dont on n'avait pas alors à vérifier l'exactitude, soit en ne demandant pas cette autorisation. Cette manière de procéder a permis au capitaine Dreyfus de se trouver souvent seul dans les bureaux auxquels il appartenait, et d'y chercher ce qui pouvait l'intéresser. Dans le même ordre d'idées, il a pu aussi, sans être vu de personne, pénétrer dans d'autres bureaux que le sien pour des motifs analogues. Il a été aussi remarqué par son chef de section que, pendant son stage au 4e bureau, le capitaine Dreyfus s'était surtout attaché à l'étude des dossiers de mobilisation, et cela au détriment des questions du service courant, à ce point qu'en quittant ce bureau il possédait tout le mystère de la concentration sur le réseau de l'Est en temps de guerre. » L'accusé peut constater qu'aucune de ses explications n'a été prise en compte. Il voit aussi que les charges retenues contre lui, si elles se présentent dans une rhétorique d'évidence, ne comportent aucun fait précis. Mais le rapport affirme sans réserve qu'il a agi comme un espion.

Le rapport explique dans un troisième point que l'identité des écritures est certaine. La première vérification opérée par le commandant du Paty de Clam a été confirmée par la seconde enquête menée officiellement par l'officier de police judiciaire délégué. Ce dernier, le commandant d'Ormescheville, explique d'une part que lui-même a pu constater cette « très grande similitude [...]. L'inclinaison de l'écriture, son graphisme, le manque de date et de coupure des mots en deux à la fin des lignes, qui sont le propre des lettres écrites par le capitaine Dreyfus (voir sa lettre au procureur de la République de Versailles et les lettres ou cartes à sa fiancée qui se trouvent au dossier), s'y retrouvent ; en ce qui concerne la signature elle manque parce qu'elle devrait manquer. » Ces observations préalables, comme auparavant celles de deux officiers que Dreyfus connaissait pour avoir été stagiaire au 4e bureau, le colonel Fabre et son adjoint le lieutenant-colonel d'Aboville, sont présentées comme solidement étayées par une batterie d'expertises à charge, tandis que les conclusions négatives de l'expert de la Banque de France sont récusées en raison de multiples irrégularités dans la procédure et de l'attitude suspecte de l'expert lui-même. À la suite de l'expertise d'Alphonse Bertillon, trois experts officiels ont été chargés de nouvelles études, et deux d'entre eux concluent sur l'identité d'écriture. Le troisième, Eugène Pelletier, a cependant commis l'erreur, qui amoindrit la valeur de sa démonstration, de ne pas s'être rapproché comme ses collègues du chef de l'Identité judiciaire susceptible de leur fournir de meilleurs documents de comparaison.

Le rapport passe ensuite à l'analyse du « long interrogatoire » que l'officier de police judiciaire fit subir à Alfred Dreyfus. Celui-ci découvre une présentation édifiante de ses déclarations :

Ses réponses comportent bon nombre de contradictions, pour ne pas dire plus. Parmi elles, il y en a qui sont particulièrement intéressantes à relever ici, notamment celle qu'il fit au moment de son arrestation, le 15 octobre dernier, lorsqu'on le fouilla et qu'il dit : « Prenez mes clefs, ouvrez tout chez moi ; vous ne trouverez rien. » La perquisition qui a été pratiquée à son domicile a amené, ou à peu de choses près, le résultat indiqué par lui. Mais il est permis de penser que si aucune lettre, même de famille, sauf celles de fiançailles adressées à Mme Dreyfus, aucune note, même de fournisseurs, n'ont été trouvées dans cette perquisition, c'est que tout ce qui aurait pu être en quelque façon compromettant avait été ou détruit ou caché de tout temps [63].

Le commandant d'Ormescheville passe sous silence les nombreux documents saisis par du Paty de Clam et l'archiviste Gribelin [64]. La partialité de l'analyse est par ailleurs patente puisque tout innocent serait dans la même situation. Or le magistrat n'envisage pas cette hypothèse et échafaude celle du plan préparé qui a été lancée par du Paty de Clam pour masquer son échec dans la perquisition.

De l'analyse des faits, le rapport glisse vers la mise en cause de la personnalité du capitaine Dreyfus. Celle-ci prouverait son comportement de traître et indiquerait les mobiles de sa trahison. Pour d'Ormescheville, les réponses de l'accusé au cours des nombreux interrogatoires qu'il a subis sont des preuves : « Si on compare les réponses que nous a faites le capitaine Dreyfus avec les dépositions de quelques témoins entendus, il en résulte cette pénible impression, c'est qu'il voile souvent la vérité, et que toutes les fois qu'il se sent serré de près, il s'en tire sans trop de difficultés, grâce à la souplesse de son esprit. » Tout est ainsi porté à sa charge avec un aveuglement qui confine à la bêtise. Sa curiosité intellectuelle est une preuve : « C'est là une attitude louche, qui présente une grande analogie avec celle des personnes qui pratiquent l'espionnage. » Sa connaissance des langues étrangères, l'allemand et l'italien, sa politesse : « L'obséquiosité de son caractère, qui convient beaucoup dans les relations d'espionnage avec les agents étrangers [65]. »

Passant de l'évidence d'un comportement à l'énonciation des mobiles, d'Ormescheville retient au moins quatre motifs explicatifs de la trahison, qu'il voit chez le capitaine Dreyfus : le jeu, les femmes, la vengeance après la note d'aptitude (ou « cote d'amour ») défavorable à la sortie de l'École de guerre, l'empathie avec l'Allemagne et les hautes complicités avec ses autorités qui lui ont permis notamment de se rendre régulièrement dans le Reich. Dreyfus constate qu'aucune des explications précises fournies lors des interrogatoires n'a été retenue, que les faits concernant ses relations féminines ou les voyages en Alsace ont été non seulement grossis, mais présentés de manière très

inexacte et interprétés à l'inverse de ce qui s'est réellement passé,
qu'enfin les allégations concernant le jeu et sa vie privée sont imaginaires. Il n'a plus cependant la faculté de combattre l'accusation, sauf
d'attendre le procès qu'il souhaite désormais, afin de laver son honneur d'imputations aussi exorbitantes que mensongères. En effet, le
rapport conclut à la mise en jugement :

> Le capitaine Dreyfus était donc tout indiqué pour la misérable et honteuse
> mission qu'il avait provoquée ou acceptée, et à laquelle, fort heureusement
> peut-être pour la France, la découverte de ses menées a mis fin.
>
> En conséquence, nous sommes d'avis qu'[il] soit mis en jugement sous
> accusation d'avoir, en 1894, à Paris, livré à une puissance étrangère un
> certain nombre de documents secrets ou confidentiels intéressant la défense
> nationale, et avoir ainsi entretenu des intelligences avec cette puissance ou
> avec ses agents, pour procurer à cette puissance le moyen de commettre des
> hostilités ou d'entreprendre la guerre contre la France.
>
> Crime prévu et réprimé par les articles 76 du code pénal, 7 de la loi du
> 8 octobre 1830, 5 de la Constitution du 4 novembre 1848, 1er de la loi du
> 8 juin 1850, 189 et 267 du code de justice militaire[66].

La mention du dispositif juridique est importante car on y constate
que le calvaire subi par cet officier innocent a été permis, ou du moins
n'a pas été empêché par la loi, par des textes législatifs du XIXe siècle
validés par la IIIe République. Seule, on le verra, la Constitution de
1848 protégera le capitaine Dreyfus en lui permettant d'échapper à la
peine capitale. Dans l'immédiat, il découvre un système édifiant où
tous les faits sont interprétés en fonction du dogme de sa culpabilité,
ce qui amène des démonstrations d'une grande absurdité ou d'une
complexité sans limites. Le rapport va même plus loin lorsqu'il invente
des faits sur la base d'enquêtes fausses ou de rumeurs non vérifiées.
La question de la vie morale du capitaine Dreyfus et de sa présentation
par le magistrat est édifiante. Ses « fréquentations dans les cercles de
Paris où l'on jouait beaucoup » et ses relations avec des femmes
légères impliquaient d'importants besoins d'argent que la trahison
pouvait alors lui procurer. Dreyfus contesta tous ces faits, mais
d'Ormescheville refusa d'enquêter plus en avant, s'en expliquant dans
son rapport[67]. Les allégations du magistrat reposaient seulement sur
des informations fournies par un agent des services de renseignement,
François Guénée. On verra dans le chapitre suivant que ces rapports
constituaient des faux grossiers, réalisés dans le but de nuire.
Comme le capitaine Dreyfus l'avait déclaré au commandant Forzinetti, aucune preuve n'avait pu être relevée contre lui. Le seul rapport
qu'il avait pu lire, celui de d'Ormescheville – le rapport de du Paty de
Clam lui était resté totalement inconnu –, ne procédait que par « inductions, suppositions, sans rien préciser ni rien affirmer[68] ». Dans *Cinq
années de ma vie*, Dreyfus relève très justement qu'il en fut fait bonne
justice lors de son procès : « À la dernière audience, le commissaire

du gouvernement termina son réquisitoire en reconnaissant que tout avait disparu, sauf le bordereau. » Confronté au rapport du magistrat, le capitaine Dreyfus découvre le niveau des allégations portées contre lui ; il n'a pas de difficulté à les réfuter au cours des séances de travail avec son avocat qui commenceront après le 5 décembre 1894 ; il s'alarme contre de telles méthodes où des mensonges caractérisés sont portés contre un homme dans le cadre d'une très officielle et très grave procédure criminelle. Le commandant d'Ormescheville « ne put relever aucune charge précise. Son rapport est un tissu d'allusions et d'insinuations mensongères [69] ».

À son retour en France en juillet 1899, enfermé dans sa cellule de la capitale bretonne, il refit une lecture critique très serrée du rapport de d'Ormescheville, point de départ de l'enclenchement judiciaire qui le menait à nouveau devant un conseil de guerre. Il établit une réfutation systématique de ce document par un texte de quatorze pages écrites de sa main. Le texte se présentait sous la forme de deux colonnes : à gauche les assertions du magistrat instructeur, à droite son propre commentaire. Bien que ce travail ait été réalisé à son retour en France, on peut légitimement considérer qu'il restitue là son analyse de 1894. La réfutation est en tout cas accablante pour l'accusation. Elle montre l'implacable volonté du capitaine Dreyfus de se défendre en prouvant la vérité des faits le concernant, mais en démontrant aussi les systèmes de culpabilité tels qu'ils fonctionnaient dans ce rapport. Ce document capital, remis à la Bibliothèque nationale de France par l'un des petit-fils du capitaine Dreyfus, n'a jamais été présenté ni utilisé. En 2006, il est édité par la revue *Histoire et archives* (Champion).

*La fin du secret*

Le rapporteur avait donc conclu de ce qu'il estimait être ses investigations à la mise en jugement du capitaine Dreyfus. Le 3 décembre 1894, il remit son rapport au gouverneur militaire de Paris. Conformément aux réquisitions du commissaire du gouvernement qui avait conclu lui aussi à la mise en accusation, « les présomptions étant suffisamment établies [70] » et sur la base du rapport de d'Ormescheville qui constituait l'acte d'accusation, le gouverneur, le général Saussier, ordonna, le 4 décembre, le renvoi de l'accusé devant le 1er conseil de guerre de Paris pour y répondre du crime de haute trahison.

Le 5 décembre, le secret fut levé partiellement sur le capitaine Dreyfus. Le dossier d'accusation demeurait strictement confidentiel, mais le prisonnier fut autorisé à rencontrer son défenseur et à écrire à sa femme qui était sans nouvelles directes de lui depuis près de vingt jours. Il rédigea une première lettre à son intention :

> Enfin je puis t'écrire un mot, on vient de me signifier ma mise en jugement pour le 19 de ce mois. On me refuse le droit de te voir.

Je ne peux pas te décrire tout ce que j'ai souffert, il n'y a pas au monde de termes assez saisissants pour cela.

Te rappelles-tu quand je te disais combien nous étions heureux ? Tout nous souriait dans la vie. Puis tout à coup un coup de foudre épouvantable, dont mon cerveau est encore ébranlé. Moi, accusé du crime le plus monstrueux qu'un soldat puisse commettre ! Encore aujourd'hui je me crois le jouet d'un cauchemar épouvantable.

Mais j'espère en Dieu et en la justice, la vérité finira bien par se faire jour. Ma conscience est calme et tranquille, elle ne me reproche rien. J'ai toujours fait mon devoir, jamais je n'ai fléchi la tête. J'ai été accablé, atterré dans ma prison sombre, en tête à tête avec mon cerveau j'ai eu des moments de folie farouche, j'ai même divagué, mais ma conscience veillait. Elle me disait : « Haut la tête et regarde le monde en face ! Fort de ta conscience, marche droit et relève-toi ! C'est une épreuve épouvantable, mais il faut la subir. »

Je ne t'écris pas plus longuement, car je veux que cette lettre parte ce soir.

Écris-moi longuement, écris-moi tout ce que font les nôtres.

Je t'embrasse mille fois comme je t'aime, comme je t'adore, ma Lucie chérie.

Mille baisers aux enfants. Je n'ose pas t'en parler plus longuement, les pleurs me viennent aux yeux en pensant à eux.

Écris-moi vite [71].

Dreyfus rencontra également l'avocat qu'avait choisi pour lui sa famille. Il ne connaissait pas Edgar Demange. Il aurait pu éventuellement se souvenir de lui comme du défenseur des anarchistes dans les grands procès politiques qui venaient d'avoir lieu. L'avocat lui posa d'emblée ses conditions : « Je serai votre premier juge. » L'accusé y consentit immédiatement [72]. On lui remit le dossier. Il l'emporta à son cabinet où il l'étudia. L'ensemble était peu volumineux. Il se composait d'une copie du bordereau, des expertises d'écriture, du rapport de d'Ormescheville et de celui de du Paty de Clam, des dépositions, des procès-verbaux d'interrogatoire. Il découvrit la faiblesse des charges et le risque certain d'erreur judiciaire. La propagande qui s'excitait contre l'accusé, les multiples interventions du pouvoir politique et administratif dans la procédure ne pouvaient aussi qu'inquiéter un homme du droit et de la défense. Il retourna à la prison du Cherche-Midi, pour annoncer au prisonnier qu'il plaiderait pour lui et qu'il allait préparer son procès.

En revanche, Dreyfus ne put voir Lucie. Cette décision du général Mercier soulèvera plus tard l'indignation de Joseph Reinach, au nom du respect des garanties minimales accordées à tout détenu : « Les pires criminels, présumés innocents tant qu'il ne sont qu'accusés, sont autorisés à recevoir, dans leur prison, la visite des leurs [73]. » Il n'est permis au capitaine Dreyfus que d'écrire à sa femme et à ses proches. Mais toutes les lettres reçues ou expédiées doivent passer par l'intermédiaire du commissaire du gouvernement, le commandant Brisset [74], qui en fera, au procès, un usage absolument scandaleux[75]. Les lettres lui étaient remises par l'agent principal Fixary, « de la maison militaire d'arrêt & de correction de Paris », comme l'indiqua un rapport de dix-sept pages du 5 janvier 1899 au sujet « de la détention de l'ex-capitaine Dreyfus du 1er octobre 1894 au 5 janvier 1895 ». Ce document est difficilement utilisable, sauf pour attester la poursuite de la conspiration développée contre le capitaine Dreyfus, car il est d'une partialité sans limites et multiplie les allégations douteuses ou fantaisistes. Son but prioritaire visait à charger le commandant Forzinetti et à fournir la base d'une mesure disciplinaire à l'encontre du chef des prisons du gouvernement militaire de Paris. Cet agent, qui accompagnait le commandant lors de toutes ses visites, explique ainsi, à propos de la correspondance, que le prisonnier « a commencé d'écrire à sa famille, à partir du 5 décembre, des lettres assez banales pour un homme placé sous le coup d'une pareille accusation, ainsi qu'a pu s'en rendre compte M. le commissaire du gouvernement à qui j'adressais les lettres avant de les mettre à la poste[76] ».

Commença alors une nouvelle vie, vie d'écriture, d'attente, de résistance. La correspondance fut essentielle dans son existence de prisonnier et dans sa faculté de résister. À travers les lettres qu'il recevait, il pouvait mesurer le soutien indéfectible de sa famille. Il découvrait qu'il n'était pas seul au monde. Tous les siens étaient unis, solidaires, fraternels. Il entendait les mots les plus beaux lui dire son courage et sa valeur. Lui-même, en écrivant, rendant ce lien plus vivant encore, se découvrait un rôle nouveau, celui de les rassurer, de relever leur courage. D'être fort pour eux, comme eux. Il écrit des lettres conjointes à ses « frères et sœurs », il écrit parfois spécifiquement à Henriette avec qui il entretient une relation privilégiée puisqu'elle l'a élevé en partie, il écrit souvent à Mathieu. Et chaque jour, et même plusieurs fois par jour dans les moments importants, il écrit à sa femme. Ses lettres, Lucie ou un autre membre de la famille les recopie aussitôt pour les envoyer aux frères et sœurs restés hors de Paris. Le musée d'Art et d'Histoire du judaïsme conserve une collection de ces lettres dans le fonds légué par l'un des petits-fils de Rachel, une sœur d'Alfred, mariée à Albert Schil[77]. Elle montre comment toute une famille, comment deux familles – puisque les Hadamard furent aussi présents que les Dreyfus – firent corps avec l'un des leurs et le portèrent jusqu'à sa réhabilitation.

Les lettres qu'adresse inlassablement le capitaine Dreyfus à ses proches et à sa femme n'ont pas seulement pour fonction d'apporter les nouvelles de sa « pauvre vie[78] ». Elles lui procurent, à l'instant où il les écrit, un profond bonheur. Il revoit ceux à qui il s'adresse, il les imagine et se souvient. Il se donne un monde à lui, une sphère d'intimité et de beauté qu'on ne peut lui retirer à moins de lui interdire toute correspondance. Ses geôliers tenteront bien de la limiter, mais le droit d'écrire et de lire ne lui sera pas retiré. Comme l'écrit l'historien

Pierre Vidal-Naquet dans la préface à la réédition de 1982 de *Cinq années de ma vie* – qui intègre de nombreux extraits de la correspondance entre les deux époux –, « nous sommes en 1895, en pleine ère libérale, et, de ce libéralisme, il reste malgré tout quelques traces [79] ».

Rendue possible dans la prison, la correspondance présente ainsi une autre fonction, tout aussi décisive pour un homme libre condamné à affronter la pire des situations et la pire des accusations. Elle lui permet de mettre à distance sa conscience des faits qu'il relate, du calvaire qu'il évoque. Par les mots, même les plus chargés, il objective ses tortures et protège son être le plus profond des menaces qu'elles constituent. Les mots sont une arme décisive dans ce combat psychologique, psychique même, dont le but ultime est la lutte contre la folie qui vient et le maintien des possibles de la justice. L'écriture maintient la raison, elle maintient le monde et ce qu'il comporte de plus beau. Ses lettres à Mathieu Dreyfus, moins connues, en témoignent aussi. Celle du 12 décembre 1894 est l'une de ses premières :

> Merci de tes quelques mots. Ma pensée a toujours été vers toi dans ces jours tristes et sombres, je te sentais près de moi de cœur et d'âme, quoique je n'entendais plus ta voix.
> Nous avons été l'un pour l'autre plus que des frères ; nos pensées, nos espérances étaient communes. Oui, mon cher frère, qui a jamais pu croire que je subirais un jour une pareille insulte, un tel affront ?
> Tout mon être tressaille encore aujourd'hui d'injustice et de douleur. J'ai souffert un martyre épouvantable, le plus terrible des tourments. Ce qui m'a soutenu, ce qui m'a permis de garder la tête haute et fière, c'est ma conscience pure, ma vie tout entière consacrée à l'honneur.
> Mon honneur, je défie qui que ce soit de le prendre, je défie qui que ce soit de me l'arracher [80].

## L'écriture du combat

Enfin, et particulièrement avec Lucie et avec Mathieu, la correspondance est le lieu où se forge la résistance par les sentiments supérieurs qui s'y déploient. Lucie se révèle dans ses lettres, elle confie à son mari la passion qu'elle porte en elle et que lui n'a jamais vue, n'avait jamais considérée, enfermé dans les conceptions du temps qui exclut la mère et l'épouse de l'amour total. Or, dans ses lettres, Lucie lui dira tout, lui répétera qu'elle souhaite tout partager avec lui, que l'éducation de ses enfants ou la vie à Paris ne l'intéressent plus, qu'elle veut le rejoindre. Ses lettres expriment les sentiments absolus qui la portent vers lui. Elle veut lui communiquer cet amour pour qu'il sache combien il est aimé, admiré. Elle n'a pas assez de mots pour dire l'admiration sans bornes qui est la sienne et le désir fou de le revoir, de le toucher, de l'embrasser. Véritablement, l'épreuve transfigure Lucie comme elle va révéler Alfred et le constituer, tel l'officier modèle devant le plus difficile des combats, tel le héros civique luttant pour son honneur, la vérité et la justice, tels le mari, le père et le frère admirables. Leur correspondance est le lieu de l'invention d'un monde plus puissant que le pouvoir qui les sépare et qui précipite Alfred dans la dégradation. Il nous revenait ainsi de prouver ces dimensions des lettres d'Alfred et de Lucie en éditant leur correspondance croisée, à l'occasion du centenaire de la réhabilitation de 1906 et de la publication de cette première biographie du capitaine Dreyfus[81].

Dans l'immédiat, son désespoir s'apaise avec ce retour très partiel à un régime plus ordinaire de détention. Il attend impatiemment une première lettre de sa femme. Entre-temps, il lui a écrit une autre lettre dès le 6 :

> Tu es mon espoir, tu es ma consolation ; autrement la vie me serait à charge. Rien que de penser qu'on a pu m'accuser d'un crime aussi épouvantable, d'un crime aussi monstrueux, tout mon être tressaille, tout mon corps se révolte. Avoir travaillé toute sa vie dans un but unique, dans le but de revanche contre cet infâme ravisseur qui nous a enlevé notre chère Alsace et se voir accusé de trahison envers ce pays – non, ma chère adorée, mon esprit se refuse à comprendre ! Te souviens-tu que je te racontais que me trouvant il y a une dizaine d'années à Mulhouse, au mois de septembre[82], j'entendis un jour passer sous nos fenêtres une musique allemande célébrant l'anniversaire de Sedan[83] ? Ma douleur fut telle que je pleurai de rage, que je mordis mes draps de colère et que je me jurai de consacrer toutes mes forces, toute mon intelligence à servir mon pays contre celui qui insultait ainsi à la douleur des Alsaciens.
>
> Non, non, je ne veux pas insister, car je deviendrais fou et il faut que je conserve toute ma raison. D'ailleurs ma vie n'a plus qu'un but unique : c'est de trouver le misérable qui a trahi son pays, c'est de trouver le traître pour lequel aucun châtiment ne sera trop grand. Oh ! chère France, toi que j'aime de toute mon âme, de tout mon cœur, toi à qui j'ai consacré toutes mes forces, toute mon intelligence, comment a-t-on pu m'accuser d'un crime aussi épouvantable ? Je m'arrête, ma chérie, sur ce sujet, car les spasmes me prennent à la gorge ; jamais, vois-tu, homme n'a supporté le martyre que j'endure. Aucune souffrance physique n'est comparable à la douleur morale que j'éprouve lorsque ma pensée se reporte à cette accusation. Si je n'avais mon honneur à défendre, je t'assure que j'aimerais mieux la mort ; au moins ce serait l'oubli.
>
> Écris-moi bien vite. Toutes mes affections à tous[84].

Enfin, le 8 décembre, il peut lire les premiers mots de Lucie dans une lettre qui n'a pas été retrouvée. Il lui répond aussitôt :

> Ma bonne chérie,
> Ta lettre que j'attendais impatiemment m'a fait éprouver un grand soulagement et en même temps m'a fait monter les larmes aux yeux en songeant à toi, ma bonne chérie.
> Je ne suis pas parfait. Quel homme peut se vanter de l'être ? Mais ce que je puis assurer, c'est que j'ai toujours marché dans la voie du devoir et de l'honneur ; jamais je n'ai eu de compromis avec ma conscience sur ce sujet.

Aussi, si j'ai beaucoup souffert, si j'ai éprouvé le martyre le plus épouvantable qu'il soit possible d'imaginer, ai-je toujours été soutenu dans cette lutte terrible par ma conscience qui veillait droite et inflexible.

Ma réserve un peu hautaine, la liberté de ma parole et de mon jugement, mon peu d'indulgence, me font aujourd'hui le plus grand tort. Je ne suis ni un souple, ni un habile, ni un flatteur.

Jamais nous ne voulions faire de visites ; nous restions cantonnés chez nous, nous contentant d'être heureux.

Et aujourd'hui on m'accuse du crime le plus monstrueux qu'un soldat puisse commettre !

Ah ! si je tenais le misérable qui non seulement a trahi son pays, mais encore a essayé de faire retomber son infamie sur moi, je ne sais quel supplice j'inventerais pour lui faire expier les moments qu'il m'a fait passer.

Il faut cependant espérer qu'on finira par trouver le coupable. Ce serait, sans cela, à désespérer de la justice en ce monde.

Appliquez à cette recherche tous vos efforts, toute votre intelligence, toute ma fortune, s'il le faut.

L'argent n'est rien, l'honneur est tout.

Dis à M [athieu] que je compte sur lui pour cette œuvre. Elle n'est pas au-dessus de ses forces. Dût-il remuer ciel et terre, il faut trouver ce misérable.

Je t'embrasse mille fois comme je t'aime. [85]

Le 11 décembre, dans une nouvelle lettre à Lucie, il entrevoit la nouvelle direction de sa vie et la mission qui lui incombe désormais comme Français et comme officier : « La vérité finit toujours par se faire jour, envers et malgré tout. Nous ne sommes plus dans un siècle où la lumière pouvait être étouffée. Il faudra qu'elle se fasse entière et absolue, il faudra que ma voix soit entendue par toute notre chère France, comme l'a été mon accusation. Ce n'est pas seulement mon honneur que j'ai à défendre, mais encore l'honneur de tout le corps d'officiers dont je fais partie et dont je suis digne [86]. » Il garde toute sa confiance dans ses camarades, dans l'institution. Ils sauront reconnaître la vérité. Il attend avec impatience l'ouverture de son procès : « Enfin le jour de ma comparution approche, j'en finirai donc avec cette torture morale. Ma confiance est absolue ; quand on a la conscience pure et tranquille, on peut se présenter partout la tête haute. J'aurai affaire à des soldats qui m'entendront et me comprendront. La certitude de mon innocence entrera dans leur cœur, comme elle a été toujours dans celui de mes amis, de ceux qui m'ont connu intimement. Ma vie tout entière en est le meilleur garant. Je ne parle pas des calomnies infâmes et anonymes qu'on a débitées sur mon compte ; elles ne m'ont pas touché, je les méprise [87]. »

Sa voie est tracée. En toute circonstance, il se doit de rester digne et de ne rien céder sur les principes. Pour s'en convaincre, il en fait la recommandation à Lucie : « Il faut savoir se raidir contre la douleur, se résigner et conserver toute sa dignité. Montrons que nous sommes dignes l'un de l'autre, que les épreuves, même les plus cruelles, même les plus imméritées, ne sauraient nous abattre. Quand on a la conscience pour soi, on peut, comme tu le dis si justement, tout supporter, tout souffrir. C'est ma conscience seule qui m'a permis de résister ; autrement je serais mort de douleur ou, du moins, dans un cabanon de fous[88].» La dignité contre la folie : principe d'une résistance improbable et pourtant essentielle.

## LA CONDAMNATION DU 22 DÉCEMBRE

L'ouverture du procès avait été fixée au 19 décembre. Le capitaine Dreyfus était confiant, confiant dans l'armée, dans ses chefs, dans la justice. « Pour défendre tout mon honneur, il me fallait toute ma raison, tout mon sang-froid. J'écartai les pensées les plus chères pour ne pas faiblir, j'avais confiance dans la loyauté et la conscience des juges[89].» Il communiqua cette confiance à sa famille, à sa femme.

J'arrive enfin au terme de mes souffrances, au terme de mon martyre. Demain je paraîtrai devant mes juges, le front haut, l'âme tranquille.

L'épreuve que je viens de subir, épreuve terrible s'il en fût, a épuré mon âme. Je te reviendrai meilleur que je n'ai été. Je veux te consacrer à toi, à mes enfants, à nos chères familles, tout ce qui me reste encore à vivre.

Comme je te l'ai dit, j'ai passé par des crises épouvantables. J'ai eu de vrais moments de folie furieuse, à la pensée d'être accusé d'un crime aussi monstrueux.

Je suis prêt à paraître devant des soldats, comme un soldat qui n'a rien à se reprocher. Ils verront sur ma figure, ils liront dans mon âme, ils acquerront la conviction de mon innocence comme tous ceux qui me connaissent.

Dévoué à mon pays auquel j'ai consacré toutes mes forces, toute mon intelligence, je n'ai rien à craindre.

Dors donc tranquille, ma chérie, et ne te fais aucun souci. Pense seulement à la joie que nous éprouverons à nous trouver bientôt dans les bras l'un de l'autre, à oublier bien vite ces jours tristes et sombres.

À bientôt donc, ma bonne chérie, à bientôt le bonheur de t'embrasser ainsi que nos bons chéris.

Mille baisers en attendant cet heureux moment[90].

Comme son défenseur, Me Demange, il prévoyait un acquittement certain. Le commandant Forzinetti témoigna de la conviction de son prisonnier. « Quelques instants avant de comparaître devant ses juges, il disait : "J'espère bien que mon martyre va prendre fin et que je serai bientôt dans les bras des miens"[91]. »

*Le premier conseil de guerre de Paris*

Les audiences eurent lieu du 19 au 22 décembre 1894 au tribunal militaire du Cherche-Midi. Il s'élevait en face de la prison, de l'autre côté de la rue. Comme cette dernière, il occupait un ancien couvent, celui du Bon-Pasteur, construit en 1646 par Madeleine de Courbé, une protestante convertie au catholicisme. Le terrain, confisqué à d'autres protestants, lui avait été donné par Louis XIV. « La chambre du conseil est haute de plafond, nue et sombre, mal éclairée par quatre grandes baies, qui donnent sur des dépendances de la prison [92]. »

Lorsque le capitaine Dreyfus pénétra dans la salle, escorté par un lieutenant de la Garde républicaine, il ne vit rien, il n'entendit rien, expliqua-t-il par la suite. « J'ignorais tout ce qui se passait autour de moi ; j'avais l'esprit complètement absorbé par l'affreux cauchemar qui pesait sur moi depuis de si longues semaines, par l'accusation monstrueuse de trahison dont j'allais démontrer l'inanité, le néant. Je distinguai seulement, au fond, sur l'estrade, les juges du conseil de guerre, des officiers comme moi, des camarades devant lesquels j'allais enfin pouvoir faire éclater mon innocence. Quand je fus assis devant mon défenseur, Me Demange, je regardai mes juges. Ils étaient impassibles. Derrière eux, les juges suppléants, le commandant Picquart, délégué du ministre de la Guerre, M. Lépine, préfet de police. En face de moi, le commandant Brisset, commissaire du gouvernement, et le greffier Vallecalle [93]. »

La cour qui doit juger Dreyfus est composée de sept officiers délégués pour remplir de telles fonctions. Outre le président, le colonel Maurel, cinq d'entre eux appartiennent à l'infanterie : le lieutenant-colonel Échemann, les commandants Florentin et Patron, les capitaines Roche et Freystaetter, ce dernier venant de l'infanterie de marine. Seul le commandant Gallet n'est pas un fantassin ; il appartient à la cavalerie. Il n'y a en revanche aucun artilleur – nous ne possédons pas la preuve que le choix de ce tribunal ait été fait précisément parce qu'il ne comptait aucun camarade de Dreyfus [94]. Quatre officiers sortaient des écoles, les autres du rang. L'assistance était peu nombreuse. Était-ce en raison du huis clos attendu ?

Mathieu et Jacques Dreyfus entrèrent dans la salle d'audience. Ils virent passer leur frère lorsque le colonel Maurel, après avoir ouvert la séance, ordonna aux huissiers d'introduire l'accusé. Le capitaine Dreyfus pénétra dans la salle d'audience. Tous les regards se tournent vers cet homme dont le nom est sur toutes les lèvres depuis presque deux mois. Joseph Reinach, présent à l'ouverture des débats [95], le décrit ainsi dans son *Histoire de l'affaire Dreyfus* : « Taille moyenne, les épaules hautes, le dos un peu voûté, le visage d'un ovale délicat, mais aux traits rigides, le teint mat, où la circulation capricieuse du sang amène des rougeurs, le regard fixe du myope, sous l'immuable lorgnon, des cheveux ras et blonds qui grisonnent ; quelque chose de sévère ; point de souplesse ; la voix monocorde, qu'il la tienne dans les notes basses ou qu'il l'élève ; la vie ardente, mais toute intérieure [96]. » Les journaux, même les mieux disposés à l'égard de l'accusé, notent « qu'il n'est certainement pas sympathique [97] ». « On s'accorde à dire que l'accusé a une sale tête », écrit le rédacteur de *L'Autorité*. Il « s'est avancé, sans embarras apparent », insiste encore le journaliste [98]. À l'interrogatoire de l'état civil, il est maître de lui. Il répond avec assurance aux questions rituelles du président, sur son âge – « trente-cinq ans » – son lieu de naissance – « Mulhouse, Alsace, mon colonel ». Puis le greffier donna lecture de l'acte de mise en jugement. Suivit l'appel des témoins. L'accusation avait cité le sous-chef d'État-major, le général Gonse, les commandants Henry et du Paty de Clam, les dix-sept officiers qui avaient déposé au cours de l'instruction de d'Ormescheville [99] et les experts, dont Alphonse Bertillon [100]. Les témoins de la défense étaient bien moins nombreux : le grand rabbin de Paris, Alsacien et homonyme de Dreyfus [101], des amis personnels ou des parents, et six officiers qui avaient accepté de témoigner en sa faveur [102]. Dès que cette formalité fut achevée, le commissaire du gouvernement, le commandant Brisset, intervint pour requérir le huis clos absolu.

*Un huis clos immédiat*

Demange tenta de s'opposer à l'étouffement des débats. Les deux hommes désiraient ardemment la publicité des audiences afin que la vérité « éclatât au grand jour [103] ». Il avait préparé ses conclusions contre une demande qui avait été annoncée par les journaux. Son objectif était de pouvoir en dire le maximum pendant les quelques minutes où le débat resterait encore public. Mais le président l'interrompit aussitôt. Il n'eut le temps que de dire : « Attendu que l'unique pièce... » Maurel lui ordonna de ne pas parler d'un seul document relatif à l'affaire. Demange protesta. Il est arrêté par le président. Il reprend. Le colonel Maurel l'avertit : « Je ne puis admettre que vous continuiez ainsi ! » Le commandant Brisset le prévient à son tour que la défense ne pourrait plus, dans ces conditions, poser ses conclusions. « Comment, s'exclame alors Demange, puis-je démontrer que la publicité du débat n'est pas dangereuse, si je ne parle pas des indications matérielles ? – Vous n'en avez pas le droit, lui rétorque le président. – Mais l'intérêt de la défense, ose l'avocat. – Il y a d'autres intérêts que ceux de la défense et de l'accusation en jeu dans ce procès ! » lui répond le colonel Maurel. L'avocat demande ce que ses conclusions puissent être lues. « Déposez-les sans les lire », lui lance le commandant Brisset. Demange insiste, explique qu'un jugement de huis clos doit reposer sur une discussion au fond du dossier. Ce qu'il recommence à faire. « Je vous arrête, s'écrit le colonel Maurel, la demande de huis clos devient illusoire. » Puis, en vertu de son pouvoir discrétionnaire, et joignant l'acte à la parole, il ordonne que la cour se retire.

À son retour, le président procède à la lecture des conclusions de M^e Demange. Celles-ci permettent de livrer d'ultimes informations au public et d'opposer une autre vérité à celle du rapport de d'Ormescheville. Il rappelle ainsi qu'il n'y a pas d'accord des experts sur l'authenticité de la lettre missive non signée attribuée au capitaine Dreyfus et « énergiquement déniée par lui ». Il indique aussi l'absence de mobile à ce crime qui lui est imputé. Il conclut que, « tant dans l'intérêt de l'accusé que dans celui de la société qui l'accuse, il ne saurait être dérogé au principe de la publicité des débats [104]. » Ensuite, le colonel Maurel annonce que le conseil, à l'unanimité, a voté le huis clos. Il ordonne de faire évacuer la salle. Dreyfus reste immobile. Seule une rougeur du visage témoigne de son émotion devant la disparition d'une garantie de justice qu'il appelait de ses vœux. Il croise le regard de ses frères, y puisant une nouvelle volonté de faire face avec toute la dignité possible. « Malgré les énergiques protestations de mon avocat, les débats eurent lieu à huis clos. J'avais désiré ardemment la publicité des audiences afin que mon innocence éclatât au grand jour [105]. »

Seuls demeuraient dans la salle, et sans que le code de justice militaire ne les y autorisât, le préfet de police et le représentant que le ministre de la Guerre s'était choisi en la personne d'un officier d'avenir du 3e bureau, le commandant Picquart précisément. Louis Lépine avait été lié à toute l'enquête préalable par la volonté du ministre de la Guerre. En tant que préfet de police, il disposait aussi d'un pouvoir prééminent dans la capitale et possédait un statut de quasi-ministre.

Le capitaine Dreyfus se retrouva seul devant ses accusateurs. Il attendait ce moment : « Les premiers incidents, la bataille que Demange livra pour obtenir du conseil la publicité des débats, les violentes interruptions du président du conseil de guerre, l'évacuation de la salle, tout cela ne détourna pas mon esprit du but vers lequel il était tendu. J'avais hâte d'être face à face avec mes accusateurs. J'avais hâte de détruire les misérables arguments d'une infâme accusation, de défendre mon honneur [106]. »

Il est donc seul devant ses juges, seul parce que le huis clos lui interdit de recueillir le regard humain de ses proches. Seul parce que entouré physiquement d'hommes qui lui sont hostiles. En effet, une fois qu'ils ont parlé, les témoins de l'accusation restent dans le prétoire, à la différence de ceux de la défense qui ne sont pas autorisés à assister aux débats [107]. Seul surtout parce que en plus d'être accusé, il est incompris dans sa défense. Un double processus d'accusation se développe, qu'il ignore. Un *processus matériel* dont la pierre angulaire sera un dossier secret communiqué illégalement aux juges militaires en salle des délibérés. Un *processus psychologique* faisant de son être la marque de sa culpabilité, répétée inlassablement par les journaux et par les nombreux titulaires de l'État-major de l'armée.

*Un inculpé présumé coupable*

Le greffier Vallecalle procéda à la lecture complète du rapport de d'Ormescheville, l'acte d'accusation qui demeurait ainsi, par le fait du huis clos, inconnu du public. Puis le colonel Maurel interrogea le prévenu. Celui-ci répondit avec courtoisie, sang-froid, précision, « avec une mémoire étonnamment exacte des détails, les phrases nettes et les arguments d'un mathématicien au tableau noir, qui analyse et qui démontre [108].» Le colonel Maurel, déposant au procès de Rennes, considéra que «l'attitude de l'accusé, pendant tous les débats, fut ferme et absolument correcte. Dans son interrogatoire, il répondit avec calme presque toujours, se bornant à repousser presque toujours également par des dénégations formelles les accusations portées contre lui. Après les dépositions des témoins, il protesta à plusieurs reprises et d'une manière véhémente, avec une indignation non contenue, contre les dépositions qui le chargeaient le plus [109].»

Cette appréciation n'excluait pas pour autant des considérations très négatives pour l'accusé, de la part de plusieurs témoins qui voyaient une forme de culpabilité dans son attitude ambiguë. Ils lui reprochent de s'être mal défendu et d'avoir conduit à des débats ternes, comme l'explique le préfet de police dans ses *Souvenirs* et devant la Cour de cassation [110]. Son évocation du procès n'est guère favorable à l'accusé. Il en ressort que le capitaine Dreyfus «niait tout», mais la manière dont il le faisait rendait ses protestations suspectes [111] : «Sa voix était atone, paresseuse, blanche. [...] Rien, dans son attitude, n'était de nature à éveiller la sympathie, malgré la situation tragique où il se trouvait [112].» Louis Lépine lui reprochait de ne pas communiquer son émotion : «Parfois, au cours des débats, sa figure se plissait convulsivement ; parfois un soubresaut le soulevait, mais pas un mouvement d'indignation, pas un cri du cœur, pas d'émotion communicative [113].» Le commandant Picquart, lui aussi présent aux débats, représentant donc le ministre de la Guerre et chargé de le renseigner en temps réel sur l'évolution des débats, reprochait à l'accusé de ne pas se défendre selon les canons du temps, ce qui présentait au mieux une faute, au pire une preuve de culpabilité : il pouvait simuler.

Cette manière de juger sur l'apparence et le comportement renvoie à des conceptions singulières de la justice, spectacle plus que débat où la vérité dépend autant des faits et du dossier que de l'impression et de l'attitude de l'accusé. On reprocha à l'accusé de ne pas suffisamment jouer son rôle d'innocent et de victime. Mais lorsqu'il voulut endosser les habits de la révolte et du pathos, il fut jugé maladroit et simulateur. «Il protesta avec la dernière énergie contre l'accusation dont il était l'objet, mais d'une manière un peu théâtrale, qui ne produisit pas une bonne impression sur le conseil», expliqua le commandant Picquart [114]. Dreyfus fut véritablement piégé. Lorsqu'il raisonnait, on lui reprocha de ne pas émouvoir, lorsqu'il se défendit dans ce registre, on s'en prit à sa voix qui trahissait un manque de sincérité ou même de la simulation.

Concernant cette voix, les choses ont claires. Comme le rappelle Joseph Reinach, le capitaine Dreyfus avait un organe qui le desservait. Les contemporains ont relevé qu'il était très monocorde, handicapé par l'impossibilité de le faire varier. «Son intonation défectueuse avait été signalée par tous ses chefs», note ainsi Reinach [115]. Cette voix blanche pouvait pourtant, très simplement, provenir de l'épuisement physique après dix semaines en prison dont sept en isolement complet et dans l'incertitude la plus absolue de la suite. Concernant sa sensibilité, les choses sont claires aussi. Dreyfus se sait fragile. Pour ne pas être précisément dominé par l'émotion, il prend sur lui de la contrôler. « C'est un malheureux qui lutte contre le destin, héros qui ne se frappe pas la poitrine, martyr qui met son orgueil à cacher ses souffrances, d'une sensibilité profonde, mais qui ne vibre qu'en dedans, et soldat surtout, se roidissant dans l'attitude du soldat sous les armes, prêt à mourir sans proférer une plainte, mais debout [116]. » Le capitaine Dreyfus estime en effet que son devoir réside dans sa capacité à rester digne, à faire face à l'épreuve qui s'abat sur lui, à résister à l'effondrement et au désespoir qu'il suscite en lui. Il s'agit pour lui de maîtriser au mieux ses émotions afin d'être le plus apte à démontrer son innocence par la preuve de la vérité.

Ce qui compte alors, ce n'est pas son apparence ou le ton de sa voix, mais les explications qu'il va fournir et les réfutations qu'il va conduire. Dans un procès où il jouait sa liberté et son honneur, où comptaient d'abord les faits, son attitude devait être la plus neutre possible afin de ne pas gêner la production des preuves, l'établissement de la vérité. Cette posture de simplicité et d'efficacité était la plus logique. Elle était aussi celle qu'on lui avait apprise dans les écoles, elle caractérisait l'officier moderne. Elle était effectivement « celle, non d'un acteur, mais d'un soldat ». Celle d'un citoyen français, celle d'un officier, celle d'un intellectuel, triple identité intimement liée. Dreyfus veut la justice, et il l'assistera en s'efforçant de démontrer l'erreur qui l'accable, en prouvant son innocence, en faisant reconnaître la vérité. Dreyfus refuse à l'inverse l'imploration.

« Il ne voulait tenir sa victoire que de son innocence, non de la pitié, relève à juste titre Reinach. Il ne lutta qu'avec sa raison, s'adressant non au cœur, mais à la raison des juges. L'émotion intellectuelle est la seule qu'il veuille provoquer chez eux, non l'émotion physique. Il croit ces soldats construits sur son modèle ; quand il voit souffrir un malheureux, il n'a pas besoin que ce malheureux lui hurle sa souffrance. Quand il discute un argument, il n'y met pas de sensibilité. Il répond à l'argument par l'argument, à toute question qui lui est posée par la réponse topique qu'elle comporte, terriblement objectif, comme oubliant qu'il est lui-même en cause. »

Mais Dreyfus se heurte à une double réalité. D'abord, le principe qui domine la représentation du procès ; celui-ci doit être un moment théâtral, cathartique. Il s'y refusera. Il ne jouera donc pas le jeu de cette justice et en préférera une autre, plus rationnelle, méthodique, juridique, et plus juste. Il est à cet égard extrêmement significatif de relever que l'armée est divisée entre deux conceptions performance/compétence, que l'on retrouve dans la justice. Et Dreyfus, officier moderniste, rêve d'une justice moderne. Sa réhabilitation finale sera une reconnaissance – tardive et insuffisante – de cette conception du commandement et du jugement, fondée sur la raison, le droit et l'intelligence. Mais, à son procès, la conception oratoire, ostentatoire et passionnelle domina l'ensemble des débats, à l'image des interventions théâtrales, se voulant accablantes et définitives, des commandants Henry et du Paty de Clam.

Dreyfus se heurte aussi à une seconde réalité qui n'est plus cette fois générale, mais particulière. Il est d'emblée considéré comme coupable. Tout sera donc retenu contre lui. S'il se défend par la méthode, il est calculateur ; s'il exprime son émotion, il est simulateur. Seul, apparemment, le président du conseil de guerre comprendra. Les autres concluront que son absence de pathos est une preuve supplémentaire de culpabilité. Le greffier Vallecalle expliquera en décembre 1897 que Dreyfus, à son procès, « a discuté ; moi, à sa place, j'aurais gueulé [117] ». Il s'agit d'une question de forme. Sur le fond, il s'est défendu avec beaucoup d'âpreté et de conviction, et n'a en aucun cas été indifférent à son sort. Il a été en tout point exemplaire dans une procédure dont il ne maîtrisait qu'une faible partie. Il n'a, enfin, cessé de protester de son innocence. Il l'affirme dès le premier interrogatoire du colonel Maurel qui rappela l'objet de l'inculpation, le « crime de haute trahison ». Il réagit vivement à ces mots, plaidant sa vie sans tache, sa naissance alsacienne, son patriotisme, son choix en faveur de l'armée française, son aisance matérielle, ses succès professionnels. « Les réponses de l'accusé, claires, précises, firent quelque impression sur le conseil. Déjà l'acte d'accusation avait paru vide, mal étayé, grotesque par endroits, quand il fait à un officier un crime de savoir plusieurs langues, de chercher à s'instruire et d'avoir connu des femmes [118]. »

L'audition des témoins commença dans la même séance et se prolongea toute la journée du lendemain et encore au début du 21. Le capitaine Dreyfus dut réagir à de nombreuses accusations établissant des mobiles pour la trahison et à une série de démonstrations prouvant qu'il était bien l'auteur du bordereau. Avec son défenseur, il s'employa à les réfuter. Le premier affrontement eut lieu avec le sous-chef d'État-major, qui témoigna de l'enquête préliminaire sur le bordereau telle qu'elle était narrée dans l'acte d'accusation. Il tenta de discréditer l'expert Gobert qui n'avait pas conclu à la ressemblance des écritures, puis affirma que seul un officier pouvait avoir eu connaissance, à l'État-major, des informations relatives à la couverture et donc avait pu fournir une note comme celle contenue dans le bordereau. Le capitaine Dreyfus répondit que des secrétaires d'état-major, sous-officiers ou simples soldats, effectuaient les copies des actes en question ; lui-même était allé chercher de telles copies au bureau des secrétaires. Le général Gonse nia le fait. Demange interrogea alors le capitaine Tocanne qui avait, comme Dreyfus, surveillé l'autographie des pièces de couverture. Il confirma les observations de l'accusé. Voyant le sous-chef d'État-major en difficulté, le commissaire du gouvernement affirma aussitôt : « Un secrétaire d'état-major n'aurait pas pu écrire : "Je vais en manœuvres." » Demange rétorqua : « Il aurait pu, en tout cas, donner des renseignements à quelqu'un qui partait en manœuvres [119]. »

## La vacuité des charges

Le tribunal entendit ensuite les deux officiers du 4e bureau, le colonel Fabre et le lieutenant-colonel d'Aboville, responsables de la découverte du bordereau. Ils relatèrent leur enquête d'identification telle qu'elle avait été résumée dans le rapport de d'Ormescheville.

Puis le commandant Henry, qui avait été délégué par le ministre lui-même pour déposer au nom de la Section de statistique [120], réaffirma la culpabilité de Dreyfus. Il raconta brièvement l'arrivée du bordereau, déclara que les expertises étaient concordantes – ce qui était faux, comme le reconnaissait le rapport de d'Ormescheville – et indiqua qu'il ignorait le motif de l'arrestation de l'officier lorsqu'il le conduisit à la prison du Cherche-Midi – ce qui était également faux. Il s'était caché dans l'antichambre du bureau du chef d'État-major de l'armée lors de l'arrestation du capitaine Dreyfus et ne put pas ne pas entendre l'énonciation des motifs par le commandant du Paty de Clam. D'après Joseph Reinach, « l'accusé dénonça l'équivoque. Cela parut sans aucun intérêt ».

La déposition de du Paty de Clam était attendue [121]. La justice militaire autorisait l'intervention de l'officier de police judiciaire chargé de l'instruction, contrairement à la justice pénale ordinaire qui interdit la déposition des juges d'instruction. Son témoignage « reproduisit d'une manière presque complète le rapport qu'il avait précédemment établi en qualité d'officier de police judiciaire ; de ce fait, il embrassa presque toute la cause, il acquit une grande importance. Je n'ai pas remarqué que dans sa déposition M. du Paty de Clam ait fait montre de parti pris ou de passion. » Cette dernière appréciation du colonel Maurel au procès de Rennes est sujette à caution. Du Paty de Clam s'enflamma notamment à l'évocation de la scène de la dictée. Il insista sur le fait que de son résultat dépendrait le sort du suspect et déclara que, « si Dreyfus était sorti victorieux de l'épreuve, il se serait rendu sur-le-champ chez M. le général Mercier pour lui dire : "Monsieur le ministre, nous nous sommes trompés" [122] ». Or celui-ci se mit à trembler, dit Du Paty. Dreyfus contesta cette affirmation. Son avocat montra l'original de la dictée et lui fit remarquer qu'on n'observait aucune modification dans le tracé de l'écriture de l'officier. Du Paty de Clam répondit que c'était normal puisque Dreyfus, averti des soupçons qui pesaient sur lui, avait su maîtriser ses émotions : « Je voulais voir s'il était prévenu ; interpellé brusquement par moi, il aurait dû trembler. Or il n'a pas tremblé ; donc il simula, il était prévenu. Un individu

innocent qui serait amené là sans avoir rien à se reprocher aurait tremblé à l'interpellation ou aurait fait un mouvement [123]. » Le commandant
Picquart, qui rapportait les propos du commandant du Paty de Clam
au cours du procès de Rennes, ajouta : « Je trouvai l'explication bien
extraordinaire et bien embarrassée, et je la gardai précieusement dans
ma mémoire [124]. »

Du Paty de Clam révéla alors les conclusions d'une seconde épreuve
à laquelle il avait soumis le prisonnier, mais qui ne fut pas consignée
dans son rapport – et que nous rappelons ici : « En interrogeant le
capitaine Dreyfus dans sa prison, j'ai attendu le moment où il aurait
les jambes croisées ; puis je lui ai posé, à brûle-pourpoint, une question
qui devait faire naître l'émotion chez un coupable. J'avais les yeux
fixés sur l'extrémité du pied de la jambe pendante. Le mouvement,
presque imperceptible auparavant, de l'extrémité du pied, s'est trouvé
tout à coup, au moment de ma question, très sensible à mes yeux ;
donc, le pouls s'accélérait, le cœur battait plus fort, l'émotion de Dreyfus trahissait sa culpabilité. » Afin de contrecarrer cette démonstration
pseudo-scientifique, l'avocat du capitaine apporta le lendemain une
note du docteur Lutaud réfutant cette hypothèse [125].

Du Paty de Clam appliqua le même raisonnement pour expliquer
l'insuccès de la perquisition : Dreyfus avait été prévenu, il avait tout
déplacé, et c'était la preuve de sa culpabilité. L'accusé répondit que
toute sa documentation, tant privée que professionnelle, était bien là,
conservée sous scellés, et qu'il ne manquait rien. D'après le témoignage de Demange, du Paty de Clam aborda ensuite l'étude du bordereau, lui attribuant une nouvelle date, celle du mois d'août. En effet,
Dreyfus avait déjà démontré, lors des interrogatoires conduits en prison par le premier instructeur, que, si le bordereau était d'avril ou de
mai, comme il le lui avait présenté, il n'aurait pas été dans la situation
de connaître les formations nouvelles d'artillerie, décidées seulement
en juillet. À l'audience, harcelé par Demange, du Paty de Clam
s'exclama soudain : « Qui vous dit que le bordereau n'est pas du mois
d'août, et qu'il ne s'agisse pas des grandes manœuvres [126] ? »

En avançant la date du mois d'août, il déclara que les mots « partir
en manœuvres viserai[en]t alors les grandes manœuvres auxquelles Dreyfus "aurait cru devoir aller" ». Dreyfus déclara qu'il
n'avait pas pu le croire, puisqu'il avait été avisé, avant le 1er juillet,
comme tous ses camarades stagiaires, par une note du chef d'État-
major, que les stagiaires de première année feraient leur stage dans les
corps du 1er juillet au 1er octobre et ceux de seconde année, du
1er octobre au 1er janvier ; il était, lui, de seconde année. On ne fit
pas demander la note en question, dont Dreyfus réclamait l'apport à
l'audience, comme il l'avait déjà sollicité, disait-il, au cours de
l'instruction, pour démontrer alors qu'il ne pouvait être l'auteur de ces
mots : « Je vais partir en manœuvres. » L'accusation s'en tint donc à

la date d'arrivée de la lettre missive avant juin, persistant à traduire « en manœuvres » par « en voyage d'état-major ». Le commissaire du gouvernement donna, dans son réquisitoire, cette explication : « Dreyfus ne pouvait pas écrire : "Je pars en voyage d'état-major", car c'eût été signer la lettre missive [127]. » La déclaration du procureur postulait que Dreyfus fût naturellement coupable.

Compte tenu de la certitude de l'accusation que Dreyfus était coupable, tous les faits étaient ainsi interprétés en fonction de cette vérité absolue. Elle s'opposait au bon sens, à la parole du premier intéressé, aux preuves contradictoires apportées par la défense, et elle exigeait le recours à des hypothèses gratuites, confuses, ahurissantes en un mot. Jamais les explications du capitaine Dreyfus ne furent envisagées comme celles de quelqu'un qui n'aurait aucun rapport avec le bordereau. Toujours résolu, Dreyfus n'accepta pas de tels échafaudages et s'employa à détruire les allégations du commandant du Paty de Clam. Dans une note rédigée le soir précédant le verdict et remise à son avocat, il analysa la nouvelle version donnée à l'histoire du bordereau : « La thèse est nouvelle, la lettre maintenant date du mois d'août. Or, au mois d'août, il ne pouvait y avoir aucun doute sur l'époque de mon stage dans un régiment. Les stagiaires de première année étaient dans les régiments depuis le 19 juillet, ils devaient y rester jusqu'au 1er octobre, époque à laquelle nous devions les remplacer. La pièce officielle qui fixait la date de nos stages dans l'infanterie était sans ambiguïté aucune, il n'y a pas de doute possible [128]. » Il mentionnait de manière formelle l'existence d'une note du chef d'État-major du 17 mai 1894 à destination des stagiaires, signée par le général Gonse et les informant qu'ils n'iraient pas aux manœuvres. Le général de Boisdeffre les faisait rentrer dans les « règles communes » en les astreignant à effectuer deux périodes de service en régiment, d'une durée de trois mois chacune, au lieu d'un mois comme précédemment. La note dont le capitaine Dreyfus gardait très précisément le souvenir stipulait qu'« une de ces périodes doit être faite pendant les manœuvres [129] ». Il demanda au président de faire venir la note pour contrôler, mais le colonel Maurel refusa [130]. Dreyfus ne se rendit pas pour autant. Il invoqua la dernière lettre qu'il avait adressée à son cousin par alliance Paul Hadamard, « fin mai ou au commencement de juin » pour lui annoncer qu'il ne pourrait plus l'aider à préparer le concours de l'École de guerre. « Il appert en effet de cette lettre que je lui écrivis : "Je vais partir au voyage d'état-major, et serai absent une partie de l'été." Il faut donc apporter une mauvaise foi absolue pour prétendre qu'au mois d'août je n'étais pas fixé sur le point de savoir si j'irais ou n'irais pas aux manœuvres, alors que la note officielle, signée du chef d'État-major général, date du mois de juin. » Enfin, revenant vers le bordereau, il écrit dans sa note à son avocat : « Les mots : "Je vais partir en manœuvres" sont positifs ; ils expriment une certitude [131]. » Au procès de Rennes, le lieutenant-colonel Picquart, qui avait été le supérieur de Dreyfus au moment précis où il aurait dû écrire le bordereau, ainsi que certains de ses camarades directs attestèrent solennellement qu'à partir de juin 1894 les stagiaires savaient parfaitement qu'ils n'iraient pas en manœuvres au mois de septembre, d'autant, comme nous l'avons vu, que Dreyfus et ses camarades allaient faire « leur temps de troupe en octobre, novembre et décembre. Il n'était donc pas question pour eux d'aller aux manœuvres en septembre. D'ailleurs, le temps qu'ils devaient passer au 3e bureau était très court. Il était de trois mois seulement. S'ils avaient été aux manœuvres pendant ces trois mois [juillet, août, septembre], leur stage [au 3e bureau] se serait trouvé restreint d'une façon tout à fait anormale [132] ».

Ces deux premières dépositions de l'accusation, le capitaine Dreyfus estima les avoir réfutées « énergiquement, avec calme [133] ».

Félix Gribelin déposa le 20 décembre. Il répéta les propos de du Paty de Clam sur la scène de la dictée et sur l'attitude générale de l'accusé, simulateur et calculateur. Cette déposition est connue puisque, au procès de Rennes, l'archiviste de la Section de statistique affirma « avoir reproduit la déposition verbale qu'[il a] faite en 1894 devant le conseil de guerre [134] ». Il raconta comment Dreyfus avait simulé au cours de son arrestation, comment toute son attitude était celle d'un coupable, comment les convictions les plus lourdes pesaient sur lui en raison des nombreuses liaisons qu'il entretenait avec des femmes louches, comment il refusait de discuter les charges qui pesaient sur lui, comment il niait tout. Le capitaine Dreyfus protesta énergiquement contre le tissu de mensonges avancé par l'agent des services de renseignement sans qu'aucun des faits soit étayé sinon par des rumeurs ou des enquêtes dont l'État-major savait qu'elles étaient erronées. Elles ne s'appliquaient à ce Dreyfus-ci.

Le commissaire Armand Cochefert parle ensuite, « mais sans passion, de la scène de la dictée, ainsi que des vaines perquisitions [135] ». Le dialogue de sourds entre la défense et l'accusation fit dire à Lépine que les débats se traînèrent « dans une note grise, terne, d'une affaire vulgaire [136] ». Cependant, une autre impression dominait, résumée par le lieutenant-colonel Picquart au procès de Rennes, « et elle n'a été que s'accentuant d'un bout à l'autre ; c'est que les charges n'étaient pas suffisantes, et qu'un acquittement était possible ou probable [137] ». Cette impression était partagée par le préfet de police. L'audience du lendemain, 20 décembre, confirma ces craintes. Demange avait obtenu qu'on présentât la note sur la suppression des manœuvres pour les stagiaires. Du Paty de Clam réagit alors en accusant Dreyfus d'avoir voulu parler de « voyage d'état-major » tout en masquant cette information sous le mot de « manœuvres » [138]. Les dépositions d'anciens camarades de Dreyfus à l'État-major, qui n'hésitèrent pas à le charger par des racontars sur ses allures louches et ses fréquentations légères, ne permirent guère de modifier l'impression générale. Le commandant Bertin-Mourot et le capitaine Boullenger répétèrent les affabulations

présentes dans le rapport de d'Ormescheville. « C'était des appréciations personnelles sur l'accusé, des propos tenus au mess ou recueillis
dans les bureaux, rien d'intéressant et qui touchât au fond de
l'affaire [139] », estima le préfet Lépine. Mais, à la différence de la
période d'instruction où la confrontation n'était pas possible, l'accusé
put intervenir pour contester la véracité des témoignages.

Le capitaine Dreyfus eut aussi la satisfaction d'entendre les rectifications apportées par d'anciens camarades, y compris parmi ceux qui
étaient cités par l'accusation. Le commandant Mercier-Milon « attesta
que Dreyfus avait été un soldat fidèle et scrupuleux ; Colard, qu'il
n'avait nulle indiscrétion à lui reprocher ; Brault, Sibille et Roy, que
ses questions se rapportaient à des affaires de service [140] ». Le capitaine
Bretaud, adjoint du commandant Bertin-Mourot, démentit son chef en
affirmant que Dreyfus ne s'intéressait pas seulement à la mobilisation
de l'Est, mais à toutes les questions relatives au service. « Celui des
témoins qui avait le plus connu Dreyfus, dont il était le camarade à
l'École de guerre d'abord, au ministère ensuite, le capitaine Tocanne,
interpellé sur ce qu'il pensait de Dreyfus, n'a pas hésité à répondre :
"Je le crois incapable de félonie" [141] ». D'autres officiers avaient
accepté l'appel de la défense et apportèrent à la barre d'éloquents
témoignages de moralité sur l'accusé. « Les dépositions de cinq officiers, le colonel Clément, les commandants de Barbarin, Ruffey et
Leblond, les capitaines Meyer et Devaux, parurent ce qu'elles étaient,
des actes d'un grand courage, qu'il faut saluer, mais se heurtèrent au
même mur. Dreyfus avait pu être un bon et loyal soldat ; il était devenu
un traître », raconte Joseph Reinach [142].

D'autres dépositions sollicitées par la défense furent entendues.
Elles contribuèrent elles aussi à détruire une partie des allégations fantaisistes de l'accusation. Le grand rabbin de Paris Dreyfuss opposa un
total démenti à des propos que lui avait prêtés l'agent Guénée, selon
lequel il aurait conseillé à Lucie Dreyfus de déclarer que son mari
était joueur [143]. Le philosophe Lucien Lévy-Bruhl parla avec hauteur
et conviction de son cousin par alliance. Un grand industriel, Arthur
Amson, témoigna de la droiture de sa vie. Le docteur Vaucaire attesta
lui aussi de la grande moralité de son existence et de sa vocation pour
le service de la France.

Le doute sur les charges commençait à se répandre sérieusement
dans les débats. Et le doute devait bénéficier au capitaine Dreyfus.
Lorsque que Picquart rendit compte de l'audience du 20 décembre au
président de la République, au ministre et au chef d'État-major, il
expliqua que « l'affaire s'annonçait assez mal [144] ». À la fin de cette
audience, le conseil de guerre entendit les experts.

*La bataille des expertises*

Le désaccord entre les experts, relevé dans le rapport de d'Ormescheville, apparut au grand jour. Gobert et Pelletier conclurent que les dissemblances entre les deux écritures l'emportaient largement sur les ressemblances. D'après Charavay, Dreyfus reconnut que celles-ci puissent exister : « En effet, cette écriture ressemble à la mienne, mais ce n'est pas mon écriture[145] », déclara-t-il quand le président l'invita à s'exprimer. Charavay attribua quant à lui « le document incriminé à l'écriture qui était celle de l'inculpé », sans écarter cependant la possibilité d'un sosie[146]. Teyssonnières affirma que Dreyfus était sans l'ombre d'un doute l'auteur du bordereau, en considérant qu'il avait déguisé son écriture.

Estimant le danger, le président tenta d'affaiblir la validité des deux experts qui innocentaient Dreyfus, suivant en cela le rapport de d'Ormescheville. Pelletier et Gobert se défendirent fermement. Le second expliqua la méthode, très simple, par laquelle il était venu à identifier le nom de l'officier suspecté[147]. Celui-ci démontra à son tour qu'il n'avait jamais fréquenté la Banque de France pour réaliser son étude et que ses liens avec l'expert étaient pure affabulation. Du Paty de Clam intervint alors contre Gobert, mais son offensive tourna au fiasco. Pour l'expert, ce qui se passa contre lui au procès fut un « incident extrêmement grave[148] ». Déposant devant la Cour de cassation, il rappela les violentes attaques qui avaient suivi la fin de sa déposition. Elles vinrent d'abord du président, puis du commandant du Paty de Clam, puis du commissaire du gouvernement :

> J'étais accusé d'avoir communiqué avec un confrère (M. Pelletier), d'avoir commis des indiscrétions, d'avoir dit le contraire de ce que contenait ma lettre au ministre de la Guerre. Je réfutai aisément toutes ces accusations. Le président, en terminant, m'accusa d'avoir colporté, à la Banque de France ou ailleurs, un document confidentiel écrit par Dreyfus et qui m'avait été remis pour servir à mes comparaisons. « Et cela, dit le président, pour arriver à connaître le nom de Dreyfus que vous saviez dès le début de vos opérations. »
> Cette grave accusation me causa une violente surprise ; j'en fus indigné ; mais, me remettant, j'expliquai au conseil comment j'avais su le nom de Dreyfus, à l'aide de la feuille signalétique.
> A ce moment, un officier supérieur que je ne connaissais pas se leva spontanément dans le prétoire et déclara que je n'avais jamais eu ce document entre les mains.
> Je me retournai vers lui et, véhémentement, lui dis : « Si vous n'y avez fait disparaître ces pièces, on le retrouvera au dossier. » Le président alla aux preuves et montra au conseil tous les détails de la feuille signalétique que j'avais signalée. Mon contradicteur, M. du Paty de Clam, tomba dans une confusion profonde ; il s'écria : « J'avais si bien brouillé tout cela, que j'espérais qu'on n'y connaîtrait rien. » [...]

Ma déposition terminée, M. le commandant Brisset, absolument convaincu que le bordereau était de Dreyfus, descendit de son siège et, plaçant sous mes yeux les premières lettres écrites par Dreyfus à sa femme, interceptées à la prison du Cherche-Midi, s'écria : « Hein ! si vous aviez eu ces documents pour vos comparaisons ; mais, voilà ! on ne les avait pas ! » L'écriture de ces pièces n'était pas plus concluante que les autres documents de comparaison que j'avais eus antérieurement. Mais je compris que l'attribution à Dreyfus était inébranlable dans l'esprit du magistrat et je quittai le conseil avec la conviction que Dreyfus serait condamné et qu'une erreur judiciaire allait se commettre [149].

Dans un long mémento écrit en 1898 pour servir l'intérêt de la justice, Alfred Gobert revint très précisément sur cet incident et sur le fonctionnement de la justice militaire [150]. Survint alors la déposition d'Alphonse Bertillon, chef du Service de l'identité judiciaire à la préfecture de police. Elle dura trois heures. Bertillon n'était pas un expert officiel. Dreyfus et son défenseur découvraient l'auteur de la double expertise mentionnée brièvement dans l'acte d'accusation [151]. Pour exposer sa démonstration de la paternité du capitaine Dreyfus dans l'écriture du bordereau, l'expert officieux imagina recourir aux schémas de la stratégie. Il produisit une figure très sophistiquée inspirée d'un redan de fortification. En soi, la déposition très technique de Bertillon ne fut d'aucun d'effet direct. Comme le souligna Louis Lépine devant les chambres réunies de la Cour de cassation, le 24 avril 1899 : « Les conclusions auxquelles aboutit Bertillon après un labeur acharné étaient très savantes. Mais à l'audience ses déductions parurent embrouillées, ses raisonnements, compliqués et nuageux. Il n'a pas de facilité d'élocution. Me Demange ne fit dans sa plaidoirie qu'une allusion dédaigneuse à sa déposition. Le ministère public n'en fit pas mention. Quant aux juges, il me semblait lire sur leur figure cette pensée [...] : "Il nous ennuie ce civil ! Nous n'avons pas besoin de tant de raisonnements pour savoir de qui est le bordereau [152] !" » Lorsque le commandant Picquart rendit compte, le soir même de l'audience du jour, au président de la République, il insista sur « cette impression d'obscurité [153] ». Pour le représentant du ministre de la Guerre, les juges ne comprirent rien à la pseudo-démonstration du célèbre responsable de l'anthropométrie parisienne [154].

Cependant, Bertillon, par son système, et surtout par ses conclusions, contribua à affaiblir les deux expertises favorables à Dreyfus et à faire pencher la balance vers les expertises à charge. L'un des juges, le capitaine Martin Freystaetter, qui déposa lui aussi le 24 avril 1899 devant les chambres réunies de la Cour de cassation, lors de la première révision le souligna au procès de Rennes. L'impact général des expertises sembla plus fort que ce qu'imaginait le préfet de police. « La conviction de la culpabilité de Dreyfus fut amenée par les affirmations de deux experts en écriture qui attribuèrent nettement le bordereau au capitaine Dreyfus ; deux autres experts trouvèrent qu'il y avait de grandes ressemblances et des dissemblances ; les dissemblances furent expliquées par M. Bertillon au moyen de mots grossis par la photographie empruntés au bordereau et à une lettre de Mathieu Dreyfus [155]. » La conclusion de Bertillon sembla avoir ainsi un poids réel sur les juges. « L'expertise de Bertillon fut comprise, ne craignit pas d'expliquer le colonel Maurel au procès de Rennes ; elle s'adressait à la fois à l'esprit et aux yeux des juges [156]. »

Voyant le danger, constatant le caractère dément de la démonstration, le capitaine Dreyfus fut très offensif contre Bertillon. Il fut incisif voire ironique. Lorsque l'expert officieux évoqua les angoisses de ceux qui, malgré eux, favorisent les erreurs judiciaires, il lui rétorqua tout de go : « Ces angoisses, monsieur, vous n'y échapperez pas, soyez-en sûr [157] ! » À l'issue d'un délire techniciste où Bertillon était parvenu à prouver que Dreyfus, pour écrire le bordereau, s'était servi de trois écritures – la sienne, celle de Mathieu Dreyfus et celle de Lucie –, celui-ci demanda au président de poser une question à l'expert : « Que le témoin veuille bien jurer qu'il m'a vu écrire le bordereau [158] ! » L'ironie échappa à beaucoup. Mais elle s'expliquait par le sentiment qu'avait Dreyfus d'avoir affaire à « l'œuvre d'un fou [159] ». Durant son exposé, où Bertillon s'ingéniait à désigner Dreyfus par l'expression « le coupable », celui-ci aurait sifflé entre ses lèvres : « Ah ! misérable, tu m'as donc vu écrire ! » « Ce mot-là, M. Bertillon ne l'a pas entendu. Il lui a été répété d'une source étrangère, plus de deux ans après ! » Bertillon se l'appropria pourtant. Lépine assura n'avoir pas entendu ce mot de Dreyfus. Tout juste remarqua-t-il une « contraction de la figure de l'accusé ». Il avait seulement entendu « une exclamation indistincte [160] ».

La déposition de Bertillon, par son caractère décalé et sa technicité, avait paru réveiller un procès que les observateurs présents jugeaient des plus médiocre. Le préfet Louis Lépine est même plus sévère que le commandant Picquart pour estimer que les débats étaient dignes du « stage d'avocat, l'affaire classique du militaire traduit en conseil pour "désertion en temps de paix avec emport d'effets de petit équipement" ; eh bien ! je n'exagère pas beaucoup en disant que, toute proportion gardée, les débats dont je parle se sont déroulés, se sont traînés en grande partie dans la note terne, grise, d'une affaire vulgaire [161] ».

Au terme de l'audition des témoins, la condamnation « n'était pas certaine », comme le rapporta le commandant Picquart aux autorités supérieures [162]. Les témoignages produits lui apparaissaient « sans intérêt [163] », aucun d'entre eux n'avait été décisif. Dans une note remise à son avocat avant sa condamnation, probablement pour servir à sa plaidoirie, Alfred Dreyfus avait résumé l'inanité des charges et particulièrement l'impossibilité pour les témoins de prouver qu'il aurait pu livrer les documents visés par le bordereau. Il retrouvait la teneur de la déclaration qu'il avait faite au commandant d'Ormescheville, au sujet du bordereau, lors de l'interrogatoire du 29 novembre [164] :

1° *Note sur le frein hydr...* – On n'a pu trouver aucun officier d'artillerie m'ayant communiqué des documents à cet égard.

2° *Note sur les troupes de couverture.* – Le capitaine Boullenger ose prétendre qu'il m'aurait donné *une fois* dans la rue, au mois de mai, un renseignement sur cette question en m'apprenant que le lieu de débarquement d'une division de cavalerie était modifié. D'abord il ne m'a jamais dit cela ; ensuite, il n'y a pas là matière à une note sur les troupes de couverture. Pendant l'année 1894, sauf au mois de septembre, époque à laquelle j'ai été chargé de surveiller l'impression de documents relatifs à la couverture, je n'ai jamais rien lu, rien eu entre les mains sur cette question, ainsi qu'il appert du témoignage de M. le commandant Mercier-Milon. Ce dernier a reconnu en effet que je ne m'étais jamais occupé d'aucune question confidentielle.

3° *Note sur une modification aux formations de l'artillerie.* – Je n'ai jamais connu ces modifications. On n'a pu trouver aucun officier du 1er bureau m'en ayant parlé. Quant à la note qui a passé dans les bureaux, du 15 au 20 juillet, je ne l'ai pas émargée ; M. le comandant Mercier-Milon n'a pu affirmer que je l'ai connue.

4° *Note sur Madagascar.* – Aucune preuve.

5° *Projet de manuel de tir.* – Je n'ai vu aucun officier supérieur, ainsi que le disait le rapport du rapporteur, venant témoigner m'avoir parlé du manuel de tir *du 14 mars* 1894 (ni le commandant Jeannel ni le commandant d'Astorg).

Personne n'a pu témoigner m'avoir prêté ce manuel. Cependant si les officiers détenteurs en étaient responsables, si je l'avais demandé à qui que ce soit, la preuve aurait été faite, péremptoire ; elle n'a pu être faite [165].

C'est à ce moment qu'intervint une déposition qui, de l'avis de tous les observateurs, provoqua un choc au milieu de ces « dépositions incolores [166] ».

## Le verdict

Voyant la tournure indécise que prenait le procès, un officier – que le capitaine Dreyfus ne connaissait que pour avoir été conduit par lui à la prison du Cherche-Midi, mais dont il venait de découvrir la qualité de délégué des services de renseignement à l'État-major de l'armée – décida d'agir. Le commandant Henry obtint d'être rappelé à la barre. Debout, grave et solennel, il prononça une « déposition théâtrale [...] qui fit [forte] impression [167] ». Il révéla qu'une personne parfaitement honorable avait informé le service, dès le mois de février, qu'un officier appartenant au 2e bureau du ministère de la Guerre trahissait. Or, il se trouvait qu'à cette époque le capitaine Dreyfus était bien stagiaire à l'État-major. Le capitaine Dreyfus se leva, indigné, et demanda avec violence « la comparution de la personne dont il invoquait les propos [168] ».

Son avocat insista lui aussi pour qu'elle soit appelée à témoigner. Ignorant ces questions, Henry s'écria, théâtral, en se frappant la poitrine : « Quand un officier a dans la tête un secret redoutable, il ne le confie pas même à son képi [169] ! » Puis, se tournant vers l'accusé, le montrant du doigt, il clama : « J'affirme, moi, que le traître, le voici ! » Dreyfus protesta encore violemment, mais il ne put obtenir que ces paroles fussent éclairées. L'absence de discussion l'empêcha d'en démontrer la fausseté.

À quelques détails prêts, les témoignages sont concordants. « C'était, a dit le préfet de police à la Cour de cassation en 1899, l'apparition du justicier. Quand je me remémore au bout de quatre ans cette vision d'Henry levant la main, la croix de la Légion d'honneur sur sa large poitrine, il me semble qu'il n'y ait eu que deux mots dans sa déposition : "C'est lui ! Je le sais, je le jure [170] !" » L'impression produite par cette déclaration fut profonde. Elle stupéfia Dreyfus et son défenseur puisqu'aucune possibilité d'interroger contradictoirement le témoin ne leur fut donnée. Dans la note que le capitaine Dreyfus remit le lendemain matin à son défenseur, il jugea sévèrement l'acte du commandant Henry et se dressa contre le procès qu'on faisait à un innocent. Il pressentait qu'il écrivait déjà pour l'histoire, parce que des choses plus terribles encore que ce qu'il avait déjà vécu pourraient survenir. Il envisageait qu'un crime judiciaire puisse être commis contre lui. Il dénonçait d'ores et déjà les actes *monstrueux* qui se déroulaient. Cette note, qui ne fut connue qu'en mai 1899, s'oppose une nouvelle fois à toutes les légendes présentant le capitaine Dreyfus comme indifférent à son sort ou soumis à l'accusation :

Le commandant Henry a alors fait une déclaration terrible, mais sans apporter aucune preuve. C'est une infamie que de venir faire une déposition pareille, sans apporter aucun témoignage à l'appui. Accuser un officier à la barre sans apporter aucune preuve, c'est *monstrueux*.

Tous les témoignages s'accordent à reconnaître que je montrais volontiers mes connaissances. Je ne les cachais pas, au contraire. Sont-ce là les allures d'un espion qui sait trop bien ce qu'il risque ? J'ai toujours agi avec une franchise absolue ; tous les témoins entendus l'ont déclaré.

Le commandant Mercier-Milon lui-même a été obligé de déclarer que j'avais été un fidèle serviteur, que je ne m'étais jamais occupé d'une question confidentielle pendant mon séjour au 3e bureau de l'État-major de l'armée.

Sans le commandant du Paty, toute l'accusation serait déjà tombée. C'est lui qui attise la haine. A-t-il le droit de venir ainsi constamment intervenir dans les débats ? On dirait vraiment que c'est lui qui les dirige.

Si je soutiens cette lutte épouvantable dans laquelle on veut m'arracher mon honneur, c'est que je veux défendre l'honneur de mon nom, l'honneur du nom de mes enfants. J'ai un fils, et il faut que ce fils sache que le nom qu'il porte est un nom sans tache, le nom d'un homme dont l'honneur n'a jamais failli.

Combien de fois ai-je pensé au suicide, combien de fois ai-je pensé qu'il me serait plus doux de mourir que de supporter ce martyre épouvantable ! J'ai vécu pour mon honneur, mon âme a résisté à cette violente tentation, pour l'honneur de mes enfants. Mon nom ne m'appartient pas à moi seul ; il appartient à ma femme, il appartient à mes enfants, et c'est pour ce nom que j'ai voulu vivre [171].

Les craintes du capitaine Dreyfus n'étaient pas partagée par la majorité des participants au procès. Le sentiment général était toujours celui d'un acquittement probable tant les preuves étaient faibles. Si la déposition d'Henry avait frappé les esprits, elle n'avait cependant pas renforcé le dossier de l'accusation. Louis Lépine s'attendait à un verdict d'acquittement, comme le lieutenant-colonel Picquart [172] et d'autres officiers ayant participé aux débats ou connaissant le dossier, comme le lieutenant-colonel Cordier de la Section de statistique [173] ou le commandant Curé [174]. Les charges objectives leur paraissaient trop faibles.

Les plaidoiries prirent place dans la dernière audience, celle du 22. La tonalité des débats avait renforcé chez Dreyfus sa conviction de l'acquittement. Le matin, à l'instant de quitter la prison du Cherche-Midi, il confia au commandant Forzinetti : « Je crois que je vais être libre et qu'aujourd'hui j'embrasserai les miens [175]. » La veille au soir, il avait écrit à son défenseur une lettre qui reprenait à l'identique sa déclaration au commandant Forzinetti : « J'ai vécu pour mon honneur ; mon âme a résisté à cette violente tentation pour l'honneur de mes enfants. Mon nom ne m'appartient pas à moi seul ; il appartient à ma femme, à mes enfants ; c'est pour ce nom que j'ai voulu vivre [176]. »

Le commissaire du gouvernement parla le premier. Dans une note secrète, rédigée en 1898, de la main du lieutenant-colonel du Paty de Clam, il est indiqué que le commandant Brisset n'a pas gardé de notes de son discours. « Mais, dans ses souvenirs [Du Paty de Clam], se rappelle qu'après avoir exposé tous les faits à la charge de l'accusé, résultant de ses contradictions, des témoignages, des affirmations des experts, il terminait son réquisitoire à peu près dans les termes suivants : dans sa péroraison, le commandant Brisset résume une dernière fois les charges qui pèsent sur l'accusé et il adjure le conseil de faire son devoir et de prononcer la condamnation du coupable. En terminant, il fait un retour sur lui-même : atteint dans quelques jours par la limite d'âge, ayant un pied dans la tombe, il ne relève que de sa conscience ; rien ne saurait le faire dévier et, s'il avait reconnu l'innocence, il n'aurait pas hésité à le proclamer. Aussi il déclare que la sévérité de ses conclusions n'est que le résultat de sa conviction absolue dans la culpabilité de Dreyfus. » La note secrète ajoute que « la condamnation n'a pas été prononcée uniquement sur le bordereau, mais [qu']elle résulte des témoignages et de tout l'ensemble de l'instruction qui a pris à l'audience une physionomie bien caractérisée. Ceux qui n'y ont pas assisté sont dans l'impossibilité de se rendre compte de tout ce qui a déterminé la conviction des juges [177]. » Pour le préfet de police, à l'inverse, le réquisitoire était « vide de faits [...] : il était court ; je ne me rappelle pas s'il était lu ou débité, mais je ne crois pas l'avoir écouté jusqu'au bout [178]. »

Puis Me Demange prononça sa plaidoirie. Elle était attendue. Lépine, qui admirait beaucoup le talent de l'avocat et qui l'avait vu à l'œuvre dans les procès d'anarchistes, témoigna à son sujet en avril 1899 : « Mon attente ne fut pas déçue au point de vue de la forme ; la plaidoirie fut très belle, mais elle ne toucha qu'à une question : il démontra avec force preuves techniques et intrinsèques que le bordereau ne pouvait émaner d'un officier d'artillerie, et, en particulier, pas de Dreyfus ; or, je le répète, sur la question du bordereau, mon siège était fait, et celui des juges aussi, j'imagine [179]. » Demange fit beaucoup plus que ne pourrait le laisser penser le souvenir de Lépine. S'il se concentra sur le bordereau, c'est qu'en préalable il anéantit les témoignages des anciens camarades de bureau du capitaine Dreyfus, montrant qu'ils se réduisaient à des commérages sans preuves. Il insista sur les désaccords entre les experts et le doute qui en ressortait, doute qui devait obligatoirement bénéficier à l'accusé. Il attaqua particulièrement l'exposé d'Alphonse Bertillon en rappelant que l'expert n'avait pas de statut officiel. Il insista sur l'absence de mobile et sur l'irrecevabilité de ceux que l'accusation avait prétendu trouver chez un Dreyfus coureur, joueur, vénal et d'un patriotisme d'apparence. Le capitaine Dreyfus fut satisfait de son défenseur : « Me Demange, dans son éloquente plaidoirie, réfuta les rapports des experts, en démontra toutes les contradictions et termina en demandant comment on avait pu échafauder une pareille accusation sans produire aucun mobile. L'acquittement me parut certain [180]. »

Pour Joseph Reinach comme pour d'autres observateurs impartiaux, l'avocat se trompa pourtant de lieu et de cible. Il croyait parler à des juges ; il s'adressait en réalité à des soldats, dans une enceinte qui était plus militaire que judiciaire. « Avocat d'assises, trop habitué à plaider pour des criminels, il plaida pour l'innocent comme pour l'un d'eux. Sa profonde conviction, la tendre affection que cet homme excellent éprouve pour l'infortuné, n'éclatent pas sous son langage trop mesuré. Crainte de froisser des soldats susceptibles, il ne se livre pas, met un frein à son éloquence, à la plus persuasive de toutes, celle du cœur. Il se tient au précepte de Lachaud qui fut son maître : faire naître le doute dans l'esprit des jurés, et laisser opérer le doute. Ces jurés militaires sont plus simplistes que des civils ; le doute seul ne les touche pas. Quelqu'un qui entendit le plaidoyer de Demange dit, peu de jours après, à un journaliste : "Il ne possède pas le maniement des conseils de guerre ; il leur a parlé comme à des juges [181]." »

Le commissaire du gouvernement, comme la loi l'y autorisait, répliqua à la plaidoirie de l'avocat. Habilement, il écarta les charges accessoires que Demange avait détruites pour se concentrer sur le seul document accusateur. Il alla prendre l'original du bordereau sur le bureau du président et, en un geste théâtral, le brandit en direction de l'avocat et proclama : « Si je ne vous apporte pas un mobile à ce crime, le plus grave qui se puisse commettre, et si je n'ai pas d'autres preuves que la lettre missive, elle reste, elle, écrasante pour l'accusé. Prenez vos loupes, vous serez sûrs que c'est Dreyfus qui l'a écrite. S'il l'a écrite, c'est lui qui est le coupable de la plus infâme trahison [182].» Il recourait ici au registre théâtral déjà employé par les commandants du Paty de Clam et Henry. Il pouvait faire impression sur des juges qui étaient aussi des officiers sensibles aux convictions de leurs camarades. Cette affirmation grandiloquente et péremptoire que les écritures étaient identiques et que quiconque pouvait en faire l'observation constitua l'une des origines de l'engagement des dreyfusards, particulièrement des historiens et des archivistes paléographes, qui ne firent que prendre au mot le commissaire du gouvernement.

Le capitaine Dreyfus prit la parole le dernier. Il prononça « quelques mots de protestation ; fils de cette Alsace si française encore après plus de vingt ans d'annexion, non, il n'avait pas commis le plus hideux des crimes [183] ! » L'acquittement lui paraissait « certain [184] ».

Les sept juges militaires s'enfermèrent alors en chambre du conseil. Leur délibéré dura une heure [185]. Le préfet de police Lépine était lui aussi persuadé de l'acquittement. Il avait mobilisé trois cents agents pour protéger la sortie du capitaine Dreyfus [186]. La foule avait grossi aux abords de la prison du Cherche-Midi. Elle était unanimement hostile à l'accusé. « Parler d'acquittement eût été s'exposer à l'écartèlement », écrivit *La Libre Parole* du 24 décembre 1898.

Les juges annoncèrent leur retour dans la salle d'audience. Le verdict devait être prononcé en séance publique, mais hors de la présence du prévenu, comme le prescrivait le code de justice militaire. Des journalistes qui entraient dans la salle aperçurent le capitaine Dreyfus que ses gardes emmenaient à l'infirmerie annexe de la prison située dans l'enceinte du tribunal [187]. Le rédacteur de *La Libre Parole* signala qu'il se tenait droit, la tête haute. Puis les juges pénétrèrent dans la salle sans un mot. Le verdict fut annoncé par le président, le colonel Maurel.

Au nom du peuple français, le premier conseil de guerre permanent du gouvernement militaire de Paris déclarait le capitaine Dreyfus « à l'unanimité coupable d'avoir, en 1894, à Paris, livré à une puissance étrangère ou à ses agents, un certain nombre de documents secrets ou confidentiels intéressant la défense nationale et avoir ainsi entretenu des intelligences avec cette puissance ou avec ses agents, pour procurer à cette puissance les moyens de commettre des hostilités ou d'entreprendre la guerre contre la France ». En conséquence, ledit conseil condamnait « à l'unanimité le nommé Dreyfus, Alfred, qualifié d'autre part, à la peine de la déportation dans une enceinte fortifiée et à la dégradation militaire, conformément aux articles 76, 17 § 1er du code pénal, 7 de la loi du 8 octobre 1830, 5 de la Constitution du 4 novembre 1848, 1er de la loi du 8 juin 1850, 189 et 267 du code de justice militaire ».

Il est également condamné « à rembourser sur ses biens présents et à venir, au profit du Trésor public, le montant des frais du procès », à savoir la somme de « mille six cent quinze francs, soixante-dix centimes ».

L'acte du jugement, numéroté 20526, portait également le signalement du « nommé Alfred Dreyfus » : « Taille d'un mètre sept cent soixante millimètres, cheveux et sourcils châtains, front découvert, yeux bleus, nez busqué, bouche grande, menton rond, visage ovale, teint ordinaire [188].» La comparaison avec une photographie d'époque de l'officier montre sans conteste qu'il n'a ni le nez busqué, ni la bouche grande, ni le teint ordinaire, on insiste au contraire sur l'empourprement fréquent de son visage. Ces caractères sont ceux par lesquels les antisémites présentent les Juifs.

L'héritage républicain a cependant préservé le capitaine Dreyfus de la peine capitale. En effet, la Constitution de la IIe République, dans son article 5, a aboli la peine de mort pour les crimes politiques. Or la trahison au profit d'une puissance étrangère est rangée dans cette catégorie. Mais les antisémites verront dans la vie sauve de Dreyfus une preuve supplémentaire de la corruption des institutions par la puissance « juive », tandis que ses accusateurs s'emploieront à transformer l'application des peines en système de mort lente. La dégradation elle-même prendra le caractère d'une cérémonie de mise à mort que renforceront les cris de mort de la foule parisienne et les appels au meurtre de la presse antisémite. Dans l'immédiat, le capitaine Dreyfus doit affronter une autre échéance de mort, celle qu'il se donnerait volontairement pour ne pas prolonger son déshonneur.

## LE CHOIX DE VIVRE

Apprenant sa condamnation, le capitaine Dreyfus voulut mourir. Il obéissait en cela aux valeurs premières de l'officier qui, déshonoré, ne peut plus mener ses hommes au combat et préfère se retirer. Son premier combat fut de refuser cette solution et d'accepter de faire face à toutes les conséquences du jugement. En sortant victorieux de cette première bataille, il prouvait encore son appartenance à la voie moderniste de l'armée qui prenait ses distances avec la règle immuable de la mort sur le champ de bataille de l'officier valeureux. Un bon officier pouvait être aussi un officier survivant, prêt à mener d'autres batailles pour remporter la victoire [189].

*Les heures de désespoir*

Enfermé dans l'infirmerie de la prison du Cherche-Midi, gardé par l'agent principal Ménétrier, le capitaine Dreyfus tenta d'apaiser ses angoisses, qui augmentèrent à mesure que l'attente se prolongeait. Car les acquittements étaient généralement prononcés sans délai. Il attendit une heure. Puis la porte s'ouvrit, laissant passer Mᵉ Demange. Il ne dit pas un mot. Il alla vers le capitaine Dreyfus et l'étreignit. Le tribunal fut évacué. Dreyfus fut ensuite mené dans le vestibule de l'hôtel du conseil de guerre. La garde présenta les armes. Le commissaire du gouvernement, le commandant Brisset, arriva et énonça le verdict. Il ajouta que la loi lui accordait un délai de vingt-quatre heures pour exercer son recours devant le conseil permanent de révision. Le capitaine Dreyfus entendit la sentence la tête droite, le corps contre les bras, dans une attitude digne et silencieuse. « Dreyfus était condamné, écrivit en 1906 le conseiller de la Cour de cassation dans son rapport, à la veille de sa réhabilitation. Deux mois auparavant, "il était, malgré son jeune âge, l'un des officiers les plus en évidence de l'armée". Dans sa carrière il n'avait eu que des succès, dans sa vie privée, que des joies. Brusquement il perdait tout, et son nom était à jamais déshonoré [190]. » Quand le jeune officier fut ramené à l'infirmerie, sa douleur éclata. « L'agent principal Ménétrier eut toutes les peines du monde à l'empêcher de se jeter la tête contre les murs », raconta le commandant de la prison du Cherche-Midi, qui fut le témoin du désespoir d'un homme.

« Mon désespoir fut immense ; la nuit qui suivit ma condamnation fut une des plus tragiques de ma tragique existence. Je roulais dans ma tête les projets les plus extravagants ; j'étais las de tant d'atrocités, révolté de tant d'iniquités. Mais le souvenir de ma femme, de mes enfants, m'empêcha de prendre une décision suprême, et je me résolus à attendre [191]. » Dans ses *Souvenirs* restés inédits, il précise : « La vie, avec cette torture d'être condamné pour un crime infâme, était pire que la mort. J'aspirai au repos éternel. En réintégrant ma cellule, dès que j'aperçus Forzinetti, je lui demandai de toutes mes forces un revolver. Tout était brisé en moi, mon culte de la raison, ma foi dans la justice. Mais un homme, qui était bon et généreux, me sauva de mon désespoir. Forzinetti croyait toujours à mon innocence, il passa toute la nuit auprès de moi, me parla comme un soldat à un soldat et me dit que le suicide serait la confirmation de l'arrêt [192]. »

« Vers 11 heures ou minuit, on le fit passer de l'hôtel du conseil de guerre à la prison, raconte Forzinetti ; je l'attendais dans sa chambre ; j'avais reçu des ordres très précis du général chef d'État-major d'avoir à veiller sur Dreyfus, afin qu'il ne se suicidât pas. À ma vue, il s'écria en entrant dans la chambre : "Mon seul crime est d'être né juif. Voilà où m'a conduit une vie de travail, de labeur. Pourquoi, mon Dieu !

suis-je entré à l'École de guerre ? Pourquoi n'ai-je pas donné ma démission tant désirée par les miens [193] ?" Il me demanda à plusieurs reprises un revolver, parce qu'il voulait se détruire. Je le consolai de mon mieux, et je restai avec lui jusqu'à 3 heures du matin, heure à laquelle je me fis remplacer par l'agent principal. Je lui avais, avant de le quitter, fait jurer de ne pas chercher à se détruire, parce que j'aurais dit moi-même le premier : "Le traître s'est fait justice", et qu'enfin son innocence pourrait être reconnue tôt ou tard [194]. »

Le capitaine Dreyfus ne fut pas autorisé à voir sa femme, qui avait appris la nouvelle terrible de la condamnation par un allié de la famille Hadamard, le docteur Weill, revenu du Cherche-Midi où il s'était mêlé à la foule. « Je ne comprends pas », avoua Demange à Mathieu Dreyfus qui s'était précipité à son cabinet pour « savoir ce qui s'était passé ». L'avocat lui certifia cependant que son frère avait renoncé pour le moment au suicide. « Je l'ai supplié de ne pas prendre de résolution jusqu'à demain, de vivre jusqu'à demain. » Lui revinrent alors des faits qui, à la réflexion, auraient dû l'inquiéter. « Le colonel Maurel, lorsque j'ai commencé à parler, feuilleta ostensiblement un volume ouvert devant lui. Les autres juges avaient l'air indifférents [195]. »

Lorsque le commandant Forzinetti quitta son prisonnier dans la nuit du 22 décembre 1894, il lui avait arraché l'engagement de ne pas attenter à ses jours. Il n'avait pas agi par pitié, mais parce qu'il avait la conviction de son innocence et qu'il voulait que celle-ci soit un jour reconnue. Or le commandant des prisons militaires de Paris savait que la vérité d'un mort était beaucoup plus difficile à obtenir que celle d'un vivant prêt à se battre pour son honneur. De surcroît, le recours au suicide risquait d'apparaître comme un aveu de culpabilité ou, au mieux, comme une marque de faiblesse indigne d'un soldat.

Le capitaine Dreyfus entendit cette voix de la raison. Au petit matin, il avait gagné une première bataille, sur lui-même, sur le destin qui l'accablait. Son avocat vint le voir et le prit dans ses bras en lui déclarant : « Mon capitaine, votre condamnation est le plus grand crime du siècle [196] ! » Demange le supplia de vivre et lui apprit que sa femme pourrait le rejoindre sur son lieu de déportation, comme le prévoyait la loi. Dreyfus signa son pourvoi devant le conseil de révision prévu par la loi. Mais, au vu de la manière dont s'était déroulé le procès, il n'avait guère d'espoir d'une issue favorable.

Mais il se savait fragile aussi, et peut-être plus vulnérable encore devant la tentation du suicide après une telle épreuve. Il connaissait l'état de ses forces. Il voulut lutter en pleine lucidité. Il put seulement écrire à sa femme. Sa décision de vivre, il l'énonça par écrit avant de pouvoir la lui dire en paroles. Les premières lettres à Lucie sont essentielles [197]. Elles fixent, pour elle et pour lui, ce choix encore fragile et que renforcent précisément les mots tracés de sa main.

Je souffre beaucoup, mais je te plains encore plus que moi. Je sais combien tu m'aimes ; ton cœur doit saigner. De mon côté, mon adorée, ma pensée a toujours été vers toi, nuit et jour.

Être innocent, avoir eu une vie sans tache et se voir condamné pour le crime le plus monstrueux qu'un soldat puisse commettre, quoi de plus épouvantable [198] ! Il me semble parfois que je suis le jouet d'un horrible cauchemar.

C'est pour toi seule que j'ai résisté jusqu'aujourd'hui : c'est pour toi seule, mon adorée, que j'ai supporté le long martyre. Mes forces me permettront-elles d'aller jusqu'au bout ? Je n'en sais rien. Il n'y a que toi qui puisses me donner du courage ; c'est dans ton amour que j'espère le puiser.

Parfois, j'espère aussi que Dieu, qui m'a cependant bien abandonné jusqu'à présent, finira par faire cesser ce martyre d'un innocent, qu'il fera qu'on découvre le vrai coupable. Mais pourrai-je résister jusque-là ?

J'ai signé mon pourvoi en révision.

Je n'ose te parler des enfants, leur souvenir m'arrache le cœur. Parlem'en ; qu'ils soient ta consolation.

Mon amertume est telle, mon cœur si ulcéré que je me serais déjà débarrassé de cette triste vie, si ton souvenir ne m'arrêtait, si la crainte d'augmenter encore ton chagrin ne retenait mon bras.

Avoir entendu tout ce qu'on m'a dit, quand on sait en son âme et conscience n'avoir jamais failli, n'avoir même jamais commis la plus légère imprudence, c'est la torture la plus épouvantable.

J'essaierai donc de vivre pour toi, mais j'ai besoin de ton aide.

Ce qu'il faut surtout, quoi qu'il advienne de moi, c'est chercher la vérité, c'est remuer ciel et terre pour la découvrir, c'est y engloutir s'il le faut notre fortune, afin de réhabiliter mon nom traîné dans la boue. Il faut à tout prix laver cette tache imméritée.

Je n'ai pas le courage de t'écrire plus longuement. Embrasse tes chers parents, nos enfants, tout le monde pour moi.

Mille et mille baisers [199].

Il lui demande d'obtenir enfin l'autorisation de le voir. « Il me semble qu'on ne peut te la refuser maintenant. » Elle ne lui sera pourtant accordée que le 2 janvier 1895. Dans l'attente encore prolongée, seuls les mots continueront de dire leurs souffrances et leur espérance communes.

*Les mots pour le dire*

À l'instant où il écrivait à Lucie, celle-ci lui écrivait. Elle lui disait ce qu'il attendait. Elle lui apportait la force dont il avait besoin. Elle trouva les mots pour le dire. Lui dire son amour infini, son impossibilité de vivre sans lui, l'espoir absolu qu'elle mettait en lui. Il doit vivre pour qu'elle-même vive. Elle réussit à l'apaiser, à calmer ses nerfs, à voir l'avenir là où il pense qu'il n'y a plus que le déshonneur et la mort. Cette première lettre d'après le procès installe la vérité qui sera celle de leur résistance commune à la raison d'État. En face de la pire des situations doit s'exprimer le plus profond des amours. Dreyfus découvre la passion que lui porte Lucie et qu'il n'imaginait pas, prisonnier des conceptions de son temps sur le couple et l'amour bourgeois.

> Mon pauvre, pauvre Fred chéri[200],
> Quel malheur, quelle torture, quelle ignominie. Nous en sommes tous terrifiés, anéantis. Je sais comme tu es courageux, je t'admire. Tu es un malheureux martyr. Je t'en supplie, mon pauvre Fred, supporte encore vaillamment ces nouvelles tortures. Notre vie, notre fortune à tous sera sacrifiée à la recherche du coupable ; nous le trouverons, il le faut. Tu seras réhabilité. Nous avons passé près de cinq années de bonheur absolu, vivons sur ce souvenir ; un jour, justice se fera et nous serons encore heureux. Tes enfants t'adoreront ! Nous ferons de ton fils un homme tel que toi ; je ne pourrai pas lui choisir de plus bel exemple.
> J'espère bien que je serai autorisée à te voir. En tout cas, mon adoré, sois certain d'une chose, c'est que je te suivrai si loin qu'on t'enverra. Je ne sais si la loi m'autorise à t'accompagner[201], mais en tout cas, elle ne peut pas m'empêcher de te rejoindre et je le ferai. Encore une fois courage, mon chéri, il faut que tu vives pour nos enfants, pour moi.
> Je t'embrasse mille et mille fois[202].

Ce même 23 décembre, elle lui écrit une seconde lettre aussi forte et décisive que la première :

> Je viens d'avoir, dans mon immense chagrin, la joie d'avoir de tes nouvelles, d'entendre parler Mᵉ Demange dans des termes si chauds, si cordiaux que mon pauvre cœur en a été réconforté.
> Tu sais si je t'aime, si je t'adore, mon bien cher mari ; notre immense malheur, l'horrible infamie dont nous sommes l'objet ne font que resserrer encore les liens de mon affection.
> Partout où tu iras, où l'on t'enverra, je te suivrai ; à deux nous supporterons plus facilement l'expatriement, nous vivrons l'un pour l'autre... ; nous élèverons nos enfants, nous leur donnerons une âme bien trempée contre les vicissitudes de la vie.
> Je ne puis me passer de toi, tu es ma consolation ; la seule lueur de bonheur qui me reste est de finir mes jours à tes côtés. Tu as été un martyr, et tu as encore horriblement à souffrir. La peine qui va t'être infligée est odieuse. Promets-moi que tu la supporteras courageusement.
> Tu es fort de ton innocence ; imagine-toi que c'est un autre que toi-même que l'on déshonore, accepte le châtiment immérité, fais-le pour moi, pour ta femme qui t'adore. Donne-lui ce témoignage d'affection, fais-le pour tes enfants ; ils t'en seront reconnaissants un jour. Ils t'embrassent bien et demandent beaucoup leur papa, ces pauvres petits, et je me joins à eux pour te serrer sur mon cœur[203].

Alors Alfred Dreyfus se redresse encore. Il écrit à Lucie le 24 décembre :

Ma chérie,

C'est encore à toi que j'écris, car tu es le seul fil qui me rattache à la vie. Je sais bien que toute ma famille, que toute la tienne m'aiment et m'estiment ; mais enfin, si je venais à disparaître, leur chagrin si grand finirait par disparaître avec les années.

C'est pour toi seule, ma pauvre chérie, que j'arrive à lutter ; c'est ta pensée qui arrête mon bras. Combien je sens, en ce moment, mon amour pour toi ; jamais il n'a été si grand, si exclusif. Et puis un faible espoir me soutient encore un peu : c'est de pouvoir un jour réhabiliter mon nom. Mais surtout, crois-le bien, si j'arrive à lutter jusqu'au bout contre ce calvaire, ce sera uniquement pour toi, ma pauvre chérie, ce sera pour t'éviter encore un nouveau chagrin ajouté à tous ceux que tu as supportés jusqu'ici. Fais tout ce qui est humainement possible pour arriver à me voir.

Je t'embrasse mille fois comme je t'aime [204].

Dans une seconde lettre écrite dans la nuit, il se montre toujours plus fort. Il pense à elle. Et il se prépare déjà à la dégradation.

Ma chère adorée,

J'ai reçu tout à l'heure ta lettre ; j'espère que tu as reçu les miennes. Pauvre chérie, comme tu dois souffrir, comme je te plains ! J'ai versé bien des larmes sur ta lettre, je ne puis accepter ton sacrifice [205]. Il faut que tu restes, il faut que tu vives pour les enfants. Songe à eux d'abord avant de penser à moi ; ce sont de pauvres petits qui ont absolument besoin de toi.

Ma pensée me ramène toujours vers toi.

Me Demange, qui est venu tout à l'heure, m'a dit combien tu étais admirable ; il m'a fait de toi un éloge auquel mon cœur faisait écho.

Oui, ma chérie, tu es sublime de courage et de dévouement ; tu vaux mieux que moi. Je t'aimais déjà de tout mon cœur et de toute mon âme ; aujourd'hui, je fais plus, je t'admire. Tu es certes une des plus nobles femmes qui soient sur terre. Mon admiration pour toi est telle que, si j'arrive à boire le calice jusqu'au bout, ce sera pour être digne de ton héroïsme.

Mais ce sera bien terrible de subir cette honteuse humiliation ; j'aimerais mieux me trouver devant un peloton d'exécution. Je ne crains pas ma mort ; je ne veux pas du mépris.

Quoi qu'il en soit, je te prie de recommander à tous de lever la tête comme je le fais moi-même, de regarder le monde en face sans faiblir. Ne courbez jamais le front et proclamez bien haut mon innocence.

Maintenant, ma chérie, je vais de nouveau laisser tomber ma tête sur l'oreiller et penser à toi.

Je t'embrasse et te serre sur mon cœur [206].

Elle pense à lui en permanence. Elle veut lui dire combien il est indispensable à sa vie, combien ses lettres seules viennent la consoler dans son « extrême douleur ». « Seules elles me soutiennent et me réconfortent », lui écrit-elle le 25 décembre. Elle le conjure de vivre. « Vis pour moi, mon chéri, je t'en conjure, rassemble tes forces, lutte, luttons ensemble jusqu'à la découverte du coupable. Que deviendrais-je sans toi ? Je n'aurais plus rien qui me rattacherait au monde. Je mourrais de chagrin si je n'avais l'espoir de me retrouver auprès de toi et de passer encore d'heureuses années à tes côtés. Supporte encore ce calvaire, mon Fred chéri, je t'accompagnerai partout, nous nous installerons dans notre lieu d'exil, je tâcherai de te faire tout oublier, tous mes efforts tendront à te rendre heureux. » Elle lui parle de leurs enfants. Elle est toute de certitude sur l'issue finale. « Du courage, mon chéri, du courage. Tu les retrouveras un jour ; nos rêves, nos projets renaîtront et nous pourrons les accomplir [207]. »

Elle lui écrit encore ce même jour. Elle lui redit sa décision de partir avec lui. « Je ne veux pas, je ne pourrais pas vivre sans toi. [...] Le seul bonheur qui me reste en ce moment est d'être de nouveau réunie à toi. » Elle revendique son droit à ce bonheur. « Ce n'est pas un sacrifice que je fais, c'est mon immense affection qui me guide, c'est en vue de mon bonheur que j'agis et ma décision est irrévocable [208]. »

Le lendemain, devant se rendre à la prison du Cherche-Midi, elle l'imagine derrière les hauts murs et les grilles de l'ancien couvent. Elle est émue de le savoir si près et en même temps inaccessible. Elle insiste encore sur son devoir de vivre.

J'ai été porter moi-même deux cents francs [209] au greffe de la prison ; je suis entrée dans cette triste maison où tu subis cet horrible martyre ; pour un moment, j'ai eu la sensation que je me rapprochais de toi. J'aurais voulu, chéri, briser ces froides murailles qui nous séparaient et venir t'embrasser, te causer, te réconforter. Malheureusement, il est des choses où la volonté est impuissante, des cas où toutes les forces physiques et morales ne suffisent pas pour vaincre. J'attends très impatiemment le moment où on nous permettra de nous jeter dans les bras l'un de l'autre et, de ma vie, je n'aurais eu d'aussi douce émotion.

Pauvre cher Freddy, comme tu es courageux, quelles horribles tortures tu endures. Tu es bon, foncièrement bon, tu as toujours été pour moi le plus tendre, le plus attentionné des maris, tu m'as témoigné pendant ces quatre années de vie commune une affection, un dévouement dont je te suis reconnaissante, et, mon pauvre trésor, ce qu'il y a de plus pénible c'est que tu n'es pas du tout au bout de tes souffrances. Je te demande un énorme sacrifice, celui de vivre pour moi, pour tes enfants, de lutter jusqu'à ta réhabilitation qui, j'en suis convaincue et nous le sommes tous, ne tardera pas à venir.

Sois tranquille, je ne courbe pas la tête, et je ne la courberai jamais. Je n'ai rien à me reprocher, je n'ai pas à rougir ; je suis fière de toi ; mais je te l'ai déjà dit, mon amour pour toi est tel que je ne me résignerai pas à vivre sans toi, je mourrais de chagrin si tu n'étais plus. Je n'aurais pas la force de soutenir une lutte pour laquelle toi seul au monde peux me fortifier.

Je ne serai heureuse que quand je t'accompagnerai, quand je pourrai recommencer à partager ta vie et me dépenser auprès de toi.

As-tu reçu toutes mes lettres, mon bon chéri ? Je t'ai écrit depuis dimanche cinq lettres, celle-ci est la sixième.

Je voudrais que tu me dises, Freddy [210], si tu n'as besoin de rien, si je ne peux t'envoyer quelque chose qui adoucisse ton sort. Ton linge doit être usé. Veux-tu que je t'en envoie ? Tes vêtements ne sont-ils pas déchirés ?

As-tu assez chaud ? Veux-tu ton manteau d'hiver ? Manges-tu un peu, ta nourriture est-elle potable ? Tu sais qu'il faut te soutenir, ne pas te laisser épuiser, nous avons grand besoin de nos forces.

Réponds-moi longuement, mon chéri, tu me fais du bien.

Je t'embrasse comme je t'aime [211].

Alfred Dreyfus n'avait pas imaginé le courage dont sa femme faisait preuve dans ces circonstances. La santé fragile de cette dernière l'avait peut-être convaincu de sa faible résistance devant la vie. C'était même l'une des raisons qui l'avaient conduit à se détourner d'elle et à regarder d'autres femmes, deux ans auparavant.

## « Ton héroïsme me gagne... »

La réaction de Lucie lui donne la force de tenir, maintenant et jusqu'à ses dernières forces. Il éprouve le besoin de le lui dire aussi, dans une lettre qu'il écrit le 27 décembre, pour mieux se convaincre qu'il en sera capable :

> Ton héroïsme me gagne ; fort de ton amour, fort de ma conscience et de l'appui inébranlable que je trouve dans nos deux familles, je sens mon courage renaître.
>
> Je lutterai donc jusqu'à mon dernier souffle, je lutterai jusqu'à ma dernière goutte de sang.
>
> Il n'est pas possible que la lumière ne se fasse pas quelque jour ; sentant ton cœur battre près du mien, je supporterai tous les martyres, toutes les humiliations, sans courber la tête. Ta pensée, ma chérie, me donnera les forces nécessaires.
>
> Décidément, ma chère adorée, les femmes sont supérieures à nous ; parmi elles, tu es une des plus belles et des plus nobles figures que je connaisse.
>
> Je t'aimais profondément, tu le sais ; aujourd'hui, je fais plus, je t'admire et te vénère. Tu es une sainte, tu es une noble femme. Je suis fier de toi et essaierai d'être digne de toi.
>
> Oui, ce serait une lâcheté que de déserter la vie ; ce serait mon nom, celui de mes chers enfants souillé et avili à jamais. Je le sens aujourd'hui ; mais, que veux-tu, le coup était trop cruel et mon courage avait sombré ; c'est toi qui l'as relevé.
>
> Ton âme fait tressaillir la mienne.
>
> Donc, nous appuyant l'un sur l'autre, fiers de nous, avec notre volonté, nous arriverons à réhabiliter notre nom ; nous réhabiliterons notre honneur, qui n'a jamais failli.
>
> Je t'embrasse comme je t'aime [212].

Elle-même est renforcée par les lettres d'Alfred, comme elle le lui confie le 30 décembre : « Je reçois tes lettres avec un immense plaisir, elles m'apportent toutes une petite éclaircie à ma tristesse, un rayon de bonheur dans mon chagrin. Je te sens mieux, courageux et résigné, cela me fait du bien. Sois toujours ferme et résolu, mon chéri, ne te laisse pas abattre, ne pense pas à l'humiliation qui t'attend, ne vois que l'avenir, la réhabilitation, le salut [213]. » Le lendemain, relisant ses lettres, elle lui écrit encore. « Tu es admirable, tu as une belle âme, tu fais preuve de sentiments sublimes. Que Dieu veuille que tes enfants te ressemblent [214]. »

Le 31 décembre, il lui avoue sa grande souffrance. Mais il lui dit aussitôt que son devoir est tracé et qu'il ne faiblira pas. Sa décision de vivre est maintenant irrévocable. Il se prépare déjà à la nouvelle épreuve, la dégradation qui vient :

J'ai aussi longuement pensé, hier au soir, à mon père, à toute ma famille ; je ne te cacherai pas que j'ai beaucoup pleuré. Mais ces larmes m'ont soulagé. Notre consolation, c'est l'affection profonde qui nous lie tous, c'est l'affection que je rencontre aussi chez les tiens.

Il est impossible, avec ce faisceau si puissant, avec l'aide de Me Demange qui se montre aussi d'un dévouement remarquable, que nous n'arrivions pas tôt ou tard à la découverte de la vérité. J'avais eu tort de vouloir déserter la vie, je n'en ai pas le droit. Je lutterai jusqu'à mon dernier souffle. Dans ces longues journées et ces tristes nuits, mon âme s'épure et se fortifie. Mon devoir est nettement tracé : il faut que je laisse à mes enfants un nom pur et sans tache.

Travaillons à cela, ma chérie, sans trêve ni repos. Aucune démarche, aucune tentative ne doit vous rebuter, il faut tout tenter. [...] Pour le moment, il faut que je rassemble toutes mes forces pour supporter l'horrible humiliation qui m'attend [215].

Le capitaine Dreyfus vient en effet d'être informé que le conseil permanent de révision a rejeté son pourvoi. Le jugement du conseil de guerre est désormais exécutoire. Les peines peuvent être appliquées. La pensée de la dégradation ne va plus le quitter alors. Il s'en ouvre à plusieurs reprises dans ses lettres à Lucie. Il veut aborder cette cérémonie comme l'irréprochable qu'il est resté. « Envoie-moi ce que je t'ai demandé, c'est-à-dire sabre, ceinturon et valise d'effets. Le supplice cruel et horrible approche, je vais l'affronter avec la dignité d'une conscience pure et tranquille. Te dire que je ne souffrirai pas, ce serait mentir, mais je n'aurai pas de défaillance. Continuez de vôtre côté, sans trêve ni repos [216]. »

Dans la nuit du nouvel an, il a une insomnie. Il écrit à Lucie : « Je ne puis dormir ; je préfère dès lors me lever que de m'agiter dans mon lit, et quelle plus délicieuse occupation que de venir causer avec toi. Il me semble ainsi que tu es près de moi, comme dans ces bonnes soirées d'heureuse mémoire, pendant lesquelles tu travaillais à mes côtés, alors que moi-même j'étais assis à mon bureau. Espérons que ce bonheur luira de nouveau pour nous. Il est impossible que la vérité ne se fasse pas jour. Je connais le caractère énergique de Mathieu ; j'ai pu apprécier le tien, ton profond dévouement, je dirais même ton héroïsme ; aussi je ne doute plus du succès de vos recherches [217]. »

Au premier jour de la nouvelle année, il s'emploie à rassembler ses forces. Il doit désormais affronter les peines auxquelles il a été condamné. Il est encore plus seul. Les visites de son avocat lui sont maintenant interdites, comme il l'explique à Lucie dans une nouvelle lettre du 1er janvier. Il espère qu'elle va pouvoir venir :

> Quel triste jour de l'an, ma chérie ! Mais n'insistons pas sur un pareil sujet ; rien ne sert de pleurer et de gémir, cela n'ouvrira pas les portes de ma prison. Il faut, au contraire, conserver toute notre énergie physique et morale et ne pas arrêter un seul instant de lutter, de chercher à déchiffrer l'énigme. Que rien ne vous rebute, ne perdez jamais l'espoir. Tendez vos filets de tous côtés, le coupable finira bien par s'y faire prendre.
> As-tu reçu une réponse au sujet de ta demande ? J'attends maintenant avec impatience le moment de te serrer dans mes bras.
> As-tu acheté des jouets aux enfants ? Ont-ils été contents ? Je ne pense qu'à toi et à eux, je ne vis que dans cette pensée de voir un jour cet épouvantable cauchemar s'évanouir. Il me semble impossible qu'il en soit autrement ; nous y aiderons d'ailleurs, je te le promets [218].

Le 2 janvier, Lucie et Alfred sont enfin autorisés à se rencontrer. Depuis le 4 décembre, Lucie a multiplié les démarches en ce sens auprès du gouvernement militaire de Paris. Deux entrevues ont lieu à la prison du Cherche-Midi. « Elles furent émouvantes [219] », dit le commandant Forzinetti. Le capitaine Dreyfus avait beaucoup rêvé ces rencontres, il s'en était bercé à l'avance. Les époux ne s'étaient pas revus depuis deux mois et demi, depuis le matin du 15 octobre 1894.

*Deux rencontres*

La première se déroula dans les « conditions réglementaires [220] » : « L'entrevue eut lieu dans le parloir de la prison. C'est une pièce grise, séparée au milieu par deux grilles parallèles, treillagées ; ma femme était d'un côté de l'une des grilles, moi, de l'autre côté de la deuxième grille. C'est dans ces conditions pénibles qu'il me fut permis de voir ma femme, après tant de semaines douloureuses. Je ne pus même pas l'embrasser, la serrer dans mes bras ; nous dûmes causer à distance. Cependant, ma joie fut grande de revoir ce cher visage ; je cherchai à y lire et à y voir quelles traces y avaient laissées la souffrance et la douleur [221]. » Lucie eut un malaise, et le commandant Forzinetti dut la soutenir [222].

Immédiatement après son départ, le capitaine écrivit à sa femme pour lui dire combien ce moment avait été exceptionnel pour lui.

> Je veux encore t'écrire ces quelques mots pour que tu les trouves demain midi à ton réveil. Notre conversation, même à travers les barreaux de la prison, m'a fait du bien. Je tremblais sur mes jambes en descendant, mais je me suis raidi pour ne pas tomber par terre d'émotion. À l'heure qu'il est,

ma main n'est pas encore bien assurée : cette entrevue m'a violemment secoué. Si je n'ai pas insisté pour que tu restes plus longtemps, c'est que j'étais à bout de forces ; j'avais besoin d'aller me cacher pour pleurer un peu. Ne crois pas pour cela que mon âme soit moins vaillante ni moins forte, mais le corps est un peu affaibli par trois mois de prison, sans avoir respiré l'air du dehors. Il a fallu que j'aie une robuste constitution pour pouvoir résister à toutes ces tortures. Ce qui m'a fait le plus de bien, c'est de te sentir si courageuse et si vaillante, si pleine d'affection pour moi. Continue, ma chère femme, imposons le respect au monde par notre attitude et notre courage. Quant à moi, tu as dû sentir que j'étais décidé à tout ; je veux mon honneur et je l'aurai ; aucun obstacle ne m'arrêtera.

Remercie bien tout le monde, remercie de ma part Me Demange de tout ce qu'il a fait pour un innocent. Dis-lui toute la gratitude que j'ai pour lui, j'ai été incapable de l'exprimer moi-même. Dis-lui que je compte sur lui dans cette lutte pour mon honneur [223].

Lucie agit de même :

Enfin nous l'avons eue cette entrevue tant désirée. Enfin, nous avons pu nous voir, nous parler ; j'ai eu un immense bonheur à revoir tes bons yeux, à entendre ta voix, mais quelle horrible chose de se sentir si près l'un de l'autre et d'être séparés par ces horribles grillages. J'ai eu une émotion terrible en te voyant ; moi qui me réjouissais de te dire tant de choses, moi qui voulais te donner du courage, te réconforter, je n'ai plus eu la force de te dire ce que je ressentais. Je n'ai même pas trouvé de mots pour t'exprimer l'admiration que j'avais pour toi, la reconnaissance pour l'immense sacrifice que tu t'imposes. Le courage, c'est toi qui me le donnes, tu as des sentiments sublimes.

Après t'avoir quitté, j'ai été chez le général Tyssère [224], je lui ai demandé une permission permanente et l'autorisation de te causer autrement qu'à travers une grille et devant témoins. Pourvu qu'il soit humain ; j'attends sa réponse avec une très grande impatience.

Lucie écrit aussi à ses belles-sœurs et beaux-frères pour leur donner des nouvelles d'Alfred. Henriette communique la lettre à ses propres enfants : « Je vous ai promis de vous écrire aussitôt que le secret serait levé pour moi. Je viens de voir ce pauvre Alfred et j'en suis toute secouée, c'est à peine si je puis tenir ma plume. Les circonstances dans lesquelles l'entrevue nous a été accordée ont été très pénibles. Nous étions séparés l'un de l'autre par un double grillage au travers duquel il n'était même pas possible de passer un doigt ; mais enfin, nous nous sommes parlé. Ce pauvre chéri a pu me dire combien il avait souffert, nous avons pleuré ensemble, cela nous a soulagés. Je l'ai trouvé changé quoique j'aie pu à peine entrevoir sa figure dans la demi-obscurité qui régnait dans cet humide sous-sol. Il a maigri, ses joues sont décolorées, son expression attristée. Mais il montre une volonté, une énergie admirables. C'est un véritable héros ; malgré toutes mes souffrances j'ai un orgueil, je suis fière d'avoir un mari tel que lui et je tâcherai de donner à nos enfants une âme aussi fortement trempée que la sienne[225]. »

Une seconde entrevue eut lieu le surlendemain, cette fois dans des conditions plus humaines, les deux époux étant réunis dans le bureau du directeur de la prison. En effet, comme le raconta Alfred Dreyfus, la première entrevue « avait revêtu par les circonstances un caractère si tragique que le commandant Forzinetti demanda et obtint l'autorisation de [lui] laisser voir [sa] femme dans son cabinet, lui étant présent[226] ». À la requête de Lucie Dreyfus, le directeur de la prison avait obtenu du gouverneur militaire de Paris cette mesure dont il devait assumer l'entière responsabilité[227]. Le commandant choisit de les faire se rencontrer dans son bureau, « parce que, dans le parloir, à cette époque (mois de janvier), c'était une véritable glacière[228] ». Ils purent s'embrasser. Dans une lettre écrite quelques heures plus tard, Alfred confie à Lucie que « le plaisir de t'embrasser pleinement et entièrement » lui a fait « un bien immense ». « Je ne pouvais attendre ce moment, ajoute-t-il. Merci de la joie que tu m'as donnée. Comme je t'aime, ma bonne chérie ! Enfin, espérons que tout cela aura une fin. Il faut que je conserve toute mon énergie. »

C'est au cours de cette seconde entrevue que Dreyfus promit solennellement de vivre et d'affronter courageusement la cérémonie de dégradation[229]. Le commandant Forzinetti confirma. Son prisonnier parlait toujours de mettre fin à ses jours. Cette entrevue fut décisive. « Il céda aux supplications de sa femme en lui disant : "Pour toi et nos enfants, je subirai le calvaire de demain." Ce sont là les propres paroles qu'a dites le capitaine Dreyfus, la dernière fois qu'il a vu sa femme au Cherche-Midi[230]. » Au procès de Rennes, il prit la parole après le récit de sa détention par le commandant Forzinetti et rendit hommage à l'héroïsme de sa femme :

> Il y a un point que le commandant Forzinetti a rappelé tout à l'heure, une séance qui m'a beaucoup émotionné et que je tiens à rappeler, car je tiens à rappeler à qui je dois d'avoir fait mon devoir, à qui je dois de l'avoir suivi pendant cinq ans. Après ma condamnation, j'étais décidé à me tuer, j'étais décidé à ne pas aller à ce supplice épouvantable d'un soldat auquel on allait arracher les insignes de l'honneur ; (Mouvement.) eh bien, si j'ai été au supplice, je puis le dire ici, c'est grâce à Mme Dreyfus qui m'a indiqué mon devoir et qui m'a dit que si j'étais innocent, pour elle et pour mes enfants, je devais aller au supplice la tête haute ! Si je suis ici, c'est à elle que je le dois, mon colonel (Sensation profonde)[231].

Lors de cette dernière entrevue, il put voir aussi un instant son frère Mathieu qui avait accompagné Lucie et dont il savait « l'admirable dévouement[232] ». D'après Joseph Reinach, il renouvela son serment de vivre et « Mathieu lui jura de consacrer sa vie, toute son intelligence, toute leur fortune à la recherche du coupable[233] ».

*« Il faudra que je résiste »*

La présence et le rôle de Mathieu seront d'un grand secours pour le prisonnier. Dans ses lettres, Alfred s'oblige à être le plus combatif. Le 25 décembre 1894, il veut le rassurer et même le protéger. Ainsi se parle-t-il aussi à lui-même avec ce frère dont il est si proche :

> Mᵉ Demange, qui m'a quitté, m'a dit combien ces terribles épreuves t'avaient éprouvé. Je t'en supplie, garde tout ton courage, toute ton énergie, soigne ta santé. Tu te dois à ta famille, tu te dois à tes enfants. C'est déjà assez épouvantable de me voir accablé par la douleur, de voir mon nom avili et traîné dans la boue.
>
> Demande à me voir ; n'aie aucune crainte, je relèverai ton courage. Je ne me laisserai pas abattre ; je juge froidement la situation. Comme je te l'ai dit, je flotte seulement entre deux résolutions ; je me déciderai quand il sera temps [234].

Le même jour, il lui écrit encore après la réception de son courrier. Et il explicite les deux « résolutions » qu'il a envisagées. Les dire, c'est aussi déjà choisir.

> Merci de ta bonne lettre. Elle me réconforte dans le désespoir horrible dans lequel je me trouve. Être innocent et se voir condamné pour le crime le plus monstrueux qu'un soldat puisse commettre, quoi de plus épouvantable ?
>
> Si j'étais garçon, il y a longtemps que je me serais brûlé la cervelle, tant mon désespoir est grand de voir mon nom avili. Mais il faudra que je résiste pour réhabiliter mon nom. Y arriverai-je ? Aurai-je le courage d'aller jusqu'au bout. Je n'en sais rien.
>
> Quoi qu'il en soit, proclame bien haut mon innocence, crie partout que je suis une victime. Ma femme, toute ma famille, ont été admirables dans les tristes circonstances [235].

Quelques jours plus tard, fort de cette nouvelle résolution et conscient des « efforts immenses » que sa famille consacrera à sa défense, Alfred sent « son courage renaître », comme il l'écrit à Mathieu le 28 décembre. Il s'emploie déjà à envisager les moyens de sa réhabilitation.

> La mort est facile, c'est l'anéantissement de toutes les souffrances, de toutes les douleurs ; tu sais, mon cher frère, que je ne la crains pas. Mais la mort ne me rendrait pas mon honneur ; le nom de notre famille, le nom de nos chers enfants resterait sali et avili à tout jamais. Je suis condamné à vivre.
>
> Avec votre concours dévoué, avec l'énergie que vous allez tous y apporter, avec ton caractère que je connais si bien, mon cher Mathieu, je recommence à espérer. Il faut arriver à la découverte du coupable. J'ai parlé à Mᵉ Demange d'un certain nombre de moyens. Tous sont à examiner. Merci

à tous de votre dévouement, de votre courage. J'espère que le mien sera à la hauteur des vôtres. Relevez bien la tête. Quant à moi, je ne l'ai jamais courbée et ne la courberai pas jusqu'à mon dernier souffle. Écrivez-moi tous souvent. Vous me donnez du courage [236].

Au lendemain de la condamnation, il écrit aussi à sa sœur Henriette qui a été une véritable mère pour lui, et qui a inspiré en partie sa vocation militaire.

Je suis terrassé par la douleur. Être innocent et se voir accablé ainsi, c'est peut-être plus que je n'en pourrai supporter. Ma foi, quand mes forces et mon courage me trahiront, alors [...]. Aimez bien ma femme, elle le mérite. Elle est admirable de courage et d'héroïsme. Je te la recommande particulièrement ma chère Lucie, fais-en ton amie.

Je suis toujours, ma chère Henriette, celui que tu as connu, bon, brave et honnête. Mais je suis vaincu par une fatalité qui s'acharne après moi ; il y a des douleurs morales devant lesquelles il est difficile de résister. Tu sais que je suis courageux devant la souffrance physique ; mais voir mon nom accolé à celui de traître, c'est ce que je ne puis supporter.

Quoiqu'il advienne, que je sois mort ou vivant, n'arrêtez pas vos recherches, réhabilitez le nom que je porte qui est celui d'un honnête homme. J'espère que tôt ou tard vous finirez pas trouver le coupable [237].

Enfin, la lettre qu'Alfred envoie à son frère est définitive, solennelle et d'une force qui résume le destin de cet homme porté par la volonté et le refus d'accepter l'humiliation. Elle livre, par l'une de ses expressions, le rapport au monde du capitaine Dreyfus.

Comme je ne puis assez te le répéter, ma décision est prise. J'affronterai tous les martyres, tous les supplices car je veux découvrir les coupables. Je les affronterai avec calme, dignité. Si mon âme a sombré un instant sous le coup épouvantable qui m'était porté, par contre je n'ai jamais baissé la tête, *j'ai toujours regardé le monde en face.*

Préparez le terrain, prenez vos informations, construisez lentement mais sûrement et avec une sombre énergie. Avec les appuis puissants que je rencontre, je ne doute plus de l'issue de la lutte. Le succès répondra à nos efforts ; sera-ce demain, sera-ce seulement beaucoup plus tard, je n'en sais rien, mais je ne veux pas mourir en laissant mon nom déshonoré à mes enfants. J'accepte donc la lutte. Je sais ce qui m'attend, je sais que j'aurai beaucoup à souffrir encore, mais qu'importe ? Mon nom avant tout.

Nous arriverons à notre but, mon cher Mathieu, je n'en doute pas, je n'en doute plus.

Soyons fiers et dignes dans notre terrible malheur. Je n'ai jamais demandé ni de pitié ni de grâce, je n'ai jamais demandé que justice. Eh bien cette justice, nous la ferons nous-même [238].

*Vers « l'humiliation suprême »*

Les jours qui séparèrent la fin du procès de la peine de dégradation furent décisifs pour l'avenir du capitaine Dreyfus. Il s'engagea à vivre pour défendre son honneur, il éprouva la force de sa famille et l'héroïsme de sa femme. Sa détermination était maintenant complète malgré l'« horreur » que lui inspirait « un supplice aussi infâme qu'immérité ». Précisément, la conscience de l'injustice le renforçait dans sa conviction qu'il agissait au nom de la justice. Avait-il espéré dans une décision favorable du conseil de révision ? On en doute : « La révision, en effet, ne pouvait être invoquée devant ce tribunal que pour vice de forme [239]. » Il n'est pas compétent sur le fond, selon l'article 72 du code de justice militaire. Le conseil de révision ne peut annuler les jugements que dans cinq cas, parmi lesquels la violation des formes prescrites à peine de nullité. Dans la connaissance que Dreyfus et son défenseur ont de la procédure, il n'existe pas de faits suffisamment probants pour entraîner cette annulation. L'avocat près la Cour de cassation qui avait été choisi par Mathieu Dreyfus et Me Demange ne se présenta même pas à l'audience. Boivin-Champeaux argua que sa présence était inutile. Le pourvoi en cassation serait sans effet, car, comme le lui avait déclaré le commissaire du gouvernement, « le conseil de révision adopte toujours mes conclusions. Et il y aurait cent vices de forme que je conclurais au rejet du pourvoi ; pas de révision, jamais, jamais [240] ».

Le fait que l'officier ne se soit pas engagé dans la voie des aveux et qu'il ait au contraire résisté à son sort expliquent l'étrange démarche du commandant du Paty de Clam. Le soir de l'annonce du rejet du pourvoi, le 31 décembre 1894, et alors que le jugement du conseil de guerre était devenu exécutoire, le capitaine Dreyfus reçut sa visite. L'ancien instructeur fut introduit dans la cellule, envoyé par le ministre de la Guerre. Le général Mercier s'expliqua au procès de Rennes : son émissaire avait « pour mission de lui dire que, sa condamnation étant prononcée et définitive, je ne pouvais rien à ce point de vue, mais que le gouvernement pouvait encore quelque chose pour l'application de la peine et qu'à ce point de vue, par exemple pour le choix du lieu de déportation, pour la facilité qu'il pourrait avoir à l'habiter avec sa famille, le gouvernement pourrait montrer de l'indulgence si, de son côté, il voulait entrer dans la voie du repentir et s'il disait notamment au ministère de la Guerre de quels documents l'Allemagne avait été mis en possession par son fait [241] ». La volonté de chantage a le mérite d'être claire : soit Dreyfus avoue son crime, soit sa déportation se réalisera dans des conditions extrêmes que le gouvernement est maître de lui appliquer ou non. Mais la démarche montrait également la fragilité de la condamnation obtenue dans des conditions si mystérieuses, inconnues du condamné et de son défenseur. L'entretien dura une heure, en tête à tête [242]. Dreyfus refusa le chantage et persista dans l'affirmation de son innocence. Pour l'inciter à aller plus facilement sur la voie des aveux, du Paty de Clam développa l'hypothèse de l'amorçage : il aurait transmis des documents de faible importance afin d'attirer l'espion étranger dans un piège. Le capitaine Dreyfus écrivit aussitôt au ministre de la Guerre :

> J'ai reçu, par votre ordre, la visite de M. le commandant du Paty de Clam, auquel j'ai déclaré que j'étais innocent et que je n'avais même jamais commis une imprudence. Je suis condamné ; je n'ai pas de grâce à demander, mais au nom de mon honneur qui, je l'espère, me sera rendu un jour, j'ai le devoir de vous prier de bien vouloir continuer vos recherches. Moi parti, qu'on cherche toujours, c'est la seule grâce que je sollicite[243].

Dreyfus informe également Forzinetti de la démarche de l'ancien enquêteur[244]. Le 1er janvier, il adresse une lettre à son avocat pour l'informer de la démarche, de sa réaction et de la lettre qu'il a aussitôt écrite au ministre – et qu'il reproduit avec quelques variantes :

> Le commandant du Paty est venu me voir aujourd'hui, 31 décembre 1894, à 5 heures et demie du soir, après le rejet du pourvoi, me demander de la part du ministre si je n'avais pas été peut-être la victime de mon imprudence, si je n'avais pas voulu simplement amorcer, puis que je me sois trouvé entraîné dans un engrenage fatal. Je lui ai répondu que je n'avais jamais eu de relations avec aucun agent ni attaché d'une puissance étrangère, que je ne m'étais livré à aucun amorçage, que j'étais innocent[245]... « Si vous êtes innocent, s'est-il écrié, vous subissez le martyre le plus épouvantable de tous les siècles ! – Je suis ce martyre, lui ai-je répondu, et j'espère que l'avenir le prouvera ! » Après le départ du commandant du Paty, j'ai écrit la lettre suivante au ministre :
> « J'ai reçu par votre ordre la visite du commandant du Paty de Clam auquel j'ai déclaré encore que j'étais innocent, que je n'avais même jamais commis d'imprudence. Je suis condamné, je n'ai aucune grâce à demander, mais, au nom de mon honneur qui, j'espère, me sera rendu un jour, moi parti, qu'on cherche toujours, c'est la seule grâce que je sollicite. Alfred Dreyfus[246]. »

Du Paty de Clam a démenti les propos que lui a prêtés Dreyfus. Il l'a déclaré au procès de Rennes[247] et devant la Cour de cassation en 1899 et en 1904[248], et il a affirmé avoir rédigé immédiatement un rapport pour le général Mercier, mais ce document a disparu des archives du ministère de la Guerre[249]. Il n'y a pas moyen de contrôler la véracité du témoignage du capitaine Dreyfus, mais celui-ci a eu pour principe de dire la vérité, contrairement à du Paty de Clam qui a beaucoup fabulé. Le témoignage du commandant Forzinetti devant la Cour de cassation confirme les propos que lui a tenus le capitaine Dreyfus lorsqu'il lui à remis « une lettre qu'il écrivait au ministre de

la Guerre, dans laquelle il disait qu'il avait reçu la visite du commandant du Paty, qu'il avait protesté de son innocence, et que jamais il ne
s'était livré à une tentative d'amorçage quelconque[250] ».

Le général Mercier a produit devant le conseil de guerre de Rennes
une lettre que lui aurait adressée son émissaire le 31 décembre 1894,
mais il ne s'agit pas d'un rapport. Cependant, ce qui ressort clairement
de ce document, et c'est l'essentiel, ce sont les protestations d'innocence renouvelées de Dreyfus : « Il n'a rien voulu avouer, écrit du
Paty de Clam, me déclarant qu'avant tout il ne voulait pas plaider les
circonstances atténuantes[251]. » L'officier reconnaît d'ailleurs qu'il a
échoué (« Je regrette de n'avoir pas mieux réussi dans ma mission. »)
Cependant, pour contrer l'effet désastreux pour l'État-major de cette
détermination sans faille, du Paty de Clam présente le condamné en
des termes très négatifs. La lettre le montre insensible à son sort futur
(« Il désire partir le plus tôt possible, se faire oublier, vivre tranquille
avec sa femme et ses enfants à la presqu'île Ducos »), tout à fait
confiant dans l'avenir (« Il espère que d'ici cinq ou six ans les choses
s'arrangeront et qu'on découvrira le mot de l'énigme qu'il ne peut
expliquer »), presque naïf dans sa défense (« Il se dit l'objet d'une
fatalité : quelqu'un lui a pris son nom, son écriture, ses papiers, et
s'est fait passer pour lui auprès des agents étrangers »), et quasi désinvolte dans son attitude (« En dehors de cela, il a causé tranquillement
avec moi, me disant qu'il savait bien quelle était ma conviction, et
qu'il ne cherchait pas à l'ébranler. Il a pris son parti de tout, y compris
la dégradation, qu'il considère pourtant comme un moment très dur à
passer. »)

La presse, y compris la plus hostile au condamné, a rendu compte
du fait qu'aucun aveu n'avait été prononcé durant l'entrevue[252]. Au
contraire, Dreyfus réaffirma son innocence et demanda à l'envoyé du
général Mercier d'engager les recherches nécessaires pour la prouver
et faire cesser son martyre. Du Paty de Clam voulait gagner sa
confiance. « Du Paty répondit que des intérêts supérieurs à ceux du
condamné, l'origine même du bordereau, empêchaient d'avoir recours
aux moyens habituels d'investigation ; cependant les recherches seront
poursuivies. Il promet qu'il en fera la demande à Mercier[253]. »

Dreyfus partit sur cette promesse. À l'île du Diable, il ne cessa de
croire que des recherches étaient effectivement menées par le ministre
de la Guerre et l'État-major général de l'armée. Et il n'allait pas comprendre pourquoi elles étaient si longues à aboutir. Alors il supplia ses
chefs de rechercher la vérité, les rappelant à leur promesse. Il fit même
référence à plusieurs reprises à l'engagement du commandant du Paty
de Clam et du ministre qu'il représentait. Lorsque la nouvelle lui parvint de l'ouverture de la révision de son procès, en novembre 1898, il
crut de bonne foi qu'elle était le résultat de son obstination et le fait
de ses chefs enfin déterminés à rechercher la vérité. Ce n'est qu'en

arrivant à Rennes, dans sa cellule, confronté aux récits de ses défenseurs et au dossier de la Cour de cassation, qu'il comprit que l'armée, en laquelle il avait toute confiance, l'avait sciemment trompé. Le capitaine Dreyfus se prépare désormais à la dégradation. Le 3 janvier 1895, on lui annonce que « l'humiliation suprême [254] » est fixée au surlendemain. Il s'y attendait, « mais le coup a cependant été violent », reconnaît-il. Il veut rassurer Lucie : « Je résisterai, je te l'ai promis. Je puiserai les forces qui me sont encore nécessaires dans ton amour, dans l'affection de tous, dans le souvenir de mes enfants chéris, dans l'espoir suprême que la vérité se fera jour. » Il sait qu'il la verra encore une dernière fois. Il a besoin de cette dernière rencontre. Il a besoin d'être soutenu : « Il me faut ton amour pour vivre, sans cela le grand ressort serait cassé. » Enfin, il lui demande de se renseigner sur la date de son départ pour la déportation ; il la sait imminente. Dreyfus écrit également à Demange et lui rend hommage : « Jusqu'au dernier moment, j'espérais qu'un hasard providentiel amènerait la découverte du vrai coupable. [...] Je marcherai à ce supplice, pire que la mort, la tête haute, sans rougir. Vous dire que mon cœur ne sera pas affreusement torturé, quand on m'arrachera les insignes de l'honneur que j'ai acquis à la sueur de mon front, ce serait mentir ; j'aurais mille fois préféré la mort. Mais vous m'avez indiqué mon devoir, et je ne puis m'y soustraire, quelles que soient les tortures qui m'attendent. Et vous m'avez inculqué l'espoir ; vous m'avez pénétré de ce sentiment qu'un innocent ne peut être éternellement condamné ; vous m'avez donné la foi [255]. »

Le capitaine écrit enfin à sa sœur Henriette et à son beau-frère Joseph Valabrègue, pour qui il a une tendresse particulière :

> Votre bonne lettre m'a fait du bien. Vous dire que je ne souffre pas horriblement, ce serait mentir. Être heureux comme un roi, puis tout à coup, sans savoir pourquoi, voir tout sombrer autour de soi, honneur, liberté, n'est-ce pas horrible ! N'est-ce pas tragique ! Il me semble parfois que tout cela n'est pas possible, que je suis le jouet d'un mauvais rêve qui va s'évanouir, mais hélas c'est la réalité.
>
> Crois-tu, ma chère Henriette, qu'il y ait un Dieu ? Peut-il permettre une pareille iniquité ? une semblable monstruosité ?
>
> Les épreuves ordinaires, je les comprends encore, mais celle-là dépasse tout ce que l'imagination peut rêver !
>
> C'est après-demain l'humiliation suprême. Je m'y prépare comme si j'allais au suprême sacrifice, j'y paraîtrai le front haut, sans rougir, mais l'âme torturée. Jusqu'au dernier moment j'espérai une intervention divine venant dévoiler le vrai coupable. Mais je crois qu'il ne faut compter que sur nous. Ce qui me soutient, c'est l'espoir de voir vos efforts couronnés de succès, il me semble impossible qu'il en soit autrement.
>
> Je subirai donc mon martyre jusqu'au bout, tant du moins que mes forces physiques me le permettront. Mon énergie morale ne m'abandonnera pas.

Écrivez-moi souvent, vos lettres apportent un grand soulagement à mon extrême douleur. J'espère toujours voir enfin ce mystère s'éclaircir, j'y aiderai moi-même plus tard.
Je vous embrasse comme je vous aime [256].

Le soir du 4 janvier 1895, l'un des détenus de la prison du Cherche-Midi fut chargé de découdre de l'uniforme tous les insignes de grade de capitaine et de les maintenir seulement par quelques fils. Le sabre, « arme déshonorée pour avoir été maniée par un traître », avait été par ailleurs découpé, puis ressoudé à l'étain, expliqua *Le Journal*. Au même moment, Lucie écrivait une lettre à son mari, en espérant que ses mots puissent apaiser l'impression de l'horrible cérémonie qu'il allait vivre.

Mon Fred chéri,
À l'heure où tu recevras cette lettre, l'horrible cérémonie sera terminée. J'espère que tu l'auras supportée avec toute la dignité, la vaillance, l'héroïsme dont tu as fait preuve jusqu'à présent. Tu as été sublime, mon pauvre martyr, continue à gravir ton calvaire, tu as encore des journées terribles à passer, mais Dieu te rendra tout cela et il te récompensera un jour largement de toutes tes souffrances.
Tu m'as promis de lutter jusqu'au bout pour moi, pour les enfants, je t'en ai une immense reconnaissance. Je voudrais déjà être avec toi en Nouvelle-Calédonie [257], tu serais moins malheureux que dans ces sombres prisons. Je serais auprès de toi, je tâcherais de te redonner tes forces physiques et nous attendrions là relativement heureux l'heure de ta réhabilitation. Ne crains rien, mon chéri, elle ne peut pas tarder. Il n'est pas d'exemple où l'innocence d'une malheureuse victime ne soit pas reconnue tôt ou tard.
Nos pauvres petits vont bien. La nourrice m'a quittée pendant quelques jours pour aller voir son mari. Jeanne aussi me fait passer d'assez mauvaises nuits ; dans la journée, elle est sage et ne se plaint pas. Pierrot devient bien bon ; ce matin, comme je pleurais en pensant à toi, il m'a demandé ce que j'avais ; je lui dis que j'avais du chagrin, que je m'ennuyais après toi. « Eh bien, maman, me dit-il, ne pleure pas, quand je serai grand, je t'emmènerai chercher mon papa, nous l'embrasserons beaucoup et il reviendra. » Il a beaucoup de cœur, ce chéri, j'espère qu'il te ressemblera. Courage, mon chéri, aies-en beaucoup.
Je t'embrasse de toutes mes forces comme je t'aime.
Ta Lucie [258].

CHAPITRE V

# L'honneur d'un innocent

C'est le 5 janvier 1899 que débuta l'application des peines infligées au capitaine Dreyfus. Au petit matin, il fut dégradé dans la grande cour de l'École militaire, devant le front des troupes en présence d'une foule de plus de vingt mille personnes massées place de Fontenoy. Hormis les soldats, tous les participants crièrent leur haine de l'officier et réclamèrent sa mort. Le 17, il fut brutalement transféré par train cellulaire vers le bagne de l'île de Ré. À la gare de La Rochelle, des manifestants tentèrent de le mettre à mort. Ces manifestations de grande violence, contraires au progrès de la civilisation que défendait la République, hantaient de nombreux contemporains, suscitant des réponses inconciliables, véritables choix de société qui traversèrent le siècle : plus de démocratie, d'éducation, de morale, ou à l'inverse plus d'ordre, de hiérarchie et de soumission. Dans l'immédiat, ces manifestations concrètes de haine et de mort pouvaient apparaître comme les conséquences du véritable procès public que les journaux antisémites et nationalistes, aidés de la grande presse, intentèrent au capitaine Dreyfus. Une campagne considérable se déclencha en effet contre « le traître » dès le 1er novembre 1894. Elle prit une ampleur tout à fait exceptionnelle que favorisaient les atermoiements voire les encouragements gouvernementaux. Confronté à cette violence qu'il découvrit lors de la « parade de dégradation », le capitaine Dreyfus n'hésita pas à faire face une nouvelle fois, criant son innocence à une foule qui appelait à sa mort. Le défi qu'il s'était donné de vivre pour défendre son honneur n'en revêtait que plus d'importance et n'en impliquait que plus de courage. Il n'avait pas plié devant ses juges. Il ne céda pas à la haine de l'opinion.

Cet acte de courage frappa les contemporains. Ses accusateurs y virent une preuve supplémentaire de sa qualité de traître, de son caractère monstrueux. Mais quelques personnalités de la presse et du monde politique s'interrogèrent sur la signification d'un procès public si violent, si contraire à l'esprit démocratique et qui s'acharnait sur un homme criant son innocence. Certains même eurent le courage de leurs idées et dénoncèrent les politiques de haine à l'œuvre dans la République. Ainsi, par son courage, Dreyfus fut son premier défenseur. Et dans cette volonté, il retrouvait les valeurs de la démocratie. Lorsqu'en 1897 ses défenseurs commencèrent à s'engager, ils se souvinrent de l'homme qui avait tenu tête à la foule.

## LE PROCÈS PUBLIC

Quand Dreyfus découvrit cette violence publique au cours de sa dégradation, il ne pouvait imaginer qu'elle durait depuis plus de trois mois, avec une intensité qui ne se démentait pas. La campagne de presse qui s'en était emparée explosa dès le 1er novembre 1894 avec la une de *La Libre Parole* : « Haute trahison. Arrestation de l'officier juif A. Dreyfus. » Le journal d'Édouard Drumont renouait là avec sa précédente offensive contre les officiers juifs et la justifiait, l'arrestation du capitaine Dreyfus confirmant les menaces qu'ils représentaient dans l'armée. Mais *La Libre Parole* allait bénéficier cette fois de l'adhésion de la presse nationaliste qui épousait pour certains journaux le point de vue de l'État-major général et qui, pour d'autres, montait au combat dès que se profilait un risque, réel ou imaginaire, pour la défense nationale. La distance entre nationalisme et antisémitisme se réduisait du reste dangereusement dans ces années d'affaiblissement des institutions et de l'idée républicaine. Les journaux nationalistes adoptaient la posture antisémite qui confortait leurs intérêts et favorisait l'élargissement de leur lectorat, tandis que *La Libre Parole* agissait de même en direction de la presse nationaliste. Ce couple s'imposait de plus en plus à la grande presse populaire, soucieuse de répondre à ce qu'elle estimait être les attentes de ses lecteurs.

L'arrestation du capitaine Dreyfus représentait aussi, mais pour des raisons différentes, un sujet rêvé. Un public de plus en plus large – culture de masse oblige – se passionnait pour les faits divers et les récits d'espionnage[1]. Le caractère d'histoire « vraie » de cette affaire alimentait l'intérêt des journaux et l'attention du public. Des révélations, plus fantaisistes les unes que les autres, se multipliaient, donnant à l'événement une actualité majeure et sans cesse rappelée. Enfin, la question de l'Allemagne, de sa puissance militaire et des impératifs de défense nationale était un thème récurrent de la vie publique, depuis les débats de la Chambre jusqu'aux colonnes des multiples feuilles locales. Chez ces dernières, les affaires d'espionnage étaient celles qui libéraient le plus de passions. Ainsi le « crime » de Dreyfus pouvait-il nourrir toutes ces attentes et satisfaire des publics aux préoccupations très différentes. L'origine cependant de l'immense procès public qui se joua pendant les mois de 1894-1895 résidait cependant dans l'offensive de *La Libre Parole* et des journaux nationalistes. Il est habituel de rappeler, au sujet de l'impact de la presse sur la société, que le public auquel elle s'adresse, l'opinion en d'autres termes, n'adhère pas nécessairement à ce qui est publié. Entre l'écrit et le lu, entre le contenu d'un article et sa compréhension par les lecteurs, existe un écart parfois très important. Néanmoins, le nombre des spectateurs massés aux abords de l'École militaire le 5 janvier 1895, les comportements de cette foule ou ceux des badauds qui entouraient le wagon cellulaire de Dreyfus à la gare de La Rochelle fournissent une indication de la manière dont a été positivement reçu le procès du capitaine par une large fraction de la presse nationale. D'autres faits incitent à penser que les lecteurs souhaitaient plus être actifs qu'observer un assentiment muet. Un correspondant du *Petit Journal* signant « Un vrai patriote » suggère, dès le 9 novembre, alors que Dreyfus n'est pas encore jugé et condamné, qu'il subisse une dégradation « à la chinoise [2] ».

## Le déclenchement d'une campagne

La première révélation de l'arrestation n'est pas le fait du journal antisémite *La Libre Parole*, qui avait pourtant fait sa spécialité de la dénonciation des Juifs dans l'armée. Une véritable campagne avait en effet contribué à lancer le quotidien fondé par Drumont en avril 1892 [3]. Après la mort du capitaine Armand Mayer et les protestations qu'elle suscita, la campagne prit fin provisoirement. Mais elle se poursuivit de manière plus ciblée. *La Libre Parole* concentra ses attaques contre les personnalités politiques qui avaient réagi au scandale des attaques et que le journal considérait dès lors comme des partisans de la « France juive ». Pour avoir dénoncé l'antisémitisme et ses ravages, l'ancien ministre de la Guerre de Freycinet devint l'une des têtes de Turc des rédacteurs de Drumont. Son successeur rue Saint-Dominique, le général Mercier, devint lui aussi et très rapidement une cible du journal. Il se présentait comme un général républicain et avait été nommé à ce poste précisément pour cette raison. Marié à une Anglaise, il était réputé pour ne pas fréquenter l'église. Sa présence à la tête de l'armée – ou du moins du ministère, car deux autres hommes pouvaient prétendre incarner eux aussi la tête de l'armée, le chef d'état-major général et le gouverneur militaire de Paris – était vécue par *La Libre Parole* comme une provocation. Les erreurs que l'impétueux ministre commit rapidement, en particulier dans une affaire d'explosif expérimental qu'il écarta au nom de son expertise d'artilleur, furent immédiatement exploitées contre lui.

*La Libre Parole* n'était pas un grand journal du point de vue de la qualité et du sérieux et relativement au tirage et à la diffusion. Mais la virulence de son propos et ses méthodes de calomnie, qui relevaient plus de la délinquance que du journalisme, impressionnaient ou même effrayaient. Ce qu'écrivait *La Libre Parole* était suivi et nombre de journaux adoptaient une attitude de suiveurs. Même si les propos étaient très atténués, les sujets étaient repris. Il n'existait pas de cordon sanitaire qui aurait pu isoler un journal aussi nauséabond et dangereux. Son antisémitisme obsessionnel et ses méthodes de chantage faisaient que *La Libre Parole* manquait de bons informateurs. Ses journalistes n'étaient guère professionnels, notamment dans la recherche d'informations. Ils préféraient bien souvent les inventer de toutes pièces pour les besoins de la cause antisémite. Si bien que *La Libre Parole* ne fut pas le premier journal à annoncer l'arrestation du capitaine Dreyfus.

Trois journaux au moins révélèrent l'information en s'appuyant sur le témoignage, non cité mais probable, du commandant Forzinetti. Le commandant des prisons militaires de Paris, toujours convaincu de l'innocence de son prisonnier, avait commencé à parler dans les cercles parisiens qu'il fréquentait alors assidûment. Dans son édition du soir du 31 octobre 1894 (daté du lendemain 1er novembre), *L'Éclair*, quotidien nationaliste jugé proche de l'État-major ou exprimant le point de vue de « l'arche sainte », confirma les rumeurs sur l'arrestation d'un officier pour espionnage. *La Patrie* précisait le même jour qu'il s'agissait d'un « officier israélite attaché au ministère de la Guerre » ; *Le Soir*, au même moment, indiquait que « l'officier en question s'appelait Dreyfus, qu'il avait trente-cinq ans, qu'il était capitaine d'artillerie et était attaché au ministère de la Guerre ». *La Libre Parole* avait eu vent elle aussi de la rumeur. Dans son édition du 29 octobre 1894, elle avait demandé confirmation de la probable arrestation d'un officier accusé de trahison[4].

Le soir du 31 octobre, à 22 heures, après la parution des trois journaux nationalistes, l'agence Havas réagit à l'information en diffusant une note officielle qui fut publiée dans les éditions du lendemain. « Des présomptions sérieuses ont motivé l'arrestation provisoire d'un officier de l'armée française, soupçonné d'avoir communiqué à un étranger quelques documents peu importants mais confidentiels. L'instruction se poursuit avec la discrétion que comportent les affaires de ce genre, et une solution pourra intervenir à très bref délai. »

Loin de calmer l'intérêt de la presse et en premier lieu de *La Libre Parole*, la communication du gouvernement entraîna une immédiate efflorescence d'articles et de commentaires alarmants. Le même jour, reprenant l'information de *La Libre Parole* publiée l'avant-veille, *L'Éclair* consacrait un long développement à cette affaire, mais sans révéler que l'officier arrêté était juif. Mais l'insistance mise sur le crime à l'égard de la patrie préparait le terrain[5]. D'emblée, la trahison était présentée comme capitale, le suspect coupable par aveux immédiats, et l'expiation, nécessairement « éclatante ». Une vérité est proclamée, une gravité est posée. L'événement est de la plus haute importance. Le réflexe patriotique joue à plein. L'armée se trouve menacée, la nation doit la défendre. La révélation de l'identité de l'officier va alors renforcer un tel système de culpabilité. La conjonction du nationalisme puis de l'antisémitisme fabriqua en quelques jours un coupable et le désigna, via les journaux extrémistes, à la presse populaire.

Dès le 1er novembre 1894, *La Libre Parole*, voulant reprendre la main, consacrait sa une à l'arrestation de « l'officier juif A. Dreyfus » pour « haute trahison ». Le quotidien antisémite précise que « dès dimanche [28 octobre] nous étions avisés, au journal, de cette arrestation, mais, étant donné la gravité des accusations, le nom et la qualité du coupable, nous voulions, et on comprendra notre réserve, attendre le résultat de l'instruction ». *La Libre Parole* livrait le texte du message de son informateur anonyme : « L'officier arrêté pour trahison est affecté à l'État-major, mais l'affaire sera étouffée parce que cet officier est juif. Cherchez parmi les Dreyfus, les Mayer, les Lévy. » L'article, signé d'un certain « Ct Z » (le commandant Biot), reprenait les informations de *L'Éclair* de la veille, en insistant encore sur la gravité du crime commis, en soulignant l'existence d'un complot pour étouffer l'affaire et en déniant à l'officier une quelconque qualité de Français[6]. Le lien est désormais posé, nourrissant le mécanisme de fabrication du coupable : il n'y a qu'un Juif pour être capable d'une telle trahison de tous les intérêts nationaux. Le nationalisme légitime l'antisémitisme, et celui-ci soutient la défense sacrée de la patrie. Le couple est d'une efficacité redoutable sur une opinion prête à croire ce qu'on lui dit, sans vérification ni circonspection. De plus, *La Libre Parole* relie cette affaire avec sa campagne de dénonciation des officiers juifs dans l'armée. « L'officier assez indigne pour vendre les secrets de la défense de notre pays, assez misérable pour avoir commis ce crime de lèse-patrie, est le capitaine Dreyfus (Alfred), du 14e régiment d'artillerie, breveté d'état-major, détaché à l'État-major général au ministère de la Guerre, stagiaire au 1er bureau de la direction de l'artillerie. [...] Arrêté depuis quinze jours, il a fait des aveux complets, et on a la PREUVE ABSOLUE qu'il a vendu nos secrets à l'Allemagne. »

Joseph Reinach a consacré de très longs développement, dans son *Histoire de l'affaire Dreyfus*, à la missive signée « Henry » que le journaliste de *La Libre Parole*, Adrien Papillaud, a reçue, semble-t-il, le 28 octobre et qui révélait l'identité de l'officier « arrêté le 15 pour espionnage et qui est en prison au Cherche-Midi ». La lettre signalait aussi qu'« on veut étouffer l'affaire. Tout Israël est en mouvement ». L'authenticité du billet est jugée assez probable même si l'original a disparu[7]. Mais il n'est en revanche guère raisonnable de l'attribuer au commandant Henry. Adrien Papillaud, rédacteur à *La Libre Parole*, a très bien pu se faire mousser en montrant qu'il disposait d'informateurs précieux et faire oublier que son journal a été devancé sur cette affaire par *L'Éclair*.

D'emblée aussi, *La Libre Parole* annonce qu'un complot est en train de s'organiser au plus haut niveau pour étouffer l'affaire. Il s'en développe un, effectivement, au sein de l'État-major et du ministère de la Guerre, mais il vise à un tout autre but ! Et la campagne naissante va jouer un rôle décisif en accélérant sa construction. En dénonçant un complot imaginaire, *La Libre Parole* et le reste de la presse, qui embraye sur le journal, ont contribué à en fabriquer un, bien réel cette fois.

## La domination de La Libre Parole

Les grandes manchettes de *La Libre Parole* s'imposèrent à l'opinion qui pouvait constater la prescience du journal, lui qui avait déjà dénoncé la présence d'officiers juifs dans l'« arche sainte ». L'information fut aussitôt reprise et largement diffusée par ses confrères. *La Libre Parole* commença alors un feuilleton des plus douteux mais des plus efficaces en termes d'effets de masse et de persuasion collective. Le journal pouvait lier ses deux obsessions, la haine de race contre les officiers juifs dans l'armée et une hostilité plus politique contre le général Mercier qui aurait choisi de les protéger jusque dans le saint des saints de l'État-major. En menant de front ces deux combats, le journal d'Édouard Drumont, aussitôt rejoint par d'autres feuilles, espérait un double bénéfice. Avertir une nouvelle fois du « péril juif » dans la société et l'État et liquider un ministre républicain qui ne dissimulait pas ses ambitions.

Le 2 novembre, *La Libre Parole* insistait sur le fait que « ce misérable est juif ». Elle considéra qu'aurait fonctionné une « partialité bienveillante » à son égard « si *La Libre Parole* n'avait, la première, soupçonné la vérité ». Le journal accuse le capitaine Dreyfus d'être « le protégé de Joseph Reinach [8] ». Un lien était ainsi fait avec le scandale de Panama, autre accélérateur de crise politique et de discrédit de la République. Les démentis, dont celui du député, ne furent pas entendus. Le 3 novembre, *La Libre Parole* lança une nouvelle charge antisémite en publiant un article de son directeur intitulé « L'Espionnage juif » : « C'est la fatalité du type et la malédiction de la race. Ce ne sont pas les Juifs, c'est nous qui sommes les coupables, et ils seraient en droit de nous répondre : "Pourquoi avez-vous rompu avec les traditions de vos ancêtres ? Pourquoi confiez-vous vos secrets à ceux qui vous trahiront toujours ?" »

Le 4 novembre, le journal publiait un nouvel éditorial de son directeur qui retraçait la longue liste des défaillances commises par le général Mercier jusqu'à la découverte d'un espion juif à l'État-major. Un article dénonçait quant à lui la mobilisation juive dont Dreyfus n'allait pas tarder à recueillir les bénéfices et qui paraissait suffisamment forte pour intimider le ministre de la Guerre [9]. Que les informations soient totalement fantaisistes n'arrêtait pas le journal. Il s'agissait toujours d'effrayer l'opinion avec un imaginaire « péril juif » et de présenter *La Libre Parole* comme le dernier rempart. Le journal reproduisait également un article de Tristan paru dans *Le Petit Journal*, quotidien nationaliste passé à l'antisémitisme le plus radical : Dreyfus « n'est pas un Français ! » Le lendemain, Drumont attaquait le ministre de la Guerre et ses prédécesseurs pour n'avoir pas lutté contre les Juifs dans l'armée. La menace politique prenait corps, comme pour les autres croisades antisémites : « Aucun d'eux [des hommes de la droite] n'a jamais songé à tenir un tel langage [qu'il fallait chasser les Juifs du ministère de la Guerre], et le crime de Freycinet contre Turpin, comme les mensonges de Mercier à propos de Galliffet, n'ont trouvé en eux que des approbateurs. Demain, sans doute, ils applaudiront le ministre de la Guerre lorsqu'il viendra se vanter des mesures qu'il a prises pour sauver Dreyfus et cacher sa trahison au pays. » La raison, avançait Drumont, tenait dans les agissements de Joseph Reinach qui menait une campagne à la Chambre pour faire pression sur le gouvernement et protéger les Juifs menacés. *La Libre Parole* inventait ainsi complot sur complot pour mieux les révéler ensuite à ses lecteurs.

Le journal fut suivi par d'autres, dont *L'Intransigeant*. Son directeur, Henri Rochefort, publia lui aussi, le 4 novembre, un article dénonçant le capitaine comme traître à la France. L'article annonçait que « le traître Dreyfus n'avait pas hésité à faire les plus complets aveux, sachant que les Allemands qui nous gouvernent sont résolus à lui appliquer une peine dérisoire, bientôt suivie d'une grâce complète ». Rochefort attaquait le ministre de la Guerre, « obligé d'avouer le crime qu'il tenait soigneusement caché. [...] L'incurie, la bêtise et la mauvaise foi de notre ministre de la Guerre faisant de celui-ci le quasi-complice du traître, il est clair qu'il s'attachera à démontrer le peu d'importance des documents ». Le lendemain, le même Rochefort dénombra « sept chefs d'accusation » contre Mercier, « beaucoup plus que la Convention n'en aurait demandé pour fusiller le Ramollot de la Guerre ».

*La culpabilité certaine*

Même si le général Mercier parut très attaqué par *La Libre Parole* et *L'Intransigeant*, la plupart des nombreux articles de ce début de mois de novembre concentraient leurs attaques sur Dreyfus lui-même. Le 6 novembre, Édouard Drumont reliait son arrestation à la campagne contre « les officiers juifs » : « Sous ce titre, nous avons, au mois de mai 1892, publié une série d'articles absolument remarquables et d'un caractère en quelque sorte prophétique. » Ce lien devait renforcer la démonstration de la culpabilité de Joseph Reinach : « Le vrai coquin, ce n'est pas Dreyfus, c'est ce ministre politicien, familiarisé avec toutes les bassesses, qui, pour complaire à Reinach, installe ce Juif dans un bureau où viennent aboutir les renseignements les plus confidentiels. » *La Libre Parole* élargissait ainsi son combat : les Juifs ne devaient plus seulement être chassés de l'armée, mais rejetés de la République et de ses institutions. La croisade contre les « officiers juifs » se poursuivit par la publication de listes pour Saint-Cyr (8 novembre 1894) et pour la marine (9 novembre).

Très rapidement, les journaux tinrent le crime de trahison pour avéré et en cherchèrent les raisons, les mobiles. *Le Jour* révéla dans un article du 7 novembre que Dreyfus aurait trahi pour sauver ses frères de la faillite quatre années auparavant. Et donc qu'il trahissait depuis longtemps. L'article était du grand roman, une histoire fort bien faite, mais reposant uniquement sur des corrélations et des rumeurs invérifiables [10]. Le 8 novembre, *La Libre Parole* annonça, après *L'Intransigeant* et *L'Écho de Paris*, que l'officier arrêté aurait fait un « aveu complet ». Les déclarations des ambassades d'Allemagne et d'Italie indiquant n'avoir eu aucune relation avec Dreyfus furent présentées comme des manœuvres des « amis du capitaine ». « Chacun a déjà apprécié la valeur de telles dénégations », écrivit Gaston Méry dans *La Libre Parole* du 12 novembre 1894. La qualité juive de Dreyfus fondait sa culpabilité absolue. L'avocat de l'officier, Me Demange, ayant déclaré à la presse que la question posée était de savoir si une certaine note était de l'écriture de son client, Gaston Méry rétorqua le 13 novembre 1894 : « Il existe d'autres preuves de la trahison... Il s'agit d'un officier, et, qui plus est, d'un Juif. Est-il possible d'admettre, dans ces conditions, que le ministre ait pris contre lui des mesures aussi graves si son crime n'avait pas été absolument établi [11] ? »

Le processus de construction de la culpabilité de Dreyfus s'accéléra très rapidement. L'officier se transformait en une figure monstrueuse, en un véritable ennemi public associé à des réseaux juifs d'espionnage à grande échelle. La responsabilité de l'Allemagne fut alors dénoncée et l'attaché militaire allemand à Paris directement nommé dans *La Patrie* du 9 novembre 1894. Le lieutenant-colonel von Schwartzkoppen aurait correspondu avec le capitaine Dreyfus. Le lendemain, l'ambassade d'Allemagne publiait dans *Le Figaro* un démenti pour nier en bloc de telles allégations : « Jamais le lieutenant-colonel von Schwartzkoppen n'a reçu de lettres de Dreyfus. Jamais il n'a eu aucunes relations, ni directes ni indirectes, avec lui. Si cet officier s'est rendu coupable du crime dont on l'accuse, l'ambassade d'Allemagne n'est pas mêlée à cette affaire. » Joseph Reinach agit de même par un communiqué de l'agence Havas diffusé aux journaux. Le 16 novembre, Méry révéla dans *La Libre Parole* qu'« il existerait actuellement à Paris, un véritable foyer d'espionnage et de trahison, dans la maison d'une mondaine connue » avec laquelle Dreyfus serait en contact. Le journal continua le feuilleton sur plusieurs jours.

D'autres hypothèses s'échafaudaient pour expliquer la trahison du capitaine Dreyfus. *Le Matin* du 22 novembre imagina une imprudence de l'officier qui aurait égaré des documents ultra-confidentiels emportés chez lui pour les étudier et qui se serait mis en tête de les retrouver par tous les moyens, y compris en se mettant « en rapport avec des agents secrets d'une puissance étrangère avec lesquels il aurait échangé des correspondances. Ce sont précisément ces correspondances qui auraient été saisies et qui constitueraient aujourd'hui les charges relevées contre le capitaine [12]. » *Le Journal des débats* du 25 novembre expliqua quant à lui la trahison par un excès de zèle de l'officier qui se serait rapproché pour raison de service de l'attaché militaire allemand et qui se serait retrouvé bien malgré lui dans une position compromettante dont il n'aurait pu se défaire qu'en poursuivant les relations et en allant vers la trahison [13]. *Le Figaro* du 22 novembre vit pour sa part une collusion entre le capitaine Dreyfus et des députés à qui il aurait communiqué des « pièces confidentielles pour aider ces députés dans les discussions militaires et obtenir, en revanche, leur appui ».

La presse, même la plus sérieuse, déclara aussi la culpabilité du capitaine Dreyfus avant même la tenue du procès. Elle évoqua même des aveux qu'il aurait prononcés. *Le Temps* annonçait le 17 novembre : « L'instruction de l'affaire Dreyfus est close. L'officier accusé aurait fait des aveux complets. On assure même qu'on possédait contre lui, dès avant son arrestation, des preuves de sa culpabilité. » Aussitôt, la presse antisémite et nationaliste se saisit de ce qu'elle considéra comme un scandale et redoubla d'attaques contre le ministre de la Guerre. Elle vit dans ses lenteurs la volonté délibérée du général Mercier, comme le déclara *La Libre Parole* le 22 novembre. Le journal de Drumont l'accusait, dans cet article signé Gaston Méry, d'avoir perdu des pièces essentielles et de retarder pour cette raison la résolution de l'affaire. L'Agence nationale démentit le 26 novembre l'assertion de *La Libre Parole*, mais cette réponse *a minima* fut loin d'apaiser la surchauffe de la presse. Le 4 décembre 1894, *L'Avenir militaire* raconta que le procès serait retardé indéfiniment en raison de l'implication de hautes personnalités, si « la pression de la conscience publique n'oblige pas le gouvernement à une autre conclusion. » Ainsi la presse se persuadait-elle de l'existence d'un complot visant à dissimuler l'affaire aux yeux de l'opinion et à la régler dans un sens contraire à l'intérêt national. En tant que porte-parole précisément de l'opinion et de la nation, elle légitimait en conséquence son rôle et sa campagne d'une extraordinaire violence.

*La capitulation d'un ministre*

Devant cette pression grandissante, l'État-major et le ministre de la Guerre se trouvèrent rapidement placés devant une alternative inquiétante. Soit Dreyfus était condamné et leur pouvoir serait renforcé et l'affrontement avec la grande presse n'aurait pas lieu ; ils pourraient même devenir les héros de la défense nationale. Soit Dreyfus était acquitté, et là le risque était grand d'être accusé de comploter pour protéger les « officiers juifs traîtres ». Or l'image du général Mercier dans l'opinion était si dégradée qu'il renonça à affronter les journaux les plus virulents comme *La Libre Parole* ou *L'Intransigeant*. Imaginant toujours pouvoir jouer un rôle politique de premier plan, il n'envisageait pas de devoir se couper de l'opinion représentée par les grands journaux populaires et nationalistes.

Il commença néanmoins par refuser le chantage des antisémites en gardant le silence sur l'affaire. Par ce lock-out qu'il imposa au ministère, il espérait que la presse nationaliste et antisémite finirait par se fatiguer de sa campagne contre Dreyfus. Ses responsabilités de garant de la justice militaire l'obligeaient aussi à ne pas intervenir dans une instruction en cours. Le pari fut presque gagné. « Vers le 15 novembre, note Marcel Thomas, on parlait déjà moins de l'affaire Dreyfus[14]. » Avant même cette date, dès le 8 novembre, *L'Intransigeant* avait suspendu ses attaques contre le ministre de la Guerre. Mais ce dernier offrit alors un nouveau sujet de croisade à *La Libre Parole* en accordant au *Matin* un entretien dans lequel il rappelait que le capitaine ne pourrait en tout état de cause être condamné à la peine capitale, l'héritage constitutionnel de la IIᵉ République s'y opposant. Dès lors, le leitmotiv de la mort pour Dreyfus allait s'imposer, y compris dans la rue. Des députés interrogés aussitôt par *La Libre Parole* se déclarèrent favorables à la mort pour Dreyfus, dont le socialiste indépendant René Viviani et les nationalistes Gerville-Réache, Julien Dumas... D'autres, comme Gauthier de Clagny, étaient contre.

Mais la question rebondit le 16 novembre avec la nouvelle de l'arrestation à Paris de deux officiers allemands suspectés d'espionnage. La psychose reprit, et de nombreux journalistes voulurent voir un lien direct entre les deux affaires[15]. Le ministre de la Guerre fut une nouvelle fois accusé d'incompétence et de lenteur. Finalement, le 17 novembre, il accepta de répondre au *Journal* et déclara que l'instruction serait close dans les dix jours. Il chercha à minimiser l'importance de l'affaire et donc sa propre responsabilité en révélant que la trahison commise n'avait pas un caractère de gravité. « Pour rassurer l'opinion publique, je n'hésite pas à vous affirmer qu'il n'y a pas eu une seule pièce détournée et que les renseignements livrés n'ont pas l'importance qu'on leur attribue. [...] Dreyfus, au cours de son stage, n'a eu entre les mains, ou sous les yeux, que des documents d'ordre secondaire. »

Les réactions furent immédiates mais diverses. Gaston Méry écrivit dans *La Libre Parole*, dès le 17 novembre au soir : « M. le général Mercier paraît désirer que la lumière se fasse absolument complète. Il veut qu'en dépit des efforts tentés par toute la juiverie, l'officier traître et lâche subisse le châtiment qu'il a mérité. L'expiation est proche. Nous ne pouvons que féliciter le ministre de son énergie et lui dire que, s'il s'est enfin un peu dégagé des compromissions ambiantes, il a bien mérité de la patrie. » La proclamation de la culpabilité de Dreyfus avant même son procès est à nouveau faite le lendemain, dans un article intitulé « L'Affaire Dreyfus à la Chambre ». Il n'y a plus de justice. L'antisémitisme, usant du prétexte patriotique, fait fi des règles de droit les plus élémentaires. En même temps, les attaques se poursuivent, y compris dans *La Libre Parole*, contre le général Mercier accusé de vouloir étouffer l'affaire. Le journal de Drumont répète à l'envi que les pièces les plus graves attestant de la trahison de Dreyfus ont disparu du ministère.

Le 22 novembre, *La Libre Parole* menaça encore Mercier et lui mit entre les mains le seul marché qui pouvait encore le sauver politiquement : « L'affaire Dreyfus prend une très vilaine tournure pour le gouvernement. Nous avons interrogé dans la soirée plusieurs officiers supérieurs, tous nous ont répondu par le dilemme suivant : ou le général Mercier a fait arrêter sans preuves le capitaine Dreyfus, et dans ce cas-là sa légèreté est un crime ; ou il s'est laissé voler les pièces établissant sa trahison et dans ce cas son imprévoyance est une bêtise. Dans les deux cas, le général Mercier est indigne du poste qu'il occupe. Dans sa situation, on est aussi coupable d'être bête que d'être criminel. » Une semaine s'écoula encore. Le délai fixé par le ministre pour la clôture de l'instruction était dépassé. Mercier finit par réagir dans *Le Figaro* en accordant, le 28 novembre, une interview à son rédacteur militaire Charles Leser. Il sortit de la position de neutralité qui devait être la sienne en tant que ministre de la Guerre et proclama le verdict avant même que le conseil de guerre ne se soit réuni : « On a dit que le capitaine Dreyfus avait offert des documents secrets au gouvernement italien. C'est une erreur. Il ne m'est pas permis d'en dire davantage puisque l'instruction n'est pas close. Tout ce que l'on peut répéter c'est que la culpabilité est absolue, certaine. » Puis Charles Leser écrivit, grâce aux renseignements fournis par Mercier, qu'« à l'État-major on savait, de source certaine, que Dreyfus était depuis plus de trois ans en relations avec les agents d'un gouvernement étranger, qui n'était ni le gouvernement italien, ni le gouvernement austro-hongrois ». Ce ne pouvait être alors que le gouvernement allemand, un renseignement capital que le ministre-général livrait là, auréolé de la comparaison flatteuse et quelque peu dangereuse que Leser osait avec le général Boulanger. « Nul, plus que le général Boulanger et le général Mercier, ne fut l'impitoyable adversaire des espions. Eux seuls ont aperçu les dangers de cet espionnage permanent, qui s'exerce librement dans Paris. » La pression antisémite et nationaliste faisait sauter les verrous légaux assurant le bon exercice de la justice.

Le chef du gouvernement s'inquiéta alors et contraignit le général Mercier à démentir ses propos par une note de l'agence Havas diffusée le lendemain. Le ministre des Affaires étrangères s'inquiétait particulièrement des initiatives désastreuses de son collègue de la Guerre [16], d'autant que l'ambassade d'Allemagne protesta officieusement auprès de Gabriel Hanotaux contre les déclarations du général Mercier. Une note fut alors publiée dans *Le Temps* pour dégager la responsabilité de l'Allemagne. Peine perdue. La riposte du gouvernement augmentait les soupçons d'étouffement de l'affaire et de mensonges officiels. Le début du mois de décembre fut plus violent encore. La culpabilité de Dreyfus fut définitivement scellée dans la presse qui vit la décision se concentrer dans les seules mains du général Mercier. Le 5 décembre, Paul de Cassagnac, dans *L'Autorité*, fixa les termes de l'enjeu politique du futur procès : « Si Dreyfus est acquitté, le ministre saute ; cela ne fait pas un doute, car il serait écrasé sous l'effrayante responsabilité d'une affaire aussi grave, engagée avec une criminelle légèreté. Mais si Dreyfus est condamné, s'il est démontré clairement qu'il n'est qu'un abominable traître, voici Mercier qui grandit et, bénéficiant du procès, passe immédiatement pour le sauveur de la patrie[17]. » Il insista encore le 9 décembre : « Dreyfus acquitté, Mercier doit être chassé honteusement non seulement du ministère, mais des rangs de l'armée. »

À l'inverse, et parfois par les mêmes journaux, Mercier fut aussi attaqué pour vouloir rechercher la condamnation de Dreyfus après s'être engagé à la légère dans cette affaire. Après Saint-Genest dans *Le Figaro* et Jules Cornély dans *Le Gaulois*, Paul de Cassagnac dans *L'Autorité* du 14 décembre conduit cette nouvelle offensive. Gaston Méry propose alors dans *La Libre Parole* une ligne de défense au général Mercier à condition que celui-ci se range derrière la croisade contre les Juifs : « Il y a, maintenant, deux camps bien tranchés dans la presse : le camp de ceux qui tiennent pour Dreyfus et le camp de ceux qui tiennent pour le général Mercier. À force d'intrigues, de promesses, de menaces, les Juifs sont parvenus à troubler les consciences, au point qu'il est des gens, qui, aujourd'hui, se demandent si ce n'est pas le ministre de la Guerre qui est le traître, et le capitaine Dreyfus qui est le ferme patriote ! » Le journal imagine même un propos qui aurait été tenu par le chef du gouvernement : « Je sais qu'on a osé promettre un million à l'officier rapporteur s'il consentait non pas à conclure à l'innocence de Dreyfus, mais seulement à émettre un doute sur sa culpabilité. Ces propos, nous le répétons, ont été prononcés lundi dernier devant quatre personnes. M. Dupuy a d'ordinaire le courage de son opinion. Il ne nous démentira pas. »

*D'un procès à l'autre*

Dès lors, les journaux antisémites et nationalistes se polarisèrent sur le procès à venir devant le conseil de guerre. Beaucoup exigeaient le huis clos, comme le ministre de la Guerre lui-même. D'autres, plus rares, demandaient des débats publics. Mais ces prises de position déterminèrent en réaction le lancement d'une campagne hystérique pour le huis clos. Au départ, *La Libre Parole* était favorable aux débats publics. Il s'agissait de combattre avec ce moyen les tentatives d'étouffement de l'affaire prêtées au ministre des Affaires étrangères qui aurait comploté avec l'ambassadeur allemand. La production en public de la vérité confirmerait la culpabilité de Dreyfus et rendrait impossible toute manœuvre en vue de son acquittement. « Si les débats sont publics, le pays connaîtra le rôle exact des attachés militaires allemands », écrivait Gaston Méry le 5 décembre 1894[18]. Édouard Drumont interprétait l'unanimité de la presse « pour exiger des débats publics » comme le signe d'un progrès de l'antisémitisme : « Il est intéressant de constater que les journaux ont attendu qu'un officier juif fût en cause pour être de cet avis là[19]. » Patrice Boussel relève cependant qu'il subsiste des exceptions notables. Du côté de journaux nationalistes particulièrement. *L'Éclair* avait alors estimé dès le 13 décembre qu'il ne fallait pas de public[20]. Le même jour, *La Patrie* déclarait : « Le huis clos est nécessaire. » Le 18, *Le Petit Journal* s'exprima par la voix de Judet : « Le huis clos est notre refuge inexpugnable contre l'Allemagne », et *La Croix* réclamait « le huis clos le plus absolu ». Les journaux antisémites le demandaient à cor et à cri. Le lien de l'antisémitisme et de l'arbitraire se renforçait à grands pas.

À l'ouverture du procès le 19 décembre, beaucoup de journaux se félicitèrent du huis clos et de ce qu'ils choisirent de constater pendant le bref moment où l'audience fut publique, comme la vigueur du président du conseil de guerre « coupant court aux volontaires imprudences de langage dont Demange espérait faire une protection à son client[21] ». « Le huis clos ou la guerre », releva Joseph Reinach[22]. Les journaux insistaient également sur le désastre représenté par la trahison du capitaine Dreyfus pour la défense nationale et la sauvegarde de la patrie. *L'Éclair* expliquait le 22 que « le préjudice causé à la France par la trahison de Dreyfus [était] énorme ». Le même jour, *Gil Blas* annonçait pouvoir révéler que tous les plans de mobilisation devaient être refaits.

Avant le huis clos tant désiré, les rédacteurs avaient eu le loisir d'observer l'accusé. À la différence de Saint-Genest qui s'employait à raison garder, Albert Bataille se lâcha dans *Le Figaro*, relevant « l'impression unanime » que « de pareils crimes méritent un châtiment exemplaire ». À l'entrée de l'accusé, il s'exclama : « Trente-cinq ans ! Tout à l'heure, il donnera son âge. Il en paraît cinquante, le malheureux ! Ses cheveux rares et courts sont parsemés de fils d'argent. Il s'avance très calme, très maître de lui, ou faisant des efforts surhumains pour le paraître. Respectueusement, il salue le conseil, le commissaire du gouvernement, les témoins, Me Demange : je dirais presque qu'il salue à la ronde. C'est un homme au visage osseux, aux pommettes saillantes, au front dégarni, aux oreilles détachées, maigre, nerveux, plutôt grand, mais légèrement voûté et portant lorgnon sur un nez recourbé qui, à lui seul, est un acte de naissance. Moustache militaire, naturellement, mais que l'allure est peu franche et que le regard est fuyant ! Dieu me garde de juger un homme, surtout un accusé, sur une impression première ! Cependant, j'ai bien le droit de dire que cette impression n'est pas favorable et que l'ensemble de la physionomie exprime un je ne sais quoi de flottant et de cauteleux [23]. » Le 22 décembre, le verdict fut salué par la presse comme par la foule massée aux abords de l'hôtel du conseil de guerre, rue du Cherche-Midi. *Le Rappel* écrit que « les premières personnes qui apprennent la condamnation font entendre des cris de joie. Ç'a été, hier soir, le cri de tout Paris ; ce sera aujourd'hui celui de la France entière ». *La Libre Parole* annonce le verdict par ces mots : « Hors de France, les Juifs ! La France aux Français [24] ! » Pour Drumont, la condamnation constitue un acte aussi important que la parution de sa *France juive* dont elle confirme en tout point les thèses. Il s'étonne même de la rapidité du processus : « *La France juive* date de 1886 ! Il y a huit ans, et c'est bien peu pour la marche d'une idée. [...] Mes livres auront rendu un immense service à notre chère France, en lui révélant le péril juif, en l'empêchant d'être livrée, pieds et mains liés, à l'ennemi, au moment d'une guerre, par les Dreyfus et les Reinach, embusqués dans tous les services importants. » Dans *Le Soleil* du 25 décembre, le royaliste Hervé de Kérohant adhère au mot d'ordre antisémite : « Dreyfus est un homme sans patrie, un homme d'une race spéciale ; ce n'est pas un Français. »

Après la condamnation, *L'Intransigeant* et *La Croix* du 31 décembre annoncèrent que Lucie Dreyfus demandait le divorce. Ils harcèlent véritablement le prisonnier. Le premier publia une « lettre ouverte à M. le capitaine Dreyfus, en sa villa du Cherche-Midi ». Les journaux célébraient aussi le triomphe du général Mercier. Pour Joseph Reinach écrivant en 1901, on avait là la matrice d'un « nouveau boulangisme. [...] Toutes les attaques contre le ministre de la Guerre ont cessé ; c'est un concert d'éloges. Les royalistes sont les plus ardents : "Honneur à Mercier qui n'a pas voulu que ce crime abominable reste impuni, qui a fait tout son devoir !" La condamnation de Dreyfus "doit lui être comptée comme une action d'éclat devant l'ennemi". Les socialistes eux-mêmes le remercient "d'avoir résisté à l'incroyable pression des politiciens véreux et des hauts barons de la finance [25]". » Ce risque politique, beaucoup plus que les atteintes répétées au fonctionnement de la justice, sera la cause de son éviction du gouvernement et de sa promotion-mutation à la tête du 4e corps d'armée au Mans. Ce destin est même anticipé par certains comme *L'Intransigeant* du 24 décembre 1894 : « Jamais la couardise gouvernementale ne pardonnera au général Mercier de s'être refusé à l'étouffement de l'affaire. »

L'unanimité empêcha que des voix discordantes puissent se faire entendre. Elles n'auraient pas pu s'exprimer de toute façon et elles ne comptaient pas le faire tant la nature du verdict « soulagea les consciences qui s'étaient inquiétées ». L'unanimité était « nécessaire à la tranquillité de chacun [26] ». « Ce jugement a été pour tous un véritable soulagement », écrit *Le Matin*. L'autorité du conseil de guerre était une garantie. La condamnation d'un soldat constituait un acte de la plus haute gravité qui ne se décrétait pas à la légère. L'unanimité permettait de balayer les soupçons d'antisémitisme dans la condamnation de Dreyfus. Comme le note Joseph Reinach, les articles des journaux proches de l'État-major, et notamment *L'Éclair* et *L'Écho de Paris*, « sont d'une modération voulue. Il s'abstiennent de polémiquer "sur la question de religion et de race qui n'a rien à voir dans l'affaire [27]" ».

Les journaux les plus modérés faisaient confiance au sérieux des débats et au professionnalisme des juges. Mais c'est aussi le huis clos qui les contraignait à cette position. *Le Temps* du 24 décembre reconnaissait « son absolue ignorance des faits de la cause » et concluait que « non seulement justice est faite, mais bien faite ». Même ceux qui, dans le souvenir de leurs luttes politiques contre l'Empire et la réprobation des justices expéditives auraient pu protester ne le firent pas. Georges Clemenceau écrivait ainsi dans *La Justice* du 25 décembre : « Dans de tels procès, il faut le reconnaître, la publicité, avec les commentaires qu'elle entraîne, court risque [*sic*], le plus souvent, d'aggraver le mal causé par la trahison. La liberté de tout dire, sans être arrêté par aucune considération d'ordre public, peut même profiter à la défense. Aussi, ceux qui avaient le plus vivement réclamé des débats acceptèrent sans protestation cette parole du président du conseil de guerre : "Il y a des intérêts supérieurs à tous les intérêts de personnes." » Et les quelques journaux qui auraient pu s'étonner de la violence des réactions et de l'alliance de fait entre l'opinion modérée et les extrémistes préfèrent se taire, à l'exception du *Siècle* avec Yves Guyot [28]. Leur seule marge de manœuvre est de demander que la page soit désormais rapidement tournée, à l'image du *Figaro* au lendemain du verdict : « Maintenant que c'est fini, parlons le moins possible de cette triste histoire. »

## La mort pour le condamné

Cet appel à la modération ne rencontra aucun écho. Au contraire. Le soulagement d'avoir conjuré un crime de trahison et la perspective de la dégradation du « traître » avivèrent les esprits. Le poète François Coppée s'exclama, dans *Le Journal* du 23 décembre : « Ah ! qu'on nous montre l'immonde face du traître, que nous crachions tous dessus l'un après l'autre ! » Le général Riu avait déjà eu ce mot mémorable dans *La Libre Parole* du 2 novembre : « Qu'on le fusille ! » Devant la parole de la justice et la condamnation du criminel, des voix nombreuses s'élevèrent pour demander l'application de la peine de mort à Dreyfus, en dépit de l'impossibilité constitutionnelle d'y recourir. Les arguments étaient doubles : le caractère monstrueux du crime, mais aussi la monstruosité du criminel qui ne mériterait plus de vivre. Saint-Genest écrivait dans *Le Figaro* du 23 décembre : « On ouvrirait le cerveau de Dreyfus, on n'y trouverait rien d'humain. » Clemenceau, dans *La Justice* du 25, expliquait : « Il n'a donc pas de parent, pas de femme, pas d'amour de quelque chose, pas de lien d'humanité ou d'animalité même, rien qu'une âme immonde, un cœur abject ! » Sa détestation du crime l'amena à conclure qu'il ne pouvait être assimilé à un crime politique et qu'ainsi la peine de mort pouvait être appliquée au condamné. Un autre argument, que Jaurès avait, la veille, développé à la Chambre, consista à relever que la mort était appliquée de manière implacable à l'encontre de simples soldats pour des actes de protestation commis devant un conseil de guerre : « Tuer un malheureux affolé qui insulte ses juges, c'est démence, quand on fait une vie tranquille au traître. [...] Puisque le malheur veut qu'il y ait des êtres capables de trahison, il faut que ce crime apparaisse aux yeux de tous comme le plus exécrable forfait qui se puisse commettre, et le plus impitoyablement frappé[29]. »

L'impossibilité d'appliquer la peine de mort au capitaine Dreyfus explique aussi pourquoi la cérémonie de dégradation fut attendue et suivie avec autant d'intensité. Elle pouvait remplir ce rôle de scène exécutoire. Elle fut couverte par tous les journaux qui envoyèrent leurs plus grandes plumes rendre compte de l'exécution symbolique du « traître ». Maurice Barrès dans *Le Journal* et Léon Daudet dans *Le Figaro* rivalisèrent de dégoût et d'horreur pour l'officier dégradé. Ils mirent leur talent littéraire au service de l'antisémitisme le plus viscéral. Comme la condamnation, la dégradation du capitaine sanctionnait la culpabilité d'une « race » et autorisait les pires insultes qu'on puisse porter : « "Judas ! Traître !" Ce fut une tempête, écrit Barrès. Fatale puissance qu'il porte en lui, ou puissance des idées associées par son nom, le malheureux détermine chez tous des charges d'antipathie. Sa figure de race étrangère, sa raideur impassible, toute son atmosphère révolte le spectateur le plus maître de soi[30]. » Léon Daudet, fils d'Alphonse, évoque quant à lui une scène de mise à mort. « La porte fatale s'ouvre et laisse passer l'affreux cortège : quatre artilleurs ; entre eux, le coupable ; tout proche le bourreau, un adjudant de la Garde républicaine. » Dreyfus est comme un vivant en sursis, tel un « cadavre marchant d'un pas inconscient de parade, grêlé aux regards, mais grandi par la honte, et tel que la haine saisit et domine le tourbillon sensible. »

Daudet observa dans sa lunette la dégradation, l'arrachage des parements et des insignes, des actes qu'il décrivit comme la mise à mort d'un animal, se délectant de la bestialité de la scène : « À travers une sorte de buée, je suis de près ce décortiquage symbolique, la chute des boutons et des épaulettes. Le condamné n'a ni recul ni secousse. Il est soumis comme un pantin figé. J'entrevois sa tête chafouine et blafarde dressée par un ultime défi. Mais son corps m'accapare, ce corps décrié et menteur qu'on dépiaute pièce à pièce de ce qui lui donnait sa valeur sociale, son rang et son grade usurpé. Maintenant, l'exécuteur est tout à fait courbé. Activement, minutieusement, il farfouille, lacère et détache les bandes du pantalon. Sont-ce des objets qui tombent, ou des morceaux de vie, des lambeaux d'honneur ? [...] C'est la fin du supplice matériel. Le géant tire le sabre de celui qui fut capitaine et, d'un coup sec, dernier éclair, le brise sur son genou. Ces vestiges sont à terre, lamentables guenilles, punis pour leur porteur infâme, morts à sa place et flétris avec lui. Que peut-on faire de plus à ce petit automate, complètement noir et dépouillé de tout, à cette bête hideuse de trahison qui demeure debout sur ses jambes roides, survivant à sa catastrophe, épouvantail pour les faibles et désolation pour les forts ? On va l'exposer au mépris de ceux qui furent ses compagnons et dont il préparait la défaite [31]. »

Commence alors la « parade de Judas », ainsi que l'appelle Barrès, et que raconte Daudet dans ce style inimitable qui le range parmi les grands classiques de la littérature de détestation : « Il s'approche entre ses gardiens, le cadavre marchant, d'un pas inconscient de parade, grêle aux regards, mais grandi par la honte, et tel que la haine saisit et domine le tourbillon sensible. Près de nous, il trouve encore la force de crier : "Innocent !" d'une voix blanche et précipitée. Le voici devant moi, à l'instantané du passage, l'œil sec, le regard perdu vers le passé, sans doute, puisque l'avenir est mort avec l'honneur. Il n'a plus d'âge. Il n'a plus de nom. Il n'a plus de teint. Il est couleur traître. Sa face terreuse, aplatie et basse, sans apparence de remords, étrangère à coup sûr, épave de ghetto. Une fixité d'audace têtue subsiste, qui bannit toute compassion. C'est sa dernière promenade parmi les humains, et l'on dirait qu'il en profite, tant il se domine et brave l'ignominie. C'est un terrible signe que cette volonté n'ait pas sombré dans la boue, qu'il n'y ait eu ni effondrement ni faiblesse. En cette tragique circonstance, les pleurs n'eussent pas semblé ceux d'un lâche [32]. »

La dégradation de Dreyfus permettait de refonder la nation française décrite comme une race d'où les Juifs seraient exclus et qui se construirait contre eux. Tel fut l'enseignement de la cérémonie pour Daudet lorsqu'elle s'acheva. « Les soldats marchent fermement, et ce spectacle est fixé pour toujours dans leurs yeux. Car l'idée de patrie est si foncière et si hautaine qu'elle puise des forces dans l'antithèse et que les attentats dirigés contre elle la surexcitent. Sur les débris de tant de croyances, une seule foi reste réelle et sincère : celle qui sauvegarde notre race, notre langue, le sang de notre sang et qui nous rend tous solidaires. Ces rangs serrés, ce sont les nôtres. Le misérable n'était pas français. Nous l'avions tous compris par son acte, par son allure, par son visage. Il a comploté notre désastre, mais son crime nous a exaltés. » Barrès écrit pour sa part : « Il n'est pas de ma race. Il n'est pas né pour vivre socialement. [...] Quand donc les Français sauront-ils reconquérir la France ? Unissons-nous pour dégrader tous les traîtres. Qu'ils trouvent partout, spontanément organisée sur leur passage, la parade du mépris. » Lorsque la fanfare entonna la marche de *Sambre et Meuse*[33], l'écrivain eut encore ces mots d'une profondeur toute littéraire : « Les musiques militaires répandent de l'honneur et de la loyauté sur les espaces pour balayer les puanteurs de la trahison[34]. » « Traître, lança Ernest Judet dans *Le Petit Journal* du 6 janvier, qui, tremblant pour sa vilaine peau, n'a pas eu le courage de se suicider. »

Le recours à l'antisémitisme permettait aussi de résoudre le délicat problème d'un condamné protestant encore de son innocence et de l'attitude très digne, très déterminée – très militaire en d'autres termes – de l'officier subissant la dégradation. Les choses ne se passèrent pas exactement comme l'avaient imaginé les journaux les plus en pointe dans la dénonciation du « traître ». Ils furent témoins des cris d'innocence du capitaine qui opposa sa propre vérité au jugement des tribunaux et de la France. Le général commandant la cérémonie fut critiqué pour son manque de réaction et pour avoir laissé s'exprimer le condamné. *La Croix* du 7 janvier écrit que son cri de « Vive la France ! » est « le dernier baiser de Judas ». *L'Intransigeant* s'emporta sur le même ton : « Rien de plus révoltant que l'attitude arrogante et rageuse du misérable[35]. » Son directeur, Henri Rochefort, insista deux jours plus tard, le 9 janvier 1895 : « Il n'avait d'autre peur que celle d'être lynché par la foule. Quand il a vu qu'elle se contentait de le huer, il a repris son insolence des plus beaux jours » ; le journal le vit aussi « jouer la comédie de l'innocence, même devant les siens ». Enfin, Barrès s'efforça de dégrader cette parole d'innocence et y mit tout son talent d'écrivain : « Quand il s'avança vers nous, le képi enfoncé sur le front, le lorgnon sur son nez ethnique, l'œil furieux et sec, toute la face dure et qui bravait, il s'écria, que dis-je ? il ordonna d'une voix insupportable : "Vous direz à la France entière que je suis un innocent." »

Paul de Cassagnac, dans *L'Autorité* du 6 janvier, se scandalisa devant l'attitude de Dreyfus sans envisager qu'elle était parfaitement logique s'il n'était pas coupable : « Il n'a songé à sa femme et à ses enfants que pour les vendre aussi. Pourquoi cet épouvantable serment sur des têtes innocentes ? Pourquoi ce blasphème de malheur qu'il jette, sans conscience, au milieu de son foyer en deuil ? » Edmond Lepelletier, dans *L'Écho de Paris* du 9 janvier, observait : « Si la légende pouvait s'établir qu'on a frappé un innocent, alors il faudrait regretter la solidité des barrières et la mollesse de la foule. Mieux eût valu cent fois que Dreyfus ne fût pas sorti vivant de l'École militaire et qu'il eût été écartelé sur place. » *La Libre Parole* du 6 janvier atteignit le sommet de la détestation antisémite : « Il a puisé la force de jouer un tel rôle dans sa haine de Juif contre les gens de notre sang ; les désastres qu'il nous préparait, c'était, dans sa pensée, le triomphe définitif de sa race. » Aussi la cérémonie était-elle bien une revanche :

« Ce n'était pas un homme qu'on dégradait pour une faute individuelle, mais toute une race dont on mettait la honte à nu. » Anticipant
enfin sur la déportation, *Le Petit Journal* affirmait le 6 janvier :
« Dreyfus n'est plus un homme, c'est un numéro de la chiourme. »

*La contamination politique*

Une autre réponse se mit en place, au niveau gouvernemental et
parlementaire, à travers un double projet de loi visant à l'application
de la peine de mort pour le capitaine Dreyfus. Constatant, avec la fin
de non-recevoir opposée à la démarche du commandant du Paty de
Clam le 31 décembre au soir et la réitération de l'innocence au cours
de la dégradation, le refus du condamné d'adopter la thèse de sa culpabilité, le ministre de la Guerre obtint du gouvernement l'accord de
présenter au Parlement deux textes. L'un concernait une nouvelle destination des déportés politiques. Par cette réforme, ces condamnés ne
seraient plus envoyés en Nouvelle-Calédonie, à la presqu'île Ducos,
mais en Guyane, aux îles du Salut, où la détention serait plus rigoureuse, permettant à terme d'obtenir la mort par épuisement ou par folie
du déporté. Cette loi ne relevait pas de l'intérêt général. Elle était
imaginée par le gouvernement pour répondre au cas précis d'un
condamné, en dehors de toute considération du bien public.

Le capitaine et sa famille pensaient qu'il serait transféré en Nouvelle-Calédonie, lieu de déportation pour les condamnés politiques en
vertu de la loi du 23 mars 1872. Tel était son cas, le crime de trahison
relevant de cette catégorie. Mais le ministre de la Guerre, hanté par la
nécessité d'éloigner Dreyfus et de le frapper au maximum de l'application des peines, demanda au gouvernement de procéder à la modification de ce texte. Il s'agissait de renforcer les conditions de détention
de l'ex-officier et, indirectement, de favoriser sa mort par désespoir.
La proposition, adoptée au Conseil des ministres du 5 janvier 1895,
déboucha sur un projet déposé à la Chambre le 12 janvier. « Modifiant
l'article 2 de la loi du 23 mars 1872 », il proposait de déclarer également les îles du Salut comme « lieu de déportation dans une enceinte
fortifiée », aux fins d'« accroître les garanties de surveillance ». La loi
fut votée en urgence le 31 janvier, et le Sénat l'adopta le 5 février
1895. La nouvelle loi fut promulguée dès le 9 février et s'appliqua
aussitôt à Dreyfus[36]. En opposition complète avec la tradition républicaine et démocratique, un texte spécial et de circonstance avait été
voté par la représentation nationale qui n'avait pas un instant imaginé
que l'insistance du ministre de la Guerre à éloigner définitivement le
capitaine Dreyfus tenait à la nécessité de protéger une vaste conspiration. Mais la domination de la propagande antisémite et nationaliste
avait fait perdre aux députés et sénateurs leur capacité de protection
des libertés civiles.

Le second projet de loi portait sur la peine de mort pour les crimes d'espionnage. Mercier profita de l'émotion suscitée par l'arrestation et la condamnation du capitaine pour tenter de faire passer son projet qui l'aurait qualifié comme un républicain d'ordre et de conviction, soucieux de protéger les intérêts de la défense nationale et d'entendre la voix de l'opinion. En réalité, il était prisonnier de la presse antisémite qui l'avait déjà fait capituler une première fois. Le 24 décembre 1894, lors de la séance qui suivit immédiatement la condamnation de Dreyfus, il déposa sur le bureau de la Chambre un projet sur l'espionnage et la trahison. Le texte était prêt depuis plusieurs semaines. La loi, si elle était votée, donnerait en partie satisfaction aux journaux qui avaient réclamé la mort pour le condamné. Elle ne pouvait être rétroactive, mais elle donnait quand même une indication de la manière dont l'application des peines serait menée avec Dreyfus. On ne peut que constater que les cris de mort envahirent la scène de dégradation et qu'une tentative de mise à mort sauvage eut lieu à La Rochelle.

Le projet de loi avait aussi d'autres conséquences directes pour l'avenir du capitaine Dreyfus : il pouvait empêcher toute révision. S'il était adopté, la publication de documents relatifs au procès Dreyfus tomberait sous le coup des tribunaux. Et le rétablissement de la peine de mort devait signifier à l'ex-officier ce qu'il risquait en cas de nouvelle condamnation. Ces éléments et d'autres étaient présents dans les quinze articles du projet de loi. La trahison n'était plus considérée comme crime politique, et la peine de mort était donc rétablie pour elle. Des délits nouveaux, assimilés à l'espionnage, étaient passibles de la déportation ou de l'emprisonnement. Les journalistes, enfin, étaient visés puisqu'ils ne pouvaient plus discuter de ces questions sous peine d'emprisonnement [37]. Par ses restrictions des libertés publiques, ce texte s'inscrivait en droite ligne dans la logique de répression inaugurée par les lois dites « scélérates » votées contre les anarchistes en 1893 et 1894. Il visait aussi à sanctuariser l'armée, à prévenir toute critique. Le rétablissement de la peine de mort pour crime de trahison militaire démontrait aussi cette sacralisation de l'institution qui devait être mise à l'abri de toute critique, de tout débat.

Si les journaux modérés et libéraux protestèrent contre un pareil texte qui faisait peser de lourdes menaces sur la liberté de la presse, aucun député ne comprit en revanche qu'avec la fin d'une disposition léguée par la Constitution de la II$^e$ République le régime tournait le dos à son histoire et à sa vocation démocratique. Le général Mercier lut l'exposé du projet de loi, « un abominable forfait [...] qui, seul, répond à l'énormité du crime [38] », commente Reinach. La Chambre applaudit bruyamment : « Elle se donnait l'illusion de recondamner Dreyfus, de le condamner à mort, et se conférait ainsi un brevet de pur patriotisme [39]. » Cette idéologie servait directement Mercier, sévèrement mis en cause dans l'exercice de ses fonctions de ministre pour différents faits d'incompétence. Il avait été critiqué à plusieurs reprises à la Chambre. Mais l'habileté du président du Conseil et le recours au salut de l'armée avaient permis de faire voter tous les projets, y compris celui sur la conquête de Madagascar pourtant très critiqué. Le succès du procès avec la condamnation du capitaine Dreyfus à l'unanimité avait persuadé Mercier que sa ligne politique était la bonne. Il en avait eu la confirmation deux jours plus tôt, le 22 décembre, lorsqu'il avait résisté à la minorité des députés socialistes qui protestaient contre le sort fait à l'un des leurs, Léon Mirman, contraint d'effectuer son service militaire malgré sa qualité de député[40]. Les radicaux et les socialistes contestèrent vigoureusement cette décision, estimant que l'autorité militaire ne pouvait priver un député de son mandat. Le président du Conseil et le ministre de la Guerre répliquèrent que nul ne pouvait se soustraire à la loi. Le radical Henri Brisson, nouveau président de la Chambre, s'exclama : « Est-ce le suffrage universel, est-ce le ministre de la Guerre qui est le maître ? » Jaurès intervint à son tour. Peine perdue. La Chambre vota le soutien au gouvernement. Les radicaux se divisèrent.

Le 24 décembre, Jaurès parla une nouvelle fois. Contre Dreyfus il réclama la mort. Non par amour de la peine capitale. Mais il estimait que le principe de justice n'était pas respecté puisque la peine de mort était appliquée par les conseils de guerre aux simples soldats coupables de rébellion, tandis que des officiers, tels Dreyfus ou Bazaine (qui avait trahi à Metz pendant la guerre de 1870) échappaient à la peine capitale. La riposte fut brutale. Le président du Conseil, Charles Dupuy, releva d'abord l'attitude d'un groupe parlementaire « qui se pique d'internationalisme [...], venir ici, sous prétexte de défendre les petits, attaquer la hiérarchie et la discipline de l'armée ». La Chambre vota contre Jaurès la « censure avec exclusion temporaire du palais de l'Assemblée » après que celui-ci eut remarqué « le mensonge [de] ceux qui, se sentant menacés depuis quelques années dans leur pouvoir politique et dans leur influence sociale, essayent de jouer du patriotisme[41] ». Le vote du projet de Mercier fut reporté. La Chambre l'adopta le 6 juillet 1895, mais le Sénat, profondément hostile aux dispositions prévues, le modifia profondément. À cette époque, Mercier n'était plus ministre de la Guerre, emporté dans sa gestion lamentable du procès Dreyfus. Mais le mal était fait, et l'exécution des peines avait commencé. Il s'agissait qu'elles soient les plus édifiantes possible, et aussi les plus éprouvantes pour le condamné.

## L'ÉPREUVE DE LA DÉGRADATION

Le 31 décembre 1894, le rejet du pourvoi en cassation formé par le capitaine Dreyfus et son défenseur avait rendu définitif le jugement de condamnation. Il déclenchait l'exécution des peines prévues par l'arrêt du conseil de guerre, la dégradation en place publique d'une part, la déportation en enceinte fortifiée de l'autre. Après l'arrestation, la mise au secret et la condamnation, de nouvelles épreuves attendaient donc Dreyfus, plus terribles encore que les premières puisqu'elles matérialisaient sa culpabilité et son rejet du monde rêvé, et qu'elles le projetaient sur une autre scène de justice, primitive et barbare, celle des foules et des haines. Il n'eut, comme soutien, que la fidélité de sa famille et l'hommage que lui rendit le commandant Forzinetti, avant son départ pour la dégradation. Dans l'édition des *Lettres d'un innocent*, le commandant de la prison militaire a raconté ses derniers instants passés en compagnie de son prisonnier et témoigné de sa conviction : « J'ai eu à remplir une mission extrêmement pénible et triste, ayant vécu pour ainsi dire près de trois mois de l'existence de ce malheureux, puisque j'avais reçu l'ordre formel d'assister à tous ses repas que je devais étroitement surveiller, afin qu'aucun écrit du dehors ne pût lui parvenir dissimulé dans les aliments. Depuis de si longues années que, par un choix qui m'a honoré et quoique déjà retraité, je suis resté à la tête de divers établissements pénitentiaires, j'ai acquis une grande expérience des prisonniers, et je ne crains pas de dire et de déclarer hautement qu'une erreur terrible a été commise. Aussi n'ai-je jamais considéré le capitaine Dreyfus comme un traître à sa patrie, à son uniforme [42]. »

## La cérémonie de la dégradation

La dégradation avait été fixée au matin du samedi 5 janvier 1895. Le lieu choisi par le gouverneur militaire de Paris, responsable de cette cérémonie dite « parade d'exécution », était la grande cour de l'École militaire qui ouvrait sur la place de Fontenoy. Celle-ci pouvait accueillir plusieurs milliers de personnes. Le général Mercier, le ministre de la Guerre, avait souhaité néanmoins donner à l'événement un caractère encore plus populaire en l'organisant à Vincennes. Il n'en reçut pas l'autorisation du gouvernement qui craignit des débordements.

Les préparatifs commencèrent un peu avant 5 heures du matin, à l'heure à laquelle Dreyfus fut réveillé dans sa cellule de la prison du Cherche-Midi [43]. Les cartes d'accès des représentants de la presse, des officiers de réserve et de la territoriale furent vérifiées par un capitaine de l'état-major de Paris, puis ceux-ci furent placés dans des tribunes installées sur le côté ouest de la cour Morland, la grande cour de l'École militaire [44]. Les troupes commençaient à faire mouvement. La loi prescrivait que chacun des régiments de la garnison de Paris devait envoyer deux détachements. Des élèves de l'École de guerre étaient également présents, massés sur une terrasse. L'ensemble des détachements donnait à la scène une allure grandiose et lugubre.

Dehors, « les Parisiens, qui, malgré l'heure matinale et le froid aigu, arrivaient en longues files par les diverses avenues aboutissant à l'École militaire, se rendaient bien vite compte de l'endroit où il fallait se poster pour voir », écrit *Le Temps* le 6 janvier 1895. Le lieu de la dégradation était approprié pour qu'un vaste public puisse assister à la cérémonie, comme le nota gravement *Le Journal* dans son édition du 6 janvier 1895. À 7 heures et demie, la police investit les lieux. Elle établit un service d'ordre avenue de La Motte-Picquet et du côté du quartier des cuirassiers, là où la voiture cellulaire transportant le capitaine Dreyfus devait pénétrer dans l'École militaire. La foule fut repoussée sous les quinconces de la place de Fontenoy.

Au même moment, un escadron de la Garde républicaine commandé par le capitaine Lebrun-Renault arrivait à la prison du Cherche-Midi pour emmener Dreyfus[45]. Sur son uniforme, tous les galons avaient été décousus, les boutons ne tenaient que par un fil, ainsi que les bandes rouges du pantalon, marque distinctive des anciens élèves de l'École polytechnique. Il fut procédé à la levée d'écrou. Le commandant Forzinetti prit congé de son prisonnier. Il lui serra la main[46]. Il lui dit de « prendre courage, qu'il n'y avait que de la tombe qu'on ne sortait pas ». Il lui confia son « intime conviction que son innocence serait reconnue un jour[47] ». Puis Dreyfus fut conduit au greffe de la prison pour y être fouillé. On lui laissa ses cigarettes. Deux gendarmes lui présentèrent les menottes. Il demanda au capitaine Lebrun-Renault s'il en avait reçu l'ordre. L'officier ne répondit pas, mais fit un geste. Les gendarmes lui passèrent les menottes. Le capitaine Dreyfus se tourna vers Lebrun-Renault et lui demanda de donner l'ordre de « faire vite quand nous serons là-bas ». L'officier continua de se taire. Alors Dreyfus se révolta, d'après le « Récit d'un témoin » publié par *Le Figaro*. « Je vous regarde en face, et si j'ose le faire, c'est que je suis innocent ; ma condamnation est le plus grand crime de ce siècle ; on le verra bien, du reste, dans trois ans. J'ai une famille qui va s'occuper de moi et qui arrivera à prouver mon innocence. On regrettera bien alors la peine qu'on m'inflige aujourd'hui. » « Cette protestation [...] est revenue à diverses reprises sur les lèvres du condamné, indique encore le journal. Il la répétait encore au moment où, quelques instants plus tard, on allait le conduire à la parade d'exécution[48]. » Cette indication de temps, « trois ans », il s'en expliqua en 1899 au procès de Rennes.

À 8 heures moins le quart, le cortège quitta la prison pour gagner l'École militaire. Deux cavaliers de la Garde républicaine, revolver au poing, marchaient en tête, suivis d'un peloton. Venaient ensuite le capitaine Lebrun-Renault et la voiture cellulaire attelée de quatre chevaux, conduite par deux soldats du train en grande tenue et encadrée de part et d'autre de cavaliers armés, « sabre à la main[49] ». Un second peloton fermait la marche. Une foule compacte était massée devant l'entrée de la prison. Des cris de mort accompagnèrent la sortie du cortège[50]. Dreyfus découvrait pour la première fois l'expression de la haine qui n'avait cessé de se renforcer contre lui depuis la révélation de son arrestation dans la presse le 31 octobre précédent.

Vingt minutes plus tard, le cortège pénétrait dans l'enceinte de l'École militaire. Alfred Dreyfus arrivait dans un lieu qu'il connaissait bien, qu'il avait connu comme jeune lieutenant affecté aux batteries, puis comme élève de l'École de guerre. Il fut conduit dans le bureau de l'adjudant de garnison et placé sous la surveillance du capitaine Lebrun-Renault. Deux gendarmes montaient la garde à l'entrée de la pièce. L'attente dura jusqu'à 9 heures moins cinq, le temps que les troupes se mettent en position. *Le Siècle* a décrit précisément l'ordonnance de « la parade d'exécution ».

Les troupes – dont l'effectif peut être évalué à près de quatre mille hommes – forment dans la cour Morland un immense carré de deux rangs d'épaisseur. Du côté des bâtiments de l'École de guerre, leur tournant le dos, se tiennent les jeunes soldats ; en face d'eux, tournant le dos à la grille de la place de Fontenoy, les anciens soldats.

Les tambours, les clairons et la musique qui appartient au 39e régiment d'infanterie caserné à l'École militaire ont pris place dans le carré. [...] En face d'eux, sur une longueur de cinquante mètres environ, un vide a été laissé. C'est là que seront placés les journalistes que leur devoir professionnel amène à cette lugubre cérémonie.

Sur la place, la foule est compacte. On a entrebâillé les portes aux personnes munies de laissez-passer qu'un fort aimable capitaine place à l'endroit réservé, à l'alignement des troupiers, car ici tout se passe militairement, et les journalistes jouent en quelque sorte un rôle dans la lugubre cérémonie puisqu'ils complètent le carré [51].

C'est une cérémonie d'exécution qui fait penser à une scène de mort. La peine est même considérée comme un « supplice pire que la mort [52] ». « Et, invinciblement, écrit le journaliste du *Siècle*, une association d'idées se fait dans l'esprit. Cette attente, dans le matin glacial, au milieu des confrères frissonnants, fait songer à l'attente du même genre place de la Roquette, alors que, les bois de justice rassemblés, la guillotine édifiée pour l'œuvre de mort, les magistrats et les prêtres ont pénétré dans la prison pour réveiller le condamné [53]. » *Le Journal* parle du « deuil » qui a saisi les êtres. La foule avait encore augmenté, comme le constata le préfet de police qui donna des ordres pour ne tolérer aucun tapage [54].

Enfermé donc dans le bureau de l'adjudant avec le capitaine Lebrun-Renault, le capitaine Dreyfus se parla longuement à lui-même. « Durant ces longues minutes, je tendis toutes les forces de mon être ; les souvenirs des atroces mois que je venais de passer revinrent à ma mémoire et, en phrases entrecoupées, je rappelai la dernière visite que me fit le commandant du Paty de Clam dans ma prison. Je protestai contre l'infâme accusation portée contre moi [55]. » Il déclara au capitaine Lebrun-Renault : « Je suis innocent, je vais le dire à la face du peuple : le ministre le sait bien [56]... »

Le capitaine Dreyfus n'imaginait pas qu'il serait mis en présence d'une autre forme de dégradation lorsque la violence de la foule allait étouffer ses paroles d'innocence. Il allait découvrir un déchaînement de haine dont il n'avait pas imaginé la violence voire la possibilité même. Lors des quelques rencontres qu'il avait eues avec sa femme ou son défenseur, ceux-ci lui avaient caché le second procès qui se déroulait simultanément à celui qu'il vivait, le procès intenté par l'opinion à un homme qu'elle tenait pour le monstre absolu. Il avait, semble-t-il, tenté de se renseigner auprès du commandant Forzinetti [57], mais celui-ci, probablement, n'avait pas insisté sur l'ampleur du procès public qui se jouait à l'extérieur de la prison afin de ne pas désespérer davantage son prisonnier.

Dreyfus insista à nouveau pour que la scène se passe le plus rapidement possible. « Pour une raison d'humanité que vous comprenez, expliqua le capitaine de la Garde républicaine aux juges du procès de Rennes, je dis à l'adjudant Bouxin, qui appartenait à mon corps, de faire cette cérémonie le plus vite possible, car elle était très pénible pour le capitaine Dreyfus [58]. » Surtout, Lebrun-Renault demanda au colonel Fayet, major de la garnison, de faire savoir au général Darras que le condamné lui avait annoncé son intention de protester de son innocence [59]. Par cette démarche, Lebrun-Renault escomptait que des mesures soient prises pour couvrir la voix de Dreyfus ou l'empêcher de crier.

À 9 heures moins cinq, quatre artilleurs conduits par un brigadier vinrent chercher le capitaine. « Voici les hommes qui viennent vous prendre, monsieur, dit Lebrun-Renault. – Je les suis, reprit Dreyfus, mais je vous répète, les yeux dans les yeux, que je suis innocent [60]. » L'Autorité raconte l'arrivée du cortège dans la cour : « Un petit groupe apparaît bientôt : c'est Alfred Dreyfus, encadré par quatre artilleurs, accompagné par un lieutenant de la Garde républicaine et le plus ancien sous-officier de l'escorte, qui approche. Entre les dolmans sombres des artilleurs, on voit se détacher très net l'or des trois galons en trèfle, l'or des bandeaux du képi ; l'épée brille et l'on distingue de loin la dragonne noire tenant à la poignée de l'épée. Dreyfus marche d'un pas assuré. "Regardez donc, comme il se tient droit, la canaille", dit-on. Le groupe se dirige vers le général Darras, devant lequel se tient le greffier du conseil de guerre, M. Vallecalle, officier d'administration. Dans la foule, des clameurs se font entendre. Mais le groupe s'arrête. Un signe du commandant des troupes, et les tambours et les clairons ouvrent un ban et le silence se fait de nouveau, cette fois tragique. Les canonniers qui accompagnent Dreyfus reculent de quelques pas, le condamné apparaît bien détaché. Le greffier salue militairement le général et, se tournant vers Dreyfus, lit d'une voix très distincte le jugement qui condamne le nommé Dreyfus à la déportation dans une enceinte fortifiée et à la dégradation militaire. Puis le greffier se retourne vers le général et fait le salut militaire. Dreyfus a écouté silencieusement.» Le condamné se tint très droit : «Je souffrais le martyre, je me raidissais pour concentrer toutes mes forces, j'évoquais pour me soutenir le souvenir de ma femme, de mes enfants[61].» *Le Temps* rapporta : «Dreyfus écoute silencieusement l'arrêt. La voix du général Darras s'éleva, légèrement empreinte d'émotion : "Dreyfus, vous êtes indigne de porter les armes. Au nom du président de la République[62], nous vous dégradons !" Dreyfus s'écrie alors d'une voix nette, sans qu'on distingue le moindre tremblement : "Je suis innocent, je jure que je suis innocent ! Vive la France !"» *L'Autorité* indiqua même que l'officier avait levé les bras vers le ciel. Darras, déposant devant la Cour de cassation le 19 décembre 1898, a précisé que le capitaine avait répondu directement à sa déclaration : «Je suis toujours digne de faire partie de l'armée, et je crie : "Vive la France ! Vive l'armée[63] !"» Aux troupes massées dans l'immense cour, il cria encore : «Soldats, on dégrade un innocent ; soldats, on déshonore un innocent.» Il répéta : «Vive la France, vive l'armée[64] !» *L'Autorité* affirme qu'une immense clameur venue du dehors aurait alors répondu : «À mort !»

Commença la dégradation proprement dite. Un adjudant de la Garde républicaine s'approcha du capitaine. Rapidement, il lui arracha ses boutons, les bandes rouges de son pantalon, ses insignes de grade du képi et des manches du dolman, les numéros du col. Puis l'adjudant tira le sabre et le brisa sur son genou. «Je vis tomber à mes pieds tous ces lambeaux de mon honneur. Alors, dans cette secousse effroyable de tout mon être, mais le corps droit, la tête haute, je clamai toujours et encore mon cri à ces soldats, à ce peuple assemblé : "Je suis innocent[65] !"» Il répéta : «Je suis innocent !» «Sur la tête de ma femme et de mes enfants, je jure que je suis innocent. Vive la France[66] !» *Le Temps*, qui estime la foule à «plusieurs milliers de personnes», relève les longs cris de haine. Ils doivent répondre aux protestations d'innocence du condamné. «La foule, jusqu'alors silencieuse, s'émeut, et une clameur s'élève : "À mort !"» Ces cris se répètent lorsque, «de nouveau, nette, sans indice d'émotion, la voix du condamné s'élève : "Je suis innocent, vive la France !" Et, comme secouée de la même impression, la foule, entendant ces mots, pousse encore un nouveau cri : "À mort !"» Une troisième fois, «secoués encore, les milliers d'assistants poussent la même et formidable clameur : "À mort !"». Et puis, encore, du groupe des représentants de la presse. «Nous distinguons les mots : "Misérable ! Judas !" Et la foule pousse encore sa lugubre clameur : "À mort[67] !"» D'après d'autres témoignages, on aurait entendu : «Lâche ! Judas ! Sale Juif[68] !»

Mais la cérémonie n'était pas encore achevée. Encadré par les quatre artilleurs, le capitaine Dreyfus dut défiler dans son uniforme lacéré, passant devant les détachements, puis devant la grille où se massait la foule, devant les tribunes des journalistes, les invités, les officiers de réserve et de la territoriale, enfin devant les jeunes recrues. « J'entendis les hurlements d'une foule abusée, je sentis le frisson qui devait la faire vibrer, puisqu'on lui présentait un homme condamné pour trahison, et j'essayai de faire passer dans cette foule un autre frisson, celui de mon innocence [69]. » Alors, « pendant tout le tour du vaste carré, il crie son innocence, marchant d'un pas toujours plus assuré, comme à la manœuvre, du même pas cadencé que les canonniers qui l'escortent, et sans baisser les yeux, sans que son front se courbe ou que le rouge de la honte y monte, sans qu'un muscle tressaille [70] ». « Dreyfus avance toujours la tête relevée », écrit L'Autorité, qui poursuit.

Le public crie : « À mort ! » Bientôt, il arrive devant la grille ; la foule le voit mieux, les cris augmentent, des milliers de poitrines réclament la mort du misérable qui s'écrie encore : « Je suis innocent ! Vive la France ! »
La foule n'a pas entendu, mais elle a vu Dreyfus se tourner vers elle et crier. Une formidable bordée de sifflets lui répond, puis une clameur qui passe comme un souffle de tempête au travers de la vaste cour : « À mort ! À mort ! »
Et, au-dehors, un remous terrible se produit dans la masse sombre, et les agents ont une peine inouïe à empêcher le peuple de se précipiter sur l'École militaire et de prendre la place d'assaut, afin de faire plus prompte et plus rationnelle justice de l'infamie de Dreyfus.
Dreyfus continue sa marche. Il arrive devant le groupe de la presse : « Vous direz à la France entière, dit-il, que je suis innocent ! » – « Tais-toi, misérable ! » lui répondent les uns, tandis que d'autres lui crient : « Lâche ! Traître ! Judas ! »
Sous l'outrage, l'abject personnage se redresse ; il nous jette un coup d'œil de haine féroce : « Vous n'avez pas le droit de m'insulter ! » Une voix nette sort du groupe de la presse, contestant : « Vous savez bien que vous n'êtes pas innocent. » « Vive la France ! Sale Juif ! » lui crie-t-on encore.
Et Dreyfus continue son chemin. Ses vêtements ont un aspect pitoyable. À la place des galons pendent de longs bouts de fil, et le képi n'a plus de forme. Dreyfus se redresse encore ; mais il n'a parcouru que la moitié du front des troupes, et l'on aperçoit que les cris continus de la foule et les divers incidents de cette parade commencent à avoir raison de lui.
Si la tête du misérable est simplement tournée du côté des troupes, qu'elle semble défier, les jambes commencent à fléchir, sa démarche paraît plus lourde. Le groupe n'avance que lentement. Il passe maintenant devant les « bleus ».
Le tour du carré s'achève. [...] La parade a duré juste dix minutes.

Ainsi, le capitaine Dreyfus ne dut pas seulement résister à une cérémonie de mort, il dut affronter la foule qui, contrairement aux régiments restés silencieux, hurla sa haine du « traître » et du « Juif ». Toute la presse releva les cris de mort proférés à mesure que l'officier avançait le long de la haute grille séparant la cour d'honneur de la place de Fontenoy. Elle nota aussi ses protestations d'innocence pour mieux en souligner le caractère insensé. Aux journalistes, il demande d'« annoncer à la France entière que je suis innocent [71] ». Il lance même, dans un acte suprême de défi : « Vous n'avez pas le droit de m'insulter [72] ! » Les officiers de réserve et de la territoriale sont parmi les plus virulents. Et Dreyfus leur répond également : « Vous faites de moi un martyr [73]. » Et à un groupe d'officiers qui l'apostrophent violemment, « "Traître ! Misérable !", c'est avec le plus grand sang-froid qu'il riposte : "Frappez ! N'insultez pas !" »

Ces protestations d'innocence et le fait qu'elles furent entendues, notamment par la presse et les nombreux officiers présents, surprirent les autorités militaires. Elles avaient certes imaginé un dispositif pour les étouffer, mais celui-ci se révéla peu efficace [74] sinon guère appliqué [75]. Il semble que le général commandant la cérémonie voulut laisser à Dreyfus son droit de protester. La presse nationaliste ne s'y trompa pas en tout cas puisqu'elle critiqua sévèrement le général Darras [76]. Mais le capitaine aussi avait pris l'autorité militaire de court. En clamant son innocence, il n'agissait pas comme un soldat soumis acceptant le sacrifice dicté par ses chefs. Il faisait preuve d'un courage que l'on n'imaginait pas chez lui, qui ne correspondait pas en tout cas au portrait que les journaux dressaient. Ses protestations contestaient l'ordre de la cérémonie. Ce fut, de sa part, un premier acte de résistance. Sa volonté de clamer son innocence, seul contre tous, devant le front des troupes et face à la foule déchaînée, outre qu'elle indiquait un courage personnel certain, eut une efficacité réelle à court et surtout à moyen terme. Ses protestations répétées suscitèrent des questions chez plusieurs participants ou spectateurs, chez certains même, un premier doute sur la réalité de sa culpabilité. Certes, ce trouble fut en général tu, mais lorsque les premières informations furent livrées, deux ans plus tard, sur les conditions dans lesquelles le capitaine avait été condamné et sur sa situation à l'île du Diable, ce trouble revint en mémoire, provoqua une prise de conscience et aida à la naissance des premières convictions. Lesquelles se rangèrent en trois groupes qui répondaient point par point aux argumentaires de l'antisémitisme exprimé lors de cette cérémonie : protéger les Juifs en tant que peuple ; défendre les Juifs en tant que citoyens d'un État démocratique ; refuser les mécanismes politiques et sociaux qui conduisent au désastre du droit et de la vérité.

*Le « Récit d'un témoin »*

La lecture des journaux, en tout cas de ceux qui avaient rapporté objectivement la cérémonie, pouvait renforcer le trouble des consciences. Le « Récit d'un témoin » publié par *Le Figaro* dès le lendemain 6 janvier 1895 élargissait le cadre des protestations d'innocence en restituant ce que le capitaine Dreyfus aurait déclaré au capitaine Lebrun-Renault lorsqu'il était sous sa garde. *Le Figaro*, parce que ce journal remplissait objectivement sa mission d'information, communique une image plus favorable du capitaine Dreyfus dans l'opinion éclairée. Il rapporta fidèlement ses déclarations durant le temps où il fut sous la garde de Lebrun-Renault. Une conversation s'engagea un moment entre les deux officiers :

« Vous n'avez pas songé au suicide, monsieur Dreyfus ?

— Si, mon capitaine, répondit Dreyfus, mais seulement le jour de ma condamnation. Plus tard, j'ai réfléchi, je me suis dit qu'innocent comme je le suis, je n'avais pas le droit de me tuer, on verra dans trois ans, quand justice me sera rendue.

— Alors, vous êtes innocent ?

— Voyons, mon capitaine, écoutez. On trouve dans un chiffonnier d'une ambassade un papier annonçant l'envoi de quatre pièces. On soumet le papier à des experts. Trois reconnaissent mon écriture, deux déclarent que l'écriture n'est pas de ma main, et c'est là-dessus qu'on me condamne. À dix-huit ans, j'entrais à l'École polytechnique, j'avais devant moi un magnifique avenir militaire, cinq cent mille francs de fortune et la certitude d'avoir dans l'avenir cinquante mille francs de rente. Je n'ai jamais touché une carte de ma vie ; donc je n'ai pas de besoins d'argent. Pourquoi aurais-je trahi ? Pour de l'argent ? Non. Alors, pourquoi ?

— Et qu'est-ce que c'était que ces pièces dont on annonçait l'envoi ?

— Une très confidentielle et trois autres moins importantes.

— Comment le savez-vous ?

— Parce qu'on me l'a dit au procès. Ah ! ce procès à huis clos, comme j'aurais voulu qu'il fût public et qu'il eût lieu au grand jour ! Il y aurait eu certainement un revirement d'opinion.

— Lisiez-vous les journaux en prison ?

— Non, aucun. On m'a bien dit que la presse s'occupait de moi et que certains journaux profitaient de cette accusation ridicule pour se livrer à une campagne antisémite. Je n'ai rien voulu lire. »

Puis raide, comme insensible, il ajouta :

« À présent, c'est fini, on va m'expédier à la presqu'île Ducos. Dans trois mois, ma femme viendra m'y rejoindre.

— Et, ajouta le capitaine Lebrun-Renault, avez-vous l'intention de prendre la parole tout à l'heure ?

— Oui, je veux protester publiquement de mon innocence[77]. »

Les journaux les plus hostiles au condamné confirmèrent ce récit à travers leurs éditions spéciales consacrées à l'événement. Puisqu'il s'était déroulé devant un large public, ils ne pouvaient nier les paroles d'innocence que le capitaine Dreyfus avait lancées et qu'il avait déjà formulées au capitaine de la Garde républicaine. « Pour la première fois, hier, depuis son arrestation, Dreyfus a protesté de son innocence en public. Il a protesté devant la foule pendant la dégradation, devant les troupes pendant qu'il défilait ; il a protesté dans la voiture cellulaire devant ses gardiens [78] », rapporta *Le Journal*, qui recueillit de surcroît la réaction du défenseur du capitaine. « C'est de l'affaire de *Monsieur Dreyfus* que vous venez m'entretenir, nous a-t-il dit d'abord, en nous recevant de la manière la plus affable. Vous savez que je ne puis rien vous dire ; on nous a mis le huis clos, c'est-à-dire qu'on nous a mis un cadenas aux lèvres : je suis donc empêché de parler. Je ne puis que m'incliner et je m'incline devant une décision rendue, d'ailleurs, à *huis clos*. Pour moi, comme pour tout le monde, il est coupable, puisqu'il a été condamné. Mais, à part moi, dans mon for intérieur, je demeure persuadé de la façon la plus absolue de son innocence ; ma conviction n'a pas changé et je maintiens mes déclarations. » Mathieu Dreyfus s'exprima aussi, insistant sur la confiance totale que sa famille et lui conservaient à l'égard du condamné : « Nous le connaissons bien ; nous savons bien ce qu'on lui reprochait : eh bien ! je puis vous affirmer que tous ici, la veille du jugement, nous croyions à son acquittement. C'était aussi l'avis de M^e Demange qui, au début, n'était que notre conseil et n'a accepté de présenter la défense de mon frère qu'après avoir pris connaissance du dossier et acquis la certitude que l'accusation dont il était l'objet reposait toute – il l'a dit – sur une unique pièce dont l'origine ne pouvait se discuter. Il est vrai que tout est contre lui. Il a été jugé, condamné, dégradé : il partira ! Mais tous ici, qui sommes convaincus qu'on se trouve en face d'un ensemble de fatalités effroyables, nous espérons bien qu'avec l'aide de M^e Demange nous arriverons à faire la lumière. Ce sera le seul but de notre famille... » *Le Journal* ajoutait et commentait : « Ces sentiments sont partagés par M. et Mme Hadamard et surtout – cela est compréhensible – par la femme de l'ancien capitaine. Nous les mentionnons purement [...] à titre d'information, car, pour notre part, il est certain que cette famille se laisse égarer par l'affection qu'elle persiste envers et contre tous à porter à Alfred Dreyfus. »

En publiant le « Récit d'un témoin », *Le Figaro* opposait de plus un net démenti à la thèse des aveux répandue quelques jours plus tard. Dans leurs récits de la dégradation, tous les autres journaux, même les plus nationalistes et antisémites, avaient suivi cette voie. La thèse des aveux pouvait paraître ensuite très commode pour convaincre l'opinion que le condamné était bien coupable. Cependant, en la reproduisant, les journaux allaient contredire, à quelques jours d'intervalle, leur récit de la dégradation. Même pour les plus convaincus de la culpabilité de Dreyfus, la personnalité du condamné commençait à égarer les certitudes.

*Le détenu 164*

À l'issue de la cérémonie, Dreyfus fut conduit vers une cour attenante au quartier des cuirassiers. Un officier présent à cet endroit raconta : « Dans la cour voisine où stationnait la voiture cellulaire qui devait le conduire à la préfecture de police, il y avait quelques officiers. Dreyfus se tourna vers eux et leur dit : "Je ne suis pas indigne de rester parmi vous : dans trois ans, je reviendrai, et on me rendra justice [79]." » L'ex-officier tremblait, épuisé par l'épreuve. Le capitaine Lebrun-Renault, à l'instant de le quitter, le regarda fixement. « J'ai froid, mon capitaine », lui dit seulement Dreyfus [80]. Il fut alors remis à l'autorité civile représentée par le commissaire aux délégations judiciaires Clément, accompagné de quatre agents de la préfecture de police et de deux gendarmes. On le menotta avant de le faire entrer dans la voiture cellulaire.

Le convoi quitta l'École militaire à vive allure. De la lucarne de sa cellule, le condamné aperçut les fenêtres de son appartement du Trocadéro, là où s'étaient écoulées pour lui de si douces années, là où il laissait tout son bonheur – « l'angoisse fut atroce [81]. » *Le Siècle* indique qu'« à différentes reprises, les passants qui reconnaissent l'ignominieux équipage du traître, n'ont pu s'empêcher de manifester leur mépris, et toujours le féroce refrain revenait : "À mort, le traître ! Au mur ! À mort !" ». *Le Journal* précisa même que « ces cris, sans interruption, continuèrent jusqu'au moment où [la voiture] s'engouffra, quai de l'Horloge, sous la voûte du dépôt. Si une escorte de braves et loyaux soldats n'avait protégé l'officier félon, sans nul doute, la voiture cellulaire eût été prise d'assaut et Dreyfus mis en lambeaux par la foule hurlante ».

La voiture cellulaire arriva au dépôt de la préfecture de police à dix heures moins le quart. Au greffe, le directeur, Durlin, accueillit Dreyfus par ces mots : « Monsieur, il m'est pénible d'avoir à écrouer un officier de l'armée française, surtout pour crime de trahison. – Monsieur le directeur, je comprends votre indignation, lui répond Dreyfus, mais je suis innocent !... Oui, je suis innocent, et dans trois ans mon innocence sera reconnue [82]. » Puis il fut fouillé et conduit, de salle en salle, jusqu'au service d'anthropométrie. Là, il fut d'abord enfermé dans un bureau, « de crainte que ses co-détenus ne lui fissent un mauvais parti [83] », mesuré et photographié selon les procédures mises en place par Alphonse Bertillon. Mais celui-ci avait reçu l'ordre de ne pas effectuer lui-même les actes d'identification, en raison de son rôle au procès. Dreyfus se laissa mesurer sans résistance, note *Le Journal*, qui relève néanmoins son énergique protestation : « On reconnaîtra, un jour, mon innocence ; j'ai confiance dans la Providence qui se chargera de faire découvrir le véritable coupable [84]. » Les originaux des photographies anthropométriques sont conservés aux archives de l'outre-mer, à Aix-en-Provence. Ils permettent de capter le regard de fierté du capitaine derrière la mise en scène classique, par l'institution policière, de l'image du criminel [85]. Redescendus de chez Bertillon, « Dreyfus, trois ou quatre gardes et le directeur se dirigèrent par les souterrains vers la souricière où les attendait la voiture cellulaire. Dans le trajet, Dreyfus ayant dit au directeur qu'il avait confiance en Dieu : "C'est beaucoup, sans doute, lui répond M. Durlin, mais ce n'est pas suffisant sur terre. – Vous verrez dans trois ans", répliqua Dreyfus ». Le président du Conseil, Charles Dupuy, qui relata ces faits dans une lettre du 15 novembre 1898 au ministre de la Guerre, conclut que le directeur du dépôt, « non seulement n'a pas reçu d'aveux de Dreyfus, mais qu'il aurait même entendu ce dernier protester de son innocence [86] ». Cette mention des « aveux » de Dreyfus fait référence à la légende qui commençait déjà à se développer et qui avait été lancée par un groupe d'officiers sur la base d'allégations imaginaires du capitaine Lebrun-Renault. L'évidence avec laquelle ils tenaient le capitaine Dreyfus pour coupable les autorisait à imaginer qu'il soit passé aux aveux et à en colporter la rumeur.

Puis la voiture cellulaire transportant le condamné repartit de l'île de la Cité et se dirigea vers la prison de la Santé, là où il devait être détenu dans l'attente de sa seconde peine. Le policier responsable du transfert était porteur de l'état signalétique qui allait accompagner le prisonnier jusqu'à son lieu de déportation : « Dreyfus n'a exprimé aucun regret, fait aucun aveu, malgré les preuves irrécusables de sa trahison. Il doit, en conséquence, être traité comme un malfaiteur endurci tout à fait indigne de pitié [87]. » Le capitaine fut aussitôt écroué – on lui affecta le numéro 164 – et fut enfermé dans une cellule. Il était à peine midi. La correspondance, strictement limitée à son défenseur, à sa femme et à sa proche famille, lui était autorisée. Immédiatement, il rédigea plusieurs lettres. À Me Demange :

> J'ai tenu la promesse que je vous avais faite. Innocent, j'ai affronté le martyre le plus épouvantable que l'on puisse infliger à un soldat ; j'ai senti autour de moi le mépris de la foule ; j'ai souffert la torture la plus terrible qu'on puisse imaginer. Et que j'eusse été plus heureux dans la tombe ! Tout serait fini, je n'entendrais plus parler de rien, ce serait le calme, l'oubli de toutes mes souffrances.
>
> Mais, hélas ! le devoir ne me le permet pas, comme vous me l'avez si bien montré.
>
> Je suis obligé de vivre, je suis obligé de me laisser encore martyriser pendant de longues semaines pour arriver à la découverte de la vérité, à la réhabilitation de mon nom.
>
> Hélas ! quand tout cela sera-t-il fini ? Quand serai-je de nouveau heureux ?
>
> Enfin, je compte sur vous, cher maître. Je tremble encore au souvenir de tout ce que j'ai enduré aujourd'hui, à toutes les souffrances qui m'attendent encore [...] [88].

À ses « chers frères et sœurs » :

> Vous dire mes souffrances de la journée m'est impossible ! D'ailleurs, je ne le voudrais pas. Votre peine et votre chagrin sont déjà assez grands pour que je ne vienne pas encore y ajouter les miennes. Ah, [...] que la mort

m'eût été plus douce que tout ce que j'ai souffert aujourd'hui. Mais j'avais promis de vivre, j'avais promis de ne pas déserter mon poste, j'ai tenu parole. Je vivrai, au moins tant que mes forces me le permettront, jusqu'à ce qu'on m'ait rendu mon honneur. [...] Écrivez-moi, soutenez-moi de votre courage et de votre énergie. J'en ai besoin. Ici, je suis au régime cellulaire absolu. Ce régime n'est pas fait pour me rendre mes forces affaiblies par tant de malheurs immérités. Espérons que je partirai bientôt – le plutôt sera le mieux –, que je retrouverai là-bas ma chère femme adorée et que j'attendrai ainsi que vos efforts, la Providence, arrivent à déchiffrer cette énigme où a sombré *l'honneur d'un innocent* [89].

Et enfin à Lucie, à laquelle il ne cessa d'écrire durant cette fin de journée, seul dans sa cellule avec sa condamnation qui l'écrasait mais qu'il combattait.

Te dire ce que j'ai souffert aujourd'hui, je ne le veux pas, ton chagrin est déjà assez grand pour que je ne vienne pas encore l'augmenter.

En te promettant de vivre, en te promettant de résister jusqu'à la réhabilitation de mon nom, je t'ai fait le plus grand sacrifice qu'un homme de cœur, qu'un honnête homme, auquel on vient d'arracher son honneur, puisse faire. Pourvu, mon Dieu, que mes forces physiques ne m'abandonnent pas ! Le moral tient, ma conscience qui ne me reproche rien me soutient, mais je commence à être à bout de patience et de forces. Avoir consacré toute sa vie à l'honneur, n'avoir jamais démérité et me voir où je suis, après avoir subi l'affront le plus sanglant qu'on puisse infliger à un soldat !...

Donc, ma chérie, faites tout au monde pour trouver le véritable coupable, ne vous ralentissez pas un seul instant, c'est mon seul espoir dans le malheur épouvantable qui me poursuit. Pourvu que je sois bientôt là-bas et que nous soyons bientôt réunis ! Tu me redonneras des forces et du courage, j'en ai besoin. Les émotions d'aujourd'hui m'ont brisé le cœur, ma cellule ne me procure aucune consolation.

Figure-toi une petite pièce toute nue, de 4 m 20 peut-être, fermée par une lucarne grillée... un lit replié contre le mur, etc., non, je ne veux pas t'arracher le cœur, ma pauvre chérie.

Je te raconterai plus tard, quand nous serons de nouveau heureux, ce que j'ai souffert aujourd'hui, combien de fois, au milieu de ces nombreuses pérégrinations parmi de vrais coupables, mon cœur a saigné. Je me demandais ce que je faisais là, pourquoi j'étais là... Il me semblait que j'étais le jouet d'une hallucination ; mais, hélas, mes vêtements déchirés, souillés, me rappelaient brutalement à la vérité, des regards de mépris qu'on me jetait me disaient trop clairement pourquoi j'étais là.

Ah ! hélas, pourquoi ne peut-on pas ouvrir avec un scalpel le cœur des gens et y lire ! Tous les braves gens qui me voyaient passer y auraient lu, gravé en lettres d'or : « Cet homme est un homme d'honneur. » Mais comme je les comprends ! À leur place je n'aurais pas non plus pu contenir mon mépris à la vue d'un officier qu'on leur dit être traître... Mais hélas, c'est là ce qu'il y a de tragique, c'est que ce traître, ce n'est pas moi !

Écrivez-moi vite tous, faites tout au monde pour que je vous voie bien vite, car mes forces m'abandonneront, et il me faut du soutien, fais enfin que nous soyons réunis le plus tôt possible et que je retrouve dans ton cœur les forces qui me sont nécessaires.

Je t'embrasse comme je t'aime [90].

À 6 heures du soir, il lui adressa une nouvelle lettre :

Dans ma sombre cellule, dans les tortures de mon âme qui se refuse à comprendre pourquoi je souffre ainsi, pour quelle cause enfin Dieu me punit ainsi, c'est toujours vers toi que je reviens, ma chère femme, c'est vers toi qui, dans ces tristes et terribles circonstances, as été pour moi d'un dévouement sans bornes, d'une affection sans limites.

Tu as été et tu es sublime ; dans mes moments de faiblesse, j'ai honte de ne pas être à la hauteur de ton héroïsme. Mais ce chagrin finit par ronger les âmes les mieux trempées, le chagrin de voir tant d'efforts, tant d'années d'honneur, de dévouement à son pays, perdues par une machination qui procède bien plus du fantastique que du réel. À certains moments je ne puis y croire ; mais ces moments hélas, sont rares ici, car, soumis au régime cellulaire le plus strict, tout me ramène à la sombre réalité.

Continue à me soutenir de ton profond amour, ma chérie, aide-moi dans cette lutte épouvantable pour mon honneur, que je sente ta belle âme vibrer près de la mienne.

Quand pourrai-je te voir ?

J'ai cependant besoin d'affection et de consolation dans ma triste infortune.

Hélas, j'ai bien l'âme courageuse du soldat, je me demande si j'ai l'âme héroïque du martyr !

Mille bons baisers pour toi, pour nos chéris !

Que ces derniers soient ta consolation. [...]

Écrivez-moi souvent et beaucoup. Songez qu'ici je suis seul du matin au soir et du soir au matin ; pas une âme sympathique ne vient adoucir mon sombre chagrin. Aussi me tarde-t-il d'être là-bas avec toi, ma chérie, et d'attendre dans la paix et la tranquillité que l'on me réhabilite, qu'on me rende mon honneur [91].

Et encore une autre à 7 heures du soir :

Je viens d'avoir un moment de détente terrible, des pleurs entremêlés de sanglots, tout le corps secoué par la fièvre. C'est la réaction des horribles tortures de la journée, elle devait fatalement arriver ; mais, hélas, au lieu de pouvoir sangloter dans tes bras, au lieu de pouvoir m'appuyer sur toi, mes sanglots ont résonné dans le vide de ma prison.

C'est fini, haut les cœurs ! Je concentre toute mon énergie. Fort de ma conscience pure et sans tache, je me dois à ma famille, je me dois à mon nom. Je n'ai pas le droit de déserter tant qu'il me restera un souffle de vie ; je lutterai avec l'espoir prochain de voir la lumière se faire. Donc, poursuivez vos recherches. Quant à moi, la seule chose que je demande, c'est de partir au plus vite, de te retrouver là-bas, de nous

installer, pendant que nos amis, nos familles, s'occuperont ici de rechercher le véritable coupable, afin que nous puissions un jour rentrer dans
notre chère patrie, en martyrs qui ont supporté la plus terrible, la plus
émouvante des épreuves[92].

À 7 heures et demie, avant une nuit qu'il pressent terrible, il lui confia :

C'est l'heure à laquelle il faut se coucher. Que vais-je devenir ? Que
vais-je faire dans mon lit qui se compose d'une paillasse portée par des
tringles de fer. Les souffrances physiques ne sont rien, tu sais que je ne les
crains pas, mais mes tortures morales sont loin d'être finies. Ô ma chérie,
qu'ai-je fait le jour où je t'ai promis de vivre ! Je croyais vraiment avoir
l'âme plus forte. Être résigné toujours quand on est innocent, c'est facile à
dire, mais dur à digérer.

Écris-moi bien vite, ma chérie, tâche de me voir, j'ai besoin de puiser de
nouvelles forces dans tes yeux chéris.

Mille bons baisers[93].

Dès le lendemain, il s'était repris pourtant. Plus déterminé que
jamais, il écrivit à Lucie :

Pardon, mon adorée, si dans mes lettres d'hier j'ai exhalé ma douleur,
étalé ma torture. Il fallait bien que je les confie à quelqu'un ! Quel cœur
est plus préparé que le tien à recevoir le trop-plein du mien ? C'est ton
amour qui m'a donné le courage de vivre ; il faut que je le sente vibrer près
du mien. Montrons que nous sommes dignes l'un de l'autre, que tu es une
femme noble et sublime.

Courage donc, ma chérie. Ne pense pas trop à moi, tu as d'autres devoirs
à remplir. Tu te dois à nos chers enfants, à notre nom qu'il faut réhabiliter.
Pense donc à toutes les nobles missions qui t'incombent ; elles sont lourdes,
mais je te sais capable de les entreprendre à condition de ne pas te laisser
abattre, à condition de conserver tes forces.

Il faut donc lutter contre toi-même, rassembler toute ton énergie et ne
penser qu'à tes devoirs.

Quant à moi, ma chérie, tu sais si j'ai beaucoup souffert hier ; plus encore
que tu ne peux te l'imaginer. Je te raconterai cela quelque jour, quand nous
serons de nouveau réunis et heureux.

Pour le moment, je ne souhaite qu'une chose. Puisque je vous suis inutile
ici, que, d'autre part, les recherches pour trouver le coupable seront, je le
crains, longues et minutieuses, c'est d'être envoyé le plus tôt possible et
dans les meilleures conditions possible là-bas, et d'y attendre avec toi que
les recherches combinées de toutes nos familles aient abouti. Le régime
cellulaire m'épuise beaucoup, et je ne demande qu'une chose : c'est d'être
expédié au plus tôt là-bas.

J'étais très navré ce matin de n'avoir pas encore reçu de lettres. À
2 heures, heureusement, M. le directeur de la prison est venu m'apporter
un paquet de bonnes lettres qui m'a bien fait plaisir ; elles ont été le rayon
de joie de ma triste cellule.

Veux-tu être assez bonne pour m'envoyer une couverture de voyage ; il
fait, en effet, très froid dans nos cellules.

Tâche d'obtenir le plus tôt possible la permission de me voir.
Je t'embrasse mille fois.
Bons baisers à ces pauvres chéris [94] !

Il s'adressa de même à ses « chers frères et sœurs » :

Je ne vous raconterai pas ma journée d'hier, ma douleur, mon angoisse, ma torture. Votre chagrin est déjà assez grand.
D'ailleurs, rien ne sert de regarder en arrière, il faut regarder en avant. Merci de la noble mission que vous avez acceptée tous avec dévouement, c'est-à-dire de consacrer tous vos efforts à la découverte du coupable.
Ce qui m'a [marri] surtout, c'est le huis clos du procès. Personne ne peut se douter sur quoi j'ai été condamné. Aussi faut-il laisser se produire l'action lente de Mᵉ Demange, de nous tous et de nos amis. Parce que la vérité se connaîtra [95].

Dans un post-scriptum, il suggéra que sa sœur Louise utilisât « sa relation » au ministère de l'Intérieur, dont dépendait la prison de la Santé, pour que Lucie fût autorisée à le voir.

## À la prison de la Santé

Le principal établissement pénitentiaire masculin de la capitale, dépendant du ministère de l'Intérieur, était dirigé par l'administrateur Patin. Le régime de détention y fut sévère pour le capitaine Dreyfus, mais cette dureté était compensée par la relative bienveillance du directeur. « Celui-ci se montra d'ailleurs parfaitement correct durant tout mon séjour », devait se souvenir l'officier [96]. On apprendrait par la suite que le directeur fut lui aussi convaincu de l'innocence de son prisonnier [97]. Cependant, des conditions spéciales furent imposées par le gouvernement, notamment une surveillance étroite afin que le capitaine Dreyfus n'apprenne aucune des informations communiquées sur son compte dans les journaux. Il était toujours interdit à Lucie ou aux autres membres de la famille de le renseigner dans leurs lettres. De la même manière, les quelques entrevues qui purent les réunir se déroulèrent en présence du directeur avec interdiction formelle d'aborder tout sujet relatif au procès ou à l'exécution des peines. Lucie avait été autorisée à le voir deux fois par semaine, dans le bureau du directeur.
Dreyfus eut des crises profondes de désespoir, particulièrement dans les premiers jours de sa détention dans cette nouvelle prison. Mais il parvint à se reprendre. Il essaya d'analyser froidement la situation. « Je suis relativement fort, écrit-il à Lucie, en ce sens que je vis d'espoir. Mais je crois qu'il ne faudrait cependant pas que cette situation se prolongeât encore longtemps. J'ai, et c'est facile à concevoir, des moments de révolte violente contre l'injustice du sort ; il est, en effet, terrible de souffrir comme moi, depuis tantôt trois mois, pour un crime dont je suis innocent. Mon cerveau, après toutes ces secousses,

a de vrais moments d'égarement. » Mais même dans ces moments, il réussit à se relever, grâce à son « étoile » : « Dans mes plus tristes moments, dans mes moments de crise violente, une étoile vient tout à coup briller dans mon cerveau et me sourire. C'est ton image, ma chérie, c'est ton image adorée, que j'espère revoir bientôt et auprès de laquelle j'attendrai patiemment qu'on me rende ce que j'ai de plus cher au monde, mon honneur, mon honneur qui n'a jamais failli [98]. »

Le soutien et l'amour de sa femme firent beaucoup pour ramener le condamné dans la voie du courage et de la détermination. Leurs liens affectifs et amoureux se renforcèrent durant cette période qui le prépara à affronter la déportation. Il espère que l'éloignement lui donnera la force d'attendre et de lutter. Il s'y prépare avec détermination, d'autant qu'il caresse encore l'espoir que Lucie pourra le rejoindre.

« J'ai supporté pour toi, mon adorée, pour le nom que portent mes chers enfants, le plus douloureux, le plus épouvantable des calvaires pour un cœur pur et honnête. Je me demande comment je vis encore ; ce qui me soutient, c'est surtout l'espoir d'être bientôt réuni à toi là-bas. Alors, quoique innocent, mais soutenu par ton profond amour, j'aurai la patience d'attendre dans l'exil la réhabilitation de mon nom. Puis je travaillerai, je m'occuperai, j'imposerai silence à mon cerveau et à mon cœur par les fatigues physiques. Mais, dans ma prison, je ne saurai vivre, car ma pensée me ramène toujours fatalement à ma situation [99]. »

Dreyfus avait de l'espoir dans les démarches que pourrait entreprendre son avocat aux fins d'autoriser la venue de sa femme sur son lieu de déportation qu'il croyait toujours être la Nouvelle-Calédonie. Il insista auprès de Lucie pour qu'elle-même accélérât la procédure. « J'espérais voir Me Demange ce soir et le prier de faire auprès de qui de droit, et dans les conditions que je voulais lui indiquer, les démarches nécessaires pour que je sois envoyé en exil avec toi, en attendant que la lumière se fasse. À ce dernier point de vue, j'ai grand espoir ; tous mes efforts ne peuvent qu'aboutir ; mais il me faudrait de l'air, un grand travail physique, ta société chérie pour rétablir mon cerveau ébranlé par tant de secousses, auxquelles, grand Dieu ! je ne m'attendais guère. Prie donc Me Demange, qui a obtenu l'autorisation de me voir, de venir le plus tôt possible, afin que je lui explique la grâce que demande un innocent, en attendant que justice entière lui soit rendue [100]. »

Cette manière positive avec laquelle Dreyfus envisageait la déportation n'a pas manqué de conforter le ministre de la Guerre – lecteur de toutes les lettres du condamné – dans sa décision de le déporter à l'île du Diable. Il convenait de l'empêcher de retrouver ses forces, en aggravant sa peine, en la rendant implacable. Déjà l'étau se resserrait puisque son avocat ne fut plus autorisé à la voir [101]. Mais Dreyfus ignorait sa marche vers un sort inexorable.

Dans sa lettre à Lucie du 7 janvier 1895, il l'avertit surtout qu'il a été informé de leur prochaine rencontre. Cette nouvelle lui a procuré une joie intense. Il le lui dit, et il lui répète le serment par lequel il s'est engagé à résister jusqu'à la proclamation de son innocence. « J'attendrai avec une joie extrême le moment de t'embrasser, de me jeter dans tes bras ; c'est dans tes yeux, dans ton noble cœur que je puise les forces nécessaires pour supporter mes effroyables tortures morales. J'aimerais presque mieux avoir quelque péché sur la conscience ; au moins aurais-je quelque chose à expier. Mais hélas ! tu sais, ma chérie, combien ma vie a toujours été honnête et droite. Je ferai tout pour vivre, je ferai tout pour résister jusqu'au moment suprême où l'on me rendra l'honneur de mon nom. Mais je supporterai bien mieux cette attente quand tu seras là, dans l'exil, près de moi. Alors tous deux, fiers et dignes l'un de l'autre, nous montrerons dans l'exil le calme de deux cœurs [102]. » Il semble qu'à toute vitesse Alfred construise des espaces d'humanité qui lui serviront pour survivre à un sort dont il ignorait tout.

À la veille de revoir Lucie, il se laissa pourtant aller à la mélancolie devant une existence brisée par ce qu'il croyait être le destin. Mais dans la lettre elle-même, dans le mouvement de l'écriture et de la pensée, il se reprit une nouvelle fois et lui redit le serment de vivre qu'il avait prononcé après sa condamnation.

Écris-moi matin et soir ; quoique je reçoive tes deux lettres en même temps, je te suis ainsi par la pensée, je te vois agir, il me semble que je vis auprès de toi.

Je m'occupe un peu à lire et à écrire, j'essaie ainsi d'éteindre les bouillonnements de mon cerveau et de ne plus penser à ma situation si triste et si imméritée.

Pardonne-moi, ma chère, si parfois je gémis... mais que veux-tu, il m'arrive, sous l'amertume des souvenirs, d'avoir besoin d'épancher dans ton cœur le trop-plein du mien. Nous nous sommes toujours si bien compris, mon adorée, que je suis sûr que ton âme forte et généreuse palpite d'indignation avec la mienne.

Nous étions si heureux ! Tout nous souriait dans la vie. Te souviens-tu quand je te disais que nous n'avions rien à envier à personne ? Situation, fortune, amour réciproque de l'un pour l'autre, des enfants adorables... nous avions tout enfin.

Pas un nuage à l'horizon... puis un coup de foudre épouvantable, inattendu, si incroyable même, qu'aujourd'hui encore il me semble parfois que je suis le jouet d'un horrible cauchemar.

Je ne me plains pas de mes souffrances physiques, tu sais que celles-là je les méprise ; mais sentir planer sur son nom une accusation épouvantable, infâme, quand on est innocent... Ah ! cela non ! Et c'est pourquoi j'ai supporté toutes les tortures, tous les affronts, car je suis convaincu que tôt ou tard la vérité se découvrira et qu'on me rendra justice.

J'excuse très bien cette colère, cette rage de tout un peuple auquel on apprend qu'il y a un traître... mais je veux vivre, pour qu'il sache que ce traître ce n'est pas moi.

Soutenu par ton amour, par l'affection sans bornes de tous les nôtres, je vaincrai la fatalité. Je ne prétends pas que je n'aurai pas encore parfois des moments d'abattements, de désespoir même. Vraiment, pour ne pas se plaindre d'une erreur aussi monstrueuse, il faudrait une grandeur d'âme à laquelle je ne prétends pas. Mais mon cœur restera fort et vaillant. Donc, du courage et de l'énergie, ma chérie. Il nous en faut à tous. Levez tous la tête, portez-la fière et haute, nous sommes des martyrs.

Je vivrai, mon adorée, parce que je veux que tu puisses continuer à porter mon nom comme tu l'as fait jusqu'à présent, avec honneur, avec joie et avec amour, parce qu'enfin je veux le transmettre intact à nos enfants.

Ne vous laissez pas abattre par l'adversité ni les uns ni les autres ; cherchez la vérité sans trêve ni repos.

Quant à moi, j'attendrai, avec la force que donne une conscience pure et tranquille, que l'on tire au clair cette mystérieuse et tragique affaire.

Tu sais d'ailleurs, ma chérie, que la seule grâce que j'aie jamais sollicitée, c'est la vérité. J'espère qu'on ne faillira pas à ce devoir qu'on doit à un être humain qui ne demande qu'une chose : c'est qu'on poursuive les recherches.

Et quand luira le jour de la réhabilitation, quand on me rendra mes galons que je suis aussi digne de porter aujourd'hui qu'hier, quand enfin je me verrai de nouveau à la tête de nos braves troupiers, oh ! alors, ma chérie, j'oublierai tout, souffrances, tortures et affronts sanglants.

Que Dieu et la justice humaine fassent que ce jour luise bientôt !

À demain, mon adorée, le plaisir de t'embrasser. Je compte dès maintenant les heures, demain je compterai les minutes. Je t'embrasse bien fort. [...]

Bons baisers à nos deux chéris. Je n'ose penser à eux. Parle-m'en. N'oublie pas de leur acheter les cadeaux promis en mon nom ; que ces jeunes âmes ne souffrent pas de nos tristesses.

Embrasse tout le monde à la maison pour moi [103].

## Brèves rencontres

Puis, ils se revirent. C'était le vendredi 11 janvier, en début d'après-midi, dans le bureau du directeur de la Santé, Patin, dont Dreyfus dira par la suite qu'il « se montra d'ailleurs parfaitement correct durant tout [son] séjour [104] ». Lucie sitôt partie, Alfred lui écrivit :

Le moment est passé, ma chérie, si vite, si court, qu'il me semble que je ne t'ai pas dit la vingtième partie de ce que j'avais à te dire. Comme tu es héroïque, mon adorée, sublime d'abnégation et de dévouement ! Je ne fais que t'admirer.

Devant ce concours dévoué de sympathies et d'efforts, je n'ai pas le droit de douter.

Je souffrirai donc en silence ; permets-moi cependant, quand la coupe débordera encore parfois, de m'épancher dans ton cœur.

Ce qui m'est cruel, et je ne le saurais répéter assez, ce ne sont pas les souffrances physiques que j'endure, mais bien cette atmosphère de mépris qui entoure mon nom, ton nom, mon adorée. Tu sais si j'ai toujours été fier et digne, si j'ai toujours mis le devoir au-dessus de tout... alors tu peux t'imaginer tout ce que je souffre.

Et c'est pourquoi encore je veux vivre, c'est pourquoi je veux crier au monde mon innocence, la crier chaque jour jusqu'à mon dernier souffle, jusqu'à ma dernière goutte de sang.

Je trouverai dans tes yeux le courage nécessaire au martyre, je puiserai dans le souvenir de mes enfants les forces nécessaires pour résister à mon calvaire.

Apporte-moi aussi ton portrait. Je le placerai entre ceux de nos chéris. En contemplant ces trois figures, j'y lirai chaque jour, à chaque instant, mon devoir.

Embrasse tout le monde de ma part. [...]

Remercie ta sœur Alice de son excellente lettre qui m'a fait bien plaisir. Donne aussi de mes nouvelles à tous les membres de la famille auxquels je ne puis écrire. Dis-leur que leurs lettres sont toujours les bienvenues.

Je t'embrasse bien, bien fort [105].

Pour les deux époux, ce moment fut très fort. Lucie l'aima plus que jamais. Elle lui adressa une lettre admirable de style et de vérité, impensable à une époque où les sentiments, surtout dans ces milieux de la grande bourgeoisie, étaient strictement codifiés.

Comme j'ai été contente de passer quelques moments avec toi et combien ils m'ont semblé courts. J'avais tant d'émotion que je ne pouvais te parler, t'exhorter au courage ; pauvre ami, que j'aurais voulu te dire ce que je pense de toi, combien je t'admire, combien je t'aime et toute la reconnaissance que j'ai de l'immense sacrifice que tu as fait pour moi, pour tes enfants. J'ai eu des remords, je ne t'ai pas assez parlé de l'espoir que nous avions de découvrir la vérité ; nous avons la conviction absolue d'arriver. Te dire dans combien de temps, c'est une chose impossible, mais il faut prendre patience et ne pas désespérer. Comme je te l'ai dit tout à l'heure, nous n'avons qu'une préoccupation, du matin au soir, et toute la nuit nous nous torturons l'esprit pour avoir un indice, un fil quelconque qui puisse nous faire trouver le misérable, l'infâme personnage qui nous a détruit notre honneur.

Nous réunissons toutes nos intelligences, toutes nos volontés ; eh bien ! avec tous ces éléments et la persévérance que nous y mettons, il est impossible que nous n'arrivions pas à te réhabiliter.

Ne te tourmente pas pour les enfants, ce sont tous les deux de braves petits cœurs qui nous apprendront à aimer, à estimer leur père. Maintenant, raconte-moi toutes tes pensées, toutes tes souffrances, donne-moi des détails sur tes journées, sur tes nuits ; déverse un peu ton chagrin chez moi, cela te fera du bien et cela me soulagera aussi de vivre avec toi et en toi [106].

Leurs lettres mutuelles prolongèrent le bonheur de la rencontre. Ils élevaient le sentiment tragique et amoureux à un niveau presque absolu, supérieur en tout cas à la tragédie qu'ils subissaient.

Comme la demi-heure d'hier a été courte ; on prévoit à l'avance l'emploi de chaque minute, afin de ne rien oublier de ce que l'on veut se dire... Puis le temps s'écoule comme dans un rêve, et on s'aperçoit tout d'un coup qu'on est à la fin de l'entrevue et qu'on ne s'est presque rien dit encore.

Comment deux êtres comme nous peuvent-ils être si cruellement éprouvés ?

Te souviens-tu des projets charmants que nous avions ébauchés pour cet hiver ? Nous devions enfin profiter un peu de notre liberté, aller vers cette époque, comme deux jeunes amoureux, nous promener au pays du soleil ?... Ah ! tout cela n'est pas possible, tout ce qui se passe est inhumain. S'il y a un Dieu, s'il y a une justice en ce monde, il faut espérer que la vérité éclatera bientôt et nous dédommagera de tout ce que nous avons souffert.

J'ai mis les photographies des enfants devant moi, sur la tablette de ma cellule. Quand je les regarde, les larmes mouillent mes paupières, mon cœur se fend... mais cela me fait en même temps du bien, raffermit mon courage. Apporte-moi aussi ta photographie. Vos trois figures devant les yeux seront les compagnons de ma triste solitude.

Ah ! ma chère femme, tu as une noble mission à remplir, pour laquelle il te faut toute ton énergie. C'est pourquoi je te recommande instamment de soigner ta santé. Tes forces physiques te sont plus nécessaires que jamais. Tu te dois à tes enfants d'abord, au nom qu'ils portent ensuite. Il faut prouver au monde entier que ce nom est pur et sans tache.

Ah ! cette lumière sur ma tragique affaire, comme je la souhaite, comme je l'attends, comme je voudrais l'acheter non seulement au prix de toute ma fortune, cela est tout naturel, mais encore au prix de mon sang !

Si seulement je pouvais endormir mon cerveau, l'empêcher de penser toujours à cette énigme indéchiffrable pour lui ! Je voudrais pouvoir percer les ténèbres qui enveloppent mon affaire ; je voudrais gratter la terre pour en faire jaillir la lumière.

Tu me répondras avec juste raison qu'il faut prendre patience, qu'il faut du temps pour arriver à la découverte de la vérité... Je sais tout cela, hélas ! Mais que veux-tu, les minutes sont pour moi des heures... Il me semble toujours qu'on va venir me dire : « Pardon, on s'est trompé, l'erreur est découverte. »

Maintenant, j'attends lundi. Dorénavant, les semaines ne se composeront plus que des deux jours où tu dois venir me rendre visite. Tu ne peux te figurer combien j'admire ton abnégation, ton héroïsme, combien je puise de courage dans ton amour si profond et si dévoué [107].

Alfred terminait sa lettre en disant à Lucie combien les lettres de toute sa famille, de sa sœur Alice particulièrement, lui étaient d'un précieux secours.

Dans ses lettres à elle, Lucie lui parla de leur entrevue de vendredi et de leur devoir envers leurs enfants, afin qu'ils sachent que le bonheur existait malgré tout. « Je suis encore tout émue de notre entrevue d'hier ; j'ai été terriblement impressionnée en te voyant, en te causant ; j'en ai éprouvé un tel plaisir que j'ai été incapable de fermer l'œil cette nuit. Tu es admirable de conserver, malgré tes souffrances, une âme aussi vaillante, des sentiments aussi nobles, aussi élevés. Oui, il faut bien l'espérer, un jour viendra où la lumière sera faite, où ton innocence sera reconnue, où la France, notre chère patrie, pour laquelle nous sommes tous prêts à payer de notre sang, reconnaîtra son erreur et verra en toi un de ses plus braves, de ses plus nobles enfants. Tu auras encore du bonheur, nous passerons d'heureuses années ensemble ; toi, qui faisais tant de projets, qui rêvais de faire de ton fils un homme, tu auras encore cette joie. [...] Qu'ils profitent, ces pauvres petits, avant de connaître les tristesses de la vie [108]. » Une lettre de lui, qu'elle venait à l'instant de recevoir, devenait une nouvelle occasion de lui écrire et de lui confier son amour :

J'en suis contente, elle me montre que tu es courageux et résigné ; il nous faut, mon chéri, pour le moment, prendre ce parti, avoir de la patience, supporter vaillamment ce calvaire et attendre de pied ferme la réhabilitation. Tu peux bien penser que celui qui a commis cette infamie, celui qui s'est couvert de ton nom pour trahir, ne se découvrira pas ainsi du jour au lendemain. C'est à force de volonté, de travail, de persévérance que nous trouverons enfin la clef de ce mystère. Je comprends ta souffrance, je la partage ; cette inaction, cette impuissance, cette torture du cerveau est atroce.

Ne m'admire pas, je t'en prie, mon chéri ; ce que je fais est naturel ; ce n'est ni par devoir, ni par dévouement que j'agis ainsi ; un seul sentiment me guide, la profonde estime, l'immense affection que je ressens pour toi. Ma ligne de conduite est toute tracée. Je ne t'abandonnerai jamais, je ne veux et ne peux vivre que pour toi.

Comme tu as pu le voir, mon mari chéri, je suis forte, Dieu merci, ma santé est bonne ; je suis donc bien armée pour la lutte. Je t'accompagnerai en exil, j'y serai ta société, ton soutien, jusqu'au jour où la France reconnaissant sa méprise nous rappellera à elle. Quel beau jour ce sera pour nous, lorsque nous nous retrouverons dans notre chère patrie, honorés, heureux au milieu de nos enfants, de notre famille. C'est cet avenir qu'il faut entrevoir, mon chéri. C'est cet espoir qui nous soutiendra et qui nous fera supporter tous les martyres.

Allons, mon chéri, sois ferme, sois vaillant.

Bonsoir et bonne nuit, je t'embrasse de toutes mes forces [109].

Le lundi 14 janvier, ils purent encore se revoir. Le temps de la rencontre est passé « comme dans un rêve, écrit Alfred de retour dans sa cellule, à 3 heures de l'après-midi. J'avais cependant tant de choses à te dire... et puis quand je me vois en ta présence, je te regarde, je ne me souviens plus de rien... Tout ce qui m'arrive me paraît un rêve, il me semble que nous n'allons plus nous séparer, que je me réveille enfin d'un horrible cauchemar... Mais hélas, la réalité est là, c'est la séparation. » Il se ressaisit, à la fin de la lettre, il lui confie qu'après chaque entrevue, il « puise de nouvelles forces, une nouvelle dose de patience dans [ses] regards, dans [son] amour ». Il revient vers le but suprême : « Cette vérité, il nous la faut, brillante, claire et lumineuse ; je ne vis que pour cela, je ne vis que dans cet espoir. Et cette vérité, comme tu me l'as si bien dit, il nous la faut entière, absolue... Il faut qu'il ne subsiste de doute dans l'esprit de personne, il faut que mon innocence éclate complète, il faut que l'on reconnaisse que mon honneur est aussi haut placé que celui de qui que ce soit au monde. »

Seule la vérité pourra soulager ses souffrances. Et elle n'adviendra que lorsque le coupable sera reconnu. Il lui demande de le rechercher « sans trêve ni repos [110]. »

Lucie vivait la même frustration, partageait la même volonté. « Quel dommage que ces instants si courts et si désirés de notre entrevue soient passés ! Que les minutes d'ennui sont longues, mais comme les minutes de bonheur passent vite ! Cette entrevue s'est de nouveau passée comme un rêve ; je suis arrivée à la prison avec joie et je suis rentrée saisie par une profonde tristesse. Ta vue m'a fait du bien, si je ne pouvais cesser de te regarder, de t'écouter ; mais je souffre horriblement en te quittant de te laisser seul dans cette sombre prison en proie à ton chagrin, à cette horrible torture morale, à cette souffrance imméritée. Je comprends très énormément ton impatience, mon pauvre cher mari, je ferais je ne sais quoi pour mettre fin à tes souffrances ou pour les abréger ne serait-ce que d'une minute. Sache bien que nous ne cessons de nous occuper de toi, que nous n'avons qu'un but, te réhabiliter, te venger [111]. » À ses « chers frères et sœurs », Alfred raconta cette nouvelle rencontre dans la prison de la Santé. Il leur parla de sa femme, de son courage :

J'ai vu Lucie aujourd'hui pendant une demi-heure. Ces entrevues, en même temps qu'elles me procurent une joie immense, m'apportent des émotions cruelles. Je me demande en effet par quelle fatalité inexplicable du sort, je suis séparé de ma chère femme.

Mais j'ai puisé cependant dans cette entrevue de nouvelles forces. Lucie est si courageuse, si simplement héroïque, si résignée et si confiante dans l'avenir, que je suis obligé de faire comme elle et de me dire que s'il y a une justice en ce monde, il est impossible qu'on ne finisse pas par découvrir la vérité. Je sens un tel dévouement, dans ma chère femme, dans vous tous, que je n'ai pas le droit de démentir vos efforts. [...]

Quoi qu'il en soit, criez et proclamez bien haut mon innocence, ne baissez pas la tête ni les uns ni les autres ; nous sommes des martyrs [112].

Après cette rencontre, Lucie, épuisée et de santé fragile, tomba malade. Mais elle espérait être remise pour la prochaine entrevue prévue le vendredi suivant. Ce fut un espoir vain. En revanche, le jeudi 17 janvier, Alfred reçut la visite de sa belle-sœur Suzanne, la femme de Mathieu, et de sa jeune nièce qu'il adorait, Lucie Valabrègue, épouse Bernheim, elle qui portait le même prénom que sa femme. Elle était venue exprès de Bâle. Alfred fut bouleversé de les revoir. Dans une lettre qu'il leur adressa le jour même, il voulut s'excuser de sa réaction : « Je vous ai montré tout à l'heure une émotion très vive, presque violente. Merci beaucoup d'être venues me voir. Mais à chaque fois que je revois ceux que j'aime, j'ai une violente crispation de tout mon être qui se révolte contre l'infamie dont on a couvert mon nom [113]. »

Le 20 janvier, Lucie Bernheim écrit à son frère Paul Valabrègue ; son oncle n'était déjà plus à la prison de la Santé, mais sur le chemin de la déportation : « J'ai vu oncle Alfred, mon chéri. Bien courte a été l'entrevue mais bien cruelle. Le pauvre garçon n'a pas beaucoup changé physiquement et pourtant il n'est plus tout à fait lui : tout son être respire une souffrance si intense, si atroce que nous sommes sorties de la prison plus désolées qu'avant de notre impuissance. Il est toujours plein de courage, décidé à vivre, il ne veut pas mourir déshonoré. Pauvre cher oncle Fred, j'aurais voulu le prendre dans mes bras, endormir sa souffrance et je n'osais lui prendre la main ! Ces entrevues ont lieu dans le cabinet du directeur en sa présence. Tu comprendras combien dans ces moments pareils il est pénible d'être surveillés par un étranger plus qu'indifférent. Je voudrais le revoir encore, notre pauvre cher ami, mais hélas comment faire ? Il est à l'île de Ré, loin déjà de nous tous qui l'aimons [114]. »

### LE COMMENCEMENT DE LA DÉPORTATION

Alfred Dreyfus ignorait tout de l'exécution de la seconde peine à laquelle il était condamné, et ne connaissait ni la date à laquelle il quitterait la France ni le lieu de sa déportation qu'il estimait devoir être la Nouvelle-Calédonie en vertu de la loi de 1872. Dans cette attente doublée de la torture de l'incertitude, il séjourna treize jours et douze nuits à la prison de la Santé. Le jeudi soir 17 janvier 1895, il était violemment sorti de sa cellule et emmené à la gare d'Orsay.

### Le transfert pour le bagne

Ce soir-là, il avait préparé comme d'habitude sa cellule, rabattu sa couchette. Il s'était couché à l'heure réglementaire et s'était endormi. On l'avait même prévenu dans la journée que sa femme, qu'il n'avait pas revue depuis lundi, serait autorisée à le voir le surlendemain. Aucun indice ne pouvait donc lui faire soupçonner un transfert ce soir-là. Au début de la nuit, il fut soudain réveillé. « On me dit de me préparer aussitôt pour le départ. Je n'eus que le temps de m'habiller à la hâte. Le délégué du ministère de l'Intérieur [115], chargé, avec trois gardiens, du transbordement, fut d'une brutalité révoltante ; à peine vêtu, il me fit mettre les menottes et ne me donna même pas le temps de prendre mon lorgnon [116]. » Alfred put toutefois emporter la valise que Lucie avait préparée en prévision du grand voyage vers la déportation.

Il faisait « un froid terrible », se souvint-il. Il traversa Paris dans une voiture cellulaire qui pénétra dans la gare d'Orsay. Puis on le fit monter dans un wagon spécial pour le transport des prisonniers destinés au bagne. Ce wagon comprenait une double rangée de cellules « qui ont juste la dimension d'un homme assis, précise Dreyfus ; chacune est close par une porte qui empêche d'étendre les jambes. » Il fut placé dans l'une d'entre elles, les menottes aux mains et les fers aux pieds. « La nuit fut horriblement longue, tous mes membres étaient engourdis. Dans la matinée du lendemain, je pus obtenir, après de nombreuses demandes, un peu de café noir, du pain et du fromage. Je grelottais de fièvre. Enfin, vers midi, nous arrivâmes à La Rochelle [117]. » Des badauds attendaient le train pour voir descendre les bagnards qui seraient conduits, à travers la ville, jusqu'au port. Une scène d'une rare violence survint alors contre Dreyfus. Il la raconta dans *Cinq années de ma vie* :

Il y avait quelques personnes à la gare, ayant l'habitude de venir voir débarquer les forçats en partance pour l'île de Ré. On voulut attendre leur départ. À chaque instant le gardien-chef était appelé hors du wagon par le délégué du ministère de l'Intérieur, puis venait donner des ordres mystérieux aux autres gardiens. Ceux-ci sortaient, chacun à son tour, revenaient, fermaient tantôt une persienne, tantôt l'autre, se parlaient à l'oreille. Il était évident que ce singulier manège allait éveiller l'attention de ces quelques curieux, qui se dirent qu'il devait y avoir un prisonnier important dans la voiture cellulaire, et comme on ne l'en faisait pas descendre, cherchèrent à l'y voir. Aussitôt, affolement des gardiens, du délégué du ministère de l'Intérieur. Puis, une indiscrétion fut, paraît-il, commise ; mon nom fut prononcé. La nouvelle se répandit, et la foule ne fit que grossir. Je dus rester tout l'après-midi dans la voiture cellulaire, entendant au-dehors la foule qui devenait de plus en plus houleuse. Enfin, à la nuit, on me fit sortir du wagon. Dès que je parus, les clameurs redoublèrent. Les coups pleuvaient sur moi ; autour de moi des bousculades eurent lieu. Je restai impassible au milieu de cette foule, je me trouvai même un instant presque seul au milieu d'elle, prêt à lui livrer mon corps. Mais mon âme était à moi et je comprenais trop bien la douleur de ce peuple abusé ; j'aurais voulu, en lui laissant mon être physique, lui crier son erreur. Je repoussai même les gardiens qui vinrent à moi, ils me répondirent qu'ils étaient responsables de moi. Mais quelle lourde responsabilité incombe à ceux qui firent ainsi supplicier un homme, qui abusèrent tout un peuple [118].

Ainsi la haine publique ne se limitait-elle pas seulement à la violence verbale. Sans l'intervention de ses gardiens, le capitaine Dreyfus eût été lynché comme il eût été massacré par la foule parisienne qui criait : « À mort ! » Il voyait, dans cette soudaine explosion qui l'atteignait, le risque qu'encouraient des sociétés dominées par le mensonge d'État et la propagande politique. Le peuple n'était pas responsable si les institutions décidaient de lui livrer un criminel : « J'ai entendu les cris légitimes d'un peuple vaillant et généreux contre celui qu'il croit traître, c'est-à-dire le dernier des misérables », expliqua-t-il le 19 janvier dans une lettre à Lucie. À travers son récit, on découvre aussi que la mort lui était apparue comme une solution. Il avait décidé de ne pas la provoquer, mais si elle se présentait à lui, il se serait peut-être laissé emporter ce jour-là, comme il s'en ouvrit à Lucie quelques jours plus tard. Mais il envisagea aussitôt cette mort tragique comme un acte suprême d'affirmation de son innocence : « J'aurais voulu m'échapper des mains de mes gardiens et me présenter la poitrine découverte à ceux pour lesquels j'étais un juste objet d'indignation et leur dire : "Ne m'insultez pas, mon âme que vous ne pouvez pas connaître est pure de toute souillure, mais si vous me croyez coupable, tenez, prenez mon corps, je vous le livre sans regrets." Au moins alors, sous l'âpre morsure des souffrances physiques, quand j'aurais encore crié : "Vive la France !" peut-être qu'alors eût-on cru à mon innocence [119] !»

Mais les gardiens ne lui fournirent pas l'occasion de mourir. Il fut jeté dans une voiture qui partit aussitôt. La foule se mit à la poursuive jusqu'au port de La Palice où le prisonnier fut embarqué à bord d'une chaloupe pour l'île de Ré. La traversée dura près d'une heure. Sur le bateau, « le froid était atroce ». Dreyfus avait « le corps engourdi, la tête en feu, les mains gelées et brisées par les menottes [120] ». Arrivé sur l'île à la nuit, il dut marcher dans l'obscurité et dans la neige jusqu'à la forteresse. Le directeur du dépôt, Georges Picqué, et ses gardiens l'attendaient. Ils s'assurèrent de son contrôle. La scène fut très brutale. Le capitaine Dreyfus fut mis à nu et fouillé entièrement. « Enfin, à 9 heures du soir, brisé de corps et d'âme, je fus mené dans la cellule que je devais habiter. À côté de cette cellule, se trouvait le poste des gardiens. Il communiquait avec ma cellule par une large ouverture grillagée placée au-dessus de ma couchette. Nuit et jour, deux surveillants, relevés de deux heures en deux heures, étaient de garde à cette ouverture et ne devaient pas perdre de vue un seul de mes mouvements [121]. »

Déjà en situation d'infériorité par son statut de prisonnier, Dreyfus perdait encore de la dignité en étant placé sous la surveillance incessante des gardiens. Le régime du dépôt du bagne de l'île de Ré préfigurait ce qu'il allait vivre à l'île du Diable. Son isolement était très vif, parqué à part dans une cellule éloignée de la zone de détention proprement dite. La promenade qu'il avait été autorisé à faire une fois par jour se déroulait dans le préau attenant, sous forte surveillance de gardiens armés. Il ne voyait pas les autres condamnés. Il était humilié régulièrement. Chaque jour, il subissait une fouille au corps. Fumer lui était interdit alors que, depuis le début de sa détention, il parvenait à calmer ses nerfs avec le tabac [122]. Le directeur lui refusa aussi le droit de travailler dans sa cellule. L'unique consolation et le seul espace de liberté qui lui demeuraient furent de pouvoir écrire à ses proches. Mais la correspondance avec Lucie et sa famille subit des restrictions drastiques. Il ne fut autorisé qu'à s'adresser uniquement à sa femme, et seulement deux fois par semaine. Sa missive une fois écrite, plume, papier et encre lui étaient retirés, comme il l'expliqua dans une lettre à Lucie [123].

*Le pouvoir de l'écriture*

Même enserrée dans de telles contraintes, la correspondance restait le seul bonheur de Dreyfus au bagne. « Je n'ai que deux moments heureux dans la journée ; mais si courts. Le premier, quand on m'apporte cette feuille de papier afin de pouvoir t'écrire ; je passe ainsi quelques instants à causer avec toi. Le second, quand on m'apporte ta lettre journalière. Le reste du temps, je suis en tête à tête avec mon cerveau, et Dieu sait si mes réflexions sont tristes et sombres [124]. » Les lettres de Lucie lui parvenaient cependant avec un grand retard. Il pouvait demeurer plusieurs jours sans recevoir de nouvelles.

Je les compte, hélas, les jours heureux ! En effet, je n'ai plus reçu de lettres de toi depuis celle qui m'a été remise dimanche dernier. Quelle souffrance épouvantable ! Jusqu'à présent, j'avais chaque jour un moment de bonheur en recevant ta lettre. C'était un écho de vous tous, un écho de toutes vos sympathies qui réchauffait mon pauvre cœur glacé. Je relisais ta lettre quatre ou cinq fois, je m'imprégnais de chaque mot – peu à peu les mots écrits se transformaient en paroles dites... il me semblait bientôt t'entendre me parler tout près de moi. Oh ! musique délicieuse qui allait à mon âme ! Puis, depuis quatre jours, plus rien, la morne tristesse, l'épouvantable solitude. Je me demande vraiment comment je vis ; nuit et jour mon seul compagnon est mon cerveau, aucune occupation si ce n'est celle de pleurer sur nos malheurs.

La nuit dernière, quand j'ai pensé à toute ma vie passée, à tout ce que j'ai peiné, travaillé, pour acquérir une situation honorable... puis, quand j'ai comparé cela à ma situation présente, des sanglots m'ont saisi à la gorge, il me semblait que mon cœur se déchirait et j'ai dû, pour que mes gardiens ne m'entendissent pas, tant j'étais honteux de ma faiblesse, étouffer mes pleurs sous mes couvertures.

Vraiment, c'est trop cruel !

Ah ! combien j'éprouve aujourd'hui qu'il est parfois plus difficile de vivre que de mourir ! Mourir, c'est un moment de souffrance, mais c'est l'oubli de tous les maux, de toutes les tortures. Tandis que porter chaque jour le poids de ses souffrances, sentir son cœur saigner et chacun de ses nerfs torturés, toutes les fibres de la sensibilité tressaillir l'une après l'autre... souffrir enfin le long martyre du cœur... Voilà ce qu'il y a de vraiment épouvantable !

Mais, comme toujours dans ses lettres, même les plus sombres, il réussissait à reprendre le dessus et à se relancer dans la volonté, dans l'avenir, dans l'espoir.

Mais ce droit de mourir, je ne l'ai pas, nous ne l'avons ni les uns ni les autres. Nous ne l'aurons que lorsque la vérité sera découverte, que lorsque mon honneur me sera rendu. Jusque-là il faut vivre. Je fais tous mes efforts pour cela, j'essaie d'annihiler en moi toute la partie intellectuelle et sensible pour vivre, bête uniquement préoccupée de satisfaire ses besoins matériels.

Quand donc cet horrible martyre sera-t-il fini ? Quand donc reconnaîtra-t-on la vérité ?

Comment vont nos pauvres chéris ? Quand je pense à eux, c'est un torrent de larmes. Et toi, j'espère que ta santé est bonne. Il faut te soigner, ma chérie. Les enfants d'abord, la mission que tu as à remplir ensuite, t'imposent des devoirs auxquels tu ne peux manquer.

Pardon de mon style baroque et décousu. Je ne sais plus écrire, les mots ne me viennent plus, tant mon cerveau est délabré. Il n'y a plus qu'un point fixe dans ma tête : l'espoir de connaître un jour la vérité, de voir mon innocence reconnue et proclamée. C'est ce que je balbutie nuit et jour, dans mes rêves comme dans mon réveil.

Quand pourrai-je t'embrasser et retrouver dans ton profond amour la force qui m'est nécessaire pour aller jusqu'au bout de cet épouvantable calvaire [125] ?

Lucie recevait également son courrier avec un important délai qui contrastait pour elle avec le régime des prisons du Cherche-Midi et de la Santé. Elle dut attendre cinq jours avant de recevoir la première lettre d'Alfred, datée du 19 janvier 1895. Elle lui répondit aussitôt : « Enfin, j'ai reçu une lettre de toi ! Ce matin seulement, elle m'est parvenue, j'étais dans une inquiétude folle. Que de larmes j'ai versées sur cette pauvre petite lettre, sur cette pauvre partie si petite de toi-même qui m'arrive après tant de jours d'inquiétude. [...] Faut-il qu'on ait peu de pitié pour maltraiter, pour torturer ainsi deux pauvres êtres qui s'adorent et qui n'ont dans le cœur que des sentiments droits et honnêtes, qui n'ont qu'un but, qu'un rêve : trouver le coupable et réhabiliter leur nom, celui de leurs enfants qui a été injustement avili. [...] Sois vaillant et courageux, je compte sur ta volonté et t'embrasse de tout cœur [126]. »

Ces lettres que s'écrivirent les deux époux pendant cette courte période qui préfigurait, par sa dureté et son isolement, la détention sur l'île du Diable, témoignèrent de leur souffrance, de leur désespoir. Mais, en exprimant ce qu'ils ressentaient au plus profond de leur être de souffrance, ils l'extériorisaient, l'objectivaient et s'en rendaient finalement maîtres, capables alors de revenir vers le but ultime et définitif qu'ils s'étaient tous les deux fixé, trouver la vérité et recouvrer l'honneur. Cela impliquait d'écarter toute idée de mort volontaire, de résignation définitive [127]. Mais le devoir de vivre lui imposait, ainsi qu'à Lucie, de faire face au sort qui lui est réservé. Un véritable calvaire l'attendait, ils le savaient tous deux. L'épreuve de l'île de Ré leur avait donné un avant-goût de ce qu'il faudrait endurer. « Si tu savais combien parfois il est plus difficile de vivre que de mourir [128] ! »

Sa seule certitude était qu'en vivant il préservait l'avenir. Et l'avenir était le temps où pourrait advenir la réhabilitation promise. Certes, le chemin qu'il restait encore à parcourir serait « terrible », il le savait et l'écrivait à Lucie [129]. Mais sa foi dans l'avenir ne vacillait pas. Elle lui procura la force de résister à la nostalgie du passé et à la violence du

présent : « Quand je regarde le passé, la colère me monte au cerveau,
tant il me semble impossible que tout me soit ainsi ravi ; quand je
regarde le présent, ma situation est si misérable que je pense à la mort
comme à l'oubli de tout ; il n'y a que lorsque je regarde l'avenir que
j'ai un moment de soulagement, car, comme je te le disais déjà plus
haut, l'espoir seul me fait vivre [130]. » Il imaginait même, en songeant
au pays qui est le sien, « dans notre beau pays de France, si généreux,
un homme honnête et assez courageux pour chercher et découvrir la
vérité. [...] Tôt ou tard la lumière jaillira [131] », concluait-il, visionnaire.

L'espoir se nourrissait aussi de la détermination à refuser toute
forme de déshonneur pour lui, pour elle, pour leurs enfants. « Tout à
l'heure, poursuivait-il dans sa lettre, j'ai regardé pendant quelques
instants le portrait de nos chers enfants ; mais je n'ai pu supporter leur
vue longtemps tant les sanglots m'étreignaient la gorge. Oui, ma chérie, il faut que je vive, il faut que je supporte mon martyre jusqu'au
bout pour le nom que portent ces chers petits. Il faut qu'ils apprennent
un jour que ce nom est digne d'être honoré, d'être respecté, il faut
qu'ils sachent que si je mets l'honneur de beaucoup de personnes au-
dessous du mien, je n'en mets aucun au-dessus [132]. »

Vouloir affronter une telle souffrance exigeait de protéger aussi sa
santé, son équilibre physique, de ne pas laisser le corps annihiler la
volonté morale de se battre et de résister. Les lettres de cette époque
contiennent de multiples réflexions sur ce face-à-face du corps et de
la conscience. Le prisonnier tente de circonscrire ses accès de désespoir, il les raconte à Lucie qui elle-même s'essaie à le rassurer. Il lui
arrive parfois de ne pas comprendre lorsqu'elle lui dit comprendre ces
accès de désespoir, ou lorsqu'elle-même s'avoue désespérée. Il espère
dans le plus parfait courage de Lucie, dans sa plus forte détermination
pour faire la lumière sur son horrible destin. Il la veut au plus haut
degré d'humanité et de dignité puisque seul son « profond amour » lui
peut « faire encore aimer la vie [133] ». Aussi la supplie-t-il de ne pas se
laisser « abattre par l'adversité, si terrible qu'elle soit [134] ». Elle résiste
avec beaucoup de courage. Elle lui adresse des lettres bouleversantes
où la mère et l'épouse font place à la femme passionnée : « Mon
immense affection, mon amour sans bornes et mon dévouement ne
s'arrêtera qu'avec la mort. Je ne pense qu'à toi, je ne vis et ne me
soutiens que pour toi, pour ta réhabilitation et ton bonheur prochain. »
L'expression de son amour doit lui redonner l'estime de lui-même et
une confiance absolue dans l'avenir. « Pour moi, depuis que je suis ta
femme, j'ai toujours considéré ce nom avec honneur, avec confiance,
maintenant que le malheur nous a cruellement éprouvés, que tu t'es
montré si digne, si vaillant, si courageux, je suis fière de partager ce
nom, heureuse que mes enfants auront un père tel que toi ; et mon
plus ardent désir est qu'ils soient doués des qualités morales dont tu
leur as donné l'exemple. »

Lucie trouve indéniablement les mots justes. Elle s'en sert aussi pour lui insuffler le courage et l'énergie qui sont les siens et que lui-même lui a enseignés. Elle le ramène à sa propre histoire, à sa volonté et à sa raison. Elle est sa conscience : « Ne te laisse pas décourager par l'adversité même la plus terrible, toi-même dans de petites choses, il est vrai, tu m'avais expliqué ce principe de lutter, de s'aider soi-même pour triompher ; eh bien tu es à terrible école pour l'appliquer et c'est par ta volonté très énergique qu'il faut te soutenir, nous saurons arriver à notre but qui est de trouver le coupable et de te rendre ton honneur qui, aux yeux du monde, t'a été enlevé et qui est cependant absolument pur et intact [135]. »

### L'exigence des droits

Dreyfus fit face. Face à la solitude, à la torture du temps qui passe sans savoir ce que le lendemain sera fait, à l'attente insupportable du jour où il quittera la France pour subir la peine de la déportation à vie. Il faisait face à ses gardiens, ne voulant s'effondrer devant eux. Il se raidissait, au physique comme au moral. Il n'oubliait pas qu'il était dans un pays de liberté et dans une époque de civilisation. « Sommes-nous au XIXe siècle, ou faut-il retourner de quelques siècles en arrière ? Est-il possible que l'innocence soit méconnue dans un siècle de lumière et de vérité ? Qu'on cherche, je ne demande aucune grâce, mais je demande la justice qu'on doit à tout être humain. Qu'on poursuive les recherches ; que ceux qui possèdent de puissants moyens d'investigation les utilisent dans ce but, c'est pour eux un devoir sacré d'humanité et de justice. Il est impossible alors que la lumière ne se fasse pas autour de ma mystérieuse et tragique affaire [136]. » Il n'oubliait pas non plus qu'il avait encore des droits, qu'il pouvait toujours s'adresser aux autorités de la République. Dès le 26 janvier 1895, il adressait au ministre de l'Intérieur une suprême requête. La lettre resta sans réponse. Dreyfus ignorait aussi que le président de la République avait démissionné, qu'un nouveau chef de l'État avait été élu, qu'un gouvernement allait être formé. « Après ma condamnation, j'étais résolu à me tuer. Ma famille, mes amis, m'ont fait comprendre que, moi mort, tout était fini, mon nom, le nom de mes enfants déshonoré à jamais : il m'a donc fallu vivre. » Aussi, quelle que soit l'horreur de sa situation, il persiste à demander la justice. « Dans un siècle comme le nôtre, dans un pays comme la France, imbu des plus nobles idées, il est impossible qu'avec les puissants moyens d'investigation dont vous disposez, vous n'arriviez pas à éclairer cette tragique histoire. [...] Au nom de ce que vous avez vous-même de plus cher, faites poursuivre les recherches. » Il termine en priant le ministre de l'autoriser à écrire plus de deux fois par semaine à sa femme, « à cette malheureuse enfant qui a tant besoin d'être soutenue » et à travailler dans sa cellule « pour permettre à [son] cerveau d'attendre l'heure éclatante de la réparation. [...] C'est tout ce que demande le plus infortuné des Français [137] ».

Devant le silence des autorités, Dreyfus chercha à comprendre par lui-même. Il s'engagea dans une enquête sur les causes de son arrestation. Polytechnicien formé à la méthode scientifique, il appliqua cette démarche à son propre cas. Il obéit à une exigence critique poussée et se révéla d'une ténacité constante, parvenant à surmonter les moments de découragement et les crises de désespoir [138]. Au-delà des preuves morales de son innocence, il fournit aussi à ses défenseurs des preuves plus tangibles. C'est lui ainsi qui releva tous les faits permettant d'établir son innocence ou d'éclairer les conditions de l'instruction de 1894. Il avait déjà transmis à son avocat la « note » qui consignait les détails de l'interrogatoire qu'il avait subi, de la part du commandant du Paty de Clam, le 31 décembre au soir dans la prison du Cherche-Midi, note qui serait transmise par son avocat au garde des Sceaux le 9 juillet 1898 [139]. C'est lui qui va procurer à sa famille le premier document qui attestait du vide du dossier d'accusation. Au Cherche-Midi, il avait en effet réalisé, sur les conseils du commandant Forzinetti, une « copie, avec des commentaires, de l'acte d'accusation de Bexon d'Ormescheville », que le commandant remit à Mathieu Dreyfus après la déportation de son frère [140]. Ce document était extrêmement précieux à la fois parce qu'il montrait la nullité des charges réunies par l'instruction et parce qu'on lisait, dans les commentaires que Dreyfus portait en marge du texte, les dispositions méthodiques et les habitudes critiques d'un polytechnicien dont témoigneront plus tard d'autres officiers. Il analysait le document comme le firent, trois ans plus tard, les principaux dreyfusards.

Dreyfus avait également étudié et copié le document accusateur, le bordereau. Le 18 janvier 1895, lorsque le directeur du dépôt de Saint-Martin-de-Ré, Georges Picqué, opéra la fouille de ses affaires, il trouva, dans la poche intérieure d'un de ses gilets, cette copie qu'il fit aussitôt saisir en toute illégalité, ce que les juristes et la Cour de cassation reconnaîtront en 1899 [141]. Picqué envisageait l'hypothèse d'une machination de la part de l'auteur du bordereau [142]. À l'île du Diable, Dreyfus voulut aussi continuer à travailler sur son dossier. Cette démarche critique découle de sa formation scientifique et de son appartenance à la voie moderniste de l'armée. Les savants qui vont prendre sa défense s'inscriront sans le savoir dans cette démarche.

*Derniers jours en France*

Le 10 février 1895, Alfred Dreyfus fut avisé qu'il allait pouvoir rencontrer sa femme. L'autorisation avait été donnée à Lucie par le nouveau ministre de l'Intérieur, Georges Leygues [143]. Accompagnée de son beau-frère Joseph Valabrègue, Lucie Dreyfus arriva le 13 février à l'île de Ré. Elle se rendit aussitôt à la forteresse. Le directeur du dépôt appliqua avec la plus extrême sévérité les directives qu'il avait reçues de l'administration pénitentiaire. Au besoin, il en inventa de nouvelles : puisque l'autorisation du ministre de l'Intérieur n'indiquait pas la possibilité pour les deux époux de s'embrasser, Picqué le leur refusa. Ils avaient pourtant un besoin désespéré de se toucher, de s'étreindre avant une séparation qu'ils savaient devoir être définitive, sauf si Lucie était finalement autorisée à rejoindre son mari sur son lieu de déportation ou si avait lieu la réhabilitation, but omniprésent de leur existence désormais. Dreyfus avait demandé à sa femme qu'elle obtienne du ministre de l'Intérieur « le droit de [l']embrasser [144] ». Picqué avisa Lucie qu'elle n'avait pas le droit de s'approcher de son mari, qu'il lui était interdit de parler de tout ce qui concernait l'affaire, qu'elle ne pouvait parler que de membres de la famille en ayant, au préalable, précisé le lien de parenté avec le prisonnier. Introduite dans la petite salle du greffe, elle y fut enfermée. Picqué vint lui détailler les ordres auxquels elle devait se plier. Puis son mari arriva, encadré par deux gendarmes. Il avait reçu les mêmes instructions [145]. Maintenu dans l'entrée du greffe, il pouvait cependant apercevoir Lucie. Picqué se plaça entre les deux époux. L'entrevue dura une vingtaine de minutes.

Ces moments porteront Dreyfus durant toute sa détention en Guyane et lui donneront ce supplément de force qui gouverna sa résistance. « Mon temps se passait à te regarder, à m'imprégner de ton visage, à me demander par quelle fatalité inouïe du sort j'étais séparé de toi. Plus tard, quand on racontera mon histoire, elle paraîtra invraisemblable [146]. » La constitution de ce lieu mental et affectif de résistance procura à Dreyfus de la confiance et de la volonté. Il imagina ainsi, avec une prescience troublante, le moment où se réveillera « un homme honnête et assez courageux pour chercher à découvrir la vérité [147] ». Son rêve, qui empruntait à la grande tradition romantique des Voltaire ou des Hugo, n'alla pas jusqu'à imaginer, au côté du futur engagement d'Émile Zola, celui, collectif et international, des « intellectuels ». Il perçut la dimension historique qui serait la sienne et celle de ses proches [148]. Ainsi cette nouvelle épreuve de détention, qui aurait pu définitivement briser les deux époux, les renforça-t-elle paradoxalement dans leur choix de résister, de se soutenir et même de construire un monde qui leur serait propre et que personne ne pourrait leur retirer. Les plis les plus infimes d'une conscience commune devenaient ainsi le ressort le plus puissant, le plus historique en un sens, du combat pour la réhabilitation. Même dans les moments où l'écriture, où les mots même paraissaient lui échapper [149], Dreyfus ne perdit jamais « le point fixe dans [sa] tête : l'espoir de connaître un jour la vérité, de voir mon innocence reconnue et proclamée ». Pour aller « jusqu'au bout de cet épouvantable calvaire », il puisa sa force dans le « profond amour » que lui portait Lucie et qu'elle sut exprimer dans ses lettres pour l'île de Ré.

Les *Souvenirs* inédits du capitaine Dreyfus disent bien l'importance de cette première rencontre. « Si cruellement blessés que nous fussions par les conditions atroces dans lesquelles on permit de nous voir, nous éprouvâmes cependant un grand bonheur intérieur de nous retrouver. Nous sentîmes fortement que nos deux âmes n'en faisaient plus qu'une, que l'intelligence, la volonté de tous les miens, ne seraient plus tendues que vers un seul but : la découverte de la vérité, du coupable [150] ! » Dès le lendemain, Dreyfus adressait au ministre de la Guerre une nouvelle supplique : « J'ai été condamné pour le crime le plus infâme qu'un soldat puisse commettre et je suis innocent. Tout ce qui m'est arrivé est pour moi une injustice inexplicable ; la seule chose que je sache, en mon âme et conscience, c'est que mon honneur n'a jamais failli. Je ne demande ni grâce ni pitié, mais justice seulement. Au nom de mon honneur de soldat qu'on m'a arraché, au nom de toute ma famille sur laquelle on a jeté le déshonneur, je vous supplie de poursuivre les recherches pour démasquer le monstre qui est doublement criminel ; traître envers son pays et qui a jeté la honte et le déshonneur sur un loyal soldat. Justice, justice, monsieur le ministre, pour un Alsacien, pour un Français, qui n'a jamais forfait à l'honneur [151]. »

Les époux purent se revoir le lendemain. Puis Lucie rentra à Paris parce que les prochaines visites n'avaient été autorisées que pour la semaine suivante. Puis elle revint sur l'île. Le 20 février 1895, ils purent se voir encore, ainsi que le lendemain 21. Lucie pressentait que ce pouvait être la dernière fois. La loi ajoutant à la Nouvelle-Calédonie les îles du Salut en Guyane comme lieu de déportation dans une enceinte fortifiée avait été votée et promulguée. Elle savait qu'elle concernait expressément le sort de son mari ; la presse l'avait renseignée. Mais il lui était formellement interdit de rien lui révéler. En arrivant sur l'île, elle avait aperçu au loin un navire dont elle apprit qu'il servait au transport des bagnards.

Le 21 février 1895, elle demanda à Picqué de lui laisser étreindre son mari. Elle insista. « Ma femme supplia en vain, dans la seconde entrevue, qu'on lui liât les mains derrière le dos et qu'on la laissât s'approcher de moi, m'embrasser, témoigna le capitaine Dreyfus ; le directeur refusa brutalement [152]. » Cette dernière entrevue dura une heure. Ils ne furent informés de rien. Lucie quitta la forteresse, Alfred fut ramené dans sa cellule. Aussitôt il lui écrivit une lettre. Ce fut la dernière qu'il adressa de France. Il vivait ses dernières heures à l'île de Ré. Le bonheur de la rencontre se poursuivait malgré sa trop grande brièveté. Mais il pressentait aussi la fin.

> Quand je te vois, le temps est si court, je suis si anxieux de voir l'heure s'écouler avec une rapidité que je ne connaissais plus, tant les autres heures que je passe me semblent horriblement longues, que j'oublie de te dire la moitié de ce que j'avais préparé dans mon imagination.

Je voulais te demander si le voyage ne te fatiguait pas, si la mer t'avait été clémente ? Je voulais te dire toute l'admiration que j'ai pour ton noble caractère, pour ton admirable dévouement ! Plus d'une femme aurait vu son cerveau sombrer sous les coups répétés d'un sort aussi cruel, aussi immérité. Je voulais te parler longuement de nos enfants, de leur santé, de leur régime. Je voulais aussi te prier de remercier toutes nos familles de leur dévouement à la cause d'un innocent, te demander des nouvelles de leur santé à tous. Il faudrait une longue journée pour épuiser tous ces sujets et nos minutes sont comptées ! Enfin, il faut espérer que les jours heureux reviendront, car il est impossible, il est contraire à la raison humaine, qu'on n'arrive pas à mettre la main sur le véritable coupable.

Comme je te l'ai dit, je ferai mon possible pour dompter les battements de mon cœur ulcéré, pour supporter cet horrible et long martyre, afin de voir avec vous luire le jour heureux de la réhabilitation.

Je souffrirai sans gémir le mépris si naturel, si justifié qu'inspire l'être que je représente, je comprimerai les convulsions de mon être contre un sort aussi épouvantable, aussi horrible.

Oh ! ce mépris autour de mon nom, autour de ma personne, comme j'en souffre ! La plume est incapable de traduire un pareil supplice.

Je me demande vraiment comme un homme qui a véritablement forfait à l'honneur peut continuer à vivre ? Mais je ne vis que grâce à ma conscience, grâce à l'espoir que bientôt tout se découvrira, que le véritable criminel sera puni de son horrible crime, qu'on me rendra mon honneur.

Quand je serai parti, écris-moi bien longuement. Je pense qu'aussi à ce moment vous pourrez tous m'écrire et que je recevrai des nouvelles de tous les membres de nos familles [153].

Au premier envoi que tu feras, veux-tu être assez bonne pour ajouter la méthode Ollendorf [154] que j'ai pu juger ici et que je trouve préférable à celle de ton professeur ? Tu y joindras le corrigé des thèmes qui forme un volume à part et qui sera aussi mon professeur.

Embrasse bien nos chéris, tes parents, tous ceux que tu vois enfin de ma part et reçois les baisers affectueux de ton dévoué [155].

Il partit quelques heures plus tard. Il venait d'achever sa lettre quand le directeur du dépôt l'informa de son départ imminent. Il réunit ses effets personnels et les enferma dans un ballot. On s'empara de sa valise. Il fut encore déshabillé et fouillé. Puis, au milieu de six gardiens, il fut conduit sur le quai. La suite, il la raconta en 1900 :

Je fus embarqué sur une chaloupe à vapeur qui m'amena dans la soirée dans la rade de Rochefort. Je fus transbordé directement de la chaloupe sur le transport le *Saint-Nazaire*. Pas un mot ne m'avait été adressé, pas une indication ne m'avait été donnée sur le lieu où j'allais être déporté.

À mon arrivée sur le *Saint-Nazaire*, je fus conduit dans une cellule de condamné, fermée par un simple grillage, située sous le pont, à l'avant. La partie du pont, en avant des cellules des condamnés, était découverte. Le froid était terrible – près de quatorze degrés au-dessous de zéro –, la nuit noire. Un hamac me fut jeté et je fus laissé sans nourriture.

Le souvenir de ma femme que je venais de quitter quelques heures auparavant, dans l'ignorance de mon départ, que je n'avais même pas pu embrasser, le souvenir de mes enfants, de tous les miens, de tous ces chers êtres
que je laissais derrière moi dans la douleur et le désespoir, l'incertitude du
lieu où j'allais être conduit, la situation qui m'était faite, tout cela me mit
dans un état indescriptible et je ne pus que me jeter sur le sol, dans un coin
de ma cellule et pleurer à chaudes larmes dans la nuit sombre et froide.
Le lendemain soir, le *Saint-Nazaire* levait l'ancre [156].

Le capitaine Dreyfus ignorait vers quelle destination il était
emmené. Il ne l'apprit que progressivement, sur le bateau, en saisissant
quelques bribes de conversation qui faisaient référence à la Guyane.
Le 12 mars 1895, le navire arriva en vue des îles du Salut, un archipel
au large de Kourou. Le 15 mars, Dreyfus fut débarqué et enfermé dans
une cellule du bagne de l'île Royale. Quatre ans de déportation, dans
des conditions de plus en plus extrêmes, allaient s'écouler avant qu'il
ne revît son pays. Mais sans sa détermination à résister et à réclamer
inlassablement la justice, sans la volonté de sa famille et des premiers
dreyfusards de se battre pour lui et pour la vérité, le capitaine Dreyfus
aurait été condamné à mourir sur l'île du Diable où il fut transféré le
13 avril 1895. Ces volontés se soutenaient l'une l'autre. Les paroles
d'espoir de Lucie et de ses proches, transmises par des lettres qu'il
attendait avec une terrible impatience, lui apportèrent les forces dont
il avait besoin et agirent comme des repères dans la nuit. Souvent,
dans des moments de désespoir sans fond, il relisait ces lettres et y
puisait la conviction insensée de croire dans l'avenir et de se battre
pour son honneur. De même, les lettres qu'il adressait et qui circulaient
aussitôt dans toute la famille et vers des proches de plus en plus nombreux jusqu'à devenir, au printemps 1898, la matière d'un livre-événe-
ment, les *Lettres d'un innocent* soutinrent le combat qui n'avait pas
cessé depuis le jour où Lucie et Mathieu Dreyfus se dressèrent devant
les accusateurs de leur mari et frère.

L'exemple du capitaine qui fit face à ses juges et qui résistait sur
l'île du Diable représenta le point de départ de l'engagement de ses
premiers défenseurs. Son courage était le leur, sa volonté, leur détermination. Tout cela se joua dès le premier jour, comme on l'a vu, pour
le capitaine Dreyfus. Il ne céda pas à ses accusateurs. Il défendit sa
dignité, son droit à se défendre, sa complète innocence. Mais jusqu'à
sa dégradation, il n'avait pu crier qu'au fond de sa cellule ou dans un
prétoire vidé par le huis clos. Le jour de la dégradation, il ne faiblit
pas et répondit par son innocence à la foule qui criait : « À mort ! »
Cette attitude confirma dans leur idée ceux et celles qui pressentaient
qu'un crime d'État se produisait et qui comprenaient alors que l'honneur d'un innocent était celui de la République.

## CHAPITRE VI

# Le courage des principes

Depuis le 15 octobre 1894, le capitaine Dreyfus était seul à combattre une accusation qu'il ne comprenait pas et qui l'entraînait dans un calvaire sans fin, de sa mise au secret à la prison du Cherche-Midi à l'embarquement soudain pour une déportation dont il ignorait tout, sinon qu'elle serait terrible vu ce qu'il avait déjà subi. Il avait bien sûr le soutien indéfectible de ses proches et de son avocat. Mais sa condamnation par l'institution à laquelle il avait décidé de vouer sa vie et la réaction de la foule parisienne à sa dégradation lui avaient montré qu'il ne restait rien des idéaux dans lesquels il continuait pourtant de croire. Ce fut précisément sa ligne de défense : agir comme officier, comme Français, comme justiciable, pour faire reconnaître aux yeux de tous son innocence et son honneur. Autour de lui, il voyait pourtant que ces valeurs n'avaient plus de réalité, plus de sens. Il partit pour la déportation. À l'île du Diable, il agit de même pour faire respecter ses droits, pour espérer dans sa réhabilitation. Mais il se heurtait sans cesse à l'obstination de ses geôliers à le maintenir dans l'enfermement et la soumission. Lorsqu'il revint en France après la révision de son procès, il découvrit dans sa cellule de la prison militaire de Rennes, en lisant l'énorme documentation accumulée sur son affaire et en écoutant le récit de ses défenseurs, que des dizaines de milliers de personnes l'avaient suivi dans son combat. Et parmi elles, le meilleur des élites françaises et étrangères. Il était parti dans une immense solitude, il revenait au cœur d'un immense combat dont il était le héros et le symbole. Toute sa résistance à Paris et à l'île du Diable prenait soudainement un sens puisqu'elle avait été partagée par tant de gens.

Les dreyfusards n'apparurent pourtant pas brusquement dans le ciel étoilé des principes et de la justice. La possibilité de leur existence se fonda dès lors que furent révélées les conditions de l'arrestation et de la mise au secret d'un officier français sur qui pesaient bien peu de charges sinon qu'il était un Juif d'Alsace et une valeur montante de l'État-major. Cette possibilité s'accrut avec le procès public qui lui fut intenté avant même d'avoir été jugé par un conseil de guerre. Elle se renforça avec le caractère sacrificiel de la dégradation et l'héroïsme avec lequel Dreyfus proclama son innocence contre tous. Des voix se firent entendre. Elles furent peu nombreuses, peu entendues. Elles existèrent cependant. Pour beaucoup d'entre elles, les menaces ne firent rien. Comme Dreyfus, des hommes et quelques femmes [1] se dressèrent contre la violence et la tyrannie. Mathieu Dreyfus et ses proches tentèrent de maintenir cette défense, de la susciter même, par la conviction et par l'exemple. La famille du capitaine Dreyfus fut exemplaire dans son effort pour sauver un innocent qui n'était pas seulement un mari ou un frère, mais le visage de la France.

## DES VOIX ÉLOQUENTES

Sur le huis clos, comme plus largement sur le cours de cet étrange procès d'avant le procès et sur le rôle d'une opinion publique surchauffée par la peur et le préjugé, quelques voix choisirent de braver le lynchage public qui grandissait. Puisqu'il « y va de la vie d'un homme [...] et aussi de l'honneur d'une famille », l'écrivain et poète Émile Bergerat, un républicain, protesta dès le 6 novembre 1894, dans *Le Journal,* contre le sort réservé au capitaine Dreyfus, contre le fait « de le condamner à l'infamie avant même que son procès soit ouvert », contre « la prévention morale baptisée, par des esprits légers, du nom d'instinct populaire ou de conscience de la masse », contre « l'avalanche de boue et de crachats », contre « cette justice sommaire, tumultueuse, aveugle, sourde et poltronne, digne des Caraïbes, qui décide du crime sur le seul fait de l'accusation – que dis-je ? sur la religion même de l'accusé ». Le scandale supplémentaire tient dans le fait que cette « ignominie éternelle » se déroule en France, « terre d'hommes libres et généreux ».

La plus simple droiture d'âme exige de tout citoyen qu'il attende l'ouverture des débats et l'issue du procès pour produire son opinion écrite ou parlée et pour jeter sans iniquité ce nom d'Alfred Dreyfus à l'ignominie éternelle. Et si, en outre, dans la patrie française, le juif n'a pas, comme le chrétien, le droit d'être innocent et réputé comme tel jusqu'à sa condamnation ; s'il n'est pas, en 1894, indemne des préjugés féodaux, c'est que la Révolution française est une blague et que nous pataugeons encore dans la mare à grenouille du moyen âge !... On lui refuse le droit d'être innocent ! Il ne reste plus qu'à le livrer aux massacreurs qui l'attendent derrière la porte avec des piques, des maillets et des haches, système qui a un peu nui au succès de la Terreur. Et il n'est pas jugé, vous dis-je ! Voilà à quelles iniquités donne lieu la prévention morale, baptisée par les esprits légers du nom d'instinct populaire ou de conscience de la masse... Je ne prétends pas que le capitaine Dreyfus est innocent du crime qu'on lui impute ; mais je jure qu'il a le droit de l'être, et tout est là pour moi et pour la cause que je plaide !

Le viol des règles de justice est une honte pour Bergerat. « Le droit d'être innocent [est] le plus sacré de tous les droits ; si la justice humaine confine par quelque côté à la justice idéale et divine, c'est par ce privilège saint qu'elle y touche. Qui sait s'il ne la construit pas tout entière² ? » Sa démonstration, appuyée, était éloquente. L'auteur avait mesuré les risques d'une telle intervention³, mais il l'estimait nécessaire. La justice était refusée à un citoyen dans un pays qui s'est défini, selon lui, sur le principe d'égalité des droits et de présomption d'innocence. Comme d'autres avant lui, Bergerat montre le lien entre l'affaiblissement du système judiciaire, la crise politique et la domination du pouvoir antisémite. La collusion est même posée. D'où le lien inverse, qui n'est pas dit explicitement, mais qui peut se déduire : la résistance à l'antisémitisme passe par un renforcement de la justice et un renouveau démocratique de la République.

*Le principe de justice*

La question du huis clos polarise particulièrement les inquiétudes qui se lèvent sur le déroulement de l'instruction et la tenue d'un procès qui paraît de plus certain. Le 13 novembre 1894, le sénateur gambettiste Arthur Ranc, formé à la discipline du droit et ancien proscrit de 1851, s'élève dans *Paris* contre la perspective du huis clos. Il va même plus loin en méditant l'ensemble du dossier qui se présente à l'opinion depuis le 1ᵉʳ novembre : « Pour que Dreyfus ait été arrêté sous l'inculpation de haute trahison, il a fallu des commencements de preuves terribles. » Il rappelle que l'accusé est un « homme d'une haute culture, d'un patriotisme exalté », et qu'il proteste de son innocence. Pour ces raisons, le huis clos ne peut être acceptable et le débat contradictoire doit se faire dans la lumière. C'est une nécessité absolue. « Qu'on ne nous parle pas de l'intérêt de la défense nationale. Rien de plus facile, si c'est nécessaire, que d'interdire la reproduction de certaines pièces, ou même, pendant la lecture de ces pièces, de faire évacuer la salle. On ne condamne pas un officier accusé d'un crime sans excuse ni atténuation possible, on ne l'acquitte pas après des débats secrets. » Il réitère sa protestation le 29 novembre : « S'il est vrai que Dreyfus se renferme dans d'absolues dénégations, il faut qu'accusation et défense, tout soit connu. »

Ce vieux républicain, ce proche ami de l'Alsacien Auguste Scheurer-Kestner, l'un des deux vice-présidents du Sénat, est rejoint dans cette critique par des journaux de la presse libérale. *Le Figaro* et *Le Siècle* demandent des débats publics, respectivement le 28 novembre⁴ et le 2 décembre⁵. *Le Figaro* persiste dans un second article du 11 décembre. Ces titres sont rejoints par *L'Écho de Paris* (les 10 et

13 décembre 1894), et par *L'Autorité* (les 14 novembre, 8 et 18 décembre 1894). Les raisons en sont différentes, mais la demande de débats publics, favorables par principe à la défense, sert la cause du capitaine Dreyfus. *La Libre Parole* dénonce aussitôt un « article omnibus [6] ». Le 13 décembre, *L'Intransigeant* s'élevait contre « les amis de Dreyfus réclamant, à cor et à cri, le débat public, la lumière ». Déjà se mettaient en place les argumentaires antidreyfusards. Les hommes qui réclamaient la justice pour tout homme n'étaient en réalité que les inféodés des Juifs. Dreyfus et ses amis exploitaient la mauvaise conscience libérale devant l'antisémitisme pour se fabriquer une posture de martyrs. Maurice Barrès l'écrit noir sur blanc dans *La Cocarde* le 8 décembre 1894 : « À premier examen, la qualité de juif de Dreyfus devait le desservir devant l'opinion. Par un retour singulier de la polémique, la défaveur de sa race le sert. Sentiment sincère ou affectation, quelques personnes semblent croire qu'on poursuit en lui le Juif. Et déjà se compose une légende de martyr. »

Les articles dissidents prirent de l'importance. Paul de Cassagnac, un ami de l'avocat Edgar Demange, critiqua la perspective du huis clos dans son journal *L'Autorité*. Ce bonapartiste volontiers antisémite, et qui avait produit de violents articles contre Dreyfus [7], n'en exigeait pas moins l'application des règles de droit qui garantissent l'intégrité de la justice. Il demanda une première fois, le 14 novembre 1894, « que les preuves indéniables de son crime soient établies au grand jour ». Il ajoutait : « Nous ne sommes plus à l'époque où l'on pouvait, sous un prétexte quelconque, faire tomber une tête après des débats étouffés. » Le 8 décembre, il comparait ces pratiques à celles de l'Inquisition [8]. Il déniait à la société le droit de « tuer moralement et matériellement un de ses enfants, si elle n'a pas fourni, étalé, les preuves irrécusables de son crime ». Cassagnac envisagea même que Dreyfus ne fût pas coupable. Mais il écarta cette possibilité, ne pouvant imaginer « qu'on aurait arrêté cet officier, chargé d'une telle accusation, livré depuis deux mois au supplice affreux de la flétrissure nationale, cent fois plus terrible que la mort – lui, un père de famille, ayant femme, enfants –, qu'on aurait torturé, supplicié cet homme vivant, alors qu'on n'était pas certain, archi-certain de sa culpabilité [9] ».

Le 18 décembre 1894, il redit son opposition dans un texte d'une grande solennité : « Il y a quelque chose d'inhumain, d'horrible, qui révolte la conscience, dans le spectacle d'un homme qu'on déshonore et qu'on tue dans les ténèbres, cet homme fût-il le plus grand coupable et le plus ignoble scélérat. À plus forte raison, quand le prévenu nie, oppose une invincible résistance à l'accusation, fait appel, suivant son droit, au contrôle souverain de l'opinion publique. » Jules Cornély, dans *Le Gaulois*, écrivit à son tour que la publicité des débats relevait des exigences qu'une démocratie se devait à elle-même. Dans un autre article, il reprocha au général Mercier « d'acclimater dans l'esprit d'une nation, qui a tant besoin de tout son moral, le fantôme démoralisant de la trahison [10] ».

L'interview du général Mercier publiée par *Le Figaro* avait suscité elle aussi des réactions d'inquiétude sur l'avenir de la justice et le pouvoir de l'armée. *L'Autorité* protesta. Même Arthur Meyer s'étonna d'une telle déclaration, écrivant le 29 novembre dans *Le Gaulois* : « Si le ministre de la Guerre prononce un tel arrêt contre le capitaine Dreyfus, quelle liberté reste-t-il au conseil de guerre ? Le général Mercier peut être un honnête homme et un brave soldat ; mais, en cette occasion, il a manqué à tous les devoirs de l'humanité, et le cœur de l'homme n'a pas battu sous son uniforme. » Joseph Reinach, comme on le sait, intervint auprès du président du Conseil, Charles Dupuy, pour qu'un communiqué vînt démentir les propos du ministre [11]. Le lendemain 29 novembre, le rédacteur du *Figaro* Charles Leser opposa un démenti au démenti. Il n'avait fait que rapporter les propos du ministre de la Guerre sur la culpabilité certaine de Dreyfus.

À mesure qu'approchèrent les débats, les démarches se firent plus pressantes pour demander la publicité. Le 14 décembre, le républicain modéré Pierre Waldeck-Rousseau, l'un des plus décisifs héritiers de Gambetta et avocat lui-même, s'était rendu chez le président de la République à l'invitation d'Edgar Demange. Joseph Reinach, gambettiste lui aussi et intime d'Auguste Scheurer-Kestner, intervint également auprès du chef de l'État, sans plus de succès [12]. Sans se concerter, les deux parlementaires s'étaient succédé à l'Élysée. La visite de Reinach à Casimir-Perier avait été précédée de celle qu'il avait faite chez Demange, qu'il connaissait de longue date. « Obsédé par l'idée d'une erreur judiciaire [13] », il était allé le voir, mais l'avocat avait refusé de lui ouvrir le dossier. Il ne révéla rien de l'état des charges contre le capitaine, « sauf ce point qu'une seule pièce, d'une écriture contestée, faisait toute l'accusation ». Il lui affirma cependant que son client était innocent et il lui demanda d'insister lui aussi auprès de Casimir-Perier pour que le procès ne soit pas secret. « La publicité des débats serait le salut d'un officier injustement accusé. » Le président de la République fit à Reinach la même réponse que celle qu'il avait faite à Waldeck-Rousseau. Personnellement attaché à la publicité des débats, il ne pouvait l'exiger, n'en ayant pas le pouvoir constitutionnel [14]. Reinach aussi tenta une démarche auprès du général Mercier, mais l'entrevue tourna court dès que le parlementaire aborda la situation du capitaine Dreyfus. Il alerta également ses deux frères [15] Théodore, l'historien, et Salomon, l'archéologue (de surcroît normalien) qui comptaient de très nombreuses relations dans le monde intellectuel et savant. Joseph Reinach décida également de faire paraître dans *Le Petit Temps* des extraits d'un récit troublant publié par *Le Petit Journal* au mois de juin 1894 [16]. Et *Les Archives israélites* posèrent dans un long article du 6 décembre 1894, la question de « coïncidences vraiment trop fortes ».

Plus généralement, des doutes persistèrent sur la forme du procès. Dès le 3 novembre, dans le grand journal modéré *Le Temps*, Léveillé, professeur de droit criminel à la faculté de droit de Paris, s'interrogeait sur l'application des peines. Cependant, ceux qui auraient pu ou dû protester, en raison de leur attachement aux libertés classiques, ne le firent pas. Ni *Le Temps*, ni *Le Journal des débats*, ni *La Dépêche* où écrivait très régulièrement Jaurès. *Le Siècle* seul, par la voix de son directeur Yves Guyot, reprocha au colonel Maurel « d'avoir manqué du sang-froid et du calme qui donnent confiance dans un juge. [...] Le président du conseil de guerre a eu raison de dire qu'il y avait, dans ce procès, d'autres intérêts que ceux de l'accusation et de la défense ; il aurait pu ajouter : que ceux de la patrie et de la justice [17] ». Cependant, des doutes se levèrent dans certaines consciences, notamment chez les hommes habitués « à ne croire que ce que je comprends », comme le confessa le philologue Michel Bréal, professeur au Collège de France [18].

Après le verdict de 1894 contre Dreyfus, l'historien Gabriel Monod fut le témoin du trouble profond de son ancien élève et ami le ministre des Affaires étrangères Gabriel Hanotaux, chez qui il avait déjeuné avant son départ en convalescence pour Cannes. L'historien l'interrogea sur le procès qui venait de se clore. Il lui posa brutalement la question : « Êtes-vous certain de la culpabilité de Dreyfus ? » Hanotaux lui répondit : « Ce n'est pas moi qui l'ai jugé ; je n'ai rien à vous dire. » La discussion s'arrêta net. Mais lorsque Gabriel Monod fut raccompagné jusqu'au seuil par le secrétaire du ministre, Willox, celui-ci, dans la rue, le saisit vivement par le bras et lui dit : « Vous savez, nous croyons que le général Mercier a commis une épouvantable gaffe ! » Gabriel Monod, qui déposait le 14 janvier 1899 devant la Cour de cassation, expliqua : « La pensée que celui des ministres qui devait être, avec le général Mercier, le mieux renseigné sur l'affaire Dreyfus avait des doutes sur la culpabilité me troubla profondément [19]. » Interrogé au procès de Rennes, l'ancien ministre expliqua ne plus se souvenir de ce déjeuner et des propos qui y furent tenus [20].

*Sur la mort*

Le prolongement du verdict à travers le projet punissant de mort le crime d'espionnage suscita également de graves interrogations. Le sens de l'intervention de Jaurès à la Chambre des députés le 24 décembre 1894, lors de la discussion du texte, peut être apprécié comme le souci de défendre certains principes d'égalité [21]. En posant la question de la peine capitale dans le cas de Dreyfus, il n'agissait pas par vengeance ni haine antisémite, mais dans le souci d'une administration égale de la justice qui frappait plus durement les soldats et les ouvriers. « Ce que je propose, dit-il, c'est de rétablir dans ce pays-ci, en matière de justice militaire, l'égalité [22]. » Considérant la contradiction entre la brutalité de la peine de mort infligée au soldat « coupable simplement, dans une minute d'égarement, d'un acte de violence envers l'un de ses chefs », et « l'adoucissement général de la pénalité » que montrait singulièrement l'abolition de la mort pour fait de trahison, il proposa alors « de réviser les articles 221, 222 et 223 du code de justice militaire, qui portent sur les voies de fait commises au service, et à en effacer la peine de mort ». Il insista sur le fait que sa proposition de loi n'était pas inspirée par les mêmes considérations qui avaient déterminé le dépôt du projet de loi par le général Mercier.

Jaurès répéta qu'il voulait rétablir dans ce pays l'égalité en matière de justice militaire. Il estimait aussi qu'il n'y avait pas eu égalité de traitement dans la mesure où, selon lui, il était parfaitement possible, « d'après les lois actuelles, d'appliquer la peine de mort » au capitaine Dreyfus ou au maréchal Bazaine. Jaurès poursuivait un objectif très clair, mais les moyens purent apparaître comme particulièrement provocateurs. Il souhaitait défendre un principe d'égalité et d'humanité dans l'exercice de la justice. De fait, il s'opposait radicalement au climat d'arbitraire et de lynchage qui avait entouré le procès de Dreyfus. Il choisissait d'instaurer un ordre radicalement opposé à celui du nationalisme et de l'antisémitisme. Les nombreux députés qui se déchaînèrent ensuite contre Jaurès montrèrent, par leur violence, combien celui-ci avait visé juste et combien il était urgent de réagir à un complet dérèglement de l'esprit public.

Le juriste Léveillé, député de Paris, intervint alors pour discuter la « question de droit » et dire l'impossibilité d'appliquer au crime de Dreyfus une autre qualification que politique bien qu'il souhaitât personnellement la mort pour le condamner. Le Poittevin, professeur adjoint à la faculté de droit de Paris, assura quant à lui que « la peine de mort ne peut être prononcée en application de l'article 76 du code pénal. En effet, l'article 5 de la Constitution de 1848, qui maintient les dispositions du 26 février de la même année, a effacé de notre législation la peine de mort en matière politique. Or la trahison est un crime politique, c'est un crime contre la sûreté extérieure de l'État, passible aujourd'hui de la déportation édictée par la loi du 8 juin 1850. Il ne peut y avoir de discussion à cet égard [23] ».

La fermeté de certains juristes libéraux dans cette première affaire Dreyfus s'inscrivait dans le très lent mouvement de démocratisation de la justice. La loi sur la révision des erreurs judiciaires qui allait être adoptée postérieurement à la condamnation du capitaine Dreyfus – le 8 juin 1895 – pouvait se rattacher à ce mouvement judiciaire. Il s'agissait de faciliter la révision de certains jugements iniques, comme la condamnation de l'instituteur Pierre Vaux [24], rendus, particulièrement sous le Second Empire, dans des périodes d'arbitraire judiciaire prononcé. Ce texte stipulait que le droit de demander la révision appartenait désormais au ministre de la Justice chaque fois qu'apparaîtrait un fait nouveau « de nature à établir l'innocence du condamné ». Il installait en conséquence le cadre juridique qui permettrait à terme la réhabilitation de Dreyfus. La révision du procès de 1894 par l'arrêt de la Cour de cassation du 2 juin 1899 profita en effet de la nouvelle loi qui modifiait les articles 443 à 447 du code d'instruction criminelle en développant précisément la notion de « fait nouveau ».

Cette exigence des juristes peut s'expliquer aussi par le constat de l'adhésion massive des avocats au nationalisme[25]. Même minoritaire, l'intervention des juristes ébranlait l'unanimité recherchée contre Dreyfus et renforçait le principe du droit gouvernant la relation justice-république. Le courant libéral qui s'esquissait constituait l'un des contextes d'éveil des dreyfusards. Les haines de l'opinion nationaliste et antisémite, qui s'étaient exaspérées avec la condamnation du capitaine Dreyfus, furent jugées sévèrement par des représentants de ce courant libéral. Le 26 décembre 1894, Yves Guyot critiquait ainsi dans son journal Le Siècle l'alliance objective entre la presse extrémiste et le ministre de la Guerre. Le vote de la loi sur la révision montrera que le sentiment de justice n'avait pas totalement disparu.

Jaurès ou Guyot n'étaient pas les seuls républicains à intervenir sur ce terrain du droit et de l'équité. Dans son article du 25 décembre 1894, Georges Clemenceau alla au-delà des quelques phrases définitives qu'il commit sur Dreyfus[26]. Il souligne lui aussi le caractère scandaleux de la disproportion des peines entre deux actes, le crime de trahison d'une part qu'il juge inqualifiable mais qui n'est pas suivi de la peine capitale, et le moment d'égarement d'un jeune soldat presque aussitôt exécuté[27]. « Je souhaite assurément que la peine de mort disparaisse de nos codes. Mais qui ne comprend que le code militaire en sera de toute nécessité le dernier asile ? De fait, aussi longtemps qu'il subsistera des armées, il sera probablement difficile de les régir autrement que par une loi de violence. Mais si, dans l'échelle des châtiments, la peine de mort est l'ultime degré, il me semble qu'elle doit être réservée pour le plus grand crime, qui est, à n'en pas douter, la trahison. Tuer un malheureux affolé qui insulte ses juges, c'est démence, quand on fait une vie tranquille au traître[28]. »

Cette recherche d'égalité, cette exigence de civilisation faisaient l'intérêt de la position de Clemenceau, très exceptionnelle elle aussi dans le climat de violence publique exacerbée par le procès de Dreyfus. Comme Jaurès, il s'élevait contre cette situation d'irrationalité et de nationalisme : « Dans l'état d'esprit où nous sommes, le sinistre incident qui a si vivement ému l'opinion n'est, pour beaucoup, qu'un prétexte à déclamation. Il est si commode d'emboucher la trompette et de prendre de belles attitudes de patriotes échevelés, tout en ayant des trésors d'indulgence pour les malheureux qui ont eu les pires faiblesses, aux sombres jours de l'invasion allemande[29] ».

*Contre la haine*

D'autres voix se firent entendre pour condamner la guerre religieuse qui se profilait sur l'horizon de la République. En novembre 1894 à la Chambre des députés, le président Burdeau rétorqua ironiquement au vicomte d'Hughes qui demandait « qu'on prenne contre les israélites un nouvel édit de Nantes » qu'il voulait sans doute parler de la révocation dudit édit. Décédé quelques semaines plus tard, Burdeau bénéficia de funérailles solennelles.

Dans un article du 17 novembre 1894 publié par *La Justice* – dont Georges Clemenceau lui avait ouvert les colonnes –, Bernard Lazare s'insurgea contre la campagne antisémite qui accompagnait la nouvelle de l'arrestation de Dreyfus. D'emblée, ce jeune poète symboliste d'à peine trente ans, de tous les combats intellectuels des anarchistes, mais formé aussi à la critique philologique de l'École pratique des hautes études [30], repérait le véritable enjeu de cette campagne, l'affermissement d'un état d'esprit antisémite beaucoup plus grave selon lui qu'un parti antisémite qui ne pourrait exister qu'à l'échelle endémique. Avec cet article, Bernard Lazare poursuivait la critique de l'antisémitisme qu'il avait entamée un an auparavant avec l'écriture de *L'Antisémitisme, son histoire et ses causes* [31]. Mais il entamait aussi un procès général de l'antisémitisme et de ses idéologues :

> Il est certaines manières de penser dont on ne comprend la généralité et l'importance que lorsqu'elles sont mises vivement en lumière par un fait inattendu, c'est le cas pour l'antisémitisme. Assurément, nous en savions l'histoire, nous en connaissions les théoriciens comme les théories, mais nous imaginions communément que l'armée était petite qui suivait des chefs comme M. Édouard Drumont. Nous nous trompions, et il a suffi de l'accusation portée contre le capitaine Dreyfus pour nous montrer jusqu'à l'évidence notre erreur ; il est possible qu'il n'existe pas un important parti antisémite, cela est même certain, mais il s'est créé depuis quelques années un état d'esprit antisémite, ce qui est beaucoup plus grave [32].

Cet état d'esprit, que Bernard Lazare qualifiait de « ghetto moral », était d'autant plus dangereux qu'il était invisible et tout-puissant, et qu'il portait en lui-même l'impossibilité pour les Juifs de le combattre : « On ne cloître plus les israélites, on ne tend plus de chaînes aux extrémités des rues qu'ils habitent, mais on crée autour d'eux une atmosphère hostile, atmosphère de défiance, de haine latente, de préjugés inavoués et d'autant plus puissants, un ghetto autrement terrible que celui auquel on pourrait échapper par la révolte ou par l'exil. Cette animosité se dissimule communément et cependant le Juif intelligent, et il n'est pas rare, la perçoit ; il sent une résistance devant lui, il a l'impression d'un mur que des adversaires ont dressé entre lui et ceux au milieu desquels il vit. » Mais le danger le plus fort du « nouveau ghetto » résidait dans la manière dont cet antisémitisme moral

pouvait amener les israélites à un nouveau repli, consacrant le « sentiment de la race » auquel s'opposait absolument Bernard Lazare.
L'avenir des Juifs était ailleurs, dans une cité libérée des mythes et des
violences. Le combat contre l'antisémitisme apparaissait pleinement
intégrateur, civilisateur. La conclusion de son article de *La Justice* ne
renonçait pas à l'optimisme qui avait caractérisé *L'Antisémitisme, son
histoire et ses causes* paru en juin 1894 chez Léon Chailley : « L'antisémitisme n'aura qu'un temps, tout comme un certain patriotisme
étroit et sectaire. Il disparaîtra avec l'égoïsme national et c'est aux ans,
qui ont déjà fait tomber les chaînes, qu'il appartient aussi de détruire le
nouveau ghetto [33]. »

Le 31 décembre 1894, Bernard Lazare publiait un nouvel article,
cette fois dans *L'Écho de Paris* [34]. Il s'agissait d'une analyse du rôle
d'Édouard Drumont et de *La Libre Parole* dans le procès du capitaine
Dreyfus, dont « l'antisémitisme vient de tirer un excellent parti [35] ». Il
réfuta toute disposition raciale ou ethnique à la trahison, d'un côté
comme de l'autre. Il ne fallait pas riposter aux antisémites en usant de
leurs méthodes, mais bien au contraire les révéler et en montrer les
procédés d'« affirmations péremptoires et dogmatiques ». L'antisémitisme partageait du reste avec « l'exclusivisme nationaliste » de
pareilles méthodes. Lazare s'employa à démontrer les liens entre les
deux idéologies. L'« exaltation factice du sentiment national »,
« l'exaspération du chauvinisme », permettaient la mise en accusation
des Juifs. Et cela était vrai de toutes la nations qui se définissaient par
un fort nationalisme. « L'antisémitisme va de pair avec l'anglophobie,
l'antigermanisme et l'antiprotestantisme ; il considère le Juif comme
l'allié de l'Allemand − en Allemagne, on affirme qu'il sert les Français −, de même qu'il regarde le protestant comme l'auxiliaire de
l'Anglais. » Bernard Lazare s'attachait également aux méthodes
d'exposition de cette thèse, expliquant qu'elle ne reposait sur rien. « Et
c'est précisément ce qui fait sa force. Quand je dis "rien", je veux dire
qu'aucun fait ne permet de l'étayer, mais elle trouve son point d'appui
dans de vifs sentiments qui agitent une foule ignorante, elle émane de
préjugés persistants et elle exprime de puissants intérêts économiques. » D'où la conclusion suggérée : la lutte contre le nationalisme,
contre le chauvinisme, s'imposait. Mais Lazare produisait aussi une
autre démonstration dirigée cette fois contre l'antisémitisme.

L'antisémitisme le plus primaire, le « fretin sans orthographe, sans
syntaxe et sans idées qui mange son Juif quotidien comme les radicaillons
anticléricaux mangent leur prêtre journalier », se caractérisait selon Bernard Lazare par le vide de la pensée. Mais cette posture de nullité intellectuelle définissait également la méthode de Drumont qui se targuait d'être
sociologue, mais qui, pour Bernard Lazare, restait incapable de formuler
un seul raisonnement sérieux. Parce que l'antisémitisme n'est pas une
raison, mais seulement des slogans que les antisémites répétaient à
longueur d'articles. « Voilà ce que je leur reproche : ils se contentent

d'exécuter quelques plumitifs de mœurs douteuses, ils insultent parfois un historien, mais il se taisent obstinément si on les prie de quitter un instant la polémique de chaque jour et de venir discuter en philosophes[36].» Libre face aux antisémites, le publiciste leur expliqua ce qu'il fallait penser d'eux : des barbares, des primaires de la pensée, des « esprits simplistes, un peu naïfs et souvent ignorants», incapables de comprendre le monde qui les entoure et d'en comprendre la forte historicité ; ils ne comprennent rien à l'histoire. « Ils ne considèrent que le présent, et ils attribuent aux Juifs ce qui est le produit de milliers de causes ayant agi pendant des siècles, causes qu'ils négligent, et surtout qu'ils ne connaissent pas. Ils procèdent un peu comme les sauvages qui ne voient que les causes efficientes, et qui établissent des rapports de causalité entre des phénomènes qui ne sont que connexes.»

La conclusion de l'article est d'une cinglante ironie pour des idéologues sans idées, sans logique et sans intelligence : « Je n'ai eu pour but aujourd'hui que de demander aux antisémites de nous apporter quelques raisonnements au lieu de leurs invectives coutumières, quelques preuves au lieu de leurs affirmations sans valeur. Je leur ai plusieurs fois adressé ces demandes ; ils ont répondu, comme sans doute ils répondront encore, en disant que les Juifs étaient tous des manieurs d'argent, des êtres dénués de moralité, qu'ils n'avaient pas de "conceptions européennes" et que leur atavisme les prédisposait à la traîtrise et au vol. En un mot, ils ont répliqué par les affirmations mêmes qu'il s'agissait de démontrer[37].»

La vive attaque du poète historien montrait qu'un temps d'offensive était possible et que le déferlement de haine ne resterait pas indéfiniment sans réponse. Mais Bernard Lazare n'avait pas encore rapproché son combat de celui qu'il allait mener, un an plus tard, en faveur de la justice pour le capitaine Dreyfus. Il ne s'intéressait pas, en tout cas, à son sort individuel. Le procès de 1894 n'était pour lui que l'occasion de poursuivre son analyse de l'antisémitisme et des moyens intellectuels de le vaincre. À cette époque, son ami le libraire-éditeur Pierre-Victor Stock l'encouragea à prendre la défense de l'officier juif et à transformer cette affaire en une grande cause israélite : « Vous autres Juifs, qui vous soutenez tous, vous devriez, vous, Lazare, vous préoccuper de cela. – Pourquoi ? lui répondit Bernard Lazare. Je ne connais ni lui ni les siens. Ah ! si c'était un pauvre diable, je m'inquiéterais de lui aussitôt, mais Dreyfus et les siens sont très riches, dit-on, ils sauront bien se débrouiller sans moi, surtout s'il est innocent[38].»

*Trois journaux*

Trois quotidiens nationaux incarnèrent l'honneur de la presse et de l'information françaises en refusant de s'acharner sur un homme qui n'était pas encore condamné, puis contre un « traître » auquel la majorité de l'opinion voulait appliquer la peine capitale. *Le Figaro* publia certes le récit antisémite par Léon Daudet de la dégradation. Mais il joua cependant un grand rôle dans l'information de cette affaire. Par ce simple fait, il contribua à la défense du capitaine Dreyfus et à la connaissance de son sort. Le « Récit d'un témoin » publié par Eugène Clisson fut l'un de ces articles en défense et fut considéré comme tel. Enfin, André de Boisandré dénonça *Le Figaro* dans un article de *La Libre Parole* du 8 janvier 1895 intitulé « Les Défenseurs de Dreyfus ».

*Le Temps* et *Le Siècle* voulurent conserver de la raison au milieu de l'hystérie qui suivit la condamnation de Dreyfus. Le premier, dans un article en forme d'éditorial placé à la une, soutenait certes le projet du ministre de la Guerre visant à punir de mort le crime de trahison comme celui qu'avait perpétré l'officier, « le plus horrible des forfaits ». Mais il avertissait aussi, contre l'immense entreprise de récupération des antisémites, que la honte ne devait pas retomber sur les coreligionnaires de Dreyfus. Pour le grand journal modéré, le parfait exercice de la justice a été le meilleur moyen d'éteindre toute velléité de justice populaire.

Non seulement, donc, on peut dire que justice est faite, mais qu'elle est bien faite. Raison de plus pour ne pas en étendre la portée au-delà du fait qu'elle a réprimé et de l'homme qu'elle a frappé. La foule, agitée par des passions trop souvent aveugles et égarée par des excitations d'un effet toujours certain, va se laisser aller à des généralisations absurdes : elle voudra faire partager les redoutables responsabilités du capitaine Dreyfus à tous ses coreligionnaires indistinctement ; est-il nécessaire de faire observer que, si ces derniers pouvaient être solidaires de l'officier indigne sorti de leurs rangs, les élèves de l'École polytechnique et de l'École de guerre et jusqu'à l'arme de l'artillerie partageraient au même titre cette triste solidarité [39] ?

*Le Temps* ajoutait, sur un autre registre, que la répression des traîtres « n'est pas tout » : « N'oublions pas qu'il est d'autres éléments tout aussi essentiels, nous voulons dire le travail, la volonté, l'esprit de suite, la possession de soi, en un mot le sérieux. » En bref, les valeurs intellectuelles.

*Le Siècle*, quant à lui, était soucieux d'éviter que cet événement ne brisât l'évolution fragile de la France républicaine vers un régime de liberté individuelle. Yves Guyot souhaitait combattre le risque d'un nouveau boulangisme qui se profilait avec le général Mercier. Il l'annonça dans son éditorial du 20 décembre 1894. Le 23, il évoqua la condamnation de Dreyfus pour haute trahison. Il considérait cette dernière comme « un acte individuel. Il n'y a pas de conséquences à en tirer ». Il revint ensuite sur le fonctionnement de l'institution militaire, particulièrement sur deux points, « l'institution barbare » du jury militaire, « vestige de la législation des Visigoths », qui ne « fait [pas] précéder le dispositif de son arrêt de considérants qui le justifient », et l'obsession de la mort chez les militaires français révélée par les polémiques sur la peine infligée au condamné du 22 décembre [40]. « Toute l'organisation militaire est basée sur le mépris de la vie de l'individu, assénat-il. La seule sanction est la mort ; c'est la mort, s'il commet une imprudence, une faute sur le champ de bataille ; il est toujours placé entre la mort ou le succès. [...] Faites-vous tuer ! C'est une consigne qui se donne ; et il s'est toujours trouvé des hommes pour l'exécuter. » C'était là une caractéristique fondamentale de l'institution militaire. Il lui opposait une autre vision de l'armée où la confiance dans la probité individuelle de l'officier serait la première des règles. De là, il se portait vers le cas de Dreyfus en relevant que le mobile de la trahison restait très mystérieux [41]. Rappelant que la trahison la plus grave était celle des généraux sur le champ de bataille – « et dont Bazaine a été la plus haute expression sous les murs de Metz » –, il estimait qu'« il n'y a qu'une haute notion du devoir et de la patrie qui puisse la prévenir ». Pour Yves Guyot, cette double obsession de la peine capitale et du crime de trahison dénotait la débilité de l'esprit militaire et son basculement dans « la badauderie ». Donner aux espions une importance de premier ordre, c'était « subordonner les grands hommes de guerre aux combinaisons d'un louche personnage, espèce de reptile glissant dans l'ombre. C'est ravaler le courage du soldat, l'intelligence du chef. C'est mettre la stratégie à la portée de Mme Pipelet ». Le directeur du *Siècle* défendait là une perspective intellectuelle dans la compréhension de l'événement et contestait les approches irrationnelles et morbides. Il sapait ainsi les bases de l'antisémitisme. Dans un nouvel éditorial, publié le lendemain 26 décembre, il estimait encore que l'affaire Dreyfus avait été transformée en une affaire personnelle du ministre de la Guerre.

Face à la dégradation, ces trois journaux restèrent dignes, regrettant à plusieurs reprises la tristesse de la cérémonie et son caractère lugubre d'exécution publique, rappelant les qualités de soldat de Dreyfus et restituant scrupuleusement ses protestations d'innocence ; avec le « Récit d'un témoin », *Le Figaro* fit plus encore. Mais cette presse modérée et libérale ne fut pas non plus à l'abri des manœuvres de désinformation qui pouvaient l'entraîner fort loin. *Le Temps* publia ainsi le texte d'une « déclaration du condamné » qu'il aurait faite à ses gardiens et qui se révéla une pure invention de l'État-major [42]. La « légende des aveux » fut également reprise par *Le Siècle*, avec force détails [43]. Néanmoins, ces journaux respectèrent le condamné et sa parole d'innocence. Ils furent les seuls, à l'exception de quelques revues d'avant-garde et de rares journalistes indépendants confrontés au choc de la dégradation.

*Le choc de la dégradation*

Des journaux et des revues protestèrent donc contre la barbarie qu'ils reconnurent dans la « parade d'exécution ». Il fallait être capable d'un tel engagement, au milieu d'une vague nationaliste qui emportait les esprits les moins complaisants. Des personnalités émergèrent. Au lendemain du 5 janvier, la *Revue blanche* publia une note signée « V.B. » (Victor Barrucand) et « F.F. » (Félix Fénéon) : « À l'occasion des fêtes du nouvel an, nous avons eu la dégradation du capitaine Dreyfus et, autour, le noble spectacle de l'immobilité servile des uns et de la fureur lyncheuse des autres. Il y a, disait Renan à une séance du prix Monthyon, un jour dans l'armée où la vertu est récompensée[44]. » Cette brève annonçait l'intervention décisive des revues d'avant-garde dans ce qui allait devenir l'Affaire. Pour la *Revue blanche*, ces quelques lignes signifiaient bien la vigilance politique d'un groupe de jeunes écrivains rassemblés autour du militant et anarchiste et écrivain Félix Fénéon, à la tête du périodique depuis son acquittement dans le procès des Trente. Il avait fait de cette revue créée en 1889 par les frères Alfred et Thadée Natanson un lieu majeur d'innovation intellectuelle, de réflexion politique et de contestation sociale, tout en lui gardant une haute définition littéraire[45]. Des articles décisifs et l'existence de solidarités profondes construisaient la *Revue blanche* et la destinaient à jouer un rôle phare, à l'avant-garde de la mobilisation dreyfusarde[46]. Dans *Gil Blas*, un autre écrivain, originaire d'Aurillac, Jean Ajalbert, marqua son dégoût de la parade mais aussi et surtout sa révolte devant l'attitude sans retenue de ses confrères :

> Que la foule, à l'âme fauve, aux instincts de bête encore, aille humer la honte et le sang autour des échafauds, je me l'explique encore. Mais la cruauté des écrivains, des artistes, dont la passion politique, religieuse ou sociale ne discerne pas devant la mort l'effondrement du misérable, cela, je n'y comprends rien...
> Qu'il est dangereux de se laisser emporter par la passion ! Ont-ils bien suffisamment réfléchi, mon ami Léon Daudet (dans *Le Figaro*), Barrès dans sa réflexion de *La Cocarde* sur « La Parade de Judas », qui ont écrit sur la minute même leurs sensations, lorsqu'ils ont dépeint la figure d'un traître : basse, abjecte, etc. On l'injurie d'avoir marché d'un pas ferme tout le long de cette abominable promenade ; on l'eût injurié de même si son pas eût hésité...
> Je n'ai pas l'intention de heurter l'opinion courante sur le traître. J'ai voulu simplement rechercher si le coupable, si coupable soit-il, n'avait pas de droit à ce que sa peine restât dans les limites de la loi. Il avait droit au silence, et les huées de la foule sont de trop...
> Je ne suis pas partisan du huis clos ; mais il faudrait empêcher les sauvages de se mêler à l'appareil de la justice[47].

Cet article fut repéré par la famille du capitaine Dreyfus, à commencer par Henriette Valabrègue qui le signala à son mari[48]. Après la dégradation, le socialiste Maurice Darnay, l'un des rares de son camp à prendre la parole, s'interrogea sur d'éventuels ressorts cachés de la condamnation du capitaine et envisagea l'hypothèse qu'il pût être innocent. « Mais si c'était vrai que Dreyfus fût innocent, qu'il n'eût rien livré à l'Allemagne, qu'il fût la victime d'une fatalité, hasard ou épouvantable machination ! Si l'on avait cherché à poursuivre en lui l'israélite ! Si le gouvernement avait inventé un simulacre de trahison, fabriqué des pièces, sacrifiant Dreyfus, comme son choix aurait pu tomber sur tout autre – la raison d'État n'a pas de loi – afin de surexciter le chauvinisme, de faire une diversion utile au moment où le socialisme commence à pénétrer dans l'armée [49]. »

Joseph Reinach, que la violence de la cérémonie avait stupéfié, recueillit certaines confidences où le doute le partageait à l'effroi. « Parmi ceux qui, en des conversations privées, exprimèrent le doute dont ils avaient été assaillis, je puis nommer F. de Rodays, directeur du *Figaro*, Marinoni, directeur du *Petit Journal*, Jean Dupuy, directeur du *Petit Parisien*, Victor Sismond, directeur du *Radical*, le chroniqueur judiciaire Bataille. Un riche industriel, blasé, amateur de spectacles violents, Albert Menier, revint malade de la parade d'exécution [50]. » Theodor Herzl, qui était présent ce matin-là pour son journal *Neue Freie Presse* [51], rapporta dans son article du 5 janvier l'impression étrange qui émanait du contraste entre les cris de mort et les protestations d'innocence du condamné, digne et courageux : « Dreyfus avançait comme un homme convaincu de son innocence. En passant devant un groupe d'officiers qui hurlaient : "Judas ! Traître !", il leur cria en retour : "Je vous interdis de m'insulter." À 9 heures 20, Dreyfus avait fait tout le tour. On lui mit alors les fers, et il fut confié aux gendarmes qui à partir de maintenant le traiteront en prisonnier civil. La troupe rompit les rangs, mais la foule s'attarda devant la grille, attendant le départ du prisonnier. Des cris sanguinaires remplissaient l'air, tels que : "S'ils le sortent maintenant, on va le tailler en pièces." Mais ils attendirent en vain. Ceux qui avaient assisté à la cérémonie de dégradation s'en allaient dans un curieux état d'agitation. L'attitude étrangement résolue du capitaine Dreyfus avait fait une profonde impression sur de nombreux témoins. »

Cette agitation pré-dreyfusarde excita la presse extrémiste. Les journaux qui avaient été le plus en pointe dans le procès public du « Juif Dreyfus » dénoncèrent les articles dissidents et menacèrent leurs auteurs. *Le Soleil*, un journal monarchiste, publia un avertissement au lendemain de la dégradation : « Plaider la cause du traître Dreyfus, après le jugement du conseil de guerre, est une honte, ce n'est pas français. » Le 9 janvier, il croyait pouvoir révéler qu'« il se mène une odieuse campagne en faveur de Dreyfus. On a distribué des copies autographiées des déclarations faites, le jour de sa dégradation, par ce misérable. Il serait intéressant de savoir qui a pris l'initiative de cette distribution et quel argent en a couvert les frais. » *Le Soleil* menaça également le défenseur de Dreyfus : Mᵉ Demange, « malgré le verdict unanime des sept juges militaires, continue à affirmer que Dreyfus est innocent. Cette campagne est un outrage à l'armée. » Le 13 janvier, Ernest Judet, dans *Le Petit Journal*, fit de même avec un article intitulé « Les Privilèges de l'avocat : pour la France ou pour Dreyfus ! » Il allait jusqu'à l'accuser de complicité du crime.

Tout signe d'humanité à l'égard du condamné était jugé scandaleux, répréhensible. « Il est honteux que des journaux aient publié des récits émouvants des entrevues de Dreyfus et de sa femme », écrivit encore *Le Soleil* du 9 janvier 1895. Les menaces étaient limpides à l'encontre de ceux qui auraient voulu encore le défendre. Ernest Judet se chargea de le leur dire dans *Le Petit Journal* du 13 janvier 1895 : « Cette querelle n'est entretenue que par les reptiles d'outre-Rhin. Il y va de la sécurité du pays. Si Dreyfus n'est pas tué, que son affaire soit morte pour toujours. »

## La conscience des témoins

Plusieurs représentants des élites libérales et intellectuelles furent frappés eux aussi de l'étrangeté profonde de la scène, comme l'historien Gabriel Monod, déjà ébranlé après son entrevue avec Gabriel Hanotaux le 26 décembre 1894 : « Mon trouble fut augmenté par la scène de la dégradation et par la discussion, qui me fut rapportée, de plusieurs officiers qui ne pouvaient croire à un crime dont on ne pouvait trouver le mobile [52]. » Le baron Charles de Vaux, homme de lettres, publiciste, raconta à la Cour de cassation, le 31 décembre 1898, qu'au cours de la parade, à laquelle il assistait avec d'autres journalistes, la déclaration d'innocence de Dreyfus prononcée lorsqu'il passa devant eux – « Vive la France ! Vous, messieurs les journalistes, dites que je suis innocent ; je suis innocent » – lui avait causé « une profonde émotion » en sa qualité d'ancien militaire [53].

D'autres militaires s'inquiétèrent de l'état d'esprit qui grandissait en France. Le futur maréchal Lyautey évoqua « un étalage de honte en face de l'étranger » et posa nettement la question : « Il nous semble discerner là une pression de la soi-disant opinion ou plutôt de la rue, de la tourbe, de celle qui est souvent emballée à côté. Elle hurle "à la mort" sans savoir contre ce Juif, parce qu'il est juif et qu'aujourd'hui l'antisémitisme tient la corde, tout comme elle hurlait il y a cent ans : "Les aristocrates à la lanterne" [54]. » Dans *Le Figaro*, Saint-Genest, son chroniqueur militaire, songeait également à l'image de la France à l'étranger : « Eh bien ! avant qu'on le juge, je déclare encore une fois que tout cela est fou. Dreyfus n'est rien, ce procès n'est rien. Ce qui est grave, c'est le spectacle que nous avons donné à l'Europe... »

De leur côté, certains des officiers directement liés à l'instruction réagirent dans un sens contraire à celui de l'État-major, tenant pour sérieuses les protestations d'innocence du condamné. Le futur lieutenant-colonel Picquart déclara ainsi : « Je dois dire que, pendant cette triste cérémonie, l'attitude du condamné a été d'un homme qui proteste véhémentement de son innocence. Lorsqu'on a commencé à le dégrader, il a crié : "Sur la tête de ma femme et de mes enfants, je jure que je suis innocent. Vive la France !" Puis après, lorsqu'on l'a promené devant le front des troupes, lorsqu'il est passé devant les officiers de réserve qui l'ont insulté, je l'ai entendu dire : "N'insultez pas un innocent !" [55] » Les plus déterminés dans leur conviction furent le commandant Forzinetti et les experts Gobert et Pelletier. Leur certitude de l'innocence du capitaine Dreyfus fut rapide et définitive. Elle découlait d'une étude méthodique d'éléments dont ils avaient eu connaissance et des conditions, tant d'incarcération que d'accusation, qui étaient faites au capitaine. En 1899, Forzinetti raconta précisément à Joseph Reinach ses doutes et ses certitudes de 1894 :

Lorsque la copie des pièces composant le dossier fut remis par Mᵉ Demange à Dreyfus, je le parcourus rapidement, puis par une lecture plus attentive, ma conviction de l'innocence de Dreyfus devint alors une certitude. Le rapport d'Ormescheville était creux, pas une preuve probante. Les dépositions des témoins ne portaient que sur la personnalité de Dreyfus et non sur ses actes. L'arrestation de Dreyfus – rapport du Paty – ne fut ni digne ni militaire. Elle ne fut pas digne en raison du prétexte mensonger de convocation, elle ne fut pas militaire en raison du jeu de glaces et de la présence de Cochefert. En lisant ce rapport, ma mémoire me rappela l'arrestation du capitaine Doineau par Chanzy, alors commandant et directeur des affaires indigènes de la province d'Oran, qui avait d'abord refusé d'arrêter Doineau s'il ne pouvait lui dire qu'il était accusé d'assassinat sur la personne d'un grand chef indigène, etc., et je comparais alors, dans mon esprit, la différence de faire entre ces deux officiers supérieurs, le premier fourbe et hypocrite, le second loyal, allant directement au but.

Fort de cette certitude, Forzinetti s'ouvrit à tous ceux qu'il pouvait rencontrer.

Dès les premiers jours, dans tous les milieux civils et militaires, j'ai crié l'innocence de Dreyfus. En lui serrant la main je le lui avais promis. J'ai aidé, plus que personne, je crois, à jeter le doute dans l'esprit public. Pendant les débats, j'ai dit au colonel Clément et au commandant Ruffet, tous deux appartenant à l'artillerie, que l'on jugeait un innocent, puis que l'on avait condamné un innocent. Dans le greffe de la prison militaire je dis au commandant Sée qui se trouvait avec Lévy-Bruhl (le professeur) que je ne connaissais pas et qui était atterré : « Dreyfus a été condamné sur des pièces qu'il ne connaît pas, j'en jurerais. » Je ne croyais pas si bien dire. Le 4 janvier au soir, je dis aussi au chef de bureau envoyé par Dupuy : « On a commis un crime. » Donc, tous mes chefs militaires, tous les membres du gouvernement Dupuy n'étant pas restés sans le dire, connurent mon opinion et mon attitude [56].

Le commandant des prisons militaires de Paris avait fait tout ce qui était en son pouvoir, et même plus, pour atténuer l'extrême dureté des conditions de détention faites à son prisonnier. Il intervint auprès du ministre de la Guerre et du gouverneur militaire de Paris afin que le capitaine Dreyfus bénéficie d'une protection médicale et que les visites de sa femme se déroulent dans des conditions humaines. Lors de la première visite, le 2 janvier 1895, les deux époux avaient été conduits au parloir, une pièce glacée et sombre. Ils ne purent se voir et se parler qu'à travers une double grille treillagée, en présence de Forzinetti et de son agent principal. La scène fut très douloureuse. Dreyfus, à bout de forces, l'avait même abrégée[57]. De sa propre initiative, le commandant s'adressa alors au général Saussier qui lui donna son accord à condition qu'il prenne personnellement la responsabilité des modifications. Alfred et Lucie purent alors se voir dans son bureau. Forzinetti n'hésita pas non plus, le 5 janvier 1895, au moment où le capitaine était emmené pour subir la peine de dégradation, à lui serrer la main, un geste d'hommage et de soutien très rare dans le milieu pénitentiaire. Le 10 janvier 1895, il reçut la visite de Mathieu Dreyfus. Ce dernier souhaitait le remercier « de la bienveillance, de la bonté qu'il avait eues pour lui. » Le commandant des prisons militaires de Paris lui tendit alors un rouleau de papier. « C'est la copie, avec des commentaires, de l'acte d'accusation de Bexon d'Ormescheville. J'ai insisté auprès de votre frère pour qu'il fît cette copie. Elle vous sera très utile le jour où vous croirez devoir commencer une campagne de presse. » Forzinetti avait vu juste. La publication de l'acte d'accusation le 7 janvier 1898 dans *Le Siècle* lancera une première offensive intellectuelle, avant « J'accuse... ! », avant les pétitions civiques. Mais, dans l'immédiat, Mathieu Dreyfus savait que toute initiative était vouée à l'échec et passible même d'une action des tribunaux. Il s'empressa de mettre le document original en sécurité. Le frère aîné de Lucie, Georges, fut chargé de l'emporter en Suisse où il fut mis en lieu sûr à Bâle, mais des copies furent aussitôt réalisées et portées à Paris. Avant de le quitter et de le remercier encore vivement, Mathieu Dreyfus demanda à Forzinetti « de faire, partout où il le pourrait, le récit de ce qu'il avait vu et entendu au Cherche-Midi, pendant les quatre-vingts jours qu'y passa » le capitaine Dreyfus. Ce qui fut fait[58].

La protestation d'Alfred Gobert fut elle aussi très digne et très ferme. Le face à face qui l'opposa au général Gonse au début de son expertise était révélateur des enjeux posés. Puisque le sous-chef d'État-major s'était rendu, à deux reprises dans la même journée, au domicile de l'expert pour le rencontrer, Gobert lui fit savoir « le déplaisir » qu'il éprouvait « à faire une vérification sous le couvert de l'anonymat ». « Je lui fis savoir qu'au cas où mes conclusions seraient accusatrices, je tenais positivement à faire mention du nom de l'officier en mon rapport, mais que si, au contraire, mes conclusions étaient négatives, je n'avais nul besoin de connaître ce nom. » Si l'officier général ne fit sur le coup aucune remarque, l'expert sut très rapidement que sa demande avait été, à l'État-major, « critiquée très vivement et qualifiée de demande suspecte ». Il s'expliqua devant la Cour de cassation le 17 décembre 1898 : « Ces messieurs ignoraient assurément que l'usage de la justice civile ne comporte ni aucune enquête ni aucune instruction sous la forme de l'anonyme. Au surplus, le désir que j'avais de connaître le nom de l'officier soupçonné est demeuré sans objet, parce que, parmi les pièces de comparaison qui m'ont été données, il y avait la feuille signalétique écrite par l'officier lui-même. » Alfred Gobert poursuivit avec le récit de sa déposition au procès Dreyfus et surtout des attaques qu'il dut subir de la part du président et du commissaire du gouvernement.

L'expert raconta ensuite l'entrevue qu'il eut avec le garde des Sceaux, à sa demande, le 15 octobre 1894. Le ministre l'avait fait appeler pour lui demander les détails qu'il possédait sur l'affaire de cet officier. « En le quittant, je lui dis, regardant l'heure à la pendule de son cabinet : "En ce moment, monsieur le garde des Sceaux, on arrête l'officier soupçonné. J'ai peur que ce soit une faute." Je donne ce détail pour montrer que, dès 1894, je croyais déjà à l'innocence de Dreyfus. Avant de quitter le garde des Sceaux, il me recommanda la plus extrême discrétion, parce que le gouvernement voulait conserver secrète l'affaire de trahison, et qu'on redoutait surtout les indiscrétions de la presse, et particulièrement celles du journal *La Libre Parole*, l'officier soupçonné étant israélite. » Il indiqua aussi aux conseillers de la Cour de cassation comment il avait d'emblée critiqué la méthode d'enquête qui avait abouti, au sein de l'État-major de l'armée, à suspecter le capitaine Dreyfus sur la base d'une comparaison sauvage d'écriture. « À mon sens, il eût été prudent aux bureaux de la Guerre de ne pas procéder eux-mêmes au triage définitif dont je viens de parler. Il eût été préférable d'appeler un professionnel qui, de son expérience et de sa pratique, eût déterminé lui-même l'écriture à retenir. Il m'est avis que les bureaux ont, en cette circonstance, assumé une grosse responsabilité [59]. »

Eugène Pelletier, le second expert qui avait innocenté Dreyfus, tenta lui aussi une démarche pour informer l'autorité militaire de l'erreur monstrueuse qui était en train de se produire. Il écrivit au ministre de la Guerre pour lui demander audience. Le général Mercier lui répondit le 24 novembre : « J'ai l'honneur de vous faire connaître que je me suis entièrement dessaisi de l'affaire à laquelle vous faites allusion, depuis le jour où je l'ai déférée à la justice militaire et où, par suite, l'information judiciaire a commencé. Il n'est donc plus en mon pouvoir d'intervenir dans cette affaire et j'estime par suite que l'audience que vous sollicitez serait sans objet [60]. » La réponse était conforme à la légalité puisque l'autorité compétente en la matière était le gouverneur militaire de Paris. Mais dans les faits le général Mercier et l'État-major de l'armée contrôlaient toute l'instruction et préparaient le dossier qui entraînerait la condamnation du capitaine Dreyfus

Enfin, l'un des acteurs clef de cette lutte désespérée contre l'écrasement d'un homme par un système judiciaire d'un autre âge fut le propre avocat du capitaine Dreyfus. Malgré la disproportion des forces et la toute-puissance de l'accusation, Edgar Demange combattit sans se résigner. S'il écarta la solution de la dissidence – qui aurait consisté par exemple à livrer à la presse le contenu du rapport de d'Ormescheville –, il manifesta en toute occasion sa confiance totale dans l'innocence de son client. Le jour de la dégradation, interrogé par *Le Journal*, il déclara : « Le capitaine Dreyfus, puisqu'il est condamné, est coupable aux yeux de tous. Je m'incline devant l'armée. Mais à part moi, dans mon for intérieur, je demeure persuadé de la façon la plus absolue de son innocence ; ma conviction n'est pas changée. » Ces paroles, précisa Joseph Reinach qui en fut le témoin, « il les répète partout, dans les couloirs du palais de justice, à Dupuy lui-même [61] ».

Il fut aussi l'un des seuls soutiens d'une famille et d'une épouse décidées à sauver l'un des leurs par la voie de la légalité et de la justice. Le 7 février 1895, Lucie écrivait ainsi à Alfred qu'elle partait trouver Mᵉ Demange : « J'aime aller causer avec lui de temps en temps, il est toujours très chaud à ta cause et a un chagrin immense de ne pas l'avoir gagnée. Et cependant, quelle cause plus forte pouvait-on avoir [62] ? » Mais le défenseur n'avait pas renoncé à clamer l'innocence de son client. Joseph Valabrègue témoigna à son fils Paul de l'obstination de l'avocat : « Julien Storck écrivait hier à ton oncle Adrien qu'il avait passé une heure chez maître Demange qui lui avait dit en résumé : "La condamnation du capitaine Dreyfus est le déni de justice le plus monstrueux qu'il soit possible d'imaginer ; avant le procès, j'avais la conviction de l'innocence de ce malheureux, après le procès ma conviction est encore plus grande, le capitaine est victime d'une machination odieuse dont peut-être un jour nous aurons la preuve." Dans une autre conversation, Demange aurait dit : "Je jure sur le Christ que cet homme est innocent [63]." »

## Le choix de Lucie [64]

La famille du condamné joua un rôle considérable dans la longue bataille qui commença lorsque, le 31 octobre 1894, le secret absolu fut levé sur l'arrestation de leur mari, père, fils et frère. Elle réussit à maintenir l'espoir chez le déporté, elle se dépensa sans compter pour avancer dans la voie de la vérité, elle prépara la mobilisation civique qui s'esquissa à partir de la fin de l'année 1896, empêchant que l'oubli ne recouvrît totalement le capitaine Dreyfus et ne l'entraîna irrémédiablement dans la folie ou dans la mort. Les premières semaines furent

décisives à la fois pour les liens qui se constituèrent, *via* de nombreuses lettres et quelques entrevues, entre Dreyfus et sa famille, et
pour l'unité de la famille face aux périls qui l'attendaient. Tous
jouèrent leur rôle. L'information circula très vite, soit qu'un membre
de la famille Dreyfus voyageât vers Paris (ou vers l'île de Ré avec
Lucie), soit que les lettres d'Alfred fussent systématiquement reco-
piées et envoyées aux frères et sœurs. Si Lucie et Mathieu furent les
plus actifs et les plus exposés. Tous s'impliquèrent avec une volonté
et une conviction qui exprimèrent la valeur d'une famille.

*L'épreuve de l'inconnu*

Mise devant le fait de l'arrestation de son mari et des charges exorbitantes semblant peser sur lui, Lucie assista à la première perquisition
du commandant du Paty de Clam et de ses agents, le 15 octobre 1894,
à son domicile de l'avenue du Trocadéro. Elle protesta de l'impossibilité qu'aurait eue son mari de trahir. Le lendemain, les trois hommes
perquisitionnèrent le domicile de ses parents. Ces derniers apprirent
que leur gendre avait été arrêté et mis au secret en raison d'imputations
très graves pesant sur lui. Eux aussi le défendirent immédiatement.
Une autre famille aurait pu choisir d'éviter le scandale qui allait forcément rejaillir sur elle en exigeant par exemple de sa fille qu'elle
demandât aussitôt le divorce, ou alors en rejetant le couple. Cette réaction était classique à cette époque dans ces milieux. C'est ce que fit
plus tard la famille de l'épouse du commandant Esterhazy [65].
Ces 16 et 17 octobre 1894, durant toute la soirée et une partie de
l'après-midi, Lucie Dreyfus, accompagnée de sa mère, resta au ministère de la Guerre [66]. Elle assista au dépouillement des scellés opérés à
son domicile. Elle n'obtint aucune nouvelle de son mari. Du Paty de
Clam réitéra à l'intention de Louise Hadamard l'ultimatum qu'il avait
lancé à Lucie la veille : la révélation à quiconque de l'arrestation du
capitaine Dreyfus aurait des conséquences incalculables pour lui et
pour la France. Après la perquisition du 15, du Paty de Clam revint à
plusieurs reprises dans l'appartement de l'avenue du Trocadéro avec
son greffier – « tous les deux ou trois jours [67] », précisa Joseph Reinach
qui a sollicité et utilisé le témoignage de Lucie [68] pour écrire son *Histoire de l'affaire Dreyfus*. Alors que celle-ci espérait vainement des
nouvelles de son mari, du Paty tenta d'ébranler la jeune femme en
alternant violences verbales, plages d'émotion et assurances de son
extrême compassion. Il appliquait, en moins systématique, les
méthodes qu'il utilisait pour interroger son mari. « Il me répétait sans
cesse, expliqua-t-elle à Reinach, qu'il aurait donné tout au monde pour
n'avoir pas à mettre la main sur un de ses camarades. Pendant ses
visites, je le pressais de questions. J'attendais dans l'angoisse, dans
l'anxiété, je mettais toutes mes espérances dans les quelques paroles
que je pourrais lui arracher soit sur la santé de mon mari, soit sur les

motifs de son incarcération. Parfois, il me disait que mon mari était malade. Sur la seconde question il était muet [ou parlait] du monstre, disait-il. Je protestais de toutes mes forces contre son accusation [69]. » Lucie était perdue, elle ne comprenait rien, elle s'inquiétait de tout, elle essayait de donner un sens à ce que lui disait l'enquêteur mais n'y parvenait pas, ce qui redoublait son vertige. Du Paty de Clam voulait la briser pour qu'elle accusât son mari ou du moins qu'elle lui livrât des indices exploitables. Mais elle ne tomba pas dans le piège que lui tendit souvent l'officier instructeur.

Sans lui en donner aucun motif, il accusait son mari d'avoir commis un acte effroyable, d'être un criminel de la pire espèce, d'être indigne de l'armée qui l'avait accueilli. Elle défendit son intégrité, son parfait patriotisme, sa foi dans l'armée et dans ses chefs, son ambition et sa rigueur. Elle se porta garante de lui. « Je lui démontrai son erreur. Je lui parlai du caractère de franchise [...], de loyauté de mon mari, de sa conscience élevée, de son amour de la patrie. "Mon mari ne sort jamais qu'avec moi ; ses heures sont régulières, je sais absolument son emploi du temps de tous les instants" [70] », lui déclara-t-elle dans un suprême effort de persuasion. Une double vie d'espion était pour elle matériellement inconcevable et moralement insensée. Du Paty de Clam lui répondit alors : « Souvenez-vous du Masque de fer [71] ! » et insista : « Il faut si peu de temps pour faire *cela*. » Pour lui, la conviction de la culpabilité était entière, absolue [72]. Les protestations de Lucie étaient balayées par des affirmations comme celle-ci : « Votre mari est un lâche, un misérable. Si j'étais à la place de son gardien, qui a répondu de lui sur sa tête, je me coucherais en travers de sa porte, j'épierais son sommeil. » Ou : « Imaginez, madame, un cercle dans lequel je fais entrer un certain nombre d'officiers susceptibles d'avoir commis le crime, par voie d'éliminations successives, le cercle se rétrécit de plus en plus, puis finalement il reste un seul nom, celui de votre mari, au centre du cercle [73]. » Un jour, raconte encore Lucie Dreyfus, « il arriva d'un air triomphant. Cela devait être environ une semaine après l'arrestation ; mais je ne pourrais pas donner de date précise. "J'ai dans ma poche la preuve absolue de sa culpabilité". » Tous ses efforts pour le persuader qu'il faisait erreur furent vains [74]. Lors d'une visite plus longue que les autres, il exigea d'elle qu'elle fît une recherche dans les lettres de fiançailles d'Alfred, afin de rechercher une certaine forme de lettre. Puis il s'empara de l'ensemble de la correspondance [75].

Pour Joseph Reinach, ces assauts répétés auraient dû totalement déstabiliser Lucie Dreyfus parce que la condition d'officier de son mari comptait avant toute chose, c'est même ainsi qu'il l'aurait séduite. « Elle l'avait aimé, fille de marchand, pour son uniforme et son épée. » Maintenant qu'il n'en était plus digne, Lucie voyait se rompre le ressort de leur union. Et pourtant, reconnaît Reinach, « elle n'eut pas un doute. Pas un soupçon ne l'effleura d'une aile salissante. Sa foi dans le père de ses enfants reste invincible. Contre l'accusation secrète, voilée de ténèbres, mais quelle qu'elle soit, elle proteste d'une inlassable énergie. Elle dit à du Paty la droiture, la loyauté de son époux, son patriotisme exalté, sa haute notion du devoir, l'impossibilité matérielle qu'un acte vil, criminel, ait pu être commis par lui. Elle discute, s'efforce à raisonner l'inconnu[76]. » Mais le conflit n'eut pas lieu, précisément parce que Lucie aimait d'abord son mari pour lui-même, pour ses qualités humaines, pour sa bonté d'époux et de père. Certes, leur amour se fortifia pendant l'épreuve, malgré une absence de près de cinq années et grâce à leur inlassable correspondance. Mais il existait avant, dès leur mariage qui était un acte d'amour – on disait à l'époque de « grande affection ».

Ce sont précisément ses sentiments et ce qu'elle savait de l'homme privé qui la déterminèrent à le défendre dès la première minute et sans cesse. Elle ne prisait guère du reste les valeurs de virilité, comme le montreront les passages de sa correspondance où elle traitera de l'éducation de leurs enfants. Elle admirait bien davantage les valeurs intellectuelles et affectives de son mari, son intelligence, la force morale qui émanait de lui et qui avait apporté à son caractère souvent tourmenté et pessimiste un équilibre, une sérénité même qui avaient été bénéfiques à sa santé fragile et qu'elle reconnut également dans ses lettres, avec douleur puisque l'être aimé n'était plus là pour la soutenir. Cet amour lui faisait craindre pour l'état moral et physique de son mari. Du Paty de Clam chercha alors à l'atteindre par cet autre moyen, comprenant que sa confiance pour lui ne faiblirait pas et qu'il s'agirait de l'ébranler par la suggestion de l'inquiétude.

Du Paty de Clam détourna son témoignage. Celui-ci l'ayant interrogée sur l'incident de la « cote d'amour » et son rang de sortie de l'École de guerre amoindri par la passion antisémite, elle lui confirma que son mari en avait été affecté. Aussitôt, du Paty en fit l'un des mobiles de la trahison avérée de son mari. Dans son rapport, il lui fit dire « que Dreyfus avait été malade de cette déception, qu'il en avait eu des cauchemars, qu'il en souffrait toujours, qu'il répétait : "C'est bien la peine de travailler dans cette armée où, quoi qu'on fasse, on n'arrive pas à son mérite[77]". » C'est l'épouse elle-même qui fournissait le mobile de la trahison, mais à l'issue d'une procédure de faux dont le commandant du Paty de Clam portait toute la responsabilité... L'autosuggestion sur la culpabilité du capitaine Dreyfus fut systématique et permanente.

Joseph Reinach, qui était très bien renseigné, évoqua dans son *Histoire de l'affaire Dreyfus* le billet que l'officier mis au secret put cependant écrire à sa femme et qui portait ces mots : « Je t'assure de mon honneur et de mon affection[78]. » Le 31 octobre 1894, le jour où la presse du soir révéla l'arrestation du capitaine Dreyfus, du Paty de Clam consentit à répondre favorablement à la requête que Lucie Dreyfus lui faisait depuis leur première entrevue le 15 octobre, à savoir informer la famille de son mari et notamment ses trois frères restés en

Alsace. Aussitôt elle appela sa belle-sœur et son beau-frère, Rachel Dreyfus et son mari Albert Schil, qui habitaient Paris, et elle télégraphia à Mathieu à Mulhouse, lui disant simplement « de venir de suite [79] ». Celui-ci prit le train de nuit et arriva dans la capitale à 6 heures du matin. Sur le quai de la gare, Lucie, accompagnée de Rachel, l'informa aussitôt de la situation désespérée d'Alfred.

*Un rôle de femme*

De ce jour du 1er novembre 1894, le rôle de Lucie Dreyfus allait retourner vers une dimension plus conforme à ce que la société, même libérale, éclairée et évoluée comme dans les cas des familles Dreyfus-Hadamard, réservait aux femmes. Elle était l'épouse d'Alfred, elle devait le soutenir par ses sentiments, son amour qu'on ne décrivait pas ainsi dans la haute bourgeoisie provinciale, parlant plutôt de « grande affection », d'« expression du cœur ». Elle devait être aussi une mère et veiller avant tout sur les enfants. La défense proprement dite de son mari serait assurée par les hommes de la famille, au premier rang desquels Mathieu. C'était ainsi que les conventions l'ordonnaient, cela ne prêtait à aucune discussion. Par principe, la femme était vulnérable, il fallait donc la protéger des violences de la société et lui cacher tout ce qui pourrait l'affecter afin de la placer dans les meilleures dispositions pour soutenir son mari. Le paradoxe, néanmoins, fut qu'elle avait été au contact de la première et de la plus dure des phases de cette affaire et qu'elle y avait démontré son sang-froid, sa maîtrise d'elle-même et sa détermination à sauver son mari. Ses lettres portèrent constamment le reflet de sa détermination. « Nous avons travaillé tes idées que Me Demange nous a communiquées, écrit-elle le 28 décembre 1894, nous y réfléchissons beaucoup, et nous nous en occupons activement. Tout ce qui est humainement possible, mon cher Fred chéri, nous le faisons et nous le ferons pour toi. L'essentiel est que nous te sortions de là, que nous soyons soutenus par ton héroïsme et que nous ayons l'espoir de te voir réhabilité aux yeux du monde [80]. »

La femme était tenue pour incapable aussi, incapable de comprendre une enquête criminelle et de maîtriser le droit pénal. Là aussi, il y avait contradiction avec le fait qu'en tant qu'épouse elle représentait légalement son mari et qu'elle devait donc signer tous les actes relatifs à son jugement puis à sa réhabilitation. Elle devait rester dans l'ordre de l'affliction, de l'affection conjugale et de l'amour maternel. Et pourtant elle allait montrer sa capacité à comprendre les choses judiciaires et politiques, s'offrant la possibilité d'initiatives que la famille étouffait subtilement, sans y paraître, mais en exerçant sur elle un pouvoir qui se discutait d'autant moins que rien n'était dit de ces hiérarchies, de ce partage des rôles. Que cela se faisait parce que c'était ainsi. Et Lucie elle-même avait intégré cette soumission. Elle avait appelé Mathieu Dreyfus, elle lui laissa prendre en main la défense de son mari, elle accepta d'en être aussitôt écartée et de devoir compter sur son beau-frère pour connaître les détails de la situation de son mari, ou plutôt ce que le premier consentait à lui apprendre. Il est significatif de relever que la première rencontre entre le commandant du Paty de Clam et Mathieu Dreyfus, qui eut lieu avenue du Trocadéro le jour même de son arrivée, se déroula hors de la présence de Lucie, sur la demande expresse du frère du capitaine[81]. Il est significatif aussi de noter qu'elle ne put partir seule pour l'île de Ré lorsqu'elle fut autorisée à rencontrer son mari. Elle devait être accompagnée d'un des frères, Joseph, et elle ne put partir, comme elle l'aurait souhaité, immédiatement après la réception de la nouvelle. Elle dut attendre un jour supplémentaire que son beau-frère Joseph Valabrègue arrivât de Carpentras. Elle en souffrit, comme elle le confia brièvement à Alfred[82].

Car toute dévouée qu'elle était à son mari et à l'entourage de ses frères, elle n'en entendait pas moins exister et réfléchir avec lui et avec eux aux meilleures voies pour assurer sa défense. Elle commence par en apprendre beaucoup sur le monde, l'État, la République. Elle avoue s'intéresser désormais à la politique ; elle le lui écrit dans deux lettres du 25 janvier et du 29 janvier 1895 : « Pour le moment, le ministère n'est pas formé, tu sais peut-être que M. Bourgeois, qui avait été chargé de former un ministère, n'a pas réussi ; c'est M. Ribot à qui cette mission est confiée aujourd'hui [...]. Tu peux penser avec quelle impatience j'attends que le gouvernement soit constitué ; jamais la politique ne m'a autant intéressée étant donné que c'est au ministre que je dois m'adresser pour avoir le bonheur de te rejoindre, de t'embrasser[83]. » « Tu sais que nous n'avons qu'une unique préoccupation, celle de te rendre ton honneur, le nôtre, celui de nos enfants. Pour y arriver, il faut une grande énergie, une grande persévérance ; ce ne sont pas les convictions des personnes si étendues qu'elles soient qui te réhabiliteront ; il y a ce crime ; ce crime ce n'est pas toi qui l'as commis ; il faut en trouver l'auteur. Il faut découvrir la machination infernale en même temps que le traître. Nuit et jour nos amis travaillent, et comme je t'ai déjà dit, avec l'aide de tous nos amis, nous comptons bien avancer, nous en sommes sûrs. Le ministère est formé[84]. M. Leygues est à l'Intérieur, à la Guerre, le général Zurlinden. Dieu veuille que ce nouveau gouvernement nous amène à la lumière et nous rende le bonheur qui n'aurait jamais dû nous être enlevé[85]. »

Il est intéressant aussi de lire le témoignage de l'historien Arthur Lévy, qui avait souhaité l'assister, dès janvier 1895, dans ses efforts pour défendre son mari. On constate qu'elle était prête à en découdre, davantage même que Mathieu très soucieux de prudence et de diplomatie. Mais elle dut se soumettre et accepter la stratégie de Mathieu qu'elle n'avait probablement pas le loisir de discuter. Celui-ci estimait que le contexte était trop défavorable et qu'aucune capacité de réception n'existait encore dans le public. Demange lui demanda aussi de ne pas poursuivre dans cette voie [86].

« Le [18 janvier] [87], je rencontrai chez M. Hadamard, avec Mme Dreyfus, Mme Hadamard, le grand rabbin de France, M. Mathieu Dreyfus, M. Lévy-Bruhl et le docteur Weill. À part le grand rabbin, toutes les personnes de l'assistance m'étaient totalement inconnues. Invité à prendre la parole, je réitérai ce que j'avais dit à M. Hadamard. J'affirmai avec conviction que le devoir absolu de Mme Dreyfus était de proclamer l'innocence de son mari, en s'appuyant sur les pièces du dossier qu'elle avait en main. Quelqu'un objecta qu'elle serait aussitôt mise en prison pour divulgation de secrets du huis clos. Je répliquai que cette éventualité était peu probable, mais qu'en tout cas rien n'était plus désirable que de voir recommencer, sur la tête de Mme Dreyfus, le procès du Cherche-Midi.

Mme Dreyfus, qui n'avait cessé de pleurer, releva la tête. La figure, d'ordinaire placide, s'éclaira d'un rayon de joie et de mâle énergie. Elle déclara qu'elle était prête à faire tout ce que je dirais, que là, vraiment, était le devoir et qu'elle n'hésitait pas une seconde pour affirmer l'innocence de son mari, pour sauver l'honneur du nom de ses enfants.

Un autre des conseils objecta qu'on ne trouverait pas un journal pour insérer cette protestation. Je réfutai cet argument en disant qu'il ne fallait pas de journaux [qu'il fallait] attendre qu'un journal [donnât] à la déclaration de Mme Dreyfus, un caractère de publicité sensationnelle arrachée peut-être par la persuasion. J'émis l'opinion que la protestation devait être envoyée sous enveloppe à tout ce qui a une pensée en France : membres des instituts et des facultés, notaires, médecins, avocats ; en un mot à tous les hommes capables de réfléchir, voyant du monde, pouvant parler autour d'eux avec une certaine autorité : vint le moment de désigner le rédacteur du document. Après une assez longue discussion, on me demanda de m'en charger. Je n'avais rien à refuser de ce que je croyais utile à la manifestation de la vérité et au soulagement d'une très grande infortune. Je me suis mis à l'œuvre. J'y passai la nuit. Le lendemain, j'envoyai à M. Hadamard mon projet. Sous ma proposition, il était convenu que mon travail serait étudié individuellement par chacun des membres présents au premier conciliabule, et que chacun mettrait ses observations en marge. Le texte définitif serait arrêté dans une réunion plénière.

Le 20 janvier 1895 (j'ai la date par une dépêche de M. Hadamard), je fus convoqué rue de Châteaudun à 8 heures du soir. Je ne sais par quelle expression des visages, je sentis en entrant que l'enthousiasme enflammé de la précédente séance s'était fortement altéré. Prié de donner lecture du document, je fus à peine interrompu – pas assez à mon gré. Bref, j'eus l'impression que les idées de mes auditeurs n'étaient plus en harmonie avec les miennes. Je reçus les compliments d'usage... Puis les « mais » firent leur apparition. Contre mon attente, ils ne précédaient point les objections sur la forme de mon travail assez hâtif. On ne parla que de l'opportunité de sa publication. Alors, on avança que l'opinion publique était trop exaltée..., que ce serait un coup d'épée dans l'eau..., que peut-être cela irriterait le gouvernement... ; qu'au lieu d'envoyer le capitaine à la Nouvelle-Calédonie où sa femme pourrait le rejoindre, on l'enverrait aux îles du Salut... que si on ne se tenait pas tranquille, une loi dans ce sens serait déposée à la Chambre... Enfin, il n'était plus question du tout de la marche à l'étoile du devoir, envers et contre tout ; on parlait seulement des moyens immédiats d'adoucir le sort du malheureux condamné[88].

Un partage des rôles s'était donc établi dans ces premiers jours de 1895. Il sembla dicté par les conventions sociales autant que par les impératifs de la défense de Dreyfus. Aux frères, aux hommes la charge de la défense matérielle du prisonnier, aux femmes le soin de le soutenir affectivement. Le tout devait converger vers un but unique, le salut physique et moral du capitaine Dreyfus, qui dépendait aussi bien de la raison que du cœur. Mais ce rôle d'épouse aimante, Lucie Dreyfus l'endossa tant qu'elle finit par l'outrepasser. En effet, dans toutes ses lettres de cette première période, qui suivaient immédiatement leur inimaginable séparation, Lucie avoua son amour pour son mari beaucoup plus que ce qui était autorisé par les règles tacites de la société bourgeoise. Mais elle s'autorisait à le faire parce qu'elle estimait qu'il y avait danger de mort. Elle craignait un geste désespéré de son mari. Pour le dissuader, elle lui confia combien elle l'aimait et combien sa disparition définitive serait un drame sans nom, pour elle plus encore que pour leurs enfants. Elle le lui dit dans ses premières lettres et elle ne cessa de lui confier son amour immense pour lui.

*L'aveu de l'amour*

Les lettres que Lucie écrivit à Alfred constituent l'une des plus belles correspondances amoureuses qui puissent exister, dimension qui avait totalement échappé aux contemporains et que Dreyfus lui-même, après sa libération, ne souhaitait pas mettre en avant, pour des raisons légitimes d'intimité et de respect de la vie privée. Mais il y avait aussi derrière cela une réticence à montrer que Lucie avait franchi certaines des limites imposées par les conventions puisque en 1900 Alfred avait bien choisi de publier certaines des lettres de sa femme sous la forme d'extraits qui masquaient souvent l'essentiel, c'est-à-dire l'amour fou qui bouleversait les conventions. Lucie n'était plus seulement épouse et mère, elle était une femme profondément éprise prête à tout donner pour la survie de celui qu'elle aimait. La restitution de l'essentiel de sa correspondance retrouvée au département des manuscrits de la Bibliothèque nationale de France dans l'ouvrage édité en octobre 2005 par les éditions Mille et Une Nuits confère à la femme du capitaine un visage neuf, bien plus intéressant que celui qui apparaissait dans les quelques dizaines de lettres publiées partiellement et dans l'histoire que nous savions d'elle. Et l'on comprend, en lisant les très nombreuses lettres inédites cette fois publiées ou bien celles intégralement restaurées, pour quelles raisons la correspondance de Lucie n'aurait pu faire à son époque l'objet d'une édition comparable aux *Lettres d'un innocent*. L'expression de l'amour y était en effet trop claire, trop puissante, elle ne renvoyait plus à l'affection maîtrisée d'une épouse bien éduquée pour un mari bien né. Non, c'est ici un amour bouleversant, exprimé sans contrainte par une femme qui confie à l'être aimé tout ce qu'il représente pour elle et comment elle ne peut plus vivre sans lui. Le mot amour supplante du reste, linguistiquement, d'autres termes plus appropriés au contexte.

L'épreuve, l'absence, renforcent encore cette passion qui avait existé dès les premières rencontres et les fiançailles, mais que Lucie n'avait pas pu exprimer ainsi par manque d'espace, par contrainte et par crainte d'effrayer en se dévoilant trop, en laissant parler ainsi sa passion qui la ramènerait alors du côté de la femme incontrôlable, dominée par son « tempérament » et ses pulsions, tout un monde que la société bourgeoise s'évertuait à domestiquer, à encadrer. Là, devant la gravité de la situation et l'urgence de sauver son mari, Lucie ne se considéra plus tenue par ces conventions. Lucie et Alfred, unis dans le malheur, se révélèrent à eux-mêmes et transfigurèrent la lutte pour la vie qu'on leur imposa. L'événement bouleversant de l'arrestation et l'existence renversée qui s'ensuivit débouchaient sur un espace forcément moins conventionnel où les mots de l'amour, où l'amour lui-même, devenaient autorisés. Du moins Lucie décida-t-elle de s'affranchir des règles de la correspondance et de la bienséance bourgeoises. Ses mots dans ses lettres, ses gestes lors des rencontres exprimaient un amour libéré des contraintes au sein d'un univers paradoxalement étouffé sous le poids de la contrainte.

Dans les quelques entrevues qu'elle obtint avec son mari avant le départ de celui-ci pour la Guyane, elle demanda à ce qu'un contact physique puisse avoir lieu. Elle proposa même au directeur du bagne de l'île de Ré de lui attacher les mains pendant qu'elle embrasserait Alfred[89]. Elle a supplié son mari, lettre après lettre, de pouvoir partir avec lui ou de le rejoindre, en lui donnant toutes les assurances que leurs enfants seront très bien élevés par ses parents. Elle lui avoua qu'elle n'avait même plus le cœur à les éduquer, que tout son être était tourné vers lui et vers leur amour.

Comme je te l'ai déjà dit je ne te laisserai pas aller là-bas seul, je ne veux pas, je ne pourrai pas vivre sans toi ; je t'accompagnerai ou je te rejoindrai, selon que tu le préféreras, mais jamais, jamais je ne pourrais me passer de toi. Le seul bonheur qui me reste en ce moment est d'être de nouveau réunie à toi. Non, non, ne me dis pas que tu ne veux pas que je me sacrifie. Comprends-le bien, mon trésor chéri, ce n'est pas un sacrifice que je fais, c'est mon immense affection qui me guide, c'est en vue de mon bonheur que j'agis et ma décision est irrévocable.

Je te le répète encore une fois, mon chéri, j'ai besoin de ta force vraie. Tu as déjà tout fait, tu as été si sublime, je t'en prie, fais-moi encore ce sacrifice, résigne-toi à supporter ce dernier martyre, tu en seras récompensé par ma reconnaissance et mon amour. Les enfants n'ont pas besoin de nous, au moins pendant ces premières années, mes parents prendront soin d'eux, et quand notre présence sera indispensable, rassure-toi, mon chéri, nous serons là, à ce moment nous aurons trouvé le coupable, nous serons réhabilités et tu n'auras pas à regretter le sacrifice que tu auras fait[90].

Lucie était convaincue que la voie de l'amour était la seule qui pût sauver son mari. Elle connaissait sa fragilité, son risque d'extrême tension dans certains cas. Elle s'en persuada encore plus lorsque Alfred décida d'écarter la tentation du suicide et de vivre. Après la condamnation, au cours de leurs rencontres et dans ses lettres, elle le supplia de promettre de ne pas mourir, au nom de l'amour qu'elle et les enfants lui portaient et pour le but même qu'il s'était fixé – qu'ils s'étaient donné tous les deux – de rendre à son nom son honneur. Il lui écrivit que c'était son amour qui lui avait donné la force de vivre. Que c'était grâce à elle qu'il n'avait pas mis fin à ses jours et qu'il était prêt désormais à lutter pour voir le jour heureux où ils seraient réunis, où sa réhabilitation serait proclamée à la face du monde.

Mais Alfred ne l'entendait pas non plus dans ce seul sens. Il voyait aussi dans sa promesse et dans sa résistance l'œuvre d'une volonté individuelle, d'un caractère d'homme, d'un courage de soldat. Il rappelait aussi que la promesse de vivre lui avait été demandée également par son avocat, par le commandant Forzinetti. Il ne voulait pas montrer qu'il devait tout à une femme quand bien même elle serait la sienne. Mais Lucie s'obstina. Le martyre de son mari, elle le partageait en pensée, elle voulait aussi le vivre au quotidien, avec lui dans la déportation. Ce n'était même plus son martyre à lui, c'était le leur, comme un destin indissolublement confondu. Partir, le rejoindre était une preuve supplémentaire de son amour pour lui. Et elle se le révélait à elle-même. L'événement tragique qui venait de se produire possédait une face heureuse dans l'immense malheur tombé sur eux. Jamais Lucie n'avait autant aimé Alfred.

Cet amour infini la rendit très volontaire, absolument déterminée. Elle déclara dans ses lettres que sa décision de partir était irrévocable, absolue. Comme la loi le permet, répète-t-elle, « la loi permettant aux femmes et enfants des déportés de les accompagner. Je ne vois pas qu'il pourrait y avoir d'objection à cet égard ; aussi j'attends ma réponse avec une impatience fébrile[91] ». Mais cet amour immense gênait aussi. Il est intéressant de noter que si Lucie ouvrit ainsi son cœur à l'amour qu'elle portait à Alfred et qu'elle trouvât les mots pour le dire, les choses furent moins nettes pour celui-ci. Alfred s'inquiétait peut-être des effets que produisait ce trop-plein d'amour. Lucie se plaignit notamment dans ses lettres qu'au bout d'un certain temps il ne parlât plus de son voyage à elle vers le lieu de déportation. Au début, il avait soutenu l'idée, puis, très vite, il ne lui avait plus rien dit. Et elle ne comprenait plus, comme elle s'en ouvrit le 29 décembre 1894. « Que je suis heureuse de sentir tes résolutions bien arrêtées, bien fermement prises : je suis moins angoissée, la vie me semble moins pénible maintenant que je te sens fort, prêt à la lutte. Nous pouvons faire des projets, nous pouvons envisager l'avenir sous un jour heureux ; nous pouvons nous réjouir du moment où nous serons réunis. Ce qui me trouble, ce qui m'[inquiète] c'est que tu ne parles pas de mon voyage à moi. Ne veux-tu donc pas que je t'accompagne, que je te rejoigne ? Non, tu sais, mon trésor, tu ne me feras pas revenir sur ma décision. En me refusant le bonheur de vivre avec toi là-bas, tu me demanderais un sacrifice au-dessus de mes forces. Je suis prête à tout supporter, mais je veux souffrir avec toi, à tes côtés, je veux lutter avec toi. Je ne t'abandonnerai [ill.] pas. Nos enfants seront bien élevés par mes parents, par tes frères, en attendant que nous puissions nous en occuper nous-mêmes. Je te l'ai déjà dit, mon chéri, loin de toi je ne pourrais pas vaincre, je souffrirai trop [92]. »

Avant même que le gouvernement ne s'opposât à cette possibilité, Alfred et probablement Mathieu avaient décidé qu'il ne fallait pas qu'elle partît, que sa place était en France, auprès de ses enfants. La décision était sage, elle anticipait sur les conditions effroyables de détention qui furent celles d'Alfred. Mais Lucie en fut bouleversée. Elle se résigna, mais en souffrit. Il lui demanda de redevenir épouse et mère, de renoncer à l'amante romantique accompagnant jusqu'aux confins du monde son chevalier martyrisé. Elle serait nourricière, aimante, patiente. Mais elle ne serait pas l'héroïne du combat pour la vie, pour la vérité et pour l'honneur. Son rôle devait être plus conforme aux attentes du temps, aux conceptions sociales. Ces limites qui furent imposées à Lucie ne l'empêchèrent pas de remplir parfaitement son rôle et de susciter l'admiration de tous.

La volonté de rejoindre son mari connut cependant un nouveau rebondissement en 1898, en pleine bataille de la révision du procès de 1894, lorsque Joseph Reinach et d'autres jurisconsultes critiquèrent le refus du gouvernement de l'autoriser à gagner l'île du Diable comme la loi l'y autorisait [93]. Les dreyfusards purent ainsi prendre l'opinion à témoin de l'arbitraire s'appliquant maintenant à une malheureuse épouse. Mais il était certain qu'Alfred et ses frères n'auraient pas accepté qu'elle parte le rejoindre, en 1898 comme en 1895. Il s'agissait aussi de la préserver, d'autant que Lucie – comme tout le monde – ne se représentait pas la situation réelle que vivait son mari en déportation. Lui-même se refusait à en parler pour ne pas accroître sa souffrance. Elle se représentait la déportation à l'île du Diable comme une relégation, non comme un enfermement total et comme une somme de tortures incessantes.

En ne partant plus, Lucie sacrifiait une part de ses idéaux. Mais elle surmonta sa douleur et investit ce qui lui restait. Sa correspondance devint le seul espace de son amour pour lui. Ses mots portaient sa passion qui devait le soutenir envers et contre tout. Le soutenir, être sa confidente, recevoir ses plaintes, ses souffrances, ses impatiences, œuvrer pour sa réhabilitation, défendre son honneur, élever ses enfants dans l'exemple de leur père, tout passait par des lettres qu'elle ne cessa de lui écrire. C'est le seul acte d'amour qu'elle s'autorisa, elle qui s'habillait désormais en noir et limitait ses sorties aux seules visites à sa famille et à sa belle-famille. « J'ai pour toi l'amour le plus profond, l'affection la plus chaude qu'une femme puisse avoir », lui avoue-t-elle le 8 février 1895 [94]. Bouleversée par le départ subit de l'île de Ré, elle lui adressa une lettre sublime :

> J'ai été profondément affectée en apprenant, aussitôt mon retour, que tu avais quitté l'île de Ré, tu étais bien loin de moi, il est vrai, et cependant je pouvais te voir toutes les semaines, et ces entrevues étaient ardemment attendues. Je lisais dans tes yeux tes atroces souffrances et je ne rêvais qu'à te les diminuer un peu. Maintenant je n'ai plus qu'un espoir, qu'un désir, venir te rejoindre, t'exhorter à la patience et, à force d'affection et de tendresse, te faire attendre avec calme l'heure de la réhabilitation. Voici maintenant, mon pauvre chéri, ta dernière étape de souffrance ; j'espère au moins que sur le bateau, pendant cette longue traversée, tu auras rencontré des gens humains que la pensée d'un innocent, d'un martyr expiant le crime d'un autre, aura attendris, et qu'ils t'auront épargné ce regard de mépris qui fait saigner ton cœur, et qui ne s'adresse pas à toi. Pas une seconde ne se passera, mon mari adoré, sans que ma pensée ne soit avec toi. Mes journées et mes nuits se passent en angoisses continues, en inquiétudes terribles pour ta santé, pour ton moral. Pour un peu, je ne sais rien et ne saurais rien de toi jusqu'à ton arrivée. As-tu pu emporter les effets que je t'avais apportés ? As-tu seulement le nécessaire pour les premiers jours de ton arrivée là-bas ? Auras-tu seulement dans ces îles inhabitées un gîte habitable et contenant sinon le confortable au moins l'indispensable ? Pauvre, pauvre garçon ; comme je te plains et comme je serai heureuse de pouvoir par ma présence apporter quelques éclaircissements à tes peines.
> Je n'ai pas encore eu de réponse à ma demande au ministère ; elle ne peut plus tarder. Allons, mon pauvre Fred, aie du courage et ne te laisse pas aller au désespoir, et dans tes moments de découragement pense que tu as une pauvre femme dont la pensée ne te quitte pas, pour qui tu es tout, qui a le ferme espoir de te rendre bientôt ton honneur et qui par son profond amour, et celui qu'elle inculquera à tes enfants, te réserve un avenir heureux, une vie digne de toi qui effacera toutes les tortures passées.
> Adieu, mon pauvre cher Fred, je t'embrasse bien fort [95].

## Le repli familial

Dans le temps qui sépara les deux époux de l'éloignement définitif, Lucie fit preuve d'une énergie et d'une volonté très exceptionnelles tout en restant vulnérable. Elle pleurait parfois, mais elle le dissimulait à ses enfants et à ses proches ; elle s'en ouvrait dans ses lettres à Alfred. Son caractère – dont elle reconnaît le pessimisme et la face sombre – accentuait ses moments de désespoir. Sa santé fragile l'affectait aussi. Mais elle se raccrochait à l'espoir de retrouver son mari dans la déportation et, plus immédiatement, de le revoir pendant les brèves rencontres qui leur furent autorisées. Dans l'attente de ce bonheur, elle concevait ses lettres comme autant d'évocations d'une vie qui se maintenait en son honneur et qui témoignait de la résistance de tous pour conjurer la violence et la mort.

Je suis vraiment touchée des témoignages d'affection que tout le monde me porte et des marques d'estime et de sympathie qu'on a pour toi. Tous ceux qui te connaissent, ceux qui m'entourent directement ou indirectement sont indignés des agissements que l'on a eus envers toi, ils admirent ton courage, l'élévation de ton âme.

Nos enfants sont terriblement gâtés, les jouets pleuvent et les bonbons donc... J'en ai une armoire pleine. Si tu pouvais seulement voir la joie de ces petits devant les poupées, les animaux, les jouets mécaniques. Pierrot se montre remarquablement adroit, il se sert de ses dix petits doigts avec légèreté et finesse. Jeanne s'installe lourdement par terre avec ses poupées et a des exclamations de joie et de bonheur. Les chéris, comme ils sont heureux.

J'ai donné congé de mon appartement le cœur gros ; j'y ai été si heureuse avec toi que j'éprouve en même temps qu'un serrement de cœur, une certaine sensation de bonheur au milieu de ces si excellents souvenirs. Mais mes parents désirent énormément que je ne les quitte pas ou qu'au moins je n'habite pas loin d'eux en attendant ton départ. Je me suis donc conformée à leur désir.

Je crois t'avoir dit que Virginie était pour le moment chez les Mathieu ; cette brave fille nous aime tant qu'elle ne veut pas nous quitter ; elle a déclaré à Suzanne ce matin qu'elle nous accompagnerait là-bas si nous y consentions ; la nourrice est dans les mêmes dispositions. Tu vois, mon chéri, qu'il y a encore de braves gens sur terre.

Adieu, mon trésor chéri, je t'embrasse de bien grand cœur.

La vie affective, mais également l'existence matérielle furent bouleversées par l'effondrement de l'événement. Après la condamnation de son mari, Lucie Dreyfus décida de quitter leur appartement de l'avenue du Trocadéro. Elle alla vivre rue de Châteaudun, chez ses parents. Les meubles de leur bel appartement, elle les confia « aux Mathieu [96] », son beau-frère et sa femme Suzanne, qui décidèrent de s'installer à Paris avec leurs deux enfants, Marguerite et Émile. Avec l'appartement qu'il loua rue de la Victoire, Mathieu put recevoir encore d'autres membres de la famille comme Léon et Alice. Il organisa aussi la protection de sa belle-sœur ainsi que celle de ses enfants, y compris en requérant les services d'un détective [97]. La cuisinière et gouvernante Virginie Hassler, originaire d'Alsace, se partagea entre la rue de Châteaudun et les Mathieu tandis que la nourrice de Jeanne resta à ses côtés.

Lucie se rapprocha beaucoup de sa belle-famille dont elle était familière et qui vint presque tout entière à Paris. Le 2 février 1895, elle est heureuse d'annoncer à Alfred : « Ta famille est presque de nouveau au complet à Paris ; ils veulent avoir des nouvelles de toi et ne sont plus tranquilles chez eux. Il y a donc les Léon, Mathieu et Suzanne qui sont installés, Louisa, Louise et Arthur arrivent ce soir et Joseph ne tardera pas à venir non plus. Léon repartira demain, car Jacques ne fait pas souffrir le travail des deux fabriques. Maurice et Paul sont à Belfort où ils apprennent le maniement de l'usine de façon à pouvoir en prendre plus tard la direction. Paul a donc, comme tu le vois, renoncé à Polytechnique ; c'était le meilleur parti à prendre dans l'état actuel des choses. Paul Valabrègue est au régiment à Nice [98]. »

Ses beaux-frères et belles-sœurs l'entourèrent beaucoup. Ils la soutinrent en permanence, matériellement et affectivement, lui faisant par exemple profiter des nouvelles que leur adressait leur frère et beau-frère en recopiant ses lettres à son intention. Et Lucie faisait de même avec ses propres lettres. Les fonds familiaux conservés au musée d'Art et d'Histoire du Judaïsme révèlent l'ampleur de cette circulation des lettres, aussi utile pour être informé de l'état d'Alfred que pour sentir la force de deux familles dressées contre l'adversité. Les parents de Lucie s'impliquèrent aussi totalement dans la défense de leur gendre. Leur appartement devint, plus encore que celui de Mathieu rue de la Victoire, le centre du combat qui se livrait pour sauver Dreyfus. Louise et David Hadamard aimaient Alfred comme un fils et ils lui témoignèrent leur affection dans de nombreuses lettres. Ses réponses à lui étaient aussi émouvantes. Marie, la jeune sœur de Lucie, écrivit également à Alfred. Et Lucie en parla souvent dans ses lettres ; elle se maria au printemps 1897 avec son cousin Isaac Kayser, un événement heureux qui déchira le voile de tristesse [99]. La tante Eugénie de Lucie, sœur de son père, mariée avec David Bruhl, et dont l'une des filles, Alice, avait épousé le philosophe Lucien Lévy – dit Lévy-Bruhl –, fut d'un précieux secours. Elle l'accueillit parfois avec ses enfants dans sa villa de Chatou, ainsi qu'Henry Bruhl, cette fois au Vésinet, une ville résidentielle de l'ouest parisien. Lucie y résida tout l'été 1897, avenue des Courses, près du lac et de l'île des Ibis.

Enfin, Lucie se replia autour de ses enfants qu'elle éleva seule chez ses parents en leur prodiguant une attention de tous les instants. Elle pouvait être sévère avec son fils, exigeante avec sa fille, comme des lettres à son mari en témoignèrent [100]. Elle exigeait beaucoup d'eux, trop peut-être du fait d'une situation dont ils n'étaient pas responsables et qu'ils ignoraient en totalité. Lucie voulait qu'ils soient les plus profonds, les plus sensibles, qu'ils ressemblent ainsi à leur père et qu'ils le représentent dans l'absence.

Pendant tout le temps de la mise au secret, Lucie Dreyfus put cacher à ses enfants ce qu'elle vivait. Elle put souvent dissimuler ses larmes et son inquiétude et ne rien laisser paraître. Mais ses enfants étaient aussi des soutiens inestimables, des repères dans une vie désarticulée. « J'ai pleuré, pleuré bien longtemps, la tête entre mes deux mains », lui confia-t-elle le 9 février 1895 alors qu'elle venait de recevoir de lui une lettre en provenance de l'île de Ré. Elle poursuivit : « Il m'a fallu une chaude caresse de notre bon petit Pierre pour ramener un sourire sur mes lèvres et encore mes souffrances ne sont rien comparées aux tiennes [101]. » Elle organisa la vie de manière à cacher à ses enfants l'épreuve qu'elle subissait. Ils croyaient leur père en voyage, ils vivaient avec son image, avec sa présence. Lucie leur achetait des cadeaux de sa part [102], ils regardaient ensemble des photographies de l'ancien temps [103], ils posaient beaucoup de questions sur lui : « Ils font toutes sortes de projets pour quand Papa reviendra de voyage. » Et elle ajoutait : « Je leur promets toujours que ce sera bientôt. En attendant, les mois passent. Alors, chaque jour de gagné est un pas de plus vers la vérité, et tu peux compter que la lumière se fera bientôt jour [104]. » L'évocation de la vie quotidienne est indissociable de l'expression de certitude de la victoire.

Au début, durant le temps des perquisitions et des allers et venues de du Paty de Clam, elle confia ses enfants à ses parents. Ils allèrent habiter rue de Châteaudun. Il semble qu'elle y dormit elle aussi de nombreuses nuits et qu'elle y passait beaucoup de temps, anticipant sur ce qui allait advenir après la condamnation de son mari, c'est-à-dire son déménagement chez ses parents où elle vivrait jusqu'à sa libération. Elle renonça à son appartement qu'elle essaya dans un premier temps de sous-louer en accord avec le propriétaire qui montra ainsi sa solidarité [105]. Jeanne et Pierre étaient à l'abri en tout cas des visites du commandant du Paty de Clam et du caractère dramatique de la confrontation avec la femme de son prisonnier.

## L'ENGAGEMENT D'UNE FAMILLE

Comme Lucie, Mathieu fut au centre de deux familles qui se battaient pour l'un de leurs membres. La belle-sœur et le beau-frère, qui se virent en permanence pendant plus de cinq ans, qui ne se quittèrent plus ensuite, qui vécurent véritablement ensemble pendant tout le temps de ce combat improbable, construisirent l'unité des proches. Lucie avait une confiance totale en Mathieu : « Mathieu ne sera quitte que lorsqu'il t'aura réhabilité. Désormais, il n'a d'autres impatiences [106]. »

### La détermination de Mathieu

Le 31 octobre 1894, la dépêche déjà évoquée de Lucie parvient à Mathieu Dreyfus alors qu'il se trouvait, comme chaque mercredi, à la bourse de Mulhouse. Sa belle-sœur le priait « de venir de suite à Paris pour affaire extrêmement urgente ». Mathieu en déduisit qu'il s'agissait de son frère puisque sa belle-sœur avait signé la dépêche. Il lui télégraphia qu'il prenait le train de nuit.

Lorsqu'en débarquant à Paris, à 6 heures du matin, j'aperçus sur le quai ma belle-sœur et ma sœur Mme Schil seules, j'eus la sensation qu'un malheur était arrivé à mon frère. En quelques mots, et chaque mot était un terrible coup de massue, elles me disent qu'Alfred était en prison depuis le 15 octobre, accusé du crime de haute trahison. Je fus anéanti : mon frère, l'honneur même, en prison, accusé de haute trahison. C'était épouvantable. « Que savez-vous ? dis-je à ma belle-sœur.

— Je ne sais rien, me répondit-elle. Je n'ai rien pu obtenir de précis de l'officier chargé de l'enquête. »

Je n'insistai pas, car déjà nos figures émues, troublées excitaient la curiosité des gens. Je les priai de retourner avenue du Trocadéro en leur promettant de les y rejoindre au plus vite. Resté seul, je fus, pendant quelques minutes, comme assommé, sans rien penser. J'entendais seulement les mots : prison, crime, trahison, qui hantaient mon cerveau ; je les entendais vraiment comme si quelqu'un à mes côtés les eût prononcés.

Je ne comprenais rien ; je croyais que je rêvais, qu'il ne s'agissait pas de mon frère. Je ne doutai pas un seul instant de sa complète, absolue innocence. Je connaissais sa parfaite loyauté, son caractère, ses qualités et ses défauts, son goût pour le travail, sa passion pour le métier militaire. Il était heureux, fier de porter l'uniforme, même exagéré dans ses manifestations pour tout ce qui touchait à l'armée. Et il était accusé du plus abominable des crimes.

Que s'était-il passé ? Était-il la victime d'odieuses machinations, d'une vengeance, ou d'une erreur ? J'avais hâte de savoir. À 8 heures du matin, j'étais avenue du Trocadéro. Ma belle-sœur me raconta le peu qu'elle savait [107].

D'emblée, le frère du capitaine Dreyfus se heurta à l'incohérence d'une telle nouvelle. Et les explications que lui donna sa belle-sœur ne contribuèrent pas à dissiper les mystères de cette arrestation. Il décida alors de s'adresser directement au commandant du Paty de Clam et envoya son neveu Paul Dreyfus, le fils de son frère aîné Jacques, qui résidait dans la capitale pour ses études, solliciter une entrevue. Il revint au bout d'une heure. Du Paty de Clam lui avait confirmé qu'il se rendrait dans l'après-midi avenue du Trocadéro. Mais surtout il lui tint sur la personnalité de son oncle un discours hallucinant qui semblait émaner d'un être halluciné. C'est le souvenir de Paul Dreyfus tel qu'il le consigna en 1900 à la demande de Joseph Reinach qui préparait le premier tome de son *Histoire de l'affaire Dreyfus*.

Après avoir dit qui j'étais, le commandant me fit entrer dans son salon et me fit des déclarations. Ce ne fut pas une déclaration attendue [puisqu'il ne me laissa pas] le loisir de répondre la plupart du temps. Il commença par m'affirmer l'honorabilité de la famille, tous les renseignements qu'il avait recueillis sur elle étaient favorables. Il prétendit ensuite que mon oncle avait une double vie, qu'à côté de sa vie de famille il avait une maîtresse et dit cette parole dont je me souviendrai toujours : « Celui qui commet un adultère est capable de trahir son pays. Aussi, moi, ajoutait-il, jamais je ne voudrai toucher une autre femme que la mienne, celui qui n'agirait pas ainsi serait un misérable. Avant [d'être] chargé de l'enquête, quand on m'a remis le document, je l'ai examiné deux jours et deux nuits, j'ai comparé les écritures, et la certitude est entrée dans mon esprit.

« D'ailleurs, dans toute cette affaire, je me suis imaginé l'exemple de ma famille. Tenez, me dit-il en désignant deux peintures, voici le portrait de mon père et de mon grand-père, tous deux magistrats. L'un, juge au tribunal de Bordeaux, donna sa démission pour défendre quatre accusés dont la cause était perdue, il les fit acquitter, et ceux-ci lui remirent en gage de reconnaissance cette coupe qui est un de mes souvenirs les plus chers. » Enfin, quand j'ai pu lui dire qui était mon oncle, ma famille, qu'un adultère, s'il existait, n'entraînait pas forcément le crime ignoble de la trahison, il me répondit. « Votre oncle avait un trou » pendant qu'il désignait avec son index le milieu de son front [108].

Vers 2 heures de l'après-midi, du Paty de Clam et son greffier Gribelin arrivèrent à l'appartement du Trocadéro. Mathieu Dreyfus le vit donc hors de la présence de Lucie. Du Paty lui tint presque exactement le même discours qu'à son neveu. Il ne prouvait rien, « sinon qu'il est coupable », que « les charges son accablantes », qu'« il n'y a pas un millième de chance pour que [son] frère ne soit pas coupable ». Il lui annonça même qu'Alfred avait fait des « demi-aveux » et qu'il espérait bien obtenir de lui « des aveux complets ». Mathieu voulut alors lui faire admettre la possibilité qu'il puisse se tromper. « Tout homme est susceptible de se tromper. Ma conviction absolue est qu'il n'est pas coupable, continua-t-il ; j'ai été élevé avec lui ; j'ai vécu avec lui dans la plus grande intimité ; il n'avait pas de pensée cachée pour moi. Rien dans son existence, dans son caractère, ne me permet d'admettre la possibilité d'un crime pareil. »

Du Paty rétorqua que son frère « menait une vie double, l'une honnête et régulière, l'autre obscure et mystérieuse. Il voyait des femmes ». Mathieu répondit : « Des femmes – je ne puis discuter ce point, car je l'ignore, mais on peut, si cela est exact, avoir des relations féminines en dehors de son ménage, sans que pour cela on soit un traître. » Devant cet argument de raison, du Paty prononça de nouvelles paroles aussi définitives que vides de preuves, et il manifesta un trouble de la réflexion qui se confirma par la suite aux yeux de Mathieu. Il eut de plus en plus le sentiment d'être en présence d'un dément hanté par ses certitudes. « Votre frère est un monstre, un monstre à double face, il avait un trou là – et du doigt, du Paty se touche le milieu du front. »

Toujours soucieux de comprendre, Mathieu argumenta sur cette dernière affirmation. « Si mon frère était un monstre, un fou, c'est cela ce que vous voulez dire, je suppose, il aurait été un fou et un monstre avant le crime que vous lui imputez. On n'est pas un monstre pendant vingt-quatre heures, on l'est toujours. Or rien, rien, dans ce que je connais de la vie, des actes de mon frère ne justifie une pareille opinion. » Perdant pied alors sur ce terrain devant les arguments efficaces de Mathieu, du Paty expliqua que le ministère de la Guerre au grand complet attestait que son frère était bien l'auteur de la trahison et qu'il avait effectué son enquête la mort dans l'âme, faisant appel, comme il l'expliqua, à la mémoire de son grand-père, « ce haut magistrat qui descendit de son siège pour défendre un innocent ». Mais il révéla avoir été convaincu sans doute possible par des épreuves de comparaison d'écritures. Devant de telles incohérences et l'abus des arguments d'autorité qui masquaient une absence de preuves matérielles, Mathieu défia le magistrat militaire et lui proposa une forme de débat contradictoire avec son frère :

> Vous êtes convaincu de la culpabilité de mon frère, je ne le suis pas. Je ne le serai que lorsqu'il aura avoué son crime. Vous me dites que vous avez essayé, en vain, de lui arracher l'aveu de son crime... Cet aveu, s'il doit le faire, il ne le fera qu'à moi. Je vous propose l'épreuve suivante : laissez-moi voir mon frère, j'accepterai toutes vos conditions quelles qu'elles soient. Vous placerez les témoins qui vous seront nécessaires soit dans la pièce dans laquelle j'entrerai, soit derrière les portes, soit dans une pièce à côté ; en un mot, vous les placerez de telle façon que mon frère croie qu'il est seul avec moi. Je vous jure sur l'honneur que mes paroles seront les suivantes : « Alfred, qu'as-tu fait ? Dis-moi si tu es coupable ou non. » Et s'il me dit oui, c'est moi qui lui tendrai l'arme avec laquelle il devra se tuer.

Du Paty refusa net, se retranchant pour repousser la proposition derrière l'argument d'une menace majeure et coupa court à une discussion qui l'entraînait plus loin qu'il ne l'aurait souhaité. « Jamais, jamais, cria-t-il. Un mot, un seul mot et ce serait une guerre européenne. » Mathieu Dreyfus constata pour finir que du Paty de Clam semblait soulagé de voir se terminer le fin de son enquête. « Ce soir, je serai enfin délivré de ce cauchemar, lui dit-il. Demain votre frère sera déféré au conseil de guerre et, la semaine prochaine, il sera jugé. » Mathieu Dreyfus confia à ses *Souvenirs* qu'il venait de croiser un fou et qu'il redoutait « de savoir [son] frère dans les mains de cet homme [109] ».

Le récit de cette entrevue en dit beaucoup sur l'attitude immédiate de Mathieu Dreyfus confronté à la terrible accusation portée contre son frère. Il n'hésita pas à s'opposer à l'officier, à donner les preuves morales de l'innocence de son frère et à exiger que la lumière soit faite dans des conditions légitimes. Le refus total de l'ancien magistrat militaire et son obstination à déclarer la culpabilité du capitaine Dreyfus sans l'établir ne pouvaient qu'ajouter au sentiment d'extrême confusion dont Mathieu était saisi et au constat que bien des mystères et des obscurités s'accumulaient dans cette affaire. Les phrases définitives de du Paty, l'assurance martelée que tout le ministère estimait son frère coupable auraient pu faire impression sur un caractère plus soumis. Chez Mathieu, au contraire, ils firent la plus détestable des impressions et éveillèrent ses soupçons. Il se raccrocha alors au principe de justice qui devait gouverner les accusations portées contre un homme, fussent-elles d'une gravité absolue, fût-il son frère. « Il ne pouvait passer en jugement sans être assisté d'un défenseur. Celui-ci connaîtra le mot fatal, je le connaîtrai moi-même, ce mot qui pouvait avoir de si effroyables conséquences [110]. » Pour lui, la justice devait effectivement procéder de la connaissance, de la recherche de la vérité. L'incompréhension à laquelle il se heurtait l'obligeait non seulement à garantir à son frère les meilleures conditions de défense, mais également à rechercher la vérité dans les ténèbres. Mathieu Dreyfus obéissait à l'idée qu'il se faisait de la justice dans son pays, qui ne se discutait pas. La conception opposée que défendait du Paty d'une procédure extraordinaire pour un crime monstrueux avait provoqué une réaction contraire à celle qu'il espérait. Loin d'être écrasé par les accusations et par le caractère dramatique de la révélation, Mathieu se rebella contre cet ordre judiciaire et organisa la défense méthodique de son frère.

Un fait nouveau lui confirma le caractère très douteux des charges pesant sur Alfred et le jeu trouble des autorités militaires, qui agissaient de manière exorbitante. La violente campagne de presse, qui avait commencé dès son arrivée à Paris soulignait le développement violent et autoritaire que prenait l'affaire. Les journaux extrémistes s'acharnaient sur l'« officier traître » et sur les Juifs de France, multipliant les mensonges qui « étaient lus, commentés, acceptés par la foule crédule et avide de savoir, sans qu'aucune voix pût faire remarquer l'étrangeté de ces récits, dont personne ne pouvait contrôler l'authenticité, puisque l'instruction était tenue secrète, leur invraisemblance, car, dans le même temps que mon frère se déplaçait ainsi à tous les coins de l'horizon, il fréquentait à Paris des salons interlopes, il jouait dans les cercles, aux courses, tout en remplissant les devoirs de son emploi du temps au ministère de la Guerre [111] ».

Exactement comme dans le cas de l'entrevue spectaculaire avec du Paty, l'intimidation, la révélation brutale, les accusations les plus définitives renforcèrent chez Mathieu Dreyfus le doute et l'inquiétude. Elles lui faisaient entrevoir qu'un procès général était d'ores et déjà lancé contre son frère, qu'il allait de l'armée jusqu'à la presse, et que les droits sacrés de la défense, celui notamment de ne pas être tenu pour coupable avant d'avoir été légalement jugé, étaient bafoués. Le caractère dément des propos de du Paty, il en retrouvait l'esprit et la teneur dans les articles de *La Libre Parole* ou de *L'Intransigeant*, qui multipliaient les fausses allégations sur le compte de son frère. Car il pouvait aisément vérifier le caractère mensonger des révélations de la presse. Elles en disaient long sur le fonctionnement de l'esprit public et le conformisme des journalistes. Mathieu Dreyfus comprit que la défense de son frère serait difficile, qu'elle ressemblerait à une bataille et qu'il convenait de l'organiser au mieux.

*L'organisation de la défense*

La première tâche de Mathieu consista à tenter d'obtenir un droit de visite pour lui-même ou sa belle-sœur Lucie qui ne pouvait toujours pas communiquer avec son mari. Toutes les demandes leur furent refusées durant le mois de novembre. Il s'était déplacé au gouvernement militaire de Paris où il avait été reçu par le chef d'état-major du général Saussier, le général Tyssère ; le militaire lui indiqua qu'il fallait attendre la clôture de l'instruction. Cette absence totale de nouvelles engendrait une grande inquiétude dans la famille. Elle craignait que dans son isolement et sa souffrance Alfred ne perdît sa raison. « Comment supportait-il de si cruelles, de si douloureuses épreuves ? Cette accusation de trahison devait le rendre fou. Autant de questions troublantes qui nous angoissaient profondément et que nous nous posions à toute heure [112].» Comme nous l'avons constaté, Alfred Dreyfus parvenait à résister en utilisant précisément les interrogatoires du commandant d'Ormescheville pour combattre les accusations et leur opposer la vérité de son innocence. Il y trouvait des occasions d'agir méthodiquement et d'éprouver sa raison. Mais personne dans son entourage n'imaginait qu'il fût capable d'une telle volonté. Il restait le jeune frère, certes brillant et travailleur, mais doté aussi d'une sensibilité vive et parfois handicapante.

Bloqué dans cette voie, Mathieu ne perdit pas de temps à rechercher un défenseur, tâche éminemment difficile puisqu'il ne devait s'adresser qu'à des avocats très compétents, réputés pour leur intégrité, suffisamment puissants pour ne pas craindre la violence de l'opinion et acceptant les inévitables conséquences de la défense d'un « traître », à savoir une perte de clientèle et la mise en cause d'une réputation. Son seul atout était la fortune qu'il pouvait consacrer à cette cause, la sienne propre, celle de sa famille et celle des Hadamard. « L'on nous conseilla M. Waldeck-Rousseau », écrit-il dans ses *Souvenirs*. Il se rendit au domicile de celui-ci accompagné de Lucien Lévy-Bruhl. Le cousin germain de Lucie, marié depuis douze ans à Alice Bruhl était déjà un philosophe réputé. Normalien, il enseignait à l'époque au prestigieux lycée Louis-le-Grand à Paris. Déjà très bien inséré dans les milieux de la science républicaine, son nom ne pouvait pas être inconnu à Waldeck-Rousseau. Celui-ci réfléchit quelques jours puis déclina l'offre d'assurer la défense du capitaine Dreyfus, en raison, dit-il, de sa « situation politique ». Mais il promit de conseiller la famille et recommanda de s'adresser à son ami Edgar Demange. Ce grand et tenace pénaliste, catholique pratiquant, expliqua d'emblée à Mathieu qu'il ne pourrait défendre qu'un innocent, et que telle était sa condition pour s'engager dans le dossier. « Je serai le premier juge de votre frère ; si je trouve dans le dossier une charge quelconque qui puisse me faire douter de son innocence, je refuserai de le défendre. Ce que je vous propose est extrêmement grave. Le jour où le public apprendrait que j'ai renoncé à défendre votre frère, il en conclurait qu'il est coupable et il serait irrémédiablement perdu. » Mathieu accepta ces conditions, qui impliquaient aussi que Demange posât les mêmes questions à son frère quand il serait mis en sa présence.

La troisième tâche de Mathieu Dreyfus fut d'essayer d'agir sur l'opinion publique afin qu'elle comprît vers quelles extrémités et quels mensonges elle allait. Il chercha à entrer en contact avec des journalistes. Mais les portes restèrent désespérément closes, à l'exception de celle d'Émile Bergerat qui accepta de le recevoir. L'article qu'il fit paraître ensuite pointait le cœur du problème : le droit refusé à un Juif d'être innocent [113]. Il rappelait que la justice avait des règles et que celles-ci étaient une garantie pour tous. Mathieu Dreyfus avait compris qu'il devait se battre sur ce terrain de la légalité et de son respect. Aussi voulut-il réagir à l'entretien donné le 28 novembre au *Figaro* dans lequel le général Mercier affirmait qu'il existait des charges accablantes contre Alfred Dreyfus et que sa culpabilité était certaine. Dans ses *Souvenirs*, Mathieu relève que « cette interview produisit une impression considérable ». Mais il comprit aussi qu'elle installait, avec la confusion revendiquée du pouvoir politique et du pouvoir judiciaire, des pratiques annonciatrices de tyrannie. La quasi-unanimité de l'opinion n'en était que plus inquiétante puisqu'elle creusait la tombe des libertés civiles en France.

> En agissant ainsi, en parlant publiquement, alors que mon frère n'était qu'un accusé, le général Mercier manquait au plus sacré de ses devoirs : le respect et l'indépendance des juges. Le chef de l'armée, le chef de la justice militaire condamnait, frappait d'avance mon frère devant l'opinion publique, devant la justice militaire, devant l'armée. Il intervenait dans le procès, alors que l'instruction suivait son cours, avec tout le poids de sa situation, avec toute l'autorité dont il était investi par ses fonctions de ministre de la Guerre [114].

Muni d'une lettre de Me Demange, il se rendit aussi chez Waldeck-Rousseau en insistant sur l'iniquité de cette intervention ministérielle et sur le danger de la situation créée puisque le conseil de guerre se verrait alors obligé de choisir entre le ministre et le capitaine Dreyfus, et de suivre en conséquence le général Mercier. Le sénateur saisit aussitôt le président du Conseil, et un démenti fut envoyé le soir même aux journaux par l'agence Havas. Mathieu apprit par la suite que Joseph Reinach avait réagi comme lui et avait fait la même démarche auprès de Charles Dupuy.

La protection de Lucie et de sa famille incomba également à Mathieu. Il s'alarma très tôt des multiples dangers qui pouvaient menacer ce monde familial déjà éprouvé par l'arrestation d'un des siens. L'intérêt obsessionnel de la presse engendrait des sollicitations multiples, des pressions ou même des escroqueries [115]. Cette prudence était d'autant plus nécessaire que d'un commun accord ils avaient décidé de ne rien révéler aux deux enfants, surtout à Pierre qui s'inquiétait de l'absence de son père et de l'effervescence inhabituelle qui régnait dans l'appartement de ses grands-parents. « C'était un va-et-vient continuel, du matin au soir, de gens qui se prétendaient bien informés. Des groupes se formaient un peu partout, dans les salons, dans l'antichambre. On s'entretenait à voix basse, comme dans la maison d'un moribond. Et quelquefois les enfants de mon frère, Pierre et Jeanne, entraient brusquement. Tout le monde se taisait. Ces enfants sans père, c'était la vision brutale du drame qui pesait sur la maison. On les embrassait, le cœur serré, broyé. Lorsque Pierre demandait si bientôt son père serait de retour, les larmes mouillaient les yeux, les sanglots montaient à la gorge, nous étouffaient [116]. »

Mathieu prit tout en charge. Son rôle à Paris ressembla à celui qu'il remplissait à Mulhouse aussi bien au sein de l'entreprise qu'au centre de la famille. Il était celui qui décidait mais aussi celui qui informait, qui renforçait les liens entre tous les membres des deux familles éprouvées. Il comprit d'emblée qu'il devait quitter momentanément Mulhouse et résider à Paris. Il loua un appartement boulevard Hausmann, au 118. « Il est là, avec tante Suzanne, Louise et Jacques », explique Joseph Valabrègue dans une lettre à son fils Paul [117]. Après la dégradation, et alors qu'il était plus nécessaire encore d'organiser méthodiquement la défense de son frère et de la maintenir sur une longue durée, Mathieu se fixa définitivement à Paris. Il choisit un appartement dans la rue de la Victoire, tout près de celui des Hadamard. « Ce sera beaucoup plus commode d'être à côté, écrit Joseph Valabrègue, cette fois à sa femme, Henriette, et cela aura l'avantage que nous n'aurons pas cette course [à faire] de la rue de Châteaudun au boulevard Haussmann à chaque instant [118]. » Meublé des effets d'Alfred et de Lucie, l'appartement de la rue de la Victoire allait servir à toute la famille. Joseph et Henriette s'y installèrent pour de longues semaines à la fin du mois de janvier [119].

## Le « frère admirable [120] »

Le 4 décembre 1894, l'ordre de mise en jugement du capitaine Dreyfus fut signé par le gouverneur militaire de Paris, et le dossier fut communiqué à Me Demange et son secrétaire Collenot. Le soir, Mathieu Dreyfus, accompagné de sa belle-sœur, se rendit à son cabinet. Il durent attendre l'avocat et lorsqu'il entra, il leur dit, bouleversé, sans même les saluer :

> Si le capitaine Dreyfus n'était pas juif, il ne serait pas au Cherche-Midi. La base de l'accusation est une lettre d'envoi, écrite sur du papier pelure, non signée, non datée, énumérant l'envoi de cinq documents. L'acte d'accusation ne fournit pas d'indication sur l'origine de cette pièce. Il affirme que cette pièce a été adressée à une puissance étrangère, qu'elle lui

était parvenue, mais qu'on ne pouvait indiquer par quels moyens ce document est revenu. L'écriture de cette lettre a une certaine ressemblance avec celle du capitaine. Cinq experts ont été commis à l'expertise de cette pièce : deux, Gobert et Pelletier, déclarent qu'elle n'émane pas de votre frère ; les trois autres, Bertillon, Teyssonnières et Charavay, affirment qu'elle est de lui. Il n'y a pas d'autre charge matérielle. Des témoins à charge ont déposé sur le caractère de votre frère sans apporter aucun fait à l'appui de l'accusation.

C'est une abomination ; jamais je n'ai vu de dossier pareil. S'il y a une justice, votre frère sera acquitté [121].

La lecture plus approfondie du dossier confirma cette première analyse d'une accusation vide. La mise en jugement prenait dès lors le caractère d'un acte monstrueux. Mathieu en fut définitivement convaincu après avoir pris connaissance du récit que son frère fit à l'avocat de l'arrestation et des interrogatoires au secret dans la prison du Cherche-Midi. « Notre espoir était le conseil de guerre », confia Mathieu qui rejoignait là les attentes de son frère emprisonné. Très au fait du dossier dont l'informait Demange, il multiplia les démarches afin de garantir à son frère les meilleures conditions de justice. Mais il découvrit combien le procès était mal engagé et comment le ministère de la Guerre, aidé de la presse, le circonvenait. Il envisagea la publication du rapport de d'Ormescheville « pour éclairer et ramener l'opinion publique que l'on trompait sciemment [122] ». Il ne pouvait pourtant pas utiliser l'unique copie à laquelle il avait accès, celle fournie à Edgar Demange. L'avocat avait été prévenu par l'autorité militaire des risques encourus. « Nous ne pouvions pas, raisonnablement, demander à Me Demange le sacrifice de sa situation et de sa liberté », reconnut Mathieu Dreyfus [123].

Le vide du dossier et l'étrangeté de la procédure lui étaient apparus lors de la lecture, dans le cabinet de Me Demange, de l'acte d'accusation et de l'expertise de Bertillon. Une autre confirmation survint lorsque Mathieu put entrevoir brièvement le document accusateur, l'original du bordereau, lorsqu'il apporta au greffe du conseil de guerre le règlement de la copie du dossier réalisée pour la défense. Le greffier Vallecalle consentit à lui montrer entre deux portes « la pièce accusatrice ». « Je fus stupéfait, se souvient-il. L'écriture de cette pièce n'avait qu'une vague ressemblance avec l'écriture de mon frère, les dissemblances étaient frappantes et sautaient aux yeux. [...] J'étais profondément ému. C'était sur une aussi vague ressemblance d'écriture qu'on avait arrêté mon frère, qu'on le traduisait devant un conseil de guerre. Je m'expliquais maintenant l'étrange expertise de Bertillon, que nous avait lue Me Demange [124]. »

Grâce à ses relations en Alsace, Mathieu Dreyfus put alors obtenir une entrevue avec le colonel Sandherr, Alsacien comme lui. Il cherchait à comprendre ce qui s'était passé avant l'arrestation et « pourquoi, sur une simple pièce d'écriture, on avait arrêté [son] frère alors que rien dans son passé n'expliquait le crime dont on l'accusait [125] ». Mathieu et Léon Dreyfus furent recommandés par un ancien commandant de Mulhouse, A. Braun, et par Rodolphe Koechlin qui résidait à Paris, deux amis du chef de la Section de statistique. Il les reçut à son domicile le 13 décembre 1894 à une heure et demie de l'après-midi. Le chef de la Section de statistique établit aussitôt après un résumé de la discussion, qui fut retrouvé en 1897 par le juge Bertulus et produit par la Cour de cassation lors de la première révision [126]. « Ces messieurs [les frères Dreyfus] me demandent ce que, par ma situation ayant eu les pièces entre les mains, je pense de la culpabilité de leur frère. Ils s'adressent à moi en ma qualité d'Alsacien et de Mulhousien. Je réponds que les journaux racontent beaucoup de choses, mais qu'à côté d'indications vraies ils en donnent beaucoup de fausses... Que je ne suis pas mêlé directement à cette affaire et que je ne peux rien leur dire. » Mathieu Dreyfus insista alors, jouant véritablement la carte de la dernière chance. Grâce à ce témoignage unique, on mesure qu'à cette date il possédait déjà du dossier une vision très claire et que sa détermination était entière. On découvre aussi l'attitude du chef des services secrets qui simule l'incompétence alors qu'il prépare au même instant un dossier bien réel de charges imaginaires contre l'accusé.

« Mais que pensez-vous de la culpabilité de notre frère ?
— Puisqu'on l'a arrêté, c'est que, sans doute, on a pensé qu'il était coupable.
— Mon frère, un Mulhousien, un Alsacien, coupable de trahison, ce n'est pas possible ! Il est innocent. *J'ai lu tout le dossier* ; il n'y a rien de sérieux dans ce dossier, rien, sauf un petit papier soi-disant écrit par mon frère. M. Gobert, l'expert, est d'avis que ce n'est pas mon frère qui l'a écrit. Le rapport de M. Bertillon est l'œuvre d'un fou, l'avez-vous lu ?
— Je ne connais pas M. Bertillon. Vraiment, vous avez lu tout le dossier ?
— En entier. Mais c'est une machination ; ne croyez-vous pas que c'est une machination ?
— Oui, votre frère est accusé de machinations.
— Non ! Ce n'est pas ce que nous voulons dire. C'est une machination contre notre frère, parce qu'il est officier juif et qu'on voulait le mettre hors de l'armée.
— Permettez ! On n'a pas de pareilles idées dans l'armée, de monter une semblable affaire contre un officier, uniquement parce qu'il est juif.
— Mais le huis clos que l'on veut prononcer, ce n'est pas admissible, et les débats doivent être publics. Ne trouvez-vous pas ?
— Cela ne me regarde pas, c'est l'affaire du conseil de guerre. [...]
— Mais notre frère est innocent. Mᵉ Demange nous a dit qu'il n'avait jamais eu à défendre un accusé aussi innocent. Et pourquoi aurait-il trahi ? Ce n'est pas pour de l'argent, avec sa fortune ; ce n'est pas le jeu qui l'y a poussé : il ne joue pas ; ce ne sont pas les femmes.
— Je n'en sais rien.

— (*Sur un ton irrité*). C'est le commandant du Paty qui a une attitude incroyable. Je ne voudrais pas être à sa place. Il a été jusqu'à traiter notre frère de misérable dans un de ses interrogatoires de la prison.

— Permettez ! Je vous arrête ici. Je ne connais pas d'officier plus honorable que le commandant du Paty.

— Mais cette pièce, où a-t-elle été trouvée ? Comment se l'est-on procurée ?

— Je n'en sais rien.

— Vous êtes tenu par le secret professionnel ?

— C'est possible ! Mais je ne puis rien vous dire à ce sujet.

— Notre frère est innocent ; nous voulons le réhabiliter, quoi qu'il arrive ; nous ferons tout pour cela [127]. »

L'entrevue s'acheva sur un constat d'échec. Non seulement Sandherr ne voulait rien révéler, mais de surcroît il voulait apparaître comme totalement extérieur à une affaire qu'il disait ne pas connaître. Il répondait par détachement ou par dérision, se moquant des deux frères qui affirmaient vouloir retrouver le traître et demandaient son aide : « Je n'y puis rien, et puis je ne vois pas comment vous trouveriez cet autre traître (d'après vous). Croyez bien que, si l'on a arrêté votre frère, c'est que l'on a dû faire des recherches longues et sérieuses avant de s'y décider. Et puis, pour faire vos recherches, il faudrait que vous vous installiez au ministère, que le ministre et tous les officiers soient à votre disposition, etc. Cela ne me paraît pas très pratique [128]. » En déclarant ignorer toute l'affaire, Sandherr mentait comme l'avait fait, quinze jours plus tôt, Mercier répondant à l'expert Gobert. Mais le fait qu'il ait transcrit aussitôt l'entretien montre cependant qu'il accordait de l'importance aux propos de Mathieu Dreyfus et à son choix de découvrir la vérité pour réhabiliter son frère.

Cette piste refermée, Mathieu Dreyfus se retourna vers la question du huis clos. Le seul espoir pour son frère résidait dans la possibilité d'obtenir des débats publics afin que le dossier d'accusation fût révélé et qu'apparût au grand jour le vide des charges. La condamnation ne pourrait se faire alors qu'au prix d'un grand scandale. Mais Mathieu et Demange constataient chaque jour la pression de plus en plus forte du ministère de la Guerre et de la partie la plus offensive de la presse qui exigeaient le huis clos. Edgar Demange intervint auprès de Waldeck-Rousseau pour qu'il agisse auprès du président de la République. « Le 14 décembre, expliqua Casimir-Perier devant le conseil de guerre de Rennes, MM. Waldeck-Rousseau et Reinach sont venus successivement dans mon cabinet m'entretenir du désir de la défense que le huis clos ne fût pas prononcé et de l'engagement que prenait la défense d'observer dans les questions diplomatiques une grande réserve si les débats avaient lieu autrement qu'à huis clos. » Il leur répondit que cette question n'était pas de son pouvoir, mais qu'il transmettrait leur requête. L'avocat du capitaine Dreyfus réussit même à entretenir directement de la question le président de la République à l'occasion d'une démarche pour la grâce d'un condamné. Mais Casimir-Perier a contesté ce dernier fait. « Le 16 novembre, expliqua encore le président de la République, j'ai reçu dans mon cabinet, à l'Élysée, Mᵉ Demange, qui est venu m'entretenir de la grâce du condamné à mort Boulay dont il était le défenseur. Le nom de Dreyfus n'a pas été prononcé, il n'a pas été dit entre Mᵉ Demange et moi un mot du procès. MM. Waldeck-Rousseau et Reinach sont les seuls qui m'aient, à certain moment, exprimé au nom de la défense, le désir que les débats soient publics, et la réponse que j'avais faite est, je le répète, que je n'y pouvais rien. » Il y a cependant tout lieu de croire l'avocat de Dreyfus : Casimir-Perier a montré, dans la même déposition, qu'il était hanté par la peur d'être mêlé de quelque manière que ce soit, à la défense du capitaine Dreyfus [129]. Demange sollicita également Paul de Cassagnac afin qu'il combattît le huis clos dans son journal. Ce qu'il fit en obtenant le soutien de L'Autorité [130]. Mathieu Dreyfus entreprit pour sa part des démarches afin que les officiers supérieurs ou généraux sous les ordres desquels son frère avait servi pussent venir témoigner de son excellence et de sa moralité. Un seul, le commandant de Barberin, agit conformément à l'estime dans laquelle il avait toujours tenu son subordonné, et parce que c'était son « devoir ». Les autres éludèrent sous des prétextes quelconques, l'un d'entre eux s'emportant même contre Mathieu Dreyfus et un autre se résignant finalement à son devoir. Le général Lebelin de Dionne, qui n'était plus à l'époque commandant de l'École de guerre, reçut Mathieu avec courtoisie. « Il me dit que les notes excellentes qu'il avait données à mon frère constitueraient le seul, le meilleur témoignage qu'il pût apporter à mon frère, que ces notes figuraient au dossier et que son témoignage personnel était inutile [131]. »

Le jour de l'ouverture du procès, le 19 décembre 1894, Mathieu et son frère aîné Jacques accédèrent difficilement à la salle d'audience. Ils furent confinés avec le public debout. Le commissaire du gouvernement avait même tenté de leur refuser des cartes d'accès. Ils virent leur frère en accusé. Leur douleur fut « atroce [132] ». Ils remarquèrent qu'il répondait d'une « voix nette, tranquille, aux questions du président ». Puis le huis clos fut décrété sans même que Demange pût développer ses conclusions. Chaque soir, le défenseur informa la famille du contenu des débats. Le samedi 22 décembre, jour du verdict, Mathieu le conduisit en voiture jusqu'au Cherche-Midi. Il lui dit en le quittant : « Si l'on n'a pas donné l'ordre de le condamner, il sera acquitté. » Mathieu avait chargé un parent de la famille Hadamard, le docteur Weill, d'attendre l'annonce du verdict et de porter la nouvelle rue de Châteaudun, dans l'appartement où attendait une petite foule d'amis et de membres de la famille. Il arriva à 7 heures et demie du soir. Dès que Mathieu sut la condamnation, il se précipita chez Demange qui lui avoua qu'il ne comprenait pas et que quelque chose s'était passé pendant le délibéré des juges, étonnamment long : plus d'une heure. L'avocat déclara au frère du condamné : « Vous avez fait votre devoir.» Et Mathieu de répondre : « Il commence.» De retour rue de Châteaudun, il alla embrasser Lucie et lui assura : « Je ne vous quitterai pas, je resterai à Paris pour rechercher la vérité [133] ». Enfin, lorsqu'il put voir brièvement son frère à la prison du Cherche-Midi, il lui arracha la promesse de vivre contre l'engagement de consacrer toute son énergie, toutes ses forces à la découverte de la vérité.

Il promit de tout supporter, et, le 5 janvier 1895, à l'École militaire où il était arrivé comme jeune et brillant lieutenant, puis comme capitaine à l'École de guerre, où chaque mur, chaque pierre lui rappelait l'image du passé, il subit les tortures de la parade d'exécution, la tête haute, en criant son innocence [134].

## La mobilisation d'un philosophe

Le cousin par alliance du capitaine Dreyfus, le philosophe Lucien Lévy-Bruhl, fut l'un des très rares civils à déposer au procès de Dreyfus. Il ne limita pas son rôle au simple devoir de solidarité familiale. Il s'impliqua bien davantage. Son intervention peut même être considérée à bien des égards comme le point de départ de l'engagement des savants dans l'Affaire, avant même qu'elle n'éclatât en 1898. Il produisit une efficace déposition au procès et il mit ses relations au service de la défense de Dreyfus. Lévy-Bruhl était déjà au centre d'un tissu de relations intenses tant sur le plan philosophique qu'universitaire et même politique. Celles-ci conduisaient sa carrière et son œuvre et elles le servaient désormais dans son engagement dreyfusard. Ami d'Émile Boutroux auquel il succéda à la chaire d'histoire de la philosophie à la Sorbonne (en 1908), Lévy-Bruhl appartenait au cercle de la *Revue philosophique* dont il devait devenir le directeur en 1920. En novembre 1895, il avait pris la suppléance de Georges Lyon comme maître de conférences à l'École normale supérieure et il se projetait ainsi au cœur du réseau normalien. En outre, sa promotion de 1876 comptait Paul Dupuy, surveillant général de l'École (depuis 1885), et Salomon Reinach, archéologue, ancien membre de l'École française de Rome, membre de l'Institut et conservateur adjoint du musée de Saint-Germain-en-Laye.

Lévy-Bruhl n'hésita pas à parler du dossier à Salomon Reinach qui, à son tour, informa ses deux frères, Joseph et Théodore. Le second était historien et numismate, ancien élève de l'École pratique des hautes études, rédacteur en chef de la *Revue des études grecques*, chargé de cours à la Sorbonne depuis 1894. Le premier, le député, se mobilisa aussitôt pour Dreyfus dont la situation judiciaire empirait de jour en jour, et il tenta de soulager le désespoir de la famille. Le 1er ou le 2 janvier, il demanda au président du Conseil de recevoir le défenseur de Dreyfus qui voulait obtenir un droit de visite pour

Lucie avant la dégradation. Charles Dupuy refusa, arguant que la démarche serait connue des journaux et qu'on raconterait que l'avocat était venu solliciter la grâce de son client. Alors, solennellement, le député historien lui déclara « qu'un jour s'engagerait la lutte de la vérité contre l'axiome de la chose jugée : *res judicata pro veritate* »... Charles Dupuy lui répondit : « *Habetur non est*[135]. »

Salomon Reinach fut un des plus actifs dreyfusards. Ses travaux l'incitaient à la plus grande vigilance sur la vague antisémite qui grandissait depuis l'arrestation du capitaine Dreyfus. L'année précédente, il avait publié une petite étude sur *L'Accusation de meurtre rituel produite dans l'histoire contre les Juifs*[136]. Vers le mois de janvier 1895, il soumit un projet à Lucien Lévy-Bruhl : que Lucie Dreyfus adresse un appel solennel à toutes les personnalités, « les notabilités[137] » ainsi qu'il les appela : sénateurs, députés, membres de l'Institut, magistrats, officiers généraux et supérieurs. Comme pour la proposition d'Arthur Lévy, et sur les conseils de Demange, Mathieu refusa, craignant que de tels appels, reposant sur de simples actes de foi, soient inutiles, voués d'emblée à l'échec.

Joseph Reinach, certes après coup[138], critiqua sévèrement ces scrupules et ces prudences. « Dans cette affaire, où toute l'accusation repose sur une similitude d'écriture, où il n'y a qu'une charge, ni l'accusé ni l'avocat n'ont en main la photographie de l'unique pièce accusatrice. Et certainement Demange aurait dû exiger, par une protestation publique, que son dossier fût complété par le document essentiel. En tout cas, le rapport de d'Ormescheville est au dossier. [...] À quoi songent donc Demange et Mathieu Dreyfus ? Quel aveuglement est le leur de ne pas voir que le salut de l'innocent, c'est la divulgation de l'unique charge ! Mathieu va de porte en porte, cherchant à émouvoir les cœurs, à convaincre les esprits. Comment ? Par des preuves morales ? Mais, produites par lui, elles sont sans valeur, ce n'est que le cri de l'affection fraternelle ! Dès lors, il est partout éconduit, accablé un peu plus, à chaque tentative, sous l'immense opprobre. » Joseph Reinach relève cependant que la prudence qu'il critique a servi à Mathieu pour échapper à tous les pièges que lui tendirent des escrocs, de « bas policiers » ou même des services militaires. Il reconnaît également qu'écrivant en 1901, au contraire de Mathieu agissant en décembre 1894, il connaît l'essentiel de la fin de l'histoire, c'est-à-dire l'entreprise de vaste conspiration décidée par l'État-major et le ministère de la Guerre. Il voit dans le frère du condamné un homme profondément honnête, qui croit dans la justice de son pays comme le capitaine lui-même. Son refus de toute utilisation de la presse se fondait sur les mêmes convictions, comme le constate aussi Joseph Reinach, toujours au sujet d'une éventuelle publication du rapport de d'Ormescheville : « Mathieu pourrait agir à l'insu de Demange, puis, le coup fait, feindre d'en ignorer l'auteur – quelque scribe du greffe, sans doute, qui se sera laissé tenter par un journaliste. Si cette pensée lui vint, il la repoussa. Il ne récompensera point par une supercherie, qui le pourrait compromettre, l'avocat loyal qui a accepté la défense de son frère. Dans cette juste cause, tout sera net, propre, même aux risques du désastre, et contre quels adversaires [139] ! »

Les quelques savants français qui décidèrent d'agir pour Dreyfus et pour la vérité n'envisageaient pas plus des moyens illégaux. Mais ils comprenaient que la dérive de l'opinion publique devait être combattue par des moyens similaires de propagande mise au service de la justice. La solution de l'action publique fut provisoirement suspendue. Mais Lucien Lévy-Bruhl et Salomon Reinach la poursuivirent, chacun de son côté et vers le même homme. Il s'adressèrent tous deux à Lucien Herr, philosophe, germaniste, Alsacien d'origine catholique, un intellectuel socialiste et humaniste proche des anarchistes et pleinement intégré dans les avant-gardes esthétiques [140]. En tant que maître de conférences à l'École normale supérieure, Lévy-Bruhl le rencontrait régulièrement à la bibliothèque dont il était le responsable. Lucien Herr, qui s'était déjà battu pour la défense du droit dans les grands procès des intellectuels anarchistes, ne pouvait qu'être sensible au dossier du capitaine Dreyfus, un compatriote alsacien de surcroît. Salomon Reinach était aussi un habitué du grand bureau-bibliothèque de Lucien Herr. Ce dernier se tint en réserve. Au début de l'année 1895, Lévy-Bruhl contacta également Gabriel Monod, son condisciple de l'École normale admis en 1862, et qui a relaté cette rencontre devant la Cour de cassation le 14 janvier 1899 [141] : « Un cousin de Mme D., mon collègue M. Lévy-Bruhl, vint me voir et me demander si, au cas où la famille aurait entre les mains des pièces qui pourraient faire douter de la valeur de l'expertise faite contre le condamné, elle devait en faire usage et saisir l'opinion sur la question. Je répondis que non ; que, si la famille croyait D. innocent, elle devait chercher le vrai coupable, que tant qu'elle n'aurait aucune piste sérieuse, elle ne devait rien faire. Il me dit que c'était là aussi l'opinion de M. Mathieu Dreyfus et nous n'en parlâmes plus [142]. »

Lévy-Bruhl se dépensa ainsi sans compter pour avertir les savants qu'il connaissait et dont il pensait que la réputation parfaite pourrait renverser le rapport de force le moment venu. Il agissait dans une nation qui, depuis Pasteur et Renan, vouait un véritable culte aux « grands savants ». Avant le procès comme après sa condamnation, Dreyfus adressa à son cousin par alliance des lettres qui exprimaient toute sa reconnaissance pour l'aide apportée. Celle du 27 décembre 1894 est la plus forte :

Mon cher Lucien,

Je n'ai pas encore eu le courage de vous écrire pour vous remercier de tout le dévouement que vous avez montré pour la cause d'un innocent.

J'ai vécu d'espoir jusqu'au dernier moment ; une conscience pure et tranquille se refusait à croire qu'on pût condamner un innocent. On l'a fait cependant. Mᵉ Demange a dû vous raconter les péripéties des audiences. J'étais absolument résolu à me tuer. Le dégoût était profond. Subir encore la peine la plus humiliante qu'on puisse infliger à un soldat, cela me paraissait au-dessus de mes forces.

Aujourd'hui, je résiste à la tentation. J'espère arriver à la surmonter.

En effet, l'amour profond de Lucie, la foi entière et absolue en moi de toute ma famille, de Mᵉ Demange, ma conscience enfin ; tout cela me donnera peut-être les forces nécessaires pour aller jusqu'au bout.

Je constate aujourd'hui, à mes dépens, qu'il est parfois plus difficile de vivre que de mourir.

Quel beau drame on pourrait faire sur les données de ma malheureuse histoire, mon cher Lucien. Il y a de quoi tenter la plume d'un philosophe tel que vous.

J'étais heureux et fier, mari d'une femme admirable, père de deux bébés charmants, possesseur d'une fortune largement suffisante pour mes goûts modestes, entouré d'une famille qui m'aimait... j'avais tout enfin ! Quel terrible effondrement.

Et puis, combien je comprends cette rage et cette colère de tout un peuple, auquel on apprend qu'un officier est un traître.

Il n'y a pas de châtiment assez grand pour punir un tel forfait... mais le traître, ce n'est pas moi ; ma conviction est même que ce n'est pas un officier.

J'eusse mieux aimé être condamné à mort. Au moins, là, il n'y aurait plus eu de discussion possible. Tandis que nos nuits se passent actuellement en luttes continuelles, entre le désir d'en finir avec cette traître vie et entre l'espoir de voir un jour mon nom réhabilité par la découverte du misérable auteur de la lettre incriminée.

Je me dis que s'il m'arrive [de] découvrir le coupable, je ne serai plus là pour jouir de la joie de toute ma famille, et de la joie de ma femme adorée, de la joie enfin de revoir mes enfants chéris.

Comprenez-vous, mon cher Lucien, tous les combats tumultueux qui se livrent dans mon âme, tous ces fantômes qui hantent mon cerveau ?

Y a-t-il une justice sur terre ? Je n'ai malheureusement pas cette foi profonde qui fait les martyrs.

Jusqu'à présent ma conscience seule m'a donné tout le courage que j'ai montré ; j'espère que ma conscience me permettra de lutter jusqu'au bout.

Quoi qu'il en soit, mon cher Lucien, élevez tous la tête et regardez le monde en face. Je ne suis pas un coupable ; je suis la victime d'une fatalité épouvantable.

Malgré tout mon désespoir, je n'ai jamais courbé la tête, je ne la courberai pas jusqu'à mon dernier souffle.

Mes meilleurs souvenirs à votre femme, à toute votre famille.

A. Dreyfus [143]

*Un beau-frère, Joseph Valabrègue*

« Après la dégradation, écrivit Mathieu Dreyfus, le vide se fit autour de nous. L'agitation fiévreuse de la lutte, avec ses alternatives d'espoirs et de désespérances, avait disparu. Le silence, un silence de mort, planait sur nous. Il nous semblait que nous n'étions plus des êtres comme les autres, que nous étions comme retranchés du monde des vivants, frappés au cœur par un mal mortel [144]. » Alors la famille se resserra encore davantage autour d'elle-même, autour de Lucie et du but qui ne devait quitter aucun d'entre eux pendant cinq années. Tous participèrent à l'œuvre commune. Joseph Valabrègue fut particulièrement actif. Dès qu'il fut informé de la nouvelle de l'arrestation d'Alfred, il monta à Paris. Logeant au Grand Hôtel, il écrit à ses enfants restés à Carpentras. « De plus en plus, les indices, si petits qu'ils soient, que nous recueillons de part et d'autre nous confirment dans notre opinion, notre cher Alfred ne peut pas être coupable, et il y a certainement une machination inexplicable contre lui, il faut espérer que nous arriverons à la découvrir et à prouver à tous combien a été odieuse cette accusation. Ayez donc bon espoir et à bientôt je l'espère des nouvelles plus réconfortantes. Je n'ai pas le temps de vous écrire plus longuement en ce moment, nous allons aussi bien que possible. Lucie est tout à fait étonnante, sa confiance, sa foi l'on peut dire dans l'honneur de son mari, que nous partageons du reste tous, est si complète, si grande qu'elle nous fait du bien [145]. »

Le 9 novembre 1894, il leur expliqua : « Nous avons de plus en plus la certitude de l'innocence de notre cher Alfred, malgré toutes les infamies contenues dans les journaux et quoi qu'il arrive nous pouvons dire dès à présent qu'il n'a pas commis l'épouvantable crime dont il est accusé. Je répète, nous avons cette certitude. Vous pouvez avoir confiance ; il y a une machination épouvantable, nous en triompherons je l'espère ; mais ce qui doit nous consoler quoi qu'il arrive, c'est de savoir que notre cher frère n'a pas forfait à l'honneur et que tel nous le connaissions tel il est. [...] Alfred se défend avec énergie et proteste de son innocence, et il paraît que sa résolution fait impression. Toujours, malgré cela, le secret le plus absolu [146]. »

Il leur raconta l'ouverture du procès : « Quelles journées angoissantes nous passons ; et que de courage et d'énergie il faut à notre cher Alfred pour résister à toutes ces émotions. On bondit rien qu'en lisant toutes ces infamies, tous ces mensonges et on se demande de quelle boue sont pétries ces consciences galonnées. Comme ils n'apportent aucune preuve et rien que des racontars, on ne peut être inquiet sur l'issue finale du procès. [...] Nous attendons toujours les nouvelles avec une fièvre très grande ; malgré l'acharnement des généraux, il me semble tout de même que nous avons des résultats assez sérieux. J'espère que la suite des débats ne pourra que prouver l'innocence absolue de notre cher Alfred [147]. » Le 20 décembre, il écrivit encore : « Il nous tarde de voir enfin la fin de ce procès et, je l'espère, de nos ennuis, car, en serrant les débats de près, l'innocence de notre cher Alfred en sort absolument victorieuse ; malgré toutes les recherches on n'a pas pu trouver une seule preuve contre lui pour la raison toute simple qu'il n'y a rien [148]. »

Vinrent le verdict, et la révolte : « Je reçois à l'instant la lettre de Lucie d'hier ; par les journaux vous aurez appris tous les détails de l'horrible sentence ; quel épouvantable supplice a dû supporter ce pauvre Alfred et quel courage il lui faut, à ce martyr, pour subir ces outrages infâmes. Non, rien ne peut être comparé à ce que doit souffrir ce malheureux. Dire qu'un innocent peut être condamné de la sorte, qu'il y a des gens au pouvoir assez misérables pour faire condamner un homme alors qu'ils sont sûrs qu'il n'est pas coupable. C'est la plus odieuse monstruosité qui puisse s'imaginer et l'âme humaine a des bassesses sans nom [149]. » Le 27 décembre 1894, il écrivit encore à son fils Paul : « Nous sommes toujours très tristes ; mais il nous faut avoir du courage pour rechercher le ou les coupables qui ont été la cause de l'inique condamnation de l'oncle Alfred, plus que jamais nous avons la certitude absolue de son innocence. C'est absolument monstrueux de se sentir innocent et de se voir déshonoré de la sorte ; il faut espérer que nous finirons par trouver, en tout cas notre fortune entière devrait-elle être consacrée à cette tâche que nous n'avons pas tous la moindre hésitation ; tu peux être sûr, mon bon chéri, que nous ferons l'impossible pour réussir. Lucie est tout à fait admirable de courage. [...] Je te donne l'adresse de l'oncle Alfred, tu dois lui écrire la lettre la plus affectueuse possible, ce malheureux a besoin de toute notre affection et il la mérite plus que tout [150]. »

Le 31 décembre 1894, il évoquait pour son fils Paul les certitudes de l'avocat Demange après le procès : « Toutes ces affirmations malheureusement n'aboutissent à rien, notre cher Alfred est vraiment bien à plaindre et nous en sommes à nous demander s'il aura le courage de supporter la honte suprême de la dégradation ; sa femme ne veut pas qu'il se tue, Me Demange qui va le voir tous les jours est du même avis, il faut, dit Me Demange, que vous ayez le courage de supporter cette torture mille fois plus effrayante, il est vrai, que la mort, mais il le faut pour que vous puissiez assister à votre réhabilitation ; tous nous chercherons et il faut espérer qu'un jour ou l'autre nous finirons par trouver le misérable qui vous a perdu. À propos de la dégradation, il doit y avoir dans tous les régiments lecture faite aux soldats assemblés de cet événement si triste. Fais le possible, mon cher enfant, pour éviter d'assister à cette épouvantable cérémonie qui te serait des plus pénibles. Tâche d'être renseigné et arrange-toi de façon à être dispensé [151]. »

Le 1er janvier 1895, Henriette, puis Joseph s'adressèrent à leurs enfants : « Je suis brisée, nous venons de recevoir une lettre de Louise, nous disant que tout espoir est perdu et que la honte suprême aura lieu la semaine prochaine. Pauvre garçon, aura-t-il le courage de supporter cela, je viens de lui écrire dans ce sens, mais j'avoue que j'ai peu d'espoir, cela est tellement horrible que je me demande si on a le droit de lui infliger un pareil supplice. Quels moments terribles nous traversons ! Et on se demande comment on a la force de vivre. Il faut vraiment qu'on ait des devoirs à remplir pour pouvoir résister.» « Que pourrais-je ajouter à la lettre de mère, nous sommes très énervés. Je fais le possible pour remonter mère, mais je n'ai guère plus de courage qu'elle ; ces épreuves sont épouvantables, et quand je songe à notre pauvre et cher Alfred, aux tortures que ce malheureux est obligé de supporter, je me dis que nous devons conserver l'espoir pour arriver si possible à trouver le nœud de cette horrible machination et si nous ne pouvons rien pour le sauver au moins à le réhabiliter [152].»

Le 4 janvier 1895, Henriette leur communiqua une lettre très forte de Lucie [153]. Elle termina sa propre lettre par ces mots qui évoquaient la cérémonie de dégradation : « Qu'il nous tarde que la journée de demain soit passée ; c'est ce qu'il y a de plus terrible, je n'ose y penser. Enfin Dieu nous a tellement éprouvés, qu'il il nous donnera la force d'arriver au bout, du reste nous nous soignons pour avoir la santé nécessaire pour lutter [154].» Au lendemain de la cérémonie, elle leur écrivit encore : « Décidément, tout ce que fait ce pauvre malheureux tourne contre lui. Ses cris d'innocence auraient dû impressionner la foule, et au contraire on trouve que c'est du cynisme. Que tout cela est triste et désolant, et dire que nous avons peut-être infligé tous ces supplices à ce pauvre garçon pour rien, car je me demande comment il résistera à toutes ces tortures. Avec cela, nous ne savons rien, si à Paris on a quelque espoir, si on commence à voir un peu clair dans toutes ces ténèbres. Louise et Jacques nous ont écrit ce matin, mais leurs lettres se résument à dire qu'il faut lutter, ce que nous savons aussi bien qu'eux, autrement pas un mot, ce qui me fait supposer qu'ils n'en savent pas davantage qu'au moment de notre départ. D'après les journaux il sera envoyé aux îles du Salut où cela est terrible. La haine du ministère le poursuit jusque-là, ils vont faire voter cette loi aujourd'hui [155].»

Le 23 janvier 1895, Alfred quitta Paris pour le bagne de l'île de Ré. Joseph s'adressa à ses enfants : « Votre dépêche vient de m'arriver. Je vous avais de mon côté télégraphié à midi pour vous annoncer que nous avions eu des nouvelles d'Alfred. Lucie a enfin reçu une lettre ce matin à 9 heures. Cette lettre, datée du 19 janvier, n'est partie de l'île de Ré que le 23, c'est-à-dire hier, et nous supposons qu'elle n'a été expédiée que sur une dépêche envoyée hier matin par Lucie au directeur de la prison. Alfred nous raconte qu'il n'est autorisé qu'à écrire à Lucie, dès qu'il a écrit on lui retire plume et papier, interdiction de fumer ; en résumé, à beaucoup près, la situation de ce pauvre garçon est pire qu'à la Santé ; c'est absolument barbare, et nous en sommes revenus aux mœurs d'il y a quelques centaines d'années, et dire que ce pauvre martyr subit toutes ces tortures et que nous sommes absolument impuissants à le soulager, c'est vraiment à en devenir fou. Nos demandes, nos courses de tous côtés n'aboutissent à rien, et pourtant nous constatons chez pas mal de gens la conviction de l'innocence d'Alfred et chez pas mal d'autres des doutes très grands. Espérons malgré tout que nous finirons par découvrir la vérité, seulement par moments je me demande si notre cher martyr aura la force de supporter toutes les tortures qui lui sont infligées [156]. »

Après le départ d'Alfred Dreyfus pour la Guyane, Joseph Valabrègue vint à Paris à de très nombreuses reprises, demeurant longtemps dans la capitale auprès de son beau-frère et de sa belle-sœur, et décrivant dans ses lettres à Henriette ou à ses enfants ses multiples initiatives. « Ainsi que je te le disais hier, je suis allé ce matin à 10 heures chez le cousin de Mme Anna qui m'a reçu d'une façon charmante et a été on ne peut plus aimable, tu peux le dire à Mme Anna. Il ne croit pas du tout à la culpabilité d'Alfred et s'est mis à ma disposition d'une manière absolue ; il pourra, je le crois, nous rendre des services très intéressants, il connaît très bien et a eu des relations avec un directeur de journal qu'il est très important d'avoir avec nous, il considère cette personne comme très loyale. C'est du journal dont nous avions parlé avant mon départ ; il s'est offert à faire auprès de ce monsieur toutes les démarches que nous désirerions. Nous verrons d'ici demain ou après-demain ce qu'il y a à faire de ce côté [157]. » Le 26 décembre 1894, il avait déjà écrit une lettre très importante à une personnalité restée inconnue :

Monsieur,

Vous devez vous dire que nous avons abusé de votre bonne foi, lorsque nous sommes venus vous demander votre appui pour nous aider à obtenir les débats publics dans la malheureuse affaire du capitaine Dreyfus. Aujourd'hui comme avant l'issue de ce triste procès, nous avons l'intime conviction, la certitude la plus absolue de l'innocence de ce malheureux et nous n'hésitons pas à déclarer qu'il est la victime expiatoire d'une machination épouvantable, que la condamnation est la chose la plus inique, la plus monstrueuse qui se puisse imaginer ; nous maintenons notre affirmation qu'il n'y avait, qu'il ne pouvait y avoir aucune preuve de culpabilité contre lui, qu'il a été sacrifié par des gouvernants malhonnêtes, sans conscience et qui n'ont vu dans la condamnation que la certitude de conserver leurs portefeuilles.

Nous espérons que la vérité se fera jour, tous nos efforts, toute notre vie seront consacrés à cette tâche, et il n'est pas possible, s'il y a une justice au monde, qu'un innocent soit ainsi accablé, que des familles entières soient déshonorées pour la seule raison que l'on appartient à un culte différent de la majorité de la nation.

Je vous prie, monsieur, de m'excuser de cette longue lettre, mais j'ai le cœur tellement brisé par l'iniquité dont nous sommes victimes que je me suis permis de venir vous importuner encore une fois, sachant combien est grande votre pitié pour les malheureux. Avec tous mes remerciements pour le bienveillant accueil que nous avons reçu chez vous [158].

Malgré une volonté absolue de combattre et de sauver l'innocent, la famille de Dreyfus avançait dans les ténèbres. Elle n'imaginait pas cependant, et personne ne l'imaginait non plus, la profondeur de la machination d'État qui avait frappé le jeune officier.

CHAPITRE VII

# Un crime d'État

On a longtemps cru et écrit qu'une tragique erreur avait entraîné l'identification du capitaine Dreyfus, convaincu de trahison au profit de l'Allemagne. À la suite de quoi les préjugés antisémites d'un certain nombre d'officiers impliqués dans l'enquête, la volonté implacable du ministre de la Guerre et l'impossibilité pour une institution comme l'armée de se déjuger auraient rendu impossible son acquittement en 1894. Les moyens employés pour ce faire lors du premier procès en auraient interdit la révision. De surcroît, l'innocence reconnue du capitaine Dreyfus serait revenue, surtout en 1898 et 1899, à honorer la position des dreyfusards, ce que ni l'armée ni le gouvernement n'auraient toléré. En juin 1899, Waldeck-Rousseau, l'un des rares républicains favorables à la révision, put former un gouvernement et le faire investir à la Chambre. Mais il comprit qu'il devait obtenir l'apaisement, quelle que fût l'issue du procès de Rennes. Le verdict l'y aida. La condamnation avec circonstances atténuantes était une formule de compromis qui prépara la solution de la grâce. Avec la loi d'amnistie, l'Affaire était refermée sans que l'on puisse revenir sur le fond de l'événement. L'opinion publique resta sur le fait de la nouvelle condamnation prononcée à Rennes et que la grâce rendait encore plus certaine, d'un accusé qui se défendit sans conviction et d'un homme réputé antipathique et froid, se désintéressant même de son affaire. En dépit de la réouverture de l'Affaire, qui fut vivement combattue, et de la proclamation de la réhabilitation, cette représentation d'un Dreyfus indigne resta prégnante tout au long du xxe siècle. Elle tendait à psychologiser l'événement et à minimiser les éléments matériels qui établirent triplement, – et sa parfaite innocence, – et le développement d'une conspiration militaro-policière prenant les dimensions d'un crime d'État, et le courage exemplaire d'un homme devant l'écrasement. Ces faits existent. Ils sont ceux qui définissent l'histoire de Dreyfus dans son affaire, beaucoup plus que toutes les considérations accumulées depuis un siècle et qui n'ont d'intérêt que pour juger de l'obsession d'un certain nombre de Français à refuser jusqu'à la déraison qu'un Juif puisse être innocent.

L'existence d'un crime d'État dirigé contre le capitaine Dreyfus et maintenu envers et contre tout jusqu'à ce que la Cour de cassation en révélât la plus grande part dans son instruction de 1903-1906 ne dit pas seulement l'histoire de Dreyfus et les raisons du calvaire qu'il allait subir. Elle représenta une histoire de la République et de la France saisie à l'instant même où la tyrannie croise la démocratie.

## LA DÉSIGNATION DU COUPABLE

La thèse de la malencontreuse erreur ayant entraîné l'arrestation du capitaine Dreyfus ne résiste pas devant les faits tels qu'ils ressortent de toutes les procédures judiciaires, principalement devant la Cour de cassation, au cours du procès Zola et pendant le procès de Rennes. Il ne s'agit pas cependant de faire de l'événement une simple invention de l'État-major conçue dans le but d'éliminer de l'« arche sainte » les officiers juifs ou suspects de modernisme. À l'origine de l'affaire Dreyfus, il y eut bel et bien un cas de haute trahison. Mais celui-ci ne concernait pas le capitaine Dreyfus et n'aurait de toute façon pas pu l'impliquer en raison de multiples incohérences ou impossibilités que nous reverrons. L'auteur en était le commandant Esterhazy. Il fut identifié sans conteste en août 1896 par le lieutenant-colonel Picquart, placé à la tête des services de renseignement depuis le 1er juillet 1895. Sa découverte permit de faire avancer d'un grand pas les preuves de l'innocence de Dreyfus. Car il reste toujours difficile à un innocent de prouver son innocence. C'est pour épargner à l'innocent d'avoir à prouver son innocence que le droit, en démocratie, exige de l'accusation qu'elle fasse la preuve de la culpabilité, la défense discutant alors des faits à charge. Mais cette disposition fondamentale fut refusée au capitaine Dreyfus. Il ne lui restait plus alors qu'à tenter de réfuter les charges quand l'occasion lui en était donnée et à protester inlassablement de son innocence. Devant cette impossibilité de se faire entendre et d'être entendu dans sa bonne foi, il comprit que la seule issue était la découverte du coupable de la trahison pour laquelle il avait été condamné. De fait, il ne cessa de demander aux destinataires de ses nombreuses lettres, du chef d'État-major au président de la République, de rouvrir l'enquête, et il ne cessa de conseiller à Lucie et à Mathieu de rechercher le coupable par tous les moyens. Il estimait que c'était là l'unique voie pour arracher la révision de son procès. Affronter la sentence et l'accusation n'était pas possible à la fois parce que le jugement était définitif et parce que ses accusateurs étaient arc-boutés sur leurs convictions, si absurdes soient-elles.

Dreyfus ignorait les mécanismes par lesquels il fut arrêté et condamné. Il avait cependant constaté leurs effets, le viol répété des garanties de justice qui protégeaient pourtant n'importe quel prévenu, l'arbitraire de l'instruction de du Paty de Clam, les mensonges systématiques de la plupart de ses camarades et supérieurs, l'impossibilité de se défendre devant le conseil de guerre. Mais il restait dans l'ignorance de l'intention collective de le faire condamner et des moyens employés. Jusqu'à son retour en France, il resta persuadé que sa détention et son procès avaient été le fait d'hommes troubles qui manipulaient le ministre et la justice militaire. Il raisonnait avec les informations dont il disposait. Pour voir dans l'obscurité, il avait commencé d'élaborer un cadre d'explication. Il avait tenté aussi de conserver par-devers lui des documents, dont le bordereau, qui lui auraient permis de continuer à déchiffrer les ténèbres une fois sur l'île du Diable. Sa condamnation lui demeurait cependant incompréhensible. Dans sa cellule de la prison à Rennes après son retour en France, et dans l'attente de son nouveau procès, il apprit de son frère et de ses défenseurs l'essentiel de la conspiration qui l'avait frappé. Et que son entrée dans l'affaire d'espionnage qui polarisait l'État-major et le ministre depuis les derniers jours de septembre 1894 ne devait rien au hasard.

## L'arrivée d'une « lettre missive »

La lettre missive [1] dite « bordereau », par laquelle commença toute l'affaire en motivant l'identification et l'arrestation du capitaine Dreyfus, est arrivée à la Section de statistique à la fin du mois de septembre 1894 [2]. Malgré les multiples suppositions échafaudées sur son compte et sur le processus qui permit sa récupération, les faits, attestés par de nombreux documents et témoignages, sont établis. Ils sont assez simples. La Section de statistique avait élaboré un système de contre-espionnage qui visait les activités de renseignement du lieutenant-colonel von Schwartzkoppen. Elle reposait sur deux principes : d'une part l'utilisation d'agents doubles permettant d'intoxiquer l'officier allemand en fausses informations, de l'autre une surveillance étroite grâce à la complicité de la femme de ménage de l'ambassade d'Allemagne que les diplomates ne suspectaient nullement [3]. Sa tâche principale consistait à conserver par-devers elle le contenu de la corbeille à papier de l'attaché militaire et à le remettre ensuite à la Section de statistique et plus précisément au commandant Henry en qui elle avait une confiance totale [4]. Ce circuit pour obtenir des renseignements sur les activités du lieutenant-colonel von Schwartzkoppen était appelé « la voie ordinaire ». Elle pouvait permettre au colonel Sandherr de vérifier l'efficacité de son premier mécanisme de contre-espionnage et de voir comment l'attaché militaire réagissait aux leurres communiqués par bles agents doubles. L'existence de ce double mécanisme de contre-espionnage explique l'idée qu'eut par la suite Esterhazy d'affirmer qu'il était lui-même un agent double et qu'il avait déposé le borde-reau sur l'ordre du chef de la Section de statistique, le colonel Sandherr.

La femme de ménage, Mme Bastian, confiait au commandant Henry, à raison d'une fois par mois environ, les papiers jetés par les diplomates, et principalement l'attaché militaire, qui avait d'impor-tantes activités d'espionnage à l'insu de l'ambassadeur lui-même. À la fin du mois de septembre 1894, le 26 exactement, elle remit au commandant Henry qui revenait d'un mois de congé un cornet conte-nant de nombreux papiers déchirés dont la lettre missive écrite par le commandant Esterhazy. De toute évidence, il est probable que Schwartzkoppen l'avait bien reçue en main propre et qu'il l'avait effectivement jetée dans sa corbeille à papier après l'avoir déchirée en plusieurs morceaux. La thèse qu'il indique dans ses *Carnets*[5] vise sur-tout à lui épargner de reconnaître une faute grossière commise dans ses activités.

Après avoir réceptionné le cornet, le commandant Henry opéra un tri à son domicile. Il découvrit la lettre missive d'Esterhazy, une double feuille de papier pelure déchirée en quatre morceaux. Comme il ne lisait pas l'allemand, il eut une grande satisfaction à découvrir une pièce écrite en français. Il la jugea aussitôt d'une grande impor-tance[6]. Le 27 septembre, l'officier la montra à ses collègues de la Section de statistique, Gribelin et le capitaine Lauth, puis au colonel Sandherr qui s'inquiéta vivement de sa découverte. Sa crainte résidait moins dans le fait de trahison proprement dit que dans la possibilité que pourrait avoir Schwartzkoppen de découvrir le plan d'intoxication qui le visait en obtenant la possibilité de comparer les informations. Le colonel Sandherr fut orienté le même jour vers un profil de cou-pable, celui d'un officier d'artillerie, par un artilleur lui-même, le capi-taine Matton, employé au service[7]. Le colonel Sandherr avisa alors le chef d'État-major de la découverte, au moyen d'un des classiques « bulletins de renseignements » qui étaient adressés au ministre sous couvert de l'État-major général, qui avait autorité directe sur la Section de statistique. Le général Mercier fut aussi alarmé que le colonel Sandherr, mais leur inquiétude reposait sur une première analyse erro-née des documents qu'énumérait le bordereau.

Comme Esterhazy avait eu l'habileté d'attirer son correspondant vers des sujets qu'il savait pouvoir l'intéresser par leur haute confidentialité, Madagascar, troupes de couverture, le canon de 120, le ministre et ses services estimèrent qu'ils étaient en présence d'un « grand seigneur » de la trahison et que celui-ci, de surcroît, opérait depuis le saint des saints, l'État-major de l'armée. Il s'agit d'un premier malentendu, fatal pour le capitaine Dreyfus stagiaire à l'État-major. Le malentendu découlait d'une erreur intellectuelle évidente, doublée d'une seconde.

Le terme « note » fut pris dans un sens administratif et non dans celui qu'Esterhazy donnait à ses écritures militaires. L'importance du traître ainsi repéré augmenta d'autant. Cependant, pour le confondre, les enquêteurs ne réalisèrent pas une analyse critique poussée du contenu du bordereau et préférèrent la solution de facilité qui consistait à l'identifier grâce à son écriture. L'original du bordereau fut alors montré aux chefs des quatre bureaux de l'État-major, et aucun d'entre eux n'y reconnut l'écriture d'un de ses subordonnés[8]. Le commandement de l'État-major général persista pourtant dans cette voie, en raison de l'insuccès des recherches du commandant Henry, chargé tout spécialement au contre-espionnage, de la police intérieure du ministère. Avec son chef, le colonel Sandherr, il avait d'abord tenté, vainement, de retrouver d'autres documents portant la même écriture que la lettre. Il s'était essayé ensuite à rapprocher ce nouveau cas d'espionnage d'affaires déjà résolues. Afin de calmer les impatiences du ministre de la Guerre, la Section de statistique lui avait communiqué d'autres documents reçus par la « voie ordinaire », notamment des lettres échangées entre le lieutenant-colonel Maximilien von Schwartzkoppen et l'attaché militaire italien, le colonel Alessandro Panizzardi. Dans une note également transmise au général Mercier le 4 octobre 1894, Sandherr estima que l'auteur du bordereau pouvait être le même homme que celui qui avait livré à l'Allemagne des plans directeurs de fortifications françaises. Devant une enquête qui piétinait, le chef de la Section de statistique prit l'initiative de faire procéder à la photographie du bordereau qui fut réalisée par un policier détaché auprès du service, le commissaire Tomps. Des tirages furent soumis pour examen aux chefs des différents bureaux du ministère et de l'État-major de l'armée. Le général Renouard, le premier des sous-chefs de l'État-major, fit remettre aux quatre chefs ainsi qu'aux différents chefs des services du ministère, notamment à ceux de la direction de l'artillerie, un exemplaire photographique du bordereau, afin de lancer de nouvelles recherches sur l'identité du coupable. Les comparaisons d'écriture allèrent bon train, mais elles n'aboutirent à rien. Les investigations menées à la direction de l'artillerie n'avaient donné aucun résultat. La Section de statistique s'était alors tournée vers les bureaux de l'État-major eux-mêmes. La suspicion devint permanente. Chaque service soupçonnait le voisin. Le commandant Picquart a témoigné de cette ambiance délétère, de cette perte de raison qui précède les grandes catastrophes[9]. C'est alors que le lieutenant-colonel d'Aboville, du 4e bureau, proposa une méthode pour identifier l'auteur du bordereau. Elle lui permit de suspecter les stagiaires à l'État-major et, parmi eux, un jeune capitaine d'artillerie dont il estimait dangereuse la présence au sein de l'« arche sainte ».

Le 6 octobre, le colonel Fabre, qui dirigeait le 4e bureau où Dreyfus avait été stagiaire du 1er juillet au 31 décembre 1893, avisa le lieutenant-colonel d'Aboville, qui rentrait de permission[10], de « l'incident surneu pendant son absence ». Il le fit parce que d'Aboville venait d'être nommé sous-chef au bureau en remplacement du général Roget. Il lui montra deux photographies d'un document. « Voici comment il était, expliqua d'Aboville au procès de Rennes : sur chacune des feuilles se trouvait la photographie du recto et du verso de ce qu'on a appelé depuis le bordereau. L'écriture en était fort nette, très noire ; elle a passé depuis. On remarquait la trace des bandes qui avaient servi à unir les différents morceaux du bordereau. On voyait également par transparence l'écriture portée au verso sur l'original.» Mais il décida de faire du zèle et se lança dans des déductions qui n'étaient pas plus sensées que les interprétations initiales du ministre et du chef de la Section de statistique. À ce stade de l'affaire, le fait principal résidait dans l'amateurisme de responsables persuadés de leur supériorité et commettant de grossières erreurs. Au procès de Rennes, il poursuivit le récit de son entrevue avec le chef du 4e bureau : « Je lui demandai si l'on avait trouvé quelque chose dans les autres bureaux ; au 4e bureau, on lui avait répondu : "Non." Après y avoir réfléchi, je dis : "Ce n'est pourtant pas bien difficile de trouver l'auteur de cette pièce, et si j'en étais chargé, je crois que j'y arriverais assez facilement". – Comment ? » lui demanda son chef. La prétention de l'officier fraîchement émoulu et l'adhésion immédiate de ses chefs furent deux des éléments qui firent basculer Dreyfus de l'autre côté du monde.

*Incompétences et détestation*

Le lieutenant-colonel d'Aboville se lança alors dans une analyse qui voulait démontrer d'abord que l'auteur du bordereau était « un officier d'artillerie extrêmement versé dans les questions techniques ». Mais puisque les documents décrits sommairement impliquaient selon lui des relations avec d'autres bureaux ou directions, il ne pouvait s'agir d'un officier titulaire à l'État-major « qui n'aurait pas été à même, à moins d'indiscrétion coupable émanant d'autres officiers, de connaître l'ensemble des documents figurant au bordereau ». Il ne pouvait être question que d'un stagiaire. « Cela étant fait, continua d'Aboville, nous passâmes en revue, nous discutâmes les différents officiers d'artillerie appartenant à l'École de guerre qui faisaient alors leur stage au ministère. Nos recherches avaient été faites au 4e bureau, on avait procédé à la comparaison d'écriture et on n'avait rien trouvé. Au 4e bureau, il y avait, je crois, ma mémoire n'est pas bien présente, quatre ou cinq capitaines d'artillerie qui y avaient fait leur stage. Il y avait, je me le rappelle, le capitaine Putz, je me rappelle également le capitaine Souriau, parce que je l'avais eu comme stagiaire adjoint à mon réseau, le réseau d'Orléans ; il y avait encore le capitaine Dreyfus.

« Après les avoir discutées, ainsi que je l'ai dit, le colonel Fabre me parla des notes données, toutes excellentes, à l'exception de celles du capitaine Dreyfus, au sujet duquel il avait fait des réserves. Je répondis que le capitaine Dreyfus avait un caractère sournois, qu'il était peu aimé de ses camarades, qu'il avait une curiosité indiscrète qui avait été remarquée de tout le monde. Mais enfin, on peut avoir tout cela, tous ces défauts, sans pour cela être un traître. Il fallait autre chose pour nous déterminer [11]. » Déposant lui aussi au procès de Rennes, le colonel Fabre, devenu général, précisa de la même manière : « De là cependant à soupçonner le capitaine Dreyfus d'être un traître, il y avait loin. » C'est pourtant ce que firent les deux officiers. Ils choisirent de recourir aux comparaisons d'écriture pour vérifier leurs soupçons. Mais, au vu de l'amateurisme de l'expertise et de son résultat, on a tout lieu de penser que les responsables du 4e bureau voulaient surtout trouver une confirmation de leurs soupçons dans une preuve d'écriture, quelle qu'elle fût.

Le colonel Fabre fit remarquer à son adjoint que le bureau disposait de la minute des feuilles d'inspection écrites en 1893. « Il me remit le dossier d'inspection, et mon attention fut attirée immédiatement par la feuille du capitaine Dreyfus. Au premier examen, une ressemblance frappante apparut entre l'écriture du bordereau et celle de la feuille de notes. Je plaçai à la fenêtre le bordereau, en mettant au-dessus la feuille de notes ; les deux mots "artillerie" me parurent se reproduire identiquement l'un sur l'autre. Cela n'était pas suffisant encore. » Fabre fut plus précis encore dans sa déposition : « J'avais précédemment dans le tiroir de ma table sa feuille d'inspection en 1893 sur l'en-tête de laquelle étaient indiqués les nom, prénoms et qualités et indications d'état civil. Cela avait été rempli de sa main. Nous fûmes stupéfaits en reconnaissant que le mot « artillerie » qui était sur cette feuille et qui était également sur le bordereau était écrit d'une façon toute particulière. L'I central était sensiblement descendu au-dessous de la ligne horizontale formée par les autres lettres. L'I final suivi d'un petit jambage était écrit de la même façon sur la feuille d'inspection. » Le colonel Fabre avoua avoir été « très ému par cette découverte ». Il s'employa alors à rechercher dans les services du bureau d'autres pièces de comparaison. « Je me rendis au réseau de l'Est dans lequel Dreyfus avait été employé et je demandai des spécimens de son écriture. En l'absence du commissaire de l'Est, le commandant était en tournée, son premier adjoint, le capitaine du génie Bretaud, me rendit la copie de lettres du réseau sur laquelle étaient décalquées plusieurs lettres écrites de la main de Dreyfus. Cette inspection de la copie de lettres nous permit de faire d'autres comparaisons et confirma nos présomptions émanées de ces éléments de comparaison [12]. » « Je dois dire, déclara encore le lieutenant-colonel d'Aboville, que nous retrouvâmes presque tous les mots du bordereau dans les copies de lettres. »

À l'intention du conseil de guerre, d'Aboville souhaita préciser ceci : « Il est à remarquer, et je tiens à dire cela parce que c'est en contradiction avec des bruits qui ont été mis en circulation, que ce n'est pas par la comparaison d'écritures que nos soupçons se sont portés sur Dreyfus, c'est parce que nous avons déterminé d'abord certaines catégories dans lesquelles il fallait chercher le coupable ; cette catégorie étant réduite à quatre ou cinq officiers, il n'y avait alors qu'à faire une comparaison avec l'écriture des quatre ou cinq officiers en question pour savoir de qui était le bordereau. »

Cette dernière précision se trouvait déjà en contradiction avec ce qui fut fait réellement. D'Aboville laisse entendre ici qu'aucun suspect n'avait été envisagé *avant* cette vérification. Or les soupçons s'étaient bien portés immédiatement sur le capitaine Dreyfus, et la comparaison d'écriture avait eu pour but de valider cette première hypothèse. Il n'y avait pas eu à l'inverse de vérifications aveugles sur les écritures des stagiaires constituant la catégorie identifiée par d'Aboville. Lorsque les deux officiers étudièrent l'écriture de Dreyfus et la comparèrent à celle du bordereau, ils avaient déjà dans l'idée que Dreyfus pouvait être coupable. Son attitude l'accusait déjà, ou, plus exactement, la représentation que les responsables du 4ᵉ bureau s'étaient faite de cet officier stagiaire à l'État-major. Nous avons montré que ceux-ci s'étaient acharnés sur Dreyfus à l'issue de son stage semestriel, notamment le colonel Roget auquel avait succédé le lieutenant-colonel d'Aboville. Ce dernier, qui venait d'être coopté, se devait nécessairement d'épouser le point de vue de ceux qui l'avaient choisi. Dans son enquête d'apparence rigoureuse et méthodique, d'Aboville n'avait fait que désigner comme coupables les officiers qu'une partie de l'État-major voulait éliminer de son sein, les stagiaires en général et les modernistes en particulier, qui menaçaient le système de cooptation. Accuser Dreyfus était donc très tentant. Cet officier stagiaire et moderniste, détesté par les hommes du 4ᵉ bureau, pouvait être logiquement le traître recherché par tous les services et jusqu'au ministre de la Guerre en personne.

De plus, il y avait urgence à découvrir le coupable. La tension était très forte au sein de l'État-major de l'armée en raison de l'échec des premières recherches. Le ministre exigeait des résultats. Les deux officiers du 4ᵉ bureau subissaient cette pression. Ils envisageaient aussi leur propre intérêt et celui du bureau. Ils pouvaient sortir facilement grandis d'une éventuelle découverte du coupable. La chronologie précise de l'identification du capitaine Dreyfus montre sans conteste que le premier soupçon s'est fondé sur une appréciation totalement subjective et, en la matière, très idéologique. C'est en effet le bureau le plus intéressé à l'élimination du capitaine Dreyfus qui en fait le premier suspect dans l'affaire de trahison. Fabre et d'Aboville ne se demandèrent pas si les notes reçues par Dreyfus pour ses autres périodes de stage corroboraient ou non leur jugement. Ils expliquèrent ensuite au procès de Rennes que les comparaisons d'écriture devaient servir pour confirmer ou infirmer ce premier soupçon. Or ces deux officiers n'avaient aucune compétence en ce domaine. Ils imaginaient comme beaucoup que ce type d'expertise ne requérait aucune qualité. Au procès de Rennes, le général Zurlinden, qui fut brièvement ministre de la Guerre, qui succéda au général Saussier au gouvernement militaire de Paris (et qui fit arrêter à ce titre le colonel Picquart), expliqua au procès de Rennes que « c'est bien la similitude des écritures relevée par les colonels d'Aboville et Fabre qui est incontestablement le point de départ de l'affaire[13] ». Lui-même en réalisa une, comme il le précisa le 14 novembre 1898 au cours de sa déposition devant la Cour de cassation pour la première révision : « L'examen que j'ai fait moi-même des différentes pièces du dossier judiciaire renfermant l'écriture de Dreyfus m'a démontré que le bordereau avait été écrit par cet officier et que c'était bien son écriture courante et rapide. Le style du bordereau est, du reste, un peu lâche, comme celui d'un document écrit rapidement[14]. » Il fut ainsi très aisé pour eux de conclure que Dreyfus était l'auteur du bordereau.

Un autre trait d'incompétence se mesure à travers l'élaboration de la catégorie des suspects, première étape dans la marche vers l'accusation. Les documents visés au bordereau ne correspondaient pas à ceux que pourraient légitimement obtenir des stagiaires d'état-major. Par ailleurs, l'interprétation du terme « manœuvres » par « voyage d'état-major » est une faute caractérisée, commise dans le but d'identifier la catégorie suspecte des stagiaires et le plus suspect parmi eux. Au procès de Rennes, d'Aboville s'en expliqua également : « Lorsque je demandai des détails sur le bordereau au colonel Fabre, je lui demandai à propos de cette phrase : "Je vais partir en manœuvres" : "Quels sont les officiers qui ont été aux manœuvres ?" Il me répondit : "Il s'agit d'un voyage d'état-major qui a eu lieu cette année, dans l'Est, au mois de juillet ; il paraît que le capitaine Dreyfus avait été à ce voyage d'état-major[15]." »

Incompétence et détestation se liguèrent ainsi pour faire du capitaine Dreyfus le suspect injustifié dans cette affaire de haute trahison. Le témoignage produit en 1904 devant la Cour de cassation par le commissaire René Cavard, chef de cabinet du préfet de police et futur directeur de la Sûreté générale, tira les conséquences dramatiques du refus de mener des expertises contradictoires et motivées. Lors de la découverte du bordereau, il fut informé par le commandant Henry qui lui remit le document en présence du colonel Sandherr et du commandant du Paty de Clam ; il lui dit : « Cela n'a pas un gros intérêt, les documents qui sont là-dedans, en dehors peut-être de la note sur les troupes de couverture... et encore[16] ! » Pour Cavard, « on a trouvé frappantes les analogies entre l'écriture de Dreyfus et celle du bordereau ; mais si on avait eu l'écriture d'Esterhazy, il en aurait été autrement ». Le policier lui-même avait été très impressionné par les documents qu'on lui a montrés en 1894. « Tout cela a formé un faisceau qui m'a fait croire à la culpabilité jusqu'au moment où j'ai vu l'écriture d'Esterhazy. Ce jour-là, je n'ai plus douté[17]. »

La dissimulation intervint alors très rapidement. Le rapport de d'Ormescheville, qui fut pour Dreyfus la seule source d'information entre le moment où il fut mis en jugement et son procès proprement dit, ment sur l'« enquête préliminaire » visant à « découvrir le coupable s'il était possible ». Le magistrat instructeur écrivit en effet : « La nature même des documents adressés à l'agent d'une puissance étrangère, en même temps que la lettre missive incriminée, permet d'établir que c'était un officier qui était l'auteur de la lettre missive incriminée et de l'envoi des documents qui l'accompagnaient ; de plus, que cet officier devait appartenir à l'artillerie, trois des notes ou documents envoyés concernant cette arme. De l'examen attentif de toutes les écritures de MM. les officiers employés dans les bureaux de l'État-major de l'armée, il ressortit que celle du capitaine Dreyfus présentait une remarquable similitude avec l'écriture de la lettre incriminée [18]. » D'Ormescheville laissait ainsi entendre que le capitaine Dreyfus fut identifié à la suite d'une vaste opération d'expertise d'écriture. Par ailleurs, le magistrat instructeur masqua le processus qui transforma aussitôt Dreyfus de suspect en coupable. Le rapport insistait au contraire sur la suite des expertises d'écriture, jusqu'à celle de Bertillon qui entraîna l'arrestation du suspect.

## Les certitudes de l'État-major

Le chef du 4ᵉ bureau avertit immédiatement ses chefs de la preuve d'écriture qu'il pensait détenir. D'Aboville insista sur la rapidité de la décision qui s'ensuivit : « Les résultats parurent tels que le colonel [Fabre] alla en rendre compte au général Gonse et que celui-ci en prévint le général de Boisdeffre. Lorsque le colonel Fabre rentra au bureau, il me dit que le général de Boisdeffre en avait parlé au ministre de la Guerre. » Fabre précise :

Dès lors, muni de ces éléments de comparaison, je montai immédiatement rendre compte au sous-chef d'État-major, le général Gonse. Après avoir vu ces pièces, il me mena au cabinet du général de Boisdeffre qui était à ce moment-là avec le général Renouard. Le général de Boisdeffre, très ému comme nous, prescrivit au général Gonse de continuer jusqu'à son retour au ministère son épreuve comparative, de ne pas ébruiter la chose et d'agir très prudemment en raison de la gravité de l'affaire. Le général Gonse, de retour dans son bureau, fit appeler le colonel Sandherr, le colonel Lefort et le colonel Bouchez, prescrivant au premier d'apporter l'original du bordereau, et aux colonels Lefort et Bouchez d'apporter des spécimens de l'écriture de Dreyfus, c'est-à-dire les travaux écrits par lui pendant son séjour dans leurs bureaux respectifs. Le colonel Sandherr, dès qu'il connut le nom de l'officier incriminé, dit que ce nom ne l'étonnait qu'à moitié attendu que, quoique ne le connaissant pas, il l'avait vu rôder autour de lui à diverses reprises pour lui demander des renseignements et lui poser des questions, auxquelles il n'avait pas répondu d'ailleurs, sur le service des renseignements. Le colonel Lefort, chef du 1er bureau, fit une réflexion analogue ; il apporta comme spécimen d'écriture un travail de Dreyfus accompli pendant son séjour au 1er bureau ; le colonel Bouchez apporta un travail de Dreyfus sur un projet d'instruction de manœuvres de cadre dans lequel ce mot de *manœuvres*, écrit sur le bordereau, se retrouvait fréquemment. Nous continuâmes ensemble des comparaisons qui ne firent encore une fois que confirmer nos appréciations et lorsque, entre 5 et 6 heures du soir, le général de Boisdeffre revint au ministère, le ministre fut informé.

Le capitaine Dreyfus devenait ainsi le premier suspect dans cette affaire de haute trahison, avec un double dossier à charge du point de vue moral et matériel, comme on le disait à l'époque dans les milieux judiciaires. Mais ces preuves ne pouvaient soutenir la discussion devant un tribunal. Les responsables de l'État-major ne semblaient pas en avoir conscience. La certitude de tenir le coupable balayait les précautions les plus élémentaires.

Le lieutenant-colonel d'Aboville a témoigné de la réaction du colonel Sandherr, chef de la Section de statistique. Certainement convaincu des excellentes dispositions du conseil de guerre à son égard, persuadé qu'une telle information venait soutenir sa thèse de la culpabilité de Dreyfus, et libéré de toute inhibition à l'égard de l'antisémitisme, il expliqua clairement : « Le colonel Sandherr, en apprenant que les soupçons se portaient sur le capitaine Dreyfus, s'était frappé le front en disant : "J'aurais dû m'en douter [19]." » Il dit également à son adjoint, le lieutenant-colonel Cordier : « Hein, que j'ai eu du nez de ne pas en vouloir dans mon service [20] ! » Ces réactions confirment *a posteriori* l'antisémitisme important qui régnait à l'État-major. Dreyfus était menaçant parce que juif. Le chef de la Section de statistique semblait même ne pas le connaître ou le reconnaître. « Le colonel Sandherr, je ne me souviens absolument pas de lui avoir tenu une des conversations qu'on relate. Je connaissais si peu le colonel Sandherr qu'un jour, rentrant au bureau et me trouvant sous le porche du ministère de la Guerre, il m'a salué d'un nom qui n'était pas le mien [21] », explique Dreyfus au procès de Rennes. Charles Risler, maire du VIIe arrondissement, se montra encore plus précis : peu de jours après la divulgation de la nouvelle de l'arrestation du capitaine Dreyfus, il exprima devant le colonel Sandherr, auquel il était très lié, « sa stupéfaction de la trahison imputée à l'un de leurs compatriotes, sortant de nos grandes écoles, dans une situation de famille et de fortune. – Tu as raison, lui répondit le chef de la Section de statistique, ce serait incompréhensible pour tout autre : mais c'est un Juif [22] ».

Avisé le jour même de la découverte opérée par les officiers du 4e bureau, le chef d'État-major de l'armée prescrivit à son adjoint immédiat, le général Gonse, de faire poursuivre le travail de comparaison. Il avertit ensuite le ministre de la Guerre, le 7 ou le 8 octobre

1894. Dès le 9 octobre en tout cas, le général Mercier intervint directement dans le cours de la procédure. Entre-temps, un nouvel acteur était lui aussi intervenu dans l'enquête. Après avoir reçu l'ordre de poursuivre, le général Gonse avait appelé à son bureau le commandant du Paty de Clam, alors attaché au 3e bureau. L'officier s'était fait, à l'État-major, une sorte de réputation de graphologue[23]. Il fut mit en présence du bordereau et des pièces de comparaison, et il conclut lui aussi, après un examen rapide et sommaire, à l'identité des écritures. Gonse lui demanda de continuer son expertise. Le 7 octobre, du Paty de Clam lui remit une note qui plaidait pour des expertises officielles opérées par des spécialistes[24]. Le même jour, un dimanche, Sandherr demanda à Gonse l'autorisation de faire procéder à une surveillance du suspect. Le sous-chef d'État-major ne voulut pas prendre la responsabilité d'une telle décision en l'absence du général de Boisdeffre, pas plus que le colonel Sandherr, pourtant chef de la Section de statistique.

Boisdeffre et le ministre approuvèrent de telles expertises qui devaient conforter le soupçon initial. Dans le cas contraire, une véritable enquête contradictoire et critique aurait été décidée. Dans la mesure où le coupable avait été identifié, il importait surtout de corroborer les indices par des preuves plus certaines. Le général Mercier redoutait d'être accusé de lenteurs ou de doutes dans une affaire que ses ennemis politiques pourraient exploiter contre lui et contre le gouvernement auquel il appartenait. « Quand on révéla à Mercier qu'un officier du ministère trahissait son pays au profit de l'Allemagne, analyse Marcel Thomas, il entrevit sans peine le parti que tireraient ses ennemis de cette affaire, s'il semblait en la circonstance avoir péché, si peu que ce fût, par négligence[25]. » Le ministre de la Guerre informa en premier lieu le général Saussier, premier personnage de l'armée en temps de guerre et, en raison de ses fonctions de gouverneur militaire de Paris, responsable de la justice militaire pour les officiers en poste dans la capitale. La rivalité entre les deux chefs était permanente. Saussier déconseilla la poursuite de l'enquête et proposa de faire disparaître Dreyfus en l'envoyant se faire tuer au Tonkin ou en Afrique. Cette solution était apparemment répandue[26]. « On en revient avec de l'avancement », objecta Mercier[27].

Le gouverneur militaire de Paris n'avait aucune estime pour le ministre, qu'il jugeait incapable. Il semble qu'il ait rapidement compris que Dreyfus était innocent, mais il ne fit rien pour contrer la machine de la conspiration[28]. Il est vrai qu'il avait eu affaire à la Section de statistique qui disposait d'un dossier sur sa liaison avec la femme d'un certain Maurice Weil régulièrement dénoncé comme espion par *La Libre Parole*. D'après le commandant Forzinetti, qui dépendait lui aussi du gouverneur, il aurait déconseillé de poursuivre sur un terrain aussi fragile. En se plaçant du point de vue de l'armée, il aurait estimé que « tout était préférable au déshonneur jeté sur un

officier français et aux soupçons qui en rejailliraient sur tous les officiers[29] ». Le gouverneur de Paris fut alors tenu à l'écart de la phase
secrète de l'enquête et de l'arrestation de Dreyfus, jusqu'à ce que le
rapport du commandant du Paty de Clam l'obligeât à ouvrir malgré
lui une information judiciaire le 3 décembre 1894.

## L'obstination du général Mercier

L'hostilité du gouverneur renforça la conviction du ministre. Il
décida de faire réaliser les expertises officielles recommandées par du
Paty de Clam. Le 9 octobre, à l'occasion du Conseil des ministres, il
s'enquit auprès de son collègue de la Justice du nom d'un expert en
écriture. Mais il lui tut les circonstances. Eugène Guérin lui suggéra
l'expert de la Banque de France, Alfred Gobert, un professionnel
rompu aux études les plus délicates et très au fait de l'expertise de
nature judiciaire. Expert près la cour d'appel de Paris depuis près de
trente ans, il avait rempli un grand nombre de missions de justice et
réalisé plusieurs milliers d'expertises officielles[30]. Le lendemain 10,
le général Mercier révéla l'affaire au président de la République. Il lui
indiqua que les documents livrés « étaient sans importance » et ajouta,
probablement pour rassurer Casimir-Perier, qu'« il suffisait de prendre
au ministère de la Guerre quelques mesures pour que ces documents
n'eussent plus aucune importance[31] ». Puis Mercier se rendit chez le
président du Conseil et l'informa de la même manière. Charles Dupuy
décida de réunir un « petit Conseil » avec les ministres concernés.
Celui-ci eut lieu le lendemain en présence du ministre des Affaires
étrangères, Gabriel Hanotaux, et du ministre de la Justice. Enfin, toujours le 10 octobre, le général Mercier demanda par téléphone au préfet de police Louis Lépine de lui déléguer un policier afin d'assister
ses services lors d'une arrestation délicate.

Le 11 octobre, le président du Conseil réunit donc le petit Conseil des
ministres afin de décider de la marche à suivre dans cette affaire de
haute trahison. Le général Mercier exposa l'affaire et demanda l'arrestation du suspect. Hanotaux déconseilla vivement de poursuivre dans
la mesure où il n'était pas possible d'avouer que le bordereau avait
été récupéré grâce au cambriolage d'une ambassade étrangère, ce qui
pouvait conduire à des complications diplomatiques très graves avec
l'Allemagne. Le président du Conseil trancha en décidant des poursuites, à condition d'obtenir de nouvelles preuves qui permettraient de
ne pas produire le bordereau et donc de ne pas révéler les agissements
de la Section de statistique. Le soir, Hanotaux tenta encore de faire
revenir Mercier sur sa décision en se déplaçant personnellement au
ministère de la Guerre. Mais le général lui opposa un refus catégorique. Le ministre de la Guerre endossait dès lors la logique qui exigeait que Dreyfus soit coupable bien qu'il soit innocent. Sa culpabilité
devenait nécessaire sous peine de placer l'institution militaire sous le

feu des critiques et des mises en cause. Et puisque les preuves à charge manquaient, il décida de les faire fabriquer par l'un des services de l'État-major, cette Section de statistique auparavant rattachée au 2ᵉ bureau et désormais placée sous l'autorité immédiate du chef d'État-major en second, le général Gonse. Or, pour ce dernier comme pour de nombreux cadres titulaires, le capitaine Dreyfus était coupable. Et sa culpabilité datait du jour où il avait pénétré dans l'« arche sainte ».

Le 11 octobre, le général Mercier avait également fait convoquer l'expert Alfred Gobert par l'envoi d'un « avis du ministère de la Guerre, accompagné d'une carte de visite de M. le garde des Sceaux ». Dès son arrivée rue Saint-Dominique en soirée, il le reçut en personne. « En quelques mots, raconta l'expert au procès de Rennes, il me mit au courant de la situation et me fit savoir qu'un officier de l'État-major s'était rendu coupable de trahison, qu'on avait contre lui une lettre anonyme, le bordereau, et qu'enfin il me chargeait de faire la vérification ayant pour objet de savoir si ce document était l'œuvre de l'officier qu'il soupçonnait et dont le nom ne fut pas donné à ce moment. » L'expert précisa un point capital : « M. le général Mercier ne me paraissait pas avoir à ce moment une idée bien fixe, une idée bien arrêtée ; sûrement il attachait une très grande importance à la mission qu'il me confiait, mais enfin il ne paraissait pas avoir d'idée fixe, d'idée arrêtée, il se borna à m'envoyer à M. le général de Bois-deffre, son chef d'État-major, lequel à son tour me reçut[32]. » Boisdeffre l'emmena chez Gonse qui lui remit les pièces nécessaires à la réalisation de l'expertise demandée. L'expert put réaliser sur-le-champ un examen rapide de la pièce. Afin de vérifier le caractère naturel de l'écriture, il demanda au général Gonse s'il existait une enveloppe qui aurait pu servir d'élément de comparaison ; le sous-chef d'État-major éluda la question. L'expert formula ensuite une seconde demande, portant cette fois sur la possibilité d'obtenir des tirages grand format de la lettre incriminée, car celle-ci présentait en l'état un caractère de forte illisibilité. « Ce sera chose extrêmement commode, extrêmement facile, attendu qu'il y a au ministère de la Guerre un atelier de photographie admirablement monté. » Le général Gonse refusa net : « Faire faire la photographie au ministère de la Guerre, non ! Demain tout Paris connaîtrait le bordereau[33]. » Gobert se mit au travail et consacra à son expertise « cette unique journée du 1ᵉʳ octobre 1894 du matin au soir ».

Sans attendre le résultat de l'expertise, Mercier s'occupa de l'arrestation du capitaine Dreyfus. Le 12 octobre, Boisdeffre annonçait à du Paty de Clam qu'il allait le charger de cette mission. Mercier chercha également un nouvel expert en s'adressant cette fois au préfet de police. Lépine le dirigea vers le chef de l'Identité judiciaire, Alphonse Bertillon. Celui-ci n'était en rien un spécialiste des comparaisons d'écriture[34], mais il jouissait d'une grande réputation due à l'invention de l'anthropométrie criminelle, fondée sur la photographie et les mensurations osseuses des suspects appréhendés. Il commença son expertise le 13 octobre. Le jour même, l'expert de la Banque de France, Alfred Gobert, avait rendu ses conclusions. Dans une lettre adressée au ministre de la Guerre et remise au sous-chef d'État-major, il expliquait que le bordereau n'était pas de la main du capitaine Dreyfus. « L'écriture de l'anonyme en cause présente avec celle de comparaison exactement le même type graphique. L'analyse des détails montre des analogies assez sérieuses, mais elle révèle en même temps des dissimilitudes nombreuses et importantes dont il convient de tenir compte. Dans ces conditions, et étant donné la rapidité de mes examens, commandée par une extrême urgence, je crois devoir dire : la lettre anonyme incriminée pourrait être d'une personne autre que celle soupçonnée. Je dois faire ressortir que le document en question n'est pas tracé d'une écriture déguisée, mais bien au contraire d'une manière naturelle, normale et avec une grande rapidité : ce dernier détail exclut la possibilité d'une étude ou d'un déguisement graphique [35]. » Au procès de Rennes, il détailla ses observations. Elles portaient notamment sur le caractère particulier du S redoublé, très différent dans l'écriture du bordereau et dans celle de Dreyfus.

Puisque ses conclusions innocentaient Dreyfus, les généraux Mercier et Gonse décidèrent tout simplement de récuser l'expert. Son attitude leur en fournit le prétexte. Les demandes formulées le jour où il avait été appelé au ministère de la Guerre avaient déjà été jugées excessives. Le général Gonse, qui s'était rendu à deux reprises chez lui au cours de la journée du 12 octobre, avait été aussi particulièrement irrité par le souhait de l'expert de connaître le nom du suspect pour le cas où son expertise l'accuserait. Le militaire avait refusé de lui livrer l'information et avait considéré sa demande comme hautement suspecte [36]. Au procès de Rennes, Gobert rappela le « déplaisir » qu'il éprouvait de faire cette vérification sous le couvert de l'anonymat, comme le lui intimait le général Gonse : « Je lui fis sentir que c'était absolument désagréable, que les coutumes de la justice civile ne permettent pas une vérification, une enquête, une instruction, sous le voile de l'anonymat, et que cela me peinait tellement que je devais lui dire, au cas où ma vérification aurait donné des résultats affirmatifs, c'est-à-dire accusateurs contre Dreyfus, je tenais absolument à déposer mon rapport en mentionnant le nom de l'homme que j'accusais. » À l'intention du conseil de guerre de Rennes, il expliqua qu'il n'admettait pas « qu'on se fasse accusateur de quelqu'un dans des conditions autres que celles-là ; c'est face à face, tout au moins en toute connaissance de cause, qu'on doit se faire accusateur dans des conditions aussi graves que celles qui se présentaient. J'entendais qu'il en fût ainsi, et le général Gonse ne fit à ce moment aucune observation. Pour prouver la discrétion (c'était à peine nécessaire de le dire) que j'entendais mettre à mes opérations, je fis connaître à M. le général Gonse qu'au cas où mes conclusions seraient négatives, c'est-à-dire en faveur de

Dreyfus, je ne m'inquiéterais pas de savoir le nom de l'officier et qu'il ne me coûterait pas de me faire le défenseur de quelqu'un sous le couvert de l'anonymat. Je me rappelle alors que M. le général Gonse ne me fit aucune observation, mais plus tard il paraît qu'à l'État-major on s'est indigné contre une nature de prétention qu'on a déclarée de nature suspecte [37].» L'attitude de l'expert était doublement gênante pour l'État-major. Gobert envisageait comme possible l'innocence de Dreyfus, et il demandait le respect des règles de la justice civile. Il ajouta même un troisième forfait en suggérant qu'une enquête approfondie fût aussitôt diligentée. En effet, lorsqu'il remit ses conclusions le 13 octobre, il avait appris du général Gonse que l'arrestation du suspect avait été décidée, qu'elle devait avoir lieu le 15 octobre au matin. Il fit alors savoir au sous-chef d'État-major que «cette décision était bien regrettable ; il y a eu, messieurs, une grande précipitation ; on aurait peut-être pu, si on avait eu une journée ou deux, attendre et chercher ; on ne l'a pas fait (*mouvement prolongé*).» Il avait déjà rappelé aux juges du conseil de guerre de Rennes qu'il avait complété la lecture de sa lettre au ministre contenant ses résultats par des recommandations orales : «Je dis au général Gonse qu'il y avait lieu de prendre des précautions infinies, que le bordereau ne m'apparaissait pas du tout comme étant de la main de Dreyfus. J'engageai le général Gonse à une très grande circonspection. Je le priai de faire des recherches (*mouvements*). En un mot, je me suis efforcé d'éloigner les soupçons qui pesaient sur Dreyfus, parce que j'estimais – et les circonstances ont donné pleine raison à mon appréciation première – parce que j'estimais, dis-je, que le bordereau était d'une main autre que la sienne.» Comme il fut signalé lors des débats de la Cour de cassation en vue de la recevabilité de la seconde demande de révision, Alfred Gobert heurtait l'État-major parce qu'il appartenait à la juridiction civile et qu'il exigeait qu'on en respectât les règles [38].

L'expert fut rapidement congédié du ministère de la Guerre. Sa disqualification était enclenchée. Elle prit plusieurs formes. Au procès de Rennes, le ministre de la Guerre expliqua que son rapport était «un rapport neutre dont il n'avait pas à tenir compte [39]». Le commandant du Paty de Clam alla plus loin et nia qu'il y ait eu un véritable examen. Dans son rapport du 31 octobre 1894, il affirma que, «l'expert ayant manifesté le désir de connaître le nom de la personne soupçonnée et demandant un laps de temps de plus en plus long, incompatible avec la conservation du secret, on dut lui retirer le dossier, avant qu'il eût pu établir un rapport gênant : il valait mieux en nier l'existence [40]». Dans son propre rapport, d'Ormescheville releva la «prétention suspecte» de l'expert et la «défiance» qu'il avait suscitée au ministère [41].

Enfin, le ministre de la Guerre lui-même envisagea une possible complicité avec Dreyfus, thèse qui fut aussitôt reprise par le commandant d'Ormescheville [42].

L'expertise favorable pouvait ainsi être ruinée dans ses fondements et à travers son auteur, expert suspect et disqualifié. Mais il convenait d'obtenir cependant une expertise positive qui pût annuler définitivement les conclusions d'Alfred Gobert. Le général Mercier sollicita donc le préfet de police qui lui délégua sur-le-champ Alphonse Bertillon.

*L'engrenage techniciste*

Alphonse Bertillon [43] n'avait pas qualité d'expert officiel près les tribunaux. Il commença son expertise à 9 heures du matin le 13 octobre 1894. René Cavard, chef de cabinet du préfet de police, lui remit une photographie du bordereau et des pièces de comparaison ; l'original ne lui fut transmis qu'au cours de l'après-midi. Bertillon travailla au total une dizaine d'heures avec l'aide de six employés de son service. Le 13 au soir, il formula, dans un rapport qu'il qualifia d'« administratif », des conclusions ainsi libellées : « Si l'on écarte l'hypothèse d'un document forgé avec le plus grand soin, il appert manifestement que c'est la même personne qui a écrit la lettre et les pièces communiquées [44]. » Il affirmait donc la culpabilité du capitaine Dreyfus.

Aussitôt, Bertillon fut chargé d'une nouvelle expertise du bordereau, en prévision du dossier d'accusation puisque la décision de procéder à l'arrestation de Dreyfus venait d'être prise (le 13 au soir). Utilisant une lettre de Mathieu Dreyfus saisie au domicile de son frère (la lettre dite « du buvard »), Bertillon inventa alors sa théorie du décalque du bordereau qu'il développa dans un nouveau rapport transmis au ministère de la Guerre le 20 octobre. Cette thèse dite de l'« autoforgerie » permettait d'attribuer le bordereau au capitaine Dreyfus en surmontant l'objection majeure que les deux écritures présentaient de nombreuses différences. Celles-ci avaient notamment motivé le rapport négatif d'Alfred Gobert, et elles pouvaient amener d'autres experts à innocenter le capitaine Dreyfus. Ce qui fut le cas.

Avec l'autoforgerie, l'objection de la dissemblance était sans fondement. D'après Bertillon, Dreyfus, se sachant surveillé, aurait, pour écrire le bordereau, utilisé un « gabarit », une sorte de règle composée de son écriture associée à celle de son frère et avec laquelle il aurait tracé tous les mots sur le papier pelure. Cette théorie soutenait à la fois la thèse de la ressemblance des écritures et de leurs dissemblances. « Pourquoi ce soin dans des dissimulations si petites, si mesquines, qui ne pouvaient évidemment pas altérer la ressemblance des deux écritures ? *C'est que l'identité de l'écriture a été volontairement*

*conservée par notre criminel, qui compte s'en servir comme sauve-*
*garde, justement à cause de son absurdité même* [...]. De là aussi les
quelques tremblements accentués dans l'écriture qui m'avaient tant
intrigué. [...] Mon travail complet démontrera, par des agrandissements
au décuple, l'hésitation de sa plume traçant ses lettres hors place ;
tandis que, si cette forme était issue d'un moment d'hésitation du
calqueur, elle aurait été la perfection du naturel. La preuve est faite,
péremptoire. Vous savez quelle était ma conviction du premier jour ;
elle est maintenant absolue, complète, sans réserve aucune [45]. » Bertillon annonçait ses expertises futures qui allaient constituer un énorme
système techniciste, reposant sur un usage irraisonné des probabilités
mathématiques et des agrandissements photographiques, ainsi que le
réemploi de la tactique militaire conduisant à l'élaboration d'un
« redan », terme technique de fortification censé résumer toute la stratégie de défense de l'accusé et le confondre ainsi d'une manière
imparable. L'État-major et les milieux de l'Action française s'enthou-
siasmèrent pour cette puissance de la technique mise au service de
l'enquête criminelle. Plusieurs exégètes imaginèrent même de perfectionner encore le système de Bertillon [46]. Devant une configuration
techniciste véritablement inextricable, la Cour de cassation décida pour
sa seconde instruction de recourir à trois mathématiciens, les plus
illustres du temps. Paul Appell, Gaston Darboux et Henri Poincaré
détruisirent irrémédiablement l'ensemble des démonstrations, relevant
que leurs « auteurs ont raisonné mal sur des documents faux [47]. »

Cette démonstration de la nullité des expertises d'Alphonse Bertillon, que les dreyfusards appelèrent en 1898 les « bertillonnades »,
vint à l'extrême fin du processus judiciaire de l'Affaire. Jusqu'au procès de Rennes inclus, Bertillon bénéficia d'un crédit certain au ministère de la Guerre et à l'État-major. Il fut encouragé à poursuivre le
développement de son système d'autoforgerie. Le « redan » impres-
sionna particulièrement. « La démonstration de M. Bertillon, écrit
Henri Dutrait-Crozon dans le *Précis de l'affaire Dreyfus* [48], avait paru
tellement intéressante au ministre de la Guerre, qu'il avait envoyé son
auteur la communiquer à M. Casimir-Perier, les 14 et 15 décembre [49]. »
L'auteur omet cependant de préciser que le président de la République
les jugea peu intéressantes et peu concluantes [50].

L'État-major put également s'appuyer sur d'autres expertises qui
furent demandées le 22 octobre par le préfet de police. Celui-ci répondait à la sollicitation du ministère de la Guerre. Pierre Teyssonnières,
expert près le tribunal de la Seine, Étienne Charavay, ancien élève de
l'École des chartes, marchand d'autographes célèbre et expert lui aussi
près le tribunal de la Seine, ainsi qu'Eugène Pelletier, expert près le
tribunal et la cour d'appel de la Seine, réputé pour son intégrité, furent
convoqués et prêtèrent serment le 22 octobre 1894. Ils durent souscrire
à une consigne de discrétion absolue. Ils travaillèrent chez eux à partir
des photographies des pièces, mais la préfecture de police leur offrit

de venir quotidiennement contrôler leur travail sur les originaux que conservait Bertillon. Le chef de l'anthropométrie avait en effet reçu l'ordre de rester à la disposition des trois experts afin de les diriger dans leur travail. « M. Bertillon restait aussi expert et se mettait à la disposition des trois autres pour faciliter leurs recherches par des épreuves et des agrandissements photographiques », expliqua Mercier au procès de Rennes[51]. Pour autant, Bertillon n'avait pas le statut d'expert officiel. Pelletier récusa l'assistance du chef de l'anthropométrie. Le 25 octobre, il remit un rapport négatif. Le 29, Charavay et Teyssonnières suivirent au contraire les thèses de Bertillon dont ils avaient pu largement prendre connaissance. Ils signalèrent le déguisement de l'écriture du bordereau[52]. Teyssonnières, qui devait être radié de la liste des experts par le tribunal pour une autre affaire, conclut « sur son honneur et en conscience » à la culpabilité de Dreyfus, et Charavay plaida pour la similitude des écritures sous réserve d'« un sosie en écriture ». On reconnut là l'influence directe de Bertillon.

## L'arrestation programmée

La remise de la première expertise d'Alphonse Bertillon au ministère de la Guerre coïncida avec la décision du général Mercier de faire arrêter le capitaine Dreyfus. Il se détermina le samedi 13 octobre au soir, après son retour de Limoges où il était parti dans la journée pour suivre des manœuvres. Il reçut aussitôt le commandant du Paty de Clam et le général Gonse. L'ordre d'arrestation serait signé le lendemain dimanche 14 octobre 1894, l'opération étant fixée au lundi 15 décembre. La convocation signée du général Gonse et devant amener Dreyfus au ministère de la Guerre étant partie dans la journée. Mercier confirma à du Paty de Clam ce que lui avait annoncé la veille le général de Boisdeffre : il devait réaliser la partie secrète de l'enquête[53] ; il disposerait d'une délégation d'officier de police judiciaire.

Le choix de cet officier procédait de la nécessité de ne pas impliquer directement la Section de statistique et de la volonté de disposer d'un accusateur dévoué à la cause. « Du Paty de Clam était capable de tout [...] Je savais qu'il ne reculait pas, au besoin, devant une lettre anonyme. J'étais édifié sur le rôle de ce personnage, et je me rappelle que, lorsque le général Gonse me dit à un moment donné : "Nous allons faire venir le [commandant] du Paty de Clam", j'ai refusé énergiquement de le voir et ne lui en ai pas caché la raison[54] », témoigna le magistrat et lieutenant de réserve Adolphe Wattinne qui, en 1898, fut chargé par son beau-père, le général-ministre de la Guerre Billot, de procéder à l'inventaire des dossiers secrets élaborés contre Dreyfus. Du Paty de Clam se confondit totalement avec sa mission. Persuadé de la culpabilité du capitaine Dreyfus, il s'employa par tous les moyens à le confondre et à lui faire avouer son crime. Mais son impatience à soumettre l'accusé et sa partialité obsessionnelle le firent échouer dans sa mission. En 1903, lors des débats de la Cour de cassation sur la recevabilité de la seconde demande en révision, le procureur général Baudouin évoqua les qualités nécessaires « pour remplir les fonctions de juge instructeur[55] », qualités dont était totalement dépourvu du Paty de Clam. En revanche, l'officier était très lié au général de Boisdeffre et se piquait d'être expert en comparaison d'écriture. Tous les témoignages firent état d'un officier d'esprit « romanesque et présomptueux[56] », « habile à échafauder des manœuvres ténébreuses, mais qui supporte bien mal le grand jour » selon le lieutenant-colonel Picquart[57], « ce que nous appelons en argot militaire "un fumiste" » pour le commandant Cuignet[58] qui commit cependant bien pire que lui[59].

Du Paty de Clam insista pour que Dreyfus soit immédiatement arrêté. Il imagina alors la fameuse scène de la dictée afin de le confondre sur-le-champ[60]. Il était persuadé de sa culpabilité, et le général Mercier s'était chargé de renforcer en lui cette conviction. Le dimanche 14 octobre, du Paty de Clam revit le ministre de la Guerre à deux reprises, le matin puis le soir. À cette dernière entrevue étaient également présents les généraux de Boisdeffre et Gonse, le colonel Sandherr et le commissaire Cochefert. D'après du Paty de Clam, Mercier annonça qu'il venait de voir le président de la République et le président du Conseil. Ceux-ci auraient décidé « qu'on ne pouvait pas étouffer cette affaire et qu'un pareil crime ne pouvait rester impuni[61] ». L'information est un mensonge puisque, ce jour-là, le ministre de la Guerre ne rencontra aucun des deux hommes.

Les détails de l'arrestation furent définitivement fixés lors de ces deux réunions, ainsi que la perquisition qui devait suivre au domicile du capitaine Dreyfus et dont l'idée avait été suggérée la première fois par l'expert Gobert, mais à titre préventif, non pour charger encore un homme qui était seulement – en théorie – suspecté de crime, mais pour rechercher d'autres éléments de preuve à charge ou à décharge ; les conclusions des comparaisons d'écriture ne pouvaient suffire. Il fut aussi décidé que le silence absolu serait imposé à son épouse. Le colonel Sandherr, originaire de Mulhouse, connaissait de réputation la famille Dreyfus. Il savait l'intelligence et la détermination des frères de l'officier. Il fallait absolument que ceux-ci ne soient pas informés avant que le dossier d'accusation de leur frère ne soit écrasant. Informés, ils pourraient s'organiser, saisir le meilleur des défenseurs, mobiliser leurs relations dans les milieux alsaciens et gêner le développement de l'accusation. Il fut décidé enfin que le lieutenant-colonel d'Aboville, qui avait joué le rôle que l'on sait dans l'identification du pseudo-criminel, serait chargé de superviser l'arrivée du capitaine Dreyfus à la prison du Cherche-Midi, sous la surveillance du commandant Henry qui porterait l'ordre d'écrou.

Du Paty de Clam devait en effet remettre le prisonnier au commandant Henry qui avait ordre de le conduire à la prison militaire du

Cherche-Midi. Là, le capitaine Dreyfus devait être soumis au régime du secret le plus absolu. Même le gouverneur militaire de Paris, dont se méfiait le ministre de la Guerre, ne devait pas être averti. Mais cela impliquait d'agir sur le commandant Forzinetti qui était sous l'autorité directe et statutaire du général Saussier. Le général Mercier commit une première violation de la loi[62] en signant par anticipation, le 14 octobre 1894, l'ordre d'écrou du capitaine Dreyfus et en enjoignant au commandant Forzinetti de ne pas rendre compte au gouverneur militaire de la mission qui lui était confiée. Forzinetti commença par recevoir un « pli du ministre de la Guerre [l]'informant que, le lendemain 15, à 7 heures du matin, se présenterait au Cherche-Midi un officier supérieur de l'État-major général de l'armée ». Le 15 au matin, à l'heure désignée, le lieutenant-colonel d'Aboville se présenta et lui remit un pli de service. « Je vis que le capitaine Dreyfus (Alfred), du 14e régiment d'artillerie, stagiaire à l'État-major de l'armée, serait amené au Cherche-Midi dans la matinée, comme étant inculpé du crime de haute trahison. Le ministre de la Guerre me rendait personnellement responsable de la personne du capitaine Dreyfus. Le colonel d'Aboville me fit donner ma parole d'honneur d'exécuter les ordres tant écrits que verbaux qu'il m'avait communiqués de la part du ministre de la Guerre. Le capitaine Dreyfus devait être mis au secret le plus absolu. [...] Le colonel d'Aboville demanda à visiter les chambres et lui-même désigna la chambre que devait occuper Dreyfus. Il m'enjoignit également de prendre des précautions pour que l'incarcération du capitaine Dreyfus fût tenue secrète, tant à l'intérieur de la prison qu'à l'extérieur. Il me dit également de n'en parler à personne et me mit en défiance contre les démarches que tenterait la "haute juiverie". Or j'affirme n'avoir jamais vu personne. Vers midi, le capitaine Dreyfus fut amené en fiacre, en tenue civile. Il était accompagné du commandant Henry et d'un agent de la Sûreté. Le commandant Henry me remit l'ordre d'écrou signé de la main même du ministre. Cet ordre d'écrou était daté du 14[63]. »

L'avertissement du lieutenant-colonel d'Aboville indique si besoin est le poids de l'antisémitisme dans les menées qui se conjuguèrent pour faire disparaître de l'État-major des stagiaires comme le capitaine Dreyfus. Tandis que la remarque du commandant Forzinetti sur la date de l'ordre d'écrou confirmait bien que la décision de faire arrêter le suspect avait été prise sans attendre le résultat de la dictée et l'issue de l'interpellation. Le ministre de la Guerre commit une seconde illégalité en interdisant au commandant Forzinetti, par l'intermédiaire de son émissaire, d'informer le général Saussier. Le 18 octobre, le commandant du Cherche-Midi finit par aller voir le gouverneur militaire de Paris et lui rendit compte de l'incarcération du capitaine Dreyfus. Le général Saussier lui répondit : « Si vous n'étiez mon ami, je vous mettrais deux mois de prison pour avoir reçu un prisonnier sans mon ordre[64]. »

Le capitaine Dreyfus fut donc arrêté le 15 octobre 1894, à l'issue d'une mise en scène à la légalité douteuse. L'épreuve de la dictée choqua particulièrement le commandant Forzinetti lorsqu'il en eut connaissance par son prisonnier. Elle fut l'un des éléments qui le menèrent à concevoir l'innocence de ce dernier[65]. La perquisition au domicile de l'avenue du Trocadéro eut lieu aussitôt. Lucie Dreyfus se révéla d'un sang-froid exceptionnel. Du Paty de Clam, accompagné de Cochefert et de Gribelin, abusa de sa crédulité en lui intimant le silence le plus absolu, seul moyen selon eux de sauver son mari. La fouille minutieuse de l'appartement ne donna rien, pas plus que les renseignements qui auraient pu être livrés par Lucie Dreyfus. Elle défendit immédiatement la complète innocence de son mari. « Nous n'avons rien trouvé », lui confia le commandant de Paty du Clam[66]. Aucune trace d'un original éventuel du bordereau, l'idée étant que l'usage du papier pelure impliquait forcément que le document initial soit un double. Aucune trace non plus de ce papier bleu à quadrillage qu'avait utilisé l'auteur du bordereau. Aucun fait tangible pour étayer un mobile de trahison. Les livres de comptes, très bien tenus, ne révélèrent aucun secret, sinon l'état de la fortune du capitaine Dreyfus, « placée presque tout entière dans la fabrique de Mulhouse[67] » au sein de laquelle il disposait d'un crédit immédiat de quatre cent mille francs comptant. L'absence de documents compromettants aurait dû être portée à la décharge du capitaine Dreyfus. C'est le contraire qui fut fait. L'officier s'était volontairement prémuni contre une perquisition, estimèrent ses accusateurs.

Le 15 octobre 1894 au soir, une réunion eut lieu au ministère de la Guerre. Le commandant du Paty de Clam affirma d'une part que l'attitude de Dreyfus était bien celle d'un coupable – son tremblement lors de la dictée était présenté comme accablant, « ses protestations sonnaient faux » – et d'autre part que le vide de son appartement en était une nouvelle preuve : « Il avait tout déménagé, il n'y avait plus rien[68] ! » Le dépouillement des vingt-deux scellés réalisés lors de la perquisition intervint le lendemain et le surlendemain au ministère de la Guerre. Rien de compromettant ni même de suspect n'avait été constaté dans ces liasses de livres et de papiers qui comprenaient une abondante documentation d'officier-ingénieur, des comptes, des factures et des papiers personnels. Une autre perquisition eut lieu alors aussitôt, le 16 octobre, au domicile des beaux-parents de l'officier, rue de Châteaudun. Du Paty de Clam et ses deux adjoints espéraient y trouver notamment des traces du fameux papier pelure que le diamantaire aurait pu utiliser pour ses transactions[69]. Peine perdue, la fouille fut un nouvel échec. L'arrestation et les perquisitions avaient été des échecs. L'instruction secrète conduite par du Paty le serait aussi.

*L'échec de la mission de du Paty*

Dreyfus demeura seul, dans le secret de sa cellule, pendant trois jours. Du Paty de Clam ne vint l'interroger que le 18 octobre. Il était chargé des interrogatoires du prisonnier *stricto sensu*, peut-être parce que ses chefs avaient estimé que son caractère fantasque et théâtral pouvait impressionner Dreyfus et l'amener à avouer. Il frappa surtout le commandant Forzinetti. En revanche, du Paty de Clam ne fut pas chargé du reste de l'enquête, et il en conçut une forte amertume. La Section de statistique, à laquelle il n'appartenait pas, s'occupa d'enquêter sur l'existence et l'entourage du capitaine Dreyfus. Il s'agissait de définir un mobile à la trahison de l'officier. Or, nous l'avons dit, il était à l'abri de tout besoin d'argent et il professait un réel patriotisme. L'agent Guénée fut chargé d'établir des rapports faisant apparaître chez Dreyfus une pratique régulière du jeu dans des cercles douteux de la capitale, habitude qui expliquerait la trahison en raison des dettes accumulées et qui étaient invisibles dans les comptes du ménage.

Les rapports de Guénée furent publiés au cours de la première révision de la Cour de cassation en 1899. Ils affirmaient que Dreyfus était un grand joueur. Mais les rapports expliquèrent aussi qu'il était impossible d'apporter des preuves de cette habitude en raison de l'absence de son nom sur les registres d'admission ou les livres de séance et parce que la production de témoins entraînerait leur récusation par la défense en cas de procès. Guénée, bien évidemment, masquait ici par un artifice grossier le simple fait qu'il n'existait pas de preuves démontrant que Dreyfus était joueur. Il le répéta à plusieurs reprises, comme dans ce passage qui donne un témoignage de la vacuité des charges et des procédés pour charger le suspect : « Beaucoup de gens savent que le capitaine Dreyfus a joué dans les cercles ; certains croupiers, individus dont la défense récuserait certainement le témoignage, adroitement consultés, ont répondu : "Ah oui ! Le Juif qui était si laid, à l'abord peu sympathique" [70]. » Autre ruse destinée à masquer le vide de l'accusation : le fait d'expliquer que, « eu égard à la violence du jeu dans les cercles, il n'est pas nécessaire que le capitaine Dreyfus y soit allé beaucoup : nous avons des exemples de joueurs ruinés en quelques nuits ». Dans ces lieux, l'officier aurait pu faire de mauvaises rencontres : « Les étrangers à allures louches, les aventuriers sans moyens d'existence avouables, les dévoyés, les rastas, etc., y pullulaient et ils étaient de taille à gangrener quelqu'un et à l'attirer dans des milieux dangereux [71] ».

Le rapport accumulait des racontars non vérifiés dont le caractère brutal et la forme de révélation devaient entraîner l'adhésion de ceux qui le liraient. Ainsi apprend-on que la belle-mère du capitaine Dreyfus, Louise Hadamard, aurait déclaré au grand rabbin de Paris, J.-H. Dreyfuss « que le capitaine avait joué et perdu, qu'ils avaient pour lui acquitté des dettes de jeu ». Et de confier : « Ah ! mon cher Dreyfuss, ne parlons plus du passé, ce qui est payé est payé, mais sachez bien que, depuis hier, nous n'avons plus de gendre [72]. » Guénée citait également le témoignage de sous-officiers employés à l'État-major et expliquant doctement que Dreyfus était « un épateur et un joueur ». Les relations du capitaine Dreyfus avec les femmes formaient un dossier plus étayé dans la mesure où l'officier aimait séduire et recherchait des aventures, comme la majorité des hommes de son âge et de son milieu du reste. Les enquêteurs tentèrent d'y voir le mobile de sa trahison, mais ils furent cependant incapables de prouver qu'il était en contact avec des agents étrangers ou des intermédiaires. Du Paty de Clam crut repérer des activités d'espionnage chez Mme Van Delden que Dreyfus avait fréquentée et qui habitait dans son immeuble, mais il se trouva que cette dame recevait également le général de Boisdeffre !

Toute cette activité ne pouvait dissimuler néanmoins le fait que Dreyfus n'avait pas avoué et qu'aucune preuve décisive n'avait été découverte contre lui. Le 27 octobre, du Paty de Clam fut convoqué au bureau du chef d'État-major, en présence du colonel Sandherr et du commandant Henry. Les souvenirs de l'enquêteur sont particulièrement précis sur cette réunion et sur le vif affrontement qui l'opposa au général de Boisdeffre. Celui-ci avait commencé par lui dire « avec véhémence » que « tout cela c'est très joli, mais vous n'aboutissez pas avec votre Dreyfus ! Vous n'avez rien ! Vous comprenez bien que toutes vos preuves morales, vos déductions, vos expertises en écriture ne valent pas un bon aveu ; c'est ça qu'il faut obtenir et, si vous n'avez pas autre chose que votre chiffon de papier, le général Saussier est parfaitement capable de refuser de signer un ordre d'informer. » Selon son témoignage, le commandant du Paty de Clam répondit sur le même ton. Mais il était capable lui aussi de s'emporter : « Mon général, permettez-moi de vous dire que ce que vous appelez "mon Dreyfus", c'est le vôtre ; et ce que vous appelez "mon chiffon de papier" est la base même des poursuites pour lesquelles vous m'avez délégué vos pouvoirs, et c'est la seule preuve matérielle que vous m'avez fait montrer. Je ne la possède même pas ; on l'a remise à des experts que je ne connais pas ; je ne peux pas dire que j'ai trouvé d'autres preuves matérielles au domicile de Dreyfus ; je ne peux pas dire qu'il a avoué. Eh bien, si les preuves morales sont jugées insuffisantes, si la base matérielle est trop fragile, c'est bien simple, il n'y a qu'à le relâcher." » Le général de Boisdeffre recula, lui demandant seulement de poursuivre, « à cause du gouverneur [73] ». Les souvenirs du commandant du Paty de Clam sont corroborés par la lettre qu'il adressa au général de Boisdeffre après la réunion afin de rendre compte de ses tentatives répétées pour arracher en vain des aveux au capitaine Dreyfus. Détruite et restée inconnue lors de la première révision, elle fut présentée par du Paty de Clam à la Cour de cassation lors de la seconde révision, sous forme d'un brouillon que l'officier avait conservé, certainement pour se défendre au cas où il serait à nouveau mis en cause comme lors de la réunion du 27 octobre chez le chef d'État-major.

Le découragement de du Paty de Clam se mesura dans la lettre qu'il adressa le 29 octobre 1894 au général de Boisdeffre : « L'officier de police judiciaire chargé de l'enquête sur les faits reprochés au capitaine Dreyfus a l'honneur de rendre compte qu'il a fait connaître à cet officier que M. le ministre est disposé à le recevoir s'il consent à faire des aveux. Le capitaine Dreyfus a répondu que, même si on lui offrait un million, il n'avouerait pas. Il paraît certain maintenant qu'il n'avouera pas. Or il semble très difficile d'exposer devant un tribunal certains faits qui sont de nature à amener des complications extérieures pouvant coïncider avec le changement de plan. D'autre part, la fragilité de la preuve matérielle qui servira de base à l'accusation pourrait fort bien déterminer un acquittement. En conséquence, l'officier de police judiciaire estime en l'état actuel de son information qu'il y aurait peut-être lieu d'abandonner les poursuites, en prenant toutefois les mesures nécessaires contre le capitaine Dreyfus pour l'empêcher de communiquer avec les agents étrangers, jusqu'à la mise en vigueur du nouveau plan[74]. » Du Paty de Clam tenait Dreyfus pour coupable, mais la crainte d'être désavoué par une cour de justice l'incitait à recommander l'abandon des poursuites. Le jour même, le chef d'État-major le fit appeler et lui tint le discours suivant : « Nous sommes trop avancés pour reculer, Dreyfus est une canaille qui mérite le poteau d'exécution, c'est moi qui vous le dis ! Continuez votre affaire sans vous occuper des conséquences et ne faites pas la mauvaise tête[75]. » Malgré ce rappel à l'ordre, du Paty de Clam persista dans son désenchantement. Au général de Boisdeffre qui lui en faisait le reproche, il répondit que le ministre devait prendre ses responsabilités dans l'affaire.

Deux jours plus tard, lorsqu'il remit son rapport au ministre de la Guerre, ses doutes et ses scrupules avaient cependant disparu. Il énonça les éléments à charge, preuves matérielles aussi bien que mobiles de trahison. Le rapport était très négatif pour Dreyfus, présenté comme un traître mû par un esprit de vengeance après la note d'aptitude qu'il avait reçue à sa sortie de l'École de guerre. « Il invoque les rapports Teyssonnières, Charavay, Bertillon, en écartant l'opinion de Pelletier qui, suivant lui, n'a pas pris connaissance des documents importants[76]. » Mais il ne concluait point, regrettait « que l'enquête [ne] continuât [pas] deux ou trois jours encore[77] » et laissait au ministre le soin de décider de la suite à donner. Il estimait que son enquête « avait été trop jugulée » et que c'était « au ministre à conclure[78] ». Le retour de la conviction de l'enquêteur procédait certainement de la mise en branle de la presse antisémite et nationaliste dans laquelle il vit un allié de poids et une réponse au risque d'acquittement. Et cette entrée en scène de l'opinion publique ne détermina pas seulement l'attitude du commandant du Paty de Clam. Elle accéléra la mise en œuvre de la conspiration policière et la manipulation de la justice. Vivement attaqué de l'extérieur pour sa lenteur et pour son inefficacité, le ministre de la Guerre constatait la fragilité de l'accusation telle qu'elle se présentait. Alors il choisit de lui donner un caractère définitif et inexpugnable. Il y avait urgence s'il voulait ne pas devoir reconnaître publiquement son erreur et être contraint à la démission. Du point de vue du capitaine Dreyfus, l'échec de la mission de du Paty soulignait sa capacité de résistance à une mise au secret extrêmement dure et à des interrogatoires très déstabilisants. Mais le prisonnier du Cherche-Midi se préparait des lendemains encore plus durs que ceux qu'il avait déjà vécus.

*La levée du secret judiciaire*

Les déclarations pessimistes du commandant du Paty de Clam ne venaient pas seules. Les difficultés s'amoncelaient devant le général Mercier. Forzinetti lui avait adressé un rapport alarmant sur l'état de son prisonnier ; de plus, le commandant des prisons militaires y exprimait sa conviction de l'innocence du capitaine[79]. L'État-major et le ministre de la Guerre entrevirent alors les risques considérables que pouvaient représenter un abandon des poursuites et la remise en liberté de Dreyfus. Un grand scandale pourrait advenir avec la révélation de la procédure d'arrestation et de mise au secret d'un officier innocent, ce que la presse ne manquerait pas de rapporter. Mais la forme de cambriolage perpétré à l'ambassade d'Allemagne serait aussitôt exploité d'un point de vue diplomatique. Le double scandale retomberait d'abord sur le ministre de la Guerre déjà très attaqué par la presse depuis l'affaire de l'explosif Turpin et qui était devenu l'une des cibles privilégiées de *La Libre Parole*[80]. Le quotidien antisémite tentait de prolonger sa campagne inaugurale contre les officiers juifs dans l'armée en accusant le général Mercier de les protéger. L'affaire du médecin militaire d'origine juive Schulmann dominait aussi les pensées du ministère et dirigeait l'instruction contre le capitaine Dreyfus. Son arrestation avait du reste coïncidé avec un nouvel article de *La Libre Parole* contre le général Mercier.

Enfin, les nouvelles concernant les expertises d'écriture n'étaient pas excellentes puisque, après Gobert, un nouvel expert, Pelletier, avait écarté Dreyfus de la paternité du bordereau. Certes, Bertillon avait remis les conclusions de son nouvel examen, mais ces divergences entre experts posaient un problème. La surveillance opérée autour des domiciles du capitaine et de ses beaux-parents, où s'étaient réfugiés sa femme et ses enfants, les filatures opérées sur les membres de sa famille et l'examen minutieux du courrier n'avaient pas cessé non plus[81]. Mais aucune preuve décisive n'avait encore pu être découverte. Au moment où la révélation publique de l'arrestation de Dreyfus obligeait le gouvernement à revenir dans la légalité judiciaire, le ministre de la Guerre et les chefs de l'État-major disposaient ainsi d'un dossier d'accusation presque vide. De surcroît, ils allaient devoir abandonner la direction officielle de l'affaire qui allait passer au gouverneur militaire de Paris. Or le général Saussier était un adversaire déclaré du général Mercier. Ce dernier n'avait pourtant plus le choix.

Lorsque *La Libre Parole* annonça, le 1er novembre, l'arrestation d'un officier juif et que la presse s'empara aussitôt de la nouvelle, Mercier demanda au président du Conseil de convoquer d'urgence un Conseil de cabinet. Il pressentait certainement une nouvelle campagne de presse, un mécanisme qu'il connaissait bien pour en avoir été à plusieurs reprises victime. C'est ainsi que les principaux ministres se retrouvèrent dans l'après-midi au ministère de l'Intérieur, où siégeait le chef du gouvernement[82]. Le ministre de la Guerre leur expliqua l'enquête, les charges contre le capitaine Dreyfus et son mobile de trahison, à savoir la déception éprouvée dans sa carrière militaire. Gabriel Hanotaux réclama une nouvelle fois la prudence dans une affaire qui contenait de fortes implications diplomatiques. Mais il ne fut pas entendu et se rangea à l'avis de ses collègues. À l'unanimité, le Conseil décida que Dreyfus serait déféré devant la justice militaire[83]. C'était la fin de la phase secrète de l'instruction, que Mercier aurait souhaité prolonger d'au moins deux ou trois jours. Le 2 novembre, le ministre de la Guerre transmettait le dossier au gouverneur militaire de Paris. Le 3, celui-ci donnait l'ordre d'informer contre Dreyfus. Un magistrat instructeur fut choisi en la personne du commandant d'Ormescheville ; sur ordre ou de sa propre initiative, du Paty de Clam se chargea de l'assister. La phase légale de l'instruction fut ainsi dirigée très largement par l'ancien instructeur secret. Mais cette disposition était loin d'être suffisante aux yeux du ministre de la Guerre et des chefs de l'État-major. Ils décidèrent en conséquence de s'engager dans un processus de conspiration judiciaire, bien plus grave encore du point de vue du droit et de la démocratie que les nombreuses illégalités, déjà très sérieuses, accumulées depuis que Dreyfus avait été identifié à tort par le lieutenant-colonel d'Aboville.

L'ARME DE LA CONSPIRATION

Puisque les différents procédés mis en œuvre pour établir la culpabilité du capitaine Dreyfus avaient peu ou prou échoué, il fut décidé de réunir contre lui des pièces aussi accablantes que fausses, ou abusivement attribuées en toute connaissance de cause. Cet ensemble constitué dans le plus grand mystère reçut le nom de « dossier secret ». Les services de renseignement du colonel Sandherr durent en premier lieu se charger de cette mission.

Mercier allait dominer cette ultime phase de préparation du procès, qui devait conduire à la condamnation sans appel du capitaine. Il jouait sa carrière politique face à l'opinion, mais également au sein du gouvernement. Un acquittement aurait signifié un échec personnel aux yeux de ses collègues. Il était déjà trop engagé dans l'affaire. Marcel Thomas a révélé aussi que la Section de statistique pouvait d'autant moins perdre la face que ses méthodes venaient d'être très sévèrement critiquées par un fonctionnaire de la préfecture de police dans la très orthodoxe *France militaire*[84].

### La stratégie du mensonge

Dès l'arrestation du capitaine Dreyfus, la stratégie du mensonge avait révélé son efficacité pour persuader certains acteurs de sa culpabilité. Ce fut particulièrement le cas du commissaire de la préfecture de police Armand Cochefert. Au procès de Rennes, celui-ci expliqua par quels moyens il avait été convaincu. Le soir du 15 octobre 1894, une fois réalisées l'arrestation du prévenu et les perquisitions à son domicile et à celui de son beau-père, il avait été reçu par le ministre de la Guerre : « Il m'a demandé quelle était mon impression. Je sentais qu'il voulait rassurer sa conscience (*mouvement*). Je savais combien avaient été grandes ses préoccupations dès la première heure et je dois dire que j'ai reconnu très nettement que mon impression avait été que le capitaine Dreyfus pouvait être coupable. Cette impression, je dois le dire aussi, s'inspirait de la conviction que j'avais que le capitaine Dreyfus était bien l'auteur du bordereau, en présence d'une affirmation aussi nette et formelle que celle de M. Bertillon et aussi par la conviction que j'avais qu'une longue enquête (ce sont les termes dont je me suis servi dans une de mes questions, et la Cour de cassation en a parlé) avait été faite par les services de renseignement. Je croyais qu'il existait aussi d'autres documents à la charge du capitaine Dreyfus que le bordereau lui-même, car, dans un court entretien que j'avais eu avec le colonel Sandherr, il m'avait parlé d'un autre papier où le nom de Dreyfus était prononcé par un agent étranger. Cette double conviction m'était suggérée par l'attitude du capitaine Dreyfus pendant le court délai durant lequel je l'avais observé ; mais je dois dire que ce n'était pas la conviction que j'ai habituellement quand je me trouve en présence d'inculpés que j'interroge pendant des heures, pendant des journées ; c'était – je le répète – une impression. » Cochefert avait été induit en erreur par le colonel Sandherr, qui assistait étroitement le ministre de la Guerre dans le processus de mise en accusation de Dreyfus. La conviction du commissaire avait été de ce fait fabriquée par les deux hommes. Mais le ministre de la Guerre n'hésita pas à déclarer, au procès de Rennes, que les certitudes de son interlocuteur avaient constitué l'un des éléments de sa décision de faire incarcérer Dreyfus, incarcération du reste déjà effectuée. Or ces certitudes avaient été fabriquées par le chef du principal service intéressé.

Interrogé par Me Demange sur la nature de la pièce spéciale que lui avait indiquée le colonel Sandherr, le commissaire Cochefert répondit qu'il croyait « qu'il s'agissait de la pièce où l'on trouve les mots "Ce canaille de D..." [85] ». Or cette pièce était précisément celle qui constituait le cœur du dossier secret réuni contre le capitaine en prévision de son jugement par un conseil de guerre. Ce témoignage tendrait à indiquer que des pièces secrètes existaient contre Dreyfus avant même son arrestation. Au procès de Rennes, l'ancien ministre de la Guerre confirma qu'il existait bien, au moment où se tint le « petit Conseil » des ministres du 11 octobre 1894, d'autres charges que celle du bordereau. Et qu'elles étaient constituées par des documents qui allaient composer tout un dossier secret [86] opposé à l'innocence de Dreyfus.

## L'implication de la Section de statistique

Le principe d'un dossier accablant contre le capitaine Dreyfus était ainsi en germe au ministère de la Guerre. Ce fut le général Mercier qui décida de « faire le dossier secret » – il le reconnut au procès de Rennes [87]. Et il chargea le colonel Sandherr de réunir les pièces qui accableraient le suspect au prix de toutes les manipulations. La Section de statistique n'avait pas été chargée directement de la phase secrète de l'instruction ni même, officiellement, de l'arrestation. Il faut probablement y voir une marque de défiance pour un service de renseignement qui avait accumulé les insuccès depuis plusieurs mois et qui n'avait pas été capable de fournir d'autres preuves que le bordereau lorsque Dreyfus fut suspecté. Le colonel Sandherr et ses agents voulurent alors réagir et satisfaire le ministre qui redoutait de plus en plus un désastre dans cette affaire. Ils allaient fournir à l'accusation des preuves certaines de la culpabilité de Dreyfus, à l'insu bien sûr de celui-ci, mais aussi de l'enquêteur principal, du Paty de Clam n'étant informé de l'existence du dossier secret qu'au mois de décembre 1894. Le principe était le suivant : puisqu'il était impossible de prouver autrement que par l'identité d'écriture que Dreyfus était l'auteur du bordereau, la Section de statistique décida de prouver que l'officier était un espion qui avait à son actif bien d'autres livraisons de documents à l'attaché militaire allemand, ces livraisons étant par ailleurs réelles. Le bordereau ne serait alors que la suite logique de cette activité qu'il serait en revanche possible de prouver à l'aide de preuves matérielles plus réelles. Cependant, comme pour le bordereau, elles émanaient en priorité de la « voie ordinaire ». Il n'était donc pas possible de les produire légalement devant un conseil de guerre. D'où la nécessité de constituer un « dossier secret ».

Mais dès lors que le secret protégeait ces preuves, dès lors que le dossier ne serait pas discuté de manière contradictoire, il devenait possible de manipuler des pièces voire d'en fabriquer de nouvelles. De la part des agents du contre-espionnage français, ces procédés étaient légitimes puisque Dreyfus avait été reconnu coupable par l'État-major et le ministre. C'était bien ce que le général de Boisdeffre déclara notamment à du Paty de Clam le 27 octobre 1894 et qu'il redit le 29, comme nous allons le voir. Les officiers de renseignement ne considéraient pas la gravité de leurs actes à la fois parce qu'ils étaient habitués à agir à la limite de la légalité ou dans l'illégalité pour la bonne cause (la « voie ordinaire » par exemple) ou pour des motifs troubles comme l'espionnage de la vie privée du gouverneur militaire de Paris, et en raison du dogme absolu de la culpabilité de Dreyfus. La constitution d'un premier dossier secret n'était une rupture ni dans les pratiques ni dans les pensées. Pour Marcel Thomas, les agents de la Section de statistique et leur chef obéissaient à un syllogisme unique : « Ce système peut se résumer en une série de propositions fort simples : il est avéré que les attachés militaires allemand et italien se livrent à l'espionnage ; depuis plusieurs mois, des "fuites" venues de l'État-major se produisent à leur bénéfice ; au printemps de 1894, des renseignements apportés de l'extérieur par une personnalité indépendante et digne de foi ont révélé que le responsable des fuites était un officier appartenant à l'État-major, et plus précisément au 2e bureau. Conclusion du syllogisme : le bordereau saisi à l'ambassade d'Allemagne émane du responsable des fuites. Les experts l'ayant attribué à Dreyfus, c'est Dreyfus qui depuis des mois communique à Schwartzkoppen les documents les plus secrets de l'État-major[88]. »

Sandherr et ses subordonnés ne perdirent pas de temps, raconta encore Marcel Thomas. « Leur entreprise avait commencé sitôt prononcé le nom de Dreyfus ; elle aboutira en novembre [1894] à la constitution du premier dossier secret, embryon de l'énorme amas de pièces vraies ou fausses où pataugeront, à partir de 1898, révisionnistes et antirévisionnistes. Le travail auquel se livra la Section de statistique a fort heureusement laissé assez de traces pour que l'on puisse aujourd'hui en reconstituer le processus, sans crainte d'erreur majeure. Une fois démontés les rouages du mécanisme assez diabolique qui fut ainsi monté contre Dreyfus, l'on comprendra mieux pourquoi le procès de 1894 fut plus tard considéré à l'État-major comme l'œuvre intangible de notre service de contre-espionnage que l'on aurait désorganisé, au grand dam de la sécurité du pays, si l'on avait divulgué ses méthodes de travail. On percevra aussi, croyons-nous, les motifs qui poussèrent les collaborateurs de Sandherr, et Henry au tout premier rang, à défendre obstinément, et par des procédés de moins en moins avouables, l'opération montée en commun par eux et par leur ancien chef[89]. »

L'adjoint du colonel Sandherr, le lieutenant-colonel Cordier, expliqua au procès de Rennes comment la Section de statistique s'y était prise pour constituer le dossier secret. La description qu'il en fit n'était pas à l'honneur du service, mais elle renseignait sur les pratiques de la guerre secrète :

Sandherr, un jour, a prescrit au commandant Henry de réunir toutes les pièces pouvant avoir trait directement ou indirectement à l'affaire en question. C'est ce que nous faisons absolument dans toutes les affaires d'espionnage. Il nous arrivait très souvent d'avoir des pièces que nous ne pouvions appliquer à personne... Il y avait telle chose. Qu'était-ce, nous n'en savions rien... Alors nous avions un certain nombre de pièces qui étaient pour ainsi dire en réserve, et à mesure qu'un fait se présentait, on voyait s'il y avait lieu de l'appliquer à la personne qui était poursuivie à ce moment-là, non pas dans le but de nuire à la personne en particulier, mais pour la recherche de la vérité. Or on a recherché tout ce qui pouvait intéresser l'affaire. Je me rappelle parfaitement les pièces qui ont été trouvées à ce moment-là. La première a été la pièce « Ce canaille de D... » Sandherr me dit : « Qu'est-ce que tu penses de cela ? » On a beaucoup parlé de cette pièce, que je voudrais tant revoir ; pour moi, à ce moment-là, c'était une antiquité, à tort ou à raison, je l'avais dans ma tête et je l'ai encore. J'ai dit à Sandherr : « Tout cela n'a pas l'air de signifier grand-chose, mais enfin il y a une initiale, on peut l'envoyer. » Et pour moi c'était à l'instruction que cela devait être porté. Puis nous avons examiné les autres pièces. C'étaient des choses sans importance, tout le *caput mortuum* de la section ; nous ne pouvions attribuer des morceaux de pièces secrètes et vous pensez bien qu'on n'arrive pas toujours à avoir des pièces entières, on en garde de petites bribes, de petits morceaux, dont on comprend le sens à moitié, et on comprend que d'autre pièces viennent vous fixer sur le sens. Eh bien, Sandherr a examiné à ce moment-là le monceau de pièces, on en a écarté, on a élagué, Sandherr a refait trois ou quatre fois le paquet, et en définitive il ne devait plus y rester grand-chose. En tout cas, il restait la pièce « Ce canaille de D... »[90].

## Le dossier secret

La pièce principale du dossier secret consistait donc dans la lettre du lieutenant-colonel von Schwartzkoppen au colonel Alessandro Panizzardi, récupérée grâce à la « voie ordinaire » au printemps de 1894 et qui prouvait la livraison des plans directeurs des places fortes de Nice. Puisque l'initiale correspondait à celle de Dreyfus, il fut décidé de retenir la pièce. Or Sandherr et ses subordonnés savaient que la pièce ne pouvait s'appliquer au capitaine Dreyfus puisqu'elle concernait un certain Dubois, un imprimeur qui fournissait des plans et des cartes topographiques que l'attaché militaire allemand ne pouvait trouver dans le commerce[91]. Cet espion de petite envergure, que Schwartzkoppen traitait avec mépris, avait été identifié par la Section de statistique. Le document ne pouvait donc être attribué à Dreyfus. Et s'il le fut, c'était par intention criminelle.

Le dossier secret intégra aussi un mémento rédigé par Schwartzkoppen. Enfin, une troisième pièce fut retenue, une lettre de Panizzardi à Schwartzkoppen. Elle n'attestait pourtant pas d'un acte de trahison et de l'activité d'un traître puisque l'ami en question de l'attaché militaire allemand était le colonel de Sancy avec qui il entretenait des relations connues et officielles, tout à fait classiques pour des attachés militaires étrangers que l'État-major informait de renseignements non confidentiels. « La question était si peu confidentielle, relève Marcel Thomas, qu'on retrouva au ministère la lettre que, le 4 février, Panizzardi avait officiellement envoyée à Davignon[92] ! » Cependant, la Section de statistique considéra que cette lettre pouvait être produite à charge de Dreyfus présenté comme « l'ami » du lieutenant-colonel von Schwartzkoppen. Après les multiples transformations dont témoigna Cordier, le dossier secret ainsi composé de trois pièces fut communiqué à la fin du mois de novembre au commandant du Paty de Clam alors que celui-ci n'était plus chargé de l'enquête criminelle sur Dreyfus. Mais il conservait un rôle occulte de premier plan dans l'instruction judiciaire officiellement conduite par le commandant d'Ormescheville.

Un autre ensemble devant incriminer Dreyfus était constitué par de faux rapports établis par l'agent Guénée. Ils concernaient les informations livrées par un agent de la Section de statistique, le deuxième attaché militaire de l'ambassade d'Espagne. Très francophile, marié à une Française d'origine levantine dont les deux frères étaient des officiers français, ce Grand d'Espagne renseignait le service, et particulièrement Guénée, sur les agissements des autres attachés militaires étrangers en poste à Paris. Guénée rédigea deux rapports sur la base des informations du marquis de Val Carlos et les adressa au ministre de la Guerre les 20 mars et 2 avril 1894[93]. Fin octobre, Guénée reprit ses rapports et y inséra des propos attribués à Val Carlos et qui révélaient qu'un officier français de l'État-major renseignait le lieutenant-colonel von Schwartzkoppen. Ces versions nouvelles, paraphées par le colonel Sandherr, vinrent prendre la place des rapports originaux.

*Le commentaire final*

Les quatre pièces composant le dossier secret furent cependant considérées comme insuffisantes. Le général Mercier voulut qu'un commentaire approprié les accompagnât. Il mobilisa pour ce faire le commandant du Paty de Clam. Ce dernier se retrouva ainsi une seconde fois au cœur de l'affaire, au début du mois de décembre, alors que l'instruction était achevée. Le colonel Sandherr le convoqua pour lui communiquer les trois pièces du dossier secret ainsi qu'un résumé des faux rapports de Guénée. Il lui demanda de rédiger un commentaire des documents en lui indiquant dans quelle direction analyser l'ensemble – l'officier le reconnut en justice[94]. Du Paty de Clam estima par la suite n'avoir servi que de « porte-plume » au chef de la Section de statistique. Ce commentaire, il l'aurait établi ainsi « sur l'ordre et avec la collaboration de Sandherr, par ordre du général Mercier[95] ». Le choix de cet officier par le ministre de la Guerre pouvait s'expliquer par la nécessité de ne pas impliquer directement la Section de statistique dans une entreprise de nature criminelle. Du Paty de Clam servirait de fusible dans le cas où la machination serait découverte. Tout ce plan fut pensé et exécuté par le ministre de la Guerre lui-même, comme celui-ci le révéla aisément au procès de Rennes : « C'est le colonel Sandherr qui a fait faire ce commentaire, il était peut-être de l'écriture de du Paty de Clam, mais c'est le colonel Sandherr qui en a été chargé et qui l'a remis. C'est un commentaire que j'avais fait faire dès le commencement du procès pour mon usage personnel, pour me rendre compte des charges qui pesaient sur Dreyfus [96]. »

Le commentaire que réalisèrent Sandherr et du Paty se présenta sous la forme d'une « note de trois ou quatre pages de grand format [97] » à laquelle étaient annexés les quatre documents de référence. Chacun d'entre eux était commenté dans le sens de la fonction qui lui avait été assignée lors de sa fabrication. Si bien que le texte reproduit la version élaborée par la Section de statistique. Le commandant du Paty de Clam remit l'original du commentaire au colonel Sandherr, tout en conservant par-devers lui le brouillon qu'il devait exhumer lors de la seconde révision ; écarté de la suite des opérations, il ignora la destination exacte de son travail. Une nouvelle version du commentaire fut alors mise au point par le ministre en personne et réalisée par le colonel Sandherr à la Section de statistique. Elle différait de la première par le fait que les pièces de référence étaient reproduites dans le corps du texte et non plus placées en annexe. Il semble par ailleurs que les faux rapports de Guénée aient été insérés dans leur intégralité. Le colonel Sandherr fit réaliser une copie du commentaire définitif à l'insu du général Mercier.

La version définitive du commentaire fut détruite après le procès de Dreyfus, comme nous le verrons à la fin de ce chapitre. Néanmoins, du Paty de Clam avait conservé son brouillon. Il l'avait gardé pour sa défense, expliqua-t-il en 1904 aux conseillers de la Cour de cassation qui l'interrogeaient pendant leur instruction [98]. Ceux-ci avaient été orientés dans leur recherche du commentaire par le capitaine Targe [99], aide de camp du ministre de la Guerre André et responsable à ce titre de l'enquête sur toutes les archives de l'Affaire au ministère. La Cour de cassation voulut vérifier si du Paty de Clam ne possédait pas lui-même une copie. Dans un premier temps, l'officier refusa de répondre. Le procureur général le somma de remettre ce document. L'officier persista dans son refus [100]. Puis, avisé des risques considérables qu'il prenait en s'opposant ainsi à la marche de la justice [101], il se résigna [102] et fournit une copie de sa copie, puis la pièce elle-même [103]. Le texte en est reproduit dans le réquisitoire écrit du procureur général de la Cour de cassation de 1906, ainsi que le rappel des conditions dans lesquelles il fut récupéré [104]. L'initiale A désignait l'attaché militaire allemand, le lieutenant-colonel von Schwartzkoppen, tandis que l'initiale B renvoyait à son homologue et complice italien, le colonel Panizzardi. Ce document est capital pour comprendre comment on condamne un innocent.

Note

Les papiers que possède la Section de statistique permettent d'établir :
1° qu'il y a eu des fuites au ministère ;
2° qu'elles se sont produites à l'État-major de l'armée ;
3° qu'elles ont eu lieu successivement dans les différents bureaux ;
4° pièces.

A. *Note mémento de A... (sans date).*
(Texte et traduction joints.)

*Commentaire.* – Mon correspondant m'inspire des doutes. Il me faut des preuves – par exemple : son brevet (?). Les relations directes sont bien compromettantes pour moi. – Éviter de négocier personnellement, comme je l'ai déjà fait ? ou avais l'intention de le faire, car « apporter ce qu'il possède » prouve qu'il aura des entrevues. (Comparer la lettre incriminée : sans nouvelles... me voir) « absolue »... (?) « secret » trop long : « puissance » peu compréhensible – (Douteux, réservé). – « N'ayons aucun rapport avec les corps de troupe. – N'attachons de valeur qu'à ce qui provient du ministère. »

*Résumé* : – 1° Un officier a fait des propositions de trahison à A... 2° Celui-ci se méfie ; il lui faut des garanties ; il ne négociera pas lui-même et se contentera de se faire apporter les documents. L'officier ne se nomme pas, puisque A... a des doutes sur son identité. 3° A... pose en principe : si c'est un officier de troupes, c'est inutile d'entrer en rapports [*sic*] ; si c'est un officier du ministère, alors seulement les documents ont de la valeur.

B. – *1re lettre de B... à A... écrite fin janvier 1894, probablement le 31.*
(Texte joint.)

*Commentaire.* – Il s'agit d'une question de mobilisation. Un officier appartenant ou ayant appartenu au 1er bureau de l'État-major est bien qualifié pour y répondre.

La lettre du colonel Davignon dont il est question ici est datée du 4 février. B... avait donc déjà écrit quand il a expédié la lettre ci-jointe. On ne peut faire que des conjectures sur l'interversion des dates de ces deux lettres. Peut-être B... aura-t-il réfléchi avant d'envoyer sa lettre au colonel Davignon et ne l'aura-t-il expédiée que quelques jours plus tard, après avoir parlé à A... Peu importe d'ailleurs, pour les conclusions à tirer.

Le colonel Davignon, alors chef du 2e bureau de l'État-major de l'armée, en l'absence du colonel de Sancy, était par cela même chargé dossier secret relations officielles avec les attachés militaires étrangers.

On craint que le colonel Davignon ne vienne à s'apercevoir que A... s'occupe de cette question avec son ami.

Son ami ne peut être que l'officier dénoncé par V... [marquis de Val Carlos] qui, au mois de mars 1894, a avisé secrètement notre service de renseignement que ses collègues allemand et italien (V... étant attaché espagnol) ont un officier à leur dévotion au 2e bureau de l'État-major de l'armée. Il tient des renseignements de (se reporter à l'original). Il a confirmé son dire devant témoin, tout récemment (note jointe D).

L'officier, ami de A..., doit être en relations assez suivies avec le colonel Davignon, pour que ce dernier soit en mesure de remarquer qu'il s'occupe d'une question ayant fait l'objet d'une correspondance officielle avec B... ; on est donc amené à conclure que l'ami de A... est un des collaborateurs habituels du colonel Davignon, qui, en dehors de l'absence du colonel de Sancy, s'occupait plus spécialement de la section allemande au 2ᵉ bureau.

*Résumé.* – 1° A..., en février dernier, a un ami initié aux travaux confidentiels du 1ᵉʳ bureau. Cet ami est, en ce moment, à la section allemande du 2ᵉ bureau.

*C.* – *2ᵉ lettre de B... à A... datée du 16 avril 1894.* (Texte joint.)

*Commentaire.* – L'absence annoncée rejette à la fin d'avril toute correspondance ultérieure sur le même objet. Fait à noter. Les plans directeurs sont en dépôt :

1° à la section des levées de précision du service géographique ;

2° (partiellement) au service du génie ;

3° (partiellement) à la section des places fortes au 1ᵉʳ bureau de l'État-major de l'armée.

Dès qu'on eut saisi la lettre ci-jointe, on ouvrit une enquête discrète au service géographique et au service du génie. Cette enquête n'aboutit pas. On omit de faire des recherches au 1ᵉʳ bureau de l'État-major de l'armée. Là les plans directeurs sont enfermés dans une pièce où ils sont dans une armoire, dont le mot de cadenas n'a pas été changé depuis le 1ᵉʳ juin 1893 jusqu'au 1ᵉʳ juillet 1894.

Ces plans n'étant pas consultés souvent, on n'a pu avoir que peu de renseignements sur la question de savoir si on a pu les retirer, sans qu'on le sache, pour les calquer ou les photographier.

L'initale D caractéristique peut désigner le capitaine Dr... qui avait travaillé pendant plusieurs semaines à la section des places fortes pendant son stage dans le 1ᵉʳ bureau.

Il y a donc (d'après la lettre) eu relations, puis brouille : l'auteur de la trahison cherche à renouer.

Il se peut donc que la lettre incriminée marque la fin de la brouille et que « ce canaille de D... » soit la même personne que l'auteur de ladite lettre incriminée.

*Résumé.* – 1° L'officier (ou la personne) qui a livré les plans directeurs de Nice, en avril 1894, peut avoir appartenu à la section des places fortes du 1ᵉʳ bureau puisque les plans s'y trouvaient.

2° Le nom du traître commence par un D.

3° Le personnage alors brouillé avec A... cherche à renouer avec lui.

*Conclusions générales.* – Les faits énumérés ci-dessus B. C. D. peuvent s'appliquer au capitaine Dr... Dans ce cas l'ami que A... a près du colonel Davignon, le D... qui a livré les plans de Nice, l'auteur de la lettre incriminée et le capitaine Dr... ne seraient qu'une seule et même personne [105].

La rédaction de ce commentaire tendrait à prouver qu'au début du mois de décembre 1894, lorsque fut connue la mise en jugement du capitaine Dreyfus, la décision avait été prise par le ministre de la Guerre, en accord avec les chefs de l'État-major et le colonel Sandherr, de communiquer secrètement le dossier secret aux juges du conseil de guerre. Car la réunion de ces pièces prétendument attribuées à Dreyfus aurait pu ne pas produire l'effet escompté auprès de magistrats non initiés. Il était donc indispensable de les accompagner d'un commentaire circonstancié.

## Un caractère monstrueux

Le commentaire du dossier secret renforçait le caractère d'intentionnalité de la conspiration ourdie au travers du dossier secret. En même temps, en imaginant que Dreyfus puisse être l'officier visé par les renseignements contenus dans les trois pièces, le ministre et ses adjoints démontraient son innocence : les agissements qu'ils lui attribuaient étaient strictement irréalisables. D'où, pour Picquart déposant devant la chambre criminelle de la Cour de cassation en 1905, ce caractère monstrueux du dossier secret et de son commentaire – qu'il pensait avoir été seulement rédigé par le commandant du Paty de Clam et le colonel Sandherr :

> Cela peut impressionner des officiers qui ne sont pas absolument au courant de ce qui se passe au ministère, qui ne savent pas ce que c'est que le 1er bureau, comment les dossiers des places fortes sont conservés à ce bureau ; mais c'est monstrueux aux yeux de quelqu'un qui connaît la maison. C'est pourquoi, lorsque j'ai vu ceci, j'ai eu un sentiment d'angoisse profonde, parce que je me suis dit que ce commentaire avait passé sous les yeux du général Gonse, du général de Boisdeffre et du ministre qui savaient parfaitement de quoi il retournait, et qu'il y avait là tout au moins une légèreté extraordinaire, quand il s'agissait de la liberté et de l'honneur d'un homme. Je le répète, cette partie concernant la discussion de la valeur de la pièce : « Ce canaille de D... » est monstrueuse.

Afin de bien démontrer les raisons de son indignation, Picquart étudia l'hypothèse selon laquelle Dreyfus serait retourné secrètement au 1er bureau pour y dérober les plans directeurs des places fortes de Nice, lesquels n'avaient de sens qu'accompagnés de leur « discours » et de cartes placés ailleurs dans le service.

> Eh bien ! imaginer qu'un officier qui veut livrer un plan ira prendre ce dossier dont on se sert tous les jours et qu'il s'exposera ainsi au risque d'être surpris, c'est déjà énorme ; mais penser cela d'un officier qui n'a pas appartenu depuis un an à ce bureau, penser qu'il se glissera dans ce bureau pour faire cette œuvre stupide, et qui le ferait découvrir, c'est impossible... Au moment où il aurait fait cela, Dreyfus était attaché au 2e bureau ; il n'appartenait plus au 1er bureau depuis un an. Donc Dreyfus aurait pénétré dans les locaux du 1er bureau, où sa présence aurait excité des soupçons ; il aurait ouvert des armoires secrètes ; il aurait été prendre un dossier dont on se servait tous les jours à ce moment-là ; le tout pour livrer un plan qui n'a pas une valeur énorme ? C'est absolument fou ou c'est complètement malhonnête d'imaginer cela, et vraiment je ne comprends pas que la chose ayant passé sous les yeux du sous-chef d'État-major, du chef d'État-major

et du ministre, ces officiers n'aient pas dit : « Halte-là, cela ne tient pas debout un seul instant, ce n'est pas possible »[106].

## La dépêche Panizzardi

De son côté, Maurice Paléologue, responsable de la section des « affaires réservées » et à ce titre chargé du versant diplomatique de l'affaire, avait reçu la traduction d'un télégramme chiffré que l'attaché militaire Panizzardi avait expédié au chef d'État-major général à Rome le 2 novembre 1894. La traduction complète fut adressée à la Section de statistique, sauf trois mots qui échappaient aux cryptographes. « Cependant, insista Paléologue, le sens du télégramme se laiss[a] apercevoir déjà : on serait presque fondé à conclure que Panizzardi n'était pas en relations avec Dreyfus[107]. » Contre cette évidence, les agents de la Section de statistique imaginèrent aussitôt que les trois mots manquants attestaient la trahison de l'officier. La traduction exacte fut établie huit jours plus tard par les services du chiffre du Quai d'Orsay. Elle était sans ambiguïté : « Il conviendrait de charger l'ambassadeur de publier un démenti officiel afin d'éviter les commentaires de la presse », disait le télégramme qui innocentait dès lors le capitaine Dreyfus puisque étaient démentis ses liens avec l'attaché militaire italien, complice du lieutenant-colonel von Schwartzkoppen[108]. Mais le commandant Henry avait entre-temps imaginé les mots manquants, et sa version s'imposa au sein du ministère de la Guerre : « Dreyfus arrêté, précautions prises, notre émissaire prévenu. » Au procès de Rennes, Paléologue a affirmé que jamais, ni de près ni de loin, cette version n'avait été admise, même à titre de supposition[109].

Le faux fabriqué par Henry prit place comme une preuve supplémentaire de la culpabilité de Dreyfus. C'est en ces termes que le colonel Sandherr aborda le général de Boisdeffre lors du premier entretien qu'eurent les deux hommes au sujet de ce télégramme[110]. Le général Mercier avait pourtant reçu du Quai d'Orsay la traduction exacte. Il l'écarta en estimant qu'elle relevait d'une falsification selon la logique qui a été définie en 1906 par le procureur général de la Cour de cassation : « Son collègue des Affaires étrangères a été effrayé à la pensée des incidents diplomatiques que pouvait déchaîner la production en justice de la dépêche avec sa véritable traduction ; il n'a pas hésité à en altérer le texte et à tromper ainsi l'administration de la Guerre. Mais aucune démarche n'est faite, aucune recherche n'est prescrite pour vérifier si cette supposition singulière est exacte ou même vraisemblable. Le colonel Sandherr ne présente aucune observation lorsque la nouvelle traduction lui est remise ; il l'accepte sans élever la moindre objection. Le général Mercier ne tient pas davantage à s'éclairer auprès de son collègue, M. Hanotaux ; il ne sollicite de lui ni entretien ni explications. On ne veut même pas examiner si la nouvelle traduction répond au but qui lui aurait donné naissance et est de nature à calmer les inquiétudes supposées de notre diplomatie. La dernière version peut être interprétée favorablement pour l'accusé ; il n'en faut pas davantage pour que le général Mercier la considère comme falsifiée et lui oppose la version préalable. C'est une vérité qui s'impose à lui comme un axiome et qu'on n'a pas à discuter [111].» Les intentions prêtées par Mercier à son homologue des Affaires étrangères et la poursuite des agissements hostiles des services de renseignement déclenchera en 1899 une véritable guerre des ministères que remporta le nouveau titulaire du Quai d'Orsay, Théophile Delcassé.

En 1894, une preuve décisive de l'innocence du capitaine n'avait pas été seulement soustraite au dossier d'accusation. Elle avait été également falsifiée par la Section de statistique, certifiée par l'État-major et utilisée par le ministre de la Guerre contre l'accusé. C'est ainsi qu'au cœur des machinations dirigées contre Dreyfus résidait son innocence. D'où la nécessité ici de les reconstituer et d'en apprécier le caractère de danger absolu pour les libertés démocratiques.

*Un rapport insoutenable*

Le commandant d'Ormescheville, qui relevait du gouvernement militaire de Paris, ignorait ce qui se tramait au ministère de la Guerre. En revanche, le commandant du Paty de Clam intervint fréquemment dans le cours de l'instruction pendant le mois qu'elle dura. Celui-ci se rendait tous les soirs au greffe du conseil de guerre pour y rencontrer d'Ormescheville et le commissaire du gouvernement. Selon le commandant Picquart, du Paty de Clam « n'a pas cessé un instant de s'occuper de cette instruction ». Il s'étonna de voir le commandant d'Ormescheville venir régulièrement au ministère de la Guerre durant le temps de l'instruction, vraisemblablement pour rencontrer du Paty de Clam. L'ancien responsable de l'enquête secrète ne se cache pas, auprès de ses collègues du 3e bureau, de son rôle dans la marche de l'instruction [112]. Il est si présent dans l'accusation qu'un membre du parquet militaire finira par s'écrier : « Mais si le capitaine Dreyfus n'est pas le coupable, c'est lui le coupable [113] ! »

Remis le 3 décembre 1894, le rapport d'instruction qui allait constituer pour la justice militaire l'acte d'accusation s'inscrivait dans la lignée du rapport de du Paty et saluait la qualité de l'enquête de ce dernier, considérant que « c'est sans aucune précipitation et surtout sans viser personne *a priori* que l'enquête a été conduite [114] ». Cette dernière appréciation est pourtant difficilement soutenable. Le rapport reproduisait ainsi l'argumentation de l'État-major contre le capitaine Dreyfus. Son profil militaire est suspect, en raison de son comportement dans le service et parce que sa moralité inquiétante autant que son patriotisme douteux constituent autant de mobiles à la trahison.

Le rapport n'appartenait pas à proprement parler à la haute conspiration que développaient au même moment le ministre de la Guerre et ses adjoints. Il s'agissait de respecter les apparences judiciaires. Mais le rapport de d'Ormescheville participait du même esprit qui consistait à transformer le capitaine Dreyfus, innocent du crime qu'on lui attribuait, en parfait coupable. Pour ce faire, les faits les plus insignifiants étaient retenus contre lui tandis que les éléments à décharge étaient récusés. Toute l'histoire personnelle de l'officier était réinterprétée en fonction de la thèse de sa culpabilité. La présomption d'innocence disparaissait totalement, et le rapport démontrait dans son ensemble une volonté d'acharnement très exceptionnelle. Il procédait d'une forme d'imagination obsessionnelle, produit d'une autosuggestion collective qui effaçait toute possibilité d'une enquête contradictoire. Le rapport voyait dans les éléments à décharge le résultat unique des manœuvres de l'intéressé ou des solidarités juives. Si ce dernier argument n'était pas clairement affiché, le propos était cependant transparent.

Les aberrations du rapport de d'Ormescheville, qui allaient être par la suite si vivement relevées, ne posèrent pas de problèmes au gouverneur militaire de Paris. D'après différents témoignages dont celui du président de la République lui-même relayé par Maurice Paléologue, – un diplomate détaché auprès du ministre des Affaires étrangères pour s'occuper de cette affaire –, le général Saussier estimait Dreyfus innocent. Il aurait déclaré à Casimir-Perier, au cours d'une chasse dans les tirés de Marly : « Dreyfus n'est pas coupable. Cet imbécile de Mercier s'est mis, encore une fois, le doigt dans l'œil ! » Paléologue objecta au président de la République dont il recueillait le témoignage : « Alors, pourquoi le généralissime envoie-t-il Dreyfus devant le conseil de guerre ? – C'est précisément ce que je lui ai fait observer ; mais il m'a répondu : "Le rapport du juge instructeur ne me permettait pas d'agir autrement. D'ailleurs qu'importe ? Le conseil de guerre décidera[115]." » Saussier accordait ainsi une grande confiance à la justice dont il était le responsable à Paris. Mais lui-même, en avalisant le rapport de d'Ormescheville qu'il aurait pu récuser en raison de l'absence de preuves sérieuses de la culpabilité de Dreyfus, donnait une injonction aux juges qui allaient être chargés de le juger.

*La suspicion des experts*

Avant même d'être attaqué par le président du conseil de guerre, l'expert Alfred Gobert fut l'objet d'un véritable réquisitoire dans le rapport de d'Ormescheville. L'objectif visé consistait à discréditer par tous les moyens ses conclusions favorables à Dreyfus. Premier point, « la manière d'agir de M. Gobert [qui aurait] inspiré une certaine défiance » amenant le ministre de la Guerre à faire appel à un « fonctionnaire » de la préfecture de police, Alphonse Bertillon. Second point, un soupçon direct sur son impartialité en raison de la nature d'une des pièces de comparaison, un travail du capitaine Dreyfus intitulé *Études sur les mesures à prendre en temps de guerre pour faire face aux dépenses.* Or, écrivait le commandant d'Ormescheville, « ce document, qui comporte un exposé détaillé des ressources de la Banque de France en cas de guerre, attira forcément beaucoup l'attention de M. Gobert, en raison de ce qu'il a été employé à la Banque de France et qu'il en est aujourd'hui l'expert en écritures ». D'Ormescheville se lançait alors dans un développement qui doit être cité ici pour montrer l'esprit dans lequel l'instruction fut réalisée et le type d'argumentation qui domina le magistrat instructeur : « Le capitaine Dreyfus ayant dû, pour faire son travail, consulter le haut personnel de la Banque de France, sa présence dans l'établissement a forcément été connue d'un certain nombre d'employés. C'est même sans doute ce fait qui a mené M. Gobert à nous répondre dans son interrogatoire qu'il avait pressenti le nom de la personne incriminée [116]. » Le commandant d'Ormescheville imagina même une complicité entre les deux hommes *via* la Banque de France, une institution financière et donc, pour le sens commun des antisémites, un lieu de l'influence juive. Cette thèse ridicule, que Dreyfus et ses défenseurs mirent en pièces au procès de Rennes et devant la Cour de cassation, avait été défendue en premier lieu par le général Mercier comme celui-ci l'indiqua froidement au procès de Rennes [117].

Les qualités de professionnalisme et d'impartialité d'Alfred Gobert étaient retournées contre lui. Sa demande de l'identité de la personne incriminée, sa requête pour un délai supplémentaire, son indépendance statutaire – au contraire d'Alphonse Bertillon – étaient jugées au mieux suspectes, au pire menaçantes. Cette entreprise de délégitimation de l'expert fut caractéristique du fonctionnement de la conspiration contre le capitaine Dreyfus qui associait des procédures exorbitantes – la fabrication de faux documents, la production de faux témoignages – avec une multitude de faits comparables visant à étouffer les preuves de son innocence. L'enjeu était double, en effet. Il ne suffisait pas pour les accusateurs de Dreyfus de prouver sa culpabilité au moyen d'armes massives, il convenait aussi d'éliminer toute trace d'innocence qui pourrait fragiliser le système d'accusation. De telles méthodes allaient finalement détruire le but recherché. La révélation du rapport de d'Ormescheville suscita une réprobation unanime de l'élite intellectuelle et judiciaire de la France et du monde lorsqu'il fut connu par sa publication intégrale dans *Le Siècle* du 7 janvier 1898.

Alfred Gobert refusa d'accepter de pareilles agressions contre son honneur d'expert. Il protestera à plusieurs reprises, et de manière très énergique, contre des procédés indignes de toute justice. Dès qu'il apprit sa mise à l'écart de l'enquête et son remplacement par Bertillon [118], il fut hanté par ce qu'il avait découvert, la mise en accusation inexorable d'un innocent et l'étouffement de la vérité. Au procès Zola, il fut interdit de déposition par le président de la cour d'assises en raison du huis clos décrété au procès de Dreyfus [119]. Alors, le 1er mars 1898, il prit la décision de rédiger la « déposition que fera l'expert

Gobert, au sujet de l'affaire Dreyfus soit devant le conseil de guerre révisant le procès, soit devant toute autre juridiction appelée à en connaître ». Il estimait « ne devoir parler que devant la justice ». « C'est ce que je fais aujourd'hui », ajouta-t-il en donnant à son témoignage une forme très solennelle. Il commença par évoquer la rencontre de deux hommes, le 23 décembre 1894, dans les galeries du palais de justice de Paris. « Sous l'impression de la même pensée et comme obsédés de la même idée, ils attestèrent l'un à l'autre et en même temps s'écrièrent : "Ils ont condamné un innocent." » Il s'agissait de lui-même et de Pelletier qui lui apprit « avoir été traité "comme un accusé". Quelle singulière méthode judiciaire ! Je peux affirmer que, depuis près de trente ans que j'exerce ma profession devant la magistrature civile, je n'ai jamais vu chose pareille ; jamais je n'ai été l'objet d'un blâme ni d'aucun reproche au sujet des missions remplies. » Il indiqua avoir été accablé de reproches par du Paty de Clam qui finit par lui dire : « J'avais si bien brouillé tout ça que j'espérais qu'on n'y reconnaîtrait rien ! » Quant aux réactions à sa déposition en faveur de Dreyfus, elles furent indignes et il ne voulut pas les laisser sans protestations : « Je veux, par respect pour ce grand nom de "justice", taire mon ressentiment à l'égard du conseil de guerre. J'y ai été odieusement malmené. [...] J'ai quitté le conseil de guerre sous l'impression la plus poignante, avec la conviction qu'une grande faute judiciaire allait se commettre, que rien ne saurait l'arrêter et qu'avant peu l'affaire Dreyfus ferait parler d'elle. » Alfred Gobert revenait une dernière fois sur le sort de Dreyfus qu'il avait croisé de si près avec l'expertise du bordereau et pour qui il n'avait rien pu : « C'est [...] sur cette pièce, sur une simple et banale ressemblance d'écriture, qu'il a été condamné [120]. »

Ainsi, sur des hommes que la menace n'effrayait point, l'entreprise d'élimination ne fonctionna-t-elle que le temps d'un procès. Leur détermination à défendre leur honneur correspondait à une certaine idée de la justice. Le second expert, Eugène Pelletier, se retrouva dans un cas assez similaire à celui de Gobert. Une tentative pour jeter le discrédit sur son expertise eut lieu également, que résuma le général Mercier au procès de Rennes : « M. Pelletier refusa de se servir des lettres que lui offrait M. Bertillon. [...] M. Pelletier, en outre, eut une petite histoire qui me mit un peu en défiance contre lui ; se trouvant appelé en même temps à deux réunions qui devaient avoir lieu l'une pour des expertises et une autre pour je ne sais quelle affaire judiciaire, il écrivit à chacune des deux réunions qu'étant obligé de se trouver à l'autre, il ne pouvait pas se trouver à celle dans laquelle sa présence était indispensable à l'audience. Cela me mit en défiance contre lui, de sorte que, quand il conclut contre l'identité du capitaine Dreyfus avec celle du bordereau, son témoignage nous parut un peu suspect [121]. » Manuel Baudouin, le procureur général de la Cour de cassation responsable de la seconde révision, insista sur le sort parallèle des deux experts dont les conclusions étaient contraires à l'accusation. Son enquête permit d'écarter les soupçons que le général Mercier avait voulu faire peser sur leur intégrité. « M. Pelletier s'est vu aussitôt mettre en suspicion par l'État-major, attaqué de la même façon que M. Gobert. Tout lui est imputé à crime : et le fait qu'appelé à donner en conscience son avis, il n'a pas voulu travailler avec M. Bertillon dont il savait l'opinion préconçue ; et le fait qu'appelé en même temps à l'instruction et à la cour d'assises, il s'est rendu devant cette dernière, dont l'audience ne pouvait se remettre. Tout lui est reproché avec la plus extrême vivacité, et suffit à éliminer son témoignage qui était plus gênant et ne répondait pas à ce qu'on voulait de lui [122]. »

Le sort des deux experts refusant les pressions et démontrant l'innocence de Dreyfus illustra l'implication permanente du ministre de la Guerre dès les débuts de l'instruction. Il montra aussi combien le conseil de guerre adopta la règle d'agression des experts non partisans. La manipulation de la justice fut complète dans le procès de Dreyfus. Cette manipulation découlait de la fragilité des règles de procédure de la justice militaire et de l'existence d'un dossier secret qui pourrait emporter la conviction des juges. Car il n'était pas possible de faire condamner en connaissance de cause un innocent. L'état des principes démocratiques l'interdisait. Il fallait respecter la fiction juridique. Le crime d'État s'accompagna en conséquence d'un crime judiciaire dans la mesure où le dossier secret et tout ce qui l'entoura servirent à manipuler la justice et à l'amener à condamner un innocent.

Le crime d'État présentait une double gravité. Par les méthodes employées, le dossier secret, et par le but recherché, la transformation d'un innocent en coupable. N'envisager que les méthodes serait en effet insuffisant pour le caractériser. Toute machination n'implique pas nécessairement que la victime soit absolument innocente de toute charge. Dans ce cas-ci, elle était innocente. Les bureaux de l'État-major, le ministre de la Guerre, les services secrets ne pouvaient l'ignorer. Ils ont sciemment fabriqué un coupable et puis l'ont fait condamner par une cour de justice de la République, « au nom du peuple français ».

## L'INNOCENCE DE DREYFUS

On le sait, et des exemples dans l'histoire judiciaire l'ont montré [123], une machination policière et judiciaire contre un accusé ne prouve pas automatiquement son innocence. On a vu déjà, cependant, que la conspiration dirigée contre le capitaine Dreyfus avait eu pour objectif d'étouffer les preuves matérielles de son innocence comme ce fut le cas, par exemple, avec la fausse traduction du télégramme de Panizzardi du 2 novembre 1894 [124]. Mais l'innocence de Dreyfus doit se valider encore par sa non-implication absolue dans l'affaire de la haute trahison et par l'existence pour ce crime d'un coupable avéré et reconnu, le commandant Walsin-Esterhazy. Ces deux éléments capitaux ont été établis par les différentes instructions de la Cour de cassation qui s'appuyèrent, surtout la seconde, sur tous les documents et tous les témoignages produits au cours de l'affaire Dreyfus. Ils furent révélés, avant même ce travail de la justice, par les recherches des dreyfusards et par l'enquête du commandant Picquart nommé à la tête des service de renseignement le 1er juillet 1895.

*Les preuves de l'innocence*

L'innocence du capitaine Dreyfus a d'abord été manifestée par ses propres déclarations, inlassablement réitérées oralement ou par écrit depuis le jour de son arrestation. Dreyfus ne varie pas sur ce principe et dans sa détermination. Toute son énergie, tout son avenir, furent voués à ce but ultime, établir son innocence. Alors que, le matin de son arrestation, le commandant du Paty de Clam avait laissé bien en évidence un revolver, il s'écria : « Je ne me tue pas, parce que je suis innocent [125]. » « Non, je ne veux pas me tuer, parce que je veux vivre pour établir mon innocence [126]. »

Son innocence a été prouvée par la nécessité qu'ont eue ses accusateurs de fabriquer sa culpabilité en lui attribuant contre toute évidence la paternité du bordereau, en fabriquant un dossier secret composé de pièces mensongères ou manipulées, en inventant des mobiles et des aveux, en réalisant contre lui des faux caractérisés, en les authentifiant et en les utilisant à plusieurs reprises pour empêcher la révélation de la vérité. Cette innocence a été démontrée par l'enquête du commandant Picquart qui commença en mars 1896 avec l'interception d'un nouveau document relatif à la haute trahison pour laquelle Dreyfus avait été condamné, preuve que son véritable auteur poursuivait ses activités. Grâce à des recherches cette fois méthodiques, le nouveau chef de la Section de statistique découvrit son identité. Il s'agissait, comme nous le verrons, du commandant d'infanterie Walsin-Esterhazy. Bien qu'acquitté le 11 janvier 1898 par un conseil de guerre, l'officier a été convaincu de culpabilité au cours du procès Zola qui suivit « J'accuse... ! » du 7 au 23 février 1898, puis dans le cadre de la première révision de la Cour de cassation qui déboucha sur l'arrêt du 3 juin 1899. L'arrêt du 12 juillet 1906 concluant la seconde révision de la Cour de cassation agit de même en liant l'innocence du capitaine Dreyfus à la culpabilité démontrée du commandant Esterhazy. Dès 1896, Picquart était parvenu à innocenter Dreyfus en enquêtant sur Esterhazy. Il ne pouvait y avoir dans cette affaire deux coupables : la culpabilité de Dreyfus excluait celle d'Esterhazy et *vice versa*. Or, comme aucune preuve ne venait soutenir celle du premier et que celles accablant le second étaient nombreuses, l'innocence de Dreyfus était démontrée.

Dreyfus lui-même comprit, à l'issue de sa condamnation et de sa dégradation qui marquait le début des peines, que son seul espoir résidait dans la découverte du coupable. Il évoquait dès le 6 janvier 1895 « les recherches pour trouver le coupable ». Il pressentait qu'elles seraient « longues et minutieuses ». Mais il voulait croire dans l'aboutissement des « recherches combinées de toute [sa] famille[127] ». En parallèle, la révélation de la conspiration ayant permis sa condamnation contribua à lui rendre son innocence. Ce travail prit la forme des nombreuses expertises et études dreyfusardes qui détruisirent les charges portées contre Dreyfus, démontrèrent les machinations développées contre lui et conduisirent, parallèlement à la justice civile, de vastes enquêtes concordantes.

L'innocence de Dreyfus fut attestée enfin par les puissances allemande et italienne et par leurs représentants qui déclarèrent n'avoir jamais eu un agent du nom d'Alfred Dreyfus. Certes, les autorités allemandes ne révélèrent jamais l'identité de leur espion. Elles commirent à cet égard une faute morale puisque cet aveu avait consenti le moyen imparable d'innocenter Dreyfus. Les conséquences techniques d'une telle révélation auraient été de toute manière insignifiantes, les Français ayant découvert l'opération d'espionnage. Et celle-ci ne portait que sur des informations très médiocres, les seules auxquelles Esterhazy pouvait accéder. Ce silence maintenu pendant toute l'Affaire hanta par la suite le premier intéressé, le lieutenant-colonel von Schwartzkoppen. Il s'en ouvrit dans ses *Carnets* publiés après sa mort. L'Allemagne n'a toujours pas réglé la question de son passé.

*Les déclarations allemandes*

Si les autorités allemandes n'allèrent pas jusqu'à révéler le nom du véritable espion, elles affirmèrent à plusieurs reprises, et dès le début de l'Affaire, qu'elles n'avaient aucun lien avec le capitaine Dreyfus. Plusieurs déclarations du gouvernement de Berlin vinrent attester que l'officier français n'avait jamais travaillé pour l'Allemagne. L'opinion publique française et les responsables politiques virent dans ces assurances la preuve inverse, celle que l'Allemagne protégeait son agent. Pourtant, sur ce plan, elle était de bonne foi. Le 26 décembre 1894, l'ambassadeur, le comte de Munster, fit insérer une note dans *Le Figaro* : « Jamais l'ambassade n'a eu le moindre rapport, soit direct, soit indirect, avec le capitaine Dreyfus. Aucune pièce émanant de lui n'a été volée à l'ambassade, aucune démarche n'a été faite pour le huis clos du procès. » Le jour de la dégradation, il transmit au président du Conseil la dépêche du chancelier allemand Hohenlohe[128]. Au vu de cette dépêche, et parce que Casimir-Perier s'impatientait d'avoir été mis en partie à l'écart de cette affaire, Gabriel Hanotaux décida de rentrer de la Côte-d'Azur pour s'expliquer avec l'ambassadeur d'Allemagne. Mais l'entrevue eut lieu avec le président de la République lui-même, le 6 janvier 1895. L'ambassadeur, désireux de ne pas envenimer les relations entre les deux pays, et Casimir-Perier, soucieux d'apaisement, trouvèrent un terrain d'entente diplomatique qui sacrifiait le sort de Dreyfus. Munster n'insista pas pour le défendre et attester qu'il était innocent du crime de trahison dont on l'accusait. Une note que diffuserait l'agence Havas fut proposée au diplomate qui télégraphia à Berlin. Le texte en fut accepté, et la note fut publiée par les journaux le 9 janvier au soir : « À la suite de la condamnation de l'ex-capitaine Dreyfus par le conseil de guerre, certains journaux continuant à mettre en cause les ambassades étrangères à Paris, nous sommes autorisés, pour empêcher l'opinion de s'égarer, à rappeler la note communiquée à cet égard dès le 30 novembre 1894 [129]. »

L'Allemagne était nettement moins de bonne foi lorsqu'elle décida de ne rien révéler de la culpabilité d'Esterhazy, moyen décisif de prouver l'innocence de Dreyfus. « Nous savons aujourd'hui par le prince Bülow lui-même, ce qui les inspirait », écrivit le philosophe Lévy-Bruhl, ce cousin par alliance de Dreyfus qui fut l'un de ses premiers défenseurs, préfacier en 1930 des *Carnets* de l'ancien lieutenant-colonel von Schwartzkoppen. Il poursuivit : l'idée qu'il était préférable, dans l'intérêt de l'Allemagne, de laisser l'"Affaire" s'envenimer toujours davantage, diviser le pays, et démoraliser l'armée. » Lévy-Bruhl estimait à juste titre que le calcul était « peu honorable » et qu'il s'était de surcroît « trouvé faux [130] ». Cette attitude causa à l'époque du procès de Rennes, de profonds troubles de conscience chez l'ambassadeur d'Allemagne et chez Maximilien von Schwartzkoppen. Cependant, il est juste de préciser que même si Berlin avait autorisé la production de leur témoignage, celui-ci aurait été repoussé par la cour au nom d'une conception rigide et dogmatique de l'intérêt national. Il était considéré comme infamant qu'un pays étranger pût se mêler d'une affaire française. Le 20 mai 1901, l'ambassadeur en retraite Munster réagit aux questions que Joseph Reinach lui avait adressées. Il invoqua le secret professionnel qui lui interdisait de répondre. Par ailleurs, il rappelait qu'il n'avait pas permis l'espionnage dans son ambassade et que Schwartzkoppen l'avait laissé dans la complète ignorance de ses activités et de ses relations avec Esterhazy. Il attesta néanmoins de faits essentiels concernant le capitaine Dreyfus.

« Lorsque l'affaire Dreyfus a éclaté, j'ai demandé à Schwartzkoppen s'il savait quoi que ce soit sur Dreyfus, il m'assura de la manière la plus positive qu'il n'avait point eu de relations avec lui. J'ai fait écrire au ministère de la Guerre, et à l'État-major à Berlin, et j'ai eu la réponse que l'officier Dreyfus n'était pas connu et que nos autorités n'avaient jamais eu de relations avec lui. C'est à la suite de ces déclarations formelles que j'ai eu les conversations avec le président Casimir-Perier et M. Dupuy que vous connaissez [131]. »

L'attitude des autorités allemandes était compliquée en effet par cette situation d'un ambassadeur ignorant tout des activités d'espionnage de son attaché militaire. Il fallut attendre 1930 et la publication des *Carnets* de Schwartzkoppen pour disposer d'un document écrit de première main sur la culpabilité d'Esterhazy. Ce livre exprimait aussi les remords de l'ancien attaché militaire, décédé en 1917, pour son attitude dans l'affaire Dreyfus et l'impossibilité où il fut d'aider l'officier innocent. Avant la publication du bordereau par *Le Matin* le 10 novembre 1896, Schwartzkoppen ne pouvait rien comprendre de ce qui se passait et des responsabilités que la France voulait imputer à l'Allemagne dans cette affaire. Avec la divulgation du bordereau par la presse parisienne le 10 novembre 1896, les choses changèrent, et Schwartzkoppen découvrit la méprise des Français. « C'est pour la trahison commise par Esterhazy que le conseil de guerre a condamné Dreyfus, écrivit Lucien Lévy-Bruhl. La vérité se fait jour déjà, et il sera bientôt impossible d'y résister ! Les événements se précipitent [...]. Le gouvernement allemand et Schwartzkoppen lui-même ne sont plus, comme en 1894, en dehors de la scène, spectateurs intrigués et vaguement ennuyés. Dans cette affaire Esterhazy, bon gré mal gré, ils sont engagés, et à fond. Au premier plan est maintenant Schwartzkoppen. Tous les yeux sont fixés sur lui. Qu'il parle seulement : les menteurs seront confondus, la justice éclairée, Picquart sauvé et l'innocence de Dreyfus établie ! Même des voix allemandes se mêlent au chœur [132]. » Mais Schwartzkoppen avait conservé le silence par ordre de ses supérieurs. Il savait pourtant Dreyfus parfaitement innocent et connaissait l'identité de l'homme qui avait écrit le bordereau, comme l'étendue de ses agissements pour le compte de l'Allemagne. C'est ce qui ressort parfaitement de la publication de ses *Carnets,* solidement établie par un archiviste du ministère des Affaires étrangères.

Après la fin de la Première Guerre mondiale, cet archiviste, Bernhardt Schwertfeger avait en effet envisagé d'écrire un livre sur l'affaire Dreyfus en utilisant les documents diplomatiques allemands. Ceux-ci furent en partie édités en 1923 dans le volume IX de la série *La Grande Politique des cabinets européens 1871-1914,* et en 1924 dans le volume XIII. Bernard Schwertfeger renonça, accaparé par la réalisation de l'index-guide des documents du ministère des Affaires étrangères. En 1929, une pièce de théâtre de Hans J. Rehfisch et Wilhelm Herzog, *L'Affaire Dreyfus,* fut présentée dans de nombreuses salles allemandes. Elle « attira à nouveau l'attention générale sur le grand scandale judiciaire français [133] ». L'année suivante, deux livres parurent à Berlin, le *Dreyfus* de Walther Steinthal et la monographie de Bruno Weil, *Le Procès du capitaine Dreyfus.* Avant de publier son livre, cet avocat berlinois d'origine juive avait fait plusieurs conférences sur le sujet dans des villes allemandes. À l'entrée « Ambassadeur et attaché militaire » des *Europaïsche Gesprache* de Hambourg, Freidrich Thimme présenta de manière favorable le comportement de l'attaché militaire à Paris durant l'affaire Dreyfus. La veuve du général Maximilien von Schwartzkoppen, mort en janvier 1917 des suites d'une maladie contractée sur le front de l'Est, décida alors de confier à Bernard Schwertfeger l'édition posthume des papiers de son mari se rapportant à l'affaire Dreyfus. L'ancien attaché militaire à Paris avait même eu l'intention de publier un livre auquel il voulait donner le titre de *La Vérité sur l'affaire Dreyfus*. Schwertfeger décida de les publier en 1930.

Les souvenirs de l'affaire Dreyfus ont hanté le général jusqu'au seuil de sa mort. Après son retour du front de l'Est au mois de décembre 1916, un jour qu'il se trouvait gravement malade à l'hôpital Elisabeth à Berlin – un des derniers jours de l'année –, le général, qui gisait sans connaissance sur son lit, se mit brusquement sur son séant et – ainsi qu'en témoigne sa veuve qui demeurait auprès de lui et qui recueillit les paroles du mourant – s'écria à pleine voix : « Français ! écoutez-moi ! Alfred Dreyfus est innocent ! Il n'a rien fait ! Tout n'était que faux et mensonges ! Dreyfus est innocent ! » Après ces mots, que sa femme nota immédiatement par écrit, il prononça encore plusieurs phrases en français, comme s'il s'exprimait devant le tribunal.

Rédigés autour de 1903, les *Carnets* de l'ancien attaché militaire allemand racontaient en détail la trahison d'Esterhazy et l'innocence de Dreyfus, que du Paty de Clam et ses supérieurs connaissaient, selon lui. « Mais ils avaient cru – dans l'intérêt du pays et de l'armée – ne pas devoir avouer qu'une action malheureuse, hâtive, illégale et funeste avait été commise, qu'on avait affaire à une confusion malheureuse, que Dreyfus était innocent ! Les mesures qui ont été prises alors par du Paty de Clam et ses acolytes pour justifier cet assassinat juridique étaient tellement monstrueuses et tellement étranges que je doute qu'elles se soient jamais rencontrées dans les annales de la justice. Il faut espérer qu'elles ne s'y rencontreront plus jamais [134] ! »

Cependant, l'espionnage du commandant Esterhazy, que l'Allemagne s'obstina à garder secret, fut prouvé dès 1896. Jusqu'à son acquittement par un conseil de guerre le 11 janvier 1898, la reconnaissance judiciaire de l'innocence de Dreyfus par la révision de son procès paraissait possible. Ensuite, elle dut suivre des chemins beaucoup plus difficiles et périlleux mais dont le bénéfice fut essentiel en permettant de réhabiliter le condamné et en révélant l'ampleur des machinations montées contre lui.

## Esterhazy coupable

Les preuves de l'innocence du capitaine Dreyfus résidaient en effet dans le fait, capital, que l'auteur du bordereau existait et qu'il fut identifié de manière officielle. Il s'agissait du commandant Marie-Charles-Ferdinand Walsin-Esterhazy, officier de lointaine origine austro-hongroise, soldat médiocre, né le 26 décembre 1847 [135]. Personnage sans scrupule, mythomane et fantasque, non dénué de panache voire d'honneur selon son biographe, il s'inventa des titres, des campagnes et des victoires, les premières datant de la guerre de 1870 durant laquelle il combattit dans l'armée de la Loire. Il y était entré comme sous-lieutenant, il termina capitaine, mais la commission des grades le ramena en 1871 au point de départ. Il en conçut un profond ressentiment qui put expliquer la facilité avec laquelle il décida de se mettre au service de l'attaché militaire allemand le 20 juillet 1894. La ruine financière constitua aussi un mobile dans sa décision de servir l'Allemagne. Ne disposant d'aucune fortune personnelle et menant une existence parisienne très ostentatoire – il possédait ses propres chevaux et fréquentaient de nombreux salons –, il connut rapidement des problèmes d'argent qu'il surmonta par de multiples subterfuges. Il emprunta de fortes sommes (notamment auprès d'une parente éloignée, Mme de Boulancy), joua en Bourse, détourna des fonds qui lui avaient été confiés par des membres de sa famille, épuisa la dot de sa femme, abusa de la situation financière des ses maîtresses lorsque l'occasion se présentait. Sa carrière dans l'armée française fut des plus désastreuses, en raison d'une santé fragile mais surtout de comportements désinvoltes ou franchement indisciplinés.

Comme lieutenant, il fut détaché à Paris, s'occupa de la rédaction du *Bulletin de la réunion des officiers* qui publiait de nombreux articles techniques, des études historiques et des comptes rendus d'ouvrages français et surtout étrangers. En février 1877, il obtint une affectation à la Section de statistique en qualité de traducteur d'allemand, langue qu'il maîtrisait. En décembre de la même année arrivait au service le capitaine Joseph Henry. Passé capitaine en 1880, Esterhazy partit faire la campagne de Tunisie déclenchée un an plus tard. Mais, il fut rappelé en février 1884 de Tunisie – où il était affecté au service des renseignements militaires – en raison d'un vif conflit avec le consul général. Après son mariage célébré le 6 février 1886, il parvint à se faire muter près de la capitale, au 18ᵉ bataillon de chasseurs à pied stationné à Courbevoie. Mais sa femme demanda la séparation de biens en 1888 après la découverte de la ruine d'une partie de sa fortune. Les deux époux continuèrent néanmoins leur vie commune. Mais Esterhazy commença à multiplier les conquêtes illégitimes, il monta une véritable escroquerie au détriment des biens de sa femme, il entra dans des milieux douteux de la finance et de la politique en servant notamment d'intermédiaire entre des amis israélites fortunés – dont la famille Crémieu-Foa, ce qui explique qu'il fut le témoin d'un des frères, André, capitaine de dragons – et, étrangement, les leaders antisémites qui s'apprêtaient à fonder en 1892 *La Libre Parole*. Ses bonnes relations avec les milieux « israélites » achevèrent de le brouiller avec sa belle-famille, mais elles lui permirent d'être aidé financièrement et de faire jouer des protections, y compris celle du député Joseph Reinach, pour accélérer sa carrière d'officier.

Après la mort des capitaines Mayer et Crémieu-Foa, Esterhazy se rapprocha en même temps d'Édouard Drumont et de *La Libre Parole*, montrant qu'il était prêt à tout pour réussir, s'enrichir et se faire un nom. En décembre 1892, il réussit, grâce à de multiples démarches allant jusqu'au ministre de la Guerre lui-même, Charles de Freycinet, à se soustraire à une affectation à Dunkerque qui accompagnait sa promotion au grade de chef de bataillon (commandant). Il fut finalement nommé au 74e régiment d'infanterie en garnison à Rouen [136]. « Au printemps de 1894, explique Marcel Thomas, il n'a qu'une idée : se faire nommer à Paris, et de préférence dans un état-major. Il se morfond à Rouen où se prolonge son séjour, le service dans un corps de troupe lui est insupportable et il sent que, la limite d'âge approchant, sa seule chance de monter encore en grade est de se rapprocher de Paris [137]. » Au même moment, le député Jules Roche, qui voulait s'entourer d'une compétence militaire en vue de se faire nommer ministre de la Guerre dans un prochain gouvernement, recherchait un collaborateur. Une relation d'Esterhazy le mit en rapport avec l'officier. Le député et le commandant avaient en commun une vive hostilité à l'égard du titulaire de la rue Saint-Dominique et du chef d'État-major général de l'armée. Par Roche, Esterhazy rencontra un autre député radical, Camille Bazille, et il se rapprocha du périodique *La France militaire* dans lequel écrivaient les deux parlementaires. Esterhazy se vit immédiatement comme un personnage influent de ce milieu de pouvoir mêlant députés et journalistes. Il rendit également service au gouverneur militaire de Paris en obtenant de *La Libre Parole* que le journal mette fin à une campagne dirigée contre le général Édon dont l'épouse était la maîtresse du général Saussier [138]. Esterhazy parvint encore à arrêter les attaques du journal contre son ami Maurice Weil, très proche du général Saussier [139] et des agents de la Section de statistique. L'avenir lui semblait favorable, mais il fut brutalement rappelé à une plus sombre réalité par l'ampleur de ses dettes et la pugnacité de ses créanciers. Puisqu'il était rejeté par sa belle-famille et même par sa famille pour s'être « enjuivé », il se retourna vers ses relations israélites en se disant persécuté pour avoir défendu un Juif. Edmond de Rothschild lui adressa un secours au titre de son compte « Pauvres », puis Esterhazy reçut des sommes encore plus importantes grâce à l'action du grand rabbin Zadoc Kahn que connaissait Maurice Weil.

Cet appel d'air ne parvint pas à rétablir des finances gravement compromises. Les dettes s'accumulaient, et les créanciers se faisaient de plus en plus pressants. Vers la mi-juillet, Esterhazy réagit à une faillite quasi inévitable en se dirigeant vers les deux sources de profit qu'il pouvait encore mobiliser. Puisqu'il détenait maintenant, de par ses fonctions bénévoles de collaborateur parlementaire, une importante documentation sur l'armée et, croyait-il même, des informations de la plus haute importance, il décida simultanément de vendre au plus offrant des articles sur les questions militaires et de monnayer ses connaissances auprès de puissances étrangères. Très vite la seconde voie s'imposa dès lors qu'il entra en relation avec l'attaché militaire allemand, lui-même désireux de recruter des agents. L'ambassadeur du Reich en France, le comte de Munster, avait interdit à ses collaborateurs les activités d'espionnages contraires à l'esprit très wilhelmien qu'il se faisait de la diplomatie. Mais le lieutenant-colonel von Schwartzkoppen avait reçu de l'empereur des ordres explicites de pratiquer le renseignement. Le 20 juillet 1894, il reçut donc à sa demande le commandant Esterhazy au bureau militaire de l'ambassade, au 78 de la rue de Lille. Esterhazy avait prétexté une demande de passeport.

*Le passage à l'acte*

En civil et sans révéler son nom, Esterhazy offrit ses services à l'attaché militaire en ne cachant pas les raisons qui l'amenaient à trahir sa patrie. Les *Carnets* de Schwartzkoppen relatent cette première entrevue :

> À ma question sur l'objet de sa visite, il se présenta à moi comme un officier d'état-major français en service actif, contraint par la nécessité de faire une démarche qui le rendait méprisable à mes yeux, mais à laquelle il avait bien réfléchi et qu'il était forcé de faire pour sauver sa femme et ses enfants de la misère et de la ruine certaine. Des circonstances malheureuses, la maladie de sa femme, l'avaient placé dans une situation économique difficile et, pour pouvoir conserver à sa famille une petite propriété qu'il possédait près de Châlons, il lui fallait se procurer de l'argent à tout prix. Tous ses efforts pour le faire d'une manière honnête et légale avaient échoué ; il ne lui restait donc qu'une seule issue, c'était d'offrir ses services à l'État-major allemand, dans l'espoir que de cette façon il se trouverait rapidement en état de faire face à ses multiples obligations. [...] Il était parfaitement en état de rendre des services importants, car il avait passé beaucoup de temps en Algérie et était tout à fait au courant des conditions militaires de ce pays ; il avait aussi passé pas mal de temps à la frontière italienne et connaissait à fond l'organisation de la défense de la frontière ; pendant les années 1881 et 1882, il avait travaillé au bureau des renseignements du ministre de la Guerre. Il était très lié avec le colonel Sandherr, chef du bureau des renseignements et camarade d'école du président Casimir-Perier. Il était aussi l'ami du député Jules Roche, qui lui avait promis de le nommer sous-chef au cas où il deviendrait lui-même ministre de la Guerre. Pour le moment, il était en activité de service dans un corps de troupes hors de Paris, mais dans quelque temps il reviendrait à Paris et renouerait les relations diverses qu'il avait avec le ministère de la Guerre. Dans quelques jours il devait assister à des manœuvres militaires de grande importance au camp de Châlons [140].

La version que donna Schwartzkoppen de l'entrevue montrait les procédés d'Esterhazy pour se vendre au plus offrant et récupérer en un minimum de temps un maximum de gains : à partir d'un fond de vérité, il s'inventait de toutes pièces des positions, des relations et une importance qu'il n'avait nullement.

L'attaché militaire allemand commença par refuser la proposition, en se donnant dans ses *Carnets* le beau rôle de l'officier choqué par « l'immoralité de son projet [141] ». Esterhazy insista, adressant à Schwartzkoppen dès le lendemain une lettre dans laquelle il l'informait qu'il pouvait lui obtenir d'« importants renseignements sur la Russie ». L'attaché militaire rendit compte de ce contact au bureau des renseignements de Berlin. Le 26 juillet 189X, il reçut l'ordre de poursuivre les négociations avec l'agent. Le 27 juillet, Esterhazy revint à l'ambassade d'Allemagne sans prévenir et dévoila son identité. Il demanda une rémunération de deux mille francs par mois en contrepartie de ses renseignements. Schwartzkoppen refusa, indiquant qu'il rémunérait ses agents en fonction des renseignements qu'ils lui apportaient et selon un barème que lui-même fixait. Il menaça de s'adresser ailleurs si son offre n'était pas retenue. Le chef du bureau des renseignements à Berlin lui ordonna à son tour de poursuivre, mais sans exclure de rompre si les renseignements n'étaient pas réellement importants. À une date non connue, l'attaché militaire adressa à Esterhazy une liste de questions qui l'intéressaient. Elles concernaient notamment les batteries d'artillerie du camp de Châlons où le commandant allait se rendre [142]. Il y arriva le 6 août 1894. Le 13 ou le 15 août 1894, Esterhazy lui apporta « le plan de mobilisation de l'artillerie, qui venait d'être nouvellement mis au jour ». Le lieutenant-colonel von Schwartzkoppen lui remit une somme de mille francs [143].

## La rédaction du bordereau

Entre le 16 août et le 1er septembre 1894, l'officier français déposa une lettre écrite sur un papier quadrillé transparent et légèrement glacé qu'il avait l'habitude d'utiliser [144]. Ce document est bien de sa main, il n'y a pas d'incertitude sur le sujet, l'identité d'écriture a été établie par les experts compétents, et Esterhazy lui-même a reconnu qu'il en était bien l'auteur. Cette « lettre missive », appelée ensuite « bordereau », fut le point de départ de l'affaire Dreyfus et du calvaire d'un officier français condamné à la place du commandant Esterhazy. D'après Schwartzkoppen, cette lettre missive n'était accompagnée d'aucun document. Ces pièces en copie, il les remit en main propre à l'attaché militaire, dans son bureau, le soir du 1er septembre 1894, après son retour de ce que l'attaché militaire allemand estimait être des manœuvres de masse de l'artillerie au camp de Sissonne [145].

Les « notes » qu'Esterhazy adressait à Schwartzkoppen n'étaient pas de grande importance, ce que devaient montrer les différentes enquêtes menées en France, tant de contre-espionnage lorsque le lieutenant-colonel Picquart découvrirait les agissements de l'officier, que de justice avec la double instruction menée par la Cour de cassation, sans oublier le travail de nombreux experts indépendants utilisant l'énorme matière documentaire produite notamment par les débats du procès de Rennes. L'Allemagne a toujours refusé de communiquer la moindre information sur les documents qui avaient été livrés avec le bordereau et qui ont probablement été détruits [146]. Cette disparition a alimenté les hypothèses les plus romanesques et les moins fondées, soit qu'Esterhazy ait livré effectivement des renseignements de la plus haute importance, soit qu'il ait disposé d'un complice au sein de l'État-major. Ces hypothèses s'effondrent devant une argumentation critique un peu sérieuse. Il est clair en tout cas qu'Esterhazy ne pouvait accéder à des informations très confidentielles. Il maîtrisait en revanche les grandes questions qui pouvaient intéresser l'attaché militaire allemand, comme il avait su les mettre en valeur lors de travaux antérieurs, notamment dans des articles et des notes pour les deux députés qui l'employaient.

Le terme « notes » appartenait du reste au vocabulaire de l'officier français habitué à fournir des synthèses, des mémentos. Mais il ne s'agissait pas de notes au sens *administratif* du terme, documents issus des bureaux d'état-major. Le but d'Esterhazy était d'obtenir les meilleures rémunérations. Il voulait donc donner à sa propre littérature un caractère d'importance qu'elle n'avait pas. La lettre missive annonçait l'arrivée de cinq ensembles de documents qui auraient pu néanmoins intéresser le lieutenant-colonel von Schwartzkoppen.

« 1° Une note sur le frein hydraulique du 120 et la manière dont s'est conduite cette pièce. » Le 120 court avait été présenté lors des manœuvres de masse d'artillerie au camp de Châlons du 9 au 22 août. Il fut avéré qu'Esterhazy n'avait pas vu les batteries en action, car il était déjà reparti pour Paris et de là pour Rouen après les manœuvres classiques dite « écoles à feu ». Mais il pouvait sans difficulté se procurer la description du frein du canon [147]. Celui-ci n'était du reste pas « hydraulique » mais hydropneumatique. De surcroît, Esterhazy commit une erreur de vocabulaire technique, les pièces d'artillerie ne se « conduisant » pas, mais se « comportant ».

« 2° Une note sur les troupes de couverture (quelques modifications seront apportées par le nouveau plan). » Les troupes de couverture, comme l'explique Marcel Thomas, servaient à protéger la concentration du reste des armées pendant la mobilisation générale. L'État-major général travaillait à un nouveau plan qui devait remplacer, début 1895, le plan XII. Le 3e corps d'armée auquel appartenait le régiment d'Esterhazy ne participait pas aux troupes de couverture. Mais l'officier avait tenu ses renseignements du 6e corps d'armée, « élément essentiel de la couverture [148] », basé à Chalons et dans lequel Esterhazy avait de nombreux amis. Or, disposant d'une résidence dans les environs, il recevait du monde et pouvait, lors de conversations anodines, recueillir des renseignements qu'il enrobait ensuite grâce à ses talents de rhéteur. Mais le changement de plan, événement majeur de l'actualité militaire, était connu de la presse qui publia de nombreux articles sur la question. Esterhazy se contenta de broder dans la note qu'il annonçait à Schwartzkoppen.

« 3° Une note sur une modification aux formations de l'artillerie. » Le ministère de la Guerre préparait un nouveau *Règlement sur les manœuvres des batteries attelées.* Ces nouvelles dispositions étaient déjà appliquées par la 3e brigade d'artillerie qu'Esterhazy avait suivie pendant les écoles à feu au camp de Châlons.

« 4° Une note relative à Madagascar. » La France s'apprêtait à conquérir l'île. La tension était très vive pendant le mois d'août 1894. Cette question avait fait l'objet dans la presse de nombreux articles, dont un, très détaillé, fut publié dans la revue *Le Yacht* par l'écrivain militaire Émile Weyl (un parent éloigné du capitaine Dreyfus). Esterhazy était très au fait de cette affaire qui dominait les milieux parlementaires et journalistiques. D'autre part, Marcel Thomas relève que « le principal responsable de la préparation stratégique de l'expédition était le colonel de Torcy, affecté jusqu'à son départ pour Madagascar au camp de Châlons. Esterhazy aurait pu ainsi recueillir des informations ou imaginer en recueillir et arranger l'ensemble comme il savait le faire. Le 13 octobre 1894, il apportait ainsi à Schwartzkoppen « un travail étendu sur l'état de l'armée française » qui sembla le satisfaire puisqu'il en cite dans ses *Carnets* [149] des passages plutôt enlevés et surtout très verbeux. Concernant cette « note relative à Madagascar », Maximilien von Schwartzkoppen indiqua, toujours dans ses *Carnets,* qu'Esterhazy avait déposé le 6 septembre « un rapport sur l'expédition projetée à Madagascar [150] ».

« 5° Le *Projet de manuel de tir* de l'artillerie de campagne (14 mars 1894). Ce dernier document est extrêmement difficile à se procurer, et je ne puis l'avoir à ma disposition que très peu de jours. Le ministère de la Guerre en a envoyé un nombre fixe dans les corps, et ces corps en sont responsables. Chaque officier détenteur doit remettre le sien après les manœuvres. Si donc vous voulez y prendre ce qui vous intéresse et le tenir à ma disposition après, je le prendrai. À moins que vous ne vouliez que je le fasse copier *in extenso* et ne vous en adresse la copie. » Officiellement confidentiel, ce document ne l'était plus en pratique puisque les unités d'artillerie l'avaient reçu en nombre (trois cents exemplaires au total) et que des copies multigraphiées circulaient, en plus, au camp de Châlons. Marcel Thomas souligne qu'au mois de juillet les membres de la Société de tir au canon qui le souhaitaient avaient reçu un exemplaire de ce projet de manuel.

Enfin, le bordereau s'achevait sur la mention : « Je vais partir en manœuvres. » Marcel Thomas, toujours, a démontré qu'Esterhazy avait bien participé début septembre à des manœuvres autour de Rouen avec son régiment d'infanterie. Nous suivons ici ses conclusions [151].

## La rupture avec Schwartzkoppen

Le lieutenant-colonel von Schwartzkoppen confia dans ses *Carnets* qu'il n'avait jamais eu le bordereau entre les mains, que ce document avait dû selon lui rester dans le bureau du concierge de l'ambassade, et qu'il subodorait même une manipulation. Il reconnut néanmoins que, selon toute vraisemblance, le bordereau avait été transmis à la Section de statistique par la femme de ménage française. L'explication est peu convaincante. On voit mal une femme de ménage s'emparer d'une lettre dans le casier d'un diplomate dans la loge du concierge et la déchirer pour faire croire que Schwartzkoppen l'a réceptionnée et s'en est débarrassé. Par ailleurs, la formulation du bordereau n'était pas celle d'une lettre indépendante. Elle n'annonça pas l'arrivée de documents, elle en accompagnait l'envoi en les mentionnant. Le 13 octobre 1894, au retour de l'attaché militaire allemand parti pour Berlin, Esterhazy lui apporta « la réglette de correspondance » ainsi que sa longue étude sur l'état de l'armée française. « Ses visites avaient lieu à peu près tous les quinze jours, et [...] la valeur des renseignements allait croissant ». Mais, ajouta Schwartzkoppen, remarquant qu'Esterhazy, lorsqu'il ne pouvait donner d'informations intéressantes authentiques, apportait des renseignements controuvés ou connus, « je cessai, en mars 1896, mes rapports avec lui ».

Schwartzkoppen revint en détail, dans ses *Carnets*, sur sa décision de rompre ses relations avec Esterhazy en raison de la valeur finalement déclinante des informations qu'il lui communiquait. Il le menaça d'une telle rupture lors de sa visite du 20 février 1896. « Or, comme après cela Esterhazy n'apparut plus pendant un temps assez long, je lui envoyai au début de mars un "petit bleu" » – celui que le lieutenant-colonel Picquart réceptionna en l'absence du commandant Henry. Cette découverte sera à l'origine de toute l'enquête du nouveau chef de la Section de statistique mettant à jour non seulement les activités d'espionnage menées par Esterhazy mais aussi son entière culpabilité dans les faits pour lesquels le capitaine Dreyfus avait été condamné.

Une autre histoire commençait. Les routes de Dreyfus et de Picquart se croisèrent une seconde fois. Alors que le premier ne cessait d'appeler à la révision de son procès depuis l'île du Diable, le second accumulait les preuves certaines de son innocence. Au même moment, la famille et les premiers dreyfusards agissaient de même. Cette revendication du droit, ce progrès de la vérité allaient soutenir la marche de la justice vers la libération du capitaine Dreyfus puis vers sa réhabilitation. L'officier condamné en sera le premier des acteurs.

## CHAPITRE VIII

# L'arbitraire dans la République

L'accusation qui visa le capitaine Dreyfus ne fut pas une simple invention destinée à éliminer les officiers juifs de l'État-major en repérant l'un des plus emblématiques d'entre eux. La condamnation à l'unanimité et l'application de peines extrêmes à l'encontre du jeune et brillant stagiaire ne constituaient pas l'un des rouages d'un plan criminel afin d'épurer l'arche sainte. Rien que les résistances qui se produisirent au sein de l'armée, voire les défenses dont bénéficia le capitaine Dreyfus montreraient que cette interprétation est inexacte. Le calvaire de l'officier reposa sur des faits réels qui lui furent abusivement attribués dans un mélange d'erreur technique, de prévention antisémite et de volonté d'élimination de la voie moderniste. Une fois le suspect identifié, l'évidence de sa culpabilité s'imposa aux responsables du contre-espionnage et au ministre de la Guerre. Dreyfus avait le profil du traître. Pour corroborer leur conviction, ils n'hésitèrent pas à fabriquer les preuves qui leur manquaient. Mais le fait d'espionnage existait et ils ne procédèrent, dans leur esprit, qu'à un déplacement du vrai. Parce que le crime était constitué, il ne pouvait qu'être attribué au capitaine Dreyfus. Le vrai légitimait le faux, le crime de trahison désignait Dreyfus, et ce jusqu'à sa réhabilitation et même au-delà. D'un certain point de vue, seule la démonstration de l'irréalité de la trahison découverte grâce à la lettre missive de l'ambassade d'Allemagne aurait pu annuler la culpabilité de Dreyfus. L'existence du fait la sous-entendait par principe. Ce fut et cela reste la thèse technique de l'Action française.

Ce système du vrai nourrissant le faux répondait cependant à un but idéologique qui était bien de vider l'État-major des officiers juifs, surtout lorsqu'ils devenaient comme Dreyfus le fer de lance de la nouvelle armée. Mais une mise en accusation, par principe, ne pouvait être opérée dans la mesure où la réalisation de cette exclusion se heurtait aux cadres légaux de la justice et aux droits du citoyen. En revanche, l'existence d'un fait de trahison qu'il était possible d'attribuer à Dreyfus rendait l'entreprise beaucoup plus réaliste. Elle était beaucoup plus fructueuse dans la mesure où les animateurs du courant antisémite, Édouard Drumont en tête, pouvaient compter sur les gros bataillons des nationalistes de gauche comme de droite, bouleversés par la trahison d'un officier français et le gain de puissance obtenu par l'Allemagne à cette occasion. Restait une dernière condition pour parvenir à leurs fins, à savoir la destruction des principes démocratiques et l'élimination des républicains qui auraient pu s'opposer à cette entreprise antisémite. Les républicains eux-mêmes les aidèrent puisque les gouvernements progressistes, hantés par la menace que faisaient courir au pays les attentats anarchistes et les grèves ouvrières, se précipitaient vers la droite la plus conservatrice et la moins libérale.

De ce point de vue, la conspiration fut double. Il exista une conspiration interne, technique, secrète, qui consista à attribuer sciemment à Dreyfus le crime d'un autre, à empêcher que le véritable coupable ne fût identifié et condamné, enfin à briser tous ceux qui approchaient de la vérité. L'affaire Dreyfus et le sort même du premier intéressé ne se résument pas à une simple erreur judiciaire comme on a pu l'écrire et comme on continue même de l'écrire encore. Il y a là confusion entre le point de départ de l'affaire, qui fut en effet, et en partie, une erreur dans l'identification du suspect, et son développement qui relève bien des mécanismes du complot et de l'arbitraire, qui se définit par une intention collective et une réalisation sur près de dix années. Certes, la notion d'erreur exista. Des responsables militaires ou politiques crurent de bonne foi à la culpabilité du capitaine Dreyfus, ce jusqu'à une certaine date qui peut être fixée au procès Zola (février 1898) ou bien au suicide du lieutenant-colonel Henry (août 1898), voire à l'acharnement contre l'ancien chef des services de renseignement qui avait mis au jour la conspiration (novembre 1898). Ils comprirent alors, à l'instar de Raymond Poincaré, ancien ministre de l'Instruction publique dans le gouvernement qui avait fait condamner Dreyfus, ou même de Charles Dupuy, qui en fut le chef, qu'ils avaient été « victimes, en 1894, d'une mystification [1] ». Au-delà, la bonne foi dans la persistance dans l'erreur ne pouvait plus être revendiquée. Si la découverte de l'erreur n'entraînait pas aussitôt, de la part des responsables, la volonté d'y mettre fin et de la réparer, alors ceux-ci adhéraient bel et bien à une conspiration. Ce qui signifiait que la culpabilité du capitaine Dreyfus ne pouvait plus être établie sur la vérité ou être masquée par une erreur, mais qu'elle était décrétée en vertu de la propagande antisémite, de la conception d'une armée ne pouvant reconnaître un crime perpétré par elle sous peine de perdre sa puissance et sa gloire, ou du refus d'exposer un événement négatif qui affectait le renom de la France dans le monde.

La seconde conspiration était d'ordre externe, idéologique, public. Pour les accusateurs de Dreyfus, la preuve devait être faite qu'une certaine pratique de la république, libérale et démocratique, ouvrait toutes grandes les portes de la France aux Juifs. Il convenait donc de détruire cette forme de république ou de lui arracher ses principes démocratiques afin de sauver la nation. Cette seconde conspiration se liait à la première dans la mesure où son application réduisait l'espace démocratique. Il devenait alors possible d'empêcher que la question du jugement de Dreyfus, de son innocence, des méthodes du contre-espionnage militaire ne fût posée. À l'inverse, les efforts d'un « syndicat » de coreligionnaires pour le sauver constituaient pour ces hommes aveuglés la preuve de la menace juive et exigeaient une offensive résolue. Les antisémites se confortaient alors dans leur décision d'abattre les principes démocratiques qui abritaient en leur sein ce si terrible danger.

La voie des défenseurs de Dreyfus était donc tracée : celle de lutter simultanément contre les deux conspirations. Autant le mensonge et l'arbitraire favorisaient la coalition nationalo-antisémite, autant les notions de vérité et de justice portaient l'action républicano-démocratique. Cette unité du combat liant la démonstration de l'innocence de Dreyfus à l'engagement pour un régime plus démocratique donna sa valeur à l'événement. Les dreyfusards au sens large vinrent à cette unité selon deux parcours. Soit, pour les plus techniques et les plus initiés, en découvrant ou en constatant les preuves de l'innocence de l'officier, ce qui impliquait alors la révision du procès de 1894, et en allant ensuite vers un combat plus politique et civique dès lors que les pouvoirs constitués refusèrent toute solution de révision. Soit, pour les plus politiques et militants, en continuant un travail de républicanisation de la république qui rencontra alors la découverte de la conspiration dirigée spécifiquement contre un officier juif qui était aussi un citoyen innocent. Pour lier les deux terrains, les dreyfusards intellectuels furent contraints eux aussi de s'immerger dans le dossier technique de l'affaire et de vérifier par eux-mêmes la vérité sur le capitaine. C'est la résolution fine et précise de l'affaire de Dreyfus qui donne son prix à l'affaire Dreyfus.

Dreyfus lui-même reconnaîtra ce lien entre la vérité dans son affaire et le progrès des libertés seul capable d'empêcher la répétition d'un calvaire comme le sien. Il fut le meilleur de ses avocats et il s'ouvrit à une conscience politique de premier plan. Le séparer du grand combat qui fut mené pour lui est donc une erreur historique grave ou même le résultat d'une volonté délibérée de l'abaisser et de le réduire, d'opérer en quelque sorte une seconde dégradation. De la même manière, il est faux de prétendre vouloir séparer le combat des dreyfusards de leur engagement pratique sur le dossier de Dreyfus et le travail qu'ils réalisèrent pour démontrer son innocence. Le cas le plus emblématique de cette double action, répondant aux deux conspirations relevées, est représenté par Jean Jaurès.

Le combat général pour la justice et les droits de l'homme fut beaucoup moins difficile lorsque, entre l'automne 1897 et le printemps

1899, le gouvernement et le Parlement menacèrent les défenseurs de Dreyfus et s'opposèrent par tous les moyens à la révision de son procès. Le combat de Dreyfus pour la vérité et pour la démonstration de son innocence fut en revanche plus difficile en raison de l'entrelacement des faits réels et des faits inventés, des pièces authentiques et des documents forgés. Le célèbre « faux Henry » fut à l'image de ce mécanisme subtil du vrai allant valider le faux. Aussi le travail des révisionnistes consista-t-il en premier lieu à reconstituer la succession des faits, à y démêler le vrai du faux, à comprendre les systèmes de culpabilité qui s'appliquèrent successivement à Dreyfus, avant que la Cour de cassation ne prît le relais sur cette tâche énorme, non sans utiliser les acquis du travail dreyfusard lorsque cela fut nécessaire. Cette œuvre de vérité, indispensable à l'œuvre de justice, a été réalisée. Seules quelques incertitudes subsistent, mais elles ne peuvent remettre en cause les faits matériels qui se résument à l'innocence du capitaine Dreyfus et à l'existence d'une conspiration destinée à en faire le coupable d'un crime de trahison. La conspiration, en soi, ne démontrait pas l'innocence de Dreyfus. Mais celle-ci fut démontrée définitivement par la Cour de cassation. Entre 1903 et 1906, la Cour a opéré un travail de vérité sanctionnant une décision de justice. Les juges agirent comme des historiens. Ils donnèrent raison aux dreyfusards qui s'étaient battus pour la reconnaissance de l'innocence de Dreyfus et pour la révision définitive de ses procès.

## LA MANIPULATION DE LA JUSTICE

Même régie par un code spécial, la justice militaire obéissait aux grands principes de la justice civile. Il y avait donc un risque d'acquittement que le ministre et l'État-major ne voulurent pas courir. Afin d'obtenir la condamnation recherchée, une double intervention fut réalisée sur le cours du procès. Une série de faits contribuèrent d'abord à faire des débats le champ clos de l'accusation. Puis le dossier secret fut communiqué aux juges en salle des délibérés. La justice fut totalement pervertie par l'autorité politico-administrative, elle-même hantée par la nécessité de faire condamner un homme pour un crime qu'il n'avait pas commis. La manipulation n'avait du reste pas commencé à l'ouverture du procès, mais dès la saisie de la justice militaire. Le rapport de d'Ormescheville, on l'a vu, est un décalque des thèses de l'État-major et des procédés de basse police de la Section de statistique. Mais d'autres faits étaient intervenus, plus ou moins légaux. Ils concouraient à la réalisation de buts convergents : militariser le procès, contrer l'indépendance éventuelle des juges, réduire les droits de la défense. L'avocat de Dreyfus fut averti en premier lieu des conséquences qu'entraînerait toute velléité d'informer la presse, notamment en lui communiquant le texte de l'acte d'accusation dont il avait reçu une copie[2].

Toute indiscrétion de la part de M<sup>e</sup> Demange le ferait tomber sous le coup de la loi sur l'espionnage qui prévoyait en la circonstance des peines de cinq ans de prison[3]. L'impossible discussion du huis clos lui permit de comprendre que ces menaces n'étaient pas chose vaine et qu'il serait empêché de défendre son client.

*Un procès sous contrôle*

Le pouvoir de décréter le huis clos sur les débats relevait légalement des prérogatives de la cour. Mais la décision des juges de l'ordonner sur-le-champ, en empêchant le défenseur de développer ses conclusions, respectait très exactement la position du ministre de la Guerre et de l'État-major. Le zèle du président pour l'imposer était très caractéristique et fut remarqué par tous[4]. Il permettait d'étouffer le débat contradictoire et interdisait que l'acte d'accusation ne fût rendu public. La pression sur les juges ne vint pas uniquement de la presse et de l'opinion. La déclaration du général Riu, aide de camp parlementaire du ministre de la Guerre, visa à dramatiser les enjeux et à susciter une forme d'union sacrée autour du procès. Les juges militaires n'avaient guère d'autre solution, à moins d'accepter l'épreuve de force avec la haute hiérarchie. D'autres pressions furent plus directes encore. Le président du conseil de guerre, le colonel Maurel, fut convoqué par le général de Boisdeffre qui lui suggéra de faire prononcer le huis clos dès l'ouverture des débats[5].

Le régime du huis clos autorisait la seule présence de la cour, de l'accusation et de la défense. Or celle du commandant Picquart, représentant personnel du ministre de la Guerre, et celle du préfet de police n'étaient pas légales. De même, les témoins à charge qui restèrent dans la salle d'audience après leur déposition[6] constituaient une nouvelle illégalité. Cette réalité accentua l'impression de connivence, d'intérêts croisés entre la justice et l'accusation, entre les juges militaires et le ministère de la Guerre *via* la Section de statistique. Le colonel Sandherr se vanta même d'être renseigné sur les débats d'heure en heure grâce au commandant Picquart qui l'informait en même temps que Mercier, mais aussi grâce à ses agents Henry et Lauth « qui faisaient la navette entre la salle d'audience et le ministère de la Guerre[7] ». Cette utilisation des témoins était une violation absolue du huis clos. Le commandant Picquart fut chargé également d'apporter plusieurs plis au président du Conseil[8]. En revanche, il refusa de demander au juge assis devant lui de faire rappeler le commandant Henry, comme ce dernier le lui avait demandé au cours du procès.

Lorsque le procès dérapa avec la théâtrale déposition du commandant Henry, toute vérification ou contradiction fut impossible alors que ce droit de débat contradictoire était à la base du procès moderne. Les demandes de la défense en la matière furent repoussées sans appel. Avec la déclamation d'Henry, la figure de la raison d'État, le motif de l'arbitraire, venaient de pénétrer dans le cours des débats. L'un des juges, le capitaine Martin Freystaetter, témoigna devant les chambres réunies de la Cour de cassation, lors de la première révision le 24 avril 1899, de l'« influence considérable » de cette déposition « en raison de l'attitude d'Henry qui, se tournant vers Dreyfus, le désigna comme étant le traître [9] ».

## La partialité de la cour

La cour et son président avaient déjà manifesté leur partialité en décrétant le huis clos sans laisser Mᵉ Demange développer ses conclusions. Elle s'exprima par la suite de manière très nette. Alfred Gobert en fut notamment la victime alors qu'il présentait des conclusions favorables à l'accusé. Il était pourtant considéré comme un expert de référence. Il protestera à plusieurs reprises contre ces méthodes de justice lorsqu'il fut appelé à s'expliquer devant la Cour de cassation et au cours du procès de Rennes. Le président ne traita pas à égalité l'accusation et la défense. Ainsi déclara-t-il d'emblée que le capitaine Dreyfus était accusé de « crime de haute trahison », ce qui était inexact en droit [10] mais qui produisit son effet sur les juges.

Ces attitudes n'impliquaient pas nécessairement un détournement de la justice pour les besoins de l'accusation. Cependant, le lieutenant-colonel Picquart révéla au cours de son audition par la Cour de cassation, le 23 novembre 1898, les liens nombreux qui existaient entre certains des juges militaires et les responsables de l'enquête policière. « Il convient de dire que dans le conseil se trouvaient plusieurs officiers qui avaient des relations avec nous (par nous, j'entends le ministère). Ainsi le lieutenant-colonel Échmann qui, d'après ce que m'a dit plus tard le colonel Sandherr, lui avait parlé, à lui, Sandherr, de l'affaire et avait reçu de ce dernier l'assurance que Dreyfus devait être réellement coupable (je suis presque sûr que c'est avant le jugement). Il y avait aussi le capitaine Gallet, qui, j'en suis à peu près certain, avait causé de l'affaire avec le commandant Henry. Si ma mémoire est fidèle, Gallet est parent de M. Poirson, alors directeur de la Sûreté générale, qui était constamment en relations avec le bureau des renseignements, particulièrement pour les affaires d'espionnage [11]. »

La partialité de la cour et le viol de la légalité judiciaire se mesurèrent également dans le pouvoir exorbitant reconnu à des témoins de l'accusation. Le commandant Henry fut chargé de représenter la Section de statistique. À ce titre, sa déposition s'entourait de l'autorité du ministre et du chef d'État-major, en particulier lorsqu'il désigna le « traître » Dreyfus, le doigt pointé vers l'officier. Plus grave encore, la déposition du commandant du Paty de Clam fut illégale. Dans les procès pénaux, la règle voulait que le magistrat instructeur ne soit pas autorisé à déposer. Seul le rapport d'instruction qu'il établit était pris en compte dans le procès. Officiellement, le magistrat instructeur pour le procès Dreyfus était d'Ormescheville. Mais du Paty de Clam avait été l'instructeur secret dans la première phase de la procédure, un fait officiellement notifié dans l'acte d'accusation. Les juges militaires ne pouvaient donc ignorer les anciennes fonctions de du Paty de Clam. Ils l'entendirent pourtant. Il avait été aussi l'instructeur officieux dans la phase régulière, en intervenant systématiquement dans le travail de d'Ormescheville et en guidant étroitement la rédaction de son rapport. Sa présence à la barre était doublement illégale. Mais seuls Dreyfus et son défenseur l'ignoraient.

*La tentation du faux*

Au moins deux dépositions purent être qualifiées de faux témoignages, outre celles des deux rapporteurs et des camarades de Dreyfus qui le chargèrent après coup : celle d'Alphonse Bertillon d'une part, au cours de laquelle il développa les conclusions de sa seconde expertise fondée sur la thèse de l'« autoforgerie », la seconde, plus criminelle encore aux yeux de la loi, fut la déclaration accusatrice et sensationnelle du commandant Henry. Devant le refus du commandant Picquart de servir d'intermédiaire avec la cour, il profita d'une suspension de séance pour solliciter lui-même les juges. Il fut alors rappelé. Non seulement il produisit une déposition où la raison d'État militaire tenait lieu de preuve de ses dires, mais de plus il avança un faux témoignage. La « personne honorable » dont Henry invoqua le témoignage était le marquis de Val Carlos, cet ancien attaché militaire de l'ambassade d'Espagne, devenu un agent de la Section de statistique. Or il n'avait jamais fourni ce type de renseignement. Il est probable que lorsque le commandant Henry fit sa déclaration, ce dernier n'avait aucune idée de l'identité du témoin dont il voulait invoquer les renseignements [12]. Il avait surtout paré au plus pressé et imaginé cette intervention qu'il voulait décisive. Ensuite, il porta son choix sur Val Carlos, car c'était un des informateurs que la Section de statistique contrôlait le mieux, notamment parce qu'il était douteux et qu'il réclamait de l'argent à la Section de statistique pour acquitter ses dettes de jeu [13]. Mais la preuve fut faite que cet agent n'avait jamais renseigné le commandant Henry sur ce point. « Ce justicier n'était qu'un faux témoin, expliqua le procureur général de la Cour de cassation lors des débats de la seconde révision en juin-juillet 1906. À aucun moment Val Carlos n'a désigné ni visé Dreyfus, n'a parlé d'un officier du 2e bureau [14]. »

*La communication du dossier secret*

En dépit des moyens mis en œuvre pour forcer la condamnation de Dreyfus, l'impression dominante à l'issue des débats tendait vers l'acquittement [15]. C'est à ce moment que le ministre de la Guerre décida de faire communiquer secrètement, aux seuls juges militaires chargés de donner le verdict, le dossier secret muni de son commentaire final [16]. La réalité de cette communication, longtemps niée par ses responsables, a été établie par la Cour de cassation en 1899 et finalement reconnue par tous les protagonistes du procès au cours du second procès, à Rennes, en août et septembre 1899. Même le président du conseil de guerre de 1894, le colonel Maurel, et le général Mercier, qui ne pouvait plus s'opposer à tant de témoignages convergents, finirent par ne plus nier l'évidence et par reconnaître le fait [17].

Quelques mois auparavant, devant la Cour de cassation, le général Mercier (ainsi que le général de Boisdeffre) avait refusé de répondre, « ajoutant un délit à tous ses crimes précédents », comme le déclara en 1906 le procureur général de la Cour de cassation [18]. Au procès de Rennes, l'ancien ministre de la Guerre fit même plus que reconnaître cette communication secrète, il en revendiqua l'entière décision, en pleine conscience de la forfaiture qu'il commettait : « Oui, j'en ai pris la responsabilité complète. Je n'avais pas le droit de donner un ordre absolu, vous le savez mieux que personne, j'ai donné l'ordre moral aussi complet que possible [19]. »

Déjà, la chambre criminelle de la Cour de cassation avait, lors de son instruction datant de la fin 1898, accumulé les preuves certaines de cette communication déjà fermement établie par Bernard Lazare et par de nombreux intellectuels dreyfusards. Déposant le 25 novembre 1898, le lieutenant-colonel Picquart expliqua qu'« on parlait de cette question au ministère, librement, et la communication ne fait aucun doute. J'en ai parlé avec le général de Boisdeffre à l'époque du procès et depuis (je le lui ai montré en août 1896, lorsque j'ai découvert que le bordereau était d'Esterhazy). [...] J'ai parlé de ce dossier avec le colonel Sandherr qui, en me passant le service, m'a dit à peu près ce qui suit : "S'il s'élève des doutes sur l'affaire Dreyfus, vous n'avez qu'à demander le dossier qui a été communiqué aux juges du conseil de guerre, et qui se trouve dans l'armoire du commandant Henry." » Il indiqua que « la légende courante, c'est que le dossier avait été remis au président avant la délibération, et qu'il avait été communiqué par le président aux juges dans la salle des délibérés [20] ». Ce que confirma le président lui-même au procès de Rennes [21]. La responsabilité de ce dernier paraît lourdement engagée pour n'avoir pas rappelé le respect des règles de droit qui proscrivent absolument toute communication à l'une seulement des trois parties qui composent le procès contradictoire.

Le détail des faits a été méthodiquement précisé par la Cour de cassation en 1906 grâce à l'étude du témoignage de tous les acteurs concernés. L'après-midi de la dernière audience du procès de Dreyfus, le 22 décembre 1894, le général Mercier appela dans son bureau le colonel Sandherr. En présence du chef d'État-major de l'armée [22], il fit mettre sous enveloppe scellée par le chef de la Section de statistique les pièces du dossier secret et leur commentaire. Il ordonna au commandant du Paty de Clam de porter le pli au président du conseil de guerre, au moment où la cour était réunie pour délibérer. Par la voix de l'émissaire, le ministre de la Guerre l'informait qu'« il n'avait pas le droit de lui donner un ordre positif, mais qu'il lui donnait l'ordre moral, sous sa responsabilité, d'en donner communication aux juges du conseil de guerre, parce qu'il estimait qu'il y avait là des présomptions graves dont il était indispensable qu'ils eussent connaissance [23] ». Cet ordre fut exécuté par le président qui communiqua les documents aux juges militaires et qui leur lut le commentaire préparé par le général Mercier. Pour sa justification, l'ancien ministre de la Guerre expliqua au procès de Rennes « qu'il y avait là des présomptions graves, dont il était indispensable que les juges eussent connaissance ». Il expliqua aussi qu'il n'avait qu'une confiance relative dans le huis clos et que pour sa part le meilleur des huis clos était la communication aux seuls juges militaires [24]. Mais cela équivalait aussi à supprimer les procès et à confier à l'autorité ministérielle le soin de décider des verdicts qui seraient ensuite transcrits par le conseil de guerre. Revenu devant les juges militaires de Rennes, l'ancien ministre de la Guerre avança un autre argument en faveur de la communication secrète, en réponse à une question du défenseur de Dreyfus qui s'étonnait que le commentaire, « pièce à l'usage personnel du général Mercier » comme ce dernier l'avait déclaré, puisse intéresser le conseil de guerre de 1894 : « Parce que je considérais que c'était utile aux juges qui ne connaissaient pas l'origine de ces pièces, de quelle façon elles nous parvenaient, ni de qui elles émanaient. Il fallait leur apprendre tout cela, et le commentaire était la seule chose qui pût le leur apprendre. »

## La faillite d'un conseil de guerre

La communication frauduleuse du dossier secret à la cour fut acceptée sans protestation ni réticence de la part du président et des juges qui formaient le conseil de guerre. À Rennes, l'un d'entre eux, le capitaine Martin Freystaetter, expliqua qu'il était « dans une ignorance totale des règles de droit ; je ne savais pas du tout qu'il fût interdit de nous communiquer quelque chose en chambre du conseil ; deuxièmement, je puis dire – et jusqu'à présent je me suis toujours tu – que j'ai adressé au colonel Maurel [au mois d']avril dernier, une lettre dans laquelle je lui ai exposé très nettement tout ce que je me proposais de faire, au moment où j'ai su qu'il était illégal de communiquer des pièces en chambre du conseil [25]. »

« C'est exact », répondit Maurel qui ne démentit pas la communication du dossier secret mais qui aggrava son cas en ne relevant pas la faute majeure qu'elle constituait. « M. le capitaine Freystaetter m'a écrit une lettre dans laquelle il exposait que le faux Henry avait fait naître des doutes dans son esprit et que la lecture de pièces qui avaient été lues en chambre du conseil – ce qui constituait une illégalité dont il ne se rendait pas compte au moment où ce fait s'était produit – avait amené des angoisses dans sa conscience. Ceci est parfaitement exact. Je n'ai pas répondu au capitaine Freystaetter parce que j'ai pour habitude de laisser à chacun la liberté de son opinion et que chacun dirige sa barque comme il l'entend [26]. » Pour l'ancien président du conseil de guerre de 1894, le problème était que cette communication secrète – et donc sa réception par lui-même – ne relevait pas d'une opinion et ne renvoyait pas à une question de conscience. Elle était un crime aux yeux de la loi. Elle avait été précisément établie par la Cour de cassation lors de la révision du procès de 1894, et les juges l'avaient retenue, dans leur arrêt final du 3 juin 1893, comme formant « un fait nouveau de nature à établir l'innocence de celui-ci [27] ». Il fallut attendre la seconde révision pour lire une condamnation très ferme de ce crime juridique considéré avec beaucoup de désinvolture, notamment au procès de Rennes, par le colonel Maurel et le général Mercier. Dans ses réquisitoires écrits et oraux de 1906, le procureur général de la Cour de cassation, Manuel Baudouin, a condamné solennellement un tel viol des principes sacrés de la justice des hommes [28].

La réalisation naturelle de cette forfaiture pouvait s'expliquer par le fonctionnement de la justice militaire qui manquait d'indépendance à l'égard de l'autorité administrative représentée par le ministre de la Guerre. Les juges n'étaient pas des professionnels, mais seulement des officiers affectés temporairement à ces fonctions judiciaires. Manquant de liberté, donc de pouvoir, les juges du procès Dreyfus se laissèrent également dominer par l'esprit des multiples témoignages produits contre l'accusé et qui, devant une juridiction pénale ordinaire (par opposition à militaire), se seraient effondrés, faute de preuves effectives. L'avocat du capitaine Dreyfus auprès de la Cour de cassation a analysé cette catégorie de témoignages dans son rapport de 1906 : « J'ai considéré leur production en un tel procès comme une des déviations de l'instruction judiciaire ; ce sont eux qui apportaient aux juges des souvenirs déformés sur les propos qu'aurait tenus Dreyfus au sujet de femmes galantes, de jeu, de manœuvres militaires, du Dieu des juifs, sur les connaissances techniques de l'accusé et sur son ardeur à les augmenter. [...] Quelle que soit l'insignifiance de ces témoignages tendancieux lorsqu'on les analyse séparément, ils exercent fatalement, dans leur ensemble et par leur répétition même, une influence néfaste sur l'esprit des juges. De même que la goutte d'eau, par un choc incessant, parvient à creuser la pierre la plus dure, de même le choc répété de toutes ces dépositions défavorables sur l'esprit des juges, si léger soit-il à chaque témoignage, n'en laissera pas moins à la fin des débats une impression profonde, à raison de laquelle l'accusé sera considéré comme un homme sans moralité, capable *a priori* de toutes les félonies [29]. » De là allait dater aussi la légende du caractère antipathique du capitaine Dreyfus, « hautain, cassant, vaniteux », réputation dont l'arrêt de 1906 ne parviendra pas à faire justice et qui perdure jusqu'à aujourd'hui, au prix du dévoiement de l'histoire et de la vérité. Il est grand temps de détruire ces mensonges qui favorisent implicitement les thèses idéologiques sur la culpabilité définitive de Dreyfus – nous y viendrons au terme de cette biographie. Mais remarquons dès maintenant cet accommodement des juges militaires à des pratiques judiciaires en contradiction formelle avec les garanties fondamentales et la légalité juridique.

Une autre stratégie employée pour étouffer la portée de la communication consista à affirmer, comme le fit le président du conseil de guerre, le colonel Maurel, que son opinion s'était faite au cours des débats et qu'il n'avait attaché aucune importance au dossier communiqué en salle des délibérés. Et il prétendit que ses collègues avaient partagé son opinion [30]. Mais il fut fermement contredit par quatre des juges, les capitaines Freystaetter et Roche, le commandant Gallet et le colonel Échmann. Tous affirmèrent que la pièce « Ce canaille de D... », dont l'initiale était censée désigner Dreyfus, les avait profondément marqués [31]. Pour le président du conseil de guerre de 1894, la communication du dossier secret n'avait été qu'une formalité tant la conviction de la cour était déjà formée contre Dreyfus. De ce fait, la culpabilité de l'État-major et du ministre de la Guerre devenait très amoindrie, du moins dans leur esprit et en face de collègues magistrats qui les entendaient au procès de Rennes. Cette atténuation n'ôtait pourtant rien de la gravité du crime juridique que représentait la communication secrète de pièces de surcroît fausses ou autoforgées. Mais l'atténuation formait l'idée que Dreyfus était bel et bien coupable et que sa culpabilité avait été reconnue dans le cadre d'une procédure régulière.

Telle n'est pas la position du commandant Picquart qui attesta à plusieurs reprises que l'impression qui domina au fur et à mesure de l'avancée des audiences était celle de l'acquittement. Le préfet Lépine eut la même certitude [32]. Les deux principaux observateurs, dont le témoignage est d'autant plus important que le procès se déroulait à huis clos, constataient la vacuité des preuves de l'accusation et la force de la défense. Il est probable que les juges militaires obéissaient à des logiques judiciaires très différentes de celles des civils qu'incarnaient dans leur genre Lépine et Picquart, le premier parce que chef de la police parisienne habitué aux procès d'assises, le second parce qu'officier moderniste. Tel n'était pas le cas de tous les juges du conseil de guerre et particulièrement du président qui se dit convaincu par les preuves de l'accusation. Cet aveu destiné à atténuer la portée de la communication secrète renforça la situation de faillite du procès où des apparences de preuves et la thèse de l'antipathie de l'accusé fondèrent sa culpabilité. La communication du dossier secret leur permit alors d'asseoir leur parti pris – qui était celui de l'institution – sur un dossier tangible. C'est ce que déclara Picquart au chef d'État-major et au ministre à qui il était chargé de faire chaque soir un compte rendu de l'audience. « J'ai même dit au général de Boisdeffre et au ministre que, s'il n'y avait pas de dossier secret, je ne serais pas tranquille [33]. » Au procès de Rennes, l'ancien ministre de la Guerre s'essaya encore à un autre type d'argument. Il tenta d'expliquer que la communication du dossier secret était nécessaire pour éviter une guerre avec l'Allemagne au cas où Dreyfus serait acquitté [34]. Mais cette thèse fut détruite par le président de la République, Casimir-Perier, dans ses différentes dépositions. Mercier a délibérément grossi des risques internationaux, des menaces de guerre qui n'existaient pas [35]. À l'issue de la présentation du dossier secret au conseil de guerre de 1894, le dossier fut retourné à du Paty de Clam qui le rapporta au ministère de la Guerre. Les juges se prononcèrent à l'unanimité contre le capitaine Dreyfus. Le colonel Maurel rédigea le jugement de condamnation.

## La pratique du complot

Une fois prononcée la condamnation du capitaine Dreyfus, le ministre de la Guerre s'employa à dissimuler les traces du dossier secret. Cette opération accrut la portée intentionnelle et criminelle de la conspiration ayant transformé un innocent en un coupable de surcroît promis aux peines les plus cruelles. Le fait de sa réalisation au sein du ministère de la Guerre, la manipulation de la justice militaire, la domination du pouvoir civil, attestèrent d'une situation de complot dans la République. En étant celui qui fut transformé en coupable, en résistant au sort qui lui était promis, en proclamant son innocence par-delà les murailles et les mers, Dreyfus fut en conséquence le premier acteur du combat de la République contre cette raison d'État.

### Antisémitisme et contre-espionnage

Le chef de la Section de statistique entretenait avant l'affaire Dreyfus d'excellentes relations avec son homologue des Affaires étrangères, le chef du service des « affaires réservées ». Jeune et brillant secrétaire d'ambassade, Maurice Paléologue avait été chargé de ces fonctions dès 1886. Il fut naturellement chargé, en octobre 1894, de suivre le dossier du capitaine Dreyfus et invité à assister à sa dégradation. Une semaine auparavant, le jeudi 27 décembre 1894, il avait reçu les confidences du colonel Sandherr, d'autant plus disposé à révéler certains détails du procès Dreyfus qu'il estimait celui-ci parfaitement réussi et qu'il tenait à en tirer les bénéfices. Le chef de la Section de statistique n'avait pas assisté, on le sait, aux débats du conseil de guerre, mais il en avait appris toutes les péripéties grâce au commandant Picquart, qu'il avait fait mettre à son service via le ministre, et à ses agents, le commandant Henry et le capitaine Lauth. Puis Sandherr se félicita devant Paléologue d'avoir su faire mener le procès de manière militaire. Le témoignage du diplomate, qui corrobore les informations recueillies sur la Section et son chef, est particulièrement édifiant. « De sa confidence, voici les impressions et les images qui me restent », relata Paléologue dans son *Journal* :

D'abord l'accusé. – Figure antipathique, les yeux myopes et faux ; la voix sèche, atone, métallique, « une voix de zinc ». Ne pouvant réfuter aucune des charges qui l'accablaient, il a nié jusqu'à l'évidence. La déposition de l'expert Bertillon l'a complètement désarçonné ; en l'écoutant, il tremblait de tous ses membres ; il avait l'air de se dire à lui-même : « Cette fois, ça y est ; je suis pincé ! »

Puis, l'avocat. – Demange est un « vilain, très vilain personnage » qui a pris comme spécialité la défense des espions ; il est dans la main des Juifs. « Nous avons sur lui, au service des renseignements, un dossier qui pourrait le mener loin ! »... J'objecte à Sandherr que Mᵉ Demange est un catholique fervent, qu'il a épousé la fille d'un général et que, au surplus, il jouit une grande estime parmi ses confrères. « Je me fiche de tout cela, répond Sandherr ; je sais ce que je sais !... »

Maintenant, les témoins à charge. – Il y en a deux qui ont joué un rôle capital : le commandant du Paty de Clam, qui a dirigé la première enquête comme officier de police judiciaire, et le commandant Henry, que le général de Boisdeffre avait désigné pour représenter le service de renseignement. Du Paty de Clam s'est montré « aussi ferme et lumineux que tenace » ; mais, par instants, sa vanité, sa morgue, son besoin de toujours se mettre en vedette ont agacé les juges. Henry, au contraire, a été admirable de sang-froid et de précision ; « toutes ses paroles portaient comme des balles ». Aussi, quand, une main levée sur le crucifix et l'autre tendue vers Dreyfus, il a déclaré : « En mon âme et conscience, je jure que le traître, le voilà ! » c'est comme s'il avait prononcé lui-même la condamnation.

Enfin, le colonel Maurel, qui présidait le conseil de guerre, a été « au-dessus de tout éloge ». Dès l'ouverture de l'audience, on a vu que les débats seraient menés militairement. Il a tout de suite mis Demange au pas ; deux ou trois fois, il lui a coupé la parole et d'un ton si raide que l'autre a filé doux jusqu'à la fin du procès. De même, avec les témoins à décharge, Maurel a été « épatant ». Ainsi, le troisième jour, on a vu s'avancer à la barre « une sale gueule de Juif » : « Comment vous appelez-vous ? lui cria Maurel. – Ché m'appelle Dreyfus ; ché suis lé grand rabbin de Paris. – Qu'est-ce que vous savez de l'affaire ? – Ché né sais rien dé l'affaire mais ché connais depuis longtemps la famille de l'accusé et ché la considère comme une très honnête famille. – C'est entendu ; vous pouvez vous retirer !.... » « Hein ! ajoute Sandherr avec un claquement de langue, croyez-vous qu'il a bien présidé, mon vieux Maurel ! » Je hasarde, avec timidité : « On ne peut pas cependant reprocher à un grand rabbin d'avoir une tête de Juif !... Si, au lieu d'être israélite, Dreyfus était catholique, vous auriez trouvé tout naturel que l'archevêque de Paris vînt apporter son témoignage

– ce qu'on appelle un témoignage de moralité – sur les antécédents et la famille de l'accusé...» Sandherr, imperturbable, me répond d'un air narquois : «N'empêche que mon vieux Maurel a merveilleusement présidé[36]!»

L'étouffement des débats, la négation des droits de la défense, la représentation d'une justice aux ordres, furent donc clairement revendiqués par le chef des services de renseignement. Le colonel Sandherr concevait le procès de Dreyfus comme une formalité administrative avalisant la condamnation de l'officier par l'institution. Le mépris des droits de l'innocent allait de pair avec l'expression d'un antisémitisme de principe. Celui-ci ne constituait pas seulement un discours ou des préjugés. Il s'ancrait profondément dans les pratiques du service de renseignement. Malgré sa facile domination de la justice militaire, l'autorité administrative décida de parfaire la conspiration en détruisant les preuves de sa réalisation. Les débats des audiences ne pouvaient être connus. Ils étaient protégés par le huis clos. D'autre part, ils n'avaient fait l'objet d'aucun enregistrement sténographique. Plus délicate était la question du dossier secret et de sa communication en chambre du conseil.

## La dissimulation du crime juridique

Le général Mercier prit alors l'initiative d'organiser la dissimulation du dossier secret et de sa communication commise sciemment à la fin des débats. Cette opération attesta plus encore de la conscience par les acteurs de la conspiration réalisée contre le capitaine Dreyfus. Cette conscience définit le caractère *criminel* des machinations qui composent la conspiration. «Car elles travestissent frauduleusement la vérité, pour perdre l'accusé», analysa le procureur général de la Cour de cassation dans son réquisitoire final de 1906[37]. Le ministre de la Guerre commença par déployer le secret autour du procès. Il écrivit au général Saussier pour l'informer que tout le dossier judiciaire relatif à l'affaire serait, «par analogie avec ce qui s'était fait pour les procès de la même importance, notamment pour celui de l'ex-maréchal Bazaine», conservé au ministère et non au gouvernement militaire de Paris[38]. Le lendemain de la dégradation, le commandant Forzinetti fut témoin de la subtilisation : «Le dossier qui appartenait *de droit* aux archives du greffe du conseil de guerre et que quiconque ne pouvait détourner fut enlevé par du Paty et transporté au ministère de la Guerre. On devine aisément pourquoi[39] !»

Le 17 janvier 1895, le jour où commençait la déportation du capitaine Dreyfus avec son transfert vers le bagne de l'île de Ré, le général Mercier apprit que le gouvernement auquel il appartenait venait de démissionner. Il ordonna alors au colonel Sandherr de disperser les pièces du dossier secret dans les dossiers respectifs. Puis il procéda en sa présence à la destruction du commentaire, parce qu'« il n'en devait pas rester de traces[40] ». Il ignorait qu'il existait encore une copie, celle que le colonel Sandherr avait faite à son insu. Lorsque Mercier, qui n'était plus ministre, apprit son existence en 1897, il exigea du général de Boisdeffre que le général Gonse lui communiquât ce document et le détruisit aussitôt en sa présence[41]. Il reconnut ce nouvel acte de destruction d'archives publiques au cours de sa déposition du procès de Rennes[42]. Il argua qu'il le fallait et revendiqua même son geste, expliquant qu'« à ce moment la campagne pour la révision était commencée et que, comme je l'ai dit, par des considérations patriotiques, j'estimais qu'il ne fallait fournir aucun prétexte pour faire décider de la révision[43] ». En revanche, le général de Boisdeffre ne fut pas interrogé sur les raisons pour lesquelles, en 1897, il avait averti l'ancien ministre de la découverte d'une copie du commentaire et ordonné au général Gonse de la lui remettre. Il semble que la cour s'y opposa[44].

Ces destructions étaient passibles des tribunaux[45]. Le commentaire ou sa copie ne pouvaient en aucun cas être assimilés à une pièce personnelle, appartenant en droit au général Mercier et réalisée pour son usage privé. De même, il est faux d'affirmer, comme le ministre le fit également, que, la procédure étant terminée, les pièces pouvaient être détruites[46]. Le droit français prévoyait – et prévoit toujours – que la révision ne cessait d'être possible, qu'un recours était toujours envisageable dans le cas d'un fait nouveau ignoré des juges au moment de leurs débats. Certes, la loi du 8 juin 1895 sur la révision était bien postérieure au jugement et aux faits, mais la possibilité de révision existait avant cette loi. Elle avait été fixée par le code d'instruction criminelle instauré par Napoléon Ier en 1808, et la loi du 28 juin 1867 en avait élargi le champ d'application. Cela, Mercier l'écartait alors qu'il ne pouvait l'ignorer. Dans son choix de la destruction du commentaire, le général témoignait d'un mépris de la loi et de la justice, et d'une supériorité guerrière qu'il tirait de l'utilisation de l'arbitraire administratif et de la raison d'État. Au procès de Rennes en 1899 comme au gouvernement en 1894, personne ne se dressa pour lui expliquer que la République obéissait à d'autres règles, à d'autres valeurs, et qu'en tout état de cause il pourrait être amené à répondre de ses actes devant les tribunaux. Une tentative de mise en jugement de l'ancien ministre avait échoué juste après la proclamation de l'arrêt de première révision, en juin 1899. Il fallut attendre juillet 1906 pour entendre, de la part du procureur général de la Cour de cassation, une solennelle parole de protestation contre un tel mépris de la justice.

Le général Mercier apprit qu'il ne serait pas reconduit dans ses fonctions par le nouveau président du Conseil, Alexandre Ribot. Avant de quitter le ministère, il réunit ceux qui avaient participé à la conspiration et leur intima le silence, passant selon Marcel Thomas un véritable pacte de solidarité avec ses subordonnés Boisdeffre, Gonse, Sandherr, du Paty et Henry[47].

*La poursuite de la conspiration*

Le verdict de condamnation pouvait apparaître comme une victoire du ministre de la Guerre et de l'État-major. Mais elle n'était pas totale dans la mesure où Dreyfus non seulement n'avait pas prononcé d'aveux, mais avait prouvé aussi une forte capacité de résistance à l'injustice. Dans les jours qui suivirent, l'objectif fut double : obtenir ces aveux et briser les forces du condamné. Le commandant du Paty de Clam fut donc rappelé par le général Mercier pour effectuer une nouvelle mission en direction de Dreyfus. Il se rendit dans sa cellule, porteur d'un message très clair du ministre de la Guerre qui ressemblait à un chantage : soit il avouait et alors les conditions de déportation seraient clémentes et il pourrait partir avec sa famille, soit il persistait dans la voie de l'innocence et alors il en subirait les conséquences avec un régime très sévère que le gouvernement avait le pouvoir ou non de lui imposer [48]. Au procès de Rennes, Mercier justifia ce chantage par la nécessité de connaître la nature des livraisons de documents à l'Allemagne [49]. La guerre était en effet imminente, comme il choisit de le révéler dans sa déposition du procès de Rennes. Mais l'ancien président de la République Casimir-Perier dénonça ce nouveau mensonge, inventé par Mercier pour masquer le chantage crapuleux qu'il imposait à Dreyfus [50]. Il recherchait absolument ses aveux. Ceux-ci auraient bloqué définitivement toute possibilité de révision. Ils auraient pu permettre aussi de faire passer au second plan la communication du dossier secret, d'annuler les nombreuses protestations d'innocence du capitaine Dreyfus et de le placer dans un état de soumission et d'humiliation.

Comme on le sait, la mission de du Paty de Clam fut un échec cuisant, et lui-même le reconnut le soir même par une lettre au ministre de la Guerre : « J'ai l'honneur de vous rendre compte que je suis resté près d'une heure en tête à tête avec Dreyfus. Il n'a rien voulu avouer, me déclarant qu'avant tout il ne voulait pas plaider les circonstances atténuantes. Il désire partir le plus tôt possible, se faire oublier, vivre tranquille avec sa femme et ses enfants à la presqu'île Ducos. Il espère que d'ici à cinq ou six ans les choses s'arrangeront et qu'on découvrira le mot de l'énigme qu'il ne peut expliquer. Il se dit l'objet d'une fatalité : quelqu'un lui a pris son nom, son écriture, ses papiers, et s'est fait passer pour lui auprès des agents étrangers. En dehors de cela, il a causé tranquillement avec moi, me disant qu'il savait bien quelle était ma conviction, et qu'il ne chercherait pas à l'ébranler. Il a pris son parti pris de tout, y compris la dégradation, qu'il considère pourtant comme un très dur moment à passer. Je regrette de n'avoir pas mieux réussi dans ma mission [51]. » Du Paty de Clam rédigea ensuite un long rapport. Ce document disparut des archives de la Section de statistique [52]. Il est probable que cette disparition fut l'œuvre du ministre de la Guerre, compte tenu de la thèse de l'amorçage qu'il suggérait et du fait qu'il contredisait alors la légende des aveux. L'échec de la mission de du Paty de Clam l'inquiétait. Le lendemain, pour couronner le tout, le ministre recevait une lettre du prisonnier où il réaffirmait sa volonté d'aller jusqu'au bout. Le message l'inquiéta. Dreyfus restait très déterminé. Ni sa détention aggravée, ni son procès à huis clos, ni sa condamnation à l'unanimité ne l'avaient brisé.

Cette attitude de défi suscita alors la riposte du ministre qui décida d'une dégradation particulièrement éprouvante pour Dreyfus. La cérémonie fut certes régulière, mais son ampleur n'avait guère de précédent dans les annales judiciaires de la IIIᵉ République. Mercier avait même demandé à l'origine de faire dégrader le capitaine Dreyfus sur une large place, à Vincennes ou à Longchamp, pour y associer le peuple de Paris[53]. Le gouvernement décida que la « parade » aurait lieu dans la grande cour de l'École militaire.

Le changement du lieu de déportation, de Nouvelle-Calédonie en Guyane, où les conditions seraient bien plus éprouvantes pour Dreyfus, fut également une réponse au refus du capitaine de se soumettre à la loi de l'État-major. Les conditions extrêmes dans lesquelles vont s'effectuer les cinq années de déportation du capitaine Dreyfus sont non seulement réelles, mais aussi intentionnelles, voulues au plus haut niveau de l'État, avec deux ministres, ceux des Colonies et de la Guerre, détournant des procédures légales avec un gouvernement et un Parlement complices ou indifférents. La loi votée le 9 février 1895 pour rétablir les îles du Salut comme lieu de déportation[54] représenta un texte de circonstance voté par la représentation nationale pour les besoins de la raison d'État. Il se situait à l'inverse de la tradition républicaine et démocratique. Le refus opposé systématiquement aux demandes de Lucie de rejoindre son mari constitua une nouvelle riposte du pouvoir politique à l'attitude de défi du prisonnier de l'île du Diable. Une autre manœuvre tenta d'atteindre le capitaine Dreyfus et d'étouffer ses protestations d'innocence lancées le jour de la dégradation. La nouvelle qu'il aurait fait des aveux au capitaine Lebrun-Renault, alors qu'il était sous sa garde à l'École militaire avant la « parade », courut dans la presse dès le lendemain. Cette nouvelle invention n'était le fait ni du ministre de la Guerre ni de l'État-major. Elle émanait du cerveau du capitaine Lebrun-Renault, lui-même encouragé par des camarades complaisants. Cependant, dès que la légende se répandit, l'État-major en considéra le bénéfice et s'en empara. Elle allait constituer l'une des pièces maîtresses du second dossier secret – ou *grand dossier secret* – élaboré par l'État-major à partir de fin 1896, lorsque les défenseurs de Dreyfus commencèrent à remporter leurs premiers succès. Détruite après une longue étude par la première instruction de la Cour de cassation[55], récusée solennellement dans son arrêt du 3 juin 1899, cette légende fut cependant réanimée par le conseil de guerre de Rennes. Celui-ci accepta de l'inclure dans ses débats, en violation formelle du cadre du procès dressé par l'arrêt de la

Cour de cassation. La légende des aveux serait définitivement vaincue par la seconde instruction de la Cour de cassation et son arrêt de réhabilitation du 12 juillet 1906.

*La légende des aveux*

Dans les jours qui suivirent la cérémonie de dégradation, on apprit donc que l'ex-capitaine Dreyfus avait avoué son crime au capitaine Lebrun-Renault pendant le temps où il était sous sa garde juste avant sa dégradation. Pour autant, l'officier de la Garde républicaine avait bien rendu compte à ses chefs de la bonne exécution de sa mission et indiqué qu'il n'y avait pas eu d'incident. Dans ses rapports immédiats à l'autorité supérieure, il n'avait aucunement mentionné de tels aveux qui auraient revêtu une importance capitale puisque Dreyfus, depuis le moment où il avait été arrêté, n'avait cessé de proclamer son innocence. Lebrun-Renault avait également fait le récit de la cérémonie dans la soirée, au Moulin-Rouge, devant plusieurs personnes, dont l'artiste peintre Dumont et le journaliste Hérisson dit Clisson, qu'il ne connaissait pas et qui s'empressa de publier les informations recueillies dans *Le Figaro*, dès le lendemain [56]. Le récit insistait sur les déclarations d'innocence du capitaine Dreyfus faites au capitaine Lebrun-Renault et sur sa volonté de la proclamer publiquement.

Le président de la République s'indigna que de telles indiscrétions pussent avoir été commises par un capitaine de la Garde républicaine et s'en ouvrit au président du Conseil en présence, semble-t-il, du ministre de la Guerre [57]. On était le 6 janvier 1895, lendemain de la dégradation. Mercier proposa au président de la République de lui envoyer le capitaine Lebrun-Renault. L'officier de la Garde républicaine fut auparavant convoqué chez le ministre de la Guerre [58] et chez le président du Conseil. Aucune mention d'aveux ne fut faite à ce moment-là, ni devant le président de la République qui le reçut très durement [59]. Il fut encore convoqué par le général Mercier et ne dit toujours rien des aveux de Dreyfus qu'il aurait enregistrés. Ce ne fut qu'au cours de l'entrevue qu'il eut dans l'après-midi avec son chef, le colonel Risbourg, qu'il affirma que le capitaine avait avoué son crime [60]. Son supérieur lui avait posé la question parce que le bruit courait dans tout Paris depuis l'après-midi de la veille (le 5 janvier) que Dreyfus avait fait des aveux et que la presse s'apprêtait à relayer l'information. Lebrun-Renault les avait inventés, parce qu'il était convaincu de la culpabilité de l'officier et avait voulu parader auprès de ses camarades. Mais ceux-ci avaient aussitôt relayé le témoignage très confus du capitaine de la Garde républicaine, le transformant en cette révélation sensationnelle : « Dreyfus a avoué son crime ! »

Ainsi, le lieutenant-colonel Guérin, sous-chef d'état-major du gouvernement militaire de Paris, relatera, dans un rapport daté du

14 février 1898 et remis au général Gonse, les révélations de l'officier : « Me rencontrant à la sortie du bureau, le capitaine Lebrun-Renault me rendit compte aussitôt de son entretien avec Dreyfus. Dès les premiers mots, cet entretien me parut ne pas devoir rester circonscrit entre nous deux, et comme un groupe d'officiers se trouvait tout près, je priai le capitaine Lebrun-Renault de leur raconter les confidences que lui avait faites Dreyfus, en raison de leur importance et de leur intérêt. Cet officier nous dit alors qu'il avait causé avec Dreyfus de Tahiti, lieu où il serait probablement envoyé, lui en avait vanté le climat, qui conviendrait très bien à sa femme et à ses enfants s'il pouvait les y faire venir. Cette idée lui avait souri. Ainsi mis en confiance, Dreyfus, lui montrant les galons de son dolman, lui avait avoué que c'était son orgueil qui l'avait perdu, et avait avoué cette grave déclaration : *"Si j'ai livré des documents, ces documents étaient sans aucune valeur et c'était pour en avoir d'autres bien plus importants des ALLEMANDS."* (Je garantis la rigoureuse exactitude des mots soulignés et le sens strict de ces paroles. Elles étaient trop caractéristiques pour que je les oublie jamais.) Dreyfus avait dit encore que, dans trois ans, on lui rendrait justice, etc.) [61] » Toute une série d'autres officiers attestèrent des mêmes propos dans des déclarations recueillies par le sous-chef d'État-major au début du mois de février 1898.

L'après-midi du jour de la dégradation, la rumeur de tels aveux arriva aux oreilles du lieutenant-colonel Picquart. Il se rendit aussitôt au gouvernement militaire de Paris pour y rechercher Lebrun-Renault, en vain, puis au ministère de la Guerre pour informer le général de Boisdeffre de ces bruits. Picquart était resté sur son constat des cris d'innocence, lancés « d'une voix retentissante ». « La cérémonie terminée, raconta-t-il le 25 novembre 1898 devant les conseillers de la chambre criminelle de la Cour de cassation, je pris congé du général Darras et, comme il commandait les troupes et qu'on ne lui avait rien signalé de nouveau, je rendis compte, en rentrant, qu'il n'y avait rien de nouveau. L'après-midi, le bruit courut dans les bureaux que Dreyfus avait fait des aveux. Très honteux d'avoir fait un compte rendu qui pouvait être inexact, je courus au gouvernement militaire de Paris et j'y trouvai le commandant Guérin. Je ne me souviens plus des termes exacts de notre conversation. Je crois me rappeler qu'il m'a dit avoir entendu dire que Dreyfus avait fait des aveux et que c'est le capitaine de gendarmerie [Lebrun-Renault] qui les avait recueillis. Je ne me souviens pas s'il m'a dit qu'il a entendu raconter cela par le capitaine de gendarmerie ou par quelqu'un d'autre. Il me dit qu'en tout cas le capitaine reviendrait le lendemain. Je courus chez le général de Boisdeffre lui rendre compte de ce que m'avait dit le commandant Guérin. Le général m'emmena immédiatement chez le ministre et voulut m'y faire entrer ; le ministre ne me reçut pas ; il causa quelque temps avec le général de Boisdeffre en particulier, et celui-ci sortit avec moi. Depuis je n'ai eu aucune confirmation de ces aveux et, autant que je puis me souvenir de l'impression qui m'est restée, il me semble que c'est celle d'un bruit sans consistance. Jamais, à aucun moment, mes chefs ne sont revenus plus tard sur cette question des aveux, dans les différentes conversations qu'ils ont eues avec moi.» Or cette légende a bien existé, et elle a même joué un rôle capital dans la poursuite de la conspiration contre le capitaine Dreyfus à partir de 1897 et dans le tournant magistral que fut le discours de guerre du nouveau ministre Cavaignac à la Chambre des députés le 7 juillet 1898. Le fait même que Picquart n'en fût pas informé montrait qu'elle appartenait à une autre sphère, celle du secret et du complot, une sphère étendue dans les zones grises du ministère et de l'État-major de l'armée.

Le rôle du commandant Picquart n'était pas tout à fait terminé puisqu'il reçut l'ordre de rechercher Lebrun-Renault et de l'emmener chez le sous-chef d'État-major, lequel le conduisit auprès du ministre de la Guerre [62]. Le rapport officiel du gouvernement militaire sur la parade d'exécution [63] indiqua que le capitaine Lebrun-Renault avait alors raconté au sous-chef d'état-major du gouvernement militaire de Paris et à d'autres officiers la scène suivante : « Le capitaine Dreyfus, lui montrant les galons de son dolman, lui avait avoué que c'était son orgueil qui l'avait perdu ; il avait ajouté cette déclaration : "Si j'ai livré ces documents, c'est qu'ils étaient sans aucune valeur, et c'était pour m'en procurer de plus importants [64]." » Mais le rapport était daté du 14 janvier 1895, c'est-à-dire neuf jours après la cérémonie, à un moment où l'existence d'aveux était publiquement admise et entrait dans la politique d'acharnement de l'État-major contre l'ancien capitaine Dreyfus. Le document officiel restituait ainsi non pas la matérialité des faits, mais l'interprétation qu'on leur avait donnée et qui devait appuyer la condamnation du 22 décembre.

Le capitaine Lebrun-Renault avait donc rapporté au ministre de la Guerre, le lendemain de la cérémonie, les « points saillants » du monologue qui furent ensuite résumés dans différentes pièces du grand dossier secret et brandis à la tribune de la Chambre des députés, le 7 juillet 1898, par Godefroy Cavaignac. Ce dernier s'évertuait à établir de nouvelles preuves contre l'officier : « "En somme, on n'a pas livré de documents originaux, mais simplement des copies." Pour un individu qui déclare toujours ne rien savoir, cette phrase était au moins singulière. Puis, en protestant de son innocence, il a terminé en disant : "Le ministre sait que je suis innocent, il me l'a fait dire par le commandant du Paty de Clam, dans la prison, il y a trois ou quatre jours, et il sait que si j'ai livré des documents, ce sont des documents sans importance et que c'était pour en obtenir de sérieux." Le capitaine a conclu en exprimant l'avis que Dreyfus faisait des demi-aveux ou des commencements d'aveux mêlés de réticences ou de mensonges [65]. »

*Une machination supplémentaire*

La légende des aveux n'était pas un épiphénomène de la mise en accusation du capitaine Dreyfus, un incident annexe dans un complot fabriquant le coupable absolu d'une haute trahison. Elle fut une machination supplémentaire, de grande ampleur, maintenue par les accusateurs durant plus de dix ans. Aujourd'hui encore, cette thèse conserve des partisans parmi tous ceux qui prétendent révéler de nouveaux mystères dans une affaire d'État pourtant éclaircie jusque dans ses aspects les plus incertains. Elle procéda d'un mécanisme déjà expérimenté qui consistait à déformer les actes ou les propos de l'officier afin d'en faire un traître définitif.

S'il semble avéré que le capitaine avait bien prononcé les mots reproduits plus haut, il apparut à l'inverse que l'analyse qui en fût développée les contredisait totalement. Dreyfus avait d'abord réitéré toutes ses protestations d'innocence. L'hypothèse de l'amorçage qu'il formula ensuite au conditionnel, il ne la reprenait pas à son compte et ne faisait que repartir de l'information transmise par le commandant du Paty de Clam lorsque ce dernier, porteur du message du ministre de la Guerre, était venu le voir dans sa cellule le 31 décembre 1894. Une dimension psychologique doit être également prise en compte. La cérémonie de dégradation matérialisait définitivement une situation proprement incompréhensible pour lui. Au moment de se voir appliquer la première des peines auxquelles il avait été condamné, il tenta de se raccrocher à tout ce qui pourrait expliquer son brutal destin. Le ministre lui fournissait une explication, il l'évoquait, mais il ne la faisait pas sienne. Il ne faisait que répéter le message du général Mercier, et cela ne signifiait en aucune manière qu'il se l'attribuait. Comment l'aurait-il pu, compte tenu des protestations d'innocence qu'il n'avait cessé de formuler et qu'il répéta ensuite pendant la cérémonie de dégradation ? Désespéré par la perspective de subir la première des peines de sa condamnation, il se parla beaucoup durant cette heure où il fut sous la garde de Lebrun-Renault, méditant fébrilement une situation qui s'apparentait à des ténèbres insondables[66].

Des aveux circonstanciés impliquaient bien autre chose, une déposition en bonne et due forme, écrite et signée devant témoin, de préférence devant un officier de police judiciaire[67]. Or Lebrun-Renault reconnut au procès de Rennes avoir seulement saisi une phrase – « j'ai livré des documents » – et ne s'être même pas demandé si elle était incompatible avec la phrase précédente – « je suis innocent, dans trois ans on proclamera mon innocence » : « Je n'ai pas à les concilier, je répète la phrase et c'est fini. Il n'y en a pas moins le fait matériel de documents livrés. Je n'ai retenu que cela. C'est au capitaine Dreyfus et à la défense de l'expliquer. J'ai entendu cette phrase, et c'est fini (*Murmures*). Je ne peux pas expliquer cette phrase ; j'ai été absolument là comme une espèce de phonographe répétant ce qu'a dit le capitaine Dreyfus sans le commenter[68]. » À une question de Mᵉ Demange qui lui demandait s'il pouvait considérer cette phrase comme des aveux et s'il s'était représenté le capitaine Dreyfus comme ayant avoué son crime, Lebrun-Renault refusa de répondre, se contentant d'affirmer : « Je n'ai aucune impression là-dessus (*Mouvement prolongé*). Le capitaine Dreyfus m'a dit beaucoup de choses pendant l'heure où je suis resté avec lui, des choses moins importantes que celle-là ; entre autres, j'ai retenu cette phrase, je l'ai répétée à mes chefs. On m'a reproché de ne pas en avoir fait un procès-verbal. J'étais chargé par mes chefs de prendre Dreyfus à sa prison et d'attendre 9 heures, c'est-à-dire le moment de l'exécution ; je n'étais nullement chargé de l'interroger. C'est pour cela que je n'ai consigné l'incident sur aucune espèce de rapport. J'ai mis sur mon rapport : "Service commencé à telle heure, fini à telle heure", et voilà tout. Si on m'avait dit de prendre note de la conversation, si on m'avait dit : "Vous tâcherez de le faire avouer", j'aurais pu faire un procès-verbal qu'on a depuis, dans certains milieux, réclamé[69]. »

Quelques mois plus tôt, interrogé par les conseillers de la Cour de cassation, l'officier de la Garde républicaine était plus encore en retrait sur le sens qu'il fallait accorder à la déclaration du capitaine Dreyfus. Ce dernier avait fait des aveux, mais il ne fallait pas les considérer comme des aveux[70] ! Ainsi, des aveux qui n'en étaient pas, qui sortaient de l'imagination de Lebrun-Renault, allaient constituer une charge décisive lancée dans l'opinion lors de la dégradation comme un bruit invérifié, mais reprise de manière très officielle par l'État-major de l'armée en janvier et février 1898, venant constituer alors l'une des pièces maîtresses du grand dossier secret et utilisée ensuite – dans l'ignorance de la machination – par le successeur du général Mercier au cours de son grand discours du 7 juillet 1898. Godefroy Cavaignac avait découvert la matérialité de ces aveux, attestés par quinze pièces du grand dossier secret, bien que détruite par les dreyfusards sitôt après le prononcé, puis par la Cour de cassation par son instruction et son arrêt du 3 juin 1899.

La légende des aveux constitua donc une machination à double détente. Elle intervint dès les jours qui suivirent la dégradation, apparaissant comme un fait qui appuyait la condamnation du capitaine Dreyfus. Mais lorsque celle-ci commença à vaciller, la légende des aveux devint l'une des charges les plus massives à l'appui de sa culpabilité. Toutes les pièces disponibles furent alors convoquées et de nouveaux documents attestant des aveux commencèrent d'être fabriqués, notamment en demandant à tous les faux témoins ou témoins du faux de rédiger des certificats. Les attestations réalisées en 1895 servirent pour 1898, notamment la lettre que le général Gonse avait écrite au général de Boisdeffre pour lui rendre compte de ce qui s'était passé en son absence durant la parade d'exécution et dans laquelle il annonçait les aveux. Cette lettre constitua l'une des pièces que Cavaignac lut à la tribune de la Chambre le 7 juillet 1898 [71]. Un enregistrement des déclarations accusatrices de Lebrun-Renault avait été effectué le 14 janvier 1898 dans un rapport officiel, celui-ci passant par ailleurs sous silence les cris d'innocence de Dreyfus pourtant entendus et reproduits par tous les témoins présents, notamment les journalistes [72]. En 1904, le capitaine Targe, chargé par le ministre de la Guerre d'une enquête générale dans toutes les archives militaires, découvrit un document officiel qui prouvait, si besoin était, l'absence d'aveux du capitaine Dreyfus. La pièce fut présentée aux magistrats de la Cour de cassation qui instruisait la révision du procès de Rennes. Il s'agissait du télégramme que le commandant Guérin avait adressé au gouverneur militaire de Paris pour lui rendre immédiatement compte de la cérémonie de dégradation. Il ne contenait aucune mention des pseudo-aveux du capitaine Dreyfus [73] : « Paris de Paris, n° 24, mots 24. Dépôt le 5/1 95, 9 h 20 du matin. Commandant Guérin à gouverneur militaire de Paris. Parade terminée. Dreyfus a protesté de son innocence et crié : "Vive la France !" Pas d'autre incident [74]. » Pourtant, le même officier supérieur écrivit trois ans plus tard un rapport où il racontait les aveux de Dreyfus [75] !

L'invention des aveux du capitaine Dreyfus après le 5 janvier 1895, leur insertion dans le grand dossier secret en février 1898, leur utilisation par le ministre de la Guerre Godefroy Cavaignac le 7 juillet 1898, leur destruction par la Cour de cassation lors de sa première révision, mais leur production au procès de Rennes, constituèrent un cas de machination qui définit la forme et l'ampleur de la conspiration développée avant même l'arrestation. Chaque étape du calvaire de Dreyfus fut l'occasion, pour ses accusateurs, de fabriquer une charge nouvelle, l'empilement des unes et des autres devant organiser un dossier immense et inextricable d'où sortirait quoi qu'il arrive l'évidence de sa culpabilité. On mesure alors la nécessité qui fut celle des conseillers et du procureur de la Cour de cassation entre 1904 et 1906, précédés du capitaine Targe et de son enquête décisive dans les archives du ministère de la Guerre, de reprendre tous les dossiers et de démolir, l'un après l'autre, les systèmes de culpabilité imaginés contre Dreyfus. Les débats de la seconde révision, ouverts le 15 juin 1906, clos le 12 juillet par la proclamation solennelle de la complète innocence du capitaine, démontrèrent méthodiquement tous les faux et les machinations travaillés au ministère de la Guerre par des chefs, des services et des agents obsédés par la culpabilité du traître et le devoir de protéger les premiers mensonges par des faux de plus en plus exorbitants, au mépris de toutes les règles de droit, de légalité et de justice. Pour ne pas parler de l'éthique de vérité.

Dans ses réquisitoires écrits et oraux, le procureur général de la Cour de cassation fit entendre la protestation de la justice bafouée et de l'état de droit martyrisé. On lui en fit à l'époque grief, et de telles appréciations coururent ensuite de livre en livre. Un retour sage vers les propos du magistrat montre qu'il ne faisait que sanctionner par la parole des crimes juridiques qui ne purent être jugés par le fait de la loi d'amnistie. Ces réquisitoires et l'arrêt final de la Cour de cassation représentent, toujours à l'heure actuelle, le seul moment où la justice s'exprime totalement dans l'affaire Dreyfus. Contrairement à bien d'autres événements tragiques du xxᵉ siècle, celui-ci a reçu la sanction judiciaire qu'il méritait, du moins dans les mots qui sont pour cela absolument fondamentaux.

Ainsi, relativement aux faux témoignages sur les aveux que commirent, en 1895 et surtout en 1898, les officiers présents lors de la dégradation, le procureur général de la Cour de cassation, requérant en 1906, « se demande avec effroi ce que vaut le témoignage humain mis au service de l'esprit de corps perverti et de la passion poussée au paroxysme ! [...] J'estime que le colonel Guérin a manqué à son devoir[76] ». La faute de cet officier supérieur était plus grave encore. En tant que sous-chef d'état-major du gouverneur militaire de Paris, il avait recueilli les confidences de ce dernier. Le général Saussier ne croyait pas aux aveux de Dreyfus et il considérait que les déclarations les plus probantes étaient d'abord celles qu'il avait faites en public, devant le front des troupes. Or non seulement Guérin n'informa pas le ministère et l'État-major, surtout lorsqu'il fut mis en demeure de rédiger le faux témoignage du 14 février 1898, mais de plus il tarda considérablement à révéler ce qu'il savait à la Cour de cassation[77].

Cette pratique du complot au sein de l'État, plus particulièrement l'État militaire, ce pouvoir de manipuler la justice militaire pour couvrir de légalité le crime commis contre Dreyfus, éclairaient le régime républicain d'une lumière sombre et inquiétante. Bien malgré lui, Dreyfus exprimait à travers son histoire l'effondrement moral et politique de la République par son consentement à des usages tyranniques. Cette histoire doit donc être rappelée pour comprendre la signification de la lutte du capitaine Dreyfus.

## LA RÉPUBLIQUE RÉVÉLÉE

Le crime d'État, la justice pervertie, le complot assumé, révélaient doublement la chute des idéaux démocratiques dans la République. Le fait même que ces situations existent mettait en cause l'armée de la République. Mais le fait qu'aucun garde-fou politique, qu'il soit gouvernemental, parlementaire ou davantage public à travers la presse ou l'opinion, n'ait agi posait aussi un problème grave de fonctionnement du régime. La responsabilité du gouvernement de Charles Dupuy était particulièrement préoccupante. Il se révéla en effet incapable de considérer la dérive des services dont il avait la charge et renonça à toute action pour affirmer son autorité et protéger la légalité. Le sort du capitaine Dreyfus désignait à ceux qui eurent le courage de le voir une réalité sinistre par laquelle s'éteignait la démocratie dans la République.

## L'esprit de corps et la dérive des services

Le sort réservé au capitaine Dreyfus dès que son nom fut prononcé intentionnellement par le lieutenant-colonel d'Aboville confirme les observations faites sur les pratiques de l'État-major de l'armée, hostile par principe à la modernisation du recrutement et de l'avancement dans le haut commandement. Il révèle aussi, à travers les manœuvres de la Section de statistique et de ses agents, des procédés de basse police qui donnent à méditer sur l'esprit autoritaire voire dictatorial qui régnait dans l'« arche sainte ». La longue enquête de la Cour de cassation en 1904-1906, mais aussi les travaux des historiens, de Marcel Thomas au général Bach [78], de Bertrand Joly à Frédéric Monier et à Sébastien Laurent [79], et nos propres travaux [80], soulignent les manières de faire de services qui n'ont pas seulement comploté contre un innocent, mais aussi contre la République – du moins dans sa version démocratique. Incompétence, préjugés, mépris de la légalité, sanctionnent un service dont le général Bach dresse un portrait édifiant [81]. L'envers de l'armée est aussi sombre que son zénith apparaît lumineux dans le ciel de l'opinion et de la presse nationaliste. Le complot de l'affaire Dreyfus n'aurait pas été possible sans l'état de délitement avancé de certains services de l'État-major de l'armée, dont la Section de statistique, et les phénomènes d'incompétence qui se multiplièrent à cette époque. Ni le général Gonse, sous-chef d'État-major, ni le général de Boisdeffre, chef d'État-major, n'avaient l'envergure intellectuelle nécessaire. Le ministre de la Guerre, le général Mercier, compensait ses nettes insuffisances par un autoritarisme et une suffisance sans commune mesure dans les annales des gouvernements républicains. Le chef de la Section de statistique, le colonel Sandherr, nommé à ce poste en 1886 par le général Boulanger lorsqu'il était ministre de la Guerre, disposait lui aussi d'une grande autonomie d'action et savait jouer de sa tutelle, celle officielle du sous-chef d'État-major en second, et celle officieuse du ministre de la Guerre, son « employeur véritable [82] ».

En théorie, ce service relevait du 2e bureau dont il était une « section ». L'arrêté du 8 juin 1871 qui réorganisait l'administration centrale de la Guerre continua de ranger la « statistique militaire » dans les attributions de ce bureau de l'État-major général, mais dès la fin de 1872, cette « section » prit de l'autonomie et constitua un service spécial chargé de l'espionnage et du contre-espionnage militaires [83] ; en 1886, il prit le nom de Section de statistique. Ce vocable évitait d'attirer l'attention sur lui. Officiellement, ses agents appartenaient au 2e bureau, mais ils relevaient en fait du chef et du sous-chef d'État-major, et même au-delà. Car le service de renseignement militaire échappait en grande partie à l'autorité de l'État-major de l'armée et se comportait surtout comme une officine au service du ministre de la Guerre en personne. La réalisation du dossier secret contre le capitaine Dreyfus et sa communication au conseil de guerre de 1894 démontrèrent cette réalité encore attestée par le fait que la Section de statistique fonctionnait sur des ressources provenant des fonds secrets à la disposition du ministre. Le contrôle de ses activités était donc de fait impossible, comme l'attestent l'affaire Dreyfus dès 1894-1895 et plus encore à partir de 1896-1897, la collusion organisée avec le commandant Esterhazy, l'établissement du grand dossier secret contre le capitaine, la réalisation des « faux Henry », la mise en œuvre d'un second complot visant cette fois, celui qui était encore le chef officiel du service, le lieutenant-colonel Picquart, l'espionnage des dreyfusards et des magistrats, la manipulation du ministre de la Guerre Cavaignac qui ne fut pas mis au courant de la conspiration et donc de l'impossibilité de révéler publiquement des documents faux, etc.

Les pratiques internes du service de renseignement et de contre-espionnage de l'armée étaient également édifiantes. Le commandant Henry put ainsi agir à sa guise, à l'insu de ses chefs, dont le lieutenant-colonel Picquart, pour parfaire le complot dans l'idée qu'il se faisait de sa perfection et qui se révéla un désastre tant la maladresse, l'incompétence voire la stupidité, conduisaient ses actions. Henry et d'autres de ses collègues agirent ainsi dans l'affaire Dreyfus parce qu'ils avaient pris l'habitude de le faire auparavant, en n'hésitant pas à outrepasser leurs prérogatives et leur champ d'action – en théorie restreint au domaine militaire. Les agents de la Section de statistique avaient pour habitude d'espionner de nombreux acteurs de la vie nationale, y compris et même leur ministre lorsque celui-ci pouvait déplaire à l'État-major. Ce fut le cas de Freycinet, qui était coupable aux yeux des services de renseignement d'avoir défié les antisémites à la Chambre après la mort du capitaine Mayer[84]. À son initiative, l'ordre du jour approuvant les déclarations du gouvernement avait été voté à l'unanimité des parlementaires présents[85]. Il prépara une circulaire relative à la question, mais celle-ci ne fut jamais lancée. L'État-major de l'armée s'opposa au ministre, et la Section de statistique ouvrit contre lui un dossier de renseignements – que le capitaine Targe retrouvera lors de l'enquête administrative préalable à l'ouverture de la seconde révision du procès Dreyfus.

La Section de statistique développa ce système. Ses agents espionnèrent des hommes politiques et imaginèrent des entreprises d'intoxication non pas en direction de l'armée allemande, mais au détriment de services français. Et ce au point de déclencher une véritable « guerre administrative » qui doubla la crise politique de l'affaire Dreyfus et qu'ont étudiée Bertrand Joly et Sébastien Laurent. Par leurs initiatives, le ministre de la Guerre et ses agents de la Section de statistique finirent par menacer et le « Service des affaires réservées » du Quai d'Orsay et la Sûreté générale du ministère de l'Intérieur. Les premiers étaient dirigés par Armand Nisard, directeur des affaires politiques dont dépendait ce service dirigé par Maurice Paléologue. Pour le malheur des agents de la Section de statistique, le diplomate effectua en juin 1896 une période militaire dans ce service. À l'époque, Picquart tentait d'y remettre de l'ordre. Le diplomate ne tarit pas d'éloges sur son compte [86]. Mais il est en revanche très sévère pour le service et ses hommes dont l'état de corruption avait franchi un nouveau stade avec le processus d'élimination interne de leur chef [87]. N'étant pas coopté, Picquart était déjà suspect a priori. Il aggrava ensuite considérablement son cas en venant contester les méthodes criminelles employées contre Dreyfus. Il découvrit progressivement l'ampleur des manipulations opérées au ministère de la Guerre, notamment à l'occasion de la dépêche Panizzardi, et l'incompétence crasse des agents de la Section de statistique. Les relations entre les deux services et les deux ministères se brisèrent au début de l'année 1899 lorsque la Cour de cassation mit en lumière la manipulation du télégramme Panizzardi.

Une vive et définitive explication fut portée à la tribune de la Chambre, le 12 mai 1899, par un ministre des Affaires étrangères excédé des mises en cause de ses services par ceux de l'armée. Théophile Delcassé avait déjà adressé le 27 février de la même année une lettre à son collègue Freycinet, redevenu ministre de la Guerre dans le quatrième cabinet Dupuy, pour protester contre les agissements de l'État-major et de la Section de statistique. Il était intéressant de noter que, le lendemain de l'envoi de cette lettre, Pierre Waldeck-Rousseau prononçait au Sénat le discours qui allait le faire entrer au cœur de la bataille dreyfusarde. Il y dénonçait « une chose [qui] grandit et grandit sans cesse dans ce pays : c'est le pouvoir de la menace et de la calomnie, une sorte d'inquisition obscure ; elle est partout [88] ». Le pouvoir de domination de la Section de statistique était d'autant moins tolérable aux diplomates que Boisdeffre avait pris une part très importante dans la conclusion de l'alliance franco-russe. Il avait été en 1892 le négociateur de la convention militaire et fut désigné en novembre 1894 comme ambassadeur extraordinaire aux obsèques de l'empereur Alexandre III. En 1896, le chef d'État-major fut encore chargé d'organiser la visite du nouveau tsar et de la tsarine en France.

La montée en puissance de la Section de statistique et de ses méthodes, mais aussi la toute-puissance du ministère de la Guerre et de l'État-major de l'armée sur les ministères civils inquiétèrent également beaucoup les services centraux du ministère de l'Intérieur dont la Sûreté générale et ses principaux commissaires comme René Cavard, Célestin Hennion et Louis Tomps, ce dernier ayant bien connu la Section de statistique lors d'une longue période de détachement. Cette direction moderne voyait avec beaucoup de déplaisir les liens occultes rapprochant la Section de statistique de la préfecture de police, la grande institution rivale de la Sûreté aux méthodes parfois comparables à celles des militaires. La « PP » faisait ainsi du renseignement bien au-delà des limites de ses départements de référence (la Seine, la Seine-et-Marne, la Seine-et-Oise) et prétendait avoir une compétence nationale en matière de police et de renseignement.

Dominée par le ministre de la Guerre, encouragée par l'absence de contrôle civil, la Section connut un dévoiement accéléré de ses missions, qui fut préparé par les conséquences de l'application des Carnets A et B. En janvier 1893, après l'épisode boulangiste, la décision conjointe du ministère de la Guerre et du gouvernement de faire arrêter préventivement les étrangers et les militants révolutionnaires en cas de guerre ou de tension politique avait encore accru le pouvoir de la Section de statistique et l'ampleur de ses missions répressives [89]. Concernant les suspects répertoriés au Carnet B, une note de décembre 1893, signée du général Mercier et accompagnée d'une lettre de Sandherr, précisait qu'ils devaient être considérés « comme des malfaiteurs lors de leur comparution devant le juge [90] ». Allan Mitchell, dans son article sur « La Mentalité xénophobe : le contre-espionnage en France et les racines de l'affaire Dreyfus », a bien souligné que « pour Sandherr et Mercier la distinction entre accusation et condamnation pour espionnage n'était donc qu'une formalité légale [91] » ; la suspension des garanties judiciaires était donc acquise. Elle se doublait, comme l'a montré le général Bach, d'une entreprise de dissimulation systématique de la mise en œuvre du Carnet B. La lettre de Sandherr adressée à tous les généraux de corps d'armée prescrivait de détruire « toutes les minutes des rapports ou lettres » qui seraient adressés en exécution des ordres [92]. Les ministères civils et le chef du gouvernement étaient ainsi écartés de toute possibilité de contrôle de la procédure et des agissements des bureaux de la Guerre. Et ils acceptèrent cette marginalisation. À leur décharge comme à celle du ministre de la Guerre, il faut préciser que le pays vivait dans une véritable espionnite. Des traîtres avaient déjà été interceptés, des procès avaient eu lieu [93]. Mais ce contexte tendu ne pouvait expliquer le niveau de dérive de l'État-major de l'armée et de ses services. L'affaire Dreyfus constitua bien une grave crise de l'État, laquelle définit profondément la crise politique majeure de la République à l'époque de l'affaire Dreyfus.

*Une démission gouvernementale*

Après le départ de Charles de Freycinet du ministère de la Guerre en janvier 1893, les différents gouvernements de la République n'opérèrent qu'un contrôle très limité sur ses successeurs, le général Loizillon et surtout le général Mercier arrivé rue Saint-Dominique en décembre 1893. Au moment de l'identification puis de l'arrestation du capitaine Dreyfus, le ministre de la Guerre, la Section de statistique et les chefs d'État-major disposaient donc d'une autonomie considérable qui leur permettait d'écarter toute critique et d'agir en toute impunité. Mercier put dissimuler à tout le gouvernement et au président de la République les ressorts de la conspiration qui aboutirent à l'élimination du « traître ». Seul Gabriel Hanotaux tenta d'empêcher que le ministère de la Guerre disposât de l'entier pouvoir d'agir comme bon lui semblait dans cette affaire. Lors du « petit Conseil » du 11 octobre 1894, par lequel Mercier avait obtenu l'autorisation d'ouvrir des poursuites sans révéler le nom du capitaine Dreyfus, mais en concluant d'emblée à la culpabilité du suspect, le ministre des Affaires étrangères s'opposa non seulement aux poursuites, mais également à une enquête. La faiblesse des preuves avancées – à savoir une lettre missive et des expertises d'amateur – et des « considérations d'intérêt public et national [...] s'opposaient à une pareille procédure[94] ». Hanotaux échoua dans sa tentative de maintenir la légalité et la collégialité dans le gouvernement de cette accusation de haute trahison aux graves implications diplomatiques. Il alla, on le sait, plaider à nouveau sa cause le soir même en se déplaçant au ministère de la Guerre. Peine perdue. La seule chose qu'il avait pu obtenir lors du « petit Conseil » des ministres, « l'engagement que, si [Mercier] ne trouvait pas d'autres preuves contre l'officier dont il s'agissait [...], la poursuite n'aurait pas lieu[95] », se retourna contre Dreyfus puisque le ministère de la Guerre s'employa à fabriquer les preuves qu'il ne pouvait obtenir, et pour cause, par une enquête régulière. Cet engagement, Mercier n'hésita pas ensuite à le dénaturer, comme en témoigna sa déposition au procès de Rennes[96].

Pour tenter de faire plier le général Mercier, Hanotaux s'était même adjoint le soutien du gouverneur militaire de Paris, qui s'était déclaré opposé aux poursuites, « alléguant que tout était préférable au déshonneur jeté sur un officier français et aux soupçons qui en rejailliraient sur tous nos officiers ». Rien n'y fit. Le général Mercier développa une argumentation en trois points, sous-tendue par la conviction que la justice devait se mettre au service de l'autorité militaire et de sa décision de faire condamner le suspect. La figure de la raison d'État affleura dans le propos du ministre de la Guerre : « 1° La loi ordonne de poursuivre l'espionnage et la trahison. J'ai des présomptions assez fortes pour supposer l'un ou l'autre. Je dois obéir à la loi ; 2° Le fait est déjà connu par tous les officiers qui ont été mêlés au début de l'enquête, connu d'un ou deux experts qui ont eu à procéder à la vérification des écritures. Il est vrai qu'ils ne connaissaient pas le nom de l'officier ; [3°] Dans ces conditions, un scandale en sens inverse se produirait, et nous serions accusés d'avoir pactisé avec l'espionnage. [...] Des ordres étaient donnés déjà pour qu'un officier de police judiciaire procédât à la perquisition chez l'officier soupçonné. » Hanotaux ne put rien obtenir. Pendant le mois de novembre 1894, il constata que, « au fur et à mesure que l'enquête se déroulait, on affirmait que la culpabilité devenait de plus en plus évidente et que la conviction des personnes qui connaissaient les faits était faite, et cependant on n'alléguait aucun document autre que celui cité précédemment [97] ». Au début du mois de décembre, Hanotaux tomba gravement malade [98]. Il fut dans l'impossibilité matérielle et morale de s'opposer encore à Mercier. Il avait déjà renoncé. Le 26 décembre 1894, il quittait Paris pour se reposer à Cannes. Consécutif à sa convalescence, son repli de la scène gouvernementale [99] consacrait plus encore le triomphe de son collègue de la Guerre. Ce jour du « petit Conseil », seul il « fit son devoir », comme l'écrivit Joseph Reinach [100]. Les autres ministres se désintéressèrent de la question, à l'instar du président du Conseil et ministre de l'Intérieur qui céda au général Mercier pendant le « petit Conseil ».

Charles Dupuy reconnut devant la Cour de cassation le 26 décembre 1898 ne s'être plus intéressé désormais au procès Dreyfus « jusqu'après sa condamnation, [...] sauf une discussion au Parlement, à propos du huis clos et de la peine appliquée ». Il n'entendit parler ni des « aveux » de Dreyfus ni des pièces secrètes réunies contre l'accusé. Il n'eut connaissance de l'existence d'un dossier secret au ministère de la Guerre « que tout récemment, à l'occasion de la demande de communication faite par la chambre criminelle de la Cour de cassation », ce même mois de décembre 1898 [101]. La désinvolture avec laquelle le président du Conseil laissa agir sans contrôle son ministre de la Guerre en dit long sur le statut spécial des chefs de l'armée dans la nation, mais aussi sur le déclin des élites républicaines, incapables notamment de tirer les enseignements de la crise boulangiste. La soumission du pouvoir militaire au pouvoir civil apparaissait ici comme une fiction, non comme un principe constitutionnel régi par les lois fondamentales de 1875 [102]. Le seul acte d'autorité de Charles Dupuy à son encontre fut de faire publier la note de l'agence Havas démentant ses propos du *Figaro* du 28 novembre 1894, mais elle émanait en réalité de Joseph Reinach qui fit le siège du président du Conseil. « J'étais alors député. Je pris le texte de la phrase où le porte-parole de Mercier célébrait Boulanger et injuriait la Haute Cour, pour écrire au président du Conseil qu'un pareil langage me semblait intolérable, que je saisirais d'une demande d'interpellation le groupe des républicains du gouvernement. Quelques heures après, Dupuy me fit prier de passer à son cabinet. Il me dit n'avoir pas été moins surpris que moi par l'article du *Figaro* ; un démenti passerait, le soir même, dans *Le Temps*. Il m'en communiqua le texte. Je convins qu'il n'y avait plus lieu à incident, mais j'ajoutai que Mercier, certainement, ne lui avait pas dit la vérité [103]. » En tant que ministre de l'Intérieur, il laissa le général Mercier et ses services agir à leur guise avec la préfecture de police, mobilisant le chef de l'Identité judiciaire et l'utilisant à des fins que Bertillon, aveuglé par sa mission, ne comprit jamais. Il ne prit aucune initiative pour freiner la croisade de son ministre de la Guerre. Il est possible qu'il comptait sur une faute politique de sa part pour écarter définitivement de la vie politique un personnage si violent et menaçant, ce qui fut fait à la fin du mois de janvier 1895 lorsque Mercier perdit son portefeuille dans le troisième gouvernement Ribot, au profit du général Zurlinden.

Lorsque l'Affaire prit sa dimension de crise majeure de la République, Charles Dupuy simula l'oubli sur les faits qui s'étaient déroulés ce 11 octobre 1894. Le 26 décembre 1898, déposant devant la chambre criminelle de la Cour de cassation, il laissa entendre que Gabriel Hanotaux n'était peut-être pas du nombre des ministres réunis au « petit Conseil [104] ». L'ancien ministre des Affaires étrangères rétablit la vérité en invoquant au procès de Rennes la note qu'il avait adressée au président du Conseil le 7 décembre 1894 [105] et qui fut déposée aux archives de la direction politique du Quai d'Orsay, note par laquelle il rappelait tous les faits qui avaient impliqué son département [106]. « Les souvenirs de Guérin sont encore plus troubles », nota Joseph Reinach à propos de l'attitude de l'ancien garde des Sceaux déposant devant la Cour de cassation ou au procès de Rennes [107]. Il s'avéra en tout cas que le garde des Sceaux fut écarté de toute la procédure. Il ne put mentionner devant la Cour de cassation que les deux réunions de cabinet sur le sujet, notant simplement pour la seconde les « quelques réserves et quelques objections [du ministre des Affaires étrangères] tirées du lieu où avait été trouvé le document, et des complications diplomatiques qui, le cas échéant, pouvaient surgir [108] ». Puis il ajouta, catégorique : « À partir de ce jour, je n'ai plus rien su personnellement ni directement. C'est l'autorité militaire qui a suivi toutes les phases de la procédure et dirigé le procès. » Le garde des Sceaux n'a jamais entendu parler « à cette époque de pièces secrètes. Il ne nous a jamais été communiqué et nous n'avons jamais connu que le bordereau. Je n'ai connu l'existence de ces prétendues pièces secrètes qu'il y a un an, à l'époque du procès Zola [109] ». Le problème posé par l'attitude de Guérin fut cependant son refus de savoir, puis de s'impliquer dès lors qu'il disposait de l'information, notamment de la part d'Alfred Gobert. Mais Eugène Guérin déclara ne pas se souvenir de cette entrevue demandée à l'initiative de l'expert. « Ce que je puis affirmer, c'est que, s'il est venu, je ne lui ai pas tenu le langage et je n'ai pas fait les déclarations qu'il me prête [110]. » Pourtant le souvenir de Gobert était très net sur cette entrevue et sur les propos alarmistes qu'il avait tenus au ministre [111]. L'expert judiciaire, qui connaissait très bien la valeur de l'attestation en justice, n'était pas un homme à fournir un faux témoignage.

Quant aux autres ministres du gouvernement, ils ne reçurent aucune information de leurs collègues présents au « petit Conseil ». Le 28 novembre 1898, lors d'un intense discours à la Chambre des députés où Raymond Poincaré saisit « l'occasion trop longtemps attendue de libérer [sa] conscience », l'ancien ministre du gouvernement Dupuy

révéla qu'il fut tenu comme tous ses collègues à l'écart de l'affaire :
« Comme mon ami M. Barthou, comme mon ami M. Delcassé, je n'ai
connu l'arrestation du capitaine Dreyfus que par un article de journal,
quinze jours après (*Vifs applaudissements sur un grand nombre de
bancs à gauche et au centre. Mouvement prolongé*). [...] Nous n'avons
jamais entendu parler d'aucune charge précise contre le capitaine
Dreyfus que le bordereau qui lui était attribué (*Mouvements divers*).
Je dis que jamais, en 1894, nous n'avons eu connaissance d'aucun
dossier diplomatique ou secret [112].» Cette déclaration fut critiquée pour
sa date tardive. Ce qu'elle révélait du fonctionnement du gouvernement de la République était très critiquable aussi. Un ministre des
Finances avouait qu'il ne s'était pas préoccupé, dès lors qu'il avait été
mis au courant par la presse, d'une affaire de la plus haute importance
engageant plusieurs ministères et la sécurité nationale. Il reconnaissait
ne s'être même pas ému auprès du président du Conseil d'avoir été,
comme ses collègues, écarté de toute information et d'être devenu
le complice objectif d'une conspiration. Cette démission du pouvoir
politique montre à quel point le crime d'État qui a visé Dreyfus était
également un défi considérable porté aux lois de la République et au
fonctionnement démocratique des institutions. L'une des conséquences
de cette crise de régime fut la démission du président du Conseil.
Casimir-Perier considérait que ses prérogatives étaient singulièrement
piétinées par le président du Conseil et le ministre de la Guerre.
Cependant, il fut en dessous du minimum politique requis en ce genre
de situation. Il échoua notamment dans tout le volet diplomatique qui
aurait pu sauver Dreyfus.

*L'errance présidentielle*

Concernant les relations avec l'Allemagne, les choses furent aussi
accablantes pour l'exécutif. Comme le rappela Joseph Reinach, « en
disant que Dreyfus n'avait pas trahi en faveur de l'Italie ou de
l'Autriche, Mercier avait nommé l'Allemagne. Dans la bouche du
ministre, cette désignation prenait une gravité que n'avaient pu avoir,
jusqu'alors, les récits des journaux [113] ». L'ambassadeur, le comte de
Munster, intervint auprès du ministre des Affaires étrangères afin de
certifier que le capitaine Dreyfus ne travaillait pas pour son pays et
que les allégations du ministre de la Guerre étaient inadmissibles.
Gabriel Hanotaux ne mit pas en doute la bonne foi du représentant de
l'Allemagne. Une note de l'agence Havas du 30 novembre 1894
déclara « dénuées de tout fondement les allégations des journaux, qui
persistaient à mettre en cause, dans divers articles sur l'espionnage,
les ambassades et légations étrangères ». Ce démenti ne calma en rien
les accusations de la presse. L'empereur d'Allemagne ordonna à son
ambassadeur d'insister auprès du gouvernement français. Munster
étant malade, Gabriel Hanotaux se rendit à l'ambassade. Le

4 décembre, il rendit compte de son entrevue au Conseil des ministres en rappelant les engagements qui avaient été pris au sujet du bordereau (à savoir que le lieu d'origine de ce document ne serait pas révélé, comme l'indique Hanotaux au procès de Rennes). Des fuites informèrent *La Libre Parole* qui, dès le lendemain, attaqua vivement Hanotaux dans ses colonnes. Sa visite à l'ambassade d'Allemagne était présentée comme une capitulation de la France devant son ennemi, comme la décision d'« étouffer l'affaire Dreyfus », le huis clos étant le moyen de cette nouvelle « trahison, qui serait plus épouvantable que celle de Dreyfus [114] ». La situation était telle que Gabriel Hanotaux saisit le président du Conseil qui finit par reconnaître qu'il avait été débordé par son ministre de la Guerre. Il « déclara qu'il n'avait jamais pu saisir qu'une seule fois le général Mercier à part, et lui parler à fond de cette affaire [115] ». Mais il ne fit rien pour réimposer son autorité de chef du gouvernement. Pour Joseph Reinach, l'un des plus intimes amis de Gambetta, très bon connaisseur du système républicain, la raison en était que Charles Dupuy avait peur. Peur du général Mercier, peur de la presse qui désormais le soutenait dans le bras de fer avec Gabriel Hanotaux. L'une des qualités essentielles d'un homme d'État, le courage, lui faisait défaut [116].

Mais le ministre des Affaires étrangères disparut de la scène politique pour plusieurs semaines. Juste avant de quitter Paris, il fit publier une dernière dépêche par l'agence Havas. Elle sonnait déjà comme une retraite. Hanotaux pouvait témoigner des déclarations de l'ambassadeur sur l'absence complète de lien entre l'Allemagne et Dreyfus. Il n'en fit rien. Il se contenta de préciser qu'« il est absolument inexact que M. de Munster ait entretenu M. Hanotaux de l'affaire autrement que pour protester formellement contre toutes les allégations qui y mêlent l'ambassade d'Allemagne ». Cette déclaration ignorait Dreyfus et les éléments d'innocence qu'Hanotaux avait recueillis de la bouche du diplomate. Pour Joseph Reinach, qui a scrupuleusement établi ce dossier pour sa grande *Histoire de l'affaire Dreyfus*, « ainsi échouèrent avant le procès, avant le gouffre que creusera le verdict de condamnation, les efforts de l'ambassadeur allemand pour sauver l'innocent. Tout ce qu'il a été possible de dire sans provoquer un incident redoutable, il l'a dit, sans émotion, à Hanotaux. Le jeune ministre sentit si vivement que le vieil ambassadeur, parlant par ordre de son souverain, avait dit la vérité, qu'il n'osa pas en informer le président de la République. Il chercha dans la maladie un refuge contre la honte [117] ».

Les déclarations de l'ambassadeur à Gabriel Hanotaux auraient probablement été plus déterminantes si elles avaient comporté l'information que Dreyfus allait être condamné à la place d'un officier qu'employait effectivement l'ambassade d'Allemagne. Hanotaux aurait eu alors entre les mains un élément décisif susceptible de décider le gouvernement à arrêter la procédure contre Dreyfus et à rouvrir tout le dossier. Mais Munster ignorait que son attaché militaire pratiquait l'espionnage. Et Schwartzkoppen ne lui révéla point la vérité. Hanotaux renonça et disparut de la scène politique pendant plusieurs semaines. Le président du Conseil ne chercha plus à contenir Mercier, tout en sachant qu'une fois l'affaire terminée il mettrait fin à sa présence au gouvernement. Le président de la République, qui avait été alerté par plusieurs personnes, renonça lui aussi. Il ne fit même pas pression pour que les débats soient publics.

L'incident provoqué par la dépêche du chancelier allemand, transmise le 5 janvier 1895 au président du Conseil, montra à nouveau le jeu de cavalier seul du ministre de la Guerre et son mépris pour le gouvernement qu'il ne tenait informé que d'une faible partie des événements. Un autre fait contribua à révéler la toute-puissance de Mercier. Le président de la République reçut l'ambassadeur d'Allemagne le 6 janvier 1895 à la suite de la communication d'un télégramme très ferme venu de Berlin et signé du ministre Hohenlohe [118]. Pour préparer cet entretien, il dut exiger le dossier de l'affaire. Le ministre de la Guerre ne lui remit des éléments qu'avec répugnance, comme il l'expliqua d'une manière excédée au procès de Rennes : « Ce n'est que quatorze jours après la condamnation que j'ai eu connaissance d'un dossier ; je ne sais même pas si je puis dire du dossier. J'ai dû le faire réclamer expressément au ministère de la Guerre. La condamnation est du 22 décembre, et c'est le 5 janvier, à l'occasion de l'entretien que je devais avoir le lendemain avec l'ambassadeur d'Allemagne, que j'ai réclamé la communication de ce dossier. [...] Avant la condamnation, aucun dossier n'avait été placé sous mes yeux, aucun dossier n'avait été communiqué au Conseil des ministres. J'ai dit à quelle date le général Mercier m'avait fait part de ses premiers soupçons, ou du moins m'avait fait part pour la première fois de ses soupçons à l'égard du capitaine Dreyfus. » Lors de sa déposition à Rennes, l'ancien président de la République en profite pour expliquer que « s'il y a eu, comme cela ressort des dépositions des ministres entre eux au sujet de l'affaire Dreyfus, ils ont été tenus en dehors de moi et c'est en dehors de moi également qu'un conseil de cabinet tenu place Beauvau a décidé de déférer Dreyfus à la justice militaire [119] ». Les circonstances de l'affaire Dreyfus avaient révélé à Casimir-Perier le peu de pouvoir de sa fonction et la manière dont ministres et chefs de gouvernement l'utilisaient à leur guise. Pour lui, « la présidence de la République [était] dépourvue de moyens d'action [120] ». Ce fut la cause de sa démission. Il est vrai que Casimir-Perier était infiniment soucieux de ses prérogatives et ne supportait aucune entorse faite à son pouvoir. Il quitta brusquement l'Élysée le 15 janvier 1895.

Le général Mercier ne posa pas formellement sa candidature à la magistrature suprême, mais un placard se répandit dans la capitale. Orné du portrait du ministre de la Guerre, il faisait un héros du « candidat des patriotes, des honnêtes gens, des vrais républicains ». Sa

gloire venait de l'affaire Dreyfus : « En 1887, le Congrès a élu Sadi
Carnot, parce qu'il avait refusé de se prêter aux tripotages de Wilson ;
en 1895, le Congrès doit élire celui qui a livré au conseil de guerre le
traître Dreyfus [121]. » Sans avoir posé sa candidature, Mercier obtint
trois voix au Congrès réuni à Versailles le 17 janvier, et Waldeck-
Rousseau, candidat des républicains, échoua. Au second tour, il se
désista en faveur de Félix Faure, qui battit le candidat des radicaux et
des socialistes, Henri Brisson. La formation du gouvernement fut difficile. Le radical Léon Bourgeois n'y réussit pas. Alexandre Ribot fut
plus efficace. Il nomma le libéral Ludovic Trarieux à la Justice, et le
modéré André Lebon, par ailleurs historien et professeur à l'École
libre des sciences politiques, aux Colonies. Poincaré passa du ministère des Finances à celui de l'Instruction publique dont l'ancien titulaire, Leygues, alla à l'Intérieur. Gabriel Hanotaux fut maintenu aux
Affaires étrangères. Mercier fut remplacé à la Guerre par le général
Zurlinden. Son départ amena *La Patrie* à s'exclamer le 29 janvier
1895, sous la plume du nationaliste Lucien Millevoye, que c'était « la
revanche de Dreyfus ».

*Un désastre républicain*

Dans cette démission collective des acteurs politiques, la responsabilité première incombait au général Mercier. En tant que chef des
services de renseignement, il agit comme le « criminel en chef », selon
l'expression adéquate utilisée par le capitaine Dreyfus dans ses *Carnets* rédigés après sa libération [122]. En tant que ministre, il se comporta
en chef militaire tout-puissant se plaçant au-dessus des lois et du pouvoir civil qu'il devait pourtant incarner. Les républicains du gouvernement et du Parlement ne firent rien pour l'arrêter. La République
payait là les blessures non refermées de la crise boulangiste. Réputé
républicain, mais agissant avec un cynisme absolu et un mépris pour
la justice comme pour la vérité, le général Mercier démontra par son
action que la tyrannie pouvait naître au cœur des institutions. Néanmoins, il fut profondément aidé par le comportement des responsables
politiques qui ne surent ou ne voulurent s'opposer à un tel dévoiement
des pratiques gouvernementales. Leur responsabilité fut considérable
dans la mesure où beaucoup avaient obtenu par des voies officieuses
des informations faisant état d'une affaire très grave, très menaçante.
On a du reste peine à croire que ni Poincaré ni Barthou n'aient été
mis au courant, au moins de la communication secrète. Ils devaient
savoir, comme sut dès janvier 1895 l'ancien ministre de la Guerre
Charles de Freycinet. Dans ses *Mémoires*, Auguste Scheurer-Kestner,
vice-président du Sénat, raconta en premier lieu que le « procès du
capitaine Dreyfus, en 1894, avait laissé dans [son] esprit quelque chose
de vague et de douloureux [123] ». En second lieu, il fournit une révélation de première importance :

Je retrouve une note que j'ai écrite en janvier 1895 ; elle trahit mes préoccupations et montre que, déjà à cette époque, je cherchais à me faire une conviction. La voici :
« Voilà une affaire qui est bien extraordinaire ! Un officier français, fortuné, frère de braves gens, ayant donné la préférence à la carrière militaire sur l'industrie créée par son père, continuée par ses frères, et où il avait une place marquée, bien noté au ministère de la Guerre puisqu'on lui avait donné un poste de confiance, bien apparenté à Paris, et qui est accusé de trahison et condamné. Après sa condamnation, je me suis dit que sa culpabilité a dû être mille fois prouvée à ses juges. Eh bien ! on dit qu'il n'en est rien. Mais alors les juges ?... J'ai voulu en savoir davantage et voici ce que m'a dit Freycinet il y a deux jours :
"Il est incontestable que des communications ont été faites à l'Allemagne. Par qui ? Est-ce par Dreyfus ? Certains ne le croient pas, d'autres le pensent, mais il paraît qu'on n'a produit à l'audience qu'une seule pièce que Dreyfus prétend ne pas provenir de lui. Après la plaidoirie, il est certain que les juges étaient perplexes ; mais on voulait avoir l'unanimité, et dans le cabinet où délibéraient les juges, on a apporté une autre pièce, cette fameuse pièce dont les journaux ont tant parlé sans savoir ce qu'elle pouvait receler, et on leur en a donné communication. Les juges n'ont pas hésité."
Voici ce qu'était cette pièce. C'était une communication de l'attaché militaire de l'ambassade italienne à l'attaché militaire de l'ambassade d'Allemagne, disant (en toutes lettres) : "Dreyfus tient la dragée haute." Cette pièce, dérobée à l'ambassade d'Allemagne, a donné lieu à des histoires terribles entre représentants de l'Allemagne et de l'Italie et notre ministre des Affaires étrangères.
La condamnation a donc été prononcée à l'unanimité au vu de cette pièce. On peut se demander ce que c'est que ce Dreyfus. Est-ce le même ? Sandherr en est convaincu ; mais d'autres le sont moins. »

Auguste Scheurer-Kestner ajouta, en guise de commentaire : « Ces renseignements ne furent pas convaincants [124]. » La réaction du sénateur, républicain historique, ancien proscrit de l'Empire [125], ne manque pas de surprendre. Ainsi la connaissance d'une manipulation judiciaire de la plus haute gravité ne suscitait-elle pas chez lui une condamnation outrée, une volonté d'agir, ou même un étonnement douloureux. On mesure dans sa réaction le degré de tolérance à l'arbitraire accordé à l'institution militaire surtout lorsqu'elle était confrontée à des faits d'espionnage. Le refus d'agir de Scheurer-Kestner ou de Freycinet alors qu'ils ne pouvaient plaider l'ignorance démontre aussi la force de l'intimidation de la campagne de presse lancée par les organes extrémistes. Enfin, l'hypothèse de défendre un Juif, en ces temps d'antisémitisme militant, dut aussi arrêter les bonnes intentions. Scheurer-Kestner prit cependant ses responsabilités, acceptant de recevoir Mathieu Dreyfus le 7 février 1895, le conseillant sur la meilleure stratégie pour défendre son frère [126]. Dès 1896, il s'engagea plus nettement, menant d'abord une enquête privée, puis se déclarant publiquement en 1897. Quant à Freycinet, il ne prit jamais les responsabilités de l'éminent républicain qu'il avait été. Redevenu ministre de la

Guerre en novembre 1898 dans le quatrième gouvernement Dupuy, il dut démissionner en mai 1899, victime de la faiblesse trop grande qu'il avait manifestée devant les attaques antidreyfusardes.

Comme Auguste Scheurer-Kestner, Waldeck-Rousseau devait savoir comment Dreyfus avait été condamné. Il était, ne l'oublions pas, un ami d'Edgar Demange qui ne put pas ne pas l'informer des conditions scandaleuses de l'instruction et du procès. Il lui avait demandé du reste d'intervenir pour empêcher le huis clos [127]. Or l'ancien ministre de Gambetta et le grand avocat qu'il était se gardèrent d'intervenir. Sa déclaration fracassante du 28 février 1899 au Sénat, dénonçant « le pouvoir de la menace et de la calomnie » venait tardivement, à un moment où il ne convenait plus seulement de défendre le capitaine Dreyfus, mais encore de combattre pour le lieutenant-colonel Picquart et pour l'indépendance de la magistrature – cette dernière se trouvant menacée par le projet de loi gouvernemental qui visait à interrompre le processus de révision du procès de 1894.

*La voix de la justice*

Les magistrats également furent silencieux dans les suites du procès de Dreyfus, lorsque la vérité, dès janvier 1895, commença à se répandre dans les milieux du pouvoir. Ils pouvaient bien sûr invoquer le fait qu'ils n'étaient pas officiellement saisis. Mais s'ils avaient voulu faire savoir leur réprobation du conseil de guerre, ils n'auraient pas manqué de trouver les relais politiques nécessaires, au Sénat particulièrement. Certains d'entre eux, cependant, n'oublièrent pas. Comme nous le verrons, le juge Paul Bertulus rappellera fortement au procès de Rennes que le principe de justice ne se discute pas en démocratie. Les procureurs généraux de la Cour de cassation pour les deux révisions, Jean-Pierre Manau pour la première, Manuel Baudouin pour la seconde, firent entendre la voix de la justice. Le second, dans son réquisitoire prononcé devant les chambres réunies en juin 1906, revint sur le sens du dossier secret et de sa communication en chambre du conseil des magistrats militaires. Pour le premier représentant du parquet en France, ce fait violait les principes fondamentaux de la justice et de sa raison d'être en démocratie tels qu'ils avaient été fixés par le grand juriste Faustin Hélie dans son *Traité d'instruction criminelle*.

Irrégularité sans importance, chicane de procédure, argutie d'avocat ! s'est écriée l'accusation quand on lui a reproché ce fait.

Nous ne saurions, nous messieurs, protester avec trop d'énergie contre cette monstrueuse violation des droits imprescriptibles de la défense. Elle intéresse les principes les plus indiscutables non seulement de notre droit français, mais du droit de toutes les nations ! Ce ne sont pas seulement les principes de 1789, la Déclaration des droits de l'homme et du citoyen qui sont violés ; ce sont les règles fondamentales du droit naturel, les principes essentiels de la civilisation qui sont en jeu et qui réclament l'appui de tous ceux qui ne veulent pas voir les sociétés modernes retourner à la barbarie. « La défense des accusés, nous dit M. Faustin Hélie, résumant la doctrine de tous les auteurs dans tous les temps et dans tous les pays, ne doit être considérée ni comme un privilège que la loi aurait établi, ni comme une mesure que l'humanité aurait conseillée ; elle constitue un droit que toutes les législations, même celles qui l'ont le plus restreint, ont mis au nombre des droits naturels, que les lois positives peuvent régler sans doute, mais qu'elles ne peuvent jamais détruire. Elle est à la fois instituée dans l'intérêt des accusés et dans l'intérêt de la société ; dans l'intérêt des accusés pour qu'ils puissent faire valoir toutes les exceptions, toutes les justifications, tous les moyens de fait et de droit qui leur appartiennent ; dans l'intérêt de la société, car le premier besoin de la société est la justice, et il n'y a point de justice là où la défense n'est pas entière, car il n'y a pas certitude de la vérité. La défense n'est pas moins nécessaire au juge qu'à l'accusé lui-même. Est-il assuré de connaître la vérité, s'il n'a appris que les arguments de l'accusation, s'il n'a envisagé l'affaire que sous un seul point de vue ?... Il ne peut en être assuré que si l'accusé a été mis à portée de débattre les témoignages accusateurs, de produire des faits justificatifs et de se livrer librement à tous les développements que la cause comporte. La défense est le droit de l'accusé ; mais elle est en même temps la garantie de la justice et le moyen le plus puissant d'arriver à la connaissance de la vérité. »

Ce sont ces idées si justes, si vraies, qui ont inspiré toute votre jurisprudence, et dont vous n'avez en tout temps cessé d'assurer le respect avec une inflexible sévérité. [...] Ce sont ces règles qui ont été violées ici par le plus audacieux attentat non seulement contre la liberté et l'honneur de l'accusé, mais encore contre la bonne foi des juges, indignement trompés par cette inqualifiable manœuvre.

S'il est permis de penser que les juges du conseil de guerre, peu habitués aux choses judiciaires, façonnés à la discipline la plus étroite, s'embarrassent peu des formes et, habitués à trancher le plus souvent par le glaive les difficultés qui les gênent, ont pu ne pas se rendre compte de l'énormité de l'acte dont on les faisait les instruments et dont ils n'ont pas apprécié l'illégalité flagrante, il est au contraire impossible d'admettre que le général Mercier se soit mépris un seul instant sur le caractère condamnable de cet acte ! Et ce qui le prouve indiscutablement, ce sont les précautions qu'il a accumulées pour que le fait restât à jamais inconnu et que l'impunité lui fût acquise [128].

Il importe d'indiquer ici cette parole de juriste afin de rappeler que les conditions dans lesquelles le capitaine Dreyfus fut accusé et condamné étaient la négation même de la justice travestie sous le voile d'une apparente légalité. Les magistrats de la cour suprême refusèrent cette soumission du droit à la raison d'État qu'exigeaient le pouvoir politique et l'opinion. Ils leur opposèrent le devoir de rechercher la vérité et de soumettre la justice à ce principe indiscutable. Certes, la parole de la justice attendit longtemps avant de se faire entendre, ici près de douze ans et encore parce que Dreyfus à l'île du Diable était parvenu à survivre. Mais lorsque le moment arriva, elle ne recula pas, du moins avec le procureur général de la Cour de cassation qui alla droit au but et condamna dans son réquisitoire les crimes de droit et d'État qui emplissaient les annales de l'affaire Dreyfus. Il fut critiqué pour avoir dit clairement l'ampleur des agissements criminels des accusateurs de Dreyfus, ministres, officiers, fonctionnaires, journalistes. Il dénonça également l'application tyrannique des peines auxquelles avait été condamné Dreyfus. Ses propos pouvaient évoquer une conception élargie de la justice, ne régnant pas uniquement dans les prétoires et dans les cabinets de juge d'instruction, mais aussi dans les prisons et dans les bagnes.

Que de pensées nous envahiraient en effet en songeant à l'atroce supplice qui lui a été infligé pendant cinq ans sous cette surveillance haineuse, la palissade, la double boucle ; à tous ces raffinements de cruauté qui, avec une lenteur savante, désorganisaient la cervelle, la moëlle de l'homme, usaient sa substance nerveuse et, avec une certitude qui pouvait presque escompter les heures, le menaient à la mort par la solitude systématique, par la réclusion dans une cage obscure, sous un toit de zinc, dans ce pays de soleil torride, sans que rien, pas même une tentative d'évasion qui n'a jamais été préparée, justifiât de tels excès vis-à-vis de ce condamné, dont la soumission, la résignation, n'ont pas donné lieu à la plus légère observation, qui, enfermé vivant dans une véritable tombe, souffrant des mille misères de chaque jour, plus encore de toutes les tortures devinées de sa famille que de celles qu'il sentait lui-même, s'est courbé docilement sans réserves sous la plus inflexible discipline, sans qu'une plainte échappât de ses lèvres, et qui, soutenu par le sentiment de sa dignité et de son innocence, a su opposer aux efforts du supplice méthodique de méthodiques résistances, et triompher du climat qui l'opprimait, de la fièvre qui le rongeait, de la folie qui l'assiégeait, à force de ressort physique et de puissance morale [129].

Cette protestation du procureur général Baudouin était morale avant d'être juridique. Le viol de la justice commis également dans l'application de la peine de déportation ne fut pas démontré dans son réquisitoire, contrairement à ce qui fut fait pour le procès de 1894 et pour le procès de Rennes. Une telle condamnation de l'inhumanité d'une peine transformée en torture n'en restait pas moins très rare dans les annales judiciaires de la IIIe République pourtant caractérisée par l'arbitraire des pratiques et des normes. L'exécution tyrannique de la peine de déportation du capitaine Dreyfus s'inscrivait dans un système où le condamné dépendait entièrement de l'administration pénitentiaire qui avait « presque tout pouvoir de l'aggraver par sa justice interne [130] ». Si la peine était judiciairement légale, son application définissait un arbitraire aussi grave que la manipulation de la justice dans le procès de 1894. Le fait que cette situation fût acceptée à l'époque par les pouvoirs administratifs, judiciaires et politiques traduisait de surcroît un recul inquiétant de la démocratie dans la République.

## LA TYRANNIE DE LA DÉPORTATION

Le détournement du conseil de guerre aux fins d'obtenir la condamnation du capitaine Dreyfus, c'est-à-dire le doublement du crime d'État par un crime de justice, ne représenta pas le seul moment où la légalité disparut sous l'arbitraire. L'application des peines fut également dominée par une forme de tyrannie. Particulièrement la déportation. Puisque le condamné refusait de reconnaître « son crime », il convenait de lui réserver les conditions de déportation les plus dures afin de le punir de l'affront qu'il commit en se proclamant innocent. Déjà, le 31 décembre 1894, le capitaine Dreyfus avait opposé une fin de non-recevoir à l'offre du ministre d'atténuer sa peine en échange de ses aveux. Mercier révélait là qu'il détenait la force d'agir sur le régime de la déportation alors qu'officiellement il n'avait sur elle aucune autorité légale. Dégradé, Dreyfus n'allait plus rester militaire. Il serait d'abord sous le contrôle du ministère de l'Intérieur puis passerait à son départ de France sous l'autorité du ministère des Colonies. L'aveu du ministre de la Guerre, par la voix du commandant du Paty de Clam, traduisait le pouvoir de l'armée sur d'autres institutions de la République, comme les Colonies.

Le général Mercier décida de faire subir au capitaine Dreyfus une déportation exceptionnelle. Ses protestations d'innocence lors de la dégradation renforcèrent encore le ministre de la Guerre. Il était prêt, pour y parvenir, à s'affranchir des principes de la République et de l'esprit de justice. Le projet de loi rétablissant les îles du Salut comme lieu de déportation était sa réponse au défi de Dreyfus contestant la vérité établie. Mais cette législation d'exception ne constituait qu'un des éléments de la peine expiatoire que devait subir le condamné. Tout un ensemble d'ordres et de directives construisit un régime de déportation qui finit par devenir terrifiant. Le fait même d'un tel régime de peine montrait les formes de tyrannie à l'œuvre dans une nation réputée démocratique. La volonté de soumettre Dreyfus par tous les moyens fut celle du général Mercier et de ses subordonnés. Elle fut aussi celle du ministère des Colonies et de ses différents titulaires dont André Lebon. Ministre du 29 avril 1896 jusqu'au 29 juin 1898, celui-ci relaya avec une cruauté particulière l'acharnement des militaires à transformer Dreyfus en criminel perpétuel.

### Le choix de la Guyane

La loi sur les îles du Salut du 9 février 1895, votée sans débat le 31 janvier 1895 et promulguée au *Journal officiel* le 12 février suivant, élargissait donc les destinations possibles de la déportation prévue dans le cas de la condamnation du capitaine Dreyfus. Le changement du lieu de déportation remplissait les objectifs que le général Mercier s'était donné afin de transformer la peine en mesure expiatoire permanente. Cela permettait d'assurer une protection parfaite contre le risque d'évasion, Dreyfus restant considéré comme criminel donc comme évadé potentiel. La transformation en lieu de déportation aux fins de répondre au problème spécifique de Dreyfus permettait d'autre part de lui appliquer un régime également spécial, réservé à un criminel dangereux.

Les îles du Salut forment un archipel au large de la Guyane, à 7 milles de l'embouchure du fleuve Kourou et de la ville du même nom. S'y dresse encore la tour dite « Dreyfus » servant aux communications avec les îles. Celles-ci bénéficiaient d'un climat beaucoup plus clément que le continent. Dès la fin du XVIIIᵉ siècle, « elles gagnèrent leur réputation de salubrité et définitivement leur nouvelle appellation [131] » en accueillant notamment les survivants des désastreuses expéditions du duc de Choiseul qui visaient à peupler la Guyane française. La vocation de la colonie à servir de bagne s'affirma dès le Directoire, qui y expédia des déportés politiques. Sur la plus grande des îles, l'île Royale, se dressa alors le bagne dont la création avait été décidée par les révolutionnaires de 1795. L'établissement se développa fortement pendant toute la première moitié du XIXᵉ siècle. L'abolition de l'esclavage par la IIᵉ République entraîna un besoin de main-d'œuvre supplémentaire que les bagnards allaient devoir fournir. Le Second Empire encadra cette évolution au moyen d'un arsenal réglementaire et législatif. Le décret du 27 mars 1852 décida de la fermeture de plusieurs bagnes métropolitains et l'envoi de leurs détenus en Guyane, tandis que la loi du 30 mai 1854 institua les bagnes coloniaux. Le commissaire général de Guyane, Sarda-Garriga, accueillit sur l'île Royale le premier contingent de trois cent un bagnards, politiques, coloniaux et droits communs, par ces mots : « J'ai mission de vous faire vivre une vie nouvelle. En France, vous êtes des criminels ; ici, je ne veux voir que des hommes repentants [132]. » Le discours tenu au capitaine Dreyfus fut, on le verra, sensiblement différent.

Les îles du Salut servaient essentiellement de point de transit des forçats avant leur transfert sur le continent. L'île Royale servait d'annexe à l'établissement pénitentiaire, l'île Saint-Joseph était réservée aux anarchistes, aux malades et aux déments, et l'île du Diable fut transformée en léproserie – d'après Joseph Reinach, c'est de cette fonction qu'elle tira son nom [133]. Les conditions pénitentiaires en Guyane étant particulièrement difficiles et la mortalité très élevée, la décision fut prise en 1869 de ne plus y envoyer que les forçats d'origine coloniale. Mais la IIIᵉ République revint sur cette disposition de l'Empire libéral. En 1887, elle rouvrit les bagnes à tous les types de forçats, en y incluant une catégorie nouvelle, les relégués, des délinquants multirécidivistes de métropole qui étaient exilés définitivement en Guyane après avoir purgé leur peine de prison en France. Cependant, dès 1872, le nouveau régime avait décidé d'écarter de Guyane les déportés, c'est-à-dire les condamnés pour crime politique qui n'étaient plus passibles de la peine de mort par application de la Constitution de la II$^e$ République et de la loi du 8 juin 1850. Que la déportation soit « simple » ou en « enceinte fortifiée », celle-ci ne pouvait plus avoir lieu qu'en Nouvelle-Calédonie, sur la presqu'île Ducos pour le second cas, là où Dreyfus aurait dû être déporté. Les communards y furent transportés par milliers, avant de pouvoir revenir en France après le vote des lois d'amnistie de 1879-1880 et de dénoncer les conditions de déportation qui leur avaient été faites.

Le rétablissement des îles du Salut comme « lieux de déportation dans une enceinte fortifiée » renvoyait donc à des périodes très répressives de la France contemporaine, particulièrement la terreur révolutionnaire et le Second Empire. Pour punir Dreyfus comme l'envisageait le ministre de la Guerre, la République retrouvait des précédents pour le moins dangereux. Le prétexte invoqué pour modifier la loi du 23 mars 1872 tenait à la nécessité de lutter contre tout risque d'évasion : le continent était inaccessible à la nage depuis les îles du Salut, la mer y était particulièrement mauvaise et les requins pullulaient dans le secteur. Mais cette modification reconnue par la loi installait aussi une forme de tyrannie qui avalisait le régime d'exception imaginé contre Dreyfus.

*Un régime d'exception*

Le jour même de la dégradation, le 5 janvier 1895, *Le Matin* publiait la notice individuelle qui devait accompagner Dreyfus en déportation. « Dreyfus n'a exprimé aucun regret, fait aucun aveu, malgré les preuves irrécusables de sa trahison ; en conséquence, il doit être traité comme un malfaiteur endurci, tout à fait indigne de pitié [134]. » Le mode d'application de la loi allait obéir aux mêmes conceptions ultra-répressives, à rebours des idées libérales de peine rédemptrice et de progrès de la conscience humaine.

Le 10 février 1895, Émile Chautemps, le ministre des Colonies, câblait confidentiellement au gouverneur de la Guyane que les îles du Salut avaient été désignées comme lieu de déportation en enceinte fortifiée et que « le déporté Dreyfus » serait dirigé sur la Guyane le 22 février par le vapeur *Ville-de-Saint-Nazaire*. Le câble indiquait aussi : « Préparez installation île Saint-Joseph ou îlot du Diable. Situation du condamné, tentatives corruption et autres qui seront sûrement faites exigent mesures exceptionnelles surveillance pour empêcher évasions. Choisir surveillants absolument sûrs. Instructions suivent. » Dans une seconde dépêche, celle-ci très circonstanciée, le ministre des Colonies précisait la manière dont ces instructions devaient être entendues et appliquées. On y mesure les raisons exactes qui incitèrent le gouvernement à faire modifier la loi sur la déportation :

La situation particulière de ce déporté, sa fortune personnelle, ses relations de famille, les tentatives de corruption dont le gouvernement a eu la preuve, l'ont conduit à penser que l'internement à la presqu'île Ducos présentait de sérieux inconvénients. En effet, la surveillance sur ce point était des plus difficiles et on était en droit de craindre des tentatives d'évasion de la part de ce condamné dont le crime a profondément ému l'opinion publique. Il ne faut pas oublier, en effet, qu'en vertu de l'article 4 de la loi précitée [du 23 mars 1872], les déportés dans une enceinte fortifiée « jouissent sur le lieu d'internement de toute la liberté compatible avec la nécessité d'assurer la garde de leur personne et le maintien de l'ordre ». Que, d'autre part, Dreyfus disposant de moyens suffisants d'existence, l'administration ne peut lui imposer qu'un régime de police et de surveillance déterminé par le règlement du 31 mai 1872 qui laisse aux déportés dans une enceinte fortifiée une liberté d'autant plus dangereuse pour l'ordre public que le lieu d'internement est moins délimité.

C'est pour ces motifs qu'une loi votée par le Parlement a déclaré que les îles du Salut seraient ajoutées à la presqu'île Ducos, comme lieu de déportation dans une enceinte fortifiée, et le gouvernement a décidé que Dreyfus serait dirigé sur ce point dans le plus bref délai possible. [...]

Il faut à tout prix que Dreyfus ne puisse correspondre avec l'extérieur, recevoir de l'argent et combiner des projets d'évasion rendus possibles par la corruption.

Le ministre des Colonies demandait le plus grand soin dans le choix des surveillants affectés à la garde du prisonnier et autorisait le directeur de l'administration pénitentiaire à leur accorder une indemnité spéciale, « pour exciter le zèle des surveillants ». Il demande aussi un rapport sur les mesures prises pour assurer l'exécution de ces instructions et l'envoi, par chaque courrier, d'un « rapport spécial sur la situation de Dreyfus [135] ». Le caractère d'urgence et d'exception de la loi du 9 février 1895 semblait ainsi autoriser une grande latitude dans son application, moyen par lequel la déportation du capitaine serait la plus cruelle possible. Cette application tyrannique dénaturait la loi du 23 mars 1872 dont le texte du 9 février 1895 ne faisait que modifier un seul article, l'article 2 élargissant le lieu de destination des déportés politiques. Le reste des dispositions de ladite loi restait valable, dont le droit du déporté de vivre librement à l'intérieur de l'enceinte fortifiée et celui de vivre avec son épouse. Puisque la peine qui se substituait à la mort était généralement perpétuelle, il convenait de ne pas la transformer en un système de mort lente. Le législateur n'avait pas envisagé autrement la modification présentée par le ministre de la Guerre. Et du reste le projet de loi ne fut pas défendu par le général Mercier, mais officiellement par le ministre des Colonies du gouvernement Dupuy, le très libéral Théophile Delcassé, ainsi que par son collègue de la Justice, Eugène Guérin. Elle fut promulguée (le 12 février 1895) par le gouvernement suivant, celui d'Alexandre Ribot, avec Émile Chautemps aux Colonies et Ludovic Trarieux à la Justice. Pour ce dernier surtout, qui allait devenir trois ans plus tard l'un des fondateurs de la Ligue française pour la défense des droits de l'homme et du citoyen, ce texte ne pouvait pas devenir le fer de lance de la tyrannie dans la République. Il le fut pourtant à la fois par la volonté des différents ministres des Colonies placés sous la domination de fait des titulaires de la Guerre et parce que les républicains modérés et libéraux renoncèrent à défendre les principes démocratiques. Ce texte du 9 février 1895 constitua la base légale de la mise en œuvre du régime de terreur qui fut développé pour un déporté en particulier. Une telle situation était contraire à la pratique républicaine qui stipulait qu'une loi votée par la représentation nationale ne pouvait être dénaturée par son application. Elle définissait aussi la loi comme répondant à un objet général et non à un cas particulier, en l'occurrence la volonté de punir le capitaine Dreyfus, qui avait défié le pouvoir du ministre de la Guerre. Enfin, la pratique républicaine réprouvait la rétroactivité des textes. Or, d'un certain point de vue, la loi du 9 février 1895 avait ce caractère puisqu'elle fut présentée au Parlement après la condamnation de Dreyfus – les juges n'en ayant pas eu connaissance lorsqu'ils prononcèrent leur verdict. À l'abri de ce dispositif législatif arraché sans débat à la Chambre et au Sénat, les bourreaux de Dreyfus purent organiser le régime de terreur qui allait diriger sa déportation. L'existence d'une telle loi apportait de manière arbitraire un cadre légal à l'invention d'un tel régime. Le premier acte fut alors de décider de la réclusion sur la plus inhospitalière des trois îles du Salut, l'île du Diable.

*Un lieu spécial*

Une lettre du 14 mars 1895 du gouverneur de la Guyane au ministre des Colonies énonça précisément les raisons du choix de l'internement de Dreyfus sur l'îlot jusque-là occupé par les lépreux du bagne et les décisions prises localement par le directeur de l'administration pénitentiaire de Cayenne :

L'île du Diable, dont la superficie totale est de 14 hectares seulement, est située derrière, par le travers et au nord-est de l'île Royale. Elle est séparée de celle-ci, dans la plus petite largeur, par un goulet de 250 mètres environ. Elle est hérissée de rochers sur toute la côte qui l'environne, et la mer se brise constamment avec violence de tout côté, rendant l'accès des embarcations excessivement dangereux et pénible. Dreyfus ne sera autorisé à circuler que dans le tiers de l'île environ.
À supposer qu'un navire vienne croiser au large et essaie de détacher, de bien loin, une embarcation résolue à aborder à l'île du Diable, il faudra une grande habileté au patron de cette embarcation pour ne pas se jeter sur les rochers qui sont partout. Et si une tentative se faisait la nuit, nous considérons comme absolument difficile qu'elle réussisse.
Ce sont ces raisons qui nous ont déterminé à choisir l'île du Diable pour être affectée à l'internement du condamné Dreyfus, de préférence à Saint-Joseph ou à l'île Royale occupées d'ailleurs par un grand nombre de transportés qui ne manqueraient pas de chercher, par tous les moyens possibles, à se mettre en communication avec l'individu qui nous occupe.

M. Guégan a fait diriger les lépreux de l'île du Diable sur le Maroni, brûler les [effets] de ces malades et assainir le petit campement qu'ils occupaient. Puis on a commencé les aménagements du lieu de déportation, consistant en la construction d'une case en pierre de 4 m sur 4 m en une seule pièce destinée au logement de Dreyfus, et d'une case beaucoup plus vaste, en planches et briques pour les surveillants militaires chargés de la garde[136].

Le gouverneur ajouta, en conclusion de son rapport : « Si ces instructions sont ponctuellement suivies – et elles le seront, je l'espère, par les surveillants de choix désignés par M. Guégan –, il n'y a pas à craindre que Dreyfus échappe à l'expiation du crime pour lequel il a été condamné.» Cette dernière mention montrait dans quel état d'esprit se trouvait le haut fonctionnaire chargé de la Guyane. Il envisageait son devoir à travers la possibilité de punir le condamné au-delà de ce que prévoyait la « déportation en enceinte fortifiée» – le punir et lui imposer une souffrance exemplaire afin qu'il expiât son crime. La déportation sur l'île du Diable permettait ce plan, au mépris de la loi de 1872 puisque la réclusion en cellule serait le sort commun du déporté. La législation était très claire à ce sujet ; les différents textes de 1872 précisaient bien : « Les condamnés à la déportation jouiraient de toute la liberté compatible avec le maintien de l'ordre[137].» Les commentaires du *Recueil Dalloz* de 1893 et 1895 étaient tout aussi nets : « La déportation, qu'elle soit simple ou en enceinte fortifiée, *n'a jamais pour effet d'enfermer le déporté dans une prison* ; elle consiste dans la transportation suivie d'internement perpétuel dans une colonie lointaine. Elle est dans son essence simplement restrictive de la liberté, elle n'impose, en effet, au condamné *d'autre obligation que celle de ne pas quitter le territoire où il a été transporté*[138].»

La déportation du capitaine Dreyfus échappait donc à la loi et au droit de la République. Du reste, il n'était pas prévu que d'autres déportés soient emprisonnés à l'île du Diable. Le 20 juin 1895, dans une dépêche au gouverneur de la Guyane française relative aux arrêtés à prendre pour faire exécuter le service de la déportation, le ministre des Colonies, Chautemps, expliquait que « l'île du Diable n'étant pas destinée, quant à présent, et ne paraissant pas devoir être affectée dans l'avenir à l'internement d'autres déportés que ceux dont l'administration pénitentiaire a la garde», il n'y avait pas lieu d'envisager ces textes réglementaires. Il renvoyait aux consignes générales données dans ses dépêches précédentes[139]. Les mots du ministre signalaient bien que le régime de déportation appliqué à Dreyfus était exorbitant : il ne pouvait s'inscrire dans la norme réglementaire ordinaire. L'île du Diable constituait l'élément clef d'un traitement voulu exceptionnel.

Les autorités locales s'étaient en effet inquiétées de ne pas disposer d'instructions précises pour définir le régime exact du déporté qui n'entrait dans aucune catégorie connue. Dans son rapport du 1er avril

1895 au ministre Chautemps, le gouverneur de la Guyane écrivait :
« Il serait de la plus grande utilité que nous fussions nettement fixés
sur la façon dont il convient de traiter le condamné Dreyfus. [...] Il est
certain que cet individu est en mesure de subvenir à son entretien par
ses propres ressources sans qu'il soit obligé de recourir à aucun travail
pour pourvoir à cet entretien. Et puisqu'il peut se nourrir et s'habiller
à ses frais, l'administration pénitentiaire de la colonie doit-elle intervenir dans les conditions spécifiques de l'article 2 du décret du 1er mars
1872, et continuer à lui fournir la ration du soldat aux colonies, sauf
le vin, et l'habillement tel qu'il est déterminé dans le même article 2 ?
Doit-elle encore l'astreindre à un travail quelconque s'il ne demande
pas ce travail, et serait-elle en droit de lui refuser, s'il la sollicitait,
l'autorisation de se livrer à un travail intellectuel, par exemple scientifique, littéraire ? À ne considérer que la gravité du crime commis par
Dreyfus et l'indignité nécessaire qui en découle, on serait amené à lui
refuser l'application d'un régime si peu rigoureux, dont la sévérité se
réduit en définitive à l'isolement complet et à la perpétuité de cet
isolement, sans aucun espoir d'y échapper par l'évasion même à
longue échéance. Mais la situation de ce condamné est tout à fait
exceptionnelle et nous contraint en quelque sorte à lui appliquer un
traitement exceptionnel [140]. »
    Cette situation exorbitante réservée à Dreyfus rendait impossible la
venue pourtant légale de Lucie Dreyfus. Le pouvoir administratif
décida de suspendre ce droit. Le 12 octobre 1895, le ministre des
Colonies télégraphia au gouverneur de la Guyane pour s'enquérir de
la possibilité d'autoriser Mme Dreyfus « à rejoindre le déporté » sur
l'île du Diable [141]. Le gouverneur répondit aussitôt par un télégramme
en date du 13 octobre : « Arrive précisément retour tournée île du
Diable. Juge impossible introduire femme déporté sur établissement [142]. » Un rapport circonstancié du 9 novembre explicite les raisons
de cette impossibilité. « J'ai visité avec le directeur de l'administration
pénitentiaire l'île du Diable dans la matinée du 11 octobre. J'ai vu
dans quelles conditions le déporté Dreyfus a été installé, comment
fonctionne le service de la déportation, les mesures de précaution et
de sûreté qui ont été prises en exécution des instructions du département, et je n'ai pas hésité à formuler un avis défavorable à l'envoi de
Mme Dreyfus aux îles du Salut. Il y aurait beaucoup de raisons à faire
valoir pour établir l'impossibilité dans laquelle se trouverait l'administration pénitentiaire de sauvegarder sa responsabilité si la femme du
déporté venait vivre librement à l'île du Diable. La surveillance du
seul condamné, déjà très pénible par son caractère de rigoureuse permanence, deviendrait nécessairement beaucoup plus difficile lorsqu'il
faudrait la répartir sur deux personnes, si directement intéressées à la
déjouer, dont l'une jouirait forcément, par sa qualité même, d'une certaine liberté sur l'établissement [143]. » Suivait l'énumération de tous les

cas où le régime forcément moins contraignant imposé à Lucie Dreyfus perturberait la surveillance implacable du déporté.

Le ministre des Colonies voulait un traitement exceptionnel qui
découlait de la représentation que l'État et le gouvernement dans son
ensemble se faisaient du capitaine Dreyfus. La nouvelle loi sur les îles
du Salut lui donnait les moyens de ce traitement.

*Un traitement exceptionnel*

Sous l'autorité d'Émile Chautemps, le ministère des Colonies émit
rapidement toute une série de consignes qui organisaient la déportation
de Dreyfus avec une restriction maximale de liberté. Sylvie Clair et
Marie-Pascale Mallé, deux spécialistes du bagne des îles du Salut,
reconnaissent sans ambages que Dreyfus subit en Guyane une « punition exemplaire ». Il fut, « de façon tout à fait illégale, soumis à
l'enfermement et à l'isolement [144] ».

Le 3 avril 1895, alors que le condamné était encore sur l'île Royale
et que les travaux d'installation sur l'île du Diable touchaient à leur
fin, le ministre des Colonies avisait le gouverneur de la Guyane des
dispositions concernant la garde et la surveillance du déporté Dreyfus
et de la nécessité d'en confier la charge à un agent sur lequel il pourrait
compter : « Mon choix s'est porté sur le surveillant-chef de 2ᵉ classe
Lebars qui m'a été signalé comme un agent énergique, intelligent et
sûr. Il aura directement sous ses ordres les quatre surveillants militaires
que vous avez déjà désignés. Je pense que ces agents ont été pris, ainsi
que je vous l'ai recommandé, parmi les plus actifs et les mieux notés :
toutefois, si, par la suite, ils ne semblaient par remplir toutes les conditions désirables, je vous serais obligé d'autoriser le surveillant-chef
Lebars à vous en désigner d'autres qui lui présenteraient plus de garanties. Le surveillant-chef Lebars devra vous adresser chaque mois un
rapport sur l'objet de sa mission, et vous me le transmettrez aussitôt
avec vos observations. J'ai tout lieu de croire que M. Lebars est digne
de la confiance que je lui ai accordée. Toutefois, il est bien entendu
que si sa manière de servir laissait à désirer ou s'il ne vous paraissait
pas remplir sa mission avec tout le zèle désirable, vous pourriez, votre
responsabilité devant demeurer entière, procéder à son remplacement
en me faisant connaître immédiatement les motifs qui vous auraient
conduit à prendre cette détermination [145]. »

Le 7 mai 1895, le ministre des Colonies adressait encore au gouverneur un avertissement concernant « le déporté Dreyfus » : « J'insisterai
de plus sur la nécessité rigoureuse qui s'impose de mettre en garde
tout le personnel appelé à se trouver en contact avec Dreyfus, contre
des protestations d'innocence émanant de ce condamné ainsi que de
sa famille et de les bien persuader qu'il ne s'agit là que d'une tactique
destinée à faire naître des doutes dans l'esprit de ses gardiens afin de
profiter à l'occasion de défaillances possibles. Le gouvernement a la

preuve matérielle de la trahison de ce déporté et il compte sur le dévouement absolu de ses agents pour accomplir sans faiblesse la pénible mission qui leur est confiée [146]. »

Le 11 mars 1895, le ministre des Colonies adressa une nouvelle dépêche afin de prescrire de nouvelles dispositions, concernant notamment la « correspondance du déporté » : « La correspondance à lui adressée sera lue avec le plus grand soin et renvoyée immédiatement au département si elle renferme quelques détails intéressant la défense nationale, les relations avec les puissances étrangères ou quelques données susceptibles de favoriser une évasion. Toutes les lettres écrites par Dreyfus devront être transmises à mon département, qui les fera parvenir à leur destination s'il y a lieu. L'attention devra se porter sur ce point que, sous l'apparence d'une lettre en langage ordinaire, pourrait se dissimuler une correspondance clandestine en langage conventionnel. Toute lettre à lui adressée dont le sens paraîtra ambigu devra être renvoyée sous le présent timbre. » Il ajoute en conclusion : « Vous étudierez sur place les mesures de précaution complémentaires qui vous paraîtront de nature à assurer la garde du déporté Dreyfus. J'ai la confiance que vous ne négligerez rien pour prévenir l'évasion de ce criminel, qui pourrait entraîner les conséquences les plus graves et causerait le plus grand émoi dans l'opinion publique [147]. » Un câble du ministre en date du 23 mars suivant rappela fermement la nécessité absolue du visa préalable : « Communiquez préalablement à département toute lettre adressée à Dreyfus directement ou indirectement [148]. »

Le 2 avril 1895, Chautemps confirmait au gouverneur de la Guyane que le ministre de la Guerre avait demandé d'avoir communication, avant leur remise à l'intéressé, de toutes les lettres, sans exception, adressées directement ou indirectement au déporté Dreyfus : « Vous devez en conséquence me renvoyer de suite toutes les lettres qui parviendraient dans les colonies, sans le visa préalable du département [149]. » D'abord appliquée provisoirement, la réglementation relative à la correspondance envoyée ou reçue par Dreyfus devint définitive le 12 mai 1895. Tout le courrier émanant du déporté devait être porté par le surveillant-chef au commandant supérieur afin d'y être scrupuleusement vérifié. Il ferait de même avec les lettres venues de Paris et les remettrait sous pli cacheté au surveillant-chef [150].

Au-delà de la correspondance, tout document émanant de Dreyfus, son journal tenu jusqu'au 10 septembre 1896, ses nombreux cahiers d'étude, de dessin et de travail, les brouillons de ses lettres, etc., étaient envoyés au ministère à Paris accompagnés d'une lettre bordereau du gouverneur de la Guyane. Ces pièces, pour la plupart, étaient ensuite communiquées au ministère de la Guerre et rendues ensuite au ministère des Colonies, lequel faisait parvenir les lettres aux correspondants du capitaine Dreyfus. À l'inverse, tous les documents qui lui étaient destinés étaient confiés par le ministre des Colonies au ministre de la

Guerre qui les lui renvoyait ensuite avec son visa. Très rapidement, des formulaires préétablis furent confectionnés, tant au ministère des Colonies qu'au ministère de la Guerre[151]. Toutes ces dispositions demeuraient dans une légalité apparente. Elles n'en transformaient pas moins « la déportation en un régime carcéral des plus étroits, celui des condamnés à mort », comme l'écrit Marie-Antoinette Menier dans sa communication de 1977 à la Société française d'histoire d'outre-mer[152]. Dès 1895, l'inspecteur des colonies Picquié, le futur gouverneur général de l'Indochine, constatait que « le crime de cet homme est grand. [...] L'expiation aussi. Que durera-t-elle[153] ? »

### L'omnipotence des ministres

Comme le souligne encore l'historienne, « il semble en l'occurrence que le rôle des gouverneurs ait été relativement effacé. [...] Le véritable pouvoir est aux deux bouts de la chaîne : le ministre en France, les directeurs de l'administration pénitentiaire à Cayenne et plus encore les commandants supérieurs à l'île Royale. » L'historienne invoque la « psychose » de l'évasion qui s'était emparée des différents responsables des colonies. Cette raison n'était pas suffisante néanmoins pour expliquer le régime de mort lente imposé à Dreyfus et encore aggravé après le 4 septembre 1896 sur ordre du ministre André Lebon. La conviction qu'un condamné comme Dreyfus ne pouvait bénéficier de la légalité républicaine était aussi ancrée dans les consciences ministérielles et gouvernementales. Elle s'était affirmée au moment précis où commença la déportation, c'est-à-dire dès le transfert de Dreyfus à l'île de Ré.

Le voyage de Paris à La Rochelle puis l'incarcération au dépôt du bagne de l'île de Ré préfiguraient le régime carcéral de l'île du Diable. Le comportement très violent du délégué du ministre de l'Intérieur, Bouillard, chef de bureau à l'administration pénitentiaire, l'ordre adressé au directeur du dépôt de Saint-Martin, Georges Picqué, d'être impitoyable, la surveillance permanente interdisant au prisonnier toute intimité, l'interdiction de parler aux gardiens et leur mutisme absolu[154], les humiliations répétées comme la mise à nu et les fouilles quotidiennes, la perte de tout droit et l'absence totale d'information, l'isolement matériel et moral complet, tout cela annonçait le traitement exceptionnel qu'il allait subir en déportation. Le régime au bagne de l'île de Ré n'était que l'application des directives gouvernementales. Les gardiens chargés de la surveillance du prisonnier avaient été envoyés, par ordre du ministre de l'Intérieur, Charles Dupuy, également président du Conseil, de différentes maisons centrales de France[155]. Naturellement, le processus de terreur s'appliqua à l'île du Diable.

L'une des premières interpellations nationalistes qui marqua en 1896 le retour de l'Affaire sur la scène publique et politique confirma quant à elle que le ministre Chautemps avait pratiqué dès le début un zèle qui n'était pas si éloigné de celui de Lebon pourtant présenté à juste titre comme le « tortionnaire », comme le « bourreau » de Dreyfus [156]. Le 18 novembre 1896, le député nationaliste de l'Aisne André Castelin attaqua le gouvernement qu'il accusa de faiblesse devant les risques d'évasion du déporté. Il présenta d'abord les événements violents de La Rochelle comme une tentative déguisée de faire évader Dreyfus. Puis il commenta une « déclaration de l'honorable M. Chautemps », qui s'exprimait ainsi dans une interview :

« Je ne veux pas dévoiler des secrets qui ne m'appartiennent pas. Mais croyez bien que Dreyfus n'est pas un criminel abandonné. Nous avons dû prendre des précautions inouïes pour décourager toute tentative d'enlèvement du prisonnier. » On ne décourage pas des tentatives quand on n'essaye pas d'enlèvement. Voilà des preuves, des faits. « La date de son embarquement à l'île de Ré dut être tenue secrète afin d'éviter un coup de main. À bord du paquebot *Ville-de-Saint-Nazaire*, tout était prêt pour se défendre d'une agression en mer. » Sont-ce là les mesures ordinaires qui sont prises quand on envoie des déportés aux colonies ? Le gouvernement aurait-il pris ces mesures, s'il n'avait pas eu la conviction, la certitude qu'il y avait dans l'ombre des individus qui tentaient d'arracher Dreyfus au gouvernement français ? Mon devoir est de dénoncer ces individus, et le devoir de la Chambre est de les punir (*Très bien ! très bien ! sur divers bancs*) [157].

La déclaration de guerre du député nationaliste au « syndicat » défendant le « traître » ne fut pas une surprise. En revanche, les déclarations ministérielles, qui étaient jusque-là passées inaperçues, le furent bien davantage. Les risques d'évasion devant justifier les « précautions inouïes » étaient sans fondement. Émile Chautemps avait donc pris l'initiative de mesures exorbitantes sur la base de rumeurs ou des obsessions antisémites qui dominaient la scène publique à cette époque. Derrière cette conviction irrationnelle, on mesurait le regard porté sur le déporté, un criminel menaçant et dangereux qui devait subir la peine la plus extrême. On a souvent considéré, et Dreyfus le premier comme nous le verrons dans le chapitre suivant, que les deux premières années de déportation furent plus clémentes que celles que dirigea le ministre Lebon. Il convient de réviser ce jugement. Si les conditions s'aggravèrent considérablement, si les quelques avantages atténuant la dureté de la peine disparurent, les bases d'un tel régime de terreur avaient bien été fixées dès 1895 par Chautemps. L'obsession sécuritaire justifiait de son point de vue l'application de ce traitement exceptionnel. Dans sa correspondance et ses télégrammes comme dans ceux de ses successeurs, les mêmes mots revenaient sans cesse : « Surveillez étroitement l'île du Diable » (11 avril 1896). « Surveillez encore plus étroitement Dreyfus » (6 juin 1896) [158].

Le dossier Dreyfus devint l'un des plus importants du ministère, et ce dès le début de la déportation. Toutes les archives de la bureaucratie organisée autour de lui étaient conservées au niveau des « Affaires politiques » dépendant du cabinet et du ministre lui-même. Réglementairement, ces documents auraient dû figurer dans l'ensemble « Déportés dans une enceinte fortifiée ». Cette disposition était équivalente à celle qu'avait décrétée le général Mercier pour les archives du procès Dreyfus[159]. Une politique du secret fut développée de la même manière. Il était interdit à tout navire de s'approcher de l'île du Diable dont l'accès n'était autorisé qu'au commandant supérieur et au directeur de l'administration pénitentiaire ou aux personnes dûment munies d'autorisations spéciales. Ces dispositions avaient été prises par le ministre le 6 avril 1895 et appliquées par le gouverneur de la Guyane dès l'arrivée de Dreyfus sur l'île du Diable le 14 avril 1895. Tout article concernant le déporté, toute information relative à sa déportation, faisaient aussitôt l'objet d'une enquête approfondie pouvant déboucher sur de nouvelles mesures[160].

## L'acharnement d'André Lebon

Le « Rapport officiel sur le séjour de Dreyfus à l'île du Diable » rédigé au moment du retour de Dreyfus en France par le chef de cabinet du ministre des Colonies du nouveau gouvernement, celui de Waldeck-Rousseau, observa « deux phases bien distinctes » du régime de déportation, avant et après le 4 septembre 1896, lorsque celui-ci devint « plus rigoureux encore » pour le déporté. « On prit à son égard des mesures extrêmement rigoureuses, insista encore Jean Decrais, motivées, dans l'esprit de ceux qui les décidèrent, par des craintes d'évasion[161] ». La veille, le gouverneur de la Guyane avait commencé par recevoir un premier télégramme du ministre : « Journaux de Londres annoncent évasion Dreyfus sur navire américain. Télégraphiez immédiatement tout renseignement sur situation actuelle du condamné[162]. » La réponse du gouverneur se voulut rassurante. Mais des mesures immédiates furent aussitôt demandées par André Lebon. Dreyfus allait perdre avec elles le peu de liberté dont il bénéficiait encore. Le ministre des Colonies interdit ses promenades journalières et ordonna son immobilisation la nuit au moyen d'une double boucle métallique fixée sur son lit et enserrant ses pieds. Son télégramme du 4 septembre 1896 est inflexible : « Vous maintiendrez jusqu'à nouvel ordre Dreyfus dans case double boucle de nuit. Vous entourerez périmètre promenade autour case solide palissade avec sentinelle intérieur en plus celle tambour. Vous placerez provisoirement goélette [...] îles du Salut quand temps permettra. J'interdis dans tous les cas transfèrement condamné hors île du Diable. Ne changez aucun gardien sans me consulter. J'interdis accès île du Diable à toute personne étrangère au service du pénitencier[163]. » Avant ces nouvelles mesures, le régime auquel était soumis Dreyfus était déjà très rigoureux. Après le 4 septembre 1896, il fut plus terrifiant encore. Mais cette aggravation très forte se fondait sur une situation qui ne laissait déjà que très peu de chances de survie au prisonnier considéré comme un criminel permanent. La « boucle », et pis encore la « double boucle », étaient utilisées au bagne comme mode de punition [164]. La remise des envois et des lettres fut également suspendue, et la transmission de son courrier ne s'opéra plus que sous forme de copie. Le ministre et le commandant supérieur des îles du Salut n'étaient pas sans savoir qu'une telle mesure briserait encore davantage Dreyfus. On peut estimer que ce fut le but recherché derrière le prétexte d'assurer une surveillance accrue du déporté.

Ces mesures d'une extrême rigueur ne furent pas seulement provoquées par l'alerte du 3 septembre et la fausse nouvelle de l'évasion, lancée, comme nous le verrons, par Mathieu Dreyfus. Le nouveau ministre des Colonies s'était persuadé que sa mission était de punir sans relâche le condamné de l'île du Diable. Il avait déjà donné des instructions très sévères à son sujet. Le 4 août 1896, il ordonnait par dépêche de proscrire toute hospitalisation du capitaine Dreyfus et mettait en garde le gouverneur de la Guyane contre les intentions certaines du prisonnier dont il avait la charge. Il révéla à cette occasion qu'il procédait à une lecture attentive de toutes les lettres adressées au capitaine Dreyfus ou reçues par lui : « J'insisterai seulement sur ce point qu'en aucune circonstance l'hospitalisation du condamné Dreyfus ne me semble pouvoir devenir indispensable étant donné qu'en cas de maladie grave tous les soins nécessaires peuvent lui être fournis sur place et quotidiennement s'il le faut par les officiers du corps de santé résidant aux îles du Salut. » Il justifiait ces mesures de grande rigueur par les intentions criminelles attribuées au déporté. « Tout incident nouveau, quelque insignifiant qu'il puisse paraître doit donner lieu à un redoublement de vigilance de votre part et de celle de vos collaborateurs, afin de déjouer une tentative d'évasion, but constant du déporté Dreyfus et de sa famille. La confiance en une délivrance prochaine que tous affectent de professer dans leur échange de correspondance ne peut laisser aucun doute à cet égard. Une maladie simulée qui aurait pour conséquence un relâchement momentané dans la surveillance peut, à un moment donné, faire partie d'un plan concerté antérieurement. Il importe donc, d'une manière générale, de ne négliger aucune précaution, si exagérée qu'elle puisse paraître [165]. »

Dans une lettre au *Journal des Débats*, le ministre des Colonies se défendra d'avoir voulu infliger au prisonnier une nouvelle torture : « Pour bien marquer le caractère essentiellement temporaire de cette mesure de rigueur qu'on eut soin, en l'exécutant, de représenter au déporté comme une mesure de sécurité et non de punition, je télégraphiai, le 19 septembre, pour rappeler que, aussitôt la palissade terminée, la double boucle devait être supprimée [166]. » Cependant, la teneur de ses instructions attestait de sa volonté de punir le capitaine Dreyfus bien au-delà de ce que prévoyait sa peine. Le caractère arbitraire de la mise aux fers pouvait être constitué, selon l'article 614 du code d'instruction criminelle, qui précise qu'« un prisonnier ne peut être mis aux fers et enfermé plus étroitement qu'en cas de fureur ou de violence grave, s'il use de menaces, injures ou violences soit à l'égard du gardien ou de ses préposés, soit à l'égard des autres prisonniers [167] ». Lebon tombait alors sous le coup de l'article 115 qui punissait de bannissement le ministre coupable d'un acte arbitraire...

André Lebon ne révéla pas au président du Conseil et à ses collègues du gouvernement les mesures nouvelles auxquelles il avait décidé de soumettre le prisonnier de l'île du Diable. Le 18 novembre 1896, il s'était contenté de répondre devant la Chambre au député André Castelin que « l'administration des Colonies ne s'est à aucun moment trouvée mêlée au procès Dreyfus. Elle a simplement reçu livraison d'un condamné ; elle tâche de le garder, c'est tout ce qu'elle a à faire [168] ». Les faits commencèrent d'être connus lors de la publication des *Lettres d'un innocent* réalisée à l'initiative de Joseph Reinach. Leur révélation provoqua une vive mise en cause d'André Lebon par les dreyfusards. Celui-ci vit sa carrière politique sérieusement compromise et son enseignement à l'École libre des sciences politiques publiquement raillé par plusieurs de ses anciens élèves.

Mais, en 1896, aucun garde-fou n'existait encore pour freiner les entreprises du ministre des Colonies. Lebon ignora les réserves du gouverneur de la Guyane qui, dans un rapport du 8 octobre 1896, soulignait que la topographie, les difficultés d'accès à l'île et le niveau élevé de la surveillance décourageaient toute tentative d'évasion si le déporté en avait eu l'intention. Au procès de Rennes, Lebon contesta cette analyse et justifia toutes les mesures nouvelles visant à la coercition absolue du capitaine Dreyfus [169].

*Le bras armé du ministre*

Les critiques implicites du gouverneur décidèrent le ministre à placer au commandement des îles du Salut un subordonné de confiance prêt à appliquer sans état d'âme les mesures de coercition et à plonger plus résolument encore Dreyfus dans son état de criminel. Le commandant Bravard faisait preuve à l'égard du condamné d'un respect et d'une attention qui le rendirent suspect aux yeux du ministre. Lebon appela alors Oscar Deniel, alors en convalescence, et lui confia la « haute mission nationale [170] » d'empêcher l'évasion du déporté. Deniel arriva aux îles du Salut au début du mois de novembre 1896 et remplaça Bravard à la tête du pénitencier. Le nouveau commandant des îles du Salut était réputé pour ses qualités de tortionnaire. Avec lui, le régime de détention s'aggrava brutalement. Dreyfus en ignorait toujours la raison. Un règlement général de déportation fut édicté le 1er janvier 1897 [171]. Il comprenait deux parties, une « Consigne générale » proprement dite et plusieurs dispositions secrètes ou ordres non écrits qui rendirent insupportable la détention du prisonnier. Cette nouvelle bureaucratie signait l'entrée du capitaine Dreyfus dans un régime de déportation proprement terrifiant. La « Consigne générale » était longue de trente-six articles. Un exemplaire en fut remis à Dreyfus après sa libération par un gardien que scandalisaient de telles conditions de détention [172]. Ce règlement s'organisait en plusieurs sections : « Accès de l'île », « Obligations du chef de détachement », « Obligations des surveillants », « Dispositions communes à tous les surveillants », « Dispositions à prendre en cas d'alerte », « Dispositions générales ». Le texte était d'une minutie bureaucratique extrême. Il était en même temps totalement illégal puisque aucun texte n'autorisait de telles dispositions exorbitantes appliquées à un déporté politique. La première partie visait à instaurer une étanchéité totale entre l'île du Diable et l'extérieur, particulièrement l'île Royale : « L'accès de l'île du Diable est rigoureusement interdit à toute personne, quelle qu'elle soit, non accompagnée par le commandant supérieur, et non munie d'une autorisation spéciale du gouverneur ou du directeur de l'administration pénitentiaire. » Seul le médecin-major était autorisé à se rendre sur l'île « en cas de maladie soit des surveillants, soit du déporté ». Cette autorisation était placée sous l'entière responsabilité du commandant supérieur, c'est-à-dire de Deniel. La même autorisation était accordée pour les ouvriers chargés de travaux, le débarquement ne pouvait se faire qu'en présence du surveillant-chef qui autorisait alors l'accès à l'île. L'article 3 interdisait à tout navire de s'approcher. Le chef du détachement nommé « surveillant-chef » organisait le travail des gardiens, choisissait leur tour de garde, opérait de nombreuses inspections inopinées, vérifiait l'état des armes et des munitions. Les deux services, de jour comme de nuit, furent très précisément détaillés, avec la définition de toutes les fonctions des surveillants :

1° Un surveillant chargé spécialement de la garde du déporté et qui, pendant toute la durée de son service, ne doit pas le perdre de vue. Il doit notamment veiller à ce que le déporté n'essaie pas d'entrer en communication avec qui que ce soit.
2° Un surveillant de faction au canon revolver qui est chargé en outre d'explorer la mer, le terrain avoisinant le plateau, et dont l'attention doit être constamment en éveil pour signaler le moindre incident se passant soit dans l'île, soit en mer. Pour assurer, le surveillant de faction circulera tout autour des constructions élevées sur le mamelon...
3° Un surveillant de planton. [...]

La nuit, le surveillant préposé à la garde immédiate du déporté devait s'installer dans le tambour. Il était relevé toutes les heures, et non toutes les deux heures comme durant le service de jour. Tous les surveillants étaient armés d'un revolver et d'un fusil, et ces armes restaient chargées. « Lorsqu'ils sont l'objet d'une agression soit du dedans, soit du dehors, ils ne doivent pas hésiter à faire usage de leurs armes », précisait l'article 11. Le secret le plus absolu concernant le déporté ou l'organisation et le fonctionnement du service de la déportation était exigé des surveillants militaires, et cette obligation leur était encore imposée lorsqu'ils étaient remis au service général. Le surveillant-chef devait établir un rapport mensuel « sur la marche du service » et signaler tous les incidents au commandant supérieur des îles du Salut. Il communiquait avec le commandant supérieur par téléphone et par un système de signaux visibles des deux îles.

Les articles 22 et suivants concernaient le régime du déporté. Il convient de les citer *in extenso* afin de saisir leurs conditions exactes. Ces articles 22 à 30 étaient du reste affichés dans la case du prisonnier [173] : le capitaine Dreyfus les avait en permanence sous les yeux.

Le déporté assure la propreté de sa case et de l'enceinte qui lui est réservée. Il prépare lui-même ses aliments. Il peut faire blanchir son linge, mais à la condition expresse que le blanchissage aura lieu à ses frais, par un homme du service de l'île du Diable, et par obligé du surveillant principal. (22)

Il lui est délivré la ration réglementaire et il est autorisé à améliorer cette ration par la réception de denrées et liquides dans une limite raisonnable dont l'appréciation appartient à l'administration. Les différents objets destinés au déporté ne lui seront remis par le surveillant principal qu'après la visite la plus minutieuse et au fur et à mesure de ses besoins journaliers. (23)

Le déporté doit remettre au surveillant principal toutes les lettres et écrits réalisés par lui. (24)

La correspondance écrite par le déporté sera envoyée immédiatement au commandant supérieur par le surveillant principal, sous pli fermé et cacheté à la cire. Les lettres qui lui seront adressées seront minutieusement vérifiées par le commandant supérieur qui les fera parvenir au surveillant principal, sous pli fermé et cacheté à la cire, pour être remises au destinataire. Les livres expédiés sous le couvert du département seront également remis au déporté après visite. (25)

Les demandes ou réclamations que le déporté aurait à formuler ne peuvent être reçues que par le surveillant principal. (26)

Au jour, les portes de la case du déporté sont ouvertes, et, jusqu'à la nuit, il a la faculté de circuler dans l'enceinte palissadée. Toute communication avec l'extérieur lui est interdite. Dans le cas où [...] les éventualités du service nécessiteraient la présence dans l'île de surveillants ou de transportés autres que ceux du service ordinaire, le déporté serait renfermé dans sa case jusqu'au départ des corvées temporaires. (27)

Pendant la nuit, le local affecté au déporté est éclairé intérieurement. (28)

En cas de maladie, le déporté n'est pas admis à l'hôpital et reçoit sur place les soins médicaux. [...]

Les infractions commises par le déporté le rendent passible, conformément à l'article 10 du décret du 31 mai 1872, des dispositions de l'article 369 du code de justice militaire rendu applicable aux Colonies par le décret du 21 juin 1868.

Les derniers articles (32 à 36) portaient sur les dispositions générales relatives à la constitution de réserves de vivres sur l'île, aux « transportés placés sur l'île du Diable pour assurer le service de propreté des casernes, des logements, le blanchissage du linge », lesquels seront choisis « parmi les condamnés de race arabe, noire, indienne ou annamite [et] n'ayant qu'une connaissance imparfaite de la langue française [174] », et aux signaux de jour et de nuit entre l'île du Diable et l'île Royale. Ce règlement impliquait ainsi une véritable administration uniquement dédiée au déporté. Alors que le capitaine Dreyfus était condamné au silence et à la solitude la plus absolue, l'île du Diable, par le fait de l'obsession sécuritaire du ministre des Colonies, était très peuplée. On ne comptait pas moins d'une douzaine de personnes en permanence, plus les fonctionnaires de passage, particulièrement le commandant Deniel qui suivait obsessionnellement la détention de son prisonnier. « On conçoit qu'avec un service de garde ainsi développé, une consigne aussi rigoureuse et dont les moindres infractions étaient pour les surveillants objet de punitions rigoureuses, la "terreur", suivant l'expression d'un surveillant, régnait à l'île du Diable et qu'ils me regardaient comme un prisonnier extrêmement dangereux », analysa Dreyfus dans ses *Carnets* après sa libération [175].

Cette consigne était très précise. D'autres dispositions existaient encore, mais celles-là ne furent jamais révélées au capitaine Dreyfus qui les découvrit après sa libération, en 1900. « En cas de décès, on avait pris les mesures les plus minutieuses pour prouver à la presse réactionnaire que j'étais bel et bien mort et non évadé », expliqua Dreyfus dans ses souvenirs de *Cinq années de ma vie* [176]. Lebon avait écrit aux autorités locales que « si Dreyfus mourait et que vous fussiez obligé de l'immerger comme les autres forçats, de le donner aux requins, malgré tous les procès-verbaux les plus authentiques, il se trouverait toujours des incrédules qui n'admettraient point sa mort et qui vous accuseraient de l'avoir laissé fuir. S'il meurt, embaumez-le et envoyez tout de suite son cadavre en France pour qu'on le voie ». Le 29 octobre 1896, le directeur de l'administration pénitentiaire de Guyane ordonnait au commandant supérieur des îles du Salut de compléter ces dispositions par un moulage du visage qui serait réalisé « avant la mise en bière, dans le plus court délai possible après le décès dûment constaté [177] ».

## L'autorisation de tuer

Afin de parfaire la défense de l'île et la surveillance du déporté, l'administration décida, au mois d'octobre 1896, de procéder à l'installation d'un canon. Un échange de courrier entre le commandant supérieur et le directeur de l'administration pénitentiaire fut nécessaire pour déterminer l'emplacement le plus approprié. Bravard suggéra qu'il était « préférable, pour faire un choix éclairé de l'emplacement de ce canon, de consulter un homme technique, car j'avoue mon incompétence absolue en matière d'artillerie et de balistique ». Il précisait qu'« il y a, aux îles, deux surveillants militaires qui, ayant servi dans la marine, disent connaître un peu la manœuvre du canon revolver ». L'ironie voulait que le meilleur des experts se trouvât précisément sur l'île du Diable en la personne du capitaine d'artillerie Alfred Dreyfus[178]... Finalement, un canon revolver de marque Hotchkiss fut installé au sommet d'une tour d'angle de la nouvelle caserne des gardiens. Ce surarmement de l'île du Diable, conjugué à l'obsession sécuritaire, pouvait entraîner l'exécution du déporté en cas de menace de débarquement ou d'évasion. La « Consigne générale » prévoyait déjà qu'« au moindre mouvement suspect, [le surveillant de faction] agite la sonnerie d'appel, met en batterie le canon revolver et le charge. Si son appel n'a pas été entendu, ou si le danger devient plus pressant, il tire immédiatement plusieurs coups de fusil à quinze secondes d'intervalle » (article 8, alinéa 3). En cas de menace, il était prévu également de mettre immédiatement Dreyfus aux fers, stipulait l'article 18. Le surveillant chargé de la garde immédiate (le jour) ou le surveillant de faction dans le tambour (la nuit) devait s'enfermer avec lui. L'article 18 autorisait *de facto* l'exécution du déporté en cas de danger extrême. « La consigne exclusive consiste, dès ce moment, à prévenir, même par l'emploi des moyens les plus décisifs, l'enlèvement ou l'évasion du déporté. Il ne devrait pas hésiter, si le danger devenait imminent et si une tentative de débarquement lui paraissait bien caractérisée, à faire feu sur les agresseurs. » Plusieurs articles autorisaient encore l'usage des armes à feu, y compris sur le déporté lui-même. Les surveillants, tous armés, « ne doivent pas hésiter à faire usage de leurs armes [...] lorsqu'ils sont l'objet d'une agression soit du dedans, soit du dehors », écrit l'article 11 tandis que les « dispositions à prendre en cas d'alerte » mentionnées à l'article 15 stipulaient que le surveillant-chef avait pour « devoir essentiel d'empêcher à tout prix l'enlèvement ou l'évasion du déporté ». L'avertissement lancé dès son arrivée aux îles du Salut prenait une acuité supplémentaire[179].

L'incident du 6 juin 1897 confirma que le risque d'assassinat était bien réel. Il fut reconstitué par Jean Decrais au moyen des rapports d'Oscar Deniel au gouverneur de la Guyane. Vers 8 h 50 du soir, une goélette entra dans le golfe formé par l'île Saint-Joseph et l'île du Diable. Deniel ordonna de « tirer dessus à blanc (une salve de trois coups de fusil, le canon revolver étant masqué par la palissade du déporté), et à balle si elle continuait à avancer malgré l'avertissement. Mais, aux premiers coups de feu, une forte brise se levant à ce moment, elle vira de bord et mit le cap nord-ouest, c'est-à-dire qu'elle retourna du côté d'où elle venait, se mettant hors de portée de fusil ». Pendant ce temps, continue d'expliquer le commandant des îles du

Salut dans son rapport du 27 juin 1897, « nos ordres ayant été ponctuellement exécutés à l'île Royale, je m'embarquai dans un canot, avec huit surveillants armés du fusil et du revolver. La chaloupe à vapeur, de son côté, allumait ses feux. Arrivé à 9 h 25 à l'île du Diable, une demi-heure après le lancement de la fusée, je trouvai le canon revolver en batterie, les surveillants à leur poste de combat, quelques-uns en simple tricot, mais en armes. Le déporté, qui s'était réveillé en sursaut et s'était dressé sur son lit aux coups de feu, s'était aussitôt étendu sur le dos et ne bougeait plus. Le surveillant croit avoir vu ses prunelles dardées sur lui. La goélette s'étant éloignée immédiatement, aucune mesure de rigueur n'avait été prise à son égard. » Deniel se félicite, en conclusion de son rapport, de la bonne exécution du service et de la consigne tant sur l'île du Diable que sur l'île Royale [180].

Dreyfus conserva un souvenir très net de cette alerte où il avait failli perdre la vie en raison de l'usage d'une arme particulièrement dangereuse, en l'occurrence ses prunelles qui dardaient le surveillant, comme l'expliqua sans rire le commandant des îles du Salut. « J'étais couché et enfermé dans ma case avec le surveillant de garde, comme d'habitude, chaque nuit ; je fus réveillé en sursaut par les coups de canon suivis de coups de fusil, et je vis le surveillant de garde, les armes prêtes, me regarder fixement. Je demandai : "Qu'y a-t-il ?" Le surveillant de garde ne me répondit pas. Mais comme je ne me préoccupais pas des incidents qui se passaient autour de moi, la pensée tendue vers un seul but : mon honneur, je m'étendis de nouveau sur mon lit. Heureusement peut-être ; le surveillant de garde avait des consignes rigoureuses et l'on peut se demander s'il n'eût pas tiré sur moi, si, surpris par ces bruits insolites, je m'étais jeté à bas du lit [181]. » Pour l'officier, « on comprend donc combien étaient dangereuses, avec de pareilles consignes, les alertes causées dans le service du personnel préposé à ma garde. Ces consignes étaient d'ailleurs odieuses, car je pouvais être rendu responsable d'une tentative venant de l'extérieur, si elle se fût produite, à laquelle j'eusse été totalement étranger [182] ». Cet incident montrait surtout la conception que Deniel s'était faite de son service de garde du déporté et du droit de l'exécuter qu'il s'était arrogé. Dans ses *Carnets* écrits postérieurement à sa libération, Dreyfus est revenu sur cette nuit-là : « Je reste convaincu que, lorsque Deniel, commandant supérieur du pénitencier des îles du Salut, fit faire de nuit un simulacre de tentative de débarquement sous le prétexte de s'assurer du bon fonctionnement du service de l'île du Diable, si, comme j'avais été réveillé en sursaut par le vacarme de la prise d'armes, je m'étais précipité en bas de mon lit, le surveillant de garde dans le tambour qui s'était armé de son revolver m'eût brûlé la cervelle, fait vraisemblablement recherché par Deniel [183]. »

## La croisade d'Oscar Deniel

Le commandant supérieur des îles du Salut avait transformé sa mission en une véritable croisade contre un prisonnier vu comme un criminel très dangereux, ne cessant de simuler la souffrance pour mieux endormir la vigilance des ses gardiens et réussir l'évasion qu'il ne manquerait pas de tenter. Dès son arrivée à la tête du bagne des îles du Salut, il adressa un rapport complet sur l'état, jugé par lui très insuffisant, de la surveillance exercée sur le déporté. Le 10 décembre, le directeur de l'administration pénitentiaire transmit ce rapport au gouverneur de la Guyane en expliquant que Deniel s'était mépris sur ce qu'on lui demandait. Celui-ci n'avait pas compris qu'il devait seulement rédiger le traditionnel rapport mensuel destiné au ministère des Colonies. Il crut qu'on le chargeait d'une haute mission d'expertise de toute la déportation depuis 1895. Il avait déclaré « complètement insuffisantes les mesures prises jusqu'à ce jour » et concluait « au renforcement de l'effectif du personnel de surveillance tant à l'île du Diable qu'à l'île Royale ». Dans sa communication au gouverneur, le directeur de l'administration pénitentiaire tenta de justifier le bien-fondé des mesures prises jusque-là. À l'encontre de Deniel, il précise que son rapport est « dans son ensemble le caractéristique frappant de l'état d'esprit de tout le personnel de l'administration pénitentiaire, particulièrement lorsqu'il est détaché sur les postes extérieurs. Le directeur n'est plus alors le chef obéi, c'est un fonctionnaire que l'on discute et dont on commente les actes, sans tenir compte naturellement des considérations qui l'ont fait agir ou ont amené ses décisions. Dans le rapport de tournées que j'ai eu l'honneur de vous adresser, je définissais cette tendance en la qualifiant de manque de confiance à l'égard du chef de l'administration, mais le fait particulier qui nous occupe en fait ressortir le mobile qui est le besoin d'attirer sur soi l'attention et de tirer profit du moindre incident. Dans tous les cas, je ne m'imagine pas que cette manière de procéder soit profitable aux vrais principes d'autorité et, conséquemment, au bon fonctionnement de l'administration et du service [184]. »

Investi personnellement par le ministre des Colonies, Deniel s'estimait placé au-dessus de la hiérarchie ordinaire du directeur de l'administration pénitentiaire et du gouverneur de la Guyane. Il concevait son pouvoir comme directement délégué de Paris et, de ce fait, comme très étendu. Mais ses initiatives et ses agissements contestaient la légalité républicaine, comme s'en rendit compte finalement le gouvernement Waldeck-Rousseau à travers le rapport sans concession de Jean Decrais. Le jugement sur la manière de servir du commandant supérieur des îles du Salut fut très sévère. Jean Decrais révélait les procédés par lesquels Deniel s'employait à aggraver considérablement, en dehors de toute légalité, la peine que subissait le capitaine Dreyfus.

Il nota d'abord qu'il refusait de prendre en compte les rapports qui lui étaient adressés sur la situation du prisonnier. Puis il dressa le catalogue des faux et des infamies dont le fonctionnaire s'était rendu coupable dans l'exécution de sa mission :

M. Deniel a, en effet, complété quelquefois, paraphrasé toujours, les rapports des surveillants-chefs et essayé d'interpréter non seulement pour lui-même, mais ce qui est plus grave, dans les rapports adressés à des chefs, les actes du déporté, à l'effet d'en dégager les mobiles.

Exécuteur de la loi, il s'est, sans que personne l'en ait prié ou l'y ait encouragé, érigé en criminaliste.

Dreyfus pleure-t-il ? C'est qu'il joue la comédie.

Écrit-il à sa femme et à ses enfants ? C'est par intérêt et vil calcul, pour qu'on s'occupe de le faire évader.

Parle-t-il de se délivrer par la mort de l'effroyable martyre qu'il subit ? M. Deniel ne voit là qu'une feinte pour dissimuler ses véritables projets.

Si Dreyfus garde une attitude douce et soumise, c'est par lâcheté morale d'un coupable qui sait son crime avéré.

Quand, dans une de ces révoltes instinctives de l'être [...], il crie son innocence, adjure le chef de l'État, les ministres, le chef de l'État-major de réparer l'effroyable erreur judiciaire dont il est victime, c'est alors par haine, et ce qui est cri de douleur est qualifié par M. Deniel d'attitude hautaine et ironique.

On le voit, l'interprétation donnée aux faits et gestes de Dreyfus n'est jamais en sa faveur. Quoi qu'il fasse, « ses actes sont considérés comme des indices de sa culpabilité, provenant d'une nature foncièrement basse et haineuse » ; c'est ce qui ressort des longs commentaires de M. Deniel. [...] Comment ont été appliquées les instructions ministérielles ? Quelle interprétation un tel homme a-t-il pu donner aux surveillants placés sous ses ordres ? Toutes les suppositions sont possibles. M. Deniel ne conçoit même pas que le condamné puisse se plaindre de son sort. Dans ce cas, « c'est qu'il veut apporter sa pierre par une nouvelle infamie à cet édifice monstrueux, érigé en dissolvant de la nation, pour tâcher d'innocenter par le trouble des esprits un forfait qu'aucun crime, aussi épouvantable qu'il puisse être, ne peut égaler par un rapprochement quelconque et dont l'immensité est sans borne » (Rapport du 26 janvier 1898).

Mais M. Deniel ne se laisse point prendre à ses démonstrations : il a conscience de sa valeur, de sa perspicacité, il nous le confesse ingénument : « Il (le condamné) a affaire à forte partie, qui, guidée par le devoir, la discipline, le dévouement, saura jouer par le calme, le sang-froid qu'il oppose à ses projets qui se trouvent ainsi annihilés par le silence » (id.).

Pour le haut fonctionnaire civil Jean Decrais, le commandant supérieur des îles du Salut « s'est cru investi d'une mission supérieure, et pour la remplir il renouvelait dans chaque rapport mensuel l'assurance qu'il était prêt "à faire le sacrifice de sa vie et de sa santé". Esprit aussi mal équilibré que vaniteux, il n'a pas tardé à attacher au moindre incident une portée considérable. La moindre voile aperçue à l'horizon, le plus léger sillon de fumée rompant la monotonie du ciel dans le lointain, étaient autant d'indices certains d'une attaque possible provoquant des mesures de rigueur et des précautions nouvelles. Il est certain qu'une surveillance ainsi entendue, dont l'intensité haineuse devait se traduire dans l'attitude des gardiens, était de nature à aggraver le régime. » Decrais poursuivit encore son appréciation très négative de la manière de servir du fonctionnaire des Colonies : « Les appréciations fantaisistes que M. Deniel a lui-même émises par monomanie de la culpabilité et la "certitude qu'il avait de posséder au suprême degré l'intuition des hommes et des choses" (Rapport du 26 janvier 1898) paraissent donc devoir être négligées [185]. »

Ce rapport sur la déportation du capitaine Dreyfus révélait ainsi ses responsables les plus directs au ministère des Colonies, du ministre lui-même au commandant des îles du Salut. Ceux-ci partageaient les mêmes conceptions criminalistes que les accusateurs de Dreyfus à l'État-major. André Lebon balaya avec mépris le rapport de Jean Decrais lors du procès de Rennes, estimant qu'il était inexact et « tout le moins partial, pour ne pas dire autre chose, parce qu'il est incomplet [186]. » Pourtant, ce regard tardif de l'État sur son fonctionnement décrivait une partie du système oppressif qui s'était déployé pendant près de cinq ans autour d'un innocent.

*Un engrenage pré-totalitaire*

Jean Decrais poussa plus loin encore sa critique des modes d'administration de la déportation. Se saisissant de la question de la palissade édifiée à la fin de l'année 1896 autour de la case du déporté, il s'interrogeait : « Ces précautions étaient-elles indispensables ? La topographie des lieux et les difficultés d'accès de l'île du Diable constituent par elles-mêmes les meilleures garanties, en interdisant de façon absolue toute tentative d'approche, par ruse ou par force, du lieu d'internement du déporté [187]. » Les faits relevés par Decrais ne constituaient cependant qu'une partie des éléments qui accablèrent l'administration locale et leur chef. La conception criminaliste partagée du haut en bas de la chaîne hiérarchique de l'administration des Colonies impliquait que tout acte de Dreyfus fût potentiellement dangereux, et qu'il était alors nécessaire et de prévenir de tels agissements et d'y répondre par des mesures d'une grande rigueur. Tout devenait suspect, ainsi des nombreux brouillons que Dreyfus réalisait avant d'écrire une lettre : pour lui, les morceaux de lui-même qu'il adressait à ses proches se devaient d'être irréprochables sur le fond comme sur la forme. Pour Deniel, ces nombreux brouillons étaient au contraire la preuve d'une activité délictueuse [188]. L'affaire de la lettre dite « Weiss » renforça encore cette conception obsessionnelle alors même que cette missive adressée à Dreyfus sembla émaner de la Section de statistique. Ou du moins les services de renseignement choisirent d'utiliser cette lettre mystérieuse pour lui tendre un piège.

Le 5 octobre 1896, le commandant Bravard signala au directeur de l'administration pénitentiaire les dispositions qu'il fut amené à prendre concernant l'une des onze lettres adressées au capitaine Dreyfus, « signée Weiss [et] qu'on suspecte de contenir, en interligne, quelques caractères ou signes écrits à l'encre invisible ». « Dès réception de ces lettres, je les ai apportées moi-même à l'île du Diable et les ai remises au surveillant-chef Lebars. Comme il était 6 heures du soir, je lui ai prescrit de ne les livrer au déporté que le lendemain matin, et de mettre de garde, à ce moment, un surveillant intelligent et perspicace pour observer Dreyfus. La présence permanente et insolite du surveillant-chef lui-même dans le tambour pouvait en effet éveiller la défiance du déporté. [...] Rien d'anormal n'a été constaté dans l'attitude de Dreyfus à la lecture de la lettre dont il s'agit. Elle contient certainement des caractères écrits en interligne que, par endroits, le surveillant-chef et moi-même avons vus apparaître imparfaitement à un examen minutieux. Sans la nécessité de remettre la lettre telle quelle, conformément à nos instructions, nous aurions pu mettre l'écriture à jour. Dreyfus n'y a pas répondu par ce courrier, il est douteux qu'il y réponde, car il ne dispose pas des mêmes moyens secrets, à moins de se servir de jus d'oignon [189]. » Dans le « Rapport sur la déportation » du 12 novembre 1896, il fut mentionné que Dreyfus « ne paraît pas se préoccuper d'une lettre signée Weiss qui lui a été remise le 5 octobre, contenant des caractères secrets écrits en interligne, avec une composition invisible. Il l'a déposée dans son tiroir, attendant, peut-être, un défaut de vigilance du surveillant pour la déchiffrer [190] ». Le piège médité entre les services des ministères de la Guerre et des Colonies s'était clos sur un échec piteux. Il n'empêcha pourtant pas ces agents de l'État de se convaincre plus encore des menées criminelles du déporté de l'île du Diable.

Le sort réservé au capitaine Dreyfus dans l'application de la peine de déportation démontra l'existence d'un système développé dans la République, mais contraire à la légalité républicaine et aux principes démocratiques. Les mécanismes qui avaient permis l'arrestation, la mise au secret et la condamnation de l'officier ne s'étaient pas limités au seul ministère de la Guerre. Ils avaient perduré, ils s'étaient même accrus sous l'autorité du ministère des Colonies. La même conception dominait le régime de déportation, celle d'un homme à l'existence régie par la raison d'État, dépouillé de tout droit par l'instauration d'un régime d'arbitraire administratif qui découlait de l'extension des pratiques militaires dans un ministère de surcroît fortement militarisé, où les surveillants des établissements pénitentiaires formaient un corps militaire, et que l'éloignement des lieux d'administration rendait peu contrôlable au quotidien. Le rapport de Jean Decrais est à cet égard très révélateur de la capacité de l'État à maintenir pendant des années un régime arbitraire de détention. Les observations menées en 1899 par ce chef de cabinet du ministre des Colonies et les conclusions qui en furent tirées, auraient pu légitimement être faites beaucoup plus tôt, vu leur niveau de gravité.

La conception qui dirigea les accusateurs puis les tortionnaires du capitaine Dreyfus révélait une perversion complète du principe de justice. Le condamné restait perpétuellement criminel, la peine subie ne pouvait déboucher sur la rédemption, l'homme devenait incapable de payer sa dette à une société qui n'attendait de lui que sa mort. Cette conception dominait toutes les représentations du capitaine Dreyfus, des services de la Guerre à ceux des Colonies. La considération des lettres du condamné-déporté était emblématique de cette conception comme de ce système puisqu'elles constituaient l'un des domaines où la collaboration des deux ministères était la plus forte. Avant le départ de Dreyfus pour la Guyane, la Section de statistique analysa ainsi sa correspondance :

> Le 25 janvier 1895, la Section de statistique a reçu en communication huit lettres adressées à l'ex-capitaine Dreyfus. Toutes ces lettres peuvent se résumer ainsi :
> Confiance absolu [*sic*] dans l'innocence du traître.
> Espérance de réhabilitation prochaine.
> Encouragement à supporter sa peine.
> Admiration de l'énergie dont il fait preuve.
> Il ressort de ces lettres que la famille, ou pour mieux dire sa race, va tenter l'impossible pour trouver « le vrai coupable ». Il ne paraît pas que les démarches en ce sens soient commencées, car une des lettres émanant du neveu de Dreyfus dit que malheureusement il n'a pas de bonnes nouvelles à lui donner. Toutes ces lettres, que l'on fait évidemment aussitôt passer sous les yeux de l'administration pénitentiaire, semblent rédigées d'après un mot d'ordre. Elles émanent toutes de proches parents. Celle du neveu, qui habite Nice et qui n'a pas reçu, ou qui n'a pas compris la consigne, détonne un peu.
> Sa femme le compare à Jeanne d'Arc [191].

Devant un tel système visant à l'accusation et à l'expiation du « traître », qui mobilisa des dizaines de fonctionnaires et plusieurs services centraux, qui coûta au contribuable entre 50 000 et 60 000 francs or par an [192], on peut s'interroger sur la forme démocratique du régime et sur le fonctionnement de l'État républicain – si tant est qu'il existât [193]. Les quelques protestations qui se firent entendre en 1894 et 1895, puis les engagements qui commencèrent en 1896 et 1897 avant de s'intensifier décisivement en 1898 et 1899 rappelèrent que la France disposait aussi de ressources démocratiques fortes. Ces actions en faveur de Dreyfus restaient pour autant très fragiles. Elles eurent le mérite d'exister et de réparer en partie l'effondrement moral et politique du régime causé par la longue acceptation de l'arbitraire. Des acteurs courageux, dans le monde intellectuel, dans le monde de l'État, y compris et jusque chez les gardiens du déporté semble-t-il [194], refusèrent cet engrenage de la terreur et de l'oppression. Ils obéissaient à une autre conception du pouvoir, de la justice et de la république. Confronté immédiatement, et en permanence, à cette situation d'arbitraire, le capitaine Dreyfus conduisit le même combat qui mêlait la résistance individuelle et l'analyse intellectuelle de cette tyrannie qu'il subissait en un véritable calvaire.

## CHAPITRE IX

# La déportation sur l'île du Diable

La déportation du capitaine Dreyfus sur l'île du Diable avait pour objectif de lui appliquer une peine extrême, propre à le briser ou à rabaisser tout au moins sa prétention à se proclamer innocent. Tenu pour le criminel le plus monstrueux de son temps, il devait subir la réclusion due à un éternel coupable. À Paris comme aux îles du Salut, il était considéré comme susceptible de s'évader ou d'agir avec la perfidie qui sied aux traîtres. Le ministre André Lebon et le commandant Oscar Deniel poussèrent cette logique jusqu'à infliger au déporté un régime terrifiant, un régime de *terreur permanente*. Celui-ci impliquait, comme nous l'avons vu, des méthodes qui installaient l'arbitraire voire la tyrannie au cœur de la République. À l'île du Diable, ce régime était synonyme pour Dreyfus de souffrances matérielles et morales sans fin. Il parvint cependant à les affronter, à les surmonter, non sans basculer à plusieurs reprises dans des crises de désespoir presque définitives et non sans mettre en danger sa vie. Sa santé sera gravement et irrémédiablement compromise, comme le constateront une équipe de médecins qui l'auscultèrent après le verdict du procès de Rennes, en prévision du geste de grâce[1]. Sa volonté de résister à un tel régime, l'invention des pratiques pour y parvenir, la détermination qu'il afficha dans sa correspondance et dans son journal, la revendication permanente de ses droits de déporté face à des autorités qui les niaient, la lutte contre l'épuisement et la folie qui venaient, cette victoire, en d'autres termes, d'un homme dépouillé de tout face à des formes hélas très modernes d'écrasement, définissent l'héroïsme de Dreyfus. Le chapitre suivant reviendra sur ses qualités exceptionnelles d'être humain, de citoyen et d'officier dans une épreuve inimaginable pour l'homme civilisé qu'il était. Ce chapitre-ci aborde les conditions matérielles et morales qui furent les siennes et ses souffrances sans nom pendant les quatre années et quatre mois de déportation.

Le capitaine Dreyfus avait quitté la France le 22 février 1895 et arriva le 12 mars en rade des îles du Salut. Laissé quatre jours dans sa cellule, par une chaleur torride, il fut débarqué le 15 mars, sur la plus grande des îles, l'île Royale, siège du bagne, et enfermé pendant un mois dans une cellule. Le 13 avril, il fut transporté sur l'île du Diable. La déportation proprement dite commençait. Ses conditions s'aggravèrent régulièrement, particulièrement après le 3 septembre 1896 et plus encore lorsque, on l'a vu, un nouveau commandant supérieur des îles du Salut, Oscar Deniel, fut nommé en novembre 1896, en remplacement du commandant Bravard.

La déportation en Guyane du capitaine Dreyfus se décomposa en périodes très distinctes. On en repère quatre principales. Du 21 février au 14 avril 1895, la première correspond au voyage jusqu'aux îles du Salut puis à l'enfermement dans une cellule du bagne de l'île Royale ; le 14 avril 1895, il fut transporté sur l'île du Diable. À partir de cette date, il subit un premier régime de déportation, en contradiction avec la loi puisqu'il impliquait la réclusion. Placé sous la surveillance permanente de gardiens, il affronta des conditions très contraignantes, mais qui lui laissaient néanmoins quelques libertés dont celles de pouvoir se promener sur une partie de l'île, et d'observer la mer depuis sa case. Par ailleurs, le commandant supérieur des îles du Salut n'était pas un tortionnaire. Dreyfus estima qu'il avait « toujours gardé une attitude correcte [2] ». Les jours furent certes, comme il l'écrit dans *Cinq années de ma vie*, « tristes et douloureux [3] », et même souvent désespérés, ainsi qu'en témoigne son journal « écrit au jour le jour [4] ». Le désœuvrement lui pesait durement. Il recevait son courrier, parfois avec un retard considérable, et quelques livres et revues.

À partir du 6 septembre 1896, le régime bascula dans le plus complet arbitraire. Sur ordre du ministre des Colonies André Lebon et sans qu'aucune justification lui soit donnée, le capitaine fut enfermé dans sa case durant deux mois et mis aux fers chaque nuit au moyen d'une double boucle de fer qui lui déchirait les chevilles. Trois mois plus tard, il fut autorisé à circuler dans un étroit périmètre, un espace étouffant, situé entre sa case et la haute palissade qui avait été construite durant le temps où il n'avait pu sortir. Son courrier était fréquemment retenu et il ne lui était bien souvent transmis qu'en copie. Cette très forte aggravation de son régime de détention, dont il ignora toujours les raisons, se conjugua avec la nomination à la tête du pénitencier des îles du Salut d'Oscar Deniel, un commandant aux méthodes tortionnaires. Il avait été choisi expressément par le ministre des Colonies afin de remplir la mission d'exercer sur le capitaine Dreyfus les conditions les plus implacables de déportation. La « Consigne générale » forte de trente-six articles fut édictée, et son application se révéla particulièrement rigoureuse. Dreyfus étouffait, il sombrait dans d'intenses crises de désespoir. Il fut incapable de poursuivre son journal. Il parvint néanmoins à résister à tout, excitant alors la haine de son geôlier qui redoubla de violence.

Cette épreuve totale dura plus de deux ans. Son désespoir devint de plus en plus violent, suscitant des crises de révolte qui le laissèrent brisé et terrifié. Il parvint cependant à lutter et à ne pas perdre de vue le but suprême de sa réhabilitation. Brusquement, le 15 novembre 1898, soit plus de quinze jours après l'arrêt officiel de la Cour de cassation proclamant la révision du procès de 1894 et le renvoi devant un nouveau conseil de guerre, il fut informé par une dépêche télégraphique de l'aboutissement de ce qu'il croyait être ses efforts – surtout épistolaires – pour convaincre de son innocence. Le déporté ignorait tout de la bataille dreyfusarde qui s'était jouée en France et dans le monde depuis 1897. Si l'espoir le reprit alors que tout le début d'année l'avait vu s'enfoncer dans la désespérance, si un ordre de la Cour de cassation obligea ses geôliers à lui autoriser à nouveau les promenades et la vue de la mer, ses conditions de détention ne s'améliorèrent que très tardivement. Oscar Deniel tablait, comme tous les antidreyfusards, sur l'échec de la procédure de révision. Il agissait avec son prisonnier comme s'il voulait se venger des progrès de la justice en sa faveur.

Le capitaine Dreyfus dut attendre le lundi 5 juin 1899, deux jours après la proclamation de l'arrêt de révision de son procès, pour que s'achevât le régime de déportation. Ce jour-là, il reçut à midi et demi une dépêche lui annonçant la cassation de son jugement du 22 décembre 1894 et son renvoi devant un nouveau conseil de guerre. Immédiatement, de nouvelles dispositions concernant son régime de détention entrèrent en application. Une brigade de gendarmerie vint de Cayenne le soir même pour assurer la garde de l'officier réintégré provisoirement dans son grade. Le 9 juin 1899, celui-ci quitta l'île du Diable pour ne plus jamais y revenir et pour aller vers ce qu'il croyait être enfin sa réhabilitation. Mais de multiples signes lui montrèrent au cours du voyage de retour et à son arrivée en France qu'il restait toujours considéré comme un criminel en instance d'une nouvelle condamnation.

## LES ARCHIVES D'UNE TRAGÉDIE

Les sources disponibles pour connaître le véritable calvaire qu'il subit à l'île du Diable sont nombreuses et convergentes. Elles traduisent les tortures matérielles et morales auxquelles il fut confronté.

### Dreyfus archiviste

En premier lieu, les sources furent dressées par Dreyfus lui-même dans son journal tenu du dimanche 14 avril 1895 au jeudi 10 septembre 1896, volontairement interrompu après la plongée dans le régime de terreur imposé par le ministre des Colonies, et destiné à être « remis à [sa] femme[5] ». « Brisé de corps et d'âme[6] », il conçut cet arrêt comme une forme de protestation contre la tyrannie qui l'enchaînait, humiliation d'autant plus cruelle qu'aucune justification ne lui en fut donnée. Ce journal constitue la partie centrale de l'ouvrage *Cinq années de ma vie* publié en 1900. Des deux dernières années de déportation, Dreyfus conserva des souvenirs très vifs qu'il rédigea, fin 1899 et début 1900, afin de compléter, pour *Cinq années de ma vie*, le récit formé par le journal pour les années 1895 et 1896. Il obtint de le récupérer après sa libération le 19 septembre 1899.

Par lettre au ministère des Colonies en date du 24 septembre 1900 [7], Dreyfus demanda « la restitution des lettres que m'a écrites ma femme pendant mon séjour à l'île du Diable, et qui ne me sont jamais parvenues, ainsi que la restitution des originaux de celles qui me sont parvenues seulement en copie ». Il réclama également la restitution des « notes personnelles que j'ai écrites pendant ma captivité et qui m'ont été enlevées au fur et à mesure [8] ». Sur la base d'un rapport du directeur des services pénitentiaires, le ministre répondit le 20 octobre suivant qu'il tenait à sa disposition « les documents ci-après dont mon département est encore dépositaire, savoir : 1° Journal autobiographique, minute et copie. 2° Cahiers de notes personnelles. 3° Deux lettres autographes de Mme Dreyfus, qui sont encore en la possession de mon administration [9], les autres lettres arrêtées par ordre ayant été détruites antérieurement [10] ». Un bordereau des « lettres, documents et pièces diverses concernant le capitaine Dreyfus », daté du 12 juin 1899 et rédigé par le ministère des Colonies afin de les mettre à disposition du ministère de la Guerre en vue du procès de Rennes donnait des détails supplémentaires sur les documents qui étaient en possession de l'administration : « 1° Journal autobiographique rédigé par le prévenu depuis le 14 avril 1895 jusqu'au 10 septembre 1896. 2° trente-quatre cahiers de brouillons et dessins. 3° Un paquet non décacheté contenant des lettres, enveloppes et papiers divers du prévenu. 4° quatre enveloppes contenant des lettres et brouillons de lettres écrites dans la colonie par le prévenu ainsi que des lettres ou cartes qui lui ont été expédiées de l'étranger. 5° quatre Bibles, deux Nouveau Testament, trois paquets contenant des brochures de sermons [11]. »

Les trente-quatre cahiers de travail, longtemps peu exploités par la recherche et dont des éléments se trouvent conservés aujourd'hui à la Bibliothèque nationale de France, se révèlent une source exceptionnelle pour comprendre le mode de résistance par l'étude et l'écriture inventé par le capitaine Dreyfus. En revanche, ils ne renseignent pas sur sa vie quotidienne de déporté à l'île du Diable. La correspondance qu'il échangea avec sa femme et avec sa famille ne contient pas non plus de renseignements précis sur son existence à l'île du Diable. Une double raison explique cette absence. Les autorités pénitentiaires avaient interdit toute mention des dispositions précises de la détention à Paris et de tout ce qui avait trait au dossier judiciaire. Cet ordre se maintint en déportation. « Ma correspondance, lue partout, contrôlée

au ministère, souvent non transmise. On m'interdisait même de parler
à ma femme des recherches que je lui conseillais de faire. Il m'était
impossible de me défendre [12]. » D'autre part, Dreyfus ne souhaitait pas
révéler à ses proches les conditions terrifiantes de sa vie. Elles les
auraient plongés dans une inquiétude très vive, voire une forme terreur
de tous les instants puisqu'ils n'allaient pas cesser d'imaginer sa souffrance. Ils n'avaient dans leur existence ni points de repère ni sources
de connaissance pour se représenter la déportation. Et le black-out sur
le régime de déportation fut longtemps imposé. Un secret d'État
régnait aussi sur la déportation. Il était moins puissant que celui qui
entourait le système de culpabilité édifié autour de Dreyfus, mais il
existait et il était fermement tenu par les ministères de la Guerre et des
Colonies. En revanche, la correspondance renseigna sur l'état moral du
déporté, sur ses moments de faiblesse, d'impatience, d'abattement.
Mais Dreyfus se refusait à parler de ses souffrances sur l'île du Diable,
peut-être parce qu'il ne pouvait accepter que le monde imaginé par les
lettres ne soit envahi par une douleur incontrôlable, et parce qu'il
savait aussi qu'en se livrant, il augmenterait les souffrances de Lucie.
Et lorsqu'il se rendait compte qu'il s'épanchait trop, il s'en excusait.
« Tu me demandes encore, ma chère Lucie, de te parler longuement
de moi, répond-il le 28 mars 1897. Je ne le puis, hélas ! Lorsqu'on
souffre aussi atrocement, quand on supporte de telles misères morales,
il est impossible de savoir la veille où l'on sera le lendemain. Tu me
pardonneras aussi si je n'ai pas toujours été stoïque, si souvent je t'ai
fait partager mon extrême douleur, à toi qui souffrais déjà tant. Mais
c'était parfois trop, et j'étais trop seul [13]. »

Quand Dreyfus souffrait trop, comme après le 6 septembre 1896 et
l'introduction de la double boucle, il préférait n'écrire que de « courtes
lettres à [sa] chère femme. À quoi bon la faire souffrir, lui révéler ces
nouvelles tortures [14] ? »

*La correspondance du déporté*

Ainsi Dreyfus apprit-il en 1900 que l'administration des Colonies
avait procédé à la destruction des nombreuses lettres arrêtées par ordre
et dont il n'avait pu recevoir communication, ou bien des lettres qui
lui furent seulement remises en copie. Lucie et sa famille n'avaient
pas conservé de double du courrier qu'ils lui adressèrent si bien qu'une
partie de la correspondance de déportation fut définitivement perdue.
En plus, comme le signala très justement Dreyfus dans ses *Souvenirs*
inédits de 1931, il n'eut aucun moyen, à l'époque ni après, de vérifier
l'authenticité de ces copies. « Jusqu'à quel point le texte, écrit par une
main banale, représentait-il le texte original ? Je ne saurais le dire encore
aujourd'hui, car ces lettres furent détruites sur l'ordre du ministre des
Colonies [15]. » L'interception de nombreuses lettres, tant celles écrites
par Lucie où elle tentait de l'informer des actions entreprises pour le

sauver, que celles envoyées par lui-même et dans lesquelles il envisageait tous les moyens pour découvrir le coupable et mettre fin à son calvaire, rappelait que le droit de correspondre demeurait très fragile. L'historien Pierre Vidal-Naquet a considéré à juste raison que « nous sommes en 1895, en pleine ère libérale, et, de ce libéralisme, il reste malgré tout quelques traces. Les biens de Dreyfus n'ont pas été confisqués. Il reçoit parfois, pas toujours, des livres, des revues, du courrier[16]. » Dreyfus pouvait aussi écrire et adresser du courrier à sa famille.

Selon Jean Decrais, Dreyfus « ne cessa d'entretenir une correspondance nombreuse avec les siens. Pendant ses quatre années de détention, il a écrit plus de mille lettres adressées soit à sa femme ou à son frère, soit au président de la République, aux ministres, au général de Boisdeffre, etc., et il a remis, conformément au règlement, plusieurs milliers de brouillons de lettres inachevées. » Et le haut fonctionnaire ajoutait : « Sa correspondance et celle des siens [sont] si troublantes que le commandant supérieur des îles du Salut en défend la lecture aux gardiens, de crainte que leur surveillance ne perde de sa rigueur[17]. »

Les lettres qu'il écrivait étaient remises au commandant des îles du Salut qui les adressait au ministère des Colonies en les accompagnant d'un bordereau. À Paris, elles étaient examinées minutieusement et retransmises au ministère de la Guerre pour analyse. Ensuite seulement elles étaient restituées au ministère des Colonies qui les adressait à la famille.

Celles qui étaient adressées par Lucie ou des membres de sa famille devaient être d'abord remises au ministère des Colonies qui les envoyait pour visa au ministère de la Guerre. Ensuite seulement, elles étaient expédiées vers la Guyane. Il existait trois acheminements possibles pour le courrier à destination de la Guyane, comme l'a résumé Marie-Antoinette Menier : « Voie française, qui part de Saint-Nazaire le 9 de chaque mois, subit un transbordement le 22 à Fort-de-France, pour arriver à Cayenne le 29. Au retour, les lettres postées à Cayenne le 3 atteignent Fort-de-France le 10 et Saint-Nazaire le 24. Voie anglaise, avec deux départs par mois. Mais si au retour le navire fait escale au Havre, il n'en est pas de même à l'aller. Les lettres aboutissent à Demerara avant d'être envoyées à Cayenne par la première occasion venue. Enfin voie hollandaise d'Amsterdam au Surinam[18]. » Toutes les lettres reçues ou envoyées firent l'objet d'un enregistrement systématique dont le relevé annuel était adressé au ministre des Colonies[19].

Néanmoins, les dispositions libérales relevées par Pierre Vidal-Naquet restaient fragiles. Toute l'histoire du xxᵉ siècle français renvoie du reste à cette fragilité des libertés fondamentales et à la tentation de les suspendre au profit de l'État ou d'idéologies antidémocratiques. Le sort du capitaine Dreyfus démontra cette fragilité extrême. Concernant la correspondance, les libéralités existantes furent menacées à de multiples reprises et sous des formes différentes. Lettres arrêtées par ordre, originaux livrés en copie, remise différée du courrier, etc. La plus minime des décisions, retarder d'un jour, d'une semaine ou d'un mois la livraison de la correspondance, pouvait avoir des effets bouleversants sur Dreyfus qui connaissait la fréquence des expéditions et qui, jusqu'en septembre 1896, apercevait les courriers arriver aux îles du Salut.

La part des hommes dans l'application ou non de ces mesures restrictives au droit de correspondance fut essentielle. Elle signifiait qu'il existait des marges de manœuvre importantes au sein des administrations. Elles pouvaient être utilisées pour le meilleur ou pour le pire. De ce point de vue, la différence entre le comportement des deux commandants des îles du Salut fut décisive. Bravard fit en sorte qu'un relatif critère de droit d'humanité dirigeât son administration de l'île du Diable tandis que Deniel agit avec une inhumanité permanente. Il ne faisait pas qu'appliquer les directives de son ministre, André Lebon, il en aggravait considérablement la portée. La correspondance souffrit particulièrement du nouveau régime décrété après le 6 septembre 1896. Deniel s'efforça en effet d'en accroître encore la rigueur. Il n'avait pas le pouvoir d'arrêter par ordre les lettres. Il pouvait en revanche insister auprès du ministre sur les probabilités que la correspondance dissimulât des messages secrets et réclamer une surveillance implacable. Il pouvait également retarder la remise des lettres au déporté afin d'augmenter son désespoir et le précipiter dans la folie.

Pour autant certaines lettres de Lucie Dreyfus purent parvenir à son mari alors qu'elles s'efforçaient de lui insuffler la dernière énergie. Leur interception et leur destruction auraient pu accélérer sa démence, elles ne se produisirent pas. L'administration se concentra essentiellement sur les lettres qui contenaient des renseignements précis sur le combat pour la révision ou sur les moyens d'y parvenir. Le reste des lettres fut envoyé ou reçu par Dreyfus. Comme nous le verrons dans le chapitre suivant, cette correspondance fut essentielle à sa survie. Mais elle ne renseignait guère sur les conditions matérielles de la déportation. Il était interdit au déporté de donner des informations précises sur ses conditions de détention. Nul en effet ne pouvait imaginer le caractère concentrationnaire, inhumain du sort qui était le sien sur l'île du Diable. Cependant, quelques contemporains s'employèrent à le découvrir et à en informer l'opinion. Des journalistes partirent pour la Guyane afin d'enquêter sur les conditions d'existence du déporté le plus célèbre de France. Ils s'y décidèrent parce que l'intérêt pour Dreyfus avait repris, près de deux ans après son arrestation.

*Enquêtes et témoignages*

À partir de la fin de l'année 1896, lorsque Mathieu Dreyfus put relancer l'intérêt pour l'Affaire en diffusant le 3 septembre la fausse information sur l'évasion de son frère, la déportation de ce dernier passionna le public. Après le déchaînement de la presse au moment du procès de 1894 et de la dégradation [20], cette passion publique était retombée. Plus objectifs, ces articles, agrémentés parfois de dessins, parurent notamment dans *Le Journal* [21]. Des images forcément éloignées de la réalité de la déportation furent publiées dans *L'Illustration* et dans plusieurs autres périodiques [22]. Jean Hess, ancien médecin de marine, ancien journaliste au *Figaro* et rédacteur au *Matin*, se spécialisa sur le sujet. Il réalisa sur place un reportage entre le 29 septembre et le 3 octobre 1898 dont le premier volet parut le 27 octobre [23].

« Cette enquête, publiée au moment où le passionnant problème de la révision du célèbre procès était discuté et résolu, obtint un grand succès. Tous les journaux du monde l'ont commentée », expliqua Jean Hess dans la préface de l'ouvrage qui en fut tiré. Et la direction du journal *Le Matin* de renchérir : « Nous avons la bonne fortune de publier dès aujourd'hui, sur l'affaire qui passionne en sens si divers le pays, un reportage sensationnel dont les lecteurs du *Matin* apprécieront le haut intérêt. L'explorateur Jean Hess, un des journalistes français qui connaissent le mieux nos colonies et qui s'est fait au *Figaro* et dans la presse une situation particulière une compétence particulière en ces matières, a été envoyée à la Guyane pour y faire une enquête complète sur le prisonnier de l'île du Diable. Voici le résultat de l'enquête impartiale qu'il nous rapporte. » Jean Hess ajouta dans la préface : « Dans cette affaire qui a si profondément divisé non seulement les Français, mais les citoyens de tous les pays, j'avais en effet, sur un point des plus intéressants, apporté un document impartial. [...] Je le répète, mon livre est de la plus absolue bonne foi ; c'est une œuvre de reporter [24]... »

Effectivement, ce qui fut rapporté par le reporter du *Matin* est appuyé sur des informations fiables. L'ouvrage ultérieur intégra en sus un « résumé sommaire » de l'affaire Dreyfus et des annexes juridiques concernant la législation en matière de déportation en enceinte fortifiée. Auparavant, le 8 septembre 1896, *Le Figaro* avait publié la première enquête motivée et circonstanciée sur le sort de Dreyfus à l'île du Diable. Signée Gaston Calmette, le futur directeur du journal, elle reposait sur des témoignages comme celui d'un ancien fonctionnaire de la Guyane qui mettait en cause le ministre des Colonies Chautemps. Des gardiens eux-mêmes transmirent des informations sur la vie du déporté. Celles que reproduisirent les *Mémoires* d'Auguste Scheurer-Kestner évoquent le jour où Dreyfus apprit qu'il serait mis aux fers jusqu'à nouvel ordre. En 1898, Joseph Reinach publia également deux brochures sur la déportation du capitaine Dreyfus, *À l'île du Diable* et *La Voix de l'île*[25]. De nombreuses publications se multiplièrent à l'étranger[26]. En revanche, les travaux historiques sur la déportation demeurent encore aujourd'hui insuffisants, notamment du point de vue de la signification pour le régime républicain de l'existence de ces espaces d'arbitraire et de violence.

*Les archives de la bureaucratie*

Les archives administratives de la déportation, tant à Cayenne qu'à Paris, constituèrent aussi une source privilégiée pour apprécier la déportation à l'île du Diable, son aggravation après le 6 septembre 1896 et la manière dont Dreyfus tenta de résister à un tel calvaire.

Une bureaucratie considérable avait été organisée pour administrer la déportation du capitaine Dreyfus et la contrôler dans les moindres détails, selon des directives qui démontrèrent l'obsession sécuritaire des ministères de la Guerre et des Colonies et leur représentation d'un criminel en puissance toujours prêt à l'évasion ou aux communications secrètes avec son entourage voire avec un « syndicat » complotant pour le faire évader. Cette dimension bureaucratique se mesura à la production ahurissante de rapports. Tous les incidents, même les plus dérisoires, étaient scrupuleusement consignés et faisaient l'objet d'un rapport au commandant supérieur du bagne. Les gardiens chargés de la surveillance du déporté devaient remplir un cahier de la déportation. Chaque mois, le commandant supérieur des îles du Salut adressait au gouverneur de la Guyane un rapport circonstancié. Intervenaient aussi les directeurs successifs de l'administration pénitentiaire en Guyane, les inspecteurs des Colonies, et enfin, à Paris, les ministres de la Guerre et des Colonies avec leur administration respective.

Lors du retour du capitaine Dreyfus en France à la fin du mois de juin 1899, et au vu du scandale provoqué par la révélation des conditions de sa détention sur l'île du Diable, le gouvernement de Waldeck-Rousseau demanda à ce qu'un rapport circonstancié soit établi. En conséquence, le chef de cabinet du nouveau ministre des Colonies rédigea l'étude déjà évoquée. Jean Decrais exploita les archives administratives, et principalement les trente-six rapports mensuels couvrant la période du 1er juillet 1895 au 31 juin 1899 et adressés par le gouverneur de la Guyane au ministre. Ce « Rapport officiel sur le séjour de Dreyfus à l'île du Diable » fut lu intégralement au procès de Rennes, pendant l'audience du 16 août 1899[27]. Il se composa de trois parties. D'abord « la vie même de Dreyfus », à savoir un « exposé sommaire des diverses phases de l'attitude de Dreyfus, ainsi qu'elle ressort des rapports des surveillants en chef qui se sont succédé à l'île du Diable et qui, dépourvus d'instruction pour la plupart, natures rudes et primitives, se sont bornés à consigner, jour par jour, heure par heure, les paroles et les gestes du condamné confié à leur garde ». Ensuite, comme nous l'avons vu, une vive critique du comportement du second commandant des îles du Salut, Oscar Deniel, qui infligea au capitaine Dreyfus un régime hors de toute mesure, et notamment de celle qu'implique le service régulier de l'État. Enfin, un relevé de l'état psychologique et physique du déporté que les différents responsables ou administrations responsables refusèrent de considérer. Ce qui laissait entendre assez clairement que le but de la déportation était de parvenir à faire mourir le capitaine Dreyfus à l'île du Diable. Après ce rapport, on ne reparla plus de la déportation du capitaine. La loi d'amnistie du 27 décembre 1900 voulue pour l'affaire Dreyfus par Waldeck-Rousseau accéléra cette occultation. Mais la vie des archives continua. L'énorme matière administrative de la déportation du capitaine Dreyfus s'accumula pour une part dans les bureaux du cabinet du ministre des Colonies et en Guyane. Les archives conservées aux îles du Salut et à Cayenne furent envoyées à Paris par un ordre du ministre des Colonies du 6 mai 1904[28]. Elles constituaient deux ensembles bien définis, d'abord les archives de l'établissement pénitentiaire des îles du Salut relatives à l'île du Diable, dont l'enregistrement de toute la correspondance, les consignes dirigeant le service de la déportation, le registre portant les trente-six rapports établis par les surveillants-chefs, ensuite les archives de l'administration pénitentiaire à Cayenne qui comprenaient la correspondance entre les services du gouverneur et le ministère des Colonies ainsi que de nombreux documents, rapports de surveillance, etc. Ces archives[29] allèrent compléter l'ensemble déjà réuni au ministère des Colonies et qui comprenait la correspondance, notamment celle, très abondante, qui fut échangée avec le ministère de la Guerre, mais aussi celle, plus ordinaire, entretenue avec le gouverneur de la Guyane et son administration pénitentiaire.

Enfin, ce fonds parisien intégrait les très nombreuses lettres et suppliques que le capitaine Dreyfus écrivit au président de la République, au président du Conseil, au ministre de la Guerre, au ministre des Colonies, au chef d'État-major de l'armée, au gouverneur de la Guyane, au commandant supérieur des îles du Salut, ainsi que de nouvelles lettres de sa femme arrêtées par ordre. Tout ce fonds resta ignoré jusqu'en 1938, année durant laquelle il fut versé aux Archives nationales, à la section d'outre-mer. Il est à présent conservé au centre d'Aix-en-Provence et librement consultable[30]. Il n'a guère été exploité, sinon par deux historiennes, Sylvie Clair et Marie-Antoinette Menier. Cette dernière, ancienne archiviste à la section d'outre-mer, a noté que l'histoire de la déportation du capitaine Dreyfus « n'a pas tenté les historiens[31] ». Elle est pourtant catégorique au sujet de telles archives : « L'intérêt du fonds conservé par la section d'outre-mer sous la cote Affaires politiques 3350-3363 est double. Du point de vue de la personnalité de Dreyfus, à travers les rapports mensuels, les observations, dénuées de bienveillance ou équitables, des gardiens, il permet de suivre quasiment au jour le jour la vie du déporté, d'étudier son comportement, d'y retrouver les traits dominants de son caractère qui, on le sait, jouèrent tant contre lui [32] ». Sa personnalité fut jugée si négativement par l'administration pénitentiaire parce qu'il refusa d'endosser le rôle de traître et de criminel qu'on voulait lui faire jouer. Il résista aussi à une déportation qui avait pour but inavoué mais très conscient de le briser, y compris par la mort lente. Cette volonté résultait précisément de son défi à vouloir rester officier, citoyen, innocent. De ce point de vue, il comprit qu'il ne devait jamais discuter ou contester les mesures prises à son encontre sous peine de reconnaître son statut de coupable condamné. Il fut en conséquence un détenu modèle. Mais les surveillants et le commandant supérieur, particulièrement Deniel, soutenu par son ministre, considérèrent que leur prisonnier agissait là avec duplicité et fourberie et que son attitude impliquait de redoubler de surveillance et de sévérité.

Dreyfus a donc résisté à ce régime spécial et à l'ordinaire aussi d'un exil en Guyane qui fut pour beaucoup synonyme de mort certaine. Un bon connaisseur du bagne, l'inspecteur des Colonies Albert Picquié, écrivait encore, à son propos : « Il est probable qu'après les espoirs tenaces des premiers jours, l'isolement, l'énervement, les vaines attentes et le sentiment de jour en jour plus vif du vide qui se fait autour de lui, auront raison de la résignation et peut-être aussi de la santé du coupable. Le climat de la Guyane trouvera alors une victime facile [33]. » Picquié écrit le 20 janvier 1896. Dreyfus supportait déjà neuf mois de déportation. Mais il n'avait pas encore connu la torture de la double boucle et de l'enfermement dont il comprit, d'après le témoignage du gardien de l'île du Diable cité par Scheurer-Kestner, qu'on voulait ainsi le « conduire à la tombe [34] ».

## LE GRAND VOYAGE

Le capitaine Dreyfus fut embarqué à bord du *Ville-de-Saint-Nazaire* le 22 février 1895 au soir, « dans le plus grand secret et dans le plus strict incognito », écrit le docteur Rançon, médecin des Colonies à bord du vapeur affrété pour la Guyane et chargé des fonctions de commissaire du gouvernement [35]. Celui-ci fut présent lors de la « fouille minutieuse des effets et des objets appartenant au prisonnier » et qui fut réalisée dans le corps de garde du dépôt de Saint-Martin-de-Ré. « Il n'a été laissé à sa disposition que les vêtements qui lui étaient absolument nécessaires pour se vêtir et une couverture de voyage. Le reste a été [...] renfermé dans une malle et une valise *ad hoc* [36]. » Dreyfus ne fut pas transféré dans le même aviso que les autres condamnés composant le convoi, par décision de Georges Picqué, du docteur Rançon et du commandant du *Ville-de-Saint-Nazaire* le lieutenant de vaisseau Trémoin. Le prisonnier et son escorte utilisèrent une goélette à vapeur mouillée devant le port de Rochefort. Le lendemain, le vapeur levait l'ancre et gagnait le large. Le prisonnier ne put voir s'éloigner la terre de France. Il était enfermé sous bonne garde dans sa cellule. Le voyage jusqu'à la Guyane dura dix-huit jours.

*Une traversée atroce*

À son arrivée sur le vapeur, Dreyfus fut conduit dans le bagne des femmes et placé dans une cellule placée sous le pont, ouverte aux intempéries. Le navire transportait en outre « soixante-dix condamnés à la relégation définitive » et « cent trente-sept condamnés aux travaux forcés » ainsi que des gardiens qui allaient rejoindre leur poste et leur famille [37]. Dreyfus ignora presque jusqu'à son arrivée aux îles du Salut le lieu de la destination. Il raconta brièvement dans *Cinq années de ma vie* cette traversée qui confirma ses craintes les plus vives sur la dureté du régime de déportation. Il ne fut ainsi autorisé à monter sur le pont du navire qu'une fois celui-ci en haute mer, rendant toute évasion impossible. Or il fut aussitôt malade. La nuit, il délirait. Le jour, il souffrait du mal de mer. Le médecin du bord, le docteur Rançon, refusa qu'il puisse prendre l'air sur le pont [38]. Le quotidien était pour lui une torture permanente.

Les premiers jours de la traversée furent atroces ; le froid était terrible dans la cellule ouverte, le sommeil dans le hamac pénible. Comme nourriture, la ration des condamnés, servie dans de vieilles boîtes de conserve. J'étais gardé à vue, le jour par un surveillant, la nuit par deux surveillants, revolver au côté, avec défense absolue de m'adresser la parole.

À partir du cinquième jour, je fus autorisé à monter une heure par jour sur le pont, gardé par deux surveillants.

Après le huitième jour, la température devint plus douce, puis torride. Je me rendis compte que nous approchions de l'équateur, mais j'ignorais toujours où l'on me transportait.

Après quinze jours de cette horrible traversée, nous arrivâmes le 12 mars 1895 en rade des îles du Salut. J'eus l'intuition du lieu par quelques bribes de conversation échangées entre les surveillants, parlant entre eux des postes où ils pensaient être envoyés, postes dont les noms se rapportaient à des localités de la Guyane [39].

Le rapport du docteur Rançon a fait le récit de la traversée, « la partie la plus pénible et la plus délicate [40] » de la tâche qui lui avait été confiée pour ce voyage. Il a observé les souffrances du prisonnier, mais en a conclu, en pleine contradiction avec la réalité, qu'il était indifférent à son sort. Ses crises et son abattement n'étaient donc que secondaires pour ses geôliers.

Pendant tout le voyage, il fit preuve du plus grand sang-froid et je dirai plus, de la plus grande indifférence. Une fois seulement, son calme parut l'abandonner, et, assis sur son escabeau, il sanglota pendant une dizaine de minutes et sans prononcer une seule parole. Au moment du départ, sa santé était bonne et n'a jamais été altérée ; au cours du voyage du moins, il n'a jamais réclamé des soins.

Son sommeil a été généralement bon. Par deux fois, il eut des cauchemars, dans lesquels il répéta à plusieurs reprises, sauf variantes, des phrases dont le sens était que le véritable coupable ne tarderait pas à être découvert, car sa femme payait pour cela plusieurs agents de police et dépensait, pour ce fait, 1 000 francs par mois [41].

On ignore si, comme à l'île du Diable, Dreyfus consomma des calmants qui lui furent remis en grande quantité. Son sommeil fut meilleur, mais il demeura très artificiel. Sa santé fut très altérée, et le récit que donna Dreyfus de ses souffrances pendant la traversée s'éloigna largement de la teneur du rapport du docteur Rançon. Lui-même expliqua dans une lettre du 24 octobre 1898 à l'inspecteur général des Colonies qu'il n'avait « adressé qu'une seule fois la parole au condamné » lorsque Dreyfus, qui avait le mal de mer, demanda à prendre l'air sur le pont. Le médecin refusa l'autorisation. Il affirma ensuite, comme un haut fait d'armes, ce qui suit : « Je n'ai *jamais*, pendant la durée de son séjour à bord, adressé la parole à Dreyfus ; il n'a *jamais* eu recours à mes services de médecin ; je ne l'ai donc pas ausculté et je n'ai rien trouvé sur lui [42]. »

Le médecin des Colonies se comportait avant tout comme un subordonné du ministre avant d'être au service de la santé. Il avait organisé pour le voyage un système de surveillance permanente défini par une consigne dont il prit l'initiative et qu'il exposa dans son rapport.

## La consigne de surveillance

La consigne visait à « surveiller le prisonnier et [à] exécuter fidèlement les ordres de M. le ministre des Colonies ». Il fut ainsi arrêté :

1° Que le prisonnier serait gardé à vue nuit et jour par des surveillants militaires anciens de service et offrant toutes les garanties voulues de discipline et de moralité. [...]

2° La consigne leur fut donnée de ne pas perdre le prisonnier de vue une minute, de ne jamais lui adresser la parole, de ne répondre à aucune de ses questions, de surveiller ses moindres mouvements, de veiller à ce qu'il ne communique avec aucune personne, de faire écarter du panneau quiconque se présenterait et particulièrement de s'assurer qu'il n'écrirait pas. Cette consigne fut scrupuleusement observée.

3° Il fut convenu que la clef du cadenas de sûreté serait toujours entre les mains du capitaine et que la clef de la porte serait entre les mains du capitaine ou du surveillant de première classe.

4° Lorsque le prisonnier monta sur le pont, il fut tenu un compte rigoureux des instructions du département ; il fit toujours sa promenade dans l'isolement le plus complet et sous la surveillance de deux de ses gardiens qui avaient alors comme consigne spéciale de s'opposer même par la force à toute tentative de suicide, et de veiller à ce qu'il ne communique à qui que ce soit, soit par geste, soit par parole. J'ai constaté chaque jour que cette dernière consigne était rigoureusement observée.

5° En ce qui concerne ses vêtements, nous nous arrêtâmes aux dispositions suivantes, qui furent toujours scrupuleusement observées : on ne laissa à sa disposition que les effets dont il avait strictement besoin pour se vêtir et les objets de toilette, savon, éponge, brosse, brosse à habits, brosse à dents, qui lui étaient absolument indispensables. Tous ces vêtements et objets avaient été au préalable scrupuleusement et minutieusement visités. Il en a été de même pour les vêtements et linge de rechange dont il a eu besoin au cours de la traversée.

En résumé, jamais un vêtement ou objet quelconque ne lui fut remis sans avoir été, au préalable, visité jusque dans ses moindres détails. Le prisonnier ayant demandé des livres, on s'est bien gardé de lui donner ceux qui lui avaient été envoyés par sa famille au dépôt de Saint-Martin-de-Ré ; on ne lui prêta que des livres de la bibliothèque de bord et encore uniquement après qu'on se fut bien assuré qu'ils ne contenaient ni papiers ni indications suspectes.

Conformément aux intentions du département, le condamné Dreyfus fut soumis à la même alimentation et à la même discipline que les autres prisonniers [43].

Cette ultime mention contredit l'existence même de la consigne spéciale établie pour le seul prisonnier. Elle témoignait bien de l'obsession de ses gardiens pour sa sécurité, le prisonnier étant tenu pour très dangereux puisque sa surveillance était absolue et minutieuse. Le docteur Rançon mit également un point d'honneur à expliquer combien « les intentions du département » avaient été scrupuleusement respectées. Son rapport est ici un modèle du genre, devant appeler l'attention de la hiérarchie sur le fonctionnaire et, à terme, suggérer la proposition d'un avancement pour services rendus [44]. Pour le prisonnier, ces dispositions étaient doublement écrasantes. D'une part, elles entretenaient un climat de très grande hostilité des gardiens à son encontre. De l'autre, elles lui interdisaient le minimum de sérénité permettant de survivre décemment. Sur le navire, l'interdiction d'écriture, qui était motivée par la crainte que le prisonnier ne communiquât avec les autres bagnards, était particulièrement dure. À l'île du Diable, Dreyfus résista par elle et grâce à elle.

## La réclusion sur l'île Royale

Le capitaine Dreyfus espérait être débarqué dès son arrivée aux îles du Salut, le 12 mars 1895. Il fut au contraire enfermé pendant quatre jours dans sa cellule sous une chaleur torride, par quarante degrés à l'ombre[45], avec interdiction de monter sur le pont. « Mon cerveau se liquéfiait, tout mon être se fondait dans une désespérance terrible[46] », écrit-il. Un câblogramme du 6 mars 1895 du gouverneur de la Guyane au ministre des Colonies en expliqua la raison : « Avons choisi île du Diable où Dreyfus sera gardé par quatre surveillants choisis parmi les plus sûrs. Déporté relativement libre le jour, dans moitié îlot, sera enfermé dans son logement la nuit avec surveillant de garde du coucher au lever du soleil. Recevrez par lettre détail des mesures prises pour éviter toute surprise et rendre surveillance efficace. Mais si Dreyfus arrive avant le 15 courant serai obligé le maintenir bord navire transporteur pendant quelques jours pour achever installations commencées depuis le 16 février[47]. »

Rien n'avait même été préparé à cette date pour transférer le capitaine Dreyfus sur l'île du Diable, si bien qu'il dut rester enfermé dans sa cellule du navire jusqu'au 15 mars. Puis il fut enfin débarqué, mais pour connaître aussitôt une réclusion absolue d'un mois sur l'île principale de l'archipel. Les autorités locales et le commandant supérieur des îles du Salut appliquèrent avec toute la sévérité possible les termes de l'instruction publiée par *Le Matin* le jour de la dégradation. Le choix de la cellule sur l'île Royale avait été fait par le directeur de l'administration pénitentiaire de Guyane, Guégan. Il s'agissait d'une des petites chambres servant de corps de garde à l'entrée du bâtiment des cellules. « On y mit un châlit, un matelas, une table, une chaise, un seau à déjection et une cruche[48]. » Il y fut transféré sous bonne escorte dans l'après-midi du 12 mars 1895. Le parcours qu'il devait suivre sur l'île Royale avait été complètement évacué, et des surveillants militaires avaient été placés tous les quarante mètres pour interdire l'accès au chemin. « Le trajet par mer jusqu'au quai, l'ascension du plateau, se sont effectués dans le silence le plus absolu : les seules paroles prononcées ont consisté dans l'énonciation de brefs commandements de : "descendez", "marchez", "montez", "halte" et "entrez". Le condamné n'a lui-même prononcé aucune parole[49]. »

Le capitaine Dreyfus demanda seulement qu'un télégramme fût adressé à sa femme et en remit le texte à M. Guégan : « Santé bonne. Aboutissez. Alfred. » Dans son rapport au ministre des Colonies, le gouverneur a indiqué ne l'avoir « bien entendu » pas expédié, lui laissant le soin de juger quel usage devait être fait de cette communication. Par courrier du 2 avril 1895, le ministre avisa le gouverneur de la Guyane française qu'après avis préalable du ministre de la Guerre, le général Zurlinden, il avait fait part « dans son ensemble de la teneur du télégramme en question à la femme du déporté Dreyfus, mais sans en donner le texte exact afin d'éviter toute entente entre ce détenu et sa famille au moyen d'un langage de convention[50] ».

La cellule fut gardée nuit et jour par des surveillants et des soldats en armes. Les volets étaient clos alors que la chaleur était étouffante. Aucun livre n'était autorisé, aucun moyen d'écriture ne lui était donné [51]. Il ne put adresser qu'une dépêche télégraphique et deux lettres à ses proches. Il ne vivait qu'avec ses rêves et ses angoisses. Il avait « défense de parler à qui que ce soit, en tête à tête avec [son] cerveau, au régime des forçats ». Sa santé morale et physique se dégrada très rapidement, d'autant que la traversée l'avait épuisé : « À plusieurs reprises, je faillis devenir fou ; j'eus plusieurs congestions du cerveau, et mon horreur de la vie était telle que j'eus la pensée de ne pas me faire soigner et d'en finir ainsi avec ce martyre. C'eût été la fin de mes maux, puisque je ne me parjurais pas, la mort étant naturelle. » Il écarta cependant cette tentation de l'abandon et de la mort lente. Provisoirement. Car ses quatre longues années sur l'île du Diable seront marquées par ces crises de désespoir qu'il finira par surmonter, mais dans des souffrances atroces. La pensée des êtres chers comptera énormément dans ce combat. « Le souvenir de ma femme, mon devoir vis-à-vis de mes enfants, m'ont donné la force de me ressaisir ; je n'ai pas voulu démentir ses efforts, l'abandonner ainsi dans sa mission, la recherche de la vérité, du coupable. Aussi fis-je demander le médecin, quelle que fût ma répugnance farouche pour toute figure nouvelle [52]. »

Car le capitaine Dreyfus n'était pas seulement brisé par l'angoisse et le désespoir, mais aussi par la maladie. Il avait contracté un début de dysenterie, et le médecin-chef de l'établissement des îles du Salut demanda à ce qu'il soit mis au régime : bouillon, viande grillée, deux litres de lait et un traitement à base de laudanum, d'antipyrine et de quinine. Déjà Dreyfus avait demandé par lettre du 28 mars 1895 au commandant supérieur des îles du Salut, l'autorisation de se nourrir à ses frais et de faire venir de Cayenne les objets et vivres qu'il énuméra dans une note jointe. Celle-ci se divisait en trois parties, « Ustensiles », « Vivres » et « Divers », à savoir pour cette dernière section une bouteille d'encre, cent cigares et une boîte de poudre insecticide [53].

Confronté à sa maladie qui l'obligeait à mobiliser le médecin-chef, Bravard écrivit dans son rapport : « Je préférerais de beaucoup le garder bien portant que malade, il serait moins encombrant pour nous tous [54]. » Son état allait retarder le transfert sur l'île du Diable.

*Première correspondance*

Reclus à l'île Royale, le capitaine Dreyfus reçut plusieurs lettres qui lui furent remises, comme l'attesta le rapport du directeur de l'administration pénitentiaire de la Guyane au gouverneur qui en recense très précisément, pour le mois de mars 1895, quatre, de Mme Dreyfus, de Mathieu Dreyfus, de M. Hadamard et de Mme Arthur Cahn. Le 15 avril, Cayenne reçut dix-huit lettres destinées au condamné, dix-sept de sa famille et une non signée lui prodiguant des conseils religieux et l'exhortant à suivre les préceptes de la Bible. Le déporté en adressa trois, comme l'indique le rapport du gouverneur au ministre en date du 1ᵉʳ avril 1895 : une à Mme Dreyfus, une deuxième à M. Mathieu Dreyfus [64, rue de la Victoire], la dernière à Mme Valabrègue [55].

Celles qu'il adressa à Lucie évoquaient à demi-mot la souffrance de la traversée et de la réclusion sur l'île Royale. La première était celle du 12 mars 1895. « Le jeudi 21 février, quelques heures après ton départ, j'ai été emmené à Rochefort et embarqué. Je ne te raconterai pas mon voyage ; j'ai été transporté comme le méritait le vil gredin que je représente ; ce n'est que justice. On ne saurait accorder aucune pitié à un traître ; c'est le dernier des misérables, et tant que je représenterai ce misérable, je ne puis qu'approuver. Ma situation ici ne peut que découler encore des mêmes principes. Mais ton cœur peut te dire tout ce que j'ai souffert, tout ce que je souffre ; c'est horrible. Je ne vis plus que par mon âme qui espère voir luire bientôt le jour triomphant de la réhabilitation ; c'est la seule chose qui me donne la force de vivre. Sans honneur, un homme est indigne de vivre [56]. » Dès cet instant, la lettre bascula dans l'affirmation de sa volonté de survivre pour reconquérir son honneur et obtenir sa réhabilitation. Ce fut une constante de ses lettres. À l'évocation de ses souffrances succédait aussitôt l'expression de son courage à ne rien céder, ni à lui-même ni à ses geôliers, en dépit des conditions de déportation qui lui étaient faites et du désespoir qui le brisait régulièrement. Mais il estima lucidement que Lucie souffrait autant sinon plus que lui, et qu'il n'était pas en droit de lui infliger de nouvelles tortures en lui racontant sa réclusion. Dans la deuxième lettre, du 20 mars 1895, il décida de cacher ce qu'il vivait afin de ne pas accroître la douleur de ses proches.

Ma lettre sera courte, car je ne veux pas t'arracher l'âme, mes souffrances sont d'ailleurs tiennes.

Je ne puis d'ailleurs que te confirmer la lettre que je t'ai écrite le 13 de ce mois. Plus vous hâterez ma réhabilitation et plus vous abrégerez mon martyre.

J'ai fait pour toi plus que l'amour le plus profond peut inspirer ; j'ai enduré le pire supplice qu'un homme de cœur puisse subir ; à toi de faire l'impossible pour me faire rendre mon honneur si tu veux que je vive. Ma situation n'est pas encore définitive, je suis toujours encore enfermé. Je ne te parlerai pas de ma vie matérielle, elle m'est indifférente. Les misères physiques ne sont rien, quelles qu'elles soient. Je ne veux qu'une chose dont je rêve nuit et jour, dont mon cerveau est hanté à tout instant, c'est qu'on me rende mon honneur qui n'a jamais failli.

On ne m'a pas remis jusqu'à présent les livres que j'ai apportés, on attend des ordres.

Envoie-moi toujours des revues par le prochain courrier.

Donc, ma chérie, si tu veux que je vive, fais-moi rendre mon honneur le plus tôt possible, car mon martyre ne saurait se supporter indéfiniment. J'aime mieux te dire la vérité, toute la vérité que de te bercer d'illusions trompeuses. Il faut savoir regarder la situation en face. Je n'ai accepté de vivre que parce que vous m'avez inculqué la conviction que l'innocence se fait toujours connaître. Cette innocence, il faut la faire relater, non seulement pour moi, mais pour les enfants, pour vous tous.

Embrasse ces chéris, tout le monde pour moi et mille baisers pour toi, Alfred.

Comme les lettres seront très longues à me parvenir, envoie-moi une dépêche quand tu auras une bonne nouvelle à m'annoncer. Ma vie reste suspendue à cette attente. Pense à tout ce que je souffre [57].

Son choix de ne pas raconter et s'épancher, extrêmement courageux, lucide et raisonné, qui visait à se protéger lui-même, put laisser croire qu'il était indifférent à son sort. Mais il suffit de lire ses lettres pour comprendre qu'il en allait tout autrement. La revendication d'indifférence était la seule arme dont il avait encore l'usage pour ne pas se laisser engloutir par la déportation et devenir la prochaine victime du « climat de la Guyane ». Il refusa toute logique de souffrance et s'engagea à retourner celle qu'il vivait en force et en énergie. Le 27 avril, alors qu'il avait été transféré sur l'île du Diable, il confiait à Lucie : « Je souffre non seulement pour moi, mais bien plus encore pour toi, pour nos chers enfants. C'est en ces derniers, ma chérie, que tu dois puiser cette force morale, cette énergie surhumaine qui te sont nécessaires pour aboutir à tout prix à ce que notre honneur apparaisse de nouveau, à tous sans exception, ce qu'il a toujours été, pur et sans tache [58]. »

Dès sa première lettre du 12 mars, Dreyfus avait reconstitué comme il le pouvait le système de la correspondance et constaté qu'il pouvait envoyer des télégrammes. Mais cette possibilité lui fut ensuite refusée presque à chaque demande. « J'ai été débarqué il y a quelques instants et j'ai obtenu de t'envoyer une dépêche. Je t'écris vite ces quelques mots qui partiront le 15 par le courrier anglais. Cela me soulage de venir causer avec toi que j'aime si profondément. Il y a deux courriers par mois pour la France, le 15, courrier anglais, et le 3, courrier français. De même, il y a deux courriers par mois pour les îles, le courrier anglais et le courrier français. Informe-toi de la date de leur départ et écris-moi par l'un et par l'autre [59]. » Cette attention au système d'expédition découlait de l'importance extrême qu'il accordait à la correspondance, au fait d'écrire à Lucie, de recevoir ses lettres, de voir l'écriture aimée, de toucher le papier que Lucie avait caressé, d'entendre ses mots. Physiquement, les lettres de Lucie étaient le trait d'union, jeté par-dessus l'océan, qui le rattachait au monde aimé et qui lui apportait le soutien dont il avait tant besoin. On comprend ce que représentèrent alors tous les obstacles créés par l'administration pour empêcher la bonne réception du courrier ou la lecture des lettres qui lui furent remises en copie à partir de la fin de 1896. Là, son désespoir et sa souffrance atteignaient des seuils terribles.

*Le transfert sur l'île du Diable*

Le 14 avril, le capitaine Dreyfus fut transféré sur l'île du Diable où il allait rester jusqu'au 9 juin 1899. Il était le premier prisonnier politique de la IIIe République à y être déporté [60]. Un câble du gouverneur au ministre des Colonies précisa les circonstances de l'installation : « Déporté interné définitivement île du Diable le 14 courant sans incident ; il présente état éréthisme cérébral provoqué par absence lettres et dépêches de sa famille. Condamné demande constamment nouvelles des siens [61]. »

Le jour de son arrivée sur ce « rocher inculte qui avait servi précédemment de lieu de détention pour les lépreux [62] », il commença la rédaction d'un journal, véritable compagnon de ses souffrances et de ses espoirs, mais aussi procès-verbal du régime qu'on lui imposa et qui, même dans les deux premières années, le transformait en un criminel de grande dangerosité. Dreyfus se souviendra, dans ses *Souvenirs* inédits, de « l'instruction écrite » de Chautemps « enjoignant de n'avoir aucun ménagement pour moi [63] ». « Je vous le répète, écrivait le ministre des Colonies depuis Paris, il faut à tout prix que Dreyfus ne puisse correspondre avec l'extérieur, recevoir de l'argent et combiner ses projets d'évasion [64]. » Dreyfus comprit et analysa cette situation qui portait en elle des possibilités proprement terrifiantes. Il n'avait pas de réponse à ses interrogations. Il refusait, comme le grammairien et professeur au Collège de France Michel Bréal confronté au cas de sa déportation, d'accepter ce qu'il ne comprenait pas [65]. Il en concluait que ce régime était inacceptable, profondément inhumain et illégitime, injustifiable. La raison lui fut une arme. Et c'est son honneur d'en avoir conservé l'usage. Ses contemporains ne comprirent pas cette voie de résistance. Nous la comprenons mieux aujourd'hui. Dreyfus était moderne pour son temps, moderne à travers le type d'armée nouvelle qu'il incarnait, moderne dans cet affrontement avec les ténèbres.

> Je commence aujourd'hui le journal de ma triste et épouvantable vie. C'est, en effet, à partir d'aujourd'hui seulement que j'ai du papier à ma disposition, papier numéroté et parafé d'ailleurs, afin que je ne puisse en distraire. Je suis responsable de son emploi. Qu'en ferais-je d'ailleurs ? À quoi pourrait-il me servir ? À qui le donnerais-je ? Qu'ai-je de secret à confier au papier ? Autant de questions, autant d'énigmes !
>
> J'avais jusqu'à présent le culte de la raison, je croyais à la logique des choses et des événements, je croyais enfin à la justice humaine ! Tout ce qui était bizarre, extravagant, avait de la peine à entrer dans ma cervelle. Hélas ! quel effondrement de toutes mes croyances, de toute ma saine raison.
>
> Quels horribles mois je viens de passer, combien de tristes mois m'attendent encore ? [...]

J'ai subi d'abord le plus effroyable supplice qu'on puisse infliger à un soldat, supplice pire que toutes les morts, puis j'ai suivi pas à pas cet horrible chemin qui m'a mené jusqu'ici en passant par la prison de la Santé et le dépôt de l'île de Ré, supportant sans fléchir insultes et cris, mais laissant un lambeau de mon cœur à chaque détour du chemin [66].

## UN RÉGIME DE MORT LENTE

Jusqu'au 6 septembre 1896, les deux premières années de la déportation furent très cruelles. Mais leur dureté fut moindre que celle qui suivirent, notamment parce que le commandant supérieur des îles du Salut, Bravard, appliqua sans zèle excessif les mesures qui avaient été décidées à Paris. Le 14 avril 1895, le capitaine Dreyfus découvrit pour la première fois l'île du Diable. Il était prêt à faire son devoir, à affronter la déportation dont il comprenait qu'elle serait bien pire que ce qu'il avait imaginé. Il avait pensé qu'en exil il trouverait « sinon le repos, [...] du moins une certaine tranquillité d'esprit [lui] permettant d'attendre le jour de la réhabilitation. Quelle amère et nouvelle déception ! [67] ». Les conditions de détention qui allaient évoluer vers un régime de réclusion très dur, le secret le plus absolu qui s'aggrava lui aussi, et l'impossibilité de se défendre, la conception qu'avaient tous ses geôliers de son statut de criminel dangereux, transformèrent sa déportation en un calvaire permanent.

### L'installation sur l'île du Diable

Une case avait été équipée à la hâte durant le temps où Dreyfus était resté enfermé sur l'île Royale. Elle était située à proximité du rivage, à cinquante mètres du débarcadère. Dans la précipitation, on avait oublié de construire des latrines et une cuisine. Le capitaine Dreyfus donne de sa case et du système de surveillance une description précise dans son journal puis dans les *Souvenirs* qui accompagnèrent sa publication en 1900 : « Un cabanon de 4 [16] mètres carrés, clos par une porte faite de barreaux de fer à claire-voie, devant laquelle les surveillants se relayeront toute la nuit. Un surveillant-chef, cinq surveillants sont préposés à ce service et à ma garde [68]. [...] La case qui me fut affectée était en pierre et mesurait 4 mètres sur 4 mètres. Les fenêtres étaient grillées. La porte était à claire-voie, munie d'un simple barreautage en fer. Cette porte s'ouvrait sur un tambour de 2 mètres sur 3 mètres accolé à la façade de la case, tambour fermé par une porte pleine en bois. Dans ce tambour séjournait le surveillant de garde. Les surveillants étaient relevés de deux heures en deux heures, ils ne devaient me perdre de vue ni de jour ni de nuit. Pour l'exécution de cette dernière partie du service, la case était éclairée de nuit [69].

Durant la nuit, la porte du tambour était fermée extérieurement et inté-rieurement, de telle sorte que, toutes les deux heures, pour la relève du surveillant de garde, il se faisait un bruit infernal de clefs et de ferraille[70]. » Dans la case aux murs suintant en permanence l'humidité, le mobilier était réduit à sa plus simple expression : un lit en bois le long du mur avec paillasse, matelas et traversin[71], une petite table, une chaise.

Par rapport à la situation d'enfermement sur l'île Royale, les condi-tions de l'île du Diable étaient quelque peu adoucies en ce sens que Dreyfus y jouissait, comme il le dit d'« un semblant de liberté », puisqu'il pouvait se promener de jour. « À la nuit tombante (entre 6 heures et 6 heures et demie), je serai enfermé [dans ma case][72]. » Jusqu'au 6 septembre 1896, il fut ainsi autorisé à circuler dans un petit espace d'environ deux cents mètres, complètement découvert, limité par le débarcadère et un petit vallon où se trouvait l'ancienne léprose-rie. Défense absolue lui était faite de franchir cette limite sous peine d'être enfermé dans sa case. Il était toujours accompagné par un garde qui l'observait en permanence et qui était armé d'un revolver. « Plus tard on y ajouta le fusil et une ceinture garnie de cartouches[73]. » Les surveillants étaient logés dans une case venue démontée de Cayenne et qui avait été remontée sur l'île. Mais elle ne comportait que des portes et aucune fenêtre.

Le jour de son installation sur l'île du Diable, Dreyfus fut solennel-lement averti par le commandant des îles du Salut que toute manifesta-tion d'indiscipline ou toute tentative d'évasion serait réprimée avec la dernière rigueur. Il répondit « qu'il se soumettrait sans réserve », indi-qua un rapport officiel cité par Jean Decrais[74]. Il ajouta, ramenant le problème vers l'essentiel : « Je jure sur l'honneur – car mon honneur est resté intact – que j'attendrai avec résignation le moment où mon innocence sera reconnue. Je ne suis pas coupable ; il n'est pas possible qu'on n'en fasse pas la preuve bientôt. » En prononçant ces mots, nota Jean Decrais en s'appuyant sur le rapport mensuel de mars 1895, « les larmes sont visiblement montées aux yeux de Dreyfus[75]. »

La surveillance fut ininterrompue. Elle était tatillonne, bureaucra-tique. Dreyfus voulut aller fendre du bois au cours de sa promenade. Il se dirigea vers la cuisine pour prendre la hachette. « On n'entre pas à la cuisine », l'arrêta un gardien[76]. « Ah ! j'en ai souvent assez de cette vie de suspicion continuelle, de surveillance ininterrompue ni de jour, ni de nuit, traité en bête fauve comme le plus vil des criminels », confia-t-il alors à son journal[77]. Cette bureaucratie signifiait pour lui des jours voire des semaines d'attente lorsqu'il posait une requête. Dès son arrivée sur l'île du Diable, il demanda une amélioration de son régime. La réponse tarda, car « on attend toujours des ordres[78] ».

Néanmoins, le peu de liberté qui lui était accordée à travers ses promenades quotidiennes et cette vue sur la mer et les îles du Salut furent essentielles pour le déporté. Il pouvait méditer, marcher, s'adonner à des occupations comme la recherche de tomates sauvages, vestiges des quelques plantations que les lépreux avaient faites sur l'île. Ces ressources lui permirent de calmer sa faim dans les moments, fréquents, où il souffrait de sous-alimentation [79]. Le ministre Jean Zay, emprisonné par Vichy pour appartenance au Front populaire, évoquera le même bonheur lorsqu'il put créer un mini-potager dans la cour de sa cellule [80]. Ces quelques satisfactions permettaient de vaincre l'isolement complet qui caractérisait d'abord sa déportation, une forme absolue de réclusion propre à mener n'importe qui à la perte de soi, à la démence.

## Le dénuement matériel

À son arrivée sur l'île du Diable, Dreyfus fut averti que sa ration serait celle du « soldat aux colonies, sans le vin [81] ». En soi, ce régime était assez satisfaisant : « La ration est d'un demi-pain par jour, de trois cents grammes de viande trois fois par semaine, les autres jours de l'endaubage ou du lard conservé. Comme boisson, de l'eau [82]. » Sauf que la qualité des denrées fournies était très médiocre. Le premier jour, il n'avait rien mangé. Le deuxième jour, le 15 avril 1895, toujours rien. Les surveillants eurent « pitié de lui » ; ils lui donnèrent « un peu de café noir et de pain [83] ». À 10 heures, on lui apporta finalement les vivres pour la journée : « Un morceau de lard conservé, quelques grains de riz, quelques grains de café vert et un peu de cassonade. Je jette tout cela à la mer. » En effet, comme l'expliqua le prisonnier, « le lard conservé n'était pas mangeable ». Il n'avait pas non plus de moyen pour torréfier le café ; les grains verts n'étaient d'aucune utilité. Son déjeuner se limita alors à du pain et du thé [84]. Déjà, sur l'île Royale, il avait adressé au gouverneur de la Guyane la demande de vivre à ses frais en faisant venir des conserves de Cayenne, ainsi que la loi de 1872 l'y autorisait. Le 15 avril au soir, il renouvela sa demande. Il dut attendre. Autre contrainte qui rendait ses repas très difficiles : « Je devais faire la cuisine moi-même, faire d'ailleurs tout moi-même [85]. » Il ne disposait pas, au départ, d'ustensiles de cuisine. Chaque repas était une somme de difficultés quasi insurmontables. Il mangeait peu et mal. Le second soir, il était déjà en situation de défaillir. Les surveillants, voyant sa faiblesse physique, consentirent à lui offrir un bol de leur bouillon [86].

Se nourrir devient une obsession. C'est une « lutte pour la vie [87] ». La remise de nourriture est l'occasion de nouvelles humiliations. Il doit demander, supplier, pour obtenir des possibilités de ravitaillement, quelles qu'elles soient. « Ah ! si je pouvais seulement vivre dans mon cabanon, sans jamais en sortir, regrette-t-il après l'interdiction qui lui a été faite de pénétrer dans la cuisine. Mais il faut bien prendre quelque nourriture [88]. » Ne rien avoir, ne disposer d'aucun matériel de cuisine l'obligea les premiers temps à manger avec les mains et à cuisiner dans de vieilles boîtes de conserve en fer blanc, très toxiques lorsque le métal était oxydé. Il raconta dans son journal l'épreuve de son premier déjeuner du 15 avril 1895, le surlendemain de son arrivée sur l'île du Diable : « Après deux heures d'efforts, suant sang et eau, je parviens à constituer une provision de bois suffisante. À 8 heures, on m'apporte un morceau de viande crue et le pain. J'allume le feu, il finit par prendre. Mais la fumée est rabattue sur moi par la brise de mer, mes yeux en pleurent. Dès que j'ai des braises en quantité suffisante, je mets ma viande sur quelques bouts de fer ramassés de droite et de gauche et je la grille. Je déjeune un peu mieux qu'hier, mais que cette viande est dure et sèche ! Quant au menu du dîner, il a été plus simple : du pain et de l'eau. Tous ces efforts m'ont brisé[89]. » Le 19 avril, il rencontre les mêmes difficultés. « Aujourd'hui, j'ai fait du bouilli avec de la viande, du sel et du piment que j'ai trouvé dans l'île. Cela a duré trois heures durant lesquelles mes yeux ont horriblement souffert ; quelle misère[90] ! »

Pour préserver ce qui lui restait de santé, et parce que les denrées fournies étaient crues, Dreyfus devait chauffer ses aliments. Pour le feu, il devait ramasser du bois sur la petite partie de l'île à laquelle il avait accès. Mais il ne disposa d'abord d'aucun moyen pour l'allumer. Le 25 avril enfin, on consentit à répondre à sa demande. « On me remet les boîtes d'allumettes une à une – je n'ai pas encore compris pourquoi, puisque ce sont des allumettes amorphes – et je dois toujours présenter la boîte vide. Ce matin, je ne retrouvais pas la boîte vide, d'où scène et menaces. J'ai fini par la retrouver dans une poche[91]. » L'administration du bagne refusa de l'aider ou même de comprendre son problème pourtant évident. Le commandant rejeta sa demande d'obtenir deux assiettes, poussant le cynisme jusqu'à lui répondre « qu'il n'en possédait pas[92] ».

La situation s'améliora cependant. Le 10 juillet 1895, il apprit qu'il passerait désormais au régime des forçats, « c'est-à-dire plus de café, plus de cassonade ; un morceau de pain de deuxième qualité chaque jour et deux fois par semaine deux cent cinquante grammes de viande. Les autres jours, endaubage ou lard conservé. Il est possible que ce nouveau régime comporte aussi la suppression des vivres de conserve que je recevais de Cayenne. » En réalité, il apprit deux jours plus tard qu'il ne s'agissait pas exactement de la ration des forçats, mais d'une *ration spéciale* qui n'impliquait pas la suppression des conserves venues de Cayenne. En effet, le capitaine Dreyfus eut finalement la possibilité de recevoir des conserves qui venaient du continent et qui étaient achetées avec le pécule dont il disposait à son arrivée en Guyane – 1 364 francs conservés par l'administration[93].

Le 12 juillet 1895, il reçut de Cayenne ses premières vivres en conserve puis il bénéficia progressivement d'instruments de cuisine. Son ordinaire s'améliora. Sa femme commença à déposer à Paris au ministère des Colonies une somme mensuelle de cinq cents francs qui était versée au « pécule du condamné[94] » et qui couvrait largement les dépenses en vivres de son mari. Lorsque ceux-ci arrivaient aux îles du Salut, ils étaient systématiquement fouillés et de nouveau en sa présence. Certains gardiens, jaloux de ce privilège, en profitèrent pour humilier davantage le prisonnier.

Des incidents éclatèrent au moment des fouilles. Les surveillants n'hésitaient pas à ouvrir toutes les boîtes de conserve d'un coup, si bien que les aliments, mis au contact de l'air ambiant, s'abîmaient aussitôt. Le capitaine Dreyfus protesta à plusieurs reprises. Le 6 mars 1896, le surveillant qui procédait à la fouille lui rétorqua qu'il agissait comme il l'entendait et qu'il n'avait pas d'ordre à recevoir d'un déporté[95]. Dans les premiers jours du mois de mai suivant, un second incident eut lieu. Le commandant supérieur des îles du Salut en rendit compte au directeur de l'administration pénitentiaire : « Le condamné se plaint d'une avanie qui lui aurait été faite par le surveillant Lebars. Il est possible que le surveillant Lebars ait apostrophé le déporté sur un ton qui l'a froissé. Il faut tenir compte du séjour à l'île du Diable qui doit nécessairement influer sur le caractère. Je fais des recommandations à M. Lebars pour qu'il conserve toujours son sang-froid. En ce qui concerne l'ouverture des boîtes, j'ai décidé qu'elles seraient ouvertes seulement au fur et à mesure que le condamné en aura besoin afin d'éviter la détérioration du contenu. J'ai cru nécessaire de vous tenir au courant de cet incident, quelque futile qu'il paraisse, parce que c'est la première fois que le condamné formule une réclamation de cette nature[96]. »

Dreyfus obtint cette fois gain de cause. Ces petites victoires lui restituaient un peu de sa dignité, lui donnaient même un sentiment d'exister dans un système voué à sa déshumanisation et à son épuisement complet.

## Isolement complet, surveillance totale

Le plus cruel, probablement, pour le capitaine Dreyfus, fut en effet l'interdiction absolue d'adresser la parole à quiconque, comme le lui avait prescrit sévèrement le commandant supérieur des îles du Salut. « Je dus vivre jusqu'à mon départ en 1899 dans le silence le plus absolu. Je me demande encore aujourd'hui comment mon cerveau a pu y résister[97] », écrivait-il encore en 1931. Les gardiens avaient ordre de ne pas lui répondre et d'en référer aussitôt à l'autorité supérieure afin de signaler l'incident. Le 21 novembre 1895, un vif échange eut lieu avec un gardien. Un rappel à l'ordre fut infligé au capitaine Dreyfus lequel réagit par une lettre vigoureuse au directeur de l'administration pénitentiaire. Il lui rappela la situation terrible qui lui était faite et les conséquences qu'elle aurait fatalement sur sa santé mentale : « Malgré ma volonté de résister à mes douleurs jusqu'au jour de ma réhabilitation, il arrivera cependant un moment, si celle-ci tarde encore, où je me verrai obligé de prendre une résolution violente plutôt que d'aboutir à la folie. Encore une fois, Monsieur le directeur, permettez-moi de vous dire que ce n'est plus une protestation que je désire faire, je n'en ferai jamais, car le seul but que j'ai à poursuivre, c'est de me faire rendre mon honneur, celui de mes enfants. Je désirais simplement soumettre la situation à votre équité [98]. »

Un rapport fut transmis à Paris, et le ministre des Colonies de l'époque, Paul Guieysse, adressa une sévère mise en garde au gouverneur de la Guyane : « Je ne puis que vous recommander, à cette occasion, de prescrire un redoublement de surveillance à l'égard du déporté Dreyfus. [...] Quant au surveillant Lombard, qui a contrevenu à la consigne interdisant, de la manière la plus formelle, aux surveillants d'adresser la parole au déporté dont ils ont la garde, sauf pour les besoins du service, et qui a eu, surtout, le tort grave de ne pas rendre compte par sa propre initiative, au surveillant-chef, de l'incident qui venait de se produire, j'ai lieu de croire qu'il a été déplacé pour l'exemple. J'ajouterai que si pareil fait venait à se renouveler, je n'hésiterais pas à sévir de la façon la plus rigoureuse contre l'agent qui aurait commis cette faute qui emprunte aux circonstances une gravité particulière [99]. »

Dreyfus devait également être soustrait à toute possibilité de contact avec des personnes extérieures à la garde. Un canot arrivait de l'île Royale, « il faut rentrer dans sa case, c'est la consigne [100] ». Lorsque des ouvriers forçats venaient travailler sur l'île ou dans la caserne des surveillants, Dreyfus était de même enfermé nuit et jour dans son cabanon. Ce fut le cas au mois de juin 1895 [101]. Le bannissement de la parole fut une épreuve éprouvante. « Je n'ouvre jamais la bouche, je ne demande même plus rien. Mes conversations se bornaient à demander si le courrier était arrivé ou non. Mais on m'interdit de parler ou du moins, ce qui est la même chose, on interdit aux surveillants de répondre à des questions aussi banales, aussi insignifiantes que celles que je faisais [102]. » Dreyfus put analyser dans son journal le processus de déshumanisation qui le pénétrait : « Rien de plus déprimant, rien qui use autant les énergies du cœur et de l'âme que ces longs silences angoissés, sans jamais entendre parole humaine, sans jamais voir figure amie, ou simplement sympathique [103]. »

Le paradoxe de cet isolement complet était la surveillance totale dont il faisait l'objet. Il était placé en permanence sous le regard d'un homme, à quelques mètres de lui, et il ne pouvait jamais lui parler. Certains gardiens semblent avoir cédé, de même que le médecin-chef Debrien et Bravard. Ce fut en tout cas le constat outré qu'établit Deniel dans l'un de ses rapport de 1897 [104]. Cette surveillance était une nouvelle source de souffrance, et ce d'autant plus qu'elle le renvoyait perpétuellement à son statut de criminel dangereux à qui aucune confiance, aucun sentiment humain, n'étaient accordés. « Quelle horrible existence de suspicion continuelle, de surveillance ininterrompue, pour un homme dont l'honneur est aussi haut placé que celui de qui que ce soit au monde ! » écrit-il dans son journal le 14 avril 1895 [105]. « Toujours cette vue atroce de suspicion, de surveillance continuelle, de mille piqûres journalières. Mon cœur bout de colère et d'indignation, et je suis obligé pour moi-même, pour ma dignité, de n'en rien laisser paraître », se confia-t-il encore le 6 juillet suivant [106]. Il vivait cette situation comme une humiliation. Car la surveillance incessante se doublait de tout un système d'abaissement très caractéristique.

## La règle de l'humiliation

Les règles édictées visaient à placer le déporté dans une situation d'infériorité totale, de dépendance absolue, propice à l'humiliation. La pratique de ces règles par les gardiens et le commandement pouvait aussi produire le même effet. On peut s'interroger sur le but et la raison d'être d'un tel système dont la fonction tendait bel et bien à la destruction morale, mentale et physique du prisonnier. L'humiliation pour Dreyfus, c'était d'abord la situation de totale dépendance. D'être contraint de mendier littéralement. On le forçait au désœuvrement, à l'attente. « Si encore je pouvais lire ou travailler le soir, mais on m'enferme sans lumière dès 6 heures ou 6 heures et demie ; mon cabanon est simplement et insuffisamment éclairé par le fanal du poste, il l'est par contre beaucoup trop quand je suis au lit [107]. » En lui remettant des quantités limitées de papier ou en interdisant de lui en livrer [108], on l'empêchait de s'occuper. On lui refusa la boîte d'outils de menuiserie qu'il avait fait demander à Cayenne. Surtout, on ne lui en donnait pas les motifs, ce qui provoquait en lui un trouble plus fort encore. « Encore une énigme que je ne veux pas chercher à résoudre. Je me trouve depuis neuf mois devant tant d'énigmes qui déroutent ma raison que je préfère éteindre mon cerveau et vivre en inconscient [109] », écrivait-il dans son journal le 4 août 1895. Les refus sans justifications sont innombrables. Le 14 décembre 1895 : « Je demande à prendre un bain, ainsi que j'y ai été autorisé sur la demande du médecin. "Non", me fait répondre le surveillant-chef. Quelques instants après, il y allait lui-même. Je ne sais pourquoi je m'abaisse à lui demander quoi que ce soit [110]. »

Il était venu aux îles du Salut avec un certain nombre d'effets préparés par sa femme. Elle lui avait confié notamment une pharmacie portative. Le vendredi 10 mai 1895, alors qu'une fièvre violente et soudaine le terrasse, on refusa de la lui remettre [111]. On lui imposait des tâches dégradantes non pas par elles-mêmes, mais par les conditions dans lesquelles il devait les effectuer. Toute tâche quotidienne le laissait exsangue. Peu de temps après son arrivée sur l'île du Diable, il fut informé qu'il devrait laver son linge lui-même. « Or je n'ai rien pour cela. Je me mets à la besogne deux heures durant, le résultat est médiocre. Le linge aura toujours trempé dans l'eau [112]. » Puis il apprit que son linge serait finalement lavé au bagne. Le 20 décembre, il notait alors dans son journal : « Aucune avanie ne m'est épargnée. Quand je reçois mon linge, lavé à l'île Royale, on le déplie, on le fouille de toutes façons, puis on me le jette ainsi qu'à un vil criminel [113]. »

Les règles pouvaient ainsi changer brutalement et provoquer de nouvelles humiliations chez le déporté. Le 10 juillet 1895, il constata que « les vexations de tout genre recommencent de plus belle » : « Je ne peux plus me promener autour de ma case, je ne peux plus m'asseoir derrière ma case, devant la mer, seul endroit où il faisait frais et de l'ombre. » Son régime alimentaire fut brusquement modifié aussi puisqu'il passa de celui de soldat à celui de forçat [114]. Le pire pour lui était cependant l'image que lui renvoyaient ses gardiens et l'attitude qui en découlait. « Je suis poursuivi partout, tout ce que je fais est critiqué, matière à suspicion. Quand je marche trop vite, on dit que j'épuise le surveillant qui doit m'accompagner ; quand je déclare alors que je ne sortirai plus de mon cabanon, on menace de me punir [115] ! »

Plus que de la rigueur, ce sadisme d'État escomptait la capitulation de l'ex-officier qui continuait inlassablement de crier son innocence et d'appeler à sa réhabilitation, notamment à travers sa correspondance que deux administrations, la Guerre et les Colonies, lisaient et relisaient. En dépit de moments d'abattement presque définitif, Dreyfus réussit pourtant à résister. Le régime d'humiliation, au lieu de le briser, l'endurcit. Il manqua son objectif. Pis, il renforça ce qu'il voulait détruire. Mais ce furent pour Dreyfus une souffrance et une volonté quotidiennes, celles de ne jamais s'effondrer devant le regard de ses gardiens, ou du moins de se reprendre très vite.

Au matin du 2 août 1895, il écrivait dans son journal : « Quelle horrible nuit je viens de passer ! Et il faut que je lutte toujours et encore. J'ai parfois de folles envies de sangloter, tant ma douleur est immense, mais il faut que je ravale mes pleurs, car j'ai honte de ma faiblesse devant les surveillants qui me gardent nuit et jour. Pas même un instant seul avec ma douleur [116] ! » Mais cette contrainte, cette surveillance totale et continuelle, l'aidaient paradoxalement à vaincre. D'autres humiliations l'atteignaient cependant, pires encore pour lui que celles qu'il vivait quotidiennement. Parce qu'elles atteignaient cette fois le fondement de sa résistance.

*Le « supplice atroce »*

Dreyfus avait appris à dépasser le seuil des humiliations. Il fut pourtant un domaine où il souffrit considérablement d'être ainsi à la merci de l'arbitraire. Ce fut la correspondance et plus précisément sa réception. Pour les lettres qu'il écrivait, il semble qu'il n'eut pas de difficultés à les remettre à l'administration dès leur achèvement. Il repéra du reste très vite la date du passage des différents navires. Ceux qui convoyaient le courrier en Guyane passaient au large des îles du Salut ; il les apercevait souvent lors de ses promenades. Et comme il en connaissait les fréquences, il se désespérait de ne pas recevoir dès leur arrivée les lettres qui lui étaient destinées. On verra que son courrier lui permit de construire un autre monde capable, par sa présence, sa force et sa beauté, de repousser la barbarie de son quotidien.

Les premières lettres de Lucie ne lui furent remises que le 2 mai 1895, soit près de deux mois après son arrivée en Guyane, et encore s'agissait-il seulement de celles qui avaient été adressées à l'île de Ré [117]. Il lui fallut attendre le 12 juin pour avoir enfin des nouvelles des siens, dont il était privé depuis son départ de France le 21 février. Ces lettres avaient donc mis plus de quatre mois à lui parvenir. À plusieurs reprises, il avait exprimé sa révolte dans son journal, notamment le vendredi 19 avril, où il revendiquait le droit, la justice, contre la tyrannie du secret.

> Et toujours pas de nouvelles de ma femme, des miens. Les lettres sont donc interceptées ? [...] Ce que je trouve d'inouï, d'inhumain, c'est qu'on intercepte toute ma correspondance. Qu'on prenne toutes les précautions possibles et imaginables pour empêcher toute évasion, je le conçois : c'est le droit, je dirai même le devoir strict de l'administration. Mais qu'on m'enterre vivant dans un tombeau, qu'on empêche toute communication, même à lettre ouverte avec ma famille, c'est contraire à toute justice. On se croirait volontiers rejeté de quelques siècles en arrière ; voilà six mois que je suis au secret, sans pouvoir aider à me faire rendre mon honneur [118].

Dans les jours qui suivirent, il confia à nouveau sa révolte devant la privation de courrier : « On supprime donc les lettres qui me sont adressées ici ? J'aurai connu toutes les souffrances, toutes les tortures [119]. » Le 14 avril encore : « Toujours pas de nouvelles de ma femme, de mes enfants. Je sais cependant que, depuis le 29 mars, c'est-à-dire depuis près de trois semaines, il y a des lettres pour moi à Cayenne. J'ai fait télégraphier à Cayenne, j'ai fait télégraphier en France pour avoir des nouvelles des miens – pas de réponse [120] ! »

Et lorsqu'il put enfin lire les lettres de Lucie, il découvrit qu'elle-même souffrait infiniment en raison du caractère désespéré de ses propres lettres écrites lors de son arrivée sur l'île du Diable. Il s'en veut d'infliger cela à ses proches [121]. De ce délai de plus de quatre mois, Alfred Dreyfus déduisit que les lettres avaient d'abord été envoyées directement en Guyane par sa famille, puis réexpédiées en France pour y être soumises à la censure du ministère des Colonies et enfin réacheminées vers les îles du Salut *via* Cayenne où elles étaient aussi contrôlées et parfois retenues sans raison, si bien que plusieurs semaines voire plusieurs mois pouvaient s'écouler entre un navire aperçu au large et les lettres qui lui étaient effectivement remises. Le 28 juillet 1895, il notait dans son journal : « Le courrier venant de

France vient d'arriver. Mais mes lettres vont d'abord à Cayenne, puis reviennent ici, quoique déjà lues et contrôlées en France [122]. »

Outre la durée du trajet entre la France et la Guyane, deux faits expliquaient cette durée, source d'immense souffrance pour le déporté : l'obsession du complot, la volonté de l'humiliation. Le travail d'analyse effectué à Paris dénotait en effet une véritable paranoïa en prêtant à Dreyfus ce qui fut précisément réalisé contre lui. Lors de la seconde remise des lettres sur l'île du Diable, le 12 juin 1895, le commandant des îles du Salut lui demanda ainsi, d'un air soupçonneux, s'il ne possédait pas un dictionnaire de mots conventionnels, les services centraux à Paris étant persuadés de la poursuite d'activités d'espionnage [123]. Après le 12 juin 1895, Dreyfus dut attendre jusqu'au 29 juin 1895 pour recevoir enfin « des lettres relativement récentes de [sa] femme », « ce qui signifie qu'on a enfin prévenu [sa] famille que les lettres devaient d'abord passer par la voie du ministère [124] ».

Le 2 août 1895, on lui communiqua un paquet de lettres. Mais il se désespéra de constater qu'aucun progrès n'était encore survenu dans la découverte de « la machination dont [il était] la victime ». Car l'arrivée de sa correspondance signifiait aussi l'espoir de la nouvelle qui le délivrerait de son martyre. « Je saurai souffrir encore [125] », conclut-il alors. Ces lettres annonçaient aussi l'envoi de livres, mais ceux-ci ne lui parvinrent pas, comme en témoigne son journal à la date du 9 novembre 1895 [126]. Le 31 août, ne recevant aucune lettre, il se mit à pleurer, indiqua le rapport mensuel d'août 1895. Il déclara : « Voilà dix mois que je souffre horriblement [127]... »

Le 2 novembre, il vit arriver à l'île Royale le courrier venant de Cayenne. Mais aucune lettre ne lui fut remise. Il sombra encore dans la détresse, se réveillant en pleine nuit. Il confia alors à son journal :

> Je crois qu'il est impossible de se figurer la déception poignante que l'on éprouve quand, après avoir attendu pendant un long mois, anxieusement, des nouvelles des siens, rien ne vient. Enfin, il est entré tant de douleurs dans mon âme depuis plus d'un an que je n'en suis plus à compter avec les plaies de mon cœur. Cependant, cette émotion, que je devrais connaître, tant elle s'est fréquemment renouvelée, m'a tant brisé que, quoique j'aie marché au moins six heures pour briser mes nerfs, il m'est impossible de dormir.
>
> Quel supplice, et combien de temps durera-t-il encore [128] ?

Le 15 novembre 1895, il reçut enfin son courrier, des lettres envoyées de France pendant l'été, ainsi que l'on peut le déduire des informations données par son journal. « Le coupable n'est pas encore découvert ! » s'exclama-t-il [129]. Le 9 décembre, il constata qu'il n'avait rien reçu depuis le 15 novembre. Il attendait les lettres d'octobre. Pourtant, il se souvint d'avoir vu le courrier venant de France passer au large le 29 novembre. Ce même jour, il aperçut le courrier venant cette fois de Cayenne. Deux jours plus tard, n'ayant toujours rien reçu, il se résigna au pire. « Mon cœur est labouré, déchiré. » Le 12 décembre 1895, il apprenait que sa correspondance était restée en France alors qu'il l'attendait depuis près d'un mois : « Mon cœur me fait souffrir comme si on le labourait à coups de poignard. Oh ! cette plainte incessante de la mer. Quel écho à mon âme ulcérée ! Une colère si sourde et si âpre envahit parfois mon cœur contre l'iniquité humaine que je voudrais m'arracher la peau pour oublier, dans une douleur physique, cette horrible torture morale [130]. »

Le 22 décembre, il confiait encore à son journal qu'il n'avait toujours aucune nouvelle des siens. « Le silence de tombe. » Le 25 décembre, toujours la même chose, pas de lettres, note encore Dreyfus. Il se souvient pourtant d'avoir vu arriver le courrier anglais [131]. Le 28 décembre, son désespoir augmente, son « cerveau est broyé ». L'attente devint une véritable souffrance : « Oh ! Lucie, si tu lis ces lignes, si je succombe avant le terme de cet effroyable martyre, tu pourras mesurer tout ce que j'ai souffert ! » Il tenta d'éveiller en lui le souvenir de ses proches : « Dans les nombreux moments où je défaille, dans ce profond dégoût de toutes choses, trois noms que je murmure tout bas me réveillent, relèvent mon énergie et me donnent des forces toujours nouvelles : Lucie, Pierre, Jeanne [132]. » Le même jour, 28 décembre 1895, il vit une nouvelle fois le courrier venant de France passer au large. Le 30 décembre 1895, il écrit : « Ce silence de tombe, sans nouvelles depuis trois mois des miens, sans rien à lire, m'écrase et m'accable [133]. » Le 31 décembre, il n'avait toujours rien reçu depuis un mois et demi.

Enfin, le 1er janvier 1896, le surveillant-chef lui remit les lettres d'octobre et de novembre. Cette fois son désespoir éclata à la découverte des mêmes nouvelles : « Toujours rien ; la vérité n'est pas encore découverte [134]. » Le moment de la lecture du courrier était souvent tragique. Celui qu'il recevait de sa famille le bouleversait. D'après son propre témoignage et les rapports de l'administration, il pleurait souvent à leur lecture. Le 7 septembre 1895, en août 1896 : « Il a beaucoup pleuré en la lisant [135]. »

Les réponses à ses nombreuses lettres aux plus hautes autorités de la République et sur lesquelles il comptait tant étaient plus décevantes encore. Il ne s'agissait que de réponses verbales tout à fait formelles. On sait que les lettres adressées par le capitaine Dreyfus n'étaient ni étudiées ni même lues, et qu'elles étaient systématiquement rejetées. Mais lui-même pensait le contraire, bien que les réponses qu'il reçut fussent toujours négatives. Ainsi le 3 décembre 1895 le ministre des Colonies fit-il savoir au gouverneur de la Guyane que « la supplique adressée par le déporté Dreyfus à M. le président de la République » a été jugée « sans objet » par le chef de l'État, « conformément à l'avis exprimé par M. le ministre de la Guerre ». En conséquence, il demandait à ce que la décision du président de la République fut communiquée verbalement au « déporté Dreyfus [136] ». En janvier 1896, Bravard lui annonça une nouvelle réponse négative. Il en fut bouleversé. « Après le départ du commandant supérieur chargé de lui annoncer le rejet de sa supplique au président de la République, on entend le condamné dire à haute voix : "Ma demande a été rejetée par le Président ; je m'y attendais. D'après les lettres que j'ai reçues dernièrement, je voyais bien qu'on me cachait quelque chose... Pauvre humanité !... On discute, tandis qu'un homme qui est innocent reste entre quatre murs ! Parfois j'ai des envies de tout démolir et de me démolir moi-même... Non ce n'est pas cela qu'il faut que je fasse. Je dois aller jusqu'au bout, pour ma femme et pour mes enfants... Cependant, tout a une fin..." [137] »

En 1896, tout au moins jusqu'à la date fatidique du 6 septembre, son courrier parvint plus facilement à l'île du Diable. Mais l'attente des lettres tant désirées continuait cependant de le tarauder. Le 4 mars 1896, il notait dans son journal : « Pas de lettre. Quel supplice atroce, trop souvent renouvelé [138]. »

*La torture du temps*

L'arrivée du courrier était aussi pour Dreyfus un moment où s'interrompait le temps infini de la déportation. Le temps inexorable et monotone, avec le désœuvrement des jours et les hallucinations de la nuit, était un ennemi mortel. Tous les prisonniers condamnés à de longues peines le savent, le temps qui passe peut mener à la folie. Le premier des réflexes sensés devait donc s'exercer vers une organisation du temps, même dérisoire, même constituée de tâches infimes. Mais celles-ci permettent de rythmer les jours, de les occuper et d'éviter la démence de l'esprit. Dreyfus relate fréquemment dans son journal cette torture du temps. Le 21 avril 1895 : « Les journées sont longues, les minutes des heures [139]. » Le 20 juillet 1895 : « Les journées s'écoulent, terriblement monotones dans l'attente anxieuse d'un meilleur lendemain. [...] C'est la tombe, avec la douleur, en plus, d'avoir encore un cœur [140]. » Le 1er octobre 1895 : « Les heures me paraissent des siècles [141]. » Le 6 octobre : « Chaleur terrible. Les heures sont de plomb [142]. » Le 16 décembre 1895 : « De 10 heures à 3 heures, les heures sont terribles, et rien pour faire diversion à mes décevantes pensées [143]. » Le 28 février 1896 : « Journées, nuits, tout se ressemble [144]. »

Sa montre lui était donc essentielle. Le 26 mai 1896, il la laissa tomber à terre. Elle s'arrêta. Il demanda alors par lettre au commandant s'il y avait une possibilité de la faire réparer sur l'île Royale [145] ; on ignore la réponse. Mais Dreyfus savait calculer le temps en regardant le ciel. La monotonie n'en restait pas moins terrifiante. Le 8 janvier 1896 : « Les journées, les nuits s'écoulent terribles, monotones, d'une longueur qui n'en finit pas. Le jour, j'attends avec impatience la nuit, espérant goûter quelque repos dans le sommeil ; la nuit, j'attends avec non moins d'impatience le jour, espérant calmer mes nerfs par un peu d'activité [146]. » Le 5 septembre, veille de l'entrée dans le régime de la double boucle : « Je ne parle même plus de mes journées, de mes nuits ; tout se ressemble dans son atrocité [147]. » Ses efforts pour rythmer ses jours, pour préparer ses nuits aboutissaient souvent à des échecs qui avivaient encore son désespoir. Le 2 septembre 1896 : « Aucun de tous les envois de livres, faits par ma chère Lucie depuis le mois de mars, ne m'est encore parvenu. Rien enfin pour tuer l'atroce longueur des heures. J'avais demandé, il y a longtemps, n'importe quel travail manuel pour m'occuper un peu ; il ne m'a pas été répondu [148]. » Il essaya de se fatiguer le jour pour mieux dormir la nuit. Rien n'y faisait. Le temps était déréglé en lui : « Ah ! les horribles nuits ! Je me suis cependant levé hier comme d'habitude, à 5 heures et demie, j'ai peiné tout le jour, je n'ai pas fait de sieste, vers le soir j'ai scié du bois pendant près d'une heure, à tel point que jambes et bras tremblaient, et, malgré tout cela, je n'ai pas pu m'endormir avant minuit [149]. »

La contemplation de la nature, seule compagne dans sa solitude extrême, renforçait en lui la mélancolie, sœur de la folie. Il fait des rêves de mort : « Je n'ai pas encore reçu le courrier du mois d'octobre. Journée lugubre, pluie incessante. Le cerveau se rompt, le ciel se brise. Le ciel est noir comme de l'encre, l'atmosphère embrumée ; vraie journée de mort, d'enterrement. [150] » L'environnement lui était toujours hostile, noir, au milieu de nombreux visages totalement muets et méfiants : « Jamais une figure sympathique, jamais ouvrir la bouche, comprimer nuit et jour son cerveau et son cœur [151] ! » Sans cesse lui revenaient les images de ses proches, le souvenir des temps anciens qui se confrontaient avec sa situation présente. « Quelles longues journées en tête à tête avec moi-même, sans nouvelles des miens ! À chaque instant, je me demande ce qu'ils font, ce qu'ils deviennent, quel est l'état de leur santé, où en sont les recherches. »

Il méditait les idées les plus noires, les interrogations sans réponse. Le 8 mars 1896 : « Journées lugubres. Tout m'est interdit, le tête-à-tête perpétuel avec mes pensées [152]. » Dimanche 29 décembre 1895 : « Quelle bonne journée je passais le dimanche, au milieu des miens, à jouer avec mes enfants ! Mon petit Pierre a maintenant tout près de cinq ans ; c'est presque un grand garçon. J'attendais avec impatience ce moment pour l'emmener avec moi, causer avec lui, ouvrir sa jeune intelligence, lui donner le culte du beau, du vrai, lui faire une âme tellement haute que les laideurs de la vie ne puissent l'entamer ; où est tout cela, et cet éternel pourquoi [153] ? »

Sur ses cahiers de travail, il traçait à la plume [154] d'innombrables figures dont la forme rappelait étrangement les enlacements de galons sur son dolman qu'il avait vu tomber sur le sol de la cour d'honneur de l'École militaire. La précision en était extrême, la répétition inexorable. Par cette tâche, Dreyfus tuait le temps et calmait ses nerfs qui l'épuisaient.

## L'épuisement chronique

Dreyfus était un homme épuisé. Au début, la sous-nutrition et les immenses difficultés pour se nourrir le plongeaient dans une grande fatigue. « Jamais je n'ai été aussi fatigué que ce matin, écrit-il dans son journal le 29 avril ; j'ai dû faire plusieurs corvées d'eau et de bois. Avec cela, le déjeuner qui m'attend se compose de vieux haricots, sur le feu depuis quatre heures déjà, et qui ne veulent pas cuire, un peu d'endaubage et comme boisson de l'eau. Malgré toute mon énergie morale, les forces me manqueront si ce régime dure longtemps, surtout sous un climat aussi débilitant [155]. »

Le climat était certes meilleur que sur le continent. Le nom des îles du Salut traduisait justement cette relative clémence. Il n'empêche, comme l'avait rappelé Picquié, que la chaleur et l'humidité de la région étaient l'un des moteurs de la « guillotine sèche » comme on dénommait le bagne sous la IIIᵉ République. Le 21 avril, à son arrivée sur l'île du Diable : « Depuis 10 heures du matin jusqu'à 3 heures du soir, la chaleur est telle qu'il devient impossible de sortir [156]. » Le 26, encore : « La chaleur, terrible, vous enlève toute force et toute énergie physique [157]. » Au mois de juin 1895, la saison des pluies s'acheva, et la chaleur devint très sèche. C'est le moment où Dreyfus subit de violentes piqûres de moustiques [158]. La saison sèche était exténuante. Elle durait jusqu'en janvier : « Les chaleurs deviennent terribles [159] », note le capitaine. La promenade était de plus en plus difficile, car la partie de l'île qui lui était réservée se trouvait complètement découverte ; il n'y avait d'ombre que dans l'autre partie, avec les cocotiers. Il était donc obligé de passer la majeure partie de son temps dans son cabanon. Le 6 octobre : « Chaleur terrible. » Le 4 novembre 1895 : « Chaleur terrible, au moins 45° [160]. » Le vent pouvait être épouvantable, les pluies aussi [161]. Le 9 novembre 1895 : « Journée terriblement longue. Premières pluies. Obligé de me confiner dans mon cabanon. Rien à lire. Les livres annoncés par la lettre du mois d'août ne me sont pas encore parvenus [162]. » La violence du climat n'était pas une légende, comme voulurent l'accréditer les antidreyfusards. Ainsi, en quatre mois, le capitaine Dreyfus vit partir deux surveillants brisés par les fièvres [163].

Mais c'est le manque de repos qui était la cause principale de l'épuisement. Les conditions de sommeil étaient très difficiles pour Dreyfus. Il dormait très mal en raison du bruit créé par les tours de garde. « Impossible de dormir, reconnaissait-il dans son journal le 15 avril 1895 alors qu'il venait d'être transféré sur l'île du Diable. Cette cage, devant laquelle se promène le surveillant comme un fantôme qui m'apparaît dans mes rêves, le prurit de toutes les bêtes qui courent sur ma peau, la colère qui gronde dans mon cœur, d'être là quand on a toujours et partout fait son devoir, tout cela surexcite mes nerfs déjà si ébranlés et chasse le sommeil. Quand passerai-je de nouveau une nuit calme et tranquille ? Peut-être pas avant d'être dans la tombe, quand je jouirai du sommeil éternel ! Que ce sera bon, de ne plus penser à la vilenie, à la lâcheté humaine [164] ! »

Trois mois plus tard, c'étaient toujours les mêmes scènes : « Toute la nuit, c'est un va-et-vient continu dans le corps de garde, un bruit incessant de portes brusquement ouvertes, puis verrouillées. D'abord, la relève toutes les deux heures du surveillant de garde ; en outre, le surveillant de ronde vient signer chaque heure au corps de garde. Ces allées et venues continuelles, ces grincements de serrures deviennent comme des choses fantasmagoriques dans mes cauchemars [165]. » À partir du 5 avril 1896, le bruit redoubla. Il devint même incessant, comme l'expliquait le prisonnier : « Jusqu'à ces derniers temps, les surveillants restaient assis la nuit dans le corps de garde, je n'étais réveillé que toutes les heures. Maintenant ils doivent marcher sans jamais s'arrêter ; la plupart sont en sabots [166] ! » Paradoxalement, dans cette existence vide, faite d'attente et de désœuvrement, il ne trouvait pas « un moment de repos ».

Le manque de sommeil n'était pas seulement dû au bruit des gardiens, à l'inconfort de la case, à la chaleur exténuante. Il y avait chez lui, comme il le notait, « un mélange de faiblesse physique et de nervosité extrême » qui le maintenait éveillé de longues heures. Il y avait des raisons physiques à cela, la « terrible inactivité physique et intellectuelle » qu'il subissait, comme il l'écrivit le 15 mars 1896 à 4 heures du matin [167]. Mais il y avait surtout la tension extrême d'un cerveau hanté par le désespoir et l'injustice, des hallucinations qui tentaient de retrouver le monde perdu, des cauchemars à n'en plus finir. Le 29 septembre 1895, après la nuit, il constatait : « Violentes palpitations du cœur ce matin. J'étouffais. La machine lutte, combien de temps durera-t-elle encore ? La nuit dernière aussi, j'ai eu un horrible cauchemar, dans lequel je t'appelais à grands cris, ma pauvre et chère Lucie. Ah ! s'il n'y avait que moi, mon dégoût des hommes et des choses est tellement profond que je n'aspirerais plus qu'au grand repos, au repos éternel [168]. » « Nuit fiévreuse. J'ai rêvé de toi, ma chère Lucie, de nos chers enfants, comme toutes les nuits d'ailleurs. Comme tu dois souffrir, ma pauvre chérie ! »

La pensée de Lucie et de ses enfants ne cessait de le hanter, le maintenant éveillé, lui interdisant le sommeil. « Dès que je suis au lit, les nerfs me dominent, ma pensée se tourne anxieuse vers les miens [169] », constatait-il dès son arrivée sur l'île. Cette pensée n'allait pas le quitter un seul instant. « Dès que je me couche, si épuisé que je sois, les nerfs reprennent le dessus, le cerveau se met à travailler. Je pense à ma femme, aux souffrances qu'elle doit endurer ; je pense à mes chers petits, à leur gai et insouciant babillement [170]. »

Ces insomnies l'épuisaient. « Ces nuits sans sommeil sont atroces [171]. » Même dans la journée, il ne réussissait pas à s'assoupir. « Je viens d'essayer en vain de dormir un peu, écrivait-il le 29 avril 1895. Je suis épuisé de fatigue ; mais, dès que je suis couché, toutes mes tristesses me reviennent à la mémoire, tant l'amertume d'un sort aussi immérité me monte du cœur aux lèvres. Les nerfs sont trop tendus pour que je puisse jouir d'un sommeil réparateur [172]. »

Les conséquences de cet épuisement furent nombreuses. Le jour, il ne réussissait pas à se concentrer sur un quelconque travail intellectuel ou physique. Le 19 avril 1895 : « J'essaie de temps à autre de faire de l'anglais, des traductions, de m'oublier dans le travail. Mais mon cerveau complètement ébranlé s'y refuse ; au bout d'un quart d'heure, je suis obligé d'y renoncer [173]. » Le 21 avril : « Je suis incapable d'aucun travail physique sérieux. [...] Je ne puis travailler l'anglais toute la journée, mon cerveau s'y refuse. Et rien à lire. Enfin le tête-à-tête perpétuel avec mon cerveau [174] ! » Dreyfus redoutait aussi l'affrontement avec les gardiens, non qu'il s'y dérobât lorsqu'il s'estimait victime d'une nouvelle injustice, mais en raison de l'état auquel le conduisaient les conflits. Ainsi s'exprima-t-il dans une lettre au commandant Bravard après l'incident l'ayant opposé le 6 mai 1896 au surveillant-chef Lebars au sujet de l'ouverture des denrées. Le surveillant lui répondit qu'il n'avait pas d'ordres à recevoir du déporté. Quelques instants plus tard, le capitaine Dreyfus l'interpella par ces mots : « Vous m'avez insulté ; je vais en rendre compte au commandant. » Voulant prévenir cette démarche, le surveillant-chef adressa son rapport dès le lendemain matin [175]. Le capitaine Dreyfus avait adressé lui aussi sa protestation le jour même. « Je n'ai pas l'habitude de réclamer, je suis d'ailleurs dans une situation trop triste pour pouvoir le faire avec quelque autorité. Cependant, je tiens à vous faire connaître les faits qui se sont passés ce soir, car je suis déjà assez épuisé, sans qu'on vienne ajouter de nouvelles tortures à toutes celles que je ressens déjà [176]. »

Mais l'épuisement pesa surtout sur sa santé physique et mentale. Dreyfus devint un homme de souffrance.

## Un homme de souffrance

L'épuisement, conjugué à une situation sanitaire très mauvaise et à un état d'inquiétude permanent, plongea Dreyfus dans une succession de maladies pathologiques ou nerveuses qui l'épuisèrent encore un peu plus.

Au début de sa déportation, le fait de ne pouvoir disposer d'assiettes et de couverts et l'obligation de recourir à des expédients le conduisent à avaler de nombreuses saletés ou à s'intoxiquer avec la tôle rouillée [177]. Ces conditions étaient aggravées par le fait qu'il n'avait rien pour nettoyer ses casseroles et ses assiettes improvisées. Vers le

26 avril, il fut pris alors d'horribles coliques [178] qui se transformèrent en fièvres très sérieuses [179]. Le rapport du gardien-chef parla de « fortes crises [180] ». Au bout de dix jours de souffrances, le médecin-chef fut finalement envoyé à son chevet. Il lui prescrivit quarante centigrammes de quinine chaque jour et lui fit parvenir douze boîtes de lait condensé ainsi que du bicarbonate de soude. « Enfin je pourrai me mettre au régime du lait et ne plus manger cette cuisine qui me répugne d'ailleurs tellement que je n'ai rien pris depuis quatre jours. Jamais je n'aurais cru que le corps humain eût une pareille force de résistance [181]. » Deux jours plus tard, la fièvre tomba [182]. Mais les crises reprirent le 29 mai, avant de se calmer. En juin, il était atteint une seconde fois de coliques, des coliques sèches qui le firent se tordre de douleur sur son lit [183]. Ensuite, avec l'humidité, les fièvres reprirent, assorties de douleurs rhumatismales qui, comme dans la nuit du 23 juillet, se déplacèrent constamment, « tantôt intercostales, tantôt se fixant entre les deux épaules [184] ».

En décembre de la même année, « il se plaint de maux de tête, de fièvre [185] ». Le 12 février 1896, il subit des syncopes, fut victime d'étouffements, avec brutal afflux de sang au cerveau. « Vous n'y pouvez rien ; c'est le résultat de mon état moral. » Le rapport mensuel indiqua que le prisonnier avait demandé à voir le médecin. « Mais, comme il ne paraissait pas malade, cela lui a été refusé [186]. » En avril 1896, il eut plusieurs crises nerveuses. En juin, il eut « de violents accès de fièvre, accompagnés de congestion au cerveau. Une nuit, vers 11 heures et demie, en essayant de se lever, il est tombé, la face sur un petit baquet placé dans le fond de sa case. Dans sa chute, il a eu le visage et le front écorchés. Le surveillant de garde a dû le relever.... Sur sa demande, le condamné, qui ne peut plus manger de conserves, a reçu des œufs. Il refuse de prendre une potion tonique que le médecin lui a ordonnée, sous le prétexte qu'il se sent trop faible pour la supporter. Dreyfus s'affecte beaucoup ; aussi dépérit-il tous les jours [187]. »

En juillet de la même année, il fait une rechute alarmante. « Dreyfus, très fatigué après un accès de fièvre, déclare ne pouvoir préparer ses aliments et demande à les recevoir chaque jour de l'hôpital, à titre remboursable », câble le commandant au directeur de l'administration pénitentiaire à Cayenne le 1er juillet. Prière de faire savoir si accordez, dans le cas où son état empirerait, et si médecin décidait hospitalisation que convient-il faire [188] ? » Le lendemain, un second télégramme chiffré – où le capitaine Dreyfus est identifié sous le code 7478 – informe que « médecin-major vient de voir 7478, estime que son état réclame changement complet alimentation, 7478 aurait besoin lait frais, volailles, œufs, légumes, fruits. Prière faire savoir si puis faire ces achats sur son pécule. Ai mis cuisinier noir sa disposition [189]. » Entre-temps, la réponse du directeur a précisé qu'« après entente gouverneur désignez provisoirement cuisinier pour 7478. Surveillant-chef prendra dispositions. Médecin-major reçoit instructions pour visite journalière.

Hospitalisation autorisée en cas d'absolue nécessité seulement après compte rendu et approbation [190]. » Cependant, une dépêche du ministre des Colonies du 4 août 1896 interdit l'hospitalisation du capitaine Dreyfus [191].

Ses « nerfs », comme il le dit, le trahissaient fréquemment. Il tombait alors dans un état de fébrilité qu'il ne parvenait plus à contrôler. « Mes nerfs sont tendus comme des cordes à violon [192]. » L'angoisse engendrait des formes de tachycardie voire des syncopes. « Palpitations de cœur toute la nuit dernière », écrit-il le 23 septembre 1895. Cette tension alimentait des spasmes violents du cœur, des étouffements, comme dans la nuit du 13 décembre où il s'était réveillé particulièrement désespéré [193]. Il subissait aussi le poids des événements vécus depuis son arrestation. « La sensibilité de mes nerfs, après toutes ces tortures, est devenue tellement aiguë, que toute impression nouvelle, même extérieure, produit sur moi l'effet d'une profonde blessure [194] », analysait-il dans son journal le jour de son arrivée sur l'île du Diable. « Mon cerveau est broyé [195] », conclut-il le 23 décembre 1895.

La souffrance physique avivait la douleur psychologique. Dans son journal, il évoqua ainsi la lettre qu'il avait écrite à Lucie « au commencement de juillet, au milieu des fièvres qui me tenaient depuis une dizaine de jours, et ne recevant pas [son] courrier » ; cette lettre n'a été ni publiée ni retrouvée. Il ajoute à son sujet : « C'était tout à la fois, venant s'ajouter à mes tortures. Je n'ai pas su me contenir, me dominer et lui ai encore jeté mes cris de détresse et de douleur, comme si elle ne souffrait pas assez, comme si son impatience de voir arriver la fin de cet horrible drame n'était pas aussi grande que la mienne [196]. » « C'est le cœur qui est malade », répondit-il le 2 juillet 1895 au commandant qui l'interrogeait sur son état de santé. Bravard nota alors : « Ses paroles deviennent inintelligibles et sont coupées par des sanglots. Il pleure abondamment pendant un quart d'heure environ [197]. » Le 12 juillet, après divers reproches qui lui furent faits sur son état de grande nervosité, il s'exclama « qu'il voudrait calmer ses nerfs... qui ne pourront l'être que lorsque son innocence sera reconnue [198] ». Le 2 septembre, « le condamné a eu un spasme ; il s'est mis à sangloter, disant que cela ne pouvait pas durer plus longtemps, que son cœur finirait par éclater [199] ».

Dreyfus redoutait la folie. « Ma raison finira par sombrer sous cet incroyable martyre [200] », écrivait-il le 30 novembre 1895. Il possédait une conscience aiguë des risques d'une telle épreuve pour son équilibre mental. À son arrivée aux îles du Salut, il avoua à Lucie dans sa première lettre : « Je suis incapable de vous écrire à tous, car mon cerveau n'en peut plus et mon désespoir est trop grand. J'ai le système nerveux dans un état déplorable, et il serait grand temps que cet horrible drame prît fin [201]. » Dès la seconde nuit sur l'île du Diable, il comprit où pouvait le mener cette détention, la confusion de la conscience et de la souffrance. C'est son être entier qui allait être détruit. Il était capable de basculer dans le néant : « Où sont mes beaux rêves de jeunesse, mes aspirations de l'âge mûr ? Rien ne vit plus en moi, mon cerveau s'égare sous l'effort de ma pensée. Quel est le mystère de ce drame ? Aujourd'hui encore, je ne comprends rien à ce qui s'est passé. Être condamné sans preuves tangibles, sur la foi d'une écriture ! Quelles que soient l'âme et la conscience d'un homme, n'y a-t-il pas là plus qu'il n'en faut pour le démoraliser[202] ? » Il sentait tout son être « se dissoudre dans une désespérance terrible[203] ». Il doutait de pouvoir vivre encore longtemps. « Je suis comme cristallisé dans ma douleur, confia-t-il le 1er septembre 1896 ; je suis obligé de concentrer toutes mes forces pour ne plus penser, pour ne plus voir. Quelle douleur, quel supplice, pour toute une famille dont la vie tout entière est une vie d'honneur, de droiture, de loyauté[204]. »

Il entrevoyait la mort, la fin. Dès son arrivée sur l'île du Diable, il douta de pouvoir survivre bien qu'il le désirât de toutes ses forces. « Que je voudrais vivre jusqu'au jour de la réhabilitation pour hurler mes souffrances, pour dégonfler mon cœur ulcéré. Irai-je jusque-là ? J'ai souvent des doutes, tant mon cœur est brisé, tant ma santé est chancelante[205]. » Le 2 septembre 1895, après une longue période où il n'a rien écrit, par résignation (« À quoi bon ? »), il s'interrogeait sur la raison d'être de sa lutte présente : « Je lutte pour vivre, si horrible que soit ma situation, si broyé que soit mon cœur, car je voudrais voir, entre ma femme et mes enfants, au milieu des miens, le jour où l'honneur nous sera rendu. Mais souhaitons que cela ait un terme, mon cœur est bien malade. Hier j'ai eu une syncope, mon cœur a tout d'un coup cessé de battre. Je me sentais partir, sans souffrance. Qu'était-ce au juste, je n'ai pu m'en rendre compte moi-même[206]. » Le 13 décembre 1895 : « On finira certainement pas me tuer à force de souffrances, ou par m'obliger à me tuer pour échapper à la folie. Je laisserai l'opprobre de ma mort au commandant du Paty, à Bertillon, à tous ceux qui ont trempé dans cette iniquité[207]. »

La pensée de Lucie, de sa propre souffrance, lui était intolérable. C'était pour lui une nouvelle cause de douleur. « Je souffre non seulement de mes tortures, mais de celles de Lucie, de ma famille. Reçoivent-ils seulement mes lettres ? Quelles inquiétudes ils doivent avoir sur mon sort, en dehors de toutes leurs autres préoccupations[208] ! » Il se voyait aller vers la mort, rédigeait dans son journal des manières de testament. Et puis il reprenait courage, retrouvait un sens à sa pauvre vie, se rapprochait de Lucie. « Je ne sais jusqu'où j'irai, tant mon cœur, mon cerveau me font souffrir, tant ce drame affreux déroute ma raison, tant toutes mes croyances en la justice humaine, en l'honnêteté, au bien, ont sombré devant des faits aussi horribles. Si je succombe et que ces lignes te parviennent, ma chère Lucie, crois bien que j'aurai fait tout ce qui est humainement possible pour résister à un aussi long et aussi pénible martyre. Sois alors courageuse et forte, que tes enfants deviennent ta consolation, qu'ils

t'inspirent ton devoir. Quand on a la conscience pour soi, d'avoir toujours et partout fait son devoir, on peut se présenter partout la tête haute, on doit revendiquer son bien, notre honneur [209]. »
Tout pouvait le rappeler à sa souffrance présente. Sa situation présente était pour lui une tragédie permanente avivée en de multiples occasions. Dimanche 14 juillet 1895 : « J'ai vu flotter partout le drapeau tricolore, ce drapeau que j'ai servi avec honneur, avec loyauté. Ma douleur est telle que la plume me tombe des mains ; il y a des sensations qui n'ont pas de mots pour être exprimées [210]. » Son courrier, outre qu'il souffrait de l'attendre de si longues semaines, le plongeait dans une grande détresse à la pensée du désespoir de ses proches. Il confiait à son journal : « Je n'ai toujours pas de lettres ! Il n'existe pas de mots pour exprimer un martyre pareil ! Heureux les morts ! Et être obligé de vivre jusqu'à mon dernier souffle, tant que mon cœur battra [211] ! » Deux jours plus tôt, il avait déjà dit sa détresse : « J'ai reçu hier au soir le courrier qui était arrivé, et il n'y avait qu'une seule des lettres que ma chère Lucie m'a écrites. Comme on sent chez tous une souffrance horrible, un désespoir farouche de ne pas encore pouvoir m'annoncer la découverte du coupable, le terme de nos tortures à tous. L'eau me perlait du front à la lecture des lettres des membres de ma famille, les jambes tremblaient sous moi. Est-il possible que des êtres humains puissent souffrir ainsi et d'une manière si imméritée ? Devant une situation aussi atroce, les mots n'ont plus aucune valeur ; on ne souffre même plus, tant on est hébété [212]. »
Il s'épanchait même dans ses lettres, contrairement aux engagements qu'il s'était donnés de ne pas désespérer davantage Lucie en lui révélant sa propre souffrance. Il le regrettait aussitôt et s'en ouvrait alors amèrement. Ce fut le cas pour sa lettre du début du 6 juillet 1896, qui fut arrêtée par ordre [213], et dans laquelle il évoquait leur commune souffrance [214] :

L'état de faiblesse physique et cérébrale dans lequel je suis, l'abandon de mes nerfs, ne font que s'accentuer par les secousses répétées et sans relâche. Voilà plus de vingt mois que je supporte la situation la plus épouvantable qu'on puisse imaginer pour un homme qui ne place l'honneur de personne au monde au-dessus du sien, attendant toujours des lendemains l'éclaircissement de cet horrible drame. J'ai tout accepté, tout subi par devoir pour toi, pour mes enfants, mais les forces sont parties dans cette lutte atroce contre tout, et aujourd'hui un rien me jette par terre, épuisé, un rien m'abat.
Forte de ta conscience, de ton droit, plus encore de ton devoir, je te demande d'agir de toutes tes forces, par tous les moyens – s'il est nécessaire en faisant des démarches personnelles – pour que la lumière soit enfin faite sur ce lugubre drame, car, dans les conditions atroces où je suis depuis de si longs mois, il n'y a pas d'être humain, quels que soient sa force d'âme, sa conscience, le sentiment de son devoir, qui puisse y résister encore longtemps.
Je t'embrasse de toutes mes forces ainsi que nos chers petits.

Il s'en expliqua aussi dans son journal, revenant sur le contexte de cette lettre « que je lui ai écrite au commencement de juillet, au milieu des fièvres qui me tenaient depuis une dizaine de jours, et ne recevant pas mon courrier. C'était tout à la fois, venant s'ajouter à mes tortures. Je n'ai pas su me contenir, me dominer et lui ai encore jeté mes cris de détresse et de douleur, comme si elle ne souffrait pas déjà assez, comme si son impatience de voir arriver la fin de cet horrible drame n'était pas aussi grande que la mienne. Ma pauvre et chère Lucie ! Puis le jour de sa fête a dû passer bien tristement. Je croyais qu'il ne m'était plus possible de souffrir davantage que je souffre ; ce jour-là, cependant, a été encore plus atroce que les autres. Si je ne m'étais pas retenu avec une volonté farouche, comprimant mon cœur, tout mon être, j'aurais hurlé de douleur, tant ma souffrance était âpre, vive, violente. »

### UN RÉGIME DE TERREUR AGGRAVÉ

Les deux premières années de déportation le laissaient épuisé, pétri de souffrance mais encore vivant. Une nouvelle épreuve l'atteignit alors lorsque, le 4 septembre 1896, jour anniversaire de la proclamation de la République en 1870, Paris câbla à Cayenne l'ordre de maintenir le déporté enfermé dans sa case et de le mettre à la double boucle toutes les nuits jusqu'à l'achèvement de la palissade devant entourer étroitement sa case et l'isoler de l'île tout entière. Il n'en connut les effets que le 6 septembre. Deux jours avaient été nécessaires pour la réalisation, sur l'île Royale, des pièces formant la double boucle.

### La double boucle

Le 6, le surveillant-chef annonça brutalement au capitaine Dreyfus qu'il lui était désormais interdit de se promener dans la partie de l'île du Diable à laquelle il accédait auparavant. Il ne pourrait désormais marcher qu'autour de sa case. Cette décision l'accabla encore un peu plus. « Combien de temps résisterai-je encore ? » confie-t-il à son journal. Imaginant le pire, il écrit vouloir léguer ses enfants « à la France, à la patrie [qu'il a] toujours servie avec dévouement, avec loyauté ». Il supplie une nouvelle fois « ceux qui sont à la tête des affaires [...] de faire la lumière la plus complète sur cet effroyable drame. Et ce jour-là, ajoute-t-il, à eux de comprendre ce que des êtres humains ont souffert d'atroces tortures imméritées et de reporter sur mes pauvres enfants toute la pitié que mérite une pareille infortune [215]. » Il confie à son journal des paroles désespérées : « Comme la mort me serait douce. Oh ! ma chère Lucie, mes pauvres enfants, tous les chers miens. Qu'ai-je donc fait sur terre pour être appelé à souffrir ainsi[216] ? »

Mais le chemin de croix ne devait pas s'arrêter là. Le soir, au moment de rentrer dans sa case, le surveillant-chef Lebars l'informa aussi qu'il serait mis aux fers pendant la nuit. « À droite et à gauche de sa couchette, explique Joseph Reinach, les serruriers du pénitencier avaient cloué deux maillons en forme de U que reliait une barre de fer. Cette tige, ou broche, d'environ soixante-dix centimètres de longueur et de l'épaisseur d'un gourdin, était fixe elle-même, l'une des extrémités se terminant en une sorte de boule, plus grosse que l'ouverture du fer à cheval, et l'autre cadenassée. Vers le milieu de la broche étaient rivées deux manilles en fer (la double boucle), pareilles aux anneaux à cheville des Indiens, perpendiculaires à la tige et portant sur la planche du lit. Dreyfus s'étant étendu, on lui mit les boucles aux pieds, très serrées aux chevilles, d'où l'impossibilité de remuer. Ainsi, la broche étant fixée sur le lit, les manilles fixées à la broche et les pieds du condamné fixés dans les manilles, l'homme faisait corps avec la couchette[217]. » Ce traitement, qui était considéré comme un acte de punition des bagnards, se prolongea jusqu'au 20 octobre 1896[218].

« Le supplice était horrible, surtout par ces nuits torrides[219] », expliqua Dreyfus dans les souvenirs de Cinq années de ma vie. Au matin de la première nuit, il n'avait pas pu fermer l'œil. Ses pieds lui faisaient atrocement mal. Les chairs étaient déjà déchirées par le métal. Jean Hess, dans son reportage de 1898 sur la déportation du capitaine Dreyfus, put accéder au bagne de Cayenne par autorisation du directeur par intérim de l'administration pénitentiaire qui accompagna lui-même le journaliste et lui donna les informations nécessaires. « L'homme ferré à ces joujoux est aussi solidement fixé que s'il n'avait plus de jambes. Quant à la peine... on peut la graduer. Avec une seule manille, le reclus a sur la planche un bien-être relatif ; avec les deux pieds bouclés, c'est plus sérieux. S'il est nécessaire de forcer la dose, on croise. Alors, c'est tout à fait sérieux. Ainsi, j'avais sous les yeux le modèle des fers de l'île du Diable. Le lit a la hauteur ordinaire. C'est une couchette formée de deux ou trois planches massives d'une largeur totale de soixante centimètres ; pour oreiller, une bûche de bois ; pour literie, une couverture. Il y a quatre supports, des poutrelles. Celles des pieds dépassent la couchette de quelques centimètres ; à leur extrémité supérieure elles portent chacune un gros anneau de fer, dont l'ouverture est transversale[220]. »

Afin de rendre plus efficace encore l'immobilisation des membres inférieurs, le lit en bois fut remplacé par un sommier métallique. Le capitaine Dreyfus souffrait terriblement. Ses pieds étaient à vif au niveau des chevilles. Joseph Reinach raconte que les gardiens, pris de pitié, « osèrent, en cachette, envelopper ses pieds de langes avant de le remettre aux fers[221] ». La révélation, en métropole, de cette torture infligée au déporté sans aucune justification, notamment disciplinaire, émana du journaliste Jean Hess qui produisit là son premier scoop. Il avait publié l'information dans *Le Matin*[222]. Elle révulsa l'opinion publique civilisée.

Sur l'île du Diable, la nouvelle épreuve sembla renforcer en Dreyfus la volonté d'aller jusqu'au bout, de ne renoncer à aucun des buts qu'il s'est donnés. Il se parle dans son journal : « Comment ne suis-je pas devenu fou dans la longueur de cette nuit atroce ? Quelle force nous donnent la conscience, le sentiment du devoir à remplir vis-à-vis de ses enfants ! Innocent, mon devoir est d'aller jusqu'au bout de mes forces, tant que l'on ne m'aura pas tué ; je remplirai simplement mon devoir. » Il va même jusqu'à défier ses bourreaux : « Quant à ceux qui se sont constitués ainsi mes bourreaux, ah ! je leur laisse leur conscience pour juge quand la lumière sera faite, la vérité découverte, car tôt ou tard tout se découvre dans la vie[223]. » Quelque cinquante ans plus tard, Pierre Mendès France retrouvera la même force et la même révolte en lançant à ses accusateurs du procès de Clermont-Ferrand, le 9 mai 1941 : « Je vous souhaite le repos de votre conscience[224]. »

Il n'eut même pas de colère contre ses bourreaux, écrit-il le même jour, seulement « une grande pitié[225] ». La deuxième nuit fut pire pourtant que la première. Mais, plus encore que le supplice physique, le supplice moral lui était intolérable : c'était l'absence de toute justification, le règne de l'arbitraire définitif. Il tenta malgré tout de conserver intact son devoir, de faire face jusqu'aux limites de son être. Et « dans cette détresse profonde de tout son être », il songeait à sa femme, à ses « chers et adorés enfants », il leur envoyait toute l'expression de son amour[226]. Il s'adressait à eux directement : « Mon cher petit Pierre, ma chère petite Jeanne, ma chère Lucie, vous tous que j'aime du plus profond de mon cœur, de toute l'ardeur de mon âme, croyez bien, si ces lignes vous parviennent, que j'aurai fait tout ce qui est humainement possible pour résister[227]. »

Trois jours après avoir été mis aux fers la nuit et confiné le jour dans sa case, il reçut enfin la visite du commandant des îles du Salut. Celui-ci lui apprit que la décision qui venait d'être prise à son égard n'était pas une punition, mais « une mesure de sûreté ». L'administration n'avait aucune plainte à élever contre lui. Le capitaine Dreyfus souligna dans son journal l'absurdité d'un tel prétexte : « La mise aux fers, une mesure de sûreté ! Quand je suis déjà gardé nuit et jour comme une bête fauve par un surveillant armé d'un revolver et d'un fusil ! » La raison était ailleurs : « Il faut dire les choses comme elles sont. C'est une mesure de haine, de torture, ordonnée de Paris, par ceux qui ne pouvant frapper une famille frappent un innocent, parce que ni lui ni sa famille ne veulent, ne doivent s'incliner devant la plus épouvantable des erreurs judiciaires qui ait jamais été commise. » L'analyse était exacte. Il tenta même de situer les responsables de cette mesure. Il vit juste également alors qu'il ne possédait aucune information. Mais sa faculté de raisonnement restait intacte. Les ordres ne pouvaient venir d'après lui que du gouvernement : « On sent bien que l'administration locale (sauf le surveillant-chef, spécialement envoyé de Paris) a elle-même l'horreur de mesures aussi arbitraires, aussi inhumaines, mais qu'elle est obligée de m'appliquer, n'ayant pas à discuter avec des consignes qui lui sont imposées. Non, la responsabilité monte plus haut, à l'auteur ou aux auteurs de ces consignes inhumaines [228]. » Il termina en réitérant sa décision de lutter quoi qu'il arrive.

Cependant, il avait bien conscience des limites de ses forces, de l'épuisement de son corps et de son cerveau. « Tout est si triste en moi, mon cœur tellement labouré, mon cerveau tellement broyé que c'est avec peine que je puis encore rassembler mes idées ; c'est vraiment trop souffrir, et toujours devant moi cette énigme épouvantable. » Cette lassitude extrême « de corps et d'âme » le décida à interrompre son journal, « ne pouvant prévoir jusqu'où iront [ses] forces, quel jour [son] cerveau éclatera sous le poids de tant de tortures. » En 1931, dans ses *Souvenirs* demeurés inédits, il expliqua qu'il ne croyait « pas pouvoir aller plus loin » : « Quelles que soient la volonté et l'énergie d'un homme, les forces humaines ont une limite, et celle-ci était dépassée [229]. »

## L'enfermement

Les trois mois durant lesquels la palissade fut élevée constituèrent des moments très difficiles pour le prisonnier. Nous ne disposons plus de son journal pour connaître quotidiennement son existence, et les indications qu'il donna en 1900 dans *Cinq années de ma vie* sont distanciées, précises, froides. Elles restituent néanmoins le cadre matériel de cette existence misérable :

> Je fus enfermé nuit et jour dans ma case, sans même une minute de promenade. Cette réclusion absolue fut maintenue durant le temps que nécessita l'arrivée des bois et la construction de la palissade, c'est-à-dire environ deux mois et demi. La chaleur fut grande, cette année-là, particulièrement torride ; elle était si grande dans la case que les surveillants de garde firent plainte sur plainte, déclarant qu'ils sentaient leur crâne éclater ; on dut, sur leurs réclamations, arroser chaque jour l'intérieur du tambour accolé à ma case, dans lequel ils se tenaient. Quant à moi, je fondais littéralement [230].

La double boucle dura jusqu'à ce que la palissade fût édifiée. Le 20 octobre 1896 [231], le capitaine Dreyfus fut autorisé à sortir de sa case. Il découvrit qu'un double mur de bois entourait hermétiquement celle-ci, ne délimitant qu'une petite cour tout autour du bâtiment. Construite avec des madriers pointus et garnis de fer, elle avait nécessité des corvées d'une soixantaine de bagnards[232]. Elle était haute de 2,50 m, large de 12 m, longue de 16,30 m. Le bois utilisé était très résistant, du wapa (ou walapa) qui pouvait résister à toutes les intempéries[233]. Entre la palissade et le mur de la case, il y avait une distance de 5 m (côté tambour et cuisine) et de 2,50 m à l'est et à l'ouest. À l'est de cette première palissade, en avait été construite une seconde, d'une longueur de 40 m sur 16,30 m de largeur : « C'est le promenoir du déporté[234]. » Le rapport mensuel du 12 novembre 1896 indique que « la hauteur de la palissade ne permet pas au détenu de voir la mer[235]. » Cette palissade visant à « enclore la case du déporté Dreyfus » avait un double but, comme le précise une lettre du commandant supérieur des îles du Salut Bravard au directeur de l'administration pénitentiaire de la Guyane : « 1° Empêcher le déporté de voir à l'extérieur par les fenêtres est et ouest de sa case. À cet effet, celle-ci sera entourée de tous côtés ; seule la porte du tambour n'est pas enclose pour permettre la communication directe et rapide entre les surveillants. Pour se rendre à sa cuisine, le déporté n'aura vue nulle part. 2° Former une cour intérieure qui servira de promenade au déporté. Cette case de 16,50 m de large et de 40 m de long aura une superficie suffisante de plus de 650 m carrés[236]. »

L'une des dispositions les plus cruelles pour le prisonnier fut d'être arraché à la contemplation de la mer. Cette coupure de l'océan, cette impossibilité de l'horizon signifient vraiment l'enfermement, l'étouffement. « À partir du [6] septembre, plus rien ; la vue de la mer, du dehors m'est interdite, j'étouffe dans ma case où je n'ai plus ni air ni lumière. Uniquement le promenoir entre deux palissades, dans la journée, en plein soleil, sans apparence d'ombre[237]. » « Je ne vis plus ma grande consolatrice, la mer. [...] Désormais je n'eus plus comme horizon que les bois de la palissade avec, sur ma tête, le ciel tropical. » Le déporté fut autorisé « à circuler de jour entre ces murs, toujours accompagné du surveillant de garde[238] ».

Le rapport du 12 novembre 1896 précisait effectivement que « la hauteur de la palissade ne permettait pas au détenu de voir la mer[239] ». Dreyfus, en revanche, était vu, observé en permanence par ses gardiens, mais aussi par Deniel lui-même que le terme de la mise aux fers inquiétait beaucoup. « De sa chambre à coucher, expliqua Jean Hess, il a fait un observatoire installé, machiné pour qu'à toute heure il puisse voir la prison de Dreyfus et en explorer les accès, à grand renfort de lunettes. À son chevet, il a mis un poste téléphonique pour communiquer à toute minute avec le surveillant en vigie dans le mirador et avec celui qui est enfermé dans le tambour grillé de la prison de Dreyfus[240]. »

L'édification de la palissade avait rendu la case tout à fait insalubre. Elle était devenue « complètement inhabitable ; c'était la mort ». Dreyfus étouffait littéralement. Il se retrouvait totalement épuisé à la fois par le manque d'exercice consécutif à l'enfermement et par « l'influence pernicieuse du climat[241] ». Son régime alimentaire s'était dégradé dans le même temps. Pendant de longs mois, il ne put bénéficier des denrées qui lui arrivaient de Paris : la remise des lettres et des colis était suspendue, « à l'exception de ceux qu'il se procurera par l'intermédiaire des fonds versés à son pécule[242] » et qui venaient de Cayenne. Les colis arrêtés par ordre, dont ceux de la maison Potin en provenance de Paris, ne lui furent remis qu'en janvier 1897[243].

Des mesures restrictives frappèrent également le prisonnier dans ses occupations intellectuelles, si nécessaires pour son équilibre et sa survie. Tout d'abord, tous ses écrits furent saisis, dont son journal qu'il avait pourtant décidé d'interrompre. Le commandant Bravard en fit aussitôt établir une copie « sur huit petits cahiers paginés successivement de 1 à 26 ». Cette copie ainsi que l'original furent adressés au directeur de l'administration pénitentiaire le 5 octobre 1896[244]. Il lui aurait été du reste beaucoup plus difficile de le tenir s'il avait choisi de le continuer, notamment parce qu'il n'aurait plus été capable de le relire, de se remémorer le passé et de mesurer les évolutions, de conquérir une distance à l'égard des choses. En effet, le papier numéroté et paraphé qui lui était remis depuis le premier jour lui fut désormais fourni en quantité très limitée. Pour en obtenir de nouveau, il était contraint de remettre celui qu'il avait utilisé.

Le courrier ne lui fut plus donné que sous forme de copies[245], procédure qui allongea d'autant les délais de réception des lettres de Lucie et qui entra en vigueur au mois de mars 1897. « Je ressentis vivement ce nouvel outrage[246] », précisa plus tard Dreyfus. Les envois de livres furent d'autre part suspendus, puis remplacés par une demande de vingt ouvrages que Dreyfus était autorisé à faire chaque trimestre à ses frais. La première expédition ne lui parvint qu'au début de l'année 1897, la deuxième mit un temps encore plus long à lui arriver et la troisième fut simplement ignorée par ses gardiens. Dès lors, comme il le raconta dans *Cinq années de ma vie*, il dut fonctionner sur le fonds qu'il s'était créé avec les premiers envois.

Ce fonds comprenait, outre un certain nombre de revues littéraires et scientifiques, quelques livres de lecture courante, les *Études sur la littérature contemporaine* de Schérer, l'*Histoire de la littérature* de Lanson, quelques œuvres de Balzac, les *Mémoires* de Barras, le petit *Critique* de Janin, une *Histoire de la peinture*, l'*Histoire des Francs*, les *Récits des temps mérovingiens* d'Augustin Thierry, les tomes VII et VIII de l'*Histoire générale du IVe siècle jusqu'à nos jours* de Lavisse et Rambaud, les *Essais* de Montaigne et surtout les œuvres complètes de Shakespeare.

Dans ces livres, dans ceux qu'il ne nommait pas, il puisait le sens d'un autre monde, qu'il sut créer au-delà de la dureté des jours et de la cruauté de l'existence[247].

*L'« épouvantable » vie*

Le capitaine parvint à survivre aux trois mois de double boucle et d'enfermement complet de la fin de l'année 1896. En 1897, il dut apprendre à surmonter la situation nouvelle qui lui était imposée et qui était bien pire que la précédente. « Depuis les premiers mois de 1897, Dreyfus occupe la prison dont les conditions font dire au gouverneur de la Guyane que la peine de la déportation a été transformée pour l'ex-capitaine Dreyfus en celle de la détention cellulaire [248]. » Comme à chaque fois où il peut considérer qu'il a franchi une étape et progressé dans l'organisation de sa résistance, un coup du sort vient le frapper. On a vu l'importance de la lecture et le prix qu'il attachait à ses livres. Il découvre que sa bibliothèque est rongée par les insectes qui pullulent depuis que la palissade a été édifiée. « Mes livres, au bout de peu de temps, furent en assez piteux état ; les bêtes y établissaient domicile, les rongeaient et y déposaient leurs œufs. » Jean Hess, dans son reportage de 1898, décrit le quotidien du déporté, contrairement aux « fantaisistes descriptions » qui parsemaient les « journaux de province » et qui étaient ensuite si « sérieusement reproduites par tout le monde [249] » :

Le mobilier du prisonnier est réduit à l'indispensable : un lit ; ce n'est plus le banc massif des forçats où il subit les fers pendant deux mois. C'est la couchette simple mais confortable du troupier dans la caserne coloniale : couchette à moustiquaire. Une petite table, une chaise, un petit fourneau de cuisine. Pas de coffres, pas d'armoire, mais une demi-douzaine de rayons pour le linge, les livres, les provisions et la vaisselle ; des patères pour les vêtements. Et c'est tout.

La vie ne doit pas être précisément gaie ni mouvementée, ni variée dans un pareil logement... sans aucun regard sur le dehors, sur le monde où vivent les autres. Elle ne l'est pas non plus. Les gardiens du bagne n'ont pas une sensibilité excessive. Je sais cependant que plus d'un trouve « épouvantable » cette vie.

Comment le savez-vous ? me dira-t-on.

Pour discrets qu'ils soient, les surveillants de l'administration pénitentiaire n'en sont pas moins des hommes. Il y a toujours des heures où ils se laissent aller à parler sans contrainte. Eh bien ! à ces heures de conversation franche, que ce soit en leur « popote » du pénitencier ou au café, dans un pays comme Cayenne, il y a toujours, aux conversations de tous les gens de la pénitentiaire, des oreilles qui écoutent. Je ne crois pas qu'il y ait une ville au monde où le sport spécial d'écouter les conversations d'autrui soit un honneur national autant qu'à Cayenne. Et c'est ainsi que l'on peut savoir des impressions de gardiens du bagne sur l'« épouvantable » vie de Dreyfus.

Voici comment les heures du déporté sont partagées entre la petite prison couverte et la cour palissadée, qui est une prison un peu plus vaste, mais sans toit.

À 6 heures du matin, le gardien ouvre la grille de la porte-fenêtre sur la cour. Dreyfus peut aller prendre l'air et regarder le ciel. À 10 heures, il doit rentrer dans sa cellule. Il est enfermé jusqu'à 11 heures : le temps du déjeuner.

De 11 heures à 5 heures, la porte de la cour est ouverte de nouveau. À 5 heures, rentrée dans la prison, toutes les portes cadenassées, jusqu'au lendemain matin à 6 heures.

Et la même journée recommence, toujours semblable... sauf quand doit arriver le paquebot postal qui passe près de l'île. Ces jours-là, Dreyfus ne peut aller dans sa cour. Pourquoi ? Seul M. Deniel le sait [250].

Le journaliste revint sur la disposition du régime de déportation qu'il estimait être la plus dure, l'obligation de silence, à laquelle Dreyfus sut résister comme il trouva les forces de survivre aux autres aspects du sort qu'on lui assigna. La description des souffrances va de pair ici avec l'hommage au courage de l'homme face à la tyrannie, à « l'intellectualité absolument supérieure ». Ils sont indissociables.

Dans cette vie de réclusion, à ne voir jamais que cette chambre, un peu plus grande qu'une cellule, à ne marcher jamais que dans cette cour murée un peu plus vaste qu'une chambre ; à n'avoir jamais d'autre distraction dans le dehors que l'attente des nuages qui passent ; à sentir perpétuellement sur soi le regard d'un surveillant armé qui ne parle jamais... cela sous le climat des Guyanes... les plus exemplaires énergies se briseraient, les cerveaux les plus équilibrés se troubleraient, les santés les plus fortes s'affaibliraient...

Cette obligation de silence est particulièrement pénible. C'est un supplice. Pour y demeurer insensible il faut que le prisonnier, le patient, dirai-je presque, soit d'une mentalité très inférieure ou bien d'une intellectualité absolument supérieure. La brute n'a pas besoin d'échanger ses impressions... elle n'en a pas. L'idiot ne se soucie pas d'entendre le son de la voix d'autrui. Mais l'homme, l'homme ordinaire, l'homme normal, vous, moi..., imaginez quelle horrible chose ce doit être de ne plus pouvoir parler à personne, de ne voir qu'un homme qui ne répond point, qui ne parle pas, d'être sourd bien qu'entendant, d'être muet bien que parlant. Ce supplice du silence mène à l'idiotie les gens dont la force cérébrale n'est que moyenne. Pour y résister, il faut, je l'ai dit, une volonté tout à fait supérieure. Et c'est le cas de Dreyfus [251].

Au début du mois de janvier 1897, Alfred reçut encore des lettres originales de Lucie, celles datées de novembre 1896. En février, ce fut le tour des envois de décembre. Au mois de mars, les nouvelles procédures décidées après le 6 septembre 1896 entrèrent en vigueur, comme le relate Dreyfus dans ses souvenirs de *Cinq années de ma vie* : « On me fit attendre jusqu'au 28 du mois la remise des lettres du mois de janvier de ma femme. Pour la première fois, ces lettres m'étaient transmises seulement en copie. [...] Je ressentis vivement ce nouvel outrage, venant après tant d'autres, et j'en fus blessé jusqu'au plus profond de mon âme ; mais rien ne peut amoindrir ma volonté [252]. » En avril, la seule lettre qui lui fut remise, datant du 20 février, était un original. Il y apprend que ses propres lettres sont également transmises à sa femme en copie. Ce qu'écrit alors Lucie montre tout ce que représente une correspondance dans le cas présent, les mots, les pensées, mais aussi l'écriture et la présence qu'elle inspirait : « Il me semble que je tenais ainsi une parcelle de toi », écrit-elle dans cette lettre[253]. Alfred continua de recevoir son courrier tous les mois, tout en sachant que certaines lettres de Lucie étaient interceptées, comme celle du 1er juillet, évoquée dans celle du 15 juillet et qui ne lui parvint jamais[254]. En décembre, en revanche, le courrier ne lui fut pas remis, et il dut attendre le 9 janvier pour recevoir les lettres de sa femme des mois d'octobre et de novembre[255].

La correspondance de cette époque traduit la souffrance d'Alfred Dreyfus autant que sa volonté d'y faire face et de rassurer sa femme.

### Lettres du désespoir

Dreyfus écrivit de nombreuses lettres à ce moment là, mais au début elle furent arrêtées par ordre. C'était un autre effet des mesures nouvelles imposées par André Lebon sur le régime de la déportation. La première, très longue, allant du 12 au 20 septembre 1896, évoquait à demi-mot les nouvelles conditions, inhumaines, de sa détention. Interceptée, elle ne fut jamais remise à Lucie Dreyfus. Nous l'avons retrouvée dans les archives à Aix-en-Provence. Elle traduit le mélange improbable de détermination et de désespoir qui devait lui permettre finalement de surmonter les nouvelles tortures[256].

Je t'ai écrit au commencement du mois de bien nombreuses lettres au reçu de ton courrier. Je reprends la vieille habitude que j'avais de venir te parler, causer avec toi. Cela me fait du bien ; et c'est ma seule consolation.

Depuis, je connais de nouvelles souffrances, mais je ne veux plus t'en parler. Car il ne faut pas que l'horrible acuité et tout ce que nous supportons dénature nos cœurs. Il faut que nous restions ce que nous étions jusqu'à notre dernier souffle.

Mais, dans cet horrible détresse de tout mon être, j'ai besoin de venir réchauffer mon cœur auprès du tien, ma pauvre chérie, auprès de nos chers adorés dont je murmure nuit et jour les noms, pour me forcer à vivre encore : Pierre, Jeanne.

Dans quel épouvantable cauchemar vivons-nous depuis tantôt deux ans, ma pauvre chérie ! Ah ! ne pas te dire que parfois le cerveau s'égare, ce serait te mentir, et tu dois bien le comprendre.

Enfin, que verras-tu toujours ? Une telle douleur, si lancinante, si accablante, n'amoindrira pas notre peine.

Il y a nos enfants, leur vie future qu'il faut assurer avant tout. Il faut donc tout oublier, ma pauvre chérie, surmonter toutes tes douleurs, et comme je te le disais dans mes dernières lettres, faire appel à tous les concours, pour déchiffrer cet horrible injustice[257], faire rendre l'honneur à notre nom. C'est là le but immuable qui domine tout, souffrance et vie.

Et je termine aujourd'hui ces quelques lignes en t'envoyant, à toi, à nos chers enfants, à tous, à travers l'espace, ce cri profond d'affection, de tendresse, de mon cœur brisé et déchiré.

Ton dévoué

Alfred Dreyfus

[...] L'être humain qui souffre, et cruellement comme nous, est une méchante bête. On a dit que la douleur était la grande éducatrice du cœur humain ; eh bien, c'est faux, archi-faux ; le malheur, autant on ne l'a pas mérité, révolte, rend mauvais, injuste.

Peut-être est-ce parce que je suis très affaibli que je me rends mieux compte de ce qui s'est passé en nous... Peut-être enfin que je me suis tendu, pendant de si longs mois, dans un effort violent de tout l'être, et qu'aujourd'hui cette tension disparaît, dans un immense besoin de repos, je ne saurais te le dire.

Il n'y a qu'une douleur pour nous, la seule vraie, profonde, terrible... celle de notre honneur arraché.

Ce que je veux donc te dire encore, chérie, c'est qu'il faut redevenir ce que nous étions, ce que nous sommes, des êtres humains, qui souffrent horriblement, atrocement, victimes de la plus effroyable machination qu'on puisse rêver.

Je souhaite pour tous les deux, pour tous, d'apprendre bientôt que la lumière est faite dans ces horribles ténèbres qui nous enserrent, qui nous étreignent, entendre enfin une parole de paix et de consolation.

[...] Je te disais, au début de ce long examen de conscience, que je connaissais de nouvelles souffrances, dont je ressens les effets sans pouvoir en deviner les causes. Dans la déroute de ma pensée, j'y ai vu d'abord de l'acharnement, le cœur humain étant ainsi fait... Mais non, dans cette nuit atroce que je viens de passer, je me suis dit qu'il devait y avoir autre chose.

Les ténèbres qui environnent cette terrible affaire ne font que s'accroître chaque jour, au lieu de se dissiper.

Toutes les hypothèses que j'ai pu rouler dans ma cervelle, depuis le jour où, enlevé brusquement au milieu des miens, j'ai été accusé, puis condamné pour cet abominable forfait, tu les connais.

Je me demande alors si la machination dont nous sommes les victimes ne se poursuit pas toujours, afin d'épaissir les ténèbres.

Je te livre cette réflexion, telle qu'elle est venue dans mon cerveau halluciné par cet effroyable cauchemar dans lequel nous vivons depuis si longtemps. J'ai toujours parlé et agi franchement, depuis le début de ce lugubre drame et je ne crois pas que qui que ce soit puisse me reprocher un procédé[258] incorrect. Je n'ai jamais dévié de la ligne de conduite que je m'étais tracée, voulant mourir en honnête homme, comme j'avais vécu.

Je me suis demandé alors, chère Lucie, si tu ne ferais pas bien de te rendre toi-même auprès de Monsieur le ministre de la Guerre, soit auprès de Monsieur le général de Boisdeffre[259].

Peut-être qu'une explication franche, loyale, avec les renseignements que vous avez déjà dû recueillir sur cet épouvantable drame, arriverait-elle plus rapidement à voir clair dans ce flot de ténèbres où s'agite seulement ce double intérêt : celui de la patrie et le nôtre.

Y voir plus clair, tu comprends que je ne le puis pas. Tu es, vous êtes tous mieux placés que moi pour juger de ce que vous avez à faire.

Mais se cantonner dans sa douleur, se raidir dans cet affreux cauchemar dans lequel nous nous débattons depuis si longtemps ne nous avancera à rien. Nous finirons par y succomber, voilà tout.

Certes, avant toute chose, je ne puis que me répéter, il y a le but ; mais le but ne serait-il pas plus vite atteint, en cherchant par des efforts communs, à voir clair dans ces horribles ténèbres ?

Comme je te l'ai dit, je te livre mes réflexions telles quelles, ne pouvant rien comprendre moi-même de ce drame affreux qui se joue autour de moi, de cet atroce rêve qui me poursuit sans trêve, mais qu'il faudra enfin s'efforcer de dissiper, et il en serait grandement temps pour nous tous.

Et ton devoir est de faire appel pour cela à tous les concours, à toutes les bonnes volontés.

Je t'embrasse comme je t'aime, de toutes mes forces.

Ton dévoué.

Alfred.

*Une nouvelle case*

Vers le milieu de l'année 1897, les conditions de vie dans la case étaient devenues si insalubres qu'il fut décidé d'en construire une nouvelle, plus vaste et plus aérée, prescrite par le médecin-chef des îles du Salut. Le rapport mensuel du 10 décembre 1897 rappelait l'état d'insalubrité de la première par la suite des aménagements exigés par Lebon : « L'on avait édifié contre la porte de la case un tambour destiné au surveillant de garde, empêchant ainsi, dans une large mesure, la ventilation de se produire. Ensuite, on avait placé une première, puis une seconde palissade pour isoler la case. » Decrais ajouta dans son propre rapport : « De ce moment il n'y avait plus d'air. Le logement était même devenu très humide, dans ce pays où l'humidité est un des plus grands ennemis de l'Européen [260]. » Dreyfus fut empêché de se promener dans la seconde enceinte durant tout le mois où elle fut démontée. Puis il fut transféré.

« Le 25 août 1897, je fus transporté dans la nouvelle case qui avait été construite sur le mamelon s'étendant entre le quai et l'ancien campement des lépreux », écrit le capitaine Dreyfus dans ses *Souvenirs*. Pendant toute la période de la construction, il fut enfermé jour et nuit. La palissade du promenoir fut démontée et déplacée vers la nouvelle cellule édifiée au sommet de l'île. Elle était deux fois plus haute que l'ancienne puisqu'elle était posée sur un mur de pierres sèches de 2,50 m [261]. L'espace de promenade fut réduit à un rectangle de 16 m sur 12 [262]. « Cette case était divisée en deux par une solide grille en fer qui s'étendait sur toute la largeur ; j'étais d'un côté de cette grille, le surveillant de garde de l'autre côté, de telle sorte qu'il ne pouvait me perdre de vue un seul instant, de jour comme de nuit. Des fenêtres grillées, que je ne pouvais atteindre, laissaient passer la lumière et un peu d'air. Plus tard, aux barreaux de fer, fut ajouté un grillage en mailles serrées de fil de fer, interceptant encore davantage l'air ; puis, pour m'empêcher absolument l'approche de la fenêtre, ce qui ne me permit même plus de respirer un peu d'air par les journées et les nuits étouffantes de la Guyane, on établit à l'intérieur, devant chaque fenêtre, deux panneaux qui, avec la fenêtre, constituaient un prisme triangulaire. L'un des panneaux était formé d'une plaque pleine en tôle, l'autre de barreaux de fer verticaux et transversaux. Une palissade en bois, à bouts pointus, de 2,80 m de hauteur, entourait la case ; cette palissade reposait sur un mur en pierres sèches de 2 m à 2,50 m sur les faces sud et ouest, de telle sorte que la vue de l'extérieur, la vue de l'île comme celle de la mer, m'était complètement masquée[263]. »

Ce transfert ne changea guère les conditions d'existence du capitaine Dreyfus. Certes, cette case plus haute et plus spacieuse était « préférable à la première », mais l'humidité y était équivalente parce que la palissade avait été placée aussi près qu'antérieurement. De plus, il arrivait que les grandes pluies inondent complètement le sol. Et les bêtes étaient aussi nombreuses que dans la première case, « sinon plus[264] ».

Le nombre de surveillants passa de six à dix, et le prisonnier fut placé sous une surveillance plus intense encore. Les humiliations augmentèrent, particulièrement dans les années 1897 et 1898 lorsque le nouveau commandant supérieur des îles du Salut fut bien installé dans ses fonctions et redéfinit l'attitude de l'administration à l'égard du « déporté Dreyfus ». Le comportement de Bravard avait été ferme, mais juste, humain – Dreyfus en témoigna à plusieurs reprises. Son successeur fut en revanche implacable et surtout paranoïaque. Il prêtait à son prisonnier des intentions, des actes même qui ne reposaient sur aucune réalité mais seulement sur l'imagination obsessionnelle d'un chef tout-puissant, convaincu de son destin parce qu'il avait été choisi personnellement par le ministre. Il se vengea des progrès de la cause de Dreyfus en métropole en raidissant les consignes déjà extrêmes[265] qui furent imposées après le 4 septembre 1896.

## La violence de Deniel

Dès sa prise de fonction à la tête de l'établissement en novembre 1896, Oscar Deniel adressa un rapport au gouverneur de la Guyane. Le commandant supérieur présentait la déportation comme régulière et le déporté comme illégitime dans ses plaintes, détourné de ses intérêts par ses pensées inconséquentes et la teneur de sa correspondance, qu'il aurait volontiers supprimée s'il en avait eu le pouvoir.

Le déporté Dreyfus paraît jouir en ce moment d'une bonne santé. Il se plaint toutefois de congestion, résultat, dit-il, d'une affection cardiaque. Ses yeux sont brillants, et sa figure n'a pas encore la couleur particulière aux pays chauds, elle paraît rosée, il faut attribuer cette particularité, certainement en partie, à la congestion. Il n'a pas d'embonpoint. Il porte toute sa barbe, mais très courte, elle est un peu grisonnante, ses cheveux, peu fournis, sont également coupés court. Il se tient proprement, sans élégance cependant, son linge est blanchi par les soins de l'hôpital. Il semble avoir repris courage, car il mange bien, son appétit revient.

Après avoir fait abus de conserves pour ne pas s'astreindre à faire la cuisine, il a dû, il y a un mois environ, se soumettre au régime lacté (un litre de lait frais par jour prescrit par le médecin) et des œufs frais, pour combattre un commencement de dyspepsie. Depuis quelques jours, il a ajouté du chocolat au lait concentré et sa ration de viande qu'il fait cuire et assaisonne avec des tomates. Il nous a déclaré avoir aujourd'hui un dégoût complet pour les conserves, sa commande n'en comporte plus.

Pour la préparation de ses aliments, il emploie un petit appareil au pétrole.

Pendant nos visites, il ne nous a fait part d'aucune réclamation, ni d'aucune allusion ou protestation sur les motifs de sa condamnation.

Il n'écrit plus du tout. Mais nous lui avons fait donner de l'encre de couleur violette dans le cas où il voudrait recommencer à travailler. [...]

Sa vie se passe dans la méditation et la lecture.

Du coucher au lever du soleil (de 6 heures du soir à 6 heures du matin), il est enfermé dans sa case. Dans le jour, de 6 heures à 8 heures du matin et de midi à 6 heures du soir, il va s'asseoir à l'ombre de sa case ou de la palissade. Tous les soirs, à 5 heures, il va s'adosser contre la grande palissade et jette ses regards sur l'île Royale et l'île Saint-Joseph où il voit passer, dans le lointain, les promeneurs – toujours les mêmes. Ce condamné est soumis et paraît résigné à son sort, on n'en sent pas moins, sous son enveloppe, l'espoir de la liberté [266].

Deniel minimisait les souffrances de Dreyfus. Il le faisait passer au pis comme un simulateur, au mieux comme le seul responsable de ses crises nerveuses. Il imagina percer le secret de la psychologie de son prisonnier, comme il l'expliqua notamment dans un rapport du 26 novembre 1897 : « Obsédé par cette vision de la liberté qu'on a fait luire à ses yeux, qu'il veut atteindre et qui lui semble insaisissable, son esprit s'impatiente, s'inquiète, s'agite en face de son impuissance de ne pas savoir à quoi s'en tenir au juste, de ne pas connaître à quel point en sont les projets de sa famille, à quelle branche il doit s'accrocher, quelle doit être sa contenance. Son imagination, voguant alors dans l'infini au milieu du vide qui l'entoure, entrecoupé seulement par la présence d'un surveillant lunatique, se plonge dans une méditation agitée qui l'entraîne dans une promenade folle, désordonnée, pendant laquelle il se livre à de pénibles pensées d'où s'échappent parfois des mots et des gestes de colère [267]. »

À mesure qu'il s'installa dans son poste, Deniel se dota d'une représentation du « déporté Dreyfus » qui faisait de lui un criminel endurci et d'autant plus suspect qu'il se comportait comme un prisonnier modèle. Deniel mit un point d'honneur à découvrir derrière les demandes, les plaintes ou les souffrances de Dreyfus la vérité des choses, à savoir les pièges qu'il tendait à l'administration. Celle-ci devait donc redoubler de vigilance et de dureté à son encontre. Le système Deniel ne faisait ainsi que prolonger celui qui avait été inventé par du Paty de Clam à la prison du Cherche-Midi.

Avec l'installation dans la nouvelle case, Dreyfus releva que « les vexations furent encore plus fréquentes et plus nombreuses encore à dater de cette époque ». Comme il l'analysa plus tard en 1900, lorsqu'il écrivit ses *Souvenirs*, ce nouveau raidissement de l'administration pénitentiaire correspondait aux premières protestations en sa faveur en métropole. L'inquiétude des autorités pouvait se lire alors à travers cet acharnement. Mais il en ignorait totalement les raisons : « Des mesures nouvelles furent prises pour m'isoler encore davantage, si possible. Plus que jamais je dus maintenir une attitude hautaine pour empêcher qu'on eût prise sur moi. Des pièges me furent souvent tendus, des questions insidieuses me furent posées par les surveillants, par ordre [268]. » Il raconta comment dans ses nuits d'énervement, quand il était la proie d'horribles cauchemars, le surveillant de garde s'approchait de son lit pour chercher à surprendre les paroles qui s'échappaient de ses lèvres. Tous ces faits, même les plus minimes et dérisoires, devaient être strictement consignés, puis interprétés par le commandant supérieur des îles du Salut « avec une passion aussi vile que haineuse ».

Cette manière de servir de Deniel, ajoutée aux directives officieuses, au règlement officiel, à la « Consigne générale [269] », transforma la détention du capitaine en un calvaire de tous les instants, avec une surveillance incessante qui le privait de tout espace personnel, intime, là où l'homme enfermé peut se retrouver et inventer tous les possibles. « Je ne connais d'ailleurs pas de supplice plus énervant, plus atroce que celui que j'ai subi pendant cinq années, d'avoir deux yeux braqués sur moi, jour et nuit, à tous les moments, dans toutes les conditions, sans une minute de répit. » La faculté d'analyse du capitaine Dreyfus, son esprit de comparaison, étaient sa force. Le nouveau régime de déportation pouvait être opposé au premier. Et l'explication d'une telle aggravation ne pouvait résider que dans la manière de considérer la mission de surveillance dont Deniel était investi. « On voit aisément, insista Dreyfus, combien une surveillance ainsi comprise, dont l'intensité haineuse se traduisait forcément dans l'attitude des surveillants, était de nature à aggraver le régime [270]. »

Le capitaine, plutôt réservé par nature et modéré dans ses jugements, porta des appréciations très dures contre Oscar Deniel. Elles rejoignent celles qui furent émises par Jean Decrais dans son rapport. Le général Mercier et Deniel furent les deux responsables dont Dreyfus sut instruire le procès. « Esprit aussi mal équilibré que vaniteux, cet agent attacha aux plus petits incidents une portée immense ; le plus léger panache de fumée rompant à l'horizon la monotonie du ciel était l'indice certain d'une attaque possible et provoquait des mesures de rigueur et des précautions nouvelles. » Le capitaine Dreyfus analysa la manière de servir de Deniel. Il le fit parce que lui aussi était un serviteur de l'État et qu'il était un intellectuel se plaçant du point de vue de la réflexion sur les pratiques administratives : « Deniel, au lieu de se borner à des devoirs stricts de fonctionnaire, fit le bas et misérable métier de mouchard ; il crut évidemment s'attirer ainsi des faveurs. » Choisi personnellement par le ministre des Colonies, il était son obligé, et il s'acquittait de sa mission à l'égard de Dreyfus avec un zèle de tous les instants. Il considérait son prisonnier dans l'interprétation la plus absolue de la directive du 5 janvier 1895, selon laquelle le déporté devait « être traité comme un malfaiteur endurci, tout à fait indigne de pitié[271] ».

Deniel était soutenu par le directeur de l'administration pénitentiaire de la Guyane, notamment parce que le ministre Lebon avait tranché en faveur du commandant lors de son arrivée aux îles du Salut. Le premier rapport de Deniel et ses mesures spéciales de confinement du déporté, dont la mise aux fers, avaient conduit le gouverneur et le directeur de l'administration pénitentiaire à manifester leur « étonnement ». « Ils firent observer à M. Deniel que cette mesure constituait pas moins qu'une aggravation de peine et ils demandèrent au très prudent geôlier s'il n'exagérait pas ses pouvoirs, s'il avait bien compris ses instructions "personnelles". Le ministre fut aussitôt consulté. [...] M. Lebon couvrit son subordonné : il approuva la mesure prise, il affirma qu'elle accordait ses ordres[272]. » Le directeur de l'administration pénitentiaire comprit très vite et s'engagea auprès de Deniel.

Ces soutiens sans faille encouragèrent le commandant à étendre sur l'ensemble des îles du Salut les mesures de surveillance imaginées pour l'île du Diable. Jean Hess révéla dans son reportage que « tout le monde est prisonnier aux îles du Salut. La sortie en est aussi défendue que l'accès. Le gouverneur (et encore !), le procureur général et le directeur de l'administration pénitentiaire exceptés, elles sont fermées à quiconque n'y vient pas afin d'y être décapité, de prendre cachot ou de faire du service... pour six mois. Une fois en place, médecins, surveillants, fonctionnaires, soldats, sœurs de charité, tout le monde est, en effet, bouclé pour six mois, sans communication libre avec le dehors. Tous les agents sans exception, subalternes ou officiers, ne peuvent recevoir directement leurs lettres. » Celles-ci subissent une surveillance et une censure très méthodiquement organisées. Les gardiens de Dreyfus étaient également surveillés de très près. Il y eut des « révocations, de "mystérieux déplacements" de personnel[273]. »

## La logique répressive

Dans une lettre du 22 octobre 1897, le directeur de l'administration pénitentiaire Vérignon considéra sans état d'âme sa mission de geôlier : « Nous sommes appelé, je le crains, à éprouver encore beaucoup d'ennuis et de tracas avec le service de la déportation. Mais nous n'y pouvons rien et nous n'avons qu'à continuer à agir comme nous l'avons fait jusqu'à présent, c'est-à-dire que nous n'avons qu'à faire strictement notre devoir, toutes les agitations, toutes les nouvelles répandues ne sauraient troubler notre conscience, nous avons à remplir une mission, des ordres à exécuter et nous nous en acquittons loyalement[274]. »

La pratique avait déjà précédé l'intention. Un vif incident avait en effet opposé Dreyfus à Deniel accompagnant le directeur de l'administration pénitentiaire lorsque ceux-ci se rendirent sur l'île du Diable le lundi 4 octobre 1897. Il avait eu trois jours auparavant, le 1er octobre, une sérieuse alerte cardiaque. Il était resté sans connaissance pendant trois minutes. Indifférent au choc clinique, Deniel commença par noter dans son rapport un « changement complet d'attitude de Dreyfus » qui jusque-là lui avait « toujours parlé très posément ».

Cette fois, il sembla se révolter, protestant contre les rondes incessantes, s'interrogeant sur sa correspondance, dénonçant un régime qui visait à sa perte. « On n'a pas le droit de me faire mourir ainsi à petit feu, en m'infligeant tous les supplices ; je suis une victime expiatoire ». Les deux fonctionnaires lui firent alors remarquer, perfidement : « Vous parlez de mourir à petit feu, de supplice, etc., et votre état physique est satisfaisant. – Oui, répondit Dreyfus, mais j'ai, par moments, mon cerveau qui éclate, ma tête qui part ! Je perds ma lucidité et je crains la folie. Je suis une victime. » Le prisonnier voulut alors mentionner sa situation, qui était la cause de ses souffrances. Le directeur de l'administration pénitentiaire lui imposa immédiatement le silence. « Mais enfin, répliqua Dreyfus avec un sens préservé de la logique, si je ne puis m'adresser au directeur de l'administration pénitentiaire, à qui puis-je parler alors ? » Le fonctionnaire lui répondit alors qu'il n'avait qu'à « écrire ». Et il sortit de la case. Dreyfus le fit rappeler par un gardien et lui dit encore : « M. le directeur, vous ne voulez entendre aucune de mes explications ; vous vous retranchez derrière vos fonctions. » Deniel nota à ce moment que Dreyfus, « voyant du soleil, annonce devoir aller chercher son casque pour se protéger ». « Je ne pus m'empêcher, plus tard, de faire cette réflexion que, pour un homme qui désirait tant la mort, il n'oubliait pas de prendre des précautions pour conserver la vie et que, tout en paraissant très exalté, il ne perdait pas facilement la tête. » Dreyfus leur clama sa détermination, éleva la voix : « On veut terroriser ma femme, on veut terroriser toute ma famille, mais ma patience a des bornes, et un de ces jours, ma femme, se trouvant à bout, ira trouver l'empereur d'Allemagne tenant par chaque main l'un de nos enfants, et se jetant à ses genoux, elle lui dira : "Sire, vous qui connaissez la vérité, mettez un terme au martyre de mon mari, rendez un père réhabilité à ses enfants." On veut du scandale, on en aura. »

Le directeur de l'administration pénitentiaire, ne voulant en entendre davantage, quitta le prisonnier en compagnie de Deniel qui déduisit alors que Dreyfus avait révélé là, dans ses propos menaçants, sa véritable personnalité manipulatrice et criminelle. D'où sa conclusion dans son rapport en date du 7 octobre 1897, celle de renforcer la surveillance autour du prisonnier : « Je crains bien que, malgré toutes les précautions prises, Dreyfus n'ait en sa possession un moyen secret ou conventionnel de correspondre avec sa famille. D'ailleurs, il ne peut posséder cette clé depuis longtemps et alors que les mesures de surveillance à son égard n'étaient pas aussi étroites. » Il proposa alors de faire supprimer les colis en provenance de Paris, ce qui fut fait par le département. Le commandant supérieur des îles du Salut était persuadé d'avoir mis au jour une preuve décisive des intentions toujours criminelles de son prisonnier, à tel point que son rapport, communiqué au ministère de la Guerre par le ministère des Colonies, intégra le grand dossier secret que la Section de statistique commençait à constituer à l'époque pour répondre aux découvertes du lieutenant-colonel Picquart sur l'innocence de Dreyfus [275]. Tout à son système, Deniel ne voyait pas, tout simplement, que l'état désespéré ou révolté de son prisonnier découlait du régime de suspicion et d'humiliation qu'il lui infligeait. Dreyfus était à bout de forces, il envisageait sa fin. Seuls ses nerfs le maintenaient à vif, lui donnant le courage insensé de défier ses geôliers.

Un autre rapport de Deniel, du mois de décembre 1897, également intégré au grand dossier secret de la Section de statistique, évoqua une autre visite qui devait trahir, autant sinon plus, la personnalité secrète et diabolique de Dreyfus. Deniel et le directeur de l'administration pénitentiaire étaient accompagnés du médecin-chef des îles du Salut, Debrien. Deniel déploya immédiatement ses préjugés. Il savait reconnaître la simulation derrière le naturel : « Nous l'avons trouvé debout, *très calme* (il nous avait entendus), les yeux un peu fatigués, mais rien dans son extérieur ne laissait paraître un état de santé précaire. Comme d'habitude, sa figure était rosée et son maintien était bon. » Mais Dreyfus se savait profondément atteint et le leur dit : « Je suis malade, dans un état moral inexprimable ; j'ai de la fièvre, je ne tiens plus debout, je suis rendu. Mais ce n'est pas de cela dont il s'agit. Je n'ai pas de nouvelles, je suis au bout de mes forces. Je suis ici depuis trois ans, et je veux que vous le constatiez devant l'histoire. » Le directeur de l'administration pénitentiaire l'arrêta aussitôt en lui disant qu'il ne pouvait exposer que sa maladie, « sans sortir du sujet ».

« Vous êtes maintenant un condamné, et nous ne sommes que des agents d'exécution ; nous n'avons pas à vous écouter. Il vous a été déjà dit de vous tenir sur la réserve ; il faut vous conformer à cet ordre.

— Il faut cependant que je sache où j'en est mon affaire, qui traîne depuis trois ans, et je veux savoir à quoi m'en tenir sur les démarches qui sont faites, et sur les *promesses qui m'ont été faites après ma condamnation*. Pourquoi le président de la République ne me répond pas ?

— Le président de la République et le ministre n'ont pas à répondre à un prisonnier. Par votre famille, vous avez la réponse à vos requêtes. Je vous répète encore que nous devons rester étrangers à des questions que nous n'avons pas à connaître, étant exécuteurs de la loi. Demandez au médecin les soins dont vous avez besoin, et pas autre chose.

— Mais ma maladie est toute morale ; je me trouve dans un état indescriptible ; je ne dors pas ; j'ai peur de perdre la raison.

— Nous n'y pouvons rien ; cherchez dans le jardinage une diversion. »

Le capitaine Dreyfus fit appeler le docteur et lui exprima sa complète détresse morale. Le médecin ne voulut rien entendre. Il se contenta de lui prescrire de puissants calmants, bromure et quinine. Il agissait sous le regard et le contrôle des deux fonctionnaires pénitentiaires qui demeurèrent pendant toute la consultation. Car Deniel suspectait des liens entre le médecin et son patient, comme il l'expliqua dans son rapport : « M. le docteur Debrien était aux îles lors de l'arrivée de Dreyfus ; il lui a donné les premiers soins et paraît très bien connaître son état. Dès le début de l'internement la consigne était moins sévère ; il s'est entretenu avec lui de son procès. Je ne sais toutefois jusqu'où ont pu aller les confidences. Dreyfus a cru, certainement, à mon avis, qu'en l'appelant auprès de lui, il pourrait causer encore aussi librement, et peut-être par des paroles échappées, obtenir quelques renseignements ; son projet a échoué. » Deniel conclut son rapport en annonçant qu'il avait fait de « fermes recommandations » au docteur Debrien et qu'il avait demandé que le gouverneur « fasse de même [276] ».

Les conditions de réclusion s'aggravèrent pour le capitaine Dreyfus alors qu'à l'opposé aucune nouvelle ne lui parvenait de ses démarches en vue de sa réhabilitation. Il se souvint qu'à partir de janvier 1898 « les vexations avaient redoublé d'intensité, la surveillance était devenue encore plus rigoureuse. De dix surveillants et un surveillant-chef, le nombre avait été porté à treize surveillants et un surveillant-chef ; des sentinelles avaient été placées autour de ma case, un souffle de terreur régnait autour de moi, terreur dont je m'apercevais par l'attitude des surveillants [277] ». Dreyfus nota aussi à cette époque la construction de la tour dépassant en hauteur la caserne des surveillants et sur la plate-forme de laquelle fut placé le canon revolver Hotchkiss. Au mois de février, il remarqua que ces mesures de rigueur ne faisaient que « s'accentuer encore [278] ».

De telles conditions d'existence et de réclusion bouleversaient Dreyfus encore plus. Ses lettres à Lucie portaient la trace de son désespoir. Elle-même le découvrait douloureusement. Dreyfus jetait aussi ses dernières forces dans les suppliques qu'il adressait à ceux qui incarnaient la loi, la justice, l'armée.

## « Et je chavire totalement »

Il n'hésitait plus à avouer sa détresse. Dans sa lettre à Lucie du 24 décembre 1896, il reconnaissait qu'« hélas, les énergies du cœur, celles du cerveau, ont aussi des limites dans une situation aussi atroce que la mienne. Je sais aussi ce que tu souffres, et c'est épouvantable.

C'est pourquoi souvent, dans des moments de détresse, car on n'agonise pas ainsi lentement, pas à pas, sans jeter des cris d'agonie, n'ayant qu'un souhait à formuler, voir entre nos enfants et toi le jour où l'honneur nous sera rendu[279]. » Il lui confiait même, le 5 février 1897, avoir souhaité la mort, mais s'être repris aussitôt. « Sous les pires souffrances, sous les injures les plus atroces, quand la bête humaine se réveillait féroce, faisant vaciller la raison sous les torrents de sang qui brûlent aux yeux, aux tempes, partout, j'ai pensé à la mort, je l'ai souhaitée, souvent je l'appelle encore de toutes mes forces. »

Le 24 avril 1897, il lui dit cette « longue agonie de la pensée » et la difficulté d'en parler. « Oui, certes, tout cela est épouvantable ; aucune parole humaine n'est capable de rendre, d'exprimer de telles douleurs, et parfois l'on voudrait hurler, tant une pareille douleur est inexprimable. J'ai aussi des moments terribles, atroces, d'autant plus épouvantables qu'ils sont plus contenus, que jamais une plainte ne s'exhale de mes lèvres muettes, où alors la raison s'effondre, où tout en moi se déchire, se révolte. Il y a longtemps, je te disais que souvent dans mes rêves je pensais : "Eh ! oui, tenir seulement pendant quelques minutes entre mes mains l'un des complices misérables de l'auteur de ce crime infâme, et dussé-je lui arracher la peau lambeau par lambeau, je lui ferai bien avouer leurs viles machinations contre notre pays" ; mais tout cela, douleurs et pensées, ce ne sont que des sentiments, ce ne sont que des rêves, et c'est la réalité qu'il faut voir[280]. » Le 20 mai, il avouait sa tentation de se taire devant tant de souffrance. « Bien souvent j'ai pris la plume pour causer avec toi, détendre mon cœur broyé et brisé auprès du tien... ; mais chaque fois les cris de notre douleur commune jaillissaient malgré moi. À quoi bon ? Devant un pareil martyre, devant de telles souffrances, le silence s'impose pour moi[281]. »

Le 22 juillet 1897, il lui parlait de ses souffrances toujours. « Mon cœur se brise, mon cerveau se rompt devant tant de douleurs accumulées sur tous, si longues, si imméritées[282]. » D'ailleurs, le 4 septembre 1897, il reconnaissait que ses dernières lettres étaient comme un « testament moral » : « Je t'y parlais d'abord de notre affection ; je t'y avouais aussi des défaillances physiques et cérébrales, mais je t'y disais non moins énergiquement ton devoir, tout ton devoir. [...] Certes, parfois la blessure est par trop saignante, et le cœur se soulève, se révolte ; certes, souvent épuisé comme je le suis, je m'effondre sous les coups de massue et je ne suis plus alors qu'un pauvre être humain d'agonie et de souffrances[283]. » Les « cris de douleur » n'étaient plus répressibles. « Lorsqu'on souffre ainsi sans relâche nuit et jour, plus encore pour toi, pour nos chers enfants que pour moi, le cerveau s'embrase, et s'il ne suffisait pas déjà de mes tortures propres, le climat y suffirait à lui seul à cette époque ; le cœur a besoin aussi de se dégonfler, l'être humain de crier ses détresses, ses défaillances[284]. » Malgré son engagement de ne rien dire de son calvaire, à la fois par respect pour la propre souffrance de sa femme et parce que rien de positif ne peut en sortir, il confessa qu'il était incapable de le tenir. « Je m'étais bien juré jadis de ne jamais parler de moi, de fermer les yeux sur tout, ne pouvant avoir comme toi, comme tous, qu'une consolation suprême, celle de la vérité, de la pleine lumière. Mais la trop longue souffrance, une situation épouvantable, le climat qui à lui seul embrase le cerveau, si tout cela ne m'a jamais fait oublier aucun de mes devoirs, tout cela a fini par me mettre dans un état d'éréthisme cérébral et nerveux qui est terrible[285]. »

Lucie percevait dans les lettres qu'elle recevait la détresse de son mari ; son admiration pour lui n'en faisait que redoubler. Le 14 octobre 1897, elle évoquait pour lui ses lettres « si impressionnantes de tristesse (hélas, comment pourrait-il en être autrement !) et imprégnées de tant de souffrances[286] ». Le 4 décembre, elle lui disait encore sa perception de son malheur. « Quoique tu ne me dises rien de tes souffrances et que ces lettres, comme les précédentes, soient empreintes d'une belle dignité, d'un courage admirable, j'ai senti percer ta douleur avec une telle acuité que j'éprouve le besoin de t'apporter du réconfort, de te faire entendre quelques paroles d'affection, venant d'un cœur aimant et dont la tendresse, l'attachement, sont, comme tu le sais, aussi profonds qu'inaltérables[287]. »

Sans espoir de guérison sinon celui-ci d'imaginer que viendra le temps de sa réhabilitation, il tenta d'en accélérer la perspective en sollicitant encore et encore le président de la République, son ultime recours. À partir de l'été 1897 et durant tout le début de l'année 1898, il intensifia ses appels, multiplia les suppliques : « Dans la fièvre et le délire, souffrant le martyre nuit et jour pour toi, pour nos enfants, j'adresse appel sur appel au chef de l'État, au gouvernement, à ceux qui m'ont fait condamner, pour obtenir de la justice, enfin, un terme à notre effroyable martyre », confia-t-il à Lucie le 7 février 1898. Et il ajoutait : « sans obtenir de solution[288] ». Car il ne reçut jamais aucune réponse écrite, et jamais bien sûr le moindre espoir de réaction positive. Mais il persistait sans savoir qu'en France, ses défenseurs se multipliaient et harcelaient le gouvernement pour finir, en septembre 1898, par obtenir la saisie de la Cour de cassation et l'enclenchement de la procédure tant attendue de la révision.

Le 8 juillet 1897, il adressa au président de la République, une très longue supplique dans laquelle « il [ouvrait] son cœur ».

Monsieur le Président,

Je me permets de venir faire encore un appel à votre haute équité, jeter à vos pieds l'expression de mon profond désespoir, les cris de mon immense douleur.

Je vous ouvrirai tout mon cœur, Monsieur le Président, sûr que vous me comprendrez. J'appelle simplement votre indulgence sur la forme, le décousu peut-être de ma pensée. J'ai trop souffert, je suis trop brisé, moralement et physiquement, j'ai le cerveau trop broyé pour pouvoir faire encore l'effort de rassembler mes idées.

Comme vous le savez, Monsieur le président de la République, accusé, puis condamné sur une preuve d'écriture, pour le crime le plus abominable, le forfait le plus atroce qu'un homme, qu'un soldat puisse commettre, j'ai voulu vivre, pour attendre l'éclaircissement de cet horrible drame, pour voir encore mes chers enfants, le jour où l'honneur leur serait rendu.

Ce que j'ai souffert, Monsieur le président de la République, depuis le début de ce lugubre drame, mon cœur seul le sait ! J'ai souvent appelé la mort de toutes mes forces, et je me raidissais encore, espérant toujours enfin voir luire l'heure de la justice.

Je me suis soumis légalement, scrupuleusement à tout, je défie qui que ce soit de me faire le reproche d'un procédé incorrect. Je n'ai jamais oublié, je n'oublierai pas jusqu'à mon dernier souffle que, dans cette horrible affaire, s'agite un double intérêt, celui de la patrie, le mien, celui de mes enfants ; l'un est aussi sacré que l'autre.

Certes, j'ai souffert de ne pouvoir alléger l'horrible douleur de ma femme, des miens, certes j'ai souffert de ne pas pouvoir me vouer corps et âme à la découverte de la vérité ; mais jamais la pensée ne m'est venue, ne me viendra d'obtenir cette vérité par des mensonges qui puissent être nuisibles aux intérêts supérieurs de la patrie. Je passerais sous silence la pureté de ma pensée, si je n'avais pour garant la loyauté de mes actes, depuis le début de ce lugubre drame.

Je me suis permis, Monsieur le Président, de faire appel à votre haute justice, pour faire cette vérité ; j'ai imploré aussi le gouvernement de mon pays, parce que je pensais qu'il lui serait possible de concilier tout à la fois les intérêts de la justice, de la pitié enfin que doit inspirer une situation aussi épouvantable, aussi atroce, avec les intérêts du pays.

Quant à moi, Monsieur le Président, sous les injures les plus abominables, quand ma douleur devenait telle que la mort m'eût été un bienfait, quand ma raison s'effondrait, quand tout en moi se déchirait de me voir traité ainsi comme le dernier des misérables, quand enfin un cri de révolte s'échappait de mon cœur à la pensée de mes enfants qui grandissent, dont le nom est déshonoré, c'est vers vous, Monsieur le Président, c'est vers le gouvernement de mon pays que se tournaient mes yeux, mon regard éploré. J'espérais tout au moins, Monsieur le Président, que l'on me jugerait sur mes actes. Depuis le début de ce lugubre drame, je n'ai jamais dévié de la ligne de conduite que je m'étais tracée, que me dictait inflexiblement ma conscience. J'ai tout subi, j'ai tout supporté, j'ai été frappé impitoyablement sans que j'aie jamais su pourquoi... et, fort de ma conscience, j'ai su résister.

Ah ! certes, j'ai eu des moments de colère, des mouvements d'impatience, j'ai laissé exhaler parfois tout ce qui peut jaillir d'amertume d'un cœur ulcéré, dévoré d'affronts, déchiré dans ses sentiments les plus intimes. Mais je n'ai jamais oublié un seul instant qu'au-dessus de toutes les passions humaines il y avait la patrie. Et cependant, Monsieur le Président, la situation qui m'était faite est devenue plus atroce chaque jour, les coups ont continué à pleuvoir sur moi, sans trêve, sans jamais rien y comprendre, sans jamais les avoir provoqués, ni par mes paroles ni par mes actes.

Ajoutez à ma douleur propre, si atroce, si intense, le supplice de l'infamie, celui du climat, de la quasi-réclusion, me voir l'objet du mépris, souvent non dissimulé, et de la suspicion constante de ceux qui me gardent nuit et jour, n'est-ce pas trop, Monsieur le Président... pour un être humain qui a toujours et partout fait son devoir ?

Et ce qu'il y a d'épouvantable pour mon cerveau déjà halluciné, déjà si hébété, qui chavire à tous les coups qui le frappent sans cesse, c'est de voir que, quelle que soit la rectitude de sa conduite, sa volonté invincible qu'aucun supplice n'entamera, de mourir comme il a vécu, en honnête homme, en loyal Français, c'est de se voir, dis-je traité chaque jour plus durement, plus misérablement.

Ma misère est à nulle autre pareille, il n'est pas une minute de ma vie qui ne soit une douleur. Quelle que soit la conscience, la force d'âme d'un homme, je m'effondre, et la tombe me serait un bienfait.

Et alors, Monsieur le Président, dans cette détresse profonde de tout être broyé par les supplices, par cette situation d'infamie qui me brise, par la douleur qui m'étreint à la gorge et qui m'étouffe, le cerveau halluciné par tous les coups qui me frappent sans trêve, c'est vers vous, Monsieur le Président, c'est vers le gouvernement de mon pays que je jette le cri d'appel, sûr qu'il sera écouté.

Ma vie, Monsieur le Président, je n'en parlerai pas. Aujourd'hui comme hier, elle appartient à mon pays. Ce que je lui demande simplement, comme une faveur suprême, c'est de la prendre vite, de ne pas me laisser succomber aussi lentement par une agonie atroce, sous tant de supplices infamants que je n'ai pas mérités, que je ne mérite pas.

Mais ce que je demande aussi à mon pays, c'est de faire faire la lumière pleine et entière sur cet horrible drame ; car mon honneur ne lui appartient pas, c'est le patrimoine de mes enfants, c'est le bien propre de deux familles.

Et je supplie aussi, avec toutes les forces de mon âme, que l'on pense à cette situation atroce, intolérable, pire que la mort, de ma femme, des miens, que l'on pense aussi à mes enfants, à mes chers enfants, à mes chers petits qui grandissent, qui sont des parias, que l'on fasse tous les efforts possibles, tout ce qui en un mot est compatible avec les intérêts du pays, pour mettre le plus tôt possible un terme au supplice de tant d'être humains. [289]

Ces lignes étaient celles d'un homme à bout, physiquement et moralement. La structure même de la lettre, les incessantes répétitions, le caractère décousu de l'expression et sa tension extrême, les mots qui voulaient persuader leur auteur que tout n'était pas perdu malgré ce qu'il subissait, tout démontrait un état d'épuisement psychologique où alternaient l'abattement et l'exaltation.

Quelques jours avant la rédaction de sa lettre au président de la République, il avait adressé la même supplique au général de Boisdeffre en qui il conservait sa pleine confiance : « Aujourd'hui, mon général, ma situation est devenue trop atroce, les souffrances trop grandes... et je chavire totalement. C'est pourquoi je viens encore vous jeter le cri de détresse poignant, le cri d'un père qui vous lègue ce qu'il a de plus précieux au monde, la vie de ses enfants, cette vie qui n'est pas possible tant que leur nom n'aura pas été lavé de cette horrible souillure. C'est avec toute mon âme, qui s'élance vers vous à travers les espaces, dans cette épouvantable agonie, c'est avec tout mon cœur saignant et pantelant que je vous écris ces quelques lignes, sûr que vous comprendrez [290]. »

Près d'un an après l'introduction du nouveau régime de déportation, Dreyfus se trouvait réduit à rien. Sa santé n'avait cessé de se dégrader, son état était très inquiétant, contrairement à ce que voulait imaginer Deniel. Le rapport de Jean Decrais établit qu'après septembre 1896 la situation empira beaucoup. Deux facteurs se conjuguaient, des conditions de déportation très aggravées et l'absence de plus en plus terrible de nouvelles sur les demandes de réhabilitation qu'il multiplia en vain durant les années 1897 et 1898, presque sans reprendre son souffle, écrivant lettre sur lettre, toutes plus pathétiques les unes que les autres[291], porté par un état permanent d'excitation et de dépression à la fois. « Les journées s'écoulaient dans une impatience extrême, ne comprenant rien à ce qui se passait autour de moi[292]. »

### « À bout de forces »

Les nouvelles conditions de sa réclusion semblèrent avoir raison cette fois de son précaire équilibre. En octobre 1896, « le condamné a eu plusieurs crises nerveuses », indiqua le rapport de Jean Decrais[293]. « J'avais été extrêmement souffrant, j'avais eu de violents accès de fièvre, suivis de congestion cérébrale », reconnut dans ses *Souvenirs* de 1931 le capitaine Dreyfus, peu porté, comme on le sait, à l'exagération. Il mit cette dégradation de sa santé sur le compte des « mesures arbitraires et inhumaines du mois de septembre[294] ». Plusieurs mois se passèrent. « La santé du déporté est très ébranlée ; il se plaint de palpitations du cœur, de douleurs de tête, de crispations nerveuses. » Le 12 avril 1897, « il a eu une crise de faiblesse momentanée, et il semblait avoir beaucoup de peine à se mouvoir, à un moment donné ». Le rapport de Decrais l'attesta clairement. Pour la section qu'il consacra à l'état de santé de Dreyfus, il se fonda sur les relevés mensuels des surveillants-chefs dont il cita certains passages. Il faut se souvenir que, édifiés par Deniel sur l'apparent caractère simulé de la détresse de Dreyfus, ses gardiens étaient fondés à minimiser la gravité de son mal. Ils enregistrèrent néanmoins ses plaintes et parurent souvent, contre l'avis de leur supérieur, reconnaître la profondeur du mal dont il souffrait continuellement.

Dreyfus renonçait à ses occupations les unes après les autres. Il cessa le jardinage, écarta la lecture. Le régime qui lui avait été imposé finissait par le détruire. Les gardiens, peu portés à la compassion, soulignaient son état de détresse : « Il passe une grande partie des ses journées assis à l'ombre, un livre entre ses mains. La lecture ne paraît cependant pas captiver son attention. On l'entend parfois sangloter et on le voit souvent cacher ses larmes. » Un autre surveillant le décrivit, restant « des quarts d'heure sans bouger ». « On voit quelquefois sa figure devenir rouge, ses bras se raidir, un instant après, reprendre sa couleur naturelle[295]. »

L'interdiction de toute parole apparaissait notamment comme fatale. Dès le mois d'avril 1897, le médecin-chef Debrien constatait qu'il ne lui avait répondu qu'« en faisant des efforts pour articuler. Les phrases ne venant plus directement, il était obligé de reprendre les mots pour exprimer sa pensée[296] ». Le 12 avril, il eut « une crise de faiblesse momentanée. [...] Il semblait avoir beaucoup de peine à se mouvoir, à un moment donné[297]. » Le rapport du mois de mai 1897 notait que « la santé du déporté est très ébranlée ; il se plaint de palpitations du cœur, de douleurs de tête, de crispations nerveuses[298] ».

Il ne pouvait plus, comme auparavant, tenir à distance le règlement et les multiples vexations ou humiliations qui jalonnaient son existence de déporté. Au refus qu'on opposa ainsi à sa demande d'obtention d'une pharmacie, il se révolta. Il cria ses droits sur lui-même que nul ne pourrait lui arracher : « Si j'ai réclamé une pharmacie, c'est que je crois avoir le droit, à un moment donné et choisi par moi, de mettre fin à une agonie qui se prolonge comme à plaisir. J'ai par moments mon cerveau qui éclate, ma tête qui part. Je perds ma lucidité et je crains la folie. Je suis une victime[299]... »

Son cœur vacilla. Le 1er octobre, à 8 heures du matin, il subit une attaque sérieuse. Il s'effondra sur le sol de sa case, tombant en syncope pendant trois minutes. Le rapport indique : « Médecin, après examen, a déclaré que déporté Dreyfus a dû présenter très probablement crise névropathie cérébro-cardiaque, d'origine morale, déterminée par refus mettre pharmacie à sa disposition. Le 29 matin, contre son ordinaire, déporté Dreyfus avait vivement fait protestation à ce sujet. Crise courte durée[300]. » Dans la nuit du 3 novembre 1897, il fut terrassé par un nouveau cauchemar et tomba en catalepsie après « avoir jeté trois cris très fort, coup sur coup[301] ». La crise atteignit son sommet au mois de décembre. Il était désespéré de ne pas recevoir son courrier. Il exigea fébrilement du commandant d'en connaître la raison. La fièvre le terrassait. « Ils veulent donc me tuer », s'exclama-t-il, lucide et désespéré[302].

Le 11 décembre 1897, il sortit encore de sa réserve. Il voulait savoir à quoi s'en tenir « sur les promesses qui lui avaient été faites après sa condamnation ». Mais il n'obtenait jamais de réponse. Il interpella le médecin venu l'examiner : « Je suis malade, d'où mon état moral inexprimable. J'ai la fièvre. Je ne tiens plus debout, je suis rendu !... Docteur, je suis à bout de forces ; ce que je crains le plus, c'est de perdre la tête. Or je préfère mourir que de perdre la raison et de divaguer. Je m'en vais... Je vous demande donc les moyens de me soutenir pendant un mois encore. Si alors je ne reçois pas de nouvelles de ma famille, ce sera la fin. Je ne crains pas la mort, du reste !... Soulagez-moi[303]... » Il se fit solennel : « Docteur, je vous ai fait appeler pour que vous constatiez ma situation. Il y a trois ans que je suis ici, je suis à bout et je tiendrai à savoir ce qui se passe. Je suis sans nouvelles[304]. » Il fut aussitôt rappelé à l'ordre par Deniel qui lui ordonna de se taire.

Le 25 décembre 1897, le surveillant-chef mentionnait qu'« il paraît un peu plus abattu et semble vieillir rapidement[305] ». Les premiers mois de 1898 ne présentèrent pas d'amélioration réelle. Le rapport mensuel du 23 mars indiquait que « Dreyfus est toujours dans un grand état d'énervement et, le moral influant sur le physique, sa santé est moins satisfaisante[306] ». Un mois plus tard, son état sembla même avoir empiré. « Les troubles cardiaques (palpitations, étouffements, etc.) sont toujours les mêmes et, au dire du déporté, seraient même plus accentués[307]. »

Dreyfus continuait de recevoir les lettres de Lucie en copie. Cette procédure ne s'interrompit qu'en juillet. « Quant aux demandes que j'adressais au chef de l'État, il m'était invariablement répondu : "Vos demandes ont été transmises suivant la forme constitutionnelle aux membres du gouvernement." Puis plus rien ; j'attendais toujours quelle était la suite définitive donnée à mes demandes de révision. J'ignorais totalement la loi, à plus forte raison la loi nouvelle sur la révision, qui date de 1895, c'est-à-dire d'une époque où j'étais déjà en captivité[308]. » Deniel lui refusa la mise à disposition d'un code de procédure criminelle. Il demanda « par lettres, par télégrammes[309] » quelles étaient les suites définitives données à ses innombrables demandes de révision. « Mais le silence, le silence toujours était la seule réponse que j'obtenais. J'ignorais les événements qui s'étaient passés, qui se passaient encore en France. Enfin, espérant obtenir par un moyen extrême une réponse, je déclarai en septembre 1898 que je cessais ma correspondance en attendant la réponse à mes demandes de révision[310]. »

## L'aube d'un espoir

Le 27 octobre 1898, on informa le captif qu'il allait recevoir une réponse définitive à ses demandes de révision adressées au chef de l'État. Mais il ignorait tout à fait dans quel sens irait cette réponse. Il ne pouvait savoir que le gouverneur réagissait à la phase finale de la procédure de révision engagée devant la Cour de cassation par Lucie Dreyfus le 3 septembre 1898. Il écrivit à Lucie, triomphant : « Quelques lignes pour t'envoyer l'écho de mon immense affection, l'expression de toute ma tendresse. Je viens d'être informé que je recevrai la réponse définitive à mes demandes de révision. Je l'attends avec calme et confiance, ne doutant pas que cette réponse soit ma réhabilitation. [...] Dans le moment solennel où tu apprendras que le calme, le repos, la vie que tu méritais te sont enfin rendus, dis-toi qu'il y a au loin un cœur de Français, de soldat, dont les fibres vibrent avec celles de ton cœur[311]. »

Aussitôt Deniel s'employa à l'ébranler. Alors que Dreyfus l'informait des nouvelles encourageantes reçues de sa femme, il lui répondit :

« Je ne puis m'engager dans des conversations défendues par le règlement, surtout quand vous avez pour habitude de tout dénaturer, ainsi que je tiens à le faire constater devant témoins. » Il lui reprocha de douter du général de Boisdeffre [312]. Dreyfus en fut bouleversé, s'en défendit dans une longue lettre, explique Joseph Reinach qui avait pu, avant sa libération, reconstituer ces événements grâce à l'étroite collaboration du prisonnier de l'île du Diable et à la consultation de ses archives. Le 30 octobre, il l'avertit : « J'ai le cœur assez brisé ; si vous voulez le briser encore davantage, faites-moi donner un flacon de cyanure de potassium. Je vous jure que je vous en remercierai, car j'aurai enfin cessé de souffrir [313]. »

La veille, le 29 octobre 1898, à Paris, la Cour de cassation proclamait la demande recevable et décidait de l'ouverture d'une enquête sur le procès de 1894. Dreyfus n'en sut rien. Le 11 novembre 1898, il contracta « un accès de fièvre paludéenne bien caractéristique ». Il ne savait toujours pas que la Cour de cassation avait réagi. Le ministère des Colonies avait refusé d'assurer la transmission de la demande du déporté. Elle n'y consentit, forcée et contrainte par la Cour de cassation, que le 15 novembre 1898.

Le lendemain, enfin, l'espoir illumina l'île du Diable. Oscar Deniel remit au condamné un télégramme ainsi rédigé : « Cayenne, 16 novembre 1898. Gouverneur à déporté Dreyfus par commandant supérieur des îles du Salut. Vous informe que chambre criminelle de la Cour de cassation a déclaré recevable en la forme demande en révision de votre jugement et décidé que vous seriez avisé de cet arrêt et invité à produire vos moyens de défense [314]. » Le capitaine Dreyfus comprit alors que « la demande avait été déclarée recevable en la forme par la Cour et qu'il allait s'ouvrir des débats sur le fond [315] ». Il crut que cette nouvelle si longtemps attendue était le résultat de ses incessantes démarches auprès des autorités de la République. C'était la fin de quatre années de souffrance sans nom. C'était ce qu'il croyait.

Malgré ce retour vers la justice des hommes, vers le droit, la loi et la civilisation, son quotidien ne changea en effet qu'à peine, par la volonté du commandant des îles du Salut. Mais tout avait changé aussi. Et c'était le résultat, très largement, de son incroyable résistance dans la déportation.

CHAPITRE X

# La résistance de Dreyfus

La révélation par le capitaine Dreyfus du régime extrême de la déportation croisa presque toujours l'affirmation de la volonté par laquelle il décida d'y faire face. L'aveu de sa souffrance s'achevait inexorablement sur une proclamation de résistance. Ce combat que peu imaginèrent à l'époque et qu'aujourd'hui beaucoup ignorent encore confère à Dreyfus des marques de noblesse civique. Sa résistance à l'île du Diable empêcha que ne triomphât le système mis en place pour le briser. Elle contribua à le révéler et à démontrer qu'un homme presque seul pouvait repousser la tyrannie d'État. Dreyfus prouva une force de survie tout à fait exceptionnelle, dans une situation carcérale et un climat équatorial qui laissaient peu de chances aux Européens mal préparés. Mais elle ne relevait pas seulement de la capacité d'adaptation qu'il eut en certains moments. Il résista en raison d'un but supérieur qu'il s'était fixé dès son arrestation et auquel il resta fidèle jusqu'au bout : sa réhabilitation. Elle devait lui rendre son honneur et permettre à ses enfants de vivre. Elle lui donna la force et surtout la volonté de survivre. La réponse au déshonneur n'était pas la mort, mais au contraire la vie pour retrouver son honneur et le proclamer aux yeux du monde. Plus rien d'autre ne comptait pour lui. En prison à Paris, il en avait fait la promesse, à sa femme, à sa famille, à son avocat. Il ne pouvait pas se déjuger.

Cet engagement le fit terriblement souffrir puisqu'il fut confronté à un univers carcéral très violent et tout à fait désespérant. Obligé de se dominer, de faire face, il ne pouvait pas se laisser aller à la résignation, à la mort. En même temps, ce devoir de combattre pour sa réhabilitation lui apporta beaucoup de forces, une estime de lui-même, une fierté d'homme, d'officier, d'époux, de père, de Français tout à la fois, le lien avec un monde de droit et de vérité, le regard vers les sociétés de progrès et d'espoir. La résistance de Dreyfus fut donc exceptionnelle. Elle mérite d'être racontée. Certes, il lui arriva de sombrer, d'être injuste avec lui-même ou avec ses proches qui agissaient de leur mieux pour l'arracher au bagne. Certes aussi, il ne fut pas complètement seul sur l'île du Diable ; une humanité invisible vint parfois à son secours. Mais l'essentiel, il le fit seul. Il réussit à sortir vivant de quatre années d'enfer pour se présenter à nouveau devant ses juges et attendre, confiant, leur verdict d'acquittement.

Les sources pour lire cette résistance sont celles qui ont déjà été utilisées pour établir les différents régimes de déportation, depuis ses propres témoignages jusqu'aux archives administratives. Car sa résistance était indissociable de l'exécution des peines et de l'application de toutes les mesures de déportation. À chaque intervention de l'autorité pénitentiaire, on relève une réaction du capitaine Dreyfus qui démontrait sa volonté de rester innocent et d'espérer dans sa réhabilitation. Dans la même lettre, dans le même extrait de journal qui pouvait témoigner des pires détresses, Dreyfus reprenait pied et terminait en réaffirmant sa volonté de vivre et de combattre. Cette volonté fut essentielle et sans cesse réitérée, oralement à ses geôliers, par écrit dans ses lettres et son journal, silencieusement à lui-même et à sa conscience. La possibilité même de l'exprimer fut presque aussi importante que sa réalité. La dire, c'était pour Dreyfus la faire exister pour lui-même, pour ses proches et pour le monde, la France en particulier à laquelle il voulait parler à travers son inlassable écriture, ses innombrables correspondances. Grâce aux relais dont il bénéficia rapidement en métropole, à Paris surtout qui fut la capitale du dreyfusisme, son espoir fut réalisé sans qu'il le sût. La publication de ses lettres à Lucie, commencée dans le journal libéral *Le Siècle* le 19 janvier 1898 à l'initiative de Joseph Reinach, fut l'un des actes les plus significatifs de cette parole de Dreyfus lancée vers la France et le monde.

Cette volonté de vivre reposait sur le devoir d'obtenir justice, de recevoir la réhabilitation qui était due à un innocent, condamné pour un crime qu'il n'avait pas commis. Un tel fondement expliqua pourquoi la volonté de vivre n'était pas seulement une position de principe toujours répétée, mais aussi une force individuelle qui transfigurait son statut de déporté en lui donnant la dignité de l'innocent. Dreyfus ne se pensait pas en coupable condamné, mais en innocent attendant la venue de la justice. Ce dépassement de sa condition lui conféra le pouvoir de surmonter intellectuellement, psychologiquement – anthropologiquement, dira-t-on – sa situation de prisonnier d'État.

Dans cette conscience absolue de son devoir, il créait un autre monde au sein de l'univers terrifiant de la déportation. Il se présentait, notamment devant ses geôliers et l'administration pénitentiaire, comme l'innocent qu'il était. Et rien n'y fit, il persista dans cette attitude qui était d'un total défi pour ceux qui l'enfermaient. Il affirmait son droit en pleine conscience de son innocence, de sa qualité de Français, d'officier, de père, d'époux. D'être humain dans un monde de progrès, en d'autres termes. La promesse qu'il fit à sa femme, à son frère, à son avocat, à son premier défenseur, le commandant Forzinetti, de ne pas attenter à sa vie et de poursuivre son combat jusqu'à la réhabilitation finale était indissociable de sa conviction absolue de son innocence et de son droit à l'être. Depuis son arrestation, depuis son procès, depuis sa dégradation, sa position n'avait pas varié. Il était innocent, il avait le devoir de le dire et de le proclamer. Il affronta seul l'État, la foule, l'histoire, qui faisaient de lui un traître. Cette conviction lui donna la force de vivre. Il a pu construire grâce à elle ce monde de substitution, cette sphère de dignité où il se pensait, où il se voyait comme un innocent, celui qu'il était par les valeurs de vérité et de justice qui devaient éclairer le monde futur.

La volonté de vivre du capitaine Dreyfus eut donc un sens, un but. La proclamation de ce devoir, dans ses lettres principalement, était indissociablement liée à la déclaration de son innocence et de sa prochaine réhabilitation. La réitération inlassable de son honneur d'innocent le maintenait en vie, lui apportait la respiration nécessaire dans cet univers étouffant. Elle dirigeait aussi ses multiples attitudes de résistance et de défi dans la vie quotidienne, comme un réflexe de civilisation capable de briser ou, du moins, de tenir à distance « l'épouvantable agonie » qui se profilait sans cesse à l'horizon. Organiser son temps, donner du sens au dérisoire, construire une humanité dans la pire inhumanité, furent des voies concrètes par lesquelles il résista au quotidien sur l'île du Diable. Ce réflexe était vulnérable aussi, il aurait fini par s'épuiser comme l'homme qu'il portait au-delà de sa souffrance, s'il n'avait été fondé sur la vérité de son innocence certes, mais également sur des soutiens invisibles qui l'aidèrent beaucoup.

Le principal, dans ce combat de résistance, fut la création de ce monde de lecture et d'écriture qui donna à sa vie un sens supérieur en même temps que concret. Les lettres qu'il écrivait, le journal qu'il tint, les réflexions qu'il consigna sur ses cahiers, entrelacés à la lecture de sa correspondance, à celle des livres et des revues qu'il avait pu recevoir, surtout au début de la déportation, comptèrent particulièrement. Ils redonnaient de l'humanité là où il n'y avait que violence et déshumanisation.

Parmi les si nombreuses lettres qu'il put écrire et envoyer à Paris figurèrent toutes celles qui proclamaient son innocence et demandaient sa réhabilitation. Il ne cessa d'écrire et de réclamer justice, s'adressant au président de la République, au président du Conseil, au ministre de la Guerre, au chef d'État-major le général de Boisdeffre. Le rythme de ses suppliques, leur caractère si tragique et si nécessaire à la fois, l'importance qu'il leur attachait, s'accrurent au cours des années 1897 et 1898. Lorsqu'il reçut enfin l'annonce, le 15 novembre 1898, de l'ouverture d'une procédure de révision par la Cour de cassation, Dreyfus crut que la déportation allait prendre fin, du moins dans sa forme de réclusion absolue imaginée après le 6 septembre 1896. Son espoir fut trahi. Le commandant supérieur des îles du Salut et ses principaux gardiens pariaient sur l'échec de la révision menacée par le mouvement nationaliste.

L'annonce de la révision qui lui parvint le 5 juin 1899 suscita les mêmes espoirs et les mêmes désillusions. La France ne semblait pas prête à lui accorder la réparation qu'il méritait pour les souffrances vécues, celle d'avoir été tenu pour un traître, celle d'avoir passé plus de quatre années dans un bagne dont lui seul pourrait expliquer la terreur. Sa détermination à vaincre un destin qui lui était étranger et qui continuait de l'accabler fut aussi grande que ces nouvelles souffrances. Il ne renonça jamais à la mission qu'il s'était donnée de parvenir à la pleine réhabilitation, pour recouvrer son honneur et le restituer à sa famille. Ce mot de réhabilitation revint en permanence dans sa correspondance. En 1906, la Cour de cassation la lui accorda enfin et sans réserve. L'histoire montrait alors qu'elle n'était pas seulement tragique, qu'elle pouvait être juste, qu'elle pouvait voir triompher la justice et un homme dans sa quête de l'honneur.

## HONNEUR ET JUSTICE

Après sa condamnation, Dreyfus s'était engagé auprès de ses proches et du premier dreyfusard que fut le commandant Forzinetti à ne pas succomber au désespoir en se donnant la mort, comme les codes de l'honneur militaire l'auraient exigé. Il existait une autre voie pour sauver l'honneur, celle de recouvrer l'innocence et de la faire proclamer par la même justice que celle qui l'avait condamné. Cette voie imposait de vivre, notamment parce que sa mort aurait arrêté l'action publique et donc la révision de son procès.

Cette volonté de vivre pour regagner l'honneur, il l'a dite et redite à sa femme, à son frère, il l'a écrite inlassablement depuis ce jour du 27 décembre 1894, à 6 heures, lorsqu'il annonça à Lucie sa pleine détermination[1]. Il n'y renoncera jamais malgré tous les sacrifices qu'impliquait ce choix : il devait affronter les peines les plus dures, de surcroît aggravées puisque ses accusateurs combattaient en lui cette figure d'innocent et cette volonté de vivre.

### Le devoir de vivre

Dès la première lettre qu'il put adresser à Lucie Dreyfus de Guyane, le 12 mars 1895, il lui réaffirma son choix : « J'ai fait pour toi le plus grand sacrifice qu'un homme de cœur puisse faire en acceptant de vivre après ma tragique histoire[2]. » Le 27 avril 1895, en proie aux plus grandes souffrances consécutives aux premières expériences de la déportation sur l'île du Diable, il lui assura qu'il resterait fidèle à son choix initial. Il convoquait la raison pour l'aider à soutenir son acte de cœur : « S'il y a une justice en ce monde, il me semble impossible, ma raison se refuse à y croire, que nous ne retrouvions le bonheur qui n'aurait jamais dû nous être enlevé. »

Chacune de ses lettres ou presque allait contenir la réaffirmation de son choix de vivre : « *2 juillet, 11 heures du soir. Ma conviction n'a jamais varié ; elle est dans ma conscience, dans la logique qui me dit que tout se découvre.* » Il s'agissait bien d'un devoir, qu'il inscrivit dans ses lettres, dans son journal : « Je veux résister jusqu'à la dernière goutte de sang, quels que soient les supplices qu'on m'inflige[3]. » « Quant à moi, quel que soit mon martyre, mon devoir est d'aller jusqu'au bout de mes forces, sans faiblir. J'irai[4]. » « La mort, certes, eût été un bienfait ! Je n'ai même pas le droit d'y penser[5]. » « Ah ! non, il faut que je vive, il faut que je domine mes souffrances pour voir le jour du triomphe de l'innocence pleinement reconnue[6]. » « Parfois, je suis tellement écœuré, tellement las, que j'ai envie de m'étendre, de me laisser aller et d'en finir ainsi avec la vie, sans y porter atteinte moi-même, car ce droit, hélas ! je ne l'ai pas, je ne l'aurai jamais[7]. »

La clarté de sa conscience, l'évidence de la résistance, découlaient d'une position de principe. Celle du refus de la mort volontaire, de la décision de vivre quoi qu'il arrivât, afin de conserver le pouvoir de connaître et d'être reconnu dans son innocence. « Quelles que soient mes souffrances, il faut que la lumière se fasse ; donc, arrière toutes les plaintes[8] ! » Il n'avait pas à hésiter. Un seul devoir s'imposait, et qui ne le concernait pas seulement : « Comme la mort serait préférable à cette agonie lente, à ce martyre moral de tous les instants ! Mais je n'ai pas ce droit, pour Lucie, pour mes enfants, je suis obligé de lutter jusqu'à la limite de mes forces[9]. »

L'épreuve de la double boucle l'obligea à repousser de telles limites. Il n'imaginait cependant pas les supplices qu'on allait lui infliger après le 6 septembre 1896. Malgré tout, il leur résista, avec plus de difficultés que durant les premières années, mais porté par la même détermination de vivre pour défendre son honneur. Certes, il ne fut plus capable de continuer son journal, il dut l'interrompre définitivement. Mais il l'avait clos sur un nouvel acte qui disait sa volonté maintenue.

Il livra le texte de la lettre qu'il adressait au président de la République, « supplique suprême », au cas où il succomberait « avant d'avoir vu la fin de cet horrible drame ». Cette lettre solennelle, pour laquelle il ne recevra aucune réponse, pas plus que pour les précédentes, pas plus que pour les suivantes, il la recopia sur la dernière page de son journal :

Monsieur le président de la République,

Je me permets de vous demander que ce journal, écrit au jour le jour, soit remis à ma femme.

On y trouvera peut-être, Monsieur le Président, des cris de colère, d'épouvante contre la condamnation la plus effroyable qui ait jamais frappé un être humain et un être humain qui n'a jamais forfait à l'honneur. Je ne me sens plus le courage de le relire, de refaire cet horrible voyage.

Je ne récrimine aujourd'hui contre personne ; chacun a cru agir dans la plénitude de ses droits, de sa conscience.

Je déclare simplement encore que je suis innocent de ce crime abominable, et je ne demande toujours qu'une chose, toujours la même, la recherche du véritable coupable, l'auteur de cet abominable forfait.

Et le jour où la lumière sera faite, je demande qu'on reporte sur ma chère femme, sur mes chers enfants, toute la pitié que pourra inspirer une si grande infortune [10].

Après les « coups de massue » du mois de septembre 1896, il eut « un moment de détresse, puis un relèvement d'énergie morale, l'âme se dressant plus pure et plus hautaine dans ses revendications [11] ». Il réussit à reprendre pied. Par un sursaut de volonté, il se relança dans la résistance. Une nuit de torture comme toutes celles qu'il vivait, cloué sur son lit, les pieds enserrés dans la double boucle, il vit « l'étoile directrice, le guide des instants de suprême résolution ». Comme une conscience, elle lui dicta son devoir dont il conserva les termes et qu'il inséra ensuite dans ses *Mémoires* rédigés après sa libération : « Aujourd'hui moins que jamais, tu n'as le droit de déserter ton poste, moins que jamais tu n'as le droit d'abréger, fût-ce d'un seul jour, ta vie triste et misérable. Quels que soient les supplices qu'on t'inflige, il faut que tu marches, jusqu'à ce qu'on te jette dans la tombe, il faut que tu restes debout devant tes bourreaux, tant que tu auras une ombre de forces, épave vivante à maintenir sous leurs yeux, par l'intangible souveraineté de l'âme. » Il expliqua avoir pris alors « la résolution de lutter plus énergiquement que jamais [12] ».

Il comprit aussi qu'il n'avait pas le droit de désespérer sa femme en laissant voir son désespoir dans ses lettres, comme il le fit au mois de juillet. La lettre qu'il reçut d'elle le 5 octobre le bouleversa. Elle lui écrivait, le 13 août 1896, « les yeux encore tout gonflés de larmes » par la correspondance qu'elle venait de recevoir : « Pauvre, pauvre cher mari, quel calvaire tu supportes, à quel martyre tu es soumis. C'est tellement atroce, tellement épouvantable que cette seule pensée m'affole. [...] La concision même de ta lettre m'a fortement ébranlée. Ces pauvres petites lignes, les seules pour tout un mois, me donnent toutes les pensées les plus angoissantes, les craintes les plus pénibles que puisse concevoir une pauvre petite imagination déjà bien ébranlée par toutes les secousses, toutes les crises que nous avons traversées [13]. »

Cette lettre de Lucie le renforça encore dans sa conviction de résister, d'être le plus fort possible pour elle, pour lui, pour leurs enfants et leurs parents. Pour son honneur et sa dignité. Il s'en ouvrit aussitôt à elle par une lettre qu'il lui adressa le même jour :

Je viens de recevoir à l'instant ta chère et bonne lettre du mois d'août, ainsi que toutes celles de la famille, et c'est sous l'impression profonde non seulement des souffrances que nous endurons tous, mais de la douleur que je t'ai causée par ma lettre du 6 juillet que je t'écris.

Ah ! chère Lucie, comme l'être humain est faible, comme il est parfois lâche et égoïste. Ainsi que je te l'ai dit, je crois, j'étais à ce moment en proie aux fièvres qui me brûlaient corps et cerveau, moi dont l'esprit est si frappé, dont les tortures sont si grandes. Et alors, dans cette détresse profonde de tout l'être, où l'on aurait besoin d'une main amie, d'une figure sympathique, halluciné par la fièvre, la douleur, ne recevant pas ton courrier, il a fallu que je te jette mes cris de douleur que je ne pouvais exhaler ailleurs.

Je me ressaisis, d'ailleurs, je suis redevenu ce que j'étais, ce que je resterai jusqu'au dernier souffle.

Comme je te l'ai dit dans ma lettre d'avant-hier, il faut que, forts de nos consciences, nous nous élevions au-dessus de tout, mais avec cette volonté ferme, inflexible de faire éclater mon innocence aux yeux de la France entière.

Il faut que notre nom sorte de cette horrible aventure tel qu'il était quand on l'y a fait entrer ; il faut que nos enfants entrent dans la vie la tête haute et fière.

Quant aux conseils que je puis te donner, que je t'ai développés dans mes lettres précédentes, tu dois bien comprendre que les seuls conseils que je puisse te donner sont ceux que me suggère mon cœur. Tu es, vous êtes tous mieux placés, mieux conseillés, pour savoir ce que vous avez à faire.

Je souhaite avec toi que cette situation atroce ne tarde pas trop à s'éclaircir, que nos souffrances à tous aient bientôt un terme. Quoi qu'il en soit, il faut avoir cette foi qui fait diminuer toutes les souffrances, surmonter toutes les douleurs, pour arriver à rendre à nos enfants un nom sans tache, un nom respecté.

Je t'embrasse comme je t'aime, de toutes mes forces, de tout mon cœur, ainsi que nos chers et adorés enfants.

Le devoir de vivre avait un seul but, reconquérir l'honneur par la réhabilitation, c'est-à-dire par une action de la justice qui l'avait condamné. Dreyfus demandait réparation en lieu et place de la condamnation. La déportation ne devenait pour lui qu'une phase de transition dans l'attente de cette conclusion nécessaire. Le devoir de vivre correspondait à un véritable combat : « Je ne lâcherai pas pied ; il faut que j'insuffle l'énergie à ma femme, je veux l'honneur de mon nom, de mes enfants [14]. »

## La quête absolue de l'honneur

Le but de l'honneur à défendre à l'île du Diable et à reconquérir aux yeux du monde domine tous ses écrits. « Je note parfois les menus faits de ma vie journalière, indiquait-il dans son journal à la date du 4 mai 1895, mais ils disparaissent bien vite devant un souci bien supérieur : celui de mon honneur [15]. »

Il n'exista pas une lettre où cette exigence d'honneur ne fût pas présente. Celle, très longue, qu'il rédigea du 8 au 18 mai était ainsi exemplaire de ce but qui portait sa volonté de vivre. L'honneur n'était pas seulement le sien propre, mais d'abord celui de son nom, donc celui de ses enfants.

Vois-tu, les mères qui veillent au chevet de leurs enfants malades et qui les disputent à la mort avec une énergie farouche n'ont pas besoin d'autant de vaillance que toi, car c'est plus que la vie de tes enfants que tu as à défendre, c'est leur honneur. Mais je te sais capable de cette noble tâche. [...] Cet horrible crime d'un misérable ne m'atteint pas seulement en effet, mais il atteint aussi, il atteint surtout nos deux chers enfants. C'est pourquoi il faut que nous surmontions toutes nos souffrances : il ne suffit pas seulement de donner la vie à ses enfants, il faut leur léguer l'honneur sans lequel la vie n'est pas possible. Je connais tes sentiments, je sais que tu penses comme moi. Courage donc, chère femme, je lutterai avec toi en te soutenant de toute mon énergie, parce que devant une nécessité pareille, absolue, tout doit être oublié. Il le faut pour notre cher petit Pierre, pour notre chère petite Jeanne [16]. [...]
Je termine aujourd'hui cette lettre qui t'apportera une parcelle de moi-même et l'expression de mes pensées profondément réfléchies dans le silence sépulcral au milieu duquel je vis.
J'ai trop souvent pensé à moi, pas assez à toi, aux enfants. Ton martyre, celui de nos familles, sont aussi grands que le mien. Il faut donc que nos cœurs s'élèvent au-dessus de tout pour ne voir que le but à atteindre : notre honneur.
Je resterai debout tant que mes forces me le permettront pour te soutenir de toute mon ardeur, de toute la grandeur de mon affection.
Courage donc, chère Lucie, et persévérance ; nous avons nos petits à défendre [17].

La quête de l'honneur installait un devoir qui dépassait toutes les contingences matérielles. Elle fut pour lui une arme à opposer à la souffrance, une raison supérieure capable de supplanter le destin présent, même le plus noir. « Cuirassons donc nos cœurs contre tout sentiment de douleur et de chagrin, surmontons nos souffrances et nos misères pour ne voir que le but suprême : notre honneur, l'honneur de nos enfants. Tout doit s'effacer devant cela. Courage donc encore, ma chère Lucie ; je te soutiendrai de toute mon énergie, de toute la force que me donne mon innocence, de toute la volonté que j'ai de voir la lumière se faire entière, complète, absolue, telle qu'il la faut pour nous, pour nos enfants, pour nos deux familles [18]. »
Le 11 juin 1895, il lui répétait son unique pensée, la seule qui comptait pour lui, « toujours la même », « celle de voir le jour où mon honneur me sera rendu. J'espère toujours qu'il est proche ». Le 2 juillet 1895, dans une lettre qu'il écrivit tard le soir, il lui demandait de repousser les souffrances : « Remplissons simplement notre devoir,

qui est de faire rendre à nos enfants l'honneur de leur père innocent d'un crime aussi abominable[19]. »

Le 27 septembre 1895 encore : « C'est pour mon honneur que je vis. » C'est un devoir qui s'imposait, quelle que fût la situation présente. La cruauté des jours et des nuits disparaissait sous cet impératif moral qui la transcendait. Au quotidien, la fidélité à cet engagement parut bien souvent difficile à respecter. Mais il était là, comme gravé dans le marbre, courant dans les lettres précieuses à l'être cher. La contrainte d'un tel devoir était à la mesure de la force qu'il pourrait procurer. « L'âme me réveille, écrivait-il toujours le 27 septembre, le devoir m'oblige à me ressaisir ; tout mon être se raidit alors dans un suprême effort, car je veux me voir encore entre mes enfants et toi, le jour où l'honneur nous sera rendu. Si je te dis tout cela, si je t'ai parfois laissée entrevoir combien ma vie était horrible, combien cette situation d'infamie, dont les effets sont de chaque jour, broie tout mon être, révolte mon cœur, ce n'est pas pour me plaindre, mais pour te dire encore que si j'ai vécu, si j'arrive à vivre, c'est que je veux mon honneur, le tien, celui de nos enfants[20]. »

L'amour pour Lucie, pour ses enfants, n'avait ainsi de sens qu'à condition que l'honneur leur fût rendu. « Au-dessus de tout plane immuablement le souci de notre honneur ; le but est là, invariable, quelles que soient toutes nos souffrances[21]. » C'était le bien le plus précieux, le principe souverain qui dictait toute son existence et lui donnait un sens. L'honneur était son bien propre, celui qu'il devait à ses enfants.

> Ma vie est à mon pays, aujourd'hui comme hier, qu'il la prenne donc, mais mon honneur ne lui appartient pas, c'est le patrimoine de mes enfants, le bien propre de deux familles.
>
> Quant à toi, je te l'ai dit souvent, je te le répète encore, garde la tête haute et fière en mère qui veut que le nom qu'elle porte, que portent ses enfants, soit lavé de cette horrible souillure. Je te répéterai donc de toutes les forces de mon cœur, courage et courage ! Innocent de ce crime abominable, mon cri d'appel je l'ai encore jeté à la patrie il y a quelques jours de toute la force de mon cœur de Français et de soldat, de toute la force de mon cœur d'époux et de père, pour demander la révision de mon procès à M. le président de la République[22].

## La demande de justice

La reconquête de l'honneur de Dreyfus et de sa famille ne consistait pas en un acte abstrait ou théorique. Elle passait par la justice, elle-même reposant sur la recherche de la vérité. « Ah ! cette justice que je demande, il me la faut, pour mes enfants, pour les miens, et je resterai debout, jusqu'à mon dernier souffle, si horrible que soit mon supplice, pour la réclamer[23] », s'exclamait-il dans son journal le 22 septembre 1895. Le fait même de la justice existant dans le monde, caractérisant la civilisation et la démocratie, rendait intolérables aussi bien son absence présente que sa dérive passée. Dreyfus se révoltait à l'idée qu'un coupable ne fût pas jugé et qu'un innocent eût été condamné. « Vraiment l'esprit reste perplexe devant de pareils faits. Condamné sur une preuve d'écriture, voilà bientôt un an que je demande justice, et cette justice, que je réclame, ce n'est pas une discussion sur l'écriture, mais la recherche du misérable qui a écrit cette lettre infâme. Le gouvernement a tous les moyens pour cela. Nous ne sommes pas en face d'un crime banal, dont on ne connaisse ni tenants ni aboutissants. Les aboutissants sont connus, donc la lumière peut être faite, quand on voudra bien la faire. D'ailleurs, le moyen importe peu. C'est là où mon esprit, ma raison, se perdent, c'est qu'on n'ait pas encore fait cette lumière, éclairci cet horrible drame. »

Son analyse des circonstances de sa condamnation et des méthodes nécessaires était ici très pertinente alors qu'il ne disposait que de très rares informations. Il sembla cependant qu'en dépit de la forme de huis clos permanent qui enfermait sa déportation, il put recueillir des informations, de la part du médecin-chef particulièrement [24]. Surtout, il analysait, grâce aux constats qu'il avait réalisés lors de son procès : domination des critères d'écriture, absence d'enquête sérieuse, complaisance des juges militaires. Il s'adressa à ces derniers par l'entremise de son journal. Le 27 septembre 1895 : « Ah ! je laisse leur conscience comme juge à ceux qui m'ont fait condamner sur une preuve d'écriture, sans preuves tangibles, sans témoins, sans mobile pour faire concevoir un acte aussi infâme [25]. »

« Je voudrais hurler toutes les souffrances, crier les révoltes de mon cœur contre l'ignominie qu'on a déversée sur un innocent, sur les siens, écrivit-il encore. Ah ! quel châtiment ne méritera pas celui qui a commis ce crime ! Criminel envers son pays, envers un innocent, envers toute une famille livrée au désespoir, cet homme doit être quelque chose de hors nature [26]. » Sa situation d'innocent condamné alors que le coupable restait libre et injugé pouvait lui arracher les plus grandes révoltes : « Vraiment, je me demande ce que valent les consciences d'aujourd'hui. Dire qu'il y a des hommes, soi-disant honnêtes, comme le nommé Bertillon, qui ont osé jurer, sans restriction, que du moment où c'était ressemblant à mon écriture il n'y avait que moi ayant pu écrire cette lettre infâme. Preuves morales ou autres, peu leur importait. Ah ! j'espère que le jour où le véritable coupable sera démasqué, s'il reste un peu de cœur à ces hommes-là, ils trouveront encore une balle de pistolet pour se la loger dans la tête, pour se faire justice à eux-mêmes d'avoir fait souffrir un pareil martyre à un homme, à toute une famille [27]. »

Un supplice pareil finit par dépasser la limite des forces humaines. C'est renouveler chaque jour les angoisses de l'agonie, c'est faire descendre un innocent tout vivant dans la tombe.

[...] Si encore, après ma condamnation, comme on me l'a promis au nom du ministre de la Guerre, on avait poursuivi résolument, activement les recherches pour démasquer le coupable !

Et puis, il y a la voie diplomatique.

Un gouvernement a tous les moyens nécessaires pour éclairer un pareil mystère ; c'est un devoir strict et absolu.

Ah ! l'humanité, avec ses passions et ses haines, avec ses laideurs morales !

Ah ! les hommes, avec leurs intérêts personnels qui les guident ! Peu leur importe tout le reste.

De la justice ! C'est bon quand on a le temps, ou que cela ne gêne pas, ne nuit à personne [28] !

Dreyfus fut porté par cet espoir de justice et de lumière. Puisqu'il n'était pas le coupable, ce dernier ne pouvait pas échapper à la justice dès lors que des hommes se seraient souciés de faire marcher les institutions. Dreyfus lui-même s'essaya à ces enquêtes par la pensée, réfléchissant à une série d'hypothèses sans approcher toutefois de l'ampleur des faits tels que la Cour de cassation les établit en 1899 et en 1906 : « S'il y a des coupables, ils sont au ministère de la Guerre, qui m'a désigné comme victime pour cacher les infamies déjà commises [29] », affirmait-il à ses geôliers en octobre 1897. En mars 1898, sur un brouillon de lettre, déchiré par lui-même, il écrivait : « Je déclare que non seulement je suis innocent, mais que je demande la lumière tant sur la lettre incriminée que sur les papiers anonymes, aussi atroces que mensongers, qui ont été joints au dossier [30]. »

L'inaction en la matière lui pesait. Il rêvait de réaliser l'enquête qu'on lui refusait. « Ah ! mes nerfs, ce qu'ils me font souffrir ! Dire que je ne peux même pas dépenser mon immense énergie, ma volonté, sinon à vivre, à végéter plutôt ! Mais enfin chacun aura son heure ! Le misérable qui a commis ce crime infâme sera démasqué. Ah ! si je le tenais seulement cinq minutes, je lui ferais subir toutes les tortures qu'il m'a fait endurer, je lui arracherais sans pitié le cœur et les entrailles [31]. » Le devoir de révéler au monde les souffrances d'un innocent appartenait aussi à cette exigence de justice. Il était l'un des autres ressorts de sa résistance. « Je voudrais bien vivre jusqu'au jour de la découverte de la vérité, pour hurler ma douleur, les supplices qu'on m'inflige [32]. » « Il faut que la France entière apprenne que je suis une victime et non un coupable. Un traître ! À ce mot seul, tout mon sang afflue au cerveau, tout en moi tressaille de colère et d'indignation, un traître, le dernier des gredins... »

Trois moyens étaient cependant à sa portée. Il s'en empara. Le premier consista à être en permanence l'innocent qu'il était, à refuser en conséquence d'endosser les habits du coupable, du condamné. Cette attitude caractérisa toute sa déportation, en dépit des obstacles violemment dressés par l'administration pour le contraindre à se soumettre.

Le deuxième moyen fut de demeurer l'officier et le soldat qu'il était. Il concevait sa résistance à l'île du Diable comme la poursuite de sa mission au service de la France. Et il conservait sa confiance en ses chefs qui avaient promis de poursuivre les recherches lorsqu'il serait parti en déportation. Le troisième moyen fut l'immense correspondance officielle qu'il engagea avec les plus hautes autorités de la République et qu'il conduisit avec une obstination d'autant plus impressionnante qu'en quatre ans il ne reçut aucune réponse sinon, le 27 octobre 1898, l'information laconique qu'il allait recevoir une réponse définitive à ses demandes de révision adressées au chef de l'État. Il semble même qu'au cœur des années les plus terrifiantes, en 1897 et 1898, Dreyfus intensifia ses appels solennels à l'exécutif républicain.

*La force de l'innocence*

Dans le rapport qu'il dressa pour le ministre des Colonies en 1899, le chef de cabinet Jean Decrais définit son attitude constante : « Elle est nettement caractérisée : il n'a cessé d'attester son innocence, de réclamer "la lumière complète sur l'effroyable erreur judiciaire dont il était la victime". Sa tendresse pour les siens ne s'est pas démentie un seul instant ; il a gardé une attitude soumise, sans une velléité de révolte ou une tentative d'évasion [33]. » Il se savait innocent, il refusait sa condamnation, il ne discutait donc jamais l'application des peines parce que cela aurait signifié les accepter et donc reconnaître le bien-fondé du verdict. L'administration supérieure des îles du Salut notait ainsi que « son attitude générale est toujours la même : soumise et déférente [34] ». « Il n'a jamais formulé aucune plainte ni réclamation [35]. »

Il s'était donné un but définitif. Celui-ci ordonna son existence, détermina ses réactions, constitua sa raison. En juillet 1895, « à divers reproches qu'on lui adresse, il déclare qu'il voudrait calmer ses nerfs... qui ne pourront l'être que lorsque son innocence sera reconnue [36] ». Le régime de déportation, la légitimité de la peine, sa situation de condamné, rien n'était accepté par lui. Il devenait capable de voir le caractère monstrueux de ce qu'il subissait. « Ce que je trouve d'inouï, d'inhumain, c'est qu'on intercepte toute ma correspondance. Qu'on prenne toutes les précautions possibles et imaginables pour empêcher toute évasion, je le conçois : c'est le droit, je dirai même le devoir strict de l'administration. Mais qu'on m'enterre vivant dans un tombeau, qu'on m'empêche toute communication, même à lettre ouverte avec ma famille, c'est contraire à toute justice. On se croirait volontiers rejeté de quelques siècles en arrière ; voilà six mois que je suis au secret, sans pouvoir aider à me faire rendre mon honneur [37]. »

Il refusa tout abaissement, tout compromis. Lorsque, le 12 juin 1895, le commandant Bravard lui demanda en lui remettant son courrier s'il ne possédait pas « un dictionnaire de mots conventionnels » permettant de coder ses lettres, il répondit non sur la question, mais sur le système lui-même qui produisait une telle suspicion : « Ah ! j'espère bien vivre assez longtemps pour répondre à toutes les calomnies infâmes, nées dans l'imagination de gens aveuglés par la haine et la passion. » Et il ajouta dans son journal, en commentaire : « Aussi nous faut-il, à tous, la lumière complète, éclatante, non seulement sur la condamnation, mais encore sur tout ce qui a été dit, commis depuis [38]. »

Il jugeait en grand, s'autorisait les indignations les plus décisives. « La mise aux fers, une mesure de sûreté ! Quand je suis déjà gardé nuit et jour comme une bête fauve par un surveillant armé d'un revolver et d'un fusil ! Non, il faut dire les choses comme elles sont. C'est une mesure de haine, de torture, ordonnée de Paris, par ceux qui, ne pouvant frapper une famille, frappent un innocent, parce que ni lui ni sa famille ne veulent, ne doivent s'incliner devant la plus épouvantable des erreurs judiciaires qui ait jamais été commise. Qui est-ce qui s'est constitué ainsi mon bourreau, le bourreau des miens ? Je ne saurais le dire [39]. »

Il ne cédait rien au but de réhabilitation. Le 23 novembre 1895, un télégramme chiffré du commandant supérieur des îles du Salut relatait l'incident suivant : « Après observation faite par surveillant-chef île du Diable au déporté Dreyfus pour avoir causé avec un surveillant, le déporté vous adresse lettre ouverte où je relève ces mots : "Si réhabilitation tarde encore, je serai obligé prendre résolution violente, plutôt qu'en arriver à la folie." Ai recommandé redoubler surveillance [40]. »

## Un officier français

Certaines des lettres adressées à Lucie dirent explicitement combien il se considérait toujours comme un officier combattant pour la France. À l'île du Diable, devant ses juges ou pendant la dégradation, il se concevait comme un soldat au service du pays, luttant pour l'honneur de la patrie confondu avec le sien propre. La manière polie, distante et supérieure avec laquelle il réagissait aux ordres de ses geôliers le ramenait vers cette identité militaire dont il ne s'estimait pas dépossédé, quelles qu'en fussent les circonstances. Lui-même ordonnait, indifférent aux refus systématiques qu'il subissait, il ordonnait que l'on respectât ses colis, il ordonnait qu'on adressât des dépêches à sa famille. Cette partie préservée du monde perdu, qui restait indissociablement liée à son être profond, affleurait dans sa correspondance adressée à sa femme.

Le 3 février 1895 : « Personne n'entendra donc ce cri de désespoir, ce cri d'un malheureux innocent qui, cependant, ne demande que justice !

Chaque jour qui se lève, j'espère que ce sera celui où l'on reconnaîtra ce que j'ai été, ce que je suis, un loyal soldat digne de mener au feu les soldats de la France... ; puis le soir vient..., et rien, rien encore[41]. »

Le 4 janvier 1897 : « Mon cœur, tu le connais, il n'a pas changé. C'est celui d'un soldat, indifférent à toutes les souffrances physiques, qui met l'honneur avant, au-dessus de tout, qui a vécu, qui a résisté à cet effondrement effroyable, invraisemblable de tout ce qui fait le Français, l'homme, de ce qui seul enfin permet de vivre, parce qu'il était père et qu'il faut que l'honneur soit rendu au nom que portent nos enfants[42]. »

Le 4 novembre 1897 : « Dans ces derniers mois, je t'ai écrit de longues lettres où mon cœur trop gonflé s'est détendu. Que veux-tu, depuis trois ans je me vois le jouet de tant d'événements auxquels je suis étranger, ne sortant pas de la règle de conduite absolue que ma conscience de soldat loyal et dévoué à son pays m'a imposée d'une façon inéluctable, que, quoiqu'on en veuille, l'amertume monte du cœur aux lèvres, la colère vous prend parfois à la gorge, et les cris de douleur s'échappent. Je m'étais bien juré jadis de ne jamais parler de moi, de fermer les yeux sur tout, ne pouvant avoir comme toi, comme tous, qu'une consolation suprême, celle de la vérité, de la pleine lumière[43]. »

Sa conscience de soldat, son statut d'officier auquel il n'avait jamais renoncé, l'autorisaient alors à s'adresser aux chefs de l'armée, le ministre de la Guerre, le chef d'État-major, pour leur demander de poursuivre les enquêtes et de restaurer son honneur[44].

## Le citoyen souverain

La correspondance engagée par le capitaine Dreyfus avec les plus hautes autorités publiques reposait sur les principes de 1789 autorisant chaque citoyen à saisir ses représentants ou les assemblées qu'ils constituaient. En leur écrivant, il faisait exister pour lui ce monde de légalité, de droit, de démocratie d'où il avait été arraché. Ses lettres au président de la République ou aux ministres possédaient, par leur acte même, un sens constitutionnel. Elles faisaient appel aux valeurs politiques les élevées fondant la tradition libérale française. Dès le 20 avril 1895, il en donna la signification dans son journal. Il agissait selon une haute idée de la justice qui justifiait sa critique et la fondait sur des repères stables, définitifs : « Dire que dans notre siècle, dans un pays comme la France, imbu des idées de justice et de vérité, il puisse se passer des faits semblables, aussi profondément immérités. J'ai écrit à M. le président de la République, j'ai écrit aux ministres, demandant toujours la recherche de la vérité. On n'a pas le droit de laisser sombrer ainsi l'honneur d'un officier, de sa famille, sans autre preuve qu'une preuve d'écriture, quand un gouvernement possède les moyens d'investigation nécessaires pour faire la lumière. C'est de la justice que je demande, à cor et à cri, au nom de mon honneur[45]. »

Pour Dreyfus, il existait deux justices : l'institution qui, dans son cas, avait failli ; l'idée sur laquelle devait reposer la pratique judiciaire. Il s'adressait à cette dernière et à ceux qui en étaient les dépositaires, les garants. Il ne suivait pas pour sa correspondance la voie administrative régulière, à savoir le commandant supérieur des îles du Salut, puis le directeur de l'administration pénitentiaire, le gouverneur, le ministre des Colonies et enfin le garde des Sceaux seul habilité à saisir la Cour de cassation sur le fond d'un jugement. Il s'adressait directement au chef de l'État alors que rien, réglementairement, ne l'autorisait. Sauf que, dans la définition des lois fondamentales de la République couronnant les lois constitutionnelles du régime, cette possibilité était permise. Il fallait pour cela que Dreyfus se pensât et se vécût comme un citoyen dont les droits n'avaient pas été perdus à la suite de sa condamnation, il lui fallait concevoir l'île du Diable et l'espace de la déportation comme un lieu du droit le plus souverain. De ce point de vue, il était à la fois dans la rupture avec la définition régulière et réglementaire du condamné effectuant sa peine et se trouvant privé de droits, mais il se trouvait aussi en conformité avec la constitution invisible de la république imaginée par les révolutionnaires de 1789.

Par la teneur et le fait même de cette correspondance officielle, par l'audace qu'il révélait, lui le condamné à la déportation perpétuelle, en agissant ainsi, Dreyfus renversait complètement l'ordre des choses et substituait à son état de soumission un statut de citoyen souverain, légitime dans sa demande d'une justice digne de la France. Même dépourvues de réponses, ces lettres, par l'acte qu'elles impliquaient, arrachaient Dreyfus de sa condition de prisonnier pour en faire un citoyen libre appelant à l'aide son représentant le plus haut, garant, comme le Parlement, des droits fondamentaux. Dreyfus agissait de ce point de vue comme les intellectuels pétitionnaires de janvier 1898 qui constatèrent la démission des pouvoirs légaux devant la multiplication des faits d'arbitraire et qui s'érigèrent en citoyens protecteurs des libertés.

Le président de la République était aussi le chef de l'État et le protecteur traditionnel de l'armée. Officier d'élite, bon connaisseur des institutions, observateur de son procès et des moyens mis en œuvre pour le faire condamner, Dreyfus savait aussi que l'État disposait de tous les pouvoirs nécessaires pour faire aboutir une véritable enquête sur le crime de trahison et l'en innocenter. En s'adressant au chef de l'État, il saisissait l'homme qui était, en théorie, le mieux à même d'ordonner ces investigations. De plus, le président de la République avait une relation privilégiée aux armées. Il pouvait constituer le dernier recours pour réparer une si grave injustice commise en leur sein. La demande d'enquête formulée était encore facilitée par la certitude – Dreyfus le savait mieux que tout autre – que le vrai coupable existait

et que les recherches demandées devaient viser à le démasquer puis à
le juger. « Il ne doit pas être dit que dans notre siècle un misérable
aura impunément brisé la vie de deux familles[46]. »

« UNE CONSCIENCE NETTE »

Les lettres et les mots de Lucie, la confiance absolue qu'il avait en
elle, la force des idéaux de liberté et de justice dans le monde, lui
donnaient la certitude que la déportation prendrait fin un jour, que la
vérité serait reconnue, que la réhabilitation arriverait. Cet espoir n'était
pas vain. Il reposait sur la connaissance de son innocence et sur la
conviction qu'une telle injustice ne pourrait se maintenir éternellement. L'action d'hommes et de femmes, même ordinaires, même
dénoncés par tous, devait pouvoir modifier le cours de l'histoire
lorsque celle-ci s'éloignait des biens les plus précieux de l'humanité.
L'espoir insensé du capitaine Dreyfus dévoilait une philosophie politique refusant que l'histoire fût écrite à l'avance et accordant une
pleine souveraineté au citoyen, même le plus inférieur comme un prisonnier du ministère des Colonies ou une femme comme Lucie dans
une société d'hommes. « Le jour de la lumière finira bien par arriver,
par venir[47] », confiait-il à son journal le 12 juillet 1895. Un mois plus
tôt, dans une lettre à Lucie, il exprimait simplement son espoir :
« J'espère que quand tu recevras ces dernières lettres, la vérité ne sera
pas loin d'être connue et que nous jouirons de nouveau du bonheur qui
avait été notre partage jusqu'ici[48]. » La vérité ne pouvait qu'advenir. Il
était inconcevable qu'il en fût autrement. Si elle ne venait pas, il
s'agissait seulement d'une question de temps ou de la nécessité de
vaincre les forces qui s'y opposaient. « Toujours rien, écrivait-il le
3 juin 1895, la vérité n'est pas *encore* découverte[49]. » « Je résisterai,
fort de ma conscience et de mon droit[50] », pouvait-il déclarer alors
que son courrier, une nouvelle fois, ne lui était pas remis.
    La volonté de vivre du capitaine Dreyfus se nourrissait ainsi de
certitudes philosophiques et politiques modernes, dessinant un monde
de progrès et de liberté derrière la terreur de la déportation. Il parvenait
ainsi à opposer au système d'arbitraire et de violence de l'île du Diable
le pouvoir supérieur des valeurs de vérité et de justice. Alors que celui-
là pesait en permanence sur les faits et gestes du déporté, celui-ci
arrachait Dreyfus à la soumission et lui apportait cette dignité qui seule
permettait de triompher d'un pareil calvaire.

*« Des forces invincibles »*

Se sachant innocent et confiant son destin au monde démocratique,
Dreyfus parvint à exister selon de tels principes. Il put rejeter la condition dégradante et destructive de coupable et de condamné. Il se forgea

une dignité qui appelait ces valeurs de vérité, de liberté, de justice, elles qui n'avaient aucune existence à l'île du Diable. Elles le rattachaient à ce qu'il avait toujours été, elles l'emmenaient vers un avenir qu'elles rendaient possible. Dreyfus réussit ainsi à s'échapper de la déportation tout en demeurant un prisonnier modèle, discipliné et de confiance. Sa raison d'être, son horizon, son avenir, se situaient bien au-delà de l'île du Diable.

Il s'en expliqua le jour même de son transfert sur l'île, alors qu'on l'avertissait que toute tentative pour le faire échapper à l'application de sa peine serait réprimée avec la dernière rigueur. Il répondit qu'il se soumettrait sans réserve : « Je jure sur l'honneur, car mon honneur est, croyez-le, resté intact en tout ceci, que j'attendrai avec résignation le moment où mon innocence sera reconnue. Je ne suis pas coupable ; il n'est pas possible qu'on n'en fasse pas la preuve bientôt. » En prononçant ces paroles, releva le commandant supérieur des îles du Salut, « les larmes sont visiblement montées aux yeux de Dreyfus [51] ». Il était innocent, il se proclama innocent. C'était sa force. Son statut de coupable était une fiction, sa situation de déporté une iniquité. Le droit, la vérité, l'honneur, il les convoquait auprès de lui. Il s'entourait de ces valeurs, ne laissant à la déportation que l'arbitraire et la violence. Il réussit à la vider de son pouvoir symbolique et terroriste. Certes, il souffrit infiniment des quatre années qu'il subit en Guyane. Mais il sortit vainqueur parce qu'il sut rester celui qu'il était. S'il pouvait demander à retrouver son honneur, ce fut d'abord parce que au plus profond de lui il ne l'avait jamais perdu et qu'il en connaissait le prix.

Cette conscience de lui-même et de son devoir lui apporta les forces dont il avait besoin pour résister. Il le reconnut lui-même au cœur d'une nuit de cauchemar. « Je viens d'essayer de dormir, mais, après un assoupissement de quelques minutes, je me réveille avec une fièvre ardente : et il en est ainsi toutes les nuits depuis six mois. Comment mon corps a-t-il pu résister à une telle coïncidence de tourments aussi bien physiques que moraux ? Je pense qu'une conscience nette, sûre d'elle-même, donne des forces invincibles [52]. » S'adressant à Lucie, il l'assurait de son destin. « Les uns ou les autres finiront par y succomber, pour peu que cela dure. Eh bien ! ma chère Lucie, cela ne doit pas être. Il nous faut d'abord notre honneur, celui de nos enfants. On ne se laisse pas accabler par un destin aussi infâme quand on ne l'a pas mérité [53]. »

*Une attention aux autres*

Dreyfus était coupé de ses proches comme de l'humanité. L'interdiction de communiquer avec ses gardiens, l'isolement complet dès qu'une présence autre que celle de ces derniers était annoncée sur l'île, auraient pu aboutir à sa déshumanisation complète. Il s'en préserva cependant. Il extériorisa son extrême souffrance en comprenant celle des autres, surtout la souffrance de Lucie qu'il considérait comme plus douloureuse encore que la sienne. Il se devait alors de l'épargner par un nouvel effort sur lui-même. Il ressentait une forme d'injustice à l'associer à son martyre :

Dans le silence qui règne autour de moi, interrompu seulement par le choc des vagues qui déferlent contre les roches, je me suis rappelé les lettres que j'ai écrites à Lucie, au début de mon séjour ici, et dans lesquelles je lui décrivais toutes mes douleurs. Et ma pauvre femme doit assez souffrir de cette épouvantable situation, sans que je vienne encore lui arracher le cœur par mes lamentations. Il faut donc qu'à force de volonté je me surmonte ; il faut que je donne à ma femme par mon exemple les forces nécessaires à l'accomplissement de sa mission. [...]

Toujours le tête-à-tête avec mon cerveau, sans nouvelles des miens. Et il faut que je vive avec toutes mes douleurs, il faut que je supporte dignement mon horrible martyre, en inspirant du courage à ma femme, à toute ma famille, qui doit certes souffrir autant que moi. Plus de faiblesse donc ! Accepte ton sort jusqu'au jour de l'éclatante lumière, il le faut pour tes enfants [54].

Il se reprocha alors d'avoir écrit, au début de son arrivée, des « lettres navrantes » à sa femme. « Je devrais savoir souffrir seul, sans faire partager à ceux qui souffrent déjà assez par eux-mêmes mes cruelles tortures. » Il fit le même constat le 1er janvier 1896 : « Quelle douleur j'ai causée à Lucie par mes dernières lettres ; comme je lui arrache l'âme par mon impatience, et la sienne est cependant aussi grande que la mienne [55] ! » Il voulut la soutenir comme elle-même le portait hors de sa souffrance et lui donnait la volonté de vivre. La responsabilité à l'égard de ses proches, de ses enfants surtout, devenait la raison pour laquelle il ne pouvait renoncer.

Ne pleure donc plus, ma bonne chérie, je lutterai jusqu'à la dernière minute pour toi, pour nos chers enfants.

Les corps peuvent fléchir sous une telle somme de chagrins, mais les âmes doivent rester fortes et vaillantes pour réagir contre une situation que nous n'avons pas méritée. Quand l'honneur me sera rendu, alors seulement, ma bonne chérie, nous aurons le droit de nous retirer. Nous vivrons pour nous, loin des bruits du monde, nous nous réfugierons dans notre affection mutuelle, dans notre amour grandi par des événements aussi tragiques. Nous nous soutiendrons l'un l'autre pour panser les blessures de nos cœurs, nous vivrons dans nos enfants auxquels nous consacrerons le restant de nos jours. Nous tâcherons d'en faire des êtres bons, simples, forts physiquement et moralement, nous élèverons leurs âmes pour qu'ils y trouvent toujours un refuge contre les réalités de la vie.

Puisse ce jour arriver bientôt, car nous avons tous payé notre tribut de souffrances sur cette terre [56] !

C'étaient leurs enfants qui leur donnaient de la force à tous deux. C'était ce qu'Alfred voulait exprimer à Lucie.

Courage donc, chère Lucie, conserve cette volonté indomptable que tu as montrée jusqu'ici. Puise en tes enfants cette énergie surhumaine qui triomphe de tout. D'ailleurs, je n'ai nul doute que tu ne réussisses, et j'espère que ce sinistre drame aura bientôt son dénouement et que mon innocence sera enfin reconnue. Que te dirai-je encore, ma chère Lucie, que je ne te répète dans chacune de mes lettres ? Ma profonde admiration pour le courage, le cœur, le caractère, que tu as montrés dans des circonstances aussi tragiques ; la nécessité absolue qui passe au-dessus de tout, de tous les intérêts, de toutes nos vies même, de prouver mon innocence de telle façon qu'il ne reste de doute dans l'esprit de personne, de tout faire, cela sans bruit, mais avec une volonté que rien n'arrête [57]...

Dans son journal, il analysait cette responsabilité qui l'obligeait à vivre et à résister. De nombreux passages lui sont consacrés pendant l'année 1895. « Ma pauvre et chère Lucie, et mes enfants ! Non, je ne les abandonnerai pas ; je soutiendrai les miens de toute l'ardeur de mon âme tant que j'aurai ombre de forces. Il me faut tout mon honneur, tout l'honneur de mes enfants [58]. » « Chaque fois que je défaille, dans mes longues nuits ou dans mes journées solitaires, chaque fois que ma raison, ébranlée par tant de secousses, se demande enfin comment, après une vie de travail, d'honneur, il est possible que j'en sois là, et qu'alors je voudrais fermer les yeux pour ne plus souffrir enfin, je me raidis dans un effort violent de tout l'être et je me crie à moi-même : "Tu n'es pas seul, tu es père, tu dois défendre ton honneur, celui de ta femme, de tes enfants" et je repars d'un nouvel élan, pour retomber, hélas ! un peu plus loin, et repartir encore [59]. » Le 8 janvier 1896 encore, il écrivait : « En lisant et relisant toutes les lettres de ce dernier courrier, j'ai compris combien ma disparition serait un choc terrible pour les miens ; que mon devoir, envers et contre tout, était de résister jusqu'au dernier souffle [60]. »

Il se devait alors d'être le plus attentif à Lucie, de l'aimer comme elle l'aimait d'un amour absolu, source du courage le plus pur et le plus fort. « Courage donc, ma chérie, sois forte et vaillante. Poursuis ton œuvre sans faiblesse, avec dignité, mais avec le sentiment de ton droit. Je vais me coucher, fermer les yeux et penser à toi [61]. »

## Un père pour ses enfants

Alfred Dreyfus ne disparut pas non plus de l'univers de ses enfants. Il leur envoyait des lettres poignantes. Eux-mêmes lui écrivaient régulièrement de petites lettres empruntant le style familier du bonheur passé, les expressions, les gestes d'affection. Pierre et Jeanne dictaient à leur mère les mots qu'ils souhaitaient adresser à leur papa. Bien souvent aussi, Lucie guidait leur main sur le papier. Les lettres qu'ils lui adressaient avaient été en quelque sorte écrites par eux. Ils souffraient de ne pas le revoir, d'être si longtemps séparés de lui. Ils lui demandaient quand il reviendrait. Cette pensée pour le père absent était une souffrance pour lui comme pour eux. Elle était aussi la preuve que les liens perduraient, que la vie résistait. À l'île du Diable, Dreyfus réfléchissait souvent à leur éducation. Ses principes, très libéraux, fondés sur les découvertes intellectuelles et sensibles que les enfants pouvaient réaliser grâce à l'attention de leurs parents, étaient plus modernes que ceux de Lucie. Il essayait de lui en faire prendre conscience.

Il lui donnait aussi des conseils de tous les jours pour donner aux enfants « la vie libre, la vie honnête, la vie de plein air du simple citoyen », comme l'écrira Péguy en parlant du Jaurès de l'affaire Dreyfus, le « Jaurès des brumes claires et dorées des commencements de l'automne [62] ». « Fais-leur prendre beaucoup l'air ; pour le moment, il ne faut penser qu'à leur donner de la santé et de la vigueur. » Leurs enfants constituaient le but ultime de leur vie présente et future, la raison d'être de tous ces combats et de toutes ces souffrances [63].

La défense de ses enfants était le but définitif, absolu. Elle dictait la vie de Dreyfus et soutenait son courage. Le 27 mai 1895, il confiait à son journal : « Les journées se ressemblent, lugubres et monotones. Je viens d'écrire à ma femme pour lui dire que mon énergie morale est plus grande que jamais. Il faut, je veux la lumière entière, absolue sur cette ténébreuse affaire. Ah ! mes enfants ! Je suis comme la bête qui veut d'abord qu'on passe sur son corps avant qu'on atteigne ses petits [64]. »

Progressivement, Alfred Dreyfus construisit un sens à son existence qui devait lui apporter les forces nécessaires pour survivre et combattre. Proclamer la reconquête de son honneur n'était pas suffisant et surtout le ramenait trop irrémédiablement à lui-même. Y associer celui de ses enfants installait un repère extérieur à lui-même, capable donc de l'éloigner du risque de folie ou de mort. « Tout ce que je puis donc faire, et je ne faillirai pas à ce devoir, c'est de te soutenir jusqu'à mon dernier souffle, c'est de t'insuffler encore et toujours le feu qui brûle en moi pour marcher à la conquête de la vérité, pour me rendre mon honneur, l'honneur de nos enfants [65] », s'engageait-il auprès de Lucie le 3 juin 1895. Dans son journal, par une « journée épouvantable », il écrit même qu'il aimerait mieux « sans cela savoir [ses] enfants morts tous deux [66] ».

L'énonciation de ces nouveaux devoirs le renforçait dans ses responsabilités et dans la légitimité d'une résistance qui défiait l'ordre établi et la parole du droit. Mais il prenait bien soin de rappeler que si sa vie pouvait appartenir à la justice qui l'avait condamné, son honneur et celui de ses enfants n'étaient que son bien propre. Les défendre était sa liberté que personne ne pouvait lui contester ou lui reprendre.

*Le devoir de responsabilité*

Cette attention aux autres, ce souci absolu de l'honneur de sa famille, créaient donc des repères extérieurs au monde étouffant de l'île du Diable et de la déportation. Par eux, Dreyfus pouvait revenir vers lui-même pour mieux se comprendre, pour s'analyser et combattre ses pulsions les plus dangereuses. Il était armé désormais. Son journal et les pensées qu'il y jeta jusqu'au 10 septembre 1896 démontrent cette volonté de connaissance pour parvenir à la « conscience nette » dont il avait besoin pour résister, pour dominer son corps et l'empêcher de le conduire à la folie. « Il faut que je lutte contre mon corps, insistait-il dans son journal, il ne faut pas que celui-ci cède avant que l'honneur nous soit rendu. [...] Crise de larmes, crise de nerfs, rien n'a manqué. Mais il faut que l'âme domine le corps[67]. » Il comprenait que les conséquences de ses moments de faiblesse ne l'atteignaient pas seul. Elles frappaient également Lucie et leurs enfants. Il s'en excusait auprès d'elle.

Le 12 mai 1895 : « Je te demande pardon si j'ai parfois augmenté ton chagrin en exhalant des plaintes, en témoignant d'une impatience fébrile de voir enfin s'éclaircir ce mystère devant lequel ma raison se brise impuissante. Mais tu connais mon tempérament nerveux, mon caractère emporté. Il me semblait que tout devait se découvrir immédiatement, qu'il était impossible que la lumière ne se fît pas prompte et complète. Chaque matin je me levais avec cet espoir, et chaque soir je me couchais avec une profonde déception. Je ne pensais qu'à mes tortures et j'oubliais que tu devais souffrir autant que moi. »

Le 11 juin 1895 : « Mais du jour où je t'avais promis de vivre pour attendre que la vérité éclatât, que justice me fût rendue, j'aurais dû ne plus faiblir, imposer silence à mon cœur et attendre patiemment. Que veux-tu, je n'ai pas eu cette force d'âme ; le coup avait été trop dur, tout en moi se révoltait à la pensée du crime odieux pour lequel j'étais condamné. Mon cœur saignera tant que ce manteau d'infamie couvrira mes épaules. Mais je te demande pardon si je t'ai parfois écrit des lettres exaltées ou plaintives qui ont dû augmenter encore ton immense chagrin. Ton cœur et le mien battent à l'unisson. Sois donc certaine, ma chère et bonne Lucie, que je résisterai de toutes mes forces pour atteindre le jour où mon honneur me sera rendu. J'espère que ce jour viendra bientôt ; jusque-là, il faut regarder devant nous. »

Le 2 juillet 1895 : « Ma conscience et ma raison me donnent la foi ; le surnaturel n'est pas de ce monde, tout finit par se découvrir. Mais les heures d'attente sont longues et cruelles quand il s'agit d'une situation aussi épouvantable, aussi bien pour nous que pour nos familles. Tes chères lettres du commencement de mars – tu vois si je retarde – sont ma lecture quotidienne ; j'arrive ainsi, quoique bien loin de toi, à causer avec toi. Ma pensée, d'ailleurs, ne te quitte pas, ainsi que nos chers enfants. J'attends avec impatience des nouvelles de ta santé et de celle de nos enfants. Encore de quand dateront-elles ? Ma santé est bonne, mon cœur bat avec le tien et t'enveloppe de toute sa tendresse. [...] Pardon encore, si je t'ai causé de la peine par mes premières lettres. J'aurais dû te cacher mes atroces souffrances. Mais mon excuse est qu'il n'y a pas de douleur humaine comparable à celle que nous subissons. J'espère que tu as reçu, depuis, mes nombreuses et longues lettres, elles ont dû te rassurer sur mon état physique et moral. Ma conviction n'a jamais varié ; elle est dans ma conscience, dans la logique qui me dit que tout se découvre. La patience m'a manqué. Ne parlons donc plus de nos souffrances. Remplissons simplement notre devoir, qui est de faire rendre à nos enfants l'honneur de leur père innocent d'un crime aussi abominable [68]. »

Sa voie était tracée, il en connaissait le chemin.

Mais il devait résister aussi au dérèglement des sens, à l'errance d'un corps et d'un cerveau en proie à la plus grande tension et qui menaçaient de rompre.

## « Il faut que l'âme domine le corps »

« J'essaie en vain d'abattre mes nerfs par le travail physique, mais ni le climat ni mes forces ne me le permettent [69], relève-t-il dans son journal au jour du 6 mai 1895. J'étais tellement énervé aujourd'hui par ce silence de tombe, sans nouvelles depuis bientôt trois mois des miens, que j'ai cherché à abattre mes nerfs en sciant et hachant du bois pendant près de deux heures. J'arrive aussi à force de volonté à travailler de nouveau l'anglais ; j'en fais pendant deux ou trois heures par jour [70] », continue-t-il deux jours plus tard.

Les fièvres avivaient les tensions de ses nerfs, créant d'irrépressibles secousses qui le laissaient exsangue. Mais il ne voulait pas renoncer. Il écrivait sa détermination noir sur blanc : « Quelle horrible nuit je viens de passer ! Et il faut que je lutte toujours et encore. J'ai parfois de folles envies de sangloter, tant ma douleur est immense, mais il faut que je ravale mes pleurs, car j'ai honte de ma faiblesse devant les surveillants qui me gardent nuit et jour. Pas même un instant seul avec ma douleur ! Ces secousses m'épuisent, et aujourd'hui je suis brisé de corps et d'âme. Et cependant je vais écrire à Lucie, lui cacher mes douleurs, lui crier courage. Il faut que nos enfants entrent dans la vie la tête haute et fière, quoi qu'il advienne de moi [71]. »

Il imaginait même pouvoir dominer ses maladies. Le 16 mai 1895, il fut saisi par une « fièvre continuelle. Accès plus fort hier au soir, suivi de congestion cérébrale. J'ai fait cependant demander le médecin, car je ne veux pas lâcher pied ainsi [72] ». Le 26 juillet 1896, il écrivait : « Mes pensées, mes sentiments, ma tristesse, sont les mêmes ; mais si la faiblesse physique et cérébrale s'accentue chaque jour, ma volonté reste toujours aussi forte[73]. » Le 2 août suivant, alors que le courrier qu'il venait de recevoir ne lui annonçait toujours pas la nouvelle tant attendue, il confiait : « Je lutterai contre mon corps, contre mon cerveau, contre mon cœur, tant qu'il me restera ombre de forces, tant qu'on ne m'aura pas jeté dans la tombe, car je veux voir la fin de ces sinistre drame[74]. » C'était exactement ce qu'il avait écrit à Lucie dans sa lettre du 24 juillet précédent. Son effort pour dominer son cœur, pour rassembler ses volontés, lui redonnait la force d'écrire une lettre très juste :

> Je n'ai pas reçu tes lettres de mai ; les dernières nouvelles que j'ai de toi datent de trois mois. Tu vois que les coups de massue ne me manquent pas ; je ne veux pas augmenter tes peines en te décrivant ma douleur. D'ailleurs, peu importe. Quel que soit notre supplice, si épouvantable que soit notre martyre, le but est invariable, ma chère Lucie : la lumière, l'honneur de notre nom.
>
> Je ne fais que te répéter ce cri de mon âme : du courage, du courage, et du courage, jusqu'à ce que le but soit atteint.
>
> Quant à moi, je retiens de toute mon énergie ce qui me reste de forces ; je comprime nuit et jour mon cerveau et mon cœur, car je veux voir la fin de ce drame. Je souhaite pour tous deux que ce moment ne tarde plus.
>
> Quand tu recevras ces quelques lignes, le jour de ta fête sera passé. Je ne veux pas insister sur des pensées aussi cruelles pour tous deux, mais je ne saurais être plus en esprit avec toi ce jour-là que les autres[75].

## LES SOUTIENS INVISIBLES

Dans ce combat de tous les jours, de toutes les heures, contre l'état permanent de coupable aux yeux du monde et contre le régime continuel de la déportation, Dreyfus pouvait néanmoins se reposer sur des soutiens dont il savait la sincérité ou qu'il découvrait avec un immense bonheur. L'aide la plus décisive fut indiscutablement celle que lui procura sa famille. Elle s'exprimait sur le plan affectif aussi bien que matériel sans oublier l'essentiel, l'action judiciaire. Elle seule pouvait arrêter définitivement son calvaire. Il en chargea solennellement Lucie.

### La mission de Lucie

L'ignorance complète du sort de ses lettres officielles et l'absence insistante de réponse obligeaient cependant Dreyfus à envisager d'autres voies pour reconquérir son honneur par la justice et la vérité. Puisque sa famille avait montré son unité devant la tragédie qui l'accablait, puisque sa femme était prête à tous les sacrifices pour le sauver, il décida de leur confier la mission de mener ces enquêtes nécessaires,

seul moyen de relancer l'action judiciaire et de parvenir à la réhabilitation. À Lucie, à Mathieu, il ne cessa alors de rappeler cette tâche et
de proposer des démarches. Lorsqu'elles étaient trop précises ou trop
tragiques, ces lettres étaient arrêtées et bien souvent détruites. Nous
avons pu néanmoins en découvrir certaines, adressées à Lucie. Ce travail d'investigation et de défense représentait pour Dreyfus la contrepartie de son engagement à vivre. Il n'allait résister que pour ce but.
Eux seuls, en France, à Paris, pouvaient faire en sorte qu'il fût atteint.
Mais Dreyfus voulait conserver un lien avec ces enquêtes. Il savait
qu'il ne leur était pas possible de l'informer des progrès de la vérité.
Toute lettre contenant des faits ou des noms était systématiquement
interceptée. Le ministre des Colonies André Lebon se chargea personnellement de cette censure comme il le révéla à Joseph Reinach le
15 septembre 1897. Il venait de lui apprendre qu'il avait arrêté, à la
fin du mois de juillet précédent, une lettre de Lucie Dreyfus informant
son mari des efforts d'Auguste Scheurer-Kestner pour obtenir la
révision [76].

Le prisonnier se faisait le plus souvent très général dans ses recommandations. Ses lettres n'en étaient pas moins très insistantes et impa-
tientes. La première qu'il adressa à Lucie à son arrivée en déportation
exprimait ce devoir « de faire tout ce qui est humainement possible
pour découvrir la vérité » : « J'ai fait pour toi le plus grand sacrifice
qu'un homme puisse faire en acceptant de vivre après ma tragique
histoire [...] grâce à la conviction que tu m'as inculquée que la vérité
se fait toujours connaître. À ton tour, ma chérie [...]. Épouse et mère,
tâche d'émouvoir les cœurs d'épouses et de mères pour qu'on te livre
la clé de cet horrible mystère. Il me faut mon honneur si tu veux que
je vive ; il le faut pour nos chers enfants. Ne raisonne pas avec ton
cœur, cela ne sert à rien. Il y a un jugement, rien ne sera changé dans
notre tragique situation tant que le jugement ne sera pas révisé. Réfléchis donc et agis pour déchiffrer cette énigme, cela vaudra mieux que
de venir ici partager mon horrible situation, ce sera le meilleur, le seul
moyen de me sauver la vie. Dis-toi bien que c'est une question de vie
et de mort pour moi comme pour nos enfants. [...] Ce que je puis te
dire encore, c'est, si tu veux que je vive : fais-moi rendre mon honneur. Les convictions, quelles qu'elles soient, ne me servent de rien ;
elles ne changent pas ma situation ; ce qu'il faut, c'est un jugement
me réhabilitant [77]. »

La lettre suivante, du 20 mars 1895, insistait encore sur le devoir qui
incombait à Lucie et qui l'obligeait à demeurer en France, à renoncer à
sa venue sur l'île du Diable si tant était qu'elle fût toujours possible :
« Donc, ma chérie, si tu veux que je vive, fais-moi rendre mon honneur
le plus tôt possible, car mon martyre ne saurait se supporter indéfiniment. J'aime mieux te dire la vérité, toute la vérité que de te bercer
d'illusions trompeuses. Il faut savoir regarder la situation en face. Je

n'ai accepté de vivre que parce que vous m'avez inculqué la conviction que l'innocence se fait toujours connaître. Cette innocence, il faut la faire relater non seulement pour moi, mais pour les enfants, pour vous tous [78]. »

Le 30 avril, Alfred l'encouragea à surmonter son chagrin et à entreprendre toutes les démarches, y compris les plus éloquentes. « Quelque grand que soit notre chagrin à tous deux, je ne puis que te dire toujours de le surmonter pour poursuivre la réhabilitation avec une persévérance indomptable. Garde toujours le calme et la dignité qui conviennent à notre grand malheur, si immérité, mais travaille pour me faire rendre mon honneur, l'honneur du nom que portent mes chers enfants. Qu'aucune démarche ne te rebute ni te lasse ; va trouver, si tu le juges utile, les membres du gouvernement, émeus leur cœur de père et de Français, dis bien que tu ne demandes pour moi ni grâce ni pitié, mais seulement qu'on poursuive les recherches à outrance [79]. »

Les promesses qu'ils s'étaient faites avant le grand voyage fondaient la direction de leur vie. « Ma bonne chérie, oublie toutes mes souffrances, surmonte les tiennes et pense à nos enfants, écrivait Alfred à Lucie le 8 mai 1895. Dis-toi que tu as une mission sacrée à remplir, celle de me faire rendre mon honneur, l'honneur du nom que portent nos chers petits. D'ailleurs, je me rappelle ce que tu m'as dit avant mon départ, je sais, comme tu me le répètes dans ta lettre du 17 février, ce que valent les paroles dans ta bouche, j'ai une confiance absolue en toi [80]. » Lucie lui disait dans cette lettre rédigée alors qu'il était encore enfermé sur l'île de Ré : « Chaque jour de gagné est un pas de plus vers la vérité et tu peux compter que la lumière se fera bientôt jour [81]. »

Comme pour ses propres démarches, il insistait sur la légitimité absolue de celles qu'entreprenait Lucie, fondée sur les principes de justice, d'égalité et de dignité essentiels aux sociétés démocratiques :

Si, lorsque tu recevras cette lettre, la situation n'est éclaircie, je pense qu'il sera temps, avec le courage, l'énergie que donne le devoir, avec la force invincible que donne l'innocence, que tu fasses des démarches personnelles pour qu'on répande enfin la lumière sur cette tragique histoire. Tu n'as à demander ni grâce ni faveur, mais la recherche de la vérité, du misérable qui a écrit cette lettre infâme, justice pour nous tous, enfin ! Tu trouveras, d'ailleurs, dans ton cœur des paroles plus éloquentes que celles qu'une simple lettre pourrait contenir. Il faut, en un mot, avoir enfin l'énigme de ce drame, par quelque moyen que ce soit. Tes qualités d'épouse et de mère te donnent tous les droits et doivent te donner tous les courages. À ce que je ressens, au point où en est mon cœur, je sens trop bien où vous en êtes tous et je vous vois, dans mes longues nuits, souffrir et hurler de douleur avec moi. Il faut que cela finisse. On ne peut cependant pas, dans notre siècle, laisser ainsi agoniser deux familles sans éclaircir un pareil mystère. La lumière peut être faite quand on voudra bien la faire. Donc, ma chère Lucie, tout en conservant la dignité qui ne doit jamais t'abandonner, sois forte, courageuse et énergique. Grands et humbles, nous sommes tous égaux quand il s'agit de justice, et cet honneur auquel je n'ai pas forfait, qui est le patrimoine de nos enfants, doit nous être rendu. Je veux être avec toi et avec nos enfants ce jour-là [82].

Pour être certain que son message fût bien compris, il insista dans sa lettre suivante sur l'importance de son action et sur la dignité qu'elle impliquait. Dreyfus s'investissait beaucoup dans la description des démarches qu'il lui demandait de conduire en leurs deux noms. Il s'agissait bel et bien d'un appel à l'action la plus concrète et la plus déterminée.

Que ton âme, ton énergie, soient donc à hauteur de circonstances aussi tragiques, car il faut que cela finisse. C'est pourquoi je t'ai dit, dans ma lettre du 7 septembre, que si, quand tu recevras ces lettres, la situation n'était pas nettement éclaircie, il t'appartenait, à toi personnellement, de faire des démarches auprès des pouvoirs publics, pour qu'on fasse enfin la lumière sur cette tragique histoire. Tu as le droit de te présenter partout la tête haute, car ce que tu viens réclamer, ce ne sont ni grâces, ni faveurs, ni même convictions morales, si légitimes qu'elles puissent être, mais la recherche, la découverte des misérables qui ont commis le crime infâme et lâche. Le gouvernement a tous les moyens pour cela. Des lettres ne servent à rien, ma chère Lucie. C'est par toi-même qu'il faut agir. Ce que tu as à dire prendra, en passant par ta bouche, une force, une puissance que le papier et l'écriture ne donnent point. Donc, ma chère Lucie, forte de ta conscience, de tes qualités d'épouse et de mère, fais des démarches sans te lasser, jusqu'à ce que justice nous soit rendue. Et cette justice que tu dois demander énergiquement, résolument, avec toute ton âme, c'est qu'on fasse la lumière entière, complète, sur cette machination dont nous sommes les malheureuses et épouvantables victimes. D'ailleurs, tu sais ce que tu as à dire, et il faut le dire carrément, fièrement.

Vois-tu, ma chère Lucie, c'était mon opinion du premier jour. J'aurais, sans bruit aucun, sans faire intervenir personne, sinon mon introducteur, pris un enfant par chaque main, et j'aurais été demander justice partout, sans relâche, jusqu'à ce que les coupables eussent été démasqués. Le moyen est héroïque, mais il est le meilleur, car il part du cœur et s'adresse aux cœurs, au sentiment de justice inné en chacun de nous, quand il n'est pas guidé par ses passions. Il procède de la force que vous donne l'innocence, du devoir à remplir, et ne connaît pas d'obstacles. Il est digne enfin d'une femme qui ne demande que la justice, pour son mari, pour ses enfants [83].

Comme toi, ma chère Lucie, ma pensée ne te quitte pas, ne quitte pas nos chers enfants, vous tous, et quand mon cœur n'en peut plus, est à bout de forces pour résister à ce martyre qui broie le cœur sans s'arrêter comme le grain sous la meule, qui déchire tout ce qu'on a de plus noble, de plus pur, de plus élevé, qui brise tous les ressorts de l'âme, je me crie à moi-même toujours les mêmes paroles ! Si atroce que soit ton supplice, marche encore afin de pouvoir mourir tranquille, sachant que tu laisses à tes enfants un nom honoré, un nom respecté [84] !

Lucie ne pouvait lui apporter des informations concrètes, surtout dans les premières années puisque toutes les portes s'étaient fermées devant ses efforts, ceux de Mathieu et des quelques amis groupés autour de lui. Elle lui apporterait alors son amour. L'un des soutiens qu'apporta Lucie à son mari fut indéniablement son amour exprimé sans réserve, dans une indifférence aux conventions du temps. L'amour qui s'écrivait parce qu'il ne pouvait pas s'incarner dans des gestes et des paroles impliquait de trouver les mots pour le dire. Lucie releva admirablement ce défi littéraire et humain. La correspondance que nous avons éditée à l'automne 2005 et qui contient l'essentiel des lettres de Lucie en témoigne si bien qu'il n'est pas nécessaire de faire l'exégèse de cette écriture de l'amour[85].

### *« Je t'embrasse comme je t'aime »*

Lucie terminait généralement ses lettres à son Alfred par cette phrase d'amour qu'elle voulait le proche, le plus présent : « je t'embrasse comme je t'aime. » Sa correspondance reposait sur ce choix de l'écriture amoureuse qu'elle considérait comme la meilleure forme de soutien à son mari. Elle qui avait voulu le rejoindre parce qu'elle ne pouvait pas vivre sans lui, et qui dut se résigner à rester en métropole décida de lui apporter le plus précieux, le sentiment le plus fort de son amour afin de l'aider à vivre et à survivre. Le 9 mai 1895, elle adressa la première des si nombreuses lettres qu'elle lui enverra sur l'île du Diable :

Enfin j'ai reçu une lettre de toi. Je ne peux te dire quelle joie j'ai éprouvée et combien mon cœur a battu en revoyant ton écriture chérie, en lisant ces lignes que tu avais écrites, les premières qui m'arrivent depuis ton départ, c'est-à-dire depuis deux mois. Tes souffrances, tes tortures, mon pauvre chéri, je les partage ; je donnerais ma vie pour te soulager. Je sais comme toi que toutes les convictions sont inutiles. Depuis le malheureux jour où toi, pauvre innocent, tu as été condamné j'ai regardé la situation en face. Jamais je ne me suis fait d'illusions. Comme je te l'ai dit dans nos dernières entrevues, si convaincu que soit notre entourage, si estimé que tu sois par tous tes amis, le mal est fait ; pour le réparer il n'y a qu'un moyen, la réhabilitation. Nous y arriverons, j'en suis sûre, et elle sera d'autant plus éclatante que l'accusation était monstrueuse. Parfois quand la réalité me semble trop formidable, je m'imagine être dans un rêve. Comment toi, l'homme le plus droit, le plus loyal, toi qui aimais ton pays par-dessus tout, toi qui personnifiais l'officier français dans toute la belle acception du mot, ne connaissant que le devoir, dévoué corps et âme à sa patrie, tu te trouves l'objet d'un complot infâme, tu es visé subitement dans ta vie, dans ton honneur, dans ce que tu as de plus cher au monde. Non, c'est trop pour des forces humaines ; et il faut une énergie comme la tienne, une conscience aussi pure, aussi nette pour avoir supporté et supporter encore ces mois de tortures. Merci, mon chéri, de l'exemple que tu me donnes. Devant une existence aussi abominable que la tienne, je ne puis que rassembler toutes mes forces, toute mon énergie pour arriver au but suprême, à ta réhabilitation. Je veux (et j'espère que Dieu nous vienne en aide) que tu assistes à ta réhabilitation, que tu aies encore du bonheur sur cette terre. Je mettrai tout en œuvre pour réaliser ce suprême désir, et ma conviction absolue comme celle de tous les nôtres est que nous aboutirons, et que tu seras enfin compensé des horribles tortures que tu as courageusement supportées[86].

Le 8 juillet 1895, elle lui écrivit une nouvelle lettre où elle ouvrait tout son cœur.

Tes lettres des 18 et 27 mai et du 3 juin me sont parvenues. Elles m'ont fait une joie immense. Il me semble que je t'entendais parler, que ta voix chérie résonnait à mes oreilles ; il me parvenait enfin quelque chose de toi, tes pensées si nobles et si belles venaient se refléter dans mon esprit. Te dire que je n'ai pas pleuré en recevant ces lignes, si impatiemment attendues, serait mentir ; mais j'ai vu avec un bonheur immense que tu étais redevenu maître de tes nerfs. Tu es si vaillant, tu fais preuve d'un tel héroïsme, que tu nous soutiens tous ; ton exemple nous fortifie dans la tâche que nous nous sommes tracée, nous ne songerions devant un courage tel que le tien à faiblir un seul instant. Nous sommes aidés dans la recherche de la vérité par la confiance absolue dans l'avenir, par la foi inébranlable que nous avons dans une réhabilitation prochaine, et je t'affirme, mon brave Alfred, que tu peux te reposer absolument sur nous. Je sais quelle volonté surhumaine il te faut pour faire place à la vie et te surmonter dans les moments de faiblesse ou de désespoir qui doivent être hélas, bien fréquents dans la solitude au milieu de laquelle tu vis. Pour moi, pour tes pauvres enfants qui te l'exprimeront un jour, je te remercie de toutes mes forces du sacrifice si grand, de l'effort que tu fais tous les jours pour résister moralement et physiquement à une épreuve aussi épouvantable. Mais tout a sa fin, et tu seras bientôt récompensé de tes souffrances. La réhabilitation sera si belle, si éclatante, la réparation sera grande en raison des tortures que tu as subies. Puis notre bonheur sera tel, notre joie si énorme, nous serons tellement contents que tout sera oublié tout pardonné. Alors je n'aurai plus qu'un désir, un but unique, et ce sera pour moi une grande joie, celui de te réserver une vie douce, facile, bonne et de panser tes blessures par le témoignage de ma profonde affection[87].

L'écriture amoureuse de Lucie ne s'épuisa point. Le 30 mai 1899, Alfred lui confiait avoir reçu « une des plus belles, des plus nobles, des plus courageuses [lettres] que tu m'aies écrites[88] », celle du 30 janvier que voici :

En t'écrivant ma dernière lettre, le 1ᵉʳ janvier, j'étais intimement convaincue que tu ne la recevrais plus et je t'exprimais ainsi ma pensée, non pas pour donner un encouragement à ton admirable vaillance, mais en toute sincérité. Les événements heureux sont terriblement longs à venir, nos désirs les devançant de beaucoup C'est avec un amer chagrin que je vois que le terme que je m'étais fixé était encore trop rapproché. Mais toi-même si juste, si équitable, tu dois te rendre compte des retards inévitables qui peuvent survenir au cours d'une enquête poussée à fond[89] ; puisque nous

voulons pour nous, pour nos enfants, pour le monde entier la vérité la plus
entière, nous devons nous résigner et faire encore pour notre honneur le
sacrifice d'un retard bien cruel à notre bonheur. Je te parle ainsi, avec
raison, mon bon chéri, car j'estime que tous nos efforts peuvent actuellement se concentrer dans la volonté ferme de surmonter nos nerfs, notre
impatience, et d'attendre avec calme la fin de cette longue phase judiciaire
qui doit conduire à te réhabiliter. Mais si je laissais parler mon cœur, combien mon langage serait différent. Je souffre sans cesse des angoisses que
tu dois ressentir, des souffrances que tu éprouves, de la tristesse de la longueur
des heures dans cette île lointaine et solitaire où ne peut te parvenir de notre
si grande affection à tous qu'un écho trop faible. Pauvre, pauvre ami,
comme je te plains, comme je voudrais te soulager, employer toute ma
tendresse, tout mon amour à fermer tes plaies de ces terribles années. [...]
Je te serre dans mes bras de toute mon affection[90].

## Le « talisman »

La présence à travers leurs lettres de Lucie et de ses enfants augmentait encore leur importance pour lui. Le 28 décembre 1895, Dreyfus inscrivit ces mots dans son journal : « Dans les nombreux moments
où je défaille, dans ce profond dégoût de toutes choses, trois noms que
je murmure tout bas me réveillent, relèvent mon énergie, et me
donnent des forces toujours nouvelles : Lucie, Pierre, Jeanne. [...] Il
me faut rassembler toutes mes forces pour résister toujours et encore,
murmurer tout bas ces trois noms, mon talisman : Lucie, Pierre,
Jeanne[91]. »
Auparavant, il avait écrit et décrit l'importance définitive de ces
trois visages. « Chaque fois que je contemple la mer, me revient le
souvenir des bons et heureux moments que j'y ai passés avec ma
femme, avec mes enfants. Je me vois promenant mon petit Pierre sur
la plage, jouant et gambadant avec lui, faisant de beaux rêves d'avenir
pour lui. Puis me revient l'horrible situation présente, l'infamie jetée
sur mon nom, sur celui de mes enfants ; mes yeux se troublent, le sang
afflue au cerveau, le cœur bat à se rompre, l'indignation s'empare de
mon être. Il faut que la lumière soit faite, il faut que la vérité soit
découverte quel que soit notre supplice[92]. »
Les photographies des êtres chers qu'il a pu emporter en Guyane,
il les a placées sur la petite table qui lui sert de lieu d'écriture et de
lecture. « J'ai mis sur ma table, pour les avoir constamment sous les
yeux, les images de ma femme, de mes enfants. Il faut que j'y puise
toute mon énergie, toute ma volonté[93]. » Ces portraits – auxquels
Lucie avait consenti un peu malgré elle[94] – soutenaient tous les rêves
où apparaissaient les êtres chers. « Chaque nuit, je rêve à ma femme,
à mes enfants. Mais quels terribles réveils ! Quand j'entrouvre les
yeux, que je me vois dans ce cabanon, j'ai un moment d'angoisse
tellement horrible, que je voudrais fermer les yeux à jamais, pour ne
plus voir, pour ne plus penser[95]. » Le réveil pouvait être infiniment

douloureux, mais le souvenir se maintenait. « Et dans cette nuit, dans ce calme profond, se retracent dans mon esprit les images chéries de ma femme, de mes enfants. Comme ma pauvre Lucie doit souffrir d'un sort immérité, après avoir eu tout pour être heureuse ! Et heureuse, elle méritait tant de l'être, par sa profonde droiture, son caractère élevé, son cœur tendre et dévoué. Pauvre, pauvre chère femme ; je ne puis penser à elle, aux enfants, sans que tout s'amollisse en moi, sans sangloter ; mais aussi ils m'inspirent mon devoir[96]. »

L'image de Lucie, de Pierre et de Jeanne ne le quittait pas. Elle dirigeait sa résistance. « Je me demande souvent si je suis éveillé ou si je rêve, tant tout ce qui se passe depuis un an est incroyable, inimaginable. Avoir abandonné son pays, l'Alsace, avoir quitté une situation indépendante au milieu des siens, avoir servi sa patrie avec tout son cœur, toute son intelligence, pour se voir un beau jour accusé, puis condamné pour un crime aussi infâme qu'odieux, sur la foi de l'écriture d'un papier suspect, n'y a-t-il pas de quoi démoraliser un homme à jamais ! Mais je suis obligé de résister, de lutter, pour ma chère Lucie, pour mes enfants[97]. »

Les rapports de ses gardiens en témoignèrent. « Le 2 octobre 1895, il reçoit quatorze lettres, se met aussitôt à les lire et dit, après quelques instants de réflexion : "Il y a longtemps que je me serais logé une balle dans la tête, si je n'avais pas ma femme et mes enfants[98]." » À Lucie, il confiait à leur propos : « C'est en ces derniers, ma chérie, que tu dois puiser cette force morale, cette énergie surhumaine qui te sont nécessaires pour aboutir à tout prix à ce que notre honneur apparaisse de nouveau, à tous sans exception, ce qu'il a toujours été, pur et sans tache[99]. »

*Le souffle d'une correspondance*

Le droit qui lui fut accordé de recevoir des nouvelles des siens, le droit de leur écrire et d'user de cet espace intellectuel pour comprendre son destin et reprendre confiance, furent essentiels. Il permettait au déporté de ressentir la présence de ceux qui l'aimaient et le soutenaient. « Ma pensée ne te quitte pas un instant, de jour comme de nuit », avouait-il à Lucie le 11 juin 1895. Elle fut tout pour lui. Sa confidente, son courage et celle qui, à Paris, travaillait à le faire libérer : « Je me rappelle ce que tu m'as dit avant mon départ, je sais, comme tu me le répètes dans ta lettre du 17 février, ce que valent les paroles dans ta bouche, j'ai une confiance absolue en toi[100]. »

Elle était là quand tout l'avait abandonné. « Toujours seul, en tête à tête avec moi-même, livré à mes tristes pensées, sans nouvelles de toi, des enfants, de tous ceux qui me sont chers depuis plus de deux mois, à qui confierais-je les souffrances de mon cœur, si ce n'est à toi, confidente de toutes mes pensées[101] ? » « J'éprouve un besoin invincible de venir causer avec toi[102]. »

Lire ses lettres était capital aussi. Elles l'encourageaient à être le plus fort, le plus héroïque : « C'est sous l'impression de leur lecture que je veux te répondre. D'abord la joie immense que j'ai eue en te lisant : c'était quelque chose de toi qui venait me retrouver, c'était ton bon et excellent cœur qui venait réchauffer le mien [103]. »

Toutes les lettres comptaient. Le 2 juillet 1895, Alfred écrivait à Lucie : « J'ai reçu également les lettres, datant de la même époque, de tes chers parents et de divers membres de nos familles. Embrasse-les de ma part et remercie-les. Dis à Mathieu que mon énergie morale est à la hauteur de la sienne [104]. » Ses frères et sœurs, ses neveux et nièces, comme la jeune Lucie, fille d'Henriette, ainsi que les frères et sœurs de Lucie et particulièrement Marie dont il était très proche, comptaient beaucoup pour eux. Lucie le savait, elle lui racontait comment la vie là-bas se poursuivait, se renforçait dans la pleine et constante pensée du martyre d'un des leurs. Le 5 avril 1897, elle lui annonça le mariage de sa sœur Marie avec son cousin Isaac Kayser [105]. Elle évoqua leur bonheur à tous. Ses lettres furent très belles.

Pour la première fois depuis bien longtemps, mes parents, ma chère Marie, ont eu une douce émotion au milieu de si pénibles souffrances, il est bien de voir un rayon de bonheur éclairer ces figures aimées. Marie se fiance avec son cousin I. [saac] Kayser dont tu te souviens bien certainement. Tu le connais peu, mais nous qui le voyions fréquemment depuis notre enfance, mon frère qui est ami du sien depuis quarante ans, nous avons été à même d'apprécier ses qualités, sa bonté, son caractère droit et sûr, sa conduite toujours digne de louanges dans toutes les circonstances pénibles de la vie qu'il a traversées.

Mes parents lui confient Marie en toute sécurité, et il est très digne de leur confiance.

En outre il a de l'affection pour Marie. Depuis six ans, il attendait pour se déclarer d'être en possession d'une bonne situation, puis d'avoir marié sa sœur à laquelle il était nécessaire. Florence est maintenant mariée et lui est à la tête de la maison de commission que son frère a créée et qu'il fait prospérer. Tu vois que par sa volonté seule il est arrivé à réaliser son rêve.

Jusque à présent Marie ne voulait pas entendre parler de mariage. Sa tristesse était trop grande pour qu'elle puisse penser à changer sa vie ; mais enfin devant une affection si tenace et si sincère, elle a dû aussi prendre une décision. Cet attachement qui remonte à une époque si lointaine est encore une garantie de bonheur. Inutile de te dire, n'est-ce pas, que notre cousin et bientôt notre beau-frère a été profondément attristé de nos malheurs. Il a été dans ces dernières années d'un très grand dévouement. Lui et sa famille ont beaucoup d'estime pour toi, ils te plaignent et t'admirent et donneraient tout au monde pour te revoir heureux. [...]

J'ai de la peine à me séparer de toi. Il faut cependant que je te quitte en t'embrassant fort, bien fort, de toute ma puissante affection [106].

Lorsque Alfred ne recevait pas de lettres de ses proches il s'inquiétait aussitôt d'un éventuel changement dans leur attitude à son égard.

Troublé du silence de son beau-père, il lui écrivit le 28 juin 1895. La lettre exprimait les sentiments filiaux qui l'attachaient aux parents de Lucie.

> Dans le paquet de lettres du commencement de mars que j'ai reçu il y a une quinzaine de jours, je n'ai pas trouvé de lettres de vous. Tel que je vous connais, j'ai compris combien votre douleur était immense par ce silence plus éloquent que toutes les paroles. Mais consolez-vous, cher père, si nos tortures, si nos chagrins ont été et sont encore épouvantables, car aucune douleur ne saurait se comparer à celle-là, il faut regarder l'avenir devant lequel nous n'avons pas le droit de nous dérober.
>
> Ma raison se refuse à croire que mon innocence ne finisse pas par être reconnue, que mon honneur, l'honneur de nos chers et adorés petits-enfants ne nous soit rendu. Fixez vos yeux sur ce moment, et qu'il vous donne la force d'attendre. Ah ! je sais que le devoir est parfois dur à remplir et que la mort serait plus douce, mais ce droit nous ne l'avons pas. Courage donc, cher père, ainsi que Maman, jusqu'au jour où nous pourrons [...] nous consoler. J'espère que ce jour ne tardera pas plus longtemps à venir ; je ne puis l'imaginer autrement [107].

### Des soutiens concrets

Les soutiens accordés par ses deux familles au capitaine Dreyfus ne furent pas seulement affectifs. L'aisance financière de la famille permit de le faire bénéficier de toutes les possibilités, au demeurant réduites, que tolérait le régime de la déportation. Il lui fut accordé le droit de faire venir de Paris ou de Cayenne des revues et des livres, des vivres, des denrées, du tabac. Chaque mois, le capitaine Dreyfus est autorisé à remettre au commandant des îles du Salut une demande de vivres et d'objets nécessaires pour le mois suivant [108].

Cette amélioration du quotidien matériel et intellectuel fut d'un réel secours. Les conserves qu'il put notamment consommer soulagèrent sa santé. Ce privilège suscita la jalousie des surveillants dont l'ordinaire était moins attractif que le contenu des colis reçus par leur prisonnier [109]. Dreyfus ne prenait pas de plaisir particulier à consommer ces vivres et ces boissons de qualité, dont du sauternes, mais il savait qu'elles l'aideraient à survivre. « J'ai reçu ma batterie de cuisine et pour la première fois des conserves de Cayenne. La vie matérielle m'est indifférente, mais je pourrai soutenir ainsi mes forces. »

À son arrivée aux îles du Salut, son beau-père l'informa qu'il mettait à sa disposition les services de la maison Saint-Auge à Cayenne pour le cas où il aurait besoin de vêtements ou d'objets quelconques à son usage. Aussitôt le ministre des Colonies prescrivit une surveillance étroite de cette maison de commerce et des colis qui seraient adressés au « condamné Dreyfus [110] ». Mathieu chargea également un industriel de Cayenne, Paul Dufourg, des intérêts matériels de son frère. Le 6 juin 1895, il reçut un pouvoir officiel de Lucie. Il s'acquitta de sa tâche avec dévouement et efficacité alors que rien ne l'y obligeait, sinon sa conscience. « La mission de toute humanité qu'on me proposait ainsi était de celles qu'un homme de cœur ne refuse pas, quelles qu'en puissent être les suites, déclara-t-il au reporter Jean Hess... Elles ont été pénibles pour moi. Mais je ne m'en plains point. Et si c'était à recommencer, je recommencerais. » Il apprit rapidement que le déporté était soumis à un régime qui ne correspondait pas à la peine à laquelle il avait été condamné. Il écrivit alors à la famille pour lui conseiller de rendre le ministère responsable de la vie du déporté [111]. L'administration accepta alors de modifier les règles alimentaires qu'elle avait au départ imposées au capitaine Dreyfus.

Le 27 juin 1895, le ministre des Colonies Émile Chautemps autorisa Lucie à adresser directement à son mari de petits effets qui lui étaient destinés (bouteilles d'eau de Vichy, chocolat, kola, tricots de laine) et demanda à ce qu'ils fussent au préalable minutieusement examinés [112]. Il fit de même pour un paquet renfermant « neuf livres et neuf brochures destinés au déporté Dreyfus [113] ». Dreyfus bénéficia aussi d'envois de tabac sous toutes les formes : cigares, cigarettes, tabac à pipe [114]. Il en recevait également à travers ses rations réglementaires. « 6 mai 1897, écrivait un gardien dans son journal, reçu 0,500 kg de tabac pour le déporté. Quand on le lui a remis, il fumait du thé dans sa pipe. » Dreyfus consommait en effet une quantité impressionnante de tabac, nécessaire pour calmer ses nerfs. À cela s'ajoutaient les calmants largement prescrits par le médecin-chef.

Au début de la déportation, il put obtenir soit par des commandes directes, soit par l'intermédiaire de Lucie, des livres et des revues ; les journaux étaient interdits. Pour les premiers, il reçut les œuvres complètes de Shakespeare, la *Nouvelle Héloïse*, *La Maison Nucingen*, Montaigne... Pour les secondes, *Revue rose*, *Revue des Deux Mondes*, *Revue de Paris*, *L'Année scientifique*, *La Nature*, etc. Le 31 décembre 1895, il sollicita par lettre l'envoi, contre remboursement, des livres suivants : *Mémoires de Barras* publiés par G. Duruy, *Le Désert à Jérusalem* de Pierre Loti, *Voyage en Amérique* par Paul Bourget [115].

Ces lectures, ainsi que les nombreuses réflexions qu'il en tira et qu'il coucha sur le papier de ses cahiers de travail l'aidèrent beaucoup à affronter le quotidien. L'aggravation des conditions de réclusion après le 6 septembre 1896 toucha notamment les envois de livres et de revues : ils furent suspendus. Dreyfus dut se résigner à relire les ouvrages déjà reçus. Mais le papier était attaqué par l'humidité et les insectes. Le sort s'acharnait inexorablement sur les parcelles d'humanité qu'il avait su constituer.

*Traces d'humanité*

Au plus profond de sa souffrance, Dreyfus put découvrir quelques gestes de solidarité de la part de gardiens et de l'administration. Actes fugaces, sans lendemain, ils lui disaient cependant que l'humanité n'avait pas totalement déserté l'îlot qui lui servait d'éternelle prison. Son journal indique quelques faits de cette nature, surtout au début de la déportation. Le lundi 15 avril 1895, deux jours après être arrivé à l'île du Diable, il était dans un état d'épuisement total après l'épreuve de la traversée et les trente jours de réclusion complète à l'île Royale. Il pleuvait à torrents. « Comme premier petit déjeuner, rien. Les surveillants ont pitié de moi ; ils me donnent un peu de café noir et de pain. » Le soir, ils font de même : « Voyant ma faiblesse physique, [ils] me passent un bol de leur soupe. » Le dimanche 21 avril 1895, le commandant supérieur des îles eut la bonté de lui faire porter, avec la viande, deux boîtes de lait concentré. Aussitôt Dreyfus planifia sa consommation : « Chaque boîte peut produire environ trois litres de lait ; en buvant un litre et demi de lait par jour, j'en aurai ainsi pour quatre jours [116]. » Le vendredi 26 avril, Bravard lui apporta encore du tabac et du thé. Il lui confia, à titre de prêt, « quatre assiettes plates, deux creuses, deux casseroles [117] », pour faire suite à sa demande de ne pas manger son dérisoire repas sur des bouts de ferraille. Son obstination avait payé.

Dreyfus savait repérer chez les gardiens ceux qui appliquaient le règlement avec humanité, sans profiter du pouvoir discrétionnaire dont ils étaient investis. Le 30 juillet 1895, il vit partir l'un d'eux, « accablé par les fièvres du pays ». Il ajouta dans son journal : « Je le regrette, car c'était un brave homme, faisant strictement le service qui lui était imposé, mais loyalement, avec tact et mesure [118] ». Mais ces lueurs étaient infiniment rares. Dreyfus savait qu'il ne devait rien attendre de ses gardiens alors qu'une chose minuscule pouvait tout signifier pour lui : « Une parole sympathique, un regard ami, apportent quelquefois un léger baume aux plus cruelles blessures et en endorment pour un temps les cuisantes douleurs. Ici, rien [119]. »

Pourtant, Dreyfus relata la gêne du commandant Bravard lorsque celui-ci vint lui annoncer la mesure de la double boucle et de l'enfermement jusqu'à nouvel ordre. Il ne put cacher son embarras : « Il m'a dit que la mesure qui était prise à mon égard n'était pas une punition, mais "une mesure de sûreté", car l'administration n'avait aucune plainte à élever contre moi. [...] On sent bien, continua l'officier, que l'administration locale (sauf le surveillant-chef, spécialement envoyé de Paris) a elle-même l'horreur de mesures aussi arbitraires, aussi inhumaines, mais qu'elle est obligée de m'appliquer, n'ayant pas à discuter avec des consignes qui lui sont imposées [120]. »

Avec l'arrivée de Deniel à la tête du bagne, ces quelques allègements disparurent. Le nouveau commandant s'obstina à les dévoiler et à les punir. Persuadé que le médecin-chef aidait Dreyfus et s'entretenait avec lui lors de ses visites, il demanda ainsi que le médecin-chef reçût un avertissement du gouverneur de la Guyane. Il n'ignorait pas non plus qu'à Cayenne des personnalités étaient prêtes à soulager les souffrances du déporté dont il avait la garde, notamment le maire de la capitale de la Guyane, Éleuthère Leblond.

## « Que pensait-on à Cayenne ? »

Au cours de son reportage « à l'île du Diable », Jean Hess interrogea son « excellent ami le maire de Cayenne [et] quelques hommes qui savaient beaucoup de choses sur l'île du Diable et sur son prisonnier ». Plus précocement qu'en métropole, ils prirent fait et cause pour lui. Les conditions de réclusion qui lui étaient faites les révulsaient particulièrement.

> Quand Dreyfus arriva, condamné comme traître, c'est l'horreur qu'il nous inspira. Nous ne pouvions que le croire légalement et justement condamné.
> Mais quand cette « affaire » d'un particulier s'est compliquée d'une question de race, quand nous avons appris les irrégularités du procès, quand nous avons lu les protestations des amis du déporté, alors nous avons souhaité la révision.
> Lorsque M. Lebon, dont nous avons apprécié la tyrannie dans plusieurs questions locales, a prescrit les illégales aggravations de peine que vous connaissez, nous avons protesté. Aujourd'hui, nous croyons Dreyfus innocent.
> Et si les événements nous permettaient de lui être utiles, personne de nous n'y faillirait [121].

Dès le 7 octobre 1897, le journal local *Combat*, dirigé par le même Le Blond, observait que « tous les faits et incidents pouvant concerner Dreyfus revêtent aux yeux des administrateurs métropolitains le caractère de questions d'État ». Le 23 novembre, le journal dénonçait longuement la tyrannie qui s'exerçait sur Dreyfus, en exagérant parfois les tortures qui lui étaient infligées :

> Il faut que la lumière soit faite.
> La France ne doit pas oublier qu'il y a plus de trente-deux mois que Dreyfus est à l'île du Diable, qu'il s'y trouve dans les conditions les plus misérables, ne communiquant avec aucun être humain, ne pouvant même converser avec ses gardiens qui ont pour consigne de ne pas lui répondre.
> La France ne doit pas ignorer non plus qu'on refuse au déporté le droit de se procurer d'autres aliments que des conserves, et que, contrairement à toutes les lois existantes, on l'a souvent, et pendant de longs mois, tenu enfermé dans sa chambre, et aux fers par les autres membres.
> La France doit savoir ou apprendre que Dreyfus, dans les rares circonstances où on lui permet de respirer librement, est toujours suivi à deux pas par un gardien qui a pour ordre de lui brûler la cervelle à la moindre alerte [122].

## LE POUVOIR DE L'ÉCRITURE

La correspondance était le lien unique et décisif qui le rattachait au monde civilisé, au bonheur perdu et aux êtres chers. Par elle transitaient les sentiments, les informations. Elle était aussi le lieu où il pouvait se parler à lui-même, dialoguer alors même que toute parole lui était interdite. Elle créait un monde qu'il pouvait opposer à celui de la déportation. Elle exigeait beaucoup, et Dreyfus lui-même s'imposait une langue pure, une expression parfaite, quitte à multiplier les brouillons, dix parfois, que ses geôliers et Deniel particulièrement considéraient comme hautement suspects. Mais le résultat était là : des lettres qui ne se ressemblaient jamais, qui exprimaient des affections si difficiles parfois à restituer, une calligraphie fine, élégante, des mots tracés comme une œuvre d'art.

Mais l'écriture ne s'arrêtait pas aux seules lettres. Il y eut le journal, il y eut les cahiers de travail, encore peu connus et dont les pages apparemment couvertes des mêmes figures géométriques inlassablement répétées cachaient des textes pour certains remarquables, réflexions d'un homme des Lumières sur la littérature, la philosophie, l'histoire, la politique, l'éducation, etc. Ces notes critiques découlaient fréquemment de ses lectures. « En lisant, en écrivant [123] » était une vérité pour le prisonnier de l'île du Diable. Il restait un intellectuel. Il avait réussi comme intellectuel, il avait acquis depuis son enfance une vaste culture et se l'était appropriée avec une intelligence critique dont témoigna son usage pendant les quatre années de déportation.

### L'écriture épistolaire

Le capitaine Dreyfus écrivit énormément durant ses quatre années de détention sur l'île du Diable. Il rédige un journal qui s'apparentait à une longue et ininterrompue lettre à sa femme. Il ne cessa par ailleurs d'entretenir une correspondance nombreuse avec les siens, avec Lucie d'abord, avec ses frères et sœurs, moins souvent avec ses enfants ou ses beaux-parents, mais les lettres qu'il leur adresse sont particulièrement poignantes. Il écrit énormément aussi aux autorités de la République, le président de la République en premier lieu, le président du Conseil, le ministre de la Guerre, le chef d'État-major, autant de lettres qui possédaient, comme la correspondance privée, de hautes qualités littéraires. Jean Decrais estime qu'il a envoyé « plus de mille lettres ». Nous pensons que le double est une estimation plus raisonnable. Toutes ces missives, parfaitement calligraphiées, impliquaient de passer par de nombreux brouillons, « plusieurs milliers » qui furent remis à l'administration des îles du Salut conformément au règlement [124]. Les lettres n'étaient lues qu'à Cayenne et à Paris, et jamais sur l'île du Diable, à l'exception d'Oscar Deniel qui restait dominé par une obsession sécuritaire totale. En revanche, celui-ci craignait que leur lecture par les gardiens n'amoindrît leur hostilité à l'égard du déporté [125].

L'écriture épistolaire la plus démonstrative fut celle qui le portait si fréquemment vers Lucie. « J'écris à ma femme, témoignait-il dans son journal ; c'est un de mes rares moments d'accalmie. Je l'exhorte toujours au courage, à l'énergie, car il faut que notre honneur apparaisse à tous sans exception, ce qu'il a toujours été, pur et sans tache [126]. » Ainsi, parmi tant d'autres, la lettre du 6 janvier 1897 confirmait cet aveu : « Et quand je viens ainsi bavarder avec toi quelques instants, oh ! bien fugitifs, eu égard à ce que ma pensée ne te quitte pas un instant, de jour ou de nuit, il me semble vivre ce court moment avec toi, sentir ton cœur gémir avec le mien et je voudrais alors te presser dans mes bras, te prendre les deux mains et te dire encore : "Oui, tout cela est atroce, mais jamais un moment de découragement ne doit entrer dans ton âme, pas plus qu'il n'en entre dans la mienne. Comme je suis français et père, il faut que tu sois française et mère. Le nom que portent nos chers enfants doit être lavé de cette horrible souillure, il ne doit pas rester un seul Français qui puisse douter de notre honneur [127] !" »

L'écriture l'emmenait vers Lucie. Elle avait le pouvoir de la faire exister.

> Il me semble, quand je t'écris, que les distances se rapprochent, que je vois devant moi ta figure aimée et qu'il y a quelque chose de toi auprès de moi. C'est une faiblesse, je le sais, car malgré moi, l'écho de mes souffrances vient parfois sous ma plume, et les tiennes sont assez grandes pour que je ne te parle pas encore des miennes. Mais je voudrais bien voir à ma place philosophes et psychologues, qui dissertent tranquillement au coin de leur feu sur le calme, la sérénité que doit montrer un innocent !
>
> Un silence profond règne autour de moi, interrompu seulement par le mugissement de la mer. Et ma pensée, franchissant la distance qui nous sépare, se reporte au milieu de vous, au milieu de tous ceux qui me sont chers et dont la pensée, certes, doit se diriger souvent aussi vers moi. Fréquemment je me demande, à telle heure, que fait ma chère Lucie, et je t'envoie par la pensée l'écho de mon immense affection. Je ferme alors les yeux, et il me semble voir se profiler ta figure, celles de mes chers enfants [128].

L'écriture le faisait aussi exister pour lui-même. Elle lui renvoyait sa meilleure part, celle d'un homme qui résistait et combattait : « Je viens d'écrire à ma femme pour lui dire que mon énergie morale est plus grande que jamais, expliquait-il. Il faut, je veux la lumière entière, absolue sur cette ténébreuse affaire [129]. »

L'écriture était aussi une volonté. Sa pratique l'obligeait à ne pas sombrer dans le désespoir de ses pensées et la mélancolie du temps. Elle le forçait à penser rationnellement. Elle le ramenait vers l'humanité que représentaient la langue et la raison : « Je veux te faire part de mes pensées au fur et à mesure qu'elles me viennent à l'esprit. J'ai le temps de réfléchir profondément dans ma solitude [130]. »

Elle était le monde qu'il avait perdu. Par elle, celui-ci vivait toujours. Il le retrouverait. Il combattait déjà à ses côtés. À la veille du brutal changement de ses conditions de détention, il notait dans son journal : « Je viens d'écrire trois longues lettres, successivement, à ma chère Lucie, pour lui dire de ne pas se laisser abattre, mais d'agir, de faire appel à tous les concours, car une situation pareille, supportée depuis si longtemps, devient trop écrasante, trop atroce. Il s'agit de l'honneur de notre nom, de la vie de nos enfants ; devant ce but, tout doit se taire, tout ce qui gronde dans nos cœurs, tout ce qui bouleverse nos esprits, tout ce qui fait monter l'amertume du cœur aux lèvres [131]. »

À cet instant, Alfred Dreyfus transformait son journal en une nouvelle lettre à sa femme, une supplique qu'il lui adressait par-delà l'immensité qui les séparait. « À travers l'espace, ma chère Lucie, je t'envoie en ce moment l'expression de ma profonde affection, de toute ma tendresse, et ce cri toujours le même, ardent, invariable : courage et courage ! Devant le but à atteindre, toute la vérité, tout l'honneur de notre nom, souffrances, tortures sans nom, tout doit disparaître, tout doit s'effacer. »

Ses lettres constituent l'une des plus belles correspondances politiques et amoureuses qu'il soit donné de lire. Profonde comme l'amour qu'elle disait à Lucie, utile pour résister, victorieuse à travers les temps. Elle était le dernier rempart qui protégeait Dreyfus de la mort et de la tyrannie. Elle était le lieu où il trouvait les forces capables de le sauver. Ses lettres étaient pour Lucie, elles étaient pour lui aussi. Enlevé au monde des humains, il retrouvait une humanité qu'on ne pouvait lui retirer.

## L'écriture diariste

Chacune des lettres écrites par Dreyfus constituait un fragment d'un très long journal, de la même manière que celui qu'il tint jusqu'au 10 septembre 1896 ressembla par bien des égards à une longue et ininterrompue lettre à Lucie. Après une crise sérieuse en juillet, il s'était repris au mois d'août. Et il écrivit à Lucie au moyen de son journal.

La décision prise le lendemain de son arrivée sur l'île du Diable témoignait d'une conscience politique et littéraire. L'écriture diariste, lorsqu'elle était possible, était l'alliée du prisonnier condamné à une longue peine. Le journal occupait l'esprit, occupait le temps, extériorisait la souffrance, apportait un monde de liberté, de pensée, de volonté. L'écriture ramenait le condamné vers le but ultime de la résistance et du combat, vers le souci bien supérieur de son honneur. Au milieu de ses délires, il retrouvait dans l'écriture le sens de la réalité et la mesure de la conscience survivante [132].

L'écriture du journal fut indéniablement le moyen et le lieu par lesquels Dreyfus construisit sa résistance, surtout au début de la déportation lorsqu'il dut se confronter à une existence qu'il n'avait jamais imaginée dans ses rêves les plus sombres. Ce journal lui permit de constater, d'analyser, et de dépasser les épreuves quotidiennes et la souffrance qui l'assaillait. Il parvenait dans l'écriture à surmonter les crises les plus graves. « Il faut donc qu'à force de volonté je me surmonte ; il faut que je donne à ma femme par mon exemple les forces nécessaires à l'accomplissement de ma mission [133]. »

L'écriture du journal ouvrait sur lui-même, sur le monde, sur les autres. Dreyfus n'était plus isolé, il vivait au milieu des siens malgré sa solitude. Il retrouvait la raison, la compréhension. « Toujours le tête-à-tête avec mon cerveau, sans nouvelles des miens. Et il faut que je vive avec toutes douleurs, il faut que je supporte dignement mon horrible martyre, en inspirant du courage à ma femme, à toute ma famille, qui doit certes souffrir autant que moi. Plus de faiblesse donc ! Accepte ton sort jusqu'au jour de l'éclatante lumière, il le faut pour tes enfants [134]. » Il éprouva ainsi la profondeur inouïe de ses forces qui, ne dépendaient que de lui-même. Les écrire était un premier pas vers leur certitude. « J'irai jusqu'au bout de mes forces qui déclinent chaque jour ; c'est une lutte incessante pour pouvoir résister à cet isolement profond, à ce silence perpétuel, sous un climat qui abat toute énergie, n'ayant rien à faire, rien à lire, en tête à tête avec mes tristes et décevantes pensées. »

Le journal était enfin un témoignage sur la déportation et sa violence. Il se voulait un dernier témoignage avant la mort qui veillait. Écrire était pourtant un ultime moyen de la repousser et de parler encore à l'être aimé. « Oh ! Lucie, si tu lis ces lignes, si je succombe avant le terme de cet effroyable martyre, tu pourras mesurer tout ce que j'ai souffert [135] ! » Et si, au moment de la double boucle, il décida d'arrêter son écriture diariste, « tellement brisé de corps et d'âme », il ne renonçait pas à se battre. Au contraire, il inscrivait cette écriture diariste au regard de l'histoire qui apportera la lumière et jugera les responsables de ces « consignes inhumaines » :

> Quels que soient les supplices, les tortures physiques et morales qu'on m'inflige, mon devoir, celui des miens, reste toujours le même : il est de demander, de vouloir la lumière la plus éclatante sur cet effroyable drame, en innocents qui n'ont rien à craindre, qui ne craignent rien puisque la seule chose qu'ils demandent, c'est la vérité.
>
> Quand je pense à tout cela, je n'ai même plus de colère ; une immense pitié seulement pour tous ceux qui torturent ainsi tant d'êtres humains. Quels remords ils se préparent quand la lumière sera faite, car l'histoire, elle, ne connaît pas de secrets [136].

*L'écriture intellectuelle*

Les textes et études qui se succèdent au fil des nombreux cahiers de travail ne présentent pas un intérêt équivalent. Mais beaucoup d'entre eux témoignent de la haute culture du capitaine Dreyfus et de la profondeur de sa pensée personnelle. Pour prendre l'exemple de l'année 1898, les thèmes et les sujets furent très larges, restituant la curiosité intellectuelle de l'officier et son goût pour l'analyse critique. Certaines études furent conduites sur plusieurs pages et donnèrent au final des textes longs et denses. Beaucoup découlaient de lectures. Mais nombre d'entre eux apparaissaient comme plus autonomes et représentaient de véritables articles dignes de certaines des revues lues par leur auteur, comme la *Revue de Paris*. Les cahiers qui s'étendirent du 3 août 1898 au 29 avril 1899 font ainsi apparaître, pour les premiers mois, des notes et études très variées, conduites avec une rigueur affirmée du fond et de la forme : « L'œuvre des grands écrivains venus du nord, Bjornsen, Ibsen, Tolstoï », « De la foi religieuse », « L'esprit philosophique de Kant », un schéma d'installation électrique, Alfred de Vigny, *Le Roi Lear*, « De l'art », Descartes, la chimie physiologique, Michel de Montaigne, Michelet et son refus des serments aux puissants, une critique de l'idée de justice selon Sully Prudhomme, « De l'esprit contemporain » à travers Taine, Renan, Dauvois, « Nos savants et l'esprit scientifique », Timon d'Athènes, le but de l'éducation, l'éloquence napoléonienne, les *Mémoires* de Charles de Rémusat, Danton, Robespierre et Dupleix, « L'influence de la Révolution française sur les idées philosophiques », un « Résumé succinct de la constitution de l'Amérique et de la guerre d'Indépendance », Turgot, « L'Ermite de Rousseau », « Les travaux historiques qui éclairent la conscience », Lucrèce, Montaigne encore, Condorcet, Bonaparte, Taine, Saint-Simon, « La politique de Jean-Jacques Rousseau », l'expédition d'Égypte, le mécanisme des bicyclettes, le [bilan] scolaire et scientifique de la Révolution, Franklin, les colonies anglaises, encore Jean-Jacques Rousseau, la question d'Orient, la littérature du Nord (suite), Paul Bourget « fils de [son] regretté professeur [137] », Schopenhauer, « De la bonne éducation d'après M. de Montaigne », « La Macédoine d'après Victor Bérard », « Le drame cornélien, sa psychologie », George Sand, la France économique au xviiie siècle, les espèces, la période de la Terreur sous la Révolution, « L'esprit des lois d'H... », « *Ramuntcho* de Loti », « Le 18-Brumaire d'après Mac-Mahon », « Aperçu général sur les études historiques de notre siècle », « La banqueroute de la science », « Le Premier ministre de Richelieu d'après M. Gabriel Hanotaux », « De la littérature française », « Pasteur bienfaiteur de l'humanité », F. Nietzsche, section d'un cône et d'un plan, John Ruskin, « Expédition... sous l'amiral Courbet », etc [138].

Certaines études, écrites d'une belle écriture régulière, s'étendaient sur plusieurs pages. Parfois très érudites, elles reflétaient également

les conceptions profondes de Dreyfus sur des sujets essentiels comme
la religion ou la démocratie. Deux d'entre elles méritent ici d'être
signalées, parmi les si nombreux textes qui constitueront à l'avenir,
nous l'espérons, un nouveau volume des écrits du capitaine Dreyfus.
Il témoignera de la tension philosophique qui traversait cet homme
aux prises avec l'histoire la plus tragique et qui ne renonça jamais à
la démocratie.

### De la foi religieuse.

[...] Une religion, quelle qu'elle soit, est la beauté dans l'ordre naturel,
voilà tout. Car l'idéalisme purement philosophique n'est pas à l'usage de
toutes les intelligences, tandis que l'idéalisme purement religieux est accessible aux plus humbles des esprits.

Je ne suis pas croyant, mais je ne suis hostile à aucune croyance. Témoin
sympathique au contraire à ceux qui croient, conscient de la beauté morale
de la croyance à condition toutefois que celle-ci ne devienne pas une forme
abstraite, une idée étroite, que la croyance se réduise à un idéalisme élevé,
à la beauté morale en esprit et en vérité.

En résumé, idéalisme philosophique pour la haute intelligence, idéalisme
religieux pour les humbles esprits, voilà à quoi doivent se réduire la beauté,
la beauté morale de toutes les croyances [139].

Guizot – Tocqueville – Taine
De Tocqueville est plus impartial que Guizot ; son esprit est plus large
et plus profond. Ses deux derniers ouvrages, le premier sur l'Amérique – je
ne me souviens plus du titre exact [140] –, le second sur la Révolution, sont
des chefs-d'œuvre de la philosophie historique. Ce que Tocqueville a été
surtout chercher en Amérique sur l'œuvre des démocraties, c'est une consultation sur la marche, sur l'œuvre de la démocratie ; son œuvre est une intelligente et sérieuse enquête sur la civilisation américaine, devant ce problème
de la démocratie. [...]

Enfin, dans son œuvre sur l'Ancien Régime et la Révolution, Tocqueville
étudie le terme du mouvement social et politique qui a son commencement
dans les origines... de la patrie. Il avait projeté dès lors de montrer comment
la France nouvelle, la France démocratique, s'est reconstruite des débris de
l'ancienne. Tocqueville n'eut pas le temps de donner ce beau complément
à ses ouvrages, mais c'est à peu près ce qu'a fait Taine dans son admirable
livre sur les *Origines de la France contemporaine* [141].

Les centaines de pages que Dreyfus remplissait de sa fine écriture
portaient d'innombrables détails, toujours ces rosaces et ces figures
répétées inlassablement, parfois des listes de mots anglais, d'autres
fois, au crayon noir et en partie effacés, des brouillons de lettre à
Lucie [142], des fragments de poèmes [143], des phrases d'un idéalisme élevé
pour repousser l'univers détruit de l'île du Diable, ou l'expression
même de la pensée qui maintient la vie :

L'idéal et la vérité, voilà les deux suprêmes caractères de l'art [144].
Heureux ceux qui portent en eux un idéal de beauté, et qui leur obéissent,
idéal de l'art ou idéal de la science [145].

Le but de l'éducation, ce n'est pas la doctrine enseignée, c'est l'éveil des
pensées et des sentiments. La force du raisonnement n'apparaît que dans
des études critiques [146].

Je n'arrive plus à dormir. La pensée de ma chère femme, de mes enfants,
de tous, s'est tellement ancrée en moi, qu'elle ne saurait plus en sortir. Je
voudrais aussi un pouvoir surhumain pour pouvoir jeter un coup d'œil sur
ceux qui me sont si chers [147].

Dreyfus ignorait qu'à l'instant où il inscrivait ces mots de la langue
dans son cahier de travail, des hommes et des femmes de l'art et de
la science combattaient pour lui et pour cet idéal.

*Une haute culture*

Le choix des livres et des revues qu'il commandait apporte aussi
une indication sur ses goûts et l'étendue de sa culture. Mais les textes
rédigés au fil des pages des cahiers informent en profondeur sur son
rapport au savoir et à la pensée. La lecture ne représentait pas ainsi
un simple dépaysement mais plutôt une occasion de comprendre une
situation extrême, jamais connue par lui ni par ses proches, et qui
ressemblait à une sombre tragédie. En la comprenant, il pouvait l'extérioriser, c'est-à-dire la repousser. Le théâtre de Shakespeare fut
l'œuvre par excellence qui l'aida à penser le monde et à se penser lui-
même. Dès le 3 juin 1895, il révéla à Lucie l'importance pour lui du
dramaturge anglais en citant des vers qu'il avait, probablement, lui-
même traduits. L'apprentissage de cette langue, décidé pendant son
stage à l'État-major, était aussi l'une des tâches intellectuelles qu'il
appréciait.

J'ignore donc ce qui se passe autour de moi, vivant comme dans une
tombe. Je suis incapable de déchiffrer dans mon cerveau cette épouvantable
énigme. [...] Te souviens-tu de ces vers de Shakespeare, dans *Othello*, que
j'ai retrouvés dans un de mes livres d'anglais ? (Je te les envoie traduits,
tu comprends pourquoi ! [148]) :

> *Celui qui me vole ma bourse,*
> *Me vole une bagatelle,*
> *C'est quelque chose, mais ce n'est rien.*
> *Elle était à moi, elle est à lui, et*
> *A été l'esclave de mille autres.*
> *Mais celui qui me vole ma*
> *Bonne renommée,*

*Me vole une chose qui ne l'enrichit pas,*
*Et qui me rend vraiment pauvre.*

Ah oui ! il m'a rendu vraiment « pauvre », le misérable qui m'a volé mon honneur ! Il nous a rendus plus malheureux que les derniers des humains. Mais chacun aura son heure [149].

Les personnages de Shakespeare ne le quittaient pas. « Je n'ai jamais aussi bien compris le grand écrivain que durant cette époque si tragique ; je le lus et relus ; Hamlet et le roi Lear m'apparurent avec toute leur puissance dramatique », se souvint-il. Pour Michael Burns dont un chapitre de son histoire de la famille Dreyfus s'intitule précisément « L'Ombre de Banco », « Dreyfus place Shakespeare au-dessus de tout. [...] Shakespeare apporte au prisonnier un vocabulaire neuf qui rachète la monotonie de sa prose. Le silence et la solitude de l'île du Diable s'emplissent grâce à lui d'autres intrigues, d'autres histoires où il est également question de trahisons, de perfidie, de courage, et Dreyfus se sent ainsi moins seul [150] ».

Ses lettres à Lucie firent plusieurs fois référence aux personnages d'*Hamlet*, dont Banco, présent dans celle du 2 octobre 1897. « Pour toi comme vous tous, il faut toujours faire votre devoir, vouloir votre droit, le droit de la justice et de la vérité, jusqu'à ce que la pleine lumière soit faite, pour la France entière, et il faut qu'elle le soit, vivant ou mort, car, comme le spectre de Banco, je sortirai de la tombe pour vous crier à tous, de toute mon âme, toujours et encore : courage et courage ! pour vous rappeler à la patrie qui me supplie ainsi, qui me sacrifie, j'ose le dire, car nul cerveau humain ne saurait résister d'une manière aussi prolongée à une situation pareille – et c'est un miracle que j'aie pu y résister jusqu'ici – pour rappeler à la patrie qu'elle a un devoir à remplir qui est d'apporter l'éclatante lumière sur cette tragique histoire, de réparer cette effroyable erreur qui dure depuis si longtemps [151]. » Cette fin d'année et la suivante furent le temps où la raison de Dreyfus parut vaciller sous l'emprise du désespoir. La vérité transmise par une œuvre aussi noire et aussi humaine que l'était *Hamlet* lui procurait une raison supplémentaire de continuer. Dès lors qu'il pouvait encore caractériser le monde, même le plus désespérant, un espoir continuait à vivre. Cette haute culture philosophique et littéraire ne pouvait être totalement vaine.

Combien souvent me revient à l'esprit cette exclamation de Schopenhauer, qui, à la vue des iniquités humaines, s'écriait : "Si Dieu a créé le monde, je ne voudrais pas être Dieu [152]."

UN RÉFLEXE DE CIVILISATION

La résistance du capitaine Dreyfus fut un acte moral, fondé sur l'exigence de justice, la recherche de la vérité et la reconquête de l'honneur. Ces principes fondèrent intellectuellement sa volonté de vivre. Mais celle-ci s'éprouva aussi au quotidien, d'autant mieux que le prisonnier, en persistant dans le refus de sa culpabilité, avait banni tout compromis avec ses geôliers et ses bourreaux.

La résistance fut un acte de chaque jour. Dreyfus devait construire une existence qui lui était sienne et qui, dans le moindre détail, pouvait l'éloigner à peine, mais suffisamment, de l'univers de la déportation. Dominer le temps, organiser l'espace, apprécier l'infime écart avec la norme, source d'étonnement ou de bonheur simple, définissait les conditions pratiques de la survie dès lors que l'engagement de vivre avait été pris définitivement.

*Les premiers jours*

La concentration sur des tâches dérisoires mais nécessaires l'aida à survivre, et ce dès les premiers jours de son arrivée sur l'île. Dreyfus trouva du sens aux activités les plus primaires de l'existence. Si les nuits furent « atroces [153] », les jours étaient plus faciles en raison de la discipline qu'il pouvait se donner et de la force qu'il retrouvait dans cette « lutte pour la vie ». « Les journées passent encore à peu près, à cause des mille occupations de ma vie matérielle. Je suis, en effet, obligé de nettoyer ma case, de faire ma cuisine, de chercher et de couper du bois, de laver mon linge. »

La préparation de ses repas était une épreuve, mais il parvenait à se concentrer sur cette tâche et à s'organiser dans le dénuement le plus complet. Le samedi 20 avril 1895, il nota dans son journal : « J'ai coupé ce matin mon morceau de viande en deux ; l'un des morceaux a constitué un bouilli, l'autre un bifteck. Pour faire ce dernier, j'ai fabriqué un gril avec un vieux morceau de tôle ramassé dans l'île. Comme boisson, de l'eau. Et tout cela fait dans des casseroles de vieille tôle rouillée, sans rien pour les nettoyer, sans assiettes. Il faut que je rassemble tout mon courage pour vivre dans des conditions pareilles [154]. »

Il apprenait. Il trouvait une satisfaction dans les progrès qu'il accomplissait pour rendre son quotidien plus facile. Ces améliorations pouvaient paraître dérisoires. Elles étaient pourtant essentielles pour lui, à la fois dans un aspect matériel et pour la satisfaction de soi qu'elles apportaient. Il progressait. Le 21 avril : « J'ai supprimé le bouilli que je n'arrivais pas à faire mangeable. J'ai coupé ce matin la viande en deux tranches ; chacune sera grillée pour le matin et le soir [155]. » Le 23 avril : « Toujours la lutte pour la vie. Je n'ai jamais autant transpiré que ce matin en allant couper du bois. J'ai simplifié encore mes repas. J'ai fait ce matin une espèce de rata avec le bœuf et les haricots blancs ; j'en ai mangé la moitié ce matin, l'autre moitié sera pour ce soir. Cela ne fera qu'une cuisine par jour [156]. »

Il considérait ses repas comme un moment important de l'existence. Ils disaient une part de sa dignité. Pour ne pas manger avec les mains, il s'obligea, il s'ingénia à « manger soit sur du papier, soit sur de vieilles plaques de tôle ramassées dans l'île [157] ». Il utilisa les boîtes de conserve métalliques pour les transformer en assiettes. Mais les bords restaient très coupants. Il se blessa [158]. Il se félicitait aussi d'avoir appris à nettoyer les ustensiles de cuisine. « Jusqu'ici je les nettoyais simplement avec de l'eau chaude en employant mes mouchoirs en guise de torchons. Malgré tout ils restaient sales et gras. J'ai pensé à la cendre, qui contient une forte proportion de potasse. Cela m'a admirablement réussi ; mais dans quel état sont mes mains et mes mouchoirs [159] ! »

Il comprit très rapidement qu'il devait organiser son temps afin de garder un sentiment de vivre et de repousser l'heure du sommeil, signe de cauchemars et d'hallucinations s'il ne s'était pas fatigué suffisamment dans la journée. Il apprit aussi à s'adapter en permanence aux impondérables de sa pauvre existence.

À cause de la chaleur qu'il fait dès 10 heures du matin, je change mon emploi du temps. Je me lève au jour (5 heures), j'allume le feu pour faire le café ou le thé. Puis je mets les légumes secs sur le feu, ensuite je fais mon lit, ma chambre et ma toilette sommaire.

À 8 heures, on m'apporte la ration du jour. Je termine la cuisson des légumes secs ; les jours de viande je fais ensuite cuire celle-ci. Toute ma cuisine est ainsi terminée vers 10 heures, car je mange froid le soir ce qui me reste du repas du matin, ne me souciant pas de passer encore trois heures devant le feu dans l'après-midi.

À 10 heures, je déjeune. Je lis, je travaille, je rêve et souffre surtout, jusqu'à 3 heures. Je fais alors ma toilette à fond. Puis, dès que la chaleur est tombée, c'est-à-dire vers 5 heures, je vais couper du bois, chercher de l'eau au puits, laver le linge, etc. À 6 heures je mange froid ce qui reste du déjeuner. Puis on m'enferme. C'est le moment le plus long. Je n'ai pas obtenu qu'on me donne une lampe dans mon cabanon. Il y a bien un fanal dans le poste qui me garde, mais la lumière est trop faible pour que je puisse travailler longtemps. J'en suis donc réduit à me coucher, et c'est alors que mon cerveau se met à travailler, que toutes mes pensées se tournent vers l'affreux drame dont je suis la victime, que tous mes souvenirs vont à ma femme, à mes enfants, à tous ceux qui me sont chers. Comme ils doivent tous également souffrir !

## Le gouvernement du corps

Devant l'épuisement et la nervosité, Dreyfus tenta de contrôler son corps. Il voulut se fatiguer physiquement pour véritablement dormir la nuit et retrouver des cycles normaux de sommeil. « Je marche dans la journée jusqu'à l'épuisement de mes forces, pour calmer mon cerveau, pour briser mes nerfs », indiquait-il. Fendre du bois s'il en a l'occasion[160], marcher, préparer sa cuisine le mieux possible, lui procurait une saine fatigue et des occasions de satisfaction. Il se levait volontairement très tôt, à 5 heures et demie, il s'imposait de ne pas faire de sieste. Souvent ces dispositions étaient vaines, pourtant.

Pour oublier son corps, il faisait, on l'a vu, une consommation considérable du tabac reçu dans ses colis ou dans ses rations. « Je fume, je fume pour calmer et mon cerveau et les tiraillements de mon estomac[161]. »

*Une lutte incessante*

Le 15 novembre 1895, il se déclarait à lui-même[162] qu'il irait jusqu'au bout de ses forces. Il mobilisait toute son énergie et s'entraînait à conserver intacte sa faculté de jugement.

Il observait les moindres changements, les analysait. Le 28 avril 1895, il était prévenu que, jusqu'à nouvel ordre, son linge serait lavé à l'hôpital. « C'est heureux, car je transpire tellement que mes flanelles sont complètement imbibées et ont besoin d'un lavage définitif. Espérons que ce provisoire deviendra définitif[163]. »

Il résistait en conservant la tête haute en toute occasion. On lui interdit de pénétrer dans la cuisine, il s'en alla, « sans rien dire, mais sans baisser la tête ».

Le refus de l'humiliation était une règle absolue, telle qu'il l'inscrivait dans son journal. Le 30 novembre 1895 : « Je ne veux pas parler des piqûres journalières, car je les méprise. Il me suffit de demander n'importe quelle chose insignifiante, de nécessité banale, au surveillant-chef pour voir ma demande aussitôt repoussée. Aussi je ne renouvelle jamais aucune demande, préférant me passer de tout, n'ayant à m'humilier devant personne[164]. »

On lui refusait un bain auquel il avait droit et que le médecin lui avait prescrit. « Jusqu'à présent, je ne renouvelais aucune demande ; dorénavant, je n'en ferai plus[165]. » Il s'imposait l'obéissance la plus absolue. Le 7 septembre 1896, il écrivait dans son journal : « Depuis que je suis ici, j'ai toujours suivi strictement le chemin qui m'était tracé, observé intégralement les consignes qui m'étaient données[166]. »

*Le besoin d'occupation*

Dreyfus résistait par le travail. L'étude lui permettait d'oublier sa condition présente et d'exercer ses facultés les plus précieuses, l'intelligence, la mémoire. Travailler, c'était organiser le temps, rythmer les jours. C'était essentiel pour un prisonnier condamné à la perpétuité.

Il commença par faire de l'anglais, un projet souvent repoussé qu'il décida de réaliser. Lucie et Mathieu Dreyfus avaient décidé eux aussi de l'apprendre. Ils vivraient la même expérience. « Je vais essayer de faire de l'anglais. Peut-être arriverai-je à m'oublier un peu dans le travail [167]. » « J'arrive, à force de volonté, en tendant mes nerfs, à travailler l'anglais trois ou quatre heures par jour, mais, le reste du temps, ma pensée se reporte toujours à cet horrible drame. Il me semble parfois que le cœur, que le cerveau, vont éclater [168]. » « Ma seule occupation est de travailler un peu l'anglais [169] », insistait-il encore.

L'anglais ne signifiait pas seulement l'accès à une langue nouvelle et la satisfaction de maîtriser une technique, une grammaire, un vocabulaire. L'anglais, comme les autres langues étrangères qu'il possédait, l'allemand, l'italien en partie, ouvrait sur un monde, une culture. Il pouvait approcher Shakespeare dans le texte, en traduire quelques vers comme dans sa lettre à Lucie du 3 juin 1895.

Il était heureux de recevoir des livres et des revues qui allaient lui procurer des occasions d'études. Un « colis sérieux de livres » lui était parvenu le 27 janvier 1896 après de longs mois d'attente. Il arriva ainsi, en forçant sa pensée à se fixer, à donner « quelques instants de repos à [son] cerveau ». Il ajoutait cependant : « Mais, hélas ! je ne puis plus lire longtemps, tant tout est ébranlé en moi [170]. » Mais il reconnaît que les quelques instants pendant lesquels il peut se concentrer, où il peut échapper à ses pensées, lui procurent « un léger soulagement [171] ».

L'écriture de sa correspondance, les brouillons pour parvenir à une belle rédaction et une parfaite calligraphie, même les dessins à la plume sans cesse répétés sur ses cahiers de travail avaient la même signification, occuper son cerveau, s'investir sur l'essentiel, s'évader du quotidien, organiser le temps plutôt que de subir l'attente.

## L'écoute des éléments

Deux jours après son arrivée sur l'île du Diable, dans une nuit où il ne parvenait pas à s'endormir, il réfléchit à sa relation à la nature qui l'enveloppait, ici sur cette île battue par les vents et serrée par un océan déchaîné.

La mer, que j'entends gronder sous ma lucarne, produit toujours sur moi sa fascination étrange. Elle berce mes pensées comme jadis, mais aujourd'hui elles sont bien tristes et sombres. Elle évoque pour moi de chers souvenirs, des moments heureux passés auprès de ma femme, de mes enfants adorés [172].

Je retrouve la sensation violente, déjà éprouvée sur le bateau, d'une attirance profonde, presque irrésistible vers la mer, dont les eaux mugissantes semblent m'appeler comme une grande consolatrice. Cette tyrannie de la mer sur moi est violente ; sur le bateau, il me fallait fermer les yeux, évoquer l'image de ma femme pour ne pas y céder.

J'ouvre la jalousie qui ferme la lucarne et je contemple encore la mer. Le ciel est chargé de gros nuages, mais la lumière de la lune qui filtre au travers vient iriser certaines parties de la mer et lui donner une teinte argentée. Les vagues se brisent impuissantes au pied des roches qui forment le contour de l'île ; c'est un bruissement continu d'eau qui déferle, c'est un rythme brutal et saccadé qui plaît à mon âme ulcérée.

C'était dans cette analyse au plus près de lui-même que Dreyfus tirait les éléments de sa force, de sa volonté de tenir au loin la folie qui venait, de maîtriser sa propre fragilité et d'en faire le ressort de la reconquête. La contemplation de la mer lui était aussi d'un précieux secours. Il le constata lorsque cette possibilité lui fut retirée, après le 6 septembre 1896. Auparavant, il pouvait échapper à la chaleur étouffante de sa case, soit en se promenant dans l'espace des deux cents mètres de l'île qui lui étaient permis, soit en s'asseyant « à l'ombre de la case, face à la mer ». C'était un moment important pour lui. « Si mes pensées étaient tristes et obsédantes, si souvent je grelottais de fièvre, j'avais du moins cette consolation, dans mon extrême douleur, de voir la mer, de laisser errer ma vue sur les flots, de sentir souvent mon âme se soulever, les jours de tempête, avec les ondes furieuses [173]. »

## La lutte pour la réhabilitation

La grande cause de Dreyfus sur l'île du Diable, la pensée qui occupait tous ses esprits, le but de sa résistance et la résistance elle-même, furent cependant la lutte pour la réhabilitation. Malgré les espoirs vagues et imprécis contenus dans les lettres de ses proches, et en dépit du silence égal des autorités qui ne répondaient à aucune de ses lettres, il s'obstina. Le rythme d'envoi des suppliques devint même haletant en 1897 et surtout en 1898. Dreyfus ne concevait plus d'être encore maintenu en déportation sous le régime infamant d'une condamnation qu'il rejetait de toutes ses forces. Il engagea un bras de fer non seulement avec l'administration locale qu'il estimait responsable des lettres qu'il adressait aux autorités nationales, mais également avec ces dernières dont il n'acceptait ni l'absence ni le silence. Alors, il écrivait de nouvelles lettres, cette fois pour demander que l'on répondît à ses lettres précédentes. Tant qu'il restait un espoir, il agissait. Et cet espoir subsistait puisqu'il s'était engagé à vivre. Il le déclarait hautement à ses geôliers, comme en 1897 alors que deux années venaient pourtant de s'écouler sans aucune promesse de changement à l'horizon.

« Je suis sûr que l'on s'intéresse à moi en haut lieu et que la vérité finira par se découvrir. C'est pour cela que je veux vivre, car je sens que, moi fini, ma femme tomberait immédiatement. Vous devez bien comprendre que je ne crains pas la mort ; je l'ai envisagée de près bien des fois. Ma famille voudrait la révision de mon procès ; mais ce n'est pas ce qu'il faut. C'est la découverte de la vérité : c'est la réhabilitation pleine et entière [174]. »

## La confiance dans ses chefs

Son espoir d'être réhabilité reposait sur la conviction que la machination qui l'accablait était inconnue des chefs de l'armée comme des ministres du gouvernement et du président de la République lui-même. Son devoir était alors de les alerter et de leur conserver toute sa confiance.

Dreyfus allait donc se désespérer des lenteurs des recherches qu'il requérait inlassablement. Mais il ne doutait pas de la volonté du gouvernement et de l'armée d'aboutir à la vérité et de lui rendre son honneur. Il gardait ainsi une totale confiance dans les assurances du commandant du Paty de Clam lorsque celui-ci était venu le voir dans sa cellule de la prison du Cherche-Midi, le 31 décembre 1894 au soir. Il voulut le faire agir comme il le raconta dans son journal. « Je viens d'écrire au commandant du Paty de Clam pour lui rappeler les deux promesses qu'il m'avait faites, après ma condamnation : 1° au nom du ministre, de faire poursuivre les recherches ; 2° en son nom personnel, de me prévenir dès que la fuite reprendrait au ministère. Le misérable qui a commis ce crime est sur une pente fatale, il ne peut plus s'arrêter [175]. » Là encore, comme dans tous ses faits et gestes à l'île du Diable, Dreyfus agissait comme un innocent attendant la justice et non comme un coupable subissant la condamnation.

Le 15 août 1895, le commandant supérieur des îles du Salut fut le témoin du désespoir et des sanglots de son prisonnier. Celui-ci lui confie : « M. le commandant du Paty de Clam m'avait promis, avant mon départ de France, de faire poursuivre les recherches. Je n'aurais pas pensé qu'elles puissent durer aussi longtemps. J'espère qu'elles aboutiront bientôt [176]. » Il rappela la promesse de du Paty de Clam dans sa lettre au président de la République du 25 novembre 1897 [177].

Dreyfus se tourna vers le ministre de la Guerre, lui adressant supplique après supplique. Le 14 février 1895 [178], le 20 septembre 1896... À chaque lettre, il joignait une seconde missive au ministre des Colonies afin qu'il voulût bien communiquer la première à qui de droit. Il s'adressa également au général de Boisdeffre, se souvenant de la faveur accordée au début de l'été 1894, avant son arrestation, lors du voyage d'état-major dans les Vosges. Le 4 juillet 1897, il lui écrivait. Le lendemain, il lui écrivait encore, le priant de transmettre une lettre audacieuse et désespérée à son frère Mathieu. Il faisait appel au sens moral le plus élevé du chef de l'armée :

Mon général,
Je me suis déjà permis de vous écrire hier pour vous demander encore, avec toutes les forces de mon âme, pour ma femme, pour mes enfants, pour

tous les miens, une aide ardente, généreuse, qui, j'en suis certain, ne leur a jamais fait défaut et leur restera pleinement acquise.

Mais d'autre part, ces recherches, déjà longues de part et d'autre, n'aboutissent pas. La mort me serait un bienfait, mais alors cette solution, qui n'en serait une que pour moi, n'apporterait qu'un chagrin nouveau à ma pauvre femme déjà si éprouvée, si abominablement malheureuse.

Il est épouvantable de penser, et certes, vous le penserez avec moi, qu'un être humain gémisse dans une situation misérable, pendant qu'un ou plusieurs misérables se promènent librement après avoir commis cet abominable forfait.

Donc, je me demande si par des moyens énergiques, car mon sang de soldat se révolte dans mes veines devant toutes ces souffrances imméritées, je me demande s'il ne serait pas possible à une volonté humaine énergique d'abréger cet effroyable martyre, de mettre un terme à tant de maux.

C'est pourquoi, mon général, je vous communique une lettre destinée à mon frère, vous laissant juge d'apprécier si elle peut lui être transmise.

Le général de Boisdeffre ne transmit pas la lettre destinée à Mathieu Dreyfus. Plus, il la communiqua à la Section de statistique qui l'inclut, ainsi que celle que lui écrivait Dreyfus, dans le grand dossier secret [179] constitué en vue de contrer les initiatives des dreyfusards qui augmentaient en métropole – et qu'ignorait absolument Dreyfus. Le condamné expliquait à son frère comment lancer de nouvelles recherches et contraindre par tous les moyens le coupable à avouer son crime. Il ignorait que les moyens d'investigation dont il pensait qu'on avait épuisé toutes les ressources n'avaient jamais été employés, ou du moins avaient été détournés de leur fin pour le maintenir comme coupable à l'île du Diable.

Mon cher Mathieu, je viens t'écrire, en homme qui écrit à un autre homme ayant non moins de sens et de cœur.

La situation horriblement tragique dans laquelle nous sommes depuis si longtemps menace de s'éterniser ; pour moi, je ne la supporte plus que par une lutte de tous les instants.

Si je disparaissais, ce serait une solution pour moi ; elle n'en serait une ni pour Lucie, ni pour mes enfants, ni pour nous tous.

Se sacrifier pour une noble cause est très beau, agoniser pour le crime d'un autre est atroce !

Les moyens d'investigation directe, tu le sais aussi bien que moi, nous sont interdits : le gouvernement seul aurait le droit de les employer.

Il ne le peut pas, donc nous n'avons qu'à nous incliner et à respecter sa décision, comme je l'ai dit il y a longtemps.

J'ai une égale confiance dans les efforts du ministère et dans les vôtres, mais voilà bientôt trois ans que dure cette situation épouvantable, sans apercevoir ni pour les uns ni pour les autres un terme à tant d'épouvantables tortures.

Gémir, récriminer, tout cela ne sert à rien ; lever aussi les yeux au ciel, en attendant qu'un hasard heureux vous mette sur la piste du coupable, n'est pas non plus une solution.

Mais si les moyens d'investigation directe sont interdits, si les complices, les misérables auteurs de ce crime infâme sont insaisissables de par la loi, il n'en est pas de même de la volonté énergique, qui veut à tout prix sortir d'une situation intolérable.

Il est beau temps que j'eusse attiré dans un guet-apens, sur un territoire neutre, probablement au moyen d'une femme, le misérable auteur du crime infâme, et une fois que je l'eusse eu entre mes mains, Dieu seul eût été mon juge, et il aurait bien fallu qu'il me livre le nom des misérables et le secret de leurs viles machinations pour notre pays !

Pour me résumer, il faut chercher à me sortir enfin d'une situation intolérable, qui a duré trop longtemps, par des moyens décisifs et énergiques. [...] Tu le comprends bien, mon cher Mathieu, ce n'est pas une plainte vaine et inutile que je veux jeter sur le papier ; c'est le cri d'un soldat, d'un époux, d'un père qui a du sang dans les veines, qui voit tous les siens éprouvés avec tant de torture, et qui estime que le droit, plus que le droit, le devoir et la volonté humaine, est de rechercher la vérité par tous les moyens énergiques, décisifs, tout en travaillant pour la France, avec elle, et en ménageant ses intérêts [180].

## Le recours présidentiel

L'appel à la confiance de ses chefs ne suffisait pas. Considérant les droits absolus de la justice et la souveraineté définitive que lui accordait son innocence, Dreyfus se tourna plus que jamais vers le chef de l'État. Après l'aggravation du régime de déportation et sa transformation en système de terreur, il intensifia ses appels au président de la République. Il s'obstinait alors qu'aucun signe ne lui laissait entrevoir une quelconque réponse positive ni même l'intérêt du premier magistrat de France. Sa lettre du 5 octobre 1895 [181] avait été, ainsi, « repoussée, sans commentaire [182] ». Les archives réunies par la Cour de cassation contiennent la lettre par laquelle le chef d'état-major particulier du président de la République informait le ministre de la Guerre que la demande du capitaine Dreyfus était « sans objet [183] ». Ce rejet s'appuyait légalement sur l'article 443 du code d'instruction criminelle concernant les procédures de révision. Mais le capitaine Dreyfus ignorait ce droit. Il n'avait même jamais pu obtenir communication d'un exemplaire d'un code de procédure pénale.

En janvier 1896, après le départ du commandant chargé de lui annoncer le rejet d'un nouvel appel au président de la République, il s'exclama tout haut : « Ma demande a été rejetée par le Président ; je m'y attendais. D'après les lettres que j'ai reçues dernièrement, je voyais bien qu'on me cachait quelque chose... Pauvre humanité !... On discute, tandis qu'un homme qui est innocent reste entre quatre murs ! Parfois, j'ai des envies de tout démolir et de me démolir moi-même... Non ce n'est pas cela qu'il faut que je fasse. Je dois aller jusqu'au bout, pour ma femme et pour mes enfants... Cependant, tout a une fin [184]... » Il continuait alors d'adresser de nouvelles suppliques.

Il écrivit encore au président de la République. À une lettre du 8 juillet 1897, il fut répondu, sans que l'on sache sous quelle forme, « que des intérêts supérieurs empêchaient l'emploi de ces moyens d'investigation » que le condamné suppliait de convoquer, « mais que les recherches se poursuivraient [185] ». Alfred Dreyfus se résigna à cette contrainte supérieure. « C'est ce que je fais invinciblement », expliqua-t-il dans une nouvelle lettre au président de la République le 25 novembre 1897. Son patriotisme était à ce prix. Mais il conteste que ces « intérêts supérieurs » puissent s'appliquer aussi à sa femme et à ses enfants qui souffrent autant sinon plus encore que lui [186]. Si on ne peut pas lui rendre justice, qu'on l'accorde aux siens, « qui sont les premières et plus épouvantables victimes ».

Un mois plus tard, le 20 décembre 1897, il réitérait son appel dans une nouvelle lettre au président de la République. Il lui déclarait « simplement encore » qu'il n'était pas l'auteur de la lettre qui lui avait été imputée. « J'ajoute que tout mon passé, sur lequel la lumière doit être faite aujourd'hui, que toute ma vie s'élève et proteste contre la seule pensée d'un acte aussi infâme. » Implicitement, il critiquait l'instruction et le procès qui avaient été les siens. « Depuis le premier jour de ce terrible drame, j'attends son éclaircissement, un meilleur lendemain, la lumière. La situation supportée ainsi depuis plus de trois ans est aussi effroyable pour ma chère femme, pour mes malheureux enfants que pour moi ; je viens simplement remettre leur sort, le mien, entre vos mains, entre celles de M. le ministre de la Guerre, entre les mains de M. le ministre de la Justice de mon pays, pour demander s'il ne serait pas possible de donner une solution, de mettre enfin un terme à cet épouvantable martyre de tant d'êtres humains. Confiant dans votre haute équité, je vous demande de vouloir bien agréer l'expression de mes sentiments respectueux [187]. »

À Lucie, il expliquait toutes ses démarches et l'espoir qu'il mettait en elles, l'espérance aussi qu'il plaçait dans ses propres recherches, lui demandant de ne jamais y renoncer. À mesure qu'augmentait son désespoir, il insistait de plus belle sur les actions qu'elle devait entreprendre sans relâche.

> Puisque je suis encore debout, puisque je trouve encore dans mon devoir la force de vivre dans la situation la plus inhumaine, la plus imméritée qu'être humain n'ait jamais supportée, je veux venir encore te causer. À ouvrir tout mon cœur, toutes mes pensées, pensées qui ne te quittent pas un seul instant d'ailleurs, ni de jour ni de nuit, ainsi que nos chers enfants, ainsi que vous tous.
> D'ailleurs j'ai pour habitude l'extrême franchise, la franchise brutale même, conscient de la loyauté de mes actes, conscient d'avoir toujours et partout fait mon devoir, conscient enfin sur l'injustice la plus injustifiable qui ait jamais été quoi qu'on veuille, vains sophismes, pour masquer ma faiblesse.

Qui déroute toutes les notions enfouies [... [188]], toutes celles qui sont énoncées au plus profond de chaque être, notions de droit et de justice.

Je t'ai d'ailleurs écrit de très longues lettres, le 5 et le 10 août. Je ne puis que me répéter avec une énergie plus grande encore s'il le faut. J'oserais presque dire qu'elles sont pour ainsi dire mon testament moral.

Je te disais dans mes lettres, d'abord, toute mon affection pour toi, pour tous, je te parlais enfin des enfants, je t'annonçais enfin que quelle que fût ma foi inébranlable, quel que fût mon courage invincible, quant au but attendu, je ne pouvais plus que succomber, les bras morts, devant une situation impossible, si la lumière tardait à se faire.

Mais je te disais enfin que le feu qui animait mon âme n'était pas éteint, qu'il ne s'éteindrait qu'avec ma vie... que le feu devait t'animer, nous animant tous, jusqu'à ce que le but soit atteint.

Tu n'as à te préoccuper ni de ce que l'on dit, ni de ce que l'on pense. Forte de ton droit, de ton devoir, imprescriptible, que tu ne dois abandonner que devant la mort, marche à ton but, sans regarder ni à droite ni à gauche. Il n'est pas d'obstacles qu'on n'arrive à vaincre, quand on a pour soi le bon droit, la justice, quand on ne veut que la vérité... Il faut que la lumière soit faite, pour la France entière, et qu'elle soit éclatante. Ton énergie, ta volonté, doivent au contraire grandir encore chaque jour, chaque heure et [minute]. Quand il s'agit de l'honneur, on peut succomber, mais on ne fléchit jamais, jusqu'à ce que l'on ait triomphé.

Quant à moi, comme je te l'ai dit dans ces lettres, comme je te le répète, je suis dans une lutte atroce de tous les instants contre tout, contre tous les supplices... et le mépris humain, quand elle eut enfin gagné. [sic [189]] Il sera trop souvent la folie, le soir qui vous tort le cerveau. [... [190]] Je suis très fier quand je suis arrivé au bout d'un seul jour.

D'ailleurs, je sais que les sentiments qui animent mon âme, animent les vôtres à tous, aussi admirables de ta chère famille que [ceux] de la mienne, qu'il ne saurait y avoir ni de défaillance ni de faiblesse chez aucun, tant que la lumière pleine et entière ne serait pas faite.

Et puis, je ne puis que te dire de te reporter à ces deux longues lettres que je t'ai écrites, dont tu dois t'inspirer toujours, qui doivent animer ton âme, les vôtres à tous, augmentés encore s'il se peut, ton énergie, ta volonté, les vôtres à tous, énergie et volonté que rien ne doit amoindrir, que rien ne doit ébranler, qu'aucune crainte ne doit affaiblir.

Je termine en t'embrassant de tout mon cœur, de toutes mes forces, ainsi que tes chers parents, tous mes chers frères et sœurs, et souhaitant que tes prochaines lettres m'arrivent bientôt et m'apportent enfin une parole sûre, que j'aperçoive enfin un terme à cet effroyable martyre dans lequel je succombe. Mais je te répéterai toujours, de toutes les forces de mon âme, tant que j'aurai souffle de vie, courage et volonté [191].

## Les dernières forces

Ses lettres de 1897 montraient son impatience presque incontrôlable devant une déportation qui n'en finissait pas. Il avait imaginé, comme dans sa lettre à Mathieu, l'usage de moyens illégaux et d'une moralité douteuse. Celles de 1898 furent plus tendues encore. Le capitaine Dreyfus semblait jeter ses dernières forces dans une ultime bataille.

Dans sa correspondance du début de l'année, il ne cessa de rappeler à Lucie les efforts pour intéresser les hautes personnalités à son martyre. Il se confia le 6 janvier : « Si je suis épuisé totalement de corps et d'esprit, l'âme est toujours restée aussi ardente, et je veux venir te dire les paroles qui doivent soutenir ton inébranlable courage. J'ai remis notre sort, le sort de nos enfants, le sort d'innocents qui depuis plus de trois ans se débattent dans l'invraisemblable, entre les mains de M. le président de la République, entre les mains de M. le ministre de la Guerre, pour demander un terme enfin à notre épouvantable martyre ; j'ai remis la défense de nos droits entre les mains de M. le ministre de la Guerre à qui il appartient de faire réparer enfin cette trop longue et épouvantable erreur. J'attends impatiemment, je veux souhaiter que j'aurai encore une minute de bonheur sur cette terre, mais ce dont je n'ai pas le droit de douter un seul instant, c'est que justice ne me soit faite, c'est que justice ne te soit rendue, à toi, à nos enfants, que tu n'aies ton jour de bonheur suprême. Je te répéterai donc de toutes les forces de mon âme : courage et courage [192] ! »

Les lettres se faisaient plus brèves, plus sombres, et toujours aussi déterminées. Celle du 6 février le fut particulièrement : « Je n'ai rien à ajouter aux nombreuses lettres que je t'ai écrites depuis deux mois. Tout ce fatras peut d'ailleurs se résumer en quelques mots. J'ai fait appel à la haute équité de M. le président de la République, à celle du gouvernement pour demander la révision de mon procès, la vie de nos enfants, un terme à notre épouvantable martyre. J'ai fait appel à la loyauté de ceux qui m'ont fait condamner pour provoquer cette révision. J'attends fiévreusement, mais avec confiance, d'apprendre que notre effroyable supplice a enfin un terme [193]. » Le 7 février, il lui écrivit encore :

> Depuis trois mois, dans la fièvre et le délire, souffrant le martyre nuit et jour pour toi, pour nos enfants, j'adresse appels sur appels au chef de l'État, au gouvernement, à ceux qui m'ont fait condamner, pour obtenir de la justice, enfin, un terme à notre effroyable martyre, sans obtenir de solution.
> Je réitère aujourd'hui mes demandes précédentes au chef de l'État, au gouvernement, avec plus d'énergie encore s'il se peut, car tu n'as pas à subir un pareil martyre, nos enfants n'ont pas à grandir déshonorés, je n'ai pas à agoniser dans un cachot pour un crime abominable que je n'ai pas commis. Et j'attends chaque jour d'apprendre que le jour de la justice a enfin lui pour nous [194].

Le 12 janvier 1898, Dreyfus avait déjà adressé au président de la République sa demande de lumière tout en assurant vouloir continuer à s'incliner devant « les intérêts supérieurs aux [siens] » qui lui sont opposés, « comme c'est [son] devoir [195] ». Mais il contesta une nouvelle fois que ces intérêts puissent prévaloir sur sa famille : « Il n'y a pas d'intérêts qui puissent exiger qu'une famille, que des enfants, qu'un innocent, leur soient immolés [196] ». Quatre jours plus tard, le

16 janvier, il s'adresse à nouveau au magistrat suprême du pays : « Je résume et renouvelle l'appel suprême que j'adresse au chef de l'État, au gouvernement, à M. le ministre de la Guerre pour demander mon honneur, de la justice enfin, si l'on ne veut pas qu'un innocent qui est au bout de ses forces ne succombe sous un pareil supplice, de toutes les heures, de toutes les minutes, avec la pensée épouvantable de laisser derrière lui ses enfants déshonorés [197]. »

Et le 1er février encore, il adressa à Lucie une lettre brève, désespérée dans laquelle il rappelait ses démarches : « Je te renouvelle avec toutes les forces de mon âme l'appel que j'ai adressé. [...] Je ne suis pas coupable. Je ne saurais l'être. Au nom de ma femme, de mes enfants, du mien, je viens demander la révision de mon procès, la vie de mes enfants, et la justice enfin pour tant de victimes innocentes [198]. » Il renouvela l'appel le 3, et encore le 7. Il n'en pouvait plus d'attendre et d'accepter. « Cette situation dure depuis plus de trois ans, ma chère femme subit un martyre épouvantable, mes enfants grandissent, déshonorés, en parias, j'agonise dans un cachot sous tant de supplices de l'infamie ; il n'y a pas d'intérêt au monde, car ce serait un crime de lèse-humanité, qui puisse exiger qu'une femme, que des enfants, qu'un innocent leur soient immolés. »

On informa Dreyfus que sa demande de révision « avait été transmise suivant la forme constitutionnelle au gouvernement ». Dans une lettre du 12 mars 1898, il se félicita de cette heureuse nouvelle, qui n'en était pas une en réalité [199]. Les 20 mars et 22 avril, il insistait à nouveau auprès du président de la République, demandant quelle suite avait été donnée aux demandes de révision qu'il lui avait adressées.

En réalité, même si ses lettres au chef de l'État étaient bien transmises, elles ne faisaient l'objet d'aucune suite. Le déporté ne connaissait rien des efforts entrepris par les dreyfusards pour défendre la justice et prouver son innocence. Alors que leur activité était manifeste et croissante depuis l'automne 1897, alors que la question de l'iniquité du procès de 1894 était venue à la tribune du Sénat grâce à Scheurer-Kestner, l'intéressé ignorait tout de cette campagne. Ses conditions de détention se dégradèrent même, Oscar Deniel et André Lebon s'évertuant à lui faire payer la montée en puissance de ces soutiens en métropole. Ses protestations et déclarations d'innocence étaient systématiquement balayées. Le rapport mensuel de Deniel sur la détention du prisonnier expliquait ainsi : « Dreyfus n'est qu'un hypocrite, il feint le désespoir ; il a même réclamé du poison... Mais tout cela n'est que du cabotinage. Dreyfus est un homme sans cœur, ayant perdu toute affection pour sa femme et ses enfants et se faisant prier pour leur écrire [200]. »

Dreyfus se désespérait du silence des autorités à ses demandes d'enquête et de révision. Il ne trouvait pas non plus d'information tangible dans les lettres qu'il recevait à cette époque de Lucie. « Toujours conçues en termes vagues, [elles exprimaient] le même espoir, sans qu'elle pût préciser sur quelles espérances se fondait cet espoir [201]. » Lucie s'employait pourtant à lui insuffler le plus d'espoir possible, comme dans cette lettre du 22 janvier 1898 qui ne pouvait évoquer explicitement l'événement de « J'accuse... ! » survenu neuf jours auparavant. Elle trahissait pourtant son émotion. Mais Dreyfus ne pouvait distinguer entre cette lettre et toutes celles qu'il avait reçues jusqu'à présent, énonçant des promesses qui ne s'étaient pas concrétisées :

« Comme je voudrais être près de toi en ce moment et te dire combien nous espérons, et avec quelle certitude nous marchons vers ta réhabilitation, avec quel grand bonheur nous voyons enfin la lumière se produire, la vérité se manifester ! Si ce n'était la crainte que mes lettres ne te parviennent pas, je te dirais tout, je t'ouvrirais mon cœur, je te confierais toute ma pensée ; tu verrais alors avec quelles nouvelles forces tu dois espérer, avec quelle certitude tu puisses attendre le jour de ta réhabilitation. [...] Je te dirais quels sont les éléments, les faits qui nous permettent de reconstituer la marche de cette affaire aussi triste que ténébreuse et qui forment un faisceau tel que, malgré les passions en jeu, malgré les lâchetés humaines, la vérité percera et deviendra aux yeux de tous aussi lumineuse qu'elle l'est maintenant pour nous. Ainsi donc tu peux être assuré que tu seras réhabilité, que le calvaire effroyable que tu as noblement supporté approche de sa fin, que des milliers de consciences admirent ton courage et ton héroïsme et que bientôt enfin le pays que nous aimons et pour lequel nous nous sacrifierions sans hésitations, notre chère France, reconnaîtra en toi la victime la plus admirable d'une épouvantable erreur judiciaire. [...] Je t'embrasse de toutes mes forces, comme je t'aime plus que je ne peux le dire[202]. »

*Appels au Parlement*

Plutôt que de renoncer, le capitaine Dreyfus intensifia ses démarches. Il décida de s'adresser, *via* les deux présidents des Chambres qui formaient le Parlement, aux représentants de la nation. Ses lettres partirent le 28 février 1898 de l'île du Diable. Elles exprimaient dans leur solennité le devoir de protéger les droits des citoyens de la raison d'État, indigne des valeurs de droit et de liberté qui définissaient le siècle présent et dont les parlementaires étaient les garants :

Dès le lendemain de ma condamnation, c'est-à-dire il y a déjà plus de trois ans, quand M. le commandant du Paty de Clam est venu me trouver au nom de M. le ministre de la Guerre pour me demander, après qu'on m'eut fait condamner pour un crime abominable que je n'avais pas commis, si j'étais innocent ou coupable, j'ai déclaré que non seulement j'étais innocent, mais que je demandais la lumière, la pleine et éclatante lumière, et j'ai aussitôt sollicité l'aide de tous les moyens d'investigation habituels, soit par les attachés militaires, soit par tout autre dont dispose un gouvernement.

Il me fut répondu alors que des intérêts supérieurs aux miens, à cause de l'origine de cette lugubre et tragique histoire, à cause de l'origine de la lettre incriminée, empêchaient les moyens d'investigation habituels, mais que les recherches seraient poursuivies.

J'ai attendu pendant trois ans, dans la situation la plus effroyable qu'il soit possible d'imaginer, frappé sans cesse et sans cause, et ces recherches n'aboutissent pas.

Si donc des intérêts supérieurs aux miens devaient empêcher, doivent toujours empêcher l'emploi des moyens d'investigation qui seuls peuvent mettre enfin un terme à cet horrible martyre de tant d'êtres humains, qui seuls peuvent faire enfin la pleine et éclatante lumière sur cette lugubre et tragique affaire, ces mêmes intérêts ne sauraient exiger qu'une femme, des enfants, un innocent leur soient immolés. Agir autrement serait nous reporter aux siècles les plus sombres de notre histoire, où l'on étouffait la vérité, où l'on étouffait la lumière.

J'ai soumis, il y a quelques mois déjà, toute l'horreur tragique et imméritée de cette situation à la haute équité des membres du gouvernement ; je viens également la soumettre à la haute équité de MM. les députés pour leur demander de la justice pour les miens, la vie de mes enfants, un terme à cet effroyable martyre de tant d'êtres humains[203].

Cette pétition ne fut pas transmise, contrairement à la loi constitutionnelle qui l'exigeait. Dreyfus l'ignora. Il continua encore d'adresser ses suppliques, toujours fondées sur son droit à la justice et à la vérité. Il ne réclamait ni la pitié ni la grâce, mais la lumière et la réhabilitation, conditions à ses yeux de l'honneur retrouvé, pour lui et ses enfants. Mais, constatant que ses appels n'étaient pas entendus, il imagina encore d'autres voies pour aboutir. Dans une lettre du 6 mars 1898, il expliqua à Lucie quelles étaient ses intentions :

Je t'ai écrit hier quelques mots en réponse à tes chères lettres. Depuis trois mois, je t'ai dit tout ce que j'avais à te dire.

Conformément aux appels réitérés que j'adresse depuis nov[embre] 97 au chef de l'État et au gouvernement, à l'exposé que je leur ai fait d'une situation aussi tragique qu'imméritée supportée depuis trop longtemps par tant de victimes innocentes, et je ne veux pas me réitérer indéfiniment, je demande ma réhabilitation depuis novembre 1897.

Aujourd'hui fin mars 1898, je demande à M. le gouverneur de la Guyane qu'un câble soit transmis à Paris, te déclarant encore que j'ai demandé ma réhabilitation au chef de l'État, et au *gouvernement*, conformément à mes appels réitérés depuis nov[embre] 97, et que ce câble, arrivé à Paris, certifié par M. le gouverneur de la Guyane, ayant dès lors force de loi au même titre qu'une lettre, te soit transmis par la voie que suivent mes lettres, après qu'il soit enfin statué sur cette demande transmise au chef de l'État et au *gouvernement* depuis novembre 1897.

Je t'embrasse comme je t'aime, de toute la puissance de mon affection, ainsi que nos chers et adorés enfants[204].

Il apparut qu'on rejeta sa demande[205]. Mais il intensifia pourtant ses démarches en direction du président de la République. Le 26 mai 1898, il s'adressa de nouveau à lui :

Depuis le mois de novembre 1897, j'ai adressé de nombreux appels au chef de l'État, pour demander de la justice pour les miens, un terme à ce martyre aussi effroyable qu'imméritée de tant d'êtres humain, la révision de mon procès. J'ai fait appel également au gouvernement, au Sénat, à la Chambre des députés, à ceux qui m'ont fait condamner, à la patrie en un mot, à qui il appartient de prendre cette cause en main, car c'est la cause de la justice et du bon droit ; parce que, depuis le premier jour de ce lugubre drame, je ne demande ni grâces ni faveurs, de la vérité simplement, parce que enfin quand il s'agit de ces deux choses qui se nomment « justice », « honneur », toutes les questions de personnes doivent s'effacer, toutes les passions doivent se taire. Tout cela dure depuis plus de six mois. J'ignore toujours quelle est la suite définitive donnée à toutes les demandes de révision, je ne sais toujours rien..., si, je sais qu'une noble femme, épouse et mère, que deux familles pour qui l'honneur est tout, souffrent le martyre..., si, je sais qu'un soldat qui a toujours loyalement et fidèlement servi sa patrie, qui lui a tout sacrifié, situation, fortune, pour lui consacrer toutes ses forces, toute son intelligence, je sais que ce soldat agonise dans un cachot, livré nuit et jour à tous les supplices de l'infamie, à toutes les suspicions imméritées, à tous les outrages...

Encore une fois, monsieur le président de la République, au nom de ma femme, de mes enfants, des miens, je fais appel à la patrie, au premier magistrat du pays, pour demander de la justice pour tant de victimes innocentes, la révision enfin de mon procès [206].

Deux jours plus tard, le 28 mai 1898, il s'adressait encore au président de la Chambre des députés [207]. Le 20 juin, il jetait un nouveau cri en direction du chef de l'État : « Ce cri, je le jetterai, de tout mon cœur de Français, de soldat, frappé dans ce qu'il a de plus précieux au monde, dans son honneur ; je le jetterai de tout mon cœur d'époux et de père, frappé dans ses affections les plus chères, tant qu'on n'aura pas éteint ce cœur à tout jamais, à force de le martyriser, de le torturer [208]. » Le 23 juillet 1898, il lui écrivit encore :

J'ai vécu pour défendre mon honneur, mon bien propre, le patrimoine de mes enfants. Depuis de longs mois, je demande à la patrie la vie de mes enfants, la révision de mon procès ! J'ai sollicité, ou fait solliciter à différentes reprises, de votre haute bienveillance, une réponse qui ne vient pas. Je n'ai pas besoin de vous dire, monsieur le président de la République, ce que souffre ainsi mon cœur de Français, de soldat, d'époux et de père, déchiré et broyé depuis plus de trois ans et demi, dans toutes les fibres, à toutes les minutes de sa vie.

Mais je n'abdique jamais, jamais aucun de mes droits. Je les laisse entre les mains de la patrie.

Mon honneur est mon bien propre, le patrimoine de mes enfants, et il doit leur être rendu.

Si donc l'on peut me faire souffrir jusqu'à en perdre la tête, je n'y puis rien, mais je laisse entre les mains de la patrie, entre les mains du magistrat suprême du pays ma demande, mon honneur, la vie de mes enfants, la révision de mon procès, confiant dans la haute équité du chef de l'État.

Il ne me reste qu'à formuler un vœu : c'est que cet effroyable martyre de tant d'êtres humains ait bientôt un terme [209].

## Un moyen extrême

Alors qu'il attendait dans une impatience indescriptible les réponses à ses appels, le courrier lui parvenait de plus en plus difficilement. Entre-temps, il avait renouvelé auprès de l'administration des Colonies sa demande tendant à obtenir une réponse à ses requêtes en révision. Deniel lui répondait rituellement qu'elles avaient été « transmises suivant la forme constitutionnelle aux membres du gouvernement [210] ». Il demanda un code de procédure pour connaître et faire reconnaître ses droits. Sa requête fut rejetée [211]. Il apprit seulement d'un gardien, furtivement, qu'un homme important s'occupait de lui. Mais il ne put obtenir plus de précisions [212]. En mars 1898, il avait reçu les lettres du mois de janvier, toujours remises en copie. Il ne pouvait savoir si elles avaient été ou non censurées. En avril, il ne reçut en revanche aucune de celles que Lucie avait envoyées à la fin du mois de janvier et en février. Pour Joseph Reinach, Dreyfus payait là le succès de l'offensive dreyfusarde lors de ces mois décisifs à Paris [213]. Puis lui furent remises des lettres écrites par Lucie en mars. Pour cette dernière, le courrier semblait fonctionner plus rapidement, comme elle le releva avec bonheur le 7 avril 1898 [214].

En septembre 1898 ne lui parvint en revanche qu'une seule lettre de sa femme, écrite en juillet, mais elle se présentait cette fois sous forme originale. En octobre, il reçut le courrier du mois d'août, « exprimant toujours le même espoir, qu'il lui était malheureusement impossible, dans sa correspondance épluchée et si souvent supprimée, d'étayer par des faits précis [215] ». La lettre de Lucie était forte pourtant, mais il n'attendait plus qu'une seule chose, la venue de la justice et l'annonce de la révision. Son impatience l'emplissait au point même d'être injuste avec Lucie comme elle le releva :

J'étais si émue, l'autre jour, en t'écrivant, que j'ai omis de relever une phrase de ta lettre de juin dans laquelle tu me dis avoir eu de la peine à lire ma lettre tant le texte en était incompréhensible. Je t'avoue que j'en ai été fort surprise, car dans toutes mes lettres je m'efforce de te communiquer sincèrement l'espoir bien réel que j'ai au fond du cœur, je te dis la raison de ces espérances et la certitude que j'ai que nous arriverons très vite à ta réhabilitation. Souvent je te parle des enfants. Ce sont les seuls sujets que j'ai abordés jusqu'ici. Mais je désire si ardemment te pénétrer de ma pleine confiance en un bon avenir prochain que j'ai peut-être manqué de clarté dans l'expression de ce sentiment. Dorénavant je tâcherai d'être plus nette.

Je voudrais pouvoir te dire (tu le sauras un jour quand nos souffrances seront passées et que nous en reparlerons comme de vieux souvenirs) que tant d'amis nous sont venus dans ces mois de lutte, que tant d'âmes nouvelles et courageuses ont apporté leur activité et leur cœur au service de la cause bonne et juste.

Bien certainement tu trouverais une consolation dans ta douleur si tu connaissais les actes de courage, de désintéressement, de générosité qui ont été faits par amour de la vérité, pour faire triompher la justice et faire connaître partout l'erreur reconnue.

Les plus beaux noms de France se sont consacrés entièrement à cette tâche, et alors que pendant deux ans et demi nous avons été seuls à nous débattre dans les ténèbres, nous sommes maintenant secondés par un grand nombre d'hommes d'une valeur incontestable dont la pensée fait autorité et dont le nom évoque un passé de savoir et de haute et grande honorabilité. Avec tant de braves cœurs, tant de loyaux défenseurs, nous ne pouvons plus tarder à réussir, et eux mêmes sont certains que nous arriverons très prochainement à la solution demandée c'est-à-dire à la réhabilitation pleine et entière. Les enfants vont bien, mon bon chéri, j'espère qu'ils pourront sous peu te voir et qu'ils sauront t'aimer comme tu mérites de l'être. Quant à moi, dois-je te dire encore quels sont mes sentiments pour toi ? Ma pensée est avec toi dans tous les instants de la vie, quand je me sens faible. Je me remonte par le souvenir des années bonnes et douces que nous avons vécues ensemble quand je suis forte, je regarde le présent, puis j'envisage l'avenir qui s'annonce proche et réparateur.

Je te serre sur mon cœur, mon bon chéri, de toute la force de mon âme, de toute la puissance de mon amour. Ta femme qui t'aime profondément.

Révolté par ce silence – la seule réponse qu'il obtenait aussi à ses nombreux appels adressés aux autorités de la République –, en proie à une crise de désespoir intense, Dreyfus se résolut alors à user d'un « moyen extrême [216] ». Il décida de cesser toute correspondance officielle en attendant la réponse à ses demandes, et il en fit solennellement part au gouverneur de la Guyane [217]. Il en informa également sa femme par une lettre qui n'a jamais été retrouvée ; des extraits en furent adressés à Paris par câblogramme et communiqués à Lucie. Mais ces fragments étaient – intentionnellement ? on ne le sut pas – erronés, si bien qu'elle crut que son mari avait décidé de ne plus lui écrire non plus, comme elle le nota douloureusement dans sa lettre du 22 novembre 1898, reçue par Alfred seulement vers le 20 décembre 1898.

Entre-temps, il s'était ressaisi de sa crise de désespoir du mois de septembre 1898. Dès le 1er octobre, il adressait un nouvel appel « à la loyauté » du chef d'État-major général, le général de Boisdeffre, le conjurant de lui « donner une réponse ferme et franche, par conséquent définitive ». En remettant cette missive à Deniel, il dit sa conviction que « Boisdeffre le ferait, cette fois, réhabiliter », que son ancien chef « y mettrait toute sa bonne volonté et tout son cœur », et que, « si cela avait duré si longtemps, c'est que les passions étaient en jeu [218] ». Son espoir était désormais aussi profond que l'avait été son désespoir. Le 27 octobre 1898, le gouverneur de la Guyane lui fit savoir qu'il recevrait une réponse définitive à ses appels à toutes les hautes autorités.

Aussitôt il écrivit à Lucie : « Quelques lignes pour t'envoyer l'écho de mon immense affection, l'expression de toute ma tendresse. Je viens d'être informé que je recevrai la réponse définitive à mes demandes de révision. Je l'attends avec calme et confiance, ne doutant pas que cette réponse soit ma réhabilitation. [...] Dans le moment solennel où tu apprendras que le calme, le repos, la vie que tu méritais te sont enfin rendus, dis-toi qu'il y a au loin un cœur de Français, de soldat, dont les fibres vibrent avec celles de ton cœur [219]. » Et il formait un vœu : « Que la nouvelle m'en parvienne bientôt, et que nous puissions enfin, dans notre affection mutuelle, dans celle de nos enfants, trouver l'oubli des épouvantables épreuves par lesquelles nous avons passé [220]. »

Au même moment, une lettre de Lucie, partie le 26 septembre de Paris, allait l'atteindre pour lui annoncer la nouvelle qu'il attendait si impatiemment. Il était encore persuadé que l'issue qui se dessinait désormais, après quatre années d'attente, était le résultat de ses adresses aux autorités de la République. Et qu'enfin alors son innocence allait être proclamée. Il ignorait et le combat improbable et finalement victorieux des dreyfusards et la complexité d'une procédure judiciaire qui allait être combattue par des fronts coalisés. Le temps de son honneur était encore loin. Il le croyait à portée de main.

## L'« heureuse nouvelle »

Début novembre 1898, le 3 exactement, Alfred Dreyfus reçut une lettre de sa femme, écrite le 26 septembre, le jour même de la décision du gouvernement de transmettre la demande de révision à la Cour de cassation après le tournant de l'Affaire représenté par le suicide du principal faussaire, le lieutenant-colonel Henry, dans la nuit du 31 août. La censure du ministère des Colonies avait laissé passer cette fois un contenu plus explicite. Lucie évoquait une « heureuse nouvelle », mais ne pouvait en dire plus, tout en se persuadant que le condamné serait lui-même informé au plus vite :

> Nous sommes aujourd'hui dans la joie, et je suis si profondément heureuse que j'ai besoin de venir à toi tout de suite te confier mon bonheur qui est le tien, le nôtre à tous, non pas pour t'annoncer cette heureuse nouvelle, car je suis bien persuadée que tu en seras avisé télégraphiquement sous peu, mais pour me rapprocher de toi dans ma joie folle, comme je venais à toi dans mes moments de plus profonde tristesse. Enfin, après t'avoir dit que la révision est accordée, je veux te raconter très brièvement la succession des faits.
>
> Le 3 septembre, à la suite d'événements très importants et que tu connaîtras plus tard, j'ai pu adresser à M. le garde des Sceaux une demande en révision, demande qui n'attendait que le moment favorable pour être produite.

Le ministre, après étude du dossier, accepta de le transmettre à la commission spéciale, et, cet après-midi, enfin, après avoir souffert maintes angoisses, j'apprends que le Conseil des ministres a remis le dossier de l'affaire à la Cour de cassation. Notre avenir, notre vie est donc entre les mains du tribunal suprême qui jugera, d'après les pièces qu'il a en sa possession, si le jugement de 1894 doit être cassé. Nous voici donc arrivés à la dernière étape, à la crise finale qui doit nous rendre ce que nous avons injustement perdu, notre honneur, qui doit te ramener à tous les chers tiens qui ne se possèdent plus de joie à la pensée de te voir, de te presser entre leurs bras, de te montrer comme ils t'aiment. Te décrire notre émotion est impossible. Moi, je ne vis que dans la pensée de la joie profonde que tu auras en apprenant cette nouvelle, et je me souhaite des forces, un pouvoir surhumain pour te voir dans ce moment de satisfaction suprême. Pourvu, mon Dieu, que cet ébranlement si grand ne te soit pas funeste et que ton pauvre corps affaibli ne se ressente pas d'une telle secousse !

Je n'ai rien osé dire aux enfants. Ils ont tout ignoré. Ils n'ont pas connu notre peine. Ils ne se doutent pas de notre joie. Ils ne connaîtront ton retour que lorsque tu seras libre, tout près de venir les embrasser. Je ne veux pas, tant qu'ils sont petits, qu'ils connaissent les tristesses de la vie ; ils auront le bonheur de te revoir et sauront seulement plus tard, lorsqu'ils seront en âge de comprendre, d'apprécier ce que tu as souffert pour eux, l'héroïsme, la grandeur d'âme de leur admirable père.

J'espère de tout mon cœur que cette lettre est la dernière que je t'adresserai dans ce pays maudit. Nous avons encore quelques semaines d'angoisse à traverser, mais elles seront moins pénibles, maintenant que nous nous sentons près du but ; nos souffrances ne seront plus que celles de deux cœurs qui s'aiment tendrement et qui attendent fiévreusement le moment d'être réunis.

Ma main tremble tant je suis heureuse, mais je m'efforce d'être calme, je ne veux pas augmenter tes émotions, j'ai trop peur de venir donner encore une secousse à tes nerfs déjà si ébranlés.

Je t'embrasse de toutes mes forces comme je t'aime [221].

Alfred Dreyfus crut alors que cette issue favorable avait été provoquée par sa dernière demande formulée en octobre. C'est ce qu'il expliquera au journaliste Jules Huret au cours de ses premières heures d'homme libre, dans le train qui le conduisait de Rennes à Carpentras, le 20 septembre 1899 [222].

De plus, comme il le raconta dans ses *Souvenirs*, « cette nouvelle venait donc coïncider avec la réponse qui m'avait été donnée le 27 octobre précédent [223] ». Il n'imaginait pas que tous ses appels avaient été systématiquement ignorés et qu'il avait fallu une mobilisation publique sans précédent pour que ceux de sa femme soient finalement entendus par le gouvernement. Imaginant la fin rapide de ses épreuves, il exprima le 5 novembre à Lucie sa gratitude pour « [sa] grandeur d'âme, sa noblesse de caractère, toutes les plus belles qualités enfin qu'une femme puisse montrer dans des circonstances aussi tragiques ».

Je viens de recevoir ton courrier du mois de septembre dans lequel tu me donnes de si bonnes nouvelles.

Par ma lettre du 27 octobre, je t'ai fait connaître que j'étais déjà informé que je recevrais la réponse définitive à mes demandes de révision. Je t'ai dit dès alors que j'attendais avec confiance, ne doutant pas que cette réponse ne soit enfin ma réhabilitation. Quand tu recevras donc cette lettre-ci, je pense que tout sera fini, que tout sera terminé, que ta joie, ton bonheur, seront complets. Mais dans ces jours de détente et de félicité qui suivront tant de jours de peines et de souffrances, je veux que ma pensée, mon cœur, tout ce qu'il y a de vivant en moi, qui ne t'a pas quitté pendant ces quatre années terribles, te parvienne encore pour s'ajouter s'il se peut à ta joie, en attendant que nous puissions enfin reprendre la vie heureuse et tranquille que tu méritais déjà par tes qualités naturelles, que tu mérites plus que jamais par ta grandeur d'âme, ta noblesse de caractère, toutes les plus belles qualités enfin qu'une femme puisse montrer dans des circonstances aussi tragiques. Qualités que rien n'a su affaiblir, que les souffrances n'ont fait que grandir et qui m'ont prouvé qu'il n'y avait point ici-bas d'idéal auquel une âme de femme ne puisse s'élever, qu'elle ne puisse dépasser.

C'est dans notre affection mutuelle, dans celle de nos chers et adorés enfants, dans la satisfaction de nos consciences et du devoir accompli que nous trouverons l'oubli de nos grandes peines.

Je n'insiste pas, de pareilles émotions sont grandes – j'en tremble –, mais elles sont belles, car elles élèvent.

En attendant donc que la nouvelle décisive, celle de ma réhabilitation, me parvienne, je vais vivre, plus que jamais, par la pensée, avec toi, avec tous, partageant ta joie, la vôtre à tous.

Je n'ai donc plus, en attendant le moment de bonheur suprême où je te serrerai dans mes bras, où je serrerai dans mes bras nos chers et adorés enfants, tes chers parents, tous nos chers frères et sœurs, tant de cœurs aimés et aimants qui ont battu à l'unisson pendant ces longs jours d'épreuve ; je n'ai donc plus qu'à t'envoyer un bien faible écho de mon immense affection.

Encore une fois, mille et mille baisers pour toi, pour nos chers enfants, pour tous, en attendant la minute de joie suprême où je vous serrerai dans mes bras. [224]

Dès la nouvelle officielle de la décision de la Cour de cassation, le 29 octobre 1898, Lucie Dreyfus s'était empressée d'écrire à son mari. Mais la lettre, comme toutes celles du mois d'octobre [225], fut arrêtée par ordre en raison des renseignements confidentiels que les administrations des Colonies et de la Guerre croyaient y lire. Elles ne contenaient pourtant que des décisions publiques émanant de l'ordre judiciaire concernant un justiciable qui avait pleinement le droit d'être informé ! Cette lettre de la victoire ne fut remise à Alfred qu'en octobre 1900 après des démarches insistantes de sa part [226] :

Enfin, après des angoisses terribles, des espérances folles, des désillusions, j'apprends l'arrêt de la Cour de cassation, décision bien heureuse, l'ouverture du procès en révision, la première étape de la réhabilitation. Ma demande en révision est déclarée recevable par la cour suprême, et une enquête est ordonnée pour mettre en état toutes les questions qui n'ont pas été approfondies.

C'était notre vœu le plus cher. Nous voulions l'éclatante lumière, et quoique ce moyen soit plus long, nous aimons mieux supporter quelque temps encore cette situation douloureuse afin d'arriver à une solution si nette, si évidente que personne au monde ne puisse plus protester. Nous savons que ta pensée est commune à la nôtre et que pour recouvrer ton honneur dans tout son éclat, tu es prêt à prolonger encore un peu tes souffrances.

Enfin, tu vas être prévenu, enfin tu vas apprendre cette bonne et heureuse nouvelle. Que ne donnerais-je pour assister à ta joie, pour voir le premier sourire sur ta figure aimée, pour te préparer doucement, bien doucement à toutes ces émotions, et t'accompagner de ma tendresse ! Mon Dieu, quel bonheur, quelle joie folle pour toi, pour nous tous. Mon cœur bat à se rompre à une telle pensée. Que sera-ce quand nous serons dans la réalité ! C'est trop beau, on ne peut pas se représenter une telle joie. Et les petits, qu'est-ce qu'ils diront quand ils verront leur papa chéri ! Ils savent maintenant que je suis plus contente, ils me voient moins triste, ils ne cessent de me parler de toi, faisant toutes sortes de projets pour ton retour. Que de choses nous aurons à nous dire ! Que de sujets inépuisables ! Et surtout que de choses à oublier, que de crimes, que de lâchetés commises dont nous préférerons ne pas parler. Nous retiendrons les beaux dévouements, nous nous souviendrons de nos admirables amis et nous n'aurons pas assez de paroles, pas assez de nos vies pour les estimer, pour les aimer.

Je souhaite de toutes mes forces que cette lettre ne te parvienne plus, j'espère que lorsque le courrier arrivera dans cette île sinistre, tu l'auras quittée, et que tu seras en route pour notre chère France. Dieu veuille que ce ne soit plus long, et que nous trouvions enfin le bonheur.

Je t'embrasse comme je t'aime, de toutes les forces de mon cœur [227].

Après le 29 octobre, Lucie s'inquiéta de ne pas avoir de réaction de son mari à cette « heureuse nouvelle ». Une autre épreuve devait l'atteindre alors. Le 10 novembre, elle fut convoquée au ministère des Colonies pour prendre connaissance de la lettre de Dreyfus du 24 septembre dont la transmission erronée par câblogramme laissait entendre qu'il avait décidé de ne plus écrire à sa femme. Lucie fut bouleversée. « Elle le vit mourant, la raison perdue (pour avoir pu dire qu'il ne lui écrirait plus), alors que la connaissance de l'arrêt l'aurait sauvé [228]. » Elle s'enquit de l'information qu'avait reçue le prisonnier sur l'arrêt de la Cour de cassation. On lui répondit qu'il n'avait pas été informé et qu'elle n'était pas autorisée à lui télégraphier elle-même. Elle en avisa aussitôt ses avocats et ses conseils.

Le 11 novembre, Joseph Reinach fit une démarche auprès du président du Conseil. En l'absence de Charles Dupuy, retenu à l'Élysée, il fut reçu par son frère, Adrien, qui lui opposa un refus complet. « La Cour de cassation a sursis à statuer sur la mise en liberté du déporté ; le président du Conseil n'a pas le droit de modifier en quoi que ce soit la situation de Dreyfus », fit dire ensuite Dupuy à Reinach [229]. Le gouvernement restait sous pression des puissants lobbies antidreyfusards et de la majorité nationaliste des députés. Joseph Reinach réagit aussitôt par un article dans *Le Siècle*[230] auquel s'associa la presse modérée, elle aussi influente, comme *Le Temps*. La Cour de cassation intervint alors et ordonna, le 14 novembre 1898, que Dreyfus fût informé « par voie rapide » de l'arrêt qu'elle avait rendu[231]. Le 15 novembre 1898, un câblogramme partit enfin pour l'île du Diable.

## LA JUSTICE LOINTAINE

Le 16 novembre 1898, le capitaine reçut la dépêche suivante à l'île du Diable : « Vous informe que chambre criminelle de la Cour de cassation a déclaré recevable en la forme demande en révision de votre jugement et décidé que vous seriez avisé de cet arrêt et invité à produire vos moyens de défense[232]. »

### Une victoire sans lendemain

Dans *Cinq années de ma vie*, Dreyfus devait faire le commentaire suivant : « Je compris que la demande avait été déclarée recevable en la forme par la Cour et qu'il allait s'ouvrir des débats sur le fond. Je fis connaître que je désirais être mis en communication avec Me Demange, mon défenseur en 1894[233]. » Mais Deniel refusa de répondre à ses demandes d'information sur la dépêche, ce qui revenait à lui interdire de se défendre comme le prévoyait pourtant la procédure de cassation. Dreyfus ne savait du dossier que ce qui existait au moment du procès de 1894. Préparer sa défense relevait ainsi d'un impossible défi. Il ignorait aussi les raisons précises pour lesquelles la Cour de cassation avait décidé de l'ouverture d'une procédure de révision[234]. « J'en étais toujours au bordereau, pièce unique du dossier. Je n'avais pour ma part rien à ajouter à ce que j'avais déjà dit devant le premier conseil de guerre, rien à modifier à la discussion du bordereau. J'ignorais qu'on avait modifié la date d'arrivée du bordereau, modifié les hypothèses qui avait été émises au premier procès sur les différentes pièces énumérées au bordereau. Je croyais donc l'affaire bien simple, et réduite, comme au premier conseil de guerre, à une discussion d'écriture[235]. »

Il fut néanmoins autorisé à télégraphier à Lucie et à Demange, ce qu'il fit aussitôt. Puis il adressa à sa femme, le 25 novembre 1898, la lettre de victoire qu'il avait tant espérée. Il imaginait déjà le terme définitif de son calvaire, sa pleine réhabilitation :

> Dans le milieu du mois, j'ai été informé que la demande de révision de mon jugement avait été déclarée recevable par la Cour de cassation, et

invité à produire mes moyens de défense. J'ai pris immédiatement les mesures nécessaires ; mes demandes ont été aussitôt transmises à Paris et depuis quelques jours déjà, tu dois en être informée.

Les événements doivent donc se précipiter actuellement ; par la pensée, je suis nuit et jour, comme toujours, avec toi, avec nos enfants, avec tous, partageant votre joie de voir arriver à grands pas le terme de cet épouvantable drame. Les mots deviennent impuissants à décrire des émotions aussi profondes. Il ne nous reste plus d'ailleurs que quelques semaines à attendre pour pouvoir enfin, dans notre affection mutuelle, dans celle de nos enfants, dans celle de tous, trouver l'oubli de nos longues peines. D'après les renseignements que je t'ai déjà communiqués par le précédent courrier, tout sera terminé dans le courant de décembre. [236]

Des modifications de son régime carcéral intervinrent à la suite de la notification officielle de l'arrêt. Elles ne furent pas immédiates. L'administration pénitentiaire à Paris, le ministre en personne et Deniel aux îles du Salut retardèrent le plus possible leur application. « Le 28 novembre 1898, se souvint Dreyfus, je fus autorisé à circuler de 7 heures à 11 heures et de 2 à 5 heures du soir, dans l'enceinte du camp retranché. On appelait camp retranché l'espace compris dans une enceinte en pierres sèches de 0,80 m environ de hauteur, enceinte qui entourait la caserne des surveillants située à côté de ma case. La promenade consistait en réalité en un couloir, en plein soleil, qui contournait la caserne et ses dépendances. Mais je revoyais la mer que je n'avais pas vue depuis plus de deux ans, je revoyais la maigre verdure des îles ; mes yeux pouvaient se reposer sur autre chose que sur les quatre murs de la case [237]. »

Cependant, cette amélioration était très mince dans la mesure où Dreyfus resta privé de toute information relative à la révision de son procès. Il ignorait tout des débats qui avaient eu lieu les 27, 28 et 29 octobre précédents. Lorsqu'il demandait des renseignements, on les lui refusait, même les plus officiels, ceux concernant le calendrier de la Cour de cassation sur son affaire par exemple. Alors qu'il était invité à préparer sa défense, l'administration des Colonies lui interdisait concrètement de pouvoir le faire. Il recevait même son courrier très difficilement. Toutes les lettres de Lucie d'octobre 1898 furent interceptées et entièrement détruites. Le 28 décembre, il reçut finalement la lettre qu'elle lui avait envoyée le 22 novembre précédent. Par elle, il découvrit l'ampleur de cette censure. Le courrier qu'évoquait Lucie ne lui parvint jamais :

> Je ne sais si tu as reçu mes lettres des mois derniers dans lesquelles je te racontais dans leurs grandes lignes les efforts que nous avions faits pour arriver à pouvoir demander la révision de ton procès, puis la procédure engagée et la recevabilité de la demande. Chaque nouveau succès quoiqu'il me rendît bien heureuse, était empoisonné par l'idée que toi, pauvre malheureux, tu étais dans l'ignorance des faits, et que sans doute tu étais en train de te désespérer.

Enfin, la semaine dernière, j'ai eu l'immense joie d'apprendre que le gouvernement t'envoyait un télégramme t'avertissant de la recevabilité de ma demande et t'annonçant un envoi de documents qui te permettront de préparer ta défense.

Je viens d'apprendre que le bateau chargé de cet envoi allait partir et je tiens à ce qu'il t'apporte en même temps la pensée d'un cœur très aimant qui n'a cessé une seconde de battre avec le tien. Que n'aurais-je donné pour être à côté de toi à l'annonce de cette nouvelle, pour t'adoucir le choc d'une sensation trop vive, d'une joie trop folle, pour voir ta figure aimée s'éclairer de bonheur !

J'ai eu connaissance, il y a quinze jours, d'une lettre de toi dans laquelle tu annonçais ta résolution de ne plus écrire, même à moi. Quelle que soit l'impulsion à laquelle tu as obéi, que ce soit d'impatience, de chagrin, de désespoir, je t'en supplie, mon chéri, ne me prive pas de la seule chose qui était douce dans ma vie.

Adieu, mon bien cher Alfred, au revoir même, notre séparation ne sera plus longue, je t'embrasse bien fort de ma part, de celle des enfants [238].

La lettre qui suivit, du 1er décembre, ne lui parvint qu'en janvier suivant. Le 28 décembre, il découvrit, à la lecture de la lettre de Lucie, l'interprétation frauduleuse qui avait été donnée à cette dernière de sa décision, au mois de septembre, d'arrêter toute correspondance officielle avec les hautes autorités de la République. Aussitôt Alfred Dreyfus protesta vigoureusement auprès du gouverneur de la Guyane contre le sort fait à sa correspondance et la nouvelle douleur causée à sa femme [239]. Et Dreyfus écrivit à Lucie, pour la rassurer, une lettre d'une admirable beauté. Il apprit par la suite que sa lettre où il annonçait son intention de surseoir à sa correspondance avec le président de la République avait été câblée, mais imparfaitement, si bien que son sens en avait été totalement altéré.

Chère et bonne Lucie,

J'étais sans lettre de toi depuis deux mois, sauf ton câblogramme du 23 novembre, auquel j'ai aussitôt répondu. J'ai reçu il y a quelques jours ta lettre du 22 novembre. Si j'ai momentanément clos ma correspondance, c'est que j'attendais la réponse à mes demandes de révision et que je ne pouvais plus que me répéter. Depuis tu as dû recevoir des lettres de moi.

Si ma voix eût cessé de se faire entendre, c'est qu'elle eût été éteinte à tout jamais, car si j'ai vécu, c'est pour vouloir mon honneur, mon bien propre, le patrimoine de nos enfants, pour faire mon devoir comme je l'ai fait partout et toujours, et comme il faut toujours le faire, quand on a pour soi le bon droit et la justice, sans jamais craindre rien ni personne.

Quand on a derrière soi tout un passé de devoir, une vie toute d'honneur, quand on n'a jamais connu qu'un seul langage, celui de la vérité, l'on est fort, je te l'assure, et si atroce qu'ait été le destin, il faut avoir l'âme assez haute pour le dominer jusqu'à ce qu'il s'incline devant vous.

Attendons donc avec confiance la décision de la cour suprême comme nous attendrons avec confiance le verdict des nouveaux juges devant lesquels cette décision me renverra.

En même temps que ta lettre, j'ai reçu une expédition de la requête en révision et de l'arrêt de la Cour de cassation qui la déclare recevable. J'y ai lu, avec une singulière émotion, les termes de ta demande en révision, dans laquelle tu exprimais admirablement, comme je les avais déjà exprimés dans mes demandes de révision, les sentiments qui m'animent en demandant qu'on mît fin au supplice d'un innocent – j'ajouterai au supplice d'une noble femme, de ses enfants, de deux familles –, d'un innocent donc qui a toujours été un soldat loyal, qui n'a pas cessé, même au milieu des plus horribles souffrances d'un châtiment immérité, de protester de son amour ardent pour la patrie, pour sa grandeur dans tous les domaines, patrie à laquelle il a tout donné, tout sacrifié, à laquelle, après comme avant ce lugubre drame, il sera prêt à donner sa vie, et de sa foi dans la justice définitive.

Il ne me reste donc encore, en attendant que la nouvelle de ma réhabilitation me parvienne, qu'à t'envoyer l'écho de mon immense affection, de ma profonde tendresse, qu'à t'embrasser de toutes mes forces, de toute mon âme, comme je t'aime, ainsi que nos chers et adorés enfants [240].

Vexations et difficultés se poursuivirent à l'île du Diable pendant toute la fin de l'année. Alfred Dreyfus ne reçut aucun courrier de sa femme pendant plusieurs semaines et aucune autre information supplémentaire sur le déroulement de l'instruction de la Cour de cassation. Le capitaine ne comprenait pas ce mur de silence qui se dressait devant lui. Il était toujours impossible d'obtenir la moindre explication. Il fut en proie à de nouveaux accès de délire [241].

« L'année 1898 et les premiers mois de 1899 se passèrent pour le condamné dans les alternatives de joie et de désespérance, résuma Jean Decrais dans son rapport général de juin 1899. Il cherche à deviner, dans les regards et les paroles de ses gardiens, le résultat des démarches de sa famille, l'issue du procès en révision engagé devant la cour suprême. Il ne cessa d'entretenir une correspondance nombreuse avec les siens [242]. » Le 23 janvier 1899, dans la nuit, il fut hanté par des cauchemars. « Il se redresse sur son séant, haletant, puis il s'étend à nouveau sur son lit, sans prononcer une parole. »

### « Enfin l'horizon s'éclaircissait »

Cependant, depuis le 16 novembre 1898, tout avait changé aussi. Dreyfus s'en souvint lorsqu'il rédigea ses souvenirs pour *Cinq années de ma vie.*

Les nouvelles que j'avais reçues dans ces derniers mois m'avaient apporté un soulagement immense. Je n'avais jamais désespéré, je n'avais jamais perdu foi en l'avenir, convaincu dès le premier jour que la vérité serait connue, qu'il était impossible qu'un crime aussi abominable, auquel j'étais si complètement étranger, pût rester impuni. Mais ne connaissant rien des événements qui se passaient en France, voyant au contraire chaque jour la situation qui m'était faite devenir plus atroce, frappé sans cesse et sans cause, obligé de lutter nuit et jour contre les éléments, contre le climat, contre les hommes, j'avais commencé à douter de voir pour moi-même la fin de cet horrible drame. Ma volonté n'en était pas amoindrie, elle était restée aussi inflexible, mais j'avais des moments de désespoir farouche, pour ma chère femme, pour mes chers enfants, en pensant à la situation qui leur était faite.

Enfin l'horizon s'éclaircissait ; j'entrevoyais pour les miens comme pour moi-même un terme à cet affreux martyre. Il me sembla que le cœur se déchargeait d'un poids immense, je respirai plus librement [243].

À l'extrême fin de l'année 1898, il reçut enfin le réquisitoire introductif du procureur général près la Cour de cassation rédigé en vue des débats qui s'étaient tenus le 29 octobre sur la recevabilité de la demande en révision formée par Lucie Dreyfus. Ce document, daté du 15 octobre, présentait un résumé très précis de la machination dirigée contre le capitaine Dreyfus et des développements judiciaires plus récents. Le réquisitoire prononcé par Jean-Pierre Manau lors des débats des 27, 28 et 29 octobre reprit en partie ce document [244]. Dreyfus le lut « avec une profonde stupéfaction ». Il y découvrit un dossier d'accusation qu'il n'avait jamais imaginé. « J'appris l'accusation portée par mon frère contre le commandant Esterhazy que je ne connaissais pas, son acquittement, le faux, l'aveu et le suicide d'Henry. » Mais le sens de bien des incidents lui échappa. Cependant, il put constater que la justice était en marche. Il lut les paroles très fortes du procureur général de la Cour de cassation.

Il apprit le faux Henry et le soutien nationaliste dont cet acte bénéficia : « On a osé faire cet indigne outrage à la conscience publique, d'ouvrir une souscription pour élever un monument à cet homme qu'on appelle un héros [245]. » Il vit le lien que le magistrat avait établi entre ces événements de 1896 et le procès de 1894 au cours duquel l'officier avait produit sa théâtrale et décisive déclaration : « C'est Henry qui a été le principal témoin, le pivot le plus solide, la "cheville ouvrière", en un mot, de l'accusation portée contre Dreyfus. » Il put en vérifier l'effet, le procureur général insistant sur le fait que le commandant Henry parlait au nom des services de renseignement dont il était le délégué [246]. Il put lire la solennelle protestation qu'éleva le magistrat non seulement contre cette déposition, mais aussi contre les pratiques juridiques des conseils de guerre : « Nous avons déjà exprimé le regret, et nous le renouvelons, que le procès-verbal des débats devant les conseils de guerre ne porte pas le texte des dépositions des témoins, non plus, du reste, que le procès-verbal des cours d'assises. Nous ne pouvons donc que consulter la déposition d'Henry, à l'instruction. Or cette déposition est fort explicite, elle accuse formellement Dreyfus. Mais ce n'est pas tout. La déposition, la double déposition d'Henry à l'audience [...] n'a-t-elle pas dû être de nature à faire la plus vive impression sur l'esprit des honnêtes membres du conseil de guerre [247] ? » Manau envisagea alors l'hypothèse que cette seconde déposition soit un faux témoignage caractérisé amenant l'application de l'article 443 de la loi de 1895, c'est-à-dire la révision sur la base d'un fait nouveau. Car le magistrat le redit à l'issue de sa démonstration : « Le faux de 1896 se relie au témoignage de 1894 [248]. »

La question des expertises du bordereau, avec les nouvelles conclusions produites au procès Esterhazy, était aussi de nature à constituer un fait nouveau, dans la mesure où Manau estima qu'elles avaient été dominées par la thèse de Bertillon sur le décalque des écritures. Le troisième fait nouveau relevé par le procureur général résidait dans le dossier des aveux, que le capitaine Dreyfus ignorait également. Celui-ci découvrit l'ampleur de la machination qui l'avait frappé. Mais il découvrait aussi l'importance des lettres qu'il avait adressées à sa femme avant sa condamnation puis à l'issue du jugement du conseil de guerre, et l'importance des déclarations d'innocence qu'il avait faites lors de la dégradation pour détruire cette légende. Le procureur général insista particulièrement dessus : « Il est impossible d'oublier les protestations réitérées d'innocence faites par Dreyfus soit avant sa comparution devant le conseil de guerre, soit immédiatement après sa condamnation, soit depuis son transfert à l'île du Diable. Et si nous en parlons, c'est parce que, dans les conditions où ces protestations se sont produites, elles sont en opposition formelle avec les aveux qu'on prétend qu'il aurait faits, le jour même de sa dégradation [249]. »

Les déclarations du haut magistrat demandant la révision réintégraient ainsi Dreyfus dans son affaire. Plus encore, elles reconnaissaient à la résistance sur l'île du Diable une valeur de preuve d'innocence et de dignité. Il lut des extraits de la publication des *Lettres d'un innocent*. « Chacun pourra se recueillir en présence de l'état d'âme qui se révèle dans ces confidences faites par Dreyfus à sa courageuse, et comme il l'appelle, à son héroïque compagne. » Et de citer alors plus de vingt-cinq lettres en les accompagnant de commentaires précis, pour montrer que la thèse des aveux ne pouvait tenir. Le procureur général fut particulièrement net, insistant, tranchant. Les pseudo-aveux du capitaine Dreyfus s'effondraient devant ces déclarations répétées, prononcées devant témoin ou bien écrites continuellement à tous ses proches. Ces prétendues déclarations n'avaient de surcroît jamais été enregistrées sous serment, dans le cadre d'une déposition officielle. « Ces aveux du 5 janvier sont absolument inconciliables avec les protestations d'innocence que contiennent les lettres du 5 janvier. C'est une contradiction nouvelle que nous rencontrons dans cette affaire entre deux éléments nouveaux, les aveux et le cri d'innocence. Prenez-les en eux-mêmes, ou seulement pour éclairer les deux [faits nouveaux] qui font la base de nos réquisitions. Cela nous suffit pour mieux justifier encore l'admission de la révision que nous sollicitons de votre haute justice. »

« Nous pourrions nous en tenir là », poursuivit le magistrat. Mais il tint à faire lire et à faire entendre le cri d'innocence du capitaine Dreyfus : « Laissons-nous suivre encore quelques instants le condamné, d'abord à l'île de Ré et enfin à l'île du Diable. [...] Toutes les lettres qui suivent contiennent les mêmes protestations, le même espoir en l'avenir[250] ! » De telles déclarations autorisaient la destruction de la légende, destruction qui constituerait « un nouvel et important élément de fait susceptible de consolider les présomptions légales d'innocence ». Vint alors la conclusion générale, déclaration du procureur général en faveur de la justice et de la liberté de pensée qui arrivait entre les mains d'un homme martyrisé depuis quatre années. Elle commença sur une ultime citation, la lettre *in extenso* du 5 mars 1898, la dernière publiée dans les *Lettres d'un innocent*. « Je demande et redemande ma réhabilitation au gouvernement. Et j'attends depuis, chaque jour, d'apprendre que le jour de justice a enfin lui pour nous. »

« Cette heure nous paraît venue, messieurs », déclara alors le procureur. Et il choisit de répondre aux accusations d'antipatriotisme et de trahison frappant ceux qui appelaient à la justice pour Dreyfus : « Enfin, messieurs, ne faut-il pas penser à l'honneur de ce noble pays de France, ce pays de lumière, de vérité et de justice, sur lequel toutes les nations ont l'œil pour le prendre comme modèle ? Son bon renom n'est-il pas engagé dans la réparation de ce malheur formidable qu'on appelle une erreur judiciaire ? Tous les cœurs honnêtes, tous les cœurs vraiment patriotes, tous les bons citoyens nous approuveront. Nous leur livrons sans crainte l'œuvre de conscience que nous venons de remplir, et que vous remplirez, à votre tour, nous en avons l'espoir[251]. »

## L'espoir et l'attente

Le 3 janvier 1899, le capitaine fut autorisé à envoyer une dépêche télégraphique à Lucie : « Cayenne le 3 janvier 1899. Colonies. Dreyfus santé morale et physique toujours bonne ; de cœur, d'âme avec toi et tous : mille embrassements pour toi, enfants tous. Alfred[252]. » Le 5, il fut enfin interrogé sur commission rogatoire par le président de la cour d'appel de Cayenne. Le magistrat se déplaça sur l'île du Diable. Le surveillant en chef Louis Danjean lui servit de greffier. L'objet de l'interrogatoire était très limité. La commission rogatoire ne portait que sur les pseudo-aveux. Mais elle était essentielle aussi, car elle touchait l'un des cas de faits nouveaux les plus puissants, à même d'entraîner la révision de son procès. Et c'était la première fois qu'il pouvait s'expliquer devant des juges indépendants agissant dans le cadre de la loi.

*Demande.* Le 5 janvier 1895, dans la pièce où vous attendiez votre dégradation, avez-vous dit, en présence de deux lieutenants : « Je suis innocent, le ministre sait bien que je suis innocent ; il me l'a fait dire par du Paty de Clam. Il sait bien que si j'ai livré des pièces, elles me semblaient sans importance, et que c'était pour en obtenir de plus sérieuses en échange, dans trois ans mon innocence sera reconnue » ?

*Réponse.* Je n'ai pas prononcé ces paroles telles qu'elles sont relatées, j'ai dit ceci, ou à peu près, dans une sorte de monologue haché : « Je suis innocent. Je vais crier mon innocence à la face du peuple... Le ministre sait bien que je suis innocent... il m'a envoyé du Paty de Clam pour me demander si je n'avais pas livré quelques pièces sans importance pour en obtenir d'autres en échange... J'ai répondu non, que je voulais toute la lumière... Avant deux ou trois ans, mon innocence sera reconnue. »

*D.* Le même jour au palais de justice, en sortant du couloir menant à l'endroit où attendait la voiture cellulaire, avez-vous dit au directeur du dépôt : « Pour être coupable, si je suis coupable, je ne suis pas seul » ? À quoi le directeur aurait observé : « Pourquoi ne donnez-vous pas les noms de ceux que vous connaissez ? » Et vous auriez répondu : « Avant deux ou trois ans on les connaîtra. »

*R.* Je n'ai pas tenu ces propos qui sont absurdes. J'ai crié mon innocence partout, et j'ignore si le directeur du dépôt se trouvait parmi les personnes qui m'ont entouré dans cette journée [253].

Après cet interrogatoire, Dreyfus n'eut plus d'informations sur l'instruction. « Les journées, les mois s'écoulèrent, sans recevoir de nouvelles précises, ignorant ce que devenait l'enquête de la cour. Chaque mois, ma femme, dans ses lettres, qui me parvenaient souvent avec un retard considérable, dans ses dépêches, me disait son espoir d'un terme prochain à nos souffrances [254]. »

Ce « terme prochain de [leurs] souffrances », le capitaine Dreyfus ne le voyait pourtant pas venir. C'est ce qu'il exprima dans ses lettres à Lucie, tout en affirmant sa totale confiance dans l'avenir. « J'ai attendu jusqu'à ce jour pour t'écrire, pensant recevoir des nouvelles. Elles ne me sont pas encore parvenues. Je ne veux cependant pas laisser partir le courrier sans t'envoyer l'écho de mon immense affection ; de ma vive tendresse. Je ne serai d'ailleurs pas long, car je pense que la nouvelle de ma réhabilitation ne tardera plus guère à me parvenir [255]. »

Ce 31 janvier, il joignait pour son fils une lettre qui disait le même espoir : « J'ai reçu ta bonne petite lettre. Tu veux que je t'écrive ? Je ferai bientôt mieux : je te serrerai bientôt dans mes bras. En attendant ce bon et doux moment, tu embrasseras bien, bien fort maman pour moi, ainsi que grand-papa, grand-maman, petite Jeanne, les oncles et les tantes, tous enfin. De bons gros baisers pour toi et pour petite Jeanne de ton papa qui t'adore [256]. »

À partir de février 1899, les conditions de détention s'aggravèrent une nouvelle fois. Les vexations et les humiliations reprirent. La commande de vivres et d'objets remise à chaque fin de mois ne fut pas honorée pour le mois de mars. Conformément à sa résolution de ne jamais réclamer ni discuter l'application de la peine – car « c'eût été en admettre le principe [257] » –, le capitaine Dreyfus ne dit rien. Il passa tout le mois dans un grand dénuement. Alors qu'il était presque totalement écoulé, Deniel vint le voir pour lui annoncer qu'il avait égaré la commande et qu'il le priait d'en refaire une autre. Pour Dreyfus, Deniel mentait. « S'il l'avait réellement égarée, il s'en serait aperçu dès le retour du bateau chargé de chercher les vivres à Cayenne. » Cette attitude concordait avec ce qu'il savait de Deniel. Plus étonnant cependant était le moment où cette manœuvre intervenait, alors qu'un retour vers la légalité s'était réalisé pour Dreyfus. Il en eut la raison à son retour en France, lorsqu'il eut connaissance de tous les événements qui s'étaient produits depuis son départ : « Cet acte a trop bien coïncidé avec le vote de la loi de dessaisissement pour ne pas penser que ce fait en a été la cause. » Le commandant supérieur des îles du Salut tablait, comme nombre d'antidreyfusards, sur l'échec de la procédure de révision, la déroute de la Cour de cassation et la confirmation du verdict de 1894. Malgré tout, Dreyfus persistait dans l'attente. Il envoya « quelques lignes » à Lucie le 25 février :

> Je ne puis plus que le répéter, te faire entendre toujours les mêmes paroles de fermeté, de dignité, jusqu'au jour où j'apprendrai le terme de ce terrible drame judiciaire. Je devine fort bien, comme tu le dis toi-même, quelle joie tu éprouves à me lire ; elle égale, j'en suis certain, celle que j'éprouve à te lire. C'est une parcelle de l'un qui parvient à l'autre, en attendant le moment bienheureux où nous serons enfin réunis.
>
> Ma pensée, qui ne t'a jamais quittée un seul instant, qui a veillé nuit et jour sur toi, sur nos enfants, est toujours avec toi. Je te parle bien souvent mentalement, mais ce sont toujours les mêmes pensées, les mêmes sentiments dont je retrouve enfin l'écho dans tes lettres, car tout cela nous est commun, comme les mêmes pensées, les mêmes sentiments, sont la propriété commune, le fond inné de toutes les âmes loyales, de tous les caractères droits.
>
> C'est l'âme rassurée et confiante qu'il faut nous en remettre à la haute autorité de la Cour du soin d'accomplir sa noble mission de suprême justice.
>
> En attendant alors que la nouvelle de ma réhabilitation me parvienne, il ne me reste encore qu'à t'embrasser de toutes mes forces, de toute mon âme, comme je t'aime, ainsi que nos chers et adorés enfants [258].

L'espoir le reprit au début de mars. Dreyfus obtint l'autorisation d'adresser une dépêche télégraphique à Lucie : « État de santé se maintient toujours aussi satisfaisant au moral et au physique. J'attends avec confiance et vous embrasse [259]. » Il la fit suivre d'une lettre pleine d'espoir encore : « Quelques mots pour t'envoyer l'écho de ma profonde affection et te confirmer purement et simplement le télégramme que je t'ai adressé il y a quelques jours. [...] J'espère donc que lorsque ces quelques lignes te seront remises je serai déjà sur le chemin du retour [260]. »

*« Casse et annule »*

Le 3 juin 1899, à l'annonce de la décision de la Cour de cassation, qui cassait le verdict du 22 décembre 1894 et renvoyait Dreyfus devant un nouveau conseil de guerre, Lucie lui adressa aussitôt un télégramme, arrivé à 9 h 30 du matin heure locale, et qui portait ces quelques mots : « Cour cassation proclame révision avec renvoi devant conseil de guerre. Cœur et pensées auprès de toi ; nous partageons immense bonheur. Baisers émus. Nous sommes tous très heureux [261]. » Une dépêche officielle partit également à destination de l'île du Diable. Le lundi 5 juin 1899, à midi et demi, le surveillant-chef remit au capitaine Dreyfus un texte ainsi formulé :

Veuillez faire connaître immédiatement capitaine Dreyfus dispositif cassation ainsi conçu : « La Cour casse et annule jugement rendu le 22 décembre 1894 contre Alfred Dreyfus par le 1er conseil de guerre du gouvernement militaire de Paris et renvoie l'accusé devant le conseil de guerre de Rennes, etc.

Dit que le présent arrêt [262] sera imprimé et transcrit sur les registres du 1er conseil de guerre du gouvernement militaire de Paris en marge de la décision annulée ; en vertu de cet arrêt, le capitaine Dreyfus cesse d'être soumis au régime déportation, devient simple prévenu, est replacé dans son grade et peut reprendre son uniforme. »

Faites opérer levée d'écrou par l'administration pénitentiaire et retirer surveillants militaires de l'île du Diable ; en même temps faites prendre en charge le prévenu par le commandant des troupes et remplacer surveillants par brigade de gendarmerie qui assurera le service de garde de l'île du Diable dans position réglementaire des prisons militaires.

Croiseur *Sfax* part aujourd'hui de Fort-de-France avec l'ordre d'aller chercher prévenu île du Diable pour le ramener en France.

Communiquez à capitaine Dreyfus dispositif arrêt et départ *Sfax* [263].

Dans une lettre à Lucie du 27 avril 1899 [264], le prisonnier évoquait encore ce temps d'attente d'une telle dépêche « où chaque heure était de trop [265] ». Sa joie fut « immense, indicible ». Il s'imagina déjà réhabilité. « J'échappais enfin au chevalet de mes tortures où j'avais été cloué pendant cinq ans, souffrant au martyre pour les miens, pour mes enfants, autant que pour moi-même. Le bonheur succédait à l'effroi des angoisses inexprimées, l'aube de la justice se levait enfin pour moi. Après l'arrêt de la Cour, je croyais que tout allait en être fini, qu'il ne s'agissait plus que d'une simple formalité. [...] Dans l'arrêt de la Cour, j'avais lu que mon innocence était reconnue et qu'il ne restait plus au conseil de guerre devant lequel j'étais renvoyé que l'honneur de réparer une effroyable erreur judiciaire [266]. » Il apprit que le *Sfax* l'embarquerait à destination de la France dans quatre jours.

L'après-midi du 5 juin 1899, il adressa sa première dépêche d'homme – presque – libre à l'être de toutes ses pensées, sa femme : « De cœur et d'âme avec toi, enfants, tous. Pars vendredi. Attends avec immense joie le moment de bonheur suprême de te serrer dans mes bras. Mille baisers[267]. »

Le jour même, les nouvelles dispositions concernant le régime de détention furent appliquées. Une brigade de gendarmerie vint de Cayenne le soir même pour assurer la garde de l'officier. Les surveillants quittèrent l'île, non sans avoir demandé à leur prisonnier des souvenirs de lui[268]. Dreyfus les regarda partir, il lui « semblait marcher dans un rêve, au sortir d'un long et épouvantable cauchemar[269] ». Il ne vit pas, en revanche, celui qui en était le premier responsable, Oscar Deniel, déplacé peu de temps après par le nouveau ministre des Colonies du gouvernement de Waldeck-Rousseau, Albert Decrais (dont le frère Jean était devenu son chef de cabinet). Le maire de Cayenne, Éleuthère Leblond, « convaincu depuis longtemps de son innocence[270] », lui offrit des vêtements civils, « un costume, un chapeau, quelque linge, ce qui [...] était, en un mot, strictement nécessaire à [son] retour en France[271] ». Le jeudi soir, 8 juin, Dreyfus aperçut au loin le croiseur *Sfax* arrivé de Martinique. Il embarqua le lendemain matin à 7 heures. Mais la chaloupe dut attendre en mer jusqu'à 10 heures l'ordre d'accoster. Dreyfus devait en déduire tristement que son embarquement avait été retardé pour permettre d'aménager la cabine de sous-officier dans laquelle il fut aux arrêts de rigueur. La fenêtre avait été grillagée, et la porte vitrée était gardée en permanence par un fonctionnaire en armes. Une promenade d'une heure le matin et d'une heure le soir lui était autorisée. Le reste de la traversée, il dut demeurer dans sa cabine.

## Un triste retour

Le voyage du retour montra ainsi au capitaine Dreyfus qu'il n'avait toujours pas quitté son statut de coupable, malgré sa situation légale de « prévenu » qui devait faire prévaloir son innocence.

Après l'euphorie vint la désillusion. Le maintien d'un régime de réclusion sur le croiseur militaire et la poursuite de petites humiliations telles l'attente au large des îles du Salut ou la réception très froide des officiers de bord le confirmèrent dans ses observations. Il se conforma alors à la résolution qui avait toujours gouverné son attitude ; « à la conduite que j'avais adoptée dès le début, par sentiment de dignité personnelle, me considérant comme l'égal de tous. En dehors des besoins du service, je ne parlai à personne[272] ». Cette manière de faire face suscita finalement l'admiration de l'équipage. Interrogé par un journaliste du *Temps*, le commandant Coffinières témoigna que « sa force d'âme étonna tous les officiers[273] ». Le 18 juin, le croiseur fit une escale aux îles du Cap-Vert, pour se ravitailler en charbon, et repartit deux jours plus tard, à vitesse réduite, huit ou neuf nœuds, estima Dreyfus. Le matin du 30 juin, il aperçut les côtes françaises. « Après cinq années de martyre, je revenais pour chercher la justice.

L'horrible cauchemar prenait fin. Je croyais que les hommes avaient reconnu leur erreur, je m'attendais à trouver les miens, puis, derrière les miens, mes camarades qui m'attendaient les bras ouverts, les larmes aux yeux[274]. »

La réalité fut tout autre. Dreyfus restait considéré par l'administration comme un coupable, et les conditions de son arrivée le démontrèrent. On refusa de lui dire où il serait débarqué. Il dut attendre jusqu'au soir pour être transféré sans ménagements dans un canot, par une mer démontée. Il se blessa sérieusement à la descente et fut pris d'un violent accès de fièvre. On le débarqua sur un petit vapeur qui le conduisit, en pleine nuit, à un petit port dont il ignorait tout. Il s'agissait de Port-Haliguen, sur la presqu'île de Quiberon. Il fut placé dans une calèche entre deux gendarmes et un capitaine de gendarmerie. Il fut mené, entre deux haies de soldats, à une gare. Toujours sans aucune information, se heurtant au mutisme absolu de ses gardes, il fut transféré dans un train, lequel roula pendant trois heures. On le descendit, on le plaça dans une nouvelle calèche qui traversa une ville au galop et entra dans une prison. Là, le 1er juillet à 6 heures du matin, Dreyfus comprit, « au personnel qui l'entourait, qu'il était dans la prison militaire de Rennes[275] ».

Le choix de la capitale bretonne pour tenir le second procès de Dreyfus avait été fait par l'ancien chef du gouvernement, Charles Dupuy. Il estimait que l'officier, débarqué à Brest, pourrait y être rapidement transféré. De surcroît capitale d'un pays peu porté aux manifestations antisémites, Rennes présentait des garanties d'ordre public. Mais Joseph Reinach considérait que « Mercier lui-même n'aurait pas choisi un théâtre mieux préparé pour la recondamnation de sa victime ». En effet, même si « l'antisémitisme y était inconnu dans sa forme économique, la haine des juifs, sous la forme religieuse, y était plus invétérée qu'ailleurs ; elle faisait corps avec un catholicisme encore intact, à la fois mystique et brutal, et qui, depuis les grandes guerres navales contre l'Anglais, était "le symbole de la nationalité". Ainsi Dreyfus et Judas, c'est tout un, et, de même, l'Anglais et l'Allemand, tous deux protestants[276] ». Les fuites en direction des milieux nationalistes au sujet de Brest choisie comme lieu de débarquement de Dreyfus[277] amenèrent le gouvernement à redoubler de précautions. C'est ainsi que le ministre de la Marine du gouvernement Dupuy – maintenu jusqu'à l'investiture du gouvernement Waldeck-Rousseau le 22 juin 1899 – ordonna au commandant du *Sfax* de ralentir son allure pour atteindre dans la nuit les côtes de Quiberon et procéder là au débarquement du capitaine Dreyfus[278]. Les conditions de son transfert sur le continent choquèrent profondément le capitaine Dreyfus, comme il le relata dans ses *Souvenirs* :

À 9 heures du soir, on vint me dire qu'un canot était au bas de l'échelle du *Sfax* pour me conduire au bateau à vapeur qui était arrivé, mais qui ne pouvait se rapprocher davantage à cause du mauvais temps. La mer était démontée, le vent soufflait en tempête, la pluie tombait abondamment. Le canot, soulevé par les flots, faisait des bonds effrayants au bas de l'échelle du *Sfax* où il avait peine à se maintenir. Je ne pus que m'y précipiter et je me heurtai violemment contre le bordage, me blessant assez profondément. Le canot se mit en marche sous les rafales de pluie. Saisi aussi bien par les émotions de ce débarquement que par le froid et l'humidité pénétrante, je fus pris d'un violent accès de fièvre et me mis à claquer des dents. À force de volonté et d'énergie, je pus cependant me dominer. Après une course folle sur les vagues écumantes, nous abordâmes au bateau à vapeur, dont je pus à peine gravir l'échelle, souffrant de la blessure que je m'étais faite aux jambes en me précipitant dans le canot. J'observais toujours le même silence. Le bateau à vapeur se mit en marche, puis stoppa. J'ignorais totalement où j'étais, où j'allais ; pas un mot ne m'avait été adressé. Après une heure ou deux d'attente, je fus invité à descendre dans le canot du bord. La nuit était toujours aussi noire, la pluie continuait à tomber, mais la mer était plus calme. Je me rendis compte que nous devions être dans un port. À 2 heures et quart du matin, j'abordai un endroit que je sus depuis être Port-Haliguen[279].

Il fut incarcéré dans une chambre dont le grillage en bois ne lui permettait pas de voir l'extérieur. Lucie était arrivée à Rennes dès le 24 juin, laissant ses enfants à sa jeune sœur Marie. Depuis Paris, elle lui avait adressé un message d'amour et d'espoir pour qu'il puisse le trouver à l'instant de son incarcération :

> Je veux que tu reçoives un mot de moi à ton arrivée et que tu saches que je suis là, tout près de toi, dans la même ville, le cœur battant de joie et d'émotion à l'idée que je vais te voir, t'embrasser, et que nous allons éprouver tous deux une de ces secousses morales si grandes, si fortes, que l'on se demande comment le corps humain peut résister à de si terribles ébranlements.
>
> Comment pourrais-je te dire ce que j'ai ressenti le jour où j'ai reçu ta dépêche me prévenant de ton départ ? J'étais si joyeuse que je croyais vivre un rêve. Tout se transformait en moi, je commençais à vivre après de si longues années passées le cœur mutilé.
>
> Et toi, quel soulagement tu as dû avoir en quittant cette île maudite et combien ont dû te sembler bons ces premiers moments où tu t'es senti presque libre, t'acheminant vers la patrie.
>
> Comme j'aurais voulu faire avec toi cette route que j'ai suivie bien souvent par la pensée ! J'ai une impression si douce en songeant que chaque heure, chaque minute te rapproche de moi et qu'enfin nous allons nous retrouver dans les bras l'un de l'autre, après cette atroce et interminable séparation. Quel bonheur, mon Dieu ! Puis encore une étape à franchir, celle du conseil de guerre, et nous serons délivrés de cet épouvantable cauchemar. Ce sera encore une terrible épreuve pour toi, mon pauvre ami, mais j'ai confiance, je sais que tu la supporteras vaillamment avec la sérénité que donne une conscience pure[280].

Lucie fut avertie à son réveil que son mari était enfin arrivé. Dans quelques heures, ils pourraient se revoir. C'était leur victoire.

## L'expérience de la tyrannie

Le déporté qui vit s'éloigner à l'horizon les îles du Salut était un homme victorieux. Le jugement qui l'avait condamné venait d'être cassé, la réhabilitation devenait certaine, son calvaire allait prendre fin sur un acte solennel de justice et de vérité. Mais le capitaine Dreyfus était aussi un homme victorieux parce qu'il avait précisément résisté contre une tyrannie qu'il n'avait jamais imaginée possible. À l'île du Diable, il n'était ni un homme ni un citoyen, ni même un prisonnier. Il n'était qu'un matricule. Les tentatives pour briser sa volonté, pour l'humilier, pour l'affaiblir physiquement par la privation de nourriture, pour l'enfermer dans sa cellule et dans le silence furent systématiques, et pas seulement après le 6 septembre 1896. Un déporté comme le capitaine Dreyfus n'existait plus pour la société, il n'existait plus comme personne juridique et comme citoyen même.

Ceux qui, hier comme aujourd'hui, se dressent, outragés, lorsqu'on établit que la république, en certaines époques et en certains lieux, bascula dans la tyrannie, doivent considérer le sort qui fut réservé au capitaine Dreyfus et les preuves de cette terreur. L'île du Diable était peut-être régie par le règlement et le pouvoir administratifs, elle n'en restait pas moins une zone absolue de non-droit, livrée à l'arbitraire des codes et des chefs, en violation permanente des principes qui fondent la justice et la république. Tout condamné, tout prisonnier a droit à l'information sur sa détention, sur la législation, sur l'évolution de sa propre situation au regard des tribunaux. Rien de cela ne fut accordé au capitaine Dreyfus. Pendant tout le temps de son emprisonnement aux îles du Salut, il fut maintenu dans un état d'ignorance absolue des raisons pour lesquelles, par exemple, il fut mis à la double boucle et enfermé dans sa case. On lui refusa toutes les formes d'information sur son procès. On lui interdit de conserver toute pièce de procédure, à commencer par le bordereau, qui lui fut retiré en toute illégalité par le directeur du dépôt de Saint-Martin-de-Ré. On ne l'informa d'aucune évolution de la législation sur la révision, qui aurait pu lui permettre de déposer une requête officielle. On rejeta même sa demande d'obtention d'un code de procédure criminelle. Enfin, le ministère des Colonies s'opposa pendant treize jours à la transmission de l'arrêt de la Cour de cassation décidant de l'ouverture d'une procédure pour révision.

La situation faite au capitaine Dreyfus rejoint les cas extrêmes relevés par les historiens de la prison républicaine. Lui qui avait été jugé et condamné pour un crime politique, il se voyait soumis au sort réservé aux déportés de droit commun et surtout aux victimes de la répression coloniale, enfermées dans des bagnes d'épouvante. La poursuite du combat de certains dreyfusards se fit très logiquement en direction de cette violation des droits et de cette répression contraires à tous les idéaux républicains. Ils s'attachèrent notamment à produire de l'information sur ces lieux de non-droit. Mais il fallut attendre près de quarante ans encore pour qu'une action politique ait lieu, insuffisante et trop tardive mais réelle cependant, avec la fermeture, en 1936, par décision du Front populaire, des bagnes d'Indochine [281]. Confronté à un tel système, le capitaine Dreyfus réagit en l'analysant et en étudiant ceux qui s'en faisaient les acteurs et qu'il voyait agir devant ses yeux. Il put ainsi comparer la manière de servir des deux commandants du bagne des îles du Salut, Bravard et Deniel.

Son retour en France lui permit encore de mieux comprendre la portée des pratiques administratives et les marges de manœuvre et, de fait, le niveau d'intentionnalité des acteurs, de Deniel en particulier. La dureté des règlements, le fait d'avoir été choisi par le ministre des Colonies, sa personnalité obséquieuse..., tout l'encourageait à agir avec cruauté envers son prisonnier. « Je le croyais un simple instrument, d'autant plus qu'il s'empressait de me dire : "Je ne suis qu'un agent d'exécution", et je savais qu'on trouve des individus pour toutes les besognes. Aujourd'hui, j'ai tout lieu de penser que bien des mesures furent prises par sa propre initiative, que l'attitude de certains surveillants lui était due [282]. »

Cet effort de raisonnement était une arme. Alfred Dreyfus se faisait historien de l'administration. Ce choix rappelle, à près de cinquante ans d'écart, celui de l'ethnologue Germaine Tillion considérant les camps nazis comme un objet d'étude et trouvant dans cette étude matière à résister et à résistance [283]. Alors, que le capitaine Dreyfus ait survécu à ces conditions, ait résisté à ses bourreaux, constitue un acte héroïque qu'il convient de reconnaître à sa juste valeur. Dans son hommage rendu à l'Académie militaire de West Point, le secrétaire d'État américain à la défense du Président Bill Clinton évoqua le principe de « résilience » dont les travaux de Boris Cyrulnik donnent une solide illustration. Le lien avec Dreyfus est pertinent. Cet homme développa en lui des forces insoupçonnées qui lui permirent non seulement d'affronter la déportation, mais aussi de surmonter les sept années qui allaient encore le séparer de sa pleine et entière réhabilitation. À son arrivée en France, lorsqu'il comprit que ses épreuves n'étaient pas terminées, il convoqua une nouvelle fois l'être de résistance qu'il avait fait naître en lui :

> On comprend quelles avaient été successivement ma surprise, ma stupéfaction, ma tristesse, ma douleur extrême d'un pareil retour dans ma patrie. Là où je croyais trouver des hommes unis dans une commune pensée de justice et de vérité, désireux de faire oublier toute la douleur d'une effroyable erreur judiciaire, je ne trouvais que des visages anxieux, des

précautions minutieuses, un débarquement fou en pleine nuit sur une mer démontée, des souffrances physiques venant se joindre à ma douleur morale. Heureusement que, pendant les longs et tristes mois de ma captivité, j'avais su imposer à mon moral, à mes nerfs, à mon corps, une immense force de résistance [284].

Le calvaire ne devait pas finir au lendemain de l'arrêt de révision du 3 juin 1899, une décision pourtant sans ambiguïté que le conseil de guerre de Rennes s'empressa de nier, violant à son tour la loi et la légalité. Le capitaine Dreyfus était aux mains d'une administration et d'un ministère de la Guerre qui refusaient qu'il puisse être innocent. Et le chef du gouvernement, Waldeck-Rousseau, favorable pourtant à ce que justice soit rendue dans l'affaire Dreyfus, laissa toute latitude au ministre de la Guerre pour administrer ce dossier. Ce fut une faute politique autant que gouvernementale. Le général de Galliffet n'intervint pas pour faire bénéficier le capitaine Dreyfus des garanties qu'exigeait sa situation. Si bien que son traitement ne fut pas celui d'un prévenu, mais d'un coupable en attente d'une nouvelle condamnation et dont il fallait s'assurer par tous les moyens la sécurité. L'obsession administrative continuait.

## CHAPITRE XI

# L'espoir de Rennes

Enfermé dans sa cellule de la prison militaire de Rennes, Alfred Dreyfus put rencontrer sa femme dès son arrivée, le 1er juillet. L'émotion de leurs retrouvailles fut intense, si forte « qu'aucune parole humaine puisse en rendre l'intensité, confia-t-il dans *Cinq années de ma vie*. Il y avait de tout, de la joie, de la douleur ; nous cherchions à lire sur nos visages les traces de nos souffrances, nous aurions voulu dire tout ce que nous avions sur le cœur, toutes les sensations comprimées et étouffées pendant de si longues années, et les paroles expiraient sur nos lèvres. Nous nous contentâmes de nous regarder, puisant, dans les regards échangés, toute la puissance de notre affection comme de notre volonté [1]. » Lucie adressa un télégramme à Edgar Demange après leur rencontre : « Ai vu mon mari ce matin. L'ai trouvé très bien moralement et physiquement. Il est très désireux de vous voir [2]. » Et pour la première fois depuis le 14 octobre 1894, elle dormit d'un sommeil apaisé dans la ville qui les unissait. « La joie de t'avoir près de moi, dans la même ville, m'a donné un sommeil plus calme, lui confia-t-elle dans une lettre écrite le lendemain matin. Mon cœur est moins déchiré, je me réjouis de te voir. J'attends cet après-midi avec une impatience fébrile [3]. »

Le 3 juillet, il vit son frère, Edgar Demange, et son second et nouveau défenseur, Fernand Labori. Sa condition de prévenu l'y autorisait. Des pressions avaient cependant dû être exercées sur Waldeck-Rousseau pour que ce droit lui fût accordé aussitôt. Des démarches avaient même été entreprises par Joseph Reinach et par Lucie elle-même [4]. Puis Dreyfus revit une nouvelle fois sa femme. Elle avait été autorisée à lui rendre visite chaque jour, de 9 heures à 10 heures. Elle était accompagnée, ce jour-là, par Mathieu Dreyfus et par Louis Havet, un éminent grammairien, professeur au Collège de France et l'un des très actifs dreyfusards. Le prisonnier rencontra également son fidèle ami et parent, le docteur Weill, médecin-chef de l'hôpital Rothschild [5], et son cousin par alliance et ardent défenseur, le philosophe Lucien Lévy-Bruhl[6]. En 1894, les deux hommes l'avaient beaucoup soutenu par leurs lettres et leurs messages. Louis Havet recueillit ses premières impressions et les communiqua à Joseph Reinach resté à Paris. Elles se rapprochaient davantage de la réalité que la teneur du télégramme adressé par Lucie à Demange le 1er juillet. « Lui est, paraît-il, vieux, maigre et blanc, mais toujours indomptable de volonté, évitant les occasions de s'attendrir et ajournant la mention des enfants. Il a eu la fièvre cette nuit même dans le bateau, il grelotte d'avoir quitté les tropiques, mais on lui dit mon capitaine, et il a reçu des lettres de gens qui lui expriment de l'estime[7]. »

À l'extérieur de la prison, une foule s'était massée pour tenter d'apercevoir Lucie. Un service d'ordre fut alors organisé, et elle arriva ensuite chaque jour en voiture. Elle était toujours vêtue de noir. Les avocats rencontraient Dreyfus tous les jours, avec leur secrétaire, Collenot pour Demange et Hild pour Labori.

En un mois et quelques jours, Dreyfus put maîtriser les arcanes judiciaires autant que documentaires d'une histoire qu'il ignorait totalement jusqu'à son arrivée à Rennes. Tout au moins avait-il pu apprendre sur l'île du Diable, par des confidences glanées auprès de ses gardiens ou des bribes de discussions saisies lors des visites d'inspection ou des interventions du médecin, que des personnalités haut placées avaient pris des initiatives en sa faveur. Mais il demeurait persuadé que la révision de son procès et son retour en France résultaient de ses demandes inlassables et enfin entendues.

Dans cette découverte d'une histoire, Dreyfus fit preuve d'une capacité d'écoute et d'assimilation tout à fait exceptionnelle, surtout si l'on considère l'immensité et la complexité des faits s'étalant sur près de cinq ans, et si l'on songe par ailleurs à son état physique très dégradé, comme l'attestera le rapport médical du professeur Paul Delbet établi à la demande de Waldeck-Rousseau après la condamnation[8]. Le médecin-major Ferrand avait déjà constaté de la dysenterie[9].

La preuve de cette maîtrise du dossier fut apportée par ses déclarations au procès de Rennes, précises et argumentées, ainsi que par les différents mémoires et études qu'il rédigea dans sa cellule. Cette connaissance de l'événement auquel il avait, bien malgré lui, donné son nom, produisit plusieurs conséquences très importantes. D'une part elle l'associa aussitôt à tous ceux qui avaient combattu pour la reconnaissance de son innocence par la révélation des preuves et par le combat pour le droit, et qui, au jour de son arrivée, le saluèrent avec beaucoup d'émotion et de solennité. D'autre part cette connaissance l'arma pour affronter la nouvelle épreuve du procès de Rennes et la parodie de justice qui s'y déroula. Son retour lui avait montré que son affaire n'était pas terminée et qu'il allait devoir encore lutter pour son honneur. Il n'imaginait cependant pas qu'après une première conspiration combattue en 1894 il allait devoir affronter un second système de mensonge et d'arbitraire, bien plus sophistiqué que le premier qui avait été détruit par l'action des dreyfusards puis des juges.

Le face-à-face, au procès de Rennes, du capitaine Dreyfus et de ses accusateurs ne renonçant jamais à vouloir sa perte constitue l'un des volets les plus importants et les moins connus de sa biographie. Cette histoire ne concerne pas seulement un homme, mais au plus haut point la République et ses institutions. L'existence d'un nouveau complot, développé publiquement aux yeux de la France et du monde, n'eut d'équivalent que la détermination du capitaine Dreyfus à combattre pour la vérité et la justice. Son histoire prit alors une dimension historique évidente, le visage du rêve démocratique et de la justice possible. Les contemporains s'en saisirent. Ils reconnurent en lui le destin des fragiles libertés livrées à la violence des foules et à l'arbitraire des États. Ils saluèrent un homme qui les représentait tous et qui arrivait, après un calvaire de près de cinq ans, pour réclamer justice en terre bretonne.

Des milliers de lettres, de témoignages et de saluts l'attendaient à Rennes lorsqu'il débarqua dans la nuit noire de Quiberon. Ce monde protecteur et solidaire, de femmes et d'hommes, de Français et d'étrangers, anonymes et célèbres, se portant vers lui aussi bien que vers Lucie, l'accompagna tout au long du procès et l'entoura de sa force à l'heure où il fut à nouveau condamné. Cette histoire d'un citoyen retournant à un nouveau et nécessaire combat, cette rencontre d'une humanité et d'un homme n'a pourtant jamais été écrite en dépit de l'affirmation d'une historiographie rennaise désormais très active [10].

## HOMMAGES DU MONDE LIBRE

Avant même le débarquement du capitaine Dreyfus, les messages de bienvenue affluèrent à Rennes où Lucie était arrivée le 24 juin au soir [11]. Ces hommages furent d'abord ceux des Bretons eux-mêmes qui saluèrent un combat et une résistance. Qu'un tel procès se tînt dans leur province était emblématique de leurs propres engagements pour démocratiser la société et faire progresser la liberté de pensée. À Rennes, et aux Bretons démocrates étaient cependant très rares, la ville étant presque totalement hostile aux dreyfusards.

### Le salut de la Bretagne

Les premiers à souhaiter la bienvenue à Lucie Dreyfus, et, à travers elle, à son mari, furent les sept universitaires de la petite section de la Ligue des droits de l'homme. Ils n'étaient pas natifs de la Bretagne, mais ils vivaient et travaillaient à Rennes. Et ils avaient décidé de mener campagne pour Dreyfus, attirant vers eux les Bretons républicains et démocrates particulièrement actifs en Armorique, sur les rivages du département des Côtes-du-Nord. L'arrivée du capitaine Dreyfus fut saluée comme un événement exceptionnel par Victor Basch, leur président : « De longues et sensationnelles dépêches ont appris au monde entier que, le 1er juillet, vers 6 heures du matin, le capitaine Dreyfus a fait son entrée dans la ville de Rennes. La légende, qui a eu une part si considérable dans toute cette tragique histoire, a dramatisé cette arrivée.» Ces dreyfusards voulurent conserver « cette image du soldat fièrement resté debout sous le mépris des hommes [12] ».

Anatole Le Braz, professeur à la faculté des lettres de Rennes, « chantre émouvant des légendes bretonnes » selon la juste expression de Pierre Dreyfus [13], adressa pour sa part à Lucie un message émouvant au nom de la Bretagne éclairée :

> Au moment où vous mettez le pied dans l'ancienne capitale de la Bretagne, permettez-moi, au nom de ma femme et de mes enfants, comme au mien propre, de vous souhaiter la bienvenue sur cette terre bretonne qui fut longtemps la terre classique de l'hospitalité et la patrie d'une race chevaleresque, éprise jusqu'à la folie du plus haut idéal de justice, de mansuétude et de pitié.
>
> Je me plais à espérer, pour l'honneur d'un pays qui m'est cher par-dessus tout au monde, que vous y trouverez un accueil digne de la grandeur de votre infortune. Mais surtout, puissiez-vous y trouver, Madame, la fin de votre douloureux calvaire, si noblement gravi !
>
> C'est le vœu d'un inconnu qui a conscience d'obéir au plus pur sentiment breton, en vous adressant du fond de sa solitude armoricaine, cet hommage respectueux [14].

Parmi les lettres qui affluèrent vers la prison ou vers la maison où résidait Lucie, chez Mme Godart, rue de Châtillon, chacune comptait. Dreyfus découvrit à travers elles l'humanité qui avait pris sa défense et qui s'était révélée à elle-même dans ce combat improbable. Les plus lointains comme les plus proches lui adressèrent des messages qui tissaient l'amitié autant qu'ils racontaient l'histoire.

### Le premier cercle

Joseph Reinach, Auguste Scheurer-Kestner et Émile Zola s'étaient non seulement totalement engagés pour Dreyfus, mais ils avaient de plus noué des liens étroits avec Mathieu et Lucie Dreyfus. Ils furent aussi parmi les premiers à écrire à un homme qu'ils ne connaissaient pas et dont ils étaient devenus pourtant si proches. Joseph Reinach lui fit le récit, qu'il entendait au même moment dans sa cellule de la bouche de ses avocats, de Mathieu et Lucie, des efforts mis en œuvre lorsque la situation paraissait encore inextricable.

> C'est la première lettre de moi que vous recevrez pour vous dire toute ma profonde estime, mon absolue confiance en la justice qui achèvera le

triomphe de la vérité. Mais c'est la seconde lettre que je vous écris. La première que je vous adressai, le 15 septembre 1897, au nom de M. Scheurer-Kestner et au mien, est dans mon tiroir. Je vous la remettrai à vous-même, à une date très prochaine, je l'espère, et je vous dirai alors dans quelles circonstances elle m'a été rendue avec le refus de vous l'expédier. Je vous y annonçais l'œuvre généreuse que mon vieil et excellent ami Scheurer se proposait d'entreprendre ; je vous y exprimais les sentiments que j'ai eus pour vous, dès les premiers jours de ce drame, sans avoir eu jamais l'honneur de vous connaître ou de vous voir. Vous avez peut-être su, dès 1894, par Demange, que je n'ai jamais douté de votre innocence. [...] Au mois de septembre 1897, quand je vous écrivais cette première lettre, j'avais vu deux ou trois fois madame Dreyfus à qui j'avais voué le plus profond et le plus affectueux respect. Je n'ai connu votre frère Mathieu que plus tard. C'est un des grands cœurs, une des plus belles intelligences de ce temps.

Après l'atroce épreuve que vous avez supportée avec tant d'héroïsme, je ne crois point nécessaire de vous dire : « Confiance » ; vous touchez au but, mon capitaine, et votre justification ne vous sera pas seulement douce en elle-même, mais encore parce qu'elle ajoutera à la gloire et de la France qui reste le grand pays du Droit, et de l'Armée qui sera heureuse et fière de réparer l'erreur commise envers l'un de ses meilleurs fils. *L'honneur de ma vie* aura été de contribuer, pour ma part, à cette œuvre patriotique entre toutes [15].

Auguste Scheurer-Kestner lui écrivit de Biarritz où, atteint par un mal incurable, il attendait la mort. Comme Reinach, il le salua par son grade. « Mon Capitaine ». Comme lui, il rendit hommage à son exceptionnelle résistance dans la déportation.

Je ne voudrais pas qu'au milieu des nombreuses marques de sympathie qui vous accueillent, les miennes n'y fussent pas mêlées. Je vous les envoie d'un cœur ému, car je me compte parmi ceux qui se réjouissent le plus de ce que l'heure de la justice ait enfin sonné pour vous.

Convaincu depuis longtemps de votre innocence, j'ai suivi avec une cruelle anxiété les événements qui ont fini par faire éclater la vérité.

Vous avez supporté, avec un grand courage que seule peut donner une conscience pure, l'affreux martyre auquel vous avez été soumis ; mais vous avez eu pour vous soutenir, pour soutenir votre honneur et celui du nom de vos enfants, une femme admirable, digne de vous, et un frère dont j'ai été à même d'apprécier le courage qu'ils ont mis au service de votre immense infortune.

Que cette douce satisfaction soit pour vous le commencement de la réparation.

Bientôt justice vous sera rendue [16] !

Enfin Émile Zola choisit de patienter quelques jours et d'attendre que Mathieu Dreyfus lui ait dit le « long combat » qui fut le leur pour lui écrire « toute [sa] sympathie, toute [son] affection » :

Il vient de m'apporter la bonne nouvelle de votre santé, de votre courage, de votre foi, et je puis donc vous envoyer tout mon cœur, en sachant que maintenant vous me comprendrez. [...]

Quelle joie il m'apporte en me disant que vous sortez vivant du tombeau, que l'abominable martyre vous a grandi et épuré. Car l'œuvre n'est point finie, il faut que votre innocence hautement reconnue sauve la France du désastre moral où elle a failli disparaître. Tant que l'innocent sera sous les verrous, nous n'existerons plus parmi les peuples nobles et justes. À cette heure, votre grande tâche est de nous apporter avec la justice, l'apaisement, de calmer enfin notre pauvre et grand pays, en achevant notre œuvre de réparation, en montrant l'homme pour qui nous avons combattu, en qui nous avons incarné le triomphe de la solidarité humaine. Quand l'innocent se lèvera, la France redeviendra la terre de l'équité et de la bonté.

Pour Zola, Dreyfus était la figure même de l'armée se réconciliant avec la justice, son exemple était celui des vrais soldats. Jamais, pour l'écrivain, la cause dreyfusarde ne fut une campagne contre l'armée. En défendant Dreyfus, il avait défendu un officier français et une conception démocratique de l'institution militaire. « C'est aussi l'honneur de l'armée que vous sauverez, de cette armée que vous avez tant aimée, en qui vous avez mis tout votre idéal. N'écoutez pas ceux qui blasphèment, qui voudraient la grandir par le mensonge et l'injustice. C'est nous qui sommes ses vrais défenseurs, c'est nous qui l'acclamerons le jour où vos camarades, en vous acquittant, donneront au monde le plus saint et le plus sublime des spectacles, l'aveu d'une erreur. Ce jour-là, l'armée ne sera pas seulement la force, elle sera la justice. »

Enfin Zola rappela l'humilité de son combat, le devoir de fraternité pour ce qu'il avait souffert, pour ce qu'avait souffert sa femme. « La mienne se joint à moi, poursuivit-il, et c'est ce que nous avons en nous de meilleur, de plus noble et de plus tendre que je voudrais mettre dans cette lettre, pour que vous sentiez que tous les braves gens sont avec vous [17]. » Depuis Rennes, Lucie lui répondit aussitôt : « Je ne pourrais vous dire l'émotion, la joie, que vous avez données à mon mari en lui écrivant cette belle, cette admirable lettre. Il a été profondément heureux des sentiments que vous lui exprimez et bien ému de vos paroles dont l'élévation lui a été droit au cœur. Merci, cher monsieur, pour lui et pour moi de lui avoir procuré cette joie. Je me sens incapable de vous exprimer ce que son cœur renferme pour vous, pour son sauveur, d'immense reconnaissance, d'admiration profonde. Il vous le dira lui-même le jour béni où nous serons enfin heureux [18]. »

## « Le plus magnifique exemple »

Le docteur Paul Delbet voulut lui aussi dire au capitaine Dreyfus qu'il incarnait au plus haut point les valeurs de l'officier. Bien que chirurgien des hôpitaux et professeur agrégé à la faculté de médecine, il pensait que son nom ne dirait rien à Dreyfus. Il se permit néanmoins de lui exprimer son « admiration pour l'énergie héroïque avec laquelle [il avait] supporté l'épouvantable supplice ».

Aux tortures que des bourreaux sans nom ont inventées pour vous malgré nos lois, vous avez opposé une impassibilité stoïque. Et tandis qu'on accusait vos défenseurs d'attaquer l'armée, comme s'il fallait pour son honneur qu'un officier d'état-major eût trahi, vous donniez le plus magnifique exemple de la grandeur à laquelle peut atteindre l'âme d'un soldat. Pendant tant d'années de souffrances, vous n'avez pas eu une défaillance. Sans un mot de haine, vous n'avez réclamé que la justice et, par une ironie qui fait encore ressortir votre grandeur morale à côté de la bassesse des autres, vous mettiez justement votre confiance dans ceux qui la méritaient le moins.

L'exemple donné par le capitaine Dreyfus n'avait pas seulement une importance décisive pour l'armée. Comme dans d'autres lettres qui saluèrent son retour en France, Delbet lui exprima sa reconnaissance pour avoir conduit à l'honneur et au courage d'autres hommes, lorsqu'ils se décidèrent à le défendre en refusant l'extrémité des maux auxquels il était soumis : « C'est par cette pensée que leur excès même a réveillé la conscience humaine qui s'endormait. Grâce à vous, les idées de justice et de vérité, qui semblaient s'être envolées de ce monde, ont de nouveau fait battre les cœurs. C'est sur vos malheurs que se sont comptés dans notre pauvre pays de France les esprits droits et les cœurs généreux [19]. »

La dimension exemplaire du combat personnel de Dreyfus était présente dans de nombreuses lettres dont celle de Bouché-Leclercq, helléniste renommé, membre de l'Institut (Académie des inscriptions et belles-lettres), « l'ami inconnu » :

Je suis de ceux qui, à partir du moment où ils ont eu le soupçon que vous aviez été victime d'une illégalité et d'une injustice, n'ont ni pu ni voulu étouffer le cri de leur conscience. Le soupçon s'est changé en certitude. Pas à pas, lentement, les yeux fixés sur les indices que la mêlée des opinions et le hasard des découvertes amenaient au jour, puis sur les preuves accumulées par l'enquête de la Cour de cassation, en dépit des insultes et des calomnies qui pleuvaient sur les « intellectuels » mis hors la patrie par les fanatiques, je me suis fait une conviction, raisonnée et définitive. Cette conviction eût été fortifiée encore, si elle en avait eu besoin, par votre noble attitude. Votre amour pour la France a résisté au plus douloureux et au plus immérité des supplices ; votre confiance inébranlable dans sa loyauté et sa justice mieux informée vous a sauvé du désespoir et vous a donné la force d'attendre l'heure de la réparation. Cette heure est venue.

Dans quelques semaines, vos compagnons d'armes – convaincus eux aussi par l'examen impartial des faits – proclameront votre innocence à la face de l'univers, et je me fais un plaisir de devancer leur arrêt en vous certifiant que vous êtes déjà non seulement réhabilité, mais grandi par l'infortune, aux yeux de tous ceux qui n'ont pas perdu, au milieu des clameurs d'une foule égarée, la faculté de comprendre, de peser, de juger.

Permettez, mon capitaine, à l'ami inconnu que je suis pour vous, de vous serrer la main, et agréez l'hommage de ma très haute estime doublée d'une très vive sympathie[20].

Pour Anatole France, l'écrivain dreyfusard de l'Académie française, l'expression de son admiration relevait d'un « devoir d'homme et de Français », comme il le lui confia dans sa lettre du 4 juillet 1899 :

Souffrez que, sans être connu de vous, je vous salue respectueusement à votre retour en France.
Sachant de quelle effroyable erreur vous avez été la victime, j'accomplis mon devoir d'homme et de Français, en vous exprimant et ma douloureuse sympathie pour les souffrances épouvantables qui vous ont assailli et ma haute admiration pour la constance inébranlable avec laquelle vous les avez endurées. Vous étiez soutenu, je le sais, par le sentiment de votre innocence et par l'espoir de la faire connaître un jour. Cet espoir ne sera pas trompé[21].

Paul Desjardins, professeur à l'École normale supérieure (Sèvres) et fondateur de l'Union pour la vérité, fit un véritable *mea culpa* :

Je me sens obligé de vous demander pardon ; je me suis laissé tromper avec des milliers d'autres. J'ai cru pendant deux ans que vous étiez criminel, le jugement secret de ma conscience a été injuste et cruel pour vous. J'ai ma part dans la légèreté barbare de l'opinion. Voici deux ans et demi que j'ai conçu des doutes véhéments à votre sujet et, depuis plus d'un an, par une lecture attentive et critique de tous les documents, lecture que j'ai regardée comme un devoir, je me suis convaincu non seulement de l'erreur dont vous étiez victime, mais de la nécessité historique qui avait soulevé contre vous, innocent, des passions, des préjugés, des infirmités d'esprit, dont nous sommes tous responsables en quelque mesure. Je ne me suis donc pas révolté contre un mal dont je ne me croyais pas exempt ; je me suis appliqué à ce que ma compassion infinie pour vous ne me rendît violent contre personne. Il est très juste de ne pas rendre le mal pour le mal ; non seulement la morale le veut, mais aussi la paix et le progrès de l'humanité l'exigent. On ne délivre les hommes de leur injustice qu'en mettant la charité à la place.

Il affirma sa foi dans le procès qui allait s'ouvrir. « C'est affaire aux juges de rendre justice, et la vérité se soutient d'elle-même. Il n'est pas permis de douter d'elle ; son empire est irrésistible sur les consciences droites et averties, comme sont celles de vos juges. » Mais il l'assura sans délai de son propre jugement et de celui de la postérité :

Outre la justification légale que vous attendez encore, il est une autre justification qui vous vient de la conviction des esprits libres, réfléchis, impassionnés. Je vois par vos lettres que l'estime de ces esprits-là, qui préparent le jugement de la postérité, vous paraît d'un grand prix. Sachez donc que vous l'avez obtenue déjà. Je peux dire que votre innocence du crime pour lequel vous avez été condamné est un fait désormais acquis à l'histoire. Quoi qu'il arrive, votre situation est donc toute différente de celle qui vous était faite en janvier 1895. Vous n'êtes plus maudit par tout un peuple abusé ; vous êtes absous, vous êtes respecté par tous ceux qui, sans intérêt personnel, sans passion, se sont offerts à la vérité avec scrupule et bonne foi.

Il ne s'agit pas de vous plaindre de vos souffrances, comme on pourrait aussi bien plaindre un coupable, deux fois malheureux, et ce n'est pas ici une question de sentiments ; il s'agit de reconnaître ce qui est, et c'est une question de clairvoyance. Cependant, cette première question résolue, il est bon que vous sachiez que vos douleurs et celles de vos proches nous ont touchés ; notre foi chrétienne nous oblige à vous aimer, dans toute la force du terme, c'est-à-dire à tenir pour fait à nous-mêmes tout le mal que vous avez souffert [22].

## « *Le meilleur soldat de votre cause* »

D'illustres savants écrivirent à leur tour. Comme l'avait appris Dreyfus dans sa prison, ces hommes avaient été parmi les premiers dreyfusards, pour certains intervenus dans l'Affaire avant Zola. Émile Duclaux, dès le 2 juillet, lui adressa une lettre très forte :

Vous êtes encore en prison. [...] Permettez à l'un des soldats de la petite armée de braves gens qui a combattu pour vous en France de vous envoyer au retour une cordiale et confiante poignée de main. Nous vous sommes reconnaissants de nous avoir donné l'occasion de lutter pour un principe, et aussi de nous avoir donné les moyens de triompher. Je ne parle pas seulement de votre innocence, aujourd'hui reconnue de quiconque sait lire et peut réfléchir. Je veux dire aussi le courage que nous puisions dans tout ce que nous savions de vous, de votre famille, de vos lettres quasi surhumaines dans lesquelles aucune souffrance de l'homme n'a jamais fait taire le stoïcisme et la hautaine conscience du soldat. Vous avez été, sans le savoir, le réconfort de bien des heures tristes et découragées, et beaucoup de ceux qui dans l'ignorance et le trouble des premières heures avaient commencé par se dire : « La chose est trop absurde, elle n'est pas vraisemblable », ont continué à mesure qu'ils ont mieux connu les détails du procès et mieux appris à vous connaître, en disant : « La chose est impossible avec un pareil homme, elle n'est pas vraie. »

Et c'est ainsi que bien qu'enterré vivant, vous avez été le meilleur soldat de votre cause, et voilà aussi pourquoi ceux qui l'avaient embrassée peuvent vous remercier aujourd'hui de l'appui que vous leur avez prêté. Je crois assez en vous pour être convaincu que vous resterez soldat jusqu'à la fin et que, dans ce dédoublement de la personnalité dont vous vous êtes montré capable, une des moitiés de vous-même souffrira d'être obligée de défendre l'autre. Vous en puiserez le courage dans la pensée qu'il s'agit de plus que vous dans le débat tragique dont vous êtes l'objet, j'oserai presque dire l'occasion ; il s'agit, en effet, du triomphe du droit sur la force, force du nombre et force des préjugés. La cause se plaide souvent devant nos tribunaux. Celle qui vous est propre se plaide devant l'histoire, et j'espère qu'un jour viendra où, ces quatre misérables années passées à l'état de souvenir, vous n'aurez plus que la joie d'avoir été une cause de triomphe éclatant pour la vérité[23].

Le même jour lui parvint une lettre de Gabriel Monod. Elle révélait l'engagement, non pas d'un homme seul ou d'un historien au milieu de ses pairs, mais de toute une famille mobilisée pour sa cause :

Permettez à un inconnu de vous apporter, au moment où vous êtes rendu à votre famille et à votre patrie, après des débats solennels où la vérité si longtemps méconnue et volontairement obscurcie a été enfin reconnue et proclamée, un salut de bienvenue profondément ému. Notre maison est une de celles, plus nombreuses que vous ne pensez, où l'on a toujours douté de votre culpabilité, et où depuis la publication du bordereau, on a été certain de votre innocence. Ma femme, mes deux fils et mes trois filles ont été dès le premier jour, tous de cœur avec moi pour prendre votre défense devant ceux qui partageaient l'erreur de vos premiers juges – et ils m'ont encouragé de prendre ma modeste part dans les efforts faits par votre famille et par quelques courageux amis de la justice pour obtenir des pouvoirs publics la révision de votre procès.

L'arrêt de la Cour de cassation ne pouvait annoncer, pour l'historien, qu'une complète réhabilitation par l'institution judiciaire qui avait décrété à tort sa culpabilité. Il le déclara hautement au capitaine, en lui affirmant combien son destin était lié à celui de la France :

Déjà réhabilité par la plus haute de nos cours de justice, vous allez voir votre innocence définitivement proclamée par vos camarades et vos chefs de l'armée.
Ce n'est pas votre honneur seulement, c'est celui de la patrie et de l'armée que tiennent entre leurs mains vos juges militaires. J'ai confiance qu'ils rendront un verdict de réparation qui permettra à tous les Français de marcher désormais le front haut et la conscience tranquille à côté de vous.
Croyez que nous sommes tous de cœur avec vous et les vôtres, dont nous avons tant admiré l'héroïsme, la patience et la prudence dans cette longue épreuve.[24]

Le lendemain, Dreyfus recevait une lettre aussi exceptionnelle que les deux premières, envoyée par Arthur Giry, professeur à l'École des chartes, lui aussi dreyfusard de la première heure :

Permettez à un des innombrables amis inconnus qui espéraient depuis longtemps votre retour de venir vous exprimer les sentiments de sincère admiration et, permettez-moi d'ajouter, d'affection qu'a fait naître en lui l'étude attentive de votre cause.
Commencée par souci de légalité alors que je ne croyais guère qu'à des irrégularités dans votre procès, cette étude m'a conduit peu à peu à concevoir des doutes, et bientôt les documents qui ont passé sous mes yeux non seulement m'ont persuadé de votre innocence, mais m'ont montré en vous un homme qui faisait honneur à l'humanité.

C'est les larmes aux yeux que, pour faire le travail de comparaison d'écritures qui m'a été demandé, j'ai examiné votre correspondance la plus intime livrée à la justice et qu'il me semblait profaner en la lisant.

J'hésitais à vous écrire, craignant de vous sembler indiscret, mais puisque les circonstances m'ont ainsi jeté dans votre vie à un moment aussi tragique, il m'a semblé qu'au moment où vous venez d'être rendu à votre patrie, à votre famille, à vos anciens amis, vous trouveriez peut-être quelque satisfaction en recevant d'un des amis nouveaux que vous devez à votre épouvantable infortune des assurances sincères de sympathie, d'admiration et d'inaltérable dévouement[25].

Jean Psichari, directeur d'études à l'École pratique des hautes études et gendre d'Ernest Renan, voulut lui aussi l'accueillir par un message solennel et le féliciter pour la première victoire remportée. Il l'appela par son grade, « capitaine », et célébra en lui l'incarnation du patriotisme le plus élevé :

C'est avec une émotion ardente et profonde que je tiens à vous souhaiter la bienvenue sur le sol aimé de la patrie que, même durant votre si long martyre, vous n'avez cessé de servir par votre stoïcisme admirable, par votre résistance morale à toutes les épreuves, noble exemple de courage et d'héroïsme que vous aurez donné à vos enfants, car, après ce que vous avez souffert et supporté, ils n'auront plus le droit de se plaindre de rien et affronteront la vie avec sérénité. Tout Français doit vous être reconnaissant. Vous avez été là comme un soldat à son poste. Sentinelle avancée, vous avez vu luire enfin le jour de la justice. C'est une grande et belle victoire, cela. [...] L'heure n'est pas loin où votre immense douleur sera définitivement consolée et où la France entière s'en réjouira avec nous[26].

## La voix des religions

L'abbé Brugerette retrouva les mêmes qualités d'héroïsme chez Dreyfus et voulut d'emblée apporter « l'hommage [...] d'un prêtre catholique » qui faisait partie de la petite armée des catholiques dreyfusards :

Ma sympathie s'adresse à l'homme innocent qui a souffert tout ce que l'iniquité sociale peut inventer de pire. Mon admiration va, par la même voie, à l'homme héroïque dont le courage n'a jamais été vaincu par le mal. En votre personne, monsieur, la justice fut cyniquement violée ; elle sera bientôt magnifiquement glorifiée, et c'est ce qui fait que votre cause est sainte, qu'elle passionne toutes les âmes généreuses, qu'elle solidarise avec vous et avec les autres tous les cœurs sincères.

Dreyfus et le combat mené pour lui pouvaient ainsi révéler la vérité du message chrétien. Le prêtre poursuivait :

Ici s'applique la parole prononcée par l'apôtre Paul en des temps qui la comprenaient mieux que les nôtres : « Il n'y a plus ni Grecs, ni Juifs, ni circoncis, ni incirconcis, ni barbares, ni esclaves, ni libres. Mais le Christ est tout en tous. » C'est-à-dire, l'esprit de celui qui a dit : « La vérité vous délivrera, cherchez d'abord la justice. » Et la vérité vous délivrera, monsieur. C'est votre espérance et celle de tous ceux qui ont tenu à honneur de défendre votre cause et qui n'ont point craint, c'est pour cela qu'elle nous est encore plus chère, de souffrir un peu pour elle ! Courage, monsieur, vous touchez au terme de l'épreuve. Tous les vœux des âmes éprises de vérité et de justice sont avec vous ; toutes leurs sympathies seront votre cortège devant le conseil de Rennes.

Hyacinthe Loyson, recteur de l'Église catholique gallicane se présenta comme « l'un des premiers qui aient cru en [son] innocence et qui aient plaidé [sa] cause devant les hommes ».

Je l'ai plaidée aussi devant Dieu. Votre pensée m'a occupé pendant de longs jours et de longues nuits, et j'ai prié Dieu – non pas l'idole idiote et féroce qu'on lui a substituée –, mais le Dieu vivant et vrai, le Dieu de Justice et d'Amour. [...] Maintenant remonté comme par un prodige de la tombe et de l'enfer, vous n'appartenez plus seulement à votre famille et à vos amis. Vous appartenez à la France libérale et fraternelle dont vous avez, sans le savoir, personnifié la cause contre des scélérats et des fous, et aussi contre des multitudes irresponsables qu'on a trompées.

Vous appartenez à une race qui a beaucoup souffert et qui a souffert pour l'humanité, celle d'Israël, qu'on a haïe et persécutée en votre personne ; vous accomplirez, pour votre part, sa haute vocation.

Loyson adressait ses « profondes, respectueuses et religieuses sympathies ». Le 8 août, à l'ouverture des débats, Raoul Allier, normalien, collaborateur du *Siècle*, professeur à la faculté de théologie protestante de Paris, écrivit à Lucie Dreyfus, « pour le soulagement de [sa] conscience ». Il s'était jusque-là interdit de lui écrire pour ne pas lui voler les précieuses minutes de son temps tout dirigé vers son mari. Mais il tint à lui dire que son mari était un héros.

Vous savez, madame, quel hommage ému nous vous rendons, nous tous qui, même de loin, avons suivi avec passion vos efforts inlassables pour la réhabilitation de votre cher martyr. Mais si votre vaillance nous a souvent remués, il y en a une autre qui nous arrache un vrai cri d'admiration. C'est la vaillance de celui qui, si longtemps, a souffert sur son rocher de supplices. Il n'y a qu'un nom dont on puisse le saluer, c'est le nom de héros.
Oui, je me sens petit à côté de cet homme qui a vécu parce qu'il a voulu vivre, qui a gardé toute sa foi dans la justice et dans la vérité, qui n'a jamais été ébranlé un seul instant dans sa confiance en la France et dans son amour pour elle. Pour celui qui nous a donné un tel spectacle, j'ai une reconnaissance inexprimable de patriote qui se demande avec angoisse à quels désespoirs il se serait abandonné à la place de ce héros – une reconnaissance inexprimable d'homme qui acclame avec joie le miracle d'énergie dont, en la personne du capitaine Dreyfus, l'humanité a été capable.

Mais Allier voulut aller « jusqu'au bout de [sa] pensée » et lui confier que ce furent des « sentiments de chrétien » qui le conduisirent, « dès le premier jour, comme tant d'autres pasteurs », à prendre place « à côté des opprimés » dont il était. Dans ce martyre, Allier retrouvait le propre combat des protestants livrés à l'intolérance, mais ne fléchissant jamais dans leurs convictions de justice. Les affinités électives entre juifs et protestants, chères à l'historien Patrick Cabanel, trouvaient ici une belle illustration.

Quand j'ai lu ses lettres, quand j'ai connu dans ces derniers mois ce qu'a été sa vie dans l'île infernale et comment il a supporté toutes ces horreurs, alors une image s'est peu à peu formée en moi, et j'ai cru revoir une connaissance qui m'est bien chère. Tous les matins, en effet, je réunis mes enfants autour de notre vieille bible et je leur lis presque autant de l'Ancien Testament que du Nouveau. Nous vivons presque tous les jours avec l'Israël des temps antiques, et notre prière est que quelque chose de l'âme de ces hommes passe en nous. Eh bien ! cette âme d'Israël, avec sa foi invincible dans la venue de la justice, je l'ai sentie palpiter en votre mari. Je l'ai reconnue à travers les siècles. C'est bien celle que mes deux vieilles grand-mères, deux descendantes de huguenots du désert, m'ont appris à aimer et à admirer. Et ce que ma conscience m'obligeait à vous apporter, je vous le dirai franchement, c'est l'hommage d'une âme de chrétien à une âme authentique d'Israël. Pourquoi ne l'ai-je pas fait plus tôt ? Je craignais et je crains encore d'être importun. Mais voici ma conscience libérée, et j'en suis heureux [27].

## Les lointains et les humbles

Certains firent parvenir une lettre aux journaux. Le prince Albert de Monaco adressa un message à Lucie Dreyfus pour l'inviter à se rendre avec son mari à son château de Marchais après que « l'œuvre sainte de la justice serait accomplie [28] ». Eugène et Hélène Naville lui offrirent également l'hospitalité de leur demeure de Hauterive sur les hauteurs du lac Léman [29].

De Londres, Mme C. Bellin adressa, le 6 juillet 1899, des *Stances pour le capitaine Dreyfus*. Des centaines d'inconnus écrivirent à Lucie et à Alfred durant cet été à Rennes [30].

## LA DÉCOUVERTE DE L'AFFAIRE

Pendant deux jours, Dreyfus ne put rencontrer que sa femme. Le 3 juillet, il fut autorisé à voir son avocat, Edgar Demange, et à faire la connaissance de son nouveau défenseur, Fernand Labori. Après des premiers instants très émouvants, les deux avocats lui firent l'exposé de son cas. « C'est avec un étonnement indescriptible qu'il entendit les explications qui lui furent données pendant deux heures, lui qui croyait être redevable à l'État-major de la révision de son procès, lui qui avait une confiance inébranlable dans le général de Boisdeffre. » L'entrevue fut interrompue par le commissaire du gouvernement, le commandant Carrière, qui vint lui signifier l'arrêt de la Cour de cassation, qu'il ne connaissait pas. Les avocats trouvèrent Dreyfus très attentif, très lucide et bien portant[31]. Ils lui remirent l'enquête de la chambre criminelle. Durant la nuit du 3, le capitaine lut l'enquête de la Cour de cassation. Le lendemain, les avocats lui apportèrent les résumés des affaires Zola et Esterhazy. « Pourquoi ces hommes, pourquoi ces crimes ? » questionna-t-il. Mais il n'eut pas une parole de haine, d'après les témoins[32]. Puis il revit son frère, qui avait tant fait pour la révision de son procès. Et sa femme à nouveau.

Dreyfus semblait indifférent à son état de santé. Il s'imprégnait à marche forcée de l'histoire d'une affaire dont il ignorait tout et qu'il voulait désormais comprendre dans ses moindres détails. Ses premiers renseignements, il les obtint de Lucie et de Mathieu. Par eux, il commença d'apprendre tout ce qu'il ignorait. « J'appris la longue suite de méfaits, de scélératesses, de crimes constatés contre mon innocence. J'appris les actes héroïques, le suprême effort tenté par tant d'esprits d'élite ; la superbe lutte entreprise par une poignée d'hommes de grand cœur et de grand caractère contre toutes les coalitions du mensonge et de l'iniquité[33]. »

Puis les avocats lui communiquèrent les documents judiciaires. Il put alors reconstituer et comprendre tous les événements accumulés depuis son arrestation le 15 octobre 1894. Pendant plus d'un mois, il procéda à une étude complète de son affaire, se levant très tôt, entre 4 et 5 heures du matin, et ne s'arrêtant que pour les visites de ses proches et de ses avocats. Sa maîtrise du dossier se confirma lors des débats pendant lesquels il mena une défense sobre, mais efficace et respectueuse.

### L'arrêt de révision du 3 juin 1899

Pour aborder les rouages de l'immense affaire, Dreyfus débuta par la fin, à savoir l'arrêt de révision de la Cour de cassation prononcé en audience solennelle le 3 juin 1899. Il concluait une vaste enquête judiciaire commencée le 29 octobre 1898, en vertu d'un premier arrêt proclamant « recevable » la demande de révision introduite par le procureur général et disant « qu'il [serait] procédé par elle à une instruction supplémentaire », attendu « que les pièces produites ne mettent pas la cour en mesure de statuer au fond et qu'il y a lieu de procéder à une instruction supplémentaire[34] ».

Les débats de la cour suprême s'étaient ouverts le 29 mai 1899 par la lecture du rapport du président Ballot-Beaupré. Il avait conclu à la révision du procès de 1894 et au renvoi devant un nouveau conseil de guerre. Avaient suivi le réquisitoire du procureur général Manau, très incisif, et l'arrêt de révision par lequel le jugement du conseil de guerre du 22 décembre 1894 était cassé, renvoyant Dreyfus devant le conseil de guerre de Rennes, le choix de la Bretagne étant celui du président du Conseil de l'époque, Charles Dupuy.

Les moyens de la révision reposaient juridiquement sur le nouvel article 443 § 4 du code d'instruction criminelle modifié par la loi de 1895 établissant que « la révision pourra être demandée [...] lorsque, après une condamnation, un fait viendra à se produire ou à se révéler ou lorsque des pièces inconnues lors des débats seront représentées, de nature à établir l'innocence du condamné ».

Les moyens effectifs portaient d'abord sur l'existence d'une « pièce secrète », dite « Ce canaille de D... » qui « aurait été communiquée au conseil de guerre » de 1894.

> Attendu que cette communication est prouvée, à la fois, par la déposition du président Casimir-Perier et par celles des généraux Mercier et de Bois-deffre eux-mêmes ;
>
> Que, d'une part, le président Casimir-Perier a déclaré tenir du général Mercier que l'on avait mis sous les yeux du conseil de guerre la pièce contenant les mots « Ce canaille de D... », regardée alors comme désignant Dreyfus ;
>
> Que, d'autre part, les généraux Mercier et de Boisdeffre, invités à dire s'ils savaient que la communication avait eu lieu, ont refusé de répondre, et qu'ils l'ont ainsi reconnu implicitement ;
>
> Attendu que la révélation, postérieure au jugement, de la communication aux juges d'un document qui a pu produire sur leur esprit une impression décisive et qui est aujourd'hui considéré comme inapplicable au condamné, constitue un fait nouveau de nature à établir l'innocence de celui-ci[35].

Ainsi Dreyfus comprenait-il mieux les raisons de sa condamnation à l'unanimité alors que lui-même et son défenseur avaient constaté la faiblesse des charges réunies contre lui. Il n'avait pu imaginer que les dépositions théâtrales ou technicistes de du Paty de Clam, d'Henry et de Bertillon avaient pu produire une telle conviction unanime chez les juges. Mais il n'avait pas pu imaginer non plus l'utilisation de solutions extrêmes comme cette manipulation des juges en dehors de tout principe de justice. Il comprit mieux alors les cinq années qu'il venait de vivre, sous l'écrasement de la raison d'État et de l'arbitraire carcéral. Il constata que non seulement un tel viol du droit avait été commis, mais qu'aussi tout un dossier secret avait été constitué contre lui puisque ce document dont il ignorait l'existence – « Ce canaille de D... » – ne pouvait lui être applicable. Or il avait été présenté comme tel aux juges en leur salle du conseil.

Le moyen du bordereau lui était davantage connu, en revanche. L'arrêt de la Cour de cassation établit la matérialité d'un second fait nouveau tendant à démontrer que le bordereau n'aurait pas été écrit par Dreyfus.

Attendu que le crime reproché à Dreyfus consistait dans le fait d'avoir livré à une puissance étrangère ou à ses agents des documents intéressant la défense nationale, confidentiels ou secrets, dont l'envoi avait été accompagné d'une lettre missive, ou bordereau, non datée, non signée, et écrite sur un papier peluré « filigrané au canevas après fabrication de rayures en quadrillage de quatre millimètres sur chaque sens » :

Attendu que cette lettre, base de l'accusation dirigée contre lui, avait été successivement soumise à cinq experts chargés d'en comparer l'écriture avec la sienne, et que trois d'entre eux, Charavay, Teyssonnières et Bertillon, la lui avaient attribuée ;

Que l'on avait, d'ailleurs, ni découvert en sa possession, ni prouvé qu'il eût employé aucun papier de cette espèce et que les recherches faites pour en trouver de pareil chez un certain nombre de marchands au détail avaient été infructueuses ; que, cependant, un échantillon semblable, quoique de format différent, avait été fourni par la maison Marion, marchand en gros, cité Bergère, où l'on avait déclaré que « le modèle n'était plus courant dans le commerce » ;

Attendu qu'en novembre 1898 l'enquête a révélé l'existence et amené la saisie de deux lettres sur papier pelure quadrillé, dont l'authenticité n'est pas douteuse, datées l'une du 17 avril 1892, l'autre du 17 août 1894, celle-ci contemporaine de l'envoi du bordereau, toutes deux émanées d'un autre officier qui, en décembre 1897, avait expressément nié s'être jamais servi de papier calque ;

Attendu, d'une part, que trois experts commis par la chambre criminelle, les professeurs de l'École des chartes Meyer, Giry et Molinier, ont été d'accord pour affirmer que le bordereau était écrit de la même main que les deux lettres susvisées, et qu'à leurs conclusions Charavay s'est associé, après examen de cette écriture qu'en 1894 il ne connaissait pas ;

Attendu, d'autre part, que trois experts également commis : Putois, président, et Choquet, président honoraire de la chambre syndicale du papier et des industries qui le transforment, et Marion, marchand en gros, ont constaté que, comme mesures extérieures et mesures du quadrillage, comme nuance, épaisseur, transparence, poids et collage, comme matières premières employées à la fabrication « le papier du bordereau présentait les caractères de la plus grande similitude » avec celui de la lettre du 17 août 1894 ;

Attendu que ces faits, inconnus du conseil de guerre qui a prononcé la condamnation [de Dreyfus], tendent à démontrer que le bordereau n'aurait pas été écrit par Dreyfus ;

Qu'ils sont, par suite, de nature aussi à établir l'innocence du condamné ;

Qu'ils rentrent dès lors dans le cas prévu par le § 4 de l'art. 443.

Ce second moyen disait à Dreyfus trois choses essentielles. D'une part, la Cour de cassation expliquait aux juges militaires et aux services de renseignement l'évidence avec laquelle une véritable enquête pouvait et devait être menée afin de disculper le prévenu ou du moins souligner les doutes profonds quant à sa responsabilité dans l'écriture du bordereau. Que cette enquête n'ait pas été conduite témoignait à la fois de l'incompétence de l'institution militaire et de sa volonté d'obtenir la condamnation du capitaine par tous les moyens. D'autre part, il apprenait que la Cour de cassation avait bel et bien fait l'enquête nécessaire et diligenté les expertises les plus poussées et notamment celle des trois professeurs de l'École des chartes. Dreyfus voyait surgir là tout l'investissement des intellectuels et des savants dont il ignorait jusque-là l'existence et dont il allait connaître le rôle déterminant dans la révision.

Enfin, Dreyfus découvrait que l'auteur du bordereau avait été identifié et que de très fortes probabilités le constituaient comme coupable du crime pour lequel il avait été condamné. Le nom du commandant Esterhazy n'était pas écrit, mais Dreyfus avait été immédiatement mis au courant de l'identité de l'homme confondu d'abord par le chef des services de renseignement, le lieutenant-colonel Picquart, entre mars et septembre 1896, puis par son frère Mathieu et les dreyfusards en novembre 1897. Mathieu avait même écrit, le 15 novembre 1897, la lettre par laquelle il était demandé au ministre de la Guerre de procéder à une enquête contre cet officier au vu des révélations faites sur son compte. Déféré devant la justice militaire, le commandant Esterhazy avait cependant été acquitté le 11 janvier 1898 par un conseil de guerre, décision qui avait précipité l'offensive générale des dreyfusards avec le « J'accuse... ! » d'Émile Zola et les « pétitions des intellectuels ». L'acquittement d'Esterhazy, prononcé au nom du peuple français par une cour souveraine, était définitif. Mais la Cour de cassation n'hésita pas, au détour de l'exposition du second fait nouveau, à affirmer la matérialité des charges pesant sur lui.

Les deux faits nouveaux retenus par la Cour de cassation ne pouvaient être annulés par l'allégation des aveux faits par Dreyfus après sa condamnation, à l'instant de sa dégradation. Il ignorait tout de cette légende, lui qui n'avait cessé au contraire de clamer par tous les moyens son innocence. Il la découvrait et il constatait comment la Cour de cassation détruisait « les propos tenus le 5 janvier 1895 par [lui] devant le capitaine Lebrun-Renault ». « Et qu'on ne saurait, en effet, ajoutaient les magistrats, voir dans ces propos un aveu de culpabilité puisque non seulement ils débutent par une protestation d'innocence, mais qu'il n'est pas possible d'en fixer le texte exact et complet, par suite des différences existant entre les déclarations successives du capitaine Lebrun-Renault et celle des autres témoins ; et qu'il n'y a pas lieu de s'arrêter davantage à la déposition de Depert, contredite par celle du directeur du dépôt, qui, le 5 janvier 1895, était auprès de lui. »

Enfin venait la décision de la cour suprême :

Attendu que, par application de l'art. 445, il doit être procédé à de nouveaux débats oraux ;

Par ces motifs, et sans qu'il soit besoin de statuer sur les autres moyens ;

Casse et annule le jugement de condamnation rendu le 22 décembre 1894 contre Alfred Dreyfus par le premier conseil de guerre du gouvernement militaire de Paris ;

Et renvoie l'accusé devant le conseil de guerre de Rennes, à ce désigné par délibération spéciale prise en chambre du conseil pour y être jugé sur la question suivante : Dreyfus est-il coupable d'avoir, en 1894, pratiqué des machinations ou entretenu des intelligences avec une puissance étrangère, ou un de ses agents, pour l'engager à commettre des hostilités ou entreprendre la guerre contre la France ou pour lui en procurer les moyens, en lui livrant des notes et documents mentionnés dans le bordereau susénoncé ?

Dit que le présent arrêt sera imprimé et transcrit sur les registres du premier conseil de guerre du gouvernement militaire de Paris, en marge de la décision annulée [36].

Le renvoi avait été demandé par Henry Mornard, l'avocat de Lucie Dreyfus, au nom de son mari, devant la Cour de cassation. C'était le vœu de Dreyfus lui-même qui souhaitait être rejugé par ses pairs lesquels allaient proclamer sa pleine innocence. C'était dans l'ordre des choses, dans la vision qu'il se faisait de la France, de la République et de son armée. « C'est la joie au cœur que les juges militaires, proclamant une erreur loyalement commise, déclareront que leur infortuné frère d'armes, si grand au milieu des épreuves, n'a jamais forfait à la loi de l'honneur. [...] J'attends votre arrêt comme l'aurore bénie du jour qui fera luire sur la patrie la grande lumière de la concorde et de la vérité. » L'avocat, parlant devant les chambres réunies, s'en tenait à la version d'un conseil de guerre commettant une erreur de bonne foi, celle d'accepter la communication d'un dossier secret en salle des délibérés. Il oubliait volontairement de considérer les multiples incidents qui avaient émaillé les débats de 1894 et qui prouvaient la partialité du conseil de guerre. Mais il comptait sur la modération de sa plaidoirie pour ouvrir un espace de négociation favorable à l'acquittement prochain de son client. Il estimait aussi, comme lui, que l'armée, haute expression de la nation, obéissait à des valeurs morales de vérité et de concorde. Les faits établis par la Cour de cassation, relatifs à la conspiration montée contre le capitaine Dreyfus par le ministère de la Guerre et l'État-major, démontraient à quelle immoralité pouvait aller l'institution. Mais la justice pouvait conserver le sens des valeurs.

*Les conclusions du procureur général*

Le dispositif de l'arrêt communiqué au capitaine Dreyfus incluait aussi le réquisitoire du procureur général exposant « que, des pièces du dossier et notamment de l'enquête à laquelle il a été procédé par la chambre criminelle et par les chambres réunies, résultent les faits suivants qui résument les éléments principaux de la demande en révision du jugement du conseil de guerre, en date du 22 décembre 1894. » Les deux faits nouveaux retenus dans l'arrêt des chambres réunies appartenaient aux moyens de cassation qu'avait exposés le procureur général, à savoir, comme le posa le magistrat, *pour le bordereau* : « La contradiction manifeste existant entre l'expertise de 1894 et celle de 1897, dans le procès Esterhazy, et de plus le nouvel avis de l'un des experts de 1894 [Charavay], ayant pour résultat de déplacer la majorité de l'expertise de 1894 », « l'identité absolue avec le papier pelure sur lequel est écrit le bordereau du papier pelure ayant servi à Esterhazy pour écrire deux lettres en 1892 et 1894 reconnues par lui », enfin « la preuve absolue, résultant de plusieurs lettres d'Esterhazy, de ce fait qu'il a assisté aux manœuvres d'août à Châlons en 1894, et d'autres documents de la cause que c'est lui seul qui a pu écrire cette phrase du bordereau : "Je vais partir en manœuvres", tandis qu'il résulte d'une circulaire officielle du 17 mai 1894, non produite au procès de 1894, que Dreyfus non seulement n'est pas allé à ces manœuvres ni à d'autres postérieures, mais qu'il ne pouvait pas ignorer qu'il ne devait pas y aller et qu'il n'a pu, par suite, écrire cette phrase ». *Pour le document « Ce canaille de D... »* : « La dépêche du 2 novembre 1894, sur le sens de laquelle tout le monde est d'accord aujourd'hui, non produite au procès, et de laquelle il résulte, à l'encontre d'une autre dépêche qu'on avait invoquée contre Dreyfus ["Ce canaille de D..."], que Dreyfus n'avait eu aucune relation avec la puissance étrangère visée dans cette dépêche », et « les documents officiels qui établissent que Dreyfus n'a eu aucune relation directe ou indirecte avec aucune puissance étrangère ». *Et, pour le dossier des pseudo-aveux* : « Les protestations et les présomptions graves d'innocence résultant des pièces du dossier et de la correspondance de Dreyfus, démontrant que Dreyfus n'a jamais avoué ni pu avouer sa culpabilité. »

Mais il restait d'autres faits nouveaux émanant de l'instruction de la Cour de cassation ordonnée le 29 octobre 1898 :

— Le faux Henry, rendant suspect le témoignage sensationnel fait par Henry devant le conseil de guerre ;

— La date du mois d'avril assignée au bordereau et à l'envoi des documents, tant dans le procès Dreyfus que dans le procès Esterhazy, date qui a servi de fondement à la condamnation de l'un et à l'acquittement de l'autre, tandis que, aujourd'hui, cette date est reportée au mois d'août, ce qui enlève au jugement de 1894 toute base légale ;

— Le rapport officiel de la préfecture de police non produit aux débats de 1894, établissant que, contrairement aux renseignements fournis par Guénée et retenus par l'accusation comme arguments moraux, ce n'était pas Dreyfus qui fréquentait les cercles où l'on jouait et qu'il y avait eu confusion de noms ;

— La scène si dramatique qui s'est produite dans le cabinet de M. Bertulus et qui justifie les présomptions les plus graves sur les agissements coupables d'Henry et d'Esterhazy ;

— Les documents officiels qui établissent que Dreyfus n'a eu aucune relation directe ou indirecte avec aucune puissance étrangère [37].

Le réquisitoire du procureur général de la Cour de cassation renseignait Dreyfus de manière encore plus complète que l'arrêt des
chambres réunies. Il y voyait d'abord l'importance des enquêtes de
l'instruction supplémentaire décidée le 29 octobre 1898. Il y découvrait non plus seulement la communication illégale aux juges militaires
d'un dossier fabriqué, mais aussi des machinations avérées par les
enquêteurs de 1894, depuis la volonté délibérée d'écarter les documents établissant son innocence jusqu'à l'utilisation de rapports accablants concernant un homonyme en passant par la modification
volontaire de la date assignée au bordereau pour les besoins de l'accusation. Il constatait l'étendue des charges relevées contre le commandant Esterhazy et les faits de collusion entre ce dernier et la Section
de statistique montrés par l'instruction d'un juge indépendant, Paul
Bertulus. Enfin, il pouvait y lire la netteté de son innocence, affirmée
clairement par le procureur général.

Les quelques pages de l'arrêt du 3 juin lui démontraient en résumé
que son innocence, présentée sinon attestée, ne pouvait qu'être reconnue devant la juridiction de renvoi, et qu'un véritable complot avait
été orchestré pour l'étouffer. De fait, l'enjeu des débats qui allaient
s'ouvrir à Rennes était double : proclamer son innocence et dénoncer
le procès politique qui avait eu lieu en 1894 – ou du moins s'en
protéger. Ce deuxième objectif fut pourtant abandonné, rendant alors
impossible la réalisation du premier.

*L'enquête de la Cour de cassation*

Durant la nuit du 3 juillet 1899, Dreyfus put lire toute l'enquête de
la Cour de cassation que lui avaient donc apportée ses avocats. Celle-
ci comprenait le compte rendu sténographique *in extenso* des débats
des 27, 28 et 29 octobre 1898[38] par lesquels la demande du garde des
Sceaux – exposée par le procureur général – de requérir l'annulation
du jugement de 1894 avait été acceptée, sur la base d'un long rapport
de plus de cent pages du conseiller de la chambre criminelle Alphonse
Bard, puis des conclusions de son avocat près la Cour de cassation
Henry Mornard, enfin du réquisitoire du procureur général Jean-Pierre
Manau. Ces trois analyses des raisons légitimes de la révision comportaient de nombreux faits et des documents tous plus accablants les uns
que les autres pour l'État-major de l'armée et son service de contre-
espionnage, la célèbre Section de statistique. Accablants aussi pour le
commandant Esterhazy dont la culpabilité émergeait sans conteste et
annulait de fait l'acquittement du 11 janvier 1898.

L'enquête de la Cour de cassation comportait ensuite les auditions
de tous les témoins, la réunion de nombreux documents relatifs à
l'affaire et les résultats des expertises diligentées par la chambre criminelle, notamment celles des professeurs de l'École des chartes étudiant
le bordereau du point de vue des écritures. Il put également lire cette

enquête dans une version imprimée provenant du *Figaro*. Le quotidien avait publié, à partir du 31 mars 1899, tous les travaux de la chambre criminelle, avant que celle-ci n'en confiât le terme aux chambres réunies par application de la loi de dessaisissement votée le 10 février précédent [39].

Dreyfus accéda encore aux débats des chambres réunies comprenant le rapport du magistrat Ballot-Beaupré sur toute l'enquête, les conclusions et la plaidoirie de son avocat, et enfin le dispositif de l'arrêt [40]. Sur la base de cette énorme documentation – 2 174 pages –, et avec les éclaircissements de ses avocats, de son frère et de sa femme, Dreyfus fut capable de reconstituer les faits visés par l'arrêt, tant ceux du réquisitoire final du procureur général que ceux qui servirent de faits nouveaux à l'arrêt des chambres réunies.

Pour les premiers, il s'agissait d'abord de l'enquête sur les faux documents forgés par le lieutenant-colonel Henry au sein de la Section de statistique en novembre 1896, des pièces révélées par cet officier au cours d'un fameux procès dont Dreyfus avait encore tout à apprendre et non démenties par le commandement de l'État-major de l'armée. Ces pièces furent ensuite utilisées au début de l'été 1898 par un ministre de la Guerre, Godefroy Cavaignac, pour affirmer solennellement et définitivement la culpabilité de Dreyfus ; il les avait lues à la tribune de la Chambre le 7 juillet, sans savoir qu'il produisait de faux documents fabriqués par une administration de son ministère. Le surlendemain, le lieutenant-colonel Picquart, dont Dreyfus allait découvrir le rôle décisif dans la révélation de la vérité, adressa une lettre au président du Conseil, Henri Brisson, pour l'informer qu'il ne lui avait pas été donné jusqu'à présent de pouvoir s'expliquer librement « au sujet des documents secrets sur lesquels on a prétendu établir la culpabilité de Dreyfus » et qu'il considérait « comme un devoir » de lui faire connaître qu'il était en état, « devant toute juridiction compétente » – c'est-à-dire essentiellement la Cour de cassation –, de prouver « que les deux pièces qui portent la date de 1894 ne sauraient s'appliquer à Dreyfus, et que celle qui porte la date de 1896 a tous les caractères d'un faux [41] ».

Le lieutenant-colonel Picquart, qui avait été chassé de l'armée depuis le 26 mars 1898, date de sa mise en réforme, fut aussitôt frappé par le ministre de la Guerre. Mais d'autres *dreyfusards* – dont Dreyfus ignorait l'existence et jusqu'au nom – prirent le relais. Un ancien ministre de la Justice, Ludovic Trarieux, président d'une Ligue française pour la défense des droits de l'homme et du citoyen fondée pour venir en aide à Dreyfus ainsi qu'à toutes les victimes de l'arbitraire judiciaire ou politique, interpella pour sa part le ministre de la Guerre par une lettre ouverte publiée le 20 août 1898 par le journal *Le Siècle*. Il réitéra l'offensive le 29 août par la « Lettre de M. Trarieux au ministre de la Guerre » composée sur dix colonnes à la une. Au nom de la Ligue des droits de l'homme, elle établissait les faits d'innocence de Dreyfus et de conspiration de l'État-major. La veille, Jean Jaurès, le leader socialiste, avait fait paraître dans *La Petite République* un nouvel élément de son enquête estivale sur *Les Preuves*. Dans cet article du 29 août, il démontrait que la « troisième pièce [lue par Cavaignac à la tribune de la Chambre], celle qui contient le nom de Dreyfus », était « un faux évident [42] ». Les 30 et 31 août, Arthur Giry, le futur expert pour la Cour de cassation, publiait une longue étude qui parvenait à des résultats identiques. Les deux mêmes jours, le lieutenant-colonel Henry était finalement entendu par le ministre de la Guerre. Mis en présence de la fameuse pièce comportant le nom de Dreyfus et qui présentait de très suspectes anomalies matérielles, il s'écroula et avoua en être l'auteur. Mis aux arrêts et conduit à la forteresse du Mont-Valérien, il se suicida le lendemain en se tailladant la gorge avec un rasoir. Bien que Cavaignac persistât absolument dans sa conviction de la culpabilité de Dreyfus et de la menace que formaient ses défenseurs pour l'État, Henri Brisson fut contraint de déférer le dossier du jugement du capitaine Dreyfus à la Cour de cassation. Ce qui fut fait, après d'immenses difficultés et autant d'hésitations, le 26 septembre 1898, après un avis favorable du gouvernement.

Les faits nouveaux présentés par le procureur général de la Cour de cassation impliquaient également le commandant Esterhazy. La cour suprême n'avait pas pour responsabilité d'enquêter sur ses agissements. Elle le fit pourtant, en toute légalité, puisqu'elle avait le pouvoir d'étendre son instruction en direction de toutes les affaires qu'elle jugerait connexes à l'affaire principale. La chambre criminelle entendit très longuement le lieutenant-colonel Picquart. En tant que chef de la Section de statistique nommé le 1er juillet 1895, il avait découvert la culpabilité d'Esterhazy dans le crime de trahison pour lequel avait été condamné Dreyfus, établi sa paternité dans l'écriture du bordereau (avec l'aide involontaire de l'expert Alphonse Bertillon qu'il piégea en ne lui révélant pas que l'écriture en question n'était pas celle de Dreyfus...), découvert le dossier vide accablant le condamné de 1894 et compris alors qu'il était innocent [43]. Les chambres réunies intégrèrent à l'instruction de la chambre criminelle de nombreux documents de l'enquête du colonel Picquart [44] et de multiples pièces issues de l'enquête préalable du général de Pellieux sur Esterhazy, sur l'instruction du commandant Ravary dans le cadre du procès Esterhazy, et du dossier disciplinaire d'Esterhazy ayant conduit à sa mise à la réforme le 31 août 1898.

La Cour de cassation ne se contenta pas de relever l'ampleur des charges pesant sur Esterhazy au point de procéder à une forme officieuse d'annulation de son verdict d'acquittement. En publiant l'enquête du juge Paul Bertulus déclenchée par la plainte de Picquart contre les auteurs des faux qui le menaçaient lui-même, les chambres réunies produisaient les preuves de la collusion qui avait lié en 1897 le commandant Esterhazy aux agents de la Section de statistique, dont le commandant du Paty de Clam et le lieutenant-colonel Henry. Sur ces derniers pesaient de lourdes charges concernant la réalisation de faux télégrammes adressés à Picquart pour l'impliquer comme complice des défenseurs de Dreyfus lesquels lui auraient confié la mission de substituer au condamné un « homme de paille », en l'occurrence Esterhazy. Bertulus avait mis au jour cette nouvelle conspiration avant que la chancellerie ne parvienne finalement à interrompre une instruction de plus en plus menaçante pour l'État-major. Le juge fut dessaisi le 5 août 1898 par la chambre des mises en accusation. La mort d'Henry avait arrêté l'action publique, mais le fait d'intégrer à ses dossiers ceux du juge Bertulus montrait la volonté de la Cour de cassation d'aller le plus loin possible dans l'enquête sur Esterhazy. Les preuves accumulées démontraient sans conteste sa culpabilité.

Le procureur général avait considéré aussi comme faits nouveaux la révélation des agissements de la Section de statistique dans l'enquête de 1894 menée contre Dreyfus, notamment la manipulation de la date assignée au bordereau, les faux rapports Guénée et les documents favorables à l'innocence et systématiquement écartés ou détruits [45].

Les faits nouveaux retenus par l'arrêt final furent eux aussi méthodiquement établis par le rapporteur Bard, le procureur général et l'avocat du capitaine Dreyfus, sur la base de l'instruction de la chambre criminelle complétée par celle des chambres réunies.

La communication du dossier secret aux juges militaires de 1894 était prouvée par une série de témoignages dont celui, capital, du capitaine Freystaetter. Dreyfus put constater aussi que ce dossier secret renfermait des pièces qui lui avaient été attribuées en les antidatant et en les interprétant au moyen d'un commentaire frauduleux qui était l'œuvre du général Mercier, du colonel Sandherr et du commandant du Paty de Clam.

Les nouvelles expertises, tant de l'écriture que du papier du bordereau, furent réalisées dans le cadre judiciaire, sans contestation possible. Elles innocentèrent Dreyfus et établirent l'identité d'écriture avec les pièces de comparaison émanant d'Esterhazy.

Enfin, le dossier des aveux ne démontrait pas seulement l'existence d'une nouvelle machination élaborée entre la fin de l'année 1897 et le début de l'année 1898 et visant à faire produire de faux témoignages aux potentiels témoins des propos de Dreyfus avant et après la dégradation. Il révélait la construction, à cette époque, d'un grand dossier secret, beaucoup plus important que celui qui avait été conçu avant le procès et qui avait été transmis illégalement à la cour le 22 décembre 1894. Le lieutenant-colonel Picquart témoigna devant la chambre criminelle « de ce que l'on appelait les recoupements relatifs à l'affaire Dreyfus, c'est-à-dire les indications postérieures à la condamnation, qui pouvaient être de nature à prouver la culpabilité de Dreyfus [46] ».

## L'« affaire Picquart »

Le 4 juillet 1899, ses avocats portèrent au capitaine un résumé des affaires Zola et Esterhazy. Ce qu'il avait déjà lu dans l'enquête de la Cour de cassation lui montrait l'identification d'un suspect et l'énonciation des charges très lourdes pesant sur lui. À Rennes, il pouvait constater aussi que sa demande, inlassablement répétée dans ses lettres, de rechercher le coupable avait été couronnée de succès. L'enquête du lieutenant-colonel Picquart le confirma. Sa très longue déposition devant la chambre criminelle révéla l'importance de son ancien professeur à l'École de guerre et ancien supérieur au 3e bureau. Dreyfus apprit d'abord comment il l'avait protégé de l'antisémitisme de l'État-major, puis son rôle lors de son procès, enfin toute l'enquête qu'il mena à la tête de la Section de statistique et qui fut pour une part à l'origine du processus de révision[47]. Il lut ainsi le récit d'une véritable « affaire Picquart » au sein même de sa propre affaire. Ce récit, nous le reconstituons brièvement ici.

En 1895, tandis que Mathieu Dreyfus tentait de comprendre comment, innocent du crime dont on l'accusait, son frère avait pu être ainsi condamné, le lieutenant-colonel Picquart, nommé à la tête de la Section de statistique, se voyait ordonner par le chef d'État-major de poursuivre les investigations. « Dès les premiers jours, le général de Boisdeffre me dit : "L'affaire Dreyfus n'est pas finie ; elle ne fait que commencer", et il m'invita à *nourrir* le dossier en faisant des recherches sur les points qui étaient restés absolument obscurs jusquelà ; et ces points restaient les raisons qui avaient pu déterminer Dreyfus à trahir[48]. » Le nouveau chef de la Section de statistique pensait cependant que le dossier était solide. Quelle ne fut pas sa « stupeur » en découvrant dans l'été 1896 le dossier secret initial, celui de 1894.

> Je croyais y trouver des choses graves, et je ne trouvais en somme qu'une pièce pouvant s'appliquer à Esterhazy au moins aussi bien qu'à Dreyfus, une pièce indifférente [...], une pièce qu'il me paraissait absurde d'appliquer à Dreyfus [celle « Ce canaille de D... »], et enfin une dernière, où je reconnaissais, dans un rapport annexe, l'écriture de Guénée, et qui paraissait au moins aussi indifférente que la deuxième[49].

Au fur et à mesure que se réduisait le dossier Dreyfus s'étoffait celui d'Esterhazy. Repéré fin mars 1896 au moyen d'une lettre pneumatique dite « petit bleu », émanant de l'ambassade d'Allemagne et qui portait son adresse, le commandant Esterhazy fut rapidement identifié par Picquart. Lequel rédigea un rapport, une note qui fut remise au général Gonse le 3 septembre 1896 et que publièrent les chambres réunies. Elle se terminait sur ces mots :

> Il n'a pas été possible d'aller plus au fond des choses dans une enquête préliminaire qui, pour rester secrète, a dû forcément être conduite avec des moyens limités.

Mais les faits signalés paraissent assez graves pour mériter une enquête plus approfondie. Il serait nécessaire, avant tout, de demander des explications au commandant Esterhazy sur ses relations avec l'ambassade d'Allemagne et sur l'emploi qu'il a fait des documents pris en copie. Il serait également intéressant d'interroger ses secrétaires. Mais il est indispensable d'agir inopinément, avec fermeté et prudence, car le commandant est signalé comme un homme d'une conduite et d'une rouerie sans égales [50].

Picquart avait reçu de ses chefs l'ordre de séparer les deux affaires et de se consacrer à celle d'Esterhazy puisque celle de Dreyfus avait été close par le jugement. Le chef de la Section de statistique persista pourtant dans les deux directions. Il fit mettre la famille de Dreyfus sous surveillance, « parce que, depuis quelque temps, toutes les lettres que cette famille écrivait au condamné portaient l'indication d'une action prochaine en faveur d'une révision. J'avais fait copier plusieurs de ces lettres ; je crois même en avoir fait photographier, mais quand je les signalai au général de Boisdeffre, il me dit que cela pouvait passer. Je fis même surveiller directement les conciliabules que tenait la famille Dreyfus à la campagne, sans que je puisse me souvenir de la date exacte à laquelle cette surveillance a commencé [51]. » Début septembre 1896, Gonse était à la campagne et Picquart avait dû faire le déplacement pour le tenir informé du développement rapide de l'affaire. Le chef de la Section de statistique craignait que les efforts de la famille Dreyfus ne prennent l'État-major à contre-pied. Il conseillait de prendre les devants à la fois sur le dossier Esterhazy et sur celui du capitaine Dreyfus. La publication d'un article de *L'Éclair*, le 14 septembre 1896, lui donna raison. « Il y eut une très grande émotion au bureau. Cet article lançait, en effet, pour la première fois dans la publicité, la question de la communication de pièces secrètes, qui était le point délicat de l'affaire. Je me souviens que Gribelin vint dans mon bureau et exprima la crainte que l'on ne nous soupçonnât. »

Pour se protéger autant que par vertu, Picquart souleva le problème au cours d'une nouvelle conversation qu'il eut le 15 septembre 1896 avec le sous-chef d'État-major, son supérieur hiérarchique direct, le général Gonse, rentré de la campagne. Le récit de cette entrevue capitale fut d'abord donné dans un mémoire que Picquart adressa au garde des Sceaux [52]. Puis il réitéra son récit, sous serment, devant les conseillers de la chambre criminelle, le 28 novembre 1898. Gonse opposa un démenti formel. Et Picquart persista :

Je maintiens de la façon la plus absolue les termes de cette conversation. Le général m'a bien dit, en parlant de l'affaire Esterhazy : « Si vous ne dites rien, personne ne le saura. » Je lui ai répondu : « Mon général, ce que vous dites est abominable ; je ne sais pas ce que je ferai, mais je n'emporterai pas ce secret dans la tombe. » J'ai d'ailleurs répété ces derniers mots : « Je n'emporterai pas ce secret dans la tombe » au général Nismes, lorsqu'au mois de juin 1897, après avoir reçu une lettre de menaces d'Henry, j'ai été trouver ce général pour lui demander conseil et lui exposer le danger de ma situation. C'est à ce moment que, lui apprenant sommairement l'affaire, je lui dis que j'avais tenu au général Gonse ce propos : « Je n'emporterai pas ce secret dans la tombe [53]. »

Après cet affrontement, Picquart constata la montée d'une forte hostilité à son encontre, venant à la fois du haut commandement de l'État-major et du ministre de la Guerre, mais aussi de ses subordonnés du bureau de renseignement. Tout en gardant officiellement la direction de la Section de statistique, il fut envoyé en mission sur la frontière de l'Est le 26 octobre 1896. Les premiers succès des dreyfusards, marqués notamment par une première publication, *Une erreur judiciaire* de Bernard Lazare, parue le 6 novembre à Bruxelles et adressée à trois mille cinq cents personnalités françaises, renforça l'État-major dans sa conviction que Picquart était passé au service du « traître ». Une triple réaction se produisit alors. Vers le 2 novembre 1896, Henry avait imaginé et réalisé les fausses lettres qui portèrent son nom et qui furent incluses dans le dossier secret – celui-ci grandissant et prenant une nouvelle importance au fur et à mesure qu'agissaient les défenseurs de Dreyfus. Puis, le 14 novembre, Picquart fut convoqué par le ministre de la Guerre qui lui annonça son départ pour la Tunisie sous quarante-huit heures. Des troubles sérieux avec les indigènes, dans le sud-est du protectorat, pouvaient provoquer une mort violente [54]. Enfin, le 15 décembre, des faux télégrammes et lettres furent forgés à la Section de statistique et adressés à celui qui en était toujours le chef, afin de faire croire à sa trahison.

De plus en plus inquiet pour sa vie, Picquart commença par rédiger, le 2 avril 1897, un exposé de l'affaire Dreyfus, en forme de testament, destiné au président de la République au cas où il viendrait à mourir. Fin juin, il parvint à revenir à Paris pour une permission et confia à son avocat et ami Louis Leblois un mandat général de défense. Le 13 juillet 1898, ce dernier avisa son compatriote d'Alsace Auguste Scheurer-Kestner et lui révéla les conclusions auxquelles était parvenu Picquart. Le vice-président du Sénat décida alors de s'engager dans la défense du capitaine Dreyfus et la révision de son jugement. Mais il ne pouvait pas utiliser les informations livrées par Leblois, car celui-ci avait agi à l'insu de son client. Dupé par ses amis du gouvernement – Jules Méline, le président du Conseil, Billot, le ministre de la Guerre –, Scheurer-Kestner accepta, au début de l'automne 1897, de ne rien tenter publiquement et d'attendre. Or les attaques de la presse antidreyfusarde et les mises en cause des parlementaires s'abattirent sur le sénateur et ses quelques amis dont un autre sénateur, Arthur Ranc, mobilisé dès 1894. Le 7 novembre, l'écriture d'Esterhazy fut reconnue par un courtier parisien sur les fac-similés du bordereau diffusés par Bernard Lazare. Scheurer-Kestner put alors confirmer qu'il s'agissait bien de l'officier dont

Picquart avait établi la culpabilité. Sur les conseils de Scheurer-Kestner, Mathieu Dreyfus dénonça alors Esterhazy dans une lettre rendue publique le 15 novembre 1897.

Les événements s'accélérèrent. Le général de Pellieux fut chargé d'« une information judiciaire préliminaire » contre Esterhazy. Mais il choisit d'abord d'instruire contre Picquart et ordonna, le 20 novembre, une perquisition illégale à son domicile. Le magistrat instructeur à qui fut confiée ensuite l'instruction officielle contre Esterhazy agit de même : le commandant Ravary chargea Picquart dans son rapport remis le 31 décembre 1897. En revanche, il requit un non-lieu en faveur d'Esterhazy. Le gouverneur militaire de Paris signa cependant l'ordre de mise en jugement d'Esterhazy.

L'acquittement de l'officier, le 11 janvier 1898, et l'émotion causée par la publication de « J'accuse... ! » le 13 janvier 1898 entraînèrent, le même jour, l'arrestation du lieutenant-colonel Picquart. Il fut incarcéré à la forteresse du Mont-Valérien. Le 21 janvier, le ministre de la Guerre ordonna au gouverneur militaire de Paris de convoquer un conseil d'enquête afin d'y faire comparaître Picquart, procédure préalable à sa mise en réforme de l'armée. Ce dernier riposta en produisant sur le fond une longue déposition au procès Zola le 11 février. Il affronta plusieurs officiers généraux de l'État-major. Le danger que représentaient ses déclarations conduisit Pellieux à confirmer la présence à l'État-major de pièces accablantes pour Dreyfus, révélant ainsi l'existence des « faux Henry ». Picquart se défendit avec énergie, dénonça Esterhazy et du Paty de Clam comme les auteurs des machinations ourdies contre lui, puis porta plainte en faux. L'instruction fut confiée au juge Bertulus. La haine des nationalistes et de l'État-major grandit à son encontre. Il reçut des menaces de mort de la part d'Esterhazy, fut provoqué en duel par Henry, subit des agressions physiques, et son arrestation fut réclamée par les députés nationalistes. Après sa lettre au président du Conseil du 9 juillet 1898, par laquelle il révélait que les documents lus par Cavaignac étaient des faux, Picquart fut visé, le 12, par une plainte du ministère de la Guerre et arrêté le lendemain. Mais sa propre plainte en faux avait débouché sur l'arrestation, le 12 juillet, d'Esterhazy et de sa maîtresse par le juge Bertulus. De sa prison de la Santé, Picquart déposa plainte le 25 juillet contre du Paty de Clam qu'il accusait d'être l'auteur des faux télégrammes.

Les aveux et le suicide d'Henry ne mirent pas fin à l'acharnement de l'État-major contre Picquart. Le 20 septembre 1898, un ordre d'informer fut pris contre lui sous l'accusation d'avoir falsifié le « petit bleu », le document qui lui avait servi à identifier Esterhazy en mars 1896. Le 22 septembre, il fut transféré à la prison militaire du Cherche-Midi et mis au secret, comme Dreyfus quatre ans avant. Le 24 novembre, il fut renvoyé devant le deuxième conseil de guerre de Paris. Le 3 mars 1899, la chambre criminelle de la Cour de cassation parvint de justesse à le soustraire à la vengeance de l'État-major en invoquant le caractère connexe des affaires et en affirmant son autorité de cour suprême sur la justice militaire.

Le 9 juin 1899, alors que le capitaine Dreyfus embarquait sur le *Sfax* pour regagner la France, la chambre des mises en accusation ordonnait la libération du lieutenant-colonel Picquart. Le 13 juin, il bénéficiait d'un non-lieu. Mais il demeurait exclu de l'armée.

Ainsi Dreyfus découvrit-il la trajectoire édifiante d'un officier dont il n'avait pas pu imaginer le rôle dans son affaire et qui avait vécu l'acharnement de ses accusateurs. Il n'avait pas pu concevoir non plus l'importance et la qualité des hommes et de quelques femmes qui s'étaient levés pour lui et pour la défense de la démocratie.

*Naissance des dreyfusards*

Durant ce mois de juillet 1899 passé à apprendre son affaire, Dreyfus put mesurer le courage de ses défenseurs et l'ampleur du défi politique qu'avait engendré son sort.

Le premier fut le jeune écrivain anarchiste et historien de l'antisémitisme Bernard Lazare. Son nom avait été transmis à Mathieu Dreyfus par le directeur de la prison de la Santé, ému par la détresse de son frère pendant l'incarcération qui faisait suite à la dégradation. Lazare, issu d'une famille juive de Nîmes, a alors trente et un ans. Collaborateur de journaux parisiens, fondateur en 1890 d'une revue à tendance symboliste, *Les Entretiens politiques et littéraires*, il faisait partie de l'avant-garde littéraire et libertaire. Ses amis s'appelaient Pierre Quillard, Henri de Régnier, Paul Adam, Jean Grave, Paul et Élie Reclus, ainsi que Félix Fénéon et Victor Barrucand, ces deux responsables de la *Revue blanche* qui avaient protesté contre la dégradation du capitaine Dreyfus. Grâce à Joseph Valabrègue, son beau-frère de Carpentras, Mathieu Dreyfus put, à la fin du mois de février 1895, le contacter et le convaincre de s'engager pour la défense de son frère. Il l'informa des premiers renseignements qu'il avait pu réunir, et lui révéla l'hypothèse de la communication d'un « dossier secret » aux juges militaires.

Bernard Lazare accepta de poursuivre l'enquête, au prix du sacrifice de sa position dans les journaux modérés. Assuré néanmoins du soutien financier de Mathieu Dreyfus, il s'investit totalement. Il sut utiliser sa formation à l'École pratique des hautes études où il avait étudié l'histoire et la philologie sous la direction de Gabriel Monod. Il consacra l'été 1895 à étudier le rapport de d'Ormescheville et les notes de Dreyfus remises par Forzinetti : « J'établissais par les seuls documents que je possédais, logiquement et irréfutablement, l'innocence de Dreyfus. Si on reprenait ce travail initial, on y trouverait tout le fond de l'affaire Dreyfus [55]. » Pour Philippe Oriol, Bernard Lazare écrivit là son « J'accuse... ! » [56] qu'il publia en 2003. Oriol a publié également le long mémoire, rédigé après l'Affaire, dans lequel il raconta son engagement à Joseph Reinach. « Il fut décidé, se souvint Bernard Lazare, [qu'il attendrait] un moment favorable pour publier cette première protestation. » Il lui sembla que Mathieu Dreyfus était exhorté à la prudence par Edgar Demange[57].

Un an s'écoula. Les espoirs se dérobaient. Scheurer-Kestner, sondé tout comme le chimiste républicain Marcellin Berthelot, consentit à se renseigner puis déconseilla d'aller plus loin. Ni les socialistes Jean Jaurès et Alexandre Millerand, ni l'écrivain François Coppée qui fut sollicité, n'acceptèrent de bouger. En mai 1896, Bernard Lazare intervint dans la polémique qu'Émile Zola venait courageusement d'ouvrir avec Édouard Drumont en publiant son « Pour les Juifs » (le 16 mai). Mais l'opinion publique ne semblait pas prête à s'intéresser au sort du déporté de l'île du Diable. Lazare se rapprocha durant l'été de Joseph Reinach que son frère, le normalien Salomon, avait déjà informé de l'affaire qu'il connaissait par son ami Lucien Lévy-Bruhl. À l'École normale supérieure, le bibliothécaire Lucien Herr, socialiste de tendance allemaniste et proche lui aussi de l'avant-garde esthétique et politique, et particulièrement de la *Revue blanche*, commença à se mobiliser. Il mobilisa la fameuse promotion de 1894 (avec Félicien Challaye, Paul Mantoux, Albert Mathiez, Charles Péguy, Mario Roques pour les lettres, Paul Langevin pour les sciences), contacta d'anciens élèves comme Léon Blum, Jean Jaurès, le germaniste Charles Andler, alerta le surveillant général Paul Dupuy, le sous-directeur Jules Tannery et une majorité de professeurs dont Gustave Bloch (père du futur historien Marc Bloch). Mais les résultats étaient encore insuffisants et la connaissance de l'affaire liée à des cercles étroits.

Dans sa cellule de la prison militaire de Rennes, Dreyfus apprit alors que son brutal enfermement suivi de sa mise aux fers le 6 septembre avait résulté d'une initiative de son frère visant à desserrer l'étau de l'oubli dans l'opinion, par l'intermédiaire d'un journaliste britannique, Clifford Millage, correspondant du *Daily Chronicle* à Paris, et d'une feuille locale, le *South Wales Argus*[58]. De là l'information s'était répandue dans toute la presse. L'émotion fut intense. Des articles sur le sort du déporté parurent, dont celui de Gaston Calmette[59], futur directeur du *Figaro*, qui interrogea un ancien directeur du service pénitentiaire de la Guyane, Guéguen, tout en chargeant Dreyfus qu'il accusait de répéter dans ses lettres, comme un système, son cri d'innocence. Le journaliste l'estimait également coupable d'« amorçage », la vieille thèse imaginée par le général Mercier et du Paty de Clam et livrée au prisonnier dans sa cellule de la prison du Cherche-Midi le 31 décembre 1894[60]. Mais il manifestait de la compréhension pour le caractère éminemment tragique de son sort. « L'actualité l'a "repris", ce malheureux que l'on croyait à jamais oublié, disparu, perdu. »

D'autres journalistes suivirent, dont Adolphe Possien qui annonça une enquête dans *Le Jour* du 11 septembre sous le titre : « L'ex-capitaine Dreyfus est-il coupable ? », et Paul de Cassagnac, directeur de *L'Autorité*, déjà fortement impliqué dans les débats de 1894-1895 [61].

*L'Éclair*, le quotidien officieux de l'État-major, riposta le 9 septembre et surtout le 14, par un acte d'accusation pour le moins imprudent puisqu'il avouait qu'une communication secrète avait été faite en salle des délibérés du conseil de guerre de Paris, le 22 décembre 1894 [62]. Les antidreyfusards firent feu de tout bois. Drumont publia le 17 novembre un article dénonçant « le syndicat Dreyfus ». Le terrain était donc prêt pour une première offensive. Bernard Lazare reprit aussitôt son manuscrit et le porta à Bruxelles pour le faire imprimer à l'abri des regards et des informateurs de la police française. Achevé d'imprimer le 6 novembre 1896 à Bruxelles, chez la veuve Monnom, l'éditrice des anarchistes, la brochure, intitulée *Une erreur judiciaire, la vérité sur l'affaire Dreyfus*, fut envoyée par la poste à trois mille cinq cents personnalités françaises : journalistes, hommes politiques, écrivains, savants, etc. Au terme d'une enquête serrée, Lazare proclamait solennellement l'innocence du capitaine Dreyfus et indiquait les raisons de son propre engagement pour la vérité et la justice.

> Il est encore temps de se ressaisir. Qu'il ne soit pas dit que, ayant devant soi un Juif, on a oublié la justice. C'est au nom de cette justice que je proteste, au nom de cette justice qu'on a méconnue. Le capitaine Dreyfus est un innocent et on a obtenu sa condamnation par des moyens illégaux : je demande la révision de son procès, et *désormais ce n'est plus à huis clos qu'il pourra être jugé, mais devant la France.* J'en appelle donc de la sentence du conseil de révision. Des pièces nouvelles viennent d'être apportées au débat, cela suffit juridiquement pour la cassation du jugement, mais au-dessus des subtilités juridiques il y a des choses plus hautes : ce sont les droits de l'homme à sauvegarder sa liberté et à défendre son innocence si on l'accuse injustement [63].

Bernard Lazare réédita aussitôt son mémoire à Paris, chez Pierre-Victor Stock qui devint ensuite le principal éditeur favorable à Dreyfus [64]. Puis il se lança dans une active campagne reposant sur la diffusion du fac-similé du bordereau publié le 10 novembre 1896 par le journal *Le Matin* [65]. Au début de l'année 1897, il prit contact avec une batterie d'experts français et étrangers, leur confiant la mission de comparer les deux écritures, celle du bordereau et celle de Dreyfus. Il publia dix de ces expertises dans un second mémoire sorti le 12 novembre 1897 des presses de Pierre-Victor Stock [66]. Dans un avant-propos, Bernard Lazare écrivait :

> Ce livre était sous presse au moment où M. Scheurer-Kestner, sénateur inamovible, vice-président du Sénat, est intervenu dans l'affaire du capitaine Dreyfus.
> « J'ai acquis, a dit M. Scheurer-Kestner, l'entière conviction de l'innocence du capitaine Dreyfus. Le malheureux a été victime d'une épouvantable erreur judiciaire. » Il a ajouté : « Puisque je sais que le capitaine Dreyfus est innocent, j'emploierai tout ce que j'ai de force, tout ce que j'ai

d'énergie pour arriver à le réhabiliter publiquement et à lui faire rendre la justice qui lui est due. »

C'est non pas une conviction qu'a M. Scheurer-Kestner, mais une certitude. Quelles sont les preuves sur lesquelles il s'appuie, je l'ignore, mais ces preuves existent, et il les produira : elles feront éclater au grand jour l'innocence de celui que j'ai défendu et que je ne cesserai de défendre jusqu'au moment où la liberté lui sera rendue. [67]

Bernard Lazare avait été à l'origine de cet engagement. En mars 1897, il avait été introduit auprès du sénateur par Arthur Ranc. Rapidement, Scheurer-Kestner avait compris que des doutes profonds pesaient sur la culpabilité du capitaine. La rencontre avec son compatriote Charles Risler, maire du VIIe arrondissement de Paris, puis surtout avec Louis Leblois le 13 juillet 1897, lui révéla l'innocence de Dreyfus. Dès lors, il choisit de mener une action en faveur de la révision auprès de ses amis politiques tant au Parlement qu'au gouvernement. Ceux-ci le trahirent. Il combattit presque seul. Ranc vint à sa rescousse. Scheurer-Kestner lui adressa une lettre publiée dès le 14 novembre 1897 :

> J'ai démontré, pièces en mains, que le bordereau attribué au capitaine Dreyfus n'est pas de lui... Je l'ai mis en garde contre de soi-disantes [sic] pièces de conviction, plus ou moins récentes, qui pourraient être l'œuvre du vrai coupable ou de personnes intéressées à égarer la justice... Inutilement, j'ai demandé à voir les pièces qui établiraient la culpabilité de Dreyfus. On ne m'a rien offert, on ne m'a rien montré. Cependant, j'avais déclaré que, devant des preuves, je m'empresserais de reconnaître publiquement mon erreur... J'ai prié le ministre de faire une enquête sur le vrai coupable ; il me promit cette enquête ; depuis lors, j'ai attendu en vain... Malgré l'illégalité, qui paraît certaine, de la production aux juges d'une pièce inconnue de la défense, je n'ai jamais mis en doute la loyauté ni l'indépendance des juges qui ont condamné Dreyfus. Mais des faits nouveaux se sont produits, qui démontrent son innocence ; si, convaincu qu'une erreur judiciaire a été commise, j'avais gardé le silence, je n'aurais plus pu vivre tranquille [68].

Auguste Scheurer-Kestner échoua finalement à poser la question de la révision au Sénat le 7 décembre 1897. Sa chute fut rapide, mais son engagement autant que son sacrifice frappèrent les esprits. La petite-fille de Renan, Henriette Psichari [69], sut résumer le rôle de Scheurer-Kestner, « promoteur d'un mouvement [...] dépassé par ses adeptes » : « il n'en a pas moins donné, dès le début, une indélébile marque de fabrique. C'est à Scheurer-Kestner que l'on doit d'avoir, en 1897, soulevé le monde universitaire auquel pourtant il n'appartenait pas. C'était très difficile [70]. » Son père, Jean Psichari, lui avait du reste témoigné sa reconnaissance par une lettre émue et solennelle où il disait notamment :

Il n'y a pas de raison d'État supérieure à la justice, et rien n'est plus pratique que la vérité. C'est pour voir ce principe méconnu que nous souffrons. Je ne veux point vous taire ma pensée et je ne suis pas le seul à subir cette angoisse. Si, véritablement, nous devons assister à l'apothéose officielle d'un misérable, si le seul soupçon de l'innocence d'un condamné ne pousse pas à toutes les enquêtes, je crois proprement que nous sommes perdus, et c'est ce qui me fait pleurer.

L'exemple de deux jeunes intellectuels, Daniel et Élie Halévy, éclaira les processus de mobilisation. Le lundi 15 novembre 1897, Daniel partit pour Sucy-en-Brie où leur père Ludovic, l'écrivain et librettiste, possédait une demeure qu'appréciaient particulièrement les deux frères. Il acheta un journal à la gare et prit connaissance d'une lettre de Scheurer-Kestner « rejetant sur Billot la responsabilité du silence [71] ». Daniel raconte : « J'arrive à Sucy, portant la lettre. Élie lit et s'écrit : "Les canailles !" Il n'avait pas voulu douter jusque-là du gouvernement [...] Qu'allait-il se passer ? Nous ne pouvions attendre jusqu'au lendemain. » Les deux frères télégraphièrent aussitôt à leur ami d'enfance Robert Dreyfus qui vint dîner en apportant la réponse de Billot et la révélation du nom d'Esterhazy. Daniel regagna Paris tandis que Élie, resté seul à Sucy, « très énervé [72] », comptant sur son frère pour l'informer sans délai, se lançait dans une correspondance soutenue avec ses amis de la *Revue de métaphysique et de morale* et de l'École normale. Dès le 16 novembre, il s'adressa à Célestin Bouglé qui enseignait la philosophie au lycée de Saint-Brieuc : « Je te demande un avis sur une question grave, la question Dreyfus. [...] Je suis presque certain que Dreyfus, même si coupable (tu m'entends), a été victime d'une machination effroyable, que la raison d'État et des intérêts électoraux commandent de dissimuler. Mais je porte un nom juif et je suis protestant : suis-je victime d'une illusion de caste ? Toi plus que personne, toi seul parmi mes amis peux me renseigner là-dessus. Réponds-moi vite, car en ce moment la vie m'est odieuse. » Le lendemain, Élie lui envoyait une seconde lettre qui développait des arguments très précis attestant d'une connaissance poussée du dossier de l'Affaire et d'une volonté décisive de l'amener à sa propre conviction. Sa certitude n'était pourtant pas complète le 17 novembre [73]. Mais, le 21, Elie rédigea une solennelle déclaration d'engagement qu'il adressa à Bouglé : « Convaincu maintenant de l'innocence de Dreyfus, convaincu de cette innocence avec toute la partie *éclairée* de l'opinion parisienne (cela, je ne le savais pas jusqu'ici, mais je le sais maintenant), je ne m'arrêterai plus avant de t'avoir inspiré ma conviction. [...] Sans parler des choses que je ne puis pas dire, qui me font trembler. Je finirai par t'empêcher de dormir tranquille [74]. »

Élie et Daniel n'étaient pas les seuls à ressentir cet impératif d'engagement pour Dreyfus reconnu innocent. Le 6 novembre précédent, Gabriel Monod avait répondu dans une longue lettre publiée par *Le*

*Temps* et *Le Journal des débats* aux attaques des nationalistes qui l'incluaient dans leur croisade contre Scheurer-Kestner :

> C'est un besoin personnel de conscience, un pur scrupule de justice qui m'a contraint à m'éclairer sur cette douloureuse affaire. Je puis me tromper, je dirai même : je voudrais qu'on me démontrât que je me trompe, car j'échapperais ainsi à cette torture de penser que mon pays a condamné un innocent à une telle peine pour un tel crime. [...] J'espérais, de plus, que cette initiative viendrait d'un catholique, et qu'un nouveau Voltaire surgirait pour défendre ce nouveau Calas. J'aurais craint que ma qualité de protestant et les stupides attaques que m'ont souvent values cette qualité et le nom que j'ai l'honneur de porter diminuassent auprès d'un certain public la valeur de mes jugements. Mais, puisque je suis aujourd'hui directement mis en cause, je pense qu'il y aurait lâcheté de ma part à ne pas dire comment j'ai été amené à croire à l'innocence du capitaine Dreyfus. [...] Je ne crois pas avoir cédé, en me persuadant de l'innocence de Dreyfus, à un don-quichotisme chimérique, ni avoir été aveuglé, moi, descendant de persécutés, par l'indignation que j'ai éprouvée en voyant se mêler des haines de religion et de race à une pure question de justice et de patriotisme, et par le désir de défendre un Juif dans un temps où les Juifs sont l'objet de préjugés cruels et de mesquines persécutions [75].

Georges Clemenceau lui aussi s'était exprimé sur l'Affaire. Corrigeant son absence au Parlement par une forte présence dans la presse, il avait multiplié les analyses depuis sa tribune politique de *L'Aurore*. Son engagement fut précoce, dès la mi-novembre 1897. Il envisagea très rapidement les conséquences politiques de l'Affaire au plus haut niveau.

> Il me sera permis de parler contre la raison d'État. Tout l'effort de nos révolutions a été dirigé contre elle, et je la vois reparaître obliquement dans le gouvernement démocratique au moment même où nous la croyions à jamais extirpée des institutions que nous essayons de faire évoluer par le suffrage universel vers la liberté, vers la justice.
> Le gouvernement du suffrage universel est, par définition, le gouvernement de l'opinion publique dans la pleine lumière, et tous les citoyens, hommes privés ou publics, ont pour suprême garantie de leur honneur, de leur vie, de leurs biens, la justice au grand jour.
> Dans l'intérêt des bonnes mœurs, on a cru devoir laisser au juge la faculté de prononcer le huis clos. Mais le huis clos lui-même comporte des conditions de publicité relative qui suffisent à protéger l'accusé contre les abus du pouvoir judiciaire.
> La question *toute nouvelle* qui est posée par cette lamentable affaire Dreyfus est de savoir si l'on a le droit d'organiser le huis clos dans le huis clos, et de condamner un homme, quel qu'il soit, pour un crime quelconque, sur des pièces dont ni lui ni son avocat n'auront pris connaissance. S'il suffit de ces trois mots fatidiques, *Raison d'État*, pour qu'on puisse priver un inculpé de toutes les garanties de justice, c'est que nous sommes demeurés, sous notre vernis de civilisation, en pleine mentalité de barbarie.

Dans l'affaire Dreyfus, il paraît désormais acquis – car il suffisait d'un simple démenti du gouvernement pour réduire à néant les allégations précises de source autorisée, et ce mot, le gouvernement ne l'a pas dit – que la conviction des juges s'est faite, hors de la présence de l'inculpé et de son défenseur, sur un document que personne n'a été mis en situation de discuter, soit dans son texte, soit dans son origine. Cherchez bien, vous ne trouverez pas d'autre cause du scandale actuel. [76]

La chute de Scheurer-Kestner, honorable vice-président du Sénat, figure respectée de la République héroïque, persuada encore d'autres personnalités de faire entendre leur voix. Émile Duclaux, le directeur de l'Institut Pasteur, rendit publique sa seconde lettre au sénateur, le 10 janvier, dans *Le Siècle*. Il réagissait à la publication par le même journal, le 7 janvier, de l'acte d'accusation *in extenso* de 1894.

Je pense tout simplement que si, dans les questions scientifiques que nous avons à résoudre, nous dirigions notre instruction comme elle semble l'avoir été dans cette affaire, ce serait bien par hasard que nous arriverions à la vérité. Nous avons des règles tout autres, qui nous viennent de Bacon et de Descartes : garder notre sang-froid, ne pas nous mettre dans une cave pour y voir plus clair, croire que les probabilités ne comptent pas, et que cent incertitudes ne valent pas une seule certitude. Puis, quand nous avons cherché et cru trouver la preuve décisive, quand nous avons même réussi à la faire accepter, nous sommes résignés à l'avance à la voir infirmer dans un procès de révision auquel nous présidons nous-même.

Nous voilà bien loin de l'affaire Dreyfus ; et, vraiment, c'est à se demander si l'État ne perd pas son argent dans ses établissements d'instruction, car l'esprit public y est bien peu scientifique [77].

Émile Zola, qui avait commencé de suivre le déroulement des événements depuis son intervention contre l'antisémitisme en 1896, s'était rapproché de Scheurer-Kestner. Il lui consacra le premier de ses articles de l'affaire Dreyfus, publié dans *Le Figaro* le 25 novembre 1897 [78]. Le 1er décembre, il publiait dans le même journal son second article, « Le syndicat », où il se félicitait d'appartenir à « un syndicat pour mener campagne jusqu'à ce que la vérité soit faite, jusqu'à ce que la justice soit rendue, au travers de tous les obstacles, même si des années de lutte sont encore nécessaires ». Le 29 novembre, il avait écrit à sa femme, Alexandrine : « Cette affaire Dreyfus me jette dans une colère dont mes mains tremblent. [...] Je désire le débat, en faire une énorme affaire d'humanité et de justice [79]. » Le 1er décembre toujours, paraissait dans *L'Événement* un entretien dans lequel il déclarait notamment : « Je crois à l'innocence de Dreyfus, et ce ne sont pas les injures d'une abominable presse qui m'imposeront le silence. [...] J'ai les preuves matérielles de l'innocence de Dreyfus. Il ne restera pas au bagne. J'en fais mon affaire [80]. » L'écrivain intensifia son action, multipliant articles et brochures avant de publier, le 13 janvier 1898 au matin, dans *L'Aurore* de Georges Clemenceau, « J'accuse... ! ».

Au même moment, dans ce tournant capital de la fin de l'année 1897, d'autres engagements se mettaient en place, ceux qui donneront naissance aux « intellectuels ». Lucien Herr commença par imaginer une pétition de cinquante-cinq noms d'universitaires prestigieux, d'écrivains, de journalistes et de socialistes [81]. Puis, avec l'aide des jeunes normaliens et de scientifiques comme Émile Duclaux, il lança une première pétition à laquelle s'agrégea une seconde, préparée notamment par Édouard Grimaux. Publiées les 14 et 15 janvier 1898 dans *L'Aurore* et dans *Le Siècle*, elle affirmaient le devoir de protéger les droits des citoyens devant l'arbitraire. Révélant sa force publique, la communauté formée par ces savants, écrivains et artistes fut baptisée d'un substantif que Dreyfus ne connaissait pas sinon pour l'avoir éventuellement lu chez un Mallarmé ou un Maupassant : « intellectuels » [82]. Clemenceau en fut à l'origine, par un article de *L'Aurore* du 23 janvier 1898 [83] :

I. Les soussignés, protestant contre la violation des formes juridiques au procès de 1894 et contre les mystères qui ont entouré l'affaire Esterhazy, persistent à demander la révision.

II. Les soussignés, frappés des irrégularités commises dans le procès Dreyfus de 1894, et du mystère qui a entouré le procès du commandant Esterhazy, persuadés d'autre part que la nation est intéressée au maintien des garanties légales, seule protection des citoyens dans un pays libre, étonnés des perquisitions faites chez le lieutenant-colonel Picquart et des perquisitions non moins illégales attribuées à ce dernier officier, émus des procédés d'information judiciaire employés par l'autorité militaire, demandent à la Chambre de maintenir les garanties légales des citoyens contre tout arbitraire [84].

Si les scientifiques et les avant-gardes furent fortement représentés parmi les deux mille signataires, en revanche, les académiciens désertèrent la protestation, à l'exception d'Anatole France. Émile Zola, qui n'avait jamais franchi le seuil du quai de Conti, était lui aussi signataire. Il venait de publier la veille une vigoureuse dénonciation de l'arbitraire judiciaire exercé sur Dreyfus. L'avant-veille, le deuxième conseil de guerre du gouvernement militaire de Paris avait en effet acquitté le commandant Esterhazy. La condamnation du capitaine Dreyfus était doublement renforcée, moralement et juridiquement. Seule demeurait encore la voie de la cassation. Mais la saisie de la cour suprême était du seul pouvoir du gouvernement. Celui-ci, dirigé par le progressiste Jules Méline, était d'abord préoccupé d'étouffer la campagne dreyfusarde par tous les moyens légaux. « Et si les armes que nous avons entre les mains ne sont pas suffisantes, nous vous en demanderons d'autres », n'allait pas craindre de déclarer Jules Méline à la Chambre des députés le 24 février 1898 [85]. Zola répondit par un article « révolutionnaire », selon le terme même qu'il employa.

*Le tournant de « J'accuse... ! »*

Dans ses premiers textes d'engagement dreyfusard de la fin de 1897 et du début de 1898, Zola s'était surtout intéressé aux conséquences de la condamnation de Dreyfus et du maintien, contre toutes les évidences, de sa culpabilité. Il parlait de manière très générale de « l'innocent », tenant son innocence comme un fait établi, et montrant comme sa culpabilité était nécessaire à l'État, au gouvernement et à l'opinion publique. Dans « Lettre à la France », il s'achemina vers une critique plus précise du dossier. Avec « J'accuse... ! », il s'en saisit très précisément. Cette évolution était nécessaire. Puisqu'il voulait rappeler le président de la République à ses hautes responsabilités en lui demandant la révision du procès de Dreyfus, il devait fournir une démonstration complète de son innocence. Il fut aidé par Bernard Lazare qui connaissait parfaitement le dossier et qui avait déjà rédigé, fin 1895, son propre « J'accuse... ! ». La « Lettre à M. Félix Faure, président de la République » parut dans *L'Aurore* du 13 janvier 1898. Elle inaugura un temps d'engagement dreyfusard et de crise politique dont allaient sortir les événements de l'été 1898 et l'entrée dans la révision.

Le 13 janvier 1898, Clemenceau publia la « lettre » de Zola en lui donnant son titre définitif, « J'accuse... ! ». Il rappelait et annonçait tout à la fois la litanie des accusations portées à la fin du texte. Dans son introduction, Émile Zola souligna tous les risques que comportait la poursuite de la crise pour le président de la République lui-même dont le mandat semblait pourtant promis à un avenir lumineux [86]. Il expliqua aussi que la cause de la justice et de la vérité créait un devoir moral, un impératif de solidarité pour l'innocent, afin de dégager sa conscience : « Mon devoir est de parler, je ne veux pas être complice. Mes nuits seraient hantées par le spectre de l'innocent qui expie là-bas, dans la plus affreuse des tortures, un crime qu'il n'a pas commis. »

Mais sa première tâche était de faire « la vérité sur le procès et sur la condamnation de Dreyfus ». Le commandant du Paty de Clam était pour lui, « dans l'ordre des dates et des responsabilités, le premier coupable de l'effroyable erreur judiciaire qui a été commise ». Zola insista sur les agissements de l'officier lors des interrogatoires de Dreyfus tels que les avait révélés par la suite le commandant Forzinetti. « C'est lui qui a inventé Dreyfus, l'Affaire devient son affaire. » Il vit du Paty de Clam comme un *deus ex machina* maître des âmes et des consciences, y compris celles des généraux de Boisdeffre et Gonse dont il n'entrevoyait pas exactement le rôle. Il ne concevait pas la modernité de l'Affaire avec ses mécanismes politico-administratifs cachés. Zola l'abordait comme un romancier, avec des personnages maléfiques comme du Paty de Clam, des martyrs comme Dreyfus, ou des héros comme Picquart ou Scheurer-Kestner [87]. Cependant, dans la description du procès de 1894, il admettait implicitement que l'État-major avait agi comme un pouvoir dominant. Le « on » désignait dans sa lettre une entité abstraite semble-t-il très puissante, mais qu'il limitait à la démence de du Paty de Clam.

> Le huis clos le plus absolu est exigé. Un traître aurait ouvert la frontière à l'ennemi, pour conduire l'empereur allemand jusqu'à Notre-Dame, qu'on ne prendrait pas des mesures de silence et de mystères plus étroites. La nation est frappée de stupeur, on chuchote des faits terribles, de ces trahisons monstrueuses qui indignent l'histoire ; et naturellement la nation s'incline. Il n'y a pas de châtiment assez sévère, elle applaudira à la dégradation publique, elle voudra que le coupable reste sur son rocher d'infamie, dévoré par le remords. Est-ce donc vrai, les choses indicibles, les choses dangereuses, capables de mettre l'Europe en flammes, qu'on a dû enterrer soigneusement derrière ce huis clos ? Non ! il n'y a eu, derrière, que les imaginations romanesques et démentes du commandant du Paty de Clam. Tout cela n'a été fait que pour cacher le plus saugrenu des romans-feuilletons. Et il suffit, pour s'en assurer, d'étudier attentivement l'acte d'accusation, lu devant le conseil de guerre[88].

Émile Zola requit alors les méthodes de l'analyse critique pour démontrer « le néant de cet acte d'accusation ». Avec l'aide des conseils juridiques qui l'assistèrent, il proposa une critique du rapport de Ravary. C'était un « prodige d'iniquité ». Il en démontra le contenu affligeant – des assertions sans preuves, des jugements d'une totale partialité, des témoignages inexistants – et la méthode scandaleuse : « C'est un procès de famille, on est là entre soi. » Des accusations portées contre Dreyfus il ne restait rien sinon le seul bordereau « sur lequel les experts ne s'étaient pas entendus ». Puisque la charge était fragile, on imagina « une pièce secrète, accablante, la pièce qu'on ne peut montrer, qui légitime tout, devant laquelle nous devons nous incliner, le Bon Dieu invisible et inconnaissable ! » Mais Zola affirmait ici ne pas croire à l'existence d'une telle pièce. Il considérait qu'elle relevait d'un mensonge. Mais il en vit clairement le rôle pour les accusateurs de Dreyfus, « une pièce intéressant la défense nationale, qu'on ne saurait produire sans que la guerre fût déclarée demain [...]. Ils ameutent la France, ils se cachent derrière sa légitime émotion, ils ferment les bouches en troublant les cœurs, en pervertissant les esprits. Je ne connais pas de plus grand crime civique. » Tout désignait Dreyfus, avec un tel système : « Les preuves morales, la situation de fortune de Dreyfus, l'absence de motifs, son continuel cri d'innocence, achèvent de le montrer comme une victime des extraordinaires imaginations du commandant du Paty de Clam, du milieu clérical où il se trouvait, de la chasse aux "sales juifs", qui déshonore notre époque. » Puis Zola passait à l'affaire Esterhazy, à la découverte de sa culpabilité et à l'organisation de sa protection, à nouveau par du Paty de Clam puisqu'il ignorait encore le rôle essentiel du commandant Henry. Mais

la description des rouages de cette seconde affaire et de ses mécanismes fut bien menée. Zola entrevit plus nettement le rôle de l'État-
major et la gangrène progressive des autorités politiques comme ce fut
le cas avec le général Billot, qui « n'était compromis en rien, [qui]
arrivait tout frais [:] il pouvait faire la vérité[89] ». Son explication de
l'acquittement d'Esterhazy résonnait juste. Elle reposa sur la déclaration du général Billot devant les Chambres :

> Lorsque le ministre de la Guerre, le grand chef, a établi publiquement,
> aux acclamations de la représentation nationale, l'autorité de la chose jugée,
> vous voulez qu'un conseil de guerre lui donne un formel démenti ? Hiérar-
> chiquement, cela est impossible. Le général Billot a suggestionné les juges
> par sa déclaration, et ils ont jugé comme ils doivent aller au feu, sans
> raisonner. L'opinion préconçue qu'ils ont apportée sur leur siège, est évi-
> demment celle-ci : « Dreyfus a été condamné pour crime de trahison par
> un conseil de guerre, il est donc coupable ; et nous, conseil de guerre, nous
> ne pouvons le déclarer innocent ; or nous savons que reconnaître la culpabi-
> lité d'Esterhazy, ce serait proclamer l'innocence de Dreyfus. » Rien ne pou-
> vait les faire sortir de là.

Pour Zola, la condamnation « par ordre » qu'il allait ensuite dénoncer dans la litanie des « J'accuse... ! » n'impliquait pas une directive
matérielle et précise. C'est l'« ordre militaire » qui agissait là, effet
d'une implacable logique d'institution. L'écrivain voyait juste. Le premier conseil de guerre ne voulait pas s'instituer comme cour d'appel
ou tribunal de cassation du procès de 1894. Son verdict d'acquittement
ressembla alors, pour Zola, à la « sentence inique, qui à jamais pèsera
sur nos conseils de guerre, qui entachera désormais tous leurs arrêts ».
L'auteur de « J'accuse... ! » percevait dans les manœuvres de l'État-
major des risques certains d'arbitraire, de recul de la démocratie. Son
alliance objective avec la « presse immonde », avec l'antisémitisme
montrait la dérive de toute l'institution dont le président de la République se portait garant.

« J'accuse... ! » s'achevait par la succession des accusations portées
à l'endroit du général Mercier, coupable de « s'être rendu complice,
tout au moins par faiblesse d'esprit, d'une des plus grandes iniquités
du siècle[90] », et de tous ceux qui avaient maintenu et renforcé le crime.
Et puisque l'affaire Dreyfus demandait plus de justice, exigeait la justice, Zola affirmait qu'il était prêt à se sacrifier pour elle. Il déclarait
au terme de sa « Lettre au président de la République » : « En portant
ces accusations, je n'ignore pas que je me mets sous le coup des
articles 30 et 31 de la loi sur la presse du 29 juillet 1881, qui punit les
délits de diffamation. Et c'est volontairement que je m'expose. »
Son espoir résidait bien dans l'attente d'un nouveau procès pour
Dreyfus, un procès contradictoire cette fois, tenu en dehors des tribunaux militaires qui « se [faisaient] une singulière idée de la justice »,
un procès, son procès que le gouvernement et le ministre de la Guerre

ne manqueraient pas de lui intenter. Méline et Billot voulurent s'opposer à un tel plan d'abord en refusant d'engager une procédure judiciaire contre l'auteur de « J'accuse... ! », puis, dans un second temps,
en en réduisant le périmètre afin que la question de Dreyfus ne soit
pas posée. Cette stratégie se révéla un échec pour trois raisons essentielles. Le procès de Zola, qui se déroula du 7 au 23 février 1898, fut
très bien organisé, bénéficiant de l'intervention de la nouvelle force
des « intellectuels » et de nombreux conseils juridiques parmi lesquels
les avocats Fernand Labori et Georges et Albert Clemenceau, et le
jeune auditeur au Conseil d'État Léon Blum. La force de la défense
allait permettre de poser la question de la condamnation de Dreyfus.
Le président Delegorgue ne parvint pas à l'empêcher malgré sa phrase
rituelle : « La question ne sera pas posée. »

La seconde raison de la victoire des dreyfusards, ce sont les
membres de l'État-major eux-mêmes qui la donnèrent. Poussés par la
pression nationaliste, ils sortirent du dogme de la chose jugée et
livrèrent des informations capitales sur le dossier secret et les pièces
qu'il comportait – si décisives qu'elles ne pouvaient être montrées.
Enfin, le procès consista en une véritable démonstration de force des
partisans de Dreyfus enfin unis après les divergences qui s'étaient
révélées à la suite de la publication de la lettre de Zola. Avec ses
nombreux co-témoins regroupés autour de l'écrivain, le procès fut
véritablement « l'accomplissement » de « J'accuse... ! »[91]. Les dépositions furent nombreuses et décisives tant sur le plan des démonstrations produites que du point de vue du symbole. Scheurer-Kestner,
l'ancien ministre de la Justice Ludovic Trarieux, l'ancien sénateur protestataire au Reichstag Auguste Lalance, le commandant Forzinetti,
le lieutenant-colonel Picquart, Arthur Ranc, Pierre Quillard, Jaurès,
Gustave Hubbard, les experts Gobert et Pelletier du procès de 1894,
les experts indépendants Crépieux-Jamin, Célerier, Bourmont, Louis
Franck, Paul Moriaud, les chartistes et professeurs Émile Molinier,
Paul Meyer et Arthur Giry, le juge Bertulus, les universitaires Louis
Havet et Gabriel Séailles, le médecin Jules Héricourt, les scientifiques
Émile et Édouard Duclaux, les éditeurs et publicistes Jules Huret, Yves
Guyot et Pierre-Victor Stock et Anatole France se dressèrent contre
l'État-major de l'armée avec succès.

Malgré la condamnation de Zola et du gérant de L'Aurore au maximum des peines prévues par les textes sur la diffamation (loi de 1881),
le procès fut bien une réussite. La publication immédiate de la sténographie in extenso des débats servit puissamment à la diffusion de la
vérité. Le 2 avril 1898, la cassation pour vice de forme du jugement,
avec l'intervention très solennelle de la Cour de cassation dans
l'Affaire, constitua un nouveau succès pour les dreyfusards, un nouveau revers pour l'État-major et le gouvernement. La Cour de cassation ne s'était pas contentée de sanctionner le ministre de la Guerre
pour s'être abusivement substitué au conseil de guerre responsable de

l'acquittement d'Esterhazy le 11 janvier 1898 dans le dépôt de la plainte contre Émile Zola. il avait aussi jugé sur le fond à travers le réquisitoire du procureur général. Le haut magistrat rendit même hommage aux « intellectuels » et condamna la violence qu'il subissait de la part de l'opinion nationaliste :

> N'est-il donc pas permis à chacun d'avoir et d'émettre son opinion, tant sur la culpabilité de Dreyfus que sur l'innocence d'Esterhazy et, à l'inverse, tant sur la culpabilité d'Esterhazy que sur l'innocence de Dreyfus, sans être exposé aux injures, aux calomnies et même aux menaces les plus atroces ? Comment ? Dans ce pays de France, si noble, si généreux, on ne pourra pas avoir un avis différent de celui de son voisin, dans des affaires qui émeuvent au plus haut degré la conscience publique, sans être exposé à se voir traiter de vendu ou de traître ?
>
> Une vie tout entière d'honneur et de probité ne protégeront donc pas les plus dignes contre des appréciations aussi flétrissantes, et, entre autres, les Trarieux, les Scheurer-Kestner, les Ranc, etc., ceux aussi qu'on a appelés, par une ironie qu'on a crue spirituelle, les intellectuels et que nous appelons, nous, les hommes intelligents qui sont l'honneur du pays ?
>
> Nous protestons, quant à nous, contre de pareilles mœurs. Et, quoique leur conscience leur suffise, nous considérons comme un devoir de notre tâche, d'adresser un témoignage de notre profonde estime aux hommes honorables qui, pour s'être mêlés à la regrettable campagne à laquelle nous avons assisté, n'ont pas cessé de mériter le respect de leurs amis et de leurs adversaires. Rappelons-nous à ce sujet cette leçon de la sagesse antique : *Nec nostrum inter nos tantas componere lites* !
>
> Et nous n'exceptons pas de nos protestations MM. Zola et Perrenx [92]. Nous ne voulons voir en eux que des hommes qui se sont laissé entraîner trop loin dans l'expression de leur pensée et de leurs désirs, des hommes qui n'ont pas compris qu'il pouvait leur être permis de défendre librement par la presse, par des pétitions ou même par le livre les motifs de leur croyance à une erreur judiciaire, ou même à une illégalité inconsciente, à l'exemple de la plupart de ceux qui ont la même croyance, mais qu'il leur était interdit d'accuser les magistrats d'avoir rendu une sentence par ordre, des hommes enfin que le jury a déclarés coupables du délit de diffamation et que la cour a punis.
>
> Mais nous refusons à voir des vendus et des traîtres dans des hommes dont la vie tout entière s'honore d'un infatigable labeur.
>
> Il faut être juste avec tout le monde [93].

La dernière phrase claquait comme un avertissement pour le pouvoir. Celui-ci réagit vivement. À la tribune de la Chambre, le président du Conseil se laissa emporter par la majorité nationaliste de l'Assemblée. Tout en réaffirmant l'indépendance de la justice, Méline promit « d'examiner, en toute impartialité, le langage d'un magistrat » dont le compte rendu contenait « des phrases malheureuses [94] ».

Ces menaces contre la justice civile, cette montée de l'intolérance et de la violence, avaient conduit des co-témoins du procès Zola, tant

des intellectuels nouveau-nés comme Émile Duclaux, Édouard Grimaux ou Arthur Giry, que les quelques hommes politiques dreyfusards
dont Joseph Reinach, Yves Guyot, Scheurer-Kestner et Ludovic Trarieux, à fonder une Ligue française pour la défense des droits de
l'homme et du citoyen. Le combat pour Dreyfus se généralisait, s'uni-
versalisait même. Mais le déporté de l'île du Diable n'était pas pour
autant oublié. Sa libération et la révision de son procès restaient le
premier des objectifs. Les déclarations des dreyfusards en témoignaient hautement.

### Dreyfus ou le combat pour la justice

Au cours de la première assemblée générale par laquelle, le 4 juin
1898, fut créée la Ligue des droits de l'homme, la présence symbolique de Dreyfus fut rappelée en permanence, à la fois nominalement
et comme emblème du citoyen menacé par l'arbitraire. Jean Psichari
et Ludovic Trarieux s'en firent les porte-parole.

> Car un fait demeure acquis : un homme, quelle que soit son étiquette
> politique ou religieuse, a toujours des droits en tant qu'homme, en tant que
> citoyen ; il importe de les faire valoir, puisque enfin il *faut exister*, et l'on
> n'existe que par le libre exercice de ces droits. (*Applaudissements.*)
> Nous voulons donc, d'une façon pratique, défendre les libertés indivi-
> duelles, partout où elles sont menacées et par tous les moyens à notre dispo-
> sition ; nous voulons, si je puis dire, faire passer la liberté du papier dans
> les mœurs, développer dans les consciences le sentiment de l'indépendance
> et de la solidarité, raffermir ce qu'on pourrait appeler l'organisation morale
> de la liberté. (*Vifs applaudissements.*) Afin que chaque citoyen ait le droit
> de penser, de le dire et, je le répète, d'*exister* par cela même... (*Applaudisse-
> ments.*) Vous l'avez bien ainsi compris, puisque vous êtes accourus de
> toutes parts. Vous avez senti dans l'air une menace obscure, trop peu obs-
> cure parfois, vous vous en êtes émus, et vos lettres nous l'ont dit. [...]
> Hier nous ne nous connaissions pas, et tout à coup, sous l'action irrésis-
> tible d'une même crise morale (*applaudissements*), nous nous sommes révé-
> lés les uns aux autres comme obéissant aux mêmes besoins de conscience
> et d'esprit. Qui nous a rapprochés et groupés ? L'idée seule de devoir, à
> laquelle aucune préoccupation d'intérêt personnel ne s'est associée. Ce
> devoir, il se résume d'un mot. C'est de défendre, contre des menaces sour-
> des de contre-révolution, les principes fondamentaux de la Déclaration des
> droits de l'homme sur lesquels repose, depuis cent ans, l'unité de la patrie.
> (*Applaudissements prolongés.*)
> Nous avons ressenti le même émoi à la pensée de voir renaître sous
> le souffle empoisonné de haine sauvage l'ère des guerres religieuses.
> (*Applaudissements.*) Nous avons ensemble frémi d'indignation en enten-
> dant dans nos rues, et jusque dans le prétoire auguste de la justice, des
> cris de mort proférés contre certaines catégories de nos concitoyens.
> (*Bravos répétés.*)[95]

Une intervention de Georges Bourdon, rédacteur au *Figaro*, exprima le devoir premier de la nouvelle ligue en faveur de Dreyfus[96]. Dans sa deuxième réunion, le 17 juin 1898, le comité qui venait d'être élu décida de la publication d'un manifeste qui plaçait l'affaire Dreyfus au centre de son activité militante. On y retrouvait la dénonciation moins de la condamnation de Dreyfus que de l'illégalité de l'ensemble de la procédure. La Ligue se donnait alors un programme, défendre la cause de la justice en chaque personne : « À partir de ce jour, toute personne dont la liberté serait menacée ou dont le droit serait violé est assurée de trouver près de nous aide et assistance[97]. » Au même moment, le professeur d'histoire des religions au Collège de France, Albert Réville, publiait dans *Le Siècle* « Les étapes d'un intellectuel », mémoires à peine romancés du cheminement d'un savant vers l'engagement dreyfusard. L'une des premières raisons du regard porté vers l'île du Diable fut l'incompréhension du sort qui était réservé au déporté. Son collègue Michel Bréal avait eu la même réaction, d'après le témoignage qu'en livra quarante ans plus tard Léon Blum dans ses *Souvenirs sur l'Affaire*[98]. L'une des premières notations d'Albert Réville concernait « cette espèce de pilori permanent où il est exposé à la face du monde ». Une telle situation « ramène continuellement la pensée et par conséquent la réflexion sur sa personne ». Une discussion, semble-t-il avec le philosophe Henry Bergson, l'incita à approfondir, dès juillet 1895, ce cas d'« exposition publique » d'un condamné qui renvoyait à des temps barbares. « Mais on aurait voulu concentrer les regards du monde entier, surtout les nôtres, sur ce point de l'immensité et sur l'individu qui l'occupe qu'on ne s'y serait pas pris autrement », notait « B\*\*\* , le philosophe de ce phénomène psychologique[99] ». Le 10 janvier 1898, lorsqu'il clôt le récit de son « vieil ami », qui n'était autre que lui-même, Réville déclare :

> Dorénavant, je le répète, ma conviction est entière. En mon âme et conscience, Alfred Dreyfus était innocent. Alfred Dreyfus aurait dû être acquitté. Le procès qui lui a été intenté et dont il est sorti condamné, voué à l'infamie, doit être révisé. Je ne peux rien, du moins je ne peux que bien peu de chose pour qu'on en vienne là. Mais le peu que je pourrai, je le ferai. Je tâcherai de réparer ainsi, dans la très faible mesure de mon pouvoir, la part de faute que j'ai commise en m'associant à tous ceux qui croyaient aveuglément à la grande trahison de l'officier alsacien[100].

La solidarité avec Dreyfus n'allait cependant pas de soi pour tous les acteurs de la République. Les socialistes et les anarchistes pouvaient ainsi considérer l'appartenance du condamné à la classe dominante, doublement même puisqu'il était non seulement un bourgeois fortuné, mais aussi un officier professionnel dans une armée parfois chargée de la répression des mouvements ouvriers et révolutionnaires. « De surcroît », il était juif, circonstance aggravante pour certains milieux socialistes pénétrés d'antisémitisme. Dans *Le Libertaire*,

Sébastien Faure indiqua clairement quel était le devoir des anarchistes dans la crise présente :

> Un capitaine ne nous intéresse pas plus qu'une patrie quelconque et nous avons du respect de l'un et de l'autre un aussi tenace mépris.
>
> Mais un homme condamné de la façon la plus fantaisiste par une *justice* sur laquelle nous sommes fixés.
>
> Mais une race opiniâtrement méprisée, traquée et *dénoncée* pour la mort, par d'autres qui vivent des mêmes vices et, pour le moins, ont le même passé criminel à leur actif.
>
> Cet homme et cette race en effet nous intéressent dès lors. Leur sort de persécutés, commun de plus en plus au nôtre, très naturellement et très chaudement nous passionne.
>
> Autoritaires chrétiens ou juifs, capitalistes chrétiens ou juifs sont pour nous pareils ennemis. Mais l'opprimé, quels que soient son rang, sa tribu, son pays devient notre compagnon de misère, notre frère en douleur.
>
> À celui-là nous ne demandons son nom, ni celui de sa terre. Nous lui demandons de mettre sa main dans la nôtre et de serrer ses rangs entre les nôtres.
>
> Dreyfus est l'enchaîné de vos lois, Monde chrétien et Société bourgeoise ! Vous en avez fait le bouc-émissaire des turpitudes de vos armées, et, dans son sang, voudriez laver les souillures de vos drapeaux [101].

Dans *Les Preuves*, achevées le 29 septembre 1898, Jaurès définit lui aussi les raisons pour lesquelles les prolétaires doivent faire acte de solidarité avec Dreyfus :

> Oh ! je sais bien encore et ici ce sont des amis qui parlent : « Il ne s'agit pas, disent-ils, d'un prolétaire ; laissons les bourgeois s'occuper des bourgeois. » Et l'un d'eux ajoutait cette phrase qui, je l'avoue, m'a peiné : « S'il s'agissait d'un ouvrier, il y a longtemps qu'on ne s'en occuperait plus. »
>
> Je pourrais répondre que si Dreyfus a été illégalement condamné et si, en effet, comme je le démontrerai bientôt, il est innocent, il n'est plus ni un officier ni un bourgeois : il est dépouillé, par l'excès même du malheur, de tout caractère de classe ; il n'est plus que l'humanité elle-même, au plus haut degré de misère et de désespoir qui se puisse imaginer.
>
> Si on l'a condamné contre toute loi, si on l'a condamné à faux, quelle dérision de le compter encore parmi les privilégiés ! Non : il n'est plus de cette armée où, par une erreur criminelle, l'a dégradé. Il n'est plus de ces classes dirigeantes qui par poltronnerie d'ambition hésitent à rétablir pour lui la légalité et la vérité. Il est seulement un exemplaire de l'humaine souffrance en ce qu'elle a de plus poignant. Il est le témoin vivant du mensonge militaire, de la lâcheté politique, des crimes de l'autorité.
>
> Certes, nous pouvons, sans contredire nos principes et sans manquer à la lutte des classes, écouter le cri de notre pitié ; nous pouvons dans le combat révolutionnaire garder des entrailles humaines ; nous ne sommes pas tenus, pour rester dans le socialisme, de nous enfuir hors de l'humanité [102].

Le radical Ferdinand Buisson, philosophe et principal artisan des lois scolaires de Jules Ferry alors qu'il était directeur de l'enseignement primaire au ministère de l'Instruction publique, tenta lui aussi de répondre à la question de l'engagement pour Dreyfus. Il parla dans une réunion publique tenue à Paris le 10 mai 1899 pour réclamer la libération du lieutenant-colonel Picquart :

> On prétend que nous nous sommes mêlés de ce qui ne nous regardait pas. C'est une erreur, citoyens. Nous avions le droit de nous mêler de l'Affaire, parce que nous en avions le devoir. [...] Je sais bien que nous tenterions de répondre : « Suis-je le gardien de mon frère ? Et de quel droit me charger, moi simple particulier, d'un pareil fardeau ? Et puis, est-ce qu'un sale juif est mon frère ? Est-ce qu'un officier de famille riche est mon frère, à moi pauvre ouvrier, pour qui il n'eût pas levé le doigt ? Est-ce que je sais, est-ce que j'ai besoin de savoir s'il est coupable ou si c'est un autre ? » Vaines défaites, vains sophismes. Oui, quoi que tu fasses, citoyen d'une démocratie, tu es le gardien de ton frère ; en république, chacun est le gardien des libertés de tous. Oui, quoi que nous fassions pour nous dérober, nous nous sentons solidaires de notre pays. Et si Dreyfus, condamné à tort par un conseil de guerre qui paraît avoir été indignement trompé, ne trouvait pas de justice dans la conscience du peuple français, ce serait plus qu'une erreur, ce serait un crime, et ce serait le crime du peuple français [103].

La cause de Dreyfus ne resta pas limitée à la France. Le monde entier se mobilisa pour le déporté de l'île du Diable à partir du procès Zola qui popularisa l'événement. Pour Charles Péguy, un fait très important expliqua cet engagement : le remords de l'Europe d'avoir abandonné les Arméniens à la barbarie du « sultan rouge », Abdulhamid. Il amena la naissance d'une « opinion publique universelle » qui s'exprima pour le capitaine Dreyfus :

> La principale cause pour laquelle une affaire individuelle souleva le monde que l'assassinat d'un peuple avait laissé indifférent fut assurément que le monde n'était plus, à l'heure où l'affaire Dreyfus commença, le même qu'il était quelques années avant, quand le sultan rouge consommait l'affaire des Arméniens. Peu à peu une attention publique universelle s'était éveillée, une opinion publique universelle s'était pour le moins ébauchée. Que le remords d'avoir ainsi lâchement laissé assassiner tout un peuple ait secoué l'Europe et le monde et lui ait donné comme le besoin d'avoir une opinion universelle siégeant comme tribunal suprême, il se peut. Que cette opinion soit justement née de ce remords et de ce besoin, au moins pour une part, nous le croyons. Toujours est-il que cette opinion s'est peu à peu constituée. L'affaire Dreyfus n'est pas la seule où elle soit intervenue, où elle ait exercé son autorité naissante. Elle a prononcé sur les tortures de Montjuich et sur l'oppression de la Finlande. L'affaire Dreyfus ne sera pas la dernière où elle se prononcera. Car une véritable catholicité de la justice, une opinion de la terre habitée est dès à présent esquissée [104].

La saisie de la Cour de cassation consécutive aux aveux et au suicide du lieutenant-colonel Henry ramena davantage l'intérêt du combat
sur le sort de Dreyfus. En mars et avril 1899, la publication par *Le
Figaro* de l'enquête de la chambre criminelle permit à l'opinion éclairée de découvrir un immense dossier, procédure qui avait commencé
avec la publication de l'acte d'accusation, le 7 janvier 1898, dans *Le
Siècle*, et qui s'était poursuivie avec les débats du procès Zola. Celui-
ci avait été un véritable procès de révision du capitaine Dreyfus. Parallèlement, les menaces politiques contre la Cour de cassation et la crise
institutionnelle qui éclata avec le vote de la loi de dessaisissement de
la chambre criminelle accentuèrent la rencontre entre la cause particulière d'un homme et la défense de principes universels de démocratie et de justice. De fait, le procès de Rennes devait être, dans l'esprit
des dreyfusards, le moment d'une double consécration, celle de l'innocence du capitaine enfin reconnue et celle de la justice placée au cœur
de la République.

Les messages que reçut Dreyfus à son arrivée en France restituaient
cette attente. Pour les entendre, il dut faire l'effort de comprendre
l'histoire d'une affaire qui s'était développée loin de lui, mais sans
jamais le quitter. En les comprenant, il découvrait à quel point son
affaire avait été un moment de l'histoire de la France et du monde.

## *Le frère et la femme admirables*

Le développement inimaginable de l'affaire avait néanmoins des
raisons qui tenaient à la fois à la conscience démocratique d'une
société et à l'action des premiers dreyfusards qui surent informer cette
conscience. Mais à l'origine de cette action d'éclaircissement se
tenaient deux personnes, le frère et l'épouse du capitaine Dreyfus.
L'action de Mathieu Dreyfus est solidement connue, grâce notamment
à ses *Mémoires* publiés par extraits en 1965 puis intégralement en
1978. La biographie familiale de Michael Burns insiste elle aussi sur
le rôle exemplaire du « frère admirable », d'autant que l'historien américain a travaillé étroitement avec France Beck, petite-fille de
Mathieu [105]. L'action menée par Mathieu en faveur de son frère
s'efforça de tenir compte de tous les rapports de force afin de parvenir
à la meilleure efficacité. Esprit moderne, personnalité courageuse, il
comprit que le salut ne pouvait provenir que d'une campagne publique,
intelligente et obstinée, fondée sur la conviction d'un groupe déterminé et très actif. « Entreprendre, comme il l'écrivit, sans me lasser
jamais, sans me laisser rebuter par rien, une campagne personnelle de
propagande dans tous les milieux où je pouvais pénétrer ; y faire des
recrues ; demander à ces recrues et à tous nos amis d'agir à leur tour
dans leurs milieux, par une propagande active, et enfin chercher le
coupable [106]. » Fin 1896, les premiers résultats étaient d'ores et déjà
acquis.

Les doutes sur la culpabilité de mon frère se propagèrent ainsi, par voie de rayonnement, dans les milieux où je n'avais aucune attache directe, et leur action avait lieu, indépendamment de moi, dans des limites que j'ignorais. La première brochure de Bernard Lazare, puis surtout le fac-similé du bordereau avec les spécimens de l'écriture de mon frère nous valurent de précieuses recrues et plus spécialement dans le monde que l'on appela dédaigneusement, plus tard, le monde des intellectuels. À la tête de ces derniers étaient Gabriel Monod, Salomon Reinach, Appell[107].

Il dirigea toujours fermement la campagne dreyfusarde même s'il en confia la responsabilité publique d'abord à Bernard Lazare, puis à Scheurer-Kestner, enfin à Émile Zola jusqu'au moment où l'affaire du capitaine Dreyfus devint une question nationale et internationale. Déterminé par nécessité et par conformisme social – notamment avec Lucie à qui il refusa par exemple d'aller seule à l'île de Ré ou de rejoindre son mari sur l'île du Diable –, il restait un homme d'écoute et de dialogue. Il resta fidèle aux nombreuses amitiés nouées dans le combat dreyfusard et tenta le plus possible d'aplanir les conflits qui surgirent après la grâce entre les anciens combattants. Il consacra une large partie de sa fortune à soutenir les publications dreyfusardes de Stock, à financer les placards que faisait diffuser Bernard Lazare, à rémunérer ses trois avocats et leurs secrétaires, Edgar Demange, puis Fernand Labori et simultanément Henry Mornard pour toutes les procédures devant la Cour de cassation, de la révision du procès Zola jusqu'à la réhabilitation du 12 juillet 1906. Sa fortune servit aussi à coordonner l'action de toute la famille, ses frères et sœurs et leurs propre famille qu'il accueillait dans son appartement de la rue de la Victoire. Mathieu Dreyfus fut essentiel pour animer ce groupe familial, conserver l'unité de ses proches et garantir à sa belle-sœur et à ses enfants la meilleure des existences au milieu de ce drame indicible.

Tous les témoignages des nombreux défenseurs qui vinrent, à partir de 1897, entourer la famille de Dreyfus et soutenir son action insistèrent sur les hautes valeurs morales et le grand courage de Lucie. « S'il y avait, parmi tous les personnages du drame, un être qui fût digne de tous les respects, c'était Lucie Dreyfus. Une telle infortune si noblement supportée depuis cinq années, sa foi inébranlée, le prodigieux effort par lequel elle avait écarté de ses enfants jusqu'au soupçon de l'épouvantable tragédie, avaient imposé jusqu'alors aux plus endurcis une pitié pareille à de l'admiration », écrivit Joseph Reinach à l'arrivée de Dreyfus en France[108]. Il témoigna aussi de sa joie sans partage à l'annonce de l'ouverture de la procédure de révision, le 29 octobre 1898 : « Les amis coururent chez Lucie Dreyfus. Le public l'eût voulue plus démonstrative ; elle était, comme son mari, de la race des classiques. Il lui eût été facile de parler à l'imagination de la foule ; elle aurait cru manquer à elle-même, et à celui qui était là-bas, si elle avait affiché son deuil et ses efforts. Elle avait une entière confiance dans les conseils de Mathieu ; pourtant, elle ne fut nullement passive, exprima plus d'une fois des avis qui se trouvèrent judicieux. Depuis un an, je la voyais souvent entre ses enfants et ses parents, sa mère, fille d'un officier, son père, d'intelligence très déliée et fine ; toujours je la trouvais égale à elle-même. Elle rayonnait ce jour-là, victorieuse, au terme de son supplice [109]. »

Après le départ de son mari pour la Guyane, Lucie réorganisa toute sa vie avec ses enfants, entre sa famille et sa belle-famille. Elle alla habiter rue de Châteaudun chez ses parents et dissimula à Pierre et Jeanne les raisons véritables de l'absence de leur père : pour eux, il était « en voyage ». Il leur écrivait de temps à autre des lettres, eux-mêmes lui en écrivaient, et ils recevaient de sa part, à chaque occasion, de beaux cadeaux. Lucie et ses proches parvinrent ainsi à préserver les deux enfants, comme elle le rappela à Alfred dans une lettre de la fin de l'année 1898, alors que progressait la révision : « Je songe avec bonheur à ton retour. Je te vois retrouvant tes enfants chéris si grandis, si changés, et toi si heureux au milieu de tous les tiens, de tous les nôtres, de nous tous qui ne saurons que faire pour te rendre bien heureux. Par un hasard vraiment miraculeux, les enfants ne savent rien, ils te croient retenu en voyage, et tu auras ainsi la joie de retrouver des petites âmes qui auront traversé inconsciemment la période la plus terrible, la plus critique de leur vie, sans avoir souffert, sans s'être doutées de rien [110]. »

Pierre et Jeanne ne sortaient guère. Leur mère leur enseignait les connaissances indispensables pour leur âge, et Mathieu les avait mis sous la protection de plusieurs détectives lorsqu'ils allaient se promener avec leur mère. Les étés, Lucie les passait à Chatou, dans cette villégiature de l'Ouest parisien où ses parents possédaient une luxueuse villa, avenue de Brimont, ou bien au Vésinet, là où ses cousins Lévy-Bruhl allaient acheter l'une des plus belles demeures dans le parc des Ibis. L'été 1897, elle loua une villa, avenue des Courses.

Si son action en faveur de son mari fut incessante, elle fut strictement encadrée par Mathieu qui dirigeait les opérations. Sa première tâche, on l'a vu, fut de soutenir son moral grâce aux lettres exceptionnelles qu'elle lui adressa (et dont l'essentiel a été publié en 2005 aux éditions des Mille et Une Nuits [111]). Elle œuvra aussi pour améliorer au mieux son quotidien en lui adressant, lorsque c'était possible, des colis de livres ou de nourriture. Elle déposait également chaque mois une somme de cinq cents francs pour les achats qu'il parvenait à faire à Cayenne par l'intermédiaire de maisons de commerce [112]. Ces envois furent interdits à partir de mars 1896, mais elle continua cependant à envoyer cet argent jusqu'à la fin du mois de juin en tout cas [113]. Elle agit pareillement pour les colis de livres et de revues, pendant que son mari requérait systématiquement l'administration lorsqu'il constatait des retards excessifs ou inexpliqués dans la réception des ouvrages dont Lucie lui avait annoncé l'arrivée prochaine [114]. En avril 1897, elle demanda au directeur de l'administration pénitentiaire de « lui faire connaître si les colis postaux qu'elle [adressait] à son mari par l'intermédiaire de la maison Potin, de Paris, [parvenaient] et [étaient] remis régulièrement ». Le gouverneur estima que « le fonctionnaire en cause pense qu'il ne saurait lui appartenir, même pour l'objet le plus insignifiant, d'entretenir une correspondance avec la personne sus-indiquée » et proposa « de faire directement renseigner Mad⁰ Dreyfus, en lui faisant indiquer que les colis destinés à son mari sont toujours parvenus à destination[115] ». L'obstination de l'État à refuser au prisonnier le strict respect des formes légales de détention n'avait d'équivalent que la détermination de Lucie à faire reconnaître ses droits. Le gouvernement les battit en brèche davantage encore lorsqu'il interdit à Lucie de renseigner son mari sur les nouveaux développements judiciaires de l'affaire à partir de 1898. Elle était dans son droit, et elle était aussi dans son devoir.

Lucie Dreyfus porta le nom de son mari dans tous les moments de l'action publique ou judiciaire, elle le représenta. Son rôle fut à cet égard essentiel même si tout à fait formel puisque les lettres ou les requêtes qu'elle fut amenée à signer étaient rédigées par Mathieu Dreyfus et Edgar Demange avec l'aide de Bernard Lazare. Alfred avait assigné à son épouse la tâche de défendre son honneur et de retrouver, avec l'aide de son frère et en mettant tous les moyens qu'autorisait leur fortune, le véritable coupable. Il lui rappela à de très nombreuses reprises cette mission sacrée, et elle ne cessera d'agir dans un contexte très difficile dont il ne pouvait prendre la mesure. Si bien qu'il fut souvent injuste dans ses lettres en considérant l'absence de nouvelles positives comme le résultat de l'indifférence de ses proches pour son calvaire.

Lucie s'employa de toutes ses forces à œuvrer pour l'honneur de son mari et à révéler au monde l'injustice absolue dont il était victime. Elle se fit également un devoir de l'avertir de toutes les circonstances qui pourraient lui être favorables et signifier le début d'une reprise de l'action judiciaire en sa faveur. Mais, systématiquement, le ministre des Colonies bloqua cette correspondance. Le 20 juillet 1897, elle prit ainsi sur elle d'avertir son mari « qu'une haute personnalité du Sénat avait pris sa cause en mains[116] ». La lettre fut interceptée et supprimée, comme le reconnut le ministre André Lebon lors d'une audience accordée à Joseph Reinach[117]. Une nouvelle lettre écrite en mars 1898 et qui révélait l'identité d'Auguste Scheurer-Kestner et l'importance de ses efforts en faveur de la réhabilitation se trouva également arrêtée par le ministère. La communication de l'arrêt de recevabilité de la chambre criminelle du 29 octobre 1898 fut pareillement refusée comme on l'a vu, à un moment où Alfred semblait avoir perdu ses derniers espoirs et sombré dans la détresse. Mais Lucie lui avait aussitôt écrit pour lui annoncer la décision de la chambre criminelle de la Cour de cassation déclarant recevable la demande en révision formée par elle-même le 3 septembre précédent à la suite des aveux et du suicide du lieutenant-colonel

Henry, auteur des faux destinés à accabler Dreyfus. Non seulement le gouvernement interdit de communiquer la lettre au prisonnier ou toute autre « communication ayant pour objet la situation personnelle du condamné [118] », mais, de surcroît, le ministre de la Guerre, Freycinet, considéra que, « l'arrêt de la Cour de cassation n'ayant rien changé au régime pénal du condamné, il est naturel de continuer, jusqu'à nouvel ordre, à soumettre sa correspondance aux mêmes restrictions qu'auparavant ».

Le gouvernement niait ici le droit formel de tout condamné à être informé des faits légaux le concernant. La Cour de cassation exigea alors que la loi fût respectée. Les magistrats s'impatientèrent vivement devant ce mépris répété pour la loi. La chambre criminelle rendit, le 14 novembre, une ordonnance en vertu de laquelle le ministre des Colonies était prié de « faire connaître, par voie rapide, au condamné Dreyfus, détenu à l'île du Diable, l'arrêt du 29 octobre dernier, qui a déclaré la demande en révision recevable, et de l'inviter à produire, d'urgence et directement, à la cour ses moyens et observations [119] ». Le ministre des Colonies dut s'exécuter. L'arrivée de cette nouvelle représenta le « premier espoir qui lui est né, là-bas, dans cette île du Diable ». « Ce jour-là, expliqua-t-il au journaliste et essayiste Jules Huret qui fut seul à faire avec lui le voyage de Rennes à Carpentras après sa remise en liberté le 19 septembre 1899, j'ai entraperçu une fin. C'est tout [120]. »

Fin décembre 1898, Dreyfus avait reçu la lettre du 22 novembre par laquelle Lucie se réjouissait que « le gouvernement [lui] [envoyât] un télégramme [l'] avertissant de la recevabilité de [sa] demande et [lui] annonçant un envoi de documents qui [lui] [permettraient] de préparer [sa] défense ». Elle lui avait raconté dans la même lettre les difficultés de toutes ces années pour le tenir informé des progrès de leur combat : « Je ne sais si tu as reçu mes lettres des mois derniers dans lesquelles je te racontais dans leurs grandes lignes les efforts que nous avions faits pour arriver à pouvoir demander la révision de ton procès, puis la procédure engagée et la recevabilité de la demande. Chaque nouveau succès, quoiqu'il me rendît bien heureuse, était empoisonné par l'idée que toi, pauvre malheureux, tu étais dans l'ignorance des faits, et que sans doute tu étais en train de désespérer [121]. » Alfred l'avait aussitôt rassurée : « Si ma voix eût cessé de se faire entendre, c'est qu'elle eût été éteinte à tout jamais, car si j'ai vécu, c'est pour vouloir mon honneur, mon bien propre, le patrimoine de nos enfants, pour faire mon devoir comme je l'ai fait partout et toujours et comme il faut toujours le faire, quand on a pour soi le bon droit et la justice, sans jamais craindre rien ni personne. Quand on a derrière soi tout un passé de devoir, une vie toute d'honneur, quand on n'a jamais connu qu'un seul langage, celui de la vérité, l'on est fort, je te l'assure, et si atroce qu'ait été le destin, il faut avoir l'âme assez haute pour le dominer jusqu'à ce qu'il s'incline devant vous [122]. »

Dans cette même lettre du 26 décembre 1898, Dreyfus disait à sa femme avoir lu, « avec une singulière émotion, les termes de ta demande en révision, dans laquelle tu exprimais admirablement, comme je les avais déjà exprimés dans les demandes de révision, les sentiments qui m'animent en demandant qu'on mît fin au supplice d'un innocent – j'ajouterai au supplice d'une noble femme, de ses enfants, de deux familles –, d'un innocent donc qui a toujours été un soldat loyal, qui n'a pas cessé, même au milieu des plus horribles souffrances d'un châtiment immérité, de protester de son amour ardent pour la patrie, pour sa grandeur dans tous les domaines, patrie à laquelle il a tout donné, tout sacrifié, à laquelle, après comme avant ce lugubre drame, il sera prêt à donner sa vie, et de sa foi dans la justice définitive [123] ». Cette demande était celle du 3 septembre 1898 ainsi rédigée et adressée au ministre de la Justice :

Monsieur le ministre,

J'ai eu l'honneur, au mois de juillet, de vous remettre une requête où je vous demandais d'user du droit qui vous est conféré par la loi, et qui n'est conféré qu'à vous seul, de déférer à la Cour de cassation le jugement rendu, en violation de l'article 101 du code militaire, contre mon infortuné mari.

J'ai l'honneur aujourd'hui, monsieur le ministre, de m'adresser une seconde fois à vous, parce que la loi sur la révision ne me permet pas de saisir moi-même et directement la justice. Vous seul, vous avez le droit de provoquer la révision d'un jugement de condamnation pour un fait nouveau tendant à établir l'innocence du condamné.

En dehors de toutes les révélations qui, depuis plusieurs mois, ont fait la lumière sur l'erreur judiciaire de 1894, qui ont provoqué dans le pays une si profonde émotion, il n'est pas possible que votre esprit ne soit pas frappé de ces deux faits :

C'est d'abord l'expertise même du bordereau, qui a été faite au procès de janvier 1898. Cette expertise n'a pas été communiquée à mes conseils, dont l'intervention au conseil de guerre a été refusée. Mais il résulte pour moi, d'informations sûres, que cette expertise n'aboutit point aux mêmes conclusions que l'expertise de 1894.

Il y a ensuite l'aveu, fait par l'un des principaux instigateurs et témoins du procès de mon mari, qu'il a fabriqué lui-même une pièce que le ministre de la Guerre, dans son discours du 7 juillet, a déclaré, bien que postérieure à la condamnation, être la preuve décisive de la culpabilité de mon mari.

Cette preuve s'écroule ; s'écroulant, elle ôte toute valeur aux dépositions et aux agissements qui ont surpris la bonne foi des juges de 1894, puisque ce témoin, l'artisan de la condamnation de mon mari, a été convaincu du crime de faux dans les conditions que vous savez.

Mais, monsieur le ministre, comme je viens de vous le dire, dans le cas nouveau de révision qui a été institué par la loi [de 1895] sur les erreurs judiciaires, le droit de demander la révision n'appartient ni à l'innocent qui a été injustement condamné, ni à sa femme et à ses enfants.

Ce droit n'appartient qu'à vous seul.

Je viens donc vous demander, monsieur le ministre, d'user sans retard des droits qui vous sont conférés par la loi, qui ne sont conférés qu'à vous tant pour l'annulation que pour la révision d'un jugement qui n'a été ni juste ni légal, d'entendre la voix maintenant presque unanime de l'opinion publique et de mettre fin au supplice d'un innocent qui a été toujours un soldat loyal, qui n'a cessé, même au milieu des plus horribles souffrances d'un châtiment immérité de protester de son amour pour la patrie, de sa foi dans la justice définitive [124].

Dans les derniers jours de 1898, sur son île, Dreyfus avait pu ainsi prendre connaissance des éléments découverts sur son affaire, dont il ignorait tout. La lettre de Lucie qui lui fut donnée à lire n'était que l'une des nombreuses missives adressées aux ministres des gouvernements de la République, aux parlementaires de la Chambre des députés et à l'opinion publique. Le premier acte de cette bataille que Lucie signa de son nom intervint après la mise aux fers de son mari provoquée par la fausse nouvelle de son évasion que lança Mathieu Dreyfus le 3 septembre 1896. Avec les articles du *Figaro*, du *Jour* et de *L'Autorité*, avec les révélations de *L'Éclair*, la voie était libre pour l'offensive. Pendant que Bernard Lazare préparait la nouvelle version de son mémoire en vue de sa publication en Belgique, Lucie déposait, le 18 septembre 1896, sur le bureau de la Chambre des députés, le texte d'une pétition rédigée par Me Demange mais signée par elle [125] :

Messieurs les députés,
Le journal *L'Éclair*, dans le numéro du mardi 15 septembre paraissant le lundi matin, a publié, en défiant toute contradiction, qu'il y avait une preuve matérielle, irréfutable de la culpabilité de mon mari, que cette preuve était aux mains du ministre de la Guerre qui l'avait communiquée confidentiellement, pendant le délibéré, aux juges du conseil de guerre, dont elle avait formé la conviction, sans que l'accusé ni son défenseur en aient eu connaissance.
Je me refusais à admettre un pareil fait et j'attendais le démenti que l'officieuse agence Havas oppose à toute nouvelle fausse, même de moindre importance que celle-là.
Le démenti n'est pas venu. Il est donc vrai qu'après des débats enveloppés du mystère le plus complet, grâce à un huis clos, un officier français a été condamné par un conseil de guerre sur une charge que l'accusation a produite à son insu et que par suite ni son conseil ni lui n'ont pu discuter.
C'est la négation de toute justice.
Subissant depuis bientôt deux ans le plus cruel martyre comme le subit celui en l'innocence duquel ma foi est absolue, je me suis renfermée dans le silence malgré toutes les calomnies odieuses et absurdes répandues dans le public et dans la presse.
Aujourd'hui c'est mon devoir de sortir de ce silence et sans commentaires, sans récriminations, je m'adresse à vous, messieurs les députés, seul pouvoir auquel je puisse avoir recours et je réclame justice.
Lucie Dreyfus [126].

La Chambre ne donna pas suite à la démarche de Lucie Dreyfus, suivant en cela le gouvernement qui tentait de faire silence sur toute l'affaire. Le comité des pétitions vota l'ordre du jour sur la requête [127], et le rapporteur, le député de l'Eure Charles Loriot [128] conclut au devoir de respecter la chose jugée, position qui était celle du ministre de la Guerre, le général Billot, du président du Conseil, Jules Méline, et de l'ensemble de la presse gouvernementale [129].

Un an plus tard, Lucie Dreyfus se félicita que le commandant Esterhazy, dénoncé par son beau-frère Mathieu sur la requête d'Auguste Scheurer-Kestner, fût déféré par le gouverneur militaire de Paris devant un conseil de guerre. Elle fit à ce sujet une déclaration à l'agence nationale, le 6 décembre 1897 : « Je suis heureuse de pouvoir espérer maintenant que justice sera enfin rendue. On établira sans peine l'innocence de mon mari qui, réhabilité, oubliant le douloureux calvaire qu'il a été obligé de gravir, ne se souviendra plus, au milieu de sa famille et de ses enfants, des tortures morales et physiques qu'on lui aura fait subir [130]. »

Lucie Dreyfus dut réagir ensuite à la légende des aveux de son mari qui avait resurgi avec insistance dans la presse nationaliste [131]. Elle réitéra sa protestation le 14 puis le 16 janvier 1898 lorsqu'elle rendit publiques deux lettres adressées au député radical et nationaliste Godefroy Cavaignac. Lucie Dreyfus réagissait là aux déclarations du futur ministre de la Guerre faites au cours du débat parlementaire relatif à la crise ouverte par la publication de « J'accuse... ! », le 13 janvier. Cavaignac avait rappelé à la tribune de la Chambre la légende des aveux qu'un officier, le capitaine Lebrun-Renault, aurait recueillis de la bouche de Dreyfus pendant la parade de dégradation du 5 janvier 1895 [132]. « J'oppose à cette affirmation un démenti catégorique, absolu », écrivit Lucie Dreyfus. Elle avance ensuite les preuves qui démontrent que de tels aveux n'ont pas eu lieu et qu'ils sont même impossibles eu égard à l'ensemble des déclarations du condamné. Elle rappelle également que, à la veille de la dégradation, Dreyfus fut une nouvelle fois interrogé par le commandant du Paty de Clam, séance à la suite de laquelle Dreyfus écrivit au ministre de la Guerre une lettre proclamant à nouveau son innocence [133]. Pour elle, la question ne pouvait être celle de ces pseudo-aveux mais bien celle de la machination judiciaire perpétrée contre son mari dans l'enceinte du conseil de guerre [134].

Puisque Cavaignac revint à la charge en déclarant qu'il existait « un témoignage écrit des déclarations du capitaine Lebrun-Renault » détenu par le ministre de la Guerre, Lucie Dreyfus insista une nouvelle fois et avec plus de fermeté en citant d'autres témoignages annulant ces pseudo-aveux et concluant, plus nettement encore que dans sa première lettre :

> Vous pouvez demander à M. Lebon, ministre des Colonies, de vous montrer les lettres dont il ne m'envoie plus que des copies, me privant ainsi de la vue même de cette chère écriture. Lisez ces lettres, monsieur, vous n'y

trouverez, dans l'affreuse agonie de ce supplice immérité, qu'un long cri de protestation, qu'une longue affirmation d'innocence, l'invincible amour de la France.

Vivant ou mort, mon infortuné mari, je vous le jure, sera réhabilité. Toutes les calomnies seront dissipées, toute la vérité sera connue. Ni moi, ni nos amis, ni tous ces hommes que je connais seulement de nom, mais qui ont, eux, le souci de la justice, ne désarmeront jusque-là[135].

Il était probable que tout ou partie de la lettre lui avait été dicté. Mais il était néanmoins clair que son rôle s'était désormais accru dans la défense de son mari. Pour preuve, la décision d'Émile Zola et de ses avocats[136] de la faire témoigner au procès intenté après « J'accuse... ! » par le ministre de la Guerre. Un grave incident se produisit à la deuxième audience, le 8 février 1898, alors qu'elle vint à la barre de la cour d'assises de la Seine. Le président, Albert Delegorgue, refusa que la question de Me Labori lui fût posée, car elle sortait selon lui du cadre, volontairement très restrictif, des termes de l'assignation[137]. Les « Conclusions relatives à l'audition de Mme Alfred Dreyfus », aussitôt déposées par la défense, furent rejetées une première fois[138]. Mais la cour revint sur sa décision pendant la troisième audience et prononça un arrêt autorisant l'audition de Lucie Dreyfus[139]. Invitée à déposer le lendemain, elle demanda finalement qu'on renonçât à son témoignage. « Mme Dreyfus m'écrit, déclara Me Labori : "J'ai répondu à l'appel de mon nom à l'audience de mardi ; je me suis imposé cet effort, parce que j'espérais dire devant la cour ma profonde reconnaissance et mon admiration pour M. Zola. [...] Les angoisses de ces trois journées, s'ajoutant à tout ce que j'ai souffert, m'ont mis hors d'état de supporter cet excès d'épreuves. Permettez-moi de ne pas me présenter à la barre[140]. »

L'annulation par la Cour de cassation, le 2 avril 1898, du verdict condamnant Émile Zola et l'arrivée à la présidence du gouvernement du radical Henri Brisson en juin créèrent un contexte favorable à la possibilité d'une requête en annulation du procès de 1894. Lucie Dreyfus déposa sa demande le 5 juillet 1898[141]. La presse nationaliste se déchaîna contre l'initiative qui précédait de deux jours le discours très offensif que Cavaignac, nouveau ministre de la Guerre, allait prononcer à la Chambre contre Dreyfus et les dreyfusards coupables de défendre un traître jugé. Le ministre de la Justice dans le gouvernement Brisson, Ferdinand Sarrien, ne répondit pas à la requête, malgré les interventions répétées de Joseph Reinach auprès du président du Conseil[142]. Ce n'est qu'après le suicide du lieutenant-colonel Henry qu'Henri Brisson réagit enfin. Découvrant que son ministre de la Guerre ne comptait pas tirer les conclusions de l'événement tragique, il prit la décision le 4 septembre 1898, trois jours après le suicide de l'officier faussaire, de faire savoir à Mathieu Dreyfus que le gouvernement s'étonnait de n'avoir pas reçu de nouvelle requête en révision de la part de la femme du condamné. L'émissaire de Brisson ne put que rencontrer Joseph Reinach qui s'engagea pour que le document soit déposé le soir même à la chancellerie du ministère de la Justice. Lui-même, dans son *Histoire de l'affaire Dreyfus* [143], et Jaurès dès le 8 septembre dans *La Petite République*, s'étonnèrent de la pusillanimité du gouvernement : « Pourquoi laisser à Mme Dreyfus l'initiative de la procédure de révision, au lieu de l'ouvrir soi-même au nom de la France ? » s'exclama l'auteur des *Preuves* qui allaient paraître en volume quelques jours plus tard. L'histoire retiendra cependant que ce fut une femme, ou plutôt l'épouse d'un homme, qui signa le texte par lequel son innocence pourrait être reconnue. En effet, Lucie Dreyfus fut écartée de la réunion au cours de laquelle fut arrêtée, chez Joseph Reinach, la rédaction de la lettre [144]. Il est probable que ces hommes ne réalisèrent même pas la contradiction qui pouvait exister entre la signification de la signature portée au bas de la nouvelle requête en révision et la représentation de la place de Lucie que possédait l'ensemble de ces dreyfusards pourtant libéraux et engagés dans un combat pour le droit et la vérité. En revanche, c'est bien Lucie qui adressa, le 3 juin 1899, un télégramme arrivé à 9 h 30 du matin heure locale et qui portait ces quelques mots : « Cour cassation proclame révision avec renvoi devant conseil de guerre. Cœur et pensées auprès de toi ; nous partageons immense bonheur. Baisers émus. Nous sommes tous très heureux [145]. »

## L'impossible renoncement de Lucie

Un autre des combats de Lucie, et dont elle put raconter enfin les péripéties à Alfred pendant ce mois de rencontres à Rennes avant le début du procès, fut l'interminable bras de fer qui l'opposa aux successifs ministres des Colonies au sujet de son droit de le rejoindre. Certes, Dreyfus avait demandé à sa femme de ne pas le suivre : « Il faut que tu restes, avait-il écrit dans la nuit de Noël 1894, il faut que tu vives pour les enfants. Songe à eux d'abord avant de penser à moi ; ce sont de pauvres petits qui ont absolument besoin de toi [146]. » Elle s'obstina néanmoins. Le 18 février 1895, trois jours avant l'embarquement d'Alfred, elle adressa une demande au ministre des Colonies, Émile Chautemps [147]. Sûre de son droit qui était absolu [148], elle se préparait à embarquer avec son mari lorsqu'elle apprit par les journaux que son départ avait été précipité. Persuadée qu'il ne s'agissait que d'une question de jours, elle continua d'annoncer à son mari son arrivée prochaine à ses côtés. « Je n'ai plus qu'un espoir : te rejoindre », écrit-elle le 23 février. « J'ai fait ma demande au ministère ; j'attends sa réponse avec une impatience fébrile », ajoute-t-elle le 26 [149]. Comme la réponse tardait – et pour cause puisque le gouvernement, sous la pression du ministre de la Guerre responsable de la conspiration contre Dreyfus, avait décidé de ne pas donner suite à une demande pourtant légale et légitime – elle écrivit de nouveau au ministre et adressa une supplique solennelle au président de la République : « Mon mari a une conscience pure, son honneur n'a jamais failli... J'ai obtenu de lui l'immense sacrifice de vivre ; je veux, au moins, l'aider à accomplir sa tâche, le soutenir par ma présence, par mon affection... Je vous supplie : permettez-moi d'aller, à ses côtés, partager sa vie, sa demeure ; vous ferez un acte d'humanité[150]. »

En dépit de la chute du gouvernement Dupuy et du départ du général Mercier, le nouveau cabinet présidé par Alexandre Ribot adopta la même attitude de refus. « Chautemps demanda, par dépêche, raconte Joseph Reinach, au directeur des Établissements de la Guyane s'il était possible d'installer Mme Dreyfus à l'île du Diable. Le directeur câbla (par ordre ?) que le régime auquel était soumis le condamné s'y opposait[151]. [...] La violation de la loi, le mensonge, étaient si flagrants, que ni Chautemps ni Félix Faure n'osèrent adresser un refus motivé à l'infortunée. Leur seule réponse fut le silence. Six mois plus tard, elle réitéra sa demande, son instante prière. Et le Conseil des ministres la repoussa encore, sous le même prétexte [en octobre 1895] ; et, encore une fois, on laissa sans réponse la malheureuse qui se désespérait. Elle eût voulu saisir l'opinion de cette nouvelle iniquité ; on l'en dissuada[152]. » De ce récit, on retient une nouvelle fois la détermination de Lucie à faire respecter son droit et celui de son mari. Lorsque le ministère des Colonies passa, en 1896, entre les mains d'un homme de plus grande humanité, elle put obtenir un entretien avec lui[153]. Paul Guieysse, dont le fils, polytechnicien, devrait faire partie des officiers défenseurs de Dreyfus, la reçut et l'assura de sa volonté de saisir le Conseil des ministres de sa demande. Par une lettre du 23 janvier 1896, il lui transmit le refus du gouvernement : « J'ai le regret de vous informer qu'en raison de la situation spéciale dans laquelle se trouve le déporté Dreyfus, ainsi que des nécessités de surveillance, il n'est pas possible de déférer au désir que vous avez manifesté[154]. »

À cette époque, l'opinion publique n'avait pas été saisie de cette injustice. L'aurait-elle été qu'elle n'aurait pas défendu le droit de Lucie Dreyfus puisqu'elle était hostile au « traître Dreyfus ». Au début de l'année 1898, le contexte s'était modifié avec l'acquittement d'Esterhazy, avec « J'accuse... ! » et les « pétitions des intellectuels », avec l'ouverture du procès Zola où elle fut citée à comparaître[155]. C'est le moment où elle répéta sa demande au titulaire des Colonies, André Lebon, l'homme qui avait durci considérablement les conditions de détention de son mari. Il ne prit même pas la peine de répondre à sa lettre où elle invoquait « la loi » et sa « pitié ». Une note officieuse fut publiée dans Le Matin afin de justifier ce silence et le refus gouvernemental. Distinguant les *transportés* des *déportés*, le texte commettait un total abus de pouvoir[156]. Mais le fait que le gouvernement, cette fois, tenta de justifier son refus indiquait que le débat, de purement juridique et administratif, s'était transporté sur le terrain public et politique. Ce nouveau refus permit à Joseph Reinach de prendre à témoin l'opinion sur l'injustice flagrante faite à Lucie Dreyfus et sur le viol des droits du déporté. Il interrogea de grands juristes et rendit publiques le 20 mars 1898 leurs réponses dans un article du *Siècle* qui s'acheva sur un constat et des questions solennelles[157]. Cette initiative fut relayée par le grand journal modéré *Le Temps* qui soumit à plusieurs jurisconsultes la consultation de Joseph Reinach. Ce débat autorisa ce dernier à publier le 28 mars un nouvel article établissant le lien entre le viol de la loi pour rejeter la demande de Lucie Dreyfus et le statut de son mari, innocent et pourtant condamné. L'arbitraire dans lequel se trouve placé le gouvernement contribue à renforcer les soupçons sur l'illégalité du jugement de 1894. Ce nouveau succès dreyfusard, après la réussite du procès Zola, n'a pu se conclure qu'en raison de la détermination de Lucie à faire valoir son « droit de femme » dès la déportation de son mari. Si elle apparaît comme « instrumentalisée » par Joseph Reinach, c'est parce qu'elle l'a souhaité et qu'elle a fourni les moyens d'une telle offensive.

Le face-à-face opposant l'épouse du déporté au ministre des Colonies a porté uniquement sur ce droit de regroupement des familles arbitrairement refusé[158]. Elle a aussi exigé le respect de la légalité dans l'exercice de son droit de correspondance. Après l'alerte de la fausse tentative d'évasion et le durcissement considérable des conditions de détention à l'île du Diable (septembre 1896[159]), André Lebon fit suspendre pendant plusieurs semaines la correspondance du condamné[160], et les envois de livres qu'effectuait tous les trois mois Lucie Dreyfus furent supprimés[161]. Ces mesures exceptionnelles doublaient les règles ordinaires visant à intercepter des lettres, à ne pas les communiquer et, au final, à les détruire[162]. C'est à la même époque que la communication des originaux des lettres fut interdite[163]. Lorsque la mesure fut connue, la protestation fut véhémente, à l'exemple de l'appel « À André Lebon, ministre des Colonies » publié par le sénateur Arthur Ranc dans *Le Radical*.

> Ce qui est vrai, hélas ! trop vrai, puisque c'est affirmé par une lettre rendue publique de Mme Dreyfus, qui n'a pas été démentie par votre administration, au contraire, c'est que cette femme infortunée ne reçoit les lettres de son mari qu'en copie, en expédition sur papier administratif. Cela n'est pas dans le code pénal non plus, ni dans les règlements pénitentiaires.
> Je ne veux pas faire de phrases, mais s'il y a une femme en France qui, apprenant ce raffinement de répression, n'ait eu le cœur serré, celle-là, je la plains. Elle est desséchée par le confessionnal.
> L'administration des colonies a cru devoir balbutier des explications. D'après les journaux confidents de ces explications, si on ne remet qu'en copie à sa femme les lettres du prisonnier, c'est parce que la correspondance de Dreyfus a tous les caractères d'une correspondance à clef, chiffrée, parce qu'on s'est aperçu que par des artifices de ponctuation, par des fautes de ponctuation savamment combinées, Dreyfus écrivait des choses qui échappaient au contrôle de l'administration.

Vraiment, cette administration croit le public trop bête, et on a honte de répondre à de pareilles stupidités.

À qui ferez-vous croire, sordides tyranneaux du ministère des Colonies, que Dreyfus dans les rares et courtes entrevues qu'il a eues avec sa femme, sous l'œil inquisitorial des geôliers, non loin de l'oreille toujours éveillée de M. le commandant du Paty de Clam, ait pu convenir avec elle de signes orthographiques, de conventions, d'un langage chiffré, la chose du monde la plus compliquée ?

Et puis, il est là-bas, à l'île du Diable, isolé, séparé du monde, ne recevant de sa famille que des nouvelles que l'administration veut laisser passer... Il vit depuis trois ans dans cette cage que les journaux amis de M. du Paty de Clam ont décrit avec complaisance, avec amour... Que craignez-vous ? Avez-vous peur qu'avec ses artifices de ponctuation, au moyen d'une virgule habilement placée, il livre des secrets pouvant compromettre la défense nationale ?

En vérité, je vous le dis, c'est trop bête.

Dreyfus est coupable, c'est entendu, je vous l'accorde, monsieur Lebon. Mais sa femme, elle, est innocente. Elle est innocente et elle croit en l'innocence de son mari. Elle a foi en lui, elle l'aime, et dans son long et cruel martyre, vous lui enlevez cette consolation de recevoir les lettres mêmes du prisonnier, de toucher le papier dont il s'est servi, de revoir l'écriture qui lui est chère... Je m'arrête, j'ai dit que je ne ferais pas de phrases [164].

## Tel qu'en lui-même...

La correspondance entre Lucie et Alfred Dreyfus joua, on le sait, un rôle majeur dans l'Affaire. Décisive dans le lien qu'elle assura entre les deux époux, elle le fut également pour la mobilisation en faveur de Dreyfus. Car les lettres de Dreyfus servirent à démontrer que la cause était noble, que l'homme était grand. Déjà, en 1896 et 1897, la correspondance du déporté fut montrée en privé aux personnalités qui s'intéressait à son sort, de Joseph Reinach à Scheurer-Kestner. En 1898, « les lettres d'un innocent » furent révélées à l'opinion.

Le 19 janvier 1898, soit six jours après la publication de son « J'accuse... ! » dans L'Aurore, l'autre quotidien dreyfusard décida de publier les lettres écrites de prison et de déportation par le capitaine Dreyfus à son épouse Lucie. Le Siècle entendait répondre aux assertions du journal nationaliste L'Éclair qui laissait entendre que la culpabilité de l'officier ressortait de sa correspondance avec sa femme et sa famille [165]. Joseph Reinach, qui était à la fois un proche du directeur du Siècle Yves Guyot et un actif militant au sein du premier cercle des défenseurs de Dreyfus, comprit que la publication était indispensable : « Dreyfus, jusqu'alors, était apparu dans les récits des journaux comme un être sournois et bas, qui toujours avait répugné à ses camarades, suant le mensonge et la trahison, si bien qu'il était incompréhensible qu'on ne l'eût pas soupçonné, surveillé plus tôt. Il avait eu des amis avant le drame ; mais depuis, sauf deux ou trois, ils ne le voyaient plus qu'à travers sa condamnation et, lâchement ou inconsciemment (mais rien de plus humain), ils ajoutaient à sa flétrissure leurs médisances. J'obtins enfin de Lucie Dreyfus qu'elle me laissât publier les lettres du malheureux, ces preuves morales qu'elle n'avait plus le droit de ne pas verser au dossier, dans ce grand débat devant le monde [166]. »

Courant mai 1897, il avait reçu la visite de la jeune femme et de son père. « L'attitude de cette jeune femme, simple, mais très digne, la tête haute dans le deuil immérité de l'honneur, m'avait profondément ému, se souvint Joseph Reinach lorsqu'il rédigea le tome II de sa grande *Histoire de l'affaire Dreyfus*. Elle me donna à lire quelques lettres de son mari ; c'étaient les lettres d'un innocent [167]. » C'est alors qu'il prit la décision de publier ces « lettres d'un innocent ». Il dut convaincre Lucie Dreyfus qui ne souhaitait pas divulguer une correspondance très privée, très émouvante, où la conscience de Dreyfus se dégageait de toute convention pour s'exprimer dans sa nudité la plus forte [168]. La publication des premières lettres dans *Le Siècle* du 19 janvier 1898 intervint à un moment clef de l'affaire Dreyfus : Zola venait d'être condamné à l'issue de son procès ; une relance de l'offensive dreyfusarde s'imposait sans tarder.

Les réactions furent éloquentes chez les dreyfusards. Pour Zola écrivant en 1898, ces lettres « sont admirables, je ne connais pas de pages plus hautes, plus éloquentes. C'est le sublime dans la douleur, et, plus tard, elles resteront comme un monument impérissable, alors que nos œuvres, à nous écrivains, auront peut-être tombé dans l'oubli. Car elles sont le sanglot même, toute la souffrance humaine. L'homme qui a écrit ces lettres ne peut pas être un coupable. Lisez-les, lisez-les un soir, avec les vôtres, au foyer domestique. Vous serez baigné de larmes [169]. » Reinach rappela, dans son tome premier, ces lettres « d'une foi inébranlable, d'une tendresse profonde [170] ».

La publication du *Siècle* fut suivie, quatre mois plus tard, par l'édition de l'ensemble des lettres écrites par le capitaine Dreyfus, depuis le 5 décembre 1894 lorsqu'il avait été autorisé pour la première fois à écrire à sa femme depuis la prison du Cherche-Midi jusqu'au 5 mars 1898, date de la dernière lettre reçue par elle à Paris. Ces *Lettres d'un innocent* étaient précédées d'une introduction de Reinach, « Histoire d'une erreur judiciaire par un témoin de la vérité », et suivies du récit fait par l'ancien commandant des prisons militaires de Paris, le chef de bataillon en retraite Ferdinand Forzinetti, de la détention du capitaine Dreyfus et de sa conviction que le prisonnier était bien innocent. Un second appendice, signé de Lucie, réfutait la légende des aveux du capitaine et incluait de nouvelles lettres, cette fois écrites à son avocat, M^e Demange, avant et après la dégradation [171]. L'introduction, non signée mais due à Joseph Reinach, se terminait sur ces mots : « Veuillez, vous qui venez de parcourir ces lignes, lire encore avec attention les lettres de celui dont la cause ne peut vous laisser insensibles, et que nous reproduisons ci-après comme un complément éloquent de notre appel. Vous n'y trouverez ni explications, ni discussions, ni plaintes ; mais vous y entendrez le cri de la conscience, et vous serez émus jusqu'au plus profond de votre être par l'accent confiant et sincère d'une protestation à laquelle trois années de souffrances indicibles n'ont pas encore fait perdre tout espoir [172]. »

Ce commentaire des lettres du capitaine, cet hommage à travers elles au prisonnier de l'île du Diable, se prolongèrent. La publication des *Lettres d'un innocent* fit beaucoup pour ramener Dreyfus au centre d'une affaire qui se déroulait sans lui. Leur lecture renforça ou inspira de nombreuses convictions. Louis Havet s'en ouvrit au cours du procès qui allait commencer à Rennes, alors que Dreyfus découvrait comment ses lettres étaient devenues un livre de combat et de vérité.

> Je les ai lues bien des fois pendant la longue lutte que les partisans de l'innocence du capitaine Dreyfus ont soutenue contre les partisans de l'opinion contraire. Je les ai lues bien des fois, parce qu'elles m'intéressaient en elles-mêmes et qu'elles me faisaient du bien à lire. Je les lisais alors avec un sentiment instinctif, l'attention du grammairien étant endormie à ce moment.
>
> Je les lisais dans des moments où il semblait que la cause était perdue, ou, du moins, que son triomphe était ajourné à très longtemps ; dans des moments, par conséquent, où j'étais extrêmement affligé, dans des moments très noirs. Je souffrais de voir renaître les obstacles, non pas seulement par un sentiment d'humanité et de pitié pour une personne que je n'avais pas encore vue, mais par le sentiment du déshonneur et de tous les malheurs qu'une condamnation injuste, maintenue opiniâtrement par la France, pouvait attirer et sur l'armée et sur le pays tout entier. (*Mouvements.*) Dans l'hypothèse, en effet, où une telle condamnation est injuste, c'est un malheur épouvantable pour le pays. Et il me semblait que la France, s'il y avait une guerre, serait dans une situation inférieure, parce que l'ennemi verrait une souillure sur le drapeau tricolore.
>
> Eh bien, c'est dans ces moments où j'ai été parfois dans un désespoir sombre, qu'il m'est arrivé de lire ces lettres et de les relire, pour y chercher une leçon de courage, parce qu'elles sont pleines de phrases optimistes, suggérant l'énergie d'agir et l'énergie d'attendre, et suggérant aussi la confiance imperturbable dans la justice et dans la vérité.

Louis Havet se souvint qu'il était grammairien, professeur au Collège de France. Il releva la qualité formelle de la prose de Dreyfus.

> Je les ai donc lues bien des fois à un tout autre point de vue que celui du puriste et du grammairien. Et chaque fois que je les ai relues, j'ai été saisi par la netteté, le justesse parfaite et l'élégance mathématique et nerveuse du style.
>
> Non seulement il n'y a pas de fautes de grammaire, mais le capitaine Dreyfus est un excellent écrivain. Il a écrit des phrases qui sont des modèles au point de vue du style.

Je cite une phrase que j'ai déjà citée au procès Zola : « J'ai légué à ceux qui m'ont fait condamner un devoir » ; cette phrase est la perfection au point de vue du style et au point de vue de la langue. Elle est d'une justesse étonnante, absolument géométrique [173]. [...] Cette phrase est la perfection même de la langue ; je n'insiste pas, il y en a beaucoup d'autres ; les lettres contiennent de véritables modèles au point de vue du style et au point de vue de la langue [174].

C'était cet homme, représenté par son écriture et par son visage que l'on apercevait en portrait dans les journaux, que la France et le monde attendaient de voir à l'ouverture du procès de Rennes.

## « Justice »

Pour que ce procès ait été rendu possible, il avait fallu que la Cour de cassation triomphât de l'atmosphère de haine qui domina l'opinion à la fin de l'année 1898 et pendant tout le printemps 1899. Les magistrats furent injuriés comme jamais. La presse antisémite se rua contre les juges. « Je voudrais, écrit Rochefort dans *L'Intransigeant* du 18 octobre 1898, qu'on fît ranger tous les magistrats de la cour suprême en queue de cervelas, comme les détenus qui se promènent dans les maisons centrales. Puis un bourreau, bien stylé, leur couperait les paupières, et, lentement, leur viderait les orbites. Après quoi, on les exposerait place Dauphine, sur un grand pilori, avec cet écriteau : *Voilà comment la France punit les traîtres qui la vendent à l'Allemagne !* » Le 8 décembre s'ouvrit la souscription en faveur de la veuve du lieutenant-colonel Henry, organisée par *La Libre Parole*. Appelée « Monument Henry », elle se présentait comme un monument de haine antisémite mais aussi de violence contre le droit et la légalité. Les magistrats de la chambre criminelle furent stigmatisés, particulièrement son président d'origine alsacienne et protestante.

La loi de dessaisissement du 10 février 1899, qui visait directement ces magistrats, put laisser croire que la rue et les chefs nationalistes avaient gagné, à l'image de Georges Thiébaud déclarant le 5 décembre 1898, au nom de la Ligue des patriotes dirigée par Paul Déroulède : « S'il faut faire la guerre civile, nous la ferons [175] ! »

Contre toute attente, les magistrats des trois chambres réunies, loin d'enterrer l'Affaire, dénoncèrent le procès de 1894 et en proclamèrent la révision le 3 juin 1899. La « chose jugée » alla désormais vers les dreyfusards qui célèbrent leur victoire en y associant pleinement le capitaine Dreyfus. La Ligue des droits de l'homme adressa un remerciement public aux « champions de Dreyfus ». Jaurès souligna la force de l'instruction exposée par le rapporteur et le pouvoir du droit : « Sans doute aussi Esterhazy est légalement couvert contre toute poursuite nouvelle, mais M. Ballot-Beaupré a rappelé avec une éloquence émouvante que la cour avait du moins le droit de chercher dans les crimes impunis d'Esterhazy la preuve de l'innocence de Dreyfus. Ainsi, quoi qu'on fasse, l'innocence de Dreyfus sera légalement et moralement démontrée ; la trahison d'Esterhazy sera moralement établie, si elle ne peut plus être légalement châtiée. La vérité presse le pas [176]. » Joseph Reinach situa quant à lui la portée historique de l'arrêt des chambres réunies.

La lecture de l'arrêt en audience solennelle fut accueillie par un grand cri de : « Vive la Justice ! »

Il y eut, ce jour-là, dans le monde entier, une belle joie, un vif mouvement des cœurs, tous les regards tournées vers cette France qui venait de donner des spectacles si contradictoires, et ne parut jamais une plus déconcertante énigme. [...]

Plus d'un innocent est mort dans les bagnes russes ou dans les forteresses prussiennes ; on sait à peine leurs noms : Calas et Dreyfus ont été les hommes de l'humanité tout entière.

On dit : « L'innocence de Calas, celle de Dreyfus, le monde les a reconnues avant la France. » Cela est vrai. Il est facile, en effet, pour le spectateur de voir le piège où va choir l'acteur ; le difficile, c'est, étant acteur, au milieu des passions qui obscurcissent la vue et font la nuit, de ne pas tomber dans le piège. Or la France a glissé jusqu'à l'abîme ; elle n'y est point tombée. C'est un fait aussi que l'histoire a enregistré seulement deux grandes réparations judiciaires ; et toutes deux, Dreyfus, Calas, en France. On attend les autres peuples à l'épreuve ; encore la partie ne sera-t-elle plus égale, car la leçon donnée par la France, l'expérience qu'elle a faite, sont des enseignements pour le monde entier. À elle, à elle seule, ils ont coûté cher. Grâce à elle, à la tragédie qui l'a déchirée, un coin qu'on n'arrachera plus est entré dans la quiétude des juges, des justiciables. Les vieux codes, les vieux prétoires sont toujours debout. Cependant quelque chose est changé. Plus d'arrêt réputé infaillible ; sur chaque arrêt, la peur, l'ombre d'une erreur. Bien plus, c'est l'heure où Tolstoï écrit *Résurrection*. La justice humaine, pour la première fois, cherche sa justification, s'interroge : « Suis-je légitime ? » L'intérêt social dit encore : « Oui », la science hésite. Deux grands souffles ont passé, l'un de bonté, l'autre moins bienfaisant, de doute [177].

L'historien des littératures Paul Stapfer, professeur à la faculté de Bordeaux, publia l'« Examen de conscience d'un intellectuel après la victoire [178] ». Louis Havet tira de son côté les leçons politiques de la révision en écrivant : « L'arrêt de la Cour de cassation atteint les "cinq ministres". Il vise nominativement, et marque pour la Haute Cour M. le général Mercier. Quant à ses quatre successeurs qui ont usurpé un pouvoir judiciaire et prononcé officiellement sur la culpabilité d'un homme, la cassation par elle-même est pour eux un échec et un châtiment [179]. » Les conséquences politiques de l'arrêt furent également posées par la Ligue des droits de l'homme [180]. Une démocratisation rapide des institutions et de la société s'imposait. Mais l'urgent et l'essentiel restaient d'obtenir la vraie « réparation », la réhabilitation, comme le rappela Frédéric Passy le 6 juin : « Quelle peut être la réparation dans un cas comme le sien ? [...] Une chose au moins s'impose : c'est sa réhabilitation [181]. » Lucie Dreyfus demanda pourtant qu'on ne se réjouisse pas trop vite [182]. De nombreux hommages lui parvinrent, mais c'est vers son mari que se tournèrent les « hommages du monde ». Rentré d'exil le lendemain de l'arrêt, Émile Zola signa le 5 juin un article dans *L'Aurore*, « Justice » :

Maintenant que la bonne œuvre est faite, je ne veux ni applaudissements ni récompense, même si l'on estima que j'ai pu en être un des utiles ouvriers. [...] D'ailleurs, je l'ai déjà, ma récompense, celle de songer à l'innocent que j'aurai aidé à tirer du tombeau, où, vivant, depuis quatre années, il agonisait. Ah ! j'avoue que l'idée de son retour, la pensée de le voir libre, de lui serrer la main, me bouleverse d'une émotion extraordinaire, qui m'emplit les yeux de larmes. Cette minute suffira à payer tous mes soucis. Mes amis et moi nous aurons fait là une bonne action, dont les braves cœurs de France nous garderont quelque gratitude. Et que voulez-vous de plus, une famille qui nous aimera, une femme et des enfants qui nous béniront, un homme qui nous devra d'avoir incarné en lui le triomphe du droit et de la solidarité humaine [183] !

Un mois plus tard, Zola écrivit à Fernand Labori qui était son avocat et qui était devenu celui de Dreyfus : « La note de Dreyfus que vous m'envoyez me touche beaucoup. Il a tout compris, et notre récompense sera d'avoir sauvé une intelligence [184]. » Après cinq semaines d'études, le capitaine était prêt pour cinq semaines de ce procès dont il attendait la justice.

## LA « SUPRÊME BATAILLE »

La « suprême bataille [185] » qui se déroula du 7 août au 9 septembre 1899 fut un grand événement journalistique, judiciaire, international. Elle commença avant même l'arrivée du capitaine Dreyfus à Rennes. Sa femme, ses avocats et une partie des dreyfusards avaient déjà fait le voyage et l'attendaient dans une ville majoritairement hostile.

D'autres dreyfusards étaient restés à Paris et allaient suivre le procès depuis les rédactions de la capitale, attendant impatiemment les nouvelles de Rennes qu'une foule de journalistes, sur place, commençaient à transmettre dans le monde entier.

### Le centre du monde

Une bonne partie de l'élite parisienne et presque tout ce que l'Affaire avait compté de protagonistes proches ou lointains firent le voyage. Les nombreuses prises de vue photographiques réalisées en ville ou aux abords de la salle des fêtes du lycée qui abrita les audiences illustrèrent cette notoriété. La photographie avait fait son entrée dans le champ de la représentation médiatique.

L'événement fut couvert par toute la presse quotidienne ou illustrée, locale, nationale ou internationale. C'était la naissance de l'événement à l'échelle mondiale. La presse nationale et étrangère était massivement présente avec un luxe de moyens [186] et de correspondants souvent célèbres [187], dont Jaurès pour *La Petite République*. De nombreux juristes français et étrangers – dont le *lord chief justice* de la reine Victoria [188] – firent le voyage de Rennes. Des intellectuels et des savants racontèrent *leur* procès, tel André Chevrillon pour *La Revue du palais* que dirigeait l'avocat de Dreyfus Fernand Labori [189], ou Julien Benda pour *Le Siècle*. Eugène Naville renonça en revanche à couvrir l'événement pour le *Journal de Genève* [190].

Les antidreyfusards vinrent en force. L'ambiance dans la ville était très lourde [191]. L'armée et la gendarmerie avaient été mobilisées, et la Sûreté générale avait investi la capitale bretonne [192].

*La veille parisienne*

Tout le monde n'était pas du voyage de Rennes. Joseph Reinach resta dans la capitale. Sa présence avait été déconseillée à Rennes. Il préférait également pouvoir conserver un contact direct avec Waldeck-Rousseau. Il en profita pour s'occuper des éditions spéciales que *Le Siècle* allait consacrer aux vingt-neuf audiences du procès, comme Georges Clemenceau, resté également à Paris, le fit pour *L'Aurore*.

Déjà les principaux journaux dreyfusards s'étaient mobilisés sur le cas de la déportation à l'île du Diable, alors que Dreyfus en revenait si meurtri. La question des responsabilités était également posée. Georges Clemenceau [193], Joseph Reinach [194], Frédéric Passy [195], Louis Havet [196], publièrent des récits circonstanciés débouchant sur une mise en accusation des anciens gouvernements. André Lebon, ancien ministre des Colonies, fut particulièrement attaqué. Havet adressa plusieurs lettres aux journaux à ce sujet [197]. Dans *Le Figaro*, Jules Cornély ironisa sur le fait de savoir « si les fers et la palissade constituaient un surcroît de garanties bien nécessaire en face de l'océan peuplé de requins, dit-on, dans ces parages, et si Dreyfus n'aurait pas pu s'évader de son île les mains dans les poches, sans bateau. [...] Et puis, justifier des tortures par des racontars, par des bruits dont aucun ne s'est réalisé, ce n'est guère civilisé ! Avec ce système-là, l'on peut toujours proclamer les cruautés nécessaires et préservatives [198] ».

« On discuta la question de savoir si l'acte d'arbitraire commis par Lebon tombait sous le coup de l'article 115 du code pénal qui punit du bannissement le ministre coupable d'un acte arbitraire [199] », expliqua Joseph Reinach. Beaucoup, à son instar, considérèrent ces mesures comme illégales et arbitraires : « En effet, un condamné conserve des droits aussi sacrés, plus sacrés, puisqu'il est sans défense, que ceux de tout autre. Le premier de ces droits est de ne subir que la peine à laquelle il a été condamné par la justice ; la loi précise les cas exceptionnels où l'administration peut ordonner des mesures supplémentaires de rigueur [200]. »

## Les dreyfusards à Rennes

Une première équipe de défenseurs, composée de Bernard Lazare et de Pierre-Victor Stock, s'était déplacée à Rennes dès que fut connue la décision de la Cour de cassation [201]. Arrivés le 4 juin à l'aube, ils retrouvèrent Jules Aubry et Victor Basch qui les attendaient à la gare. Deux problèmes majeurs se posaient, l'état de l'opinion à Rennes et l'accueil des dreyfusards. Rennes était très majoritairement antidreyfusarde malgré les efforts des dreyfusards locaux : « Plusieurs professeurs de l'université, la Ligue pour la défense des droits de l'homme et du citoyen, le Cercle des études sociales, etc., ont fait ou organisé des conférences dont le résultat a été de convaincre deux mille à deux mille cinq cents habitants de Rennes de l'innocence du capitaine Dreyfus », peut-on apprendre dans un rapport secret communiqué au président du Conseil [202]. Les dreyfusards s'employaient activement à « préparer l'opinion » locale. Des conférences furent organisées « pour préparer les esprits à l'acquittement [203] ». Les dreyfusards parisiens déjà arrivés à Rennes allaient y participer, comme Raoul Allier. Des envois massifs d'exemplaires de l'*Histoire d'un innocent* et des *Défenseurs de la justice* furent également réalisés afin d'aboutir au même résultat [204].

Les dreyfusards pouvaient compter sur un petit pôle très actif de Rennais d'adoption réunis au sein de la section locale de la Ligue des droits de l'homme. Cinq universitaires, formaient le cœur de cette « phalange dreyfusarde ». Victor Basch, chargé d'un cours de langue et de littérature allemandes à la faculté des lettres, était secrétaire général de la section. Jules Aubry, professeur à la faculté de droit, la présidait. Jules Andrade, professeur à la faculté des sciences, Georges Dottin, professeur à la faculté des lettres, et Henri Sée, qui enseignait également à la faculté des lettres, en étaient les membres principaux [205]. D'autres universitaires [206] les rejoignirent, comme Jacques Cavalier, normalien, maître de conférences à la faculté des sciences, Paul Lapie, maître de conférences à la faculté des lettres, ou Pierre Weiss, de la même promotion que Cavalier et enseignant dans la même faculté.

Leurs efforts conjoints menés en direction des étudiants et des ouvriers dans le cadre de réunions de la Ligue des droits de l'homme ou du Cercle d'études sociales avaient fini par assurer une forte présence dreyfusarde dans la ville, permettant la contre-offensive ou même l'offensive contre les antidreyfusards et le milieu très réactionnaire la capitale bretonne. À la veille du nouveau procès de Dreyfus, les dreyfusards, avec en tête les membres de l'université, semblaient prêts et déterminés, même si des divergences apparaissaient sur le type d'action à mener pendant cette période cruciale du procès. Victor Basch s'en expliqua à Joseph Reinach dans une lettre du 7 juin 1899 :

> Deux avis sont en présence parmi les révisionnistes rennais. Les uns soutiennent qu'il ne faut rien faire – du moins publiquement – pour ne pas exaspérer les officiers, déjà assez exaspérés comme cela. Les autres, les ouvriers et moi, nous soutenons que le moment est venu au contraire d'élargir notre action et d'appeler à nous les ouvriers que nous n'avons pas pu atteindre jusqu'ici [...] *de façon à pouvoir opposer aux bandes nationalistes et antisémitiques, qui ont commencé le cours de leurs exploits le soir même de l'arrêt, des contre-manifestations organisées.* Le comité de la Ligue se réunit ce soir. Je pense qu'il prendra une position intermédiaire. [...] Le comité de la Ligue est prudent, le président entre autres [Jules Aubry], mon meilleur ami, très généreux, mais timoré [207].

Deux jours plus tard, Victor Basch pouvait écrire à Joseph Reinach que le choix d'une pression permanente contre les nationalistes avait été finalement retenu [208], sur la base d'un regroupement de toutes les forces révisionnistes unies dans une manière de « défense républicaine » qu'évoquera Joseph Reinach dans son *Histoire de l'affaire Dreyfus* [209]. De fait, la maîtrise de la rue rennaise appartenait aussi aux dreyfusards, entraînant des heurts avec les nationalistes. Les historiens Colette Cosnier et André Hélard mentionnent la journée du samedi 10 juin où les antidreyfusards ne parvinrent pas, cette fois, à atteindre la maison de Victor Basch pour y jeter des pierres comme à leur habitude. Au contraire, les forces républicaines organisèrent une contre-manifestation de près de quatre cents personnes. Deux lettres, d'Henri Sée et de Victor Basch, témoignèrent de cette nouvelle donne, deux mois avant l'ouverture du procès :

> Quelle sera l'attitude de la rue ?
> C'est difficile à savoir. Mais les nationaux peuvent se rendre compte *qu'ils ne seront pas maîtres de la situation.* Ils ont tenté une manifestation samedi, ils ont été rossés d'importance par les étudiants républicains et les ouvriers socialistes [210].
> Notre propagande dans les milieux ouvriers a porté ses fruits, et enflammés par notre manifeste nos amis ont démontré samedi soir aux antisémites *qu'ils n'étaient plus maîtres de la voie publique.* Déjà le chef des meneurs prêche le calme et reconnaît notre supériorité.
> Les ouvriers ont crié et frappé avec tant d'énergie que les jeunes preux bretons se le tiendront pour dit et se contenteront de manifestations anodines et sournoises contre moi [211].

Ce succès dreyfusard se traduisit par une intensification des attaques de la presse nationaliste contre Victor Basch et ses amis [212]. La section de la Ligue tint son assemblée générale le 19 juin, sous la présidence de Jules Aubry qui rendit hommage aux « ouvriers de la première heure ». Il put se féliciter que « le temps [soit] loin où les intellectuels voyaient se dresser contre eux toute une population. Aujourd'hui des républicains de toutes nuances sont venus à nous, mais c'est surtout le parti ouvrier qui nous a secondés avec le plus de spontanéité et d'énergie [213] ». Afin d'accroître cette présence dreyfusarde dans la ville, les ligueurs se chargeaient de diffuser les brochures et ouvrages de Pierre-Victor Stock qui arrivaient par le train. Leur diffusion en ville déchaîna la colère de la presse locale dont *Le Journal de Rennes* dans son édition des 24 et 27 juin.

Le terrain était donc prêt pour l'arrivée des premiers émissaires parisiens chargés d'organiser sur place, pour les dreyfusards, le bon déroulement du procès. Victor Basch put se féliciter auprès de Joseph Reinach de ce que l'essentiel du travail avait été accompli par les Rennais eux-mêmes, et de ce que celui-ci profitera en premier lieu au capitaine Dreyfus et à sa femme. La « petite armée » dont il parlait dans sa lettre du 7 juillet 1899 [214] était bien celle que composèrent, « en janvier 98, sept hommes doués de quelque clairvoyance et de quelque courage à réclamer la révision [215] ».

### L'attente de la justice

Tous attendaient la justice. Déjà présente dans les lettres privées adressées à Lucie et à Alfred, cette attente s'exprima fortement dans la presse dreyfusarde. Elle était doublement due à l'officier, en raison de son innocence démontrée par les dreyfusards, et pour toutes les souffrances qu'il avait subies sur l'île du Diable. Elle était due aussi à la France, à la République et au monde.

Jules Cornély, dans *Le Figaro*, appela à cette œuvre de justice dans un article paru le 30 juin 1899, alors que le *Sfax* approchait des côtes de France. Il dressait un véritable programme de conquête des « hommes de bonne foi » par la seule force de la vérité. Et il se donnait, à lui et à tous ceux qui ont mené ce combat, le devoir de réussir :

> L'œuvre de justice va commencer. Il est nécessaire qu'elle soit aussi ample et aussi complète que possible. Sans doute les gens qui, malgré leurs promesses réitérées et solennelles, ont refusé de s'incliner devant l'arrêt de la Cour de cassation ne s'inclineront pas davantage devant l'arrêt du conseil de guerre. Ils ne liront pas plus le compte rendu des débats de Rennes qu'ils n'ont lu l'enquête. Mais ces gens, quel que soit leur nombre, ne comptent pas. Ceux qu'il faut convaincre sont les hommes de bonne foi.
> Rien ne doit être négligé pour leur faire toucher du doigt la vérité. On cite un général, on cite un ancien magistrat qui, faisant de la culpabilité de Dreyfus leur gloire, leur honneur et le but de leur carrière, se disposent à se porter en quelque sorte parties civiles contre lui et à proposer des preuves de sa trahison. Qu'ils viennent. Qu'on les convie. Qu'on les écoute. Qu'on discute avec eux. Si l'accusation ne les cite pas, que la défense les appelle. Nous voulons tout voir et tout savoir.

Les partisans de la lumière ne veulent pas la plus petite ombre. Les serviteurs de la vérité doivent aller traquer le mensonge ou l'erreur jusque dans leurs plus vilains repaires.

Si, après cette année de combats livrés pour la vérité, nous manquions un seul instant de franchise, de loyauté, nous serions impardonnables. Nous n'en manquerons pas[216].

À quelques heures de l'ouverture des débats, Cornély situa l'enjeu de l'événement judiciaire qui allait se dérouler. Il commença par rappeler la signification de l'enquête de la Cour de cassation, puis expliqua pour quelles raisons il s'était rangé du côté du condamné.

L'enquête a prouvé cette vérité reconnue par la plupart des savants : que l'homme est réfractaire à toute modification, et qu'entre le civilisé et le sauvage, il n'y a guère que l'épaisseur du vêtement. Elle nous a replongé en plein Moyen Âge, en pleine Inquisition, en pleine justice arbitraire et patibulaire.

Nous avons vu un homme poursuivi parce qu'il excitait la jalousie de ses collègues, parce qu'il avait de la mémoire, parce qu'il paraissait sûr de lui, parce qu'il désirait s'informer, parce qu'il était vantard, parce qu'il payait les femmes plus cher que ses camarades.

Nous l'avons vu convaincu d'avoir écrit un bordereau qu'il n'avait pas écrit, par des procédés dignes à la fois de Laubardemont et de Robert-Houdin, et par des hommes qui seraient de grands comiques, si leurs simagrées ne servaient pas à faire pleurer des femmes et des enfants innocents.

Et comme, malgré tout, la conviction n'entrait pas dans l'âme des juges, on l'y enfonça à coups de pièces secrètes et fausses que l'accusé n'a jamais connues. Le malheureux avait eu une existence qui avait résisté à des investigations capables de transformer toutes les nôtres en vies de Polichinelle. Il fut happé, torturé, dégradé, conspué, insulté, maudit et jeté dans l'île du Diable, où il trouva des bourreaux, où on le mettait aux fers parce que sa femme suppliait les députés de lui faire rendre justice, où il fut soumis à toutes les tortures physiques et morales, résistant à toutes les avanies, prolongeant à travers les océans une plainte infatigable, que dédaignaient ses anciens chefs et à laquelle restait insensible Félix Faure.

Voilà ce qu'a révélé l'enquête, et voilà pourquoi, fidèles aux vieilles traditions françaises, nous avons voulu nous ranger du côté du persécuté. Les bourreaux étaient trop nombreux : nous avons voulu faire contrepoids.

Et nous pouvons le dire, nous sommes allés sans arrière-pensée du côté du supplicié.

En dépit du système d'écrasement qui tentait d'abattre l'innocent, Cornély proclama sa confiance dans le procès qui s'ouvrait et qui devait apporter la justice après la vérité. « Nous avons l'assurance que les juges de Rennes jugeront en toute équité et en toute loyauté. Ils jugeront du reste avec le public et devant le public, qui les jugera eux-mêmes. Il n'y aura pas de tours de passe-passe, pas d'étouffement, pas d'étranglement. Il n'y aura que de la loyauté et de la bonne volonté. »

Cornély était convaincu de la responsabilité des juges, de leur conscience de juger un homme et d'écrire l'histoire :

> Autour de ce tribunal palpitera non seulement l'âme de la France, mais l'âme de l'humanité tout entière, anxieuse, avide, assoiffée de justice, et comprenant que ce qui se passera dans cette grande salle du lycée de Rennes, c'est peut-être le dernier et l'un des plus intéressants des événements historiques du dix-neuvième siècle.
> Les officiers se sentiront baignés par ces effluves humains, dans ce magnétisme chrétien et juste. Et ils feront justice[217].

## L'inquiétude persistante

Malgré la confiance affichée par les dreyfusards, une inquiétude saisissait les plus conscients de la dimension politique du procès et du caractère particulier de la justice militaire. Jean Jaurès fut de ceux-là. Déjà, le 4 juillet, il s'était alarmé de la signification des mesures imposées à Dreyfus pour son retour en France. Il avait protesté contre cette « rentrée clandestine et nocturne » qu'avait cru devoir lui ménager le gouvernement. « Voilà un homme qui, depuis cinq ans, subit un supplice atroce ; et pour tous ceux qui ont étudié l'affaire avec soin il n'est pas de doute possible, il est innocent. » Il mentionna alors l'ampleur des preuves de son innocence et la faillite des charges présentées contre lui.

Il évoqua ensuite ce qui pouvait l'attendre encore, de nouvelles épreuves à venir. « Dreyfus ne sait rien ; il aura tout à apprendre. [...] Et si sa pensée ranimée peut explorer cet abîme sauvage, peut-être regrettera-t-il l'île lointaine ou du moins il pouvait croire à une erreur de la patrie. Maintenant, c'est avec le crime prémédité, voulu, organisé, c'est avec la scélératesse systématique de la réaction cléricale et militaire qu'il devra faire connaissance. Ou il ne comprendra rien au drame, ou il sera obligé de se dire : « Mercier, Boisdeffre, Pellieux, du Paty, sont des meurtriers qui m'ont délibérément égorgé, et ils ont essayé de communiquer contre moi à la France elle-même ce parti pris de meurtre. » Aussi nous le disons bien haut : que la France y prenne garde ! Devant le conseil de guerre de Rennes, ce n'est pas Dreyfus qui sera jugé ; c'est la France qui se jugera elle-même. Elle dira si elle veut redevenir un grand peuple de justice et de lumière ou si elle veut s'enfoncer à jamais dans une sauvage stupidité[218]. »

Les inquiétudes des dreyfusards et de Dreyfus lui-même – il avait été le premier témoin des conditions de son retour et il savait les extrémités dont étaient capables les administrations – n'étaient pas affichées trop publiquement. Comme l'indiqua Joseph Reinach, « on doit faire la part, dans les articles et les propos d'alors, à la nécessité, qui s'impose aux meneurs de l'opinion, de donner confiance à leurs troupes ; des pronostics de défaite n'ont jamais encouragé personne[219] ».

Il n'en demeurait pas moins que la préparation juridique du procès suscitait les plus vives inquiétudes. L'arrêt de révision avait limité les débats à la question de savoir si « le bordereau n'aurait pas été écrit par Dreyfus [220] ». Pour Joseph Reinach, ce cadre précisément défini entravait les tenants de l'accusation de 1894 : « Le procès, réduit au bordereau, serait un combat moins difficile qu'une bataille contre la masse de faux et d'inventions de toutes sortes que les amis de Mercier se proposaient de remettre en ligne. Toute pâle qu'elle parût à côté de l'évidence, cette vérité juridique était ce qui les gênait le plus. Ils voulaient que l'arrêt ne fût qu'une "opinion", un "simple succès de procédure" qui laissait à dire le mot de l'énigme ; limiter l'action de la justice militaire serait attenter à son indépendance et lui dicter un verdict d'acquittement [221]. »

Les instructions données par le ministre de la Guerre au parquet, c'est-à-dire au commissaire du gouvernement, le commandant Carrière, pouvaient légitimement inquiéter les défenseurs du capitaine Dreyfus. Elle furent rédigées par Waldeck-Rousseau à partir d'une consultation du garde des Sceaux, Monis. Elle furent résumées dans une note officieuse diffusée par l'agence Havas le 20 juillet 1899. Elles comportaient deux points essentiels. Les réquisitions du commissaire du gouvernement ne pouvaient porter sur aucun des points que la Cour de cassation avait jugés souverainement, « à peine d'excès de pouvoir et nullité ». Seconde décision, celle de laisser au commandant Carrière toute sa liberté, le ministre de la Guerre renonçant à son droit de « tracer au ministère public des réquisitions écrites ».

Le gouvernement aurait pu rendre des instructions prescrivant l'abandon de l'accusation. Il ne le fit pas, pour trois raisons. Waldeck-Rousseau avait déclaré à la Chambre des députés, lors de la déclaration d'investiture de son gouvernement le 26 juin 1899, que « la justice accomplirait son œuvre dans la plénitude de son indépendance » et qu'il se refusait à un acquittement par ordre. Le président du Conseil, lui-même avocat, considérait que des réquisitions écrites – que le commissaire pouvait ne pas suivre pendant son réquisitoire puisque la parole est « libre » si la plume est « serve » – risqueraient de heurter la cour. Enfin, Waldeck-Rousseau croyait dans la capacité de la justice militaire de réparer le procès arbitraire de 1894 par un procès équitable en 1899. Or ce n'était pas le sentiment des principaux dreyfusards et des avocats de Dreyfus. Et la suite allait démentir l'optimisme feint du chef de la « Défense républicaine ».

### Le piège des débats

Les dreyfusards attendaient beaucoup du procès de Rennes, comme une revanche du procès et de la conspiration montée en 1894. Le conseil de guerre devait être la scène où se dévoileraient les mensonges et les forfaitures, à la manière du procès Zola où toutes les questions finirent par être posées en dépit des efforts du président. L'attente d'une justice complète était légitime. De fait, les débats devaient être les plus larges possibles. Mais cela impliquait alors de se séparer des réquisitions de la Cour de cassation qui avaient strictement limité les débats à la question de l'éventuelle responsabilité de Dreyfus dans l'écriture du bordereau. Peu ou prou, les dreyfusards entraient dans l'illégalité et laissaient leurs adversaires aborder toutes les questions et, pire, utiliser tous les moyens pour faire condamner le « traître ».

Ce furent les dreyfusards qui allèrent ainsi vers le dossier des aveux pourtant tranché par la Cour de cassation et qui demandèrent la citation à comparaître du capitaine Lebrun-Renault, afin de le confronter à Dreyfus et « de lui faire rentrer publiquement son mensonge dans la gorge ». « Idée séduisante, reconnut Joseph Reinach, mais c'était la brèche à l'arrêt, convenir qu'il ne suffisait pas que la plus haute justice civile eût déclaré "l'inexistence" des aveux, accorder aux soldats que tout était à reprendre à pied d'œuvre devant leur justice et qu'elle seule comptait [222]. »

Fernand Labori comme Georges Clemenceau étaient les fermes partisans de cette stratégie judiciaire. Le 31 juillet, depuis Paris où il était resté, le rédacteur en chef de L'Aurore écrivait dans son journal qu'« il fallait entendre tout le monde » et « poser toutes les questions ». mais les dreyfusards furent battus sur leur terrain par l'accusation. Le commandant Carrière, rendu à sa pleine liberté par l'instruction du gouvernement, convoqua soixante-dix témoins, dont tous ceux qui avaient déposé à charge devant la Cour de cassation, et de nouveaux comme le capitaine Valério qui était l'un des exégètes de Bertillon ou la veuve du lieutenant-colonel Henry. En face, la défense de Dreyfus aligna seulement une vingtaine de témoins.

Joseph Reinach analysa précisément le retournement de la situation judiciaire. « Ainsi, rien ne subsista plus, de l'arrêt des chambres réunies, que le renvoi de Dreyfus devant la justice militaire, et, des instructions du gouvernement, que la faculté pour Carrière de requérir à sa guise, et personne ne doutait plus que ce serait contre Dreyfus. » Le ministre de la Guerre, le général de Galliffet, avait refusé d'adjoindre au commissaire du gouvernement un conseiller juridique, si bien que le commandant Carrière se rapprocha de l'avocat nationaliste Jules Auffray, lequel avait été très actif pendant le procès Zola. Il n'informa pas le ministre de la Guerre de son choix.

Le procès se transforma alors en une situation judiciaire de nature très différente de celle qui avait prévalu pour la révision. L'affrontement était inévitable, et les débats allaient se jouer non pas sur la vérité et le droit, mais sur la capacité des protagonistes à susciter l'intime conviction et à discréditer les preuves de la partie adverse. Le déplacement in extremis de la salle des audiences, de la salle de la manutention qui n'était en rien une scène de théâtre, à la salle des fêtes du lycée, vaste enceinte réquisitionnée par le général Lucas, commandant des forces militaires à Rennes, symbolisait ce renversement.

Or ni Dreyfus ni ses défenseurs n'étaient préparés à de telles conditions, et Dreyfus moins que d'autres. Il se savait et on le savait peu porté sur la théâtralité, d'abord attaché aux faits, à la raison et à la vérité. Il est faux de prétendre qu'il se défendit mal et qu'il ne sut pas émouvoir. Il se défendit au contraire avec obstination et méthode. Mais les règles du jeu judiciaire avaient brusquement changé, par suite d'une série d'erreurs aussitôt exploitées par les anciens accusateurs décidés à répéter la stratégie du procès de 1894.

Les jours qui précédèrent l'ouverture du procès virent ainsi la constitution d'un front militaro-antidreyfusard très solide au centre duquel agissait le général Mercier. L'ancien ministre de la Guerre, l'artisan de la conspiration contre Dreyfus, mobilisait ses anciens subordonnés et les anciens titulaires du ministère pour mener une nouvelle bataille contre Dreyfus. Il était descendu chez le général de Saint-Germain, un ami proche qui avait, lorsqu'il était d'active, présidé le conseil d'enquête contre le colonel Picquart. Il orchestra la solidarité entre les témoins militaires à charge et les officiers de la garnison dont le Cercle militaire allait accueillir les juges du conseil de guerre.

À l'opposé, les officiers cités à décharge de Dreyfus, le capitaine Freystaetter, les commandants Ducros et Hartmann, pour ne pas parler des ex-officiers Picquart et Forzinetti, furent mis au ban de toute la société militaire. On le vit clairement pendant les débats où ils furent menacés par le général Mercier ou ses amis, et lors des suspensions de séance. « On se montre, dans la cour du lycée, les commandants Hartmann et Ducros qui se promènent sans qu'aucun de leurs camarades ne les aborde, relata Maurice Barrès dans Le Journal. Cette quarantaine durera jusqu'à ce que ces messieurs quittent l'armée [223]. » Dans une lettre du 10 octobre 1899 au secrétaire du prince de Monaco, le commandant Forzinetti évoqua même une atmosphère de haine :

> Dès le début, je me suis aperçu que l'état d'esprit des officiers de la garnison comme celui des juges du conseil de guerre était effrayant. Si on leur avait livré le capitaine Dreyfus et le colonel Picquart ils les auraient brûlés sur un bûcher avec une joie infernale, et je crois sans me tromper, que leur haine pour ce dernier était encore plus farouche que pour Dreyfus. Certaines dispositions l'ont suffisamment démontré.
>
> Que de regards empreints de haine nous avons essuyés. Quant à moi, je me contentais de hausser les épaules d'une façon nettement visible quand nous croisions ce véritable chapelet de généraux, ex-ministres et officiers de tous les grades venus pour écraser Dreyfus et Picquart [224].

*La première audience*

Le lycée est un « grand monument de style bâtard, entouré de larges grilles. [...] En face, se trouve la prison militaire. [...] Le monument est assez laid, composé de plusieurs bâtiments construits à différentes époques ; derrière, un édifice plus bas que les autres, avec les croisées grillées et protégées par des masques de bois. C'est là que se trouve la cellule de Dreyfus, qui doit entendre la corne des tramways, dont l'appel mélancolique et rauque traverse la ville comme le gémissement de quelque bête blessée [225] », raconta le journaliste Jean-Bernard.

La première audience débuta le 7 août 1899 au petit matin. Dès la nuit, de très nombreuses forces de l'ordre, gendarmes à pied et gendarmes à cheval, avaient barré les rues et empêché l'accès au lycée. Seuls étaient autorisés à franchir les barrages les chroniqueurs judiciaires et ceux qui étaient porteurs d'une assignation à témoin ou d'une carte d'audience. Les officiers qui commandaient les troupes de gendarmerie montraient beaucoup de nervosité, repoussant même les journalistes qui attendaient de pouvoir entrer dans la salle d'audience [226]. Celle-ci, dit Jean-Bernard, « est quelconque ; au fond, une scène où on a installé le conseil ; quant au reste, c'est une salle très grande, très carrée, très claire, très aérée ; on y est fort à l'aise. À droite du conseil, on a installé la défense ; Dreyfus prendra place sur une chaise et, à côté de lui, un capitaine de gendarmerie [227] ». Des gendarmes vinrent se poster dans les embrasures de fenêtres pour surveiller les journalistes [228].

Entre le lycée et l'enceinte militaire furent alignées deux haies de soldats d'infanterie formant un véritable couloir. À 6 heures 10 du matin, Dreyfus parut, entouré par quatre gendarmes, vêtu de son uniforme d'état-major, les trois galons d'or en trèfle flambant neufs. Le visage fermé, il marcha avec détermination vers le lycée entre les soldats qui lui tournaient le dos, en signe de déshonneur. Il emprunta quelques marches avec son escorte pour gagner le bâtiment où allait avoir lieu son procès.

La salle des fêtes du lycée était aussi vaste que lumineuse, avec cinq énormes baies vitrées. « On pourrait se croire à *L'Ambigu*, suggéra Jean-Bernard. C'est, en effet, sur une véritable scène de théâtre que vont se tenir les principaux acteurs, les juges, l'accusé, les défenseurs et l'accusation. Il ne manque plus qu'un pourtour de galerie dans la salle [229]. » La salle était pleine. On ne comptait pas moins de deux cent quatre journalistes, huit femmes, de nombreuses personnalités. À 7 heures, les nombreux témoins firent leur entrée. Beaucoup d'uniformes tranchaient avec les costumes noirs des civils. Retentirent des commandements : « Portez armes ! Présentez armes ! » Les juges du conseil de guerre entrèrent. Dreyfus pénétra dans la salle d'audience lorsque le président du conseil de guerre, le colonel Jouaust, déclara l'audience ouverte. Le silence se fit. « Une ondulation dans les rangs, puis un silence, un silence inouï », selon la journaliste Séverine[230]. Par une porte surmontée d'un cartouche portant le nom d'Ernest Renan, il apparut. Il faisait face au conseil. Il tournait le dos au public. À sa droite se tenaient ses avocats.

Ses cheveux, coupés très ras, étaient totalement blanchis. Sa moustache rousse semblait un peu grisonnante. Il ne portait plus la barbe qu'il s'était laissé pousser à l'île du Diable. Son visage était tendu. « Le regard est resté dur, intelligent et vif, derrière le lorgnon inamovible », releva *La Petite République*[231]. Il répondit aux questions de l'interrogatoire d'une voix assez forte et ferme bien qu'un peu sourde. Il parla très calmement, sauf à deux reprises, lorsqu'on lui montra le bordereau, et quand on lui parla des aveux. L'audience s'acheva à 11 heures le matin pour reprendre le lendemain matin. Il faisait déjà très chaud, à mesure que la matinée avançait.

## L'apparition du capitaine Dreyfus

Pour tous ceux qui avaient combattu pour lui, pour tous les journalistes qui couvraient l'événement, l'apparition du capitaine Dreyfus fut un moment exceptionnel. « Les visages étaient pâles, croyez-moi, raconta Bernard Lazare à Joseph Reinach. On a essayé après de raisonner, d'analyser ; mais, tout d'abord, on n'y pensait pas[232]. » Même ses ennemis confessèrent un mouvement de pitié devant cette « chair vivante et broyée », selon l'expression de Maurice Barrès[233]. Jean-Bernard évoqua l'émotion qui saisit l'assistance.

Un adjudant va chercher Dreyfus qui arrive conduit par un capitaine de gendarmerie ; à ce moment, une grosse émotion étreint la salle ; il y avait comme une sorte de malaise, et la gorge se serrait malgré soi ; c'est, du moins, l'impression que j'ai ressentie.

Le capitaine Dreyfus paraît très pâle, presque jaune, les narines serrées, et il va s'asseoir derrière ses défenseurs ; il porte un costume d'officier d'artillerie visiblement neuf. Dreyfus a les cheveux blancs et une calvitie menaçante envahit le crâne.

C'est d'un geste automatique, sec, nerveux qu'il salue militairement le conseil ; personne ne lui rend son salut ; puis il se découvre et répond d'une voix assurée, mais gutturale, désagréable, qui a de la peine à sortir[234].

Le chroniqueur multiplia les notations psychologiques, très en vogue à cette époque. Barrès s'en était même fait une spécialité puisqu'elles confortaient son antisémitisme racialiste[235]. Jean-Bernard poursuivit « Quand la lecture [des pièces de procédure a commencé], Dreyfus était affreusement pâle ; à mesure que se déroulent devant lui les péripéties de ce sombre drame, dont il a eu une si douloureuse représentation, il y a cinq ans, ses oreilles deviennent d'un rouge ponceau et un flot de sang empourpre les pommettes[236]. » « Pendant la suspension de séance, Dreyfus se retire avec cette démarche automatique qu'il avait le jour de la parade d'exécution. La tête est toujours aussi ingrate ; cependant, la souffrance a imprimé une sorte d'air de douleur intense, qui le rend non pas sympathique mais intéressant [237]. »

Jules Cornély insista dans *Le Figaro*, sur le choc produit par l'apparition tant attendue et sur la noblesse de l'instant :

> J'ai voulu recevoir sur la rétine la première impression du retour du condamné au milieu de la France et du monde représentés par leurs ambassadeurs modernes : les membres de la presse.
>
> Ce fut, ce matin, un moment d'angoisse et d'anxiété, une minute suprême, historique, frissonnante que l'instant où, sur l'ordre du colonel présidant le conseil de guerre, on introduisit l'accusé. [...]
>
> Il me sembla que je voyais arriver la statue du Remords.
>
> Car si nous ne sommes pas des sauvages, et si cet homme a été victime de nos erreurs, de nos légèretés, s'il n'a pu y survivre que grâce à une invraisemblable force de résistance, quel autre nom que celui de remords donner au sentiment qu'éveille sa vue !
>
> La moustache est restée rousse, mais les cheveux coupés militairement sont devenus blancs.
>
> Dreyfus a l'air d'un colonel.
>
> Il a le même aspect que les officiers d'artillerie de ce grade.

Les dreyfusards historiques furent quant à eux bouleversés. Le commandant Forzinetti qui avait été son premier défenseur et qui avait sacrifié sa carrière à son ancien prisonnier, se souvint.

> Ah ! j'ai éprouvé une forte émotion à la vue de Dreyfus. Comme il a changé, c'est un squelette vivant. Il se tient debout par une volonté de fer, on voit bien que son corps est cassé, brisé. Il est entré dans la salle d'un pas ferme, militairement. À ce moment, rien n'existait pour moi, je ne voyais que lui et j'aurais voulu pouvoir lui sauter au cou. Aux questions posées, Dreyfus répond d'une voix ferme, d'un ton bref et tranchant. Pendant ma présence dans la salle, mes yeux ne l'ont pas quitté. Il a eu un premier moment d'émotion, à la demande de : « Vos nom et prénoms ». Il s'est vite repris.
>
> J'admire cet homme. Il ne nous est pas encore rendu, bien que je ne doute point du succès, il faudra batailler, c'est une victoire à remporter à chaque séance [238].

Bernard Lazare avait été son second défenseur et le plus courageux dans des temps très périlleux. La vue de Dreyfus était pour lui celle de l'innocence vivante.

> C'était la première fois que je voyais Dreyfus, et, dans l'attente de son entrée, j'ai eu une poignante impression d'angoisse mêlée de joie. Je me suis si souvent, depuis cinq ans, représenté cette minute que je savais devoir arriver un jour ! Mon angoisse a disparu dès l'entrée, quand je l'ai vu tel

que je n'aurais pas espéré le voir, après ces années de supplice, plein d'une flamme intérieure de vie, ferme et roide ; et ça n'a plus été pour moi qu'une tranquillité d'âme parfaite, plus que jamais la certitude que l'innocent allait vaincre [239].

Joseph Reinach, qui ne put assister à la scène, reconstitua grâce aux témoignages de ses amis les premiers pas de l'officier devant le conseil de guerre. « Un instant, comme ébloui par la splendide lumière qui coulait des fenêtres, il parut s'arrêter. Il avait trois degrés à monter jusqu'à sa place, au bas de la tribune des avocats. Ses jambes chancelaient sous lui ; la secousse fut trop forte ; tout son sang affluant au cœur, il crut qu'il allait tomber, se roidit encore, d'un effort douloureux, cependant que son visage, l'enveloppe de fer de cette âme d'acier, demeurait immobile, impénétrable, plus fermé qu'un mur. Militairement, dans l'attitude du soldat sous les armes, il salua le conseil, s'assit à l'invitation du président, retira son képi. On eût dit une statue [240]. » Très proche de Dreyfus après sa libération, Joseph Reinach avait pu recevoir ses confidences qui confirmaient effectivement ce trouble fugace. Dreyfus confia aussi son émotion à Fernand Labori, après l'audience. « Quand je me suis trouvé, après tant d'années, devant des êtres humains, je n'ai pu comprimer qu'à grand-peine les sanglots qui m'étouffaient [241]. »

## L'interrogatoire

D'emblée, le courage et la ferme détermination de l'officier en imposèrent. Son attitude durant les premières questions du président suscita l'admiration de Cornély :

L'accusé y répond bien, très bien même, posément, niant, expliquant, mais ne laissant rien subsister de toutes les charges alléguées contre lui.

C'est un respectueux, c'est un militaire. Il se défend des entraînements de sa propre conscience. C'est visible.

Je sens qu'à sa place je m'emporterais, je cracherais, sur mes accusateurs et sur mes bourreaux, toute ma rage et toute leur infamie, moyennant quoi la presse nationaliste m'accuserait d'être un cabotin.

Dreyfus a donc raison de résister à la tentation de crier au colonel qui l'interroge et qui épilogue sur les moindres paroles qu'il aurait prononcées il y a cinq ans : « Je voudrais bien vous y voir, mon colonel ! »

Car c'est une chambre criminelle extraordinaire que d'entendre les gens disséquer les cris de rage de ce pauvre diable ! À la parade de dégradation, ils auraient voulu qu'il parlât comme un notaire !

C'est là que j'ai compris quel service Le Figaro a rendu à la cause de la vérité en publiant l'enquête.

Grâce à lui, les moindres épisodes du drame de 1894 qui ont redéfilé devant nous étaient dans toutes les mémoires. Et sans lui, Dreyfus aurait à lutter contre les ignorances coalisées avec les méchancetés.

En somme, notre impression sur cette première séance est excellente.

De l'attitude et des paroles de Dreyfus se dégage un parfum d'innocence ; de l'attitude des membres du conseil se dégage un sentiment de loyauté et de sincérité[242].

« On fera de la bonne besogne », conclut Jules Cornély, très optimiste. Quelques jours plus tard, dans les colonnes du *Siècle*, Julien Benda livra ses « notes d'un observateur ». Il vit dans l'attitude de raison et de dignité du capitaine Dreyfus la marque la plus haute de la civilisation dressée contre la barbarie :

> Entre l'homme et les idées géniales qu'il incarne, l'adéquation me parut parfaite. Grand, mince, les traits fins, la complexion délicate, émacié et affiné encore par la souffrance, la physionomie éminemment pensive et exempte de tous les signes de la grossière sensualité, antipathique par avance à tout ce qui aime le « bon et brave garçon », le capitaine Dreyfus est tout à fait digne d'associer éternellement son image à la lutte de l'aristocratie humaine contre cette autre partie de l'espèce à peine dégagée du singe ; mais surtout, par la sobriété de son geste, par l'austérité de son attitude, par le caractère sèchement scientifique de sa défense et même de son indignation, par la fameuse « blancheur » de sa voix, par l'absence de tout ce qu'un certain public appelle « le charme », en un mot par l'indigence de tous les moyens propres à actionner le sentimentalisme, le capitaine Dreyfus vient symboliser naturellement et dans toute sa pureté, la cause de la justice, je veux dire de cette valeur sociale qui est, en somme, l'effet d'un travail supérieur de l'esprit et non pas d'une palpitation du cœur.
>
> Or cet homme, qui n'a aucun des attributs extérieurs propres aux héros de causes célèbres, est pourtant, dans cette salle, le centre de l'attention et de l'émotion la plus considérable qu'enregistreront jusqu'ici les annales judiciaires ; le simple spectacle de cette foule [...] vient confirmer une fois de plus cette vérité, aux termes de laquelle l'affaire marque le recul de la barbarie devant la civilisation[243].

Le capitaine Dreyfus vivait les premiers instants d'un procès dont il attendait une pleine réhabilitation. Il connaissait désormais l'ensemble de l'Affaire. Il était prêt à se battre. Il avait pu lire la lettre que Lucie lui avait adressée, renouant avec leur histoire et leur passion.

> J'aurais voulu pouvoir t'embrasser encore avant ton départ pour le conseil et te dire avec quelle confiance, quelle immense espérance, je vois s'ouvrir enfin ces débats attendus depuis si longtemps.
> Ces quelques lignes ne t'apporteront qu'un écho bien petit de ma pensée...
> Enfin, tu sais mieux que je ne pourrais te l'exprimer, les sentiments qui m'animent et que je ressens du plus profond de mon cœur. Je vivrai par ta pensée pendant ces longues matinées, et tes émotions seront les miennes.
> Ta conscience pure, la certitude d'avoir rempli toujours et partout ton devoir, te donneront les forces physiques nécessaires pour soutenir la lutte.

Ton caractère est trop élevé, ta volonté trop ferme, trop droite pour que j'aie quelque chose à ajouter. Tes sentiments sincères apparaîtront à tes juges et t'inspireront ta défense.

Je ne veux plus que te presser encore et de toutes mes forces dans mes bras et te crier courage [244].

## CHAPITRE XII

# Au cœur du procès monstre

*Le Figaro*, par la voix de Jules Cornély à Rennes, avait dit l'émotion qui saisit toute l'assistance à l'entrée du capitaine Dreyfus dans la grande salle d'audience du conseil de guerre, le 7 août 1899. L'interrogatoire de l'officier fut « le point culminant de cette première séance ». Cornély releva comment Dreyfus s'appliquait à ne laisser « rien subsister de toutes les charges alléguées contre lui [1] ». Il devait en effet agir durant tout le procès avec cette même détermination de combattre le mensonge et de restituer les faits. Il le fit sans haine ni passion, mais il ne renonça jamais à opposer sa parole à celle de ses accusateurs et à les affronter en face. Sa défense ne fut pas théâtrale, elle ne fut pas émouvante même s'il lui arriva de l'être, elle fut méthodique et obstinée. L'étude précise de ses déclarations lors des audiences de Rennes annule les jugements négatifs sur un homme qui se serait mal défendu à son procès. Cette antienne est répétée, y compris par des militants dévoués de la cause dreyfusarde comme Victor Basch. Dans le discours qu'il prononça à Rennes pour les dix ans du procès, le futur président de la Ligue des droits de l'homme évoqua l'apparition de l'être de souffrance du déporté de l'île du Diable. Puis il insista sur son incapacité à jouer son rôle dans la pièce dramatique qui devait forcément se jouer devant le conseil de guerre. Il fut interrompu par un ligueur qui contesta un tel jugement.

L'impression que produisit Dreyfus non seulement à ses adversaires, mais à un assez grand nombre de partisans de sa cause ne fut pas une impression de sympathie. Nous sommes tellement nourris de littérature et surtout de littérature dramatique qu'il nous est difficile d'envisager les choses autrement que sous l'aspect dramatique. Tous, plus ou moins, nous avions imaginé Dreyfus comme un héros de drame ou de mélodrame. Pour les uns, il allait, comme un personnage d'Ennery, parler longuement des tortures qu'il avait endurées, de la double boucle, de ses nuits de fièvre, de ses journées de délire, et alors un immense attendrissement aurait ébranlé l'âme du public et des juges. Et il est certain que toutes les fois qu'allusion était faite aux souffrances physiques que Dreyfus avaient subies, l'on voyait passer sur la figure impassible de ses juges de grands frissons de pitié. Mais Dreyfus ne parla pas de ses souffrances et ne voulut pas que ses défenseurs en parlassent. Sûr de son innocence, ce n'est pas à la compassion de ses juges, mais à leur justice qu'il voulut que fût fait appel. La pudeur de son orgueil était visiblement froissée à voir étalée, aux yeux de tous, les plaies de son corps et de son âme... D'autres en avaient fait un héros romantique, un Hernani, un Mounet-Sully. Ils l'eussent voulu tumultueux, gesticulant, déclamant. Et il est certain que, s'il avait été tel, il aurait agi puissamment sur les fibres du public et des juges. Si, au moment où le général Mercier, à la fin de sa déposition, s'adressa à lui pour lui dire que, s'il le croyait innocent, il serait heureux de le proclamer, si, à ce moment, Dreyfus lui avait sauté à la gorge, s'il avait protesté avec...

*M. Fernand Corcos.* – Il a protesté, monsieur Basch. Je me souviens fort bien de ce qui s'est passé à ce moment. Le général Mercier a dit : « Et si je m'étais trompé en 1894, je serais le premier à le reconnaître, en me tournant vers vous, je dirais : "Je me suis trompé." » À ce moment, Dreyfus s'est levé brusquement et s'est écrié : « C'est ce que vous devriez dire, malheureux ! »

*M. Victor Basch.* – Oui, Dreyfus a protesté, mais il n'a pas dit : « Malheureux », et il a protesté sans violence et de cette voix sans timbre [2] qui faisait dire à un grand acteur qui assistait à cette scène tragique : « Ah ! le misérable ! Si c'était moi qui avais dit cela, toute la salle et tous les juges sangloteraient. » Mais Dreyfus n'était acteur à aucun degré. Ce n'était pas un impulsif, un déclamateur, un Méridional à la voix chantante et au geste théâtral. C'était un Alsacien, un peu lourd, un peu gauche, un peu timide, un homme de l'Est, ne sachant pas extérioriser ses sentiments et ne voulant pas les extérioriser, par orgueil et par pudeur. Durant ce long procès, où ses nerfs affaiblis au point qu'on craignait au début de chaque audience qu'il ne pût aller jusqu'au bout, furent soumis à une épreuve surhumaine, on ne l'a vu pleurer qu'une seule fois. C'est le tempérament de Dreyfus que le public, que probablement ses juges n'ont pas compris. C'est lui qui explique qu'il y a eu, pendant le procès, chez certains partisans de Dreyfus, comme une déception sentimentale. Jamais auteur avisé, il y a longtemps qu'on l'a dit, ne choisira un stoïcien comme héros d'un drame. Dans le grand drame de l'Affaire, le hasard qui, par ailleurs, l'a si miraculeusement machiné, a commis cette erreur. Dreyfus avait une âme de stoïcien. Au lieu de s'abandonner ou de réagir théâtralement, il a tendu toutes les énergies de son corps et de son âme pour se replier sur lui-même, pour rester maître de ses gestes et de ses paroles...

Tel était, tel m'apparaissait le héros du drame. Quant au drame lui-même, il fut prodigieux [3].

La mise en cause de la défense de Dreyfus montre l'abîme d'incompréhension qui saisissait y compris des dreyfusards. Dreyfus avait en effet longuement expliqué dans ses nombreuses lettres de l'île du Diable qu'il attendait sa réhabilitation par la révélation de la vérité et le respect du droit, deux des principes de la justice dont il avait été volontairement privé lors de son premier procès. De tempérament, il n'était pas porté à théâtraliser ses interventions. Mais là n'est pas le problème. Les critiques répétées qui s'abattirent sur lui et sur sa défense méconnaissaient tout simplement la nature même de l'Affaire qui fut une vaste entreprise de conspiration contre un homme, répétée une nouvelle fois au cours de ce procès de 1899. Il ne revenait pas à Dreyfus de mettre en jugement cette conspiration. Certains dreyfusards le firent, puis la Cour de cassation s'y employa après 1903. Son rôle était d'opposer la vérité à la calomnie, à la fois dans sa démonstration des mensonges accumulés contre lui, mais aussi par la défense d'une conception judiciaire du droit et de la vérité qui correspondait à son attente démocratique, celle qui lui servit à survivre devant l'accusation la plus infamante et pendant la déportation la plus extrême. La confrontation qui l'opposa aux criminels, devant une cour de justice qui avait méconnu la justice, le désigne au contraire comme un homme héroïque non pas dans des effets de manche et dans une théâtralisation qui éloignent plus qu'ils ne rapprochent de l'énonciation de la vérité, mais avec la volonté de maintenir ce principe de démocratie face à sa négation. D'un point de vue plus technique, il demeure toujours très difficile de répondre précisément à des accusations qui sont absolument étrangères, que rien ne relie au prévenu. L'affirmation de l'innocence peut rapidement apparaître comme une position de principe et un refus de s'expliquer masquant une effective culpabilité. Il convient alors de réfuter systématiquement les charges présentées par l'accusation, ce que réalisèrent Dreyfus et ses défenseurs, du moins lorsqu'ils purent les apprécier.

Les témoins qui s'exprimèrent pour lui agirent de la même manière, avec la même conviction et le même courage. Leurs dépositions constituent le corpus d'une action déterminée en faveur de la justice, c'est-à-dire du droit et de la vérité. Il ne s'agit pas ici d'une reconstruction des événements, mais simplement de la lecture et de l'analyse des débats du procès de Rennes consignés *in extenso* par les principaux journaux d'information, du *Figaro* au *Siècle*, de *L'Aurore* aux *Droits de l'homme*. La direction dreyfusarde de ces quotidiens ne se vérifiait que dans leurs commentaires. La restitution complète des débats ne relevait que l'information, afin de connaître les manières d'agir des accusateurs, des défenseurs et de la cour. Elle concourait à la marche de la justice. La sténographie fut même mise à la disposition de Dreyfus, chaque soir, par *Le Figaro*[4]. Le relevé des débats, publié ensuite en 1900 par Stock en trois volumes, se révéla accablant et pour les hommes de l'État-major qui fabriquèrent la culpabilité de Dreyfus en 1894 et réitérèrent leurs accusations en les sophistiquant à l'extrême et pour la justice militaire, incapable de juger en droit et en vérité.

Pendant plus d'un mois, dans sa cellule, Dreyfus avait appris, grâce à sa famille et à ses défenseurs, le système des accusations qui avait été développé contre lui au procès de 1894. Il travailla sur cette base[5]. Il réalisa notamment la réfutation de l'acte d'accusation dressé par le commandant d'Ormescheville[6]. Mais ce que ni lui ni ses défenseurs ne pouvaient clairement prévoir, c'était la mise au point d'un nouveau système d'accusation plus terroriste encore que le premier. Celui-ci visait à prouver que Dreyfus était bien l'auteur de la trahison et qu'il avait effectivement écrit le bordereau. Le second système, qui fut donc développé à Rennes par les mêmes protagonistes, le général Mercier en tête, consista à démontrer que Dreyfus *était bien l'auteur de la trahison non pas sur la base de preuves effectives de cet acte, mais parce qu'il était lui-même et de tout temps un traître.* De fait, seul un traître pouvait commettre une trahison, celle-ci ou une autre.

Cette entreprise criminelle, fondée sur un nouveau système d'accusation, reposant sur un nouveau dossier secret, le *grand dossier secret*, aboutissait à une forme de dégradation complète de Dreyfus où tous ses actes, même les plus dérisoires et les plus insignifiants, étaient réinterprétés de manière fallacieuse et calomnieuse afin de dresser le portrait de l'officier en traître total. Il y a, dans l'attitude des accusateurs, un aspect totalitaire qui annonce les grands procès politiques du xxᵉ siècle et que nul n'a su analyser. Quant au rôle de justice des magistrats de la cour et au comportement du commissaire du gouvernement, la faillite fut complète. Le procès passa sous le contrôle de l'accusation antidreyfusarde. Il devint effectivement un procès criminel. Il est donc nécessaire de connaître cette dimension pour apprécier la défense de Dreyfus et comprendre qu'à Rennes se joua, à travers le destin d'un homme, un acte fondamental de la démocratie et du xxᵉ siècle.

## UNE DÉFENSE MÉTHODIQUE

Armé, quant au dossier de son accusation de 1894, par les travaux de la Cour de cassation, Dreyfus découvrit le nouveau système d'accusation dès l'audition du général Mercier qui suivit son interrogatoire. Celui-ci en resta au dossier d'accusation de 1894. Tel était du reste le cadre des réquisitions de la Cour de cassation pour ce procès. Bien préparé, maîtrisant parfaitement son dossier, le capitaine n'eut aucun mal à se défendre. D'où l'impression favorable qui saisit les observateurs, de Jules Cornély à Jean-Bernard.

### La réfutation du bordereau

« Accusé, levez-vous ! » ordonna le président du conseil de guerre le 7 août 1899, après la lecture de l'arrêt de la Cour de cassation et celle de l'acte d'accusation dressé en 1894.

Vous êtes accusé du crime de haute trahison, d'avoir livré à un agent d'une puissance étrangère les pièces énumérées dans un document dit *le bordereau*. Je vous préviens que la loi vous donne le droit de dire tout ce qui est utile à votre défense ; je préviens les défenseurs qu'ils doivent s'exprimer avec décence et modération.

Comme je viens de vous le dire, vous êtes accusé d'avoir livré à un agent d'une puissance étrangère des pièces énumérées dans le document que voici.

L'original du bordereau fut alors présenté au capitaine Dreyfus. Le président lui demanda : « Cette pièce vous a été déjà présentée ; la reconnaissez-vous ? »

Elle m'a été présentée en 1894. Quant à la reconnaître, j'affirme que non. J'affirme encore que je suis innocent, comme je l'ai déjà affirmé, comme je l'ai crié en 1894.

J'ai supporté tout depuis cinq ans, mon colonel, mais, encore une fois, pour l'honneur de mon nom et celui de mes enfants, je suis innocent.

*Le président.* – Alors, vous niez ?

*Le capitaine Dreyfus.* – Oui, mon colonel[7].

Le président entreprit alors d'examiner successivement les différents documents énumérés dans la pièce incriminée, base unique de l'accusation. Si le lien entre Dreyfus et celle-ci était rendu impossible, l'accusation tombait, et Dreyfus était acquitté. Du moins si l'on suivait le cadre du procès fixé par l'arrêt de la Cour de cassation.

Le président commença par souligner la ressemblance d'écriture : « Tout d'abord, cette pièce est d'une écriture qui ressemble beaucoup à la vôtre. Les premières personnes qui l'ont vue ont été frappées de cette ressemblance ; c'est même cette ressemblance qui, au ministère, vous a fait désigner comme l'auteur de la pièce en question[8]. » Cette dernière affirmation était inexacte : Dreyfus avait été identifié avant même la comparaison d'écriture, en raison du « mauvais souvenir » qu'il avait laissé au 4e bureau ; ce fut confirmé au procès par le commandant d'Aboville et le général Fabre. Et cela apparaissait déjà implicitement dans la déposition du même officier en 1894, lorsqu'il fut interrogé par le magistrat instructeur, d'Ormescheville[9].

Le dossier de la comparaison d'écriture fut traité dans les audiences suivantes. Celle du 7 août porta sur la possibilité que Dreyfus ait pu avoir accès aux informations contenues dans le bordereau. Ses réponses furent claires et nettes. Sur le frein hydraulique du 120, le premier document visé par le bordereau :

Je connaissais le principe du frein hydro-pneumatique [*Dreyfus ne dit pas hydraulique*], et ce, dès 1889. Mais je ne connaissais pas du tout ni sa structure intime ni sa construction.

*Le président.* – Mais, dans vos conversations, n'avez-vous pas eu des renseignements au sujet de ce frein ?

*Le capitaine Dreyfus.* – Non, mon colonel. Pas de renseignements de détail.

*Le président.* – Mais vous aviez certaines indications à son sujet ?

*Le capitaine Dreyfus.* – Oui, je connaissais le principe du frein de 120, mais la pièce, je ne l'ai pas vue, ni tirer ni manœuvrer[10].

Or le texte du bordereau disait bien : « Une note sur le frein hydraulique du 120 et la manière dont s'est conduite cette pièce. » Le président tenta alors de savoir, par des questions de plus en plus insistantes, si Dreyfus n'avait pas pu obtenir ce type de renseignements au cours de ses stages à l'État-major. Il répondit fermement : « Je n'ai jamais eu de conversation ni avec aucun officier d'artillerie, ni avec aucun officier de la section technique ; par conséquent, je n'ai jamais pu le répéter à un officier. Quant à mon séjour au 1er bureau en 1893, on ne s'occupait absolument pas de questions techniques[11]. »

Sur le second document visé par le bordereau, « Une note sur les troupes de couverture (quelques modifications seront apportées par le nouveau plan) », Dreyfus répondit que son stage de 1893 au 4e bureau n'avait pas pu lui permettre de connaître ce nouveau plan adopté en 1894. « En tout cas, vous étiez à même d'avoir des renseignements sur les troupes de couverture », persista le président. Le capitaine répondit : « Il est certain que si j'en avais demandé, j'aurais pu en avoir ; mais je n'en ai jamais demandé. » Le président insista : « On vous indique comme courant après les renseignements ; il est probable que vous saviez ce qui concernait les troupes de couverture. » Dreyfus insista à son tour : « Je n'ai jamais rien demandé à personne[12]. »

Le troisième document portait sur une « modification aux formations de l'artillerie » : « Avez-vous connu quelque chose au sujet de l'affectation des régiments d'artillerie ? » lui demanda le président. Dreyfus répondit précisément, une nouvelle fois : « Au commencement de 1894, j'étais au 2e bureau. Tout ce que je connaissais de cette situation, c'était la suppression des deux régiments de pontonniers et la création de batteries nouvelles. La discussion était ouverte pour la suppression des régiments de pontonniers ; c'est tout ce que je savais[13]. »

Le quatrième document était une « note relative à Madagascar ». Le président distingua une première étude sur l'île, « qui n'avait qu'un caractère purement géographique », copiée « par un caporal qui travaillait dans l'antichambre du colonel de Sancy », chef du 3e bureau. Il souligna : « On vous a vu plusieurs fois passer pour aller chez ce colonel. » Dreyfus fit remarquer « que l'antichambre précède la porte du colonel et que, par conséquent, tout le monde est obligé de passer par là ». Le président dut admettre que la charge n'était pas constituée. Mais il reprit aussitôt : « En tout cas, cette note était peu importante ; c'était une simple étude géographique. Mais, au mois de juillet 1894, on fit une étude plus sérieuse, on fit l'étude de l'expédition proprement dite. On étudia la route à suivre, les moyens à employer, le matériel à concentrer ; c'était, en somme, l'étude de l'expédition. Elle a été faite par différents bureaux, mais en particulier par le 3e bureau où vous

étiez. En avez-vous eu connaissance ? – Pas du tout », répondit Dreyfus. Le président pensa alors le prendre en défaut. En vain. Dreyfus
ne se laissa pas désarçonner par l'attaque. Au contraire, il souligna
que des hypothèses, des coïncidences ne constituaient pas des preuves.
Tout pouvait être alors décidé dans ces conditions.

> *Le président.* – Ainsi, il s'est passé des choses dans votre bureau dont
> vous ne saviez rien ; vous n'étiez pas au courant de ce qui se faisait ?
>
> *Le capitaine Dreyfus.* – J'étais à la section des manœuvres.
>
> *Le président.* – Et vous ne saviez pas ce qui se passait dans les autres
> bureaux ?
>
> *Le capitaine Dreyfus.* – Absolument pas ; aucun officier ne m'a jamais
> rien communiqué.
>
> *Le président.* – Le travail a été terminé le 20 août, les épreuves définitives
> ont été tirées le 29 août au moment où le bordereau a été rédigé par son
> auteur. Il y a donc coïncidence complète entre ce renseignement et l'établis-
> sement définitif du travail sur Madagascar. Comme vous étiez au 3e bureau,
> il n'y a pas d'impossibilité à ce que vous en ayez eu connaissance.
>
> *Le capitaine Dreyfus.* – Il n'y a d'impossibilité à rien, dans ces condi-
> tions, mon colonel [14].

Le cinquième renseignement portait sur le « projet de manuel de tir
de l'artillerie de campagne (14 mars 1894) ». La discussion sur ce
dernier document confirma l'évolution qui s'était affirmée, à savoir le
plein engagement de Dreyfus dans sa défense et la conduite des débats
faite contre le prévenu par le président. Le colonel Jouaust commence
à interroger Dreyfus sur sa connaissance du projet de manuel de tir.
« Jamais » il n'en eut connaissance, affirma-t-il. Le juge ne le crut pas
et insista, mais en lui retirant les moyens effectifs de se défendre
sur-le-champ. Il exigea même de lui une soumission en arguant de son
autorité pour l'empêcher de se défendre, ce qui laissait Dreyfus dans
une position de fragilité propice à faire avancer les soupçons contre
lui. Cette attitude visait à répondre à la maîtrise du dossier que l'accusé
venait, à cet instant, de prouver – notamment à travers sa connaissance
approfondie de l'instruction de la Cour de cassation.

> *Le président.* – Il y a un témoin qui prétend avoir mis à votre disposition,
> pendant quarante-huit heures, un exemplaire de ce manuel de tir.
>
> *Le capitaine Dreyfus.* – Je suis convaincu que c'est une erreur, attendu
> qu'au conseil de guerre de 1894 j'ai demandé à l'instruction et à l'audience
> la comparution de ce témoin pour fixer ce point, et que, ni à l'instruction
> ni à l'audience, je n'ai vu comparaître ce témoin.
>
> *Le président.* – Il va comparaître au cours de ces débats.
>
> *Le capitaine Dreyfus.* – je ferai remarquer encore ceci : c'est que, dans
> le rapport de M. le commandant d'Ormescheville, que vous venez
> d'entendre, il est dit que j'ai eu des conversations avec cet officier au mois

de février ou de mars. Or, j'ai vu dans les dépositions de la Cour de cassation que ce projet de manuel date du 14 mars et qu'il n'a été remis à l'État-major de l'armée qu'au mois de mai. Par conséquent, je n'ai pas pu avoir au mois de mars de conversation à ce sujet.

*Le président.* – C'est au mois de juillet 1894 que le commandant Jeannel a dû vous remettre un exemplaire de ce manuel.

*Le capitaine Dreyfus.* – Mais on parle de conversations que j'aurais eues avec lui.

*Le président.* – Peu importe ; ce que je vous demande, ce n'est pas ce que dit M. d'Ormescheville, ce sont vos réponses : laissez-moi vous interroger, et ne posez pas de questions. C'est vous même qui vous seriez plaint au commandant Jeannel que les stagiaires de l'État-major n'avaient pas connaissance de ce manuel de tir qui était entre les mains de tous les officiers du régiment, lesquels avaient demandé qu'il en fût livré. Eh bien ! il en avait été délivré dix exemplaires, dont deux au bureau auquel vous apparteniez ; reconnaissez-vous, que, comme il fallait partager ce manuel entre les différents officiers, le commandant Jeannel vous en a prêté un exemplaire ?

*Le capitaine Dreyfus.* – Non, mon colonel. Voulez-vous me permettre une observation ?

*Le président.* – Oui.

*Le capitaine Dreyfus.* – Je vous ferai remarquer qu'en juillet 1894 je n'appartenais plus au 2e bureau de l'État-major où était le commandant Jeannel, mais au 3e bureau. Or, d'après les dépositions de la Cour de cassation, il a été donné des manuels de tir à tous les bureaux, et je ne comprends pas...

*Le président.* – Vous discuterez la question contradictoirement avec le témoin [15].

Dreyfus mit ainsi le président du conseil de guerre en difficulté grâce aux acquis de la Cour de cassation. Le colonel Jouaust l'empêcha de continuer, c'est-à-dire de se défendre. Plus, il parut n'accorder aucune importance aux faits établis par la Cour de cassation et considéra que la vérité devait ressortir des seuls débats qu'il s'apprêtait à diriger en dehors des garanties élémentaires accordées à la défense.

Il est intéressant d'étudier immédiatement la confrontation du capitaine avec le commandant Jeannel (devenu lieutenant-colonel). Il déposa seulement le 22 août 1899, à la neuvième audience. Il déclara

répéter ce que j'ai dit en 1894, à l'instruction du premier procès, ce que j'ai répété au général Roget dans la lettre que j'ai eu l'honneur de lui écrire, ce que j'ai dit devant la chambre criminelle, c'est qu'un certain jour de 1894, à une date que je ne peux pas préciser, Dreyfus est venu me trouver dans mon bureau, vers 11 heures ou 11 heures et demie, et m'a demandé de lui communiquer un exemplaire du nouveau projet de manuel de tir que je venais de recevoir il y avait quelque temps. Je lui ai immédiatement prêté un de ces exemplaires ; il me l'a rendu quarante-huit heures peut-être ou trois jours après.

*Le président.* – N'est-ce pas lui qui vous avait fait remarquer que les stagiaires se trouvaient dans des conditions défavorables pour l'instruction et ne pouvaient en demander ?

*Le lieutenant-colonel Jeannel.* – Je ne me le rappelle pas. Le fait m'a été raconté par un de mes collègues de la 3e direction qui me l'a affirmé, je ne me le rappelle pas personnellement[16].

Le témoin infirmait ici l'affirmation du président lors de l'interrogatoire, comme on vient de le voir. Après les explications de Jeannel, Jouaust donna ensuite la parole à Dreyfus :

Je dis tout de suite que je ne doute pas de la bonne foi du colonel Jeannel, ce sont ses souvenirs qui ne sont pas exacts. J'ai beaucoup insisté, à l'instruction de 1894, pour que le commandant Jeannel fût entendu ; à l'audience, j'ai insisté encore une fois auprès du président du conseil de guerre pour que le commandant Jeannel fût entendu et pour que le point fût précisé, eh bien, il n'a pas été entendu à l'audience. [...]

Je suis encore une fois convaincu de la bonne foi du colonel Jeannel ; mais il est pour moi certain que ses souvenirs doivent le tromper. Il a rappelé qu'au mois de février ou de mars 1894, alors que j'étais au 2e bureau et que je m'occupais d'une étude sur l'artillerie allemande, nous avons parlé de cette étude ; je lui ai même soumis mon travail, car j'estimais que le commandant Jeannel avait une compétence plus grande que la mienne. Je lui ai demandé, à ce moment-là, le manuel de tir de l'artillerie allemande et c'est là peut-être la cause de la confusion qui s'est faite dans son esprit.

Jeannel déclara alors ne pas se souvenir que Dreyfus ait pu lui demander le manuel de tir de l'artillerie allemande. Mais il reconnut qu'il possédait bien ce document à cette époque. Dreyfus poursuivit :

En 1894, le rapporteur du conseil de guerre avait prétendu que c'est dans ces conversations que j'avais eues avec le lieutenant-colonel Jeannel que j'avais pris connaissance de ce manuel de tir de l'artillerie française. Le rapport est très explicite à ce point de vue ; le rapport de M. d'Ormescheville prétend que j'aurais pris connaissance de ce manuel de tir dans des conversations que j'avais eues en février ou mars 1894 avec M. le lieutenant-colonel Jeannel au sujet du travail que j'ai fait sur l'artillerie allemande. Or il est impossible qu'à ce moment nous ayons pu parler de ce projet de manuel, qui ne date que du mois de mars, et que M. Jeannel n'a reçu lui-même qu'en mai 1894. Par conséquent, vous voyez que dans l'esprit de M. le rapporteur du procès de 1894, il n'a pas pensé du tout à la déposition que M. le colonel Jeannel prétend lui avoir faite (et qu'il a dû lui faire), dans laquelle il lui aurait déclaré qu'il m'aurait communiqué ce manuel en juillet, puisque le rapporteur, dans son rapport, rappelle ces conversations que j'aurais eues avec le lieutenant-colonel Jeannel en février ou en mars 94, à propos du travail que j'ai fait sur l'artillerie allemande.

Il y a là, mon colonel, une contradiction que je ne m'explique pas.

*Le président.* – Enfin, la déposition orale reste acquise.

*Le capitaine Dreyfus.* – En tout cas, dans toute cette période, je me suis occupé de cette étude sur l'artillerie allemande. Je suis allé, le 1ᵉʳ juillet 1894, au 3ᵉ bureau et je n'ai plus eu du tout à m'occuper de l'artillerie. On a rappelé dans une déposition que le projet de manuel de tir était nécessaire aux manœuvres. Il ne faut pas jouer sur les mots. Nous sommes ici en présence d'artilleurs et nous savons qu'un manuel de tir est inutile à des officiers pendant les manœuvres ; il n'est utile que pour des écoles à feu. Or aucun stagiaire ne devait assister, ni en 1893 ni en 1894, à des écoles à feu, et par conséquent, *a priori*, il n'y avait aucune utilité pour les stagiaires d'avoir le manuel de tir [17].

Le lieutenant-colonel Jeannel n'était pas un « faux témoin [18] ». Il avait pu être utilisé par l'accusation en 1894, mais l'approximation de ses souvenirs était telle que d'Ormescheville préféra ne pas recueillir officiellement sa déposition [19] et l'évoqua seulement dans son rapport. Jeannel témoigna des propos du magistrat instructeur de 1894 : « Lorsque j'ai fait ma déposition devant le commandant Besson d'Ormescheville, je l'entends encore me dire : "Nous avons d'autres preuves de culpabilité suffisantes pour obtenir la condamnation, nous ne retiendrons pas la question du manuel de tir [20]." »

Le retour vers cette confrontation permet de montrer que le président du conseil de guerre était dans le faux lorsqu'il affirma, au moment de l'interrogatoire de Dreyfus sur le « manuel de tir », qu'un témoignage l'accablait. Non seulement le capitaine l'avait réfuté en 1894, non seulement il était capable de fournir de claires explications tandis que les assertions de Jeannel restaient très imprécises, mais de surcroît l'accusation avait officiellement abandonné son témoignage. Jouaust réécrivit l'histoire et accusa Dreyfus par une charge inexistante sans lui permettre de la réfuter au moment où elle était énoncée. En lui interdisant de s'expliquer, il laissait planer une présomption de charge qui était très défavorable à l'accusé. Alors que Dreyfus tentait encore, le 7 août, de se défendre [21], le président l'arrêta par ces mots : « C'est de la discussion [22]. » Dès le premier interrogatoire, la cour, par la voix de son président, montrait sa nette partialité à l'égard de l'accusé et sa conception d'un droit qui se limiterait à la seule procédure du président et au seul bon-vouloir de l'autorité qu'il incarnait.

L'interrogatoire du 7 août sur le bordereau se termina par le dernier renseignement visé par le document : « Je vais partir aux manœuvres. » Le capitaine Dreyfus affirma avoir été prévenu qu'il n'irait pas en manœuvres « fin mai ou commencement de juin [1894] [23] ». Jouaust et le commissaire du gouvernement lui expliquèrent alors que la décision fut prise beaucoup plus tardivement, vers le 28 août 1894 [24]. Dreyfus demanda que la circulaire dont il faisait mention fût produite au procès.

*Face à la mise en accusation*

L'impossibilité pour le président de percer la défense de Dreyfus sur le bordereau l'amena, à la fin de son interrogatoire, à porter à sa charge son attitude générale pendant le stage, alors que les mêmes faits pouvaient au contraire qualifier un brillant officier intellectuel. Les faits évoqués appartenaient même souvent au registre de la rumeur infondée. Mais le président, appuyé par le commissaire du gouvernement, n'hésita pas à s'engager sur ce terrain dès l'ouverture du procès.

Le colonel Jouaust l'interrogea sur « un propos indigne d'un officier français » disant « qu'en somme la France serait plus heureuse sous la domination de l'Allemagne ». « Je n'ai jamais tenu ce propos », répondit le capitaine Dreyfus. Il nia également avoir proféré des « paroles très vives » après la note d'aptitude de l'École de guerre motivée par l'antisémitisme de l'examinateur. « J'étais d'ailleurs très content de mon rang. » Il affirma que son « but était de s'instruire », lorsque le président lui reprocha de vouloir obtenir des renseignements. Jouaust insista, dévoilant son arrière-pensée : « Un jeune officier, surtout quand il sort de l'école, a le droit de s'instruire, mais il y a des limites. Il ne faut pas pousser le désir de s'instruire jusqu'à l'indiscrétion ; or vous étiez quelquefois indiscret[25]. »

Le capitaine Dreyfus démentit ensuite les accusations sur ses maîtresses et les dépenses qu'il aurait pu faire pour elles, tout en concédant qu'il avait eu « une liaison d'ordre privé[26] » avec Suzanne Cron ; il démentit toute une série de racontars désobligeants. Il fut ensuite interrogé sur ses propos au commandant du Paty de Clam le 31 décembre 1894 lorsque celui-ci vint dans sa cellule, porteur d'un message du général Mercier. À l'invitation du président, il reconstitua la scène telle qu'il l'avait déjà décrite dans sa note à son avocat[27] et dans les différentes lettres écrites à la suite de cette entrevue[28].

Jouaust lui demanda de s'expliquer sur les « aveux » faits au capitaine Lebrun-Renault avant la cérémonie de dégradation. Dreyfus insista sur le fait que les paroles qu'il prononçait, au milieu d'« un monologue haché », étaient celles que du Paty de Clam lui avait dites pendant leur entrevue du 31 décembre dans sa cellule. Il s'expliqua méthodiquement en revenant sur cette scène initiale et en soulignant l'incohérence des propos de l'envoyé du ministre de la Guerre :

> J'ai demandé au lieutenant-colonel du Paty de Clam, comme je viens de le dire, l'emploi de tous les moyens d'investigation. On m'a répondu : « Il y a des intérêts supérieurs aux vôtres, on ne peut pas employer ces moyens. »
> En même temps qu'on ne pouvait pas employer ces moyens d'investigation, on me refusait de faire immédiatement la lumière. Comme le gouvernement possédait les moyens de faire ces investigations, et du moment qu'on me l'avait refusé, je ne pouvais espérer à faire éclater mon innocence avant deux ou trois ans.

*Le président.* – Mais pourquoi ce chiffre de deux ou trois ans ? Un innocent doit désirer que son innocence soit reconnue le plus tôt possible.
*Le capitaine Dreyfus.* – Je l'ai demandé, mais on m'a refusé.
*Le président.* – Pourquoi ce chiffre de trois ans ?
*Le capitaine Dreyfus.* – Parce que je laissais une limite dubitative.
*Le président.* – Vous n'aviez aucune arrière-pensée ?
*Le capitaine Dreyfus.* – Aucune [29].

Le président du conseil de guerre décida de sa propre autorité de revenir sur la légende des aveux qui avait été pourtant tranchée définitivement par la Cour de cassation dans son arrêt du 3 juin 1899. À l'issue des explications du capitaine, il ne fit aucun commentaire, sinon d'enregistrer les déclarations. Les avocats ne protestèrent pas contre l'intervention de la cour sur ce dossier jugé.

L'interrogatoire se prolongea brièvement au cours de la deuxième audience, le lendemain matin. Le président questionna Dreyfus sur la copie du bordereau saisie par le directeur du dépôt de l'île de Ré. Il reconnut que l'article 112 du code militaire donnait le droit d'avoir des copies des pièces de son dossier, mais il jugea néanmoins qu'il « n'était pas régulier » que le prisonnier conservât le souvenir du texte du bordereau, comme Dreyfus l'expliqua dans sa réponse. Mais Jouaust ne dit pas en quoi la saisie de la copie était alors légitime.

L'analyse précise de l'interrogatoire du capitaine Dreyfus, qui ouvrit le procès de Rennes, permet de dégager un triple enseignement. Le président se posait davantage en accusateur qu'en juge de la cour. Le respect du droit, incarné notamment par le respect du cadre dressé par l'arrêt de la Cour de cassation, paraissait secondaire par rapport à l'autorité du conseil de guerre décidant de ce qui était légitime et de ce qui ne l'était pas. Enfin, Dreyfus opposa à cette forme autoritaire de justice une défense posée, rationnelle et méthodique. Sa volonté de prouver son innocence aviva fortement la détermination de la cour comme de l'accusation représentée par le commissaire du gouvernement et celle de la conspiration qui allait se déployer. Dreyfus refusa cet engrenage avec les moyens qui furent les siens : sa connaissance du dossier, son exigence de justice, sa volonté de ne rien céder à la vérité. Cette attitude se vérifia particulièrement lorsque la « légende des aveux » revint devant le conseil de guerre.

*La démolition des aveux*

Le capitaine dut s'expliquer à trois reprises sur les aveux qu'il aurait faits à Lebrun-Renault. Il rejeta cette légende lors de son premier interrogatoire. Il réagit ensuite, le 24 août, à la déposition du général Risbourg commandant la Garde républicaine en 1894. S'adressant au président du conseil de guerre, il déclara :

Voulez-vous me permettre, mon colonel, une petite observation au sujet de cette légende des aveux ? Je suis resté à la prison de la Santé quinze jours ou trois semaines, je ne peux pas fixer la date exactement après cinq ans. J'ai vu Mᵉ Demange, j'ai écrit pendant la période où j'étais à la prison de la Santé et ensuite à l'île de Ré, et des lettres que vous avez dans le dossier secret, ces lettres où je protestais de mon innocence, écrites au ministre, au chef de l'État. Je me demande comment on ne m'a jamais parlé de cette légende des aveux que j'aurais détruite immédiatement ; on ne m'en a jamais dit un mot. Ce n'est que quatre ans après, en janvier de cette année, lorsque j'ai été interrogé par commission rogatoire venue de la Cour de cassation, que j'ai enfin appris qu'il y avait eu une légende des aveux. Ce que je ne comprends pas, c'est que, immédiatement, pendant que j'étais encore en France, à la prison de la Santé et à l'île de Ré, on ne m'a pas parlé de ces choses-là. J'aurais pu répondre et détruire, avant que l'œuf ait pris ce développement, cette légende et cette fausse légende[30].

Dreyfus mettait là le doigt sur le mécanisme même de cette légende, qui se déclencha après la dégradation, mais qui fut surtout relancée lorsque les progrès des dreyfusards dans la connaissance de la vérité obligèrent l'État-major à élargir considérablement le dossier secret afin de parer à l'effondrement prévisible du premier système d'accusation fondé sur le bordereau. Au tournant de l'année 1897, le général Gonse réunit en effet toute une série de déclarations, relevant du faux témoignage, qui reconstruisaient, trois ans après la dégradation, le fait des aveux.

La troisième déclaration du capitaine Dreyfus eut lieu le 31 août, à la suite de la déposition de Lebrun-Renault. Il expliqua les propos qu'il avait tenus durant l'heure d'attente de la dégradation, dans un état de désespoir profond, en mentionnant une nouvelle fois les déclarations énigmatiques que lui avait faites du Paty de Clam le 31 décembre. Révolté par le retour répété de cette légende dans les débats du procès, il finit par une déclaration solennelle :

Je me contenterai de répéter devant le conseil les paroles que j'ai prononcées et les explications que j'ai eu l'honneur de lui donner. Ces paroles sont les suivantes : « Je suis innocent, je vais le dire à la face du peuple : le ministre le sait bien... » J'ai déjà donné l'explication au conseil de cette phrase : « Le ministre le sait bien. » C'était la réponse que j'avais faite à la visite de M. le commandant du Paty de Clam dans ma prison, au cours de laquelle j'avais déclaré que j'étais innocent. J'avais complété cette déclaration par la lettre que j'avais écrite au ministre en réponse à cette visite et dans laquelle j'avais déclaré encore au ministre que j'étais innocent.

Le commandant du Paty de Clam est venu me trouver pour me demander si j'avais livré des pièces sans importance pour en obtenir de plus importantes. Voilà la phrase textuelle qui a été dite. J'ai répondu à M. du Paty de Clam que non, que je voulais toute la lumière, et j'ai terminé en disant – je vous ai expliqué dernièrement ces paroles – qu'avant deux ou trois ans mon innocence sera reconnue. C'était un monologue. Le conseil comprendra sans que j'aie besoin de lui expliquer autrement.

Permettez-moi, mon colonel, d'exprimer mon émotion de voir
aujourd'hui qu'après cinq ans quelqu'un qui a entendu des paroles débutant
par une protestation d'innocence et finissant par une protestation d'innocence, paroles qu'il n'a pas comprises, se soit permis d'aller transformer
ces paroles devant des chefs sans en demander à l'intéressé lui-même une
explication franche et nette. Ce sont là des procédés devant lesquels tous
les honnêtes gens ne peuvent que s'indigner ! (*Long mouvement.*) [31]

Dreyfus s'indigna également qu'un autre officier, le capitaine
d'Attel, ait pu raconter qu'il avait fait des aveux alors qu'il n'avait
jamais parlé à ce capitaine durant le temps de l'attente avant la dégradation. Il insista sur le fait qu'il ne lui avait jamais parlé. Le président
lui rétorqua vivement : « On n'a jamais dit le contraire.» Pour autant,
le colonel Jouaust avait fait déposer l'officier témoin de ces confidences. Dreyfus tenta alors d'établir les conditions de validité d'un
témoignage, impliquant notamment que l'on remontât jusqu'à la source
et qu'on se gardât d'accorder du crédit à des témoins très indirects,
sans lien probant avec le fait étudié. Mais il ne fut pas entendu.

Dreyfus se heurtait à l'effet de vérité créé par des dépositions très
floues mais répétées. Après d'Attel, le lieutenant-colonel Guérin,
chargé de l'organisation de la parade d'exécution, exposa qu'il avait
été le témoin de l'émotion du capitaine Lebrun-Renault, sous le coup
de l'impression profonde que lui avaient faite les déclarations de Dreyfus. Il était en compagnie d'autres officiers. Il ajouta à destination de
la cour : « Pour la masse de nos camarades, les aveux faits par Dreyfus
devaient, il me semble, leur être communiqués à tous. Je priai donc le
capitaine Lebrun-Renault de répéter à ce groupe d'officiers les confidences, la déclaration qu'il avait reçues de Dreyfus.» Guérin communiqua également ces informations au sous-intendant Peyrolles, puis à
un groupe d'officiers après la parade d'exécution. C'est ainsi que les
affabulations de Lebrun-Renault, répétées de part en part, devinrent
un fait de vérité puisqu'elles étaient admises par la plupart des officiers
présents à l'issue de la dégradation [32].

Lorsque le défenseur de Dreyfus demanda au lieutenant-colonel
Guérin comment il pouvait concilier les protestations d'innocence du
capitaine Dreyfus, qu'il avait bien entendues au cours de sa dégradation, et ses aveux, l'officier refusa de répondre : « Ce sont des impressions personnelles dans lesquelles je n'ai pas à entrer », répliqua-t-il.
Lorsque Demange lui demanda encore s'il avait aussitôt pris des
mesures pour faire constater de telles révélations par un rapport écrit,
le lieutenant-colonel invoqua des impossibilités réglementaires [33].
Même réponse lorsque Demange s'enquit de savoir si l'on avait songé
à interroger Dreyfus sur ses aveux [34]. La réponse à une question du
président souligna l'état d'esprit de l'officier qui avait imaginé les
aveux et de ceux qui les avaient propagés. Jouaust s'intéressa à une
phrase de Dreyfus rapportée par Guérin, sur la base des déclarations
de Lebrun-Renault. Le président demanda à ce dernier : « Est-ce que,

dans la conversation entre Dreyfus et vous il a dit : "C'est l'orgueil de mes galons qui m'a perdu ?" » Réponse : « Je ne me rappelle pas cette phrase – la conversation a duré environ un heure –, mais il a pu la dire. (*Rumeurs.*) » À ce moment, le capitaine Dreyfus, estimant avoir suffisamment protesté, se tut. Le contrôleur André Peyrolle fut ensuite interrogé. Il raconta comment la légende des aveux avait été immédiatement connue par une masse considérable de personnes, ce qui accrut aussitôt l'impression de véracité [35].

Cette fois, Dreyfus choisit de réagir, notamment sur sa déclaration des « trois ans » qui avait donné lieu aux déformations les plus accablantes :

> Comme observation générale, je n'en ai pas à faire d'autre que celle que j'ai faite tout à l'heure. Seulement, j'ai entendu qu'on me prêtait ces paroles : « Dans trois ans, mon procès sera révisé. » Je ne comprends pas ; jamais je n'ai prononcé ces paroles, et jamais je n'ai pensé que mon procès serait révisé dans trois ans.
>
> Je crois, mon colonel, que vous possédez des lettres de moi, adressées au chef d'État-major général de l'armée, dans lesquelles je rappelai cette conversation avec le commandant du Paty de Clam après ma condamnation, dans lesquelles j'explique précisément quelle était ma pensée sur ces deux ou trois ans au bout desquels j'espérais qu'on reconnaîtrait mon innocence, car, comme je le disais, j'espérais qu'on poursuivrait les recherches.
>
> Dans l'intérêt de la vérité, je serais très heureux, mon colonel, si vous donniez connaissance de ces lettres, si c'est possible.
>
> *Le président.* – On les recherchera.
>
> Mais enfin, pourquoi trois années ?
>
> *Le capitaine Dreyfus.* – Mais, mon colonel, c'est ce que je dis précisément dans ces lettres. Je vous ferai simplement remarquer que, lorsque j'ai demandé au commandant du Paty de Clam d'employer immédiatement tous les moyens d'investigation possibles dont il pouvait disposer, dont un gouvernement pouvait disposer pour faire immédiatement la lumière, il me répondit : « Il y a des intérêts supérieurs en cause ; on ne peut pas employer ces moyens d'investigation décisifs, parce que c'est une chose extrêmement délicate. » Les moyens d'investigation que je demandais, c'était soit par les attachés militaires, soit par voie diplomatique. Il me répondit : "Je vais voir le ministre, je lui demanderai de poursuivre les recherches ; je vous le promets." »
>
> *Le président.* – Tout cela n'explique pas ces trois ans.
>
> *Le capitaine Dreyfus.* – Voulez-vous me permettre ?... Quand il m'a répondu qu'on ferait des recherches, j'ai dit : « J'espère bien qu'avant deux ou trois ans – je ne pouvais pas fixer de limites, j'ai dit cela absolument comme une chose quelconque, un, deux ou trois ans –, j'espère bien qu'avant deux ou trois ans, on reconnaîtra mon innocence. »
>
> Je vous demanderai la permission de faire remarquer que, dans des lettres adressées au chef d'État-major général de l'armée, j'ai rappelé tous ces faits, et que, par conséquent, dans mon esprit, mes paroles n'avaient pas du tout le sens que la malveillance leur a prêté. Voilà, mon colonel, tout ce que j'avais à dire [36].

*L'épreuve réussie de la confrontation*

Le conseil de guerre entendit de nombreux camarades du capitaine Dreyfus qui l'avaient côtoyé à l'État-major de l'armée alors qu'il effectuait son stage de deux ans dans les différents bureaux. L'objectif de la plupart de ces dépositions visait à démontrer que le stagiaire manifestait beaucoup de curiosité et présentait l'allure trouble qui seyait aux traîtres. Dreyfus réfuta méthodiquement les allégations, n'hésitant pas à fournir des explications précises pour démontrer comment il n'avait pas pu, matériellement ou réglementairement, se livrer aux actes que les témoins lui imputaient.

Dreyfus rappela ainsi qu'il avait été chargé d'une mission officielle par le capitaine Besse, du 4e bureau, alors que celui-ci alléguait de son attitude suspecte. Mais Besse ajouta, ceci expliquant cela, qu'il n'avait accordé qu'une « importance très minime à la réflexion » que Dreyfus lui avait faite à ce moment. « Nous ne pouvions pas soupçonner en effet qu'un de nos camarades fût capable d'une infamie pareille. » Cet aveu est essentiel puisque « l'infamie » en question ne reposait sur rien, sinon sur ce type de témoignage réinterprété en fonction de la thèse accusatrice de l'État-major [37]. Celui-ci développait ainsi des procédés de mystification très élaborés.

Dreyfus s'expliqua nettement sur ses fonctions de commissaire régulateur au 4e bureau [38]. Aux insinuations du capitaine Lemonnier l'accusant violemment [39], par lettre lue à l'audience, d'avoir menti en minimisant ses connaissances tactiques sur l'armée allemande, il réagit vivement mais précisément. Il révéla à cette occasion sa forte implication dans sa formation d'officier d'état-major :

> Le jour où je suis revenu, au mois d'octobre 1894, à l'État-major, c'était pour toucher ma solde, je suis venu trouver le témoin, je suis venu lui demander communication de ses travaux sur « le jeu de la guerre » ; j'avais fait moi-même des travaux du même genre. Ces travaux n'ont absolument aucun caractère confidentiel ; d'ailleurs les travaux qui avaient été faits à l'État-major avaient été copiés sur ceux des états-majors étrangers, attendu que, malheureusement, « le jeu de la guerre » avait été employé auparavant ailleurs que chez nous. Nous étions très enclins et tous décidés à aider à l'emploi de ce « jeu de la guerre » chez nous, car il est fort intéressant, et les travaux que je voyais autour de moi m'intéressaient au même titre que ceux que je faisais moi-même. Mais ils n'avaient aucun caractère confidentiel.
>
> On a relevé tout à l'heure le fait du propos, il est certain que j'avais remarqué une position que tout le monde connaît d'ailleurs, puisqu'elle est classique ; c'est la position de résistance qu'on peut opposer à des troupes faisant une incursion au sud de l'Alsace : la position d'Altkirch ; elle est classique dans l'histoire de la guerre. Par conséquent, quand j'ai causé devant mes camarades de cette position j'ai dû certainement développer des considérations tactiques et géographiques qui concernent cette position classique d'Altkirch ; j'ai montré qu'on pouvait opposer une résistance,

mais qu'on pouvait la briser (je n'ai pas la prétention de faire ici un cours de tactique), en la tournant par les cols sud des Vosges. Je me rappelle très bien cette discussion.

Quant au reste du propos qui est venu dans l'imagination du capitaine Lemonnier après ce qu'il avait lu... je ne veux pas le définir. Je ne veux pas parler de ce qu'a dit M. Quesnay de Beaurepaire, parce que cela n'a pas de nom, mais nous verrons ici les témoins et nous connaîtrons la véracité de ces témoins. Je ne veux pas donner le même démenti à un officier, mais je suis navré de voir un officier s'emparer des propos tenus par un témoin dont la moralité sera montrée ici devant le conseil de guerre. (*Mouvement prolongé*.)[40]

Il ne laissa aucun espace de doute après les dépositions qui tentaient de le charger. Il répondit au commandant Hervieu qui évoquait ses horaires étranges : il s'agissait de la période où sa femme était en vacances à Houlgate, du 16 août au 22 septembre 1894. Il avait obtenu un aménagement de ses horaires afin de pouvoir la rejoindre le week-end et de n'arriver à son service que le lundi matin « entre 11 heures et demie et midi[41] ». Il se justifia fermement après le témoignage du capitaine Duchatelet relatif à une évocation leste du capitaine Dreyfus concernant une femme qu'il connaissait et devant le domicile de laquelle passaient à cheval les deux officiers : « Que j'aie fait une plaisanterie quelconque sur les volets qui s'ouvraient, c'est fort possible : nous en sommes tous là[42]. »

Il reconnut avoir été, avant son mariage, l'amant d'une femme en instance de divorce. Mais il nia avoir jamais dîné chez elle avec un attaché militaire allemand[43], comme l'affirma le témoin Du Breuil présenté « par l'intermédiaire de M. Quesnay de Beaurepaire[44] ». Son avocat, Fernand Labori, releva l'absence de preuve du témoin. Lui-même déclara, au cours d'une nouvelle déposition du témoin : « Je trouve indigne de venir ici parler de relations personnelles que j'ai pu avoir avec madame Bodson ! Je le déplore profondément : cela ne regarde personne ! [...] J'affirme que je ne me suis pas rencontré chez cette personne avec des personnes étrangères. J'affirme encore une fois que je ne me suis pas rencontré chez cette personne avec des personnes étrangères ; j'affirme encore une fois que je n'ai jamais rencontré de personnes étrangères chez madame Bodson, et je vous demande, mon colonel, de faire faire toutes enquêtes nécessaires pour faire éclater la vérité[45]. » Le président considéra, excédé, qu'il s'agissait d'« une affaire personnelle[46] » et n'ordonna aucune vérification. Si bien que le soupçon demeura à la charge de Dreyfus.

L'accusé fit face à tous les mensonges. Il rectifia la date à laquelle il aurait croisé, à Bruxelles, son camarade de l'École polytechnique Lonquety[47]. Il se fit plus incisif encore avec la déposition du colonel Fleur, une série de contre-vérités inspirées par Quesnay de Beaurepaire. « Mon colonel, comme je l'ai dit tout à l'heure, je ne réponds qu'aux faits, je ne réponds pas aux mensonges. Seulement, si vous attachez la moindre importance, mon colonel, aux prétendus faits qui viennent de vous être révélés, je vous demande instamment, mon colonel – je suis convaincu que le conseil m'écoutera –, l'enquête la plus complète, la plus éclatante qu'on puisse faire ! Voilà tout ce que je demande à vous, mon colonel, président du conseil, et aux autres membres du conseil [48]. » Dreyfus affirmait là sa haute idée de la justice à travers son pouvoir de vérité et sa capacité à la recherche par des enquêtes appropriées, loin des conceptions étoites de l'aveu et de la scène théâtrale du procès pénal.

Un autre témoin douteux affirma que Dreyfus avait été présent aux manœuvres de l'armée allemande qui s'étaient déroulées dans les environs de Mulhouse au mois de septembre 1887. Le capitaine contesta absolument de telles assertions et se proposa, comme il le fit toujours, de prouver ses déclarations : « Je n'ai assisté, je le répète, ni officiellement ni officieusement, à des manœuvres allemandes, je n'ai jamais été invité à déjeuner ou à dîner par des officiers étrangers et je n'ai jamais parlé à aucun officier étranger à Mulhouse. D'ailleurs, les personnalités de Mulhouse sont prêtes à venir déposer à ce sujet [49]. »

Au général Deloye, l'un des plus hauts responsables de l'armée, directeur de l'artillerie du ministère de la Guerre, qui tentait de démontrer que les documents visés par le bordereau sont de grande importance, Dreyfus opposa sa propre expertise :

> Il m'est très difficile de discuter le bordereau, puisque nous sommes absolument dans le domaine des hypothèses. Je voudrais savoir d'abord ce qu'il y a dans les notes, la nature des notes et leur valeur. Je crois que nous sommes tout à fait dans le champ des hypothèses. On a parlé du 120 court ; je résume une seconde fois ce que je connaissais en 1889 et 1890 pendant mon séjour à Bourges, sur le 120 court ; je connaissais le principe du frein hydropneumatique. M. le général Mercier a dit dans sa déposition qu'il avait été inspecteur général à Bourges en 1890 ; il doit se souvenir qu'une conférence a été faite à tous les officiers réunis, officiers de l'école de pyrotechnie, officiers de la fonderie, officiers de tous les services de Bourges, officiers également des deux régiments d'artillerie en garnison à Bourges.
>
> Il a fait une conférence finale ; dans cette conférence, quelqu'un a parlé du frein hydropneumatique. On en a donné le schéma habituel qui est dans tous les cours, dans les cours de l'école d'application, dans les cours de Saint-Cyr, schéma que tout le monde connaissait. C'est toute la connaissance que j'ai du frein hydropneumatique. Le canon de 120 court, je l'ai vu à deux reprises différentes : la première fois dans la cour de l'école d'artillerie de Calais, quand j'y étais comme élève de l'École de guerre, avec mon groupe. Je n'ai pas vu tirer le 120 court, je ne l'ai jamais vu manœuvrer, pendant les deux ans que j'ai été à l'État-major, je n'ai jamais assisté à des écoles à feu, et aucun stagiaire n'a jamais assisté à des écoles à feu ; je ne connais pas de stagiaires qui aient assisté à des écoles à feu [50].

*Au cœur de la machination*

Le procès de Rennes fut aussi le lieu où se développèrent les mises en accusation les plus violentes de la part des officiers généraux personnellement impliqués dans les machinations contre le capitaine Dreyfus, et où s'exprimèrent les justifications les plus cyniques du sort qui lui fut réservé. Il ne laissa pas ces hommes le détruire et briser son honneur sans réagir. Il le fit même avec une forme d'héroïsme qui repousse très loin les commentaires partisans sur sa passivité aux cours des débats et sa soumission au discours de l'État-major – ancien et actuel. Il suffit de lire le compte rendu du procès pour découvrir le contraire et annuler l'amas de commentaires qui obstruent volontairement la vérité dans l'affaire Dreyfus.

Le général Roget était l'un de ces accusateurs en chef. Il avait été l'un des responsables de bureau les plus déterminés à éliminer Dreyfus lorsque celui-ci était stagiaire à l'État-major. Après la première partie de son interminable accusation, Dreyfus s'indigna. « Je ne puis accepter d'entendre pendant des heures des dépositions où l'on m'arrache le cœur et l'âme. Jamais on n'a mis un homme, un innocent et un soldat loyal dans une situation pareille, aussi épouvantable [51]. »

Au terme de la déposition du général Roget, Dreyfus expliqua qu'il était bien normal qu'un officier connût le réseau de chemin de fer, la frontière, et donc qu'il fût capable de tracer sur une carte la concentration, dans ses lignes générales. Il ne se contenta pas de réfuter des assertions, il en caractérisa la valeur qu'on devait leur accorder : « On peut connaître la concentration dans ses lignes générales, ce qui ne veut pas dire qu'on connaît la concentration dans tous les points de débarquement. Quant au reste de la déposition que vous avez entendue hier et aujourd'hui, il n'y a pas un fait précis, pas une vérité : il n'y a que de l'argumentation [52]. »

Après la comparution du commandant Cuignet, l'un des organisateurs du grand dossier secret, il lui rétorqua : « Je dis au témoin que les documents auxquels il fait allusion ont été demandés par mon chef, le colonel Bertin. Je proteste contre cet état d'esprit singulier du témoin que nous entendons ici depuis une heure, contre un témoignage où éclate, encore une fois, tout l'acharnement qu'on met contre un innocent [53] ! »

Félix Gribelin, l'agent de la Section de statistique, le greffier de du Paty de Clam, déposa à son tour. Dreyfus lui répondit : « Quant aux insinuations qui ont été faites par le témoin aussi bien contre mon frère que contre moi, je les dédaigne, je ne veux pas y répondre [54]. » La déposition du capitaine Junck fut elle aussi particulièrement scandaleuse. Cet officier avait été l'un des camarades de Dreyfus à l'École de guerre et stagiaire comme lui à l'État-major de l'armée, puis fut attaché à la Section de statistique. Pendant leur période de stage, il se trouva très longuement avec lui dans différents bureaux. « J'ai eu l'occasion d'avoir avec lui de très longues causeries. » Aussi narra-t-il au conseil de guerre toute une série de racontars ou d'observations dont plusieurs se trouvaient déjà contredites par ses déclarations devant la Cour de cassation, comme le souligna Edgar Demange [55]. Le capitaine reprit la parole. Il réaffirma son innocence, mais il ne se contenta pas de proclamation générale. Par la règle qu'il s'était donnée, il s'opposa au mensonge par des rectifications précises. Il se déclara, comme toujours, prêt à assumer les conclusions d'une enquête qu'il appelait de ses vœux. Aux insinuations infondées et au système de la calomnie, Dreyfus opposait la puissance et la vertu de l'enquête.

Je ne rappellerai pas au témoin les confidences d'ordre privé qu'il m'a faites lui-même ; je ne le suivrai pas sur ce terrain. Dans cette affaire, j'ai les mains propres et je les garderai propres ! Il y a un ordre de faits que je veux relever ; le témoin parle de confidences au point de vue du jeu. Enfin ! voici une accusation précise à cet égard : j'ai joué, dit-on, au cercle du Mans. J'affirme que je ne suis jamais allé au cercle du Mans, que je n'y ai jamais joué ; j'ai la conviction que les membres de ce cercle, qui doivent être des personnes honorables, viendront le dire. Je vous demande simplement, mon colonel, de faire une enquête, afin de savoir qui dit la vérité [56].

Lorsque les enquêtes existaient déjà, lorsque les constats avaient été établis, Dreyfus n'hésitait pas à s'élever en faux contre des preuves présentées abusivement contre lui. Il ignorait seulement qu'elles appartenaient au grand dossier secret constitué en prévision de ce procès. L'affaire de la disparition d'une partie de ses cours de l'École de guerre faisait partie de l'un de ces nouveaux dossiers d'accusation. Il rappela alors ce qui avait été constaté en 1894 :

On a fait une perquisition chez moi, on a saisi tous les cours, on a pu vérifier et il n'a été fait aucune observation.
*Le président.* – Il y avait des pages qui manquaient à ces cours ?
*Le capitaine Dreyfus.* – Non, mon colonel, lors des perquisitions de 1894, on n'en a pas parlé, j'entends pour la première fois le fait ici ; c'est en 1897 ou 1898 que ce fait a été soulevé, c'est un fait nouveau, tout récent. Au procès de 1894, je le répète, lors de la perquisition, on n'a rien remarqué à cet égard, et trois ans après on vient prétendre, je ne sais pour quelle raison, qu'il y a des pages qui manquent à des cours de l'École de guerre ! (*Mouvements.*) [57]

Les insinuations d'Auguste Ferret, un employé civil qui aurait vu Alfred Dreyfus avec un étranger dans un bureau du ministère de la Guerre, subirent également la critique de l'officier :

Lorsque cet homme dit qu'il m'a vu à une heure de l'après-midi dans le bureau, c'est faux, attendu que jamais je ne suis allé au 4ᵉ bureau à une autre heure que l'heure réglementaire, c'est-à-dire à 2 heures. Quant à avoir introduit une personne étrangère à l'armée dans ce bureau, j'affirme que c'est faux ; j'ai dit déjà d'ailleurs hier pourquoi c'est une impossibilité, c'est en tout cas une difficulté[58]. Je ne vois pas comment moi, officier, j'aurais introduit un étranger dans le bureau, où tout le monde pouvait passer à chaque instant. C'était le bureau du commandant Bertin où tous les officiers passaient à chaque instant, cela montre l'invraisemblance de cette déposition. Il venait à chaque instant dans cette section des ingénieurs du réseau de l'Est qui étaient en civil et qui venaient attendre le commandant Bertin ; il arrivait très souvent qu'il y eût, aux heures où un ou deux officiers se trouvaient là, des personnes étrangères au bureau, ingénieurs ou membres du bureau du commandant Bertin, pour l'attendre. Il y avait des personnes que je ne connaissais pas moi-même personnellement. Je n'ai plus rien à répondre[59].

Mais le général Gonse, qui déposait à ce moment-là, voulut contredire Dreyfus qui ajoutait que « les règlements étaient formels » et qu'il les respectait. L'ancien sous chef d'État-major expliqua : « J'ai reçu beaucoup de députés et de sénateurs au ministère de la Guerre, et jamais ces messieurs n'ont demandé de laissez-passer ; ils entraient en montrant simplement leur médaille. » Le capitaine Dreyfus ne se laissa pas démonter et osa même l'ironie :

Peut-être, pour le sous-chef d'État-major aux heures de réception officielle ! [...] Si je me souviens bien, le règlement permettait aux personnes officielles de voir le chef d'État-major sans demander de laissez-passer ; mais, pour nous, les règlements étaient formels, il nous était interdit d'introduire qui que ce soit au ministère, et les camarades ou les autres personnes qui venaient nous demander au ministère étaient obligés de s'inscrire sur un registre placé dans une salle publique.

Quant à moi, j'affirme que j'ai toujours respecté le règlement : s'il y en a qui ne l'ont pas respecté, je laisse leur acte à l'appréciation du conseil de guerre[60].

Contre Alphonse Bertillon et son obsessionnelle exposition de sa culpabilité au moyen d'un système que les experts indépendants devaient méthodiquement ruiner[61], Dreyfus s'empara du sens de cette monstruosité technicienne. Se refusant à entrer dans le détail de la démonstration pour ne pas en accepter le principe, il fit ses observations sur le mode opératoire de l'expertise et l'attitude accusatrice de l'expert à son encontre, au procès de 1894 comme au cours de ces débats :

En 1894, oubliant les convenances les plus élémentaires, le témoin s'est constamment tourné vers moi en parlant du « coupable » ; c'est dans ces conditions que je lui ai renvoyé le mot de « misérable ». Voilà dans quelles conditions j'ai employé ce mot.

Je ne discuterai pas sa déposition au point de vue technique. Cette tâche sera remplie par des personnes plus compétentes que moi ; je vous demande simplement la permission de présenter une observation de bon sens.

D'abord il y a une chose dont je suis sûr, c'est que je ne suis pas l'auteur du bordereau. [...]

M. Bertillon a parlé de la lettre du buvard. Cette lettre est absolument authentique. Si le conseil le désire, je lui demande de faire citer l'auteur de la lettre qui est mon frère, ensuite Mme Dreyfus qui a reçu la lettre en même temps que moi. (*Sensation prolongée.*)

Je suis convaincu que personne ici ne doutera de la parole de Mme Dreyfus, vous, messieurs, moins que personne [62].

Confronté à la déposition du capitaine Valério, un exégète du chef de l'anthropométrie parisienne, Dreyfus jugea qu'on était en présence d'une « répétition abrégée de la déposition de M. Bertillon [63] ». Sa défense fut marquée par l'esprit de raison et le souci de la démonstration.

Et puis Dreyfus fut confronté au ministre qui avait voulu sa condamnation en 1894 et qui à présent portait l'accusation. Afin de montrer sa bonne foi et de prouver qu'il n'agissait que dans l'intérêt de la justice, le général Mercier déclara longuement, en donnant une gravité recherchée à son réquisitoire. Il fut brusquement interrompu par le capitaine Dreyfus qui ne voulait plus tolérer les mensonges entendus. Mercier venait d'énoncer la somme des faits imaginaires que le grand dossier secret avait réunie en prévision d'un nouveau procès de Dreyfus et de dresser un nouvel acte d'accusation terrifiant. Il en résumait les principaux éléments. Il concluait. Mais, par sa soudaine interruption, Dreyfus l'ébranla un instant, avant qu'il reprît le cours de son réquisitoire. Le général n'avait pas prévu qu'il le prendrait au piège de sa propre rhétorique. Et puisqu'il s'adressait théâtralement à sa victime, celle-ci saisit la parole qu'il lui offrait sans le vouloir :

Je vais terminer ma déposition déjà bien longue en vous remerciant précisément de m'avoir permis de la faire aussi longue.

J'ajouterai seulement un mot. Je ne suis pas arrivé à mon âge sans avoir fait la triste expérience que tout ce qui est humain est sujet à l'erreur. D'ailleurs, si je suis faible d'esprit, comme l'a dit M. Zola, je suis du moins un honnête homme et le fils d'un honnête homme. Par conséquent, quand j'ai vu commencer la campagne pour la révision, j'ai suivi avec une anxiété poignante toutes les polémiques, tous les débats auxquels a donné lieu cette campagne. Si le moindre doute avait effleuré mon esprit, messieurs, je serais le premier à vous déclarer et à dire devant vous au capitaine Dreyfus : « je me suis trompé de bonne foi... »

À cet instant, le capitaine Dreyfus interrompit vivement l'ancien ministre de la Guerre. Il jeta sa révolte et sa vérité dans la grande salle d'audience du conseil de guerre de Rennes. Son cri d'innocence frappa le public et les contemporains. L'intensité du moment fut extrême.

*Le capitaine Dreyfus, se levant, avec force.* – C'est ce que vous devriez dire ! (*Applaudissements.*)

*Le général Mercier.* – Je viendrais dire au capitaine Dreyfus : « Je me suis trompé de bonne foi, je viens avec la même bonne foi le reconnaître et je ferai tout ce qui est humainement possible pour réparer une épouvantable erreur. »

*Le capitaine Dreyfus.* – C'est votre devoir !

*Le général Mercier.* – Eh bien, non, ma conviction depuis 1894 n'a pas subi la plus légère atteinte, elle s'est fortifiée par l'étude plus approfondie du dossier, elle s'est fortifiée aussi par l'inanité des résultats obtenus pour prouver l'innocence du condamné de 1894, malgré l'immensité des efforts accumulés, malgré l'énormité des millions follement dépensés[64].

Jean-Bernard ressentit vivement le cri de Dreyfus et son destin tragique : « Véritablement, c'était superbe ! Au point de vue humain, c'était d'une extraordinaire émotion ; on sentait les larmes vous monter aux yeux, et quand le général a descendu les trois marches, une formidable huée s'est échappée d'une grande partie de la salle ; cela a été instinctif comme un élan irraisonné de colère et de mépris. Le général était blême[65]. »

« Coup de théâtre. Émotion[66] », jugea pour sa part Jules Cornély qui considéra le procès comme d'ores et déjà gagné et Dreyfus comme acquitté[67]. Plus que le cri de l'officier, ce qu'entrevoyait la plume du *Figaro* était la faiblesse du dossier d'accusation du général Mercier, « toutes les histoires mille fois répétées, qui ont traîné dans les journaux à manchettes[68] » dont la légende du « syndicat » complaisamment exposée avec le chiffre fantastique des « trente-cinq millions ».

## La solennité de Dreyfus

Dreyfus sut aussi se montrer solennel et définitif quant à l'immensité des souffrances qui furent les siennes et la culpabilité des hommes qui furent ses bourreaux. Il s'indigna des mises en cause de son patriotisme par le général Fabre et le lieutenant-colonel Bertin-Mourot, deux des officiers les plus attachés à sa perte lorsqu'il était à l'État-major en 1893 et 1894. Il nia avoir déclaré, comme ils l'affirmaient, que les Alsaciens étaient beaucoup plus heureux sous la domination allemande que sous la domination française. Il affirma vivement son entier patriotisme :

Le colonel Bertin me prête un propos qui est contraire à mes sentiments et à tout ce que j'ai écrit depuis cette iniquité qu'on a commise à mon égard, depuis cinq ans, et que je n'ai pas besoin de relever autrement. Vous avez en votre possession, mon colonel, tout ce que j'ai écrit aux chefs de l'armée dans lesquels j'ai une confiance absolue, parce que je comprends l'honneur de l'armée et peut-être autrement qu'eux, car je le comprends dans la loyauté et dans la recherche de la justice et de la vérité. Oui, j'aime l'armée, la France et la patrie, vous n'avez qu'à voir ce que j'ai jeté sur le papier dans mes nuits de fièvre et de douleur à l'île du Diable ! (*Sensation.*) Vous avez certainement des monceaux de papier contenant tout ce que j'ai écrit dans les nuits de fièvre et de douleur, c'est-à-dire des lettres que je reconnais pour miennes, et non les propos que tout le monde ici me prête avec une passion inexcusable[69].

Après la déposition de l'ancien ministre des Colonies André Lebon, lequel se justifia du régime d'enfermement et de torture qu'il fit subir à son prisonnier hors des cadres légaux, ceux que prévoyait la loi, Dreyfus prit la parole comme l'y invitait, rituellement, le président du conseil de guerre. Il fut aussi solennel : « Je ne viens pas ici, mon colonel, parler des tortures ou des souffrances atroces qu'on a fait subir pendant cinq ans à un Français et à un innocent. (*Mouvement.*) Je ne suis ici que pour défendre mon honneur, mon colonel. Je ne parlerai donc, mon colonel, de rien de ce qui s'est passé, pendant cinq ans, à l'île du Diable. (*Profonde sensation.*)[70] »

Jean-Bernard, l'auteur de *Cinq semaines à Rennes*, jugea cette réponse très forte et très digne : « Cela, dit avec un accent d'indéfinissable douleur, produit une sensation très vive ; je vous l'ai déjà dit, Dreyfus n'a pas une tête sympathique, bien au contraire, il n'a pas le faciès poétique d'un amoureux d'opéra-comique, mais à ce moment, il était vraiment beau ; il a eu une phrase de héros dite simplement, avec sincérité, c'était le cri humain d'un innocent réclamant son honneur et oubliant son long martyre en face du bourreau[71]. »

Un autre moment provoqua une vive émotion. À la suite de la déposition du commandant Forzinetti racontant comment il l'avait convaincu de ne pas se suicider après l'annonce du verdict, Dreyfus rendit un vibrant hommage à sa femme :

> Je tiens à rappeler à qui je dois d'avoir fait mon devoir, à qui je dois de l'avoir suivi pendant cinq ans. Après ma condamnation, j'étais décidé à me tuer, j'étais décidé à ne pas aller à ce supplice épouvantable d'un soldat auquel on allait arracher les insignes de l'honneur (*mouvement*), eh bien, si j'ai été au supplice, je puis le dire ici, c'est grâce à Mme Dreyfus qui m'a indiqué mon devoir et qui m'a dit que si j'étais innocent, pour elle et pour mes enfants, je devais aller au supplice la tête haute ! Si je suis ici, c'est à elle que je le dois, mon colonel. (*Sensation profonde.*)[72]

L'ancien commandant des prisons militaires de Paris, qui fut le témoin de leur rencontre, confirma absolument[73]. « Vive émotion », écrivit la sténographie. Cornély, dans *Le Figaro*, s'exclama : « Comment ne pas souligner ce cri déchirant de Dreyfus évoquant l'image de sa femme qui lui disait : "Pour moi, pour nos enfants, si tu es innocent, tu dois vivre !" [...] Et devant tous les yeux a passé l'image désolée de l'épouse qu'on voulait rendre une seconde fois veuve, de la pauvre créature dont le cœur sert d'enclume à tant de haines féroces et imbéciles[74] ! » Pour Jean-Bernard, « ce cri du supplicié, étendant les bras vers sa femme, proclamant, une fois de plus, son innocence, était impressionnant comme une scène de Shakespeare[75]. »

Il y eut, au procès de Rennes, d'autres grandes dépositions, faites par des témoins qui vinrent défendre le capitaine Dreyfus. Les moins attendus, les plus courageux, furent incontestablement les nombreux officiers qui durent subir la quarantaine de leurs camarades et l'intimidation du général Mercier et de ses anciens adjoints.

## LES DÉFENSEURS DE DREYFUS

Officiers, juristes, savants furent les trois principaux groupes qui entourèrent Dreyfus et portèrent sa défense. Ils démontrèrent des faits essentiels sur son innocence autant qu'ils dévoilèrent des éléments clefs d'une conspiration en marche et soulignèrent le caractère intangible des principes de vérité et de droit dans l'administration de la justice. Leur apport à la connaissance et au sens de l'affaire Dreyfus fut décisif. Il demeure peu étudié.

### Les officiers dreyfusards

Entendu par la défense, Ferdinand Forzinetti, vint confirmer les protestations d'innocence de Dreyfus et s'employa à détruire la thèse de ses aveux. Il montra que les déclarations de Lebrun-Renault étaient essentiellement fonction de la position et de la conviction de ses interlocuteurs. L'ancien chef des prisons militaires de Paris, le rencontrant en novembre 1897, le questionna sur les aveux de son ancien prisonnier et s'entendit alors répondre « qu'il n'en avait jamais fait, qu'il avait au contraire protesté de son innocence[76] ». Au procès Zola, il le croisa à nouveau dans le couloir des témoins[77] et lui demanda pourquoi il avait déclaré au député Chaulin-Servinière qu'il lui avait fait part des aveux de Dreyfus, alors que c'était tout le contraire. « M. Lebrun-Renault ne répondit pas ; il s'en fut. Alors, raconte Forzinetti, le saisissant par le bras, je lui dis : "Si les propos que l'on vous prête sont exacts, vous êtes un infâme menteur." (*Sensation.*)[78] » Il fut alors confronté à Lebrun-Renault qui reconnut que les déclarations du commandant étaient exactes. Lebrun-Renault ne lui avait jamais affirmé que Dreyfus avait fait des aveux[79]. Cette déclaration créa une vive émotion et un malaise certain. Le gendarme apparut comme singulièrement suspect dans son témoignage mais il invoqua l'ordre qu'il avait reçu du chef d'État-major de l'armée, le général de Boisdeffre, de se taire.

Pour appuyer encore son témoignage, Forzinetti invoqua son amitié étroite avec le capitaine d'Attel. « Nous avons souvent parlé ensemble de la condamnation de Dreyfus et jamais le capitaine d'Attel ne m'a dit avoir reçu ou entendu des aveux. Le capitaine d'Attel était d'un caractère excessivement froid, d'une intelligence remarquable, puisqu'il sortait de l'École de guerre. Il est certain pour moi que, s'il avait reçu des aveux, il les aurait communiqués par rapport à ses chefs [80].»

Relativement aux aveux, Forzinetti termina en disant qu'il trouvait « étonnant qu'au ministère de la Guerre on n'ait pas envoyé un officier à la prison de la Santé où était le capitaine Dreyfus pour l'interroger à ce sujet». Alors que le président voulait couper court en rétorquant que « [c'était] là une appréciation personnelle sur la manière de faire d'un ministre, ce n'est pas un témoignage», Forzinetti continua : « On était intéressé à avoir la confirmation de ces aveux, et je suis étonné que cela n'ait pas été fait, car c'était le seul moyen d'arriver à connaître la vérité [81].» Il rapporta encore les mesures qui avaient été prises en vue de la détention de Dreyfus, insistant sur le caractère antidaté de l'ordre d'écrou remis par le commandant Henry : « Cet ordre d'écrou était daté du 14 » octobre 1894 [82]. Il répéta ce qu'il avait longuement déclaré à la Cour de cassation, les nombreuses protestations d'innocence du prisonnier dont il avait la charge et les démarches qu'il effectua d'abord auprès du gouverneur militaire de Paris pour l'informer – alors qu'on lui avait intimé l'ordre de ne pas le faire – qu'il détenait un prisonnier d'État, puis auprès du chef d'État-major général, le général de Boisdeffre quand l'état mental du capitaine Dreyfus lui inspira de vives inquiétudes. Il témoigna enfin de l'entrevue capitale du 31 décembre 1894 lorsque du Paty de Clam, porteur d'un ordre du ministre « pour que je le laisse pénétrer librement auprès du capitaine Dreyfus [83] », était venu le voir dans sa cellule.

Le lieutenant-colonel Cordier témoigna à son tour. Il avait été un agent de la Section de statistique. Il reconnut la grande faiblesse des charges qui pesaient sur le capitaine Dreyfus lorsqu'il fut déféré devant le conseil de guerre et l'état de conflit ouvert du service contre son chef lorsqu'il découvrit que Dreyfus n'était pas le coupable annoncé.

Nous savions qu'il n'y avait contre Dreyfus absolument qu'une seule pièce, le bordereau, et nous savions que sur cette pièce deux experts s'étaient prononcés pour qu'elle ne fût pas de Dreyfus et trois pour qu'elle fût de lui. C'est ce que j'ai dit à la Cour de cassation. Nous savions aussi que les témoignages d'officiers étaient nombreux et nous les pensions devoir être très graves ; mais remarquez que je ne les connaissais pas à ce moment, je les connais depuis que je les ai lus, et je les trouve moins graves que je ne croyais. Il n'y avait que cela : le conseil s'est prononcé ! Ce qui nous a rassurés, c'est l'unanimité du conseil de guerre, s'il y avait eu une seule voix pour Dreyfus au conseil, nous aurions conservé des doutes, j'en aurais conservé. Je n'en ai pas eu à ce moment-là précisément à cause de cette unanimité. Les premiers doutes que j'ai éprouvés, je les ai eus quand je me suis aperçu, à mon grand étonnement, que ce bordereau que je savais pertinemment avoir été apporté au mois de septembre, on en avait travesti la date d'arrivée, quand on avait dit au conseil de guerre de 1894 que ce bordereau était du mois d'avril ou de mai. C'est ce qui a commencé à éveiller mes doutes. (*Mouvement.*)

Ce qui a aussi contribué à ce moment-là à les éveiller, c'est la campagne, que je me permettrai de qualifier d'infâme, qui a été faite contre le colonel Picquart. Je connaissais de longue date le colonel Picquart et j'ai toujours eu pour lui la plus grande estime. Quand j'ai vu ses anciens subordonnés, qui étaient également les miens, se retourner contre lui et l'accuser injustement, je me suis dit : « Il doit y avoir quelque chose. » C'est là que j'ai commencé à suivre, et c'est là que successivement j'ai examiné toutes les charges, que j'ai suivi l'affaire[84].

Le résultat de cette expérience à la Section de statistique, la conclusion de cette critique de l'enquête contre Dreyfus, Cordier les exprima sans détour :

Oui, j'ai cru à la culpabilité de Dreyfus. [...] Et si je n'y avais pas cru, j'aurais été le dernier des hommes, moi, officier du service de renseignement, de ne pas proclamer alors la vérité. J'ai cru à sa culpabilité, mais maintenant je crois complètement à son innocence, j'y crois de la façon la plus absolue. (*Mouvement.*)

Je ne dirai qu'un mot : après la condamnation de Dreyfus, nous étions absolument tranquilles ; comme je vous l'ai dit, il n'a plus été question de lui, et pour le malheureux ce doit être une chose navrante, il se figurait que tout le monde s'occupait de sa réhabilitation. Ah ! ce devait être dans un bien petit cercle, probablement celui de sa famille. Ailleurs, on ne s'occupait guère de lui[85].

Cordier démentit enfin que Picquart ait été nommé à la tête de la Section de statistique simplement « pour faire la révision ». Et, ajouta-t-il, « on a insinué que le colonel Cordier avait dû lui céder la place exprès pour cela. Je suis habitué aux insultes, aux insinuations ; je ne m'en occupe pas, cela m'est complètement égal, il y a des choses bien supérieures à ma personne dans cette affaire, tout cela, je m'en fous ! Mais pour l'affaire je tiens à dire ceci : c'est que, depuis plus de dix-huit mois, tout le monde le savait à l'État-major, et certainement mes grands chefs le savaient et diront très bien que, depuis dix-huit mois, on savait parfaitement que le colonel Picquart, alors commandant Picquart, devait remplacer le colonel Sandherr. Tout le monde savait parfaitement que je ne succéderais pas au colonel Sandherr, et personne, quoi qu'ait dit encore le général Roget – je suis toujours obligé de parler du général Roget, c'est d'ailleurs mon camarade de promotion (*sourires*) –, je suis obligé de dire que personne au monde ne pensait que je voulais remplacer Sandherr, tout le monde savait que j'avais demandé à entrer dans le corps du contrôle[86]. » Cordier apporta encore des renseignements sur l'incompétence du commandant Henry[87], source de tensions assez vives entre ce dernier et son premier chef, Sandherr, et sur la guerre qu'Henry mena ensuite contre son nouveau chef, le commandant (devenu lieutenant-colonel) Picquart. L'hostilité contre

Picquart prit un tour violent lorsque celui-ci réceptionna en mars 1896, à la place d'Henry, le contenu de la « voie ordinaire » et découvrit le « petit bleu », point de départ de son enquête sur le commandant Esterhazy. « Enfin, on appelle le colonel Picquart, qui arrive très droit, très maître de lui », commenta Jean-Bernard. La très longue déposition, commencée le 17 août et poursuivie le 18, élargit ce que l'ancien chef de la Section de statistique avait déjà exposé au procès Zola et devant la Cour de cassation. Son témoignage capital, aussi bien sur les conditions du procès de 1894 pour lequel il avait assumé les fonctions de représentant personnel du ministre de la Guerre que sur son enquête établissant la culpabilité du commandant Esterhazy et l'innocence du capitaine Dreyfus, sur les preuves enfin de l'entreprise d'élimination qui l'avait visé à partir de septembre 1896, avait été déjà utilisé pour restaurer les principaux faits de vérité concernant notre histoire. Il convient d'insister ici sur l'impact de sa déposition telle que la retinrent les observateurs présents. Jean-Bernard décrit la scène :

Il est accueilli par un mouvement de sympathie ; il commence d'une voix nette, juste, bien timbrée. Il place, lui aussi, un petit dossier sur la table, mais il ne s'en servira pas. Aux premières explications, on voit que nous sortons des suppositions, des hypothèses, des allégations, pour entrer dans le domaine des faits précis, étayés par les preuves. [...] Et on se sent pris d'un sentiment de haute sympathie pour ce militaire qui, contre cinq ministres, a osé soutenir son opinion, brisant sa carrière plutôt que d'abandonner ce qu'il croyait la vérité. Cet homme avait tout à perdre, rien à gagner ; il a risqué la partie : il a tout perdu et n'a conservé que l'estime des honnêtes gens. Il arrive à l'éloquence véritable, il émeut, quand il raconte en des termes très simples la cérémonie de la dégradation, rappelant la véhémence des protestations d'innocence de Dreyfus, criant : « Sur la tête de ma femme et sur la tête de mes enfants, je suis innocent ! » Quand l'audience est suspendue, on commente vivement cette déposition. Elle a la clarté de vérité qui s'impose. L'opinion du public est unanime, à quelques exceptions près [88].

Joseph Reinach analyse avec autant d'approbation la déposition de l'officier dans le tome V de son *Histoire de l'affaire Dreyfus*.

Racontant pour la dixième fois son rôle dans l'Affaire – un peu longuement, parce que l'art des raccourcis lui fait défaut –, il a atteint vraiment à la perfection du discours narratif qui est d'être une preuve rien que par l'enchaînement, l'évolution logique, ordonnée, des faits clairement et prudemment exposés ; il n'affirme qu'à bon escient, « doute avec art », ce qui n'est pas la moins bonne manière de convaincre. Jamais plus de lumière ne s'est dégagée du récit de ses conflits avec lui-même et avec ses chefs ; son tir rectifié vise enfin Henry sans épargner du Paty ; sa discussion des pièces secrètes est un chef-d'œuvre de probité et de bon sens. D'autant plus, Roget, Gonse, surtout Junck et Lauth, s'acharnent à discréditer son témoignage [89].

L'importance de la déposition de l'ex-lieutenant-colonel Picquart – il avait été chassé de l'armée par le décret du 26 février 1898 – fut en effet soulignée par la réaction de la partie ennemie. Elle tenta de détruire la validité de son témoignage par tous les moyens – y compris les attaques contre sa vie privée [90] et l'instrumentalisation de la douleur de la veuve d'Henry [91]. Mais les confrontations qui opposèrent Picquart aux généraux Gonse et Roget, ainsi qu'à ses anciens subordonnés Lauth et Junck tournèrent à l'avantage du premier. Gonse commença par protester que les lettres qu'ils avaient échangées avaient été portées à la connaissance de Scheurer-Kestner et d'autres personnes. « Il a commis vis-à-vis de moi un abus de confiance », dénonça-t-il [92]. Picquart rétorqua vivement :

> J'ai remis ces lettres, que M. le général Gonse dit avoir été montrées à M. Scheurer-Kestner et au ministre de la Guerre, ce dont il se plaint, je les ai remises entre les mains d'un avocat pour servir à ma défense, le jour où j'ai acquis la certitude absolue qu'on s'était livré contre moi à d'abominables machinations, et que j'étais exposé aux pires choses [93].

Gonse réagit, proclamant que « Picquart voit des machinations partout [94] ». Picquart reprit : « c'est que dans mon entrevue avec M. le général Gonse, en septembre 1896, j'avais apporté au général Gonse non seulement le bordereau, mais encore le dossier secret et que, à la suite de la démonstration que je lui avais faite sur le dossier secret, M. le général Gonse n'a pas pu penser un seul instant que je n'étais pas persuadé de l'innocence de Dreyfus ; ayant le bordereau de l'écriture d'Esterhazy et d'autre part le dossier secret qui ne contenait absolument rien contre Dreyfus, ma conviction était faite, et le général Gonse savait parfaitement quelle était ma conviction. (*Mouvement.*) [95] » Labori demanda alors à Gonse s'il pouvait contester que des machinations aient été dirigées contre le colonel Picquart. Réponse de l'ancien sous-chef d'État-major : « Je ne sais pas du tout ce que veulent dire ces machinations ; il faudrait les énumérer et cela nous mènerait très loin. (*Bruit.*) » Labori insista : « C'est très intéressant, au contraire », et demanda la permission au président d'en « énumérer quelques-unes », comme le courrier personnel de Picquart ouvert par les agents de la Section de statistique [96], les faux télégrammes fabriqués au sein de ce même service pour le faire accuser de trahison, la manipulation du « petit bleu » (ou « grattage ») afin de faire croire que Picquart avait volontairement écrit le nom et l'adresse d'Esterhazy sur la lettre pneumatique, etc. [97]

Picquart repoussa également l'attaque du général Roget qui le menaçait de faire venir les dossiers de certaines affaires de la Section de statistique, selon lui accablants pour l'ancien chef : « Je n'ai pas besoin de la menace de faire venir ce dossier pour vous répondre en toute vérité sur ce que vient de dire le général Roget [98]. » Mais Picquart fut moins à l'aise, incontestablement, devant les deux anciens ministres de la Guerre, Mercier et Billot. Pour Joseph Reinach, Picquart « restait soldat dans les moelles, comme Dreyfus, malgré la dure injustice des soldats [99] ». Il s'agit surtout de savoir quel idéal de soldat défendaient les deux officiers. L'un et l'autre refusaient la raison d'État et la soumission de la vérité à l'autorité. Dreyfus osa affronter Mercier, tandis que Picquart osa défier toute une institution en venant témoigner longuement au procès de Rennes, comme civil, sans grade ni uniforme [100], dans des conditions où sa vie pouvait être menacée. Il quitta la capitale bretonne le 7 septembre 1899, avant l'annonce du verdict, à l'invitation du préfet d'Ille-et-Vilaine qui « le tenait pour particulièrement exposé [101] ».

Quant à la dernière remarque de Reinach sur sa déposition, à savoir le peu de sympathie exprimé par Picquart à l'encontre de Dreyfus et « le cri de reconnaissance » que le capitaine ne voulut pas lancer en direction de son défenseur [102], elle découlait surtout d'une appréciation postérieure marquée par la rupture des dreyfusards après la grâce. Car Picquart, systématiquement accusé par les antidreyfusards d'être l'homme du « syndicat », se devait de garder une froide distance avec un homme que toute sa déposition innocentait. Ce qui était bien l'essentiel dans un procès pénal. Dreyfus obéit à la même conception. Les débats ne sont pas un théâtre, mais un lieu de démonstration de la vérité et d'application du droit. Reinach pensait comme son temps, comme l'avocat qu'il avait été, mais il ne comprenait là ni Dreyfus ni Picquart.

Des juges militaires du procès de 1894 témoignèrent également. Le capitaine Freystaetter reconnut la communication du dossier secret en chambre du conseil, pendant le délibéré. Il en donna une liste de quatre documents, incluant la dépêche Panizzardi [103]. Le président du conseil de guerre, le colonel Maurel, reconnut pour sa part que l'attitude du capitaine Dreyfus avait été digne et mesurée. Il reconnut lui aussi qu'une communication secrète avait bien eu lieu en salle des délibérés. Son aveu fit sensation :

Le 21 décembre, l'audition des témoins était terminée et les plaidoiries allaient commencer. M. le général Mercier, alors ministre de la Guerre, me fit remettre un pli fermé et scellé portant l'adresse du premier conseil de guerre. Ce pli, le seul (j'insiste sur ce mot) que j'aie reçu pendant toute la durée du procès Dreyfus, ne m'a pas été remis par M. Picquart. Je reçus donc un pli, et l'officier qui était chargé de me le remettre ne me fit pas connaître ce qu'il renfermait. Mais il m'enjoignit, au nom du ministre, d'en donner connaissance aux juges, dans des conditions de temps et de lieu nettement déterminées. (*Mouvement prolongé.*) Le pli fut rendu le lendemain soir en présence des juges, et sans aucune explication, au même officier qui me l'avait apporté la veille. [...] Ce fut M. du Paty de Clam [104].

Le polytechnicien François de Fonds-Lamothe, ingénieur, ancien capitaine d'artillerie breveté d'état-major, attaché à la question du tir au 3ᵉ bureau en 1894 et, comme Dreyfus, stagiaire au 3ᵉ bureau de l'État-major, démontra qu'il était absolument impossible d'imaginer pouvoir partir en manœuvres à la date à laquelle Dreyfus était censé avoir écrit le bordereau. Après le témoignage de son ancien camarade, Dreyfus demanda la parole :

Pour préciser la question des manœuvres, je rappellerai qu'au procès de 1894, tellement j'étais fixé sur ce point, quand j'ai vu que le commandant du Paty de Clam, à l'audience, voulait à un moment donné reporter la date du bordereau au mois d'août, j'ai immédiatement prouvé l'impossibilité d'avoir pu écrire : « Je vais partir en manœuvres » à cause de la circulaire du 17 mai. Vous devez posséder dans le dossier la note que j'ai remise à Mᵉ Demange aussitôt après l'audience. Au procès de 1894, on plaçait la date du bordereau au printemps ; dès qu'on a voulu changer cette date, j'ai apporté cette affirmation que ces mots : « Je vais partir en manœuvres » n'avaient pu être écrits par un stagiaire de deuxième année, puisque à ce moment on savait que les stagiaires de première année iraient dans les corps de troupe en juillet, août et septembre, et les stagiaires de deuxième année, en octobre, novembre et décembre.

Je répète que cette note, que j'ai écrite en 1894 à Mᵉ Demange et qui doit être dans le dossier, n'a pas été faite pour les besoins de la cause.

Quant à la note du 27 août, elle est complémentaire de cette circulaire théorique du 17 mai. Cette note du 27 août est celle qu'on a faite pour nous demander à tous quel était le régiment dans lequel nous voulions faire un stage ; dès que nous avions fait cette demande, le numéro du régiment était indiqué et la circulaire n'avait aucune valeur au point de vue théorique. Au point de vue de la date de nos manœuvres, c'est la circulaire du 17 mai qui nous a été seulement envoyée et qui nous avait absolument fixés.

Quant aux deux exemples qu'on a cités tout à l'heure, des deux capitaines Jeannin et Pouydraguin, il faut, comme je l'ai dit tout à l'heure, ne pas jouer sur les mots ; ils n'ont pas été aux grandes manœuvres, mais ils ont été pendant vingt-quatre ou quarante-huit heures à des gares pour la dislocation des troupes. En tout cas, quant à moi, je n'ai jamais fait de demande pour aller aux grandes manœuvres ; j'étais convaincu par cette circulaire que je ne devais pas y aller et que par conséquent rien n'était applicable à moi. (*Mouvement prolongé.*) [105]

Fonds-Lamothe demanda que l'on se référât à la note relative aux stagiaires : « Je demande à ce propos à voir la circulaire du 17 mai 1894 que Dreyfus avait demandée en 1894 au conseil de guerre de Paris. Cette circulaire a été ignorée de tous les ministres ; j'estime qu'elle est capitale dans le procès, et si j'ai accepté de venir ici, c'est un acte de conscience que j'accomplis parce que j'ai la certitude qu'aucun stagiaire de deuxième année n'a pu écrire le bordereau et la conviction que les ministres, tout en étant d'une parfaite bonne foi, n'ont pas connu ce document essentiel. (*Mouvement prolongé.*) » Sa conclusion fut répétée : « Il n'a jamais été question de nous envoyer aux manœuvres à un titre quelconque [106]. »

À une question du général Roget relative au moment auquel il s'était convaincu de l'innocence de Dreyfus, cet ingénieur, ancien officier d'artillerie mais aussi ancien chef de cabinet du ministre de la Guerre Freycinet, s'expliqua. Fonds-Lamothe était persuadé, au début de l'Affaire, de la culpabilité de son camarade, mais la connaissance du dossier de la Cour de cassation lui révéla les multiples incohérences de la thèse d'un bordereau écrit par Dreyfus. Il décida alors de parler et demanda à être entendu par le conseil de guerre :

[Mes convictions] datent du jour où j'ai lu l'enquête de la Cour de cassation. J'attendais la preuve de la culpabilité de mon camarade, je vivais sous l'impression qu'il avait été condamné pour une pièce prise au printemps, qu'on l'avait surveillé depuis, qu'on était archi-sûr de sa culpabilité et que le bordereau n'était qu'une parcelle de l'accusation. J'ai lu l'enquête et quand j'ai lu les dépositions des quatre témoins principaux où je m'attendais à trouver cette preuve, j'ai été foudroyé. Je n'ai pu accepter pour le bordereau la date du 29 août, étant donné que j'avais la circulaire présente à l'esprit. Les documents étant postérieurs au mois de juillet, je me suis dit : « L'accusation ne tient pas debout, puisque, depuis le 17 mai, Dreyfus n'a pas pu écrire le bordereau comprenant cette phrase : "Je vais partir en manœuvres", et avant cette date il ne connaissait aucun des cinq documents dont il est parlé ! Il n'y a pas de jour, pas d'heure où Dreyfus ait pu écrire cela.

Voilà ce qui m'a renversé ; je me suis rendu compte qu'on avait fixé la date du bordereau entre septembre et le précédent envoi parvenu par la voie ordinaire. On a alors échafaudé une nouvelle accusation en cherchant des documents différents de ceux de 1894. On a accepté le rapport secret sur Madagascar, quant aux autres documents on a l'embarras du choix, il en existe un certain nombre chaque mois. La circulaire qui rendait la chose impossible, on n'en a pas parlé à la Cour de cassation ; on a indiqué que les stagiaires croyaient jusqu'au dernier moment qu'ils iraient aux manœuvres, mais que ce n'était que le 29 août qu'ils avaient été détrompés ! Cela a déterminé ma conviction.

Je ne m'en suis pas caché, j'ai dit à tout le monde que j'étais désormais certain que Dreyfus n'avait pas écrit le bordereau [107].

Fonds-Lamothe voulut accomplir « un acte de conscience » en venant devant le conseil de guerre démontrer, documents officiels et témoignages personnels à l'appui, que Dreyfus ne pouvait être l'auteur du bordereau. Sûr de sa démonstration, il n'hésita pas à porter même la contradiction aux généraux Deloye, Mercier et Roget [108].

Jean-Bernard rendit hommage à ces « officiers dreyfusards » dont le nombre et la détermination restent ignorés de la connaissance générale sur l'affaire Dreyfus. Et, comme le rappela en 1900 l'auteur du *Procès de Rennes*, « plusieurs ont perdu leur situation, détruit leur avenir pour avoir confessé ce qu'ils savaient être la vérité [109]. » La signification de ces témoignages d'officiers avait une double portée.

Ceux-ci reconnaissaient Dreyfus comme l'un des leurs alors que toute la stratégie de ses accusateurs était au contraire d'en faire un homme indigne de l'armée et traître à la nation. Par ailleurs, ils défendaient une éthique de la vérité et démontraient que, loin de fragiliser le corps militaire, elle lui apportait au contraire l'une de ses valeurs premières.

Cette dimension se trouva encore renforcée par la production de véritables expertises formulées par ces « savants militaires [110] ».

## Les « savants militaires »

L'analyse technique du bordereau fut une autre occasion de découvrir les soutiens militaires dont disposait désormais Dreyfus. Le général Sebert, polytechnicien, artilleur, général de brigade en retraite, membre de l'Institut, énonça ses anciennes fonctions comme preuve de sa compétence et rappela qu'il avait pris volontairement sa retraite de l'armée depuis près de dix ans. « C'est pour ces motifs [...] que la Cour de cassation a cru devoir m'appeler pour me demander un avis technique relatif à la rédaction de la pièce dite "du bordereau". Je n'ai pas cru devoir refuser à la magistrature suprême de mon pays un témoignage qui pouvait contribuer à la réparation d'une effroyable erreur judiciaire. (*Sensation prolongée.*) »

Il souhaita compléter cette expertise, « sur certains points, à la lumière des faits nouveaux qui se sont dévoilés depuis six mois [111]. » Il montra que l'auteur du bordereau pouvait, en toute hypothèse, être un officier d'artillerie, mais qu'il ne pouvait être en aucun cas un ancien élève de l'École polytechnique [112]. Il reprit alors point par point les documents relatifs à l'artillerie visés par le bordereau, produisant une très longue déposition, neuf pages de la sténographie de Stock. Il s'opposa aux affirmations du général Roget qui avançait « que le document reproduit bien, en ce qu'il a de technique, le langage de la maison et qu'il s'ajuste avec exactitude aux travaux qui avaient été faits cette année-là à l'État-major général » [113]. Déjà devant la Cour de cassation et maintenant devant le conseil de guerre, Sebert établit qu'un officier d'artillerie n'aurait pas parlé de son *corps*, mais de son *régiment* ; pas de la fin des *manœuvres*, mais de la fin des *écoles à feu*, du moment où il s'agissait d'essais de tir. Il se serait surtout gardé de qualifier de frein *hydraulique* le frein *hydropneumatique* du canon de 120 et aurait précisé s'il s'agissait du canon de 120 court ou long. Il releva aussi une forte contradiction entre le propos : « Voyez ce qui vous intéresse dans ce manuel » et la nouveauté exemplaire de l'introduction d'un instrument spécial, la réglette de correspondance permettant de se passer du réglage du tir à la manivelle [114]. Il conclut en revenant sur son affirmation de départ :

Le bordereau ne peut pas avoir été écrit par un officier d'artillerie ; il ne peut pas avoir été écrit même par un officier d'une arme spéciale ayant passé à l'École polytechnique. (*Mouvement.*)

Je me serais reproché de m'arrêter à ces conclusions si, à côté de moi, elles s'étaient trouvées infirmées par les recherches qui se poursuivaient sur les détails matériels de l'exécution du bordereau, dont je ne me suis nullement occupé, c'est-à-dire sur les caractéristiques graphiques de l'écriture et sur la nature du papier.

Heureusement, les expertises faites par les experts les plus autorisés et les plus compétents – par ceux auxquels il est réellement possible d'avoir confiance – m'ont tout à fait rassuré ! Il me serait resté cependant une préoccupation devant les assertions formelles de M. Bertillon qui prétendait que par des procédés scientifiques il était arrivé à une démonstration précise et rigoureuse d'une origine différente pour le bordereau.

Mais, dans l'examen que j'en ai fait, j'ai facilement acquis la preuve de l'inanité de cette démonstration.

Il m'est pénible de formuler un jugement aussi sévère sur un homme dont le nom reste attaché à l'application d'une remarquable méthode anthropométrique que nous devons au génie de son père, pour un nom qui est encore si dignement porté par ses deux frères (*mouvement*) ; mais la science ne transige pas sur les principes, et je dois à ma situation de déclarer ici que la science française ne peut couvrir de son autorité des élucubrations fantaisistes comme celles que M. Bertillon a apportées ici sous le couvert de théories scientifiques.

Dans cette situation, je me crois, comme je disais tout à l'heure, autorisé à conclure de la manière la plus absolue que le bordereau n'a pas été rédigé par un officier d'artillerie ; et même qu'il n'a pas été rédigé par un officier d'une arme spéciale sortant de l'École polytechnique.

J'ai été soutenu dans ma déposition par l'absolue conviction de la complète innocence du capitaine Dreyfus, et je suis heureux d'avoir eu la force d'apporter jusqu'ici ma pierre à l'œuvre de réparation que vous édifiez avec tant de soins et tant de conscience, en vous tenant à l'abri des passions du dehors.

J'espère que cette œuvre de concorde et de paix ramènera l'union dans notre malheureux pays. (*Sensation prolongée.*) [115]

La démonstration du général Sebert fut elle-même corroborée par le capitaine Moch, également artilleur et polytechnicien. Le père du futur homme politique français Jules Moch avait déjà fait remarquer que l'auteur du bordereau était peu versé dans les choses de l'artillerie, et qu'il n'en connaissait pas les éléments, les usages, le vocabulaire technique, etc. [116]

Le commandant Hartmann, chef d'escadron au 22e régiment d'artillerie, soutint lui aussi la démonstration. Il étudia les paragraphes du bordereau qui se rapportaient à l'artillerie. Sa démonstration fut aussi méthodique que celle de Sebert. Il commença par aborder la question du canon de 120. Il développa tout l'historique de la mise au point de cette arme, afin de « montrer quels sont les officiers qui ont pu se procurer des renseignements détaillés sur le 120 court, avant 1894 [117] ». « Des renseignements généraux ont circulé partout, dès le commencement de 1894, même dans les régiments d'artillerie qui n'avaient pas de batteries de 120 court », témoigna-t-il [118]. Par ailleurs, « le fait a été démontré par plusieurs témoignages devant la Cour de cassation, et il est bien établi aujourd'hui qu'à Châlons, pendant les tirs du mois d'avril du 29ᵉ d'artillerie, les officiers de toutes armes et en particulier les officiers d'infanterie présents sur le camp ont été admis à assister aux tirs de la batterie de 120 court [119]. » La même situation se répéta pour les manœuvres de masse d'artillerie au même camp de Châlons, en août 1894 : de nombreux officiers assistèrent à ces tirs et purent examiner les canons. Il n'y avait pas de surveillance exceptionnelle autour des pièces. Vint la conclusion de l'artilleur. La note ne pouvait avoir été écrite par Dreyfus, et le cas du canon de 120 le montrait bien. Soit la note apportait des renseignements détaillés – alors il n'aurait pu les fournir –, soit des renseignements généraux – et alors tous les officiers de l'armée française auraient pu les fournir.

Il passa ensuite au paragraphe du bordereau qui mentionnait la « note sur une modification aux formations de l'artillerie ». Il procéda de même, puis il aborda la question du projet de manuel de tir du 14 mars 1894. Il informa le tribunal que les premiers exemplaires étaient arrivés en mars 1894 dans des régiments sans indication particulière [120]. « En résumé, conclut-il encore, un projet de manuel de 1894 aurait pu être emprunté, au mois d'août, dans les conditions figurant au bordereau, aussi bien par un officier d'artillerie détaché des corps de troupes [...] que par un officier d'une autre arme ayant suivi les écoles à feu, précisément en août 1894. Mais les commentaires du bordereau paraissent devoir être attribués plutôt à un officier d'une autre arme qu'à un officier d'artillerie [121]. »

En réponse à une question de la cour, il insista sur le fait que jamais un officier d'artillerie n'aurait parlé, au sujet du canon de 120, d'un frein hydraulique. « Je considère cela comme tout à fait inadmissible. Je parle, bien entendu, non d'un officier quelconque, mais d'un officier d'artillerie suffisamment bien informé pour envoyer à un agent étranger une note sur le frein hydropneumatique du 120 court. »

Concernant Dreyfus, Hartmann démentit formellement que cet officier se fût intéressé particulièrement au matériel de l'artillerie. « J'ai appartenu neuf ans à la section technique, de 1886 à 1895 ; j'ai passé par le service du matériel et par celui des études des bouches à feu ; j'ai dirigé l'atelier de précision. Dans ces services, j'ai eu à ma disposition tous les documents confidentiels soit aux archives, soit au secrétariat ; beaucoup d'officiers sont venus me demander des renseignements, mais je n'ai jamais vu le capitaine Dreyfus. Je dirai plus : jamais je n'ai entendu parler de lui [122]. » Le commandant Ducros, chef d'escadron au 29ᵉ régiment d'artillerie, déposa sur la même question. À l'époque où Dreyfus était à l'École de guerre puis à l'État-major, Ducros travaillait, comme on l'a vu [123], à l'atelier de construction militaire de Puteaux et commandait une batterie à l'École militaire. Il

eut des contacts avec Dreyfus qu'il voulait convaincre de venir observer ses expérimentations, mais celui-ci ne se rendit jamais à son invitation. Il protesta devant le conseil de guerre contre le fait que sa
déposition devant la Cour de cassation, très favorable à Dreyfus, ait
pu être transformée en preuve de culpabilité contre lui [124]. Il demanda
donc à la défense à être entendu.

Les expertises favorables à la vérité ne furent pas seulement le lot
des « savants militaires ». Les historiens et philologues, ainsi que des
experts professionnels, reprirent tout le dossier des comparaisons
d'écriture et du bordereau. Leurs dépositions montrèrent la constitution
d'un principe d'indépendance et de compétence essentiel au métier
d'expert.

## L'indépendance des experts civils

Le procès de Rennes confirma en effet l'émergence d'une morale
professionnelle qui pouvait mener des hommes de savoir à défendre,
au nom du respect de la vérité, des conclusions favorables à Dreyfus
et à récuser l'opinion générale des autorités officielles auxquelles certains d'entre eux étaient soumis soit comme experts officiels, soit
comme officiers d'active ou de réserve [125].

La cohésion des experts officiels éclata sous l'effet des convictions
nouvelles de plusieurs d'entre eux, conscients des erreurs de méthode
et de la pression administrative qui avaient caractérisé leurs premiers
travaux. Étienne Charavay, qui avait rendu en 1894 une expertise défavorable à Dreyfus, témoigna de cette étape morale autant que professionnelle [126] : « Ayant trouvé un nouvel élément d'écriture, j'ai reconnu
que j'ai été abusé, en 1894, par une ressemblance graphique, et c'est
pour moi un très grand soulagement de conscience de pouvoir le déclarer devant vous et, surtout, devant celui qui a été victime de cette
erreur. [...] Il suffit de comparer les deux écritures à celle du bordereau, la chose saute aux yeux ; il suffit du simple bon sens [127]. »

Alfred Gobert, l'expert qui, lui, n'avait jamais douté et qui avait dû
affronter de multiples menaces et intimidations [128], redit une nouvelle
fois les doutes qui avaient été les siens devant les procédés de l'autorité militaire en octobre 1894 :

> Je lui [le général Gonse] fis part des résultats obtenus d'abord par la
> lecture de la lettre et ensuite, les complétant d'une façon orale, je dis au
> général Gonse qu'il y avait lieu de prendre des précautions infinies, que le
> bordereau ne m'apparaissait pas du tout comme étant de la main de Dreyfus.
> J'engageai le général Gonse à une très grande circonspection. Je le priai de
> faire faire des recherches. (*Mouvements*.) En un mot je me suis efforcé
> d'éloigner les soupçons qui pesaient sur Dreyfus, parce que j'estimais – et
> les circonstances ont donné pleine raison à mon appréciation première –
> parce que j'estimais, dis-je, que le bordereau était d'une main autre que la
> sienne.

M. le général Gonse reçut toutes ces observations d'une façon, je le répète, absolument courtoise, mais en même temps il me montra, et j'en fus très surpris, des lettres qui convoquaient diverses personnes, et notamment Dreyfus, au rendez-vous du 15 octobre, jour où l'accusé a été arrêté. Je me suis demandé, messieurs, pourquoi j'avais été appelé [129].

Gobert rappela aussi les recommandations nombreuses qu'il avait suggérées à l'État-major, et qui devaient selon lui permettre de consolider son expertise : faire saisir les encriers de la maison de Dreyfus, lui faire écrire une partie du bordereau, etc. :

Toutes ces recommandations, messieurs, ont été parfaitement suivies, elles se justifiaient par la nécessité même d'une vérification que je croyais avoir à entreprendre.

Tout cela a été, je le répète, absolument correct. Seulement ce n'est pas à moi que ces pièces ont été remises, c'est à M. Bertillon ; et pendant cette perquisition, pendant toutes ces recherches, je suis devenu je ne sais pourquoi l'expert suspect dont parle l'acte d'accusation.

L'expert suspect ! J'ai l'honneur, messieurs, d'appartenir à la justice civile depuis bientôt trente ans, j'ai rempli un grand nombre de missions de justice, à la satisfaction, je n'en doute pas, de tous les magistrats du ressort de Paris.

J'ai fait des milliers d'expertises ; jamais, messieurs, je ne me suis entendu traiter d'expert suspect.

Je me permets ici de protester devant vous contre une qualification de ce genre [« expert suspect »], parce que, quand un homme remplit un devoir dans les conditions qui m'étaient fournies – je vous prie, messieurs, de ne pas l'oublier, j'étais expert-conseil choisi par M. le ministre de la Guerre lui-même –, je soutiens que, dans ces conditions, ayant rempli ma mission comme je devais le faire en tout honneur et conscience, il n'est ni convenable ni digne pour moi d'être traité d'expert suspect.

Cette simple protestation suffit, je ne veux pas l'étendre davantage. J'estime que je n'ai pas le droit de me plaindre quand je considère l'infortuné qui est ici. Je me tais sur ce point et je continue. (*Sensation.*) [130]

Enfin, Gobert releva un fait qui marqua l'assistance : en réponse à une question du président sur l'évolution de son impression personnelle concernant l'affaire, il déclara avec gravité :

Monsieur le président, je dois simplement dire, et c'est un devoir d'honnête homme que j'accomplis, que l'impression que j'ai eue, et qui ne s'inspirait que de l'authenticité de l'origine du bordereau qui était attribué à Dreyfus, s'est sensiblement modifiée, en ce sens que si, à l'époque de ma première intervention, j'avais connu l'écriture du commandant Esterhazy, je n'aurais pas manqué d'appeler l'attention du ministre de la Guerre sur la similitude qui existe entre cette écriture et celle du bordereau, et je l'aurais peut-être retenu dans son premier élan. (*Sensation prolongée.*) [131]

Comme au procès Zola et à la Cour de cassation, le procès de Rennes déboucha aussi sur un nouvel affrontement opposant les graphologues antidreyfusards et les historiens dreyfusards. Les premiers – Pierre Teyssonnières, Émile Couard, Pierre Varinard, Étienne Belhomme – déposèrent les 28 et 29 août, tandis que les seconds – Paul Meyer, Auguste Molinier et Arthur Giry – présentèrent leurs conclusions le 30 août. Celles-ci appuyèrent encore les résultats des dépositions des trois experts officiels déchargeant Dreyfus : Alfred Gobert, Eugène Pelletier et Étienne Charavay. L'offensive sur le terrain philologique fut menée quant à elle par Louis Havet, le 2 septembre. Il corrobora les analyses syntaxiques déjà réalisées par le général Sebert et par le commandant Hartmann. Dans le texte pourtant très court du bordereau, il releva un nombre important d'incorrections de langue, de grammaire et de syntaxe, en opposition flagrante avec la qualité de l'écriture des lettres de Dreyfus.

Sa langue excellente, étonnante de netteté, de précision, de correction grammaticale, exempte de toute influence germanique, la justesse parfaite et l'élégance mathématique et nerveuse de son style, auraient dû interdire absolument de lui attribuer la rédaction de ce document, alors que, tout au contraire, le style d'Esterhazy est taché à chaque instant exactement des mêmes fautes que celles reconnues dans le bordereau et rempli de tournures germaniques [132].

Havet riposta également à l'attaque du général Mercier qui l'avait visé dans sa déposition faite devant la cour d'assises de la Seine au procès Zola. En effet, l'ancien ministre de la Guerre avait repris les arguments du grammairien qui démontrait que le vocabulaire et la syntaxe du bordereau désignaient Esterhazy et innocentaient Dreyfus, mais il les avait renversés pour relancer l'accusation contre le second. Havet réfuta la démonstration de Mercier en soulignant l'insuffisance des connaissances grammaticales et syntaxiques de l'ancien ministre [133]. Il plaça même les rieurs de son côté : « Je ne parlerai pas du troisième argument du général Mercier, au sujet de la phrase : "Ce document est difficile à se procurer", phrase qui est incorrecte. Il a dit que cette phrase devait être imputée à Dreyfus plutôt qu'à une autre personne, parce que Dreyfus était d'une famille industrielle. (*Rires.*) Je ne crois pas avoir à réfuter cet argument [134]. » Son hommage à la qualité exemplaire des lettres de Dreyfus [135] lui permit d'ajouter qu'il aurait été choqué si, à ce moment de grande intensité, une faute était apparue dans les lettres, « si j'avais rencontré quelques tournures grammaticales désagréables, de ces choses qui sentent l'influence exotique ». « Jamais, insiste-t-il, je n'ai rencontré quelque chose qui ressemble à ces fautes du bordereau. Comment se ferait-il qu'un même homme ait accumulé les fautes dont je vous ai donné la longue liste, et que, dans un nombre considérable de lettres – car j'en ai lu et relu un très grand nombre –, jamais une faute ne se soit glissée ? Par conséquent, cette seule considération est à mon point de vue décisive. Il est, je le répète, absolument impossible que la rédaction du bordereau émane du capitaine Dreyfus [136]. »

Mais il ne suffisait pas de démontrer que Dreyfus ne pouvait avoir été l'auteur du bordereau. Aussi, Louis Havet s'engagea-t-il dans une démonstration de l'identité de langue entre celle du document et celle du commandant Esterhazy. Il rappela enfin l'importance de la méthode critique pour bien agir : « Si par exemple M. Cavaignac, lorsqu'il a lu le faux Henry à la Chambre, avait fait attention au charabia dans lequel ce faux est rédigé, s'il avait fait attention à la langue, il aurait vu qu'on ne pouvait l'attribuer à la personne à qui il était attribué [137]. »

## La parole des défenseurs et des juristes

Les premiers défenseurs de Dreyfus firent entendre également leur voix, à l'exception de Bernard Lazare pourtant présent à Rennes : il était écarté depuis près de deux ans de l'engagement actif [138]. En revanche, Auguste Scheurer-Kestner, mourant, adressa de Bagnères-de-Luchon une lettre qui résumait son action depuis l'été 1897, insistant sur la dimension d'« enquête personnelle » indispensable pour lever les doutes qui l'assaillaient au début de l'Affaire. Sa lettre du 5 août 1899, adressée au président du conseil de guerre, raconta précisément cette enquête et l'accumulation de preuves en faveur du capitaine Dreyfus. « Vous permettrez, monsieur le président, à un vieil Alsacien d'exprimer le vœu que l'heure de la justice sonne bientôt, dans l'intérêt supérieur de l'armée et de la patrie », conclut-il [139].

L'heure de la justice parut bien sonner, le temps d'une longue et remarquée déposition. Ludovic Trarieux, président de la ligue des droits de l'homme, sénateur et ancien ministre de la Justice, commença par faire un récit très détaillé des enchaînements de l'Affaire, particulièrement des enchaînements judiciaires, en justifiant, grâce à ses explications, son engagement pour le droit et la vérité. Il rappela notamment sa lettre du 6 janvier 1898 où il exposait au ministre de la Guerre tous les éléments exigeant une procédure de révision du procès de Dreyfus. Il développa une analyse très argumentée sur le refus de toute critique et méthode judiciaire et sur son effort pour restaurer cette dimension de la justice, notamment face à la justice militaire :

> En dénonçant tous ces faits, je pouvais avoir l'espérance que l'enquête jugée nécessaire par moi pour faire la lumière sur tous ces mensonges serait ordonnée. Mais M. le général Billot n'interpréta pas comme moi les faits que je lui dénonçais, et il ne me fut donné aucune réponse. Aucune enquête ne fut ordonnée, et l'affaire se présenta dans les conditions que je relatais tout à l'heure, le 10 janvier 1898, devant le conseil de guerre qui a jugé Esterhazy.

J'ai assisté à l'audience : là j'ai trouvé des magistrats, certes préoccupés comme vous de remplir avec honneur leur devoir militaire et leurs fonctions de juge, je n'en ai aucun doute, mais j'ai trouvé des juges qui allaient être trompés, car, si on rapporte à la justice une instruction mensongère, son jugement ne peut être que mensonge.

Il n'y a que la vérité qui engendre la vérité. (*Mouvement prolongé.*) [140]

Le président voulut alors l'arrêter. « Vous dépassez les limites d'un témoignage. Ce que vous faites est un véritable plaidoyer. [...] Vous critiquez la justice. [...] Il est impossible que l'on puisse parler ainsi du jugement d'un tribunal [141]. » En vain, car Trarieux poursuivit, jugeant le procès même qui se déroulait [142], parlant pour Dreyfus, parlant pour le devoir de justice, installant au-dessus de la procédure et des tribunaux les principes de la loi, du droit et de la liberté critique :

Au-dessus de la chose jugée, il y a une loi qui ordonne la réparation de l'erreur judiciaire, et cette loi est la meilleure sanction de la justice, car, sans elle, la justice ne serait peut-être pas acceptée avec la confiance qu'elle doit inspirer.

La chose jugée n'est pas un dogme. Il faut respecter la chose jugée, mais il est permis de la critiquer. Et celle dont je parle entre d'autant plus dans le domaine de la critique qu'elle n'existe plus après l'arrêt de la Cour de cassation, qui, sur l'attribution du bordereau et sur l'écriture du bordereau s'est prononcée en sens contraire [143].

Ludovic Trarieux fut, avec le juge Paul Bertulus, l'un des seuls acteurs du procès de Rennes à mettre l'arrêt de la Cour de cassation au centre des débats. Son évocation de la « réparation » nécessaire était aussi un appel appuyé au devoir de justice envers le capitaine Dreyfus. Revenant vers la pièce accusatrice du bordereau, qui seule devait compter dans ce procès, il opéra lui aussi une analyse du document pour prouver que l'officier ne pouvait pas l'avoir écrit. Montrant son pouvoir de synthèse des débats, particulièrement des dépositions techniques des artilleurs, il conclut par une insistance sur le devoir d'enquête et de contrôle et par un jugement final de nature judiciaire, celui-là même qui manquait singulièrement à ce procès.

Quant aux mots : « Je pars en manœuvres », à qui fera-t-on admettre qu'ils aient pu sortir de la plume de Dreyfus, en août 1894, quand, ainsi que l'a victorieusement établi M. Fonds-Lamothe, il savait depuis le 17 mai qu'il n'irait pas aux manœuvres ? Au contraire, Esterhazy a assisté aux manœuvres de Vaucours. Quoi de plus concluant ? Le récit que j'ai apporté ne cadre-t-il pas avec tous les faits qui peuvent servir de contrôle ?

Je sais que ce langage pourra déchaîner contre moi de nouveaux orages. Peu m'importe ! Je crois remplir un devoir en le tenant, et si ma conscience est en repos, mon esprit le sera aussi.

Ce n'est pas mon intérêt personnel qui est en cause. Nous ne sommes pas à l'heure des faux-fuyants, des faiblesses et des complaisances. Nous sommes à l'heure où, la main sur la conscience, il faut enfin dire la vérité, rien que la vérité. Nous sommes à l'heure où chacun doit parler sans haine, sans peur, sans la crainte d'aucun reproche.

Il y a quelques jours, mon éminent ami, M. de Freycinet, disait : « C'est l'heure où il faut préparer la réconciliation nationale, assurer le prestige du drapeau, maintenir la discipline utile dans l'armée. »

Oui, certes, je suis bien d'accord avec lui, et c'est mon vœu autant que le sien.

Mais au premier rang, et avant tout, c'est l'heure de faire la justice, de la faire sans souci d'aucune autre considération, de la faire pour elle-même, pour elle seule, suivant cette belle définition du droit romain : « Accorder au plus petit comme au plus grand, sans distinction d'origine, de sexe ou de personne, son droit à chacun : *Jus suum cuique* » [144].

Joseph Reinach sut que « sa péroraison, le rappel de la définition romaine du droit, arracha des pleurs à Dreyfus lui-même [145] ». L'énonciation du droit et de ses principes pouvait ainsi susciter de l'émotion. Il n'était pas indispensable de recourir uniquement à la rhétorique compassionnelle. Les observateurs éclairés apprécièrent la force de la déposition. Jean-Bernard s'enthousiasma dans son récit du 5 septembre 1899 :

> Le gros morceau de la journée, c'est M. Trarieux, l'ancien ministre de la Justice, qui apporte la démonstration psychologique de sa conviction dans l'innocence de Dreyfus ; cette innocence, il la proclame bien haut, la voix est par moment vibrante. Il parle de la justice, du droit de la conscience, et ces mots prennent dans sa bouche une ampleur extrême, ils résonnent et emplissent la salle. [...] À un moment donné, M. Trarieux s'arrête : « On peut me demander, dit-il, pourquoi je me suis occupé de l'Affaire ; on pourrait me dire : "Que ne laissez-vous la justice agir toute seule !" À cela, je répondrai : "Si je n'avais consulté que mes intérêts personnels, je serais resté tranquille, je me serais tenu à l'écart, je me serais épargné bien des ennuis, bien des attaques et de misérables injures. Mais je suis citoyen, je représente mon pays dans la plus haute assemblée, et enfin je ne pouvais pas oublier que j'avais été ministre de la Justice ! [...]" » Quand il a fini, on sent que la conscience est libérée d'un poids de moins et que c'est un honnête homme qui vient, à son tour, d'accomplir un devoir civique [146].

Joseph Reinach considéra avec admiration l'acte civique qu'avait accompli son collègue. « Trarieux, sous couleur de s'expliquer sur son rôle dans l'Affaire, la raconta tout entière. Il préparait, depuis plusieurs semaines, sa déposition, moitié plaidoyer, moitié réquisitoire. En l'absence de Scheurer qui achevait de mourir stoïquement, nul n'était mieux qualifié pour évoquer devant le conseil la grande œuvre où il tenait une très belle place et qui entrait déjà dans l'histoire. » Reinach souligne que les juges avaient été ébranlés par cette parole de justice inscrivant des principes sacrés qui dépassaient les codes militaires pour atteindre à l'idéal civique. « Ils eurent par lui une intuition passagère de leur mission, sentirent leur conscience, firent, un instant, table rase de leurs idées préconçues et de leurs partis pris. » Il remarqua que plusieurs d'entre eux ainsi que le commissaire du gouvernement avaient adhéré à sa démarche d'enquête consistant notamment à aller chercher des renseignements à l'étranger [147]. « Trarieux avait trouvé l'accent qu'il fallait pour leur parler, un ton de confiance et de fermeté, sans le désir trop apparent de les gagner, comme Demange, et sans provocation ni dédain d'homme supérieur, comme Labori. C'est ainsi que Mornard eût conduit le procès (ou Barboux), si Mathieu Dreyfus ne s'était pas cru lié aux avocats des jours d'épreuve pour les associer à la victoire [148]. »

Reinach entrevoit ici un point capital qu'il ne formalise cependant pas. Il y avait nécessité à ramener ce procès dans le cadre du droit, et non à en faire le champ clos des pouvoirs. La loi, et non l'État, pour résumer. L'alerte fut en tout cas jugée suffisamment sérieuse pour que le général Billot, l'ancien ministre de la Guerre de 1896-1898, prît la peine de répondre à Ludovic Trarieux. Prenant le contre-pied de la déposition Trarieux, il voulut saluer respectueusement le « chef de la justice militaire, un homme de la haute expérience, de la loyauté, de l'autorité du général Saussier », déclara s'incliner devant les juges du procès d'Esterhazy, « nos camarades loyaux, fidèles comme vous, [qui], dans la liberté de leurs consciences ont jugé, ont prononcé un jugement ; je me garderai bien de les critiquer [149]. » Billot opposait clairement la justice militaire à la justice civile. Mais il montrait en cela que les ennemis de Dreyfus n'étaient pas prêts de reconnaître la seconde. Ce qui, en République, posait un sérieux problème.

## LES PROGRÈS DE LA CONNAISSANCE

La défense de Dreyfus et l'action de ses défenseurs permirent de réunir des témoignages décisifs sur l'innocence de l'officier. Les preuves ainsi constituées montraient une avancée importante dans la connaissance des dossiers de l'Affaire. Plus encore, les méthodes des accusateurs de Dreyfus à l'État-major de l'armée et au ministère de la Guerre apparurent dans leur ampleur et dans leur violence. Et celles-ci allaient se répéter, et même s'amplifier pendant le procès.

### Dreyfus est innocent !

La déposition du juge Bertulus représenta aussi le moment d'une affirmation de la souveraineté du droit. Le magistrat eut la tentation de ne pas s'exprimer au fond et de renvoyer à sa déposition devant la Cour de cassation, « cette cour qui représente en même temps le conseil de discipline le plus élevé que nous ayons dans la magistrature [150] ». Il ajouta, pour son propre compte : « Quand ce magistrat a passé sous un feu pareil, il peut lever la tête partout, quelles que soient les attaques qu'on adresse à ce magistrat. » Il expliqua pourquoi il souhaitait exposer son instruction qui lui avait permis d'acquérir la conviction de la culpabilité d'Esterhazy et de confondre en partie Henry, celui-ci s'étant, dans son cabinet le 18 juillet 1898, acheminé vers des aveux sur la fabrication des faux. « Il faut qu'on sache tout, proclama-t-il. Tout cela m'est égal, je m'incline devant la Cour de cassation, je dis que j'ai peut-être tort de ne pas me retrancher au point de vue hiérarchique, au point de vue de la discipline, derrière ses arrêts ; mais il faut qu'ici on me connaisse, il faut que par le monde – car ce procès intéresse non seulement messieurs les membres du conseil, mais le monde entier –, il faut qu'on sache que quand un magistrat dit "oui", il dit "oui", et que quand il dit "non", c'est "non" [151]. »

Le juge allait justifier sa décision en raison de la « campagne de presse épouvantable » dont il avait été l'objet aux mois de juillet et d'août 1898 lorsqu'il menait son instruction, puis lorsque sa déposition devant la Cour de cassation fut connue en mars 1899. La vérité avait guidé ses actes, et c'était elle encore qui expliquait sa venue devant le conseil de guerre. « Voilà pourquoi je suis allé devant la Cour de cassation. Voilà pourquoi j'ai dit tout ce que j'avais à dire. Je sais qu'on a traité ma déposition de délation. Je sais que, dans certains milieux, j'ai été abîmé complètement, mais je savais que mon pays souffrait, et vous vouliez que je me tusse ? Est-ce que cela serait digne, messieurs, d'un magistrat ? Car j'estime que je suis un vrai magistrat. Je suis un bon magistrat. J'ai vingt-cinq ans de service. J'ai exposé ma vie dans diverses circonstances, et j'ai montré que je n'avais au cœur qu'un désir, qu'un besoin, la vérité [152] ! »

Bertulus percevait le risque de contradiction entre le besoin de vérité qui exigeait de tout dire, et le respect du droit qui imposait de rester dans les limites de l'arrêt de la Cour de cassation. Ses remarques illustraient les impératifs contradictoires qui traversaient les dreyfusards et qui firent que le procès leur échappait définitivement. Si le droit fut largement battu en brèche par de nombreux témoins et par le conseil de guerre lui-même, la vérité fit néanmoins d'importants progrès. Elle fut cependant aussitôt rattrapée par l'avancée de la conspiration. Pour en avoir expérimenté les effets, Bertulus savait que la guerre menée contre Dreyfus et les dreyfusards serait impitoyable. Il se devait d'être d'autant plus percutant. Pour la première fois, à la barre, un témoin fit entendre la vérité pleine et entière. Sa conviction ne reposait pas, comme pour les accusateurs de Dreyfus, sur des « réquisitoires répétés ». Elle ne dépendait que de sa propre instruction et de l'enquête de la Cour de cassation [153].

Je ne puis vous dire qu'une seule chose en terminant. Vous avez entendu des réquisitoires répétés ; les témoins ici apportent non seulement des faits, mais peuvent apporter leurs pensées. C'est ce que l'on a fait hier. Vous avez entendu des officiers généraux devant lesquels je demeure respectueux. Je crois à la bonne foi de tous, sauf d'Henry et d'Esterhazy. J'estime qu'un officier ne peut dire que ce qu'il pense, mais moi je veux dire aussi ce que je pense.

On vous a dit : « Dreyfus est coupable », et on l'a démontré par un faisceau d'hypothèses.

Moi je vous dis, en mon âme et conscience, parce que j'ai vu toute l'affaire pendant de longs mois, parce que je m'en suis occupé pendant des mois et des mois ; je vous dis : « Je ne crois pas qu'il soit coupable. »

Je crois, moi, à l'innocence de Dreyfus. J'y crois profondément, il faut que j'y croie pour que je vienne ici vous le dire de cette façon. Je me compromets vis-à-vis d'un parti tout entier. Il faut par conséquent que ma conscience me dise que je remplis un devoir et que ma conviction soit absolue pour que j'agisse ainsi. (Sensation.) [154]

Paul Bertulus exposa les raisons précises de cette conviction, restituant son raisonnement, sa démarche et les preuves matérielles à l'appui de ses conclusions. Il parla aussi sur « les machinations de toutes sortes qui ont été ourdies contre tous ceux qui ont voulu, dès la première heure, élever la voix [155] ». Elles pouvaient elles aussi démontrer la vérité. « De ces manœuvres mêmes jaillit la vérité : c'est que Dreyfus est innocent ! On n'emploie pas des armes de ce genre-là quand on est possesseur de la vérité. (Mouvement prolongé.) [156] » L'affaire Dreyfus mettait ainsi à l'épreuve la justice, à la fois dans ses fins et dans ses moyens. Une bonne administration de celle-ci devait interdire selon lui des affaires comme celle de Dreyfus [157].

### Les expertises du bordereau

La révélation de la vérité se porta sur différents points essentiels à la résolution de l'Affaire. Parmi eux, le plus important, à la fois parce qu'il se situait à l'origine de l'Affaire et qu'il formait le cadre de l'arrêt de la Cour de cassation : le bordereau. L'impossibilité pour Dreyfus d'en être l'auteur se démontra par des expertises convaincantes tant sur le plan des écritures que sur celui de la discussion technique. La démonstration graphologique de la culpabilité de Dreyfus se révélant de plus en plus difficile, ses accusateurs s'efforcèrent de produire un nouveau système, beaucoup plus sophistiqué, celui qu'imagina Bertillon et que perfectionnèrent plusieurs exégètes. Ce système commença d'être malmené à la fois par les philologues de l'École des chartes et par l'éminent mathématicien Henri Poincaré dans une lettre lue à l'audience par son collègue et élève Paul Painlevé.

Le directeur de l'École des chartes, Paul Meyer, qui déposa le 30 août 1899, exposa en détail toutes les hypothèses sur le bordereau et les écritures, en distinguant trois systèmes. Première catégorie, « ceux qui disent d'une manière générale qu'ils sont convaincus que le bordereau représente pleinement l'écriture même du capitaine Dreyfus. On a même dit – je l'ai lu dans les dépositions de la Cour de cassation – que c'était l'écriture courante du capitaine Dreyfus. Voilà qui me paraît étrange, et on peut dire vraiment de ceux-là qu'ils n'ont pas le compas dans l'œil. Toujours est-il qu'ils prétendent, pour une raison ou pour une autre, que c'est l'écriture du capitaine Dreyfus. Ces opinions n'étant pas appuyées de preuves, nous pouvons les négliger : dans la science, les affirmations, les convictions, les présomptions, tout cela et rien, c'est la même chose ; il n'y a que les preuves qui comptent [158]. »

Le second système était celui de Bertillon. Il reposait sur l'idée que le bordereau avait été conçu selon un plan géométrique et qu'il y avait dans cette écriture forgée une imitation d'une autre écriture et particulièrement de l'écriture de Mathieu Dreyfus. Pour Paul Meyer, Bertillon « a simplement oublié de nous expliquer : 1° comment son système, une fois admis, pouvait amener un changement complet dans l'écriture du capitaine Dreyfus ; 2° comment ce changement a pu s'opérer non pas en un sens quelconque, mais dans une telle direction que l'écriture du capitaine Dreyfus devînt celle du bordereau, laquelle est évidemment celle du commandant Esterhazy [159] ».

Le troisième système était constitué par les tenants de l'imitation de l'écriture du commandant Esterhazy, soutenue notamment par les experts Belhomme, Couard et Varinard. Paul Meyer leur opposa une objection « capitale ». « C'est qu'il faudrait, si on appliquait cette théorie au cas du capitaine Dreyfus (ce que du reste ces messieurs ne font pas, car il ne faut pas leur prêter des choses déraisonnables qu'ils n'ont pas dites), il leur faudrait trouver le lien, le point de jonction entre lui et le commandant Esterhazy : c'est-à-dire comment le capitaine Dreyfus aurait pu connaître l'écriture du commandant Esterhazy. Et cela, messieurs, est si nécessaire que, lors du procès Esterhazy, lors de l'enquête faite par le général de Pellieux, on a inventé une histoire qui est, je crois, tombée dans l'eau : le commandant Esterhazy fournissait à un officier, qui aurait pu communiquer ce papier à Dreyfus, un récit de la bataille d'Eupatoria à laquelle n'assistait pas le commandant Esterhazy, mais où commandait son père. L'idée est en elle-même bizarre. [...] Il me semble que c'est plutôt à un ancien officier de ces régiments qu'il fallait s'adresser. Aussi cette légende, dont on connaît l'auteur, a-t-elle été abandonnée depuis l'acquittement d'Esterhazy. Le commandant Esterhazy, qu'on peut croire quand il dit des choses vraisemblables, l'a trouvée improbable [160]. »

Le président tenta de minimiser la valeur des expertises des trois chartistes en insistant sur le temps très court, trois heures, qui avait été donné à Paul Meyer, à Arthur Giry et à Auguste Molinier pour réaliser leur deuxième expertise, cette fois à la Cour de cassation[161]. Puis le capitaine Beauvais, l'un des juges militaires, expliqua que le fac-similé sur lequel avait travaillé Paul Meyer, « en principe, ne ressemble pas du tout au bordereau ». « Pardon, l'arrêta le directeur de l'École des chartes, si vous prenez ce fac-similé, vous voyez bien qu'il est pareil au bordereau[162]. »

Molinier et Giry développèrent des analyses assez proches de celle de Meyer. Le second assura qu'à la Cour de cassation il avait disposé, avec ses deux autres collègues, d'un après-midi pour réaliser leurs expertises à la Cour de cassation. Il mit à bas la théorie de l'identification de l'écriture du bordereau avec celle du capitaine. Puis il s'occupa de l'écriture de celui-ci et, indifférent aux critiques du président, il démontra la grande différence entre son écriture et celle d'Esterhazy.

L'accusation comptait particulièrement sur la théorie de Bertillon pour démontrer la responsabilité de Dreyfus dans l'écriture du bordereau. Son aspect complexe et techniciste pouvait faire impression sur les juges, beaucoup plus que les enfermements des derniers experts graphologues des procès de 1894 et 1898 (Esterhazy). Le système avait déjà été fortement ébranlé. Le chef de l'anthropométrie judiciaire avait déposé très longuement à Rennes les 25 et 26 août, et il avait été suivi par le capitaine Paul Valério, inlassable exégète de son système. Ces deux techniciens avaient été contredits par des scientifiques que rejoignirent des artilleurs polytechniciens emmenés par le général Sebert. Georges Paraf-Javal parla quant à lui les 26 et 28 août et constata que les mesures de Bertillon « sont fausses, toutes sans exception[163] ». Maurice Bernard, ingénieur au corps des mines, démontra le 28 août que Bertillon avait fait usage de principes mathématiques qu'il connaissait insuffisamment et qu'il les avait appliqués à des domaines pour lesquels leur emploi était illégitime[164].

Le système allait subir enfin de plein fouet l'offensive des mathématiciens, accablés devant l'utilisation scandaleuse du calcul des probabilités par le chef de l'anthropométrie de la préfecture de police. La déposition de Paul Painlevé fut au cœur du dispositif[165]. Intervenant le 4 septembre 1899, il installa avec une solennité appuyée la figure du savant engagé pour la justice et la vérité. Il la construisit de plusieurs manières. Il fut nommé, d'une part, avec ses titres et ses appartenances aux plus prestigieuses institutions du haut enseignement, l'une d'elles étant même directement impliquée dans l'Affaire avec la qualité polytechnicienne de Dreyfus : « M. Painlevé (Paul), trente-cinq ans, répétiteur et examinateur de passage à l'École polytechnique, maître de conférences à l'École normale supérieure[166]. » « En tant que mathématicien », il confia d'autre part s'être « intéressé au système de M. Bertillon » :

Dès la première lecture, j'ai été frappé naturellement des erreurs de toutes
sortes qui faussent ce système de fond en comble.

J'ai été frappé aussi du ton d'assurance absolue de M. Bertillon et de sa
prétention d'introduire la certitude mathématique dans des questions qui ne
sauraient la comporter à aucun degré.

En voyant cela, j'ai eu quelque peu d'inquiétude à la pensée que ce système, grâce à sa complication pseudo-scientifique, grâce à son ingéniosité
apparente, grâce aussi au ton d'affirmation absolue, imperturbable de
M. Bertillon, que ce système, dis-je, pourrait, quoique tout à fait erroné,
influencer d'une façon quelconque sur l'esprit du conseil.

Je crois donc utile de montrer très brièvement, mais d'une façon éclatante, quelques-unes des erreurs essentielles de M. Bertillon[167].

Mais plutôt que de livrer ses propres analyses, Painlevé annonça
vouloir s'effacer derrière l'opinion de son maître. Il avait en effet
obtenu d'Henri Poincaré une lettre qui récusait la validité du système
Bertillon et démontrait l'incapacité mathématique et scientifique de
son auteur. En dépit de la position des juges qui ne souhaitaient pas
entendre une « déposition indirecte » et qui voulaient interroger leur
témoin, Painlevé parvint à leur imposer la lecture intégrale de la note
de Poincaré. Le bénéfice était double. Le jeune mathématicien pouvait
d'abord se prévaloir de l'autorité de son maître, avec qui il était
« absolument d'accord, comme le sont tous les mathématiciens », et
qu'il présentait avec force procédés oratoires : « Tous les membres du
conseil connaissent le nom de M. Poincaré, une des gloires de l'École
polytechnique. M. Poincaré est le plus illustre des mathématiciens
contemporains. Il n'y a pas un pays civilisé où les savants ne soient
prêts à s'incliner avec admiration et respect devant l'autorité de
M. Poincaré. J'ajoute que M. Poincaré, dont l'activité et la compétence
ont embrassé tout le champ des sciences rationnelles, a été pendant
plus de dix ans professeur de calcul des probabilités à la Sorbonne.
M. Poincaré, à qui j'avais demandé son opinion sur le système Bertillon pour voir si cette opinion coïncidait rigoureusement avec la
mienne, m'a fait l'honneur de m'écrire cette lettre que je demande à
M. le président de verser aux débats[168]. »

Avec cette déposition indirecte, et somme toute très habile
puisqu'elle tournait le handicap que représentait pour un savant la
stricte oralité des débats, Painlevé pouvait porter aussi un coup sévère
à l'un des systèmes de culpabilité les plus élaborés que l'État-major
ait pu susciter contre Dreyfus. La lettre d'Henri Poincaré était sans
appel. Écrasante. Le mathématicien réfuta non seulement les théories
d'Alphonse Bertillon, mais aussi les fondements intellectuels et
logiques de ses pseudo-expertises. La lettre d'Henri Poincaré renforce
de manière décisive cette offensive contre Bertillon. Paul Painlevé
peut se prévaloir d'avoir su mobiliser le « savant mathématicien[169] ».
Son rôle dans l'affaire Dreyfus ne fait que commencer.

Mon cher ami,

Vous me demandez mon opinion sur le système Bertillon. Sur le fond de l'affaire, bien entendu, je me récuse. Je n'ai pas de lumières et je ne puis que m'en rapporter à ceux qui en ont plus que moi. Je ne suis pas non plus graphologue, et je n'ai pas le temps de vérifier les mesures.

Maintenant, si vous voulez seulement savoir si, dans les raisonnements où M. Bertillon applique le calcul des probabilités, cette application est correcte, je puis vous donner mon avis. [...]

En résumé, les calculs de M. Bernard sont exacts ; ceux de M. Bertillon ne le sont pas. (*Mouvement.*)

Le seraient-ils qu'aucune conclusion ne serait pour cela légitime, parce que l'application du calcul des probabilités aux sciences morales est, comme l'a dit je ne sais plus qui, le scandale des mathématiques, parce que Laplace et Condorcet, qui calculaient bien, eux, sont arrivés à des résultats dénués de sens commun !

Rien de tout cela n'a de caractère scientifique, et je ne puis comprendre vos inquiétudes. Je ne sais si l'accusé sera condamné, mais s'il l'est, ce sera sur d'autres preuves. Il est impossible qu'une pareille argumentation fasse quelque impression sur des hommes sans parti pris et qui ont reçu une éducation scientifique solide. (*Mouvement prolongé.*)[170]

La discussion technique du bordereau pouvait mobiliser plus de forces chez les accusateurs de Dreyfus. Elle suscita aussitôt des réfutations en nombre, les « savants militaires » et des membres ou anciens membres des bureaux de l'État-major qui pouvaient analyser les configurations impliquées par le bordereau. Comme Fonds-Lamothe, Sebert ou Hartmann, Picquart opéra sur le document et déclara ainsi, relativement au départ « en manœuvres » : « Les stagiaires du groupe de Dreyfus savaient parfaitement qu'ils feraient leur temps de troupe en octobre, novembre et décembre. Il n'était donc pas question pour eux d'aller aux manœuvres en septembre. D'ailleurs, le temps qu'ils devaient passer au 3e bureau était déjà très court. Il était de trois mois seulement. S'ils avaient été aux manœuvres pendant ces trois mois, leur stage se serait trouvé restreint d'une façon tout à fait anormale[171]. »

Ces démonstrations des faits de vérité se heurtaient pourtant systématiquement aux pratiques d'accusations des hommes qui avaient fabriqué le procès de 1894 et qui poursuivirent leur entreprise d'écrasement du capitaine Dreyfus durant le temps où celui-ci vivait son calvaire sur l'île du Diable. Ces mécanismes apparurent au procès de Rennes dans toute leur force et leur intention.

## La révélation des mécanismes de culpabilité

L'apport de connaissance du procès de Rennes s'élargit à ce qui ne relevait pas *stricto sensu* du bordereau. Les anciens conspirateurs durent battre en retraite. Les responsables de la condamnation en 1894 furent notamment obligés de reconnaître, devant la convergence des témoignages, qu'il y avait bien eu communication d'un dossier secret au procès. Même Mercier se plia à cette vérité[172]. Les dépositions de Picquart, de Cordier, de Lauth, celle de Bertulus, révélèrent les pratiques de faux et de chantage au sein de la Section de statistique. Ludovic Trarieux présenta les résultats d'une enquête lancée auprès de ses collègues du gouvernement de Waldeck-Rousseau sur les assertions du général Mercier développées au début du procès, au cours de sa longue déposition du 12 août 1899, concernant le « syndicat » et les 35 millions « venus des frontières étrangères ». L'ancien ministre de la Justice exposa la lettre de Waldeck-Rousseau du 23 août 1899, celle de Louis Barthou, le rapport de Charles Dupuy du 16 mars 1899, et conclut : « Il n'y a pas un mot de vrai dans cette histoire[173] ! »

D'autres allégations purent être détruites, par exemple celles qui furent prêtées au docteur Weill, dont la femme était cousine au troisième degré de Lucie Dreyfus. « J'affirme, et les rapports très fréquents, presque journaliers que j'ai eus avec lui comme parent, comme médecin et comme ami, me permettent de le faire, j'affirme que Dreyfus a toujours été un mari parfait, et que jamais je ne l'ai connu joueur, ni libertin. Or, c'est juste le contraire que l'on me fait dire, et je proteste contre ces allégations. Je n'ai rien à ajouter[174] », déclara-t-il à la cour. Les propos de la mère de Lucie Dreyfus, que le grand rabbin Zadoc-Kahn aurait rapportés : « Ma fille voulait divorcer ; nous avons assez payé de dettes pour notre gendre » furent également formellement démentis dans la même audience[175].

Les pseudo-déclarations de Jacques Hadamard s'écroulèrent après la déposition de l'intéressé. Ce maître de conférences à la Sorbonne et professeur suppléant au Collège de France, petit-cousin de Lucie Dreyfus, aurait, au printemps 1897[176], émis des doutes sur l'innocence de Dreyfus devant son collègue Paul Painlevé. Ce qu'Hadamard avait seulement dit à Painlevé, c'est qu'il n'apportait dans sa conviction « aucune sentimentalité, aucune passion, aucun esprit de famille ; qu'il ne voulait même pas se faire garant a priori de l'innocence de Dreyfus, comme il le ferait d'un ami qu'il aurait connu à fond ; que Dreyfus était pour lui un étranger ; qu'il l'avait vu juste une fois dans sa vie, le jour de son mariage ; qu'il ne lui avait guère été sympathique ; qu'on lui avait même rapporté certains faits de sa vie privée qui ne lui plaisaient pas. "Mais, ajouta-t-il, c'est un fait que j'affirme, quand j'affirme que sa culpabilité ne repose sur rien."[177] » Jacques Hadamard rappela surtout qu'il avait la conviction de l'innocence de son petit-cousin par alliance, mais qu'il ne pouvait pas l'affirmer positivement, en l'absence de preuves[178]. Il reconnut aussi que sa mention des bruits qui couraient sur sa vie privée avait pour seule origine les assertions de la presse.

Cette affaire impliquant deux mathématiciens déjà connus révéla comment avait fonctionné à l'État-major un dossier secret beaucoup plus vaste que celui qui avait été réuni en 1894 pour les fins de la condamnation de Dreyfus. Le grand dossier secret fut révélé à de multiples reprises. Il était destiné à pallier l'effondrement du premier système de culpabilité élaboré pour le procès de 1894, à savoir essentiellement la démonstration sur le bordereau et la communication sur le dossier secret. Avec les découvertes du colonel Picquart et la connaissance accumulée des dreyfusards, ce système n'était plus opératoire. L'État-major et la Section de statistique décidèrent de redéployer le dossier secret en y incorporant toute sorte de pièces pouvant établir la qualité de « traître » de Dreyfus. Puisqu'il devenait trop aléatoire de se fixer seulement sur les preuves d'écriture ou de discussion technique établissant que Dreyfus était l'auteur du bordereau, ses accusateurs s'attachèrent, pendant les années 1897 et 1898, à démontrer qu'il était un homme hautement suspect dont la vie fourmillait d'obscurités, dont la réputation était exécrable, dont les actions nourrissaient les soupçons les plus décisifs.

Alors que le premier dossier secret était ramassé et précis (à savoir les trois pièces livrées au premier conseil de guerre avec leur commentaire et la fausse traduction de la dépêche Panizzardi), le nouveau et grand dossier secret fourmillait de documents tous plus inintéressants les uns que les autres mais dont la masse pouvait faire illusion. On y trouvait tout et n'importe quoi, depuis les « faux Henry » jusqu'aux rapports de Deniel émanant de l'île du Diable, mais consignés avec beaucoup de soin, cotés avec un numéro d'ordre et des mentions « Secret ». Le grand dossier secret fut montré à huis clos au procès de Rennes. Il est conservé maintenant aux archives du ministère de la Défense à Vincennes. De nombreuses pièces ont été reproduites dans les dossiers de la Cour de cassation ayant jugé en 1906, ou bien dans les papiers de Paul Desachy conservés à la Bibliothèque nationale de France. Sans pouvoir l'établir objectivement, il est probable qu'il a impressionné les juges du conseil de guerre de Rennes. Si le haut commandement de l'État-major avait entrepris cette tâche énorme de collecte de centaines de pièces, c'est donc que la raison devait en être nécessairement impérieuse, décisive. Le raisonnement était implicite, mais pressant.

Ce grand dossier secret n'exigeait plus de commentaire, comme celui de 1894 ; sa masse même, son existence et son intention en donnèrent le sens. Qu'une administration comme celle de la Guerre puisse réaliser un tel ensemble documentaire ne pouvait pas ne pas signifier la gravité terrifiante de l'Affaire et la culpabilité d'un homme sur lequel tant de pièces furent réunies. Le grand dossier secret fonctionnait sur un effet de mystification. Évoquant le huis clos à venir des audiences, Jules Cornély ironisa sur ses qualités probatoires : « Aujourd'hui le dossier secret exige deux hommes pour le porter et quatre jours pour le dépouiller[179]. »

Il aurait fallu prendre ces pièces les unes après les autres et en montrer l'inanité. Ce travail n'a pu être fait à Rennes, à l'exception de la réfutation de la pièce n° 111, une lettre attribuée à l'ancien attaché militaire autrichien, le colonel Schneider, par laquelle il désignait nommément Dreyfus, et qui se révéla être un faux [180]. Paul Painlevé réfuta, comme nous allons le voir, la pièce n° 96. Mais l'examen systématique des cinq cent quatre-vingt-huit autres fut impossible pour trois raisons essentielles. Leur nombre considérable. La présentation à huis clos. La différence fondamentale enfin avec le premier dossier secret fabriqué en 1894 sur lequel se fondait la connaissance des défenseurs de Dreyfus. Ceux-ci n'avaient pas compris qu'un *nouveau système de culpabilité* s'était développé et changeait totalement les termes du procès. Les dreyfusards étaient, d'une certaine manière, en retard d'un procès. En même temps, ils devaient intervenir sur l'origine de l'affaire qu'impliquait le cadre des réquisitions de la Cour de cassation. Ils devaient agir en réalité sur les deux, voire les trois systèmes produits par les antidreyfusards puisque le procès de Rennes fut l'occasion de développer un troisième système de culpabilité, plus monstrueux encore que le précédent.

## La démonstration de Paul Painlevé

Restons néanmoins pour le moment sur le deuxième système. Sa réalité émergea progressivement, à l'occasion de telle ou telle déposition. Mais elle apparut brutalement dans le témoignage de Paul Painlevé.

Jusqu'au procès de Rennes, le mathématicien ne faisait pas partie des noms les plus en vue parmi les savants engagés dans le camp dreyfusard. Certes, il avait été signataire de la pétition Picquart. Certes, il avait témoigné, à sa demande, le 7 février 1899, devant la Cour de cassation. Mais son nom restait peu connu de l'opinion publique qui se passionnait pour l'Affaire. Par son amour de l'armée et sa passion de l'État-major, Painlevé pouvait apparaître comme favorable à la culpabilité de Dreyfus et hostile en tout cas à toute mise en cause de la « chose jugée ». Mais la situation se renversa après le procès de Rennes au cours duquel il intervint comme témoin de la défense. Non seulement il déposa en faveur du capitaine Dreyfus et du respect de la vérité scientifique, mais il défia l'État-major en se dressant, tel le représentant d'une souveraineté du savoir, contre le pouvoir arbitraire et ses méthodes qu'il avait expérimentés directement. Son nom et son témoignage – un témoignage fabriqué qu'il n'avait jamais produit – étaient apparus en effet dans les faits à charge réunis par l'État-major. La vive intervention de Painlevé ouvrit ainsi la porte à la révélation du continent de faux et de mensonges jusque-là ignorés.

Le savant affronta l'État-major en dénonçant une tentative de manipulation qui le concernait personnellement et dont il apprit l'existence après la communication de ce grand dossier secret à la chambre criminelle de la Cour de cassation. Cet ensemble intégrait en effet le texte réécrit – et faux – d'une conversation que le mathématicien avait eue en mai ou juin 1897 avec son collègue Jacques Hadamard, d'un an son cadet, normalien comme lui. Paul Painlevé avait été chargé de prévenir son collègue des « graves difficultés » que représentait sa parenté pour une candidature à un poste de répétiteur à l'École polytechnique. Hadamard protesta, en considérant que la situation qui lui était faite « était d'autant plus injuste que Dreyfus est innocent ». Et de réagir en tentant de convaincre sur-le-champ Painlevé de la vérité de cette assertion. « Cette démonstration dura à peu près une demi-heure, expliqua Paul Painlevé aux juges de Rennes. Je l'écoutai de la façon la plus indifférente, parce que mon siège était fait. Je ne pus cependant m'empêcher de manifester un peu d'impatience. Alors M. Hadamard, voulant faire un suprême effort pour me convaincre et bien me montrer la valeur absolue de ses arguments, me dit... Je cherche à me rappeler de la façon la plus précise les paroles qu'il a prononcées... M. Hadamard me dit qu'il n'apportait dans la question aucune sentimentalité, aucune passion, aucun esprit de famille [181]. »

Painlevé parla de cette conversation à plusieurs amis ou collègues, dont Maurice d'Ocagne, comme lui répétiteur à l'École polytechnique et membre du cercle Boissy-d'Anglas [182]. Proche des milieux militaires, d'Ocagne allait informer le capitaine Hély d'Oissel, officier d'ordonnance du général de Boisdeffre, chef d'État-major général, du fait de cette conversation. Le sous-chef d'État-major, le général Gonse, responsable des services de renseignement, fit appeler d'Ocagne le 21 décembre 1897. Celui-ci indiqua avoir confirmé les propos de Painlevé [183]. Cependant, ceux-ci avaient déjà subi de fortes déformations. Maurice d'Ocagne, dont le rôle apparaissait de plus en plus douteux, avertit Painlevé qu'on lui faisait dire à l'État-major que « la famille Dreyfus avait avoué, par la bouche de M. Hadamard, qu'elle possédait des preuves de la culpabilité de Dreyfus [184] ». Invité à rencontrer Gonse par l'intermédiaire du même d'Ocagne, Paul Painlevé accepta l'entrevue dans le but de couper court aux rumeurs et aux déformations. Il fut reçu à l'État-major le 28 février 1898. Le procès Zola venait de s'achever sur la condamnation de l'écrivain, mais aussi sur un affaiblissement des lignes de défense des autorités militaires. Le mathématicien chercha à restituer très précisément la teneur de sa conversation avec Jacques Hadamard. Ce témoignage se présentant ainsi à décharge de Dreyfus, le général informa Painlevé que son témoignage n'avait plus d'intérêt pour lui. « Je sortis donc du ministère de la Guerre, poursuivit Paul Painlevé, certain qu'il ne restait aucune trace de ma conversation avec M. Hadamard [185]. »

Ce fut le contraire qui se produisit. Le témoignage de Paul Painlevé devint une des pièces maîtres ses du nouveau système de culpabilité élaboré en 1897-1898. Des rapports furent établis par l'État-major et intégrés dans le grand dossier secret, base de ce nouveau système de culpabilité. Outré par ces procédés, Paul Painlevé s'en expliqua alors vivement devant les juges du conseil de guerre de Rennes. Il s'éleva contre l'incroyable déformation de ses propos. « On me faisait dire que la famille Dreyfus possédait des preuves de la culpabilité de Dreyfus. » Et il raconta les événements de 1898.

Le 28 février 1898, d'Ocagne l'avait bien accompagné chez le sous-chef d'État-major. « Comme j'avais été prévenu de la modification extraordinaire qu'avaient subie mes propos, j'insistai, avec une grande énergie, sur ce fait que M. Hadamard n'avait cessé de m'affirmer l'innocence de Dreyfus et d'essayer de m'en convaincre ; je fis observer que sa phrase relative à la vie privée de Dreyfus, il me l'avait dite précisément pour bien me démontrer qu'il n'apportait dans l'affaire aucune sentimentalité, pour bien établir la valeur intrinsèque de ses arguments. » Il sortit du bureau du général Gonse persuadé donc qu'il ne resterait aucune trace de sa conversation avec Jacques Hadamard dans les dossiers du ministère de la Guerre. Or, il découvrit, au mois de janvier 1899, qu'il existait une pièce relative à ce fait dans le dossier secret. Il fut averti en effet par Maurice d'Ocagne qu'un document le concernant figurait au nombre des pièces du dossier secret élaboré contre Dreyfus par l'État-major. À cette époque, la Chambre des députés venait d'en autoriser la communication à la chambre criminelle de la Cour de cassation qui instruisait le jugement de condamnation du 22 décembre 1894 [186]. Painlevé demanda, « après une longue hésitation », à comparaître devant la cour [187], laquelle souhaita au même moment l'entendre au motif qu'il existait dans le dossier une pièce disant « que, d'après une conversation recueillie de [sa] bouche par M. le général Gonse, certains membres de la famille Dreyfus seraient enclins à admettre la culpabilité de Dreyfus [188] ». Maurice d'Ocagne et Jacques Hadamard furent convoqués eux aussi par la chambre criminelle. Les propos convergèrent puisque les magistrats n'ordonnèrent pas de confrontation. Mais Paul Painlevé ne put obtenir communication de la pièce incriminée. Au moment où la totalité de l'enquête criminelle fut publiée dans la presse, il découvrit que cette fameuse conversation avait été utilisée par l'État-major, particulièrement par le général Gonse qui s'était emparé du dossier. Pensant tenir avec Paul Painlevé, un témoin acquis à la cause de la perte de Dreyfus et utilisable à merci, il en rajouta dans sa déposition, comme le mathématicien le découvrit à sa grande stupeur en lisant dans *Le Figaro* – qui publia en mars et avril 1899 l'instruction de la chambre criminelle qui s'était achevée en janvier – le procès-verbal de la déposition du sous-chef d'État-major.

Celui-ci n'avait pas hésité à déclarer devant les magistrats, le 28 janvier 1899, qu'« il a été établi au moment du procès, ou peu après, que M. Hadamard avait eu à payer des dettes pour son gendre, ce dont il était peu satisfait ; il aurait même tenu à ce propos à M. Painlevé un propos significatif. » Painlevé apprit aussi que le général Roget lui aurait fait attester un autre propos de Jacques Hadamard, (« Je n'ai pas voulu vous dire que je croyais Dreyfus innocent ; d'ailleurs, depuis son arrestation, nous avons eu, dans sa famille, connaissance de certains faits de sa conduite qui font que nous ne pouvons pas répondre de lui [189]. ») Et Painlevé de s'élever vivement contre de tels procédés. Il n'avait pas pu revenir devant les magistrats de la Cour de cassation pour s'expliquer sur cette nouvelle forme de manipulation [190]. Il décida de le faire avec le procès de Rennes. Il commença par protester avec force contre les propos du général Roget :

> Je n'ai jamais vu de ma vie M. Hadamard, beau-père du capitaine Dreyfus ; je ne le connais pas, je n'ai jamais eu aucune relation directe ou indirecte avec lui. (*Mouvement.*) [...] J'avoue qu'il y a là un point qui est demeuré pour moi inexplicable. Comment M. le général Roget – ayant eu en main la pièce n° 96, qui spécifie nettement qu'il s'agit de M. Jacques Hadamard, professeur au Collège de France, et cousin de Dreyfus – a-t-il pu lui substituer le beau-père de Dreyfus et me prêter une conversation avec lui, signifiant qu'il avait payé les dettes de son gendre ? Je le répète, il y a quelque chose qui est demeuré pour moi absolument incompréhensible [191]. »

Puis Painlevé attaqua le contenu de la pièce secrète formée de la fausse transcription de sa conversation avec Jacques Hadamard, et connue seulement au travers d'une phrase citée par l'avocat de Dreyfus près la Cour de cassation, et qu'il aurait tenue au général Gonse [192]. Il n'hésita pas à déclarer qu'il s'agissait d'une pièce fabriquée et que, au-delà, la version des propos attribués à Jacques Hadamard dans la pièce du dossier secret portant le numéro 96 était « monstrueuse » :

> Monsieur le président, sous la foi du serment que j'ai prêté, j'affirme que cette phrase, je ne l'ai jamais dite ; cette phrase est fabriquée ! (*Mouvement prolongé.*) Jamais je n'ai fait dire à M. Hadamard : « Nous avons eu dans sa famille... » Jamais je n'ai employé ce mot *nous*, alors que M. Hadamard m'avait dit n'avoir aucune relation avec la famille Dreyfus. Jamais l'opinion que peut-être la vie privée de Dreyfus n'était pas irréprochable, jamais je ne l'ai attribuée à la famille Dreyfus. Jamais je n'ai dit que cette opinion, personnelle à M. J. Hadamard, se basait sur des faits connus de la famille Dreyfus.
>
> Mais le point contre lequel je veux surtout protester, c'est contre les premières paroles attribuées à M. Hadamard ; il m'aurait dit :
>
> « Je n'ai pas voulu vous dire que je croyais Dreyfus innocent. »
>
> Cette phrase est monstrueuse ! C'est le contraire même de la vérité ! (*Mouvement.*) Je ne comprends pas que cette phrase se trouve dans la pièce n° 96, alors que, dans ma conversation avec M. le général Gonse, j'ai dit et répété que M. Hadamard n'avait cessé de m'affirmer l'innocence de Dreyfus et d'essayer de m'en convaincre.
>
> S'il pouvait m'être donné lecture intégrale de cette pièce me concernant, j'aurais peut-être d'autres observations à présenter. J'ajoute que, pour faire la lumière complète sur cette pièce n° 96, je serais désireux d'être confronté avec l'auteur de cette pièce ou avec celui qui en prend la responsabilité [193].

Painlevé obtint alors la lecture de la pièce, à laquelle procéda le greffier du conseil de guerre [194]. Il estima n'avoir rien à ajouter, ayant déjà montré « les inexactitudes qui fourmillaient dans cette pièce [195] ». Quand il fut mis en présence du général Gonse et du général Roget, les confrontations tournèrent largement à son avantage, les deux responsables militaires finissant par reconnaître, pour le premier, « qu'il n'était pas question de faire un témoignage (*murmures*), une pièce de justice » de son entrevue avec le scientifique, pour le second qu'il avait commis une confusion entre le beau-père de Dreyfus et son cousin par alliance !

Dans ces face-à-face, Painlevé domina incontestablement ses adversaires. Usant d'une très bonne connaissance des dossiers, il plaça les officiers généraux devant leurs contradictions et leurs insuffisances. Il récusa leurs assertions, produisit de nombreuses rectifications [196], critiqua les méthodes de l'État-major. Il ironisa même sur les procédés de défense des deux généraux Roget et Gonse cherchant à minimiser l'importance de la pièce n° 96. « C'est moi, sans doute, qui l'ai mise au dossier secret », lâcha-t-il au général Roget. Et le général Gonse battit en retraite devant la charge du scientifique. Devant la cour, il tenta d'arguer de sa bonne foi et d'expliquer que les documents du grand dossier secret possédaient des statuts différents. Il termina en disant piteusement, comme si le dossier n'avait que peu d'importance : « On exagère les incidents d'une façon singulière [197]. » Mais Painlevé refusa cette présentation des événements.

> On a fait de la pièce n° 96 une charge contre Dreyfus. M. Cavaignac, après sa démission, parlant dans les couloirs de la Chambre, s'est servi de la pièce n° 96 pour démontrer la culpabilité de Dreyfus. Sa démonstration reposait sur les aveux, et, aux objections qu'on lui faisait, il répondait que ces objections seraient admissibles si les aveux étaient isolés, mais qu'ils étaient confirmés par la pièce n° 96, c'est-à-dire par un témoignage de M. Painlevé. Par conséquent, la pièce n° 96 n'était pas une charge sans importance, puisque M. Cavaignac s'en est servi dans sa démonstration de la culpabilité de Dreyfus [198].

À l'issue de sa déposition, le mathématicien était parvenu ainsi à inverser le cours des choses. Il avait démontré la tentative de manipulation dont il avait fait l'objet, il avait défié le pouvoir militaire responsable de la machination perpétrée contre Dreyfus, il s'était hissé au rang des meilleurs savants dreyfusards. Il avait, de surcroît, amené à l'engagement l'autorité scientifique française la plus incontestable, Henri Poincaré. Les commentaires de la presse dreyfusarde saluèrent la performance du savant comme ils l'avaient déjà fait en avril précédent lorsque la teneur des dépositions produites devant la Cour de cassation avait été révélée [199]. Pour Joseph Reinach, l'offensive du « jeune savant » constitua l'un des moments les plus forts du procès, comme il l'écrivit en 1905 dans son *Histoire de l'affaire Dreyfus* :

Painlevé, à propos de sa conversation avec Jacques Hadamard, prit Gonse et Roget en flagrant délit, les accula à avouer qu'ils lui avaient fait dire, dans le dossier secret et devant la chambre criminelle, le contraire exactement de ce qu'il leur avait rapporté de cet entretien. Ce fut l'une des scènes les plus dramatiques du procès, le jeune savant d'un côté très maître de lui, impitoyable, la voix énergique et vengeresse, et de l'autre ces deux généraux déconcertés, balbutiant, pâles de colère ou de honte[200].

## Le pouvoir antidreyfusard

Ainsi les dreyfusards prouvèrent-ils leur capacité à réfuter le deuxième système de culpabilité – qui voulait établir l'être de trahison de Dreyfus. Il était du reste aussi aisé de démolir ce deuxième système que le premier puisque tous les deux reposaient sur de faux documents ou des manipulations de pièces. L'un des éléments centraux du grand dossier secret avait du reste entraîné la révision après la révélation de sa nature exacte, à savoir le « faux Henry » lu à la Chambre des députés [ ?] par Godefroy Cavaignac le 7 juillet 1898.

Ce deuxième système était cependant plus efficace que le premier puisqu'il fonctionnait sur le pouvoir de suggestion de cet immense dossier qui ne pouvait pas, dans l'esprit de beaucoup, être vide. La tentative de démonstration de l'être de trahison de Dreyfus pouvait aussi contenter les antisémites qui, à l'instar de Maurice Barrès, proclamaient que Dreyfus était capable de trahir : « Je le conclus de sa race », écrivit-il en 1904 dans *Ce que j'ai vu à Rennes*. Et il ajoutait : « Qu'il a trahi, je le sais parce que j'ai lu les pages de Mercier et de Roget qui sont de magnifiques travaux[201]. »

Mais le grand dossier secret était aussi fragile que le premier puisqu'il reposait sur le même principe de documents établissant la culpabilité. Comme Dreyfus était innocent, ces documents étaient forcément faux et donc fabriqués. La démonstration de ces manipulations était donc facile à opérer dès lors que les dreyfusards voudraient s'en donner les moyens, comme le montra la déposition de Paul Painlevé. Ces faits matériels permettaient aussi l'intervention de nouveaux témoins – y compris militaires – préoccupés de la vérité et trouvant avec les affabulations contenues dans le grand dossier secret des occasions de critique pratique en les dégageant d'une adhésion trop nette au dreyfusisme.

Les antidreyfusards, et particulièrement le groupe des généraux Mercier, Gonse, Roget, Fabre, etc., comprirent alors le piège dans lequel ils risquaient de s'enfermer, double piège même. La réfutation technique des faux qui composaient le grand dossier secret ne posait aucune difficulté aux dreyfusards à condition d'y consacrer le temps nécessaire. Par ailleurs, ils risquaient, avec l'engagement des officiers en faveur de Dreyfus, de perdre l'une de leurs armes essentielles : leur capacité – indue mais réelle – d'incarner l'honneur de l'armée livré à la trahison dreyfusarde.

*La justice en otage*

Le général Mercier perçut particulièrement le danger. Il développa alors une nouvelle stratégie qu'adoptèrent Gonse, Roget, Cuignet, et qu'il exerça d'abord contre les officiers dreyfusards. Il s'agissait très simplement d'affirmer que les dreyfusards – et plus seulement Dreyfus – étaient des traîtres, que leurs armes étaient le mensonge et la calomnie, et que leur personnalité ou leurs actes passés détruisaient la valeur de leur témoignage. À travers son appartenance réaffirmée à l'armée, portant beau et portant l'uniforme [202], il décida d'incarner la France contre les traîtres, les rejetant hors de la nation. Sa stratégie profita du développement de l'idéologie maurassienne : le fondateur de l'Action française avait en effet justifié, et même sacralisé, le geste du lieutenant-colonel Henry au lendemain de son suicide, forgeant pour lui l'expression de « faux patriotique [203] ». Il n'est pas inutile de constater que Mercier obtint que la veuve du lieutenant-colonnel Henry déposât au procès de Rennes. Il est fort probable qu'il prépara avec elle la mise en scène très symbolique de sa confrontation avec le juge Bertulus où elle lança en le regardant fixement : « Cet homme est bien le Judas que j'avais pensé [204]. » Elle reconnut quelques instants plus tard qu'elle avait prémédité son acte [205].

Ce troisième système de culpabilité, culpabilité collective dans laquelle Dreyfus occupait une place prépondérante, fut très efficace. Il continue même d'agir aujourd'hui dans certains milieux. Son théâtre de naissance fut le procès de Rennes. Et le fonctionnement de la justice militaire, si fragile sur le plan du droit, fut incapable de s'opposer à ce dévoiement des débats, à cette dégradation des témoins et des paroles – quand bien même les juges auraient décidé d'empêcher cette dérive. Ceux-ci s'en firent assez nettement les complices en laissant complaisamment s'exprimer les généraux de l'État-major et du ministère de la Guerre, et en interdisant aux témoins calomniés de riposter efficacement. Les dreyfusards furent en général incapables de réagir efficacement devant ces offensives massives qui empruntèrent toutes les voies possibles et notamment celle du pouvoir hiérarchique, les généraux usant de leur autorité et de leur prestige pour s'imposer aux officiers supérieurs venant témoigner en faveur du capitaine Dreyfus.

Le seul moyen de la contrer aurait été d'interdire la dérive des débats, afin notamment d'obliger les accusateurs à produire leurs preuves avant, pour les avocats, de les confondre. La cour ne le fit pas. Le commissaire du gouvernement laissa faire, trop heureux de l'évolution du procès. Les avocats ne firent pas front, à l'exception de quelques ripostes de Labori lorsqu'il revint à la barre le 22 août 1899 après la tentative d'assassinat qui l'avait visé [206]. Dreyfus fut emporté dans cette immense tourmente que seul un usage énergique du droit et de la loi aurait pu stopper. Pour triompher la justice et restaurer l'innocence de Dreyfus, c'est-à-dire son honneur. Il est à noter que l'État-major avait déjà tenté cette délégitimation au cours de l'instruction de la chambre criminelle et que ses pressions, notamment venues du général Gonse, avaient été sévèrement rejetées[207]. Preuve précisément que la défense du droit était efficace contre ces entreprises de négation, cette « bataille de mots qui ressemblaient le moins à un procès ».

Observateur attentif des débats, analyste *a posteriori* dans son *Affaire*, Joseph Reinach souligna ce point essentiel d'une scène judiciaire poussée jusqu'à la caricature. S'inspirant du rapport à la reine Victoria du *lord chief justice* Russell of Killowen, il souligna : « En Angleterre, dans tous les pays où le mot *témoignage* a reçu de la loi ou de l'usage une définition stricte, Roget, Cuignet, Cavaignac, vingt autres dans les deux camps, qui ne savaient rien que de seconde main ou qui parlaient de faits parfaitement étrangers à la cause, eussent été arrêtés au premier mot[208]. »

Le ministre anglais remarquait que « l'une des sauvegardes inappréciables de la vérité, le droit pour l'avocat d'interroger directement les témoins, n'existe pas devant la justice française[209] ». Il releva aussi l'écart important qui éloignait les juges militaires des principes de droit, au profit d'une proximité avec les codes militaires, et également leur inexpérience : « *They were unversed in the law, unused to legal proceedings, with no experience or aptitude to enable them to weigh the probative effect of testimony ; they were steeped in prejudice and concerned for what they regarded as the honour of the army ; and thus, impressed or overawed by the heads of their profession, they gave undue weight to the flimsy rags of evidence which alone presented against the accused man.* »* De ce point de vue, Russel of Killowen considéra qu'il aurait été préférable de confier à la Cour de cassation la tâche de conduire le procès de révision : « *for surely it might have been predicted with certainty, that, if the revision trial had taken place before the Cour de cassation (which is the highest court in the land), Dreyfus would now be a free man*[210]. »**

Reinach, très marqué comme d'autres dreyfusards tel Yves Guyot, directeur du *Siècle*, par la philosophie politique anglaise, et Russell of Killowen apprécièrent le déroulement du procès à l'aune de ces

---

* « Ils n'étaient pas familiers de la loi, des poursuites pénales. Ils manquaient de l'expérience et de l'aptitude qui permettent de voir la preuve derrière le témoignage. Ils étaient plongés dans le préjugé et agirent en fonction de ce qu'ils considéraient comme l'honneur de l'armée. Impressionnés, emplis de respect pour les grands chefs, ils accordèrent trop d'importance aux fragiles allégations qui furent seules présentes contre l'accusé. »

** « Il paraît certain que si le procès de révision avait eu lieu devant la Cour de cassation (qui est le plus haut tribunal en France), Dreyfus serait maintenant un homme libre. »

conceptions judiciaires. Ils ne comprirent pas que se jouait à Rennes un drame bien plus grave pour le droit et la vérité. Il faut comprendre ce procès de révision du jugement de 1894 en observant la domination des débats par le nationalisme intégral des accusateurs. Les généraux s'en emparèrent progressivement, s'imposant aux juges militaires, qui n'avaient ni les moyens ni la volonté de les en empêcher, et au commissaire du gouvernement, qui ne demandait pas mieux que d'être aidé dans sa tâche d'accusation par ce soutien inattendu de tout ce que l'État-major et le ministère de la Guerre comptaient d'anciens titulaires. Mercier et ses adjoints purent se substituer en fait au commissaire du gouvernement[211]. L'ancien ministre de la Guerre communiqua à plusieurs reprises avec le général Chamoin, représentant personnel du général de Galliffet au procès de Rennes, et lui fournit des documents[212].

Aidé du général Saint-Germain qui s'installa derrière le colonel Jouaust, le général Mercier plaça les juges militaires sous sa tutelle. Une photographie de Gaston Maury, conservée au musée de Bretagne, montre, durant une suspension d'audience, le conseil de guerre au grand complet avec les généraux Mercier et Billot[213]. À aucun moment les juges n'exigèrent de ces officiers généraux qu'ils fournissent des preuves à l'appui de leurs déclarations ni ne condamnèrent les procédés de diffamation. Pour comprendre la gravité des liens qui unissaient les juges militaires et les accusateurs autodésignés de Dreyfus et des dreyfusards, il faut se souvenir que la chambre criminelle de la Cour de cassation avait été soumise à une procédure de dessaisissement sur la base d'affirmations relatives à un grog offert à Picquart lors d'une suspension d'audition, au fait que le président s'était une fois adressé à lui avec un « Mon cher Picquart » et qu'un conseiller avait échangé deux mots avec l'ancien officier dans les toilettes du palais de justice[214].

« Chaque après-midi, MM. les généraux intéressés à l'écrasement du capitaine Dreyfus tiennent un conseil de guerre au cercle militaire de Rennes. Là sont discutés les incidents de la séance du matin. Là sont préparés et combinés ceux de la séance du lendemain », raconta Cornély dans Le Figaro du 5 septembre 1899[215]. Si l'écrivain, témoin de ces réunions[216], s'en émut dans son article, ce n'était pas par leur existence même – les dreyfusards faisaient de même à l'auberge des Trois-Marches[217] –, mais pour les effets qu'elles produisaient afin d'« écraser » Dreyfus. Là résidait la grande différence entre ces antidreyfusards et la majorité des dreyfusards seulement attentifs à la reconnaissance de l'innocence de l'officier et de sa pleine réhabilitation.

Les généraux en question disposaient d'adjoints dévoués, des agents ou des anciens agents de la Section de statistique, des officiers d'état-major comme le capitaine Cuignet qui avait été chargé par les ministres Billot puis Cavaignac de réorganiser le grand dossier secret. Très proche dès cette époque de l'Action française, Cuignet avait transmis au conseil de guerre de Rennes un dossier ultra-secret afin de discréditer par avance les dépositions de Ludovic Trarieux et de Joseph Reinach (si ce dernier avait finalement choisi de déposer). Trarieux, informé, protesta auprès du général de Galliffet [218]. La machine de guerre se révéla très efficace, comme l'analysa en 1906 le conseiller rapporteur devant les chambres réunies de la Cour de cassation Clément Moras [219]. Pour le magistrat, l'objectif des généraux au procès de Rennes était de reconstruire la culpabilité de Dreyfus sur de nouvelles bases [220], tout en conservant au maximum celles qui avaient été produites depuis 1894, y compris et même lorsqu'elles s'étaient effondrées.

### Le maintien des accusations initiales

Le témoignage du capitaine Freystaetter avait établi la communication du dossier secret à la cour pendant son délibéré. Le colonel Maurel, président du conseil de guerre de 1894, dut brusquement changer de discours. Il avait en effet commencé par déclarer le contraire : « Je tiens à dire que, pendant toute la durée des débats de l'affaire Dreyfus, aucune communication verbale ni écrite n'a été faite ni au président ni aux membres du premier conseil de guerre. Ils n'on connu l'affaire que par le dossier communiqué à l'accusé et à ses défenseurs et par les dépositions des témoins [221]. » Il révéla qu'effectivement une communication secrète avait bien eu lieu à l'issue des débats de 1894, mais il fit suivre cet aveu de l'explication que cette communication n'avait rien changé à la conviction, déjà faite, des juges militaires. Sa propre certitude s'était « formée au cours des débats contradictoires qui ont eu lieu, et auxquels ont pris part l'accusé et son défenseur. Cette conviction était faite, absolument faite, ferme et inébranlable, lorsque le conseil s'est retiré pour délibérer. J'ajoute que j'ai la persuasion intime que tous les juges partageaient à ce sujet ma manière de voir et avaient la même conviction que moi. »

Le colonel Maurel récusa tout contact préalable avec Mercier, une affirmation mensongère [222] : « Je ne connaissais pas le général Mercier ; je l'ai vu pour la première fois au procès Zola ; je ne l'ai plus revu depuis que durant le courant du mois de juin dernier. » Il revint sur l'expertise d'Alphonse Bertillon, affirmant « qu'elle n'avait pas été comprise ». Concernant la déposition du lieutenant-colonel du Paty de Clam, il estima contre toutes les évidences qu'elle n'avait pas « fait montre de parti pris ou de passion ». De même il affirma que le commandant Henry, au procès de 1894, avait « parlé sans haine et sans passion ».

On remarqua cependant sa grande tenue à l'égard du capitaine Dreyfus et ses propos sur son attitude durant le procès [223]. On peut voir ici une nouvelle tactique consistant à simuler des témoignages impartiaux et raisonnés.

La défense d'Henry, de son suicide et de son acte de faux fut aussi un des axes de l'offensive de l'État-major. Malmené par l'avocat Labori, le général Gonse fut entraîné vers le faux Henry. « C'est un événement très malheureux, très mauvais », commença-t-il par reconnaître à la stupéfaction de l'auditoire [224]. Il poursuivit : « C'est une action criminelle, et si je m'en étais douté, si je l'avais soupçonnée, je l'aurais certainement empêchée de toutes mes forces. » [225]

Mais l'aveu n'en fut pas un. La déclaration du général servit au contraire à affirmer davantage la culpabilité de Dreyfus. Gonse expliqua en effet qu'Henry avait fait ce faux « pour chercher encore une nouvelle preuve contre Dreyfus. (*Nouvelles rumeurs*.) C'est très malheureux, parce qu'il n'avait pas besoin de cela. Son idée a été de mettre le nom de Dreyfus dans une pièce diplomatique. Eh bien, il y avait d'autres pièces diplomatiques – vous les avez vues dans le dossier secret, je n'y reviens pas – où le nom de Dreyfus était tout au long. Par conséquent, c'était une pièce absolument inutile. » Labori protesta immédiatement et demanda à ce que Gonse désignât précisément cette pièce où apparaissait le nom de Dreyfus. Le président refusa que la question soit posée. Une vive tension s'ensuivit [226].

Ainsi la portée criminelle de l'acte d'Henry était-elle annulée immédiatement après avoir été reconnue. Les conclusions de la Cour de cassation n'étaient pas seulement niées. Ainsi la preuve centrale de la conspiration réalisée contre Dreyfus en 1896 était-elle retournée et servait de nouvelle charge à l'appui de sa culpabilité – dès lors que celle-ci était proclamée comme un dogme. Le même mécanisme joua pour la « légende des aveux » relancée par l'accusation et que la défense espérait détruire. Entendu par la cour, le capitaine Lebrun-Renault se présenta en témoin impartial. Son témoignage fut pourtant très fluctuant. Il dut même reconnaître qu'il n'avait même pas établi de procès-verbal des pseudo-déclarations du capitaine Dreyfus et qu'il avait détruit la note par laquelle il avait informé le ministre de la Guerre Cavaignac des aveux, trois ans et demi après l'événement en question, lorsque Cavaignac et son officier d'ordonnance Cuignet cherchaient à enrichir encore le grand dossier secret. Edgar Demange demanda alors au témoin, *via* le président de la cour comme c'était la règle, « comment, dans son esprit, il a concilié qu'il y avait des aveux du capitaine Dreyfus [avec] une phrase où il y a : "Je suis innocent, dans trois ans on proclamera mon innocence" et "j'ai livré des documents" ». Réponse de Lebrun-Renault : « Je n'ai pas à les concilier, je répète la phrase et c'est fini [...] [227] ». L'avocat de Dreyfus insista, rappelant sa déposition devant la Cour de cassation où il avait déclaré qu'«« on peut très bien ne pas considérer la déclaration de Dreyfus comme des aveux [228] ». Lebrun-Renault rétorqua : « C'est une question personnelle » [229] !

Ainsi les déclarations faites sous serment devant la Cour de cassation pouvaient n'avoir aucune importance. L'histoire pouvait être révisée, la vérité niée. Ce qui semblait devoir seulement compter était le rapport de force. Or, celui-ci devenait très favorable aux accusateurs de Dreyfus. Les juges militaires laissaient faire, le commissaire du gouvernement les encourageaient, et la défense apparaissait souvent sonnée devant le caractère monstrueux des accusations faites en dehors des règles de la preuve et du simple respect dû à la vérité. Le choix des accusateurs de Dreyfus consista à répéter systématiquement l'évidence de sa culpabilité et à accompagner l'expression de ce dogme par un déluge d'accusations toutes plus infondées les unes que les autres.

## L'écrasement de Dreyfus

Edgar Demange s'étonna, au début du procès de Rennes, de la déposition de l'ancien ministre des Colonies, André Lebon, qui venait de faire selon lui « son apologie », disant qu'« il avait la conscience tranquille ». Et l'avocat continua, visant les dépostions de Mercier et Cavaignac : « Avant-hier c'étaient des témoins qui accusaient[230]. »

L'accusation porta principalement sur Dreyfus, mais elle engloba tous ses défenseurs, surtout les plus convaincants. Les deux avocats, en revanche, furent tenus pour secondaires. La tactique des « témoins qui accusaient » consista d'abord à transformer les hésitations, les oublis ou les dénégations du capitaine Dreyfus en indices de sa culpabilité. Il s'en expliqua et rejeta cette interprétation. La vérité est aussi faite de silence ou d'oubli : « On a beaucoup parlé des dénégations et je tiens à y répondre. Je n'ai jamais rien nié de ce que je savais ; on m'a posé des questions sur des points que je ne connaissais pas, j'ai répondu que je ne les connaissais pas ; mais, pour tout ce que je savais, j'ai répondu[231]. »

Les accusateurs fonctionnaient aussi par des théories systématiques de « déductions de l'esprit » qui prétendaient remplacer les preuves et reprendre la main lorsque Dreyfus ou ses avocats avaient annulé une charge. En 1906, Henry Mornard, l'avocat du capitaine Dreyfus près la Cour de cassation, désignera ce procédé comme relevant d'une « argumentation suggestive de l'accusation[232] ». Le principe général fut, pour les accusateurs de l'officier, de ramener tous les faits à sa charge, l'accumulation devant nourrir cette « suggestion de l'accusation ». Peu importe qu'ensuite la défense les ait annulés. L'effet de vérité était produit.

Certaines dépositions à charge furent particulièrement exemplaires de ce système. Le mépris pour la justice et l'affirmation d'un dogme de la culpabilité se retrouvèrent ainsi dans cette déposition de l'ancien ministre des Colonies André Lebon. Il expliqua à la cour que le jugement prononcé contre le capitaine en 1894 n'avait pas été seulement sa « vérité intangible », mais que ce « respect que je devais avoir professionnellement pour un jugement rendu par la justice de mon pays, était étayé, était soutenu par mon opinion personnelle. [...] C'est une opinion de seconde main que je me suis formée en écoutant la plupart des témoins que vous avez entendus et que vous entendrez encore[233] ». Les mesures extrêmes décidées contre Dreyfus, et exorbitantes du point de vue du droit, tiraient ainsi leur origine de cette conviction individuelle sauvage et non de la légalité conférée par les jugements. C'est ainsi que Lebon put revendiquer la pleine légitimité des « mesures extrêmement rigoureuses[234] » qu'il avait été amené à prendre contre le prisonnier de l'île du Diable[235].

Quelles que puissent en être les conséquences, quelque pénible qu'ait été ma situation à un certain moment où j'avais à prendre ces décisions, je n'hésiterais pas demain, si je me trouvais en présence d'une condamnation pour un fait identique, d'un ensemble de circonstances analogues, je n'hésiterais pas demain, sous ma responsabilité pleine et entière, à recommencer et à agir comme j'ai fait en 1896. On a prêté à mes actes de cette époque des mobiles que je ne veux même pas discuter devant le conseil. Mes mobiles ont été exclusivement techniques. Mes conclusions ont été rigoureuses, je le reconnais, je les ai appréciées moi-même, mais j'ai cru devoir le faire et je le ferais encore en pareille circonstance.

Comme le général Mercier dans sa déposition, André Lebon affirmait une notion de la légalité qui ne découlait que de sa propre autorité et qui permettait d'infliger tous les supplices à un prisonnier. À la suite de la remarque d'Edgar Demange sur sa « conscience tranquille », Lebon répliqua posément : « J'ai depuis dix-huit mois gardé assez présents ces événements pour que, quand je suis amené à m'expliquer devant la justice de mon pays, je puisse dire qu'à aucun moment il n'est entré dans la pensée d'aucun des agents de l'administration pénitentiaire de faire subir à l'accusé des traitements inutiles, inutilement sauvages, inutilement féroces, pour employer le vocabulaire qu'on a usité depuis quelque temps. J'ai donc quelque droit de protester de la loyauté de mes intentions et de celles de mes subordonnés[236]. »
Mercier fut le plus déterminé. Il réordonna toutes les charges de l'État-major dans sa très longue déposition qui fut un réquisitoire. Il affirma ainsi que le bordereau était de la main du capitaine Dreyfus et voulut le démontrer en produisant un « examen cryptographique ». Ensuite, se saisissant du mot « intérêt » dans le texte du bordereau, il déclara que ce terme était « un mot clef » du document, qu'il était en possession du capitaine Dreyfus, et que, pour finir, « l'intérêt formait peut-être aussi la raison psychologique de la trahison. [...] Je dirai seulement que vous entendrez deux témoignages qui vous prouveront que l'idée de patrie n'était pas la même chez le capitaine Dreyfus que chez nous. » Il sera prouvé que ces preuves étaient des faux témoignages réfutés par Dreyfus et sa défense. Or, sur cette base diffamatoire, Mercier déduisait qu'il y avait là « une absence de sentiment de la patrie qui jure avec les déclamations que vous verrez contenues

dans certaines lettres du capitaine Dreyfus [...] ; c'est un mensonge de plus à ajouter à son actif et dont il est bon que vous teniez compte. » Les autres allégations de mensonge proférées par Mercier furent elles aussi détruites par Dreyfus et sa défense ; elles portaient sur sa culpabilité dans l'écriture du bordereau, à la fois sur le plan de la calligraphie et de la livraison des documents militaires visés par le texte. Mercier n'entendait pas l'innocence de Dreyfus et l'impossibilité établie par la Cour de cassation qu'il puisse avoir fourni les documents du bordereau : puisque Dreyfus rejetait sa culpabilité, il mentait. Pour Mercier, Dreyfus était coupable par essence.

L'obsession de la culpabilité de l'accusé se doublait du viol des règles élémentaires du raisonnement, nonobstant l'utilisation de faux témoignages. Ainsi, deux allégations pouvaient annuler des centaines de lettres écrites avant et après la condamnation. Et, par suite des aveux – dont la légende avait été démontrée par la Cour de cassation – on pouvait nier aussi bien toute une vie de patriotisme et de service de la nation. Mercier poursuivit son réquisitoire dans cette voie de la négation de la raison et de la justice :

> Je ne m'occuperai pas de la conduite privée du capitaine Dreyfus. Des témoignages vous seront donnés, vous en tirerez les conclusions, je ne m'occupe pas du mobile de la trahison ; le mobile de la trahison peut avoir de l'intérêt, au point de vue psychologique. Je me préoccupe du fait matériel et brutal. Pour moi, la trahison ressort clairement d'abord des contradictions et des mensonges perpétuels de l'accusé ; elle ressort avec une certitude morale de l'examen technique du bordereau ; elle ressort avec une certitude matérielle de l'examen cryptographique de ce même bordereau. Elle ressort des aveux [237].

Le général fondait ainsi sa conviction sur des charges qui avaient été rejetées par la Cour de cassation, comme les « aveux », ou bien sur des extrapolations qui n'étaient fondées par aucun fait tangible, comme les « contradictions et mensonges perpétuels de l'accusé ». Par ailleurs, il se permettait, au mépris de tous les principes élémentaires d'une instruction ou même d'une accusation criminelle, d'écarter le domaine des mobiles alors qu'au contraire en droit pénal français, le crime était constitué lorsque le mobile pouvait être reconnu.

Parlant devant une cour de justice qui jugeait au nom du peuple français, ayant prêté serment de dire toute la vérité et rien que la vérité, Mercier produisait là un réquisitoire qui était une négation de la légalité judiciaire et des règles procédurales. Il obéissait à des intentions idéologiques qu'il voulait voir sanctionner par un jugement contre Dreyfus. Le drame pour la France et la justice fut que les magistrats, le ministre de la Guerre, chef de la justice militaire, le chef du gouvernement, qui avait autorité sur son ministre, et le président de la République, chef de l'État, tolérèrent un pareil dévoiement. Le seul à protester fut le capitaine Dreyfus qui rappela, en vain, le général Mercier au devoir de vérité, par sa protestation héroïque et solitaire[238].

Le capitaine Cuignet avait été, au ministère de la Guerre, le responsable de la constitution du grand dossier secret en 1898. Il lança une nouvelle charge contre Dreyfus qui empruntait la tactique de Mercier. Inonder la cour de fausses preuves qui adoptaient les caractères du véridique et dont la réfutation exigerait une connaissance poussée du dossier. Puis argumenter techniquement, la culpabilité de Dreyfus étant fondée selon Cuignet par quatre ordres de fait, à savoir « les aveux recueillis par le capitaine Lebrun-Renault, la discussion technique du bordereau, enfin l'examen du dossier secret, [et] maintenant une quatrième preuve, dans le détail de laquelle je n'entrerai pas : c'est la démonstration graphologique faite par M. Bertillon. (*Mouvements divers.*) »

Cuignet ne se contenta pas de ces ordres de fait. Il en annonça un dernier qui disait le combat lancé désormais contre les défenseurs de Dreyfus. Et il révéla alors que le ministère de la Guerre lui-même s'occupait de les confondre, et que le ministre lui-même était au service de cette répression :

> Je citerai aussi, parce que je l'ai cité souvent à ceux qui m'ont demandé des renseignements, qui demandaient à s'éclaircir au cours de ces derniers mois, et à qui je ne pouvais rien dire, je citerai comme preuve indirecte la nature même des moyens employés par les partisans de Dreyfus pour arriver à la réhabilitation.
>
> M. le général Roget vous a montré quels étaient les moyens employés par le protagoniste de la révision, par l'ouvrier nécessaire de la campagne directe contre la justice, contre la vérité et contre la patrie. Je ne reviendrai pas sur ce qu'a dit le général Roget d'une voix beaucoup plus autorisée que la mienne ; mais je dois signaler au conseil l'existence au ministère de la Guerre, d'un dossier que peut-être il jugera utile de consulter si M. le ministre de la Guerre croit pouvoir lui en donner communication. Ce dossier contient des renseignements détaillés sur des entrevues qui ont eu lieu entre des hommes qui ont occupé ou qui occupent une situation considérable dans l'État, et le représentant d'une puissance au profit de laquelle a été accomplie la trahison.[239]

À la suite de quoi Cuignet reprit ces ordres de fait pour les développer longuement, les exposant avec une apparence de méthode pour leur donner une force de vérité, exposant solennellement le grand dossier secret et son « très grand nombre[240] » de pièces. Avec les dépositions des généraux Mercier et Roget, celle de Cuignet fut la plus démonstrative des procédés de l'écrasement. Écrasement de Dreyfus d'abord avec une démonstration de sa culpabilité qui ne repose sur aucune preuve directe mais se nourrit d'immenses dossiers ou d'expertises fabriquées. Écrasement de ses défenseurs ensuite, traités au ministère de la Guerre comme des criminels, agents à la solde de l'ennemi. Écrasement de la justice ensuite puisque la déposition du commandant Cuignet ne fut pas interrompue par la cour. Seul le capitaine Dreyfus réagit. Se levant brusquement, il s'exclama : « Mon colonel, je ne peux pas entendre des mensonges pareils tout le temps ! (*Sensation.*) [241] »

« *Le président fait signe à l'accusé de se rasseoir* », écrit la sténographie. Et Cuignet poursuivit sans être inquiété [242], allant jusqu'à son dernier ordre de fait, les agissements criminels des défenseurs de Dreyfus, plus particulièrement les officiers qui avaient refusé le dogme nationaliste de l'État-major et son viol de la légalité. Le procès de Rennes se caractérisa en effet par une tentative d'écrasement des officiers qui doubla celle commise contre Dreyfus. Cette dernière prit dans l'intervalle des proportions inouïes. La haine développée contre lui était omniprésente. Alors que le capitaine Dreyfus n'était qu'accusé, qu'il n'était plus sous le coup de la condamnation de 1894, qu'il avait été réintégré de ce fait dans son grade, les témoins de l'accusation s'ingéniaient pour la plupart à ne pas lui reconnaître son grade. Le colonel d'Aboville, responsable de son identification au sein de l'État-major, s'en fit même une spécialité [243].

## Un déluge d'accusations

Découvrant la violence du réquisitoire du général Mercier et du plaidoyer d'André Lebon, considérant l'indifférence de la cour à ces pratiques de négation de la justice, percevant la domination progressive de l'ancien État-major sur le déroulement du procès, les accusateurs de Dreyfus se virent encouragés à produire un système global de culpabilité où tout semblait permis, où les faux témoignages se multiplièrent, où les mensonges les plus grossiers furent énoncés à la barre. Mercier déclara ainsi n'avoir jamais été influencé par la presse [244] et n'être jamais intervenu dans l'enquête confiée au gouverneur militaire de Paris [245].

Le général Lebelin de Dionne, ancien commandant de l'École de guerre, produisit un certificat haineux contre Dreyfus alors qu'à l'époque de sa scolarité, les notes qu'il lui avait décernées étaient tout à fait excellentes [246].

Le général de Boisdeffre, l'ancien chef d'État-major qui avait fait à Dreyfus l'honneur d'une promenade lors du voyage de Charmes dans les Vosges au début de l'été 1894, rappela d'abord sa « conviction absolue de la culpabilité du capitaine Dreyfus [247] ». Mais comme les événements avaient malmené cette thèse, Boisdeffre changea de registre et accusa Dreyfus d'avoir dérobé une note rédigée par le commandant Bayle, alors que Dreyfus était son adjoint au 1er bureau. Le général ne présenta aucune preuve à l'appui de son accusation, mais il suggéra que le forfait avait été commis par Dreyfus [248]. Ce dernier ne voulut « rien répondre au général de Boisdeffre [249] ».

Plusieurs officiers des bureaux de l'État-major qui avaient connu Dreyfus comme stagiaire expliquèrent comment il avait cherché à se renseigner sur différents sujets qui relevaient en réalité du domaine de ses missions[250]. D'autres témoignèrent de comportements suspects qui ne reposaient que sur de vagues impressions ou des questions d'horaires que Dreyfus justifia aisément[251].

L'archiviste Gribelin insista sur la comédie qu'aurait jouée Dreyfus lors de son arrestation, puis il évoqua les allégations sur sa vie privée et présenta ses fréquentations féminines d'avant son mariage comme des éléments à charge de sa culpabilité[252].

De faux témoins furent introduits dans le prétoire : l'officier de cavalerie déserteur de l'armée autrichienne Cernuscki accusa Dreyfus sur la foi de renseignements tenus d'un officier d'état-major étranger. Le huis clos fut demandé par le commissaire du gouvernement. Mais celui-ci dut reconnaître, devant la charge de la défense, qu'il n'avait pas lu très attentivement la lettre du témoin en question et qu'il avait traité le témoignage « peut-être un peu légèrement[253] ». Labori annonça que, dans ce cas, la défense du capitaine Dreyfus allait elle aussi faire appel à des témoignages étrangers.

Le témoin Georges Germain, entendu en vertu du pouvoir discrétionnaire du président, fut celui qui affirma avoir vu Dreyfus aux manœuvres de l'armée allemande aux environs de Mulhouse au mois de septembre 1887. Cette accusation tomba lorsqu'un second témoin, Paul Kulmann, industriel à Mulhouse, avec qui Dreyfus aurait dû se trouver (selon Germain) lorsqu'il assistait aux manœuvres allemandes, déclara qu'il « [donnait] le démenti le plus formel à l'assertion de Germain. » La défense l'amena même à expliquer que si Dreyfus n'avait jamais assisté aux manœuvres allemandes, en revanche, le colonel Sandherr y avait été invité et s'y était rendu[254] !

Ses accusateurs allèrent voir très en profondeur dans sa vie. Des fuites concernant le procédé de chargement des obus à la mélinite avaient eu lieu au moment où Dreyfus était à l'École de pyrotechnie de Bourges. Ses accusateurs voulurent les lui attribuer. Mais comme aucune preuve matérielle ne put l'attester, il convenait pour eux de prouver que son attitude à l'École était suspecte, qu'elle était celle d'un espion. Le commissaire du gouvernement reçut ainsi une lettre, versée à la procédure (et lue à l'audience), du directeur de l'École, le commandant Rivals. Celui-ci expliqua le caractère très suspect de l'interdiction que Dreyfus avait formulée au planton civil de l'École d'entrer dans son bureau en son absence. Pire, les habitudes vestimentaires de l'officier trahissaient sa véritable identité d'espion à la solde de l'Allemagne : « Il y a dans ces habitudes, surtout si on les rapproche de l'habitude qu'avait Dreyfus d'avoir des poches sur la poitrine ou des gilets de flanelle à grandes poches, quelque chose de vraiment singulier, et il est difficile d'expliquer les motifs qui peuvent porter un capitaine en second, même candidat à l'École de guerre, à tenir caché ce qu'il peut faire dans son bureau. Quant aux poches, ce fait me paraît à moi, qui connais les habitudes de l'établissement, réellement grave. »[255] Le grotesque le disputait à l'acharnement.

## L'élimination révélée

Les officiers les plus déterminés à charger le capitaine Dreyfus des accusations les plus graves furent ceux qui précisément, en 1893 et 1894, étaient les plus motivés pour obtenir son élimination de l'État-major. L'hypothèse d'une volonté destructrice existant contre Dreyfus avant l'événement de l'arrivée du bordereau et de sa mise en accusation par ce biais est ici validée.

Pour démontrer en effet que Dreyfus était un homme de trahison capable de tous les crimes – et alors il suffisait de décrire cet être ontologique pour prouver toutes les charges qu'on pouvait lui imputer –, les accusateurs expliquèrent combien le jeune stagiaire avait une personnalité louche et des comportements hautement suspects plaidant pour des actions potentiellement criminelles. Or, les notes effectivement reçues par lui durant ces deux années de stage s'opposaient à cette présentation. Peu importe. Ses anciens supérieurs s'acharnèrent contre l'officier.

Le général Fabre, à l'époque colonel et chef du 4e bureau de l'État-major de l'armée, expliqua ainsi que Dreyfus, comme cinq autres officiers, se trouvait en stage du 1er juillet au 31 décembre 1893.

À mon arrivée je me suis fait présenter ces officiers, et me suis fait renseigner sur leur compte par leurs chefs directs.

D'après les renseignements qu'on me fournit ainsi, cinq d'entre eux étaient considérés comme très bons ; le sixième au contraire, le capitaine Dreyfus, était considéré comme un officier sur lequel on ne pouvait pas compter.

Pendant les quelques semaines qu'il est resté sous mes ordres, j'ai pu constater la justesse de ces appréciations ; c'était un officier n'ayant pas cette franchise d'allures à laquelle nous sommes accoutumés, prétentieux, aussi peu sympathique à ses camarades qu'à ses chefs, furetant dans tous les coins, cherchant surtout à s'assimiler les dispositions les plus importantes prises sur les réseaux, notamment sur celui de l'Est[256], et apportant, au contraire, une nonchalance dont se plaignait son chef dans l'exécution des travaux de moindre importance.[257]

Edgar Demange lui fit reconnaître qu'il n'avait jugé à l'époque Dreyfus qu'en fonction des avis de Bertin et Roget et qu'il « n'avait pas formulé d'opinion personnelle. »[258] Dreyfus se défendit. Pour déjouer sa défense, Roget employa une arme qu'on retrouva fréquemment dans l'arsenal des accusateurs. Sur un détail du service, il parvint à troubler la mémoire de Dreyfus, qui se trompa. Alors il l'accusa hautement de mensonge[259].

Tous ses actes accomplis pendant ses presque deux années de stage furent passés au crible et réinterprétés selon le dogme de sa culpabilité. D'Aboville imagina son comportement d'indiscrétion systématique, révélant par exemple les questions qu'il aurait posées au colonel Sandherr, chef de la Section de statistique en 1894[260]. « Il s'agit d'une invention », répliqua Dreyfus en apportant une preuve de son affirmation. « Le colonel Sandherr, je ne me souviens absolument pas de lui avoir tenu une des conversations qu'on relate. Je connaissais si peu le colonel Sandherr qu'un jour, rentrant au bureau et me trouvant sous le porche du ministère de la Guerre, il m'a salué d'un nom qui n'était pas le mien[261]. » Mais l'accusation pouvait demeurer puisque d'Aboville n'était pas contraint pas la cour de reconnaître sa calomnie, ou du moins son erreur.

La faculté de Dreyfus de dessiner de mémoire les graphiques de la concentration lorsqu'il était stagiaire à l'État-major général fut également utilisée contre lui pendant les dépositions à charge. Le général Mercier y vit une preuve formelle de trahison[262], Godefroy Cavaignac, « un fait tout à fait exceptionnel[263] ». Ils en appelèrent aux témoignages jugés décisifs des capitaines Junck et de Pouydraguin. Pourtant, ceux-ci relevèrent que « tous les officiers stagiaires qui étaient avec Dreyfus connaissaient la concentration, et qu'ils étaient à peu près tous capables d'en dessiner le tableau de mémoire sur la carte – et que sans doute tous avaient remarqué la facilité avec laquelle Dreyfus faisait ce travail et les détails qu'il connaissait ; mais que c'était très naturel, puisque au réseau de l'Est où aboutissent tous les transports, il avait plus de renseignements que ceux de ses camarades qui se trouvaient dans les réseaux d'où partaient les transports[264]. » Mercier et Cavaignac persistèrent pourtant dans leurs accusations[265].

Le capitaine Cuignet, qui lui avait fait une sorte de conférence au second semestre de 1893, dénonça son attitude selon lui insistante, louche. Dreyfus avait pris des notes lors de cet exposé. Cuignet révéla comme un grand secret que celles-ci n'avaient pas été retrouvées lors de la perquisition du domicile de Dreyfus le 15 octobre 1894[266]. Mais le commandant Bertin-Mourot reconnut avoir bien chargé son stagiaire Dreyfus de cette mission auprès de Cuignet[267].

La possession par Dreyfus des clefs de toutes les armoires du service du 4e bureau constitua aussi un nouvel élément à charge que révéla cette fois le commandant Bertin-Mourot[268]. Mais il se contredit en révélant que c'était lui-même qui lui avait confié toutes ces clefs à son arrivée dans le service afin qu'il puisse faire « l'étude méthodique, forcément progressive, de tous les dossiers renfermés dans les armoires[269] ». Pourtant il ne vit pas de contradiction entre ses deux affirmations !

La demande faite au capitaine Besse d'obtenir la communication de la liste des quais militaires des différentes lignes des réseaux français[270] fut présentée comme une preuve supplémentaire de son comportement d'espion. Interrogé sur le sujet, Dreyfus révéla pourtant qu'il avait agi sur ordre de son chef, le commandant Mercier-Milon, son chef de section au 3ᵉ bureau[271]. Ce que confirmera ce dernier[272].

Le fait qu'il resta seul au bureau du renseignement du 3ᵉ bureau de l'État-major en août et septembre 1894, de 11 heures 30 à 14 heures, fut brandi aussi comme une preuve. Mais Dreyfus se justifia. Sa famille était alors en vacances à Houlgate, et il avait obtenu de son chef, le colonel Boucher, de venir à son bureau à l'heure du déjeuner[273]. De plus, sa présence arrangeait son chef, dans la mesure où les stagiaires devaient précisément assurer la continuité du service[274].

Les quelques officiers témoins des faits allégués par les accusateurs de Dreyfus et qui refusèrent le rôle qu'on leur faisait jouer furent attaqués très violemment. Le même sort fut réservé aux officiers experts de l'artillerie qui avaient démontré l'impossibilité pour Dreyfus d'avoir pu écrire le bordereau et livrer les documents visés.

## L'intimidation des officiers dreyfusards

Les officiers qui témoignèrent en faveur de la vérité furent systématiquement discrédités dans leur parole et dans leur réputation au moyen d'une politique de calomnies et de mensonges.

Contre Forzinetti, le général Roget s'efforça de démontrer[275] que l'ancien commandant n'avait jamais été un intime du capitaine d'Attel dont il invoquait le témoignage. Il agit de même pour le témoignage du capitaine Anthoine[276]. Le général de Boisdeffre démentit pour sa part la position que lui prêta Forzinetti sur sa gêne à l'égard des mesures prises contre Dreyfus lors de son incarcération[277]. Le président lui-même intervint pour affirmer que la déposition de Forzinetti était « une appréciation personnelle et non pas un fait[278] ». Mais Forzinetti ne se laissa pas abattre et répondit qu'il maintenait ses déclarations[279].

Le capitaine Cordier, dont le témoignage avait été accablant pour la Section de statistique et ses procédés criminels indignes d'un État de droit, fut confronté à l'accusation publique de son alcoolisme et de son antisémitisme. Sa déposition avait été pourtant claire et motivée. La valeur d'un témoignage ne pouvait être annulée par ces arguments, série de racontars non motivés sur le fond et sur la forme[280].

Billot[281] et Mercier[282] s'acharnèrent contre Picquart, lui donnant systématiquement du « monsieur Picquart ». Forzinetti raconta comment ces officiers généraux tombèrent sur l'ancien chef de la Section de statistique : « Le général Germain, assis derrière le président et aux côtés de M. Laroche, ex-résident général à Madagascar, n'a pas cessé de proférer les injures les plus grossières à l'égard de Picquart lorsque celui-ci témoignait. M. Laroche s'en est plaint et le disait à qui voulait l'entendre. Que penser aussi du rôle abject tenu par le général Roget dont la déposition n'a été que mensongère et diffamatoire surtout pour

Picquart ? C'était vraiment le général Roget qui était maître du conseil de guerre, dirigeant pour ainsi dire les débats [283]. »

Le commandant Cuignet expliqua qu'Henry avait réalisé son faux afin de répondre « aux agissements dirigés par M. Picquart pour arriver à la réhabilitation de Dreyfus [284] ». Boisdeffre accabla Picquart et « le parti pris qu'il paraissait avoir dans cette affaire » celui-ci arriva au ministère de la Guerre [285]. Il l'accusa ensuite d'avoir eu des relations avec la famille Dreyfus au mois de septembre 1896, quand fut lancée la fausse nouvelle de l'évasion. Interrogé par Me Demange, il expliqua qu'il n'avait aucune preuve de ce qu'il avançait [286]. Il reconnut que son allégation découlait de ce qu'il avait vu ensuite : « Mon impression a changé depuis, en voyant la manière dont se sont déroulés les événements ; ayant appris les relations intimes qui avaient lieu entre le colonel Picquart et M. Leblois, c'est ce qui fait que mon opinion a changé. » Demange insista : « C'est une impression ! » Le président vint à la rescousse du général : « Il vous a dit qu'à ce moment il n'en avait pas ; il ne vous a pas dit qu'il n'en avait pas eu une ensuite [287]. »

Contre Ducros, Mercier expliqua que la déposition de l'officier ne s'expliquait que par une volonté de vengeance à l'égard de l'institution puisque son projet de canon n'avait pas été retenu par l'État-major [288]. Contre Hartmann, Deloye fit jouer la hiérarchie et l'autorité, sa position d'officier général et de directeur de l'artillerie devant annuler la déposition d'un simple commandant [289]. Contre Sebert, le même protesta des critiques portées par l'officier savant sur le travail du capitaine Valério [290]. Il réutilisa l'argument d'autorité et en appela à la nécessaire unité d'une armée nationale. « Je demande au conseil la permission de dire que, dans une armée qui, pour se présenter à l'ennemi, a besoin de cohésion et par conséquent besoin qu'en temps de paix tous ses enfants marchent comme des frères la main dans la main, je ne crois pas bon qu'on dise que des officiers sortis du rang doivent s'arrêter à une certaine barre, que, plus haut, leurs assertions, leurs études personnelles, leurs capacités individuelles, tout cela n'est rien, qu'il y a une barre après laquelle on ne passe plus, cela n'est pas bon ! Et quand c'est un officier général qui vient le dire, non, non, non, ce n'est pas bon [291] ! »

Fonds-Lamothe, qui n'était plus officier à l'époque où il témoigna, concentra les attaques. Boisdeffre intervint pour affirmer que les stagiaires ne devaient plus faire « leur service dans les corps de troupe que du mois d'octobre à la fin de l'année ». Mais il ajouta, pour expliquer que Dreyfus aurait pu écrire qu'il allait partir aux manœuvres : « Les stagiaires n'ont pas perdu pour cela l'espoir de pouvoir aller aux grandes manœuvres. (*Rumeurs.*) [292] » Et de citer le témoignage d'un officier – récusé aussitôt sur preuves par Fonds-Lamothe –, comme quoi son cas constituait une exception. Deloye et Mercier attaquèrent à leur tour, le second se montrant particulièrement agressif. Après les explications précises et convaincantes du témoin, il s'exclama :

« Mon observation subsiste entièrement et le témoin ne l'a aucunement réfutée. (*Rumeurs*.) [293] » Puis intervint Roget, affirmant que le témoin était confus, se saisissant du contenu d'une note du 28 août envoyée par le général Zurlinden au général Saussier. Mais Fonds-Lamothe riposta : « Permettez, il n'y a pas de confusion. Cette note du 29 août est une note qu'on établit un mois à l'avance, par laquelle, nous, stagiaires de deuxième année, sachant que nous devions faire notre période imposée dans les régiments en octobre, novembre, décembre, nous indiquions nos préférences. Cette note n'avait aucun rapport avec des manœuvres dans les états-majors. Je vous demande de la faire produire. » À son tour, Roget fut en difficulté : « Je ne sais pas ce que cela veut dire, je ne comprends pas [294]. » Il entraîna alors Fonds-Lamothe dans un autre piège en déclarant posséder un témoignage contre lui, selon lequel il aurait déclaré le 15 octobre, à propos de l'arrestation de Dreyfus, que cela ne l'étonnait pas. L'ancien officier riposta encore en expliquant et qu'il n'avait pu dire cela le 15 octobre puisque la nouvelle de l'arrestation de Dreyfus était tenue secrète, et qu'il n'avait jamais prononcé de toute manière de telles paroles [295]. Le capitaine Romanet, qui les attestait par une lettre que brandit le général Roget, avait fait selon lui « une erreur complète [296] ». Mais le président laissa faire les généraux et leur prêta main-forte lorsqu'ils parurent en difficulté. Quand Fonds-Lamothe voulut encore s'opposer à une fausse assertion du général Roget concernant les procédures appliquées aux stagiaires, le président lui reprocha d'être intervenu sans avoir demandé l'autorisation de prendre la parole. Mais Fonds-Lamothe avait su être convaincant [297].

Le capitaine Freystaetter fut une victime de choix pour les prédateurs. Comme Hartmann ou Louis Loew, président de la chambre criminelle de la Cour de cassation, violemment attaqué pour ses origines confessionnelles, Freystaetter était protestant. De plus, il était l'officier par lequel une révélation capitale avait été faite sur la conspiration de 1894. Sa déposition fut discréditée par le général Mercier qui l'accusa d'avoir ordonné en janvier 1896 le massacre d'une troupe de prisonniers à Madagascar [298]. L'accusation était fausse [299], mais le soupçon demeura [300]. Mercier employa alors la tactique qui lui avait souvent réussi : il déclara que sa déposition était un mensonge complet après avoir confondu le témoin sur une erreur de fait bénigne [301].

Le commandant Hartmann, pour sa part, ne se laissa pas démonter par les généraux. Il riposta : « Le général Deloye a reconnu que les faits que j'ai énoncés devant le conseil étaient exacts dans tous leurs détails ; je ne comprends pas, dès lors, comment leur ensemble peut être inexact [302]. » Hartmann obligea Deloye à reconnaître qu'il n'y avait jamais eu d'enquête sur le type et la nature des fuites attribuées à Dreyfus. « Il n'y a pas eu d'enquête à ce sujet. » Il se fit même plus incisif : « Je dois faire une constatation qui rentre dans le cadre de ma déposition : c'est que, d'après ce que vient de dire M. le général Deloye, un officier est accusé du crime de trahison, le crime le plus abominable ; cet officier est accusé d'avoir pris des documents à la fonderie de Bourges et dans d'autres établissements, et aucune enquête n'a été ouverte pour vérifier si ce fait était vrai[303]. » Deloye fut finalement obligé de reconnaître, après une intervention de Demange[304], que tel était le cas : « Quant à des preuves de culpabilité ou de non-culpabilité de l'accusé, il se trouve que, par le fait des circonstances, je n'en ai aucune de première main ; par conséquent, je me sens absolument hors d'état et sans qualité pour en parler au conseil. Si j'en avais, assurément je les donnerais, mais je n'en ai pas. (*Mouvement.*)[305] »

Hartmann s'éleva contre des « raisonnements plus ou moins scientifiques, [...] des raisonnements mathématiques, alors que la culpabilité de l'accusé peut en dépendre ». « Jamais[306] ! » ce genre de procédés, s'exclama-t-il. Il critiqua de ce fait d'anciens ministres comme Mercier ou Cavaignac. Et lorsque le général Deloye affirma doctement, sur la base des tournures linguistiques, que l'auteur du bordereau était forcément « un maître, un seigneur » et qu'il aurait donc livré des documents de la plus haute importance, Hartmann ironisa, déclenchant les rires d'une partie du public : « Si l'auteur du bordereau est un gros seigneur, c'est un gros seigneur ignorant des choses de l'artillerie[307]. »

Ainsi le procès de Rennes répétait-il – en les systématisant – les pratiques qui avaient déjà fonctionné lors du premier procès de Dreyfus et du procès d'Esterhazy. Les conseils de guerre avaient en effet soutenu la mise en accusation des témoins attestant de l'innocence du capitaine Dreyfus, d'Alfred Gobert en 1894 au colonel Picquart en 1898. Mais ceux-ci avaient refusé aussi de se laisser intimider et avaient affronté leurs accusateurs.

## Des témoins civils menacés

À Rennes, les officiers dreyfusards ne furent pas les seuls à être victimes de ces pratiques. Des témoins civils furent aussi attaqués et calomniés. Trarieux, on l'a vu, fut visé par les accusations du commandant Cuignet révélant qu'il existait un dossier sur son compte au ministère de la Guerre.

L'expert Alfred Gobert subit à nouveau la vengeance de l'État-major. Le général Gonse répéta ses accusations d'une complicité avec Dreyfus, ce dernier ayant dû forcément le rencontrer lors du rapport établi par le stagiaire sur la manière dont le ministre de la Guerre pourrait se procurer des fonds en cas de mobilisation. « Pour ce travail, Dreyfus avait été obligé d'aller à la Banque de France, et M. Gobert est expert à la Banque de France[308]. » Il s'agissait d'une simple déduction, mais l'ancien chef d'État-major la présenta comme un fait établi.

« D'une manière absolue et complète je proteste contre l'insinuation de M. le général Gonse », répliqua Alfred Gobert. Il ajouta : « Il n'y a pas un seul mot de vrai. » Sa phrase fit sensation[309]. Le général ne s'expliqua point, mais aborda un autre ordre de fait concernant l'extrême indiscrétion de l'expert dans ses contacts avec l'État-major. Gobert voulut se dresser en faux contre ces allégations. Le président l'en empêcha en manifestant une hostilité teintée de mépris pour le témoin[310]. À son tour Dreyfus contre-attaqua. Contre les insinuations, il opposa la nécessité de l'enquête et sa mémoire précise du dossier. Il réfuta l'affirmation sans preuve du général Gonse par une réponse argumentée : « On a déjà, en 1894, apporté cette insinuation, que le général Gonse vient de répéter, au sujet du travail sur les ressources en cas de guerre à la Banque de France. J'affirme d'une façon absolue n'avoir jamais été à la Banque de France. (*Mouvement.*) Encore une fois, puisqu'on vient de répéter des insinuations produites en 1894, je vous demande, mon colonel, de faire faire toute enquête nécessaire[311]. » À une question du président qui s'étonnait qu'il ne fût pas entré en contact avec la Banque de France, Dreyfus expliqua qu'il avait fait ce travail « sur les archives du ministère de la Guerre, sur les travaux de M. Swart, sur les documents de l'emprunt Morgan en 1870. » Mais le général Gonse balaya cette réponse par un commentaire qui sous-entendait le mensonge et la culpabilité de Dreyfus : « Cela me semble extraordinaire [que Dreyfus ne soit pas entré en relation avec la Banque de France], parce que ces messieurs de la Banque avaient des relations avec les officiers du 1er bureau[312]. » Les avocats du capitaine Dreyfus restèrent silencieux.

Le cas des experts chartistes fut réglé par le général Mercier lui-même. Il en profita pour lancer le soupçon sur la Cour de cassation : « Il y a une irrégularité qui me semble un peu choquante dans ce qu'a fait la Cour de cassation lorsqu'elle a choisi trois nouveaux experts pour expérimenter l'écriture du bordereau en prenant trois experts, professeurs à l'École des chartes dont je ne mets aucunement en doute ni l'honorabilité, ni la compétence, mais qui s'étaient déjà prononcés publiquement au procès Zola pour attribuer l'écriture du bordereau à Esterhazy par le simple vu du fac-similé. Il me semble qu'il aurait été plus correct de ne pas prendre des experts qui avaient déjà formulé une opinion antérieure[313]. » Le général Mercier précisa que « toutes ces considérations relatives aux écritures [...] ont peu d'importance ». Cette précision visait notamment à écarter le risque d'être interrogé sur son commentaire qui passait sous silence le fait que, précisément, Arthur Giry, Paul Meyer et Auguste Molinier avaient déclaré, au procès Zola, qu'ils agissaient en philologues habitués aux écritures et non en militants d'une cause, et que le fac-similé du bordereau pouvait servir à fonder une expertise recevable[314]. Cependant, il instillait le soupçon sur la partialité des trois professeurs de l'École des chartes.

Ces pratiques accusatoires des personnes et des réputations créèrent un climat de tension voire de haine qui enveloppa les dreyfusards, à l'intérieur mais aussi à l'extérieur du prétoire. La tentative d'assassinat de l'avocat Fernand Labori prit place dans ce contexte. Le lundi 14 août 1899, vers 6 heures du matin, Picquart, Edmond Gast et Fernand Labori se dirigeaient vers le lycée en empruntant le quai du canal de la Vilaine. Un rôdeur, un homme jeune, « ayant plutôt l'air d'un ouvrier[315] », les suivait. Il se rapprocha du groupe formé par les trois dreyfusards. Brusquement il fit feu, sa balle toucha Labori qui s'écroula à terre. L'homme s'enfuit, aussitôt poursuivi par Picquart et Gast, persuadés que l'avocat était mort et qu'il n'y avait plus rien à faire pour lui. Un batelier tenta sans succès de l'intercepter. « Son premier mouvement fut pour lui barrer la route, expliqua Joseph Reinach, le second de reculer devant le revolver que le meurtrier braqua sur lui, tout en continuant à fuir et criant : "Laissez-moi passer ! Je viens de tuer Dreyfus !" ou "un Dreyfus !" – Impossible qu'il ait cru tuer Dreyfus qui ne se promenait pas sur les quais ; *un* Dreyfus désignait, à Rennes, les partisans de la révision[316]. »

Le conseil de guerre refusa d'interrompre les débats comme le lui demanda Dreyfus le 16 août, après qu'une note des médecins avait indiqué que Labori ne pourrait reprendre sa place que le 21. « Ma défense est complètement désorganisée, chacun de mes avocats ayant un rôle absolument distinct[317]. », expliqua Dreyfus. Edgar Demange développa la requête de son client. À l'unanimité, le conseil de guerre décida de continuer le procès. L'arrêt du procès n'aurait pas eu que des conséquences positives[318].

Mais, pendant une semaine, Demange dut affronter seul, avec son client, les dépositions les plus difficiles. Cependant, il put compter sur les avis éclairés d'Henry Mornard, appelé de toute urgence par Mathieu Dreyfus. Il avait même été envisagé qu'il remplaçât Labori. Joseph Reinach, Arthur Ranc, Jaurès, appuyaient eux aussi cette solution qui permettait de reprendre la main sur le dossier strictement juridique du procès. Mais Labori s'opposa à cette solution et fit savoir qu'il conservait son dossier. Mathieu Dreyfus se résigna. « Cependant, Mornard accourut à Rennes, malgré de cruelles préoccupations (sa fille malade qui mourut le mois d'après), et il suivit tout le procès, le plus attentif des spectateurs et le conseiller à la fois le plus avisé et le plus ferme[319]. »

La convalescence de Labori fut la plus courte possible. À son retour au tribunal, le 22 août 1899, l'avocat prononça une brève allocution à l'invitation du président. Il termina sur un ton de gravité exceptionnel et évoqua l'enjeu des débats futurs, appelant les juges à leur conscience et à leur devoir de justice. Incontestablement, il avait marqué des points.

La tâche est ici difficile pour tous ; pour vous qui êtes les arbitres et qui allez dire la justice ; et pour nous, les auxiliaires les plus modestes de cette œuvre ; mais le fardeau se porte avec allégresse, parce qu'il est rendu léger par la conscience du devoir accompli.

Vous sentez bien, messieurs, qu'il n'y a que le sentiment du devoir accompli qui fasse des résolutions inébranlables comme les nôtres.

Poursuivons maintenant ces débats, où nous connaîtrons encore sans doute bien des vicissitudes, mais d'où jailliront, puisqu'ils vont avoir l'ampleur qu'on peut désirer, la vérité absolue et la justice complète ; d'où elles jailliront pour l'apaisement, que j'ai le droit de souhaiter aujourd'hui. Ce n'est pas moi, au lendemain du succès – car j'y crois avec une ferveur absolue – de l'œuvre de justice que nous avons entreprise, ce n'est pas moi qui m'attarderai aux récriminations ni aux colères. Au surplus, il faut bien qu'on le sache, et peut-être encore une fois ai-je aujourd'hui quelque crédit pour le dire, la part de l'erreur dans les choses humaines est toujours plus grande que celle de la mauvaise foi. (*Sensation.*) [320]

## Bertillon contre les chartistes

Contre les experts civils, et particulièrement les trois professeurs de l'École des chartes Giry, Meyer et Molinier qui avançaient armés de leur méthode et de leur prestige, une offensive menaçante fut opposée. Puisqu'ils invoquaient l'ordre scientifique, le système d'Alphonse Bertillon devait pouvoir prouver la faiblesse de leurs expertises. La lourde armature scientiste et technicienne de la démonstration du fonctionnaire de la préfecture de police pouvait éclipser les bases méthodologiques somme toute assez simples des trois savants. Elle permettait aussi à de nombreux témoins de l'accusation de reprendre comme une vérité établie les conclusions de Bertillon et d'en faire un des éléments de la culpabilité de Dreyfus. Bertillon s'affirma comme le premier et le plus décisif expert de son système qu'il présenta comme imparable, à l'opposé des expertises de ses contradicteurs.

J'ai déjà déposé devant le conseil de guerre de 1894 et devant la chambre criminelle de la Cour de cassation des raisons d'ordre scientifique qui me font croire, d'une façon formelle, à la culpabilité de l'accusé. J'avoue que, si on isole ma démonstration des préparations et des photographies qui font corps avec elle, mes déductions ne peuvent être comprises que par un nombre très restreint de personnes. (*Murmures ironiques au fond de la salle.*) [321]

Durant sa très longue déposition, Alphonse Bertillon alterna les explications les plus techniques ou savantes avec la présentation d'un nombre très élevé de planches photographiques venant à l'appui de ses démonstrations. Le conseil de guerre fut soumis à une succession de certitudes et d'hypothèses qu'il était impossible de vérifier ni même de comprendre dans leur suite logique. Puis il se proposa d'écrire quelques mots du bordereau grâce au système du gabarit que Dreyfus aurait élaboré grâce à la lettre de Mathieu Dreyfus dite du « buvard » – parce que trouvée lors de la perquisition de l'appartement de l'avenue du Trocadéro... sous un buvard. Enfin, Bertillon conclut sa dernière expérience et l'ensemble de sa déposition par l'affirmation de la culpabilité de l'accusé :

> Il faut bien admettre qu'il y a un rapport absolu entre les mots du bordereau et le mot « intérêt » de la lettre du buvard avec lequel ces deux chaînes ont été composées. Or, cette chaîne était la propriété de l'accusé. Elle a été saisie à son domicile sur l'invitation même de Mme Dreyfus. (*Rumeurs prolongées.*) Comment pourrait-on expliquer les relations non seulement graphiques, mais mathématiques qui relient ce document au bordereau, si l'on se refusait à admettre que le bordereau a été écrit par l'accusé ?
> Dans l'ensemble des observations et des concordances qui forment ma démonstration, il n'y a de place pour aucun doute ; et c'est fort d'une certitude non seulement théorique, mais matérielle, et avec le sentiment de la responsabilité qu'entraîne une conviction aussi absolue, qu'en mon âme et conscience j'affirme, aujourd'hui comme en 1894, sous la foi du serment, que le bordereau est l'œuvre de l'accusé. (*Nouvelles rumeurs.*) J'ai fini [322].

Ses thèses furent encore perfectionnées dans leur appareil technique par des exégètes tels le commandant Charles Corps qui ne fut pas autorisé à déposer [323] ou le capitaine Valério qui renforça à la demande de Mercier le système de l'auto-forgerie, « preuve matérielle de la culpabilité de l'accusé [324] ». La démonstration de Bertillon fut ainsi systématiquement invoquée par le groupe des accusateurs de Dreyfus. Pour l'ancien ministre de la Guerre, la démonstration s'avérait si probante que « si Esterhazy était venu déclarer qu'il est l'auteur du bordereau, il aurait demandé qu'on le fît venir devant le conseil, pour bien lui montrer qu'il ne le pouvait pas [325] ». Mercier put se permettre de balayer toutes les preuves contraires qui démontraient que Dreyfus ne pouvait avoir écrit le bordereau. « L'examen cryptographique du bordereau » prouvait « qu'il a été écrit par le capitaine Dreyfus [326] ». Le système de Bertillon visait à démontrer que l'écriture du bordereau avait été auto-forgée par son auteur. Peu importa donc que son écriture différât de celle de Dreyfus, celui-ci en était l'auteur : « Je persiste à croire, déclara Mercier, qu'il est écrit de la main du capitaine Dreyfus parce que l'écriture du bordereau ressemble à celle de trois personnes, le capitaine Dreyfus, M. Mathieu Dreyfus, le commandant Esterhazy ; mais l'écriture du capitaine Dreyfus diffère de l'écriture du bordereau par certaines dissemblances qui sont toutes empruntées à l'écriture de membres de la famille Dreyfus ; vous trouverez toutes ces dissemblances soit dans l'écriture de M. Mathieu Dreyfus, soit dans l'écriture de Mme Alfred Dreyfus, soit dans l'écriture d'une personne qui signe Alice [327]. »

Godefroy Cavaignac témoigna aussi de son adhésion totale, même s'il n'avait pas été convaincu, à l'origine, par les théories de Bertillon [328]. Le général Zurlinden, « transformé en disciple de M. Bertillon », appliqua « au bordereau l'alchimie du maître [329] ». Il insista sur les qualités de son étude, des « savantes déductions » dues à « ce fonctionnaire des plus honorables et des plus compétents ». Il rappela les travaux du capitaine Valério et le rapport du commandant Corps (qu'il a connu alors qu'il était gouverneur de Paris) qui firent sur lui « une forte impression. [...] Il y a là une preuve matérielle de premier ordre, une preuve géométrique³³⁰ ». Le commandant Cuignet considéra pour sa part la « démonstration graphologique faite par M. Bertillon » comme une « quatrième preuve » de la culpabilité du capitaine Dreyfus³³¹. Mais il n'expliqua en rien les raisons de cette conviction.

Le général Roget fut le plus catégorique, au cours d'une déposition qui traduisait, comme celles de Mercier ou de Cuignet, les procédés d'écrasement de Dreyfus sous une avalanche de déductions ou d'affirmations péremptoires sur sa culpabilité³³². La théorie de Bertillon avait aussi pour avantage d'ordonner d'autres témoignages également nuls mais qui, par cette proximité, pouvaient paraître plus convaincants. Ce fut ainsi le cas des témoignages sur activités du capitaine Dreyfus au cours de ses stages à l'État-major.

> Je ne recommencerai pas devant le conseil cette démonstration qui a été faite avant moi ; par le général Mercier notamment, d'une façon plus compétente que je ne pourrais le faire. Je dirai seulement qu'Esterhazy n'est pas même³³³ l'auteur de l'écriture du bordereau.
> Ce n'est pas lui qui l'a écrit. (*Mouvement divers.*)
> Le bordereau est d'une écriture truquée. (*Mouvement.*)
> Elle a été truquée par Dreyfus. M. Bertillon a trouvé la loi de cette écriture. D'autres témoins ont repris la démonstration de M. Bertillon, ils l'ont complétée ; ils viendront produire cette loi devant le conseil.
> Le bordereau est d'une écriture géométrique.
> Il a été écrit avec un « mot clef » construit lui-même avec les dimensions de l'échelle au 80 mm et il n'a pu être truqué que par Dreyfus, parce qu'on a trouvé les caractères de l'écriture dans certains mots truqués eux-mêmes, des minutes qu'il faisait au ministère de la Guerre comme stagiaire³³⁴.

Jaurès souligna la nouvelle attitude des accusateurs pour Alphonse Bertillon, désormais très favorable à des travaux qu'ils avaient auparavant méprisés, au point de le dissuader d'exposer son système au conseil de guerre de 1894 ou de lui interdire de déposer au procès Zola³³⁵. « Maintenant, tous les mensonges contre Dreyfus s'étant écroulés, poursuit Jaurès, c'est dans le système Bertillon que se réfugient les généraux³³⁶. » « Le général Roget, obéissant à la nouvelle consigne de l'État-major, affecte comme Zurlinden, comme Cavaignac, comme Mercier, de croire au sérieux du système Bertillon. C'est ce monument de délire, de mensonge et de folie qui devient le suprême refuge, la suprême forteresse de l'État-major³³⁷. »

*Une dernière légende*

Afin de parfaire l'offensive contre les experts civils et leur démonstration de l'innocence de Dreyfus, afin de couronner l'accumulation d'accusations lancées sans souci ni de la vérité ni même de la cohérence, une nouvelle légende se répandit dans les débats et à l'extérieur du procès. Elle concernait le bordereau. Elle avait pour but de sauver une pièce dont le caractère de charge contre Dreyfus avait été très ébranlé. Il s'agissait de faire intervenir l'empereur d'Allemagne lui-même comme témoin de la culpabilité de Dreyfus. Guillaume II aurait en effet inscrit la preuve de la culpabilité de Dreyfus sur l'original du bordereau. Et cette pièce aurait été vue outre-Rhin par des témoins dignes de foi. Le document saisi en 1894 à l'ambassade d'Allemagne par la Section de statistique, au moyen de la « voie ordinaire », n'aurait été que la copie sur papier pelure de cet original sur papier fort !

La défense ne vit pas la nouvelle offensive. Les avocats laissèrent passer les allusions répétées à ce « deuxième bordereau ». Ils n'en comprenaient pas l'enjeu. De même Paul Meyer, Arthur Giry et Auguste Molinier n'eurent pas conscience de la gravité de l'insinuation dont la force reposait sur l'identité révélée du souverain allemand lui-même [338].

Quand la presse s'empara de la légende, d'abord le 29 août avec *Le Nouvelliste de Bordeaux* puis dans tous les autres journaux hostiles à Dreyfus, il était trop tard pour la détruire. La légende fonctionnait sur le registre du complot que le gouvernement et les dreyfusards dissimuleraient à la France. « Le gouvernement est à la merci de Mercier : d'un mot, d'un geste, le général peut amener un conflit avec l'Allemagne. Il n'a qu'à sortir de sa poche la photographie qu'il a conservée du bordereau annoté de la main même de Guillaume. Il y a longtemps qu'on le répète ; aujourd'hui, tout le monde le sait. *Le conseil de guerre le sait encore mieux que tout le monde* ; ni Demange ni Labori ne l'ignorent. Il faut être lâche et canaille comme un dreyfusard pour avoir l'air d'en douter et pour exiger qu'on le dise publiquement, dans l'espoir, toutefois, qu'on n'osera pas le dire [339]. » L'article du quotidien girondin alerta Georges Clemenceau mais pas Fernand Labori [340]. Pourtant la légende pesait déjà sur le conseil de guerre sans que l'on puisse savoir exactement son degré de persuasion sur les juges. Jaurès et Bernard Lazare, qui avaient suivi son développement, témoignèrent de sa vigueur dans les milieux rennais, tant civils que militaires [341].

La violence déployée contre Dreyfus et les dreyfusards laissait peu de chances à un verdict d'acquittement. Le capitaine Dreyfus fut effectivement condamné à l'issue d'un procès dominé par les théories d'accusation les plus extrêmes. La mobilisation de tout l'ancien État-major de l'armée et des ministres de la Guerre successifs signifiait une véritable croisade contre Dreyfus. Son acquittement menaçait l'institution à travers ses chefs ou ses anciens chefs les plus prestigieux. Les officiers qui osèrent rompre cette discipline furent discrédités, de même que les civils qui présentaient un risque de contestation. Le groupe des généraux détenait un véritable pouvoir de condamnation, du moins à travers leur action dans les débats. Il parut hautement improbable que cette puissance ne s'exprimât pas au moins dans le verdict, à travers une nouvelle condamnation massive, à l'unanimité et au maximum de peines applicables. Pourtant, la mise en accusation totale du capitaine Dreyfus fut tenue en échec par le verdict du 9 septembre 1899. Le jugement du conseil de guerre de Rennes, modéré et débattu, constituait une première victoire sur ses accusateurs.

CHAPITRE XIII

# La victoire de Dreyfus

Dreyfus condamné à Rennes fut pourtant victorieux. Victorieux en premier lieu parce qu'il fut capable, après cinq ans de réclusion absolue, dont quatre dans les conditions terrifiantes de l'île du Diable, de se présenter devant le conseil de guerre de Rennes, de maîtriser en cinq semaines un énorme dossier pénal et de subir pendant cinq autres semaines une mise en accusation totale de lui-même et de son existence. Il n'eut pas une minute de faiblesse, il ne montra jamais son épuisement. Il fit face en permanence. Il n'est pas certain que cela aurait été donné à tout le monde.

Il fut victorieux parce qu'il conduisit sa défense selon les valeurs de vérité et de légalité qui ne l'avaient jamais quitté. Il n'eut pas une parole de vengeance ni de haine pour des hommes qui multiplièrent pourtant les accusations les plus violentes, véritables appels au meurtre d'une vie, d'une carrière et d'un honneur – Julien Benda évoqua à propos du procès de Rennes le combat de la barbarie et de la civilisation. Dreyfus incarna les valeurs de cette dernière à travers les principes de sa défense. Il témoigna de la religion de la vérité et du droit, du devoir de raison, de l'exigence d'enquête et de preuve pour fonder un jugement. Il fut, plus que tous, avocats, juges, ministère public, celui qui figura la justice dans un procès qui la niait.

Le verdict du procès lui donna raison. Sa défense fut suivie puisque le conseil de guerre refusa l'injonction des généraux à une condamnation totale, à un verdict absolu. La décision d'accorder au capitaine Dreyfus les circonstances atténuantes, la requête en faveur d'un renoncement à la dégradation, et surtout les deux voix (dont celle du président) en faveur de l'acquittement démontrèrent que Dreyfus avait été entendu et que le conseil de guerre partageait en partie les valeurs pour lesquelles il se battait, qui donnaient sens à son destin de survivant. À l'opposé de l'image de victime qu'on lui infligea trop souvent, le capitaine se dressait victorieux devant un verdict qui fut d'abord l'échec de ses accusateurs. Jaurès presque seul comprit la portée d'un juge-ment qui devait à Dreyfus beaucoup plus qu'il ne l'imaginait. En restant fidèle à ses principes, il avait démontré, beaucoup mieux qu'avec n'importe quelle déclaration, qu'il était bien un homme d'honneur, qu'il était bien un officier français et un citoyen de la République. Il avait même résolu la question tragique de l'impuissance d'un innocent placé devant une accusation et qui ne peut rien prouver contre elle sinon qu'il lui est absolument étranger.

Dreyfus donna ainsi une leçon à ses contemporains pourtant prompts à le critiquer pour n'avoir pas su émouvoir le prétoire et crier sa souffrance. Il prouva qu'une défense digne, simple, précise, valait bien mieux que le recours aux émotions qui égarent la recherche de la vérité et l'exigence du droit. Il démontra que la démocratie pouvait exister face à une violence qui annonçait déjà l'âge totalitaire du XXe siècle. Que beaucoup lui tinrent rigueur de cette défense par les valeurs universelles de raison et de vérité ne signifiait pas qu'il eût tort. Dreyfus était simplement en avance sur son époque et fidèle en même temps à ce qu'il avait appris de sa jeune existence. Quelques modernes surent le comprendre et voir dans sa défense classique la marque des héros et la victoire de l'homme sur des forces dont il sera dit qu'elles ne triompheront pas de tout.

De cette victoire par la défense au procès, qui faisait suite à sa victoire par la résistance à la déportation, Dreyfus fit le ressort de ses combats futurs : son courage face à la condamnation, son choix du pourvoi en cassation, sa volonté de poursuivre sa réhabilitation, sa réaction au décret de grâce qu'il transforma en « acquittement moral » et en cassation de l'arrêt du conseil de guerre. En surmontant ainsi le désastre du procès de Rennes, en affrontant l'engrenage d'une condamnation annoncée, il démontra une nouvelle fois ses hautes qua-lités morales et prouva qu'il était digne de l'immense solidarité qui l'avait enveloppé depuis deux années.

## L'ENGRENAGE DE LA CONDAMNATION

« Comme il a eu raison, hier, l'excellent commandant Carrière, lorsqu'il a déclaré que le drame qui se déroule à Rennes était une lutte, et non un procès [1] ! » La lutte fut en effet implacable. Pour vaincre, les accusateurs de Dreyfus ne reculèrent devant aucun procédé. En exposant inlassablement sa culpabilité, en détruisant les témoignages qui attestaient aussi bien de son innocence que de la manipulation de la vérité, ils démontraient leur pouvoir sur les débats et le cours du procès. L'impunité dont ils bénéficiaient de la part du conseil de guerre et le soutien que leur garantissait le commissaire du gouvernement rendaient de moins en moins envisageable un verdict d'acquittement de l'officier. Pourtant, les progrès de la vérité s'étaient révélés considérables à travers une série de dépositions pour certaines décisives. Elles avaient notamment souligné l'impossibilité que Dreyfus ait été l'auteur du bordereau et qu'il ait été en mesure de livrer les documents visés par le texte. Mais ces avancées n'avaient de sens qu'à la condition d'être présentées dans un cadre de respect du droit et de recherche de la vérité. Or, au procès de Rennes, ni l'un ni l'autre ne furent admis, si bien que l'accusation put présenter la culpabilité du capitaine Dreyfus comme une vérité absolue, affirmer le contraire de ce qui avait été jugé par la Cour de cassation, déformer ou nier les preuves de son innocence, inventer celles de sa culpabilité, et utiliser tous les moyens possibles – l'intimidation, la calomnie, le mensonge – pour détruire les témoins de l'innocence. À commencer par Dreyfus lui-même qui fut confronté à d'énormes dossiers, ceux de Mercier, Cavaignac, Gonse, Roget, Cuignet, Bertillon, qui le noyèrent sous le flot des accusations les plus mensongères et des insinuations sans aucun début de preuve.

Mais le procès de Rennes ne fut pas seulement une entreprise de contrôle des débats par des responsables ou ex-responsables de l'État-major de l'armée et du ministère de la Guerre. Ceux-ci avaient fait du procès et de ses débats la scène de leur pouvoir. Les juges militaires n'avaient ni les moyens ni la volonté de s'y opposer, d'autant que le ministre de la Guerre, chef de la justice militaire, et son représentant à Rennes avaient laissé se développer cette domination, après l'avoir pourtant, au préalable, sévèrement condamnée comme nous allons le voir à travers la note confidentielle du général de Galliffet du 18 juillet 1899.

Le procès de Rennes fut aussi une tentative pour construire de nouvelles normes de vérité et de droit capables de transformer le fonctionnement de la justice, et au-delà, de toutes les institutions de la République. La condamnation de Dreyfus était à ce prix. Elle n'était pas possible dans un cadre légal traditionnel, y compris celui du conseil de guerre comme l'avaient montré le procès de 1894 et la nécessité de recourir à la communication du dossier secret : celle-ci avait été au fondement de l'action des dreyfusards et du fait nouveau entraînant l'annulation du verdict.

Il fallait donc que le conseil de guerre reconnaisse la légalité de la mise en accusation par des moyens extrajudiciaires, de sorte que la condamnation ne soit plus qu'une formalité. Et, cette fois, la Cour de cassation aurait rencontré beaucoup plus de difficultés à annuler le jugement puisqu'il n'y avait pas un fait d'illégalité mais une multitude, tout un procès et tout un système en résumé. C'est pourtant ce que la Cour de cassation réalisa dans son instruction décidée par l'arrêt du 5 mars 1903 : reprendre tout le procès de Rennes et en démontrer la dérive judiciaire qui avait permis l'engrenage de la condamnation.

À condition d'être saisie par le gouvernement, la Cour de cassation ne pouvait qu'annuler la décision du conseil de guerre de Rennes. Sa procédure avait accumulé les cas de nullité et tenu pour nul l'arrêt de révision. Les débats du procès de Rennes n'étaient que la poursuite, à une échelle très élevée, de ceux de 1894. Les tolérer équivalait à accepter qu'une juridiction inférieure comme un conseil de guerre puisse dicter son droit à la Cour de cassation et utiliser les moyens les plus illégaux, les plus contraires à l'esprit de justice pour y parvenir. Mais une décision politique était nécessaire. Or la logique gouvernementale exigeait, en tout cas en 1899, de liquider au plus vite une affaire qui handicapait profondément le pays. Quoi qu'il en soit, la justice finale allait dépendre d'une volonté politique.

Si une instruction de la Cour de cassation devait avoir lieu sur le procès de Rennes, elle pourrait en tout cas tendre vers un hommage au capitaine Dreyfus. Le principal intéressé du procès de Rennes vit se dérouler devant ses yeux, tout au long des vingt-cinq audiences d'un procès fleuve, le travestissement de la justice qu'il attendait et de la vérité qu'il défendait. Il choisit d'utiliser l'arme la moins spectaculaire dans ce genre de complot judiciaire, mais la plus forte pour garantir l'avenir et son honneur : la rectification méthodique de toutes les affirmations mensongères et la protestation répétée contre les moyens utilisés pour le perdre. Pendant ce temps, les dreyfusards s'enfonçaient dans l'inquiétude la plus vive quant à une issue favorable du procès.

## L'inquiétude des dreyfusards

Sitôt connue la nouvelle que le nouveau procès se déroulerait à Rennes, Victor Basch avait été envahi par l'inquiétude. Il rappela ce scepticisme profond dans un discours prononcé le 29 mai 1909 au congrès de la Ligue pour le dixième anniversaire du procès :

> Lorsque, citoyens, la petite phalange qui s'était groupée autour de la section rennaise de la Ligue des droits de l'homme connut que la Cour de cassation avait désigné Rennes comme siège du conseil de guerre, elle fut non seulement inquiète, mais elle eut la certitude que Dreyfus allait être condamné à nouveau. On nous traita, lorsque nous émîmes nos craintes, de pessimistes. Comment, nous disait-on, la Cour de cassation, toutes chambres réunies, avait jugé souverainement que rien ne restait debout de l'accusation de 1894, elle avait fait justice de la légende des aveux, elle avait nettement attribué le bordereau à Esterhazy. Etait-il concevable que le tribunal d'officiers loyaux devant lequel allait comparaître Dreyfus fît autre chose que d'entériner l'arrêt de la cour suprême et que d'acquitter l'innocent, à l'unanimité ?
> Et nous répondîmes à ces optimistes : « Vous vous trompez, hélas ! du tout au tout. La conviction dont vous êtes pénétrés n'a certainement pas passé dans l'âme des officiers rennais. La plupart d'entre eux ignorent et

voudront ignorer jusqu'au bout l'enquête de la Cour de cassation. Ce qu'ils savent, ce sont les journaux immondes dont ils se nourrissent dans leur cercle qui le leur ont appris. Ils croient qu'un syndicat, constitué par la "juiverie" internationale, tente d'arracher, par des manœuvres criminelles, un traître à son juste châtiment. Ils sont persuadés que la Cour de cassation a été achetée, elle aussi. Ils ajoutent foi aux divagations meurtrières de Quesnay de Beaurepaire. Il leur est impossible d'imaginer que les affirmations répétées de cinq ministres de la Guerre sont erronées ou mensongères. Dans leur esprit, Dreyfus est condamné avant tout débat[2]. »

La rapide évolution des débats suscita chez les dreyfusards des doutes croissants quant à l'issue du procès. Comme l'écrivit Gaston Paris à Louis Havet après sa déposition du 2 septembre 1899, « il est navrant et humiliant d'avoir à faire de tels efforts pour démontrer qu'il fait jour en plein midi et d'avoir à persuader des juges que condamner une seconde fois un innocent qui a déjà subi le plus effroyable supplice serait le plus sot et le plus atroce des crimes[3] ». Recevant des lettres quotidiennes de ses amis historiens présents à Rennes, Gaston Paris est frappé par l'atmosphère qui y règne. « La lettre de Picot est fort triste, et j'en ai reçu l'autre jour une de Monod qui ne l'était guère moins. De loin, il semble impossible que l'on condamne un homme contre lequel on n'a même pas le commencement d'un indice ; mais il paraît que l'atmosphère de Rennes est oppressante. Je serais désireux d'avoir votre impression[4]. » Éloigné de la capitale bretonne, il avouait vivre « dans l'angoisse, ballotté entre la confiance que nous donne l'évidence éclatante de la bonne cause et la terreur que nous impose le souvenir de tous les crimes déjà commis, qui rendent les autres supportables[5] ».

Dans sa correspondance, Mathieu Dreyfus se faisait lui aussi de plus en plus alarmiste. Ses *souvenirs* reflétèrent son pessimisme, fondé sur des observations précises :

L'attitude du président Jouaust fut toujours grossière et d'une grande partialité. Alors que la plus grande latitude était donnée aux généraux, aux témoins à charge de développer leurs dépositions, alors qu'ils avaient la faculté d'intervenir à leur gré et à chaque moment dans les débats, de prendre, fait unique dans les annales judiciaires, les rôles d'accusateurs, les témoins à charge, au contraire, étaient brutalisés et arrêtés par le colonel Jouaust. Les avocats eux-mêmes, Labori comme Demange, n'échappaient pas à son arbitraire, à cette limitation du droit de la défense. À tout propos, sans raison, le président leur fermait la bouche par ses mots : « Je ne poserai pas la question », ou « C'est de la discussion », ou par la formule encore plus insolente : « Asseyez-vous ».

Il n'y avait donc pas égalité entre la défense et l'accusation. Celle-ci avait le droit d'apporter à la barre les affirmations les plus mensongères, les plus grossières. Elles restaient souvent sans réponse grâce à la partialité de ce président qui semblait ignorer ses droits et ses devoirs.

Une autre cause d'infériorité, toute morale celle-là, était la différence de conscience entre les témoins à charge et à décharge. Ceux-ci déposaient conformément à la vérité. Le serment de dire la vérité, toute la vérité, rien que la vérité, n'était pas pour eux une vaine formule. Et quelque grand que fût leur désir de faire rendre justice à l'innocent, l'honneur, la conscience limitaient leurs dépositions. Ils ne témoignaient que sur ce qu'ils connaissaient, sur ce qui était la vérité.

Il n'en était pas de même pour les témoins à charge. Le champ de leurs dépositions, de leurs témoignages était vaste, indéfini, parce que la vérité n'en traçait pas les limites.

Le courage moral, cette vertu qui ne rapporte ni avantages, ni croix, ni galons, qui donne seulement la satisfaction du devoir accompli, manque à quelques témoins civils. Je ne parlerai pas longuement de Lebon, ce ministre tortionnaire qui pour plaire aux journaux antisémites avait mis mon frère aux fers pendant deux mois, nuit et jour, sur la nouvelle d'une prétendue évasion qu'il savait être fausse. Il déposa sans trouble devant la victime de son effroyable lâcheté et pour atténuer l'horreur de son action, il déclara qu'il croyait Dreyfus coupable.

Jaurès, pour sa part, ne répétait plus la phrase rituelle qui ouvrait ou terminait ses articles de la fin du mois d'août 1899 : « Il est impossible que Dreyfus soit condamné[7] ! » Dans « Dégoût », écrit le 7 septembre 1899 et publié le 9, il confiait à l'inverse ne vouloir se livrer « à aucun pronostic sur la sentence des juges[8] ». « Haut les cœurs », daté du 8 septembre[9], se faisait plus inquiet encore : « Les renseignements qui nous étaient donnés hier sur l'état d'esprit des juges sont détestables. Avant tout ils considèrent que l'acquittement de Dreyfus serait un échec pour les généraux qu'ils veulent couvrir, et la justification de Picquart qu'ils haïssent de toute leur âme. Aussi, il est fort probable qu'ils sacrifient encore Dreyfus innocent et il nous faut, dès aujourd'hui, regarder en face l'hypothèse d'une condamnation[10]. »

La capacité du conseil de guerre de rendre effectivement la justice, de dire le droit et la vérité éveillait un scepticisme profond chez ceux qui avaient suivi le procès depuis son origine. Émile Duclaux s'en était personnellement inquiété devant la famille : « M. Duclaux nous avait répété le propos qu'il tenait d'un colonel d'artillerie, se souvint Mathieu Dreyfus : "Je suis convaincu de l'innocence de Dreyfus, avait-il dit, mais si on me le donne à juger, je le condamnerai de nouveau pour l'honneur de l'armée[11]." » Olympe Havet, l'épouse de Louis Havet, avoua son inquiétude à la femme d'Eugène Naville. Dès

sa lettre du 16 août 1899 écrite de « chez Mme Dreyfus », elle soulignait les procédés utilisés contre l'accusé et le refus de la cour de le
laisser se défendre :

> Aujourd'hui, la séance a été odieuse : Lebon a continué d'appeler Drey-
> fus « traître » ; Mme Henry a candidement déclaré qu'elle avait aidé son
> mari à reconstituer le bordereau ! Quant à Roget, son abominable réquisi-
> toire contre Picquart qu'il appelle « Monsieur », qu'il a traité de faussaire,
> d'espion, d'auteur du « petit bleu », d'homme de mœurs légères, qu'il a
> accusé d'avoir dilapidé cent mille francs, a mis tous nos messieurs dans
> une atroce colère. Puis, se tournant vers Dreyfus, il a crié en le montrant
> du doigt : « C'est vous, Dreyfus, qui avez écrit le bordereau. » Comme le
> capitaine, outré, s'est levé en disant très haut : « C'est indigne d'accuser
> un officier et de l'empêcher de se défendre », on l'a fait rasseoir, en lui
> disant : « Vous parlerez plus tard, quand le général aura fini », et demain
> Roget parlera encore deux heures ! Picquart et Bertulus lui répondront.
> Nous tremblons pour notre colonel, car l'assassin de Labori n'est toujours
> pas trouvé !
>     Cela va si mal que je crois qu'il va se produire un revirement en notre
> faveur [12].

L'attentat contre Fernand Labori avait transformé l'état d'esprit des
dreyfusards qui pouvaient s'attendre désormais à d'autres violences.
L'émotion fut très grande. Les messages de soutien à Fernand Labori
affluèrent à Rennes [13] tandis que de la capitale bretonne partaient de
nombreuses lettres vers les dreyfusards demeurés à Paris. Élie Halévy
écrivit ainsi à Bouglé le 15 août :

> Je reviens de Paris, où j'espérais surprendre Herr au saut du lit. Mais il
> est absent depuis dimanche et ne revient que demain. Est-il à Rennes,
> devrais-je y être ? Labori est-il en train de mourir ? Et moi qui m'abandon-
> nais depuis un mois à la plus parfaite sécurité ! Si vous êtes dix à vouloir
> fonder une colonie en Océanie, j'en suis. Il me semble que je ne tiens plus
> à ce pays de sauvages que par un fil très léger. [...] Cramponnons-nous
> donc, et comptons sur l'avenir : j'ai néanmoins un vague sentiment que la
> bête rendra son venin du jour seulement où nous aurons poussé [du] pouvoir
> cette bande de militaires, de prêtres et d'escarpes [14].

De nombreux dreyfusards, dont Jaurès [15], accusèrent l'État-major
d'avoir commandité l'attentat. Il s'agissait plutôt d'un acte isolé.
L'homme qui fit feu sur Labori ne semblait même pas le connaître ni
l'avoir identifié. Les généraux n'avaient par ailleurs aucun intérêt à
éliminer les défenseurs dans un procès qu'ils étaient parvenus à
contrôler par leur autorité et l'arme du mensonge. Mais l'heure paraissait très grave. Le 15 août, Charles Péguy adressait à Jaurès un télégramme pressant : « Il faut que vous présentiez la défense de Dreyfus
comme avocat remplaçant Labori, sans aucun délai [16]. »

« Je suis inquiet », avoua Célestin Bouglé à Élie Halévy dans une lettre de la mi-août qui tentait un premier bilan :

> Oui, il faut se cramponner, mais il y a besoin d'un rude acte de foi pour compter sur l'avenir. Je vois bien que « l'armée de la réaction » est pourrie, mais je ne suis pas sûr que « l'armée de la révolution » soit bien saine. Si ton frère voit de près les bourses du travail (du moins en France) il verra... pas grand-chose.
> Et sans toutes nos « extensions universitaires », quelle maigre réalité !
> En somme, et malgré la faiblesse des dépositions des cinq ministres, je suis inquiet. La majorité de ces hommes est de bonne foi. Alors quoi ? Si les membres du conseil de guerre sont aussi bêtes qu'eux ? Je t'assure que, quand on aborde la question avec un esprit non prévenu, non instruit antérieurement, cela devient très compliqué.
> Mais pour Dieu, surtout, qu'on fasse semblant de prendre Bertillon au sérieux ! Qu'on lui fasse les honneurs d'une discussion par a + b ! Il le faut. Car les juges ont « l'esprit polytechnicien ». Est-on préparé pour cela ? J'en suis inquiet. Après ce qu'ont dit Zurlinden et Cavaignac, il y a donc dans son système [quelque chose], sur quoi on feint d'édifier une apparence de raisonnement ? Alors, sortons-le nous-mêmes et discutons. Trouvons que sa loi est ou bien le résultat de mesures inexistantes, ou bien la constatation d'une coïncidence purement fortuite, ou enfin (c'est peut-être le plus vraisemblable) en appliquant la méthode à d'autres écritures, prouvons que la relation en question est plus générale que Bertillon ne le voit lui-même.
> Qui a fait ? Qui fera cela ?
> Si tu as fini le premier brouillon de ta thèse, ne pourrais-tu pas tirer cela au clair, essayer de comprendre Bertillon pour le réfuter ensuite, mathématiquement ?
> Rassure-moi.
> Ton Bouglé [17].

Élie Halévy lui répondit aussitôt :

> Te rassurer, mon cher ami ? Voici ce que je puis dire pour te rassurer : étant donné que, partis d'où nous sommes partis, il est logique, ou, si tu veux, psychologique, que nous arrivions au bout. Mais que se passe-t-il dans la tête des sept juges ? Rien de bon sans doute : mais il faut compter sur les incidents qui ne peuvent manquer de se produire et de porter avec soi l'évidence.
> D'ailleurs, Dreyfus, une fois libéré, ne sera-t-il pas assassiné ? Sur ce point, depuis lundi [14 août], je refuse de me prononcer. Échapperons-nous au coup d'État, à la réaction, au je-ne-sais-quoi que nous sentons menaçant ? J'en doute fort. Des bandes d'assassins s'organisent, un brigand brave le gouvernement dans une maison blindée, achetée avec les fonds de l'Église ; l'armée, la bourgeoisie, la police, sont ses complices. Le gouvernement regarde, et l'opinion générale est d'avis que tout cela ne constitue pas un complot. Qu'y faire ?
> P.-S. Je suis d'avis qu'il faut refuser de discuter le bordereau tant que l'accusation n'aura pas expliqué comment, en écrivant soit de son écriture

naturelle, soit d'une écriture truquée, Dreyfus s'est trouvé avoir, en 1894, une écriture *identique* à celle d'Esterhazy, qu'il ne connaissait pas. Ester-hazy a proposé là-dessus une première version, fabriquée en collaboration avec du Paty (l'histoire Bro), qui est aujourd'hui démolie, il en a, de sa propre autorité, imaginé une seconde (la dictée Sandherr). J'attends que l'État-major la fasse sienne, pour la déclarer idiote (ou plutôt je n'attends pas) [18].

Le philosophe, Dominique Parodi, futur inspecteur général de l'Instruction publique, adressa pour sa part une lettre alarmiste à Élie Halévy :

> Nous voilà donc revenus en plein XVIe siècle, aux guerres de religion, aux assassinats, à l'apologie de la force et du bon plaisir. Qui aurait pu penser, il y a deux ans, lorsque s'est engagée la campagne révisionniste, que tel en serait le résultat ! Et le plus lamentable, c'est que l'affaire maudite est sans issue ; quel que soit le verdict de Rennes – et je ne l'attends pas sans inquiétude –, les deux partis resteront aussi fermes dans leur croyance et garderont leur position. Car, il n'y a plus à en douter maintenant, ni l'enquête de la Cour de cassation ni le procès de Rennes ne réussiront à faire la lumière complète et aveuglante qu'il faudrait ; rien ne suppléera à l'absence criminelle du témoin nécessaire, du seul peut-être qui sait tout, d'Henry ; les points essentiels restent toujours obscurs, et chacun trouvera toujours à boire et à manger. Je passe mes journées à me disputer avec les antidreyfusards fougueux, et je commence à en avoir assez ; d'autant que je constate la sincérité et la profondeur de leur conviction, égale à la nôtre. Il faut bien avouer d'ailleurs qu'il y a certaines coïncidences frappantes et certaines présomptions qui résultent de la discussion relative au bordereau, aux troupes de couverture en particulier, et aussi de l'attitude de Dreyfus et de ses dénégations un peu systématiques. D'autre part, tout cela constitue rien moins que des preuves, je l'avoue, et la culpabilité d'Esterhazy semble bien établie par ailleurs. Alors... l'acquittement s'impose, en bonne justice. [...]
> Mais ce [qui se passe] c'est le progrès de toutes les passions mauvaises et l'effort de réaction qui [s'abat] sur le procès. Enfin, quel qu'en soit le résultat dernier, ce n'est que le commencement de la lutte, lutte d'idées et de principes cette fois, et qu'il me tarde de voir dégagée de son prétexte individuel, qui la marque ou la dénature parfois. Mais, hélas, il ne faut pas douter que nous avons la majorité, et de plus en plus, contre nous. C'est pour cela que j'aurais voulu tenter une série d'études sur les meneurs intel-lectuels du mouvement, et si j'avais commencé pour des raisons acciden-telles par Barrès, c'était dans l'intention de continuer par les autres, si mes articles trouvaient un débouché [19].

Un autre ami d'Élie Halévy, le normalien André Beaunier, s'avouait bouleversé par la lecture du compte rendu des débats : « L'accumula-tion de tous ces mensonges me fait peur [20]. » Élie Halévy voulait rester pour sa part confiant dans la raison des juges et dans la pertinence de sa propre analyse.

Je suis l'homme dépourvu de renseignements qui considère les choses de haut, et je dis : ou Dreyfus sera acquitté : les sentences de 1894 à 1898 seront là, flétries ; ou Dreyfus sera condamné : alors l'institution des conseils de guerre sera compromise d'une façon plus absolue encore. Mais sera-t-il condamné ? Pendant les quinze jours qui vont venir, combien d'incidents ne faut-il pas encore escompter ? Déjà 1° Labori a repris la conduite des opérations 2° Dreyfus est sorti de sa léthargie. La discussion graphologique du bordereau va bientôt venir. Attendons. Il est extrêmement difficile de condamner un homme sans preuves, sur des mensonges, publiquement, devant une opinion avertie et une presse divisée. La condamnation de Dreyfus, *innocent*, impliquerait, en outre, la chute d'un régime ; et cela, encore, est absurde. Voilà [21].

Les espoirs d'Élie Halévy furent vite déçus. Ni l'opinion publique ni le gouvernement n'allaient bouger pour exiger des débats conformes à la justice, seul moyen de sauver Dreyfus. Le témoignage à chaud de Gabriel Monod, présent à Rennes, résumait le sentiment général fait d'un grand accablement :

Il est difficile de se faire une idée de ce qu'on rage à entendre les mensonges débités par les militaires. Ce sont des gens qui ont perdu tout sens de la vérité et c'est une chose hideuse de les voir s'acharner à perdre un malheureux contre lequel ils ne peuvent pas trouver une seule accusation précise à formuler. [...] Quelle triste idée on prend de l'humanité ! [...] Labori va beaucoup mieux. [...] On envoie à sa femme des lettres de menaces abominables. On lui écrit qu'on avait tiré au sort lequel de ses enfants on tuerait, et que le sort était tombé sur sa petite fille. Voilà nos mœurs, fin du xixe siècle – et les Anglais se conduisent avec les Boers à peu près comme les nationalistes avec les dreyfusards [22].

Jules Cornély dit la même chose dans ses articles du *Figaro* : « Dans ces tristes débats, les partisans de la vérité ont pu, souvent, concevoir une indignation légitime en voyant des chefs considérables, d'anciens ministres s'acharner sur un malheureux dont aucun n'a pu démontrer la culpabilité. Il y a quelque chose de révoltant à voir une véritable escouade de divisionnaires abuser du privilège du grade pour transformer des présomptions, des impressions en preuves, et rééditer en somme la scène, aujourd'hui connue, par laquelle le faussaire Henry fit cesser les hésitations du conseil de 1894 en s'écriant : "Le traître, le voici !" [23] » Le correspondant du journal libéral conservait cependant un espoir au fond de lui : « Nul de nous, je crois, ne juge ces généraux capables de maintenir leurs accusations contre l'évidence. Le général Zurlinden lui-même, dont la parole a dépassé la pensée lorsqu'il s'est écrié : "Ma conviction est inébranlable", le général Zurlinden devra s'incliner lorsqu'on lui démontrera que sa conviction est assise sur des faux et des potins ridicules [24]. »

L'espoir de justice de Dreyfus et des dreyfusards allait être démenti. Le déroulement des débats et les principes sur lesquels ils fonctionnaient ne permettaient pas que de telles démonstrations pussent être opposées aux déclarations sans fondements des généraux. À mesure qu'avançait le procès s'évanouissaient les chances de mener des débats méthodiques et impartiaux. Les dreyfusards rêvèrent alors, pour conjurer la perspective angoissante d'une nouvelle condamnation, de témoignages écrasants, de révélations décisives. Certains s'employèrent, à l'intérieur et à l'extérieur du prétoire, à les susciter. En vain.

## Ultimes appels

D'ultimes tentatives furent faites pour conjurer l'irréparable. Gabriel Monod voulut faire déposer comme nouvel expert du bordereau Léopold Delisle, le très renommé administrateur général de la Bibliothèque nationale. Jules Claretie lança dans *Le Temps* une véritable supplique au conseil de guerre de Rennes afin de lui demander la justice et non la pitié [25]. Émile Zola s'adressa quant à lui à un fonctionnaire du ministère des Finances italien, Alessandro Lupinacci, qui était en 1894 attaché au cabinet du président du Conseil, Francesco Crispi, pour lui demander de contacter le colonel Panizzardi et de l'amener à témoigner. « L'heure est si grave, la vérité est menacée à un tel point que je n'hésite pas à vous demander de tenter auprès du colonel Panizzardi une démarche suprême [26]. » « Mais le colonel Panizzardi trouva dans le sentiment de son devoir de soldat la force de résister à la prière d'Émile Zola, relata Lupinacci. Et la démarche fut vaine [27]. »

Elle l'aurait été de toute manière puisque le conseil de guerre avait décidé d'écarter toute possibilité de faire témoigner les attachés militaires au procès. Ceux-ci auraient pu pourtant contribuer à la recherche de la vérité. Mais que celle-ci, dans une affaire nationale, puisse dépendre de voix étrangères, semblait inacceptable par principe aux juges militaires comme précédemment à Cavaignac, Mercier, Roget ou Cuignet. Tous ont dénoncé la possibilité d'entendre les révélations des attachés militaires étrangers, et même « ont été au-devant d'elles, ont cherché à les détruire, à les saper à l'origine, à la source dont elles découlent ».

Ludovic Trarieux avait pourtant énoncé au cours de sa déposition les raisons impérieuses qui plaidaient pour une telle solution et contredisaient l'opinion des nationalistes.

> L'appréciation de M. Cavaignac n'est fondée ni en droit ni en fait. Elle n'est pas fondée en droit, d'abord, parce qu'il y a entre nous et au-dessus de nous la loi qui domine. La loi écarte-t-elle donc le témoignage des étrangers ? Oui, elle écarte certains témoignages, des témoignages frappés par

elle d'une suspicion légitime. Mais, parmi ceux qu'elle frappe de suspicion ne figurent pas les étrangers. Les étrangers sont admis à témoigner dans toute cause de justice.

La loi est sage en en décidant ainsi ; la loi veut avant tout que la justice se rende non pas sur des hypothèses, sur des probabilités, mais sur des certitudes. La loi ne limite pas le champ des investigations dans lequel le juge doit rechercher toutes les preuves qui sont capables d'affermir et d'éclairer sa conscience dans l'exercice de ce devoir grave : rendre la justice !

La loi dit au juge : « Vois, cherche, éclaire-toi et demande partout la lumière ! »

Il n'est donc pas vrai que le témoignage de l'étranger soit repoussé du prétoire. (*Mouvement*.) [28]

« Ce n'est pas vrai en fait non plus », poursuit l'ancien ministre de la Justice. Et de citer différentes affaires où le témoignage de l'étranger a été admis, comme l'affaire Chapus jugée à Marseille en 1893, une question d'escroquerie pour laquelle le témoignage du colonel Panizzardi a été sollicité. Il évoque aussi l'affaire Byng, du nom de cet amiral anglais accusé d'avoir trahi son pays lors de la bataille navale de Majorque qui l'opposa à la France ; le maréchal de Richelieu déclara que l'accusation était fausse, mais son témoignage ne fut pas entendu, et Byng fut jugé coupable et exécuté. « Et, quelques années après, l'innocence de Byng devait être reconnue ! C'est une tache de sang dans les annales de l'Angleterre ! (*Mouvement*.) [29] »

Cette possibilité de faire entendre des témoins directs, détenteurs de la vérité qui aurait pu sauver Dreyfus enthousiasma les dreyfusards. « Il serait vraiment très beau, dans cette Europe si profondément divisée, de voir deux officiers étrangers venir comme simples témoins devant un tribunal français en se soumettant à la loi du serment », écrivit Jaurès ce même jour dans *La Petite République* [30]. La défense déposa alors ce même jour, à la vingt-troisième audience, une requête « tendant à entendre, par voie de commission rogatoire, M. le colonel de Schwartzkoppen et M. le colonel Panizzardi [31] ». Aussitôt la cour, par la voix du président, rejeta la requête [32]. La décision souleva le dégoût de Jaurès qui le fit savoir dans *La Petite République* [33]. Le correspondant de ce journal s'imagina que « si Dreyfus innocent était frappé de nouveau, il y aurait dans toute l'humanité civilisée un tel soulèvement que l'Allemagne et l'Italie, qui savent que le véritable traître est Esterhazy et qui en ont la preuve, seraient obligées de livrer cette preuve [34] ».

Le lieutenant-colonel von Schwartzkoppen resta silencieux. En revanche, le colonel Panizzardi adressa aussitôt de Rome une dépêche pour s'opposer aux allégations portées sur son compte par Roget au cours de la quatrième audience du 16 août 1899 : « M. le général Roget, d'après le compte rendu de la séance du conseil de guerre, aurait déclaré qu'à l'époque de l'arrestation du capitaine Dreyfus, j'aurais adressé à M. Ressman [ambassadeur d'Italie à Paris en 1894] un rapport dans lequel j'aurais déclaré que le colonel de Schwartzkoppen était en relation avec Dreyfus. J'affirme que ce rapport n'a jamais existé, j'affirme que cette déclaration n'a jamais existé ; je n'ai jamais appris le nom du capitaine français qu'à l'époque de son arrestation, comme, du reste, je l'ai déclaré par écrit et par voie officielle, sur mon honneur de soldat et de gentilhomme [35]. »

Un attaché militaire autrichien, le colonel Schneider, dont le témoignage avait été invoqué par le général Mercier et dont une lettre, versée au grand dossier secret, aurait formellement affirmé la culpabilité de Dreyfus [36], télégraphia depuis sa convalescence d'Ems, que la déposition de l'ancien ministre de la Guerre était mensongère : « La lettre du 30 novembre 1897, attribuée à moi et reproduite dans *Le Figaro*, le mercredi 16 août, est un faux [37]. » Mais le conseil de guerre laissa en l'état les accusations du général Mercier.

Il écarta aussi le témoignage de Jules Andrade, professeur à la faculté des sciences de Montpellier, lequel adressa un document « qui, par la date du fait qu'il atteste, permet de démontrer l'innocence du capitaine Dreyfus [38] ». Il s'agissait de l'attestation de l'attaché militaire suisse en France, le colonel Chauvet, à qui en 1896 Schwartzkoppen avait affirmé « sur l'honneur » n'avoir jamais eu de relations avec Dreyfus [39].

Le conseil de guerre montrait son désintérêt pour les faits probatoires démontrés grâce aux documents et aux confrontations entre les témoins. Le procès fonctionnait comme un lieu clos, un espace fermé, en tout cas pour la défense puisque l'accusation put solliciter des dépositions de dernière minute, y compris de témoins d'origine étrangère. Le système privilégiait l'accusation à la fois du point de vue du mode opératoire qui impliquait de faire la part belle aux déclarations d'intention ou de conviction, à l'art oratoire et au pouvoir d'émouvoir, et du point de vue du cadre fixé par la cour qui agissait arbitrairement dans la définition des faits retenus ou non pour les débats.

## La loi des émotions

L'esprit imposé au procès par le président, soutenu en cela par l'essentiel des commentateurs, exigeait que la défense fût la plus oratoire possible. De cette confrontation avec les témoins et l'accusation devait sortir la conviction sur l'innocence ou la culpabilité du capitaine Dreyfus. Ce dernier fut ainsi jugé moins sur ce qu'il disait que sur la manière dont il s'exprimait. La vérité était là, non dans les faits et les preuves, mais dans la passion et l'art d'émouvoir. Dreyfus restant trop rationnel en même temps qu'excessivement replié sur ses souffrances, il courait le risque d'apparaître comme un innocent parlant mal de son innocence, c'est-à-dire comme un coupable en définitive. Joseph

Reinach lui-même critiqua la manière dont Dreyfus rendit hommage à sa femme au cours de la déposition du commandant Forzinetti [40] : « "Si je suis ici, c'est à elle que je le dois, mon colonel !" et il éclata en sanglots. Mais, encore une fois, parlant avec toute son âme, il parla sans art. Un comédien, qui se trouvait parmi les spectateurs et des plus ardents pour Dreyfus, observa : "Si j'avais eu à dire ça, j'aurais fait pleurer toute la salle [41] !" »

Joseph Reinach tenta une explication, mais on voit qu'il n'était pas convaincu par ce qu'il disait : Dreyfus commettait une erreur dans son choix de ne pas chercher l'émotion. « Aussi bien, il se préoccupait de moins en moins de parler aux imaginations, d'"avoir du succès", seulement de ne pas défaillir, d'entendre, de comprendre quelque chose à son "affaire". Il y avait des jours où il ne percevait, au bout d'un quart d'heure, qu'un bruit de paroles, une espèce de vent, et, repris de ses fièvres, grelottait, malgré ses gilets superposés, dans l'étouffante atmosphère, claquait des dents. Il vivait de quelques litres de lait, avait encore maigri, paraissait "un squelette". Mathieu tremblait de voir s'évanouir ce souffle de vie : "Pourvu qu'il aille jusqu'au bout ! On le crucifie tous les jours [42] !" »

Le cri de Dreyfus lancé à Mercier lors de la première audience – « c'est ce que vous devriez faire [43] » – avait certes frappé Reinach et plus encore Jaurès. « Et je me disais, écrivait ce dernier le 14 août dans *La Petite République*, avec une souffrance plus aiguë de minute en minute : "Est-ce que Dreyfus ne va pas sortir enfin de ce silence de mort ; est-ce qu'il ne va pas se déclouer de sa croix pour souffleter de sa main saignante la face des bourreaux ?" Mais tout à coup, [...] Dreyfus brisant enfin la porte de bronze qui semblait à jamais fermée sur sa souffrance, a crié d'une voix tragique à son bourreau : "*Vous devriez le dire, et c'est votre devoir !*" Toute l'assemblée s'est levée comme en un mouvement unanime de résurrection, et c'est sous les huées des hommes rendus enfin à la justice et à la pitié que le général Mercier est descendu de l'estrade. Dès maintenant, il est l'accusé [44]. » Joseph Reinach note lui aussi les applaudissements d'une partie de la salle [45].

Les avis pouvaient diverger. Mais il paraissait clair que, pour beaucoup de dreyfusards, Dreyfus n'avait pas fait ce qui était attendu de lui. Même Lord Russell of Killowen adopta dans son rapport à la reine ce principe de jugement qui semblait bien secondaire eu égard aux exigences de droit et de vérité qu'impliquait un procès criminel.

*Concernant Dreyfus lui-même, j'ai été déçu. J'étais plein de pitié à son égard. Lorsque je suis entré dans la salle d'audience, j'étais tout à fait disposé à me laisser impressionner par lui. Mais je ne l'ai pas été. Il ne nous a pas fait bonne impression. Il a un air méchant, avec un visage dur, antipathique. À propos de ce qu'il inspirait, je dois avouer à contre-cœur que n'émanait de lui ni générosité, ni franchise, ni sentiments élevés. Il a, je pense, fait preuve d'une vraie dignité dans la manière impassible avec laquelle il a fait face aux charges diffamatoires et je crois, le plus souvent mensongères* [46].

L'insistance portée à l'apparence psychologique de Dreyfus ne faisait pas qu'égarer le sens commun et le jugement objectif des principes fondamentaux de la justice. Elle les rapprochait aussi des dogmes antidreyfusards tels qu'ils furent posés par Maurice Barrès : le physique du capitaine, l'obsession de son corps, son apparence qui disait sa « race », constituaient les preuves infaillibles de sa culpabilité [47].

Rares furent les commentateurs à relever la difficulté pratique, pour un accusé, de défendre son innocence [48]. Parce qu'innocent, c'est-à-dire totalement étranger aux faits débattus, Dreyfus ne pouvait donc s'expliquer. Ce silence lui fut souvent reproché, y compris par ses amis, alors qu'il était objectivement une preuve d'innocence. Joseph Reinach releva son attitude après la déposition du général de Boisdeffre : « Quand Jouaust demanda à Dreyfus s'il avait quelque chose à dire, comme il faisait après chaque déposition, le malheureux ne trouva que cette phrase : "Je ne veux rien répondre au général de Boisdeffre...", mais il y mit l'une des grandes douleurs de sa vie, tout l'écroulement de sa foi dans cet homme qu'il avait placé si haut [49]. »

La difficulté de se défendre était accrue par le cadre des procédures fixé très arbitrairement par le conseil de guerre.

*L'arbitraire des procédures*

L'extension que le conseil de guerre donna aux débats entrava considérablement le travail de défense de Dreyfus. À l'inverse, elle favorisa grandement ses accusateurs dans leur entreprise d'acharnement. Et cette extension s'accompagna d'un mouvement de réduction dès lors que celle-ci pouvait à nouveau contrecarrer la défense. Efficace en fait, cette définition fluctuante du cadre des débats était illégale en droit. Elle produisait de nombreux « cas de nullité [50] ».

Placés sous la domination du groupe très puissant des anciens ministres de la Guerre et chefs d'État-major, entraînés dans la dérive judiciaire par le commissaire du gouvernement convaincu de la culpabilité de Dreyfus, les magistrats militaires s'écartèrent du cadre de jugement fixé par la Cour de cassation dans son arrêt de renvoi [51]. Ils autorisèrent les débats à revenir sur des faits déjà tranchés par la Cour de cassation, comme la légende des aveux. La défense ne protesta pas devant ce choix pourtant lourdement illégal, car elle l'estimait favorable à la révélation de la vérité. Il autorisait en effet une confrontation avec les accusateurs de Dreyfus, faux témoins et affabulateurs volontaires. La préparation de la réfutation fut cependant mal réalisée. Et surtout Dreyfus et ses défenseurs ne s'attendaient pas à ce que les principaux accusateurs, de Mercier à Roget, de Cuignet à d'Aboville, s'engageassent sur cette allégation. Elle n'avait aucune valeur de vérité puisqu'il était impossible de la fonder sur des preuves certaines et parce qu'elle contredisait toutes les proclamations d'innocence répétées par le capitaine Dreyfus. Ils s'attendaient encore moins à ce que cette preuve qui n'en était pas une fût acceptée par le conseil de guerre en dehors de toutes les évidences de droit et de vérité.

Mais le choix de l'ouverture des débats à tout le dossier d'accusation élaboré depuis 1894 – et non plus seulement au cadre fixé par la Cour de cassation – avait enclenché un engrenage fatal. Il signifiait en effet que tout était permis, à la fois en droit et du point de vue des critères de vérité. Les accusateurs de Dreyfus virent tout l'intérêt de cette reconfiguration des débats dont les dreyfusards furent les témoins impuissants et les victimes fréquentes. Étrangers à l'illégalité de cette procédure, indifférents à ses conséquences, les juges militaires inscrivirent le procès dans ce cadre nouveau qui fixait des règles d'arbitraire en lieu et place des procédures théoriques de droit et de vérité.

Ils affirmaient par ailleurs leur indépendance complète à l'égard de la Cour de cassation dont l'arrêt du 3 juin n'était qu'une version parmi d'autres de la vérité et du droit concernant Dreyfus. Le lien avec l'autorité du premier conseil de guerre de 1894 était aussi important, comme l'attesta la lecture de l'acte d'accusation du 3 décembre 1894 (rapport de d'Ormescheville) en ouverture des débats du procès de Rennes [52], lecture illégale puisque la Cour de cassation avait cassé et annulé toute cette procédure dans son arrêt du 3 juin 1899, lecture scandaleuse puisque le rapport de d'Ormescheville avait été le premier acte officiel rendant compte de l'acharnement judiciaire contre Dreyfus et de l'absurdité des charges retenues contre lui [53]. Certes, la lecture du rapport de d'Ormescheville fut précédée de celle de l'arrêt de révision, ce qui pouvait atténuer le caractère douteux de la procédure [54], mais l'effet pouvait être plus pervers encore à travers l'idée que les deux actes se valaient, que Dreyfus pouvait être résolument coupable par l'un et presque acquitté par l'autre, que la vérité était seulement fonction de l'autorité qui la proclamait.

L'élargissement des débats avait surpris les dreyfusards. La défense de Demange et Labori avait été prise de court, d'autant que d'autres possibilités, plus favorables, furent repoussées par le conseil de guerre. Celui-ci refusa en effet que les débats abordassent la question d'Esterhazy, considérant qu'elle avait été tranchée par un conseil de guerre. Mais la cour n'avait pas eu le même scrupule juridique avec l'arrêt de la Cour de cassation. Lorsque Ludovic Trarieux voulut amener la discussion sur ce terrain, il fut sévèrement récusé. Le « respect de la chose jugée » ne valait que pour une cour de justice militaire, pas pour une cour civile même plus élevée dans la hiérarchie judiciaire.

Esterhazy, sur tous les points, a réussi à faire accepter ses mensonges. Aujourd'hui la justice est renseignée, on sait qui était la dame voilée, on sait qui avait inspiré ces manœuvres et comment la justice a été trompée. Esterhazy a été acquitté, il n'a pas été jugé.

*Le président.* – [...] Je crois que vous dépassez votre rôle de témoin. Je proteste absolument contre les appréciations que vous émettez ; vous critiquez la justice.

*Le commissaire du gouvernement.* – Le respect de la chose jugée.

*Ludovic Trarieux.* – Je ne critique pas la justice, et si j'avais le sentiment que tel a été le sens de mes paroles, je serais prêt à les retirer.

*Le président.* – Je crois que vous feriez bien, car il est impossible que l'on puisse parler ainsi du jugement d'un tribunal !

*Ludovic Trarieux.* – J'ai exposé ma pensée. Ce n'est pas le tribunal que j'accuse.

*Le président.* – Ce sont les juges.

*Ludovic Trarieux.* – Ce ne sont pas non plus les juges, je les ai, au contraire, mis hors de cause avec un soin jaloux, et j'espérais que le conseil avait bien compris.

*Le président.* – Si vous n'aviez pas l'intention de critiquer la chose jugée, je veux bien admettre vos paroles[55].

On le voit, les juges étaient encouragés dans leur volonté de refuser l'élargissement des débats par la position très ferme du commissaire du gouvernement. Ils pouvaient l'être aussi par les autres accusateurs de Dreyfus, comme l'ancien ministre de la Guerre Billot déclarant au sujet du procès Esterhazy et de l'arrêt d'acquittement : « Vos camarades loyaux, fidèles comme vous, dans la liberté de leurs consciences, ont jugé, ont prononcé un jugement ; je me garderais bien de le critiquer et je m'incline[56]. » Le maintien de l'innocence d'Esterhazy rendait forcément plus aléatoire la reconnaissance de celle de Dreyfus.

Le refus d'entendre les témoins étrangers constitua également une preuve de resserrement des débats tout à fait contradictoire avec la volonté de les élargir par ailleurs. Mais il apparaît dans les faits que le conseil de guerre cherchait d'abord à favoriser l'accusation au détriment de la défense. Car il autorisa bien des témoignages étrangers lorsque ceux-ci purent nourrir la thèse de la culpabilité de Dreyfus. Ce furent la déposition à huis clos d'un témoin de nationalité serbe, ancien officier révoqué de l'armée autrichienne, Cernuscki, et la tentative d'obtenir une preuve du colonel Schneider. Dans les deux cas, le faux témoignage fut constitué et l'intention démontrée. Mais la cour n'en prit pas ombrage, et la défense de Dreyfus fut incapable d'exploiter ce nouveau fait d'arbitraire judiciaire.

## La soumission des juges

La définition arbitraire du cadre des débats relevait de la seule autorité de la cour. Elle montra là le soutien objectif qu'elle fournissait à l'accusation. La partialité du conseil de guerre de Rennes se révéla à tous les stades du procès. « Les débats ont été menés avec une partialité qui saute aux yeux », releva ainsi Jean-Bernard [57].

Le président du conseil de guerre fut souvent agressif avec les témoins de la défense et les empêcha fréquemment de répondre aux insinuations malveillantes de l'accusation ou à ses mensonges définitifs. Il s'opposa à plusieurs reprises aux confrontations nécessaires, ou tenta de le faire. Le 12 août à midi, à l'issue de la longue déposition du général Mercier, le colonel Jouaust prononça l'ajournement des débats jusqu'au 14, le lendemain étant un dimanche. Il refusa à Edgar Demange le droit d'interroger le témoin capital. Et il ne donna pas suite à la demande de l'ancien président de la République Casimir-Perier qui s'était avancé à la barre et qui avait demandé « d'une voix violente » à être confronté au général Mercier [58], si bien que la déposition du général Mercier put acquérir un statut spécial et somme toute très favorable à l'accusation.

Dreyfus fut interrompu à plusieurs reprises et ne voulut pas protester. Comme s'en émut Olympe Havet [59], il fut notamment empêché de riposter au général Roget, le président l'obligeant à se rasseoir alors qu'il voulait répondre aux mensonges de son ancien chef. Il soulignait clairement la situation intenable dans laquelle il était placé : « Je ne puis accepter d'entendre pendant des heures des dépositions où l'on m'arrache le cœur et l'âme. Jamais on n'a mis un homme, un innocent et un soldat loyal dans une situation pareille, aussi épouvantable [60]. » Il avait bien restitué, avec ses mots, le caractère non contradictoire et très déclamatoire des principales dépositions de ses accusateurs. L'impossibilité de les interrompre en démontrait l'autorité. Le président persista dans ce système en refusant la parole à Dreyfus tout en se donnant le beau rôle : « Après chaque témoignage, je vous ai demandé si vous aviez des observations à présenter. Je vous ai laissé faire toutes les observations que vous avez jugé utile de faire pour votre défense et je continuerai à le faire [61]. » Sa déclaration était pourtant irrecevable pour deux raisons. D'une part, en interrompant le témoignage du général Roget et en renvoyant la séance au surlendemain, il pouvait être admis qu'une discussion fût ouverte sur cette première partie. Le fait de reporter le débat contradictoire conférait à la disposition du général Roget, comme à celle du général Roget auparavant un caractère de supériorité que rien n'autorisait.

La position d'impartialité du président n'était que très relative compte tenu du droit qu'il accorda à l'accusation d'interrompre les témoins, surtout ceux favorables à Dreyfus. Il furent particulièrement malmenés. Le soutien aux thèses et aux méthodes de l'accusation se révéla rapidement et fortement. Les juges laissèrent dire les contre-vérités les plus flagrantes, ils laissèrent se prononcer les réquisitoires les plus idéologiques. Ils justifièrent aussi le fait même d'admettre ce type d'accusation indifférente à toute exigence de droit et de vérité. Et ils adoptèrent enfin une philosophie de la preuve intolérable dans les procès de justice, résumée par l'aphorisme attribué au colonel Jouaust : « Les possibilités font les présomptions et les présomptions font les preuves [62]. » Une telle conception de la preuve niait déjà le principe du doute favorable à l'accusé. Et elle niait aussi toutes les preuves concrètes et directes réunies à l'appui de l'innocence du capitaine Dreyfus. Elle fut pourtant adoptée dans les débats. Une seule hypothèse semblait valoir cent certitudes, pour reprendre en les inversant les termes de la lettre fameuse d'Émile Duclaux relative à l'acte d'accusation de 1894 [63].

Comme l'écrivit Jules Cornély dans *Le Figaro*, les principes élémentaires régissant une affaire pénale furent bafoués. Il fut l'un des seuls commentateurs à juger le procès non du point de vue de l'émotion, mais de celui du droit et du fonctionnement de la justice.

Les très sommaires études de droit auxquelles je me suis livré m'ont appris que trois conditions sont nécessaires pour que la déposition des témoins à charge ou à décharge soit valable devant la justice :

1° Le témoin doit apporter des faits. Il n'a pas à les apprécier. C'est l'affaire du juge. Il a dit ce qu'il a vu, ce qu'il a observé, ce qu'il a constaté. Il n'a pas à donner son opinion, à usurper le rôle du ministère public. Ce renversement des rôles ne doit pas être toléré par le président d'un tribunal ;

2° Un témoignage unique n'est pas considéré comme valable : *Testis unus, testis nullus.* Plusieurs témoins qui se sont entendus et concertés ne peuvent fournir qu'un seul témoignage, et ne constituent qu'un seul témoin ;

3° Enfin, le témoin doit être désintéressé. Si le témoin a un intérêt personnel à charger l'accusé ou à le disculper, son témoignage ne saurait être admis.

Voici trois règles fondamentales. Elles ont été toutes les trois manifestement oubliées par le conseil de guerre de Rennes.

1° Tous les témoins à charge ont apporté, à défaut de faits précis et probants, des inductions, des appréciations, des suppositions combinées en un système plus ou moins spécieux. « L'accusé a pu faire ceci... Il a dû faire cela... Il en résulterait ceci ou cela. Il est donc très vraisemblable... Il paraît donc certain... » En un mot, tous, sans exception, au lieu d'être de véritables témoins, se sont érigés en accusateurs, et en accusateurs violents, depuis l'ancien commandant en chef qui a accusé, sans le prouver, Dreyfus d'avoir livré son pays, jusqu'à ce sous-officier qui accuse, sans le prouver, Dreyfus d'avoir eu des maîtresses.

2° Il n'y a eu en réalité qu'un seul témoignage. Tous les témoins ont répété la même leçon, développé le même thème. Les naïfs disent : « Voyez tous ces ministres ! Ils affirment tous la même chose. » Parbleu, c'est le même récit, transmis fidèlement, servilement, de l'un à l'autre. Ce ne sont pas des témoins : c'est un témoin unique dont les échos répètent le témoignage.

3° Qui pourrait soutenir que ces témoins ne sont pas mus par un intérêt personnel, que leur témoignage est désintéressé ? Ils ont dit qu'ils mettaient leur honneur et, ce qui est plus grave, l'honneur de l'armée à ne pas admettre qu'ils avaient pu se tromper ou être trompés. Le général Mercier, en parlant de Dreyfus, a prononcé cette parole : « Lui ou moi », qui ôte toute valeur juridique à sa déposition. Les témoins à charge de Rennes sont des témoins intéressés. On doit récuser leur témoignage [64].

## La dérive de l'accusation

Les juges militaires ne furent pas seuls en cause dans la dérive judiciaire qui affecta le procès de Rennes jusqu'à produire un procès monstrueux, machine de guerre contre le droit et la vérité. Le commissaire du gouvernement, qui représentait l'accusation, joua un rôle accablant dans l'engrenage conduisant mécaniquement à la condamnation de Dreyfus. Il était chargé légalement de porter l'accusation dans les débats, c'est-à-dire, aux termes de l'arrêt de révision du 3 juin 1899, de poser la question de l'attribution du bordereau à l'accusé. Cela avait été fermement établi avant le procès. Le 18 juillet 1899, le ministre de la Guerre avait adressé une note confidentielle au général commandant le 10e corps d'armée à Rennes pour lui rappeler le cadre précis de la mission dévolue au commissaire du gouvernement. Afin d'« éviter toutes causes de nullité qui risqueraient de rouvrir et de prolonger cette affaire, écrivit Galliffet, il m'a paru utile de faire rédiger la note ci-jointe, relatant le dernier état de la doctrine et de la jurisprudence tant sur les attributions du ministère public [détenues par le commissaire du gouvernement] que sur les effets légaux de l'arrêt de révision [65] ». La note établissait comment la juridiction du conseil de guerre était liée par l'arrêt qui avait ordonné la révision. Les points que la Cour de cassation a jugés, « elle les a placés pour toujours au-dessus de toute atteinte et de toute discussion ». Il s'agissait de la communication secrète de la pièce « Ce canaille de D... », des éléments à charge contre Esterhazy et de « la fin de non-recevoir tirée de ce que Dreyfus aurait, au mois de janvier 1895, tenu certains propos devant Lebrun-Renault et devant Depert [66] ». Deux développements méritent d'être signalés puisqu'ils furent défaits par celui-là même qui devait les respecter et les faire respecter. Le premier portait sur le droit d'aborder la question d'Esterhazy et de ne pas être lié par l'arrêt d'acquittement, cela afin de pouvoir démontrer l'innocence de Dreyfus dont la Cour de cassation avait envisagé la forte probabilité. Or le conseil de guerre et le commissaire du gouvernement interdirent la discussion sur le fond de la culpabilité d'Esterhazy, afin de réserver la possibilité de celle de Dreyfus.

La Cour de cassation s'est contentée de relever les éléments du fait nouveau créant une présomption d'innocence. Elle s'est bornée à constater que les faits qu'elle relève, inconnus du conseil de guerre qui a prononcé la condamnation de 1894, « tendent à démontrer que le bordereau n'aurait pas été écrit par Dreyfus ; qu'ils sont de nature, par suite, à établir l'innocence du condamné ».

Dans ces conditions, s'il appartient ici au conseil de guerre de renvoi de faire état de l'enquête et de la procédure suivie par la Cour de cassation, aussi bien que des constatations de son arrêt, il n'en est pas moins libre de parcourir, sans obstacles juridiques, la voie qui conduit à une conviction raisonnée.

Il importe de noter qu'en ce qui touche Esterhazy le conseil a le droit et le devoir d'embrasser les éléments complets du débat sans s'arrêter devant le fait de son acquittement par un autre conseil de guerre. Si, en effet, le bénéfice de cet acquittement lui reste matériellement acquis, il ne saurait avoir pour conséquence de léser les intérêts primordiaux et d'ordre public qu'engage la révision en matière pénale. Aucune objection ne pourra donc faire obstacle aux témoignages, aux productions documentaires, aux arguments établissant sa culpabilité[67].

Le second développement était plus troublant encore puisqu'il avertissait – et condamnait à l'avance – les risques de dérive judiciaire tels qu'ils se produisirent effectivement à Rennes. La note du ministre de la Guerre anticipait d'une manière troublante les procédés qui allaient se multiplier au procès de Rennes, notamment la multiplication des réquisitoires des témoins après ou pendant leur déposition.

De ce que Dreyfus n'est renvoyé que pour être jugé sur la question de savoir s'il a livré à une puissance étrangère les notes et documents énumérés dans le bordereau, il se déduit que les témoins à inscrire sur la liste sont ceux dont les dépositions tendent :

1° À prouver la livraison par Dreyfus à une puissance étrangère des pièces ou documents énumérés dans le bordereau.

2° À fixer sur le mobile de l'acte et sur la moralité de l'accusé.

Il s'en déduit aussi qu'il n'y a pas lieu d'inscrire sur cette liste les noms des témoins qui, sans avoir personnellement et directement connaissance d'aucun fait pertinent, ne pourraient apporter au débat autre chose que l'affirmation d'une conviction intime plus ou moins raisonnée et quelquefois purement sentimentale. De pareilles déclarations ne sont pas des témoignages, au sens légal ; elles sont dénuées de tout caractère juridique aussi bien que de toute valeur probante. *Ceux qui les apportent aux débats empiètent sur la mission du ministère public ou sur celle de la défense de l'accusé, quand ils ne vont pas jusqu'à usurper la fonction des juges.*

Il s'en déduit encore, pour le même motif, que les personnes citées en vue de déposer sur des faits ne peuvent être autorisées, après avoir produit leur témoignage, à formuler des avis, à donner des impressions.

D'autre part, les règles précédemment fixées interdisent tout témoignage contre les points tranchés par la Cour de cassation[68].

En vertu de cette note du ministre de la Guerre, la responsabilité du commandant Carrière dans la dérive du procès de Rennes parut considérable puisqu'il ne peut invoquer l'erreur et la bonne foi. Averti comme il le fut, il agit intentionnellement pour transformer un procès pénal en une conspiration contre un accusé interdit de défense. Sa parole était libre, mais il avait le devoir, en premier lieu, de se conformer au droit tel qu'il avait été scrupuleusement rappelé dans la note du général de Galliffet par la référence à la loi du 9 juin 1857 et à des analyses du Dalloz[69], la source de jurisprudence française. Par une mention manuscrite portée sur la lettre d'envoi de la note, le ministre de la Guerre avait même envisagé l'éventualité que le commissaire du gouvernement choisi par le général Lucas se rapprochât de lui : « Si, après lecture attentive de cette note, le commissaire du gouvernement éprouve encore quelques doutes, particulièrement en ce qui concerne l'établissement des listes de témoins, il pourra se présenter à mon cabinet, et je lui fournirai les éclaircissements nécessaires, usant, en cela, de mon droit et me conformant à mes devoirs[70]. »

Le commandant Carrière s'écarta radicalement des recommandations du ministre. Dominé par sa conviction de la culpabilité de Dreyfus, il ignora le droit et son rôle et reconfigura le procès pour l'ouvrir à toutes les accusations des systèmes élaborés depuis 1894. Comme le président, le commandant Carrière soutint la discussion sur les aveux de Dreyfus. C'est lui qui fit citer la plupart des témoins à charge dans ce dossier. Il permit aux généraux Mercier, Roget, de Boisdeffre, Billot, Deloye, Fabre, etc., de prononcer des réquisitoires en marge de leur déposition, voire, dans la plupart des cas, de laisser leur déposition se transformer en mise en accusation totale du capitaine Dreyfus.

À l'inverse, il agressa fréquemment les témoins favorables au capitaine Dreyfus. Ripostant à Louis Havet qui venait de produire son expertise du bordereau, il l'accusa de n'avoir pas respecté la discipline judiciaire puisqu'il avait assisté à des séances antérieures du procès à des places non réservées aux témoins. Le professeur au Collège de France voulut se défendre. Mais le colonel Jouaust lui en refusa le droit[71]. La déposition s'acheva sur cette note négative.

L'attitude du ministère public fut donc une véritable provocation pour le droit en même temps qu'un camouflet pour Galliffet. Il avait cru bien préparer le procès et anticiper sur la dérive qui eut lieu. Au-delà du ministre de la Guerre, l'échec allait retomber sur le chef du gouvernement, décidé alors à liquider au plus vite un scandale qui le touchait dans son autorité politique. La solution de la grâce était en germe dès le début du procès dans le fiasco juridique et judiciaire.

## Le devoir et l'épuisement de Dreyfus

La violence du commandant Carrière à l'égard de l'accusé fut systématique, parfois de manière directe et définitivement dès lors qu'il acceptait l'élargissement du procès aux accusations les plus scandaleuses et les moins fondées. Mais l'attitude du commissaire du gouvernement n'était pas la seule à poser un problème. Le général Chamoin, délégué du ministre de la Guerre, chargé de le tenir en permanence informé du déroulement du procès, était lui aussi très hostile à Dreyfus. Il le jugea selon cette loi des émotions qui n'avait aucune légitimité juridique. Mais elle ne cessait de dominer la perception que l'on avait de l'accusé. Les notes et la correspondance du général Chamoin traduisaient une représentation négative de l'accusé, dont le comportement ne pouvait que susciter les plus fortes interrogations quant à sa volonté de se défendre. Il contribua à forger une nouvelle légende, celle d'un homme refusant le rôle que l'on attendait de lui, celle d'un justiciable obsessionnel et desséché. Les lettres qu'il adressa au général de Galliffet étaient « caractéristiques de l'état d'esprit qui régnait au procès de Rennes[72] », indiqua Dreyfus. Leur lecture fut rendue possible par la déposition devant la Cour de cassation, pour sa seconde instruction, du capitaine Targe[73]. Cet officier, comme nous le verrons, avait été chargé de l'enquête que le général André, ministre de la Guerre en 1903, avait décidé de lancer après les révélations de Jaurès à la tribune de la Chambre des députés pendant son grand discours des 6 et 7 avril 1903. Dans ses *Carnets* rédigés en partie après la réhabilitation, Dreyfus revint sur ces lettres et sur le sens qu'il fallait leur donner[74]. La lettre du 7 août 1899, relative à la première audience, insista sur sa défense d'innocent, une posture irrecevable selon lui d'autant qu'elle ne s'accompagnait d'aucune confirmation psychologique ou d'apparence corporelle : « Dreyfus a protesté de son innocence avec quelques éclats de voix puis a discuté les différents chefs d'accusation froidement, d'une voix souvent monotone. Il nie tout, les faits principaux et les faits accessoires : la physionomie énergique est souvent contractée ; c'est à la fois l'indice d'une grande souffrance et le sentiment poignant qu'éprouve l'homme qui joue la partie suprême. » Dreyfus commenta ces appréciations et les suivantes. Il fut stupéfait que la relation faite par le délégué à son ministre se polarisât sur des aspects mineurs et se désintéressât du fond.

J'avais bien le droit de tout nier, de nier les prétendues charges, qu'elles fussent principales ou accessoires, puisque je n'avais jamais manqué à aucun de mes devoirs. Mais quand je lus ensuite : « Il n'a pas su émouvoir, le cœur n'a pas parlé », je fus stupéfait et indigné. Oui, j'ai compris depuis ; on s'attendait à de grands gestes, à de grands éclats de voix, à ce que je fusse en un mot plus théâtral, au lieu de discuter pied à pied, sans rien laisser dans l'ombre, tout l'immense amas de menus faits qu'on avait accumulés contre moi. Ceux-ci, à eux seuls, dans l'état d'épuisement où je me trouvais, exigeaient toute la tension de mon esprit, ne me permettant pas de me laisser aller à l'émotion qui m'eût fait perdre bien vite le fil qui devait me guider dans ce labyrinthe imaginé de toutes pièces par des adversaires sans scrupules et sans bonne foi. Je croyais aussi que la raison, dans des affaires semblables, où les entraînements du cœur ne sauraient apporter aucune explication, aucune atténuation, devait être le seul guide du juge. Que l'on cherche à apitoyer quand on est fautif, cela se conçoit, puisque, dans certains cas, le cœur excuse bien des erreurs. Mais ici il s'agissait d'abord d'un innocent, ensuite, l'on jugeait un crime abominable que rien ne saurait atténuer, et on s'étonnait que cet innocent n'ait pas cherché à émouvoir les juges ! Je n'avais qu'un devoir : faire appel à la raison et à la conscience des juges.
Dans une lettre écrite le 29 août 1899 par le général Chamoin, je lus : « Et les cinq années passées à l'île du Diable, en présence de la faiblesse

de l'accusation, ne donnent-elles pas prise à un sentiment d'humanité ? »
Ici, je proteste. Je n'ai jamais voulu faire appel à la pitié, je n'en avais nul
besoin. C'est moi qui ai de la pitié pour les hommes qui se sont déshonorés
en faisant condamner un innocent par les moyens les plus criminels.

Ces explications sont capitales. Alfred Dreyfus souligne ici combien
la défense d'un innocent fut difficile dans un système judiciaire fondé
sur la confrontation orale, sur l'aveu et le pardon, autant de critères
qui, pris de manière exclusive ou primordiale, rendent impossible la
justice. L'esprit du temps pesait aussi sur des représentations collectives qui attendaient d'un procès une impression de spectacle beaucoup
plus que la production de la vérité et du droit. Dreyfus ne voulait pas
renoncer à ce qui était le plus précieux, son innocence, son droit, son
honneur. Il n'était prêt à aucun compromis avec cette loi des émotions
parce qu'il avait compris qu'il se perdrait et qu'il sacrifierait à tout
jamais les efforts immenses faits pour vivre après sa condamnation et
survivre à la déportation. Au-delà des arrangements qu'on lui suggérait, il marquait sa fidélité à des valeurs justes et universelles, seules
capables de réparer l'injustice qu'il endurait depuis cinq années.
Conscient des enjeux tant judiciaires que politiques de son attitude au
procès de Rennes, il l'assumait et en soulignait la leçon générale. La
justice doit reposer sur la raison, la preuve, l'exigence de vérité. Un
innocent doit défendre jusqu'au bout son droit à l'innocence. L'appel
à la pitié ou à la clémence est une concession aux bourreaux, et pis,
une résignation à la dégradation et à la mort de soi.

Ces réflexions de Dreyfus, postérieures à l'événement, n'en représentaient pas une reconstruction. Comme nous l'avons vu, il s'est
effectivement défendu comme il l'a expliqué. Ou tenté de se défendre.
Car le type de défense pour lequel il avait opté impliquait bien, selon
ses mots « de discuter pied à pied, sans rien laisser dans l'ombre, tout
l'immense amas de menus faits qu'on avait accumulés contre [lui] ».
Il réussit à le faire à de multiples reprises. Mais il fut aussi empêché
par son épuisement. Ses périodes de silence, sa voix faible, doivent
s'expliquer par l'épreuve terrible qu'il venait de subir. Dans *Cinq
années de ma vie*, il évoqua les souffrances physiques qu'il endura
pendant toute la durée du procès, au cours d'une saison qui fut particulièrement chaude dans la capitale bretonne[75].

> J'avais été très sensible au changement de climat. J'avais constamment
> froid et je dus me couvrir très chaudement, quoique nous fussions en plein
> été. Dans les derniers jours du mois de juillet, je fus saisi de violents accès
> de fièvre, suivis de congestion du foie. Je dus m'aliter, mais grâce à une
> médicamentation énergique, je fus bientôt debout. Je me mis alors au
> régime unique du lait et des œufs et je maintins ce régime durant les débats,
> afin de pouvoir résister et de tenir debout pendant ces longues et intermi-
> nables audiences[76].

Reprocher à Dreyfus un manque de vivacité relevait donc d'une nouvelle injustice et d'une volonté de nuire. On doit s'interroger sur le sens des critiques qui furent déversées sur Dreyfus après le procès de Rennes. Lui faire porter la responsabilité de sa condamnation, l'obliger à théâtraliser sa défense alors même que ces pratiques appartenaient aux coupables et non aux innocents, n'était-ce pas tout simplement, et avec perversité, continuer de le tenir pour un criminel ? C'est ainsi, je crois, qu'il faut apprécier les allégations portées, encore aujourd'hui, sur sa défense à ses différents procès. Elle était la meilleure qui fût, sous la réserve qu'il ne put la mettre totalement en œuvre par suite de son épuisement en 1899 (et de sa méconnaissance du dossier d'accusation en 1894 doublée du choc de l'arrestation et de la réclusion). La récuser, c'est nier tout simplement la justice et en refuser le droit ou même la possibilité à un justiciable, à tous les justiciables qu'il représente.

## Les difficultés de la défense

Le capitaine Dreyfus avait une vision claire de sa défense, comme le montrèrent d'emblée ses réponses à l'interrogatoire du président au cours de la première audience du procès. Ses deux défenseurs apparurent en revanche plus hésitants. Ils ne comprirent ni l'impératif de raison qui devait s'imposer ni la mutation du procès qui exigeait plus encore le choix d'une telle défense. Durant la première semaine du procès, avant sa convalescence qui fit suite à la tentative d'assassinat, Fernand Labori sut, il est vrai, intervenir pour contrer la mise en accusation totale de son client.

Edgar Demange s'occupait davantage du fond des dossiers, ce qui entraînait de facto leur reconnaissance et donc une forme de soumission à la stratégie des accusateurs. Il laissait souvent sans réponse des accusations mensongères délivrées avec une assurance totale. Il n'affronta que rarement le président ou le commissaire du gouvernement qui, par l'extension infinie de l'accusation, avaient réduit singulièrement les droits de la défense.

Labori réagit plus nettement. À ce dévoiement de l'accusation, il voulut répondre par l'élargissement de la recherche de vérité. Puisque tout était porté à charge de Dreyfus, il fallait selon lui faire venir tous les témoins, « qu'ils soient en France ou à l'étranger, n'importe où, il faut qu'on vienne[77] ». Il voulut faire déposer le colonel von Schwartzkoppen. Tout en suivant la voie et la procédure diplomatique, il informa l'ancien attaché militaire par un télégramme du 5 septembre qu'il avait officiellement sollicité son témoignage[78].

Aucune stratégie, ni celle de Demange ni celle de Labori, ne fut la bonne. La défense de Dreyfus ne nécessitait pas plus une rhétorique théâtrale qu'une discussion partielle sur des dossiers inacceptables en fait et en droit. Puisque le conseil de guerre violait la souveraineté de la Cour de cassation et au-delà, les principes mêmes de la justice, il convenait de les défendre pour défendre Dreyfus. Ses accusateurs dressaient l'armée contre lui. Ses défenseurs se devaient de leur opposer la justice. Ce ne fut fait ni par l'un ni par l'autre des avocats. Plus que Demange, Labori aurait pu cependant discuter à fond les témoignages à charge pour les détruire les uns après les autres en montrant qu'ils ne reposaient sur aucune preuve concrète et procédaient par déductions ou insinuations. C'était la stratégie suggérée par Jaurès. Elle rejoignait la position de Dreyfus telle qu'il l'avait explicitée dans ses *Carnets*. Le leader socialiste la développa dans son article de *La Petite République* du 2 septembre 1899, en réponse au sentiment qu'il observait çà et là à Rennes :

> J'ai entendu des journalistes, des intellectuels, des artistes exprimer leur dégoût devant cet appareil de mensonge systématique, et ils avouaient une sorte de lassitude morale.
> « Quoi ! c'est à de pareils spectacles que nous fera désormais assister l'humanité ? Quoi ! il faudra discuter et discuter encore des fables qui ne résistent pas à quelques minutes d'attention ? Quoi ! des juges auront l'air de prendre au sérieux cette comédie montée en collaboration par l'État-major et les jésuites ? »
> Et je dis à ces hommes nerveux :
> « Comme on voit que vous avez peu l'habitude de la lutte ! Et vous imaginez-vous que la masse des préjugés humains aggravée par les savantes manœuvres de la réaction cléricale puisse être soulevée en un jour ? Il ne suffit pas d'ordonner quelques raisonnements invincibles ! Il ne suffit pas de traduire en quelques images éclatantes l'idéal de beauté de la justice ! Il faut être prêt à une rude besogne de destruction quotidienne. Il faut n'être ralenti ni par la persévérance du mensonge, ni par les calomnies abominables, ni par les préjugés persistants. Il faut avoir la force de lire du Maurice Barrès sans se dégoûter à jamais de la race humaine. Il faut savoir lire du Lemaître sans croire à l'irrémédiable déchéance de l'esprit français. »
> Tant pis pour ceux dont les nerfs défaillent. La vérité, aujourd'hui, veut de rudes compagnons prêts aux besognes révolutionnaires et animés d'un invincible espoir[79] !

La stratégie de Labori restait cependant menaçante pour l'État-major. Waldeck-Rousseau fit savoir à Joseph Reinach que l'acquittement exigeait une ligne conciliante, surtout au moment de la plaidoirie finale. Labori, prêt à l'affrontement et à sa théâtralisation, fut écarté au profit de Demange[80]. Bernard Lazare, Mathieu Dreyfus et Ludovic Trarieux se firent les porte-parole de Waldeck-Rousseau et de Joseph Reinach. Le sacrifice de Labori put conforter le groupe des généraux dans leur pouvoir. Non seulement ils avaient dominé les débats et écrasé Dreyfus sous leurs accusations, mais de plus ils imposaient à la défense un acte minimal qui les préservait d'une mise en accusation de leurs pratiques.

*L'espoir malgré tout*

Au milieu d'une fin lugubre qui annonçait les pires défaites, les dreyfusards voulaient encore y croire. Ils se raccrochaient à des rumeurs évoquant ces coups de théâtre qui ne se produisent jamais et que l'on attend toujours faute de mieux. On apprit ainsi par une note de police adressée au préfet d'Ille-et-Vilaine qu'« on a entendu dire dans la famille Berthelot [famille de l'ancien ministre] qu'il y avait au château de Marchais [propriété du prince de Monaco] des documents que l'on ferait paraître si on voyait vers la fin des débats, que le procès prend mauvaise tournure pour Dreyfus [81] ». Victor Basch se souvint de cette fièvre qui s'était emparée des deux camps :

> Partout se tenaient des conciliabules, se formaient des camps, s'esquissaient des plans de bataille. Que de projets fantastiques, que d'hypothèses extravagantes n'ai-je pas entendu émettre autour de moi durant cette veillée d'armes ! Les esprits étaient arrivés à un tel degré d'exaspération que les plus timorés étaient prêts aux dernières extrémités pour empêcher qu'une injustice nouvelle ne fût commise. Que ne devait-il pas se passer dans le camp de nos adversaires ? Des échos de leurs réunions nous étaient parvenus et nous savions qu'eux aussi, qu'eux plus que nous étaient prêts à tout. Lorsqu'un reporter du *Daily Mail* me demanda vers le commencement de juillet comment je pensais que les choses se passeraient, je lui répondis que j'étais convaincu que le sang coulerait : j'étais sûr qu'on tenterait d'assassiner Dreyfus et les plus compromis de ses amis [82].

Vivant dans un monde de raison, croyant dans la justice et dans les valeurs de démocratie, les dreyfusards s'imaginaient que la vérité et le droit devraient l'emporter à la fin. Jean-Bernard exprima clairement cette conviction que le jugement allait démentir le cours des débats et proclamer l'innocence de Dreyfus :

> Dans deux ou trois jours, nous connaîtrons le verdict que nous attendons ici avec la stupeur de ne pouvoir dire que, pour le conseil de guerre, toutes les préventions criminelles et stupides ont croulé devant les preuves irréfutables d'innocence criante apportées de tous les côtés. Pour tous, cette innocence de Dreyfus est proclamée à la face du monde. Le résultat est atteint. Tous les jugements possibles et impossibles n'enlèveront rien et n'amoindriront point cette conviction irréductible dans l'âme des probes. [...] Proclamer, aujourd'hui, l'innocence de Dreyfus, est bien simple : c'est déclarer qu'il fait jour en plein midi et convenir que deux et deux font quatre [83].

Le « spectateur », comme se dénommait Jean-Bernard, fit suivre sa déclaration pleine d'espoir d'une discussion avec « celui qui, le premier, a perçu l'erreur monstrueuse, et, philosophe courageux, penseur fier, a voulu la terrasser la plume à la main, et en deux ans y est parvenu ». Bernard Lazare raconta ainsi comment il a été amené « à croire à l'innocence de Dreyfus ». En conclusion de l'entretien, Jean-Bernard s'enthousiasma des « premiers efforts pour arriver à ce magnifique élan de foi auquel nous assistons aujourd'hui [84] ».

Les dreyfusards se fixèrent sur leurs espoirs et sur les promesses de Waldeck-Rousseau. Ils négligèrent de préparer méthodiquement la dernière phase du procès. Mais la situation n'était plus celle qui prévalait en juin 1899. Le philosophe Dominique Parodi ne pouvait plus affirmer, comme il l'avait fait dans une lettre du 3 juillet 1899 à Élie Halévy, qu'il lui semblait que tout allait bien et que « les plus intransigeants se [faisaient] à l'idée de l'acquittement [85] ». Les débats du procès étaient passés par là, et avec eux la preuve de la détermination intacte des accusateurs de Dreyfus d'obtenir une nouvelle condamnation en y mettant tous les moyens, y compris la conquête d'un conseil de guerre.

Les dreyfusards s'illusionnaient également sur les capacités de la justice militaire à se soumettre à l'ordre civil, à répondre à la seule question posée par la Cour de cassation et à reconnaître les preuves de l'innocence de Dreyfus. Ils n'imaginaient pas non plus, malgré les avertissements de Jaurès, le pouvoir du général Mercier capable de mobiliser tous les moyens et tous les témoins pour protéger son œuvre criminelle, commettant par son action un nouvel acte criminel qui impliqua d'anciens ministres et de prestigieux généraux.

Pourtant, Gaston Paris, administrateur du Collège de France, continuait de croire à une issue heureuse, comme il s'en ouvrit à Paul Meyer le 31 août 1898.

> La longueur de ces débats est absurde, et toute cette dépense de raisonnement pour prouver qu'il fait jour en plein midi fait un effet pénible et ridicule, non point certainement pour ceux qu'on y contraint, mais pour ceux qui y obligent ou croient en avoir besoin. Le conseil de guerre aurait pu et dû juger en deux heures que tout ce qui s'est dit a été ou inutile ou déplorable pour l'honneur de notre pays. Il me semble qu'au moins l'acquittement n'est pas douteux ; on parle de la minorité de faveur. Si elle était acquise, les quatre juges restants devraient se joindre aux trois premiers par souci de l'intérêt et de l'honneur de l'armée ; mais le comprendront-ils ? Le président a l'air peu sympathique à la défense. Est-ce une simple apparence, et peut-on savoir quelque chose des dispositions du conseil ? Et combien de temps cette lamentable comédie va-t-elle encore se prolonger [86] ?

### Audiences finales

Au terme des débats, le 7 septembre 1899, le commandant Carrière fut le premier à parler. Il prononça un long réquisitoire qui s'acheva lors de cette vingt-troisième audience. Il rappela son rôle, celui du ministère public que toute son attitude avait démenti.

Moi qui suis l'organe du ministère public, j'ai un devoir particulier : c'est de me présenter devant vous avec toute la prudence, tout le calme, toute la modération que comporte ma mission, qui est une mission exclusivement de justice. Je n'ai pas, moi, de client à défendre ; je suis le représentant de la société, je représente l'intérêt de la collectivité sans distinction de parti, sans distinction d'opinion. Je n'ai pas le droit d'avoir une opinion propre ; j'ai le devoir de chercher, dans les études ardues auxquelles je me suis livré, les documents qui ont été soumis à notre examen, de chercher dans l'audition scrupuleuse des témoignages qui sont venus devant vous, d'y chercher, indépendamment de toute idée personnelle et préconçue, la manifestation de la vérité et de vous présenter mon impression ainsi établie d'une façon impersonnelle, sans haine, sans passion, sans crainte. Je parle au nom d'une entité qui n'a pas de passions. La société dans sa collectivité ne peut désirer qu'une chose : c'est la justice absolue, nette, sans entraînement [87].

Cette forte déclaration, parfaite sur le plan des principes et de la mission de justice qui devait inspirer le commissaire du gouvernement, était également mensongère puisque le commandant Carrière, durant tous les débats, fit le contraire de ce qu'il proclama. On pourrait avancer que ce fut Dreyfus qui assuma cette mission, Dreyfus qu'il repoussa avec ses avocats dans les marécages de parti-pris et de l'opinion. L'étude du procès montra en effet le parti pris du ministère public et les étranges conclusions que le commandant Carrière tira des « études ardues » auxquelles il se livra. Son réquisitoire fut par ailleurs dominé de bout en bout par une contradiction majeure que le magistrat militaire ne semblait pas percevoir. D'une part, il déclarait s'incliner « sans restriction et dans toute son ampleur devant l'arrêt de la Cour de cassation », de l'autre il accablait Dreyfus, menaçait Picquart et disculpait Esterhazy.

Il déclara en premier lieu que l'accusé était en mesure de livrer les documents visés par le bordereau. Il déclara ensuite que Dreyfus était l'auteur du bordereau. Tout en reconnaissant qu'il n'avait pas pour l'écriture « de compétence », il se lança dans une argumentation qui s'inspirait des théories de Bertillon [88]. Il renvoya dos à dos les expertises du « bordereau », qui, selon lui, s'annulaient les unes les autres, alors même que la Cour de cassation avait explicitement affirmé la valeur de preuve des trois experts professeurs à l'École des chartes [89]. Il attaqua le colonel Picquart, excusa Henry et du Paty de Clam d'avoir averti Esterhazy « de ce qui se tramait là [90] », mit ce dernier hors de cause. Il termina en disant combien il lui aurait été « agréable de donner satisfaction à l'innocence méconnue, de faire réhabiliter la victime d'une erreur judiciaire [91] ».

Pour conclure son réquisitoire, il affirma avoir agi en magistrat impartial, soulignant qu'il avait été d'abord porté à considérer que Dreyfus était innocent. Mais que les débats le convainquirent du contraire. En prononçant cet aveu, il prouvait la faillite complète du ministère public.

Ma conviction, qui semblait s'être faite dans le sens de l'innocence, au début, s'est transformée petit à petit, par voie de comparaison, à l'audition des témoins, de cette masse de témoins qui sont venus ici nous donner des renseignements et des opinions personnelles.

Ma conviction s'est fortifiée dans le sens de la culpabilité, et aujourd'hui, en mon âme et conscience, je vous le déclare, Dreyfus est coupable, et je vous demande l'application de l'article 76 du code pénal [qui punit de mort [92] « quiconque aura pratiqué des machinations ou entretenu des intelligences avec les puissances étrangères ou avec leurs agents, pour les engager à commettre des hostilités ou à entreprendre la guerre contre la France, ou pour leur en procurer les moyens »] [93].

La plaidoirie d'Edgar Demange survint le lendemain 8 septembre 1899, en ouverture de la vingt-quatrième audience. Elle se prolongea au début de la vingt-cinquième audience, le 9 septembre. L'avocat du capitaine Dreyfus commença par évoquer le martyre de son client et voulut donner des gages de son amour de l'armée [94]. Il avait en effet choisi de ménager l'État-major et les anciens ministres de la Guerre. Il déclara même comprendre les officiers qui avaient fabriqué et couvert la culpabilité de Dreyfus. Au terme de cinq heures d'explications, il demanda aux juges l'acquittement pour le « doute dans votre conscience ». Il fit de nombreux excursus de pratique judiciaire, multiplia les nuances, les réserves. Il ne voulut pas heurter les juges par l'invocation trop définitive de l'arrêté de révision qui les obligeait pourtant à une discipline des débats qui n'eut pas lieu. Il insista sur la contradiction qui pouvait exister entre le mode opératoire de la Cour de cassation et celui d'une cour criminelle :

Lorsque le procès en révision s'est engagé devant la Cour de cassation, Dreyfus était un condamné. L'autorité de la chose jugée protégeait la décision de 1894 ; devant la Cour de cassation, des doutes sur la culpabilité de l'accusé ne pouvaient pas suffire pour faire tomber l'arrêt, pour faire tomber le jugement de 1894. Il faut plus que cela, messieurs ; il fallait, aux termes de la loi, des présomptions graves d'innocence. [...] Les situations sont renversées. Devant la Cour de cassation, c'était au demandeur, sinon à prouver l'innocence puisque la loi ne va pas jusque-là, du moins à établir des présomptions suffisantes d'innocence. Aujourd'hui, au contraire, devant vous, c'est au ministère public à prouver qu'il est coupable. C'est à lui de démontrer, dans des conditions telles qu'il ne puisse rester un seul doute dans vos consciences (*mouvement*), que le capitaine Dreyfus est bien le traître qui pouvait compromettre la sécurité de la défense nationale [95].

Il releva les importantes variations de l'accusation, mais se refusa à en faire le procès, se contentant d'envisager le trouble légitime des juges chargés de trancher :

Aujourd'hui, dans une cour de justice, je vous ramène toujours à ce point précis : il faut qu'il soit établi qu'il n'y a eu que Dreyfus qui ait pu fournir les renseignements contenus au bordereau ; et lorsque nous entrons dans le domaine de l'hypothèse, je constate qu'à l'État-major général, en 1894, quand il s'est agi de formuler des hypothèses, on a formulé des hypothèses qui ne sont plus les hypothèses d'aujourd'hui.

En 1898, en effet, le général Roget a fait une étude approfondie de l'affaire, assisté du commandant Cuignet ; et alors, à ce moment-là, M. le général Roget a formulé des hypothèses que je vais successivement examiner tout à l'heure.

Mais pour le juge qui se trouve en présence de l'hypothèse de 1894 et de l'hypothèse de 1899, j'imagine que sa conscience doit être effrayée.

Il doit se demander si c'est là une base solide pour rassurer sa conscience, cette base fragile et hypothétique qui peut varier suivant les années, alors même que nous trouvons au ministère de la Guerre les mêmes interprétateurs, c'est-à-dire M. le général de Boisdeffre et M. le général Gonse.

Puis Demange revint vers le capitaine Dreyfus et cita de longs passages de son journal de l'île du Diable afin d'émouvoir la cour[96]. Il aborda ensuite la question des aveux : « Dans ce procès, il y a de quoi préoccuper la conscience des juges, quand ils voient toute la série de pièces disparues et qui auraient pu être utiles[97]. » Il voulut s'expliquer sur son attitude. Il le fit trop tard et maladroitement : « La Cour de cassation a fait, avec raison, justice de cette légende des aveux. J'aurais pu rester muet, comme le commissaire du gouvernement, en invoquant la chose souverainement jugée par la cour suprême. Mais j'ai cru devoir vous donner des explications qui, j'en suis sûr, auront satisfait votre raison. » La fin de la plaidoirie s'écarta encore des évidences qui fondent la justice et que défendait Dreyfus. Demange supplia les juges de considérer le « doute » dans leur « pensée » : « Ce doute, messieurs, me suffit. Ce doute, c'est un acquittement. Ce doute, ah ! il ne permet pas à des consciences honnêtes, loyales, de dire que cet homme-là est coupable[98]. » Il finit quand même par proclamer que Dreyfus était innocent. Mais il préféra faire appel au sens des responsabilités, à la raison des juges qui tenaient entre leurs mains « la concorde dont [la France] a tant besoin ». Et il conclut avec « cette sublime pensée de Mornard devant la Cour de cassation » appelant à l'unité des Français « dans une même communion : l'amour de la justice, l'amour de la patrie, l'amour de l'armée[99] ».

Le compte rendu *in extenso* du procès de Rennes publié par Stock en 1900 inclut le texte de la plaidoirie que Fernand Labori aurait dû prononcer – « et qu'au dernier moment, nota perfidement l'avocat, dans des conditions que j'aurai à expliquer, on m'a prié de ne pas prononcer parce qu'on a pensé qu'elle ne pourrait que compromettre un acquittement certain » : « Messieurs, contre le capitaine Dreyfus, il n'y a pas une charge : cela suffit pour qu'une condamnation soit impossible. Quels que puissent être vos sentiments personnels sur les événements de ces deux dernières années ; malgré l'effort de tant de témoins passionnés, accusateurs plus que témoins ; en dépit de l'intérêt déplorable que peuvent avoir quelques-uns à faire que, dans vos délibérations, la passion l'emporte sur la justice, vous ne pouvez pas frapper cet homme. Pour cela il vous faudrait des preuves. On ne vous en a apporté aucune, et vous avez des consciences [100].» Et il termina en rappelant aux membres du conseil de guerre qu'ils étaient plus que des « soldats [...], quelque chose de plus : vous n'êtes pas même seulement des juges militaires. Vous êtes, par l'effet des événements, l'expression la plus haute, la plus générale, la plus solennelle de la justice dans ce pays [101] ».

Comme le droit l'y autorisait et parce qu'il ne voulait pas laisser la défense conclure, le commandant Carrière reprit la parole. Il répliqua par la lecture d'une déclaration préparée par l'avocat nationaliste Jules Auffray [102]. En faisant mention de l'article 267 du code de justice militaire, il requit les circonstances atténuantes, argument supplémentaire pour rendre imparable la culpabilité de Dreyfus. Il s'adressa aux juges militaires qui allaient décider de la sentence. Il leur dit que l'ordre de la conviction qui devait les guider pouvait surplomber l'ordre de la preuve, d'autant plus que « la loi ne demande pas compte aux jurés des moyens par lesquels ils se sont convaincus [103] ». Cette déclaration en faveur de la supériorité de « l'intime conviction » permettait au commissaire du gouvernement d'affaiblir le faisceau de toutes les preuves matérielles plaidant pour l'acquittement [104]. Elle se rattachait aussi très explicitement à la stratégie des généraux qui s'étaient succédé à la barre pour affirmer leur « conviction absolue » de la culpabilité de Dreyfus.

Cette conception de la justice reposant sur la révélation de l'intime conviction, sur le silence des juges et le secret de leur conscience, s'opposait radicalement aux méthodes de la Cour de cassation pour qui la recherche de la vérité devait dominer une instruction, exiger des enquêtes, des confrontations, des débats et un arrêt justifiés méthodiquement. Ces deux conceptions éclairaient deux manières d'envisager le travail judiciaire, défini tantôt par une recherche de la vérité impliquant d'instruire simultanément à charge et à décharge – c'est le cas de la Cour de cassation mais aussi de tous les juges d'instruction –, tantôt par une spécialisation dans l'une ou l'autre des postures. Mais plus encore, ces deux conceptions mettaient en œuvre l'histoire même de la justice, partagée entre l'héritage des procès de l'Inquisition faisant des manifestations du corps physique de l'accusé le mécanisme de sa culpabilité, et l'héritage de la philosophie morale reconnaissant un corps politique au prévenu à même d'expliquer et d'exister [105].

La parole fut enfin laissée au capitaine Dreyfus. À l'invitation du président qui lui demanda « s'il avait quelque chose à ajouter pour [sa] défense », il proclama :

Je ne dirai qu'une chose bien simple : c'est que je suis absolument sûr, j'affirme devant mon pays et devant l'armée que je suis innocent.

C'est dans l'unique but de sauver l'honneur de mon nom et de sauver l'honneur du nom que portent mes enfants que j'ai subi pendant cinq années les plus effroyables tortures.

Ce but, je suis convaincu que je l'atteindrai aujourd'hui, grâce à votre loyauté et à votre justice.

Mais le dernier mot resta à la cour. Le président lui demanda : « C'est tout ce que vous avez à dire [106] ? » La question du colonel Jouaust laissait entendre une critique, ou un regret.

## « Et ce fut fini... »

La séance fut levée à 15 heures 15. Les juges entrèrent en chambre du conseil. Le colonel Albert Jouaust, directeur du génie, président, le lieutenant-colonel François Brogniart, directeur de l'École d'artillerie, les commandants de Lancrau de Bréon et Émile Merle du 7ᵉ d'artillerie, Julien Profillet du 10ᵉ d'artillerie, les capitaines Charles Beauvais et Albert Parfait du 7ᵉ d'artillerie. À 17 heures, le conseil de guerre prononça son arrêt rendu au nom du peuple français :

Ce jourd'hui, 9 septembre 1899, le conseil de guerre de la 10ᵉ région de corps d'armée, délibérant à huis clos,

Le président a posé la question suivante :

Dreyfus (Alfred), capitaine breveté au 14ᵉ régiment d'artillerie, stagiaire à l'État-major de l'armée, est-il coupable d'avoir, en 1894, pratiqué des machinations ou entretenu des intelligences avec une puissance étrangère ou un de ses agents, pour l'engager à commettre des hostilités ou à entreprendre la guerre contre la France, ou pour lui en procurer les moyens, en lui livrant des notes et documents mentionnés dans le bordereau sus-énoncé ?

Les voix recueillies séparément en commençant par le grade inférieur et le moins ancien dans chaque grade, le président ayant émis son avis le dernier,

Le conseil déclare sur la question, à la majorité de cinq voix contre deux : « Oui, l'accusé est coupable. »

À la majorité, il y a des circonstances atténuantes.

À la suite de quoi et sur les réquisitions du commissaire du gouvernement, le président a posé la question et a recueilli de nouveau les voix dans la forme indiquée ci-dessus.

En conséquence, le conseil condamne à la majorité de cinq voix contre deux le nommé Dreyfus (Alfred) à la peine de dix ans de détention [107].

Le conseil enjoignit « au commissaire du gouvernement de faire donner immédiatement lecture en sa présence du présent jugement au condamné devant la garde assemblée sous les armes et de lui indiquer que la loi lui accorde un délai de vingt-quatre heures pour se pourvoir en révision [108] ». La salle fut évacuée.

Puis le capitaine Dreyfus fut amené, impassible, militaire, devant la garde rassemblée dans une petite salle attenante à la salle des séances. Auparavant, Labori lui avait annoncé le verdict. Demange, trop épuisé dit-on, avait demandé à son confrère de se charger de cette dernière mission. « Vous êtes condamné, dit-il en l'étreignant dans ses bras. Vous êtes condamné à la détention, mais vous ne retournerez pas à l'île du Diable. » Dreyfus lui répondit : « Consolez ma femme. » Puis le greffier lui lut le jugement. Demange vint ensuite. Dreyfus fondit en larmes dans ses bras [109].

Les dreyfusards furent invités par le commissaire central de police à quitter Rennes le plus rapidement possible. Demange, Labori, accompagnés du docteur Pozzi, sénateur, partirent aussitôt. Vers 10 heures du soir, deux cents jeunes se rassemblèrent devant le cercle militaire. Ils crièrent dans la nuit : « Vive l'armée ! À bas Dreyfus ! » et chantèrent la *Marseillaise* [110].

Malgré les lourds pressentiments des derniers jours, les dreyfusards furent effondrés par le verdict. En 1909, Victor Basch témoigna de l'accablement des défenseurs de Dreyfus et du sien en particulier :

> À mesure que s'étaient déroulés les débats et que l'on avait vu les généraux s'emparer de leur direction et les juges s'intéresser passionnément aux folies mensongères débitées par un aventurier serbe et aux élucubrations délirantes de Bertillon, les plus optimistes de nos amis avaient senti fléchir leur confiance. Lorsque se leva le dernier jour du procès, lorsque, dans sa réplique à la plaidoirie de Mᵉ Demange, le commandant Carrière eut engagé les juges à condamner même sans preuves et que ceux-ci se furent retirés pour délibérer, il flottait sur cette salle des fêtes une lourde buée de désespérance. Je vous ai parlé de l'angoisse qui avait pesé sur nous lors de la première audience. Qu'était-elle auprès de celle qui, maintenant, étreignait nos âmes ? Nous étions sûrs de la défaite, sans pouvoir cependant, tout au fond de nous, renoncer à espérer contre tout espoir. [...] Lorsque, enfin, nous vîmes réapparaître le conseil, nous étions fixés avant que le président eût ouvert la bouche. Il était 5 heures, lorsque nous sortîmes du lycée. La ville avait un aspect sinistre. Tous les volets des maisons étaient mi-clos, et il nous semblait voir luire, dans les interstices, des yeux chargés de haine et de meurtre. Une visite, une cruelle visite à Mme Dreyfus, puis tout le monde partit et ce fut fini [111]...

Ramené dans sa cellule, le capitaine Dreyfus signa le lendemain son pourvoi en révision. « Mon but était d'aller devant la Cour de cassation pour lui permettre d'achever l'œuvre de justice et de vérité qu'elle avait commencée [112]. »

Aussitôt, du monde entier, des lettres arrivèrent, tels des bras qui se tendaient vers un homme accablé de toutes les souffrances du monde et qui refusait ostensiblement de plier. L'avocat Fernand Labori fut l'un des premiers à lui écrire. Il aurait voulu retourner le voir dans sa cellule, l'« embrasser à nouveau [113] ». Mais ce lui fut impossible : le préfet d'Ille-et-Vilaine lui avait ordonné de partir le soir même. Alors il écrivit à son client.

Cette condamnation est odieuse. Mais, Dieu merci, le monde entier est avec vous. Vous êtes un admirable martyr, digne de la cause immense d'humanité que vous représentez.

Cette heure cruelle n'est qu'une dernière épreuve passagère, j'en suis sûr. Je ne vous parle pas de courage, vous êtes égal à votre terrible tâche.

Au revoir, à bientôt, laissez-moi vous embrasser de toutes mes forces.

## LE VERDICT SURMONTÉ

Bien que condamné une seconde fois, le capitaine Dreyfus trouva encore des forces pour se battre. Paradoxalement, le verdict lui donnait des raisons d'espérer. Alors que les débats avaient été dominés par le pouvoir sans partage de ses accusateurs, le jugement donnait un coup d'arrêt à leur impunité. Tout en regrettant la nouvelle condamnation, certains dreyfusards reconnurent les points positifs de l'arrêt. Mais l'indignation domina, en France comme à l'étranger. Dreyfus devint le symbole d'une humanité bafouée au nom de la raison d'État. Une vague de solidarité l'enveloppa, lui qui était retourné dans sa prison sans avoir recouvré la liberté. Par tant d'injustice et d'incompréhension, ce jugement rendu « au nom du peuple français » suscita un examen de conscience sur l'état d'une nation et le fonctionnement d'institutions capables de condamner deux fois un innocent et de nier à ce point l'exigence de justice. Après l'île du Diable, Dreyfus fut celui qui disait l'horreur du monde et son espoir en même temps.

Sur le jugement proprement dit, la consigne des dreyfusards s'imposa rapidement de ne pas le tenir pour définitif et de proclamer l'impératif catégorique de la réhabilitation de Dreyfus. La nature du jugement les y aidait puisqu'il ouvrait une brèche dans le dogme de la culpabilité. Les nationalistes ne s'y trompèrent pas et accablèrent d'injures les deux juges qui avaient défié l'État-major en votant l'innocence. L'attitude de Dreyfus restait essentielle dans ces quelques jours où se déterminèrent le sens d'un verdict et la poursuite d'un combat. Malgré la maladie et la réclusion, il prouva une nouvelle fois sa vaillance et sa volonté de la justice.

### La réprobation universelle

Sitôt connue la nouvelle de la condamnation, la réprobation fut indignée chez ceux qui espéraient dans la victoire définitive de la justice. Le lendemain du verdict, Émile Zola écrivit « Le cinquième acte ».

Je suis dans l'épouvante. Et ce n'est plus la colère, l'indignation vengeresse, le besoin de crier le crime, d'en demander le châtiment, au nom de
la vérité et de la justice ; c'est l'épouvante, la terreur sacrée de l'homme
qui voit l'impossible se réaliser, les fleuves remonter vers leur source, la
terre culbuter sous le soleil. Et ce que je crie, c'est la détresse de notre
généreuse et noble France, c'est l'effroi de l'abîme où elle roule.

Nous nous étions imaginé que le procès de Rennes était le cinquième
acte de la terrible tragédie que nous vivons depuis bientôt deux ans. Toutes
les péripéties dangereuses nous semblaient épuisées, on croyait aller vers
un dénouement d'apaisement et de concorde. Après la douloureuse bataille,
la victoire du droit devenait inévitable, la pièce devait se terminer heureusement par le triomphe classique de l'innocent. Et voilà que nous nous
sommes trompés, une péripétie nouvelle se déclare, la plus inattendue, la
plus affreuse de toutes, assombrissant encore le drame, le prolongeant et
le lançant vers une fin ignorée, devant laquelle notre raison se trouble et
défaille.

Le procès de Rennes n'était décidément que le quatrième acte. Et, grand
Dieu ! quel sera donc le cinquième ? De quelles douleurs et de quelles souffrances nouvelles va-t-il donc être fait, à quelle expiation suprême va-t-il
jeter la nation ? Car, n'est-ce pas ? il est bien certain que l'innocent ne peut
pas être condamné deux fois et qu'un tel dénouement éteindrait le soleil et
soulèverait les peuples. [...]

Nous avions bien assisté à des monstruosités, les poursuites contre le
colonel Picquart, l'enquête sur la chambre criminelle, la loi de dessaisissement qui en est résultée. Seulement, tout cela n'est plus qu'enfantillage,
l'inévitable progression a suivi son cours, le procès de Rennes s'épanouit au
sommet, énorme, comme la fleur abominable de tous les fumiers entassés.

On aura vu là le plus extraordinaire ensemble d'attentats contre la vérité
et la justice. Une bande de témoins dirigeant les débats, se concertant
chaque soir pour le louche guet-apens du lendemain, requérant à coups de
mensonges aux lieu et place du ministère public, terrorisant et insultant
leurs contradicteurs, s'imposant par l'insolence de leurs galons et de leurs
panaches. Un tribunal en proie à cette invasion des chefs, souffrant visiblement de les voir en criminelle posture, obéissant à toute une mentalité spéciale qu'il faudrait démonter longuement pour juger les juges. Un ministère
public grotesque, reculant les limites de l'imbécillité, laissant aux historiens
de demain un réquisitoire dont le néant stupide et meurtrier sera une éternelle stupeur, d'une telle cruauté sénile et têtue, qu'elle apparaît incon-
sciente, née d'un animal humain inclassé encore. Une défense qu'on tente
d'abord d'assassiner, puis qu'on fait asseoir chaque fois qu'elle devient
gênante, à laquelle on refuse de laisser apporter la preuve décisive,
lorsqu'elle réclame les seuls témoins qui savent.

Et pendant un mois, l'abomination a duré devant l'innocent, ce pitoyable
Dreyfus, dont la pauvre loque humaine ferait pleurer les pierres, et ses
anciens camarades sont venus lui donner un coup de pied encore, et ses
anciens chefs sont venus l'écraser de leurs grades, pour se sauver eux-
mêmes du bagne, et il n'y a pas eu un cri de pitié, un frisson de générosité,
dans ces vilaines âmes. Et c'est notre douce France qui a donné ce spectacle
au monde.

Quand on aura publié le compte rendu *in extenso* du procès de Rennes,
il n'existera pas un monument plus exécrable de l'infamie humaine. Cela

dépasse tout, jamais document plus scélérat n'aura encore été fourni à l'histoire. L'ignorance, la sottise, la folie, la cruauté, le mensonge, le crime, s'y étalent avec une imprudence telle que les générations de demain en frémiront de honte. Il y a là-dedans des aveux de notre bassesse dont l'humanité entière rougira. Et c'est bien cela qui fait mon épouvante, car pour qu'un tel procès ait pu se produire dans une nation, pour qu'une nation livre au monde civilisé une telle consultation sur son état moral et intellectuel, il faut qu'elle traverse une horrible crise. Est-ce donc la mort prochaine ? Et quel bain de bonté, de pureté, d'équité nous sauvera de la boue empoisonnée où nous agonisons [114] ?

L'indignation de Zola était à son comble. Elle exprimait le sentiment commun des dreyfusards. « Nouvelle faute ! » se souvint le mathématicien Paul Appell [115]. *Le Siècle* titra en une : « Le jugement de lâcheté » et annonça l'érection d'un « monument expiatoire » pour laquelle une souscription était d'ores et déjà ouverte. « Le monument sera élevé sur la place du Palais-de-Justice de Rennes, en face de la statue de La Chalotais. » Yves Guyot consacra son éditorial aux « Cinq lâches », les juges qui jugèrent Dreyfus coupable. Gaston Salles, de Rennes, évoqua la « dernière journée » et la « condamnation d'un innocent [116] ». *Le Radical*, par la voix de Sigismond Lacroix, s'inquiéta de « l'affirmation du pouvoir militaire en face du pouvoir civil » et vit les militaires « acculés à la sédition, au coup de force, au coup d'État [117] ». Degouy, du *Voltaire*, déclara : « Libre à d'autres de s'incliner devant la double autorité de la chose deux fois jugée ! Ceux-là invoqueront, je le sais, des considérations ayant quelque apparence de raison. Mais ma raison, à moi, ne s'incline que devant des preuves, et elle se refuse invinciblement à croire que le bien de notre pays puisse dépendre de la condamnation d'un innocent [118]. »

Dans *Le Figaro*, Jules Cornély se fit le témoin de la barbarie de l'accusation :

J'ai assisté à ce spectacle navrant de généraux dont le passé et les insignes imposaient à ces juges, venant peser sur eux, sans discrétion et sans pudeur, pour leur arracher la condamnation du petit capitaine blanchi prématurément par les horreurs du bagne. J'ai entendu le général Mercier posant devant eux ce dilemme épouvantable, et absurde du reste : « Lui ou moi. »

J'ai vu tous ces chefs et leurs subordonnés dociles répéter une leçon concertée d'avance. Elle constituait un unique et écrasant réquisitoire qui a duré pendant vingt et quelques séances, et qu'on remettait en scène tous les après-midi dans des conciliabules au cercle militaire. Et je conçois les angoisses des juges devant qui évoluait cette troupe d'accusateurs telle que pas un procès historique n'en a vu de semblable [119].

Dans ses *Impressions d'un* spectateur, Jean-Bernard souligna la profonde erreur des juges militaires qui avaient condamné Dreyfus : « Aujourd'hui, les juges de Rennes croient qu'ils servent bien leur religion nouvelle, et qu'ils sauvent l'honneur de l'armée. Car la question est restée tout le temps sur ce terrain : ou Dreyfus ou l'armée. Il est impossible que ces sept juges se prononcent pour l'innocence évidente, ils condamneraient l'armée. Voilà comment ont est parvenu à déplacer la question et voilà pourquoi la condamnation est certaine. [...] Il fallait des juges indépendants, et nous n'avons eu que des officiers condamnant, par mesure disciplinaire, la main à la couture du pantalon [120].» Joseph Reinach écrit qu'il faut « dégager l'honneur de la France [121]». Car le monde entier, du moins dans son opinion civilisée, se dressa contre le verdict.

*L'effroi et la volonté du monde*

Après le verdict de la condamnation du capitaine Dreyfus, réactions et manifestations se succédèrent à l'étranger, particulièrement dans les pays voisins. À Trieste, « à peine la sentence était-elle connue en ville qu'une importante manifestation a lieu. Une foule considérable s'est portée devant la maison du consulat français en poussant le cri de : "Vive Dreyfus !" [122]» Le correspondant du *Figaro* en Grande-Bretagne rapporta la colère de l'opinion publique :

> La nouvelle a produit d'abord une profonde stupéfaction, à laquelle succédèrent immédiatement, de la part de tous, des expressions d'indignation qui dépassent ce qu'on peut imaginer. [...] Jamais je n'ai vu un tel déchaînement de colère contre notre pays. Je n'approuve pas, je rapporte fidèlement ce que je vois et ce que j'entends dans les cercles comme dans la rue. Je n'ai reçu ici que des paroles de réprobation bien pénibles à entendre et que je ne répéterai pas, jointes à des expressions de profonde commisération pour Dreyfus ; puis c'étaient des menaces, et surtout cette opinion exprimée par beaucoup de gens : « L'Exposition est finie, il n'y en aura pas. »
> Les gens plus calmes font observer que Dreyfus en appellera du jugement de Rennes et que ce jugement sera cassé comme celui de 1894. Je ne puis, en terminant, que constater que je n'ai entendu que des expressions de colère et d'indignation, sans exception, et que l'impression, on peut dire unanime, nous est profondément défavorable, pour ne pas dire hostile [123].

L'opinion anglo-américaine fut particulièrement mobilisée contre le jugement de Rennes [124]. Elle insista sur le crime juridique qui venait de se produire, sur la faillite de la justice et la violation du droit. Les études de juristes se multiplièrent, en Grande-Bretagne notamment [125]. L'opinion libérale appela dans la foulée au boycott de l'Exposition universelle qui devait ouvrir en 1900 à Paris. Des images saisissantes furent publiées dans la presse, dont « The French "Exhibition", 99 » qui montrait le capitaine Dreyfus dans une cellule, avec inscrite sur le mur la devise républicaine. La nouvelle condamnation était d'autant plus insupportable que beaucoup savaient, parmi les élites politiques et intellectuelles d'Europe, que les preuves de l'innocence de Dreyfus étaient innombrables. Le jour du verdict, le mathématicien suédois Mittag-Leffler répondit à son collègue français Charles Hermite – d'opinion plutôt antidreyfusarde – qui lui demandait « ce qu'on pense à l'étranger sur cette malheureuse affaire de Dreyfus » :

> J'inclus une coupure du *Journal de Genève* qui exprime l'opinion que je sais unanime partout en dehors de la France. J'ai eu l'occasion de parler pendant le courant de cette année avec un souverain et un prince héritier du trône – de deux pays différents – sur l'affaire Dreyfus. Tous les deux disaient très formellement que tous les cabinets de tous les pays savaient parfaitement que Dreyfus est innocent du crime pour lequel il a été condamné [126].

En Allemagne, le verdict fut accueilli « avec un sentiment de stupeur ». Le correspondant du *Figaro* se vit faire la leçon par l'un des principaux collaborateurs de la *Gazette de Cologne* : « Si nous étions, comme on nous en accuse constamment chez vous, les ennemis de la France, nous nous réjouirions d'un jugement pareil ! En réalité il nous indigne, comme il indignera les gens de cœur du monde entier. » À la *Gazette populaire de Cologne*, « le journal catholique ultramontain le plus important d'Allemagne », on lui déclara : « Mais les catholiques français sont donc frappés de démence ? Et que signifie ce verdict : "circonstances atténuantes" ? [...] Nous ne comprenons pas. Mais cette affaire-là est si claire que vous devez recommencer à lutter demain ! Il faut que la lumière se fasse, et elle se fera, si vous le voulez [127]. »

Le gouvernement allemand et l'empereur avaient cependant agi avec une prudence très diplomatique. À la suite du rejet par le conseil de guerre, le 7 septembre 1899, de la requête de Fernand Labori visant à faire entendre par commission rogatoire le colonel von Schwartzkoppen [128], l'avocat obtint de Mathieu Dreyfus [129] l'autorisation de télégraphier à Guillaume II. « Quand il reçut la dépêche, [il] était à Strasbourg, à table, raconta Joseph Reinach. Il la passa à quelques-uns de ses convives, qui ne surent pas quoi dire, mais leur visage marquait de la surprise et du scandale. Après un peu de silence, l'empereur dit, au contraire, qu'il appréciait fort le sentiment qui avait dicté la requête de Labori [130] ». L'avocat espérait un geste personnel de Guillaume II. Pour Joseph Reinach, un tel geste était néanmoins impossible : « Impossible d'envoyer Schwartzkoppen à Rennes, au milieu d'une telle agitation des esprits. Impossible que l'empereur parle lui-même, s'expose au démenti direct d'un verdict de condamnation [131]. »

Le *Moniteur de l'Empire* se contenta de renouveler les déclarations que le gouvernement impérial avaient faites, « afin de sauvegarder sa dignité propre », en décembre 1894, en janvier 1895 et le 24 janvier 1898 lorsque, devant la commission du Reichstag, le secrétaire d'État Bülow avait déclaré « de la façon la plus formelle qu'entre l'ex-capitaine Dreyfus, actuellement détenu à l'île du Diable, et n'importe quels organes allemands, il n'a jamais existé de relations ni de liaisons de quelque nature qu'elles soient ». Le 9 septembre, avant la dernière audience, Maurice Paléologue communiqua lui-même la note allemande aux juges du conseil de guerre[132]. « C'est-à-dire que le gouvernement de la République y ajoutait sa signature », insista Joseph Reinach[133]. Néanmoins, l'Allemagne n'avait pas reconnu que le coupable de la trahison se nommait Esterhazy.

Mais le caractère fondamental de l'Affaire était qu'elle dépassait le cadre des États pour embrasser la réalité d'une conscience mondiale comme en témoignèrent les lettres adressées au capitaine Dreyfus. Déjà de nombreux particuliers de Grande-Bretagne et des États-Unis lui avaient écrit personnellement durant tout le procès, et plus nombreux encore furent les étrangers qui le firent après le verdict. Il n'y avait plus de nation ni de nationalité : seuls semblaient compter le devoir de justice ou la vertu du courage. Le conseiller d'État de l'empereur de Russie, Schoulepnikov s'adressa à lui en ces termes :

> Je viens me joindre à la nombreuse phalange de ceux qui vous ont exprimé leurs sentiments de vive sympathie et de profonde estime. Oui, c'est à un besoin impérieux de mon cœur que j'obéis en vous exprimant ces sentiments, et je puis vous assurer qu'ils sont partagés par mes compatriotes.
>
> J'espère que vos douloureuses épreuves ne dureront plus longtemps ; dans tous les cas, votre nom sera le synonyme d'une âme noble et élevée ainsi que du courage héroïque de l'homme qui se sait innocent, tandis que le nom de vos ignobles adversaires sera cloué pour toujours au pilori du mépris universel[134].

### Le souffle d'une grande cause

L'espoir du monde civilisé pour la justice à venir envahit aussi les dreyfusards en France, conscients d'avoir mené un combat d'une haute moralité quand bien même son issue n'avait pas été celle attendue. Les espérances nouées à la veille du verdict n'avaient pas disparu. Elles se renforçaient même.

Pour Jules Cornély, la vérité du procès était dans cet engagement pour une cause que n'interrompait en rien le verdict. Le 10 septembre 1899, « après l'arrêt », il écrivit dans Le Figaro sa confiance, fruit de l'adhésion de « tout ce qui pense en Europe », dans la cause de l'innocence de Dreyfus.

> Ce jugement nous afflige profondément, nous n'hésitons pas à l'avouer. Non pas pour nous, grand Dieu ! Nous sommes contents de notre sort. Nous sommes satisfaits de notre rôle. Nous ne regrettons rien de ce que nous avons fait, et, le cas échéant, nous recommencerions sans la moindre arrière-pensée.
>
> Que voulions-nous ? Nous voulions qu'une erreur judiciaire, qui nous paraissait probable, fût réparée. Nous voulions qu'une victime des passions antisémites fût sauvée. Nous avons obtenu ou tout au moins nous avons

contribué à obtenir la révision, c'est-à-dire la proclamation de l'innocence probable de Dreyfus par la cour suprême de ce pays-ci, et avec des considérants qui permettent de transformer en certitude morale les présomptions admises par la Cour de cassation.

Nous avons obtenu qu'aujourd'hui l'honneur soit rendu à Dreyfus, aux yeux de tout ce qui pense en Europe et aux yeux des plus notables représentants de la pensée française. Dreyfus était un traître abhorré du genre humain. Aujourd'hui, pour tout l'univers civilisé et une partie de la France, Dreyfus est un martyr. Et ce résultat, nous l'aurons obtenu sans une seule phrase où l'armée eût le droit de voir une injure tombée de nos plumes[135].

La grande voix du *Figaro* ne regrettait en rien le combat qui avait été mené pour Dreyfus et les valeurs qu'il incarnait. « Cette campagne ardente mais courtoise, poursuit Cornély, a groupé autour de ce journal les adhésions et les amitiés les plus précieuses, fondées sur les sentiments les plus purs et les plus nobles. Et pour en augmenter la saveur et l'attrait, nous avons goûté la jouissance d'être outragés par des industriels que fait parler et agir la plus basse concurrence commerciale. Nous nous sommes mis du côté de la vérité probable, de la justice vraisemblable, de la générosité certaine, et aussi du côté de l'apaisement qui eût indiscutablement résulté d'un acquittement. »

Nous avons conscience d'avoir servi une grande cause. Nous resterons les serviteurs de toutes les grandes causes et nous tiendrons les fenêtres de notre logis ouvertes pour entendre de plus près les cris des opprimés et les plaintes des victimes. Nous voulons rester ce que nous sommes, c'est-à-dire un organe conservateur, mais qui conserve seulement ce qui doit être conservé, et non les détritus du passé qui infecteraient la demeure. Nous voulons être aussi un organe libéral, un organe de liberté, de liberté chrétienne, mais qui défende cette liberté sans chercher à s'en servir pour énerver le pouvoir ou opprimer les consciences dissidentes. Et enfin, nous voulons rester plus que jamais ce que nous avons toujours essayé d'être : un journal de critique indépendante qui s'efforce de donner au monde l'écho fidèle de la conscience française[136].

Au centre de cette conscience pour un combat juste se trouvait Dreyfus. Toute une humanité était née dans la solidarité avec son propre combat, de la résistance à l'île du Diable à la défense au procès de Rennes. Et c'est vers lui qu'elle se tourna à l'heure de la condamnation. « Le fait nouveau surgira bientôt, écrivit le commandant Forzinetti, c'est l'espoir de Dreyfus, de tous les siens et de tous ceux qui ont pris position pour l'innocent, pour la justice et la vérité[137]. »

### Hommages et solidarités pour le capitaine Dreyfus

Dreyfus et sa femme n'avaient cessé de recevoir des centaines de lettres durant le procès, lettres de félicitations pour sa défense héroïque ou de soutien entier pour l'avenir. Louis Havet l'avait ainsi félicité le

21 août pour sa « parole si ferme, si digne, si nette et si sobre » qui a produit ce matin-là « un grand effet ». Il en avait apporté le témoignage à Lucie Dreyfus, mais il voulait le lui écrire aussi. « Les amis de la justice n'avaient pas la permission de vous applaudir, mais ils ont le droit de vous exprimer en particulier la chaude sympathie avec laquelle ils vous ont écouté en silence. C'étaient vos lettres, autrefois, qui soutenaient leur courage, et maintenant c'est vous-même qui entretenez leur confiance et leur allégresse. Ma femme tient à ce que je vous dise la joie que mon récit lui a causée et que nos lettres vont communiquer à d'autres [138]. »

À la veille du verdict, la célèbre actrice Réjane avait écrit à Lucie Dreyfus : « Il m'est impossible aujourd'hui, chère madame, de ne pas vous écrire pour m'associer à vous et aux vôtres ; dans le trouble où nous sommes, je ne sais que vous dire et vous n'avez pas le cœur à me lire. Quand vous recevrez cette lettre, vous serez sans doute bien heureuse ! Permettez-moi de prendre vos chers enfants dans mes bras et de leur souhaiter en même temps que cette lettre la venue d'un absent chéri. Vous savez à quel point vous pouvez compter sur nous [139] ! »

Après le verdict, Dreyfus reçut des milliers de lettres qui témoignèrent de l'effroi général devant la nouvelle condamnation et qui lui apportaient le meilleur des soutiens pour l'effort qu'il devrait encore accomplir jusqu'à la réhabilitation finale [140]. Beaucoup de personnalités qui l'avaient accompagné dès 1898 et même avant lui dirent leur soutien total et leur profonde affection. La volonté de faire savoir publiquement leur solidarité, en adressant généralement copie de leur lettre aux journaux, prouva leur détermination à poursuivre les engagements nécessaires. « Mon capitaine », commença, solennel, Émile Duclaux,

vous avez gagné la première partie, à moitié perdu la seconde, vous gagnerez la troisième si vous consentez à vivre ; mais il y a un certain nombre de croyances, auxquelles vous teniez beaucoup, que l'arrêt qui vous frappe a tuées sans qu'elles puissent jamais revivre. Si cette idée vous est une tristesse de plus au milieu de vos douleurs, comme je le crois, dites-vous comme compensation que vous avez présidé à un réveil des consciences, que vous êtes le premier soldat qui ait fait passer un frisson commun de sympathie et de fraternité humaines dans le cœur de nations qui ne se connaissaient pas et que, tandis que nous nous déchirons en France, il y a une sorte de communion des âmes dans le monde civilisé, et elle se fait sur votre nom, et elle se fait sur votre innocence.

Cette idée peut ajouter à votre courage, vos nouvelles souffrances vont contribuer à fortifier la foi commune ; au jour de votre triomphe, ce sera un épanouissement, et j'ai quelque idée que les temps en sont proches [141].

Louis Havet adressa un nouveau et très solennel message qui disait le caractère exemplaire de l'attitude de l'accusé à Rennes. Comme

Duclaux, il l'appela « mon capitaine », forme d'hommage à celui qui restait l'officier innocent qu'il avait toujours été, qui était digne d'appartenir à l'armée de la République et qui éclairait de son courage ceux qui s'étaient battus pour lui. À cet instant de la défaite, Dreyfus incarnait le visage de la France :

> Vous êtes de ceux qu'on ne songe pas à consoler ou à réconforter, puisqu'ils sont eux-mêmes une source de courage pour les autres.
>
> Si je vous écris, c'est que je pense au pays plus encore qu'à vous-même, c'est que c'est l'honneur de la France qui vient d'être flétri et qu'en s'inspirant de votre énergie, vos amis vont lutter pour le salut de leur patrie, aussi bien que pour la justice. Ce que je veux, c'est que, dès ce soir, vous ayez conscience de la nouvelle vertu qui va sortir de vous.
>
> De nouveaux amis, avec les anciens, ont entouré tout à l'heure Mme Dreyfus et notre cher Mathieu. Heureux, mon capitaine, ceux qui ont mérité votre estime [142] !

Le philosophe Émile Boutroux, qui signa sa lettre en tant que directeur de la fondation Thiers, lui écrivit dès le 10 septembre, lui donnant lui aussi du « mon capitaine ». Il insista sur son « héroïsme » : « Votre malheur est un malheur national. Vous le supportez avec votre héroïsme calme et respectueux du devoir, avec espoir aussi, avec confiance, pour votre admirable femme, et vos enfants, et pour la patrie, dont l'honneur désormais est solidaire du vôtre [143]. » Le poète Jules Barbier rendit hommage au meilleur des soldats, emblème de l'armée vertueuse et démocratique dont la France avait besoin :

> Ne doutez pas de l'âme de votre chère France. L'inébranlable courage qui vous soutient en est le lumineux symbole et, en la jugeant d'après vous-même, conservez entière cette foi qui vous a fait vivre et qui provoque l'admiration de tout le monde civilisé. La conscience française s'est réveillée et vous rétablira bientôt dans vos droits, c'est-à-dire dans votre honneur.
>
> Ce qui assure votre salut, mon capitaine, c'est que vous résumez en votre personne la liberté individuelle, le droit et la justice outragés. Votre cause est la plus sainte qui ait ému notre histoire. Nous la défendrons avec l'enthousiasme inextinguible des apôtres. Je plains les sots qui ont douté.
>
> Merci pour l'armée française de votre héroïque attitude. La beauté de votre caractère rachète les turpitudes de ceux de nos officiers, vos égaux et supérieurs hiérarchiques trop nombreux, hélas, qui se sont révélés si indignes d'appartenir au même corps que vous. Grâce à vous et à quelques-uns de vos camarades et même de vos juges qui ont osé vous défendre, on peut encore être soldat sans rougir, et mon patriotisme, si cruellement éprouvé depuis deux ans, reprend courage à la pensée que, malgré tout, un Français peut être fier de faire partie d'une armée où se forment des âmes comme la vôtre. Le capitaine Dreyfus en restera l'éternel honneur, et son héroïsme fera oublier son supplice qui en eût été l'éternelle honte.
>
> Veuillez agréer, mon capitaine, l'hommage de ma pieuse admiration pour le noble martyr que vous êtes [144].

Le sacré qui émanait du courage de l'homme face au destin boule-versa aussi des hommes d'église comme l'abbé J. Viollet, fils de Paul Viollet, professeur à l'École des chartes et fondateur du Comité catholique pour la défense du droit. Dieu était dreyfusard, déclara en substance l'ecclésiastique : « Permettez-moi de vous envoyer l'expression de ma douloureuse sympathie. Le jugement d'hier est à la fois une atteinte à la raison et à la justice. Il n'atteint pas votre honneur de Français et de soldat ; mais il fait de vous un martyr et un héros. Vous savez que le monde entier proclame votre innocence et que, même dans notre malheureux pays aveuglé par la haine et la passion, tous les gens d'honneur savent votre innocence. La justice divine saura rendre à chacun selon ses œuvres. C'est la seule pensée qui puisse vous soutenir dans ces moments d'arbitraire et d'injustice. Je prie Dieu qu'il fasse éclater sa justice et qu'il rende à notre malheureux pays le sens de la justice et de la charité [145]. »

André Chevrillon fut aussi de ceux qui écrivirent à Dreyfus pour lui dire le jugement de l'histoire qu'il était en droit d'incarner, comme successeur reconnu d'Ernest Renan. Il lui restitua sa propre histoire devant l'Affaire :

> Laissez-moi vous répéter que notre foi en votre innocence est désormais inébranlable ; que vous avez non seulement notre ardente sympathie née du sentiment blessé de la justice, mais notre admiration pour votre héroïsme, pour votre fierté et votre énergie dans le martyre.
>
> En 1894, votre cri d'innocence m'avait profondément troublé, et, dès ce moment, la férocité de vos bourreaux, la bassesse des passions antisémites dont vous étiez la victime, l'acharnement contre un homme jeté à terre, des journaux de haine et de mensonge, tout cela m'a fait dès cette époque souhaiter que vous fussiez innocent et que votre innocence éclatât. En 1896, j'ai su que vous aviez été frappé par-derrière avec des pièces secrètes ; dès l'automne de 1897, j'ai cru à votre innocence et j'ai espéré et désespéré avec ceux qui luttaient pour vous. Pendant ces deux années, vous avez été notre constante, je puis dire notre unique pensée. C'est par la France, c'est par nous que vous avez tant souffert ; la patrie a été coupable envers vous. C'est pour cela que cette injustice nous touche de si près, nous remue si douloureusement. C'est pour cela que nous nous inclinons très bas devant votre souffrance, que nous voudrions la panser avec des mains attentives et tendres, que pieusement nous apprendrons à nos enfants à vous aimer et à honorer votre nom.
>
> Répétez-vous, mon capitaine, que le verdict de samedi n'est rien ; les pièces du procès sont là, les dépositions de soixante témoins passionnés ou intéressés à vous perdre. L'histoire n'en peut rien conclure que votre innocence et une grande leçon morale pour la postérité [146].

Jean Psichari adressa sa propre lettre au *Siècle* depuis Perros-Guirec et la maison d'Ernest Renan, *Rosmapamon* : « Veuillez m'associer à toutes les protestations en faveur de Dreyfus [147]. » Le 12 septembre, G. de Molinari proposa une *Adresse à Dreyfus* [148]. Des sections de la

Ligue des droits de l'homme l'assurèrent de toute leur solidarité. Celle de Lyon, menée par le docteur R. Lépine, se déclara « confiante dans la force invincible de la vérité » et affirma une fois de plus sa « conviction inébranlable du triomphe prochain de la justice [149] ». Le docteur Pécaut inspira le message de la section de Bellocq [150]. Le même jour était publiée la lettre que le comité central de la Ligue envoyait à tous ses membres : « Comme par le passé, nous continuerons cette campagne de justice et de vérité sans faire appel à la violence et avec les seules armes de la liberté. Nous y serons plus dévoués que jamais pour le repos de nos consciences et pour l'honneur de la France [151]. »

*L'engagement renouvelé*

Les messages de soutien et les déclarations d'engagement se multipliaient. Le jeune normalien et futur historien François Simiand envoya à Élie Halévy une lettre très décidée [152]. Lucien Herr écrivit au même Élie Halévy et accompagna sa lettre d'une courte circulaire. Une *Adresse à Dreyfus* fut imaginée par les intellectuels et lancée dans *Le Siècle* et dans *L'Aurore* [153] :

Les soussignés, présents à Rennes le 9 septembre 1899, sortent des audiences du conseil de guerre plus convaincus que jamais de votre innocence et vous expriment la profonde douleur que leur cause votre nouvelle condamnation. Deux de vos juges, deux officiers courageux ont donné raison à vos défenseurs, les autres, en accordant les circonstances atténuantes à un crime qui ne comporte pas d'atténuation, laissent voir le trouble de leur conscience. Ne craignez pas que nous vous abandonnions. Nous prenons l'engagement de rester fidèles à la cause de la justice et de la vérité.
Aubry, professeur à la faculté de droit ; Basch, professeur à la faculté de droit ; Berl, avocat ; Barbey, secrétaire de Me Labori ; Ph. Dubois ; Laroche, ancien lieutenant de vaisseau, résident général des Colonies ; Morhardt et Gaston Deschamps ; Desmoulins, graveur ; Guieysse, député ; Molinier, professeur à l'École des chartes ; Cavalier ; Sée, professeur à la faculté des sciences ; Havet, professeur au Collège de France ; Bottin-Giry, professeur à l'École des chartes ; Georges Bourdon ; Leyret et Guillars ; Hérold, homme de lettres ; Amédée Bouquet ; Jean Jaurès ; René Viviani, député ; Henri Turot ; Paul Lacour ; Trarieux, ancien ministre de la Justice ; Gabriel Trarieux, fils du précédent ; Bruyerre, ex-lieutenant de réserve ; docteur Brissaud ; docteur Paul Reclus ; Henri Dabadie ; Jules Koenig ; de Bruchard ; Jean Bertrand ; Painlevé, maître de conférences à l'École normale supérieure [154].

Les listes suivantes [155] recueillent la signature de Paul Viollet, membre de l'Institut (16 septembre) ; la marquise Arconati-Visconti née Peyrat ; le docteur R. Lépine et Jean Lépine, interne des hôpitaux de Lyon ; Henri Stapfer, avocat à la cour d'appel (17 septembre) ; Edmond Stapfer, professeur à la faculté de Paris, qui écrit de Pont-Aven le 15 septembre ; Pécaut, professeur de philosophie au lycée d'Orléans. Le 19 septembre, Camille Bloch, Louis Bloch et de nombreux représentants des familles Monod et Babut. Auguste Bréal, de Plombières-les-Bains ; Émile Boutmy, au 27, rue Saint-Guillaume. Jean Monod, doyen honoraire, membre de la Ligue des droits de l'homme ; Bonnet, professeur à l'université de Montpellier ; G. Colomb, sous-directeur du laboratoire de botanique de la Sorbonne. Albert Réville, encadré par de nombreux ouvriers. Le 6 octobre, Gustave Bloch, maître de conférences à l'École normale supérieure ; le docteur Netter, agrégé de la faculté de médecine, médecin de l'hôpital Trousseau. Le 12 octobre, le docteur L. Bard, professeur à la faculté de médecine de l'Hôtel-Dieu ; M. Georges de Lystré, « jeune universitaire qui n'a pas encore les reins assez solides pour manifester sous son véritable nom ses sentiments d'équité les plus élémentaires ».

L'Adresse à Dreyfus imaginée par les co-témoins de Rennes n'appelait pas à un rejet de l'arrêt, contrairement à la première initiative du Siècle qui avait proposé l'érection du « monument expiatoire ». L'objectif était bien la relance immédiate de la justice et l'engagement renouvelé en faveur de la réhabilitation.

D'autres regards se tournèrent vers Zola qui avait été l'un des principaux artisans de la révision. Thadée Natanson, le directeur de la Revue blanche, imagina, avec ses frères Alexandre et Alfred et ses amis d'Étretat, une adresse à l'écrivain. « Heureux de voir le grand Français Émile Zola rentrer dans la lutte pour le triomphe de la justice et de la vérité », ils prenaient « le solennel engagement de le suivre toujours pour permettre que la France redevienne la noble patrie des immortels principes de 1789[156] ».

La tendance qui se dessinait chez les dreyfusards était d'accepter le jugement en attendant de pouvoir le casser par des voies légales. Le principe de légalité restait fort[157]. Mais rien n'empêchait de « continuer » comme l'écrivit Élie Halévy à Xavier Léon dès le 12 septembre. Il considérait avec un certain optimisme l'évolution de l'opinion qui ne suivait plus désormais aveuglément la propagande nationaliste. L'initiative pouvait même revenir désormais aux dreyfusards.

Joseph Reinach annonça lui aussi sa volonté de poursuivre le combat, de « continuer la bataille[158] ». Jaurès dans La Petite République, Viviani dans La Lanterne, Clemenceau dans L'Aurore, exprimèrent les mêmes convictions. L'espoir résidait dans la rapide publication de l'édition in extenso des débats du procès, afin de pouvoir se mettre au travail et convaincre aussi une opinion insaisissable de la nécessité de la pleine et entière réhabilitation. Arthur Giry écrivit le 22 septembre, en son « ermitage » : « Je m'applaudis de cette publication prochaine parce qu'il nous faut redouter maintenant le coup d'éponge. Ce serait l'humiliation irréparable. À tout prix il faut susciter une opinion publique et rien n'y peut mieux servir que la prompte publication du procès de Rennes[159]. » D'Apt, Paul Meyer demanda à Pierre-Victor

Stock, qui travaillait à la publication des trois volumes, les épreuves de sa déposition [160].

La recherche de faits nouveaux, propres à appuyer une nouvelle révision, commençait déjà. Jules Andrade s'adressa au garde des Sceaux, en qualité de « professeur à la faculté des sciences de Montpellier », pour faire reconnaître comme motif de révision la lettre du colonel Chauvet [161], attaché militaire suisse à Paris en 1896. Il disait à Monis que la « vérité vraie » s'imposait sitôt qu'elle était connue. Il en allait de la justice comme du patriotisme. La lettre fut aussitôt publiée par Le Siècle (20 septembre) : « Voici ce que ma conscience m'ordonne d'ajouter sans réserve aucune : on parle beaucoup, à l'heure qu'il est, de la vérité légale ; c'est là une fiction nécessaire que tout citoyen doit respecter lorsque la loi ne peut pas faire la lumière ; mais aujourd'hui la vérité vraie est connue, et elle peut être rendue évidente pour tous ; en tout cas, ceux qui la connaissent seraient indignes du nom de Français s'ils se résignaient à l'hypocrisie du silence. J'affirme donc que le conseil de guerre de Rennes s'est grossièrement trompé ; je jure que le capitaine Dreyfus est innocent et je me dis prêt à le prouver rigoureusement devant une chambre de justice [162]. »

Gabriel Monod resta lui aussi mobilisé. Ainsi transmit-il au Siècle, pour témoigner de « l'esprit de l'armée », le récit d'une conversation « recueillie textuellement, le vendredi 8 septembre, dans un wagon de Versailles-Montparnasse [163]. [...] Elle donne sous une forme naïve le fond même des sentiments qui ont dicté le verdict des juges de Rennes. » Ce témoignage parmi d'autres permettait une compréhension du verdict de Rennes : au-delà des aspects techniques du procès, il y avait un climat politique et idéologique révélé par les débats et qui aura pesé sur l'arrêt du conseil de guerre. Cette clef de la condamnation exigeait d'envisager une révolution politique, sociale et morale.

## Premiers dreyfusismes

Cet engagement renouvelé, jamais interrompu, reposait sur l'idée de la loi, qui avait été bafouée dans le procès et le verdict. La défense de la légalité républicaine était de ce point de vue la meilleure des armes des dreyfusards. Il importait aussi que les ennemis du capitaine ne pussent, avec le jugement, se prévaloir du droit, de la légalité, de la loi. Georges Clemenceau se fit le porte-parole de cette exigence dans L'Aurore :

Quoi ! on ose nous donner pour conclusion de cette effroyable affaire un traître acquitté, un innocent condamné, et demain de lâches pharisiens qui savent Dreyfus innocent nous diront : « Taisez-vous, acceptez le verdict, c'est la loi ! »

Non ! ce n'est pas la loi. La loi a été violée dix fois, cent fois contre Dreyfus, et nous n'invoquons pour le sauver que l'aide de la loi. La Cour de cassation a donné un mandat limité au conseil de guerre. Il en est sorti sciemment. La Cour de cassation doit faire prévaloir la loi contre ceux qui ont affecté de n'en tenir pas compte.

L'instinct de justice est suprême dans l'homme, et la loi n'en est que l'instrument. Nous voulons la justice par la loi. Nous l'aurons. [...] C'est la volonté de justice qui agit en nous, mais c'est en même temps, nous sommes fiers de le dire, l'amour de la patrie que nous ne voulons pas livrer aux criminels qui vont triompher d'un verdict obtenu au prix de quelles violations des lois.

Demain, les peuples stupéfaits chercheront ce qu'il reste des traditions historiques qui firent de nous les champions du droit par toute la terre. Un cri va retentir dans le monde : « Où est la France ? Qu'est-il advenu des Français ? » Seuls les bons soldats de la justice auront le droit de répondre : « Présents ! »[164]

Mais la défense de la loi ne semblait plus suffire. Les institutions devaient être démocratisées, l'esprit public transformé. Albert Réville écrivit deux longs articles que publia *Le Siècle*, pour tenter de comprendre et d'expliquer le verdict de Rennes, et en dégager toutes les conséquences pour l'avenir de la France républicaine[165]. Ce professeur d'histoire des religions opéra un véritable examen de conscience. Parmi les institutions à réformer, la justice militaire se désignait d'elle-même. C'étaient de « belles batailles » en perspective, comme l'écrivit François Simiand à Élie Halévy[166] ; « Jean-George » (pseudonyme du pastorien Émile Duclaux) s'exprima dès le 19 septembre à travers une série d'articles publiés dans *Le Siècle*. Il proposa la révision des conseils de guerre[167], comme Zola, qui jugeait impossible qu'« un conseil de guerre défasse ce qu'a fait un conseil de guerre[168] ». Pour sa part, Henri Hauser dégagea en historien « quelques résultats de l'Affaire », en soulignant la conscience des officiers qui avaient su aller contre les juges militaires, et en se persuadant de la « réhabilitation, prochaine et fatale, du condamné » :

Nous avons le droit d'enregistrer, pour la France et pour l'humanité, un certain nombre de gains positifs : nous avons enfoncé dans l'âme du peuple le sens de la légalité. On ne verra plus chez nous, j'imagine, aucun tribunal, civil ou militaire, juger un accusé, sans lui dire de quoi on l'accuse. Des juges hésiteront à condamner deux fois de suite un innocent : ils craindront de rencontrer, parmi eux, quelques-unes de ces consciences que rien n'entame. On ne dira plus de la France qu'elle est une nation usée, nation de sceptiques et de dilettantes. On ne croira plus que les Lemaître et les Coppée représentent l'esprit français. On saura que notre armée renferme des Sébert, des Hartmann, des Carvallo[169].

Dans *Le Siècle*, son collaborateur le protestant Raoul Allier, agrégé, opposa aux juges militaires « les plus éminents professeurs de l'École des chartes et du Collège de France [...] dont il fallait récuser la compétence[170] ». La suppression ou la réforme des conseils de guerre, qui ne fut acquise que près d'un siècle plus tard, ne devait constituer qu'un élément d'une démocratisation en profondeur de l'État républicain et de la société qui passait par une active politique de laïcité. Au lendemain de l'arrêt de Rennes, un modéré libéral, Jonnart, actif soutien de la « défense républicaine » avec son gendre Édouard Aynart, s'exprimait à ce sujet dans une lettre retentissante publiée par *Le Figaro* le 24 septembre 1900 : « C'est l'odieuse doctrine à laquelle les *Provinciales* ont infligé une impérissable flétrissure qui vient de triompher à Rennes : cette doctrine s'enseigne quelque part. » Dans l'immédiat, les dreyfusards considérèrent, pour certains tout au moins, le caractère paradoxalement encourageant du verdict du 9 septembre.

## Une lecture positive de l'arrêt

En effet, dans le contexte qui fut celui d'un procès politique, le jugement pouvait aussi attester d'une forme d'indépendance du conseil de guerre. Il pouvait démontrer une volonté certes minoritaire, mais réelle, de juger en vertu du droit et de la vérité, il pouvait signifier le choix de résister à la culpabilité décrétée du capitaine Dreyfus. Gaston Paris l'analysa ainsi dans une lettre à Paul Meyer :

> Nous sommes dans une position bien différente de celle où nous serions si, comme je le craignais vraiment samedi, le conseil avait, et à l'unanimité, renouvelé purement et simplement la sentence de 1894. Deux décisions d'innocence, cinq admissions de circonstances atténuantes qui équivalent à cinq aveux de doutes, c'est un pas immense de fait.
>
> S'il est vrai, comme les *Débats* le disent ce matin, que les juges aient à l'unanimité signé un recours en grâce, cela équivaut à la reconnaissance de leur conviction de l'innocence de l'accusé. Il est certain à mes yeux qu'un nouveau conseil l'acquitterait. Maintenant quels sont les moyens de le saisir ? Je n'en sais rien encore, j'attends les renseignements qui vont nous arriver. Je suis disposé à faire *pro parte civili* ? tout ce qui pourra conduire à ce but, mais il faut suivre au juste les voies et moyens. Je ne souscrirai pas en tout cas au « monument expiatoire » du *Siècle*. Cela me paraît une idée absurde. Il y a, voilà mon sentiment, un joint ouvert ; il faut y pénétrer doucement, l'élargir et faire enfin sauter les forts qui enferment la justice et le patriotisme. Il n'y a qu'à attendre. Mais je suis très meurtri depuis hier[171].

Jaurès fut l'un des plus enthousiastes à voir la victoire dans l'arrêt de condamnation : « L'arrêt de Rennes aura plus fait que toutes nos démonstrations pour prouver au pays l'innocence de Dreyfus martyrisé. Et du même coup l'homogénéité réactionnaire de l'armée est brisée. Deux officiers sur sept ont refusé de s'associer à la condamnation scélérate. Cette opposition éveillera à coup sûr dans l'armée elle-même des consciences endormies. Quand on dira devant les soldats : "Dreyfus est un traître", ils auront le droit de dire : "Singulier traître que deux officiers proclament innocent et pour lequel les autres demandent les circonstances atténuantes." Nos ennemis sont perdus. Même leurs crimes servent la vérité [172]. » Clemenceau déclara pour sa part, dans *L'Aurore*, qu'avec ces voix en faveur de l'innocent « l'iniquité [reculait] [173] ».

On sut assez rapidement que les deux juges qui s'étaient prononcés pour l'innocence de Dreyfus étaient le colonel Jouaust et le commandant de Bréon [174]. Reinach put reconstituer dans son *Histoire de l'affaire Dreyfus*, le huis clos des juges. Bréon venait de prononcer sa réponse à la question de la culpabilité de Dreyfus : « Non ».

> Maintenant, tout dépendait de Brongniart. Tout le temps des débats, il avait frappé les spectateurs par son air de belle gravité mélancolique, et, tout le temps du plaidoyer de Demange, il n'avait pas arrêté de prendre « fébrilement » des notes. Jouaust, selon le récit de Barrès, avait déjà « son crayon dans la colonne des "non" ». Brongniart prononça : « Oui ».
>
> Le « non » de Jouaust, qui ne pouvait plus empêcher la condamnation, étonna d'autant plus les cinq qui l'avaient votée. On a raconté que Jouaust, avant même de prononcer son « non », aurait interpellé Brongniart : « Comment ! vous trouvez qu'il y a des preuves... », puis qu'une discussion s'engagea, où l'un des officiers allégua le bordereau annoté ; que Jouaust répliqua avec colère et démontra que c'était un faux ; et que Parfait proposa alors de recommencer le vote, ce qui était contraire à la loi. Mais ce récit, sans être invraisemblable, ne s'appuie sur aucun témoignage. Chamoin, le lendemain, dit seulement à Galliffet que Jouaust, après avoir prononcé son « non », exprima vivement son regret qu'une nouvelle erreur judiciaire, à son sens, eût été commise, insista pour les circonstances atténuantes, les fit voter par cinq voix contre deux, celles de Profilet et de Beauvais, et proposa d'abaisser la peine à cinq ans de détention. Beauvais, d'une âpreté qui sembla suspecte, aurait voulu vingt ans ; finalement, on fixa la détention à dix ans [175].

Cette minorité, qui aurait pu être « de faveur » si le lieutenant-colonel François Brongniart n'avait pas fait taire ses doutes, fut inespérée tant la thèse de la culpabilité de Dreyfus avait dominé les débats. Sa nouvelle condamnation allait révolter légitimement le monde civilisé. Mais ses circonstances étaient moins scandaleuses qu'il n'y paraissait, compte tenu des pressions énormes qui s'exercèrent sur le conseil de guerre durant tous les débats. Deux magistrats, dont le président, s'étaient opposés à la mainmise des généraux sur le procès. Le conseil avait décidé des circonstances atténuantes. Les juges demandèrent également que Dreyfus ne subît pas une seconde fois la peine de dégradation.

Beaucoup de dreyfusards se félicitèrent de l'échec de ceux qui attendaient une condamnation unanime et totale. Ils insistaient sur le courage des deux juges et la signification du verdict. Dans sa lettre du

10 octobre au secrétaire du prince de Monaco, Forzinetti affirma aimer « encore mieux le jugement rendu avec "circonstances atténuantes", ce qui fait rêver, qu'un jugement [d'acquittement] rendu à la minorité de faveur. Ce dernier verdict aurait tout arrêté, tandis qu'il en sera autrement [176] ».

Il n'était pas question pour eux d'attaquer excessivement le jugement. L'initiative du *Siècle* en vue d'ériger un « monument expiatoire » de commémoration du jugement du 9 septembre fut critiquée et finalement abandonnée. Le mot d'ordre était bien davantage à la reprise immédiate des efforts pour gagner la bataille de la réhabilitation, que le verdict n'avait en rien compromise.

La consigne est de tenir l'arrêt du conseil de guerre pour insignifiant et de continuer. Le triomphe des nationalistes, à travers la France, m'a paru piteux, d'ailleurs. N'oublions pas qu'à l'heure actuelle le « pouvoir civil » nous est acquis, et que l'opinion publique, dans sa fraction vraiment républicaine, se défie des militaires encore plus que des Juifs. Il me semble (voilà que mon optimisme renaît de ses cendres) impossible que Dreyfus ne soit pas en liberté avant le 1er janvier prochain.

Que faire d'ailleurs dans un pays où l'opinion est à ce point désorganisée ? Ici, sur mille cinq cents habitants, il y a peut-être vingt dreyfusards. Et les autres ? Sont-ils républicains ou césariens ? Ils ne le savent pas eux-mêmes ; comment, dès lors, pourrais-je répondre à la question ?

Je crois que Herr rentre le 15 à Paris ; je pourrai le voir alors, et te donner quelques indications sur ce qui se fait. La question qui commence à se poser, c'est : si Dreyfus a été positivement condamné [177].

La peine infligée pouvait ouvrir aussi la voie à une libération anticipée, comme l'expliqua Clemenceau qui imagina un « marché de justice ». Avec la législation sur la libération anticipée, il devenait possible de mettre Dreyfus, qui avait déjà « fait cinq ans de détention, en liberté par décision gracieuse ». Mais, ajoutait-il, « ce marché de justice, un verdict de sept juges peut le formuler. La conscience des hommes ne l'acceptera pas. Il faut à l'innocent, avec la vie, l'honneur. Il est moins criminel de le tuer que de le laisser vivre en le déshonorant ».

## La colère des nationalistes

Les nationalistes ne s'y trompèrent pas non plus. Même s'ils proclamèrent leur victoire, leur enthousiasme n'atteignait pas la hauteur de leurs attentes. « La France est sauvée », annonça Henri Rochefort. Mais le directeur de *L'Intransigeant* fut contraint à un artifice rhétorique pour masquer sa déception : « Dix ans de détention ou la déportation perpétuelle, c'est pour nous, sinon pour le traître, exactement la même chose [178]. » *Le Gaulois* salua le général Mercier, les généraux Roget, Zurlinden, Billot, Deloye, « qui ont si vaillamment défendu la cause nationale ». Ernest Judet se répandit dans *Le Petit Journal* et menaça « les faux fils de la vieille France » :

> Dreyfus est condamné une seconde fois.
> La chose déjà jugée est rejugée.
> Le procès de 1899 confirme avec un éclat nouveau celui de 1894.
> Après un mois d'audiences solennelles, où d'innombrables témoignages accusateurs et des charges écrasantes ont dissipé les derniers doutes sur la culpabilité du traître, le verdict définitif est prononcé devant la France, devant le monde, devant l'histoire.
> Tant pis pour l'orgueil et les rancunes inassouvies d'une race rebelle, d'une secte impudente, d'une minorité infime ! La coterie de l'agitation, qui n'a jamais eu d'excuse, s'est mise sans retour hors de la loi. Si elle persévérait, nous serions obligés de réclamer les moyens de répression que le pays imposerait en dépit des faiblesses et des complicités du ministère.
> Silence aux faux fils de la vieille France !
> La maison est à nous, et nous ne consentirons point à en sortir pour y laisser ceux qui l'ont usurpée sans titre, sans droit et sans raison !

Mais leur inquiétude était réelle aussi quant aux réactions possibles qu'ils pouvaient encourir. Le verdict pouvait légitimement leur être imputé puisque leur propagande avait dominé les débats. En même temps, il n'était pas suffisamment décisif pour leur assurer une vraie victoire. Ils virent les risques. Ils firent porter leurs inquiétudes sur les deux juges dissidents en les accablant d'injures. L'ambivalence du verdict expliqua pourquoi la propagande nationaliste se fixa davantage sur les débats et moins sur le jugement lui-même – Barrès en donna l'exemple. Les débats et la domination des généraux sur les juges auraient dû valoir une condamnation totale à Dreyfus. Le verdict était bien un échec pour les nationalistes. Du fait de son indécision et du désaccord du conseil de guerre, il appelait nécessairement au principe de révision. La défense de Dreyfus avait été celle qui s'imposait, celle qu'il avait suivie depuis 1894.

### *« Une foi absolue dans le triomphe final de la vérité »*

« Dreyfus est très vaillant dans sa nouvelle épreuve ; c'est lui qui remonte les siens ! Il a une foi absolue dans le triomphe final de la vérité [179] », relata Albert Sandoz au colonel Schwartzkoppen le 14 septembre 1899. Cette image de la « vaillance de Dreyfus » avait déjà été utilisée par Jaurès pour le décrire à son procès : « Dreyfus a une vaillance admirable. Épuisé par cinq ans de tortures, pouvant encore se nourrir à peine d'un peu de lait, sentant au moindre effort le sang affluer à ses tempes et ses genoux trembler, surpris d'ailleurs par l'acharnement inouï de ses bourreaux dont il croyait naïvement avoir lassé la haine et épuisé les mensonges, il trouve pourtant dans son innocence de merveilleuses ressources d'énergie. Il a vaincu la souffrance ; il a, pour ainsi dire, vaincu la mort ; il a vaincu la folie. Il saura vaincre la conjuration suprême des grands criminels qui s'obstinent sur leur proie [180]. »

Le pourvoi en révision que Dreyfus déposa le lendemain de sa condamnation s'inscrivit dans cette énergie et cette volonté de voir, à la fin des fins, son innocence reconnue. Sans illusions sur le résultat de sa démarche, il choisissait cependant de l'accomplir afin de se maintenir dans l'ordre juridique et d'en appeler au droit. Il s'en expliqua dans *Cinq années de ma vie*, dans ses *Carnets* et dans ses *Souvenirs* restés inédits, là où il produisit une analyse méthodique et sans complaisance d'un procès d'État [181]. Et, comme certains dreyfusards, il releva le fait capital des deux voix qui s'étaient portées sur son innocence.

Aurais-je pu penser, quand le procès s'ouvrit, que celui-ci allait s'éterniser, les discussions reprendre plus âpres que jamais ? La force me manque pour décrire ces journées affreuses ; la salle des audiences était comble, le public surexcité, l'ambiance pénible pour moi qui devais concentrer toute ma volonté à suivre les débats sans défaillance physique. Après les premiers interrogatoires, je dus entendre de nouveau ce qui avait été dit, avec une légèreté inouïe, au procès de 1894, sur la discussion technique et matérielle du bordereau. [...] Lebon, mon bourreau, parut à la barre et n'exprima aucun regret de sa cruauté. C'est ainsi que chaque jour m'apportait une nouvelle douleur ; je rentrais tous les soirs épuisé de tant de vilenies. Mais je dus boire le calice jusqu'à la lie.

Réuni le 7 août, le conseil de guerre de Rennes ne voulut rien savoir ni de l'enquête de la Cour de cassation ni des limites judiciaires tracées par son arrêt. Toutes les anciennes accusations, quoique détruites par l'enquête de la cour suprême, furent reprises, de nouvelles furent produites. Les adversaires, le général Mercier, le criminel en chef en tête, prirent la direction des débats et, par la puissance du grade et l'audace de leurs mensonges, imposèrent leurs arguments aux juges.

Ceux-ci étaient subjugués ; ni la déposition si claire, si convaincante du colonel Picquart [182] ni celle d'officiers compétents ne parurent produire sur eux un effort de compréhension. Il est certain aussi que le bordereau « annoté », ce faux éhonté que bien entendu on n'osa sortir ouvertement, y joua un rôle occulte [183].

Ainsi, malgré l'évidence la plus manifeste, je fus condamné. Et le verdict fut prononcé avec circonstances atténuantes ! Depuis quand y a-t-il des circonstances atténuantes ? Le verdict montra bien le trouble des juges.

Deux vois se prononcèrent cependant pour moi. Deux consciences furent capables de s'élever au-dessus de l'esprit de parti pour ne regarder que le droit humain, la justice, et s'incliner devant l'idéal supérieur.

Quant au verdict que les cinq autres juges osèrent prononcer, je ne l'acceptai point [184].

Le dépôt du pourvoi apparaissait ainsi comme une déclaration en faveur de la légalité que le procès avait systématiquement bafouée, quand bien même il ne servirait à rien : « Je signai mon pourvoi en révision le lendemain de ma condamnation. Les jugements des conseils de guerre ne relèvent que du conseil de révision militaire ; celui-ci n'est appelé à se prononcer que sur la forme. Je savais ce qui s'était passé lors du conseil de révision de 1894 ; je ne fondais donc aucun espoir sur ce pourvoi. Mon but était d'aller devant la Cour de cassation pour lui permettre d'achever l'œuvre de justice et de vérité qu'elle avait commencée. Mais je n'en avais alors aucun moyen, car, en justice militaire, pour aller devant la Cour de cassation, il faut, aux termes de la loi de 1895, avoir un fait nouveau ou la preuve d'un faux témoignage. Mon pourvoi en révision devant la justice militaire me permettait donc simplement de gagner du temps [185]. »

*« Dans un état de cachexie avancée »*

« Mais on est très inquiet quant à l'état de sa santé [186] », ajoutait Albert Sandoz dans sa lettre à Schwartzkoppen. La santé du capitaine, effectivement, fut jugée très préoccupante par les médecins qui purent l'examiner. Le professeur Pierre Delbet se rendit dans sa cellule, à la demande de Waldeck-Rousseau qui s'alarmait d'un risque possible de décès de l'officier. Il voulait avoir sur-le-champ les renseignements les plus solides [187], envisageant déjà toutes les hypothèses pour sortir de la crise nationale et internationale engendrée par le verdict du conseil de guerre. Dreyfus conserva un souvenir ému de la visite du professeur Delbet, comme il le relate dans ses *Carnets* :

> Je reçus aussi un soir, à la prison, la visite du docteur Delbet, professeur à la faculté de médecine de Paris, chargé de faire un rapport sur mon état de santé. Dès l'abord, je fus saisi de sympathie pour cet homme, tant sa figure respirait l'intelligence et la bonté. Malgré la présence de l'adjudant d'administration de la prison, malgré le caractère officiel de la visite faite à la lumière falote d'une lampe, je sentis, dès les premières paroles échangées, une âme haute et vibrante d'humanité. Notre conversation s'égara bientôt et, quittant le domaine médical proprement dit, se perdit dans les idées générales. Sans une parole nettement exprimée, paralysés tous deux par la situation, il y eut cependant une communion d'âmes plus émouvante que toutes les paroles. À son départ, le docteur Delbet me serra la main et, dans ce serrement de main frissonnant, je sentis la plus chaude sympathie [188].

Le rapport de Delbet fut inséré dans celui du ministre de la Guerre qui, le 19 septembre 1899, plaida au nom du gouvernement pour une mesure de grâce. « Il résulte encore des renseignements recueillis que la santé du condamné a été gravement compromise et qu'il ne supporterait pas, sans le plus grave péril, une détention prolongée [189] ». Ce rapport fut aussitôt connu par sa publication dans la presse, comme celui du docteur Pozzi, autre médecin renommé présent à Rennes pour soutenir Dreyfus et sa femme :

Dreyfus a absolument l'aspect d'un officier qui aurait fait un long séjour aux colonies et aurait été atteint de fièvres paludéennes. Il a d'ailleurs [...] beaucoup souffert de la dysenterie. Il est extrêmement délabré physiquement : il est maigre, hâve, il a les muscles atrophiés, surtout ceux du bras gauche, qui semble suspendu à l'épaule par des ficelles, comme celui d'un pantin. Voilà ce que j'ai pu observer. D'autre part, j'ai appris dans différentes conversations, entre autres avec Mᵉ Demange, que Dreyfus était couvert de flanelle et qu'il parvenait difficilement, malgré cela, à se chauffer ; qu'il ne se nourrissait que de lait, qu'il digère mal, d'ailleurs, et qu'il avait constamment des nausées. Je n'ai pas fait connaître mon sentiment à la famille Dreyfus, avec laquelle je ne suis pas en relation. Je me suis entretenu quelques fois seulement avec M. Mathieu Dreyfus, qui ne m'a pas parlé de la santé de son frère. Dreyfus est un homme fini. Il a trente-neuf ans, et il en paraît soixante. Il ne renaîtra jamais complètement à la vie. S'il recouvre la liberté, il vivra, mais entouré de soins, enveloppé de coton, placé en serre chaude, comme une plante qui a trop souffert pour recouvrer jamais sa vigueur première [190].

L'état de santé de Dreyfus préoccupait beaucoup les dreyfusards, impuissants à l'aider et à le soulager de ses souffrances physiques autant que morales. Olympe Havet écrivit une nouvelle fois à Mme Eugène Naville, le 22 septembre 1899 :

> Que vous dire du capitaine, ne l'ayant pas vu, et n'ayant pas vu le docteur Delbet qui a été le voir sur l'ordre de Waldeck-Rousseau samedi dernier, et qui a dû essuyer tous les ennuis et les insolences possibles malgré l'ordre du ministre en main et qui, finalement a vu le capitaine à 7 heures du soir, en présence du directeur de la prison ! Et le docteur Delbet, pressé par l'heure du train, n'a même pas pu voir Mme Dreyfus en sortant du train ! Je saurai par des amis, d'ici quelque temps, l'opinion vraie du docteur Delbet, je vous la dirai. D'après tout ce que j'ai recueilli de côté et d'autre, d'après ces dames elles-mêmes, je crois que Dreyfus pourra vivre, mais à la condition absolue d'être l'objet de soins constants, de changer de climat suivant les saisons et de mener le reste de sa vie une existence de convalescent ! Quant à vivre en prison, c'était la mort certaine après quelques mois. J'ai su par notre amie ce que le capitaine a souffert depuis cette atroce journée de samedi, c'était au point qu'il ne voulait plus faire sa promenade quotidienne. Notre rôle de Providence est terminé maintenant, chère amie, car nous ne verrons plus que bien rarement ces êtres chers qui vont essayer de reprendre à la vie [illisible] [191].

Salomon Reinach, bien informé, témoigna de son côté de l'état de santé du capitaine par une lettre à son ami anglais Carlos Blacker :

> Je suis particulièrement bien informé au sujet de la santé de D., parce que Mathieu est venu hier soir s'informer auprès de ma femme et de moi-même au sujet de docteurs. Il est extrêmement anxieux, comme l'est le gouvernement, car la mort subite de D. ajouterait un terrible élément qui rendrait la situation irrémédiable.

D. est dans un état de cachexie avancée, provenant d'un long séjour dans un pays tropical, sans avoir pris les précautions nécessaires, et son état a empiré en raison des effets causés par un rapide changement de climat, et en raison des efforts exténuants qu'il a dû faire pendant le procès.

Les symptômes les plus sérieux sont : 1. faiblesse avec une tendance à l'évanouissement – il ne pouvait supporter son procès qu'en prenant continuellement des stimulants ; 2. des nausées constantes ; 3. diarrhées ; 4. il lui était impossible de manger quoi que ce soit de solide : il se nourrit de lait ; 5. il a tout le temps des frissons, même lorsque la température nous paraît extrêmement chaude. Ces frissons sont particulièrement inquiétants et révèlent son état d'anémie qui est extrême. Il a eu de mauvaises fièvres sur l'île, a pris plein de quinine et a eu de nouveau une grave attaque de malaria quatre jours avant le procès. Trarieux, qui l'a vu souvent, nous dit avant-hier qu'il ressemblait tout à fait à « un bonhomme de cire du musée Grévin ». Sa vie est suspendue à un fil qui est son énergie. Mathieu nous a dit *qu'il aurait probablement abandonné la lutte après le verdict s'il n'avait pas trouvé le courage de vivre en raison de la pluie de lettres et de télégrammes qu'il recevait continuellement et qu'il lisait avec un intense plaisir.* En dehors de sa femme, Monod et sa fille sont en ce moment avec lui. Nous pensons que la grâce sera signée avant mardi. Où ira-t-il ? Bien sûr vers le sud, mais il ne peut pas et ne veut pas quitter la France. J'ai discuté hier avec Mathieu les avantages et les inconvénients de Pau, Nice Monaco, etc. C'est une chose décidée, en tous les cas, que Mathieu et sa femme l'accompagneront n'importe où il ira.

Les opinions des docteurs Pozzi et Reclus ont été publiées dans les journaux et sont très pessimistes. Je vous joins une lettre du neveu du docteur Reclus. J'espère que Mathieu, qui est sorti de très bonne heure ce matin, a trouvé un médecin qui connaisse les maladies tropicales, et qui serait prêt à l'accompagner à Rennes.

Pendant que je parlais hier soir avec Mathieu, nous avons examiné l'hypothèse de la mort *subite* de D. et nous sommes arrivés à la conclusion que ce serait un coup terrible pour *tout autre* gouvernement que le nôtre [192].

## LE VOYAGE VERS LA LIBERTÉ

Confronté à la réprobation du monde civilisé, conscient de l'image désastreuse de la France à l'étranger, découvrant le risque de boycott de l'Exposition universelle qui devait symboliser l'éclat de la nation à l'aube du siècle nouveau, le président du Conseil Waldeck-Rousseau se devait de réagir à l'événement de la condamnation du capitaine Dreyfus. Lui qui dirigeait un gouvernement dit de « défense républicaine », lui qui était entré dans la bataille dreyfusienne pour s'opposer à la loi de dessaisissement de la chambre criminelle de la Cour de cassation, il ne pouvait pas non plus laisser l'idée de justice si affectée par le procès de Rennes. Il ne pouvait pas laisser le dernier mot à un conseil de guerre si peu respectueux de la vérité et du droit, pris en otage par la faction des généraux. Son autorité de chef de gouvernement était menacée, notamment parce que les antidreyfusards avaient semblé prendre une revanche sur la victoire qu'avaient représenté l'arrêt de la Cour de cassation du 3 juin 1899 et l'investiture de son ministère. La faillite complète du ministère public, dans laquelle le général de Galliffet portait une très lourde responsabilité, pouvait cependant lui être attribuée.

Des considérations de stricte humanité pouvaient dicter aussi toute solution d'annulation du verdict et de libération du capitaine Dreyfus. L'homme était profondément atteint, l'état de sa santé avait été jugé alarmant. Il envisagea différentes mesures et opta finalement pour une solution de grâce qui pouvait réunir l'adhésion la plus large, y compris de la part du ministre de la Guerre et des antidreyfusards modérés. Avec le pardon, ceux-ci imaginèrent garder la main sur l'Affaire et imposer leur vision de l'événement. L'affaire Dreyfus serait liquidée, comme ils l'avaient souhaité, par le triomphe de l'autorité sur la vérité, de l'État sur la justice. Waldeck-Rousseau obtenait quant à lui l'apaisement recherché.

À l'inverse, Dreyfus et ses amis dreyfusards firent de la grâce non pas une fin mais une solution d'attente pour parvenir à la réhabilitation. Elle était aussi un moyen nécessaire : en permettant la libération immédiate du capitaine, elle pouvait lui éviter de mourir en prison. Car sa mort aurait eu pour conséquence automatique d'éteindre l'action publique et d'empêcher toute perspective de réhabilitation.

## Par-delà la grâce

À la dernière page de *Cinq années de ma vie*, Alfred Dreyfus raconta les sept jours qui s'écoulèrent entre le 12 septembre 1899, date de la première visite de son frère porteur de la proposition de grâce, et le 19 lorsqu'il fut libéré par décision présidentielle. À 2 heures et demie du matin (le 20), il quitta la prison militaire de Rennes pour rejoindre la ligne de chemin de fer de Nantes et de là gagner Bordeaux et Carpentras où l'attendait toute sa famille.

Le 12 septembre, à 6 heures du matin, mon frère Mathieu était dans ma cellule, autorisé par le général de Galliffet, ministre de la Guerre, à me voir sans témoin. La grâce m'était offerte, mais il fallait, pour qu'elle fût signée, que je retirasse mon pourvoi. Quoique je n'attendisse rien de ce pourvoi, j'hésitai cependant à le retirer, car je n'avais nul besoin de grâce, j'avais soif de justice. Mais, d'autre part, mon frère me dit que ma santé fort ébranlée me laissait peu d'espoir de résister encore longtemps dans les conditions où j'allais être placé, que la liberté me permettait de poursuivre plus facilement la réparation de l'atroce erreur judiciaire dont j'étais encore victime, puisqu'elle me donnait le temps, seule raison du pourvoi devant le tribunal de révision militaire. Mathieu ajouta que le retrait de mon pourvoi était conseillé, approuvé par les hommes qui avaient été, dans la presse, devant l'opinion, les principaux défenseurs de ma cause. Enfin, je songeai à la souffrance de ma femme, des miens, de mes enfants que je n'avais pas encore revus et dont la pensée me hantait depuis mon retour en France. Je consentis donc à retirer mon pourvoi, mais en spécifiant bien nettement mon intention absolue, irrévocable, de poursuivre la révision légale du verdict de Rennes [193].

Les *Carnets* et les *Souvenirs* inédits du capitaine Dreyfus donnèrent des informations complémentaires sur cette semaine cruciale où le destin de la France fut suspendu à celui d'un homme. Mathieu insista beaucoup auprès de son frère sur ses devoirs envers sa femme, ses enfants et les siens. Il lui fit valoir aussi « d'une part l'effet considérable que produirait une grâce le lendemain d'une seconde condamnation inique, d'autre part l'inutilité de [son] pourvoi de pure forme ». Enfin, Dreyfus reconnut qu'il était, « à la vérité, totalement épuisé par cinq années d'atroces tortures physiques et morales ». Il déclara : « Je voulais vivre, remplir jusqu'au bout mon devoir, pour poursuivre la révision légale de mon procès [194]. »

Dreyfus voulut que la France et le monde fussent les témoins du sens qu'il donnait à l'acceptation d'une mesure de grâce non sollicitée et rendue possible par son renoncement au pourvoi. Il fit publier dans les journaux une solennelle déclaration dès le lendemain, alors qu'il vivait son premier jour de liberté. Ce texte était l'œuvre de Jean Jaurès.

> Le gouvernement de la République me rend ma liberté. Elle n'est rien pour moi sans l'honneur. Dès aujourd'hui, je vais continuer à poursuivre la réparation de l'effroyable erreur judiciaire dont je suis encore victime. Je veux que la France sache par un jugement définitif que je suis innocent. Mon cœur ne sera apaisé que lorsqu'il n'y aura plus un Français qui m'impute un crime qu'un autre a commis [195].

Comme Dreyfus, beaucoup de dreyfusards acceptèrent la grâce parce que, au-delà, ils conservaient l'horizon de la justice et de sa victoire finale, par la réhabilitation. Celle-ci était la reconnaissance juridique de l'innocence du capitaine Dreyfus, la rencontre enfin possible du droit et de la vérité. Et la grâce ouvrait la voie à ce triomphe. Joseph Reinach l'avait annoncé le premier par un article du 11 septembre dans *Le Siècle* : « Ce verdict, le gouvernement de la République n'a pas le droit de l'accepter, sous le prétexte qu'il y a été étranger, sans s'en rendre complice ; ce verdict, il a le devoir absolu de le déchirer ; cette solidarité, il faut qu'elle soit répudiée. [...] Encore une fois, le devoir d'aujourd'hui, impérieux, c'est de dégager la France du verdict de Rennes. Et rien de plus simple, les moyens ne manquent pas, soit que le ministre de la Justice défère à la Cour de cassation un jugement rendu en violation des prescriptions formelles ; soit que le gouvernement intente aux vrais coupables, aux faux témoins, le procès d'où sortira une nouvelle révision ; soit que le ministre de la Guerre propose au président de la République la grâce immédiate de l'innocent. Et est-il d'ailleurs nécessaire d'ajouter que la grâce, commandée par les

sentiments de la plus élémentaire humanité, qui efface les conséquences matérielles d'un odieux verdict, ne sera acceptée par le martyr
comme par les amis de la justice, que comme une mesure de transition,
comme la préface de la réhabilitation solennelle qui est devenue, pour
la nation, le plus auguste des devoirs ? Mais quoi qu'il en soit, à
quelque solution que s'arrête le gouvernement de la République, il a
le devoir d'agir, d'agir tout de suite, sans retard, de dégager l'honneur
de la France [196]. »

Dans un article du 26 septembre, Louis Havet se déclara reconnaissant envers le ministre de la Guerre « d'avoir proposé à M. le président
de la République une mesure qui, sans apaiser ma conscience de Français, la soulage [197] ». La certitude que Dreyfus serait désormais libre
suscita de nouveaux hommages pour l'homme et la justice à venir. Le
29 septembre, l'auteur de « J'accuse !... » s'adressa à Lucie Dreyfus
pour lui témoigner son émotion devant des retrouvailles tant attendues : « On vous rend l'innocent, le martyr, on rend à sa femme, à
son fils, à sa fille, le mari et le père, et ma première pensée va vers la
famille réunie enfin, consolée, heureuse. Quel que soit encore mon
deuil de citoyen, malgré la douleur indignée, la révolte où continuent
à s'angoisser les âmes justes, je vis avec vous cette minute délicieuse,
trempée de bonnes larmes, la minute où vous avez serré dans vos bras
le mort ressuscité, sorti vivant et libre du tombeau. Et, quand même,
ce jour est un grand jour de victoire et de fête. » Après avoir rappelé son « but unique [qui] a été de mettre fin à la torture, de soulever
la pierre pour que le supplicié revînt à la clarté du jour », Zola se
félicitait de la libération du capitaine Dreyfus. Mais il admit que la
grâce pouvait être « amère ».

Aujourd'hui, madame, voilà que nous avons fait le miracle. Deux années
de luttes géantes ont réalisé l'impossible, notre rêve est accompli, puisque
le supplicié est descendu de sa croix, puisque l'innocent est libre, puisque
votre mari vous est rendu. Il ne souffrira plus, la souffrance de nos cœurs
est donc finie, l'image intolérable cesse de troubler notre sommeil. Et c'est
pourquoi, je le répète, c'est aujourd'hui jour de grande fête, de grande victoire. Discrètement, tous nos cœurs communient avec le vôtre, il n'est pas
une femme, pas une mère, qui n'ait senti son cœur se fondre, en songeant
à cette première soirée intime, sous la lampe, dans l'affectueuse émotion
du monde entier, dont la sympathie vous entoure.
Sans doute, madame, cette grâce est amère. Est-il possible qu'une telle
torture soit imposée après tant de tortures physiques ? Et quelle révolte à se
dire qu'on obtient de la pitié ce qu'on ne devrait tenir que de la justice !
Le pis est que tout semble avoir été concerté pour aboutir à cette iniquité
dernière. Les juges ont voulu cela, frapper encore l'innocent, pour sauver les
coupables, quitte à se réfugier dans l'hypocrisie affreuse d'une apparence de
miséricorde. [...] Et quelle tristesse, en outre, que le gouvernement d'un
grand pays se résigne, par une faiblesse désastreuse, à être miséricordieux,
quand il devrait être juste ! Trembler devant l'arrogance d'une faction,
croire qu'on va faire de l'apaisement avec de l'iniquité, rêver je ne sais

quelle embrassade menteuse et empoisonnée est le comble de l'aveuglement volontaire. Est-ce que le gouvernement, au lendemain de l'arrêt scandaleux de Rennes, ne devait pas le déférer à la Cour de cassation, cette juridiction suprême qu'il bafoue d'une si insolente façon ? Est-ce que le salut du pays n'était pas dans cet acte d'énergie nécessaire, qui sauvait notre honneur aux yeux du monde, qui rétablissait chez nous le règne de la loi ? Il n'y a d'apaisement définitif que dans la justice.

Mais le but était déjà atteint pour Zola. Dreyfus était devenu, par son courage et sa volonté, aux yeux de l'humanité, le symbole de la justice.

Il est devenu un héros, plus grand que les autres parce qu'il a plus souffert. La douleur injuste l'a sacré, il est entré, auguste, épuré désormais, dans ce temple de l'avenir, où sont les dieux, ceux dont les images touchent les cœurs, y font pousser une éternelle floraison de bonté. Les lettres impérissables qu'il vous a écrites, madame, resteront comme le plus beau cri d'innocence torturée qui soit sorti d'une âme. Et si, jusqu'ici, aucun homme n'a été foudroyé par un destin plus tragique, il n'en est pas qui soit aujourd'hui monté plus haut dans le respect et dans l'amour des hommes.

Zola insista particulièrement, dans ce portrait de Dreyfus en héros moderne de l'humanité, sur son attitude au procès de Rennes : « Lui, le stoïcien, il s'est montré admirable, sans une plainte, d'un courage hautain, d'une tranquille certitude dans la vérité, qui feront plus tard l'étonnement des générations. Le spectacle a été si beau, si poignant que l'arrêt d'iniquité a soulevé les peuples, après ces monstrueux débats d'un mois, dont chaque audience criait plus haut l'innocence de l'accusé. Le destin s'accomplissait, l'innocent passait dieu, pour qu'un exemple inoubliable fût donné au monde. » Ce que voulait dire l'écrivain, c'est que Dreyfus a déjà été réhabilité aux yeux des hommes de bonne volonté dans toute l'humanité. Dreyfus et son courage furent même à l'origine d'un mouvement de solidarité tout à fait inédit pour Zola et qui n'aurait, aux yeux de l'écrivain, d'autre équivalent que l'histoire du Christ elle-même.

Et cet innocent, le voilà devenu le symbole de la solidarité humaine d'un bout à l'autre de la terre. Lorsque la religion du Christ avait mis quatre siècles à se formuler, à conquérir quelques nations, la religion de l'innocent, condamné deux fois, a fait d'un coup le tour du monde, réunissant dans une immense humanité toutes les nations civilisées. Je cherche, au cours de l'Histoire, un pareil mouvement de fraternité universelle, et je ne le trouve pas. L'innocent condamné deux fois a plus fait pour la fraternité des peuples, pour l'idée de solidarité et de justice que cent ans de discussions philosophiques, de théories humanitaires. Pour la première fois, dans les temps, l'humanité entière a eu un cri de libération, une révolte d'équité et de générosité, comme si elle ne formait plus qu'un peuple, le peuple unique et fraternel rêvé par les poètes.

Et qu'il soit donc honoré, qu'il soit vénéré, l'homme élu par la souffrance, en qui la communion universelle vient de se faire !

Il peut dormir tranquille et confiant, madame, dans le doux refuge familial, réchauffé par vos mains pieuses. Et comptez sur nous, pour sa glorification. C'est nous, les poètes, qui donnons la gloire, et nous lui ferons la part si belle que pas un homme de notre âge ne laissera un souvenir si poignant. Déjà bien des livres sont écrits en son honneur, toute une bibliothèque s'est multipliée pour prouver son innocence, pour exalter son martyre. Tandis que, du côté de ses bourreaux, on compte les rares documents écrits, volumes et brochures, les amants de la vérité et de la justice n'ont cessé et ne cesseront de contribuer à l'Histoire, de publier les pièces innombrables de l'immense enquête, qui permettra un jour de fixer définitivement les faits. C'est le verdict de demain qui se prépare, et celui-là sera l'acquittement triomphal, la réparation éclatante, toutes les générations à genoux et demandant, à la mémoire du supplicié glorieux, le pardon du crime de leurs pères.

Zola annonçait ici le travail des historiens continuant, comme des juges, d'établir la vérité et recherchant le fait nouveau pour parvenir à la réhabilitation. Joseph Reinach particulièrement conduisit ce grand dessein, avec les sept volumes de son *Histoire de l'affaire Dreyfus* dont la publication s'échelonna de 1901 à 1911. Son frère, Théodore Reinach, mais aussi Gabriel Monod et bien sûr Charles Péguy furent également ces historiens de l'Affaire et les artisans de la réhabilitation. Mais ce que Zola n'imaginait pas, c'est le développement d'une littérature niant la vérité et reconstruisant l'histoire sur le modèle des dépositions accusatrices du procès de Rennes, à l'image des colonels Larpent et Delebecque. Unis sous le pseudonyme de « Henri Dutrait-Crozon » ils entamèrent, avec leur *Joseph Reinach historien, révision de l'histoire de l'affaire Dreyfus* (1905), la longue marche vers un monument négationiste, *Le Précis de l'affaire Dreyfus* de 1909 – plusieurs fois réédité [198]. La poursuite de la lutte était bien proclamée, mais elle serait plus dure encore que ne l'avait imaginé Émile Zola qui devait disparaître au milieu de la nuit du 28 au 29 septembre 1902, dans des conditions demeurées mystérieuses [199]. L'écrivain acheva sa lettre à Lucie Dreyfus par l'expression renouvelée de son engagement.

Nous autres, madame, nous allons continuer la lutte, nous battre demain pour la justice aussi âprement qu'hier. Il nous faut la réhabilitation de l'innocent, moins pour le réhabiliter, lui qui a tant de gloire, que pour réhabiliter la France, qui mourrait sûrement de cet excès d'iniquité.

Réhabiliter la France aux yeux des nations, le jour où elle cassera l'arrêt infâme, tel va être notre effort de chaque heure. Un grand pays ne peut pas vivre sans justice, et le nôtre restera en deuil, tant qu'il n'aura pas effacé la souillure, ce soufflet à sa plus haute juridiction[. Ce] refus du droit atteint chaque citoyen. Le lien social est dénoué, tout croule dès que la garantie des lois n'existe plus. Et il y a eu, dans ce refus du droit, une telle carrure d'insolence, une bravade si impudente que nous n'avons même pas la ressource de faire le silence sur le désastre, d'enterrer le cadavre secrètement, pour ne pas rougir devant nos voisins. Le monde entier a vu, a entendu, et c'est devant le monde entier que la réparation doit avoir lieu, retentissante comme a été la faute. Vouloir une France sans honneur, une France isolée, méprisée est un rêve criminel. Sans doute les étrangers viendront à notre Exposition, je n'ai jamais douté qu'ils n'envahissent Paris, l'été prochain, comme on court à la fête foraine, dans l'éclat des lampes et dans le vacarme des musiques. Mais est-ce que cela doit suffire à notre fierté ? Est-ce que nous ne devons pas tenir autant à l'estime qu'à l'argent de ces visiteurs venus des quatre coins du globe ? Nous fêtons notre industrie, nos sciences, nos arts, nous exposons nos travaux du siècle. Oserons-nous exposer notre justice ? Et je vois encore cette caricature étrangère, l'île du Diable, reconstituée, montrée au Champ-de-Mars. Pour moi, la honte me brûle, je ne comprends pas que l'Exposition puisse être ouverte sans que la France ait repris son rang de juste nation. Que l'innocent soit réhabilité, et seulement alors la France sera réhabilitée avec lui.

Mais je le dis encore en terminant, madame, vous pouvez vous en remettre aux bons citoyens qui ont fait rendre la liberté à votre mari et qui lui feront rendre l'honneur. Pas un ne désertera le combat, ils savent qu'ils luttent pour le pays en luttant pour la justice. L'admirable frère de l'innocent leur donnera de nouveau l'exemple du courage et de la sagesse. Et puisque nous n'avons pu, d'un coup, vous rendre l'être aimé, libre et lavé de l'accusation mensongère, nous ne vous demandons qu'un peu de patience encore, nous espérons bien que vos enfants n'ont plus beaucoup à grandir avant que leur nom soit légalement pur de toute tache [200].

Un autre écrivain majeur, qui naissait seulement, mais à qui l'affaire Dreyfus donna elle aussi son catéchisme, écrivit sur la grâce. Charles Péguy, qui n'avait pas encore fondé *Les Cahiers de la Quinzaine* et qui écrivait toujours dans la *Revue blanche*, s'exprima sur la réhabilitation qui commençait dans un long article sur l'Affaire publié le 15 novembre 1899, « Le ravage et la réparation ». Il se fit le défenseur le plus convaincant de la solution de la grâce :

Cette réparation a commencé pour la première victime. La grâce présidentielle a commencé à réparer pour Alfred Dreyfus les condamnations de Paris et de Rennes. Il convenait qu'il en fût ainsi. Refuser de recevoir une grâce quand on a droit à la justice est de bonne littérature sans doute, et ferait dans Hugo une heureuse antithèse. Hugo n'a jamais été aux mains des gendarmes. Refuser une grâce ainsi donnée eût été, en réalité, refuser la justice offerte, refuser à la France les moyens de commencer la réparation. Justement parce que sa grâce, individuelle jadis, était devenue générale, parce que Dreyfus n'était plus Dreyfus, mais un dreyfusard comme nous, il ne convenait pas qu'il eût à supporter des souffrances que ni vous ni moi n'avons jamais supportées. Il ne doit y avoir aucun privilège. Il faut que la souffrance même soit homogène entre ceux qui combattent pour une même cause. D'ailleurs, cette grâce a été, en réalité, une cassation. Le premier magistrat de la République a fait fonction de magistrat judiciaire. Élu pour une partie par un Sénat qui peut devenir une Haute Cour de justice, il a en réalité cassé comme une Haute Cour de cassation. [...] Le jugement de Rennes, moralement annulé par la conscience universelle, officiellement cassé par le président de la République, intérieurement creusé par le partage des voix et par les circonstances atténuantes, ne subsiste plus que formellement. Quand il poursuivra sa réhabilitation devant les tribunaux compétents, le capitaine Alfred Dreyfus attribuera formellement au conseil de guerre un sérieux que celui-ci n'a pas eu moralement, il rendra le plus bel hommage qui ait jamais été rendu à la légalité française.

Mais Péguy ne se contenta pas de cette démonstration audacieuse et pertinente de la réhabilitation en marche avec la grâce. Dans son exposé des motifs, il avait sous-entendu qu'un autre écrivain avait, dans l'affaire Dreyfus, choisi lui aussi une telle solution. À côté de Victor Hugo n'ayant « jamais été aux mains des gendarmes », il y avait Zola qui avait opté pour la fuite le 23 juillet 1898 afin de ne pas subir sa peine de prison après sa condamnation définitive dans son procès par la cour d'assises de Versailles.

Charles Péguy se tourna directement vers le capitaine Dreyfus et lui rendit un hommage aujourd'hui oublié, le savoir contemporain sur l'Affaire insistant davantage sur l'entreprise de démolition qu'opéra l'écrivain en 1910 dans *Notre jeunesse*. Le jeune écrivain retrouva le caractère de vaillance que Jaurès avait déjà relevé pour Dreyfus au procès de Rennes :

> Avant de penser à la réparation générale, nous devons saluer pour la dernière fois celui dont les moindres gestes avaient récemment une valeur universelle et qui vit désormais ignoré, se refaisant dans la paix familiale d'une province non ennemie. On peut, à la rigueur, accumuler sur soi les coups de la fortune et les crimes des hommes, on peut devenir la plus pitoyable des victimes, et être et rester un homme ordinaire. Alfred Dreyfus a été un homme extraordinaire. Il n'a pas été seulement d'une extraordinaire endurance physique et morale sous l'acharnement du malheur le plus épouvantable, il a été aussi d'une vaillance extraordinaire, inespérée, quand la seconde bataille commença. L'homme qui, ayant souffert un tel tourment d'âme et de corps, voulut s'exposer à ce que le supplice recommençât, pourvu que sa défense ne fût pas individuelle et apitoyée, mais générale et haute et digne, fut assurément *un des héros de l'affaire Dreyfus*[201].

Jaurès aussi intervint. Il le fit même à deux reprises, dans *La Petite République,* par différents articles. Il fut à l'origine de la déclaration du capitaine Dreyfus accompagnant sa libération, texte repris dans le tome VII des *Œuvres* publiées à l'initiative des éditions Fayard[202]. En effet, Jaurès fut l'un des acteurs principaux, avec Joseph Reinach, Waldeck-Rousseau, Alexandre Millerand et Clemenceau, de la solution de la grâce telle qu'elle fut décidée au ministère du Commerce dans la nuit du 20 au 21 septembre 1899.

*Une issue impossible*

La nouvelle condamnation de Dreyfus n'avait pas surpris Waldeck-Rousseau qui avait assisté, depuis Paris, à l'effondrement de la justice militaire et avait envisagé la perspective d'une nouvelle condamnation. Il était décidé, avec le garde des Sceaux, à déférer le jugement du conseil de guerre devant la Cour de cassation pour « abus de pouvoir » [203].

En effet, comme nous l'avons constaté longuement, la Cour de cassation, par son arrêt du 3 juin 1899, avait donné un mandat précis, limité, au conseil de guerre de Rennes, et celui-ci en était sorti sciemment. Il appartenait donc à la Cour de cassation, saisie par le ministre de la Justice en vertu de l'article 441 du code d'instruction criminelle, de faire prévaloir son arrêt contre ceux qui avait affecté de n'en tenir aucun compte.

Cependant, Waldeck-Rousseau devait tenir compte de la position de son ministre de la Guerre, le général de Galliffet, pièce maîtresse de sa double politique d'apaisement et de fermeté à l'égard de l'armée [204]. Or celui-ci avait aussi anticipé le risque de recondamnation de Dreyfus. Le 7 septembre, il avait été reçu par Waldeck-Rousseau qui lui avait annoncé sa décision de déférer le jugement à la Cour de cassation s'il était négatif, considérant que l'intérêt de la loi, incarné par son autorité, et celui de Dreyfus auraient été alors confondus dans cette démarche de révision [205]. Le lendemain, 8 septembre, le général de Galliffet lui fit parvenir une lettre, qui devait prendre par la suite le titre de « Lettre du ministère de l'étranger [206] » pour lui indiquer ses profondes objections :

> S'il y a condamnation et condamnation à l'unanimité ou presque unanimité, nous ne pourrons pas nous dissimuler qu'il y a dans l'armée un parti pris, et absolument pris, de ne pas vouloir l'acquittement de Dreyfus. Cet état d'esprit se généralisera d'autant plus que tous les indécis se rallieront à tous ceux que l'on nommera les vainqueurs (je parle des indécis de l'armée). S'il en est ainsi, comme c'est archi-probable, il y aura d'un côté l'armée et de l'autre côté « les autres ». Si le ministère pouvait rester au-dessus des uns et des autres, la chose serait simple, et il suffirait d'un peu d'énergie. [...] Si [le gouvernement] provoque, par les actes du garde des Sceaux, la cassation du jugement de Rennes pour excès de pouvoir, ce sera le combat contre deux conseils de guerre, le combat contre toute l'armée concentrée dans une résistance morale... N'oubliez pas qu'à l'étranger la condamnation sera jugée avec une sévérité extrême ; n'oublions pas qu'en France la grande majorité est antisémite. Nous serons donc dans la posture suivante : d'un côté, toute l'armée, la majorité des Français (je ne parle pas des députés et des sénateurs) et tous les agitateurs ; de l'autre, le ministère, les dreyfusards et l'étranger.
> Nous n'avons pas été et nous ne voulons pas être le ministère de l'acquittement, mais celui qui s'inclinerait devant la sentence du conseil de guerre

quelle qu'elle fût. Cette solution sera moralement acquise lors même qu'elle aurait été précédée de vices de forme [207].

Galliffet n'était assurément pas un partisan de la cause du capitaine Dreyfus et avait une vision très antidreyfusarde du pays et des pouvoirs. Il soulignait cependant un aspect légaliste et symbolique : l'acquittement ne devait pas découler d'une décision politique, mais judiciaire. Or le recours à la Cour de cassation pour annuler le verdict de Rennes faisait courir un double danger, celui d'humilier la justice militaire et celui de devoir affronter un troisième verdict de condamnation ou, pis, de devoir faire pression sur le conseil de guerre de renvoi pour obtenir un verdict d'acquittement.

Le lendemain du verdict, le 10 septembre, alors que Galliffet était retourné le voir pour plaider la liquidation, Waldeck-Rousseau décida de consulter l'avocat d'Alfred Dreyfus devant la Cour de cassation. Il voulait envisager avec lui les principaux moyens de cassation, sur le fond s'entend. Henry Mornard en souleva trois en présence du chef du gouvernement : la lecture de l'acte d'accusation de 1894, qui n'avait plus de valeur légale après l'annulation du premier verdict par l'arrêt de la Cour de cassation du 3 juin 1899 ; l'excès de pouvoir pour être sorti du cadre dessiné par cet arrêt et avoir notamment rejeté sciemment l'autorité de la chose jugée dans la question des aveux ; enfin l'empiètement des témoins à charge sur les attributions du ministère public [208].

Mornard savait que le conseil de révision, une instance de la justice militaire, écarterait tout vice de forme ou toute question de fond, comme cela s'était produit le 31 décembre 1894. Ne demeurait que la Cour de cassation. Mais se posait un problème gravissime résumé par Joseph Reinach : « Seul le ministre de la Justice peut saisir la chambre criminelle ; seulement son pourvoi ne peut aboutir qu'à l'annulation de l'arrêt du conseil de guerre, en aucun cas, à une déclaration d'innocence. » Il est intéressant de relever qu'en aucun cas non plus Joseph Reinach, Henry Mornard ou Waldeck-Rousseau n'envisagèrent la possibilité pour la Cour de cassation de proclamer elle-même l'innocence de Dreyfus, comme l'article 445 du code d'instruction criminelle lui en donnait le pouvoir en vertu de la loi sur la révision de 1895. Celle-ci prévoyait en effet le droit pour la Cour de cassation, en certains cas, lorsqu'aucun lien ne pouvait être établi entre un fait et un accusé, de ne pas renvoyer devant une juridiction compétente et de juger elle-même définitivement. Il est vrai que la Cour de cassation n'avait encore jamais utilisé ce droit fondé par la loi.

Mornard suggéra également au président du Conseil de saisir « d'office le Conseil d'État pour excès de pouvoir du conseil de guerre qui n'avait pas tenu compte de l'arrêt de la Cour de cassation. M. Waldeck-Rousseau s'y refusa dans les termes les plus formels. Il faut chercher un fait nouveau, ajouta-t-il [209] ». Il se contenta de demander au commissaire spécial

Louis Tomps, chargé du nouveau service civil de renseignement et de contre-espionnage au ministère de l'Intérieur, d'enquêter sur le faux témoignage Cernuszki. L'enquête eut du mal à aboutir [210].

Waldeck-Rousseau se tourna alors vers la solution de la grâce. Elle était devenue une possibilité que discutait un nombre croissant d'acteurs de l'Affaire. Le 10 septembre précisément, Joseph Reinach écrivait l'article qu'il fit paraître le lendemain dans Le Siècle. On sut que la première parole de Scheurer-Kestner mourant, à l'annonce du verdict de condamnation de Dreyfus, avait été : « Loubet le graciera [211]. » Waldeck-Rousseau s'en était déjà ouvert la veille à ce dernier et à Galliffet. Mornard lui-même abonda en ce sens. Joseph Reinach raconta le scène où l'avocat plaida pour la vie de son client : « Ayant vu Dreyfus tous les jours dans sa prison depuis un mois, il était convaincu que le maintenir en état de détention, c'était le condamner à mort à bref délai, et que, si on voulait lui permettre de vivre jusqu'au jour où serait proclamée définitivement la vérité, la grâce s'imposait. "La grâce est possible", lui dit simplement Waldeck-Rousseau ; et l'entretien prit fin sur ces mots [212]. »

Le général de Galliffet ne cessa alors d'encourager Waldeck-Rousseau dans cette voie : « J'ai recueilli l'impression de beaucoup de mes camarades de l'armée. Aujourd'hui que tout le monde s'est incliné devant le verdict du conseil de guerre, chacun est envahi par la pitié [213] », lui écrivit-il le 13 septembre. Galliffet voulait exiger sur-le-champ la grâce du président de la République. Le 19 septembre, il lui adressa un rapport qui montrait que l'état de santé de Dreyfus lui interdirait de subir une nouvelle peine.

La perspective de la grâce se renforça alors, et d'autant mieux que le conseil de guerre avait demandé à l'unanimité, le 10 septembre, lors d'une réunion inhabituelle tenue à huis clos le lendemain du verdict, que Dreyfus ne subît point une nouvelle peine de dégradation. L'agence Havas annonça le 12 septembre 1899 : « Ce recours va être transmis au général Lucas qui se chargera de le faire parvenir au président de la République. »

Le 11 septembre au matin, Mathieu Dreyfus se rendit chez Joseph Reinach pour l'alerter sur la situation de son frère qu'il avait quitté la veille, voyageant l'après-midi de Rennes à Paris. Reinach recevait déjà Bernard Lazare pour la même raison. « Je leur fis part des grandes inquiétudes que me donnait la santé de mon frère, et je leur racontai ma conversation avec lui de la veille. "Il ne vivra pas six mois, s'il reste en prison, leur dis-je. Quelle tache ineffaçable pour le pays s'il meurt en prison [214] !" » Mathieu leur raconta que son frère songeait à ses enfants et qu'il « demandait qu'on les lui amenât dans sa cellule, pour les voir une dernière fois, dans le pressentiment qu'il avait de la fin ». Mathieu prenait sur lui en accomplissant auprès de Reinach la démarche en faveur de la grâce à laquelle se serait opposé le capitaine.

L'avenir prouva que celui-ci accepterait une telle solution dès lors qu'elle ne lui fermait pas la voie de l'honneur par la justice.

Joseph Reinach répéta l'essentiel de l'article qui venait de paraître dans *Le Siècle*. « Je suis d'accord avec vous, lui répondit Mathieu Dreyfus. Voyez de suite Waldeck-Rousseau, les autres ministres. Arrachez-leur la grâce. Il faut l'obtenir. Quelle humiliation, quelle honte d'être réduit à accepter la grâce lorsqu'on est innocent ! Mais notre premier devoir n'est-il pas de sauver la vie de mon frère ? Nous rechercherons ensuite les moyens de faire réviser cette inique condamnation. Je vais aller trouver Clemenceau, lui exposer la situation, l'urgence extrême de faire sortir mon frère de la prison[215]. »

Mathieu Dreyfus retrouvait là les mêmes enjeux qui avaient été ceux de 1894. Après la condamnation, et alors que la solution de la mort volontaire semblait la seule issue, Alfred avait décidé de vivre pour sauver son honneur, la réhabilitation était à ce prix. Mais ce choix n'était pas partagé par tous ses défenseurs. Ni Jaurès ni Clemenceau ne devaient être favorables à la grâce qui interrompait le combat politique contre la violence d'État et la crise de société révélées par l'Affaire. Les deux leaders savaient aussi, comme l'expliqua très justement Mathieu, « que la lutte, à partir du jour où mon frère serait en liberté, deviendrait plus difficile et que l'opinion considérerait la grâce comme une solution[216] ». Victor Simond, du journal *Le Radical*, arrivé au milieu de la discussion, promit son concours, et Bernard Lazare accompagna Mathieu chez Clemenceau. Celui-ci fut ébranlé par les arguments des deux hommes. Mathieu était très déterminé : « J'obéissais à un impérieux devoir, celui d'assurer d'abord la vie à ce malheureux qui avait déjà tant souffert. » Clemenceau leur répondit finalement : « Mon cœur dit : "Oui", ma raison dit : "Non". » Il refusa en revanche d'aller voir Waldeck-Rousseau pour lui donner son accord. « Je ferai, dit-il, pour vous, ce grand sacrifice à ma raison, s'il est nécessaire, mais s'il n'est pas nécessaire, épargnez-le-moi[217]. »

De son côté, Reinach accompagné de Simond se rendit au ministère de l'Intérieur pour annoncer à Waldeck-Rousseau la solution de sagesse à laquelle était parvenu le frère du capitaine Dreyfus. Le président du Conseil fut soulagé mais posa aussitôt des conditions que Reinach rejeta en bloc. Celui-ci raconte la scène dans son *Histoire de l'affaire Dreyfus* :

> Il prévoyait des difficultés, Loubet inquiet, l'armée qu'il fallait préparer à ce désaveu des juges de Rennes ; ne pourrait-on pas attendre quelques semaines ? Je me récriai vivement :
> « Dans un mois, la grâce ne sera qu'une mesure de pitié. Il faut que la grâce d'un tel innocent ait une autre signification. Je ne vous demande pas la grâce, mais la grâce immédiate. Toute la vertu de la mesure est là, dans la réponse immédiate du gouvernement de la République au conseil de guerre. Hier encore, en Angleterre, en Suisse, en Norvège, jusqu'en Amérique, les manifestations hostiles, injurieuses, se sont renouvelées. Il faut

agir sans retard, déchirer tout de suite, au nom de la France, ce jugement qui la déshonorerait si elle l'acceptait. »

Il résista encore, puis consentit, s'engagea et nous remercia d'un mot simple, comme il savait le faire, douloureux comme ces jours troublés et le grand acte qui allait s'accomplir[218].

Très impliqué dans la solution de la grâce, Joseph Reinach essayait de lui donner cette signification de cassation de l'arrêt que Péguy y perçut. Mais une autre difficulté se présenta. Elle avait été soulevée par « le gouvernement » sans que l'on sût si Waldeck-Rousseau en était à l'origine ou si ce fut seulement le ministre du Commerce, le socialiste Alexandre Millerand, qui posa le problème. Simond, qui revenait du ministère, expliqua que le capitaine Dreyfus devait retirer son pourvoi en révision. Mathieu Dreyfus s'y opposa, en raison du fait que le désistement serait interprété « comme une acceptation du jugement de Rennes[219] ». Millerand demanda alors à rencontrer Mathieu Dreyfus. Reinach se joignit à lui, et les deux hommes allèrent au ministère du Commerce. Là, Millerand leur démontra que le conseil de révision casserait le jugement, mais simplement sur la forme, parce qu'il n'était pas complet : « Le conseil de guerre avait omis de statuer sur les dix ans de surveillance, peine accessoire qui accompagne toujours semblables jugements ». Il pouvait « le casser pour ce seul vice de forme[220] ».

Le conseil de révision pouvait aussi ne pas casser, mais Millerand estima qu'il y avait un risque très sérieux dans la mesure où le jugement du conseil de guerre de Rennes avait provoqué beaucoup de réactions hostiles au sein de l'armée, en raison de sa clémence. « Les adversaires de l'innocence de votre frère, nous dit-il, sont très émus du jugement qui vient d'être rendu. Ils ont un grand intérêt à le faire annuler[221]. » Mais la cassation ne serait que partielle, elle n'allait pas porter sur le fond, et le corps du jugement subsisterait. Un nouveau conseil de guerre devrait alors être saisi et juger seulement sur ce point de droit, avec toutes les probabilités de condamner une troisième fois le capitaine Dreyfus par simple application de l'article 47 du code pénal. Le rédacteur judiciaire de *L'Aurore* aperçut ce risque d'une condamnation automatique : « Les nouveaux juges, sans entendre de témoins et sur le simple réquisitoire d'un nouveau Carrière, n'auront qu'à réparer l'omission faite par leurs camarades de Rennes. Inutile d'ajouter qu'ils feront bonne mesure. Ce serait une iniquité de plus[222]. »

Si Dreyfus retirait son pourvoi, le jugement de Rennes devenait chose jugée, et la grâce pouvait être proposée à la signature du président de la République. Mais le piège se refermait aussi sur lui, puisque, en agissant ainsi, il apparaissait comme sollicitant sa grâce, du moins implicitement. En matière de symbole, les faits sont exigeants. Dreyfus n'aura en réalité jamais demandé officiellement sa grâce. Il consentit seulement à renoncer à son pourvoi.

Dans l'immédiat, rien n'était officiellement décidé. Millerand se rendit chez Waldeck-Rousseau qui lui annonça que le président de la République était prêt à signer le décret de grâce et que le projet pourrait en être proposé au Conseil des ministres du lendemain 12 septembre. Pendant ce temps, Mathieu Dreyfus expliqua qu'il ne voulait rien décider sans l'avis de Clemenceau et de Jaurès qu'il avait revus dans les bureaux de *L'Aurore*.

Le soir du 11 septembre, vers 5 heures, une réunion générale eut lieu dans les bureaux du journal *Le Radical*, avec ces derniers ainsi qu'Arthur Ranc, Sigismond Lacroix et Gérault-Richard, le directeur de *La Petite République* ; les discussions se poursuivirent au ministère du Commerce. Les souvenirs de Mathieu Dreyfus restituent ce moment capital par lequel son frère allait recouvrer la liberté.

Lorsque Millerand eut terminé ses explications, je dis à mes amis : « Vous connaissez mon sentiment, je ne ferai rien sans que vous soyez d'accord avec moi. Si c'est oui, j'accepterai ; si c'est non, je refuserai. Mon devoir, après l'admirable concours que vous m'avez apporté, est de ne pas me séparer de vous. Votre décision sera la mienne. »

Reinach prit la parole et développa les raisons qui militaient en faveur de la grâce, en y ajoutant des considérations d'humanité. Clemenceau exposa que la grâce rendait la lutte impossible, et que cette grande bataille pour la justice serait sans bénéfice moral pour le pays si elle se terminait ainsi, par la mise en liberté de Dreyfus. [...]

Jaurès était très hésitant, mais plutôt hostile. Gérault-Richard, outre des raisons d'humanité, fit valoir que la grâce, survenant quelques jours à peine après la condamnation, serait considérée par l'opinion publique comme une réponse du pouvoir civil à la justice militaire.

Millerand intervint de nouveau. Puis finalement Jaurès se rangea à l'opinion du ministre. Clemenceau seul resta inébranlable. Il se tourna vers moi et me dit : « Vous avez la majorité, vous pouvez accepter. – Non, répondis-je, il me faut aussi votre consentement. Je ne me séparerai pas de vous. Si vous persistez dans votre opinion, je refuserai. »

Clemenceau se leva, arpenta pendant quelques minutes le salon ministériel, en proie à une grande agitation, puis il me dit : « Eh bien, si j'étais le frère, j'accepterais. »

Je demandai à Jaurès de rédiger lui-même la déclaration publique que devait faire mon frère aussitôt après sa libération. Il l'écrivit, puis il nous la lut, et ce fut ce texte, signé par mon frère, qui parut dans les journaux le lendemain de la grâce[223].

D'après Joseph Reinach, les arguments qu'il échangea avec Clemenceau annonçaient déjà le destin futur du capitaine Dreyfus à qui il fut impossible d'être à la fois un homme à sauver de la mort et le symbole d'un combat pour l'humanité : « Vous sacrifiez la cause de tous les opprimés à un intérêt particulier. – Vous faites d'une créature vivante un bélier contre des institutions militaires ou politiques. – Vous humiliez la République devant le sabre. – Vous rivez la France et la République au jugement de Rennes. – Vous n'avez pas au cœur l'amour de la justice. – Vous, vous avez surtout l'amour de la guerre civile [224]. »

## Vers la liberté

Alexandre Millerand remit alors à Mathieu Dreyfus la lettre du général de Galliffet au général Lucas, commandant le 10e corps d'armée à Rennes, afin qu'il puisse rencontrer son frère aussitôt et sans témoin. Avant son départ, Clemenceau voulut s'assurer que l'engagement était certain du côté du gouvernement. Millerand lui répondit que « si la grâce n'est point accordée demain », il donnerait sa démission [225]. Mathieu Dreyfus prit le train de 10 heures du soir pour Rennes et arriva le lendemain matin. Il devait obtenir pour 8 heures la décision qui serait alors aussitôt téléphonée à Paris. À 4 heures du matin, Lucie, prévenue par lui, l'attendait sur le quai de la gare. Ils allèrent immédiatement au siège du commandement du général Lucas qui obtempéra, « un peu troublé ». Il chargea son officier d'ordonnance, un capitaine d'artillerie, d'accompagner Mathieu à la prison militaire et d'ordonner qu'il puisse communiquer librement avec son frère.

Alfred fut plus étonné encore. « Nous nous embrassâmes, puis il me dit : "Que se passe-t-il donc ? Comment se fait-il qu'on nous laisse seuls, sans témoin ?" » Mathieu lui raconta tous les événements qui venaient de se dérouler. Il évoqua « la liberté qui lui serait probablement rendue, l'immense joie qu'auraient sa femme, ses enfants, tous les siens, de pouvoir l'entourer de soins, d'affection, de tendresse en attendant l'heure de la réhabilitation ».

Il hésita longtemps, j'insistai, je lui expliquai la nécessité de renoncer à ce pourvoi, même sans la grâce, pour éviter une cassation qui le renverrait devant un nouveau conseil de guerre qui statuerait sur la forme et non sur le fond, et qui le condamnerait à l'unanimité. Je lui parlai de nos amis, je lui communiquai leurs sentiments. Enfin, il céda. Puis je le quittai pour aller téléphoner à Millerand [226].

Les deux frères partageaient la conviction que, quels que soient les événements à venir, la réhabilitation serait obtenue. La certitude était absolue.

Mathieu apprit que le Conseil des ministres ne s'était pas passé comme prévu, et Millerand lui demanda de revenir immédiatement à Paris. Il prit le train de 3 heures de l'après-midi. À l'arrêt de Versailles, le socialiste indépendant René Viviani, un proche de Millerand envoyé par Jaurès, entra dans son compartiment pour l'informer des derniers rebondissements. Tous les ministres étaient favorables à la grâce, y compris et d'abord Galliffet qui écrivit à Waldeck-Rousseau le lendemain : « J'ai recueilli l'impression de beaucoup de mes camarades de l'armée. Aujourd'hui que tout le monde s'est incliné devant le verdict du conseil de guerre, chacun est envahi par la pitié [227]. » Comme beaucoup, il voyait dans la grâce l'amorce d'un processus d'amnistie : « J'estime en même temps, continuait le ministre de la Guerre, que cette mesure de souveraine pitié ne serait pas comprise de tous, si [le président de la République] n'était pas résolu, *en principe*, de mettre pour toujours hors de cause les officiers généraux ou autres qui ont été mêlés à cette malheureuse affaire [228]. » Mais le président de la République fit des objections : « Il craint que cette mesure ne soit mal interprétée par l'armée et il voudrait ne la prendre que dans quelque temps, raconta Viviani. Millerand a déclaré que, devant ce refus, il était démissionnaire, qu'il vous avait engagé sa parole d'honneur que la mesure serait immédiatement prise. »

Arrivé au ministère du Commerce, Mathieu Dreyfus indiqua à Millerand qu'il lui rendait la parole qu'il lui avait donnée, pour l'empêcher de démissionner. C'était ce qu'attendait tout le gouvernement, très inquiet, avec Waldeck-Rousseau, du risque de crise politique [229]. Le lendemain matin, 13 septembre, Mathieu vit Joseph Reinach. La menace provisoirement conjurée, le président du Conseil fit demander à Mathieu Dreyfus, par l'intermédiaire du *nouveau directeur du Figaro*, Gaston Calmette – le journaliste qui, en 1896, avait écrit l'un des premiers articles soulignant les conditions tragiques de déportation sur l'île du Diable – d'envoyer un médecin renommé examiner le prisonnier. Beaucoup s'étaient battus pour la justice, avaient été à Rennes. Mais ni Samuel Pozzi auquel avait pensé Waldeck-Rousseau, ni Paul Reclus, ni Édouard Brissaud n'étaient présents à Paris, comme le constata Mathieu Dreyfus. Ses amis lui conseillèrent alors Pierre Delbet, qui accepta et partit dans la nuit même pour Rennes. Il arriva au petit matin du 14 et put se rendre aussitôt à la prison, muni des autorisations nécessaires du général de Galliffet, le tout transmis toujours par Alexandre Millerand. Le 15, Delbet était de retour à Paris. Le rapport était alarmant, comme nous l'avons vu. Du fait d'une petite déviation de la colonne vertébrale, on pouvait craindre un début de tuberculose de la moelle épinière. Avec l'état d'épuisement complet du prisonnier, il y avait à redouter sa mort rapide s'il était maintenu en prison.

Le rapport de Pierre Delbet fut transmis à Waldeck-Rousseau qui le remit au président de la République. « Celui-ci en fut fort ému et il promit de signer la grâce le mardi suivant, dans le prochain Conseil des ministres [230]. » Émile Loubet subissait aussi de lourdes pressions pour qu'il accordât sans délai sa signature. Les présidents de la Chambre des députés, Henri Brisson, et du Sénat, Armand Fallières, étaient déjà intervenus auprès de lui à ce sujet. L'avocat Edgar Demange l'avait vu lui aussi.

Le 18 septembre, Mathieu Dreyfus fut prévenu que le décret de grâce serait signé le lendemain au Conseil des ministres du mardi. Il fut décidé entre Waldeck-Rousseau et lui que la nouvelle ne serait rendue publique qu'après la sortie de prison du capitaine. Le décret fut publié au *Journal officiel* du 22 septembre 1899.

> Le président de la République française,
> Sur le rapport du ministre de la Guerre ;
> Vu la loi du 25 février 1875 ;
> Vu l'avis de M. le garde des Sceaux, ministre de la Justice ;
> Décrète :
> Article premier. – Il est accordé à Dreyfus (Alfred) remise du reste de la peine de dix ans de détention prononcée contre lui par arrêt du conseil de guerre de Rennes, en date du 9 septembre 1899, ainsi que de la dégradation militaire.
> Art. 2 – Le ministre de la Guerre est chargé de l'exécution du présent décret.
> Fait à Paris, le 19 septembre 1899.
> Émile Loubet.
> Par le président de la République,
> Le ministre de la Guerre,
> Général Galliffet.

Le texte était précédé d'un rapport de Galliffet au président de la République portant la même date. Après un résumé de la situation judiciaire du capitaine Dreyfus, le ministre de la Guerre constatait que la législation interdisait d'assimiler la peine de déportation qui restait encore à accomplir avec une peine de réclusion dans une prison cellulaire : « Dans ce cas, il aurait presque complètement purgé sa condamnation », grâce au système des remises de peine. Le rapport insistait aussi – et fortement – sur la santé « gravement compromise » du condamné. Puis Galliffet continuait sur des raisons plus politiques :

> En dehors de ces considérations de nature à éveiller la sollicitude, d'autres encore, d'un ordre plus général, tendent à la même conclusion. Un intérêt politique supérieur, la nécessité de ressaisir toutes leurs forces, ont toujours commandé aux gouvernements, après des crises difficiles, et à l'égard de certains ordres de fait, des mesures de clémence ou d'oubli. Le gouvernement répondrait mal au vœu du pays, avide de pacification, si, par les actes qu'il lui appartient soit d'accomplir de sa propre initiative, soit de proposer au Parlement, il ne s'efforçait pas d'effacer toutes les traces d'un douloureux conflit. Il vous appartient, monsieur le Président, par un acte de haute humanité, de donner le gage à l'œuvre d'apaisement que l'opinion réclame et que le bien de la République commande [231].

Ce rapport était rédigé en accord avec Waldeck-Rousseau, selon la déposition du général de Galliffet devant la Cour de cassation en juin 1904[232]. L'ancien ministre de la Guerre ne cessa d'insister sur l'importance de la « pitié » qui commandait son acte. « Je ne me suis pas préoccupé un seul instant – je n'avais pas le droit de le faire – de savoir si Dreyfus était coupable ou non, puisqu'il était condamné et que, pour moi, chef de la justice militaire, cela suffisait. C'est mû par un sentiment de pitié, parce que je trouvais que Dreyfus avait déjà beaucoup souffert à l'île du Diable et enfin parce que j'espérais que cela amènerait la pacification dans les esprits, l'intérêt matériel de Dreyfus étant mis hors de cause, que j'ai agi. Je ne suis pas un homme de gouvernement ; mais j'ai agi comme devait faire, à mon avis, un homme de gouvernement ; je voulais la paix[233]. »

Aussitôt signé, le décret permit la libération du capitaine Dreyfus. Mathieu devait partir immédiatement pour prendre en charge son frère et l'accompagner jusqu'à Carpentras, où il allait enfin retrouver ses proches qui l'y attendaient, sauf Lucie encore à Rennes et ses enfants toujours à Paris et dans l'ignorance du destin de leur père. Le 18 septembre, Mathieu Dreyfus et le commissaire spécial de la Sûreté générale, Célestin Hennion, avaient organisé le voyage de l'officier vers le sud de la France[234]. Matthieu devait le retrouver à Nantes.

Ignorant encore les dispositions prises par son frère, Alfred Dreyfus quitta dans la nuit du 19 au 20 septembre 1899, à 2 heures du matin, la prison de Rennes où il avait vécu « de si tristes journées », où il avait éprouvé « tant de cruelles déceptions ».

Une voiture m'attendait. Elle me conduisit à une petite station près de Rennes. J'avais pris la décision, malgré les soins immédiats que nécessitait ma santé, si ébranlée, de rester en France et de me rendre dans le Midi, auprès de ma sœur, pour me reposer dans le calme et la tranquillité, et reprendre des forces pour les luttes futures.

À Nantes, j'eus la profonde joie de serrer dans mes bras mon frère Mathieu et mon neveu Paul Valabrègue, qui m'attendaient au passage. J'eus aussi le plaisir de faire la connaissance de M. Jules Huret, reporter au *Figaro*, qui fut pour nous un aimable compagnon de voyage[235].

Huret communiqua à ses lecteurs les informations nécessaires. La petite gare était celle de Vern, à dix kilomètres environ de Rennes. « Prévenu dans la soirée, [le capitaine Dreyfus] avait passé son temps à faire ses valises[236]. » Le landau, qui vint le prendre à la prison et qui contenait le directeur de la Sûreté générale, fut aussitôt suivi par une voiture suspecte, probablement des journalistes. Huret raconta que, arrivés à Vern, Dreyfus et les policiers descendirent prestement du landau qui continua sa route. Les occupants de la voiture suiveuse ne virent pas le stratagème et passèrent devant le petit groupe caché derrière une maison qui bordait le chemin. L'ancien prisonnier monta dans le train de 4 heures 36 qui venait de Rennes et se dirigeait vers Châteaubriant. Arrivés à destination, son escorte et lui changèrent de train pour débarquer à Nantes à 8 heures 17.

Dans ces trains qui parcouraient la Bretagne endormie, Alfred Dreyfus vivait ses premiers instants de liberté. Le 15 octobre 1894, il avait marché dans le petit matin sur le pavé parisien, allant vers un destin écrasant dont il sortit vivant et vainqueur. Mais son combat n'était pas terminé. Il allait désormais le mener en homme libre.

## La traversée de la France

Le capitaine revoyait les paysages de France pour la première fois depuis cinq ans. Le train se dirigeait vers Bordeaux. « J'éprouvai une vive joie, en roulant en chemin de fer, de voir défiler devant moi prés et champs. Tout m'amusait, tout m'intéressait ; il me semblait renaître à la vie, au sortir d'un long et épouvantable cauchemar [237]. » Mathieu Dreyfus était parti, le soir du jour de la grâce, pour Nantes attendre Alfred qui devait donc arriver de Rennes dans la nuit. Les deux frères s'étaient retrouvés le lendemain matin, à 7 heures et demie, sur le quai de la gare.

Je vis descendre mon frère d'un compartiment du train de Rennes, accompagné par M. Viguié, directeur de la Sûreté, et M. Durand, contrôleur général au ministère de l'Intérieur, et de trois inspecteurs. Ils se rendirent au buffet de la gare, séparés en deux groupes, pour ne pas attirer l'attention des autres voyageurs. Moi-même, je me tins à l'écart, avec mon neveu Paul Valabrègue et M. Huret du *Figaro*, que j'avais trouvé à mon grand étonnement à la gare et qui me demanda de la part du journal *Le Figaro* de voyager avec nous jusqu'à notre destination. Je fus un peu ennuyé, mais je ne pouvais guère refuser cette satisfaction au *Figaro* qui avait vaillamment lutté avec nous.

Lorsque le train, qui devait rejoindre le rapide de Bordeaux, fut sur le point de partir, M. Viguié conduisit mon frère dans un compartiment réservé. Nous le rejoignîmes. M. Viguié me demanda si j'avais un revolver, et, sur ma réponse affirmative, il nous serra les mains en nous souhaitant bon voyage. M. Durand et les trois inspecteurs restèrent avec nous.

Le journaliste du *Figaro*, Jules Huret, fit donc avec eux le trajet jusqu'à Carpentras. Il fut ainsi le témoin privilégié du « voyage d'Alfred Dreyfus », comme il intitula le premier volet de son reportage publié dans le quotidien. Toutes ses observations étaient un hommage à l'homme et au combattant Dreyfus. Il voulut raconter « cette émouvante odyssée, dont tous les détails resteront à jamais fixés dans [sa] mémoire ».

Je ne sais par où commencer le récit des émotions que je viens de vivre, tellement leur flot se précipite et déborde de mon esprit et de mon cœur.

Il vient de m'être donné de compatir, vingt-quatre heures durant, avec ce que j'ai de meilleur en moi, à la peine la plus effroyable qu'il soit possible d'imaginer dans le destin des hommes.

L'être au sort duquel l'élite du monde civilisé s'est solidarisée depuis deux ans, et contre qui se sont liguées toute l'ignorance et toute la méchanceté humaines, cet être qu'on dirait maudit – mon frère – qu'à travers les mers ma pensée douloureuse allait rejoindre et plaindre, il est là, devant ma sympathie réelle et profonde. Je sens en moi des forces inconnues pour le défendre contre ses ennemis, et malheur à ceux qui viendraient défier en ce moment sa faiblesse et ma pitié[238].

Jules Huret se présenta à Mathieu Dreyfus sur le quai de la gare de Nantes et calma ses inquiétudes. « Je l'assurai que le train qui allait emmener son frère n'aurait qu'un voyageur de plus, et qu'aucune indiscrétion de moi n'entraverait la marche du voyage. Il me supplia de tenir ma parole, et je la tins. » Son récit fut aussi émouvant que l'émotion qui l'étreignit pendant ce voyage. Ce témoignage est précieux : il montre ce voyage de liberté qui amena Dreyfus à traverser la France, du nord au sud, d'ouest en est, jusqu'à la petite ville de Carpentras d'où étaient partis vers Paris, un jour de la fin février de 1895, le jeune Bernard Lazare, le « porteur de torches », et le combat impossible pour sauver un Juif du bagne. Le récit d'Huret est très *cinématographique*. On voit apparaître les personnages, se suivre les plans dans une écriture simple, resserrée.

Voici le train de Châteaubriant qui s'avance ; il stoppe : une portière s'ouvre ; des hommes en descendent ; M. Mathieu Dreyfus se tient à l'écart ; puis, quand ils ont fait vingt mètres, il les suit ; je l'accompagne.

— Vous l'avez vu ? me demanda-t-il.

Je n'avais rien vu qu'un groupe de quatre ou cinq personnes portant des valises et des couvertures, et il m'avait été impossible de reconnaître le capitaine Dreyfus au milieu d'eux.

— Tenez, me dit son frère, le voilà, voyez-vous, avec cette couverture ?

J'aperçois un dos voûté, habillé de noir, qui se dirige vers le buffet de la gare.

Au bout d'un instant, nous pénétrons dans le buffet.

Déjà, les voyageurs sont attablés devant des tasses de lait et des croissants. Dans une petite salle, au fond, le capitaine Dreyfus est assis et mange. Son frère s'approche : il le voit ; il se lève, sa bouche s'entrouvre sur un sourire affectueux, et les deux frères s'embrassent longuement, sans dire mot.

Je suis le seul à assister à cette scène d'une émouvante et mélancolique simplicité.

M. Mathieu Dreyfus me présente à son frère : le capitaine Dreyfus me tend la main ; je la serre et je lui dis la joie profonde que sa liberté va donner à tant d'êtres pour qui elle sera comme une délivrance personnelle.

Il est habillé d'un complet bleu marine, couvert d'un pardessus noir à revers de soie dont le col bâille derrière, et il est coiffé d'un chapeau de feutre mou, noir. Il porte des lunettes.

— C'est pour ne pas être reconnu, me dit-il en souriant d'un sourire naïf ; mais cela m'ennuie ; je n'y suis pas habitué et je n'y vois rien !

— Mange, lui dit son frère, car nous allons partir.

— Oui, oui, fait-il, obéissant.

Et il se rassied docilement, vide sa tasse de lait.

Pendant ce temps, M. Viguié a fait retenir les places de deux compartiments, car à présent le service de surveillance se compose de trois inspecteurs choisis parmi les meilleurs de la brigade Hennion et du contrôleur général des services extérieurs de la Sûreté générale, qui l'accompagnait à Rennes, et à qui désormais incombe la lourde responsabilité du long voyage que nous allons faire.

Le capitaine Dreyfus monte dans un compartiment de lits-toilettes, avec M. Mathieu Dreyfus, son neveu, M. Paul Valabrègue, et moi. M. Viguié vient de faire ses dernières recommandations, car il ne va pas plus loin. Le capitaine et M. Mathieu Dreyfus le félicitent de l'habileté et de la prudence déployées depuis le départ de Rennes. On rit un peu du pauvre journaliste dépisté si drôlement, et on fait le souhait commun que le reste du voyage s'effectue aussi bien [239].

La Sûreté générale, son directeur et son futur grand responsable Célestin Hennion, l'homme des fameuses « brigades du tigre » créées par Clemenceau en 1906, furent dans l'affaire Dreyfus des acteurs précieux du maintien de la légalité et de la recherche de la vérité. Certes, ce service national luttait contre le pouvoir tentaculaire de la préfecture de police et de ses méthodes qui pesèrent fortement dans les mécanismes d'arbitraire de l'Affaire, des faux rapports de 1894 établis contre Dreyfus à la démence techniciste d'Alphonse Bertillon. Cette institution parisienne n'est jamais revenue du reste sur son rôle antidémocratique en cette fin de siècle, ni sur d'autres événements du siècle suivant.

Jules Huret témoigna aussi de la grande humanité du capitaine Dreyfus, infirmant les rumeurs qui se formaient déjà contre son caractère antipathique, forme sournoise d'un antidreyfusisme qui ne disait pas son nom. Cette déviance n'a cessé de s'affirmer pour demeurer comme une certitude à l'heure où la France et le monde s'apprêtent à commémorer le centenaire de la réhabilitation de 1906.

Je suis assis en face du capitaine Dreyfus ; nos genoux se touchent presque, et mes yeux ne le quittent pas un instant. Je suis surpris de l'effet qu'il m'a produit.

Je m'attendais, quel que fût mon sentiment sur son cas, à me trouver devant un être qui ne dégagerait aucune sympathie. On l'avait peint comme un homme désagréable et hautain, à la voix rocailleuse, à l'œil fuyant. Je me le figurais dur, méfiant, ombrageux, sinon haineux, du moins amer ! Et j'étais prêt à lui pardonner tout cela, je l'avoue.

Or j'ai devant moi un être aux traits réguliers et fins, à l'expression calme et douce ; sa face très rose lui donnerait un air de grande jeunesse, si le dessus du crâne n'était absolument chauve, et si les cheveux, des deux côtés de la tête, n'étaient tout gris. Et cette fraîcheur du teint accuserait une belle santé, si les oreilles larges et plates ne s'étalaient toutes blanches.

L'anémie l'a affaibli, et ce qui lui reste de sang s'est porté vers la tête, dernier refuge de sa prodigieuse vitalité. Le cou est maigre, les mains sont longues et osseuses, les genoux pointent comme des clous, à travers le drap bleu du pantalon ; la poitrine s'est creusée ; le corps entier apparaîtrait celui d'un être vaincu, sans l'énergie de la bouche, la carrure du menton, la volonté du regard. Ce regard est bleu, d'un bleu charmant et doux, limpide et clair ; loin de fuir sournoisement le vôtre, il vous fixe avec assurance derrière les verres du lorgnon, et c'est cet homme dont on a fait un monstre d'hypocrisie, dont un misérable écrivit qu'il suait la trahison ! Je connais ses ennemis, j'ai vu leur âme derrière leur regard, et j'y lus qu'ils avaient trahi bien des nobles causes.

Jules Huret fut aussi le témoin des liens très forts qui unissaient les deux frères, ressort essentiel du combat qu'ils menèrent en commun bien que séparés par la prison et le bagne. Sous le regard de son frère, Alfred Dreyfus commença à évoquer la puissance du sentiment de la liberté retrouvée.

Le train roule vers Bordeaux.

Mathieu Dreyfus regarde son frère avec tendresse :

— Eh bien ? questionne-t-il. Es-tu à ton aise ? Tu n'as pas froid ?

— Oh ! non. Je suis très bien couvert : une flanelle, deux tricots, mon veston, mon pardessus. Je me sens très bien ; et puis, tu oublies la liberté !

Ah ! continua-t-il, c'est bon de se sentir libre, libre, libre ! Ne pas voir éternellement autour de soi des gens qui épient chacun de vos gestes, de vos mouvements, de vos regards. Cela, tenez, c'est une chose odieuse, insupportable ! Être enfermé, passe encore ! quoique bien douloureux, à la longue. Mais l'œil de cet homme dont on subit à chaque minute, à chaque seconde, l'investigation hostile sur les moindres mouvements de votre corps, durant cinq ans, cela est horrible.

— Ne te fatigue pas trop, observe paternellement Mathieu. Tu dois être bien fatigué !

— Laisse-moi, répond le capitaine. J'ai besoin de parler. Pense donc que voilà cinq ans que je ne parle pas ! Et puis, je me sens si bien ! Aucune fatigue, aucune douleur : l'excitation, probablement ; et demain je m'en ressentirai. Mais aujourd'hui je veux faire ce qui me plaît[240] !

Alors que le train filait à travers la « terre féconde de cet admirable pays du bocage vendéen », Alfred Dreyfus continuait de raconter son calvaire et d'exprimer son bonheur. Son récit s'enchâssait dans les paysages qui défilaient sous ses yeux. Il semblait parler à la France tout entière, à ses hommes et à ses lieux. « Comme c'est joli, cette campagne ! fait-il. Regardez ce petit village, ces coqs, ces poules, ces beaux arbres estompés par la brume ! Pensez que, pendant un an, je n'ai vu que le ciel et la mer et, pendant les quatre autres années, que le ciel seulement[241] : un carré de ciel bleu éclatant, métallique, dur et toujours pareil, sans un nuage ! Et quand je suis revenu en France, vous savez comment, la nuit, par une tempête épouvantable, transporté d'un navire dans une baleinière, d'une baleinière dans une voiture, de là dans un wagon, pour arriver enfin dans une prison, à l'aube ! Ce sont donc les premiers arbres que je vois. » Huret poursuit : « Le capitaine Dreyfus regarde tout cela, comme si c'étaient, en effet, des choses nouvelles pour lui. Il les dévore des yeux. "J'aurais une joie d'enfant, dit-il, à courir dans ces prairies, à m'amuser avec rien ! Je suis comme un convalescent qui revient à la vie." Depuis le départ, il n'avait cessé de fumer. "Tu fumes trop, lui dit son frère. – Laisse-moi fumer, laisse-moi causer, laisse-moi au moins vingt-quatre heures de débauche, voyons !" Et il sourit encore [242]. »

## C'est l'officier qui parla

Dreyfus parla beaucoup des enseignements qu'il tirait de son incroyable histoire et du regard qu'il portait désormais sur l'humanité révélée par son affaire. À l'évocation de la mort de Scheurer-Kestner, survenue le 19 septembre 1899, le jour même où il recouvrait la liberté, il s'exclama : « Que de beaux caractères se sont montrés ! » Il évoque ensuite les cinq mille lettres qu'il a reçues depuis son retour en France, « sans compter celles que ma femme a reçues de son côté ! Et des témoignages bien humbles à côté de témoignages bien grands ! Oh ! cela m'a fait du bien ! Des officiers, même en activité, m'ont écrit ces simples mots : "Heureux de ton retour. Heureux de ta prochaine réhabilitation." »

Il parla aussi de ses accusateurs. Le général Mercier, « un méchant homme et un malhonnête homme ». Mais « je crois, ajoutait-il, lucide et perspicace, qu'il n'a pas conscience de la profondeur du mal qu'il a fait. Il est trop intelligent pour que je puisse dire qu'il est inconscient. Mais, s'il est conscient mentalement, il est moralement inconscient. Il est amoral [243] ». Les dépositions à charge de ses anciens camarades, il les attribua « au désir de l'avancement » : « Je suis sûr que ce n'était pas par méchanceté envers moi. Non. Simplement le calcul un peu bas de plaire aux chefs. Ah ! ce sont des natures qui se font une idée bien bizarre du devoir ! Au lieu d'entendre par "discipline" l'obéissance sur les champs de bataille ou à la caserne, ils l'entendent jusqu'à l'avilissement de la raison et de la liberté morale. Moi, je ne pus jamais me plier à cette discipline-là, et jamais je n'aurais pu croire que ce fût possible à des officiers. » Jules Huret l'interrogea plus avant sur les raisons qui avaient amené à le suspecter jusqu'à le transformer en coupable absolu et éternel. Ses réponses sont précieuses, car il ne s'exprima jamais plus ensuite avec autant de précision et de réflexion. Il révéla à cette occasion les traits distinctifs de cette nouvelle armée qui venait et qui aurait pu transformer le visage militaire de la France si elle n'avait été broyée avec lui. L'une des conséquences de l'Affaire fut en effet les graves hésitations des polytechniciens à s'engager désormais dans la carrière militaire [244].

Comment expliquez-vous cette antipathie presque générale qu'on a vue s'éveiller contre vous depuis 1894, dans les bureaux de l'État-major ?
— J'en crois la cause assez complexe.
D'abord, et surtout, on me croyait coupable. Personne n'eût jamais osé soupçonner qu'on se fût lancé si légèrement dans l'erreur.
Ensuite il y avait l'antisémitisme à l'état latent.
Enfin mon caractère a pu, en effet, être pour quelque chose.
Oui, j'étais assez cassant, mais avec mes chefs, bien entendu, car, au contraire, je m'attachais à montrer le plus d'égards possible envers mes inférieurs. Je ne fréquentais pour ainsi dire personne, et quand j'entrai à l'État-major, je ne fis de visite à qui que ce soit, me contentant d'envoyer, par mon ordonnance, ma carte chez le chef et le sous-chef d'état-major de mon bureau, et c'était tout. Je ne léchais donc pas de bottes, et je gardais toujours vis-à-vis de mes chefs mon franc-parler et mon indépendance. Si un plan, un travail quelconque me paraissait mal conçu, je ne me privais pas de le dire tout haut, au lieu de me croire forcé d'approuver tout, de parti pris, comme je voyais faire tout autour de moi, lorsque c'était un chef qui parlait ou qui agissait. Je sais qu'on n'aime pas cela dans l'État-major.
Le colonel Bertin-Mourot a dit un mot profond à Rennes, en parlant du colonel Picquart : « On sentait que cet officier ne marchait pas derrière les chefs. » C'est là toute leur psychologie et toute leur morale. Marcher derrière les chefs ! Ah ! si c'était à la guerre ou aux manœuvres, soit. Mais quand il s'agit d'honneur et de devoir, a-t-on besoin de marcher derrière quelqu'un ? N'a-t-on pas sa conscience à soi [245] ?

Puis Dreyfus aborda un autre volet de sa réflexion sur les institutions de la République. Après l'armée, il parla de la justice, de ses principes, de ses méthodes. Notamment celle qui consista à le condamner pour un crime sans mobile :

On a dit que j'étais un débauché : comment expliquer alors que je suis sorti de l'École [de guerre] avec le numéro 9 ? Ne sait-on pas le travail forcé exigé par les examens ? Comment peut-on allier le travail et la débauche ? D'ailleurs, mon frère vous le dira, je n'ai jamais commis aucun genre d'excès dans ma vie. Alors donc, quel mobile ?
Le général Mercier a dit que la recherche du mobile d'un crime appartenait au domaine de la psychologie, et que nous étions sur le terrain judiciaire. Qu'est-ce que cela veut dire ? Je n'ai jamais été magistrat ; mais il me semble que la première chose à faire, quand on a des soupçons sur un criminel, c'est de découvrir le mobile de son crime. C'est du bon sens, cela ! [...]
C'est comme cette théorie de Mercier au conseil de guerre : les circonstances atténuantes ! La trahison envers la patrie est le plus grand crime que puisse commettre un être humain. Un assassin, un voleur peuvent s'excuser

dans une certaine mesure. Leur crime n'est qu'un crime contre une individualité : la trahison est un crime contre la collectivité. Il n'y a pas de circonstances atténuantes pour une telle abomination, dire cela est une
monstruosité !
     — Quel effet vous a fait le verdict ? [...]
     — Ç'a été d'abord une douleur profonde, puis de la stupéfaction, puis
une sorte de réconfort très doux, en apprenant que deux officiers avaient eu
le courage de me déclarer innocent [246].

Enfin, le capitaine raconta des épisodes de sa vie en déportation. Le
climat, « quarante-cinq à cinquante degrés le jour, et jamais au-dessous
de vingt-cinq la nuit. Et c'est cela le plus terrible et le plus exténuant,
car, au pis aller, on peut supporter la chaleur, mais à la condition de
respirer de temps à autre de l'air un peu plus frais. Là-bas, jamais. »
L'absence totale de nouvelles, d'information, de mot même. « De temps
en temps, les rigueurs redoublaient. Je le raconterai un jour. Et je sais
à présent que cela coïncidait avec les déclarations des ministres de la
Guerre. Chaque fois que l'un d'eux montait à la tribune et déclarait
que j'avais été justement et légalement condamné, je sentais le contre-
coup par l'intermédiaire des geôliers. On me supprimait des vivres, ou
la lecture, ou le travail, ou la promenade, ou la vue de la mer ; et,
finalement, la marche... avec la double boucle [247] ! » Dreyfus expliqua
les solutions auxquelles il se résigna pour tenter de vivre malgré la
mort et la folie qui approchaient :

> En 1896-1897, comme j'avais résolu de vivre, j'enlevai de ma table les
> photographies de ma femme et de mes enfants, dont la vue me faisait mal
> et m'affaiblissait. *Je ne voulais plus les voir.* Et je suis arrivé à ne me les
> figurer que comme des entités, des symboles, sans leur figure humaine dont
> la pensée m'amollissait trop. Je ne voulais pas faiblir. Quand on a un devoir,
> il faut le remplir jusqu'au bout, et je voulais vivre pour ma femme et mes
> enfants. C'est comme pendant le procès de Rennes où j'avais besoin de tant
> de force, eh bien ! je n'ai pas voulu relire mon journal de l'île du Diable,
> pour ne pas m'attendrir sur moi-même et conserver mon énergie.
>     Car [...], quand on a résolu de faire son devoir, il faut aller jusqu'au
> bout [248] !

Il révéla aussi des faits qu'aucune archive, qu'aucun témoignage ni
écrit n'attestaient. Mathieu releva que certains des livres que lisait et
relisait son frère avaient pour auteurs des intellectuels qui, au même
moment, le défendaient : Duruy, Duclaux. « J'ai lu tant qu'on m'a
laissé lire. J'avais Shakespeare, les *Mémoires* de Barras. Oh ! que j'ai
goûté l'admirable introduction de Georges Duruy, et sa langue virile,
énergique et riche ! J'ai lu aussi une étude de Duclaux sur les maladies
microbiennes, que je me suis amusé à analyser [249]. »

> Savez-vous, continue-t-il, ce qu'il y a de plus fatigant dans des luttes
> comme la mienne ? C'est la résistance passive. Avoir lutté comme mon

frère pendant cinq ans, c'est exténuant, en effet ; mais au moins l'effort amène un résultat ; on bouge, on va, on crie, on blesse, on est blessé, mais on agit, et les forces dépensées se récupèrent ; tandis que la résistance passive, que dut être la mienne, est plus usante encore, plus déprimante, parce qu'elle exige l'effort de toutes les minutes de la vie, sans exception d'une seule minute. C'est cela, avec l'absence de fraîcheur, qui m'a le plus usé.
— Mais vous avez dû avoir des cauchemars terribles ?
— Oh oui ! souvent ! Je les ai écrits dans mon journal, mais je ne saurais pas me les rappeler à présent. Quand le gardien m'entendait parler haut, la nuit, il venait, jusqu'au pied de mon lit, écouter les paroles que je prononçais, pour les répéter le lendemain, dans son rapport au gouverneur[250].

*La fin d'un si long périple*

Le train approchait de Bordeaux. Les journalistes, prévenus comme le craignait Mathieu, étaient déjà nombreux à la gare. Dans le compartiment-lit, Alfred continuait de parler, de raconter. Après le passé, il se tourna résolument vers le présent, à l'invitation du journaliste qui continuait son « dramatique interrogatoire » : « Qu'allez-vous faire à présent, capitaine ? – Je veux vivre avec mes enfants et ma femme, répondit-il. Mes enfants sont ma plus grande joie sur la terre, désormais ; l'aîné se souvient, paraît-il, de moi. La plus jeune n'avait que quelques mois en 1894 ; je ne la connais donc pas. Je n'ai pas voulu les voir à Rennes, pour ne pas laisser dans leur jeune esprit l'image triste de la prison, car il ne faut pas attrister l'imagination des enfants. Mais je vais les voir dans deux jours avec une bien grande joie. Je veux les élever moi-même, avec leur mère, faire leur instruction et leur éducation, car je suis opposé à l'internat. Quand mes enfants étaient petits, mon imagination se faisait une fête de causer avec eux, de les former dès le jeune âge à la discussion libre. Malheureusement, les événements ne l'ont pas voulu. Mais j'espère me rattraper[251]. »
À Bordeaux, la foule avait grossi. Il était 4 heures et demie de l'après-midi. Le groupe se réfugia à l'hôtel Terminus, qui se trouvait dans la gare même. Dreyfus et les siens dînèrent dans le salon. Il évoqua sa lecture de *Cyrano de Bergerac*, la pièce d'Edmond Rostand devenue en quelques semaines un véritable *best-seller*. « Je me suis énormément intéressé à cette œuvre délicieuse. Je ne rêve rien de plus joli que le couplet sur le baiser. J'étais assez mal disposé ce jour-là, et, grâce à M. Rostand, j'ai passé une journée exquise, j'ai tout oublié. » L'heure de reprendre le train arriva. Les inspecteurs de la Sûreté décidèrent d'éviter la foule massée dans la gare en passant par la rue et en allant vers les quais par le chemin du public. Une photographie a été prise du petit groupe entourant Dreyfus. Il faisait ses premiers pas d'homme libre dans une rue de France. Autour de lui, des passants interloqués, muets comme devant une apparition. Un employé de la gare cria au loin : « Bravo ! » De l'autre côté du quai, une voix

hurla : « À bas Dreyfus ! » En bon mathématicien, nota Jules Huret,
le capitaine fit cette réflexion : « Cela se balance. »
La nuit dans le train se passa bien. Dreyfus dormit « pour la première fois en liberté ». « Quand le matin, à 5 heures, nous revîmes le
capitaine, je le trouvai reposé, content, heureux comme la veille, plus
heureux même d'approcher du but du voyage. [...] Il fait jour. Le
soleil se lève au milieu des nuages empourprés de l'horizon. » Le train
approchait d'Avignon, dernière étape avant d'arriver à Carpentras.
Jules Huret vint faire ses adieux au capitaine « qui regarde par la vitre
du wagon en marche le merveilleux spectacle » du soleil levant dans
les paysages du Midi.
Il lui dit ces phrases admirables :

J'ai été la victime des idées, je n'en conserve aucune amertume, je n'ai
pas de haine pour ceux qui m'ont fait tant de mal ; je n'ai pour eux que de
la pitié. On n'a pas de haine ni de colère contre ceux que l'on n'estime pas.
Ce que nous devons nous dire, c'est qu'il faudra que de pareilles choses ne
se reproduisent jamais plus pour personne.
Je lui demande : Savez-vous l'intensité des sentiments que votre malheur
a fait naître ? Vous savez que des gens vous haïssent, mais vous savez qu'il
en est beaucoup d'autres dont le cœur compatit à votre sort, ardemment ?
— Il ne faut pas se mettre en scène soi-même... Je représente aux yeux
d'êtres sensibles une partie de la souffrance humaine, mais une partie seulement, et je me rends compte que c'est la bonté naturelle des êtres qui
s'émeut à ce symbole que je personnifie.

Dreyfus confirma à Huret qu'il se rendait bien à Carpentras et qu'il
y resterait le temps de se reposer et de se remettre de ses plus vives
douleurs. Il précisa n'avoir pas voulu aller à l'étranger, comme Waldeck-Rousseau l'avait demandé à Mathieu[252]. Certes, il aurait été à
l'abri de réactions nationalistes toujours possibles. Mais « l'accueil
qu'on eût pu m'y faire aurait eu l'air de représailles contre la patrie,
et je n'ai pu m'y décider. »
Enfin le capitaine Dreyfus fit une déclaration finale sur la grâce,
prélude de la réhabilitation : « Je n'ai pas demandé la grâce, mais je
l'accepte comme un allègement à ma douleur et à celle de ma femme,
car nous avons bien besoin d'un peu de répit. Mais cette grâce
n'enlève rien à mes résolutions de poursuivre ma réhabilitation. Je ne
connais pas l'injure ni la menace, mais je ne connais pas non plus la
faiblesse. Je parle de la faiblesse morale... Ne faut-il pas que l'âme
domine le corps ? »
Jules Huret prit congé du capitaine Dreyfus sur le quai de la gare
d'Avignon. C'était le 21 septembre. Deux landaus attendaient Dreyfus
et son escorte. Il monta dans une voiture avec Mathieu et Paul Valabrègue, les inspecteurs de la Sûreté générale allèrent dans l'autre.
« Nous échangeons une dernière poignée de main, et voilà le cortège
historique qui disparaît bientôt sous les grands arbres[253]... »

La présence du journaliste pendant ce voyage de deux jours à travers la France révéla un homme que les années de réclusion sauvage et les deux condamnations iniques n'avaient pas brisé. Ses valeurs d'humanité étaient intactes, elles étaient même plus fortes. Double victoire de Dreyfus. Dreyfus a été la victoire de la civilisation sur la barbarie jusqu'aux évidences les plus nettes. La plus grande stupéfaction des inspecteurs de la Sûreté qui firent tout le voyage aura été d'entendre l'ancien prisonnier parler avec Viguié, entre Rennes et Nantes, de peinture, d'architecture, de poésie. « Ils ne pouvaient pas croire qu'il fût possible à un homme enfermé depuis cinq ans, dans d'aussi horribles conditions, d'avoir conservé une telle netteté d'esprit [254]. » Mathieu Dreyfus reçut un autre témoignage de policier : en le quittant à Avignon, le contrôleur général Durand lui avoua que « jusqu'au jour où la mission d'accompagner mon frère lui avait été donnée, il lui avait été hostile. Mais à cette heure le contact qu'il en avait eu, son calme, son attitude pendant les péripéties du voyage, la simplicité de sa conversation l'avaient pleinement convaincu de son innocence ».

*Le retour vers les siens*

Après une heure d'une route « admirable, vingt kilomètres de joie pour les yeux, des arbres magnifiques, des champs plantés d'oliviers, de mûriers, de citronniers, de figuiers, de vignes », avec sur l'« horizon les monts Ventoux dorés sous le soleil », traversant de petits villages qui s'égrènent dans la plaine comme en Orient « tant le soleil donne de l'éclat aux pierres, tant l'air est bleu » [255], Dreyfus arriva à Carpentras. Le maire avait été prévenu par le préfet du Vaucluse de la présence du capitaine dans ses murs et avait été invité à prendre les mesures de police nécessaires. L'élu répondit « qu'il était assuré des bons sentiments de la population à l'égard de la famille Valabrègue, très aimée dans le pays, et qu'il répondait de la tranquillité et de l'ordre [256] ».

Jean-Bernard évoque quant à lui une « ville conservant son calme, réservant un accueil bienveillant à celui qui alla leur demander asile au moment où tant de haines déchaînées le poursuivaient après qu'il fut sorti de cet enfer judiciaire, où tout lui fut reproché et où des juges, qui ne trouvèrent pas le pardon de l'histoire, condamnèrent sans preuves, soulevant la conscience de l'Europe civilisée et commettant le plus abominable attentat que des hommes puissent commettre, celui de condamner un innocent en ayant les preuves de son innocence [257] ».

*Villemarie*, la demeure de Joseph et Henriette Valabrègue, qu'Alfred connaissait bien pour y avoir longtemps séjourné dans sa jeunesse, était à dix minutes du centre de la petite ville, mais déjà en pleine campagne. La propriété était très étendue, près de dix hectares de prairies, de vergers, de vignes. Elle était complètement fermée de murs blancs. De nombreuses allées la sillonnaient. Le convoi longea un long boulevard planté d'arbres, on traversa un pont de pierre puis on entra dans une belle avenue ombreuse fermée à l'autre extrémité par un mur et une grille. Celle-ci était ouverte. Les deux voitures entrèrent dans le jardin. Alfred Dreyfus descendit sur l'allée, au milieu d'une partie de sa famille. Le cœur infiniment serré d'émotion, Henriette et Louise s'approchèrent de leur jeune frère qui avait tant souffert et qui leur avait donné une telle leçon de courage. Derrière, suivaient leurs maris. Lucie n'était pas encore à *Villemarie*, son train venant de Paris était en route pour le Midi. Alfred et Mathieu avaient décidé qu'elle quitterait Rennes pour la capitale afin de déjouer les curiosités, « tant les passions étaient encore vives [258] ». À minuit, les deux époux furent enfin réunis. « L'émotion fut indicible, reconnut Alfred Dreyfus dans ses *Carnets*. Enfin, c'était une accalmie, une détente, dans cette longue suite de souffrances qui avait été notre lot à tous [259]. »

Parlant de ses retrouvailles avec Lucie le soir à Carpentras, il écrit : « Ce fut notre premier jour de réunion réelle, car la situation était trop angoissante, trop triste à Rennes, dans nos entrevues à la prison, pour que nous puissions échanger nos impressions, nous dire tous les sentiments qui agitaient nos cœurs. Enfin, nous nous revoyions librement, après cinq ans du plus cruel et du plus immérité martyre [260]. » Le lendemain arrivèrent les deux enfants [261], emmenés par leurs grands-parents maternels. « L'émotion fut immense en revoyant ces chers petits êtres pour lesquels j'avais vécu, dans le souvenir desquels j'avais puisé tant de forces. J'avais craint un moment d'étonnement, de surprise de leur part, devant un père dont la figure leur était devenue inconnue. Mais dès l'abord ils se jetèrent dans mes bras et furent très tendres. Leur mère les avait constamment entretenus de l'absent. Ces quelques instants d'émotion délicieuse me firent oublier bien des tristesses, bien des chagrins [262]. »

Les frères et sœurs du capitaine Dreyfus, ceux de Mulhouse, de Belfort, convergèrent à leur tour vers *Villemarie*. Il revit ainsi successivement tous les membres de sa famille « dont les cœurs avait battu à l'unisson du [sien] pendant ces cinq années douloureuses [263] ». Puis il rencontra quelques-uns de ceux qui l'avaient si fortement soutenu. Le dernier fut le premier : dès le 22 septembre, Jules Huret put rendre une visite à *Villemarie*. « C'est là, sous ces ombrages et sous ce soleil tempéré, au bord de cette eau fraîche, parmi cette abondance de paradis terrestre, sur cette terre bénie, au milieu de ces êtres de bonté et d'amour qui ne vont vivre que pour lui, que le capitaine Dreyfus songera à ses tortures passées et à la douceur du présent. »

Le capitaine descend sous la marquise vitrée où nous nous trouvons, devant la maison. Mme Dreyfus le suit ; elle a l'air heureux, avec quelque chose de craintif encore dans l'expression de ses traits. [...] Tout le monde a les yeux fixés sur le capitaine. On le regarde, on sourit, et je m'aperçois que j'assiste en ce moment au plus émouvant spectacle qui puisse ravir une âme humaine : la réunion de ces dévouements si grands, de ces affections si passionnées autour d'un être qu'ils ont cru perdu, pour lequel ils ont si ardemment, si héroïquement lutté !

Une douce tiédeur parfumée vient du jardin, le soleil se joue sur les vitres de la marquise, la voix du capitaine s'élève :

— On dirait que je rêve.

Puis il continue :

— En somme, je ne suis pas encore libre ! Je sens que je me laisse conduire comme un enfant, je ne me rends pas compte des menus faits de la vie.

Mme Dreyfus dit :

— C'est exactement comme moi. Je te vois bien, mais je n'ose pas croire que c'est toi. Je te regarde, et malgré moi je crois que tu es encore à l'île du Diable et ma pensée t'y rejoint comme elle en a l'habitude depuis cinq ans.

Je lui demande à quel moment son premier espoir est né, là-bas, dans cette île du Diable désormais si loin. Il me répond :

« Le 16 novembre de l'année dernière, j'ai reçu la dépêche de la Cour de cassation [...]. Je n'ai pas compris ce que cela voulait dire. J'ai considéré cette dépêche comme une sorte d'accusé de réception de mes nombreuses pétitions, puisque j'ignorais tout, la loi sur la révision, etc. Pour moi, "recevable en la forme" voulait dire "en la forme juridique". Mais n'importe ! Un espoir m'arriva ce jour-là. La sensation que j'eus alors fut celle d'une fin possible, comprenez-vous ? Jusqu'alors je ne voyais pas de fin. Ce jour-là, j'ai entraperçu une fin[264]. »

Les derniers mots du capitaine Dreyfus à Jules Huret furent dédiés à la justice. Ils désignaient l'avenir, dans la promesse d'un nouvel arrêt de la cour suprême qui proclamerait cette fois la pleine et complète innocence de l'homme. Il y travaillait déjà, comme les dreyfusards dont il rencontra certains et dont il lut pour les autres leurs lettres exceptionnelles. Il entendit aussi l'écho des hommages des humbles et des puissants qui espéraient dans une France nouvelle, plus juste et plus vraie dans le siècle nouveau.

### À la rencontre des dreyfusards

Le premier dreyfusard à rencontrer le capitaine Dreyfus fut le commandant Forzinetti. « J'embrassai avec joie le brave et loyal soldat, que j'avais appris à connaître durant mon triste séjour à la prison du Cherche-Midi, en 1894, où il avait su allier les sentiments les plus élevés d'humanité aux devoirs les plus stricts du soldat. Nous nous rappelâmes l'émotion poignante qui nous étreignit en nous séparant le matin du 5 janvier 1895, quand je me rendis au pire supplice qu'on peut infliger à un soldat, la dégradation. Je savais avec quel courage, quelle ardeur, ce brave cœur avait partout proclamé la vérité, crié l'épouvantable erreur judiciaire de 1894[265]. » Forzinetti raconta sa visite à son ancien prisonnier dans une longue lettre du 10 octobre 1899 à Blanchy :

> À mon passage à Avignon, je me suis arrêté et j'ai fait un crochet sur Carpentras où j'ai passé vingt-quatre heures près du capitaine Dreyfus et une partie des siens. Hélas ! je le considère comme perdu, c'est un squelette vivant, bourré de ouate, il a l'épaule gauche ankylosée, on pourra peut-être prolonger son existence à force de soins et de dévouement, mais je crains bien qu'il n'aille pas très loin. Les tortures qu'il a subies sont épouvantables. Indépendamment des fers, de la fameuse double boucle du sinistre Lebon, il a été mis au pain et à l'eau. La correspondance des siens lui a été supprimée. Il se dispose à écrire tout cela. Dieu veuille qu'il en ait le temps et la force. Il reçoit des quantités de dépêches et de lettres de tous les points du globe. Un éditeur de Londres a télégraphié – j'étais là au reçu de la dépêche –, lui offrant un million pour le récit de son séjour aux îles du Salut. Il restera à Carpentras tant qu'il pourra et pense venir ensuite à Menton ou à Cannes. Il se conformera aux indications que les médecins prescriront.
>
> Ce qui m'a étonné et m'étonne encore en lui c'est qu'il n'a jamais un mot de haine pour ses bourreaux. Il a accepté la liberté mais non la grâce et par tous les moyens possibles il poursuivra sa réhabilitation qu'il veut pleine et entière, mais pour moi sa réhabilitation ne sera pleine et entière que par le juste châtiment des coupables.
>
> En le quittant il m'a particulièrement chargé de témoigner toute sa profonde gratitude, qui restera éternelle en son cœur, à Son Altesse Sérénissime pour sa magnanime attitude. Il espère pouvoir la lui témoigner verbalement un jour[266].

Dreyfus reçut d'autres « amis de la justice » dont il savait « avec quel courage, avec quelle abnégation [ils] avaient défendu la cause de la vérité ».

> J'avais pour eux la plus profonde reconnaissance, et, en apprenant à en connaître quelques-uns, j'appris à les aimer. Mon regret se doubla de ne pas les connaître tous et je leur adresse ici un hommage ému, sans oublier Bernard Lazare, qui fut le premier écrivain qui prit avec un admirable courage ma cause [illisible].
>
> Je vis aussi Gabriel Monod, un savant historien et un grand cœur, d'une bonté inlassable – un saint laïque ; Joseph Reinach, un des hommes les plus intelligents et les plus courageux de ces temps-ci ; M. et Mme Eugène Naville, qui avaient entouré ma femme d'une affection touchante. Je reçus également la visite du docteur Brissaud, professeur à la faculté de médecine de Paris, esprit puissant et ouvert à toutes les manifestations de la pensée humaine. Le même jour vint M. Grimaux, membre de l'Institut et ancien professeur de chimie à l'École polytechnique, dont la déposition au procès Zola est une des pages les plus éloquentes et les plus émouvantes qu'il m'ait été donné de lire. Au déjeuner qui les réunit, j'eus une des jouissances intellectuelles les plus vives qu'il m'ait été donné de connaître. L'esprit ouvert, vif et brillant de M. Grimaux répondait avec un éclat merveilleux à la parole inspirée d'une pensée toujours haute du docteur Brissaud. Ma

reconnaissance pour eux se doubla d'une profonde admiration. Je reçus aussi la visite de mon camarade Fonds-Lamothe qui avait été en même temps que moi stagiaire à l'État-major de l'armée en 1894, et qui déposa, avec tant de conscience, devant le conseil de guerre de Rennes[267].

La fréquentation de ces amis permit à Dreyfus de recouvrer ses forces, morales et physiques, autant que le calme et le repos à *Villemarie*, entouré des siens. « Les forces revenaient lentement dans ce milieu affectueux. » Néanmoins, si « l'énergie morale était restée entière », les forces physiques et surtout le système nerveux étaient très affectés. Il s'obligea à marcher, mais, les premiers jours, il ne put que parcourir quelques centaines de mètres au bras de Lucie[268]. Albert Sandoz donna des nouvelles au colonel Maximilien von Schwartzkoppen dans une lettre du 25 février 1900 : « [Il] se remet physiquement de plus en plus ; il ne connaît qu'une distraction capable de l'arracher à la tristesse, c'est l'éducation de ses deux enfants dont il s'occupe journellement avec passion[269]. »

Les témoignages de sympathie, les lettres continuèrent d'affluer. Il lut, « les larmes aux yeux, l'admirable lettre de Zola à [Lucie], dans laquelle le grand écrivain, avec tout son cœur et son âme de poète, exprimait avec une tendresse infinie les sentiments qui nous agitaient dans ces premiers jours de réunion[270]. » Plus tard, Dreyfus la recopia de sa main intégralement pour la faire figurer en annexe de ses *Souvenirs* inédits[271]. Des messages lui parvinrent encore du monde entier. Lady Stanley, la femme de l'explorateur qui était parti à la recherche de Livingstone, le convia en son nom et en celui de son mari à venir passer l'été suivant avec sa famille dans leur campagne. Et elle ajoutait : « Nous autres, Anglais, nous sommes heureux de penser que vous comptez encore lutter pour la réhabilitation non de Dreyfus, mais de la France. La décision du conseil de guerre est une tache sur la France qui ne sera lavée que le jour où la Cour de cassation déclarera hautement que le conseil de guerre s'est trompé. Seulement alors, l'irritation contre la France cessera. L'Europe et l'Amérique ne peuvent pas avoir des sentiments de bienveillance envers la France tant que pleine justice ne vous est pas donnée. En travaillant alors pour cette réhabilitation, vous travaillez pour l'honneur de la France. Quant à votre nom et votre honneur, ils brillent purs et nets, enluminés par l'auréole du martyre[272]. » Le camérier secret de Sa Sainteté Léon XIII lui avoua que, « comme ancien soldat et juriste », il était « incapable de comprendre les intrigues et les lâchetés d'une justice militaire dont un tribunal militaire a donné un si triste spectacle ». Et il écrivit, à l'intention des catholiques français : « Je ne sais pas, s'il soit vrai ou une insinuation chauviniste et anticléricale, que le clergé et la société catholique en France soient du côté de vos adversaires ; comme membre de la famille pontificale, je vous assure, monsieur, qu'en Allemagne, le monde catholique a toujours été de votre parti[273]. »

Les dreyfusards les plus engagés lui témoignèrent également leur amitié et leur admiration. Le directeur du *Siècle*, Yves Guyot, lui écrivit le 27 septembre :

> J'ai pris votre défense sans vous connaître dès le jour même de la constitution du conseil de guerre de 1894. En voyant les agissements des anciens journaux boulangistes, l'interview de Mercier, la brutalité du colonel président le conseil de guerre pour faire le huis clos, je sentais qu'il y avait d'autres intérêts en jeu que ceux de la patrie et de la vérité, et je le dis. Depuis, les faits ont prouvé que vous étiez la victime du plus abominable crime judiciaire qui ait jamais été commis. Je n'ai point voulu vous importuner de la démonstration de ma sympathie pour vos souffrances, mais je saisis l'occasion qui m'est offerte aujourd'hui pour vous dire toute l'admiration que m'inspire votre caractère[274].

Dreyfus reçut également les lettres de Clemenceau et de Picquart. Le premier lui écrivit le 15 octobre, en réponse à une lettre qu'il lui avait lui-même envoyée : « Combattre pour vous, c'était combattre pour la France. Les braves gens qui ont soutenu votre cause avaient donc d'avance, quoi qu'il leur arrivât, la plus précieuse récompense dans le sentiment du devoir accompli. Puissions-nous achever l'œuvre commencée et délivrer notre malheureux pays des insensés qui l'affolent et le conduisent à la ruine ! » Et Clemenceau de songer à l'homme Dreyfus : « Dans ce drame terrible, vous aurez payé cruellement de votre personne. Je souhaite de tout cœur que la vie vous fournisse les revanches qui vous sont dues. Votre noble frère Mathieu, votre admirable femme vous les auront préparées. Vous êtes jeune encore. Travaillez pour les grandes causes qui, quoi qu'en disent les brutes, sont le meilleur de la patrie française[275]. »

Georges Picquart lui donna du « mon cher Dreyfus » et l'assura de son bonheur de le savoir au milieu des siens, « et de penser que cet affreux cauchemar est enfin terminé ». Il poursuivit encore, vers le sens de la liberté et les devoirs d'avenir : « Tant que cela n'a pas été accompli, il me semblait qu'une sorte de complicité m'unissait encore à vos bourreaux, et je n'ai été tranquille que quand je vous ai vu libre. Ce qui reste à faire n'est plus qu'une formalité, car vous êtes réhabilité comme personne ne l'a jamais été ; vous l'êtes par le suffrage du monde entier[276]. »

Dreyfus avait commencé d'écrire lui aussi de nombreuses lettres à tous ceux qui s'était battus pour lui. Auguste Lalance, l'ancien député protestataire d'Alsace au Reichstag, qui avait témoigné en sa faveur au procès Zola[277], le remercia pour la lettre qu'il lui avait adressée : « Elle a produit une grande émotion et fait couler bien des larmes. Merci[278] ! » Il écrivit un message émouvant à Joseph Reinach :

> Je sais que vous avez été un des amis de la première heure et l'un des plus vaillants parmi les hommes de grand caractère et de grand cœur qui

ont défendu la cause de la justice et de la vérité. Mais je m'arrête, car j'aime mieux vous exprimer de vive voix ma profonde reconnaissance pour votre admirable dévouement. Je tiens cependant à vous dire dès aujourd'hui l'émotion avec laquelle j'ai lu à Rennes les articles que vous avez écrits depuis deux ans ; il me semblait lire du Tacite [279].

L'écho des événements parisiens lui parvenait aussi. Il en percevait immédiatement l'importance. Il suivit à distance la grande cérémonie qu'avait organisée le gouvernement de Waldeck-Rousseau pour l'inauguration de la statue de Jules Dalou place de la Nation, *Le Triomphe de la République*. D'importants défilés eurent lieu : d'abord les pouvoirs officiels et les corps constitués, puis les associations, les syndicats, les gens. Dans l'idée de Waldeck-Rousseau, ce jour particulier devait marquer la fin de la crise antidreyfusarde et le début d'un âge nouveau avec, pour premier acte, l'Exposition universelle qui allait ouvrir le 14 avril 1900. Mais le peuple de Paris en décida autrement. L'entrée dans le xxᵉ siècle prochain devait se faire avec Dreyfus, pour le triomphe de la justice la plus audacieuse. Charles Péguy se fit l'écrivain de ce moment unique. En ce jour du 19 novembre 1899, le triomphe de la République avait le visage de Dreyfus. Son nom fut acclamé par les Parisiens, d'abord timidement, puis dans la certitude qu'une vérité se faisait jour. Ce texte superbe allait ouvrir le premier des *Cahiers de la Quinzaine*, revue elle aussi unique en son siècle.

Voulant sans doute pousser l'expérience au plus profond, quelques-uns commencèrent à chanter : *Vive Dreyfus !* un cri qui n'a pas retenti souvent, même dans les manifestations purement dreyfusardes. Ce fut extraordinaire. Vraiment la foule reçut un coup, eut un sursaut. Elle ne broncha pas, ayant raisonné que nous avions raison, que c'était bien cela. Même elle acquiesça, mais il avait fallu un raisonnement intermédiaire, une ratification raisonnée. Dans le cortège même il y eut une légère hésitation. Ceux-là même qui avaient lancé ce cri sentirent obscurément qu'ils avaient lancé comme un défi, comme une provocation. Puis nous continuâmes avec acharnement, voulant réagir, manifester, sentant brusquement comme l'acclamation au nom de Dreyfus, l'acclamation publique, violente, provocante était la plus grande nouveauté de la journée, la plus grande révolution de cette crise, peut-être la plus grande rupture, la plus grande effraction de sceaux de ce siècle. Aucun cri, aucun chant, aucune musique n'était chargée de révolte enfin libre comme ce *Vive Dreyfus !* « Faut-il que ce Dreyfus soit puissant pour avoir ainsi réuni sur une même place et, dans un même embrassement... », disait *L'Intransigeant* du jour même, sous la signature de M. Henri Rochefort. M. Henri Rochefort avait raison. Le capitaine Alfred Dreyfus est devenu, par le droit de la souffrance, un homme singulièrement puissant. Ceux qui l'ont poursuivi savaient bien ce qu'ils faisaient. Ils ont marqué cet homme. Ils ont marqué sa personne et son nom d'une marque pour ainsi dire physique dans la conscience de la foule, au point que ses partisans mêmes sont un peu étonnés d'eux-mêmes quand ils acclament son nom. C'est pour cela que nous gardons à M. Dreyfus, dans la retraite familiale où il se refait, une amitié propre, une piété personnelle. Nous-mêmes nous avons envers lui un devoir permanent de réparation discrète. Nous-mêmes nous avons subi l'impression que la presse immonde a voulu donner de celui en qui nous avons défendu la justice et la vérité. Ceux qui ont fait cela ont bien fait ce qu'ils ont fait. Mais ceux qui ont voulu cela n'ont pas prévu au-delà de ce qu'ils voulaient. Ils n'ont pas prévu la résistance désespérée de quelques-uns, la fidélité d'une famille s'élargissant peu à peu jusqu'à devenir la fidélité en pèlerinage de trois cent mille républicains. Le *Vive Dreyfus !* ne dure que quelques minutes. On en use peu, comme d'un cordial trop concentré [280].

## CHAPITRE XIV

# Le spectre de la liquidation

La grâce devait entraîner la fin de l'Affaire, du moins dans l'esprit de ceux qui l'avaient imposée au président de la République, Waldeck-Rousseau et le général de Galliffet. Avec elle était venu le spectre de la liquidation qui interdirait tout retour sur l'événement et donc toute possibilité de justice définitive pour Dreyfus. L'ex-colonel Picquart et d'autres dreyfusards frappés par le pouvoir devraient aussi renoncer à toute réparation. C'était le prix à payer pour une victoire qui n'en était pas une, mais qui avait permis néanmoins de conjurer la domination des nationalistes sur la République. La volonté de Waldeck-Rousseau était de s'occuper de la France, non de Dreyfus. Sans totalement les opposer, il les distinguait fortement. En aucun cas le destin de la première ne devait dépendre du second. Il fallait séparer Dreyfus de la France afin de sortir celle-ci de la crise née de l'Affaire. La liquidation voulue par Waldeck-Rousseau, qui devait permettre l'apaisement, n'était pas dirigée contre le capitaine, mais contre la situation dont il était, bien malgré lui, à l'origine. Dreyfus et ses plus proches amis le comprirent et n'attaquèrent jamais Waldeck-Rousseau, se contentant de lui rappeler fermement que la tâche n'était pas terminée et qu'il fallait garder en vue le but de la réhabilitation.

Cette attitude de compréhension envers le chef d'un gouvernement qui, pour la première fois, avait choisi de rejeter toute compromission avec les ennemis de Dreyfus, déplut à certains dreyfusards, comme Clemenceau, qui estimaient que le procès de Rennes avait été un scandale absolu et qu'il appelait à une réaction implacable contre les ennemis de la liberté. La politique de Waldeck-Rousseau leur paraissait indigne et faible. Ils voulaient une action déterminée et entière et souhaitaient que Dreyfus restât l'icône du combat contre la justice militaire et les réactionnaires. La grâce était pour eux le symbole même de ce gouvernement pusillanime. Elle devait être le premier objectif du nouvel engagement pour terminer l'Affaire par la victoire et non l'iniquité.

Après le procès de Rennes, le front uni des dreyfusards commença ainsi à se briser. Une rupture précise se réalisa entre un groupe qui rassemblait Fernand Labori, Georges Clemenceau, Georges Picquart, auxquels vint se joindre plus tard Louis Havet, et un groupe resté proche d'Alfred Dreyfus avec bien sûr son frère Mathieu, ainsi que Joseph Reinach, la plupart des intellectuels et la Ligue des droits de l'homme. Jaurès tendait plutôt vers ce camp, de même que Zola, et ils s'en rapprochèrent jusqu'à devenir les plus proches soutiens de Dreyfus, surtout le premier puisque Zola disparut tragiquement le 29 septembre 1902 sans avoir vu la réhabilitation qu'il avait tant espérée. L'analyse de Jaurès était à l'exact opposé de celle de Clemenceau. Il y avait encore, selon lui, des choses à attendre du gouvernement de Waldeck-Rousseau et de celui qui lui succéda le 7 juin 1902, pour la résolution de l'Affaire comme pour la réhabilitation de Dreyfus. Jaurès conçut de plus en plus nettement que le destin de la France ne pouvait et ne devait se séparer de Dreyfus. Celui-ci, après avoir été à l'île du Diable le symbole de l'humanité souffrante comme Jaurès l'écrivit en ouverture des *Preuves*, serait l'homme par lequel la France recouvrerait son honneur et sa dignité. Il ne convenait pas de sacrifier Dreyfus au combat politique, mais au contraire d'en faire l'élément central et la condition nécessaire. La réhabilitation de Dreyfus serait la preuve que la France allait bien vers la justice et l'égalité, vers « l'idéal » pour reprendre une terminologie de Jaurès. Il fallait donc s'occuper de Dreyfus lui-même et ne pas compromettre sa réhabilitation par des actions trop radicales contre l'ancien ou le nouveau ministère.

## La volonté de justice

Telle était la situation qui se développa après la grâce. Dreyfus n'envisageait pas cette dernière comme une fin en soi. Elle n'était pas une soumission à un pouvoir politique qui ne faisait en réalité que lui rendre une liberté qu'il n'aurait jamais dû perdre. Mais il importait aussi qu'il retrouve des forces et qu'il vive, afin de reprendre le combat vers la réhabilitation, interrompu par le désastreux procès de Rennes. Dreyfus avait déjà prouvé sa capacité à réagir à une nouvelle condamnation et à transformer cette défaite en une nouvelle victoire. Précisément, le procès de Rennes avait montré aussi l'importance des forces qui lui étaient toujours hostiles. Or le gouvernement restait fragile même si sa base parlementaire pouvait sembler élargie à la rentrée des Chambres à l'automne 1899. Dreyfus concevait les difficultés politiques de Waldeck-Rousseau, et il refusait de se laisser entraîner dans des exigences qui auraient pu relancer une crise fatale au ministère de « défense républicaine ». Il attendait son heure, c'est-à-dire celle de la réhabilitation. Celle-ci exigeait d'autant plus de temps qu'elle ne pouvait procéder de toute manière d'une décision politique, mais d'un acte de justice. Seule la Cour de cassation était à même désormais de lui accorder la réhabilitation. Or, pour que la cour suprême fût saisie, il était nécessaire de mettre en lumière des « faits nouveaux », inconnus des juges de Rennes ou dont la vérité leur avait été cachée, des éléments alors susceptibles de fonder une nouvelle procédure de révision.

Une intervention inconsidérée, sur un dossier fragile, ne pouvait que déboucher sur un rejet de la requête en révision, mettre le gouvernement en difficulté et perdre toute chance de renouveler l'opération. De plus, le risque était grand, avec un dossier fragile, d'être accusé de faire de l'agitation et de vouloir réveiller l'Affaire dans un esprit partisan. Au contraire, agir avec un dossier imparable pouvait emporter les hésitants et empêcher que les arguments ne dominassent l'exigence de justice. Avec des preuves accablantes de la conspiration développée contre Dreyfus, il serait difficile de repousser l'offensive en arguant seulement du refus de rouvrir l'Affaire. Surtout si cette conspiration était montrée comme ne menaçant pas seulement Dreyfus, mais également tout un gouvernement accusé par ses ennemis d'être le « ministère de l'étranger », le « ministère Dreyfus ». Dreyfus avait compris qu'il se devait d'apporter, comme il l'avait toujours fait, les éléments les plus solides à l'appui de sa défense en justice. Et il suivit Jaurès lorsque celui-ci, les 6 et 7 avril 1903, parla longuement à la Chambre des députés pour démontrer que ses accusateurs étaient aussi ceux qui menaçaient le plus directement la République. Défendre Dreyfus et son droit à la justice n'était pas seulement un acte moral, mais aussi un acte politique : c'était attaquer les nationalistes là où cela leur faisait le plus mal. Et la réhabilitation de Dreyfus serait une défaite considérable pour ces derniers, une déroute dont ils pourraient ne pas se remettre, à condition que ce succès judiciaire soit l'honneur de tous et celui de la France. Et non un événement qu'il faudrait cacher, oublier, comme s'il fallait en avoir presque honte alors qu'il était l'un des actes les plus importants de l'histoire du monde. Pour la première fois, un homme seul, ordinaire, broyé par les événements et la raison d'État, trouvait réparation et voyait son innocence, son honneur et sa dignité restaurés. Compte tenu des tragédies passées et à venir dans l'humanité, cette issue positive était même inouïe.

En 1900, alors que la grâce était consommée, que l'amnistie allait venir et que s'ouvrait l'Exposition universelle destinée à célébrer la fin du XIXᵉ siècle et l'entrée de la France dans un temps nouveau, le « témoignage de la paix morale reconquise », fut porté par Waldeck-Rousseau à la tribune de la Chambre le 16 avril 1900, la situation paraissait bloquée pour de nombreuses années. Le chef de la « défense républicaine » était pressé de liquider l'Affaire afin de parvenir à l'apaisement par l'oubli, et les dreyfusards commençaient à se déchirer. Pendant ce temps, le capitaine Dreyfus se reposait à Carpentras où il tentait de retrouver ses forces après l'épuisement des cinq années de réclusion et des deux procès criminels.

*L'objectif de la réhabilitation*

Les lettres, les articles qui lui parvenaient dans sa douce retraite de Carpentras – il y demeura avec sa famille jusqu'au 20 avril 1900, avant de rejoindre la villa *Hauterive* de ses nouveaux amis Hélène et Eugène Naville – répétaient toujours cette exigence absolue de la réhabilitation. Pour les dreyfusards qui n'avaient pas désarmé, elle demeurait l'horizon nécessaire, indispensable.

Le but est dès lors tout tracé, à savoir soutenir le capitaine Dreyfus dans ses efforts pour obtenir la reconnaissance de son honneur. Jules Cornély l'a bien dit, dans *Le Figaro*, dès le 20 septembre 1899, avec son article « La grâce » :

À l'heure où ces lignes paraissent, le malheureux, qui reste victime d'une erreur judiciaire, aura été rendu à sa famille, à la courageuse compagne qui a vécu pour lui et pour laquelle il voulait vivre, à ses deux enfants qui vont le croire revenu d'une mission lointaine, et à ce frère admirable dont l'énergie, la bravoure, ont forcé le respect de ceux-là même qu'il a été forcé de combattre, à ce modèle du dévouement et de l'abnégation que chacun de nous désirerait avoir pour frère. Il va se remettre, au milieu des cœurs aimants, des meurtrissures que l'aberration, la vanité et la haine combinées ont infligées à son âme et à son corps. Et puis, comme la liberté n'est rien sans l'honneur, il donnera à sa vie reconquise sa réhabilitation pour but. Il la poursuivra et il l'obtiendra, si la Providence, dont l'action a été visible et pour ainsi dire palpable dans cette longue lutte, n'a pas décidé, en ses impénétrables desseins, de châtier ses bourreaux en leur infligeant le remords de le voir mourir dès qu'il sera sorti de leurs mains, et qu'il ne sera plus soutenu par l'invincible espoir de leur échapper.

Cornély désigne alors le devoir des dreyfusards :

Ceux qui ont cru à son innocence se devront à eux-mêmes de l'aider dans cet effort suprême qu'il accomplira à son heure et à l'abri de toutes les effervescences qui ont présidé aux deux procès dont il a été le patient.

Ceux-là n'ont pas le droit de s'enorgueillir, car on ne doit pas s'enorgueillir d'avoir accompli son devoir, et ils ont accompli ce qu'ils regardaient comme un devoir de conscience. Mais ils ont le droit de se féliciter et de pousser ce soupir de soulagement et de satisfaction qui délasse en quelque sorte le voyageur après de longues et fatigantes marches. Il voit poindre à l'horizon le but ardemment poursuivi qu'il est sûr désormais d'atteindre, après quelques instants de repos [1].

Il fait un bilan sans concession, évoque le « point d'arrivée » : « Aujourd'hui, Dreyfus est libre. Jusqu'à ses confins, le monde civilisé est rempli d'êtres raisonnables et pensants qui n'ont plus le moindre doute sur son innocence et qui le considèrent comme un martyr. En France même, l'élite et la majorité des penseurs partagent ce sentiment humain, et les sommets intellectuels français sont peuplés d'hommes qui se trouveraient infiniment plus honorés de toucher sa main et de rompre le pain avec lui que de fréquenter ses persécuteurs. Voilà le point d'arrivée.» Et Cornély de finir, avec Picquart – mais cela aurait pu être aussi bien Dreyfus –, sur l'idée du courage civil : «On a bien dit souvent qu'en France le courage militaire court les rues, mais que le courage civil est très rare. Cela provient peut-être de ce que le Français, étant un être d'imagination, a plus peur des dangers imaginaires que des dangers réels. Eh bien, Picquart, en qui ses chefs reconnaissaient une valeur militaire exceptionnelle, a eu le courage civil. Il a sacrifié la plus belle des carrières à son devoir. Il s'est comporté comme un héros. Le mot a été dit, et il est juste. La France s'honorera et se servira elle-même en se souvenant, le cas échéant, car des hommes comme lui constituent l'ossature et le squelette d'une nation[2].» «Dreyfus est un héros», avait dit Charles Péguy, il avait été défendu par des héros. Il est entouré de héros, d'hommes et de femmes d'honneur et de vérité. Leur devoir à tous était de parfaire l'unité par la justice finale. Celle-ci fut difficile à conquérir. L'unité des héros se brisa progressivement. Les dissensions furent surtout conjoncturelles et stratégiques. L'objectif de la réhabilitation ne fut jamais remis en cause.

Au-delà des tensions présentes et des ruptures à venir, il faut se souvenir que Dreyfus comme Péguy, Dreyfus comme Clemenceau, Dreyfus comme Picquart partageaient tous le grand idéal du triomphe de la justice. Auguste Lalance aussi. L'ancien représentant de l'Alsace au Reichstag prodiguait à Alfred Dreyfus un conseil qui pouvait ressembler à un renoncement : «Il est de votre intérêt et surtout de l'intérêt supérieur de la France que l'agitation cesse autour de votre nom, qu'il y ait une trêve d'un an pendant laquelle on ferait le silence. Il faut laisser passer l'Exposition avant de pouvoir entamer utilement la campagne de réhabilitation. Ayez patience jusque-là ; occupez-vous uniquement du soin de recouvrer toute votre santé et de choyer l'admirable femme qui a si complètement rempli tous ses devoirs. Le reste viendra à son heure.» Car Lalance exalte aussi ce but suprême de la réhabilitation. Et celui-ci exige d'être accompli de la manière la plus noble, la plus digne. Il en va de l'histoire et de la postérité du nom désormais universel de Dreyfus :

> Vous reconnaîtrez aussi que, depuis que le monde existe, personne n'a été plus connu, n'a excité plus d'émotion. Votre nom restera immortel dans le monde entier.
> C'est là quelque chose ; c'est même la gloire, plus encore que l'intérêt, qui est le principal objectif des hommes distingués.
> Vous l'avez ! À l'heure de votre mort, vous oublierez vos souffrances si noblement supportées et vous vous direz : «J'ai eu une belle vie, car j'ai été l'honneur de mon pays[3].»

Le professeur à l'École des chartes Auguste Molinier écrivit le 25 septembre à Stock qui travaillait à l'édition des débats du procès de Rennes : « Notre malheureux Dreyfus est désormais hors des griffes de ses bourreaux, mais quand et comment aurons-nous sa réhabilitation [4] ? » L'écrivain et professeur Paul Stapfer déclara dans l'un de ses « Billets de la province » qu'il ne s'agissait pas d'apaisement mais de vérité pour Dreyfus et de justice pour ceux qui l'avaient fait condamner :

> Nous voulons rentrer dans la vérité. Car, d'abord, on ne gracie pas un innocent. C'est une contradiction criante, et la raison en souffre trop. Ensuite, ceux qui l'ont fait condamner par la coalition la plus effroyable qu'on ait jamais vue de faux et mensonges, de trahisons et de lâchetés restent des criminels. Il faut qu'ils soient punis. S'ils échappent à la vengeance des lois, il faut au moins que la malédiction de l'histoire, qui leur est assurée ainsi qu'aux publicistes qui les ont soutenus, depuis que nos plumes s'occupent des uns et des autres, les accable officiellement par une solennelle sentence de justice [5].

Cette vigilance maintenue fut d'autant plus nécessaire que les conditions de la grâce pouvaient faire penser à une volonté de liquidation pure et simple.

## La logique de Waldeck-Rousseau

Dans deux études importantes, l'historien Pierre Vidal-Naquet a démontré que Waldeck-Rousseau était déterminé à la liquidation de l'affaire Dreyfus, que les droits à la justice du principal intéressé soient ou non respectés [6]. Le chef du gouvernement était politiquement indifférent au destin du capitaine Dreyfus. Sa conscience intime le portait vers une solidarité personnelle avec l'innocent. Il a prodigué au début de l'Affaire des conseils précieux à son premier défenseur, Edgar Demange [7]. Mais il se refusait publiquement à s'intéresser au sort personnel de Dreyfus. Dans ses grands discours contre la loi de dessaisissement ou pour son investiture, Waldeck-Rousseau réussit le tour de force de ne jamais prononcer le nom de Dreyfus [8]. Il n'était pas dreyfusard en ce sens qu'il estimait que la revendication de justice complète du capitaine Dreyfus posait un problème politique à la France et qu'il convenait de s'en dégager par la liquidation. Instinctivement, il pouvait même faire porter sur lui la responsabilité de cette immense crise que la France continuait toujours à subir.

Mais comme Waldeck-Rousseau était aussi un responsable politique lucide, il sut que la sortie de crise impliquait un geste minimal en faveur de Dreyfus. Il se devait aussi de satisfaire les dreyfusards dont l'aile politique – des socialistes comme Jaurès et Millerand, des radicaux comme Ranc, Buisson ou Clemenceau, des libéraux comme Joseph Reinach –, soutenait ardemment son gouvernement. Il avait besoin de cette gauche socialiste, radicale et libérale pour gouverner. Mais il fit et laissa faire des actions qui dégradèrent la situation du capitaine Dreyfus en face de l'objectif d'honneur et de réhabilitation. De multiples faits démontrèrent cette indifférence teintée d'impatience pour l'homme par lequel, forcément, le scandale était venu. Sauf qu'il en avait été seulement la victime et non l'auteur. Au contraire, Dreyfus avait véritablement sauvé l'honneur en combattant pour la justice et il avait permis à la France de préserver le sien en survivant, en se présentant au procès de Rennes, et en acceptant la grâce dans l'attente de la réhabilitation qui pouvait seule réunir les deux honneurs, individuel et national, civique en un mot.

La soumission de Waldeck-Rousseau au général de Galliffet ne s'expliqua que par le peu d'intérêt du chef du gouvernement au sort de l'accusé le plus célèbre. Le refus de saisir le Conseil d'État de l'arrêt du conseil de guerre de Rennes, concernant l'abus de pouvoir du ministère public notamment, contribua à réduire sensiblement les champs du possible concernant l'avenir du capitaine Dreyfus [9]. Le peu d'empressement à exiger du président de la République la signature immédiate du décret de grâce montra que celle-ci n'était pas une priorité. L'étrange suggestion faite à Mathieu Dreyfus, le 18 septembre 1899, à la veille de la signature, « de conduire son frère en territoire étranger, à Jersey ou à Saint-Sébastien », là où sera exilé Paul Déroulède après sa condamnation, était sinon perverse du moins très maladroite [10].

Il y eut ensuite, après la grâce, l'ordre du jour aux armées du général de Galliffet qui se résuma ainsi : « L'incident est clos [11] ». Bien que Waldeck-Rousseau en interdît la publication dans le *Journal officiel de la République française* [12], le message fut immédiatement connu. Il fut publié par la presse et célébré par les organes nationalistes [13] tandis que les dreyfusards réagissaient vivement. Interrogé par la Cour de cassation en juin 1904, l'ancien ministre de la Guerre assuma parfaitement son geste et insista sur le mobile de la pitié, manière habile et condescendante de réduire Dreyfus.

Je n'ai pas la prétention d'avoir été un bon chef de justice militaire, mais je tiens à vous dire ceci [14]... Dans tous les cas, à ce moment-là, ce n'était pas Dreyfus que je voyais, c'était la France : je voulais pacifier. J'ai cru qu'il était utile à la France de détourner les passions des uns et des autres et d'agir par pitié. D'ailleurs, dans mon ordre du jour « L'incident est clos », je l'ai dit : c'est une mesure de pitié. Je n'ai pas dit autre chose [15].

Louis Havet en profita pour réagir vivement et dire son fait au ministre de la Guerre. Depuis sa résidence de Rochecorbon sur les bords de Loire, il fit paraître dans *Le Siècle* du 26 septembre une longue lettre [16]. L'initiative du ministre de la Guerre lui donnait l'occasion de dire le devoir présent de la France envers Dreyfus : « L'incident n'est donc pas clos, ni pour le pays ni pour le ministre, qui, ici, le représente. M. le général de Galliffet, loin d'être lié par sa propre circulaire, loin d'avoir le droit d'écouter son désir personnel, est enchaîné, au contraire, par le devoir de la France [17]. » Pour ce professeur du Collège de France, membre de l'Institut, le devoir de la France consistait à préserver les chances de réhabilitation de Dreyfus :

> Un condamné ne peut, sous aucun prétexte, être privé des chances que lui offre la loi de révision. Il a droit à toute la justice et à ce qui en est la condition : il a droit à toute la vérité. Lui fermer un recours légal serait illicite ; il serait illicite aussi d'étouffer ou d'escamoter les indices directs de son innocence ; illicite encore de quelque apparence de raison d'État qu'on prétende se couvrir, d'aider ses persécuteurs à dissimuler leurs crimes. Car ces crimes sont aussi des présomptions en sa faveur.

Qui est tenu à ce devoir de justice et de vérité ? La France, selon Louis Havet, les citoyens, qui « doivent continuer de parler, continuer d'agir, tant que subsistera l'incohérent arrêté aux *circonstances atténuantes* ». La voie des savants qui se considèrent comme citoyens est toute tracée : l'engagement dans la campagne de réhabilitation. Mais la France selon Havet, c'étaient aussi « les pouvoirs publics, plus encore que les simples citoyens [qui] seraient malfaisants si, sous prétexte d'*incident clos*, ils travaillaient à la mutilation de la vérité ». La France, c'était enfin le ministre de la Guerre lui-même, que Louis Havet exhorta à de nouvelles enquêtes au sein des bureaux de la Guerre :

> Le ministre doit à cet officier français – eût-il lieu de le supposer coupable – de sauvegarder pour lui, avec un soin minutieux et intransigeant, les moindres parcelles de ses chances légales. Il lui doit, si un *fait nouveau* se produit, de l'aider à saisir la Cour de cassation. Il lui doit de ne pas empêcher les *faits nouveaux* de se produire. Il lui doit, si des supérieurs ont abusé contre lui de leur grade, d'user, pour lui, de son titre et, sous peine de prévarication véritable, de traduire les coupables devant la justice. Il est dans les attributions du ministre de projeter la lumière vengeresse sur les faux témoignages et sur les faux prestiges, et cette obligation est pour lui d'autant plus stricte qu'il est plus assuré de découvrir des choses monstrueuses. Il représente la France ; or la France, qui pendant cinq ans a tenu un de ses serviteurs dans un enfer de souffrance et d'ignominie, pourrait, à la rigueur, se dispenser de redevenir maternelle, mais ne peut se dispenser d'être propre.

*Une bataille assumée*

« Puis vint le malheureux projet d'amnistie déposé par le gouvernement, faillite du droit et de la justice », écrivit Alfred Dreyfus dans ses *Carnets*. Il sut faire sortir son cas personnel du projet de loi, mais celui-ci, « en éteignant toutes les actions connexes de l'Affaire, [...] fermait bien des portes à la révision, car des interrogatoires et des dépositions, dans les procès en cours, eussent éclaté bien des faux témoignages et bien des faits nouveaux [18] ». Le 26 décembre 1899, Dreyfus écrivit à Waldeck-Rousseau pour attirer son attention sur son sort. L'ex-colonel Picquart fit de même. Les deux hommes ne reçurent jamais de réponse à leur lettre. Pour Waldeck-Rousseau, si « l'incident » n'était pas clos, l'Affaire l'était bien.

Le projet d'une amnistie générale dans l'affaire Dreyfus était déjà en germe dans la solution de la grâce. C'était même la raison du soutien enthousiaste du général de Galliffet à cette dernière [19]. De nombreux parlementaires et responsables gouvernementaux, Waldeck-Rousseau le premier, considéraient bien l'amnistie comme le prolongement logique de la grâce présidentielle. Dès le 14 septembre 1899, un député radical, Codet, réclama, dans une lettre publique, la convocation des Chambres, « tant il avait hâte de déposer une proposition d'amnistie [20] ».

Rapidement averti, Alfred Dreyfus adressa le 2 décembre 1899 une lettre de protestation à Jean-Jules Clamageran, président de la commission d'amnistie du Sénat. Rappelant la déclaration qu'il avait rendue publique le jour de sa libération par la grâce présidentielle, il écrivait ensuite :

> Il ne m'appartient pas d'intervenir dans les débats politiques que soulève la question de l'amnistie. Mais si l'arrêt qui m'a frappé injustement m'a privé de mes droits de citoyen, je garde mes droits d'homme tout entiers. Je ne demande qu'une chose aux pouvoirs publics, c'est de ne m'enlever aucun des moyens qui me sont donnés par la loi pour poursuivre la révision de mon procès. Je n'ai au cœur ni haine ni rancune, mais, pour mes enfants comme pour moi-même, je veux la proclamation de mon innocence au nom de la République, au nom de la France. J'ai droit à la vérité, à la justice ; je demande donc qu'on me laisse tous les moyens d'établir légalement que je suis innocent du crime commis par un autre, pour lequel j'ai été deux fois et injustement condamné [21].

Les réactions des dreyfusards furent par ailleurs nombreuses et outrées. Louis Havet, rejoint par Georges Clemenceau et Joseph Reinach, s'opposèrent aussitôt à ce projet, en publiant différents articles à la fin du mois de septembre 1899 [22]. Louis Havet fit une conférence à Asnières, le 27 décembre 1899, sous l'égide de la Ligue des droits de l'homme. Et il se déplaça à Carpentras pendant les vacances de Pâques 1900 pour rencontrer le capitaine Dreyfus [23]. Ceux qui purent être entendus par la commission d'amnistie, dont Joseph Reinach, Georges Picquart [24] et Émile Zola, dirent haut et fort leur opposition à cette solution [25].

Mais le gouvernement persista. Le 1er mars 1900, il déposa sur le bureau du Sénat un projet de loi amnistiant tous les faits délictueux et criminels relatifs à l'affaire Dreyfus, sauf les crimes de haute trahison (et les assassinats et tentatives d'assassinat) [26]. L'amnistie impliquait la liquidation des affaires connexes, c'est-à-dire la demande de mise en accusation contre Mercier, le procès en espionnage contre Picquart, la plainte des officiers du premier conseil de guerre contre Zola [27], celle de Mme Henry contre Reinach [28], le procès des experts contre Zola [29]. Dreyfus [30], Zola, Picquart et Reinach protestèrent à nouveau auprès du président de la commission d'amnistie [31]. Reinach en particulier se déclare « lésé dans un de ses droits essentiels, celui de prouver devant le jury de la Seine qu'il avait fait œuvre d'historien soucieux seulement d'établir le véritable rôle des principaux auteurs d'un crime judiciaire ». La Ligue des droits de l'homme réagit rapidement et massivement. Une pétition contre le projet de loi réunit, à la fin du mois de mai 1900, plus de vingt mille signatures [32]. Cette action demeurait très proche de celle que Dreyfus menait de son côté.

De Carpentras, Dreyfus réagit encore auprès de Clamageran par une seconde lettre en date du 8 mars 1900 qui renouvelait sa protestation de décembre 1899.

> Ce projet éteint les actions publiques d'où j'espérais voir sortir des révélations, des aveux peut-être, qui m'auraient permis de saisir la Cour de cassation, de lui demander la révision de la condamnation inique dont j'ai été de nouveau frappé.
>
> Il me prive aussi de ma plus chère espérance, celle de voir proclamer légalement mon innocence, cette innocence qui est si évidente, si manifeste que le gouvernement de la République a tenu à honneur de ne pas laisser exécuter l'arrêt du 8 septembre 1899, et qu'il l'a brisé, sur la proposition du ministre de la Guerre lui-même, au lendemain même du jour où il a été rendu.
>
> Je n'avais sollicité aucune grâce ; le droit de l'innocent, ce n'est pas la clémence, c'est la justice. La liberté, quand elle m'a été rendue, m'a été surtout chère, parce qu'elle semblait me devoir permettre de poursuivre plus facilement la réparation de l'atroce erreur judiciaire dont j'ai été victime.
>
> J'ose le demander, monsieur le président, aux jurisconsultes éminents du Sénat : si l'amnistie est votée, si les actions publiques sont éteintes, quel est le moyen juridique qui me reste pour obtenir la révision ? [...]
>
> Je proteste plus douloureusement encore, au nom de la justice, contre une mesure qui me laisse désarmé contre l'iniquité.
>
> Nul ne souhaite plus ardemment que moi l'apaisement, la réconciliation des bons Français, la fin des horribles passions dont j'ai été la première victime [33].
>
> L'amnistie me frappe au cœur, elle ne profite qu'aux scélérats qui ont surpris la bonne foi des juges, qui ont sciemment fait condamner un innocent, à coups de forfaitures, de faux témoignages et de faux et m'ont précipité dans l'abîme.
>
> Cette amnistie ne se ferait qu'au profit exclusif du général Mercier, l'auteur principal du crime de 1894 qui, par une ironie du sort, va être appelé, comme sénateur, à la voter à son propre profit.
>
> Je supplie le Sénat de me laisser mon droit à la vérité, à la justice [34].

Cette lettre très puissante exprimait clairement la position de Dreyfus et sa volonté de poursuivre le combat jusqu'à la réhabilitation. Il affirmait que la grâce en était la première étape, qu'elle avait été voulue comme telle par le conseil de guerre, qu'il la concevait de toute manière comme telle et qu'il ne l'avait, quoi qu'il fût arrivé, jamais demandée. Il se montrait enfin implacable pour les responsables des crimes commis contre lui, protestant contre l'impunité scandaleuse qui leur serait offerte par l'amnistie.

Le 22 mai, une addition à un ordre du jour invitant le gouvernement « à s'opposer énergiquement à la reprise de l'affaire Dreyfus de quelque côté qu'elle vienne[35] » fut votée à la Chambre des députés par 425 voix contre 60. Waldeck-Rousseau se soumit au vote de cette résolution qui constituait une entrave à l'indépendance de la justice, pour le cas où un fait nouveau serait susceptible d'entraîner la saisie de la Cour de cassation[36]. Alfred Dreyfus nota qu'à cette occasion Waldeck-Rousseau manqua de « courage moral ; il prononça les paroles : "Il n'y a plus d'affaire Dreyfus" » qui renvoyaient aux temps de l'antidreyfusisme gouvernemental lorsque Jules Méline déclarait, menaçant, après le procès Zola, qu'il n'y avait plus « ni procès Zola, ni procès Esterhazy, ni procès Dreyfus[37] ». « Tout ce qu'il eût eu le droit de dire, ajouta Dreyfus dans ses *Carnets*, c'est que l'affaire Dreyfus, suivant lui, était terminée en tant qu'affaire politique, mais il eût dû ajouter qu'elle restait, comme toute affaire de ce genre, du domaine judiciaire. Aucune Chambre n'a le droit de lier le pouvoir judiciaire, de supprimer les articles du code prévoyant la révision devant un fait nouveau. M. Waldeck-Rousseau laissa voter un ordre du jour qui était une équivoque et qui eût été, s'il avait eu une valeur juridique quelconque, la faillite de toute justice[38]. » Alfred Dreyfus liait là, avec conviction, le sort de la justice avec la défense de la loi en toute occasion. Mais il ne fut pas entendu. Profitant d'un contexte politique jugé favorable, le gouvernement invita la commission d'amnistie à déposer le projet de loi sur le bureau du Sénat.

Par une lettre rendue publique le 29 mai et qui parut dans *L'Aurore*, Zola s'adressa alors aux sénateurs « à la veille du jour où [ils] vont être appelés à discuter cette loi d'amnistie, que je considère à mon point de vue personnel comme un déni de justice, et au point de vue de notre honneur national comme une tache ineffaçable ». Ce fut l'occasion pour l'écrivain de dénoncer « le monstre, la loi d'amnistie, la loi scélérate ». Il rappela ce qu'avait été l'affaire Dreyfus, l'affrontement de « deux partis », l'autorité et la vérité :

D'un côté, toute la réaction, tous les adversaires de la véritable république que nous devrions avoir, tous les esprits qui, sans qu'ils le sachent
peut-être, sont pour l'autorité sous diverses formes, religieuse, militaire,
politique ; de l'autre, toute la libre action vers l'avenir, tous les cerveaux
libérés par la science, tous ceux qui vont à la vérité, à la justice, qui croient
au progrès continu, dont les conquêtes finiront par réaliser un jour le plus
de bonheur possible [39]

Estimant que l'affaire Dreyfus demeurait comme « le spectre rouge
des nationalistes et des antisémites [40] », et que la loi protègeait désormais « les traîtres », Zola opposa « le salut de la France » qui résidait
« dans la victoire des forces de demain contre les forces d'hier, des
hommes de vérité contre les hommes d'autorité ». Plus que dans sa
« Lettre à Mme Dreyfus » où il se tournait vers les poètes pour dire le
jugement de l'histoire, Zola en appelait maintenant à tous les hommes
de bonne volonté et aux dreyfusards d'hier pour qu'ils demeurassent
les démocrates de demain.

Dans ce grave péril, il n'y avait qu'une chose à faire, accepter la
lutte contre toutes les forces du passé coalisées, refaire l'administration,
refaire la magistrature, refaire le haut commandement, puisque tout cela
apparaissait dans sa pourriture cléricale. Éclairer le pays par des actes,
dire toute la vérité, rendre toute la justice. Profiter de la prodigieuse
leçon de choses qui se déroulait pour faire avancer le peuple, en trois
ans, du pas gigantesque qu'il mettra cent ans peut-être à franchir. [...]
Il n'y a toujours qu'une chose à faire, revenir à la vérité, revenir à la
justice, dans la certitude qu'en dehors d'elles, il n'y a pour un pays que
déchéance et que mort prochaine [41].

La veille de la déclaration solennelle de Zola, le 28 mai, le général
de Galliffet démissionna [42] à la suite de tensions opposant la Sûreté
générale du ministère de l'Intérieur et l'État-major de l'armée au sujet
d'enquêtes sur l'affaire Dreyfus. Le conflit portait, plus largement, sur
le transfert de la Section de statistique sous l'autorité du ministère de
l'Intérieur. Le général André, polytechnicien et républicain, très tôt
convaincu de l'innocence de Dreyfus, mais soumis comme tous les
officiers généraux au strict devoir de réserve, fut nommé en remplacement du général de Galliffet.

## La justice selon Waldeck-Rousseau

Le garde des Sceaux Eugène Guérin fut chargé du rapport du projet
de loi d'amnistie. Le débat s'ouvrit le 1er juin 1900 [43]. Jean-Jules Clamageran, président de la commission d'amnistie au Sénat, défendit
Dreyfus et la justice, Auguste Delpech dénonça le général Mercier –

élu entre-temps sénateur de Loire-Inférieure [44] –, et Ludovic Trarieux critiqua la définition juridique du projet. Waldeck-Rousseau soutint son projet, mais il attaqua lui aussi le général Mercier, évoquant une autre justice qui était celle de la postérité et de la mémoire héroïque des peuples. Elles aussi pourraient juger les responsables criminels de l'affaire Dreyfus et les rejeter hors de l'histoire. Son discours, dont la Chambre vota l'affichage, distinguait la décision politique et nécessaire de l'apaisement, de l'affirmation d'un jugement moral qui serait, lui, toujours favorable à Dreyfus. Devait-on y voir un appel à la poursuite du travail, à la recherche du fait nouveau permettant d'ouvrir la procédure de réhabilitation ? Ce souci de la justice comme but final dans l'affaire Dreyfus indiquait chez Waldeck-Rousseau une idée de la République où l'histoire et la justice avanceraient ensemble, une idée qui ne se réduirait pas, en tout cas, à une loi de convenance et de circonstances.

Waldeck-Rousseau ne pouvait pas se couper de tous ceux qui l'avaient porté au pouvoir en juin 1899. Il fit donc cet effort pour donner au projet de loi une autre signification. Il put s'inspirer d'un long article de l'historien Ernest Lavisse. S'engageant dans une entreprise d'étouffement de la signification politique de l'affaire Dreyfus au profit de valeurs communes fondées sur l'exaltation patriotique – désuète et dogmatique –, il appelait à « la réconciliation nationale ». Waldeck-Rousseau demandait au Parlement de voter une loi d'amnistie afin d'obtenir la pacification du pays en effaçant « toutes les traces d'un douloureux conflit ». Il s'agissait d'une formule présente dans le rapport qui servit de préface au décret de grâce présidentielle du 19 septembre 1899 et que Waldeck-Rousseau rappela aux membres du Sénat lors des débats du 2 juin 1900. Nous le rappelerons ici.

> En dehors de ces considérations, de nature à éveiller la sollicitude, d'autres encore, d'un ordre plus général, tendent à la même conclusion. Un intérêt politique supérieur, la nécessité de ressaisir toutes leurs forces, ont toujours commandé aux gouvernements, après des crises difficiles, et à l'égard de certains ordres de fait, des mesures de clémence et d'oubli. Le gouvernement répondrait mal au vœu du pays, avide de pacification, si, par les actes qu'il lui appartient soit d'accomplir de sa propre initiative, soit de proposer au Parlement, il ne s'efforçait pas d'effacer toutes les traces d'un douloureux conflit [45].

La nécessité d'une telle politique, qualifiée d'« apaisement », repose sur l'idée, commune à Waldeck-Rousseau et à Ernest Lavisse, qu'il existe une « âme française, ce clair miroir où se reflétaient tous les sentiments généreux [...] qu'un souffle mauvais a pu obscurcir pour un temps », le temps de l'affaire Dreyfus, on l'a compris [46]. Comme l'historien, il plaide pour « l'union de tous les républicains » et l'achèvement en commun de l'œuvre républicaine [47], ce qui nécessite de « faire disparaître ces mots et ces paroles qui ont créé entre certains d'entre nous de si funestes malentendus [48] ». Pour autant, le président du Conseil ne souhaite pas renoncer à l'énonciation publique de certaines vérités nécessaires (1), à la compréhension de la volonté de châtiments qui peut animer les dreyfusards (2), et à cette proposition finale d'une justice de l'histoire supérieure aux jugements des tribunaux (3) :

(1) Je ne puis pas, messieurs – et ce sera la seule concession que je ferai au passé dans un débat qui ne concerne que l'avenir –, je ne puis pas ne pas élever une protestation contre les paroles qui ont été prononcées hier à cette tribune. Non, il n'y a pas de devoir supérieur à la sauvegarde des formes judiciaires, et à cette loi de civilisation qui veut qu'un accusé, fût-ce un coupable, ne soit pas frappé à son insu, dans son ombre et par-derrière. (*Applaudissements à gauche.*) [49]

(2) Messieurs, le projet que le gouvernement a déposé et qu'il défend a rencontré beaucoup d'hésitations, beaucoup de scrupules. Ils ne me surprennent pas. Devant ces scrupules, je m'incline ; j'ajoute que je les honore. Lorsqu'en effet on a été mêlé à des luttes ardentes, lorsqu'on s'y est engagé avec un désintéressement qui a été porté jusqu'au sacrifice, il est naturel de garder longtemps l'impulsion reçue, de garder l'impression des faits qui ont douloureusement ému et profondément remué la conscience, de ne pas voir au-delà de certains sujets que l'on a si longtemps contemplés, au-delà de certaines idées au service desquelles on a dépensé tant d'efforts. Je vais même plus loin. Il est naturel de se montrer sévère pour ceux qui ont été impitoyables, de se rappeler surtout certains actes, certains expédients et même certains défis et par là de se trouver plus naturellement incliné vers le châtiment que vers l'oubli. Ce sont là les mouvements instinctifs les plus légitimes de l'âme humaine [50].

(3) Il y a bien longtemps, un homme d'État – il s'appelait Gambetta –, ayant à défendre une proposition d'amnistie, et rencontrant les mêmes objections auxquelles le projet actuel se heurte, prononçait des paroles que je vous demande la permission de rappeler. Il disait : « Lorsque des dissensions ont divisé et déchiré un pays, tout homme d'un sage sens politique comprend qu'une heure viendra où il sera nécessaire de les effacer. » Et, envisageant une question encore plus grave : « Il y a un moment, disait-il encore, où, coûte que coûte, il faut jeter un voile sur les défaillances, les lâchetés et les excès commis. »
Messieurs, je crois que l'heure, l'heure dont parlait Gambetta, est venue, qu'il n'est pas possible de différer plus longtemps, qu'il n'est plus permis d'ignorer quels sont ceux qui ne veulent pas laisser se dissiper ce cauchemar dans lequel le pays a vécu et dont ils ont vécu. (*Applaudissements à gauche.*) [...]
Il faut admirer et haïr l'habileté détestable avec laquelle pendant trop longtemps on a su obscurcir la notion des sujets les plus simples, empoisonner l'esprit et l'opinion par les sophismes les plus étranges et cependant les plus aisément admis, frapper et répandre la fausse monnaie des formules mensongères et créer une atmosphère si troublée et si épaisse, qu'hélas ! les républicains ne s'y sont plus reconnus... ! (*Vifs applaudissements à gauche.*)
Et à ceux qui pensent que c'est trop d'indulgence et que nous risquons d'affaiblir dans l'âme de la nation le sentiment des responsabilités, je me

borne à répondre qu'il y a des châtiments plus sévères que certaines des peines que prononce la loi et que la justice qui siège dans les prétoires n'est pas toute la justice... (*Très bien ! très bien ! à gauche.*) Qu'il en est une autre formée par la conscience publique, qui traverse les âges, qui est l'enseignement des peuples et qui déjà entre dans l'histoire. (*Applaudissements répétés à gauche.*)[51]

Les propos du chef du gouvernement furent tout à fait clairs quant à sa détermination à lutter contre le danger antidreyfusard et les dérives républicaines. Mais la réponse qu'il voulait leur donner tenait dans une forme d'oubli que couronnait seulement le « jugement de l'Histoire », formule vague et abstraite, mais précieuse à l'épopée républicaine. L'amnistie était certes présentée comme un moyen d'apaisement, non une fin politique[52], mais en l'état et dans la pratique la réalité tendait vers la disparition de l'événement dans la vie politique et la conscience nationale désormais coupées d'un cas de justice exemplaire.

Waldeck-Rousseau se distingua cependant d'Ernest Lavisse en ne confondant pas les deux camps dans une même responsabilité de la crise. Au contraire, il maintenait la possibilité de connaître et de juger. D'une part, le discours d'amnistie désignait indistinctement les fautes gravissimes pour lesquelles elle avait été requise. D'autre part, elle n'excluait pas la justice de l'histoire à laquelle, précisément, l'historien voulait renoncer.

Sous l'empire d'un tel discours et parce que l'apaisement devenait une nécessité politique, le projet de loi d'amnistie fut voté par la Chambre haute avant les vacances parlementaires. Il devait revenir ensuite, à la rentrée, devant la Chambre des députés. Anticipant sur cette dernière étape, Waldeck-Rousseau voulut encore reprendre la main et affirmer fermement sa volonté de faire « voter une loi d'effacement essentielle pour apurer l'apaisement définitif ». Il déclara hautement dans un discours à Toulouse le 28 octobre 1900, avoir vu « les derniers actes d'un drame poignant qui avait profondément ému et divisé le pays ». Ceux-ci requéraient l'amnistie. Dans ses *Carnets*, Alfred Dreyfus réagit vivement à cette négation de son droit à la réhabilitation. Il n'hésita pas à écrire que « M. Waldeck-Rousseau se trompait quand il disait que c'était le dernier acte qu'il avait vu se dérouler. Il n'avait vu se dérouler que l'avant-dernier[53] ».

Après de multiples épisodes[54], la loi fut votée par les députés et promulguée le 27 décembre 1900[55]. Mais les discussions parlementaires de la Chambre révélèrent la détermination des députés Paul Guieysse, radical, membre de la Ligue des droits de l'homme et ancien ministre des Colonies comme on s'en souvient[56], d'Albert Vazeille, médecin radical, qui tenta de faire voter un amendement restreignant l'amnistie afin de pouvoir juger quand même les principaux responsables des crimes de 1894, et de Jules-Louis Breton qui, « avec un courage admirable, proclama la vérité à la tribune française[57]». Cet usage *pour l'histoire et la vérité* des débats parlementaires fut clairement relevé par Alfred Dreyfus. Mais ces paroles courageuses n'empêchèrent en rien le vote définitif du projet de loi, «pour ne pas faire échec au ministère, combattu par toutes les réactions[58]», de même que l'action de Trarieux, Delpech et Clamageran au Sénat n'avait pu contrer le vote du texte. Alfred Dreyfus insiste dans ses *Carnets* sur l'héroïsme de ces quelques parlementaires parlant pour la justice[59]. Il leur adressa des lettres de félicitations, Breton lui répondit : «J'ai voulu, dans la discussion de ce projet d'amnistie, rappeler les infamies et les crimes commis pour maintenir au bagne un innocent et j'ai tenu à affirmer votre innocence à la tribune, ce qui n'avait pas encore été fait nettement[60].»

*Le devoir selon les dreyfusards*

La loi d'amnistie «me ferma bien des moyens d'obtenir la révision de mon procès et je dus patienter de longues années, employées à des recherches et à des efforts incessants, avant de pouvoir aboutir[61]», conclut Alfred Dreyfus dans ses *Carnets*. Avec le recul, on peut souligner que de telles contraintes l'obligèrent à avoir une vision très claire de ses intentions. Il dut fonder sa demande de révision sur les faits les plus probants, établis par des enquêtes décisives ; il ne put se contenter de demi-solutions, de mesures hâtives. La réhabilitation judiciaire, si elle devait survenir, n'en serait que mieux fondée sur une vérité objective et rationnelle. De plus, elle n'impliquerait aucune condamnation. Elle se maintiendrait dans l'affirmation la plus positive de l'innocence reconnue. Elle permettrait de réunir les avantages attendus de l'amnistie, la pacification, et de la justice : le droit et la vérité. Pour cette raison, Dreyfus n'était pas prêt à continuer la lutte, forcément sans issue, contre l'amnistie. Il préférait concevoir les moyens de la réhabilitation, réunir ses amis dans ce dernier combat et mener ou faire mener les enquêtes nécessaires.

Louis Havet[62], Joseph Reinach[63], Zola[64] et Clemenceau[65] se retrouvèrent unis dans le refus complet et résolu de l'amnistie. Bien plus tard, en janvier 1905, dans une lettre au ministre de la Guerre écrite à l'initiative de Louis Havet, un même opprobre continua de couvrir l'amnistie «qui, sous le ministère Waldeck-Rousseau, a valu l'impunité à tant de grands coupables[66]». Gabriel Monod évoqua l'amnistie qui avait «étendu le même dédaigneux pardon sur le lieutenant-colonel Picquart et sur ses misérables accusateurs[67]». La presse nationaliste reprit l'offensive contre les défenseurs de Dreyfus et la libération du «traître», en dépit d'un procès gagné le 20 juin 1900 par Reinach et Picquart contre *L'Écho de Paris* et le journaliste Edmond Lepelletier[68]. Mais le camp dreyfusard commençait à se fragmenter. Contre l'amnistie restèrent seulement les quelques noms cités plus hauts, de rares parlementaires, la Ligue des droits de l'homme. Par intérêt et solidarité politique avec Waldeck-Rousseau, Jaurès laissa faire [69].

Après le vote de la loi, discutée à la Chambre entre le 6 et le 17 décembre 1900, Zola écrivit le 22 décembre 1900 une nouvelle et dernière lettre publique [70]. Adressée, comme « J'accuse... ! », au président de la République [71], énumérant les hontes qui devenaient éternelles avec l'amnistie, regrettant aussi que ses amis, Ranc et Jaurès, se fussent résignés à la loi, critiquant le procédé rhétorique consistant à échanger « la justice de l'histoire » contre l'amnistie présente, il annonçait la fin de son engagement et son retour à l'écriture « en s'y mettant tout entier » : « J'ai reconnu qu'un bon citoyen doit se contenter de donner à son pays le travail dont il s'acquitte le moins maladroitement ; et c'est pourquoi je m'enferme dans mes livres [72]. »

Le débat sur la grâce ne concerna pas seulement le destin de Dreyfus. Il portait aussi sur le sens à donner à l'engagement dans l'Affaire et à situer son terme. Devant ce qui apparut comme une liquidation, les dreyfusards réagirent différemment. Élie Halévy, dans une lettre du 16 février 1900 [73] à Célestin Bouglé, conclut à la fin du combat dreyfusard dès lors que Dreyfus a « accepté de solliciter sa grâce ». Son intérêt allait désormais ailleurs : vers la politique, les lois sur la scolarité et l'association, le rapport Pelletan sur le budget militaire, la politique anglaise, allemande, russe. Cette position ne signifiait ni un abandon des principes qui avaient guidé le combat dreyfusard ni une adhésion à la politique de « défense républicaine ». Élie Halévy se maintint dans une position critique trempée dans l'affaire Dreyfus et qui le rendait aussi fidèle à son engagement passé que distant des aggiornamentos politiques. Celui qui allait devenir l'un des historiens les plus importants du siècle incarna l'éthique dreyfusarde faite de critique et de liberté. Ainsi, le 28 novembre 1936, à quelques mois de sa mort, au cours d'une séance décisive de la Société française de philosophie, Halévy fut amené à préciser quelle avait été sa position après ces événements du tournant du siècle. Il déclara alors : « Je n'étais pas socialiste. J'étais "libéral" en ce sens que j'étais anticlérical, démocrate, républicain, disons, d'un seul mot qui était lourd de sens : un "dreyfusard" [74]. »

En cela, Halévy était rejoint par d'autres dreyfusards qui voulaient se tenir à distance des solutions politiques républicaines et qui conservaient des principes d'idéal pour l'avenir, malgré la détresse du présent : « Il me semble que, depuis l'horrible procès de Rennes, l'horizon s'est un peu éclairci, écrivit le philosophe Alphonse Darlu au même Élie Halévy, son élève et ami. Quelle triste mentalité que celle de notre pays ! Là-bas, dans la Corrèze, le paysan est persuadé que c'est Dreyfus qui l'empêche de vendre ses porcs. Et le bourgeois ne lit que *L'Écho de Paris*, *L'Éclair* et *L'Intransigeant* ! En ville, j'ai entendu des jeunes gens affirmer (des jeunes gens et chrétiens, il est vrai) que le coup de pistolet avait été tiré par Picquart – à blanc naturellement[75].»

Les « dreyfusiens[76] » défendirent à l'inverse l'issue politique, de nature conservatrice et qui s'identifiait à la « défense républicaine » de Waldeck-Rousseau. L'historien Ernest Lavisse, dans la *Revue de Paris* du 1er octobre 1899, prôna « la réconciliation nationale ». Clemenceau, dans *L'Aurore* du 2 octobre, railla aussitôt Lavisse. Ces clivages entre dreyfusards, dreyfusiens et dreyfusistes ne remettaient pas en cause un héritage commun, forgé dans l'engagement. Mais celui-ci paraissait désormais figé dans la nostalgie, alors que la reconnaissance de l'innocence n'avait pas été pleinement obtenue et que les antidreyfusards n'avaient pas désarmé. Ce sentiment de vanité fut exprimé par Frédéric Passy dans une lettre à Louis Havet du 27 décembre 1899 :

> Mon cher confrère,
> Mon fils et ma belle-fille me parlent de l'intéressante soirée à laquelle ils doivent aller, samedi, chez vous. Bien que je ne sorte plus guère, je suis tenté d'aller les retrouver, si madame Havet et vous voulez bien m'y autoriser. Ce serait une occasion exceptionnelle de me trouver pendant quelques instants avec les meilleurs de ceux parmi lesquels nous avons combattu et nous avons encore, malheureusement, à combattre.
> Ne prenez pas la peine de me répondre. Je tiendrai votre silence pour un assentiment, dont je crois pouvoir me permettre de ne pas douter. Mais veuillez m'excuser auprès de madame Havet et la prier d'agréer mes respectueuses salutations et mes vœux[77].

## La lutte contre l'ensevelissement

En lieu et place du « jugement de l'Histoire » promis par Waldeck-Rousseau le 2 juin 1900, Dreyfus et les dreyfusards eurent surtout droit à la défaite venue de l'oubli et du désengagement.

Les nationalistes tentèrent de vaincre définitivement Dreyfus et les dreyfusards après l'incertaine bataille de Rennes. Un comité « nationaliste » se donna comme mission de publier la déposition du général Mercier au procès. « Ce pamphlet venimeux et perfide fut de nouveau répandu à profusion, expliqua Dreyfus, comme si l'on craignait un nouveau réveil de la conscience humaine contre l'iniquité, le faux et le mensonge[78]. »

Les élections municipales le 7 mai 1900 conduisirent à une victoire partielle des nationalistes, provenant, comme le souligna justement Alfred Dreyfus, « de la faiblesse des républicains n'osant pas exprimer leur programme et leur idéal de justice et de vérité. En province, au contraire, triomphe de la concentration républicaine[79] ».

Les élections sénatoriales de janvier 1900 avaient semblé aussi indiquer que les antidreyfusards pouvaient tirer parti de l'amnistie, à l'opposé des républicains contraints au silence sur l'Affaire sous peine d'être accusés de vouloir relancer « l'agitation »[80]. Le général Mercier entra ainsi au Sénat où il s'enfermera dans son obsession de la culpabilité de Dreyfus, tandis qu'Arthur Ranc à Paris, ou Jules Siegfried en Seine-Inférieure qui avait finalement défendu Dreyfus, furent battus. Le silence retomba sur l'affaire Dreyfus. Jusqu'à la fin de la législature qui s'acheva en mars 1902, aucune référence n'y fut faite. Bien sûr, la politique réformiste de la Défense républicaine infligeait aussi des défaites aux nationalistes par ailleurs divisés entre l'Action française de Maurras, les antisémites de Drumont et la Ligue des patriotes dont le chef était exilé en Espagne, à Saint-Sébastien[81]. Le gouvernement de Waldeck-Rousseau attestait d'une volonté politique de changer la société, de consolider le mouvement républicain révélé par l'engagement dreyfusard. Les antidreyfusards ne s'y trompèrent pas et dénoncèrent notamment le projet de loi sur le contrat d'association, s'attirant alors de vives ripostes républicaines[82].

Bien qu'éloigné de Paris, Alfred Dreyfus ne cessait cependant de vouloir être actif et combattant. Le 20 avril 1900, il quitta Carpentras avec sa famille pour se rendre à la villa *Hauterive*, à Cologny, sur les bords du lac de Genève. Il existe de belles photographies de Lucie et Alfred se promenant dans ces paysages idylliques de la Suisse romande. Lui-même se fit très lyrique pour décrire ce lieu du bonheur simple et vrai : « Du perron de la villa, on découvre le lac, qu'on domine d'une cinquantaine de mètres ; au-delà, le Jura, avec ses crêtes encore couvertes de neige à l'époque de notre arrivée ; enfin, au fond et à gauche, au pied de la trouée entre le Jura et les Alpes, s'étend la ville de Genève. [...] Quel repos exquis pour nous tous, après tant d'années douloureuses ; quelle détente de l'être auprès de cette admirable consolatrice qu'est la nature[83] ! »

Le capitaine Dreyfus se consola aussi en lisant de « remarquables » textes sur l'Affaire, celui de la conférence que son ami Gabriel Monod fit à Paris le 9 mai 1900 et qu'il avait intitulée « Les leçons de l'histoire ». L'historien y disait l'admiration que lui inspirait « l'exemple de Dreyfus se laissant condamner une première fois, sans mot dire, pour éviter par patriotisme qu'on soulève la question de l'origine de la pièce accusatrice, puis acceptant sans murmurer les pires tortures, se raidissant pour vivre et affirmer sans relâche son innocence, supportant pendant quatre ans les cruautés des hommes et les horreurs d'un climat meurtrier, et après cela conservant l'équilibre de son esprit et s'efforçant de juger ses bourreaux même sans haine et sans colère. Cet exemple est une des plus belles leçons de courage et d'élévation morale que nous offre l'histoire[84]. »

Dreyfus reçut également un opuscule intitulé *Le Premier Plaidoyer pour Dreyfus* dû au Brésilien Rui Barbosa, l'un des fondateurs historiques de la République brésilienne en 1884. Le 7 janvier 1895, il déclarait son admiration pour l'homme qui put survivre à « l'atroce cérémonie de la dégradation militaire, terrible prélude de l'expiation surhumaine qui a commencé hier pour ce malheureux. Ce terrible spectacle a fait frémir l'Europe entière [85] ». Alfred Dreyfus aurait pu lire aussi le texte de la conférence que Célestin Bouglé avait donnée à Toulouse le 21 décembre 1899 et qui fut publié en 1900 dans le recueil *Pour la démocratie française* :

> Si nous nous sommes tant agités pour que Dreyfus revînt de l'île du Diable, c'est que nous voulions voir avec lui, sur le même navire, rentrer au sol natal, tout un cortège d'idées qui nous sont sacrées. Nous n'avons pas lutté seulement pour un Français, mais pour la France, non seulement pour un citoyen, mais pour la République, non seulement pour un homme, mais pour l'humanité. [...] Quand l'Affaire sera terminée, notre œuvre ne fera que commencer [86].

L'image était doublement belle. Dreyfus et la France indissociablement liés, Dreyfus et la République, Dreyfus et l'humanité..., le combat de l'un étant le combat de l'autre et réciproquement. Et puis l'intuition que les valeurs les plus élevées, les combats les plus hauts commençaient dans ces marges lointaines de la civilisation, dans les bagnes que l'espoir avait paru déserter totalement.

Au mois d'août, Alfred Dreyfus reçut la visite d'Auguste Lalance. « Cœur généreux, raison saine, d'une grande simplicité de manière, [il] commande le respect et inspire la sympathie. Il fut, dès la première heure, un des plus courageux défenseurs de ma cause. Nous évoquâmes, avec une douloureuse émotion, les événements de ces dernières années, si tristes pour nos cœurs d'Alsaciens [87]. » Avec Joseph Reinach qui vint également à Cologny, il étudia longuement la situation. La seule issue pour relancer une procédure de révision consistait dans la révélation d'une information capitale, concernant Esterhazy notamment. « Nous fûmes donc d'avis de tenter un effort auprès de ceux qui possèdent toutes les preuves de la culpabilité d'Esterhazy. Je pensai à mon frère Mathieu, si dévoué, si énergique, pour faire cette tentative. Je le priai de venir me voir à Cologny. » Les deux frères décidèrent alors de passer par Albert Sandoz, l'ami mulhousien du lieutenant-colonel von Schwartzkoppen que connaissait aussi Mathieu Dreyfus. Mais la tentative d'approcher l'ancien espion fut un échec. Dans une lettre à Sandoz, Schwartzkoppen refusa la proposition d'entrevue et déclara qu'il ne pouvait rien dire de plus qu'attester que Dreyfus n'avait jamais été en relation avec lui [88]. Il « préférait son intérêt propre aux devoirs que sa conscience eût dû lui commander, depuis bien longtemps d'ailleurs », nota Dreyfus [89]. Au début du mois de septembre, il reçut la visite de l'abbé Pichot, « l'un des rares prêtres ayant osé prendre courageusement la défense du droit et de la vérité [90] », auteur de *La Conscience chrétienne et l'affaire Dreyfus* [91].

Puis vint le premier anniversaire du jugement de Rennes. Il réaffirma à cette occasion, dans ses *Carnets*, que, « si la grâce qui suivit ma condamnation avait pu être un acte d'humanité, il me fallait un acte de justice [92] ». Il reçut du président de la Ligue des droits de l'homme une « belle lettre » qu'il inséra dans ses *Carnets*. Il lui répondit quelques jours plus tard : « Votre lettre, de si généreuse et noble inspiration, est en même temps un hommage touchant à la cause de la justice. [...] Certes, la liberté m'a été rendue, j'ai retrouvé les miens après tant d'années d'horrible séparation, j'ai trouvé de nombreux amis, inconnus encore à Rennes, qui, fidèles aux principes de la France, de la justice et du droit, avaient pris avec un si grand courage la défense d'un innocent. Mais je n'ai vécu pendant cinq années d'un horrible martyre que pour l'honneur. Or les effets moraux de l'iniquité subsistent, le supplice intérieur est toujours aussi grand, justice n'est pas faite. Le but que je poursuis reste donc le même jusqu'à ce qu'il soit atteint : la révision légale de mon procès. La Ligue, dont vous êtes le président, a assumé une grande et noble tâche, celle d'apporter une main secourable à toutes les victimes de l'injustice, et je suis avec vous de tout cœur et d'âme dans cette œuvre admirable de solidarité et de fraternité humaines[93]. » Touché à son tour par la lettre du capitaine, Trarieux lui demanda l'autorisation de la publier dans la presse, ce qui fut fait le 28 septembre 1900 dans *Le Siècle*. Une lettre de Mme Marcelin Pellet, la fille d'Auguste Scheurer-Kestner, le toucha également beaucoup[94].

La presse antisémite recherchait toujours les occasions de nuire à la réputation du capitaine Dreyfus. Ainsi, lorsqu'il se rendit déjeuner chez des amis à Anthy, en Haute-Savoie, près de Thonon-les-Bains, *Le Moniteur universel* suivi par *La Libre Parole* alléguèrent qu'il avait été accueilli par des cris hostiles. « Manifestation contre Dreyfus », titra le premier dans son édition du 26 septembre 1900, « Dreyfus conspué » pour *La Libre Parole* de la même date. Gabriel Monod riposta par un prière d'insérer que *Le Moniteur universel* dut publier dans son numéro du 1er octobre. La conclusion s'achevait par un bel hommage au capitaine Dreyfus : « La dignité, la simplicité, la réserve de son attitude au milieu d'épreuves inouïes, amènent peu à peu le bon sens populaire à reconnaître en lui un des hommes qui font le plus d'honneur à l'humanité et dont la France doit être le plus fière. » Le titre donné à son article sonnait comme un défi et une vérité : « Dreyfus, honneur de l'humanité[95]. »

L'offensive fut même plus grave puisqu'elle concerna les milieux gouvernementaux. *Le Petit Parisien*, dirigé par le ministre de l'Agriculture, Jean Dupuy, publia une note qui dénonçait les tentatives pour relancer l'Affaire et affirmait que « l'arrêt du conseil de guerre constitue la vérité légale », ajoutant : « L'avenir, s'il le peut, se chargera de la vérité historique. » La note expliquait aussi, contre la vérité précisément, que Dreyfus avait acquiescé à « la clôture définitive de la question » en se désistant de son pourvoi, et que la grâce avait été sollicitée par sa famille. Plus encore, *Le Petit Parisien* affirmait doctement qu'« à Rennes toutes les formes prescrites par la loi ont été observées » et lançait une menace à peine voilée contre ceux qui réclamaient encore la réhabilitation ; ils se plaçaient d'eux-mêmes hors de l'ordre social : « Il faut donc s'incliner devant la décision des juges, sous peine de faire échec à tous les verdicts, à tous les arrêts de toutes les juridictions, c'est-à-dire aux bases mêmes de l'ordre social[96]. » Alfred Dreyfus releva que *Le Figaro*, oublieux de ses engagements passés, avait repris le contenu de la note en disant l'approuver en tous points et en n'hésitant pas à lui donner une origine gouvernementale officieuse.

Alfred Dreyfus s'apprêtait à protester officiellement en exigeant un prière d'insérer dans *Le Petit Parisien*, lorsqu'il reçut une lettre de Joseph Reinach, en date du 2 octobre 1900, l'informant qu'il avait lui-même écrit une lettre très vive à Jean Dupuy. Très ennuyé, ce dernier saisit Waldeck-Rousseau et Alexandre Millerand, lequel, témoin et acteur direct de la grâce, était excédé par les affirmations du *Petit Parisien*. Mais Reinach indiqua à Dreyfus que le ministre du Commerce estimait que « rouvrir l'affaire par ce déballage serait des plus fâcheux », surtout à un moment de difficultés pour le gouvernement aux prises à de vives attaques nationalistes. « J'ajoute, écrivait encore Reinach, que nos meilleurs amis vous en voudraient d'avoir, même en représailles légitimes, créé un incident d'assez grandes conséquences. Mais, d'autre part, je maintiens énergiquement votre droit absolu à ne pas laisser entacher la grâce par une prétendue renonciation à vos droits. » Partageant absolument ce sentiment, Dreyfus put constater que sa démarche énergique aboutit à la publication dans *Le Petit Parisien*, le 3 octobre 1900, par Waldeck-Rousseau et Alexandre Millerand, d'une note sans ambiguïté : « Nous tenons à dire que *Le Petit Parisien* a parlé, comme toujours, dans sa pleine indépendance et sous sa complète et exclusive responsabilité. »

La vigilance sur le droit et le refus de tenir le jugement de Rennes comme définitif restaient encore puissants. À la séance de rentrée de la Cour de cassation, le 15 octobre 1900, l'avocat général Dubois refit l'histoire du « plus grand procès du siècle », comme le désigna le procureur général Laferrière : « La courageuse décision du garde des Sceaux, l'enquête de la chambre criminelle, cet acte de foi inébranlable en la vérité ; la loi de dessaisissement et le renvoi de l'affaire aux chambres réunies [...] ; les débats solennels, le vote qui les a suivis. Je ne retiens de tous ces faits qu'une constatation : elle a son importance à une époque où le rôle de la magistrature a été si tristement, si odieusement dénaturé. C'est l'absolue confiance témoignée par la cour suprême en l'absolue loyauté de tous ses membres ! Quelle leçon et quel exemple ! » Le fait intéressant est la présence de cette déclaration dans les *Carnets* dont Dreyfus réservait la rédaction après avoir terminé celle de *Cinq années de ma vie*[97].

*Le retour à Paris*

Cependant les attaques se multipliaient contre Dreyfus. L'entrée dans la phase finale du vote de la loi d'amnistie ne pouvait que conforter ses adversaires dans un sentiment d'impunité protégeant les rumeurs les plus absurdes ou les calomnies les plus sournoises. Surtout, il était attaqué sur son séjour à l'étranger, signe de sa culpabilité ou de son caractère forcément suspect. Il découvrait aussi, avec tristesse, que ces insinuations étaient propagées par Fernand Labori et ses proches, dont l'hostilité à son égard allait croissant. Dreyfus et sa famille étaient demeurés sur les bords du lac de Genève pour sa santé et celle de ses enfants, et parce que les Naville étaient des amis très intimes. De plus, Dreyfus aimait la Suisse, qu'il connaissait bien, ayant passé son enfance à Mulhouse et conservant des liens très forts avec ses paysages, comme avec ceux de l'Italie du Nord qui lui ressemblaient. Enfin, sa présence à Paris n'était pas requise puisque lui et son avocat Mornard ne disposaient d'aucun fait nouveau susceptible de saisir la Cour de cassation.

« Si absurdes que fussent ces bruits, il fallait y couper court. [...] Je partis pour Paris le 24 novembre 1900 afin de bien montrer que j'avais la liberté complète et entière de mes mouvements et que je ne craignais rien ni personne », expliqua-t-il, toujours dans ses *Carnets*.

De fait, il arriva le lendemain matin dans la capitale. Refusant de se laisser emporter par l'émotion d'un retour sur les lieux du bonheur brisé, il fixa ses « idées sur l'avenir, sur le but qu'il voulait atteindre[98] ». Il revit alors les amis qu'il avait déjà rencontrés à Carpentras et en découvrit d'autres comme Jean Psichari[99] et Émile Duclaux, directeur de l'Institut Pasteur. « D'une grande simplicité et d'une finesse exquise, je fus ému par son accueil si cordial et si sympathique. Nous causâmes longuement ensemble », se souvint Dreyfus[100]. Il rencontra aussi Zola pour la première fois : « Je fus charmé par sa simplicité, ému par sa voix vibrante et chaude d'humanité, son cœur débordant de bonté. » Il fit encore la connaissance de Ludovic Trarieux qu'il n'avait pu qu'entrevoir au procès de Rennes « où sa déposition, une des plus belles, [l]'avait profondément ému. M. Trarieux est une des plus belles consciences dont l'humanité puisse s'honorer[101]. » Il fréquenta régulièrement ses anciens défenseurs. Au mois de décembre 1900 fut organisé en son honneur un dîner avec Trarieux, Monod, Havet et les docteurs Brissaud et Delbet. Le 7 janvier 1901, il eut rendez-vous avec Joseph Reinach chez le prince de Monaco à Paris. « Le prince, très simple, très affable, possède une intelligence ouverte, une belle conscience [...]. Il me renouvela ce qu'il m'avait dit par écrit : son dévouement absolu à ma cause qu'il savait être celle de la justice et de la vérité. Je lui en exprimai ma profonde gratitude[102]. » Vers le 15 janvier, il reçut la visite de Bjørnstjerne Bjørson, le grand écrivain norvégien qui avait participé à la bataille dreyfusarde en écrivant des lettres puissantes au moment du procès Zola [103]. En revanche, la rencontre avec Louis Leblois lui laissa une impression plus mitigée par suite de la vanité de l'avocat qui cherchait à diminuer les mérites des autres « défenseurs de la Cause » dont Picquart, son client et ami [104].

Alfred Dreyfus continua inlassablement à rechercher des faits nouveaux, base d'une possible relance de l'action judiciaire en faveur de la vérité. Il ne négligea aucun renseignement. Soutenu par Reinach, il poursuivit la piste révélée par le mathématicien Jules Andrade au moment du procès de Rennes et, après le verdict, par sa lettre au ministre de la Justice [105]. Il s'adressa aussi au prince de Monaco, pour l'inviter à contacter Schwartzkoppen, devenu entre-temps général [106].

Dreyfus envisagea méthodiquement la poursuite d'un combat qui ne serait moral que grâce au respect de la vérité et de la responsabilité, « la plus haute notion morale » précisément : « J'estimais que je devais arriver devant la Cour de cassation avec des éléments assez décisifs pour que celle-ci, si anxieuse qu'elle fût de faire toute la justice, ne se vît pas obligée de rejeter ma demande pour des scrupules juridiques, ce qui paraîtrait une confirmation du jugement de Rennes. Or celui-ci n'avait pas entamé l'autorité du premier arrêt rendu par la cour [107]. »

Dreyfus dut aussi tenter d'éviter la rupture complète qui se profilait entre Mathieu Dreyfus et Fernand Labori, sur fond de désaccords majeurs sur la signification de l'Affaire et la nature des combats à venir.

## L'éclatement du camp dreyfusard

La fin de l'unité des dreyfusards eut pour double origine la mise à l'écart de Labori pour la plaidoirie finale du procès de Rennes, l'avocat vivant très mal cette décision dictée par Waldeck-Rousseau, et l'acceptation de la grâce que Clemenceau reprocha vivement à Dreyfus bien que lui-même l'ait acceptée lors de la grande scène d'explication au ministère du Commerce. Cette crise eut des conséquences profondes. Elle engendra des conflits individuels parfois violents entre les camarades d'une lutte commune qui aurait mérité mieux que cette fin. Les antidreyfusards se réjouirent de la décomposition – toute relative cependant – de leurs adversaires. Elle obligea Dreyfus à multiplier les interventions pour tenter de réconcilier les anciens jusqu'au moment où, vivement attaqué par les amis de Labori, il renonça à aller plus loin dans la conciliation. Enfin, cette crise contribua à diffuser une image négative du capitaine Dreyfus, produite par le ressentiment mais qui ne correspondait ni à la réalité ni à ce que ces hommes avaient pu déclarer au moment de l'unité. Mais ce fut cette dernière image qui subsista et non la première [108].

Le conflit ouvert découla du soutien que Picquart sembla apporter dans la crise qui s'était ouverte entre les deux avocats du capitaine Dreyfus, et ce dès les premiers jours de juillet 1899 lorsqu'avait commencé, dans la cellule de la prison militaire de Rennes, la préparation du procès. Très entier mais aussi très impulsif, Labori acceptait mal de devoir partager la défense avec Edgar Demange alors qu'il avait été seul aux commandes de celle de Zola. Dreyfus confia même avoir dû s'interposer entre les deux avocats, alors que lui-même était épuisé « par tant d'années de souffrances et par les émotions éprouvées depuis [son] retour en France [109] ». Labori estima rapidement que la préférence des deux frères allait vers son confrère [110]. La décision prise à la fin du procès de laisser plaider le seul Demange provoqua la rupture dont les manifestations se multiplièrent pendant toute l'année 1900. En dépit de nombreuses lettres et de démarches de conciliation, Dreyfus ne put empêcher l'amertume de Labori de s'exprimer de plus en plus violemment contre Demange, mais aussi contre Mathieu qui ne voulait pas désavouer le premier avocat et même contre Dreyfus qui ne voulait pas désapprouver son frère. Après une entrevue très pénible entre Dreyfus et Labori, à laquelle assista Picquart, Dreyfus estima qu'il ne pouvait « aller plus loin ». Il fit part à Labori, par lettre, de son « regret de n'être pas arrivé à dénouer une situation » qu'il trouvait « déplorable » et qu'il n'avait pas créée. Et de l'assurer pour finir de sa totale reconnaissance : « Je conserverai un souvenir éternellement reconnaissant de votre admirable dévouement pendant ces années néfastes, très heureux de toutes les circonstances qui s'offrirent à moi de vous serrer la main [111]. »

Les questions personnelles n'étaient pas seules en cause dans cette rupture. Labori, avec Clemenceau et Picquart, estimait que Dreyfus et son frère ne s'opposaient pas aux efforts du gouvernement pour faire voter l'amnistie. Mathieu explicita clairement leur position, se refusant d'une part à causer des difficultés au ministère et aux amis dans les Chambres qui avaient, quoi qu'en disent Labori et ses amis, fait quelque chose pour la cause de Dreyfus et considérant que cette bataille serait inutile pour obtenir la révision. Les deux frères étaient sans illusions sur le fiasco de la politique gouvernementale en face du procès de Rennes [112]. Mais ils n'envisageaient pas pour autant de rompre avec Waldeck-Rousseau qui était à l'époque, avec Brisson, le seul chef de gouvernement à s'être intéressé au sort du capitaine. Ripostant sous le coup de la colère, Labori cria alors à Mathieu : « Vous ne vous préoccupez que de la peau de votre frère », puis : « Allez rejoindre votre Waldeck [113]. »

Georges Picquart était particulièrement motivé, et pour des raisons évidentes, à dénoncer le projet d'amnistie. Il était toujours exclu de l'armée. Il avait voulu saisir le Conseil d'État de la décision ministérielle qui l'avait mis en réforme le 28 février 1898. Cette lettre fut au cœur des discussions du dîner qui avait réuni Dreyfus à quelques-uns de ses défenseurs fin décembre 1900. La lettre parut le lendemain dans les journaux datés des 27 et 28 décembre, c'est-à-dire le jour ou le lendemain aussi du vote définitif de la loi d'amnistie. Picquart était très dur avec Waldeck-Rousseau, lui reprochant de se désintéresser de son sort, ce qui était exact, et avec les amis de Dreyfus qu'il accusa d'avoir accepté la grâce « sachant que l'amnistie en serait le prix ». Il revient également sur le sort fait à Labori au procès de Rennes avec une grande véhémence [114]. Jules Cornély, dans *Le Figaro*, lui reprocha les mises en cause du gouvernement « en des termes que pourraient lui envier les plus farouches adversaires du cabinet, ceux précisément qui croient le flétrir en l'appelant : le ministère Dreyfus [115] ».

Alfred Dreyfus écrivit lui aussi à Waldeck-Rousseau, mais dans une perspective très différente. En effet, *L'Intransigeant* du 25 décembre 1900 avait publié un article où il était question du fameux bordereau « annoté » par l'empereur Guillaume. « J'espérai que Rochefort allait enfin faire sortir au grand jour ce faux, le plus colossal qui ait paru dans l'affaire qui, cependant, en avait vu tant. Mais mon espoir fut déçu. Cet article, qui annonçait de nouvelles révélations, ne fut suivi d'aucun autre [116]. » Et pour cause. Le bordereau « annoté » n'existait que sous la forme d'une rumeur, et non comme un document matériel. Mais son efficacité était encore plus redoutable. *La Fronde* avait déjà publié le 20 décembre un article encore plus explicite dû à Séverine : la journaliste y affirmait que la pièce avait été communiquée de manière occulte aux juges de Rennes [117]. Dreyfus tenta de mener une enquête sur les éléments fournis par le journal des femmes [118], mais il n'obtint que des indices trop vagues, insuffisants pour forger une conviction. Il se décida à écrire à Waldeck-Rousseau pour demander l'ouverture d'une enquête et à faire paraître une lettre dans *Le Siècle* du 28 décembre. Constatant qu'une « certaine presse » l'accusait « d'avoir adressé en 1894, à l'empereur d'Allemagne, une lettre infâme qui, annotée par ce souverain, aurait été dérobée dans une ambassade et qui serait une preuve formelle du crime pour lequel, [il a] été, par deux fois, injustement condamné » et considérant que cette accusation avait pesé sur sa condamnation, il lui demandait de faire procéder à une enquête : « Je ne suis pas dépouillé de tous mes droits, je conserve le droit de tout homme, qui est de défendre son honneur et de faire la vérité [119]. »

Cornély fut aussi sévère pour cette lettre que pour la précédente, estimant que « Dreyfus aurait dû se dispenser d'écrire cette missive » et que la vérité historique exigeait plus de patience – et l'on pourrait ajouter de faits [120]. *Le Temps* commenta avec justesse ces initiatives pour le moins malheureuses pour leurs auteurs. « Ces deux lettres n'ont point fait faire un pas à la cause de l'un ni de l'autre de leurs signataires. Si l'amnistie a été acceptée, finalement, malgré les graves critiques qu'elle soulevait, c'est en raison de cet universel désir d'apaisement et d'oubli, qui est fait pour beaucoup de lassitude, mais aussi de la volonté fort légitime de procurer au pays un repos dont sa prospérité a besoin. MM. Picquart et Dreyfus ont le devoir de respecter cette volonté, et ils ont intérêt à tenir compte de cette lassitude. Ils seraient plus sages à tous points de vue en s'abstenant de toute manifestation tant qu'ils n'en ont pas à faire qui soit décisive [121]. »

*Le temps de la recherche*

Dreyfus entendit l'avertissement. Certes, il ne demandait à Waldeck-Rousseau que le lancement d'une enquête avec d'importants moyens d'investigations que seul possédait un État. Il retrouvait d'une certaine manière les requêtes nombreuses qu'il avait adressées depuis l'île du Diable pour que le coupable fût découvert. « Si l'enquête que je sollicitai ainsi de M. Waldeck-Rousseau avait été accordée, expliqua-t-il dans ses *Carnets*, j'espérais qu'en recherchant l'emploi qui avait été fait de ce faux, on arriverait à connaître son rôle au procès de Rennes [122]. »

Puisque l'enquête officielle lui était refusée, Dreyfus prit la décision de mener avec ses amis sa propre enquête sur le bordereau « annoté » et sur les circonstances du procès de Rennes qui pourraient constituer des faits nouveaux. Pour cela, il devait se replonger dans toute l'histoire des événements qui avait commencé pour lui un matin du 15 octobre 1894. Cette détermination fut d'autant plus nécessaire qu'il était seul désormais, avec quelques amis fidèles. La conciliation qu'Havet tenta, début janvier 1901, entre ces derniers et le groupe de Labori et Picquart échoua [123]. L'idée d'un comité coordonnant la poursuite de l'Affaire et le travail en faveur de la réhabilitation se heurta au refus du capitaine d'en voir son frère exclu. Dans une lettre à Reinach, Havet parla explicitement d'« élimination nette [124] ». Le 8 janvier, Alfred Dreyfus écrivit à son frère pour lui dire solennellement qu'il rejetait de telles conditions : « S'il se produit une cassure définitive, que je cherche d'ailleurs à éviter, du moins j'aurai fait mon devoir et sauvegardé notre dignité à tous deux [125]. »

Une dernière réunion avec Louis Havet déboucha sur le constat d'un désaccord complet. Joseph Reinach et le lieutenant-colonel Hartmann, qui étaient également présents, combattirent, comme Dreyfus, l'idée d'un comité. « Les efforts sont individuels, dirent-ils ; dès que ces efforts auront abouti à un résultat tangible, alors seulement il y aura lieu de convoquer les amis pour examiner quel parti on pourra tirer des résultats acquis. Mais se réunir avant d'être arrivé à un résultat concernant un "fait nouveau", c'est inutile, d'autant plus que les réunions d'un grand nombre de personnes sont toujours difficiles, à cause des préoccupations de chacun. » Quant à l'hypothèse de l'élimination nette de Mathieu Dreyfus, son frère fut très net avec Louis Havet qui représentait là les intérêts de Labori et de Picquart : « Je lui répondis que, outre les sentiments d'affection que j'ai pour mon frère, celui-ci avait montré pendant ces cinq années un tel dévouement qu'aucune parole ne saurait en rendre la grandeur, que nos liens étaient indissolubles. »

La fin de l'unité dreyfusarde laissait au capitaine un « goût amer », d'autant qu'elle séparait désormais « des hommes également honorables et qui avaient lutté avec tant de conscience pour le triomphe de la justice [126] ». Il trouva cependant de nouveaux soutiens de la part des intellectuels, particulièrement d'un groupe de normaliens qui vinrent l'entourer. Au début du mois de février 1901, un dîner le réunit avec Jaurès, Lanson, Paul Dupuy et Paul Painlevé. Il rencontra des hommes d'une vive intelligence, comme il le confia dans ses Carnets, et très impliqués également dans l'Affaire et sa résolution finale. Le surveillant général de l'École normale Dupuy avait écrit une étude – que Dreyfus tint pour « remarquable » – qui réfutait le système accusatoire développé par le général Roget en 1899 devant la Cour de cassation. Painlevé était vivement intervenu au procès de Rennes, Jaurès était l'auteur des Preuves et le défenseur infatigable de Dreyfus. Il lui parla longuement du bordereau « annoté ». Il était persuadé de son existence et convaincu que le lieutenant-colonel Henry l'avait révélée au cours du procès Zola [127]. D'après Jaurès, il aurait été fabriqué avant même le faux Henry, dès que le lieutenant-colonel Picquart eut démasqué Esterhazy en septembre 1896 [128].

Pour comprendre les origines de la rupture entre les deux avocats, Dreyfus se replongea dans le procès de Rennes. Il découvrit la lettre de Joseph Reinach du 7 septembre 1899, adressée à son frère, et qui lui demandait, au nom de Waldeck-Rousseau et de tout le milieu libéral qui l'entourait « de prier Labori ou de renoncer à la parole ou de se tenir dans certaines limites ». Dans sa lettre, Reinach expliquait que Galliffet tenait désormais la condamnation pour certaine, de même que Chamoin, le représentant du ministre de la Guerre, qui n'hésitait pas à faire retomber la responsabilité du désastre sur Labori. Dans la lettre, Dreyfus vit aussi que le gouvernement était décidé à saisir la Cour de cassation en cas de condamnation. Cette assurance se révéla illusoire : il put constater une nouvelle fois que Waldeck-Rousseau et ses proches n'avaient pas tenu leur parole et avaient abusé de la confiance que leur prodiguaient sa famille et ses défenseurs [129].

Ce retour sur le procès de Rennes ne se justifiait pas seulement par la nécessité de trouver une solution au conflit des avocats. Comme il l'avait annoncé à plusieurs reprises, Alfred Dreyfus avait l'intention d'écrire son histoire et de témoigner de sa terrible expérience. L'écrire, c'était la tenir à distance afin de retrouver goût à la vie présente. C'était aussi tenter de comprendre et d'analyser la chaîne des responsabilités allant jusqu'à l'arbitraire le plus intolérable. Enfin, en publiant ce récit, il souhaitait participer au changement de l'esprit public et à l'évolution des consciences.

Il commença par composer un témoignage sur cinq années de sa vie, auquel il donna ce titre simple, et dont la partie la plus frappante était le journal autobiographique restitué par le ministère des Colonies ; il avait en effet obtenu du ministre Decrais la communication de ses lettres et écrits de l'île du Diable. Le 24 septembre 1900, Decrais lui fit parvenir son journal autobiographique, trente-six cahiers de travail et quelques lettres de sa femme qui ne lui avaient pas été remises, ou simplement en copie. Mais il apprit par le même envoi que les autres lettres de sa femme, « arrêtées par ordre, avaient été détruites antérieurement, en exécution d'un ordre ministériel » donné par son prédécesseur, André Lebon. Elles auraient dû être versées à son dossier, et leur destruction avait été opérée illégalement et contre toute justice [130].

Dreyfus apprit aussi qu'André Lebon avait refusé de lui communiquer la lettre que Joseph Reinach avait apportée à cette fin, lors de l'entrevue du 15 septembre 1897 [131]. Cette démarche s'inscrivait dans ses efforts et ceux d'Auguste Scheurer-Kestner pour faire libérer Dreyfus et obtenir la révision de son procès. Cette action du printemps et de l'été 1897 avait été d'un précieux secours pour Lucie, qui reçut des deux parlementaires de nombreuses et belles lettres tandis qu'elle-même leur écrivait. « Ces lettres, dont il tint à donner les principales dans ses *Carnets*, feront mieux comprendre que toutes les paroles le rôle admirable joué par Scheurer-Kestner et Reinach, leur grand cœur et leur courage [132]. » Reinach inséra également la lettre qu'il destinait à Dreyfus et que Lebon refusa de communiquer.

Durant l'hiver 1900, il travailla intensément à l'écriture de son livre. Cette tâche constitua une échappatoire aux multiples tensions qui émaillèrent son séjour parisien. « Les visites nombreuses, les présentations incessantes, les longues conversations, la vue des dissentiments qui existaient entre certains amis, m'avaient épuisé et énervé. Enfin, l'hiver, qui avait été très humide à Paris, m'avait redonné de nombreux accès de fièvre [133]. » Le 8 mars 1901, il quitta la capitale avec sa famille pour retourner à Cologny, chez ses amis Naville, et y passer le printemps et l'été. Il était heureux en Suisse et s'y sentait dans une sécurité morale autant qu'affective. Lorsqu'il revint à Paris à la fin du mois d'octobre 1901, quittant à regret « les rives enchanteresses du lac de Genève », il reçut du directeur du *Journal de Genève*, Marc Debrit, une lettre très chaleureuse et authentique :

J'apprends que vous allez nous quitter, pas pour toujours j'espère, car vous savez que Genève vous aime, et je voudrais que vous en gardiez un bon souvenir. Vous ne trouverez nulle part ailleurs un milieu qui vous soit plus profondément sympathique, et j'espère que vous y reviendrez un jour non plus comme vous êtes venu, en martyr de la destinée, mais après avoir obtenu la satisfaction complète qui vous est due [134].

Au cours de son second séjour en Suisse, Dreyfus put rencontrer de nouveaux amis dont l'ancien Premier ministre britannique Lord Roseberry qui lui confia avoir eu « le sentiment de l'innocence dès la dégradation, en 1894, puis que le sentiment s'était transformé en une certitude par les événements ultérieurs ». Il le revit à Cologny puisqu'il vint le remercier, début juin 1901, de lui avoir envoyé *Cinq années de ma vie*.

Dès son arrivée, Dreyfus avait en effet corrigé les épreuves de son livre qui allait paraître chez l'éditeur d'Émile Zola, Eugène Fasquelle. Le fonctionnaire des douanes françaises chargé du service de librairie fut très ému par sa lecture lorsqu'il inspecta le colis postal qui contenait le retour des premières épreuves. Il adressa à Alfred Dreyfus une lettre émouvante qui fut consignée dans les *Carnets* :

> Hier, en faisant la vérification de la librairie, j'ai lu le récit poignant et sincère de votre calvaire ; je me permets de vous envoyer l'hommage attendri de ma profonde sympathie, de ma croyance inébranlable à votre innocence et mes souhaits de très prompte réhabilitation qui ne saurait encore tarder longtemps. En vous lisant, j'ai pris la ferme résolution de ne jamais faire de mal de ma vie. Veuillez agréer l'hommage de mes sentiments émus et de mon plus profond respect.

*Cinq années de ma vie* parut le 1er mai 1901. Mathieu Dreyfus s'était chargé, à Paris, de veiller à ce que l'éditeur ne fasse pas une réclame inconvenante. Une lettre de Mathieu à son frère datée du 20 avril 1901 renseigne sur les dernières dispositions avant la publication. Il avait vu l'éditeur, vérifié les corrections demandées par Alfred et donné le bon à tirer. Fasquelle s'était engagé à ne faire qu'un minimum de publicité, à n'envoyer d'extraits aux journaux qu'à la veille de la parution et à rédiger lui-même les notes et échos « plutôt que de les laisser faire par les journalistes [135] ». Alfred Dreyfus avait exprimé le désir d'une « publicité courte et digne », car le but qu'il poursuivait avec ce livre était « essentiellement moral [136] ».

### LE NOUVEL ENGAGEMENT DE DREYFUS

Dreyfus commençait à accumuler toute une série de renseignements dont il n'est pas nécessaire de produire ici la liste exhaustive. Son intérêt fut bien sûr immédiat pour la publication, le 11 mai, dans *Le Siècle*, de la déposition faite par Esterhazy en février 1900 devant le consul de France à Londres [137]. Au milieu d'allégations mensongères, Esterhazy reconnaissait avoir écrit le bordereau. Dreyfus étudia très précisément le document. Joseph Reinach et Louis Havet furent d'avis que l'on tenait ici un « fait nouveau ». Dreyfus sollicita alors Henry Mornard et le mit à disposition de Joseph Reinach pour une consultation juridique approfondie. Mornard émit un avis négatif qu'il adressa le 11 juin 1901 à Alfred Dreyfus. Louis Havet et Georges Picquart étaient d'un avis opposé. Leur position était résumée dans une lettre que l'ancien chef des services secrets avait adressée à Mornard : « La perspective d'un échec ne me ralentirait pas, loin de là. [...] Il n'y aurait qu'une chance sur mille de réussir que je dirais que le devoir est de marcher de l'avant. » Alfred Dreyfus commenta cette lettre dans ses *Carnets* lorsqu'il en fut informé par Mornard : « On ne livre pas une bataille pouvant avoir des conséquences aussi graves du point de vue de mon intérêt personnel, avec la quasi-certitude d'un échec [138]. » Dreyfus voulut accompagner sa délibération par une consultation avec des amis « pour lesquels le désir si légitime d'aboutir n'excluait pas le jugement ». Il chargea son frère, toujours à Paris, de prendre l'avis de Reinach, de Trarieux, de Pressensé et de Clemenceau. Ils furent de son avis.

La controverse sur la manière d'agir en face de la réhabilitation avait aussi contraint Dreyfus et ses amis à réfléchir plus en avant sur les fins et les moyens. À la suite d'un article de *La Grande Revue* dans laquelle Fernand Labori, qui en était le directeur, critiquait vivement la prudence de Dreyfus [139], celui-ci se justifia dans ses *Carnets* : « J'avais un devoir à remplir vis-à-vis de mes enfants, vis-à-vis de ceux qui avaient combattu pour une cause de justice et de vérité ; ce devoir était d'aboutir à la révision légale de mon procès. Vouloir, comme Mᵉ Labori, séparer l'idée du cas concret qui l'avait suscitée, était une absurdité ; c'est en faisant triompher le cas concret qui se présente qu'on assure le succès de l'idée [140]. »

Jaurès déclara la même chose que Dreyfus et l'exprima dans un article de *La Petite République*. Il commença par rendre hommage à la clairvoyance de Dreyfus : « Et puis, à quoi eût servi qu'il refusât la grâce et se murât lui-même dans sa prison ? C'est une illusion de croire que, par là, la bataille eût été maintenue et ranimée. » Puis il affirma que « la vérité n'a pas dit son dernier mot contre les faussaires et les traîtres. Et le mot souverain qu'elle dira un jour avec le calme de la loi ne restituera pas seulement l'honneur légal à l'innocent outragé : il ajoutera au poids de discrédit sous lequel les puissances qui servirent le mensonge descendent lentement [141] ».

Cette politique des preuves décisives rencontrait aussi l'avis des magistrats de la Cour de cassation [142]. Néanmoins, il n'était pas interdit de rechercher, par des voies politiques, un accueil favorable à un dossier de preuves décisives. C'est ce que comprit Jaurès qui travailla avec Dreyfus sur le dossier du bordereau « annoté ».

*La piste du bordereau « annoté »*

L'esprit rationnel et juridique d'Alfred Dreyfus et de ses amis ne pouvait imaginer que la condamnation eût résulté d'une décision purement idéologique, excluant toute preuve matérielle. « En face du vide l'accusation restait incompréhensible », insista-t-il. La thèse du borde-reau « annoté », un faux qui aurait circulé parmi les juges et certains témoins, permettait de sortir de cette incompréhension. Dreyfus y consacra beaucoup d'énergie et de nombreux passages de ses *Carnets*. Il y relevait tous les renseignements, articles de presse, mentions dans les journaux ou dans les discours nationalistes, etc. [143].

Après le procès de Rennes, la presse dreyfusarde comme antidreyfu-sarde dénonça ou se félicita du bordereau « annoté ». Néanmoins, les informations concrètes manquaient sérieusement. Mais Dreyfus n'était plus seul désormais, à la différence de l'année précédente lorsqu'il avait écrit à Waldeck-Rousseau sur le même sujet, le 28 septembre 1900. Contrairement aux aveux d'Esterhazy, la question du bordereau « annoté » pouvait constituer ce « point essentiel pouvant acquérir une valeur déterminante, mais sur lequel on ne possède, à l'heure actuelle, aucune preuve décisive », soulignait déjà Dreyfus dans sa note de juin 1902 à Henry Mornard [144]. Cette piste domina les recherches autour du procès de Rennes et pour la compréhension d'un verdict incompréhen-sible. Il s'agissait de prouver que cette légende déjà ancienne avait pesé sur les débats et sur l'arrêt d'une manière qui rappelait le premier procès de 1894 : fabrication de faux et communication illégale. Les antidreyfusards avaient livré le texte présumé avant le procès de manière à ce que la rumeur fasse son effet. Après le verdict, la presse nationaliste avait continué [145]. Si bien que Dreyfus et ses amis dispo-saient de points de départ précieux. Raoul Allier put ainsi écrire son étude dès 1901.

Grégoire Wyrouboff, chimiste, professeur au Collège de France, avait par ailleurs reçu les confidences du lieutenant-colonel Jourdy, juge suppléant. Ce dernier lui aurait déclaré que, « pendant tout le procès, les juges avaient parlé fréquemment du bordereau « annoté » dont l'existence leur avait été révélée pendant le procès de Rennes par *L'Intransigeant* ou *La Libre Parole*, et que *plusieurs* tenaient le bordereau sur papier pelure pour un calque [146] ». Ce cas d'illégalité retrouva une forte actualité à la suite de l'arrestation, le 29 décembre 1900, du commandant Cuignet qui avait été convoqué au ministère de la Guerre pour s'expliquer sur les faux commis à partir de la « dépêche Panizzardi » et les tentatives d'intoxication des services des Affaires étrangères, tentatives déjà dénoncées solennellement du haut de la tri-bune de la Chambre par le ministre Théophile Delcassé en mai 1899. Dreyfus sut par ailleurs, depuis le dîner de février 1901 avec les nor-maliens, que Jaurès était très mobilisé sur cette affaire du bordereau « annoté ».

Jaurès me parla longuement du faux appelé bordereau « annoté ». À son avis, il précède, comme fabrication, le faux appelé « faux Henry ». Il aurait été fabriqué dès que le colonel Picquart eut découvert Esterhazy, pour parer à cette découverte. Il devenait impossible, en effet, de nier que l'écriture du bordereau fût identique à l'écriture d'Esterhazy. Jaurès me rappela ce qu'avait dit Henry au procès Zola (I, p. 376). Celui-ci déclara que Sandherr, au moment du procès de 1894, lui aurait dit qu'il possédait un dossier secret plus important que celui préparé par lui, Henry. Sandherr aurait même montré à Henry une lettre de ce dossier, en lui faisant jurer de n'en parler jamais. Jaurès supposait que cette déclaration d'Henry au procès Zola était une amorce pour sortir, si besoin était, le bordereau « annoté »[147].

L'été 1902 vit les recherches s'intensifier en direction du bordereau « annoté » et de l'éventuelle communication illégale du faux lors du procès de Rennes. Une opération de renseignement fut menée à Montpellier en direction de l'un des juges militaires par un médecin, le docteur Dumas. Celui-ci, médecin fixé à Ponchartrain en Seine-et-Oise, « à la fois par goût pour les champs et pour les humbles, était l'un de ces révisionnistes dont l'Affaire avait bouleversé l'existence, qui en restaient hantés comme au premier jour et qui portaient une touchante envie à quiconque avait eu le bonheur d'y collaborer[148] ». Il voulut tenter l'aventure et se proposa d'approcher le commandant Merle pour savoir si une photographie du bordereau « annoté » avait bien été montrée à des juges de Rennes. Il imagina un scénario : « Très connu à Montpellier, où il avait fait ses études, il y passera quelques semaines à l'époque des vacances, trouvera le moyen de se lier avec Merle. » Courant octobre 1902, il réussit à l'approcher. Lui, « homme de science et de conscience[149] », se lia d'amitié avec ce polytechnicien – de la promotion de Cavaignac[150]. Les détails de cette manœuvre d'approche peuvent être aujourd'hui facilement reconstitués[151]. Le 12 novembre 1902, de retour de Montpellier, le docteur Dumas avait écrit une longue lettre à Henry Mornard pour lui livrer les informations qu'il avait pu recueillir[152], en définitive bien peu de chose. Merle s'était d'abord dérobé aux questions du docteur, puis avait brutalement rompu la discussion – d'après son propre témoignage.

La tentative avait échoué. La révision demeurait impossible à envisager. Les dreyfusards n'avaient pas de révélations décisives à produire, et l'opinion n'était pas prête. On se trouvait, entre novembre 1899 et octobre 1902, dans une situation qui pourrait se comparer avec le moment de l'engagement de Scheurer-Kestner : silence de l'opinion publique, indifférence du pouvoir, faiblesse du dossier. En profondeur pourtant, la situation était très différente, mais elle était perçue néanmoins de cette manière-là. En fait, des circonstances favorables se préparaient et aboutirent à des changements rapides et importants. Dès l'automne 1902, plusieurs événements jouèrent en faveur d'une nouvelle offensive dans laquelle les amis de Dreyfus conservèrent un rôle de premier plan.

*D'une crise à l'autre*

Dreyfus dut affronter au même moment une nouvelle et dernière crise avec le groupe de Labori à la suite de la parution d'un article très tendancieux concernant justement la rupture qui s'était produite en janvier 1901. Bernard Lazare avait fait des confidences imprudentes à ce sujet à un journaliste de *L'Écho de Paris* qui s'était empressé de monter un nouveau roman antidreyfusard [153]. Picquart crut que l'origine de l'article se trouvait chez Dreyfus et son entourage, et il écrivit à Olympe Havet une lettre privée sur un registre très antisémite [154]. Havet exigea de Dreyfus qu'il s'explique et révèle le nom de l'informateur. Las de telles polémiques entre anciens alliés, il expliqua qu'il ne le connaissait pas. Ce fut une erreur puisque Havet apprit finalement le nom de Bernard Lazare et reprocha très violemment son attitude à Dreyfus par une lettre privée du 5 décembre 1901. « Je répondis à M. Havet que je n'avais pas à faire le métier de délateur et qu'il avait appartenu à M. Bernard Lazare de se déclarer lui-même, ce qu'il avait d'ailleurs fait par une lettre adressée à maître Labori [155]. » Dreyfus apprit cependant de Bernard Lazare que son initiative auprès de Marcel Hutin visait à démentir les articles parus dans le même journal, les 28 et 29 novembre 1902, articles « inspirés par l'entourage de Mᵉ Labori ». Ces articles furent communiqués à Dreyfus le 6 décembre : « Ils étaient, en effet, visiblement inspirés par l'entourage direct de Mᵉ Labori et montraient qu'en réalité la polémique avait été engagée par lui [156]. » Au milieu de cette nouvelle crise, Dreyfus put recevoir les soutiens de Trarieux et de Clemenceau même si ce dernier lui reprocha de ne pas avoir démenti lui-même les informations de *L'Écho de Paris*. Par ailleurs, Havet échoua à détourner le traditionnel dîner des co-témoins du procès de Rennes, « le dîner des Trois Marches », contre Dreyfus [157].

Pour tenter de clore cette polémique extrêmement dure et destructrice, Alfred Dreyfus se décida à écrire une longue lettre au président de la Ligue des droits de l'homme. Et il autorisa Trarieux à la rendre publique pour le cas où les attaques continueraient. Il l'informa aussi que Labori avait touché de lui et de Mathieu de très substantiels honoraires, une somme de soixante mille francs, une fortune pour l'époque [158]. Trarieux lui avait demandé ces renseignements parce qu'« un avocat, se disant ami de Labori, qui n'est pas le premier venu, clabaude de côté et d'autre que le chiffre n'aurait pas dépassé dix mille » francs [159]. La lettre à Trarieux ne devait cependant pas paraître. Labori fit en effet, dans *Le Journal*, sa « dernière réponse », déclarant le 14 décembre qu'il en avait fini. Dans un souci d'apaisement, Dreyfus ne publia pas sa lettre [160].

Dreyfus en avait à peine terminé avec Labori – que Zola qualifia en privé de « dreyfusard intransigeant [161] » – qu'une mise en cause survint de la part de Clemenceau. Dans un article du *Bloc* du 2 février 1902, il déclarait que l'acceptation par Dreyfus de la grâce avait arrêté le cours de la justice, conformément aux attentes de Waldeck-Rousseau. « Le condamné lui-même », comme Clemenceau le nomma dans l'article, vint le voir le lendemain pour lui reprocher sa conclusion : « Ce qui était inadmissible, c'était de conclure du fait que la grâce, d'après lui, aurait produit des résultats fâcheux, j'aurais aidé à amener ces résultats. Il m'affirma que telle n'avait pas été sa pensée, mais c'était ce que tout le monde lisait dans sa phrase [162]. » On le voit, Dreyfus refusait les légendes qui commençaient à se développer, y compris dans les rangs dreyfusards, sur son attitude prétendument ambivalente voire suspecte. Mais il était impuissant à arrêter une représentation mensongère qui devait aller en augmentant, parce qu'elle correspondait à la vision de républicains ou de nationalistes hostiles à reconnaître qu'un Juif et un homme ordinaire puisse être un héros civique.

« Les rangs de la petite armée des militants s'éclaircissaient, et l'unité de direction et de tendance s'affaiblissait de plus en plus », constata amèrement Gabriel Monod [163]. Une autre division affecta plus directement encore l'amitié dreyfusarde, celle qui opposa douloureusement Lucien Herr et Charles Péguy [164]. Et la loi d'amnistie, cette « faillite du droit et de la justice » selon Dreyfus [165], renforça le sentiment du silence des dreyfusards comme leurs divisions. Ces déceptions et ces déchirures qui suivirent aussi la mort des premiers dreyfusards rendaient la victoire bien étrange, bien amère aux yeux de ceux qui tentaient de maintenir l'unité. « Je n'ai plus qu'une vie mutilée », poursuit Gabriel Monod qui doit vivre également la disparition brutale de son fils, jeune savant promis à un avenir brillant [166]. Le constat de Daniel Halévy porté en 1908 s'entend déjà : « Vainqueurs, que nos voix sont discrètes [167] ! »

## La mort des dreyfusards

L'éclatement de l'unité dreyfusarde prenait une signification lugubre avec la mort de plusieurs combattants de la première heure. Auguste Scheurer-Kestner avait disparu le premier jour de la liberté de Dreyfus, le 19 septembre 1899. Le chartiste Arthur Giry mourut à peine deux mois plus tard, le 13 novembre. Le chimiste Édouard Grimaux, témoin décisif du procès Zola, disparut le 2 mai 1900. Émile Duclaux le rejoignit dans la tombe le 3 mai 1904. Chaque disparition cependant donnait lieu à des hommages qui rappelaient la force et l'importance d'un combat dont le dernier acte restait encore à écrire.

En hommage à Auguste Scheurer-Kestner, Frédéric Passy évoqua dans *Le Siècle* une « justice tardive » et défendit l'idée d'une « société républicaine » :

Et, pour avoir obéi à sa conscience, il s'est vu, après un quart de siècle, arraché du fauteuil où l'avaient jusqu'alors maintenu, sans contestation, les suffrages de ses collègues. Il a connu, lui aussi, le sort réservé aux Aristide et le plus dur de tous les ostracismes : le vide des mains amies s'est fait autour de lui. Je sais quelle était l'excuse de ces défections. On le croyait dans l'erreur. [...] L'expérience a montré de quel côté étaient la sagesse et la prudence. Et, une fois de plus, on a pu voir ce que l'on gagne à se refuser à regarder les difficultés en face et à se confier à la vérité. [...] On pouvait, et l'on devait [...] essayer de lui démontrer qu'il était dans l'erreur, et qu'en persistant à jeter le doute sur la chose jugée il risquait, lui Français et patriote, de mettre la division dans son pays et d'appeler la déconsidération sur l'armée ; mais on n'avait pas le droit, connaissant sa sincérité, et sachant qu'il ne pouvait obéir qu'à sa conscience, de se retirer de lui comme d'un indigne. [...] Sont-ce là des mœurs véritablement démocratiques, des mœurs libérales, justes et – tranchons le mot – honnêtes ? Le premier devoir, dans une société républicaine, dans une société fondée sur la liberté individuelle, n'est-ce point, pour avoir le droit de faire respecter sa pensée et sa conduite, de faire respecter la pensée et la conduite de ses concitoyens ? Et le premier des intérêts, pour une société qui a besoin de justice et de vérité, n'est-ce pas d'encourager ses membres, en laissant à tous la pleine indépendance de conscience et de leur parole, à ne jamais taire ce qu'ils croient bon de dire et à ne jamais craindre ce qu'ils croient bon de faire ? [...] Si la justice tardive rendue à cette heure à Scheurer-Kestner pouvait avoir la vertu de nous faire faire, à ce point de vue, un salutaire retour sur nous-mêmes, ce serait un dernier service, et ce ne serait pas le moindre, qu'il aurait rendu à la France [168].

Arthur Giry quant à lui « fut frappé au cœur en voyant la vérité et la justice, même appuyées sur les décisions de la plus haute et de la plus impartiale des autorités judiciaires, impuissantes à triompher des passions de caste, de religion et de parti, écrivit Gabriel Monod dans sa notice nécrologique. Il rentra à Paris malade, brisé, atteint à mort [169] ». Les témoignages insistaient sur le choc causé par le procès de Rennes et son issue désespérante : « Il en était revenu le spectre de lui-même, avec la mort sur le visage [170]. » Un pasteur, le président de la Ligue des droits de l'homme et quatre scientifiques parlèrent sur sa tombe, évoquant les trois dimensions d'Arthur Giry, mort en savant, citoyen et dreyfusard :

M. Croiset a fait l'éloge de l'historien, du chercheur et aussi du citoyen qui sut braver toutes les attaques, se jeter dans la mêlée et apporter l'appui de son énergie à la cause du droit, de la justice et de la vérité.

Paul Meyer a loué le savant, le professeur et l'homme qui, à côté des nombreux travaux qui l'absorbaient, sut apporter sa part d'action à l'œuvre de justice et de vérité qui valut, à tous ceux qui en assumèrent la tâche, tant d'attaques et d'injures.

Gabriel Hermite a retracé la carrière scientifique du défunt et a fait également une courte allusion à son rôle dans la révision du procès Dreyfus.

Poller, au nom des anciens élèves de l'École des chartes, a fait ressortir le grand talent de Giry.

M. Trarieux a dit que ce n'était pas le lieu pour parler du fameux procès ni de l'iniquité judiciaire que contribua si largement à réparer Arthur Giry, qui fut l'un des fondateurs de la Ligue des droits de l'homme et qui lutta si vaillamment pour le triomphe de la vérité et de la justice. Il a rendu hommage à ce vaillant citoyen qui s'arracha à ses études pour descendre dans l'arène et qui a payé de sa vie son infatigable dévouement à la cause du droit et de l'humanité. La postérité saura s'en souvenir.

Paul Viollet, membre de l'Institut, a pris la parole au nom de la Société pour la protection des indigènes de l'Afrique, dont faisait partie le défunt. Il a dit que, bien que ne partageant pas les opinions politiques de Giry, il l'admirait parce que c'était un grand cœur, un esprit tolérant, respectant toutes les croyances et les opinions, ferme dans ses convictions, se sacrifiant volontiers pour ce qu'il croyait être la justice et la vérité et ayant droit, à ce titre, au respect et à l'admiration de tous [171].

Édouard Grimaux comme Giry furent « frappés tous deux à mort par l'Affaire. [...] Grimaux, tout stoïque qu'il fut, ne s'était pas consolé de la perte de son laboratoire d'où Billot l'avait chassé ; son âme de savant, les sources de sa vie étaient là : il ne fit plus que traîner [172] ». Paul Painlevé confia, à l'inauguration du monument Grimaux à Rochefort : « Il ne fit plus que décliner [173]. »

Pour Duclaux, l'historien Gustave Bloch rendit un vibrant hommage devant les anciens élèves de l'École normale supérieure réunis pour leur assemblée générale en janvier 1905. Rappelant qu'il avait su, dans l'affaire Dreyfus, conserver « le libre jugement, la haute impartialité, la sérénité imperturbable du savant [174] », l'historien en fit l'incarnation de « l'esprit scientifique » :

Indulgent aux hommes, il poussa droit aux causes de leurs faiblesses, de leurs erreurs. Ce qui l'avait frappé et affligé, c'était l'incapacité de réfléchir, l'affolement d'un public livré, du haut en bas, aux suggestions de la haine et de la peur. [...] Ce qu'il appelait « esprit scientifique », c'est une faculté, une habitude plutôt, qui trouve son emploi en dehors même de la science, dans toutes les branches de notre connaissance et dans tous les actes de notre vie, l'habitude de se faire soi-même son opinion « avec la crainte salutaire de se tromper et la ferme volonté d'en éviter l'occasion ». Et pourquoi ce grand mot pour une chose aussi simple ? Parce que les sciences permettent mieux de cultiver cette disposition. La science a cet avantage d'être impersonnelle. On n'obtiendra jamais que deux nations interprètent de la même façon certains faits historiques, surtout s'ils appartiennent à leur histoire commune. Deux personnes qui ne consentent pas à s'entendre sur certaines vérités philosophiques ne pourront jamais se convaincre l'une l'autre. Les vérités scientifiques s'imposent ; elles donnent à ceux qui les comprennent une sorte d'âme extérieure, indépendante des personnes, des temps et des lieux. C'est dans les sciences qu'il est le plus facile de sortir de soi pour se voir réfléchir, et de se rapprocher de cette impartialité sereine qui devrait présider à toutes nos délibérations de conscience. Voilà pourquoi, quand on veut désigner un esprit libre, ouvert et débarrassé de préjugés, on l'appelle « esprit scientifique » [175].

« Ce sont les hommes de science, insista Mary Robinson-Darmeste-
ter, veuve d'Émile Duclaux, qui ont cherché des faits nouveaux, qui
ont classé les faits existants, qui ont comparé, fouillé, scruté, mettant
dans ce désordre un peu de méthode et de clarté ; c'est eux qui, sachant
le prix de la sincérité parfaite, n'ont rien voulu sacrifier à la raison
d'État, à l'esprit de corps, à l'intérêt religieux, à n'importe quelle préoccupation d'unité [176]. »

## La construction de l'espérance

Politiquement, tout n'était cependant pas perdu. Les élections des
27 avril et 10 mai 1902 furent un succès pour la majorité emmenée
par Waldeck-Rousseau [177], sauf à Paris qui élut de nombreux députés
nationalistes dont Gabriel Syveton dans le IIᵉ arrondissement. L'affaire
Dreyfus ne fut pas totalement absente de la campagne. Dans sa profession de foi pour les électeurs de Carmaux, Jaurès, qui allait être
brillamment réélu, affirma sa volonté d'aller au bout de la vérité dans
l'affaire Dreyfus et revendiqua « comme l'honneur impérissable de
[sa] vie d'homme et de citoyen [...] d'avoir contribué à sauver l'innocent et à démasquer les traîtres ». Il rappela les violences « qui suppri-
mèrent toute parole libre » et proclama dans le champ politique une
conviction intellectuelle qui devait le mener à rapprocher la justice de
la vérité :

Maintenant, toute la France éclairée et loyale sait la vérité. Elle sait qu'un
innocent avait été condamné par erreur et qu'il avait été maintenu au bagne
par des manœuvres scélérates, par le mensonge, par le parjure et le faux.
Elle connaît la trahison d'Esterhazy, qui est le vrai coupable, les aveux
d'Henry, le faussaire, l'arrêt de la Cour de cassation [178].

Après les élections, Waldeck-Rousseau se retira au profit d'Émile
Combes dont le gouvernement fut investi le 7 juin 1902. Le général
André conserva son poste au ministère de la Guerre. Le bloc des
gauches devait dominer la vie nationale pendant trois ans, menant une
politique anticléricale et conduisant des réformes essentielles comme
la séparation de l'Église et de l'État, votée en juillet 1905. Cet acte
fondateur, qui peut être considéré comme un acquis de l'affaire Dreyfus – à défaut d'une réforme de l'armée à laquelle renonça le pouvoir
politique –, avait été préparé et défendu par Jaurès : sans être membre
du gouvernement, il en était très proche, considéré par certains comme
un vice-président du Conseil de facto. Il déploya une activité considérable, sur tous les terrains. Son engagement en faveur de Dreyfus s'en
trouva renforcé. Celui-ci lui était déjà particulièrement reconnaissant
de ses démarches pour obtenir de Waldeck-Rousseau l'ouverture d'une
enquête sur les agissements du lieutenant-colonel Henry, dans le cadre

du procès intenté par sa veuve à Joseph Reinach et qui était revenu devant la juridiction civile le 28 mai 1902 [179].

Par ailleurs, les travaux d'histoire et les enquêtes d'intellectuels sur l'affaire Dreyfus redoublèrent. Celles-ci avaient une double conséquence : maintenir l'intérêt public pour un événement toujours inachevé et se donner des directions pour rechercher les « faits nouveaux » seuls susceptibles de motiver une demande de révision du jugement de Rennes. Une forte capacité de décision fut ainsi conférée à l'histoire ; écrire l'affaire Dreyfus, c'était rendre le passé accessible, c'était dégager une vérité nécessaire et maintenir le possible démocratique. L'histoire, c'était, en d'autres termes, la justice à venir [180], le tribunal suprême pour Zola [181], pour Waldeck-Rousseau aussi, et pour de nombreux intellectuels. Émile Duclaux, prémonitoire, avait écrit à Dreyfus avant le procès de Rennes, le 2 juillet 1899 : « [La cause] qui vous est propre se plaide devant l'Histoire, et j'espère qu'un jour viendra où, ces quatre misérables années passées à l'état de souvenir, vous n'aurez plus que la joie d'avoir été une cause de triomphe éclatant pour la vérité [182] ». Paul Desjardins parlait le même langage au même moment : « Je peux dire que votre innocence du crime pour lequel vous avez été condamné est un fait désormais acquis à l'histoire [183]. »

Dès 1898, les ouvrages s'étaient multipliés, d'abord des livres circonstanciels, recueils d'articles [184] ou correspondances et *Mémoires* à chaud [185]. En 1899 et 1900 parurent des études et des résumés de l'événement. Enfin, en 1901 et 1902 vinrent des œuvres de plus grande ampleur qui traduisaient des manières très différentes et en même temps convergentes d'écrire l'histoire. Le souci de la mémoire et l'impératif de vérité [186] portaient ces premiers *monuments*, écrits et perçus souvent comme tels. L'écriture servait la vérité, elle représentait presque la dernière issue pour combattre le mensonge, comme le montraient les *Carnets* de Dreyfus [187]. Cette mise en histoire de l'Affaire, y compris et d'abord de manière très documentaire, nourrissait l'indispensable recherche du « fait nouveau » préalable indispensable à toute réhabilitation.

C'était bien l'objectif de Joseph Reinach, qui participa pleinement à cette recherche et utilisa sa compréhension du passé pour agir sur le présent. C'était aussi l'objectif de Zola à travers son roman *Vérité* : montrer que l'Affaire restait incomplète sans la réhabilitation et que l'évolution de la Défense républicaine rendait cette issue désormais possible. Zola avait continué de se passionner pour l'affaire Dreyfus après son retour d'exil. Son intérêt personnel oscillait entre la fiction et le récit. Quoi qu'il en fût, il se documenta. La perspective du procès en appel que lui intentaient encore les experts à décharge du procès Esterhazy l'incita à se tourner vers les sources allemandes. Il demanda ainsi qu'on envoyât à Berlin une commission rogatoire afin d'interroger Schwartzkoppen et Panizzardi [188].

Au-delà de la démarche scientifique qui consistait à produire les premiers récits de l'affaire Dreyfus, au-delà de la certitude intellectuelle qui faisait du savoir scientifique une force morale capable d'imposer la vérité malgré l'amnistie, cette écriture de l'histoire représentait un hommage exceptionnel aux savants dreyfusards. Leur engagement dominait l'intervention des intellectuels, Zola excepté. Alors que le premier tome de l'*Histoire de l'affaire Dreyfus* était dédié à Émile Duclaux, Joseph Reinach consacra plusieurs pages du tome troisième à la déposition d'Édouard Grimaux devant la cour d'assises de la Seine :

Mais nul, ni Séailles, ni Jaurès, ni aucun autre, n'émut autant que le vieux Grimaux quand il raconta de quelles menaces il était l'objet pour avoir mis son nom au bas d'une pétition à la Chambre en faveur de la révision, comme c'était le droit de tout citoyen. Il était, après Berthelot, l'honneur de la chimie française, agrégé de la faculté de médecine, membre de l'Académie des sciences, professeur à l'École polytechnique et, de plus, républicain de vieille date. Dès que la protestation de Grimaux lui eut été dénoncée, Billot proposa au Conseil des ministres la révocation du vieux professeur. Toutefois, le Conseil hésita, le droit de pétition étant établi dans la loi, et Billot remporta son décret. Mais les ennemis de Grimaux s'acharnèrent. Drumont écrivit que, « chargé d'instruire les officiers, il était de ceux qui vilipendent l'armée ». Billot, aussitôt, invita le commandant de l'École polytechnique à faire une enquête sur Grimaux. Et ce grand savant dut aller au rapport, comme un élève pris en faute, se justifier d'un tel reproche : « Je suis de ceux qui courent quand les régiments défilent. » Maintenant, il attendait la décision du ministre. Mais bien que la révocation, suspendue sur sa tête, lui apparût comme un désastre, comme le naufrage précurseur de la mort – son cher professorat brisé après plus de vingt années d'enseignement, et, dès lors, la perte de son laboratoire, c'est-à-dire sa vie scientifique perdue, sa vie même, car la science était sa vie, et il était trop pauvre pour continuer ses travaux sans l'aide de l'État – il refusait d'acheter sa grâce par une lâcheté. [...] Des hommes comme Grimaux avaient trop vécu. Il appartenait à une génération encore frémissante de la Révolution, qui avait gardé du citoyen un idéal superbe et qui ne comprenait ni la France ni l'armée sans la justice. Or la terre fatiguée ne produisait plus de tels hommes, puisque les uns l'insultaient et que les autres, les meilleurs, l'admiraient comme un héros quand il pensait avoir accompli simplement un élémentaire devoir [189].

En lien avec la composition de son « grand œuvre », et profitant de l'entier soutien de Dreyfus, Joseph Reinach s'investit dans l'enquête sur le bordereau « annoté ». Son intérêt pour le problème était ancien [190]. Dans un article de *La Grande Revue* de janvier 1900, il était revenu sur toutes les facettes du « rôle d'Henry » [191]. En mai 1901, il se rendit à Monaco chez le prince Albert. Pour lui, le prince obtint une rencontre avec l'ancien ambassadeur Munster, et il se déplaça même à Berlin, en vain [192]. Reinach tenta d'en savoir encore plus et d'obtenir des documents pour « l'œuvre consciencieuse » d'« historien » qu'il souhaitait mener [193]. Il tenta lui aussi d'approcher directement Schwartzkoppen [194]. La parution de son premier volume en 1903 lui permit habilement d'opérer quelques « conversions » et d'engranger de nouveaux renseignements bien que souvent secondaires. « Cela m'encouragea fort, confia-t-il. Pour mon second volume [*Esterhazy*], je n'hésitai pas à m'adresser aux Allemands [195]. »

Le déroulement du procès de Rennes fit l'objet d'un certain nombre d'études, généralement sur des points précis. Le faux témoignage de Cernuszki produit devant le conseil de guerre se trouva mis en lumière par un professeur viennois, le docteur Mosetig, conseiller aulique, dont les révélations furent publiées, grâce à Joseph Reinach, dans *Le Siècle* et *Le Figaro* du 6 octobre 1899 [196]. La correspondance entre Scheurer-Kestner et Leblois, publiée dans *Le Siècle* du 7 au 10 mai 1901, éclaira pour sa part la machination développée contre Picquart en Tunisie en 1897.

Enfin, Reinach comptait utiliser le cadre de son procès avec la veuve du lieutenant-colonel Henry pour contraindre le gouvernement à l'enquête nécessaire sur les agissements de l'ancien adjoint de la Section de statistique. L'affaire était revenue devant les tribunaux le 28 mai 1902. Dreyfus fit « tous ses efforts pour que cette enquête fût accordée ». Il espérait, comme il le confia à Trarieux, qu'« une porte » se présenterait à lui et qu'une fois qu'elle serait ouverte elle donnerait l'occasion « d'établir des "faits nouveaux" permettant la révision [du] procès » de Rennes [197]. Trarieux hésita cependant à solliciter le gouvernement du bloc des gauches, encore en formation. Jaurès fut plus déterminé. « Sans bruit et sans phrases, [il] avait toujours été admirable de dévouement, avait déjà fait, sur ma demande, une première démarche auprès du ministère Waldeck-Rousseau pour que l'enquête sollicitée par Reinach fût accordée. La réponse qui lui fut faite, à cette époque, était conçue en termes fort vagues. Je le priai de renouveler la démarche auprès du ministère Combes. Il me répondit qu'il ferait une démarche pressante et personnelle pour obtenir ce que nous désirions [198]. »

## Les recherches de Dreyfus

Le capitaine Dreyfus ne restait pas inactif non plus. Il cherchait lui aussi des éléments très concrets permettant de faire avancer le dossier des faits nouveaux. Mais il concevait en même temps les synthèses nécessaires, seules susceptibles de fournir les bases d'une demande en révision. En juin 1902, il put remettre ainsi à son avocat, M$^e$ Mornard, une note résumant les différents éléments qu'il possédait alors et sur lesquels il lui donna son appréciation. En résumé, ce faisceau d'éléments fut jugé absolument insuffisant pour motiver une demande en révision. Elle n'aurait eu aucune chance d'aboutir selon l'avocat [199]. La note de Dreyfus montrait cependant sa maîtrise du dossier et sa volonté d'enquêter en profondeur sur l'énorme procès de Rennes. La conclusion de la consultation de Mornard exigeait qu'il reprît « l'enquête sur le rôle joué par le bordereau "annoté" ». Mais « que de difficultés souvent insurmontables je rencontrai, tant il est presque impossible pour un particulier, d'aboutir en semblable matière [200] », confia-t-il à ses *Carnets*.

Il travaillait aussi à renforcer la base des soutiens politiques qui permettraient, le moment venu, de convaincre un gouvernement d'ouvrir la procédure de révision. Car seule une décision politique, émanant du garde des Sceaux, pouvait saisir la Cour de cassation sur le fond d'un jugement, en vertu de la loi sur la révision de 1895.

Malgré le silence par lequel Waldeck-Rousseau avait répondu à ses dernières lettres, Dreyfus reprit contact avec l'homme politique par l'intermédiaire de son ancien avocat Demange. Ce dernier rapporta à Dreyfus la conversation qu'il avait eue avec Waldeck-Rousseau à son sujet, et dans laquelle il apparut qu'une démarche diplomatique avait été tentée en direction de l'Allemagne pour obtenir les documents énumérés dans le bordereau. C'était un élément capital. Mais l'Allemagne avait refusé [201].

Avant de quitter Paris, fin juin 1902, pour une nouvelle villégiature d'été avec sa femme et leurs enfants, à Nieuport-Bains près d'Ostende, Dreyfus demanda à Trarieux de faire lui-même une démarche auprès du général André, qui avait conservé son portefeuille de ministre de la Guerre. Il fallait que celui-ci s'occupât « de faire éclaircir l'histoire du bordereau "annoté" [202] ». Mais le président de la Ligue des droits de l'homme renonça à cette démarche. « Il y aurait trop d'objections contre ma demande qu'il vaut mieux laisser dormir encore quelque temps que de l'exposer à des mésaventures [203]. »

Le capitaine Dreyfus n'adhérait pas à cette prudence excessive. Il ne l'avait jamais faite sienne du reste. Puisque Trarieux ne voulait pas bouger, lui-même allait agir.

*Des ripostes victorieuses*

Il était confronté aux incessantes manipulations de la vérité menées par la presse nationaliste et antisémite. Le cas des pseudo-révélations, en avril 1902, aux États-Unis, du journaliste Hugues Le Roux sur l'implication des autorités russes dans l'affaire Dreyfus est significatif de la détermination maintenue des antidreyfusards à monter de nouveaux systèmes de culpabilité. Mais une bonne riposte pouvait aussi apporter des avancées substantielles sur la voie de la réhabilitation.

Les déclarations pour le moins maladroites d'Hugues Le Roux devant les étudiants de l'université de Chicago, rendues publiques par le *Baltimore Sun* puis par le *Courrier des États-Unis* et complaisamment reprises par la presse antidreyfusarde, provoquèrent « une certaine émotion » dans les rédactions des journaux dreyfusards [204]. Des initiatives furent envisagées, parmi lesquelles une « grande tournée de conférences, non point dans l'intérêt de Dreyfus, mais de la vérité [205] » et des réfutations publiques sur le fond. Arthur Ranc publia le 28 juillet 1902 un long article bien documenté et très offensif [206], qui suscita l'indignation dans les colonnes de la presse nationaliste. Ranc y encourageait Alfred Dreyfus à sortir de son silence. Celui-ci fit paraître dans *Le Radical* une lettre ouverte à Ranc que reprirent, en totalité ou en extraits, les journaux libéraux, radicaux et socialistes.

Dreyfus y estimait que « le seul moyen [...] de tuer cette autre légende, atroce et stupide », était de faire connaître publiquement son démenti et ses arguments [207], en attendant le jour « où un fait nouveau éclatant lui permettrait enfin de poursuivre la révision légale » ; « en attendant ce jour, ajoute-t-il en conclusion, aidez-moi à en finir avec cette inepte légende qui court dans l'ombre [208] ». La riposte fut suffisamment éloquente pour qu'Édouard Drumont jugeât dans *La Libre Parole* que, « pour la première fois, au contraire, dans ce débat avec le général de Galliffet, Dreyfus semble avoir l'avantage », ajoutant : « Le général de Galliffet ne voudra pas qu'il en soit ainsi et il considérera comme un devoir d'honneur de dire toute la vérité [209]. » Pressé de répondre, Galliffet commit en effet une erreur. Il adressa une lettre tendancieuse au *Journal des Débats* qui la publia aussitôt. Il revenait sur la grâce et sur son leitmotiv de la « pitié » par lequel il ancrait Dreyfus dans la culpabilité. Sa lettre entraîna de multiples réactions [210] dont celle du capitaine Dreyfus lui-même [211] et celle de Zola [212], tandis que Joseph Reinach déclara ne pas vouloir « raconter ailleurs » que dans son livre sur l'affaire Dreyfus « l'histoire de la grâce [213] ». Le 3 août, Louis Havet répondit à l'ancien ministre de la Guerre dans *Le Siècle* par une très longue lettre qui alternait entre l'ironie et la fermeté. Généreux et solidaire avec Dreyfus, le professeur du Collège de France concluait sur l'impérative nécessité de la révision :

Mon cher directeur,
M. le général de Galliffet, dans le *Journal des Débats*, écrit d'étranges lignes sur le capitaine Dreyfus.
« Signant son recours en grâce, dit-il, il s'est reconnu coupable. » M. de Galliffet sait qu'il n'y a pas eu de recours en grâce. Il sait quelle pièce Dreyfus a signée, son désistement d'un pourvoi en révision, car il le dit lui-même dans son « rapport » au président de la République, du 19 septembre 1899. Il doit savoir que son propre « rapport », où la grâce est demandée non par Dreyfus, mais par le ministre, ne cite à l'appui de cette demande d'office aucune requête du condamné (ni même le désistement, dont il est question pour un autre motif), mais uniquement ce qui ne dépendait en rien du capitaine : les circonstances atténuantes accordées à ce traître fictif, l'illégalité des traitements infligés (indiquée par voie d'allusions obscures), l'état de santé de la victime, et enfin, sous les noms aussi multiples que trompeurs d'« humanité », de « clémence », d'« oubli », d'« apaisement », d'intérêt politique « supérieur » et, ce qui est plus audacieux, de « nécessité

de ressaisir toutes les forces», la faiblesse du cabinet Waldeck-Rousseau, qui cherchait une échappatoire à la ligne droite.

M. de Galliffet n'a pas le droit d'avoir brouillé cette procédure dans sa mémoire, puisqu'il agissait alors non comme homme de guerre, mais comme ministre et chef de justice. Et quand il essaie, lui qui a été chef suprême, d'accabler un officier inférieur en alléguant contre lui un aveu conjectural et divinatoire, lequel n'aurait un commencement de probabilité que par la considération scrupuleuse des circonstances, ni la générosité ni la loyauté ne l'autorisaient à substituer ce qui serait un cri de détresse et une supplication, le recours en grâce, à ce qui a été une décision et un acte, le désistement.

Il est vrai que le désistement a joué un rôle dans la grâce, que le cabinet Waldeck-Rousseau a négocié pour obtenir du capitaine Dreyfus cette signature, et qu'il y a eu un marchandage entre le prétendu traître et les prétendus hommes d'État. Et, certes, il y a là, de la part d'un des contractants, un de ces aveux qui déconsidèrent. Quel gouvernement, ayant fait tout son devoir et comptant le faire encore, aurait eu besoin de chercher de l'aide dans le cachot de Rennes? Si le «commissaire du gouvernement» avait reçu l'ordre de respecter en tout l'arrêt de la Cour de cassation, si le «délégué du ministre», Chamoin, avait été frappé après le scandale du 24 août, et si enfin, le conseil de guerre avait su que le ministère fût soucieux de l'égalité devant la loi et disposé à poursuivre sans peur les criminels de tout grade, M. le général de Galliffet se serait tiré d'affaire sans maquignonnage.

Ce qui explique le désistement, ce n'est pas que le condamné se soit connu un crime, c'est qu'un marché lui a été imposé par des politiciens qui le savaient innocent. Il est plaisant, mais il est logique, que ceux qui ont bénéficié de l'opération éprouvent aujourd'hui le besoin de la dénaturer. Et il est moral que le ministre le plus directement compromis, celui qui s'est aussitôt hâté de déclarer «l'incident clos», s'effraye maintenant d'un réveil de la vérité. Dreyfus, dit M. de Galliffet, «veut faire revivre son affaire». Je pense que le capitaine Dreyfus ne pourrait pas rendre un plus grand service au pays. Mais l'affaire n'est pas si éteinte que M. de Galliffet se le figure. On peut reconnaître que l'affaire Dreyfus est en activité quand des ministres de la Guerre travaillent au travestissement du vrai.

Louis Havet,
Membre de l'Institut[214].

Deux jours plus tard, et alors que les journaux nationalistes avaient abondamment exploité sa déclaration[215] et en profitaient pour faire assaut de haine verbale à l'encontre de Dreyfus[216], Galliffet était contraint de battre en retraite[217]. Cette nouvelle illustration de l'état de culpabilité de Dreyfus auprès de l'opinion et de certains cercles politiques pouvait convaincre les savants de redoubler d'énergie pour faire triompher la vérité ; il s'agissait en même temps d'un combat politique à traiter sur le mode civique et public.

À son retour à Paris, Alfred Dreyfus apprit que Trarieux avait finalement fait une démarche auprès du ministre de la Guerre. Il avait obtenu une entrevue avec le général Percin, son chef de cabinet. «Je ne puis répondre pour le général André. Il est aussi convaincu que vous et moi

de l'innocence du capitaine Dreyfus, mais s'il recevait une demande
d'enquête, il me paraît évident qu'il ne ferait rien sans l'avis du
Conseil des ministres [218]. »
    Un choc politique était nécessaire. Mais c'est un choc moral qui
survint quelques jours plus tard. Tout fut bouleversé avec la disparition
brutale et tragique d'Émile Zola.

*La disparition des plus proches*

    « Le 29 septembre, à 6 heures du soir, j'appris une terrifiante nou-
velle. Zola était mort dans la journée, asphyxié par les émanations
d'une cheminée fonctionnant mal, et Mme Zola était en grand danger.
Bouleversé par cet effroyable drame, je courus rue de Bruxelles [219] »,
note Alfred Dreyfus.
    L'écrivain était décédé mystérieusement. On estima que Zola aurait
pu être assassiné puisqu'il était mort d'une intoxication au monoxyde
de carbone. La cheminée aurait pu être bouchée intentionnellement.
Des ouvriers avaient même été vus sur les toits de son immeuble [220].
Deux experts chimistes, Charles Girard et Jules Ogier, reconstituèrent
la scène le 8 octobre, mais sans résultats concluants. Le docteur
Jacques Émile-Zola jugera cependant illusoire la thèse de l'accident
officiellement retenue pour expliquer la mort de son père [221].
    Mme Zola fit ensuite à Dreyfus une demande qui le stupéfia et le
remplit de douleur, celle de ne pas assister aux obsèques en raison
« des craintes » qu'elle avait que sa présence « provoquât des manifestations hostiles [222] ».
    Par peur de cette agitation, les obsèques avaient déjà été repoussées
du 3 au 5 octobre 1902. Alexandrine Zola n'était pas seule à vouloir
faire pression sur Dreyfus. Des envoyés du préfet de police, ainsi que
Joseph Reinach, agirent aussi [223]. Les journaux nationalistes menaient
une vive campagne contre la venue du « traître » et appelaient à manifester. Dreyfus allait se résigner lorsque Anatole France, à qui la veuve
de l'écrivain avait demandé de parler sur la tombe, lui adressa le
4 octobre 1902 une dépêche rédigée dans ces termes : « Dans ces
conditions, il m'est impossible de parler sur la tombe de Zola. » Le
soir même, Alexandrine Zola fit savoir au capitaine Dreyfus qu'elle
lui rendait sa parole et qu'il pourrait de ce fait assister aux obsèques
de son mari. Et elle se confondit en excuses [224].
    La dernière nuit, celle du 4 au 5 octobre, Dreyfus veilla la dépouille
aux côtés de Mme Zola, de Mme Laborde, d'Octave Mirbeau et
d'Alfred Bruneau. « Une grande partie de la nuit se passa à parler de
notre cher mort, de sa bonté, de sa générosité si peu connues. Ce
travailleur acharné, ce lutteur était, au fond, un timide [225]. »
    Le 5 octobre, les obsèques laïques se déroulèrent au cimetière Mont-
martre. Le cortège traversa le Paris populaire depuis la rue de Bruxelles. Cinquante mille personnes [226] suivirent la dépouille de l'auteur

de *Germinal*. Parmi elles, dans les premiers rangs, Alfred Dreyfus, Jean Jaurès, Bernard Lazare, Gabriel Monod et tous les dirigeants de la Ligue des droits de l'homme menés par Ferdinand Buisson, Auguste Delpech, Francis de Pressensé, Jean Psichari, Paul Reclus. Défilèrent aussi des mineurs venus de Denain. Leur délégation fut un véritable spectacle largement conté par la presse. Les honneurs militaires, auxquels Zola avait droit comme officier de la Légion d'honneur, furent rendus par un détachement du 28ᵉ de ligne[227]. Mais les amis de l'écrivain n'avaient pas obtenu d'obsèques nationales. Le ministre de l'Instruction publique, Joseph Chaumié, représentait seul le gouvernement.

Le dernier des hommages, celui d'Anatole France, apporta cependant un rayonnement considérable à la cérémonie. Son discours marqua les esprits et les mémoires. Il parla de l'auteur de « J'accuse... ! » comme d'un « moment de la conscience humaine », une formule qui entra dans la postérité au même titre que son expression : « La vérité est en marche ». Il évoqua la France, « le pays de la raison ornée et des pensées bienveillantes, la terre des magistrats équitables et des philosophes humains, la patrie de Turgot, de Voltaire et de Malesherbes ». L'auteur de *Monsieur Bergeret*, qui avait lui aussi romancé l'engagement des hommes de savoir, rappela le moment de « J'accuse... ! », le procès et les incommensurables calomnies que subit Zola. Dreyfus trouva « admirable » le discours d'Anatole France et inscrivit dans ses *Carnets* l'un des passages les plus forts :

> Devant rappeler la lutte entreprise par Zola pour la justice et la vérité, m'est-il possible de garder le silence sur ces hommes acharnés à la ruine d'un innocent et qui, se sentant perdus s'il était sauvé, l'accablaient avec l'audace désespérée de la peur ? Comment les écarter de votre vue ; alors que je dois vous montrer Zola se dressant, faible et désarmé, devant lui ? Puis-je taire leurs mensonges ? Ce serait taire sa droiture héroïque. Puis-je taire leur crime ? Ce serait taire sa vertu. Puis-je taire les outrages et les calomnies dont ils l'ont poursuivi ? Ce serait taire sa récompense et ses honneurs. Puis-je taire leur honte ? Ce serait taire sa gloire. Non, je parlerai...
> Envions-le : il a honoré sa patrie et le monde par une œuvre immense et un grand acte. Envions-le, sa destinée et son cœur lui firent le sort le plus grand. Il sera un moment de la conscience humaine[228].

Le souvenir du procès restait agissant. Reinach avait déjà exalté dans le premier volume de son *Histoire* paru l'année précédente ce que disait Séailles dans sa lettre à la cour. La disparition de Zola renvoyait aux dreyfusards et au combat inachevé pour Dreyfus. Les études qui paraissaient contribuaient à maintenir le besoin de comprendre et fournissaient en même temps les moyens d'une action plus décisive que recherchait particulièrement Dreyfus. Dès le 2 décembre

1902, Jaurès déposa sur le bureau de la Chambre une proposition de loi tendant au transfert des cendres de Zola au Panthéon[229].

Mais Dreyfus dut aussi affronter un nouveau deuil, celui de son beau-père qu'il aimait comme un père, David Hadamard :

Nous dînions le mercredi 15 chez mon beau-père, qui était bien portant et tout heureux d'être entouré de ses enfants. Après le dîner, il eut un malaise qui passa. Puis, la douleur revint, plus vive. On fit chercher le médecin, il pronostiqua une angine de poitrine. À 3 heures du matin, mon cher beau-père expira, emporté par une névralgie de l'aorte. Notre douleur à tous fut vive et profonde ; il fallait avoir connu cet excellent homme pour apprécier sa droiture, sa belle conscience. Comme il fut dit admirablement sur sa tombe, pendant l'orage, aucune calomnie ne put mordre sur cette vie si pure[230].

La disparition et les obsèques de David Hadamard furent aussi l'occasion de rappeler que l'innocence et l'honneur de son gendre, auxquels il avait consacré toute son énergie et sa fortune, n'étaient toujours pas reconnus.

## VERS LA RÉVISION

Ces disparitions successives accrurent chez Dreyfus la volonté de ne pas laisser l'oubli et la mort ensevelir la vérité et la justice qu'Émile Zola et David Hadamard avaient défendues en des temps si difficiles. Il était décidé à ne plus tarder. En même temps, il savait qu'il n'avait pas droit à l'erreur dès lors qu'il solliciterait officiellement du gouvernement une demande en révision : « La situation était telle que tout échec eût été un recul », lui rappela Me Mornard. La question du bordereau « annoté » lui semblait cependant constituer un cadre solide pour agir : « Aujourd'hui, j'estimais qu'il y avait lieu de chercher à éclaircir le rôle joué au procès de Rennes par le "bordereau annoté", qu'avec nos propres moyens il se passerait peut-être beaucoup de temps avant d'acquérir une preuve décisive sur ce point, qu'il était donc de mon devoir de demander une enquête qui, bien conduite, nous donnerait vraisemblablement les éléments nécessaires pour obtenir la révision[231]. »

### La détermination de Dreyfus

Le capitaine Dreyfus pria donc son avocat de rédiger la partie juridique d'une telle demande. Puis, fidèle à sa méthode, il alla consulter ses principaux amis. Sa rencontre avec Trarieux ne fut pas concluante. Déjà malade, l'ancien président de la Ligue des droits de l'homme – il venait de démissionner au profit de Francis de Pressensé – lui parut déjà « bien affaibli intellectuellement[232] ». Trarieux avait néanmoins

conservé ses meilleurs liens avec le gouvernement en place. Il apprit
à Dreyfus que « M. Combes, président du Conseil des ministres, très
favorablement disposé pour [sa] cause, préférait que [sa] demande
d'enquête ne vînt qu'après les élections sénatoriales, qui devaient avoir
lieu en janvier 1903 ». Clemenceau fut du même avis. Ferdinand Buisson jugea qu'il ne fallait faire l'enquête « qu'avec l'assurance qu'elle
serait favorablement accueillie [233] ». Jaurès abonda dans ce sens et
conseilla de n'agir « qu'avec des preuves décisives : chercher donc à
les acquérir soit directement, soit, s'il n'y a pas moyen, par une
demande d'enquête, mais attendre, pour lancer celle-ci, la fin des élections sénatoriales de janvier 1903 ». Il promit son entier concours à ce
moment-là [234].

La mobilisation de ces acteurs politiques, qui étaient aussi de grands
intellectuels et qui l'avaient prouvé dans l'engagement dreyfusard,
répondait à de nouvelles attaques des milieux antidreyfusards. Dreyfus
avait été la cause d'une désorganisation majeure de la France. Ceux
qui accepteraient de continuer à l'aider et à travailler à la réhabilitation
porteraient la responsabilité de la mort nationale. Dans un article du
13 décembre 1902, *Le Gaulois* nourrit le procès de trahison en déclarant : « Alors même qu'il n'aurait pas commis la trahison pour laquelle
il fut deux fois condamné, ne demeure-t-il pas aux yeux de tous la
cause initiale de l'effroyable désorganisation politique et sociale à
laquelle nous assistons ? Ce chambardement, froidement conçu,
méthodiquement poursuivi par ses compagnons, portera dans l'histoire
son nom détesté. Cela s'appelle, cela s'appellera toujours le dreyfusisme. » Zola avait déjà très bien répondu à ceux qui accusaient
l'affaire Dreyfus d'avoir « fait du mal à la France [235] ». Dans ses *Carnets*, Dreyfus réagit lui aussi fortement à ces attaques idéologiques :

> Cette organisation politique et sociale, c'était ceux qui avaient lutté pour
> maintenir l'iniquité, qui l'avaient troublée. La responsabilité était toute à
> leur crime, non à mon innocence. Et puis, cette affaire n'avait pas été une
> cause, elle était la conséquence d'un état social préexistant et qui était mau-
> vais. Cet état social, elle l'avait révélé, non pas créé. Et depuis deux blocs
> se sont formés, d'un côté les amis de l'équité, de l'autre les hommes de
> peu de conscience. Cette distinction vaut mieux que toutes les autres.
> L'affaire, en un mot, a aidé à jeter un peu de lumière dans les ténèbres
> politiques et dans le mal social dont nous souffrions [236].

## L'engagement de Jaurès

Parallèlement à la recherche des faits nouveaux, seuls susceptibles de
fonder une demande de révision, il importait à Dreyfus et à ses amis
d'agir politiquement, afin de créer un contexte favorable à la venue de la
réhabilitation. En d'autres termes, il convenait de démontrer que la justice finalement rendue dans l'affaire Dreyfus soutiendrait la marche
d'une France nouvelle, démocratique et sociale. Or le point commun de

ces deux combats était la lutte contre les nationalistes, les nationalistes qui avaient produit les accusations les plus définitives contre le « traître » Dreyfus, les nationalistes qui menaçaient la démocratisation de la République et multipliaient les offensives contre des gouvernements qualifiés de « ministères Dreyfus ».

Le 11 janvier 1903, à l'issue des élections sénatoriales, le capitaine Dreyfus se rendit chez Jaurès avec Henry Mornard. Ce dernier s'était déjà entretenu avec Alphonse Bard, conseiller à la cour, promis à la présidence de la chambre criminelle. Dreyfus attendait beaucoup de Jaurès. Il était convaincu qu'il voyait juste. Déjà celui-ci avait rencontré l'avocat Leblois qui l'avait mis au courant des informations du docteur Dumas. Leblois venait de Mulhouse où il avait rencontré Mathieu. Mais Leblois et Picquart demandèrent à Dreyfus de prendre ses distances avec le leader socialiste [237]. Il fit le contraire, parce qu'il avait découvert que Jaurès avait compris l'enjeu d'une relance de l'affaire, moralement et politiquement, les deux dimensions étant pleinement liées. « Après un échange de vues, il fut convenu du plan suivant : Jaurès prendrait le prétexte de la discussion sur l'élection de Syveton à Paris où il avait été fait usage de l'affiche sur "le ministère de l'étranger", pour dénoncer le crime de 1899 et saisir le Parlement [238]. »

Jaurès avait compris, et il était l'homme de la situation. L'auteur des *Preuves* maîtrisait l'Affaire mieux que beaucoup et il était le parlementaire le plus engagé dans le travail de démocratisation des institutions et de la société. Les nationalistes en avaient fait du reste leur tête de Turc et l'accusaient des pires trahisons nationales.

Dans un article du 25 mars 1903 de *La Petite République*, le leader socialiste précisa ses intentions en répondant à ceux qui, tel Alexandre Ribot, estimaient qu'il ne fallait pas s'occuper de l'affaire Dreyfus parce que « la politique a été mêlée à cette affaire ». Jaurès démontra qu'un tel raisonnement empêchait de fait tout retour au domaine judiciaire, interdisait de fonder en conséquence la politique et la société sur la justice et la vérité, et les laissaient, errantes et vulnérables, au milieu des violences des nationalistes. Ceux-ci pourraient continuer à « calomnier », tandis que les républicains qui oseraient leur répliquer seraient précisément accusés « de rouvrir l'agitation et de faire dévier en débat politique une affaire d'ordre judiciaire ». Ce « thème de l'hypocrisie nationaliste » était d'autant plus intolérable pour Jaurès qu'elle était rendue possible par les peurs et les complaisances de parlementaires modérés comme Ribot, prêts à favoriser « la droite » sans aucune contrepartie dans ses entreprises politiques [239], prêts à renoncer aux responsabilités du pouvoir et à reprocher ensuite à d'autres modérés d'avoir, eux, su prendre les leurs. Ce refus de la politique, qui laissait le champ libre aux nationalistes, cet excès de politique qui les caractérisait, justifiaient pour Jaurès la réouverture de l'affaire Dreyfus, sans aucune honte ni prudence, avec une volonté et une dignité sans égales : la lutte contre le nationalisme, la défense de la République, étaient les conditions de la réhabilitation de Dreyfus, et réciproquement Dreyfus incarnait le visage de la France. Il conclut fortement :

Mais à prendre les choses dans leur grand sens, comment est-il possible que de vastes ébranlements tels que l'affaire Dreyfus n'aient pas de conséquences politiques ? Comment est-il possible que le pays ne demande pas raison à des institutions de mensonge et de caste des fruits de scélératesse qu'elles ont portés ? Se refuser à des conclusions politiques, c'est se refuser à recevoir la leçon des faits. C'est réduire aux proportions d'un fait divers judiciaire un de ces grands drames qui, par intervalles, mettent aux prises les forces sociales, remuent le fond de la société et de la vie comme le fond des consciences et prennent, outre leur sens propre et leur valeur directe, une valeur symbolique, une signification historique. M. Ribot, en répudiant les leçons décisives sorties de cette grande crise, s'est condamné à ne pas comprendre les événements et à vivre en marge des choses. Ou plutôt il s'est condamné à faire consciemment ou inconsciemment le jeu de ceux contre lesquels ces leçons ont tourné, et qui voudraient bien les effacer du tableau de l'histoire pour n'y laisser inscrites que leurs légendes grossières et leurs calomnies.

Pour nous, l'affaire Dreyfus n'est pas un épisode accidentel et superficiel. Elle est liée à toute la vie politique et sociale de notre temps. Et voilà pourquoi nous sommes aussi peu disposés à la dédaigner et à la tenir pour négligeable qu'à la considérer étroitement dans les termes d'un problème individuel. Nous n'avons ni la peur ni l'obsession de l'affaire Dreyfus. Nous ne fuyons pas, nous acceptons au contraire avec joie les occasions qui nous sont offertes par les événements mêmes de ramener un peu de justice dans une sentence inique, de faire pénétrer un peu de vérité dans des esprits prévenus. Mais nous n'oublions pas que c'est la société tout entière, corrompue par l'esprit de caste et de mensonge monacal, qu'il faut guérir. Nous n'éprouvons point d'impatience fébrile à rouvrir un débat sur le fond même de l'Affaire, et nous nous félicitons que la Chambre ait pu résoudre d'un effort continu la question des congrégations. Mais il nous paraît extraordinaire que la majorité républicaine hésitât à répondre par des provocations nouvelles aux provocations persistantes et aux injures de l'ennemi [240].

Le lendemain de sa rencontre avec Dreyfus et de la prise de décision, Jaurès fit paraître un premier article dans *La Petite République* [241] afin de préparer le terrain. Il obtint ensuite le soutien de Clemenceau – qui tergiversa après coup –, celui des députés Étienne et Thomson, celui de Ranc, « toujours prêt à nous donner son entier concours [242] ». Une nouvelle rencontre intervint entre Jaurès et Dreyfus. Mornard encouragea son client : « Son intervention a lieu dans l'intérêt du pays et non pas dans l'intérêt d'un homme. » Jaurès vit également Leblois et réussit à le convaincre, ce que l'avocat confirma à Dreyfus le lendemain. Demange, avant Jaurès, s'entretint avec Waldeck-Rousseau, qui apporta également son aide et avoua avoir craint, alors qu'il était président du Conseil, le pouvoir des « militaires [243] ».

Les informations convergèrent sur Jaurès. Amphoux, agrégé de l'Université, « qui avait été un défenseur ardent de la cause de la vérité [244] », apporta à Dreyfus la correspondance qu'il avait entretenue avec le docteur Gilbert, en février-mars 1898 et qui fut transmise à Jaurès. Mais la question du bordereau « annoté » resta centrale dans son plan d'intervention, parce qu'elle concernait la réhabilitation de Dreyfus, et parce qu'elle permettait de retourner au parti nationaliste l'accusation qu'il portait contre les dreyfusards : être un parti de l'« étranger ». En effet, Gabriel Syveton s'était fait élire dans le IIe arrondissement de Paris sur la base d'une affiche électorale où il qualifiait le gouvernement Waldeck-Rousseau de « ministère de l'étranger » en s'appuyant sur une version déformée de la lettre du général de Galliffet au président du Conseil, écrite le 8 septembre 1899 et communiquée ensuite par Judet et Lemaître [245]. La Chambre, sur proposition de Maurice Berteaux, avait voté le 17 juin une enquête sur l'élection de Syveton. Mais la négligence des républicains permit aux nationalistes de dominer la commission d'enquête qui ne se contenta pas de conclure à la validation le 7 février [246] ; elle donna même une large publicité aux thèses de Galliffet et se mit à ouvrir une enquête sur le procès de Rennes.

Jaurès se proposa alors pour discuter le rapport. La discussion était fixée au 6 avril 1903. La veille de sa décision, il avait développé devant Dreyfus le plan de son discours. Il avertit publiquement de sa volonté de rouvrir l'affaire Dreyfus [247] et déclara à la Chambre, le 23 mars, en assumer toute la responsabilité, au cours d'un débat houleux qui portait sur les congrégations et qui rebondit sur l'affaire Dreyfus. Il le répéta dans son article de La Petite République deux jours plus tard.

Dans les derniers jours, il acheva méthodiquement la préparation de son intervention et réfléchit aux réfutations possibles [248]. La famille Dreyfus, Joseph Reinach, Raoul Allier, mirent à sa disposition tous leurs dossiers. Il utilisa également la presse nationaliste et antisémite, La Libre Parole, L'Intransigeant, La Croix, La Vérité, Le Jour, toujours dans un même dessein : articuler la construction du dernier système de culpabilité dirigé contre Dreyfus avec les menées politiques du parti nationaliste. Concernant le volet plus technique du bordereau « annoté », Raoul Allier, dont l'étude était encore inédite, confia ses recherches au futur orateur [249].

Le président du Conseil, Émile Combes, accepta pour sa part le principe de l'intervention de Jaurès, de même qu'Henri Brisson qui s'engagea sur la promesse d'un concours actif, celui de mettre en difficulté Cavaignac après la révélation d'une lettre restée secrète du général de Pellieux à l'ancien ministre de la Guerre [250]. Dans un discours à Vierzon [251], Jaurès alerta néanmoins ceux qui risqueraient d'être déçus de la lenteur des résultats escomptés, car le bruit s'était répandu que l'Affaire allait reprendre. Mercier répondit que la communication aux juges de Rennes de la photographie du bordereau « annoté » était un mensonge [252]. La veille du discours, Ferdinand Buisson, devenu député radical-socialiste de la Seine, rencontra le chef socialiste pour lui dire l'inquiétude des groupes de la gauche face à l'importance prise par son intervention. Jaurès ne recula pas pour autant. Afin de relancer l'Affaire à la tribune et de provoquer le double sursaut, politique et judiciaire, attendu, il s'était donné deux objectifs prioritaires. Le premier relevait de la démarche critique qu'il avait déjà utilisée avec succès dans *Les Preuves* : démontrer que le procès de Rennes avait été dominé par une légende, celle du bordereau prétendument annoté par l'empereur d'Allemagne, et que le verdict n'était pas de la justice. Le second était d'ordre politique : il s'agissait de contenir le camp nationaliste qui, loin d'avoir été vaincu dans l'affaire Dreyfus, y avait puisé un nouveau souffle après le boulangisme. Le lien entre les deux objectifs était fourni par le rapprochement entre les deux accusations portées par les nationalistes. Contre Dreyfus ils avaient utilisé une preuve venue d'Allemagne. Contre la Défense républicaine, ils avaient dénoncé le « parti de l'étranger ». Jaurès pouvait alors souligner la contradiction majeure entre les deux accusations et conclure à la déraison comme au danger du nationalisme. À une forme de critique correspondrait un type de politique. À la justice pour Dreyfus correspondrait, pour la République, le progrès démocratique.

### Le grand discours

Le 6 avril 1903, l'ordre du jour appela la discussion des conclusions de la commission chargée de procéder à une enquête sur les opérations électorales du II^e arrondissement de Paris. La commission avait donc conclu à la validation. C'est alors qu'intervint Jaurès « contre les conclusions du rapport [...], contre la façon dont la commission a conduit l'enquête ». Il ne contesta pas que la lettre fût authentique, et que la commission eût constaté cette authenticité, grâce aux témoins de Syveton. Mais il s'étonna d'abord « de la complaisance avec laquelle la commission a accepté les explications du général de Galliffet » : « Il a invoqué, pour ne pas donner le texte complet de la lettre, le secret professionnel, [...] alors que cette lettre que le secret professionnel lui interdit de montrer à une commission du Parlement, il l'avait montrée à M. Jules Lemaître, à M. Judet et à d'autres [253] ». Il démontra ensuite, grâce aux dépositions des témoins, que le parti républicain dans son entier était visé comme subissant « la direction de l'étranger [254] ». C'était bien une démonstration dont il s'agissait [255], doublée d'une efficace charge politique.

L'orateur dénonça ainsi les pratiques de calomnies permanentes des factions nationalistes [256] qui semblaient bénéficier d'une forte impunité venue de la peur des milieux modérés face au risque de réouverture de l'Affaire, et par respect aussi pour une amnistie très commode [257]. Jaurès appela précisément au comportement inverse de cette attitude de faiblesse et de calcul pour repousser la pression nationaliste : « Je dis que cette politique perfide nous donne à nous le droit et nous crée le devoir de répondre à toutes ces calomnies par une vigoureuse offensive[258] », déclara-t-il.

L'affaire Dreyfus fut alors convoquée comme argument de l'analyse, comme moyen de l'offensive. Pour Jaurès, « le vrai parti de l'étranger, [c'est] celui qui pendant quatre ans, dans l'intérêt de ses combinaisons, a fait appel par le faux à la signature d'un souverain étranger. [...] Pendant quatre ans, toute la presse nationaliste, plusieurs des orateurs du parti nationaliste, toute la grande presse catholique, ont affirmé qu'il existait, à la charge du condamné de 1894, une lettre, une note écrite de la main de Guillaume lui-même et accablante pour l'accusé[259] ». Jaurès développa son analyse. Elle consistait à suivre pas à pas « l'histoire de la légende monstrueuse créée autour de ce faux » et plus encore « l'histoire de ce faux lui-même ». Il retrouva la méthode utilisée dans Les Preuves, dans un discours qui constituait comme un second volet de cette enquête sur l'Affaire. Péguy, aux Cahiers de la quinzaine, s'empressa du reste de publier in extenso le texte du discours[260].

Concernant le dossier du bordereau « annoté », Jaurès montra en premier lieu que jamais l'empereur d'Allemagne n'aurait pu écrire un pareil texte avec si peu de précautions et en signant de son nom[261]. D'après lui, cette pièce, qui n'était pas arrivée en 1894 puisqu'elle aurait immédiatement innocenté Dreyfus, constituait un faux réalisé par Henry : « Si ce faux a été imaginé, s'il a été construit, c'est à raison même de sa monstruosité et de son énormité, qui le mettaient au-dessus des débats[262]. » Il accusa les chefs d'Henry et souligna que l'efficacité de ce faux tenait dans son articulation avec une menace de guerre franco-allemande : demander à voir ce faux, l'exhiber, l'exiger, c'était risquer la guerre. Personne n'oserait prendre la responsabilité d'une telle catastrophe.

Après cette longue démonstration, Jaurès, épuisé, demanda une suspension de séance jusqu'au lendemain. À la reprise, des débats passionnés éclatèrent entre Jaurès et des députés nationalistes, puis entre Jaurès et Cavaignac qui le traita à plusieurs reprises de « lâche »[263]. Lasies, Millevoye, Georges Berry, Pugliesi-Conti multiplièrent les interruptions pour tenter d'empêcher la poursuite de son discours, de banaliser ses propos, de morceler sa démonstration pour qu'elle en perde sa logique. Devant les obstructions, et en utilisant précisément ces dernières, Jaurès dégagea l'enjeu politique du débat :

Il faut savoir s'il sera permis à ce parti, pendant quatre ans, de laisser faire sa presse, de laisser parler ses orateurs, de permettre à quelques-uns de ses orateurs et à toute la presse la propagation de monstrueuses légendes, qui peuvent servir un intérêt de parti, et puis, quand la vérité apparaît (exclamations à droite), quand vous avez retiré de cette légende monstrueuse toute la substance, tout le profit que vous pouvez en retirer, et lorsque le moment est venu pour vous ou de vous solidariser avec le mensonge collectif et permanent de la presse pendant quatre ans, ou de la désavouer, il faut savoir si vous allez renier votre presse ou vous renier vous-mêmes [264].

Puis, revenant sur la légende du bordereau « annoté », Jaurès démontra, grâce à une page des *Mémoires* de Scheurer-Kestner qui lui avait été communiquée, que dès novembre 1897 l'État-major la proposait comme vérité [265] et s'appuyait sur une hypothétique photographie qui aurait été réalisée avant la restitution du bordereau « annoté » à l'Allemagne. À la veille du procès de Rennes, rappela-t-il, un article du *Petit Caporal* du 3 août 1899 avait déjà résumé tout le système du bordereau « annoté ». Jaurès montra que le procès de Rennes avait été dominé par cette légende. Arrivé à ce stade de la démonstration, il put alors revenir vers son combat général contre les nationalistes et les accusations du candidat Syveton. La campagne contre Dreyfus se révélait dans toute sa dimension politique et idéologique :

Qu'il n'y ait pas d'équivoque ! Ce n'est pas d'une procédure de révision qu'il s'agit, et, même si le système du bordereau « annoté », si la légende de la lettre de Guillaume II, dont je vous ai raconté l'histoire, n'avait pas eu sur l'esprit des juges de Rennes l'influence troublante qu'elle a eue sans doute, même si le verdict s'expliquait uniquement ou surtout par d'autres causes, le programme politique et social resterait, la responsabilité politique et sociale resterait, et nous, hommes politiques, nous parti républicain, nous aurions le devoir de chercher comment, du service de renseignement, a pu se propager pendant trois années une aussi monstrueuse légende [266].

Jaurès conclut alors, invoquant l'histoire et son jugement, reprenant Waldeck-Rousseau au pied de la lettre de son discours de l'amnistie.

Il est démontré maintenant – et cela suffirait – qu'on peut parler à cette tribune de ces choses (*interruptions à droite*), qu'on peut parler du bordereau « annoté », de la fausse lettre de Guillaume II sans déchaîner des orages. La guerre ne gronde plus sur nos têtes, le prétexte patriotique, allégué par eux, est dissipé (*interruptions*), ils peuvent parler sans ébranler la paix de l'Europe. (*Applaudissements à l'extrême gauche et à gauche.*) Qu'ils parlent donc ! Qu'ils s'expliquent ! Quant à nous, qui avons vu dans quelles conditions, encore mystérieuses, la lettre du général de Pellieux a fait une courte apparition au ministère de la Guerre ; quant à nous qui avons vu par le témoignage officiel, devant la Cour de cassation, de M. Paléologue, que notre service de renseignement a été l'officine où a été fabriqué le faux monstrueux et inepte de la lettre de Guillaume II (*rumeurs à droite*), nous avons un double devoir : d'abord le devoir de demander au gouvernement, responsable envers le pays, de chercher comment il est possible, dans le mécanisme des bureaux de la Guerre, qu'une pièce aussi grave que la lettre du général de Pellieux, apparaissant au moment où elle pouvait jeter une lumière décisive, ait été subitement mise sous le boisseau ; nous avons le devoir de demander à ce gouvernement comment il a été possible à notre service de renseignement d'accréditer une légende dangereuse et scélérate. (*Très bien ! très bien ! à gauche.*)

*M. de Boury.* — C'est l'affaire de la justice !

*M. Jaurès.* — Non ; ce n'est pas empiéter sur l'ordre judiciaire ; ce sont des questions d'ordre exclusivement politique et gouvernemental. (*Applaudissements à gauche.*) Nous avons le droit et le devoir de condamner par un vote précis l'abominable système de calomnie électorale par lequel on a essayé de ruiner le crédit du parti républicain dans la conscience même de la patrie. (*Nouveaux applaudissements sur les mêmes bancs.*) Nous avons le devoir d'y mettre un terme et de prouver au parti nationaliste déclinant que son impuissance d'aujourd'hui ne doit pas être une excuse à ses méfaits d'hier. (*Vifs applaudissements à gauche. Interruptions à droite.*) [...] Si vous ne le faisiez pas, vous consacreriez vous-mêmes une jurisprudence électorale, politique, de calomnie meurtrière allant jusqu'aux racines mêmes de la vie nationale de ce pays. Que le parti qui a, depuis cinq ans, la responsabilité de tant de fautes commises, de tant de faux accumulés, que ce parti ait osé contre nous, contre la République, se dresser en accusateur ; si vous le tolériez, ce serait la stupeur de l'histoire, le scandale de la conscience et la honte de la raison. (*Applaudissements vifs et répétés à l'extrême gauche et à gauche. Bruit prolongé à droite. L'orateur, de retour à son banc, reçoit les félicitations de ses amis.*) [267]

## Le tournant jaurésien

Le grand discours fut un tournant : Jaurès venait de relancer l'affaire Dreyfus par une démonstration critique et une offensive politique de premier ordre. « D'une logique saisissante », son discours « produisit une immense impression », confia Dreyfus. Dans l'immédiat, les résultats concrets furent cependant plus mitigés en raison d'erreurs tactiques commises par l'orateur durant la discussion et de l'intervention craintive d'Alexandre Ribot. Certes, à l'issue de son discours, Jaurès reçut l'habile soutien du général André. Tout en réaffirmant que l'honneur de l'armée ne pouvait être à aucun degré engagé dans cette affaire, tout en réaffirmant qu'il s'en tiendrait au jugement du dernier conseil de guerre [268], le ministre de la Guerre reconnut « que la conscience de ce pays a singulièrement été inquiétée par l'apparition de circonstances atténuantes dans un crime de cette nature [269] ». Il déclara que « le gouvernement entend faciliter, dans la plus large mesure, la recherche et la mise en évidence de la vérité dans l'affaire dont il s'agit aujourd'hui [270] ». Pour preuve de sa bonne volonté, « pour apporter une contribution à la vérité », il présenta au Parlement la correspondance du général de Pellieux avec le ministère de la Guerre. Il annonça que le gouvernement serait favorable à l'ouverture d'une enquête administrative avec la participation de magistrats. C'est alors qu'intervinrent Cavaignac qui s'exprima au nom des nationalistes [271], puis Pressensé qui rappela la dépêche Panizzardi [272].

Les débats prirent fin. Trois projets de résolution furent déposés, l'un par Jaurès et Brisson [273], un autre par les socialistes Paul Constant, Vaillant et Sembat [274], enfin celui de Gustave Chapuis, député de

Meurthe-et-Moselle[275], qui se transforma en un ordre du jour si favorable à Jaurès qu'il entrava sa propre résolution[276]. Le président du Conseil, silencieux jusqu'ici, prit la parole :

M. le ministre de la Guerre a dit qu'il se proposait de procéder simplement à une enquête administrative, secondé par des magistrats et voici pourquoi : il s'agit, vous le savez, messieurs, d'un dossier secret qu'il ne connaît pas, dont il n'a jamais vu aucune pièce, à propos duquel il est exposé d'un jour à l'autre à des attaques qu'il ne peut pas réfuter. Ce dossier a été scellé par un magistrat de la Cour de cassation ; c'est en présence de ce magistrat aidé de quelques autres qu'il pourrait ouvrir ce dossier, examiner et cataloguer les pièces, si besoin était, afin de couvrir sa responsabilité et de n'être pas accusé, comme cela ne saurait manquer de se produire, soit d'avoir soustrait des pièces à ce dossier, soit d'en avoir introduit de nouvelles[277].

Le vote des résolutions fut un demi-échec pour les dreyfusards, car celle de Jaurès fut repoussée[278] au profit de la résolution modérée de Chapuis[279]. En revanche, la Chambre rejeta les conclusions de la commission d'enquête tendant à la validation des opérations électorales du IIe arrondissement de Paris[280]. Dreyfus considéra qu'une erreur avait été commise : « Il eût suffi de flétrir la campagne de diffamation menée par la Ligue de la patrie française et par son digne représentant[281]. »

Malgré l'échec de la motion Jaurès, la motion Chapuis n'était « nullement exclusive de la révision », se réjouit quand même Dreyfus qui nota dans ses *Carnets* : « Il y avait cependant un immense pas de fait[282]. » L'enquête administrative évoquée par le ministre de la Guerre pouvait quant à elle déboucher sur de précieux résultats. Et c'est bien d'elle, conduite de main de maître par le capitaine Targe, qu'émana le dossier accablant contre les agissements de l'État-major et de la Section de statistique. Et la présentation de ce dossier au gouvernement entraîna la décision de saisir la Cour de cassation du jugement du procès de Rennes.

### Une « enquête personnelle » du ministre de la Guerre

Le lendemain de son discours, le 8 avril 1903, Jaurès se rendit chez Dreyfus où une réunion au sommet avait été convoquée. Elle rassemblait Buisson, Pressensé, Reinach, Mornard, et les deux frères d'Alfred, Léon et Mathieu[283]. Pressensé, en l'absence de Jaurès qui dut partir pour le Midi, joua le rôle de conseiller politique. Dreyfus lui montra la requête à fin d'enquête qu'il s'apprêtait à envoyer au ministre de la Guerre[284]. Jaurès estimait cependant qu'il était nécessaire d'attendre, afin de ne pas risquer de briser le mouvement qui avait été mis en marche par son discours. Pressensé et Buisson acceptèrent de se rendre auprès de Combes, président du Conseil, pour lui dire que si le gouvernement ne lançait pas l'enquête devenue nécessaire après les révélations de Jaurès, ce serait faire le jeu des nationalistes ; et que, par conséquent, Dreyfus lancerait sa propre demande d'enquête en s'appuyant sur l'opinion publique et l'action de la Ligue des droits de l'homme[285].

Le gouvernement tarda à agir. Dreyfus envoya alors au ministre de la Guerre, le 21 avril 1903, la demande « de bien vouloir prescrire une enquête[286] ». La requête portait sur les faits graves qui avaient été commis à son préjudice dans les services du ministère et qui avaient été évoqués à la tribune de la Chambre[287]. Il cita *in extenso* la lettre que Ferlet de Bourbonne avait envoyée à Jaurès le 9 avril sitôt après son discours. Dreyfus développa :

> Il résulte des déclarations contenues dans la lettre [...] qu'il a existé une pièce portant une soi-disant annotation de l'empereur d'Allemagne et dans laquelle je serais signalé comme ayant fourni des documents à l'étranger. L'existence de cette pièce est donc maintenant démontrée d'une manière irréfutable et définitive, et la démonstration est d'autant plus probante qu'elle émane d'un adversaire qui affirme l'authenticité de l'annotation attribuée à l'empereur Guillaume II. L'influence de cette pièce est manifeste dans toutes les phases de la lutte engagée contre moi par les ennemis de la vérité et de la justice[288].

Dreyfus se saisit d'un autre fait, la situation du témoin Cernuszky, qui avait produit au procès de Rennes « une déposition mensongère et préparée d'avance ». Il évoqua également l'enquête décidée par Waldeck-Rousseau et confiée au commissaire Tomps, mais qui n'avait pas abouti, et il demanda que le policier ainsi que le chef de la Sûreté générale fussent entendus dans le cadre de cette enquête dont il suggérait la réouverture[289]. Mais il regretta à ce sujet qu'il n'existât pas encore « une procédure qui permette aux parties de faire recevoir en la forme authentique les déclarations des témoins qu'il importe de recueillir. Au gouvernement seul, ajouta-t-il, c'est-à-dire aux chefs de services publics exclusivement, il appartient de prescrire des enquêtes sur les faits graves qui leur sont signalés dans l'administration de ces services ».

Enfin, il lança une déclaration plus personnelle, plus intime, presque un véritable appel, un cri de détresse ou l'expression d'un rêve massacré.

> Je ne vous retracerai pas, monsieur le ministre, ce qu'a été mon existence depuis 1894. Vous êtes-vous représenté les tortures d'un soldat dont la vie était toute de droiture, de travail, de loyauté, de dévouement profond à son pays et qui, d'un instant à l'autre, voit flétrir son nom, arracher son honneur, celui de ses enfants ? On le jette dans un précipice, on le sépare des hommes, on l'outrage, on le condamne sur des pièces qu'on ne lui fait pas connaître.

On lui fait subir pendant cinq ans les souffrances les plus épouvantables, on essaye de le terrasser physiquement, de l'anéantir moralement. Lui, absolument innocent de tout crime, essaye en vain de débrouiller le mystère, crie son innocence et lutte de toutes ses forces contre son corps, contre son cerveau, se cramponnant à la vie pour avoir la joie suprême d'assister à sa réhabilitation.

Les jours, les mois, les années se passent ainsi dans les plus cruelles angoisses, sous un climat meurtrier.

On le fait enfin revenir en France, car le coupable est découvert.

Le supplice touche à sa fin, il va revoir sa patrie, les siens, s'entendre proclamer innocent par cette même foule qui, abusée, acclamait autrefois la condamnation d'un traître.

C'est ainsi, monsieur le ministre, que j'entrevoyais la fin de mon martyre. Hélas ! si j'ai appris à mon retour en France le dévouement admirable des hommes de grand cœur et de grand caractère qui avaient combattu pour la vérité, j'ai appris aussi quelles haines funestes avaient été déchaînées.

Au procès de 1894, j'avais été poignardé dans le dos. Je ne pouvais imaginer qu'une pareille forfaiture serait renouvelée par les hommes avec son accompagnement logique de faux et de mensonges. Il en fut ainsi cependant, et ma seconde condamnation fut une réédition aggravée de ce qui s'était passé en 1894.

Alors que le coupable était connu, démasqué, alors qu'après l'arrêt unanime de la Cour de cassation, devant le monde entier, Esterhazy était l'auteur de la trahison, les mêmes hommes qui avaient trompé la justice en 1894 recommencèrent en 1899, pour la tromper une seconde fois, les mêmes manœuvres criminelles.

Le gouvernement de la République ne voulut pas garder en prison un innocent.

Depuis, dans la pensée constante de la révision légale de mon procès, j'ai rassemblé peu à peu tous les éléments des convictions, méprisant les calomnies et les mensonges, gardant le silence, dans la certitude que la justice aurait son jour de triomphe.

Victime de manœuvres criminelles et d'une violation de la loi par deux fois commise à mon égard, je m'adresse avec confiance au chef suprême de la justice militaire.

Aucune réponse ne vint du général André.

Meurtri, Dreyfus appela à l'aide Jaurès et Buisson. Ce dernier rencontra Émile Combes et informa aussitôt Dreyfus par lettre[290]. De retour de chez le président du Conseil, Pressensé adressa également une carte-télégramme à Dreyfus, et lui demanda de venir le lendemain[291]. Il lui apprit que le général André avait décidé le 7 avril de l'ouverture d'une « enquête personnelle », « ce qui est son droit, ce qui ne regarde aucun autre ministre[292] ». Jaurès, au courant de la décision du général André, en informa Dreyfus le 3 juillet.

Le capitaine décida alors de renoncer à sa requête, qui aurait pu gêner le gouvernement et donner le sentiment que celui-ci obéissait aux injonctions des dreyfusards [293]. « L'enquête personnelle » fut dirigée par le ministre assisté de Louis Cretin, contrôleur général et directeur du contentieux au ministère, et du capitaine Antoine Targe, officier d'ordonnance du général André. Elle débuta dès le 4 juin. Jaurès se chargea d'informer Dreyfus de l'avancement de l'enquête [294]. Ferdinand Buisson lui écrivit pour sa part une lettre encourageante qui se fondait sur les engagements de Combes à ce sujet :

Laissons aller, laissons les circonstances travailler pour la justice. Maintenant que vous avez dit ce que vous aviez à dire, ce n'est pas à vous d'insister et de fixer les délais, ni de préciser la forme en laquelle se fera l'enquête. Vous avez pris date et acte, cela vous permet toute la patience que l'on jugera devoir exiger de vous. Les événements peuvent même se dérouler sans vous jusqu'à un certain point [...]. Ce n'est pas à vous que l'on peut dire : « Courage ! ». Mais on peut se permettre d'ajouter tout de même : « Bon espoir, la raison finira par avoir raison [295]. »

Pendant ce temps, l'opinion était secouée par les révélations de Jaurès, destinataire de multiples communications. Ferlet de Bourbonne lui écrivit le 9 avril [296], Joseph Reinach également pour lui faire part de preuves nouvelles [297]. La question du bordereau « annoté » revint immédiatement sur le devant de l'actualité avec la publication de l'étude inédite de Raoul Allier, dans *Le Siècle* du 12 avril au 4 mai puis en librairie sous le titre : *Le Bordereau annoté. Étude de critique historique* [298].

En vacances à Cologny pendant l'été 1903, Dreyfus continua de correspondre avec Jaurès, « pour l'informer des nouvelles qu'il recevait et des propos que répandait déjà le petit groupe de certains amis, toujours le même, si disposé aux critiques [299] ». Profitant d'un article sévère de Picquart paru le 2 mai 1903 dans *La Gazette de Lausanne*, il put lui exposer les détails de la politique des preuves décisives qui ne cessait de s'imposer et qui devait nécessairement s'exprimer dans l'enquête administrative du capitaine Targe :

Si j'avais pu introduire une demande en révision ayant une chance d'être accueillie je n'aurais pas hésité ni attendu un seul instant. Tous les avis juridiques, et je ne me suis pas contenté de ceux de mes avocats, ont été unanimes sur ce point : les faits ne sont pas en l'état, et l'enquête administrative qui, en bonne justice, doit dans ce cas précéder le recours en révision, peut seule transformer les graves présomptions que j'ai signalées en une preuve [300].

La rentrée se déroula enfin dans la promesse d'un espoir nouveau. Les amis d'Émile Zola, réunis à Médan le 29 septembre pour célébrer le premier anniversaire de sa mort, signèrent une pétition en faveur d'une prochaine réhabilitation de Dreyfus. Le 22 octobre, Jaurès communiqua verbalement à celui-ci les principaux résultats de l'enquête menée avec méthode et maîtrise par le capitaine Targe [301]. À la suite de ces informations, Dreyfus suscita une réunion au cabinet de Mᵉ Mornard, avec Pressensé, Buisson, Leblois et Demange, mais en l'absence de Jaurès, retenu à la Chambre par son interpellation sur la grève d'Armentières. Devant le constat d'imprécision des renseignements, il fut décidé que Pressensé irait trouver immédiatement Jaurès pour lui demander de faire avec lui une démarche auprès du gouvernement, de manière à ce que les résultats de l'enquête fussent communiqués à Mornard au plus vite. Celui-ci pourrait ainsi constater s'ils constituaient ou non des « faits nouveaux » susceptibles d'autoriser une demande en révision. Mais Jaurès avait déjà demandé au général André de transmettre le dossier de l'enquête au ministre de la Justice, ce que rapporta Pressensé qui vit Jaurès le lendemain.

*La décision du gouvernement Combes*

En effet, l'« enquête personnelle » fut suffisamment éloquente pour que le rapport soit transmis directement au président du Conseil le 19 octobre 1903. Mais ni Jaurès ni Dreyfus n'en furent avisés, pas plus que de l'importance des découvertes du capitaine Targe. Son enquête avait été d'une très grande ampleur. Il avait examiné tout ce que l'institution militaire avait produit au sujet de l'affaire Dreyfus. Pour le conseiller Moras, de la Cour de cassation, cette enquête permit de verser au dossier « tout ce qui, dans les archives du ministère de la Guerre, du gouvernement militaire de Paris et du 10ᵉ corps d'armée, a pu être considéré comme se rapportant plus ou moins à l'affaire Dreyfus ». Le capitaine (devenu commandant) Targe apprécia ainsi la portée de son enquête, en déposant devant la Cour de cassation :

> En procédant à l'enquête, le ministre n'ignorait pas qu'il pouvait être amené, en cherchant le rôle joué par certains officiers dans les événements qui ont accompagné l'affaire Dreyfus, à entrer dans le fond même de cette affaire. Nous nous étions demandé, au début, ce que nous ferions si nous nous trouvions en face de cette preuve irrécusable de culpabilité dont on avait parlé beaucoup. Nous étions, messieurs, décidé à la faire connaître à tous, car le ministre estimait qu'aucune considération ne doit empêcher de ramener le calme dans le pays et dans l'armée. Cette preuve, je m'empresse de vous le dire, nous ne l'avons pas trouvée ; nous n'avons pas trouvé davantage de preuve d'innocence, mais l'innocence me semble bien difficile à prouver. Il est vrai que, devant la Cour, en 1899, le commandant Cuignet, parlant au nom du ministre, disait que, pour lui, la culpabilité résultait de la « prétérition d'innocence ». Je crois plus juste de dire que, pour nous, l'innocence résulte de la prétérition de preuves de culpabilité[302].

Le 19 octobre 1903, le ministre de la Guerre avait transmis les découvertes du capitaine Targe sous la forme d'un court rapport de synthèse[303] qui débutait ainsi :

Je viens de terminer l'examen détaillé des nombreux documents relatifs à l'affaire Dreyfus existant au ministère de la Guerre. J'estime devoir vous communiquer dès maintenant les graves constatations que cet examen m'a permis de faire.

Ma crainte, au cours de mon enquête, était de paraître vouloir me substituer à la justice et m'ériger en juge unique. Je me suis donc abstenu scrupuleusement de scruter la conscience des juges ou des témoins de Rennes, et mon examen a porté uniquement sur les pièces et documents dont mon administration est dépositaire.

J'ai pu faire mes recherches avec d'autant plus d'indépendance que, depuis 1894, je suis le premier ministre de la Guerre qui n'ait pas été mêlé à l'affaire Dreyfus ou aux affaires connexes, et je les ai faites avec empressement, car je suis persuadé que l'armée doit mettre son honneur à voir la lumière définitive se faire et à ce que le trouble jeté dans toutes les consciences par l'arrêt accordant des circonstances atténuantes à un crime de haute trahison soit enfin dissipé.

L'administration de la Guerre est intervenue au procès de Rennes par la production du dossier dit « secret ». C'est elle qui a constitué ce dossier. Il a été présenté aux juges et commenté devant eux par un officier général spécialement délégué par le ministre [304].

Le ministre de la Guerre exposa que les investigations réalisées dans l'administration de l'armée avaient révélé que des pièces importantes, favorables à l'accusé, n'avaient pas été produites au procès de Rennes, que certaines pièces du dossier avaient fait l'objet soit d'altérations matérielles soit de commentaires erronés qui en dénaturaient la portée, que des affirmations inexactes avaient été produites devant la justice, que des rapports produits par le lieutenant-colonel Henry, qui avait déjà joué un rôle important dans le procès de 1894, avaient été invoqués à nouveau devant le conseil de guerre de Rennes, enfin que trois officiers s'étaient livrés à des agissements qui rendaient leurs témoignages suspects. Le général André conclut sur la nécessité de porter ces faits à la connaissance du garde des Sceaux et de lancer une nouvelle enquête qui permettrait certainement de découvrir de nouveaux éléments.

Jaurès, qui n'avait toujours pas reçu de nouvelles du ministre de la Guerre – Dreyfus comptait sur lui pour en avoir – se revirent le 17 novembre. « Il me dit qu'il avait voulu, l'avant-veille, renouveler sa démarche, mais que Brisson l'avait prié, et nous également, de surseoir quelques jours, d'avoir confiance en lui, car il y avait quelque chose à décider auparavant [305] », témoigna Dreyfus. Finalement, le 22 novembre, Jaurès envoya un mot à Dreyfus, le priant de passer chez lui le lendemain matin, « ayant des nouvelles heureuses » à lui communiquer [306]. « Quand je vis Jaurès, il m'apprit que le dossier de l'enquête avait été transmis au ministre de la Justice [307] », raconta Dreyfus. Le 26 novembre, il put enfin déposer une demande de révision rédigée quelques jours auparavant par Henry Mornard sur la base des renseignements issus de l'enquête du ministre de la Guerre et communiqués à Dreyfus par Thomson [308].

La réhabilitation commençait.

La requête en révision adressée par Alfred Dreyfus et son avocat, M<sup>e</sup> Mornard, s'ouvrait sur l'analyse des circonstances du procès de Rennes et sur le fait que sa condamnation, « inexplicable après l'arrêt des chambres réunies de la Cour de cassation du 3 juin 1899, a été prononcée sur de fausses pièces et de faux témoignages ». Aujourd'hui, « des faits nouveaux démontrent que j'ai été condamné pour la seconde fois, quoique manifestement innocent ». Il rappela alors les débats de la Chambre des députés provoqués par le discours de Jean Jaurès, puis la lettre du 21 avril 1903 au ministre de la Guerre demandant une enquête sur les fautes graves commises à son préjudice dans les services placés sous son contrôle. « Les résultats de cette enquête qui ne pouvait m'être refusée ne m'ont pas encore été communiqués, mais je crois savoir qu'ils justifient pleinement la révision que je sollicite. Monsieur le ministre de la Guerre, à qui ma demande sera certainement communiquée, ne manquera pas au surplus de vous faire connaître les résultats de l'enquête à laquelle il s'est livré à la suite de ma requête du 21 avril 1903 [309]. »

« Outre les résultats décisifs de cette enquête », ajoutait-il, la révision se trouvait justifiée par les faits suivants : les faux témoignages de Cernuscki, Savignaud et Gribelin présentés à Rennes, les pièces altérées du grand dossier secret dont il avait été fait état contre lui et incluant le bordereau « annoté » – « ceux qui en ont fait usage contre moi ne [pouvant] d'ailleurs en ignorer la fausseté ». Sur cette pièce, l'empereur aurait porté en marge une annotation de sa main : « Ce canaille de Dreyfus devient trop exigeant [310]. » Certains journaux, comme nous l'avons vu, avaient proclamé qu'une communication avait été faite de cette pièce aux juges de Rennes. Puis venaient les témoignages recueillis depuis le procès de Rennes auprès des attachés militaires allemand et italien soulignant qu'ils n'avaient jamais eu de relations avec lui. « Le colonel Schwartzkoppen et le colonel Panizzardi, qui auraient été d'après l'accusation les agents de l'étranger auxquels je livrais des documents secrets, ont reconnu tous deux n'avoir eu aucun rapport avec moi. » Outre les attestations nouvelles, Alfred Dreyfus rappela le télégramme Panizzardi, « le télégramme dont il a été si souvent question aux débats [et qui] aurait été décisif sur l'esprit des juges de Rennes si l'accusation n'avait pas essayé par des moyens illicites d'en fausser la traduction [311] ».

« Ma condamnation, si péniblement arrachée à des juges dont les doutes s'exprimaient sous forme de circonstances atténuantes, est donc le produit du faux et du mensonge. Je demande donc la révision de mon procès, parce qu'il me faut tout mon honneur, pour mes enfants et pour moi, parce que je n'ai jamais manqué à aucun de mes devoirs de soldat et de Français », concluait-il au terme de sa requête en révision. Elle fut entendue. La réhabilitation commençait officiellement.

Et Dreyfus en fut l'un des acteurs clefs comme il en avait été, de manière décisive, à l'origine.

## Le sens des événements

Les événements de 1903 démontrèrent que les conditions de la réhabilitation future passaient effectivement par un affrontement résolu avec les nationalistes. Ceux-ci dénonçaient à l'avance toute tentative de relance de l'Affaire, puisqu'ils menaçaient les hommes politiques ou les responsables gouvernementaux, confrontés au risque d'être assimilés au « ministère Dreyfus », nouvel avatar de l'accusation rituelle d'appartenance au « syndicat ». La campagne de l'Action française, ancrée dans la référence permanente à l'affaire Dreyfus, l'affiche du « ministère de l'étranger » de Gabriel Syveton, ou l'avertissement d'Henri Rochefort dans L'Intransigeant avaient pour fonction d'intimider ceux qui oseraient repenser à Dreyfus.

L'éditorial de Rochefort du 7 août 1902 peut être restitué dans son intégralité afin de rappeler le contexte dans lequel agissaient Dreyfus et ses derniers défenseurs. Tout effort pour ramener l'intérêt de l'opinion et du politique sur ce drame irrésolu suscitait les plus vives attaques et la réédition violente des légendes de sa culpabilité :

C'est surtout à propos de l'affaire Dreyfus qu'on peut répéter : « Plus ça change, plus c'est la même chose. » Le traître a beau avoir été condamné deux fois par deux conseils de guerre différents, avoir fait, le jour même de sa dégradation, des aveux au commandant d'Attel, qui est mort, et au capitaine Lebrun-Renault, qui est bien vivant et a même, pour les avoir affirmés devant les juges de Paris et de Rennes, été envoyé en disgrâce au fond d'une province ; il a beau avoir demandé sa grâce, ce que fait souvent un coupable, et jamais un innocent, et présenté dans ses deux procès une défense qui suait le crime, les snobs, les imbéciles ou les chambardeurs qui se sont attelés à la réhabilitation du misérable continuent imperturbablement leur campagne.

Ce youpin, roublard comme tous ceux de sa race, a cru devoir s'appuyer sur un mot qu'aurait prononcé le général de Galliffet, pour adresser à son ami Ranc – qu'il ne trouve probablement pas assez compromis – une lettre où il se défend d'avoir espionné au profit de la Russie, alors qu'il a été condamné pour avoir espionné au profit de l'Allemagne.

Cette façon de rompre les chiens, en créant d'inertes quiproquos, est peut-être suffisante pour l'ancien caïman blackboulé qu'est ce pauvre vieux Ranc. Elle ne modifiera en quoi que ce soit l'opinion publique à l'égard du forçat de l'île du Diable.

Il n'en est pas moins évident qu'avec sa persévérance et son acharnement ordinaires, le parti israélite essaye, pour la dixième fois, de galvaniser ce cadavre, sur lequel le dégoût public a jeté une poignée de cendres comme sur les excréments qu'on emporte ensuite sur une pelle.

Voilà-t-il pas qu'un nommé Havet écrit à Jaurès une lettre où il s'efforce de faire de leur Dreyfus une sorte de gracié malgré lui, ou tout au moins un gracié par persuasion ! Le boniment de cet Havet, qui est de l'Institut, se compose d'ailleurs d'un salmigondis de phrases entortillées dans un tel enchevêtrement de démonstrations contradictoires que tout y est absolument incompréhensible.

Ainsi, dès la première ligne de son plaidoyer, Havet nie que son client Dreyfus ait signé un recours en grâce ; et, à la quarante-huitième ligne, il déclare que le cabinet Waldeck-Rousseau « a négocié pour obtenir cette signature ». Ce ne doit pas être comme professeur de logique que cet incohérent Havet est entré à l'Institut. Mais l'effronterie de ce fumiste, qui ose encore parler de l'innocence d'un scélérat qui a, maintes fois, avoué son crime, a évidemment, de la part du sieur Havet, un autre but que le plaisir de se rendre ridicule.

Dreyfus était l'espion personnel de Guillaume II, auquel il adressait directement ses rapports, et l'empereur d'Allemagne a toujours considéré comme une quasi-offense personnelle l'arrestation et la condamnation du hideux Juif qui lui rendait de si importants services.

Or c'est afin de tâcher de faire remettre l'Affaire sur le tapis que Waldeck a reçu de Berlin l'ordre de se trouver dans le port danois où le yacht impérial se rencontrerait fortuitement avec le sien. L'entrevue avait été négociée par un principicule connu pour son dreyfusisme aigu, et qui avait offert au traître un de ses châteaux pour s'y remettre des douleurs de la captivité [le prince de Monaco].

Un journal de Francfort, dont j'ai oublié le titre, mais qu'on retrouverait facilement, a publié les détails de la rencontre le jour même où elle avait lieu. La connivence n'est donc pas niable. Eh bien ! entre l'empereur d'Allemagne et Waldeck il n'a été question que de Dreyfus et des moyens de rendre à ce sacripant, sinon son grade, au moins juridiquement l'honneur qu'il a si totalement perdu.

Waldeck-Rousseau, dont la vie n'est qu'une longue imposture, a donc menti en attribuant au hasard sa réception à bord du vaisseau allemand, et il a menti encore en faisant dire par les agences qu'aucune question politique n'avait été agitée entre Guillaume et lui.

C'est à la suite des promesses faites par celui-ci que Dreyfus a prié son ami Ranc de le rappeler au souvenir des foules, et c'est au retour de l'invité de l'empereur qu'il faut attribuer cette phrase du factum du nommé Havet : « L'Affaire n'est pas si éteinte que M. de Galliffet se le figure. »

Si elle n'est pas encore éteinte, je ne crois pas que le blackboulé Ranc et le logicien Havet soient de force à la rallumer [312].

Les nationalistes pariaient sur leur capacité d'intimidation pour réduire à néant les efforts en vue de la réhabilitation du capitaine Dreyfus. Seule une riposte déterminée pouvait permettre de créer les conditions favorables à une reprise de l'Affaire. Mais Dreyfus et ses défenseurs menaient un combat de type judiciaire. Or, avant que celui-ci ne triomphât, il fallait franchir l'obstacle politique dressé par les nationalistes. En d'autres termes, il fallait assumer le lien entre Dreyfus et la République, défendre l'un en défendant l'autre et réciproquement. Puisque les nationalistes posaient des ultimatums, il fallait leur répondre afin de s'en dégager et d'ouvrir la voie à la justice. Jaurès se chargea de cette tâche, comme on l'a vu. Sa riposte aux incessantes attaques nationalistes les laissa durablement sonnés par l'offensive. Les événements de 1903 avaient aussi une seconde signification. Une volonté politique pleinement assumée avait donc permis de relancer la procédure de révision. La justice n'était pas seulement affaire de procédure, de jugements et d'arrêts, elle était aussi une volonté à laquelle se devait le politique, dans une perspective démocratique tout au moins.

Le retour de l'affaire Dreyfus sur la scène judiciaire, avec pour horizon la réhabilitation de l'officier plus de dix années après sa première condamnation, devait beaucoup à Dreyfus lui-même. On l'a vu très actif, très déterminé dans la recherche des informations susceptibles de constituer un fait nouveau solide, point de départ obligé d'une procédure de révision du procès de Rennes. Dreyfus comprit qu'il était indispensable de produire un dossier très étayé dont il se fit l'acteur avec ses proches. Ensuite, il fallait cette décision politique, que Jaurès obtint du gouvernement du bloc des gauches, mais en complet accord avec lui et pour sa cause. Il n'instrumentalisa son sort individuel qu'à condition d'en poursuivre la réparation autant que la lutte contre les nationalistes. Dreyfus adhéra à ce projet. Sa confiance en Jaurès était entière, celle de Jaurès pour lui l'était autant. Le procès de Rennes lui avait montré que le combat judiciaire ne suffisait pas. Tous les éléments de droit et de vérité avaient été réunis devant le conseil de guerre pour qu'il débouchât sur un acquittement. Le contraire en sortit. Aussi convenait-il de protéger la justice de cette emprise nationaliste qui avait été si forte à Rennes. Dreyfus soutint Jaurès dans son entreprise, de la même manière que, une fois la révision lancée, il fut à l'avant-garde de sa défense.

Dreyfus avait déjà prouvé sa volonté d'initiative en demandant officiellement au ministre de la Guerre, par sa lettre du 21 avril 1903 [313], le lancement de l'enquête promise à la fin des débats. Or rien n'avait été encore fait par le général André. Le gouvernement craignait des interpellations qui auraient pu le mettre en difficulté. Comme Jaurès, il savait que l'enquête serait décisive pour mettre les faits nouveaux en forme définitive afin de convaincre le garde des Sceaux puis la Cour de cassation. Mais Jaurès avait conseillé d'attendre et de ne pas brusquer le gouvernement [314] tandis que Dreyfus voulait l'inciter à démarrer cette enquête dans les archives de l'État-major le plus rapidement possible. Joseph Reinach quant à lui estimait que les faits que lui-même avait pu réunir étaient suffisants pour motiver une demande de révision. Dreyfus et son avocat savaient que ce serait un échec. Ils continuaient alors de faire pression dans le sens de l'enquête. Finalement, l'effort fut payant, et l'enquête commença au début de l'été 1903, après le départ des Chambres pour les vacances parlementaires : il n'y avait plus de risque d'interpellation. Dreyfus put dire dans ses *Carnets* qu'il anima « le levier qui déclencha la mise en marche de l'enquête [315] ». Lorsqu'elle commença au début de l'été, il adressa d'importantes recommandations à Jaurès et Auguste Delpech « pour leur dire encore que, si l'enquête n'était pas énergiquement et intelligemment conduite, elle n'aboutirait pas [316] ».

Lorsqu'elle fut terminée, Dreyfus fut également très actif pour passer du stade administratif à l'étape judiciaire. Le 19 octobre 1903, le dossier du capitaine Targe avait bien été transmis par le ministre de la Guerre au chef du gouvernement. Mais celui-ci tergiversait. À chaque Conseil des ministres, le général André demandait en vain sa transmission au garde des Sceaux. Un mois plus tard, Dreyfus put dîner avec deux députés, Eugène Étienne, futur ministre de la Guerre, et Gaston Thomson. « Cette rencontre fortuite eut les plus heureuses conséquences, grâce à leur dévouement. » Par une présentation élaborée de la situation, Dreyfus parvint une nouvelle fois à sortir son affaire de l'enlisement. La solution qu'il proposa fut retenue par le gouvernement qui demanda qu'il fît lui-même la demande de révision.

Je leur exposai, en effet, dans quelle situation pouvait se mettre le gouvernement par cette attente prolongée pour livrer les résultats de l'enquête du ministre de la Guerre et que rien ne justifiait. Il pouvait se produire, à la Chambre des députés, une interpellation pour demander au général André si, comme le bruit en circulait, il avait fait une enquête relative à l'affaire. Le gouvernement pourrait alors se trouver dans une situation embarrassante pour répondre, tandis que, s'il prenait l'initiative, il pourrait répondre qu'il était resté dans la voie judiciaire, se conformant ainsi au vote de la Chambre. Il n'y avait pour cela qu'à transmettre le dossier de l'enquête au ministre de la Justice qui, suivant les voies normales, en communiquerait les résultats à Me Mornard. Si mon défenseur estimait alors qu'il y avait lieu à la révision, deux solutions se présentaient qui étaient également bonnes : ou le gouvernement demanderait lui-même la révision, ou j'adresserais une demande de révision au garde des Sceaux. MM. Étienne et Thomson trouvèrent mes observations justes, et M. Thomson me promit d'exposer, en leur nom ces vues au président du Conseil des ministres, M. Combes [317].

Le 25 novembre 1903 au matin, le capitaine Dreyfus apprit par son avocat que ses conseils avaient été entendus et que Combes avait préféré qu'il fasse lui-même la demande de révision afin de couvrir le gouvernement en cas d'interpellation à la Chambre. Thomson avait été chargé de communiquer cet avis à Me Mornard, et de lui faire un résumé des résultats de l'enquête du capitaine Targe. Sur cette base, Alfred Dreyfus et son avocat purent rédiger, le jour même, la requête en révision de l'arrêt du conseil de guerre de Rennes, qui était déposée sur le bureau du garde des Sceaux.

## L'attente de la vérité

Dreyfus avait permis ainsi de débloquer une situation politico-judiciaire qui risquait de retarder voire d'interrompre la marche vers la réhabilitation. Prenant en charge son destin, il l'avait mené jusqu'aux portes de la justice des hommes dont il attendait encore tout. Renonçant à l'hypothèse d'un renvoi devant un troisième conseil de guerre, il fondait ses espoirs sur la capacité de la Cour de cassation de casser son jugement sans renvoi et donc de proclamer définitivement son innocence. La loi sur la révision de 1895, transcrite notamment dans le code d'instruction criminelle par l'article 445, autorisait cette procédure : « Si l'annulation prononcée à l'égard d'un condamné vivant ne laisse rien subsister qui puisse être qualifié crime ou délit, aucun renvoi ne sera prononcé[318]. » Or Georges Clemenceau menait déjà campagne pour le renvoi, estimant que seul un conseil de guerre pouvait défaire ce qu'un premier conseil de guerre avait jugé. La justice était à ce prix. Clemenceau réglait aussi ses comptes à propos de la grâce, alors même qu'il avait été présent le soir de la décision au ministère du Commerce et qu'il avait donné son accord[319]. Jaurès soutint encore Dreyfus. « Il désapprouva la campagne de Clemenceau et m'approuva entièrement. S'il fallait aller devant un nouveau conseil de guerre, on irait crânement, mais après tout ce qui avait été dit, écrit, pensé des conseils de guerre, en demander un, ce serait une humiliation, une abdication[320] », écrivit Dreyfus. Jaurès répondit à Clemenceau le 5 décembre 1903 par un article de *La Petite République* :

> Et pourquoi se prononcer dès maintenant sur la marche de la procédure ? Nous ne savons qu'une chose : c'est qu'il faut que la vérité soit connue ; c'est que le devoir de la Cour de cassation, comme l'intérêt suprême de l'innocent condamné, sera de pousser l'enquête jusqu'à ce que toutes les obscurités aient été dissipées. [...]
> Mais comment décider d'avance, avant que la Cour de cassation ait examiné l'affaire, si elle doit juger avec renvoi ou sans renvoi ? Et en dehors de la question juridique, comment assurer, avant l'ouverture du dossier, qu'il sera permis de faire crédit une troisième fois à la justice militaire ? Quoi ! même s'il apparaît qu'à Rennes l'esprit de caste a conduit les militaires à faire une fois de plus œuvre de faux, il faudra laisser à cet esprit de caste, en tout cas et *a priori*, le soin de prononcer le dernier mot ? Il me paraît imprudent d'ouvrir cette controverse[321].

Gabriel Monod écrivit à Clemenceau « une lettre très digne » qui parut dans *L'Aurore* du 8 décembre. Clemenceau lui répondit le lendemain « dans son article quotidien de *L'Aurore* et le traita très durement, sans justice et sans bienveillance[322] ». Cette action incessante de Clemenceau pesa sur le cours de la réhabilitation. Mais elle obligea Dreyfus, comme dans toute controverse, à préciser nettement et fortement ses choix. Il se renforça encore dans l'épreuve. Et ses proches amis se resserrèrent encore autour de lui observant la marche de la justice et la soutenant dans le respect de la loi.

CHAPITRE XV

# La marche de la justice

La procédure qui déboucha, le 12 juillet 1906, sur la proclamation solennelle de la Cour de cassation de la pleine et totale innocence du capitaine Dreyfus commença le 3 mars 1903 par l'ouverture des débats sur la recevabilité de la demande de révision du procès de Rennes. La décision des magistrats de la cour suprême d'ordonner une instruction supplémentaire permit de réaliser un exceptionnel travail de vérité que conclut par le droit l'arrêt du 12 juillet. En dépit de certaines lenteurs, la marche de la justice dans cette « troisième affaire Dreyfus » fut accomplie, et elle le fut pour la réparation morale des souffrances vécues par le capitaine, pour la restitution de cet honneur pour lequel il avait lutté depuis sa soudaine arrestation.

La Cour de cassation déploya des moyens considérables et une énergie humaine hors du commun pour mener à bien cette procédure qui impliquait de tout voir, de tout savoir et de tout comprendre. L'investissement fut sans précédent. L'histoire du capitaine Dreyfus rencontra là l'histoire la plus décisive de l'État et de la République. La réhabilitation de l'officier s'exprima dans un progrès sans équivalent du pouvoir démocratique de la justice : y furent affirmées la puissance de l'enquête et sa capacité à extraire la vérité des ténèbres, la primauté accordée à la personne et son destin par la décision d'innocenter définitivement le capitaine Dreyfus et de lui restituer son honneur, enfin la force inaliénable de l'État de droit confronté à la violence des foules et à l'arbitraire politique. Jamais l'arrêt à venir du 12 juillet 1906 n'aurait eu l'autorité historique et juridique qu'il possède sans l'instruction considérable et les longs débats qu'entreprit la Cour de cassation. Cette œuvre fut aussi une réponse à l'antisémitisme. Un homme attaqué pour ses origines et écrasé sous des systèmes de culpabilité sans précédent avait trouvé dans la plus haute justice la protection la plus élevée et la plus universelle.

## LA DÉCISION DE LA COUR DE CASSATION

Le 25 décembre 1903, le garde des Sceaux du gouvernement du bloc des gauches déféra au procureur général près la Cour de cassation le jugement de condamnation. C'était l'aboutissement de six mois d'enquête au ministère de la Guerre, mais aussi de procédures légales et d'hésitations plus politiques. Le 5 mars 1904, après trois jours d'audiences solennelles, la Cour de cassation déclara que la demande était recevable et qu'elle allait procéder à une « instruction supplémentaire ». Celle-ci allait être la plus importante jamais menée sur un fait judiciaire, comme y insistèrent toutes les chambres réunies en audience solennelle à partir du 15 juin 1906 pour proclamer l'innocence de Dreyfus. Tout fut passé au crible de l'enquête judiciaire et « rien ne rest[a] debout » de « l'accusation portée contre Dreyfus ». Le point de départ de cette réhabilitation historique qui démontra la puissance de l'idéal devant la logique habituelle de liquidation des grandes affaires de ce type fut la requête en révision du 26 novembre 1903 [1].

### La demande en révision du capitaine Dreyfus

La demande de révision déclencha donc le processus officiel de réhabilitation, plus de trois années après le jugement de Rennes. Le gouvernement annonça, le lendemain 27 novembre 1903, qu'il acceptait la demande et que le ministre de la Justice transmettait à M. Durand, conseiller à la Cour de cassation et président de la commission de révision, les résultats de l'enquête du ministre de la Guerre. Le droit de révision appartenait, selon l'article 444 du code d'instruction criminelle, au ministre de la Justice seul « lorsque, après une condamnation, un fait viendra se produire ou à se révéler, ou lorsque des pièces inconnues lors des débats seront présentées, de nature à établir l'innocence du condamné ». Dans ce cas, le ministre « statuera après avoir pris l'avis d'une commission composée des directeurs de son ministère et de trois magistrats de la Cour de cassation annuellement désignés par elle et pris en dehors de la chambre criminelle ».

À l'appui de la requête en révision, Me Mornard déposa ses conclusions. Dreyfus avait participé à leur rédaction, comme à tous les actes qui marquèrent la longue procédure de réhabilitation. Il était lui-même son premier défenseur, l'avocat de son innocence. Ces conclusions démontraient « que les trois chefs principaux auxquels se ramène l'argumentation de l'accusation reposaient tous trois sur des documents falsifiés, sur des faux témoignages et sur des fraudes accumulées », et qu'en outre il est établi que « d'autres fraudes ont encore été commises ». Mornard les énuméra. Leur choix démontrait une volonté de prendre l'affaire Dreyfus dans toutes ses dimensions.

L'affaire des cours manquants de l'École de guerre saisis au domicile de Dreyfus après son arrestation formait le premier ensemble. Le commandant Rollin et le capitaine Cuignet avaient affirmé, dans un procès-verbal du 20 novembre 1899, qui constituait la pièce n° 32 du grand dossier secret, que certains fascicules étaient absents. Cette affirmation avait servi de base à une accusation formulée dans le même procès-verbal : le capitaine Dreyfus aurait livré ces cours manquants à Schwartzkoppen. Or le procès-verbal de saisie dressé au moment de la perquisition par le commandant du Paty de Clam et l'archiviste Gribelin ne faisait état d'aucun manque, ni de fascicules ni de pages. L'accusation reposait ici encore, sur une fraude. De plus, il fut constaté par le capitaine Targe, que les cours qui avaient été remis frauduleusement au lieutenant-colonel von Schwartzkoppen étaient ceux de 1893-1894 alors qu'à cette époque Dreyfus finissait son stage à l'État-major de l'armée. Il n'était détenteur que des cours de 1890-1892 et il n'y avait pas, de surcroît, de disparitions constatées dans sa collection. L'accusation était mensongère.

Les conclusions s'appuyèrent aussi sur d'autres fraudes et d'autres faux qui furent développés contre le lieutenant-colonel Picquart à partir du jour où il avait démasqué Esterhazy. « Des faux témoins avaient été recrutés contre le colonel Picquart. [...] Le témoin Savignaud, appelé à Rennes pour attester de louches relations entre le colonel Picquart et M. le sénateur Scheurer-Kestner, a fait une déposition manifestement contraire à la vérité, ainsi qu'il appert d'une correspondance de M. Scheurer-Kestner et de Mᵉ Leblois en date d'août et septembre 1897². »

Enfin, les conclusions soulignaient les éléments de culpabilité existant contre Esterhazy et les conséquences de la collusion : « Les actes dolosifs et criminels auxquels se sont livrés certains officiers pour sauver Esterhazy, en lui substituant Dreyfus, ont eu pour résultat (voulu ou non) de prolonger pendant plusieurs années le trafic d'Esterhazy. » Aussi, soulignait-il, « une enquête s'impose à tous égards, au point de vue de l'intérêt public comme au point de vue de l'instruction de l'affaire pendante devant la Cour. [...] Il est en effet nécessaire, en faisant la pleine lumière sur les agissements qui ont trompé la justice militaire, de dégager l'armée nationale de toute solidarité compromettante avec certains officiers qui, sous le couvert de passions aveugles, sont descendus jusqu'au crime ». Par tous ces motifs, Mᵉ Mornard déclarait la demande de révision recevable et demandait qu'il fût procédé par la Cour à une instruction supplémentaire³. Mornard joignait à ses conclusions plusieurs pièces dont les témoignages étrangers sur l'innocence de son client et la sténographie intégrale des débats de la Chambre des députés des 6 et 7 avril 1903. Cette dernière fut annexée au volume des débats de la Cour de cassation de 1904, ainsi que la correspondance de Scheurer-Kestner et de Leblois échangée entre août et octobre 1897 et qu'avait publiée *Le Siècle* du 7 au 10 mai 1901.

La commission de révision qui devait étudier la demande du capitaine Dreyfus afin de transmettre un avis au garde des Sceaux était à cette date composée de trois conseillers à la Cour de cassation[4] et de trois directeurs du ministère de la Justice[5]. Elle se réunit le 24 décembre 1903 pour entendre la lecture du rapport de Mercier, rapporteur de la commission. Elle émit, à l'unanimité, un avis favorable à la révision du verdict de Rennes. Gaston Moch, qui était de la même promotion que Dreyfus à l'École polytechnique et très lié avec Dupré, membre de la commission de révision, lui transmit les renseignements suivants :

Épatement général de la commission à la vue de tant de faux. Sans l'amnistie, Mercier et Gonse seraient arrêtés dès aujourd'hui. Grande impression produite par l'exposé de Targe. Grand effet produit notamment par certaine pièce de 1895, datée faussement de 1894[6].

Des faits exposés par Dreyfus et par le général André, seuls deux furent retenus par la commission de révision pour conseiller au ministre de la Justice de déférer à la chambre criminelle le jugement rendu par le conseil de guerre de Rennes et d'en requérir la révision. Il s'agit du faux de « l'initiale D » utilisé contre Dreyfus lors du procès de Rennes et du faux de la pièce dite du « chemin de fer » ; un troisième fait, les relations entre l'agent Val Carlos et la Section de statistique, fut laissé à l'appréciation de la Cour de cassation.

*Les travaux préalables de la justice*

Le 25 décembre 1903, le garde des Sceaux Ernest Vallé écrivit au procureur général une longue lettre qui exposait que deux faits « paraissent de nature à établir l'innocence du condamné dans les conditions prévues par l'article 443, §4 du code d'instruction criminelle », c'est-à-dire deux pièces du dossier secret, l'une constituant un faux par « altération d'écriture[7] », l'autre un faux par modification de la date portée sur le document. « Il a été fait usage de ce faux contre Dreyfus devant le conseil de guerre de Rennes ; sa découverte me paraît donc constituer un fait nouveau d'une importance exceptionnelle et de nature à établir l'innocence du condamné[8]. » De plus, la Section de statistique avait menti sur le statut d'un agent informateur qui était « présenté comme un personnage considérable, d'une honorabilité parfaite, guidé principalement par son attachement à la France, n'acceptant que l'équivalent de ses déboursés et ne touchant pas de mensualités ». Ces allégations étaient fausses, comme l'avait montré le contrôleur général Crétin grâce à son expertise des archives du service de renseignement : travaillant dans le cadre de l'enquête du capitaine Targe, il avait montré le recours à des fabrications et altérations d'écriture[9].

« Il est donc permis de penser que les divers faits qui viennent d'être exposés, s'ils avaient été connus des juges du conseil de guerre de Rennes, auraient été susceptibles de modifier leur opinion sur le procès », expliqua encore le garde des Sceaux qui décida alors de saisir la Cour de cassation et de lui transmettre le dossier de la procédure suivie à Rennes, les procès-verbaux et les annexes de l'enquête menée depuis au ministère de la Guerre, la requête en révision d'Alfred Dreyfus. Et il chargea officiellement le procureur général de la Cour de cassation de requérir la révision du verdict de Rennes.

Le procureur général commença à étudier le dossier, période à l'issue de laquelle il rédigea un long réquisitoire imprimé et distribué aux membres de la chambre criminelle. De leur côté, Alfred Dreyfus et son avocat travaillèrent beaucoup. Mornard rédigea de nouvelles et importantes conclusions au nom de son client, tandis que Dreyfus lui-même commença une étude critique très fouillée du procès de Rennes. Ce travail montra la connaissance parfaite qu'il avait de son dossier et sa volonté de parvenir à une complète réhabilitation fondée sur un acte de justice aussi bien que de vérité.

Manuel Baudouin, qui avait remplacé Laferrière, écrivit son réquisitoire en moins d'un mois, du 25 décembre 1903 au 17 janvier 1904. Ce texte fut imprimé. Un exemplaire fut remis à chacun des membres de la chambre criminelle. Après un historique très précis de l'ensemble du dossier Dreyfus, sur près de cinquante pages, le procureur général ne retint pas comme faits nouveaux motivant un supplément d'enquête les possibles faux témoignages de Gribelin contre Picquart (en 1898)[10]. Il déclara en revanche que la pièce n° 371 était bien « un fait nouveau rentrant exactement dans les termes de l'article 443, §4 du code d'instruction criminelle » et que la découverte de la pièce n° 26 constituait également « un fait nouveau de la plus haute gravité ». Il écarta les autres découvertes opérées par les dreyfusards (témoignages Cernuszki et Savignaud, bordereau « annoté », déclarations de Schwartzkoppen). Il concluait à la recevabilité de la demande de révision, à la cassation de l'arrêt de Rennes et à un supplément d'information si la cour le jugeait nécessaire. Il exposa :

Alfred Dreyfus a été condamné, le 9 septembre 1899, par le conseil de guerre de Rennes, à raison d'un ensemble de charges dont aucune ne semble résister à l'examen (ce qui ne serait pas suffisant pour autoriser la révision), mais aussi sur la production de pièces qui, postérieurement à la condamnation, ont été reconnues fausses et dont la falsification a eu pour but, tant de créer contre l'accusé des charges directes qui ont été invoquées contre lui que d'infirmer l'autorité des témoins à décharge dont il pouvait invoquer les dépositions.

Nous estimons que la découverte de ces faux constitue un fait nouveau de nature à établir l'innocence d'Alfred Dreyfus, qui a été condamné par suite de ces manœuvres ignorées du conseil de guerre, et nous sommes convaincus que la Cour de cassation fera droit à nos réquisitions, tendant, sur l'ordre de M. le garde des Sceaux, à la révision du jugement, et que son arrêt saura préparer le triomphe définitif de la vérité et de la justice qui, pour être parfois voilées ou méconnues, par suite de l'infirmité de l'esprit humain, ne meurent du moins jamais.

Manuel Baudouin ne se prononça pas sur la cassation sans renvoi. En revanche, il requit l'annulation sur le fond du jugement de Rennes et ordonna « un supplément d'information » si la Cour de cassation le jugeait nécessaire. A son réquisitoire furent annexés, outre le dossier de la procédure de Rennes, la requête en révision d'Alfred Dreyfus, le rapport du ministre de la Guerre au président du Conseil, en date du 19 octobre 1903, les conclusions de M\ue Mornard au nom de son client et le long mémoire que Dreyfus avait rédigé sur le bordereau.

Les conclusions d'Henry Mornard destinées à motiver le supplément d'enquête demandé par le procureur général avaient été déposées le 30 janvier 1904. L'avocat s'appuyait notamment, dans sa discussion du bordereau, sur la batterie d'expertises des savants, de Poincaré et Painlevé aux professeurs de l'École des chartes [11].

> Alfred Dreyfus a décidé de renoncer à toute indemnité. Seul son honneur compte. Ce serait l'amoindrir.
> Soldat avant tout, le capitaine Dreyfus estime qu'ayant consacré sa vie à sa patrie, celle-ci a pu disposer de lui et lui infliger des douleurs imméritées. Il a supporté toutes les angoisses, toutes les misères de l'île du Diable, comme il eût supporté toutes les souffrances d'une campagne atroce.
> Arrivé au terme de cette lutte épouvantable, le capitaine Dreyfus, en soldat qui a loyalement fait son devoir, et qui toujours l'accomplit simplement, repousse l'indemnité qui lui est due, et ne veut que son honneur.
> L'arrêt de révision doit proclamer que son honneur est intact, que toujours depuis 1894 son nom devait continuer à figurer aux contrôles de l'armée, parmi ceux de nos officiers les plus dignes de l'estime des chefs et de la confiance de la patrie.
> Le capitaine Dreyfus ne veut pas autre chose ; et l'on ne peut que rendre hommage à cette haute conception des devoirs et de la dignité du soldat.

En revanche, pour que la décision de justice lui rendant son honneur soit connue, Dreyfus demanda que la Cour ordonnât l'affichage de son arrêt dans toutes les communes de France et son insertion au *Journal officiel* et dans cent journaux. Les conseillers de la Cour de cassation, ainsi que le rapporteur Boyer [12], chargé du dossier à la chambre criminelle, reçurent toute cette documentation – dont le premier mémoire du capitaine Dreyfus pour cette seconde révision.

## Le premier mémoire d'Alfred Dreyfus

Dreyfus n'avait cessé, depuis son arrestation, de travailler à sa défense. On se souvient notamment de la note qu'il rédigea en plein procès de 1894 à l'intention de son avocat [13]. Dans ses lettres de prison et de l'île du Diable à sa femme et à son frère, il continua de réfléchir à toutes les hypothèses et à tous les moyens de parvenir à la vérité.

Il aurait souhaité approfondir sa connaissance du dossier par l'étude minutieuse du texte du bordereau, mais le directeur du bagne de l'île de Ré avait saisi la copie qu'il avait cachée imprudemment dans la doublure d'un gilet [14]. Il aurait voulu aussi étudier tous les cas de révision, mais l'accès au code d'instruction criminelle lui fut refusé. Il n'eut même pas connaissance de la nouvelle loi sur la révision. De retour en France, il tenta de rattraper le temps perdu. Il établit notamment la critique du rapport de d'Ormescheville, l'acte d'accusation de 1894 [15]. Il eut une prescience de ce qu'allaient donner les débats puisque le procès de Rennes retourna vers les premières accusations alors même que le jugement de 1894 avait été cassé. Puis, de fin 1899 à fin 1903, Dreyfus multiplia les études et les requêtes en vue de sa réhabilitation. Il était donc armé pour écrire le texte de quarante pages intitulé « Mémoire à l'appui de ma demande en révision introduite contre le jugement du conseil de guerre de Rennes, prononcé le 9 septembre 1899 [16] » et qu'il remit à l'appui de sa requête et des conclusions de son avocat le 1er février 1904.

Résumant tout son dossier, établissant son innocence et la culpabilité d'Esterhazy, il analysa les faits nouveaux qui « rendaient son innocence plus éclatante encore [17] ». Il avait pu bénéficier pour cette rédaction de la copie de l'enquête du capitaine Targe obtenue, il ne savait comment, par l'avocat Leblois. « Il me rendit aussi un réel service, car ce rapport, que je n'avais connu qu'après la commission de révision, c'est-à-dire au moment où le dossier eut été transmis à la Cour de cassation, me permit de compléter aussitôt le mémoire que j'établissais pour être présenté à la Cour à l'appui de ma demande en révision [18]. »

Dreyfus avait pu bénéficier aussi du rapport Wattinne dressé en mai 1898 au ministère de la Guerre, substitut du procureur de la République et gendre du général Billot, alors ministre [19], et remis par Jaurès. Effectuant une période militaire, le magistrat avait été chargé du récolement des pièces du grand dossier secret. Il l'avait en réalité perfectionné [20]. Pour établir son mémoire, Dreyfus relut tout le procès de Rennes et compara la méthode de la justice avec celle de la Cour de cassation, plus proche de l'instruction intellectuelle à laquelle concourt l'esprit scientifique :

> Je fus encore une fois frappé de l'impuissance qu'avait témoignée la défense. Il est vrai qu'il avait été impossible de réfuter aussitôt, sans recherche dans les documents souvent secrets ou encore au ministère de la Guerre, les affirmations audacieusement mensongères des témoins de l'accusation. En outre, entre la parole des généraux accusateurs et celle des témoins de la défense, les juges n'avaient pas hésité : la vérité avait été pesée au nombre des galons. Au contraire, une enquête comme celle à laquelle allait se livrer la Cour de cassation, basée sur des pièces dont on

exigerait la production, dans laquelle toutes les informations des témoins pourraient être contrôlées, devait mettre en lumière les mensonges de l'accusation, comme j'étais déjà en mesure de le faire dans mon mémoire pour un certain nombre d'entre eux. Ceci me prouva une fois de plus que des débats uniquement oraux et entre des hommes de positions si différentes hiérarchiquement n'entraînent pas la lumière [21].

Alfred Dreyfus produisit dans son mémoire une véritable démonstration de l'ensemble de son innocence, et pas seulement une contribution à la nouvelle procédure de révision. Tout son destin depuis le 15 octobre 1894 était pris en compte, là, dans ce texte capital. « J'examinerai d'abord, dans ce mémoire, le procès de 1899. Je résumerai simplement les preuves, acquises à ce jour, de mon innocence et du crime d'Esterhazy qui m'a été imputé. Je laisserai parler les faits. Enfin, je donnerai les faits nouveaux depuis le procès de Rennes qui motivent l'enquête et la révision, et qui rendent mon innocence plus éclatante encore [22]. »

Il fixa de manière méthodique la vanité de l'accusation de haute trahison portée contre lui sur la base du bordereau. Il n'avait pas fourni les documents mentionnés dans le bordereau. De plus, il ne possédait aucun mobile pour trahir [23]. Puis il réalisa un « examen technique » du principal document. Il montra qu'il ne pouvait être la personne qui avait écrit le bordereau. Il était officier d'artillerie, breveté d'état-major et stagiaire ; il n'aurait pas pu fournir les documents mentionnés par le bordereau. Aucune des phrases contenues dans le bordereau ne pouvait s'appliquer à lui. Il s'efforça notamment de réfuter la possibilité d'avoir écrit : « Je pars en manœuvres », comme cela avait déjà été établi par plusieurs témoins au procès de Rennes, dont son camarade Fonds-Lamothe.

Patiemment, il reprenait terme à terme le contenu de l'accusation imaginée à partir du bordereau et la démolissait. Il conduisit ensuite un « examen matériel du bordereau », en s'intéressant à l'étude de l'écriture, du papier et du style. Il montra qu'il ne pouvait pas en être l'auteur. Il considéra toutes les charges pour mieux les détruire. Concernant les expertises graphiques, il insista sur l'importance et la qualité de celles à décharge. L'accusation fut annulée par un ensemble d'experts indépendants qui « tous ont reconnu, dans le bordereau, l'écriture normale d'Esterhazy ».

Dans le procès Zola, en 1898, les paléographes les plus autorisés sont venus apporter à la justice, sous la foi du serment, la contradiction la plus absolue à l'opinion de 1894. [...]
Trois experts, commis par la Cour de cassation, en 1899, MM. Paul Meyer, membre de l'Institut, professeur au Collège de France et directeur de l'École des chartes ; Auguste Molinier, professeur à l'École des chartes ; [Arthur] Giry, membre de l'Institut et professeur à l'École des hautes-études,

ont comparé le bordereau à la fois à mon écriture et à celle d'Esterhazy, et ont conclu, sans hésitation, qu'il était de l'écriture et de la main de celui-ci. Enfin M. Ballot-Beaupré, premier président de la Cour de cassation, rapporteur en 1899 devant les chambres réunies, a déclaré dans son rapport qu'après un examen approfondi il a acquis la conviction que le bordereau a été écrit par Esterhazy.

Les trois experts, MM. Meyer, Molinier et Giry, dont les noms suffisent à donner à leur opinion une autorité incontestable, sont venus renouveler leurs déclarations devant le conseil de guerre de Rennes.

L'affirmation de ces trois experts, que le bordereau est de la main aussi bien que de l'écriture d'Esterhazy, et que nul autre au monde que lui n'a pu l'écrire, ne comporte de leur part aucune espèce de doute ni d'hésitation ; à cette affirmation, Charavay est venu donner son adhésion solennelle, malgré l'avis contraire exprimé par lui en 1894[24].

Pour Dreyfus, il ne convenait pas seulement de prouver son absence totale de relation avec le bordereau, qui n'avait aucun lien intellectuel ni matériel avec sa personne. Il lui était nécessaire de démontrer la fausseté des « prétendus indices et griefs accessoires, frauduleusement ajoutés à Rennes[25] ». Il fut là très déterminé, implacable même contre ses accusateurs. Les prétendus aveux furent « une pure invention » ; « la Cour de cassation a d'ailleurs admirablement dit, en déclarant dans son arrêt [de 1899] qu'il n'y a pas lieu de s'y arrêter ».

Concernant les pièces du premier dossier secret, et particulièrement la pièce « Ce canaille de D... », il écrivit : « Le général Mercier, qui avait déjà fait communiquer cette pièce secrètement aux juges de 1894, sur lesquels elle eut une influence décisive, persista à Rennes à vouloir m'appliquer cette pièce. Or l'enquête à laquelle s'est livré le ministre de la Guerre prouve non seulement que la pièce ne pouvait m'être appliquée à Rennes, mais qu'en me l'appliquant en 1894, on avait déjà commis un crime[26]. » Il releva des griefs accessoires dont la déposition Cernuscki, « faux témoignage », pour lequel il demanda à son tour une « enquête approfondie ».

Sa conclusion était à plusieurs niveaux, comme l'avait été l'ensemble de sa démonstration. « L'examen, tant du bordereau que de toutes les pièces du dossier secret et des témoignages, n'a pas permis de relever la moindre présomption contre moi ; il ne subsiste que la preuve formelle, absolue, de la culpabilité d'Esterhazy, résultant tant des éléments tangibles et visibles du bordereau que des éléments moraux[27]. »

Ce ne fut pas tout : « À cette discussion proprement dite du procès de Rennes, il convient d'ajouter les faits qui incriminent les auteurs de certains témoignages et les faits nouveaux qui ont été révélés depuis le procès de Rennes. » Il insista sur la responsabilité des « témoins dont les dépositions sont suspectes par suite d'affirmations volontairement mensongères ou inexactes ». Et de mentionner les témoignages de Gribelin, Cuignet et Rollin, du Paty de Clam. Il souligna pour ce dernier qu'il avait donné pas moins de trois versions successives de la scène de la dictée[28]. Il attaqua particulièrement les dépositions des généraux Gonse et Mercier. Il dressa même un véritable réquisitoire contre l'ancien ministre de la Guerre. Toutes les hypothèses qui ont pu être échafaudées sur l'existence d'un plan de l'État-major visant à intoxiquer les services allemands et pour lequel Dreyfus aurait été consentant furent ruinées par cette mise au point définitive :

1° Le général Mercier a commis une forfaiture en faisant remettre secrètement un dossier, inconnu de l'accusé et de la défense, au président du conseil de guerre de 1894, avec l'ordre « moral », mais formel, de le communiquer aux juges, ce qui a été fait.

2° La communication par le général Mercier d'un dossier secret aux juges de 1894 n'a pas été seulement une violation de la loi : parmi les pièces de ce dossier, dont aucune ne m'était applicable, il y avait la pièce « Ce canaille de D... » dont l'influence fut si grande. Or il a été prouvé par l'enquête du ministre de la Guerre qu'il y avait des livraisons de plans directeurs, dès *1892*, à une époque où j'étais à l'École de guerre, hors d'état d'avoir des plans directeurs, et qu'une autre pièce, portant également livraison des plans directeurs, et que le service de renseignement croit pouvoir dater de 1893, porte les initiales de « D. B. » Donc, dès 1894, il ne pouvait y avoir de doute sur l'inapplicabilité de cette pièce.

3° Pour présenter tous ces documents, dont aucun ne m'était applicable, au conseil de guerre, et en rendre l'effet plus certain, le général Mercier les avait fait accompagner d'un commentaire destiné à faire croire qu'ils se référeraient à moi. Comme ce commentaire devait être, dès qu'on connaîtrait les faits, la preuve de la fraude commise, et aussitôt qu'on a pu craindre qu'il mit ministère de l'Intérieur sur la trace de la vérité, le général Mercier le fit disparaître.

4° Au procès Zola, le général Mercier n'a pas craint de se parjurer, en affirmant non seulement sous la foi du serment, mais sur sa parole de soldat par-dessus le marché, que j'avais été *légalement* condamné, alors que c'était lui-même qui avait ordonné et fait commettre l'illégalité.

5° Le général Mercier, pour former des convictions, propagea la légende du faux appelé bordereau « annoté » qui pesa également sur la conscience de certains juges de Rennes.

6° Aux chambres réunies, le général Mercier chercha à surprendre la bonne foi du général Chamoin, chargé d'expliquer aux membres du conseil de guerre le dossier des pièces secrètes, en lui remettant, pour l'introduire dans ce dossier et le présenter comme en faisant partie, la traduction fausse de la dépêche Panizzardi. Cette traduction fausse avait été, dans ce but, reconstituée par du Paty. La supercherie fut découverte et le général Chamoin fut obligé de déclarer que cette traduction était un faux.

7° Devant le même conseil, le général Mercier a fait un faux témoignage en prétendant que la pièce sur l'organisation des chemins de fer avait été communiquée aux juges de 1894, alors qu'il est établi aujourd'hui que cette pièce n'est arrivée au ministère qu'en mars 1895[29].

Les accusations de Dreyfus étaient très graves. Mais elles étaient parfaitement étayées. La demande de justice et la recherche de l'honneur exigeaient de la vérité qu'elle embrassât aussi la révélation des crimes du général Mercier.

Alfred Dreyfus aborda enfin les faits nouveaux révélés depuis le procès de Rennes, dont le bordereau « annoté, un faux utilisé par le général Mercier pour faire des convictions [30] », et la dissimulation des assurances de Schwartzkoppen sur l'innocence de Dreyfus. « En résumé, conclut définitivement Dreyfus, les preuves se sont successivement accumulées qu'Esterhazy était le véritable traître en relations avec le colonel de Schwartzkoppen et spécialement l'auteur du bordereau. Je demande la révision de mon procès, parce qu'il me faut tout mon honneur, pour mes enfants et pour moi, parce que je n'ai jamais manqué à aucun de mes devoirs de soldat et de Français [31]. »

*Les débats sur la recevabilité de la révision*

À l'heure où s'ouvraient les débats sur la recevabilité de la demande en révision présentée par le capitaine Dreyfus, la Cour de cassation pouvait mesurer le moment historique qu'elle abordait. Elle allait non seulement pouvoir revenir sur le camouflet juridique que lui avait infligé le conseil de guerre de Rennes en méprisant le premier arrêt de révision, mais elle se plaçait aussi en situation de démontrer le pouvoir d'une action de droit et de vérité pour réparer une « monstrueuse erreur judiciaire » et clore une crise politique majeure. Elle se trouvait enfin devant le défi de juger par elle-même et définitivement, par application d'une disposition de la loi sur la révision jamais utilisée jusque-là et qui pourrait ouvrir un nouvel âge de la justice où la réparation deviendrait un principe aussi puissant que la répression.

La Cour de cassation n'avait pas utilisé la possibilité de la cassation sans renvoi en 1899. Sa prudence extrême l'avait desservie puisque son autorité avait été contestée par le conseil de guerre de Rennes et qu'une parodie de justice s'y était déroulée. Elle demeurait par ailleurs très insatisfaite de la justice tronquée de la grâce. Celle-ci avait à la fois confirmé l'amoindrissement de son pouvoir judiciaire et signifié qu'une affaire criminelle monumentale ne trouverait pas de conclusion dans un acte de justice. Saisie officiellement, la Cour savait qu'elle ouvrirait une procédure énorme dès lors qu'elle déclarerait recevable la demande en révision. En effet, elle ne pourrait valider son arrêt à venir que par l'enquête la plus large possible : celle-ci devrait produire une vérité incontestable et nécessiterait une méthode systématique d'enquête.

Des conseillers de la Cour de cassation qui avaient siégé en octobre 1898, il ne demeurait qu'Alphonse Bard, Dupré, Dumas, Boulloche, Duval, Laurent-Atthalin, Roullier. Les autres étaient Legris, Boyer, Garras, Bérard des Glajeux, Laborde, Pétitier, Berchon, Malapeyre.

Loew avait été remplacé à la tête de la chambre criminelle par Chambareaud, ancien ami de Gambetta et son collaborateur pendant la Défense nationale, l'un des magistrats les plus injuriés lors de la cassation du procès Zola. Les débats relatifs à la recevabilité de la demande de révision formulée par le garde des Sceaux et relayée par le procureur général s'ouvrirent le 3 mars 1904 en audience publique. « Enfin, je voyais poindre l'aurore du jour si impatiemment attendu, enfin je voyais approcher le moment où je serais délivré de cet abominable cauchemar dans lequel je vivais depuis dix ans », écrivit Dreyfus dans ses *Carnets* [32].

Le rapporteur Auguste Boyer [33] ne retint que la production des deux pièces n° 26 et n° 371. Mais, ces preuves émanant d'une enquête extérieure, celle du capitaine Targe, le magistrat proclama la nécessité d'ordonner un supplément d'information au cours duquel il appartiendrait « à la Cour d'étendre ses investigations à tous les faits dont la connaissance lui paraîtrait utile pour la manifestation de la vérité [34] ».

Le procureur général près la Cour de cassation, Manuel Baudouin, commença son réquisitoire en rappelant qu'il avait été, durant toute la durée de l'affaire Dreyfus, président du tribunal de la Seine et qu'il s'était toujours gardé des passions de cette affaire, pressentant qu'il pourrait être amené à y intervenir comme magistrat. Il considéra donc avoir abordé le dossier « en toute indépendance ». Il dénonça les accusations de partialité formulées dans la presse, notamment par *Le Gaulois* le jour même de son réquisitoire, le 3 mars 1904. Contre les armes de la calomnie, il déclara hautement : « "Calomniez, il en restera toujours quelque chose", a dit un personnage de comédie. Eh bien ! non, il ne restera rien de ceci que mon démenti catégorique et l'affirmation, à laquelle tout le monde croira, que je suis resté dans le plein exercice de ma fonction sans en jamais sortir [35]. »

Son ambition, clairement revendiquée, était de « placer dès la première heure sous vos yeux tous les éléments du débat ». Et ils apparurent comme accablants pour le fonctionnement de la justice militaire, inquiétants pour la garantie des justiciables, et enfin très démonstratifs pour l'innocence de Dreyfus. Il indiqua être parti au départ de la conviction que deux conseils de guerre ne pouvaient avoir condamné le même homme sans motif sérieux :

Aussi, messieurs, je vous l'avoue, le sentiment avec lequel j'ai abordé l'examen de l'affaire, c'est qu'une erreur judiciaire n'était pas vraisemblable et que très probablement j'allais, en feuilletant tout ce dossier, voir apparaître ces preuves irrécusables devant lesquelles tout le monde doit s'incliner.

Laissez-moi vous dire tout de suite, messieurs, ma stupeur croissante à mesure que mon examen se prolongeait. Une à une, toutes les charges qui avaient été invoquées s'amenuisaient, ne laissant place qu'à des suppositions sans consistance, qu'à des hypothèses que rien n'étayait et qu'à cette impression effrayante qu'il n'est pas un seul d'entre nous qui, à cette heure où chacun peut être appelé à faire partie de l'armée, ne puisse succomber sous une accusation ainsi menée, qu'il n'est pas un seul des officiers d'état-major de l'armée qui puisse se défendre contre une accusation ainsi formulée et accueillie de la sorte. Et quand, pour couronner l'œuvre, j'en suis venu à l'examen de ce dossier secret, dont on a fait tant état, qui était le palladium de l'accusation, quand j'ai pu considérer toutes ces pièces misérables qui ne valent que par le mystère dont on les a entourées pour les produire à la justice, ah ! je dis bien haut, je n'ai pu me défendre de la plus angoissante tristesse en songeant que l'honneur et la vie des hommes peuvent dépendre de telles aberrations et je me suis dit qu'il fallait que la justice dît son dernier mot sur cette affaire[36]. »

Le procureur général explicita les méthodes par lesquelles il était arrivé à sa conviction. « Dans l'étude que j'ai faite, messieurs, et dont j'ai consigné le résultat dans le réquisitoire imprimé que j'ai déposé sur le bureau de la Cour, et dont j'ai fait délivrer un exemplaire à chacun de vous, je me suis attaché à ne rien négliger de tous les arguments qui, de part et d'autre, ont été produits par l'accusation ou la défense ; je les ai confrontés les uns avec les autres ; j'affirme la rigoureuse exactitude de toutes les énonciations de mon réquisitoire écrit. Toutes les citations que j'ai faites ont été contrôlées avec le plus grand soin et toutes sont assorties, vous avez pu vous en rendre compte, de renvois qui se rapportent aux pièces mêmes où chacune des indications du réquisitoire a été puisée. Je défie qu'on y relève la plus légère erreur. » Il avait travaillé comme un historien, établissant au préalable la validité de ses sources et notamment la qualité du compte rendu *in extenso* du procès de Rennes réalisé par l'éditeur Stock[37].

Puis il entra dans le fond de l'affaire et commença par dire : « Qu'était-ce donc qu'Alfred Dreyfus ? » Il rectifia d'emblée l'erreur de Ballot-Beaupré qui avait affirmé, lors des débats de la première révision en 1899[38], qu'il venait d'une famille d'origine badoise. « Il faut aujourd'hui rectifier ce point, car, dans une pareille affaire, il ne faut négliger aucun détail. [...] Or il résulte des documents, qui sont actuellement fournis par la défense, que Dreyfus n'est point d'une famille d'origine badoise, mais d'une vieille famille alsacienne depuis plusieurs siècles[39]. »

Le procureur rendit hommage au père de Dreyfus : « C'était un fils de ses œuvres ; il avait beaucoup travaillé, il avait gagné à la sueur de son front une très belle fortune, qu'il a laissée à ses enfants ; il leur a laissé aussi la nationalité française : car, en 1871, il a opté pour la nationalité française pour lui et pour ses enfants mineurs, par conséquent pour Alfred Dreyfus[40]. »

Il rappela ensuite la très belle carrière militaire du jeune officier polytechnicien et ses hautes qualités intellectuelles : « Partout, sauf dans le bureau du colonel Fabre, il avait reçu les notes les plus satisfaisantes. Il était considéré comme instruit, très intelligent, zélé, consciencieux. C'était un esprit vif, il avait une mémoire remarquable, il saisissait vite les affaires, travaillait facilement. » Évoquant son mariage et sa jeune femme, il soulignait : « Vous me permettrez de m'incliner en passant devant cette femme qui, abstraction faite de tout esprit de parti, a été le modèle des épouses et des mères et a soutenu par son courage indomptable et par son énergie le courage de son mari qui bien des fois a failli fléchir sous la misère [41]. »

Arrivant sur l'affaire proprement dite et sur l'arrestation du capitaine, Baudouin critiqua les méthodes de police et de l'enquête secrète, pointant les mensonges et les illégalités. On refusa à Dreyfus de lui montrer l'original du bordereau. « Ce que je ne comprends pas, c'est que, accusant quelqu'un d'avoir écrit une pièce, on ne lui montre pas la pièce elle-même ; car on aura beau dire qu'une photographie donne exactement l'impression du document lui-même ; c'est absolument inexact, et il n'est pas un seul de nous qui, ayant vu le bordereau d'une part et la photographie de l'autre, puisse ne pas penser le contraire. Il suffit de voir l'un pour se rendre compte qu'il ne donne pas l'impression de l'autre. C'est pourtant ce qu'a fait M. du Paty de Clam [42]. »

Le procureur général poursuit par la production de tout le récit policier et judiciaire de l'affaire Dreyfus, les machinations montées contre Dreyfus, l'enquête de Picquart et la riposte de l'État-major contre le jeune chef de la Section de statistique, la collusion de ses adjoints au service de renseignement avec le commandant Esterhazy, etc. Abordant le procès de Rennes, il se fixa sur le bordereau en montrant toutes les contradictions qui entouraient son exploitation par les accusateurs de Dreyfus, comme le général Mercier déclarant au président de la République, Casimir-Perier, que les pièces étaient sans importance [43].

Il analysa ensuite les charges dites « morales ». Elles portaient en premier lieu sur l'attitude du capitaine lors de la scène de la « dictée » dont il montra l'absurdité : « Vous avez la pièce ; il y a quatre lignes [...] ; veuillez bien retenir que, dans ces quatre lignes, il n'est rien encore qui se rapporte au bordereau, qui indique de près ou de loin un soupçon pouvant se rattacher à cette pièce qu'on suppose connue de Dreyfus. Du Paty de Clam a bien imaginé l'épreuve ; mais il n'a pas eu la patience d'attendre jusqu'au bout, tant il avait le désir de réussir, et brusquement, au bout de la quatrième ligne, il coupe le fil et il arrête. Eh bien ! messieurs, regardez l'écriture : d'incorrections, il n'y en a pas ; vous pouvez vous en assurer par vous-mêmes, ou il y en a si peu que l'explication de Dreyfus : « J'ai froid aux doigts », qui est d'accord avec l'état extérieur de la température, les justifie absolument. Je ne retiens donc de cet incident que cette preuve nouvelle que l'instruction n'a procédé que par coups de surprise et que ce sont là les procédés habituels de du Paty de Clam. Je ne l'en félicite pas [44]. »

Il revint vers les aveux puisque le conseil de guerre de Rennes en avait exhumé la légende contre le fait jugé par la Cour de cassation. « Non, il n'y a jamais eu d'aveux de Dreyfus. Il n'a jamais cessé de protester de son innocence depuis le premier instant où il a été mis en état d'arrestation par M. du Paty de Clam. [...] Il n'y a jamais eu d'aveux de Dreyfus, et l'effort désespéré que tente l'accusation pour établir le contraire prouve manifestement le vide des preuves qu'elle dit avoir en mains[45]. »

Il mit en déroute les accusations de furetage, de curiosité suspecte qui avaient été répétées au procès de Rennes et constitué un élément essentiel des réquisitoires des généraux. « Mais pourquoi donc Dreyfus était-il appelé au service de l'État-major, si ce n'est en définitive pour y apprendre les choses qu'on doit y apprendre, et comment peut-on lui reprocher d'avoir fait tous ses efforts pour s'instruire ? [...] Il était appelé, dit le général Roget, à acquérir des méthodes et des principes, et non des renseignements sur des points de fait. Sans doute, messieurs ; mais je ne vois pas bien, pour ma part, comment on peut apprendre des méthodes sans les assortir de faits, et comment on peut bien comprendre les unes sans savoir les autres. Je crois que le meilleur moyen, c'est d'unir la pratique à la théorie, et je suis absolument convaincu que c'est aussi le procédé qu'emploie le général Roget quand il est appelé à instruire quelqu'un[46]. »

Il releva également qu'il n'y avait pas de mobile à l'éventuelle trahison de Dreyfus, tandis qu'il en existait de nombreux et prouvés pour Esterhazy. « Et lorsque tout s'accumule pour démontrer la culpabilité d'Esterhazy, n'allez-vous pas dire que tout se réunit pour établir, au contraire, l'innocence de Dreyfus ? Car enfin, jusqu'à présent, il est évident qu'aucune preuve, si mince soit-elle, n'établit un acte quelconque à la charge de Dreyfus[47]. »

La conclusion donnait la mesure de l'espoir attendu et de la tâche qui incombait à la Cour de cassation.

Et nous en avons fini ! Nous avons, une à une, ainsi parcouru toutes les charges relevées contre Dreyfus devant le conseil de guerre de Rennes. Encore une fois, j'en affirme la rigoureuse exactitude ; la vérification peut être faite, et très certainement il n'y a pas, dans l'examen auquel je viens de me livrer, une omission.

Comprenez-vous, messieurs, ce que je disais au début, lorsque j'avouais ma stupéfaction de voir qu'en un tel état des charges Dreyfus avait pu être condamné par le conseil de guerre, et à une peine formidable, pour crime de haute trahison ?

Ah ! sans doute, le conseil de guerre lui a accordé le bénéfice des circonstances atténuantes ! Eh bien, cela ! c'est encore plus incompréhensible que tout le reste. Quoi ! des circonstances atténuantes à un officier pour un crime aussi abominable ! « C'est, a très justement dit dans une lettre au garde des Sceaux M. le général André, c'est le trouble jeté dans toutes les consciences » et de tels compromis sont la condamnation des jugements qui les consacrent.

Il importe au plus haut point qu'un tel désordre soit réparé[48].

La seconde partie du réquisitoire abordait l'analyse des faits portés à la connaissance de la Cour de cassation et la question de savoir s'ils présentaient un caractère de « faits nouveaux » tels que l'avait défini la loi sur la révision et l'article 443, §4 du code d'instruction criminelle. Il discuta précisément ceux qui avaient été présentés dans la demande de révision du capitaine Dreyfus et dans l'enquête administrative diligentée par le ministre de la Guerre. Il y souscrivit pour l'essentiel et réclama, comme le rapporteur, une instruction supplémentaire pour dominer l'énorme dossier. Mais il disposait déjà d'arguments probants soutenant sa conviction de l'innocence de Dreyfus et l'affirma haut et clair. Et le déclarer ainsi, c'était bien demander que la Cour de cassation puisse juger sur le fond, définitivement, et proclamer la pleine et totale innocence du condamné. Cet arrêt était attendu. « Car, au milieu des attaques incessantes qui sont dirigées contre notre ordre social, s'il est une chose qui soit rassurante pour la sécurité publique et pour la sécurité privée, c'est en définitive le recours suprême à votre suprême justice[49]. »

Enfin, au nom de son client, Henry Mornard demanda à la Cour d'ordonner une instruction « par tous moyens propres à mettre la vérité en évidence ». Il souhaitait aussi une instruction qui, « projetant sur toutes les tristesses de cette affaire une lumière complète et définitive, permettrait à tout homme de bonne foi de reconnaître les erreurs commises et de tendre loyalement la main à ses adversaires de la veille[50] ». Dans son mémoire, l'avocat introduisit treize faits nouveaux et les opposa à treize faits d'accusation relevés dans le système de culpabilité présenté à Rennes contre Dreyfus[51].

Il conclut sur l'honneur de l'armée et sur tous ces officiers qui l'avaient incarné malgré les risques qu'impliquait cette attitude de rupture avec l'idéologie de l'État-major. « Il y a assurément assez d'héroïsme et de grandeur d'âme dans les actes d'un colonel Picquart, il y a assez de noblesse dans la conduite d'un colonel Hartmann, d'un commandant Ducros, d'un commandant Freystaetter et de tant d'autres pour compenser, et largement, toutes les défaillances de conscience que nous avons le triste devoir de relever. » Il avait compté naturellement le capitaine Dreyfus au nombre de ces officiers de vertu et d'héroïsme, et dont l'effort des accusateurs fut de dégrader sa réputation par tous les moyens.

Déverser sur la tête de l'accusé quantité de petites calomnies et de bavardages ridicules qui, par leur insignifiance même, échappent à toute discussion, mais qui contribuent à laisser dans l'esprit des juges une impression défavorable, les inclinant vers un verdict de culpabilité : c'est à tous égards indigne de la justice, ce n'est pas loyal.

La Cour comprendra et excusera l'émotion qui m'étreint : c'est que je connais aujourd'hui l'homme que je défends. J'ai souffert de sa souffrance, comme de la souffrance des siens.

Je sais quel est ce soldat qu'on arrachait alors aux étreintes de la double boucle pour le jeter tout pantelant devant le conseil de guerre comme une victime offerte à toutes les haines antisémites. Je sais quelle est cette nature droite et loyale dont les tortionnaires ont bien pu vaincre l'énergie physique, mais n'ont pas pu entamer encore l'énergie morale... Je sais quel est cet esprit prétendu hautain et cassant, qui est en réalité, un timide luttant contre sa timidité. Je sais ce qu'est ce cœur qu'on a prétendu insensible et qui souffre cruellement, en se faisant un devoir de ne pas montrer sa souffrance. [...] Voilà l'homme [52].

Le 5 mars 1904, à l'issue de son délibéré, la Cour de cassation déclara la demande en révision recevable et décida de procéder à une instruction supplémentaire, « attendu que les pièces produites ne mettent par la Cour en état de statuer au fond [53] ».

*Le Radical* salua l'arrêt par ces mots : « La vérité est en marche, Dreyfus va enfin trouver des juges, et demain les défenseurs de la justice auront triomphé [54]. » Un incident entacha cependant la journée historique. Fernand Labori, qui suivait les audiences comme beaucoup d'autres anciens dreyfusards, se leva brusquement et quitta la salle lorsque son confrère M\ Mornard appela son témoignage pour décrire la personnalité du capitaine Dreyfus. Il expliqua au *Journal* qu'il pensait qu'après avoir entendu les déclarations de Mornard, il ne convenait pas, ni qu'il les confirmât par son silence ni qu'il les infirmât par une protestation [55]. Cette rhétorique allait servir aux antidreyfusards pour propager l'image d'un Dreyfus faux, suspect et douteux.

Le 13 mars mourrait Ludovic Trarieux. Malade, il avait déjà laissé la présidence de la Ligue des droits de l'homme à Francis de Pressensé [56]. Il avait été l'un des hommes qui avaient le mieux porté le devoir de justice envers Dreyfus.

## LE POUVOIR DE L'ENQUÊTE

La chambre criminelle de la Cour de cassation commença son instruction le 8 mars 1904, avec l'audition des premiers témoins. Elle avait été chargée de l'enquête criminelle. Mais, conformément à la loi votée en 1899, qui dessaisissait la chambre criminelle de la décision finale, les trois chambres réunies de la Cour de cassation devaient statuer définitivement lors des audiences finales.

Compte tenu de l'importance de l'instruction décidée le 5 mars 1904, et pour lui donner toutes les garanties de légitimité, l'avocat du capitaine Dreyfus et le procureur général près la Cour de cassation demandèrent à assister à la procédure [57]. La chambre criminelle commença par accepter lorsque l'instruction avait lieu en séance plénière, comme cela s'était fait en 1899, puis elle étendit leur présence à toute la procédure.

Pour donner à l'arrêt futur la force d'une vérité incontestable, la chambre criminelle exigea la communication de toutes les pièces, y compris des affaires connexes, ainsi que celles de l'armoire scellée à l'État-major[58] et du dossier secret diplomatique. Elle alla même plus loin en s'intéressant à des faits antérieurs au procès de Rennes. « La chambre criminelle a voulu tout apurer, reconnaîtra le procureur général. Elle en avait incontestablement le droit. [...] Saisie de toute l'affaire, elle procède avec les pouvoirs les plus larges que rien ne limite, dans les formes dont elle est seule juge et qui lui paraissent de nature à conduire à la manifestation de la vérité[59]. »

La Cour voulut procéder à une enquête systématique et exhaustive sur l'affaire Dreyfus, afin de statuer en pleine connaissance de cause : « Résolue à ne rien négliger pour faire autant qu'il était en son pouvoir la lumière tout entière, elle a porté son étude sur tous les points qui lui paraissaient obscurs[60]. » La méthode générale était tracée : recueillir et étudier, « avec toute l'attention qu'ils comportent, tous les documents, tous les témoignages qui sont de nature à nous éclairer » y compris ceux venus de l'étranger[61]. Les moyens particuliers furent également définis. Toutes les dépositions furent ainsi transcrites in extenso grâce à l'emploi permanent de la sténographie, une première en France[62]. L'identification des témoins nécessaires ou la recherche des témoignages secondaires permirent aux magistrats d'enquêter sur toutes les pistes et de résoudre systématiquement toutes les incertitudes. Par exemple, une large partie du système Bertillon reposait sur la lettre dite « du buvard ». La Cour interrogea du Paty de Clam au sujet de la saisie de cette pièce au domicile de Dreyfus le 15 octobre 1894. Une déposition de Lucie fut également reçue par le conseiller Petitier, délégué par la Cour de cassation, le 2 avril 1904, dans le cadre de cette enquête qui conclut qu'il n'y avait pas d'échancrure préalable[63] lorsque ces documents furent saisis au domicile de Dreyfus.

## Une instruction complète

La chambre criminelle élargit son champ d'investigation au procès de 1899 bien sûr, mais également au premier procès de 1894. Comme le souligna le procureur général dans son réquisitoire écrit de 1906, « la condamnation de 1894 n'a cessé de peser sur les débats de 1899 : elle a, de tout son poids, vraiment écrasé la défense : il est dès lors nécessaire de se rendre exactement compte des conditions dans lesquelles elle est intervenue et d'en apprécier les motifs et la légalité, aussi bien que ceux des procédés qui ont été mis en usage pour la déterminer ».

Le haut magistrat du parquet expliqua encore : « Au cours de ses investigations, la chambre criminelle a reçu communication de toutes les pièces que renferment les archives de ministère de la Guerre. Tout est désormais soumis à la Cour. Ce n'est pas sans peine que ce résultat, voulu dès la première heure par M. le général André, ministre de la

Guerre, a été obtenu, et ce n'est pas une des moindres singularités de cette étrange affaire que de constater la sourde résistance que les ordres du ministre ont rencontrée chez certains de ses subordonnés du service de renseignement, tant est tenace l'esprit qui jadis régnait dans ce bureau, qui paraît s'y être perpétué et qu'on n'a pu vaincre qu'en faisant appel à toutes les rigueurs du règlement[64]. »

Le nombre d'enquêtes effectuées fut considérable :

Enquête relative à l'existence d'un prétendu bordereau « annoté ». Enquête relative à certaines déclarations de M. le capitaine de Pouydraguin. Enquête sur l'esquisse de la position générale des armées réalisée en 1894 par Alfred Dreyfus sur une carte des chemins de fer du 2ᵉ bureau. Enquête relative au témoignage Savignaud. Enquête relative à certaines déclarations de M. Jacques Dhur concernant le rapport de M. Belhomme. Enquête relative aux déclarations de Mme Marie Martinet, femme Dosjoub. Enquête relative à une lettre anonyme reçue par M. Martinie [et l'incitant à aller témoigner à Rennes contre Dreyfus]. Enquête relative à la correspondance du lieutenant-colonel Henry avec la femme Bastian. Enquête relative à une lettre du lieutenant-colonel Henry. Audition du général de Luxer sur le procès Esterhazy. Enquête relative à l'incident de la « dame voilée ». Audition de Son Altesse Sérénissime le prince de Monaco sur ce que lui a dit le prince de Munster. Enquête relative à l'auteur anonyme de la « brochure verte », sur la base d'un réquisitoire du procureur général Baudouin, du 9 juillet 1904. Enquête sur les pseudo-falsifications du dossier secret, après les accusations de Cuignet relayées par Lasies à la Chambre le 5 juillet 1904. Instructions adressées au commissaire du gouvernement à Rennes. Rapport sur l'examen de la pièce de 1896 (faux Henry)

Les documents produits ou exhumés étaient plus nombreux encore :

Note du commandant Lauth sur les agissements du lieutenant-colonel du Paty de Clam dans les affaires Dreyfus, Picquart, Esterhazy. Rapport proposant la mise en réforme du lieutenant-colonel Picquart, 24 février 1898, signé Millet, général directeur de l'infanterie. Manœuvres de M. Picquart, chef du service de renseignement, à l'effet de substituer à Dreyfus un autre coupable. Note de la main du commandant Cuignet annexée à une lettre du 20 septembre 1898. Quinze notices individuelles sur les témoins cités par M. Zola, de la main du commandant Lauth. Notes faisant partie des dossiers annexes d'Alfred Dreyfus. Examen critique des divers systèmes ou études graphologiques auxquels a donné lieu le bordereau. Rapport de MM. Darboux, Appell et Poincaré. Pièces extraites de la procédure du conseil de guerre de Paris en 1894. Procès-verbal d'arrestation du capitaine Dreyfus. Procès-verbaux d'interrogatoire par l'officier de police judiciaire. Procès-verbaux d'interrogatoire par le rapporteur près le 1ᵉʳ conseil de guerre. Pièces extraites de la procédure du conseil de guerre de Rennes en 1899 – dont de nombreuses lettres d'Esterhazy. Déposition d'Esterhazy devant le consul de France à Londres, 4 septembre 1899,...[65].

Le volume imprimé de l'enquête inclut une table alphabétique et trois importantes annexes, essentiellement les premières expertises et des documents officiels relatifs à Dreyfus :

*Annexe I.* Le bordereau. Explication et réfutation du système de M. A. Bertillon et de ses commentateurs, par M. Maurice Bernard, ancien élève de l'École polytechnique, ingénieur au corps des Mines. Datée d'avril 1904. Référence à une lettre de Poincaré à Mornard. *Annexe II.* La consigne pour le service de la déportation à l'île du Diable, publiée par le journal *Gil Blas* le 1er février 1907. *Annexe III.* Documents produits au cours de l'enquête par Me Henry Mornard. A. Examen critique d'un mémoire intitulé « Le bordereau, étude des dépositions de M. Bertillon et du capitaine Valério au conseil de guerre de Rennes par un ancien élève de l'École polytechnique », par A. Molinier. B. Réponse au mémoire intitulé « Étude des dépositions de M. Bertillon et du capitaine Valério au conseil de guerre de Rennes par un ancien élève de l'École polytechnique » (brochure verte), par M. Paul Painlevé, membre de l'Académie des sciences, professeur de mathématiques générales à la Sorbonne, daté du 27 mars 1904. C. Acte de naissance du père d'Alfred Dreyfus et acte de décès de son grand-père. Différentes lettres, dont celle de Risler au sujet de l'antisémitisme de Sandherr.

La chambre criminelle s'intéressa aussi à la disparition des papiers d'Henry après son suicide [66]. L'espionnage opéré sur la chambre criminelle en 1898 et 1899, aux fins de la faire dessaisir, fut stigmatisé par le procureur général [67]. On apprit à cette occasion que le général Zurlinden alla s'excuser auprès du premier président Mazeau [68]. La chambre criminelle mit au jour des manœuvres commises pendant la reprise de l'Affaire en 1903. Des pressions furent exercées sur l'ancienne nourrice d'un des enfants du capitaine Dreyfus. Elle raconta la démarche de deux hommes lui ordonnant de faire un faux témoignage. Elle révéla la situation à un ingénieur civil de Marseille, M. Bonnard, dont elle avait l'enfant en nourrice et qui confirma sous serment [69]. La chambre criminelle enregistra également le conflit très vif qui opposa le commandant Cuignet et Maurice Paléologue au sujet de la dépêche Panizzardi. Les magistrats ordonnèrent alors une enquête auprès des services du ministère des Poste et Télégraphes [70].

L'arrêt de clôture de l'instruction fut rendu par la chambre criminelle le 28 novembre 1904. Il fallut alors préparer le mémoire à présenter devant les chambres réunies de la Cour de cassation. Pour beaucoup de gens, l'Affaire n'avait plus rien à révéler. Rien n'était plus inexact, comme le montra l'enquête des magistrats. « Celle-ci, analysa Dreyfus, avait complètement et définitivement ruiné toutes les prétendues charges relevées contre moi, et avait mis à nu tous les actes criminels de mes accusateurs. Les procédés de ceux-ci, tous instinctifs, avaient été d'ailleurs bien simples. Mes accusateurs avaient supprimé purement et simplement, ou avaient caché aux yeux des juges, les pièces qui m'étaient favorables ou qui ruinaient leur argumentation. Quant au contraire ils avaient une pièce qui, au moyen d'un coup de pouce (soit par un changement de date, soit par une initiale grattée et remplacée par un D., etc.), pouvait prêter à une interprétation tendancieuse, ils n'hésitaient pas à donner ce coup de pouce, quand ils ne recouraient pas aux faux complet [71]. »

*De la révélation à la réfutation des preuves à charges*

Le premier acte de la chambre criminelle fut, pour son enquête, de se faire communiquer le grand dossier secret à partir du 7 mars 1904. Le capitaine Targe, qui avait fonction de délégué du ministre de la Guerre, apporta les originaux aux magistrats. Les communications durèrent jusqu'au 29 mars. Le 18 juin 1904, ce fut au tour du dossier secret du ministère des Affaires étrangères. Deux cent vingt pièces furent présentées. Maurice Paléologue occupa pour son ministère les fonctions précédemment tenues par le capitaine Targe. D'énormes précautions furent exigées par le ministre des Affaires étrangères Théophile Delcassé [72].

Le capitaine Targe fut ensuite entendu à propos de son enquête dans les services du ministère de la Guerre. Le 13 juin 1904, au cours de sa cinquième déposition, il décrivit l'état du service de renseignement et ses méthodes, notamment son système d'espionnage de personnalités publiques aux fins de les discréditer. Il révéla une véritable officine de basse police et de coups tordus permis par la grande impunité dont disposait la Section de statistique [73]. « J'ai trouvé, non sans étonnement, témoigna Targe, de nombreux dossiers de police dignes de figurer dans les cartons d'une agence Tricoche et Cacolet. Ces dossiers, réceptacles de tous les racontars de domestiques congédiés ou de concierges médisants, sont en grande partie constitués de rapports fournis par les agents Guénée et Brucker. [...] Dans une autre partie, nous trouvons des dossiers injurieux visant des hommes politiques en vue comme M. Ribot ; M. Clemenceau, qui est accusé d'être l'agent de l'Angleterre, M. de Freycinet, ancien ministre, qui, dit-on, renseigne la presse contre rémunération, M. Joseph Reinach, qualifié d'agent de l'Allemagne, M. Rouanet, M. Henri Turot, M. Emmanuel Arène, M. Jean Dupuy, M. Millerand, M. Camille Pelletan. La presse semble particulièrement favorisée [74]. » Au bas d'une série de pièces était porté le visa du général Gonse : « Approuvé. A.G. » Le capitaine Targe exprima alors son dégoût devant de tels procédés.

Tout ceci, messieurs, n'aurait que peu d'importance si l'on ne songeait pas que ces dossiers ont été constitués par des officiers chargés de l'un des plus importants services du ministère de la Guerre. Le ministre m'a prescrit de vous signaler ces agissements afin qu'ils soient flétris par la Cour et que le retour en soit à jamais impossible, et aussi parce qu'ils permettent de voir clair dans certains côtés de l'affaire Dreyfus en faisant connaître les procédés alors en usage au service de renseignement[75].

Relativement à l'affaire Dreyfus, Targe put mettre à jour, au domicile de l'agent Guénée, une série de documents qui attestaient de ses liens avec Esterhazy. Ce dernier se faisait fort de renseigner le service de renseignement sur les agissements des dreyfusards[76]. Targe apporta enfin des renseignements sur le faux Henry. Il considéra qu'il y avait d'autres responsables. « Je suis convaincu qu'il n'a pas été le seul coupable et que certains, en s'abritant derrière lui, veulent en faire le bouc émissaire de leurs propres crimes. Il était de mon devoir de vous faire part de ma conviction[77] », déclara-t-il aux magistrats.

Maurice Paléologue déposa notamment sur le faux témoignage Cernuscki. Il révéla qu'il avait eu conscience qu'un faux témoignage se produisait[78]. Le diplomate chargé des affaire réservées témoigna sur le bordereau « annoté » et le fait que le commandant Henry lui en avait révélé l'existence en novembre 1897[79].

Jean Jaurès déposa lui aussi longuement sur cette légende du bordereau « annoté »[80]. Il expliqua son fonctionnement, le rôle de la presse, à commencer par l'article de *L'Intransigeant* du 15 septembre 1897. Il fit l'analyse d'un système d'« affirmation continue[81] », d'« une campagne systématique » dont l'origine venait des services de renseignement[82]. Il cita à l'appui de sa démonstration du mécanisme de faux et d'intoxication du bordereau « annoté » la lettre de l'ancien président de la République Casimir-Perier, du 22 novembre 1897, écrits à un moment où les journaux commençaient à évoquer un document de l'empereur d'Allemagne : « Me voici la proie des journalistes qui, pour me mettre en cause, inventent le texte d'une lettre de l'empereur d'Allemagne[83] », cita Jaurès. Il mentionna aussi le témoignage de l'abbé Brugerette, auteur (sous le pseudonyme d'« abbé de Saint-Poli ») de *L'Affaire Dreyfus et la conscience chrétienne*[84], qui avait été le confident d'un des juges de Rennes[85].

L'écrivain André Chevrillon déposa sur le bordereau « annoté » tandis que Paul Painlevé aborda lui aussi cette question. Un témoignage de Maurice d'Ocagne, relatif à la princesse Mathilde et à des assurances communiquées par le général de Boisdeffre sur la culpabilité de Dreyfus, fut confirmé par Paul Painlevé le 7 mai 1904, au cours d'une longue déposition[86]. Celui-ci ayant été au contraire infirmé par Maurice d'Ocagne[87], Paul Painlevé rétorqua que les confidences faites naguère par son collègue de l'École polytechnique étaient tout à fait claires et qu'elles correspondaient bien aux affirmations de Jaurès[88]. Il rappela aussi, à propos de la tentative de détournement des propos échangés avec Jacques Hadamard, le rôle douteux de Maurice d'Ocagne[89] dans la fabrication de la pièce n° 96 du dossier secret.

Paul Painlevé revint une dernière fois sur la tentative de manipulation qu'il avait subie de la part de l'État-major et sur la pièce incriminée dont, à Rennes, il n'avait connu la teneur exacte qu'au cours de sa déposition. Il proposa une analyse de l'ensemble des versions et des déclarations produites depuis sa première intervention en justice, dans le cadre de la première révision, le 7 février 1899. Sa déposition se voulut ambitieuse et méthodique. Elle visait à mettre à nu les procédés criminels de l'État-major développé à partir des « aveux » qu'il aurait recueillis de Jacques Hadamard. Il tenta de démontrer que « la pièce n° 96 est un faux, mais c'est un faux atténué ; elle est, en réalité, d'une date très postérieure à la date qu'elle porte et, en outre, elle remplace une pièce qui était très accablante pour la famille Dreyfus et qui a été employée pour agir sur le ministre avant le procès Zola [90] ». Enfin, Paul Painlevé relata un événement qui prenait place après le 7 janvier 1898, date à laquelle le quotidien libéral Le Siècle avait publié l'acte d'accusation dressé contre Dreyfus en vue de sa comparution devant le conseil de guerre de Paris en décembre 1894. « Je l'avais lu avec attention et j'avais été effrayé de son vide. M. d'Ocagne, que je vis quelques jours après, me dit que j'avais tort de me faire une opinion sur un document qui pouvait être incomplet. Devant mon incrédulité, M. d'Ocagne m'affirma que ce document était tronqué et, pour rassurer ma conscience, il ajouta qu'il pouvait m'affirmer qu'on avait tronqué dans l'acte d'accusation une partie relatant une filature très importante exercée contre Dreyfus à Bruxelles dans les premiers jours de 1894. "D'ailleurs, ajouta-t-il, il y a un fait qui peut rassurer votre conscience et que je veux vous raconter. Un de mes amis, M. Lonquety, qui va souvent à Bruxelles, m'a déclaré hier qu'il avait rencontré Dreyfus, à deux reprises différentes, en avril 1894 ; que, la première fois, Dreyfus lui avait dit quelques mots, mais avait paru très ennuyé d'être rencontré et que, la seconde fois, il avait fait semblant de ne pas le voir." » Paul Painlevé ajouta, à destination des magistrats : « J'avoue que cette affirmation si formelle me troubla beaucoup, jointe à l'affirmation que l'acte d'accusation était tronqué, et cette idée d'une filature à Bruxelles pesait dans le doute que je pouvais avoir sur l'affaire qui commençait. » Or il put démontrer ensuite que Maurice d'Ocagne avait menti sur le témoignage de son ami et qu'en aucun cas ce dernier n'avait rencontré Dreyfus à deux reprises à Bruxelles.

Cette dernière rectification a son importance. Elle montre d'une part le système de mensonges et de rumeurs travaillant contre ceux qui pourraient être tentés de ne pas adhérer pleinement à la thèse de la culpabilité de Dreyfus. Elle révèle d'autre part comment Paul Painlevé a été pris dans ce système. Sa détermination à faire reconnaître les manipulations dont il a été la victime s'explique aussi par la gravité de ces dernières. Elles installent dans le monde de la justice une perversion profonde que le mathématicien peut souhaiter vouloir combattre. En agissant de la sorte, il défend un ordre de la raison qui est aussi un ordre de la justice. Son efficace démonstration des mécanismes de la pièce n° 96, de surcroît portée sur la place publique et devant

plusieurs juridictions criminelles, contribua à rapprocher l'administration de la justice de l'examen des preuves et du respect de la vérité. Déposant à son tour devant la chambre criminelle, Alfred Dreyfus se souvint de cette intervention décisive du savant. Dans une déclaration à la Cour de cassation du 22 juin 1904, le capitaine Dreyfus rappela le destin de la manipulation qui l'avait frappé en des termes qui rendaient hommage à Painlevé : « Vous savez, messieurs, ce qu'est devenu à Rennes, après l'audition de M. Painlevé, cet abominable mensonge [91]. »
La chambre criminelle s'autorisa donc à tout entendre. Lorsqu'elle fut alertée par Alfred Dreyfus, au cours de sa déposition du 22 juin 1904, d'une allégation concernant une « preuve de la culpabilité du capitaine Dreyfus », elle convoqua les témoins. L'affaire émanait de l'historien Gabriel Monod, devenu un intime d'Alfred Dreyfus et qui s'occupa beaucoup de sa défense. Il menait une campagne systématique de réfutation de rumeurs colportées par les antidreyfusards et présentées par eux comme des faits de vérité. L'un des élèves de l'historien, Albert Dez, devenu professeur d'histoire au lycée Buffon à Paris, avait été le témoin des confidences de Samuel-Élie Rocheblave, professeur de rhétorique au lycée Janson-de-Sailly et à l'École des beaux-arts, et beau-frère du commandant Lauth. Il avait affirmé publiquement qu'il « possédait une preuve de la culpabilité du capitaine Dreyfus [92] ». Sans être dreyfusard et avouant même ses doutes sur l'innocence de Dreyfus, Dez confia à Monod que le témoignage de Rocheblave était littéralement *indiscutable* car interdit de discussion puisqu'invérifiable ; cette position expliqua son silence, le professeur de Janson-de-Sailly redoutant de se laisser entraîner, même par lettre, à justifier sa preuve [93]. À la suite de quoi Gabriel Monod écrit à Dreyfus en estimant que Rocheblave « parlera peut-être, s'il est juridiquement sommé de le faire [94] ». La chambre criminelle suivit les recommandations de l'historien puisqu'elle fit déposer Rocheblave sur la base des lettres de Dez à Monod. Le témoin commença à refuser toute explication, se retranchant derrière le caractère privé et individuel de ses renseignements, mais reconnaissant en même temps qu'il avait offert de témoigner au procès de Rennes. Apparemment excédée par ces incohérences, par cette lâcheté civique et par ce manque de tenue d'un « éducateur de la jeunesse [95] », la Cour le somma de parler en insistant sur la différence entre fait et opinion, et sur le devoir de déposer : « Quand on est au courant d'un fait qui peut être utile à la manifestation de la vérité, on doit ce fait à la justice et quand on n'a pas de certitude, on ne doit pas mettre en circulation le bruit qu'on connaît un fait établissant d'une façon péremptoire le crime de telle ou telle personne [96]. » Rocheblave finit par accéder à la demande des magistrats et concéda un témoignage de seconde main qui s'apparentait surtout à une rumeur [97] connue par la Cour et déjà examinée par elle [98].

*Les accusateurs sur la sellette*

Les grands accusateurs de Dreyfus furent également confrontés à leurs mensonges. Entendu au cours d'une très longue déposition, du Paty de Clam persista dans toutes ses déclarations[99]. Mais il s'exprima dans une confusion d'esprit assez inquiétante. À l'issue de sa déposition, il déclara :

Je ne vois rien d'utile de plus à dire. Je crois avoir résumé tout ce que j'avais à dire. Je n'ai pas à revenir sur l'arrestation de Dreyfus ni sur mon instruction ; vous avez mes dépositions antérieures. J'ai tenu à relever, et je m'excuse si je l'ai fait un peu vivement, les accusations portées contre moi, parce que j'estime qu'après les enquêtes faites à mon sujet il ne doit rien rester dans votre esprit. [...] J'ai dit tout ce que j'avais à dire ; je suis revenu sur certains faits sur lesquels j'ai été questionné par ces messieurs ; enfin j'ai conclu en vous disant que, comme beaucoup d'autres, comme tous les gens de bonne foi, je me suis demandé bien souvent si nous nous étions trompés, et si nous avions commis une grave erreur en 1894. Je me suis interrogé ; je crois que j'ai agi en conscience, et je n'ai, malheureusement pour Dreyfus, rien vu qui puisse diminuer ma conviction. Cette conviction est que nous avons eu affaire dans Esterhazy à un homme qui nous a joués ; je ne me porte nullement garant de lui au point de vue de choses plus graves. Mais il y a une chose à laquelle je ne puis trouver de réponse, ce sont deux documents trouvés l'un chez Dreyfus, l'autre rue de Lille, et qui présentent un signe de repère, que l'on peut discuter, mais qu'on ne peut nier[100].

Il avait développé une nouvelle fois la thèse de la culpabilité en invoquant de nouvelles preuves, des expertises sur les encoches respectives du bordereau et d'un document appartenant à l'officier.

La possibilité de superposition mathématique de deux encoches existant, l'une sur le bordereau provenant de chez l'agent A, l'autre sur une pièce dite du buvard, saisie au domicile de Dreyfus (Alfred) m'a été révélée par un officier qui a fait un gros travail sous la signature : « Un ancien élève de l'École polytechnique ». Ce fait m'a été confirmé par un autre officier habitant Versailles et qui, sans connaître le premier, était arrivé au même résultat par des moyens différents. Enfin des articles publiés sous la signature « Scio » dans le journal *Le Courrier de Versailles et de Seine-et-Oise* ont résumé en quelques lignes la question. L'auteur de ces articles est un officier supérieur sortant de l'École polytechnique et qui habite également Versailles, le colonel Martin-Prével.

La Cour de cassation mettra en pièces ces nouvelles assertions, prouvant par son enquête que les encoches avaient été faites postérieurement à la saisie et du fait de la ficelle qui entourait ces documents au ministère de la Guerre.

La déposition du général Mercier fut un moment pénible pour l'ancien ministre. La première déposition eut lieu le 20 mars 1904. Il

affirma qu'il n'était pas le responsable de la légende du bordereau
« annoté ». Il battit en retraite sur toute la ligne. « C'est une légende
inexacte ; rien, rien n'a pu y donner lieu [101]. » Il se dédouana également
du faux témoignage Cernuscki, arguant que c'était le commissaire du
gouvernement qui avait demandé sa comparution et son audition. Il
minimisa ses accusations portées au procès de Rennes. Elles se rapportaient selon lui « non à des preuves proprement dites, mais à de
simples présomptions. Elles n'ont pas été invoquées comme preuves,
mais comme de simples coïncidences qui venaient s'ajouter à ce que
nous considérons comme des preuves, c'est-à-dire l'examen technique
du bordereau, l'examen cryptographique du bordereau et les aveux ».
La perversité de cette position n'échappa point aux magistrats. Le
général devint alors très agressif, ripostant vivement aux constats du
procureur général.

> M. le procureur général signale dans son réquisitoire que le bordereau
> contient, au point de vue de l'artillerie, des « âneries » (c'est son expression,
> ou, au moins, c'est l'expression que la sténographie a publiée dans les
> journaux), qui ne pouvaient pas permettre à des gens compétents de l'attri-
> buer à un officier d'artillerie.
> Je ne conteste pas la très grande compétence de M. le procureur général
> en artillerie, mais enfin, dans les personnes qui ont étudié Alfred Dreyfus
> et qui se sont prononcées pour la culpabilité d'Alfred Dreyfus, il y a eu
> deux ministres de la Guerre qui étaient des généraux d'artillerie, il y a eu
> le général Deloye, longtemps directeur de l'artillerie au ministère de la
> Guerre, plus tard président du Comité de l'artillerie, qui a affirmé que le
> bordereau pouvait être de Dreyfus et qu'il ne fallait pas du tout tenir compte
> des réserves faites par le colonel Hartmann à cet égard. Il y avait enfin, au
> conseil de guerre de Rennes, sur les sept juges qui le composaient, six
> officiers d'artillerie. Il me semble que cela donne des garanties suffisants
> pour qu'on ne traite pas d'âneries des choses qui ont été prises au sérieux
> par un aussi grand nombre d'officiers dont c'était le rôle professionnel
> d'être compétents.
> Je ne veux pas insister davantage ; plus tard, si c'est nécessaire, nous
> examinerons à fond les arguments produits par M. le procureur général et
> nous tâcherons d'en faire justice, mais j'ai tenu dès aujourd'hui à faire
> devant la Cour une protestation à cet égard pour ne pas laisser l'influence
> incontestable que peut avoir M. le procureur général sur la Cour prendre un
> développement exagéré [102].

Ce monument de mauvaise foi valut à Mercier un sévère affrontement avec la chambre criminelle. Celle-ci fut piquée au vif. Comme
pour la déposition du lieutenant-colonel du Paty de Clam, elle réagit
nettement. Le procureur général intervint lui aussi. Il démentit tout
d'abord avoir employé le mot « âneries » dans son réquisitoire de
1904, lequel provenait de la sténographie approximative du *Temps* et
de *L'Aurore*.

J'ai dit qu'il y avait eu des inexactitudes commises par les généraux eux-mêmes quand ils avaient parlé des questions d'artillerie et, pour le dire, je me suis appuyé, vous pourrez vous y référer, sur le témoignage du général Sébert qui, vous le connaissez mieux que moi, peut avoir une certaine autorité en pareille matière, mais c'est de la discussion et cela nous fait perdre notre temps, ce n'est point sur cela que je veux insister, j'aurai quelques questions à vous poser, en vous priant d'y répondre [103].

Lesdites questions portaient sur le bordereau, sur la première enquête, sur la légalité douteuse de la désignation de du Paty de Clam comme officier de police judiciaire, sur le dossier secret – Mercier reconnaissant sans détour que c'était bien lui qui l'avait fait constituer [104] –, sur la destruction du commentaire demandée par Mercier à Sandherr avec des passes d'armes extrêmement significatives de la volonté des magistrats de faire dire et respecter la légalité. « Comment avez-vous pu jeter au feu une pièce qui était un document officiel ? – Non, pas officiel... – Officiel à ce point qu'il émanait de vous, ministre de la Guerre. [...] *Procureur général.* – [...] Je crois que vous avez commis un acte de la plus haute gravité [105]. » Le magistrat poursuivit sur la nécessité pour la Cour de tout reprendre, et particulièrement le dossier du procès de 1894 et de la communication du dossier secret qui fut un déni absolu de justice.

L'absence de procédure dans la phase criminelle de 1894 fut relevée et stigmatisée. Au refus d'établir un rapport de l'interrogatoire de du Paty de Clam après la condamnation de Dreyfus, Mercier répondit qu'il y avait bien la lettre que le condamné lui avait adressée. Le procureur général rétorqua : « Dans laquelle il proteste de son innocence et dit qu'il n'a aucun aveu à faire. De sorte que voilà bien quelle était la situation : du Paty est revenu dans ces conditions vous rendre compte de ce qui s'était passé et des protestations d'innocence de Dreyfus. Alors comment expliquez-vous les aveux prétendus du 5 janvier 1894 ? *Général Mercier.* – Je n'ai pas à les expliquer ; ils existent. Demandez à Dreyfus des explications, mais je ne puis pas vous en donner. Au moment où il a fait ces aveux sous l'influence de cette cérémonie de dégradation militaire, Dreyfus pouvait être dans un état d'esprit tout différent de celui où il était dans l'intérieur de sa prison [106]. »
Mercier persista, contre toute logique, dans la légende des aveux. Le procureur général releva alors qu'il n'en avait pas fait établir de procès-verbal. L'ancien ministre de la Guerre montra ses conceptions en matière de justice : la révision des procès, pour quelque motif que ce soit, était impossible.

*Général Mercier.* – Non, je n'en ai pas dressé procès-verbal, pour l'excellente raison qu'à ce moment il n'y avait pas de révision possible.
*Procureur général.* – Pardon ! au contraire, absolument possible, puisqu'en définitive elle est toujours possible quand il y a une condamnation ;

quand une condamnation est intervenue, il y a toujours une révision possible. Il n'y a pas de révision possible quand il y a un acquittement, mais
c'est le contraire quand il y a une condamnation.
— La loi sur la révision ne date que de 1895.
— Elle est dans le code d'instruction criminelle depuis 1808, avec des
conditions différentes, qui ont été élargies par la loi nouvelle, mais elle
existait déjà. Par conséquent, la révision était possible dans des conditions
que la loi avait déterminées et quand vous receviez la constatation d'aveux
qui avaient été faits, c'était bien le moins d'en faire dresser procès-verbal :
vous ne l'avez pas fait.
— Je ne l'ai pas fait, parce que je ne considérais pas qu'il y eût de
révision possible [107].

Le procureur général prit encore le général Mercier en défaut dans
ses fonctions de ministre [108], en confrontant la thèse des aveux avec
d'autres de ses déclarations antérieures ou des témoignages du colonel
Sandherr. Il constata lapidairement : « Quand il y a des documents
favorables, on ne les produit pas, et quand ils sont défavorables, on
s'empresse de les produire [109]. » Mercier accumula les mensonges,
déclarant notamment au sujet du procès de Rennes : « En 1899, non
seulement le gouvernement agissait en faveur de Dreyfus, mais il nous
était absolument impossible, même aux témoins à charge, de prendre
le moindre renseignement au ministère de la Guerre, dont nous aurions
cependant eu besoin pour éviter de petites erreurs [110]. » Répondant à
une question de l'avocat du capitaine Dreyfus, il s'abrita derrière un
débat tranché en audience secrète. Mᵉ Mornard le reprit sèchement :
« Nous vous demandons précisément de faire connaître tout [111]. »
L'avocat le mit en contradiction avec lui-même sur la question du
bordereau et des documents prétendument importants qu'il aurait pu
désigner [112].

*Les preuves de vérité*

La destruction des accusations portées contre le capitaine depuis
1894 – et, comme le montrèrent les différentes dépositions enregistrées
par la Cour de cassation, dès son entrée à l'État-major de l'armée –,
ne constituait qu'un volet de l'établissement de la vérité complète dans
l'affaire Dreyfus.
La chambre criminelle entendit ainsi le colonel de Fontenillat sur
une note découverte dans les bureaux du ministère de la Guerre et qui
innocentait le capitaine Dreyfus [113].
Le lieutenant-colonel Hartmann témoigna du poids de la hiérarchie
sur les juges militaires de Rennes et demanda un examen technique
des documents d'artillerie qu'il fut autorisé à consulter et à étudier.
Reinach témoigna de sa rencontre avec le prince de Munster chez le
prince de Monaco, et attesta des nombreux renseignements qu'il put
obtenir afin de préparer son *Histoire de l'affaire Dreyfus*. « Il m'a paru
que ces renseignements qui m'avaient été donnés, ces lettres que

j'avais reçues exclusivement pour une œuvre d'historien, je les devais
à la Cour de cassation[114].» D'autres renseignements furent apportés
par le prince de Monaco. Une lettre de Schwartzkoppen fut lue par la
chambre criminelle ; l'ancien attaché militaire insistait sur l'absence
de relations avec Dreyfus[115]. D'autres pièces prouvant l'absence de
lien entre l'Allemagne et le capitaine Dreyfus furent encore produites
par Joseph Reinach[116]. Ce dernier signala aussi la publication, très
importante, en Allemagne, quelque temps avant le procès de Rennes,
de l'étude d'Otto Mittelstädt, ancien procureur à la haute cour de Leip-
zig. Il terminait son travail en exprimant son espoir que les juges militaires acquittent le capitaine Dreyfus[117]. Mais le magistrat allemand
attestait aussi de «renseignements très précis, très concordants sur
beaucoup de points» avec les renseignements que Reinach lui-même
avait reçus des ambassadeurs allemand (Münster) et italien (Tornielli) :
«Je traduirai, je ne lirai pas le texte allemand, si vous voulez bien :
"Qu'il y ait entre Henry et Esterhazy des rapports longtemps dissimu-
lés et de l'espèce la plus suspecte, et qu'Esterhazy tirait des informations directement du bureau du renseignement, c'est une opinion qu'il
n'est presque plus permis de contester"[118].»

Le témoignage du directeur des recherches de la préfecture de
police, Louis Puybaraud, fut également présenté par Reinach. Ses propos, très importants, établissaient eux aussi l'innocence de Dreyfus.
Le premier doute concernant l'innocence lui vint après le rapport des
experts graphologues de 1894. «Si Dreyfus a trahi avec l'Allemagne,
pourquoi, lui qui savait l'allemand, n'aurait-il pas eu la prudence
d'écrire, à tout événement, ses lettres en allemand, ce qui eût rendu
les expertises plus difficiles ?» Le second doute vint lorsque Puybaraud fut informé de la saisie sur Dreyfus, à l'île de Ré, d'une copie
du bordereau. Picquart avait envoyé la pièce à Paris comme une preuve
nouvelle de la trahison. Le haut fonctionnaire fit ce raisonnement :
«Si Dreyfus était coupable, il n'aurait pas eu besoin de prendre avec
lui une copie de la pièce écrite par lui. Il connaissait la pièce, il la
connaissait suffisamment. S'il en a pris copie, c'est parce qu'il ne
l'avait pas écrite, qu'il n'en était pas l'auteur, pour s'en souvenir, pour
l'étudier, pour chercher à deviner[119].»

La chambre criminelle ne put entendre Puybaraud, qui était mort,
mais ce récit de ses souvenirs de 1894 fut fait devant témoin, comme
l'expliqua Joseph Reinach aux magistrats : «Tel fut le récit fait à cette
époque par M. Puybaraud, que j'ai noté le jour même et que j'ai lu
sous la forme même où je l'avais noté, en novembre 1897. Je partis
ce soir-là avec le comte de Flers, devenu depuis le gendre de M. Sardou, qui me dit spontanément que M. Puybaraud pourrait être à l'occasion un témoin très utile. Je lui répondis : "Et maintenant, vous aussi."
Je notai ce récit à la date même, 30 novembre 1897. M. Puybaraud
est malheureusement mort ; il m'avait depuis, à plusieurs reprises,
refait ce récit. M. Sardou, M. Bertulus et le comte de Flers, qui ont

assisté à la conversation, sont encore vivants [120]. » Victorien Sardou fut alors entendu par les magistrats et confirma l'intégralité du récit de Reinach [121].

Enfin, ce dernier rappela que Schwartzkoppen et Panizzardi écrivaient un français très correct, contrairement à ce qu'avait voulu laisser croire le lieutenant-colonel Henry lorsqu'il composa ses faux [122]. Il termina sa déposition en contestant la nouvelle légende, véhiculée par le général de Galliffet, qui suggérait que Dreyfus aurait finalement fourni des documents... à la Russie : « Je dis à M. de Galliffet que cette version était absolument absurde, que tout la contredisait, qu'il n'y avait pas un seul fait qui pût la justifier d'une façon quelconque [123]. »

Le général de Galliffet fut entendu par la chambre criminelle. Les magistrats l'interrogèrent sur le fait que Dreyfus ait demandé sa grâce, comme l'ancien ministre de la Guerre l'avait souvent laissé entendre. Il commença à expliciter sa position sur la grâce, puis, à une nouvelle question de M<sup>e</sup> Mornard – « C'est donc de votre propre initiative que vous avez rédigé la demande de grâce ? » –, il fut contraint d'aller sur la voie de la vérité : « Je ne prétends pas que j'ai inventé cette idée ; mais je me suis trouvé en parfait accord avec M. Waldeck-Rousseau. Il y a beaucoup de points sur lesquels nous avons pu n'être pas d'accord, mais pour celui-là nous avons été d'accord tout de suite, et j'ai signé. Tout en vous déclarant que M. Waldeck-Rousseau m'a aidé largement dans la rédaction de la demande, je n'ai jamais subi une contrainte, et c'est de ma propre volonté que la demande de grâce a été faite. » Mornard insista encore : « Sans aucune requête de la part de Dreyfus ? » Galliffet finit par admettre : « Sans aucune demande de la part de Dreyfus... » Il se reprit aussitôt : « Dreyfus devait solliciter, il a sollicité en réalité, il a dû signer quelque chose. — Non », rétorqua immédiatement Mornard. Galliffet répondit alors : « Je n'en sais rien. » Il ajouta ensuite, lecture faite de sa déposition, la phrase suivante : « Je ne me rappelle pas si Dreyfus a fait une demande de grâce, mais du moment qu'il renonçait à son pourvoi, il nous mettait en droit de le faire gracier. » L'attitude de cet ancien ministre démontrait bien comment des légendes à la charge de Dreyfus pouvaient se développer et combien y participaient de hauts personnages de l'État – à qui les Français avaient confié leur sécurité.

Dans cette affaire Galliffet, le fait le plus grave consista, plus encore que cette tentation de prêter à Dreyfus des actions qu'il n'avait pas commises, à refuser de reconnaître la vérité et de persister dans la calomnie. De telles postures n'affichaient pas un antidreyfusisme militant. Mais elles contribuaient à forger une image mensongère du capitaine et à lui reconnaître des intentions fausses. La volonté d'écraser un innocent paraissait pouvoir s'affranchir des valeurs élémentaires de respect de la vérité et d'exigence de raison.

*Deux expertises majeures*

Le 4 mai 1904, le procureur général près la Cour de cassation, Manuel Baudouin, demanda au ministre de la Guerre de faire examiner par une commission d'experts les questions techniques relatives au bordereau. Celles-ci avaient déjà fait l'objet d'une note rédigée par la direction de l'artillerie en 1899 et remise à la Cour de cassation lors de la première révision par l'ancien ministre de la Guerre Freycinet. Mais, ajouta le procureur général, « les conclusions de cette note ont été très vivement contestées par divers témoins dont la compétence ne semble pas pouvoir être discutée. Elles ont fait, en outre, l'objet, devant le conseil de guerre de Rennes, de controverses approfondies, notamment entre le général Deloye d'une part et de l'autre le colonel Hartmann, le général Sebert et plusieurs autres officiers. »

Le procureur général souhaitait de ce point de vue disposer de tous les renseignements désirables pour soutenir la discussion « avec toute l'autorité nécessaire [124] ». Dès le lendemain 5 mai 1904, le général André l'informa qu'il avait réuni une commission comprenant les généraux Villier, inspecteur permanent des fabrications de l'artillerie, Brun, commandant l'École de guerre, et Séard, du cadre de réserve, ancien directeur de l'École de pyrotechnie, ancien chef du 2e bureau (Matériel) de la 3e direction (Artillerie) au ministère de la Guerre. Elle fut placée sous la présidence du général Balaman, du cadre de réserve, ancien président du Comité technique de l'artillerie [125]. Le 11 juin 1904, le capitaine Targe, représentant le ministre, remit au procureur général et à la Cour le rapport de cette commission, daté du 18 mai 1904 et intitulé « Questions techniques soulevées au cours de l'affaire Dreyfus ». L'officier d'ordonnance du général André procéda à sa lecture, et sa transcription fut intégrée à l'édition officielle de l'instruction de la Cour de cassation.

Les conclusions innocentaient Dreyfus. Sur le document visé dans le bordereau par l'expression « une note sur le frein hydraulique du 120 et de la manière dont s'est conduite cette pièce », la commission releva qu'« il paraît presque impossible d'admettre que la phrase qui s'y rapporte ait été écrite par un artilleur [126] ». Sur l'importance présumée d'un tel document : « Il était possible, et on peut dire facile pour un grand nombre d'officiers, artilleurs ou non, de se procurer les moyens de fournir une "note donnant des renseignements intéressants" sur le canon de 120 court et sur son frein hydropneumatique [127]. » Sur l'expression « la manière dont s'est conduite cette pièce », les membres de la commission « ont l'entière conviction de [ne l'] avoir jamais, au cours de leur carrière d'artilleur, appliquée à une pièce de canon. [...] On peut donc dire que l'expression "s'est conduite" serait, dans la bouche et surtout sous la plume d'un artilleur, une expression tout à fait anormale [128]. » Sur le document visé par les mots « une note sur une modification aux formations de l'artillerie », les experts militaires démontrent qu'il ne peut s'agit que d'un « ensemble disparate de documents quelconques, comme l'a fait l'auteur du bordereau s'efforçant visiblement de remplacer la qualité par la quantité [129] ». Sur « le projet de manuel de tir de l'artillerie de campagne (14 mars 1894). Ce dernier document est extrêmement difficile à se procurer », les membres de la commission précisèrent qu'il n'était en rien de la plus haute importance [130].

Le rapport ne présenta pas de conclusions générales, mais le général Balaman, président de la commission, fut entendu par la Cour de cassation le 13 juin. Il précisa qu'il y avait eu unanimité pour la rédaction du rapport. « Nous étions tous d'accord [131]. » Les autres membres furent entendus ensuite. Ce rapport d'une commission officielle de l'armée annulait ainsi l'accusation de 1894, mais il détruisait aussi le système d'accusation Roget-Cuignet présenté à Rennes. La démonstration de cette mise en pièces fut faite par le conseiller Moras dans le rapport final de la chambre criminelle sur l'affaire Dreyfus [132].

Une seconde expertise eut lieu, cette fois pour le volet graphique du bordereau. Elle fut plus importante encore que la première en termes de dimensions, de durée et de moyens. Elle concerna principalement le système Bertillon et consorts, puisque celui-ci tentait de prouver l'indémontrable, à savoir une identité entre des écritures très dissemblables, celle du bordereau et celle du capitaine Dreyfus. Cette seconde grande expertise incomba à Henri Poincaré qui était déjà intervenu au procès de Rennes *via* la lecture à l'audience de sa lettre à Paul Painlevé, ainsi qu'à ses éminents confrères Gaston Darboux et Paul Appell. Ils furent commis par la Cour le 18 avril 1904 « pour procéder à l'examen critique des divers systèmes ou études graphologiques auxquels avait donné lieu la pièce dite "bordereau" [133] ». La Cour de cassation choisit l'excellence scientifique. La situation l'imposait : la charge de Poincaré au procès de Rennes n'avait pas réussi à discréditer Bertillon qui reçut le soutien politique de l'extrême droite maurassienne. Plusieurs nouveaux exégètes avaient entrepris à leur tour de développer son système [134]. Tandis que la Cour de cassation ordonnait des enquêtes complémentaires [135], l'expertise des trois mathématiciens mobilisait de gros moyens, conformément aux possibilités offertes par les magistrats [136], examinait scrupuleusement l'ensemble des hypothèses et débouchait sur un rapport de cent vingt pages rédigé par Henri Poincaré qui concluait à la nullité du système par incohérence des auteurs, stupidité de la méthode et ignorance des outils mathématiques :

> Ce que nous venons de dire suffit pour faire comprendre l'esprit de la « méthode » de M. Bertillon. Il l'a lui-même résumé d'un mot : « Quand on cherche, on trouve toujours. » Quand une coïncidence est constatée, c'est une preuve accablante ; si elle fait défaut, c'est une preuve plus accablante

encore, car cela prouve que le scripteur a cherché à détourner les soupçons. On ne s'étonnera pas des résultats qu'il a obtenus par cette méthode. La naïveté avec laquelle il en dévoilé les secrets porterait à croire à sa bonne foi.

En résumé, tous ces systèmes sont absolument dépourvus de toute valeur scientifique : 1° Parce que l'application du calcul des probabilités à ces matières n'est pas légitime ; 2° Parce que la reconstitution du bordereau est fausse ; 3° Parce que les règles du calcul des probabilités n'ont pas été correctement appliquées.

En un mot, parce que les auteurs ont raisonné mal sur des documents faux [137].

En marge de cette expertise scientifique officielle, Gabriel Monod continua de travailler en chartiste et en historien sur la question des écritures [138].

## LA DIGNITÉ D'UN JUSTICIABLE

Le capitaine Dreyfus s'impliqua fortement dans son procès de cassation, comme il l'avait fait pour tout le reste de son affaire. Il déposa longuement devant la chambre criminelle. Il réalisa une analyse approfondie de la dépêche Panizzardi en utilisant les « dépositions de tous ceux qui avaient été mêlés à cet incident [139] ». Il étudia également l'ensemble de son dossier lorsqu'il rédigea avec son avocat le mémoire présenté devant les chambres réunies quand celles-ci rendirent, le 28 novembre 1904, l'arrêt de clôture de l'instruction de la chambre criminelle. « J'avais déjà préparé durant l'été, à la campagne, le chapitre relatif à la discussion technique du bordereau, écrit-il ; depuis mon retour à Paris, celui relatif à l'examen critique du système Bertillon. Maître Mornard se chargea, avec son talent habituel, des autres chapitres [140]. »

Ses *Carnets* portent témoignage du suivi étroit et permanent de l'instruction de la chambre criminelle. Rien de ce qu'elle entreprenait ne lui était étranger. En mars 1904, il commença à recevoir les copies des dépositions déjà produites devant la chambre criminelle : « Je les annotai et je pus, avec les documents originaux, faire ressortir tous les abominables mensonges de mes détracteurs [141]. » Il établit pour lui-même et pour la postérité des résumés très précis de dossiers connexes comme l'affaire Dautriche [142].

### La déposition en justice

Contrairement à la première révision où Dreyfus fut seulement interrogé à l'île du Diable sur la légende des aveux [143], la chambre criminelle l'entendit longuement le 22 juin 1904. Sa déclaration, longue de huit pages du compte rendu officiel de l'instruction, lui permit d'aborder de nombreux points. Il put se défendre pour la première fois, envisager l'ensemble du dossier et dénoncer les méthodes de ses accusateurs.

Il commença par s'élever contre les allégations du général Chamoin, le représentant personnel du ministre de la Guerre, qui, dans ses lettres à Galliffet, lui faisait porter la responsabilité de l'échec du procès de Rennes. Il protesta vivement contre l'appel à l'humanité, à la pitié qui étaient demandées en lieu et place de la vrai justice. Devant cette présentation des faits qui renversait l'ordre des responsabilités, il s'indigna. Il releva particulièrement l'attitude inqualifiable de son premier accusateur, le commandant du Paty de Clam. Sa dignité était à ce prix, et la Cour de cassation lui en donnait le légitime pouvoir, comme à tout justiciable :

> Ici, je proteste. Peu de vies ont été abreuvées de tristesses comparables aux miennes, mais on n'avait pas à faire appel à un sentiment d'humanité pour les souffrances endurées, puisqu'ici il ne s'agissait que d'une question de justice, d'un crime abominable dont j'étais innocent. C'est moi qui ai de la pitié pour les hommes qui se sont déshonorés en faisant condamner un innocent par les moyens les plus criminels.
>
> M. du Paty de Clam, dans sa déposition, prétend avoir toujours agi avec loyauté dans son instruction de 1894 et, pour preuve, il montre les cartes banales qu'il a reçues. Je n'ai pas besoin de vous rappeler comment il avait terrorisé ma jeune femme, en lui défendant de parler, l'assurant qu'il ferait d'ailleurs tous ses efforts pour faire la lumière, alors qu'il apportait dans sa mission, qui aurait dû être toute d'impartialité et de justice, un parti pris ardent, une conviction formée *a priori* et un acharnement d'autant plus haineux que les éléments de preuves lui échappaient davantage [144].

En citant méthodiquement et précisément ses sources, Dreyfus démontra comment du Paty de Clam lui avait prêté des propos qu'il n'avait jamais prononcés ; comment il avança des faits, au procès de 1894, au procès de Rennes, devant la Cour de cassation, qui constituaient des faux caractérisés.

Dreyfus s'expliqua sur les accusations portées contre son service comme stagiaire à l'État-major de l'armée. Mais il alla plus loin que les simples réfutations. En confrontant entre elles les différentes dépositions du général Mercier, du général Roget, il révéla les systèmes d'accusation par le mensonge et la calomnie. Il revint sur l'origine de la légende des aveux, à savoir la venue du commandant du Paty de Clam le 31 décembre 1894 dans sa cellule. Alors qu'il avait protesté de son innocence absolue et l'avait répété dans ses lettres au ministre de la Guerre et à son avocat, le général Mercier considéra postérieurement que l'aveu était constitué.

La lettre que j'ai adressée le 1er janvier 1895 au général Mercier répond directement à la visite que me fit M. du Paty dans ma prison, après ma condamnation. Vouloir, comme le fait le général Mercier, rapporter la phrase : "J'ai déclaré que j'étais innocent et que je n'avais même jamais commis une imprudence" à ce que m'avait dit M. Cochefert deux mois et demi auparavant, c'est vraiment trop d'impudence. Cette phrase se rapporte directement, ce qui est l'évidence même, à la visite que venait de me faire M. du Paty de Clam. Celui-ci m'avait demandé si je n'avais pas commis quelque imprudence, quelque acte d'amorçage, si je ne m'étais pas laissé entraîner dans un engrenage fatal ; à toutes ces insinuations de M. du Paty, je répondis que non, que j'étais innocent, absolument innocent.

Les mensonges du général Mercier au procès de Rennes amenèrent le capitaine Dreyfus à proclamer solennellement l'indignité de l'ancien ministre de la Guerre. Il lui infligea une condamnation morale sans équivalent judiciaire, à l'exception de celle du procureur général de la Cour de cassation dans son réquisitoire à venir. La loi d'amnistie écartait Mercier de tout procès pour crime. Il n'en restait pas moins un criminel, non parce que Dreyfus le déclarait, mais parce qu'il en démontrait le fait.

Le général Mercier a protesté devant la Cour de sa loyauté et de sa sincérité. Il aurait mieux fait de les prouver. Or non seulement il m'a fait poignarder dans le dos en 1894 par la communication des pièces secrètes, mais, s'il avait été consciencieux et loyal, il aurait commencé par vérifier l'application qu'on voulait me faire de ces pièces ; il se serait aperçu alors qu'aucune ne m'était applicable, qu'il commettait un véritable crime en me faisant appliquer la pièce "Ce canaille de D…" puisqu'il y avait dès cette époque au bureau du renseignement une pièce prouvant la livraison des plans directeurs en 1892, c'est-à-dire à une époque où j'étais à l'École de guerre, hors d'état de m'en procurer.
Si le général Mercier était loyal, s'il avait une conscience, il n'aurait pas affirmé au procès Zola non seulement sous la foi du serment, mais sous sa parole de soldat que j'avais été légalement condamné, alors que c'est lui-même qui avait fait commettre l'illégalité [145].

Alfred Dreyfus s'éleva aussi contre les allégations injurieuses du commandant Bertin-Mourot, son ancien supérieur du 4e bureau, l'un des officiers les plus attachés à sa perte. Il fut contraint de reprendre point par point des éléments de son service d'état-major pour montrer comment celui-ci mentait à son encontre. Il souligna une pratique tout à fait perverse d'accusation consistant à réunir « des ordres de fait qui se rattachent à deux époques différentes », « ce qui est d'une rare mauvaise foi », ajouta le capitaine Dreyfus. Il apporta ainsi ces explications relatives aux lignes de transport de chemin de fer : « Je n'ai jamais nié que je connaissais les lignes de transport en vigueur en 1893 et je les ai expliquées au capitaine Boulenger, puisque je l'ai déclaré moi-même en 1894, dans l'interrogatoire du 16 novembre devant M. d'Ormescheville. Mais celles sur lesquelles on m'interrogeait étaient celles dont devait parler d'après l'hypothèse de l'accusation, la note du bordereau sur les troupes de couverture, que personne ne connaît et qui se réfère au plan élaboré en 1894. Or, je le répète, en 1894, ni de près ni de loin, je n'ai en aucune façon participé à l'élaboration de ce plan [146]. » Il reprit également Bertin-Mourot sur des affirmations comme celles qu'il prononça à Rennes : Dreyfus *pouvait* ouvrir les armoires du 4ᵉ bureau contenant des documents secrets. « On est indigné devant tant de mauvaise foi. On se demande comment cet homme n'est pas dément. Comment peut-il dire [...] qu'il [Dreyfus] pouvait ouvrir les armoires alors qu'on le voyait les ouvrir chaque jour ? » Dreyfus en avait en effet, statutairement, les clefs ! Il s'éleva aussi contre les insinuations relatives à son antipatriotisme.

> Quant à mes sentiments patriotiques, dont parle également M. Bertin-Mourot, ma vie est là pour les prouver. Alsacien, dont le père opta pour la nationalité française, j'ai dû quitter Mulhouse et venir terminer mes études à Paris. À ma sortie de l'École polytechnique, j'ai refusé d'entrer dans l'industrie où j'avais une situation toute faite, pour servir dans l'armée. Dès l'époque de la loi sur les passeports tous me furent refusés, sauf le permis de séjour de quelques jours dont j'ai parlé, pour me rendre au chevet de mon père mourant [147].

Dreyfus aborda ensuite la déposition à Rennes du général Roget – également membre du fameux 4ᵉ bureau de 1894 ! Cet officier général avait tenté de le charger au moyen du pseudo-témoignage de l'attaché militaire autrichien, Schneider, qui se révéla être un nouveau faux produit devant le conseil de guerre. Roget avait accumulé les preuves de l'authenticité du propos portant sur la communication de renseignements sur l'organisation du chemin de fer. Roget avait ainsi affirmé devant les juges de Rennes que Dreyfus avait assisté aux conférences faites à la fin de son stage au 4ᵉ bureau en 1893. « Et, pour donner plus de force à son affirmation, nota Dreyfus devant la chambre criminelle, il ajouta : "Conférences que je présidais personnellement." Or j'étais, au moment où furent faites ces conférences, c'est-à-dire en décembre 1893, en vertu d'une permission régulière, au chevet de mon père mourant [148]. »
Dans son retour sur la succession insensée des mensonges produits contre lui par ses accusateurs, il évoqua la manipulation faite sur son beau-père David Hadamard et son cousin par alliance, le mathématicien Jacques Hadamard. Il salua l'efficacité et le courage de Painlevé infligeant à ses accusateurs une défaite cinglante à Rennes. « Vous savez, messieurs, ce qu'est devenu à Rennes, après l'audition de M. Painlevé, cet abominable mensonge qui est double. D'abord par la transformation de M. Jacques Hadamard, professeur à la Sorbonne, en mon beau-père, ensuite par la transformation des propos de M. Jacques Hadamard [149]. »

Très méticuleux, Dreyfus continua de repérer tous les « procédés de ces véritables faussaires ». Concernant la brochure anonyme intitulée *Étude de la déposition de M. Bertin et de M. Valério, par un ancien élève de l'École polytechnique* – une nouvelle exégèse du système Bertillon dont Mercier, « avec sa science habituelle, appuyé de la haute autorité de M. du Paty de Clam, [avait] déclaré que ce travail était admirable et irréfutable », ironisa Dreyfus, ce dernier releva l'un de ces procédés de faussaire : « Dans l'introduction, je lis : "Un jour même, il [Dreyfus] a dit au commandant d'Ormescheville : 'La lettre incriminée est l'œuvre d'un faussaire, on a cherché à imiter mon écriture ; cette missive a pu être établie à l'aide de documents collés avec soin puis réunis pour former un tout qui serait cette lettre.'" Or cette phrase, comme vous pourrez le constater par les procès-verbaux d'interrogatoire, a été dite non pas à M. d'Ormescheville, mais à M. du Paty de Clam, dans l'instruction préliminaire, alors que je ne connaissais pas encore le bordereau et que je me demandais comment on avait bien pu porter contre moi une accusation si monstrueuse [150]. »

Il revint aussi sur la tentative de manipulation par des lettres codées qui lui furent envoyées à l'île du Diable et auxquelles il n'avait rien compris à l'époque. Il y avait eu une première lettre, portant des interlignes écrits à l'encre sympathique qui ne s'étaient pas révélés à l'époque où Dreyfus l'avait reçue à l'île du Diable. « Après le procès de Rennes, en classant les lettres reçues à l'île du Diable, je fus tout surpris, en retrouvant une lettre qui m'était parvenue en 1895 et à laquelle je n'avais rien compris, de voir qu'il était apparu dans les interlignes des phrases compromettantes. [...] Cette encre, invisible au moment où on écrit, ne devient visible que sous l'action de la lumière, plus ou moins prolongée, suivant le degré de concentration de la solution. Il est évident que l'auteur de cette machination infâme pensait qu'elle apparaîtrait dans le trajet de Paris à Cayenne, M. Guéguen [directeur du service pénitentiaire à Cayenne] aurait avisé le ministre de la Guerre qu'un complice continuait un commerce illicite avec le prisonnier de l'île du Diable. Cette manœuvre fut déjouée, puisque la lettre placée sous l'enveloppe ne fut impressionnée qu'à une date postérieure que je ne puis préciser, puisque je ne m'en aperçus qu'après le procès de Rennes. Il est de toute vraisemblance que la lettre dite "Weyler" fut fabriquée toujours par la même personne en voyant que sa première machination avait échoué, mais cette fois-ci, pour être sûr de la réussite, les interlignes furent écrits avec de l'encre sympathique. Si l'écriture de deux lettres est complètement différente, par contre, le sens des interlignes procède de la même idée. Je verse cette lettre au dossier [151]. »

Dreyfus aborda le dossier des racontars du professeur du lycée Janson-de-Sailly, Rocheblave, sur sa culpabilité, dossier qui lui avait été préparé par Gabriel Monod. Sa déposition s'acheva sur cette dernière mise au point. Dans une déclaration annexée au procès-verbal, il

demanda à revenir sur la dernière déposition de du Paty de Clam et
releva encore de nouveaux mensonges de son premier accusateur[152].

M^e Mornard fit constater enfin à la chambre criminelle que Dreyfus
n'avait pas le nez « busqué » et qu'en conséquence son signalement
ne correspondait pas à celui de l'officier que Mme Bastian, la femme
de ménage chargée de la « voie ordinaire », déclara au procès de
Rennes avoir vu à l'ambassade d'Allemagne[153].

*L'hommage des juges au justiciable*

La différence entre la déposition du 22 juin 1904 et celle du 5 janvier 1899 à l'île du Diable fut considérable. La première fois, Dreyfus
avait bien été entendu par un magistrat civil sur commission rogatoire,
mais il ne disposait d'aucun élément pour se défendre, sinon plaider
sa complète innocence et l'inexistence absolue de ses aveux. Là, le
22 juin 1904, il put être longuement entendu et doublement se
défendre, à la fois en répétant sa totale innocence dans les faits pour
lesquels il avait été condamné et en condamnant les procédés de ses
accusateurs par la démonstration de leur caractère criminel.

L'audition du capitaine Dreyfus par la chambre criminelle fut un
grand moment de justice, simplement parce qu'un justiciable, ici innocent mais encore justiciable puisque pas encore jugé, eut la possibilité
de s'exprimer, de ne pas être interrompu, de suivre un raisonnement,
d'apporter ses preuves. Ce fut fondamental. La chambre criminelle
s'honora que, pour la première fois, le capitaine Dreyfus fût mis en
présence de magistrats respectueux du justiciable et de sa parole. La
justice fit un grand pas vers plus d'humanité en même temps qu'elle
avançait vers la vérité. Il est important de s'en souvenir.

Dreyfus se rappela avec émotion ce jour où la justice signifiait pour
lui l'espoir et la civilisation.

C'était la première fois de ma vie que je franchissais le seuil du palais
de justice, où cependant mon nom avait si souvent retenti. Comme j'attendais, avant d'être entendu, dans la galerie qui précède la salle où siégeait
la chambre criminelle, le procureur général vint à passer avec M. Melcot,
avocat général, auquel il me désigna. M. Melcot quitta alors M. Baudouin
et, venant à moi, me dit : « Je ne fais pas partie de la chambre criminelle
et n'aurai pas à intervenir dans votre affaire. Permettez-moi de vous exprimer toute ma sympathie et de vous serrer la main. J'ai été convaincu de
votre innocence du jour où j'ai entendu le général Mercier mentir. »
Quelques instants après, on vint me prévenir que l'audience était ouverte.
Je fis ma déposition en établissant, pièces en main, les audacieux mensonges
de mes accusateurs[154].

Le procureur général, qu'il avait croisé dans la galerie et dont il
avait regretté qu'il n'eût pas accompagné son réquisitoire écrit de 1904
par une « note émue », une « note humaine[155] », avait su pourtant tirer

la signification humaine de l'histoire exceptionnelle de ce justiciable. Dans son réquisitoire oral de 1906, Manuel Baudouin expliqua l'erreur psychologique qui avait été commise à l'encontre de Dreyfus. Ce fut la naissance des intellectuels qui permit de la comprendre et de la réparer. Il ne fallait pas, en effet, le juger du point de vue émotif, mais le comprendre comme l'un d'entre eux. « Dreyfus n'est point un sensitif, un émotif ; c'est plutôt ce qu'on a appelé [...] un intellectuel [156]. » Mais l'« intellectuel » fit preuve de qualités héroïques de courage et de volonté. Contre l'idéologie de la virilité nationaliste [157] qui rejetait les intellectuels, Dreyfus incarnait la force de la résistance et l'éclat du combat désespéré contre les ténèbres dont l'homme, à la fin des fins, sort victorieux. Dès 1904, Baudouin avait revisité toute l'histoire de Dreyfus arraché au monde et luttant pour son honneur. Achevant le récit du procès de 1894 et de l'arbitraire précipité sur le justiciable, le procureur général de la Cour de cassation proclama : « C'est dans ces conditions que Dreyfus a subi, le 5 janvier 1895, dans la cour de l'École militaire, cet atroce supplice pour un officier de la dégradation militaire, et ensuite a été envoyé à l'île du Diable, où pendant cinq ans il a souffert ce que vous savez.

Je veux être fidèle à la promesse que je me suis faite, que je vous ai faite tout à l'heure, je ne veux rien dire de ce calvaire qui a été gravi avec un courage indomptable. Qu'il me soit cependant permis de faire observer qu'il eût été peut-être possible de concilier davantage les nécessités d'exécution de la peine avec les devoirs à jamais inoubliables de la justice et de l'humanité.

Je retiendrai d'un autre côté, avec un grand soin, que le journal qui a été écrit par Dreyfus à l'île du Diable, que la correspondance qu'il n'a cessé d'entretenir avec toute sa famille pendant les cinq ans qu'il a passés là-bas, et qui, tout entière a passé sous les yeux de ses gardiens, ne sont qu'un long cri de protestation et d'innocence, qu'un ardent appel à la justice, qu'un acte de foi profonde en la force invincible de la vérité.

À aucun moment Dreyfus n'a faibli, et son accent est demeuré si pénétrant qu'il n'est personne, en lisant cette correspondance et ce journal, qui ne se sente au moins ébranlé, en tout cas profondément ému [158].

En 1906, devant les chambres réunies et à la veille de l'arrêt historique de réhabilitation, Manuel Baudouin rendit un nouvel hommage au justiciable Dreyfus. Celui qui avait si souvent demandé d'être jugé sur la vérité, par un acte de raison et de droit, semblait avoir inspiré les paroles qui sortirent de la bouche du haut représentant du parquet en France.

Nous nous sommes promis de ne pas faire appel à la pitié, de ne pas parler au cœur, de ne nous adresser qu'à la raison. Nous ne demandons rien à l'indignation que pourrait soulever le régime auquel le condamné a été soumis. Certes, nous ne cédons pas à ce sentimentalisme énervé qui s'apitoie sans cesse sur les duretés du régime pénitentiaire qu'il veut toujours adoucir, sur les souffrances des détenus qu'il ne songe qu'à alléger. Nous sommes de ceux qui pensent que l'emprisonnement, le bagne, la déportation, constituent des peines, que leur exécution doit demeurer un châtiment et que c'est lui enlever tout caractère d'exemplarité que de faire des maisons d'arrêts ou centrales, des bagnes, des enceintes fortifiées, comme une sorte d'hospice ou de lieu de refuge. Nous voulons que toutes les précautions soient prises pour prévenir l'évasion ou réprimer la révolte. Mais nous croyons fermement aussi que, là pas plus qu'ailleurs, l'humanité ne doit jamais perdre ses droits et que la double enceinte et la double boucle ne constituent que des rigueurs inutiles et sont par suite injustifiables vis-à-vis d'un prisonnier qui ne s'est jamais signalé que par sa résignation, auquel, malgré l'atroce situation dans laquelle il se trouvait, l'administration pénitentiaire n'a pas eu à reprocher pendant cinq interminables années un mot, un geste ; qui s'est soumis à toutes les rigueurs du règlement sans qu'une plainte s'échappât de ses lèvres et qui, soutenu par le sentiment de sa dignité et de son innocence, a su triompher d'un climat dévorant, de la fièvre qui le minait, de la folie qui l'assiégeait, à force de ressort physique et d'énergie morale.

Nous ne voulons rappeler de ce temps de cruelle épreuve que la correspondance qu'il a échangée avec les siens, surtout avec sa femme dont la constance, la résignation et le courage ont forcé l'admiration et le respect de tous. Nous n'en voulons retenir que l'expression inflexible du même sentiment de protestation inlassable d'innocence qui, pas une heure, n'a cessé de s'élever de ce calvaire et de cette agonie [159].

Après la clôture de l'instruction de la chambre criminelle, le 28 novembre 1904, Dreyfus et Mornard se lancèrent dans la rédaction du mémoire qui devait être présenté par la défense, pour la seconde étape de la procédure de révision. Après l'instruction venait le temps des rapports puis des débats des chambres réunies. Bien que ce très long document, plus de sept cent trente pages, ne portât, comme il se devait, que la signature de l'avocat près la Cour de cassation, il devait une part au très substantiel travail du capitaine Dreyfus. Déjà celui-ci avait préparé durant l'été 1904 la documentation nécessaire au chapitre relatif à la discussion technique du bordereau, c'est-à-dire la nature des documents visés par cette pièce, leur valeur très faible et les éléments attestant de l'absence de lien entre lui et eux.

*Dreyfus et le bordereau. Une réfutation exemplaire*

Alfred Dreyfus donna un résumé de cette entreprise de réfutation complète dans ses *Carnets* [160]. Mais il est nécessaire, ici comme auparavant, de revenir à la source afin d'apprécier et la valeur des preuves apportées par l'auteur et sa volonté de s'impliquer totalement dans la démonstration de son innocence.

À son retour à Paris à l'automne 1904, il avait commencé la rédaction du chapitre relatif à la discussion graphique du bordereau. Il s'agissait de reprendre toute la matière produite par Bertillon et ses exégètes – le capitaine Valério, le commandant Corps, un ancien et anonyme « élève de l'École polytechnique » – pour démontrer que l'écriture du bordereau était forgée et que l'auteur en était Alfred Dreyfus. Ces constructions graphiques, mathématiques et physiologiques permettaient de récuser la culpabilité d'Esterhazy et d'accuser le capitaine sur des preuves incontestables et sur la base d'argumentations définitives. Des calculs savants, des agrandissements photographiques géants, des confrontations massives de documents permettaient de parvenir à ce résultat démentiel qui avait toutes les apparences de la scientificité. Il permit au commandant Cuignet d'étayer le système d'accusation développé à Rennes contre le capitaine Dreyfus.

Dans son étude de près de cent pages, Dreyfus mit, pour commencer, en évidence le principe de l'accusation portée contre lui, puis il résuma et analysa les travaux des savants, historiens et philologues, mathématiciens, médecins physiologistes. Muni de ces outils, il revint vers les constructions imaginées par Bertillon et ses disciples, montra que chacune d'entre elles était fondée sur des erreurs irrémédiables mais que, de surcroît, elles se contredisaient les unes les autres de manière définitive.

L'analyse de l'ensemble des expertises réalisées sur l'accusation était d'autant plus précieuse que celles-ci n'avaient pas toutes le même statut ni la même portée ! Il convenait ainsi de les apprécier séparément pour ensuite les ordonner dans une critique générale du système Bertillon au sens large. Une table analytique au début du chapitre indiquait la conclusion générale de chaque expertise puis détaillait la critique portée sur le système Bertillon. Ce travail mené par Alfred Dreyfus constituait une expertise à part entière, aussi utile que les travaux antérieurs des savants. Il constitue à ce jour la plus aboutie des synthèses sur le dossier graphique du bordereau et la meilleure réfutation de l'illusion techniciste qui domina l'accusation à partir de 1898. Si le ton en est très ferme et les conclusions accablantes pour les auteurs du système, la modération est au contraire de mise pour apprécier l'intention de ces hommes égarés et aveuglés. En dépit de la destruction rationnelle et raisonnée du système, celui-ci perdura dans des formes variées. Il put soutenir une voie qui n'est toujours pas épuisée et qui consiste à prendre pour véridiques des argumentations apparentes et des constructions erronées.

La conclusion d'Alfred Dreyfus proposait une juste méditation sur le sens de cette démesure et des hommes qui l'avaient édifiée. Il leur opposait la parole de la raison et les travaux des savants les plus éminents.

Ainsi, comme M. Gabriel Monod, de l'Institut, de l'École normale supérieure et de l'École des hautes études ; comme A. Molinier, de l'École des chartes ; comme M. Bernard, de l'École polytechnique ; comme M. Pain-levé, de l'Académie des sciences, professeur à la Sorbonne ; comme les experts en physiologie de l'écriture, le docteur Émile Javal, de l'Académie de médecine, et le docteur Héricourt, de la faculté de médecine ; les trois experts nommés par la Cour, MM. Appell, doyen de la faculté des sciences, membre de l'Académie des sciences, M. Darboux, secrétaire perpétuel de l'Académie des sciences, M. Poincaré, membre de l'Académie des sciences, professeur de calcul des probabilités à la Sorbonne, condamnent unanime-ment, et dans toutes leurs parties, les obscurs et souvent contradictoires systèmes de MM. Bertillon, Valério et Corps. Ces systèmes n'avaient pour eux que leurs imprécisions et leur obscurité mêmes. Dès qu'on a voulu les réduire à l'état de raisonnement rigoureux et de mesures précises, il n'en est rien resté. Les experts ne condamnent pas la loyauté de M. Bertillon, qui a pu être victime de ses illusions et de ses violents partis pris antisé-mites. On peut se demander cependant si l'aveuglement, poussé à un point tel qu'il falsifie les mesures et les calculs, est encore compatible avec la loyauté.

Le jugement de Dreyfus fut en revanche beaucoup plus sévère pour les constructions anonymes et pour ceux qui, de Mercier à Cuignet, avaient exploité contre lui ces constructions imaginaires. « Les excuses invoquées par les experts en faveur de MM. Bertillon et Corps, qui sont venus exposer devant eux leurs illusions, ne sont dans tous les cas certainement pas applicables aux auteurs anonymes de la "bro-chure verte" qui, manifestement, connaissaient la fausseté des planches par eux publiées, et qui se sont dérobés à toute vérification contradic-toire. Elles ne peuvent être davantage applicables aux accusateurs pro-clamant le caractère irréfutable de la démonstration, et se refusant à prendre la responsabilité des assertions qui servent de base à cette démonstration [161]. »

La conclusion intégrait un tableau synoptique qui exposait le résultat des vérifications des experts sur chacun des éléments constitutifs du système : « Ce résumé rapide montrera à la Cour, bien qu'il soit forcé-ment incomplet, l'extraordinaire aveuglement de M. Bertillon et de ses commentateurs. » Enfin, Alfred Dreyfus réfléchit sur le sens d'un tel acharnement contre la vérité, alors que l'auteur du bordereau avait été identifié sans conteste dès 1896 :

Il est certainement sans exemple dans les annales judiciaires qu'on ait jeté, en un procès criminel, un tel amas d'aberrations pour tenter d'attribuer à un accusé un document revêtu indiscutablement de l'écriture d'une autre personne, acculée d'ailleurs à l'aveu. Il est douloureux de constater que, pour faire justice de ces aberrations, en réalité mises à néant par le simple bon sens, il a été nécessaire de faire appel aux sommités scientifiques du pays, et de faire perdre le temps de ces savants éminents pour la discussion de pareilles puérilités [162].

Le recours à ces sommités scientifiques était amplement justifié non par l'intérêt proprement dit de ces élucubrations technicistes, mais en raison de leur rôle déterminant les systèmes de culpabilité qui succédèrent à celui de 1894. « S'il s'était agi d'une affaire ordinaire, on eût pu négliger toutes les débauches cryptographiques. Le simple bon sens en eût fait justice sans discussion. Mais il ne fallait pas oublier que toutes les folies avaient reçu droit de cité dans mon affaire et s'y étaient donné libre carrière. Il fallait donc pénétrer résolument dans les arcanes de toute cette fantasmagorie [163]. » Dreyfus était encouragé par la Cour de cassation puisque l'instruction faite en 1904 par la chambre criminelle « ne faillit pas à cette tâche [164] ».

À l'issue de cette longue analyse, on pouvait conclure, comme Dreyfus le fit dans ses *Carnets* : « L'esprit reste stupéfait devant cette accumulation de crimes pour perdre un innocent. En résumé, rien n'était resté debout de la partie de l'accusation relative à la discussion technique du bordereau [165]. »

Ce volet du mémoire général, qui requérait des compétences spéciales, mais aussi une faculté de synthèse et de critique [166], répondait aux objectifs définis par Dreyfus pour l'ensemble de sa défense. Il s'impliqua ainsi dans la totalité du mémoire, n'hésitant pas à discuter, parfois vivement, avec son défenseur de certaines questions dont celle des liens entre Esterhazy et Henry : « Il fallait avoir le courage de reconnaître que le problème de la complicité d'Henry avec Esterhazy n'avait pas encore reçu de solution [167]. » Ce mémoire fut le sien, et il en donna un très long et très précis résumé dans ses *Carnets*.

*Au terme du mémoire*

M^e Mornard achevait la rédaction du mémoire de la défense. Il y travaillait depuis la rentrée de l'automne 1904, dans une étroite collaboration avec son client. Ce mémoire reposait en premier lieu sur les résultats de l'instruction de la chambre criminelle. Dreyfus souligna dans ses *Carnets* combien ce travail détruisait les différents systèmes de culpabilité développés contre lui depuis octobre 1894 [168].

Il découvrit ainsi, en marge de la rédaction du mémoire, que son dossier personnel d'officier conservé au ministère de la Guerre et qu'il avait fait demander par son avocat, n'avait été communiqué qu'incomplètement au conseil de guerre de 1894. Les notes très élogieuses que lui avait notamment décernées le général de Boisdeffre, chef d'État-major, avaient été retirées du dossier afin de ne conserver que les allégations négatives des accusateurs du 4^e bureau [169].

M^e Mornard termina la rédaction du mémoire le 25 avril 1905. Il avait nécessité « un travail considérable », souligne le capitaine Dreyfus qui avait largement contribué à sa réalisation [170]. Surtout, il s'appropriait, en la rapportant à l'ensemble de l'Affaire, l'instruction énorme de la chambre criminelle. Le mémoire procédait classiquement par un exposé des éléments révélés par l'instruction de la chambre criminelle, discutait de leur statut de faits nouveaux, envisageait de ce point de vue les moyens de la révision et concluait sur les conséquences juridiques de cette dernière, c'est-à-dire la cassation sans renvoi. Mais, outre la valeur de l'étude de la question technique et graphique du bordereau due à Dreyfus, il innovait sur un point capital, en proposant l'identification et l'étude des systèmes d'accusation qui avaient été développés contre l'officier depuis que son arrestation avait été décidée, le 11 octobre 1894. Cette analyse proposait un cadre de classement très judicieux. Il permet de s'arracher au sentiment de vertige qui saisit tous ceux qui pénètrent dans le dossier proprement dit des faits. Il soulignait que l'obsession accusatrice de l'État-major était non seulement criminelle, mais de surcroît révélatrice de son incurie. Dès lors que l'on analysait ces systèmes successifs de la culpabilité de Dreyfus, on découvrait qu'ils se contredisaient allègrement les uns les autres.

Ces systèmes n'en furent pas moins utilisés contre Dreyfus et présentés comme incontestables. Ils pouvaient à la rigueur faire illusion par leur aspect apparemment démonstratif et méthodique. Mais ils s'effondraient quand le système des preuves était précisément examiné, ce qu'établit méthodiquement la chambre criminelle. Ils s'effondraient aussi lorsqu'ils étaient étudiés en globalité et confrontés les uns aux autres, ce que firent précisément Mornard et Dreyfus dans leur mémoire de 1905.

La participation de Dreyfus au travail de fond fut un élément capital d'appréciation de son rôle actif dans la résolution de l'Affaire et de la connaissance de ses convictions sur l'œuvre de justice. Elles sont doubles et elles possèdent une portée universelle autant que pratique. D'une part, les juges doivent fonder leur arrêt sur l'établissement le plus complet possible de la vérité. D'autre part, il ne peut y avoir de justice particulière ni spéciale. Tout arrêt doit respecter la loi, le droit, le bien commun. On notera que Dreyfus a toujours agi selon ce double principe qui a été sa règle, y compris et d'abord à l'île du Diable.

Au seuil de la décision de justice qui allait reconnaître son innocence et le réhabiliter au regard du droit, il agissait de même, en prenant cette part décisive dans le travail de son avocat, et en lui demandant expressément de fonder ses recommandations juridiques du point de vue de la loi commune, et surtout pas de sa « situation particulière ». Il justifia enfin de la parfaite légitimité dans l'application, pour son affaire, de l'article 445 du code d'instruction criminelle autorisant la Cour de cassation à annuler un jugement sans renvoi :

Devant ma volonté formelle, M^e Mornard ne prit aucune conclusion basée sur les principes de droit concernant la prescription, la qualification légale des faits, le décret de grâce ou la peine exécutée. Je ne voulais d'aucun moyen de cassation sans renvoi basé sur ma situation particulière, surtout je ne voulais que des moyens établissant catégoriquement mon innocence et la culpabilité d'Esterhazy. En conséquence, Mᵉ Mornard fonda ses conclusions pour la cassation sans renvoi sur les deux moyens suivants, inscrits dans le code d'instruction criminelle :

1° « La Cour statue au fond sans renvoi lorsqu'il ne pourra être procédé de nouveau à des débats oraux entre toutes les parties. » Or Esterhazy, auteur du bordereau et de la trahison, informateur habituel de Schwartzkoppen, était, comme le vulgaire bon sens le voulait, partie au procès, et comme il ne pouvait plus y avoir de poursuites contre lui, ayant été acquitté par le conseil de guerre de 1898, il ne pouvait plus être procédé à des débats oraux entre toutes les parties. »

2° « Si l'annulation de l'arrêt à l'égard d'un condamné vivant ne laisse rien subsister qui puisse être qualifié crime ou délit, aucun renvoi ne peut être prononcé. » Or l'enquête de la Cour n'avait laissé subsister aucune charge contre moi [171].

## UNE HISTOIRE AU REGARD DU DROIT ET DE LA VÉRITÉ

Après la clôture de l'instruction, le 28 novembre 1904, la marche de la justice entra dans une nouvelle phase, celle des rapports et des études qui analysèrent tout le matériau réuni par les magistrats de la chambre criminelle. Puisque ceux-ci avaient élargi leur instruction à toute l'Affaire, les travaux de la défense, du procureur général et du rapporteur développèrent une véritable histoire de l'événement conduite dans le souci de la vérité, du droit et de la loi.

### Le réquisitoire écrit du procureur général

Pendant que le capitaine Dreyfus et son avocat préparaient leur long mémoire, le procureur général de la Cour de cassation, Manuel Baudouin, s'était attelé à la rédaction de son réquisitoire. Le premier président Ballot-Beaupré lui demanda de réaliser un travail très complet et, pour cela, de prendre son temps. Dreyfus dira dans ses *Carnets* sa réprobation de délais si longs [172]. Mais ils étaient aussi la garantie d'une œuvre définitive. Et c'est bien ce qui advint, avec les huit cents pages très denses du réquisitoire du procureur achevé le 9 mars 1905, rédigé dans un temps tout à fait raisonnable, compte tenu de la masse de documents à consulter et de l'ampleur du travail de rédaction assumé par le magistrat.

Le réquisitoire écrit était différent de celui qui allait être lu en audience publique, avant l'arrêt final de la Cour de cassation. Il était surtout plus volumineux : 799 pages imprimées contre 542 pour le « prononcé ». Mais on sentait « véritablement passer », dans l'un comme dans l'autre, « le frisson de la justice outragée », selon les mots de l'avocat de Dreyfus [173]. Il est vrai que le procureur général de la

Cour de cassation donna à lire une protestation argumentée contre le sort qui fut réservé à la justice durant toute l'Affaire.

Manuel Baudouin partit de l'origine légale de la révision, le procès de Rennes. Il commença par critiquer très sévèrement le commissaire du gouvernement qui n'avait pas réagi lorsque le conseil de guerre ignora les points tranchés par la Cour de cassation dans la première révision. Selon lui, ce représentant du ministère public n'avait pas la charge de défense de l'intérêt social [174]. C'est cette situation précise de faillite de la procédure à Rennes qui obligea le procureur général et ensuite la Cour de cassation à reprendre tous les termes du dossier. D'un mal sortit un bien. Les accusateurs de Dreyfus allaient perdre dans leur prétention passée à dominer la justice. « Les débats ayant été portés sur le même terrain que la première fois et même étendus à des faits que ne visaient ni le rapport ni l'ordre de mise en jugement, nous sommes obligés de nous engager nous-mêmes dans une discussion que l'on eût dû considérer comme épuisée. » Ainsi l'abus de pouvoir du conseil de guerre et le viol de la chose jugée par la Cour de cassation conduisaient-ils cette dernière à tout reprendre, à tout voir. La stratégie suivie à Rennes s'était retournée contre ses instigateurs. « Un nouvel examen plus approfondi et plus serré du bordereau au point de vue graphique et la recherche plus attentive des documents contenus dans les archives du ministère de la Guerre nous ont permis de faire plus éclatante encore la lumière et de dévoiler des procédés grâce auxquels l'accusation a pu pendant quelque temps créer une regrettable illusion [175]. »

La reprise du tout fut accablante. La plume du procureur général fut aussi libre que sa parole. Il expliqua, avança, jugea. La liste de ses démonstrations, qui se concluaient comme des arrêts, fut impressionnante.

– Le bordereau était l'œuvre d'Esterhazy

« Il n'est pas douteux qu'il ait été écrit par Esterhazy. Celui-ci l'a, à la vérité, longtemps nié, lorsqu'il obéissait aux ordres de l'État-major qui, quand il a été accusé, l'a défendu avec une ténacité dont chacun a gardé le souvenir. Mais lorsqu'il s'est vu abandonné à lui-même, lorsque, d'autre part, l'expertise ordonnée par la Cour de cassation eut établi la matérialité du fait, lorsque enfin les investigations de l'enquête eurent permis de retrouver entre ses mains, à l'époque même où le bordereau a été fait, le même papier pelure que celui sur lequel était écrit ce document, il se décida à reconnaître ce qui était déjà démontré à l'évidence, à savoir qu'il était l'auteur du bordereau et qu'il l'avait écrit de sa main.

« Si l'on veut considérer le bordereau comme un acte de trahison réelle, un examen attentif et serré de la procédure nous convaincra qu'aucune des charges relevées par l'accusation contre Dreyfus n'est de nature à établir sa culpabilité et que son innocence est certaine, alors que tout se réunit pour dénoncer Esterhazy comme l'auteur du bordereau et de la trahison qu'il constitue [176]. »

– L'enquête menée en 1894 contre le suspect Dreyfus fut bâclée, nulle, et dominée par les préjugés antisémites

Le procureur s'éleva particulièrement contre la nullité des constatations opérées par les responsables du 4e bureau, le colonel Fabre et le lieutenant-colonel d'Aboville, sur l'écriture du capitaine Dreyfus, « l'inanité flagrante de cette prétendue ressemblance des deux documents en ce qui touche tout spécialement le mot "artillerie". C'est cependant de ce misérable détail que toute la prévention est née : c'est sur ce point de détail faux que l'accusation s'est échafaudée [177] ».

Quant aux préjugés antisémites et à leur influence au ministère de la Guerre, « il paraît difficile pourtant d'en nier l'existence dès cette époque dans les milieux militaires et plus spécialement à l'État-major général [178] ».

– L'aveuglement du général Mercier fut total et immédiat

« Le fait d'espionnage était indéniable à ses yeux ; sa responsabilité lui semblait engagée, et quelles que fussent les conséquences, les présomptions qui existaient lui semblaient assez fortes pour ne pas lui permettre d'éviter d'appliquer la loi [179] ». Le fait de signer un ordre d'écrou en lieu et place du gouverneur militaire de Paris fut jugé inadmissible par le procureur général.

– Les entorses à la loi et le viol caractéristique des règles élémentaires de justice ou de procédure

Dans l'enquête de du Paty de Clam d'abord, Manuel Baudouin releva qu'il n'y avait pas, dans le tremblement de Dreyfus, l'indice, si léger fût-il, d'une culpabilité. Le texte de la dictée ne présentait en aucune manière ce qu'avait décrit l'officier. Le procureur général condamna le déroulement du premier interrogatoire et le fait que l'officier de police judiciaire ait menti sur les preuves dont l'État-major disposait contre lui [180]. Le fait de mettre à disposition de Dreyfus un revolver afin qu'il puisse mettre fin à ses jours suscite l'indignation du magistrat : « Tout cela est déjà absolument contraire aux habitudes d'une justice régulière » et d'autant plus répréhensible que les enquêteurs n'avaient pas consigné ce dernier fait et les nouvelles protestations de Dreyfus sur le procès-verbal [181]. Baudouin releva en revanche que du Paty de Clam s'était attaché à relever dans son rapport du 31 octobre tout ce qui lui avait paru de nature à compromettre la défense.

– Les méthodes d'interrogatoire pratiquées à l'encontre de Dreyfus et la dissimulation du dossier à son égard, c'est-à-dire essentiellement le bordereau

On ne saurait trop s'étonner de cette manière de procéder, alors qu'il s'agit d'une accusation qui repose tout entière sur des comparaisons d'écritures presque toujours si délicates et que la déformation résultant nécessairement de la photographie et l'aspect différent que donne à la pièce la couleur même du papier employé ne peuvent que rendre encore plus difficiles et plus incertaines. N'était-il pas de toute justice de montrer à l'inculpé la pièce originale elle-même que l'officier enquêteur avait entre les mains ? En vain M. du Paty de Clam prétend-il qu'il avait à redouter des indiscrétions dangereuses pour la sécurité nationale ; il oublie que l'enquête se suivait dans le secret le plus rigoureux, sans que l'inculpé fût autorisé à voir non seulement aucun des siens, auxquels il lui était interdit d'écrire, mais même un conseil, dont la loi alors en vigueur ne prescrivait pas encore l'assistance obligatoire [182].

Le procureur général ne condamna pas seulement la décision de dissimuler le document accusateur, mais aussi, ceci expliquant cela, les mensonges délibérés de du Paty de Clam sur l'étendue et la nature des charges [183]. « Nous savons comment M. du Paty de Clam interroge et comment il fait ses rapports, y supprimant ce qui le gêne, y retenant, en le grossissant, ce qui lui semblait à charge [184]. »

– L'acte d'accusation aberrant de 1894

« On ne peut manquer d'être frappé, à la lecture de ce document, de l'esprit qui l'a inspiré, de ses tendances, de ses déductions, en même temps que de son vide absolu. Pas un fait n'y est précisé. Tout y reste à l'état d'allégations vagues, qui s'évanouiront dès qu'on les pressera. Tout y devient charge contre l'accusé, même les faits les plus naturels, et jusqu'à l'excellence de ses réponses qui, déconcertant le magistrat instructeur, ne sont plus pour lui dès lors qu'une preuve d'habileté et de dissimulation. »

Baudouin condamna particulièrement l'accusation portée contre Dreyfus d'être un joueur et un séducteur invétéré. En refusant de procéder à une enquête minimale permettant de corroborer les renseignements de Guénée, d'Ormescheville avait commis une faute majeure. En effet, non seulement ces informations ne concernaient pas le capitaine Dreyfus, mais de plus il aurait été facile de les contrôler en se rapprochant du préfet de police qui avait fait vérifier, « dès le commencement de novembre », les allégations de Guénée. « Cette enquête, consignée dans deux rapports du 4 et du 18 novembre 1894, avait établi que l'on avait confondu l'inculpé avec d'autres homonymes ; qu'il était personnellement inconnu dans les cercles de jeux de Paris, et qu'en ce qui concernait les relations galantes la conclusion était très dubitative. » Le procureur général de la Cour de cassation rappelait aussi que ces rapports du préfet de police avaient été remis au commandant Henry, mais qu'ils avaient été supprimés par l'accusation. La Cour de cassation les avait exhumés en 1899. Elle en avait appris par hasard l'existence et avait demandé des doubles à la préfecture de police. Le procureur général révélait que de plus les notes de Guénée avaient été présentées, dans l'un des dossiers secrets établis en 1898 par le lieutenant de réserve Wattinne sur ordre du ministre de la Guerre, le général Billot, comme des rapports officiels de la préfecture de police. Pour ce dossier secret, le général Gonse fit un commentaire qu'il fit approuver par le général de Boisdeffre et dans lequel il reprenait la légende de la « passion du jeu ». « On reste confondu devant une telle audace », conclut le magistrat [185].

– La communication du dossier secret au conseil de guerre de 1894 et la forfaiture du général Mercier

Citant un passage du *Traité de l'instruction criminelle* du grand pénaliste Faustin Hélie sur le caractère sacré de la défense [186], et rappelant que ce principe s'impose à toutes les juridictions, justice militaire comprise, le procureur général estima que les juges militaires « n'apprécièrent pas d'abord l'illégalité flagrante et ne la considérèrent que comme une irrégularité justifiée par la gravité de la situation au point de vue international ». En revanche, il accabla Mercier qui avait mesuré la gravité d'un tel acte puisqu'il le dissimula. [Il n'informa pas ses collègues du gouvernement, il imposa le silence à tous ceux qui y avaient été mêlés au crime judiciaire, et il détruisit, en présence du colonel Sandherr, le commentaire des pièces prétendument attribuées au capitaine Dreyfus.] Le procureur général rappela les forfaitures du général Mercier, notamment l'ordre qu'il imposa au général de Boisdeffre afin de récupérer et de détruire la copie du commentaire que le colonel Sandherr avait conservée par prudence, sa déclaration sous serment à la cour d'assises de la Seine, lors du procès Zola, donnant « sa parole de soldat » que Dreyfus « avait été justement et légalement condamné, et son refus de répondre aux questions de la Cour de cassation sur le sujet. Le magistrat conteste aussi que les intérêts de la défense nationale puissent autoriser de telles illégalités, le huis clos rigoureux étant là pour garantir « de la manière la plus absolue le secret le plus étroit ». Il rappelle aussi que « le général Mercier a singulièrement exagéré le péril » dont il entendait tirer sa justification, comme l'expliqua l'ancien président de la République Casimir-Perier dans sa déposition devant la Cour de cassation [187]. La destruction du commentaire par le général Mercier fut jugée très répréhensible. L'ancien ministre de la Guerre ne pouvait en aucun cas arguer du fait qu'il s'agissait d'un document dressé pour son usage personnel. « Il était dès la première heure rédigé pour le conseil de guerre auquel il était destiné », et il servit d'élément à la décision des juges. « Il n'est donc point discutable que ce fut un des actes que l'article 173 ou l'article 439 du code pénal auraient dû protéger, et dont la destruction volontaire eût assurément, sans la loi d'amnistie du 27 décembre 1900, entraîné contre son auteur l'application des peines édictées par ces textes. »

– L'accusation par conjectures

Baudouin considéra de manière générale « que l'accusation tout entière n'a jamais procédé que par conjectures, que par hypothèses, et que les deux conseils de guerre de Paris et de Rennes n'ont pas hésité à les prendre pour des charges démontrées [188] ». Il dénonça comment l'accusation, à Rennes, avait persisté à soutenir que Dreyfus était allé dans la voie des aveux, « au mépris de l'arrêt de la cour suprême » puisque la Cour de cassation avait détruit cette légende. Le procureur général fut donc contraint de s'engager dans un examen nouveau qui conclut lui aussi à l'absence d'aveux et à la fabrication volontaire et délibérée d'une telle légende pour les besoins de l'accusation [189]. Il exhuma une pièce décisive, le télégramme que le commandant Guérin adressa au gouverneur militaire de Paris aussitôt après la fin de la cérémonie de dégradation, afin de lui rendre compte de son déroulement [190].

« Pour nous, écrivit le magistrat, le télégramme du 5 janvier 1895, inconnu lors des débats de 1899 du conseil de guerre de Rennes, est à n'en pas douter de nature à établir l'innocence du condamné ; il constitue donc, aux termes de l'article 443, §4 du code d'instruction criminelle, un fait nouveau justifiant la demande en révision ; c'est à ce titre que nous le signalons à toute l'attention de la Cour [191]. »

– Les déclarations permanentes d'innocence de Dreyfus

Disons-le donc sans hésiter ! Depuis la première heure où, devant MM. du Paty de Clam, Gribelin et Cochefert, il criait son innocence et sa volonté de vivre pour l'établir, il n'a jamais fléchi sous les efforts multipliés sans répit pour lui arracher l'aveu d'un crime dont ses accusateurs avaient besoin. À aucun moment de la procédure, il n'a laissé échapper un mot équivoque et dans aucun de ses interrogatoires constatés par procès-verbaux réguliers et signés de lui, il n'a eu une défaillance, une hésitation, une expression à double entente. Les rapports de M. du Paty de Clam et de M. d'Ormescheville le constatent avec dépit. Non seulement il nie avoir écrit le bordereau, mais il affirme qu'il n'a pas commis la plus légère imprudence. C'est ce qu'il répète encore le 31 décembre à M. du Paty de Clam dans cet entretien secret dont on voulait cacher à tous l'existence [192].

Ces déclarations d'innocence rendaient invraisemblables les « aveux » prononcés avant sa dégradation [193]. Baudouin pourfendait la manœuvre des « aveux » qui avait été révélée et détruite à deux reprises par le travail de la Cour de cassation, cette fois et en 1899. Il pointa les fautes des autorités. Confrontés à un tel revirement de Dreyfus, ses responsables auraient dû logiquement interroger le condamné et enregistrer officiellement ses nouvelles déclarations. L'absence de consignation des pseudo-aveux – et pour cause ! – fut très sévèrement jugée par le magistrat, ainsi que les justifications données ensuite de cette « inconcevable négligence ». Il en profita pour faire un rappel très ferme des règles et des procédures en matière judiciaire :

C'est, assurément, une singulière explication de cette inconcevable négligence que de dire, soit, avec le colonel Guérin, que, Dreyfus ayant été remis à l'autorité civile après sa dégradation, le gouvernement militaire était dessaisi et n'avait plus rien à faire : comme s'il ne s'agissait pas d'un incident qui s'était produit pendant la dégradation, avant la remise du condamné à l'autorité civile, et que, dès lors, l'autorité militaire avait seule qualité pour rechercher et constater ; soit, avec le colonel Risbourg, qu'il était, en 1895, tellement convaincu de la culpabilité de Dreyfus, qu'il ne pouvait penser, à cette époque, qu'on arriverait un jour à la nier : comme si le devoir strict de la gendarmerie n'était pas de consigner tous les faits qu'elle apprend sans avoir jamais à s'en faire juge ; soit, avec le général Mercier, qui n'a pas même rendu compte des prétendus aveux au Conseil de ministres et qui n'en a parlé qu'incidemment au président de la République, que la question des aveux n'avait plus pour lui, au point de vue judiciaire, aucune importance puisque le procès était terminé : comme si, d'une part, la révision n'était pas toujours, et dès ce moment, possible, et comme si, d'autre part, le 31 décembre 1894, le procès étant aussi terminé, le général Mercier n'avait pas envoyé le commandant du Paty de Clam pour provoquer des aveux qui ne lui semblaient pas alors inutiles, et comme s'il n'eût pas dû s'empresser de faire recueillir ceux qu'on lui rapportait huit jours plus tard, s'il eût pensé qu'ils présentaient le moindre caractère sérieux [194] !

« L'on ne saurait vraiment s'étonner de son émotion "en présence de procédés devant lesquels tous les honnêtes gens ne peuvent que s'indigner [195]". » Le procureur général poursuivait :

L'aveu résulterait d'une phrase unique qui aurait été entendue dans une conversation entre deux personnes ou, mieux, dans un monologue coupé, haché, prononcé par l'une, entendu par l'autre, au moment le plus critique, alors que celui qui parle attend de minute en minute l'atroce épreuve qui va le supplicier. Il suffit d'un mot mal saisi, mal interprété ; il suffit même que le plan de la phrase soit modifié pour que le sens entier de cette phrase soit absolument dénaturé.

Et c'est sur cette base fragile qu'on échafaude tout le système, qu'on dresse une conviction de culpabilité ! Comment ne pas être effrayé cependant de l'inconsistance du propos lui-même ?

C'est un aveu de culpabilité, dit-on. Et il commence, et il finit par une protestation d'innocence catégorique [196] !

Les déclarations d'innocence du condamné furent permanentes et constantes. Les fonctionnaires militaires et civils qui eurent sa garde jusqu'à son départ pour la déportation eux aussi furent convaincus de son innocence : le commandant Forzinetti, le directeur du dépôt Durlin, le directeur de la Santé Patin, le contrôleur de ce même établissement, le gardien qui l'accompagna à La Rochelle. Or, constate le procureur général, « tout a été relevé contre Dreyfus avec une âpreté qui n'a même pas négligé le plus infime détail ». Ainsi, lorsqu'une copie du bordereau fut saisie après la fouille de ses objets personnels, ce fait fut consigné comme une nouvelle charge. Il aurait pu constituer, au contraire, un indice d'innocence, comme l'avait souligné l'ancien directeur des recherches à la préfecture de police, Puybaraud.

*Le dieu de justice de Pascal*

Après cette première liste de points capitaux, le procureur général de la Cour de cassation poursuivit son réquisitoire selon un plan classique, à savoir l'examen du bordereau du point de vue graphique et technique, du dossier secret, des charges morales invoquées contre Dreyfus et des renseignements venus de l'étranger, cela permettant d'établir l'innocence du condamné et d'établir les preuves de la culpabilité du commandant Esterhazy. Enfin, le procureur général étudia les faits qui justifiaient la demande nouvelle de révision dont la Cour de cassation était saisie et les conséquences que devait comporter l'annulation du jugement du 9 septembre 1899, c'est-à-dire le non-renvoi du capitaine devant un troisième conseil de guerre. En conclusion, la révision était justifiée par un ensemble de six faits nouveaux :

1° Le télégramme du 5 janvier 1895 découvert au cours de la dernière enquête et qui infirme absolument les prétendus aveux invoqués contre Dreyfus ;
2° La découverte, dans les archives de l'État-major de l'armée, de la minute Bayle qu'on a reproché à Dreyfus d'avoir fait disparaître et d'avoir livrée à l'étranger ;
3° Le faux témoignage Cernuscki considéré comme rentrant non pas dans les prévisions du § 3 de l'article 443 du code d'instruction criminelle, Cernuscki n'ayant point été, postérieurement à la condamnation de Dreyfus, poursuivi et condamné pour faux témoignage contre l'accusé, mais dans les termes du § 4 du même article, sa découverte, postérieure à la condamnation, étant de nature à établir l'innocence du condamné ;
4° Le fait Val Carlos et la falsification de la comptabilité du service de renseignement ;
5° La falsification de la pièce n° 372 du dossier secret ;
6° La falsification de la pièce n° 26 du même dossier.

Le procureur général écarta cependant le fait du bordereau « annoté », qui n'en était pas un, seulement une rumeur imaginée pour perdre Dreyfus. Il demanda à la Cour de se prononcer pour la révision sans renvoi devant un nouveau conseil de guerre, par application de l'article 445 du code d'instruction criminelle. Il termina en insistant sur la responsabilité considérable qui pesait sur la Cour, du fait de l'importance qu'avait prise l'affaire Dreyfus en France et dans le monde, mais convaincu que seule une décision de justice permettra l'apaisement, la concorde et la paix dans le pays.

Nous avons jugé ces lamentables événements qui, pareils à ces cyclones semant en quelques heures le ravage et la ruine dans les pays qu'ils désolent, ont, depuis dix ans passés, si profondément bouleversé le pays et transformé une erreur judiciaire initiale en un grand drame public haussé progressivement à la hauteur d'un attentat inouï contre la vérité, contre la justice, contre le droit humain, devenu par là même une cause universelle, touchant à la vie de la nation tout entière, dominant tous les événements publics, pesant sur l'action gouvernementale, sur l'organisation judiciaire, sur les relations intimes d'une génération à jamais troublée, sur la conscience publique depuis si longtemps déroutée.

« C'est une étrange et longue guerre – a dit Pascal – que celle où la violence essaye d'opprimer la vérité. Tous les efforts de la violence ne peuvent affaiblir la vérité, et ne servent qu'à la relever davantage. [...] La vérité subsiste éternellement et triomphe enfin de ses ennemis parce qu'elle est éternelle et puissante comme Dieu même. »

C'est à accomplir cette œuvre de réparation que nous vous convions. Il faut en finir : la raison l'ordonne, la justice le veut, le bien public le commande.

S'adressant à la Cour, à l'heure de sa responsabilité historique et politique, il évoqua « le triomphe éclatant et définitif de la vérité et de la justice », c'est-à-dire l'acte de réhabilitation du capitaine Dreyfus.

Dédaigneux des clameurs du dehors, sans autre souci que de rechercher et de proclamer le vrai, dégagés de toute préoccupation personnelle, de toute subordination, et statuant dans la pleine et libre indépendance de la conscience et de la raison, vous êtes la cour suprême et c'est à vous que le législateur a, depuis plus d'un siècle, confié l'admirable droit d'assurer le respect de toutes ses prescriptions, d'y ramener ceux qui s'en écartent et d'imposer à tous la décision souveraine. Jamais occasion plus solennelle ne s'est offerte à vous d'user de ces pouvoirs que la loi vous confère. Devant votre arrêt, qui ne s'inspirera que de l'évidence de toutes parts apparue, de la justice que tous réclament et qui est notre salut commun, tous s'inclineront, quoi qu'on en dise, et vous rendrez ainsi au pays la paix dont il a tant besoin, la confiance qui lui est nécessaire en même temps que vous assurerez par une décision à jamais mémorable le triomphe éclatant et définitif de la vérité et de la justice [197].

*Les lenteurs de la Cour, les certitudes de Dreyfus*

Le dépôt du réquisitoire écrit du procureur général de la Cour de cassation permit au premier président de désigner quelques jours plus tard, le 15 mars 1905, le magistrat qui allait rapporter l'ensemble du dossier devant les chambres réunies. Le conseiller Xavier Puech fut choisi pour cette tâche. Ancien avocat général à la Cour, collaborateur de Jean-Pierre Manau pour la première révision, il avait été nommé au siège le 30 juin 1899, c'est-à-dire après le vote de l'arrêt du 2 juin. Il ne présidait cependant pas une chambre, comme cela avait été le cas avec Ballot-Beaupré lui-même quand il avait été nommé rapporteur pour la première révision, en 1899. On s'attendait, expliqua Alfred Dreyfus, à la nomination de Louis Sarrut. Mais les journaux nationalistes avaient déclenché une campagne contre ce magistrat protestant, ami de Scheurer-Kestner. Il l'avait conseillé à titre privé en 1897 [198] et était membre du comité visant à faire ériger un monument au sénateur dreyfusard disparu.

Dreyfus conçut de l'amertume devant l'éviction de ce magistrat que ses hautes charges désignaient pour cette mission. Citant un propos de l'ancien président de la chambre criminelle de 1898, attaqué et injurié comme jamais un magistrat ne le fut, il relevait le piège par lequel les nationalistes faussaient la marche de la justice : « On nous a accusés d'avoir été partiaux pour Dreyfus. En voulant faire preuve d'impartialité, nous avons été partiaux contre lui [199]. » En agissant ainsi, la Cour de cassation donnait aussi le sentiment de suivre les injonctions des nationalistes, d'attester de leur pouvoir et de reconnaître même le bien-fondé de leur position pour plus d'« impartialité » [200]. Cependant, l'importance de Louis Sarrut fut loin de décliner à la Cour. Celui qui allait devenir par la suite procureur général puis premier président joua un rôle de conseiller auprès du rapporteur, d'autant que celui-ci changea trois fois.

Déjà le choix de Xavier Puech s'était heurté au refus du magistrat lui-même qui finit par le décliner pour raisons de santé, de même que Louis Delcurrou, membre de la chambre civile, qui le suivait dans l'ordre des nominations. Enfin, Louis Michel-Jaffard, membre de la chambre des requêtes, troisième sur le tableau des conseillers n'ayant pas connu la première instance en révision, accepta la charge. Alfred Dreyfus était confiant : « Je ne connaissais pas l'état d'esprit de ce conseiller, mais j'étais sûr que, du moment où c'était un magistrat de conscience, l'étude du dossier le convaincrait pleinement de mon innocence [201]. »

Mais des problèmes de santé affectèrent aussi ce dernier magistrat. Le 10 mai 1905, Michel-Jaffard adressa au premier président un certificat médical qui, sans être alarmant, prescrivait plusieurs mois de repos. Les renseignements recueillis par le capitaine Dreyfus, et que corrobora l'enquête menée par Joseph Reinach pour l'écriture du dernier tome de son *Histoire de l'affaire Dreyfus*[202], établirent que la voie médicale avait été la solution trouvée par l'entourage du magistrat pour le soustraire aux responsabilités, jugées effrayantes, de la charge de rapporteur non seulement du point de vue intellectuel et juridique, mais aussi en raison de la crainte qu'inspirait la pression permanente des nationalistes. « La peur [...] était l'abîme où les courages venaient s'effondrer », commenta, lyrique et amer, le capitaine Dreyfus[203]. Le premier président et le procureur général de la Cour de cassation ne voulurent pas donner plus de prise à la pression nationaliste et refusèrent de remplacer le magistrat, préférant attendre la fin de sa convalescence. Décidément courageux, celui-ci fit savoir alors, vers le 15 mai, que le maintien de sa mission le précipiterait dans la tombe et que sa convalescence impliquait que l'on la lui retirât. Il fut alors remplacé par le conseiller Clément Moras qui suivait Michel-Jaffard dans le tableau de nomination des juges à la cour suprême.

Moras avait commencé son rapport pour les chambres réunies. Bien qu'il eût été mis en congé pour lui faciliter la tâche, il ne parvint pas à terminer pour la rentrée de la Cour de cassation qui reprit ses audiences le 16 octobre 1905. Son travail et plus encore ses conclusions étaient très attendus non seulement par Dreyfus, mais aussi par le gouvernement. Le Conseil des ministres du 7 novembre fut consacré à la révision. Après discussion, le gouvernement décida d'un calendrier qui dépendait de la position du rapporteur sur le renvoi ou le non-renvoi du capitaine Dreyfus devant un troisième conseil de guerre. Dreyfus résuma l'esprit de la décision dans ses *Carnets* : « S'il concluait au non-renvoi [...], l'affaire viendrait le plus tôt possible après le dépôt du rapport ; s'il concluait au contraire au renvoi, l'affaire serait renvoyée après les élections législatives d'avril-mai 1906. »

Cette dernière disposition était considérée par Dreyfus comme une « erreur politique » puisqu'elle serait sans aucun doute exploitée par les nationalistes qui y verraient la justice dirigée par le gouvernement. Il sollicita l'avis et le soutien d'Arthur Ranc[204], et celui-ci fit paraître dans *Le Radical* un article qui plaidait pour la marche sans délai de la justice et encourageait le gouvernement dans son devoir plus qu'il ne l'accablait dans ses hésitations. Il insistait néanmoins sur la « faute politique » que pouvait amener l'action du gouvernement et déclarait en finale que, « dans un intérêt politique supérieur, comme au nom de la justice, une liquidation immédiate de l'affaire s'impose. Que la première magistrature du pays dise son mot, le dernier mot[205] ! »

Le problème était que l'on ne savait pas si le gouvernement différait volontairement le dépôt du rapport ou si le conseiller Moras était seulement en retard dans sa rédaction. Cette ambivalence créait de multiples suppositions qui entamaient l'autorité de la justice et son indépendance envers le pouvoir politique. Il semble bel et bien que le magistrat accumulait du retard. Mais, en décembre 1905, il n'était pas possible à Dreyfus ni à quiconque de savoir s'il avait terminé ou non [206]. Enfin, les conclusions du rapport lui furent communiquées dans les premiers jours de janvier 1906.

## Les débats des chambres réunies de la Cour de cassation

Les attaques incessantes de *L'Action française* et des autres journaux nationalistes conduisirent finalement le gouvernement, soutenu par le nouveau président de la République Armand Fallières, un dreyfusard convaincu [207], le candidat des gauches, élu le 17 janvier 1905 contre Paul Doumer, à faire accélérer la procédure. Au début du mois de février, le ministre de la Justice, Joseph Chaumié, demanda au procureur général de faire venir dès que possible l'affaire devant les chambres réunies. Mais les magistrats étaient occupés par l'étude des nombreux pourvois sur l'établissement des listes électorales qui devaient être jugés avant les élections législatives prévues les 27 avril et 11 mai. Contre toute attente, ces dernières furent favorables au bloc des gauches qui remporta la majorité des sièges [208]. Les nationalistes subirent une défaite inattendue – seuls vingt-trois d'entre eux furent élus –, mais leur stratégie ne fut pas pour autant remise en cause. Ils attendaient encore beaucoup de l'affaire Dreyfus, de la stigmatisation de l'officier juif traître, de la dénonciation de la justice républicaine qui allait le réhabiliter. Début juin, la Cour de cassation fit savoir que les débats devant les chambres réunies commenceraient le 15 du même mois.

Le 22 mai 1906, le commandant Forzinetti, alors commissaire du gouvernement de la principauté de Monaco, avait félicité Joseph Reinach de sa réélection dans la circonscription de Digne : « Votre persistance a fini par triompher. » Il ajoutait : « Les scrutins du [27 avril] et du [11 mai] ont écrasé le parti nationaliste, et j'en suis heureux, bien que la politique ne me préoccupe guère. [...] Et maintenant je compte que notre brave capitaine va reprendre son rang social sans trop tarder. Mais pour cela, que la Cour casse sans renvoi. Il ne faut plus de conseil de guerre [209]. » La France des droits de l'homme et du citoyen, de plus en plus discrète depuis la fin de l'Affaire, et le monde libéral, qui n'avait pas failli dans son soutien, attendaient eux aussi le dernier acte de l'Affaire. « À la veille de la réunion des chambres de la Cour de cassation », titra le *Daily News* du 16 juin 1906 :

L'affaire Dreyfus qui est rappelée aujourd'hui a été mémorable en ce sens qu'elle a marqué le point maximum de la conspiration contre la République, conspiration tellement abattue actuellement qu'il est difficile de croire maintenant qu'elle ait été jamais dangereuse. Probablement aucune aventure personnelle dans l'histoire moderne n'a eu des résultats aussi étonnants que celle du capitaine Dreyfus. Sa condamnation a été le point culminant de la campagne des réactionnaires. Il semblait alors que l'ennemi était triomphant et que les attaques qui avaient échoué dans l'aventure boulangiste devaient en fin de compte réussir.

Il est impossible d'exagérer la dette contractée par la France et la République vis-à-vis de Waldeck-Rousseau pendant cette période troublée.

La révision du procès secoua la France jusque dans ses fondations, et le résultat fit plus que toute autre chose pour détruire les machinations de l'ennemi. À partir de ce moment, la cause du nationalisme commença à décliner, et les élections générales du mois dernier ont montré combien le point de vue du peuple français avait changé, d'une façon permanente, pensons-nous, et par la même occasion l'avenir de la République.

Mais la révision, si elle a éclairci l'horizon politique, a laissé une chose inachevée. Elle n'a pas rétabli officiellement la réputation du capitaine Dreyfus, ni effacé la tache de son nom. Et jusqu'à ce que cela soit fait, il est tout à fait clair que la justice élémentaire ne sera pas satisfaite.

La seconde révision, qui est sur le point d'avoir lieu, ne peut manquer de donner cette réhabilitation légale que la première révision donnait moralement.

Nous espérons que cette décision cassera le jugement de Rennes sans autre procédure, plutôt que de voir une reprise de cette pénible affaire [210].

Les débats commencèrent par l'examen, à huis clos, du dossier secret, présenté par le commandant Targe, et par le dossier diplomatique, présenté par Maurice Paléologue. Dreyfus nota avec une grande satisfaction que « ce dernier, après avoir présenté le dossier, ajouta qu'il croyait de son devoir, comme diplomate et comme représentant du département des Affaires étrangères dont l'avis était conforme au sien, d'exposer les raisons qui permettent d'affirmer la sincérité des déclarations faites en ma faveur par les puissances étrangères », déclarations qui avaient été récusées par principe au procès de Rennes [211].

Le 18 juin eut lieu la première audience publique dans la grande chambre de la Cour de cassation. Mais, contrairement à la première révision, les débats furent suivis par une audience clairsemée où se reconnaissaient « la famille de Dreyfus et un petit nombre d'anciens militants et d'avocats ». Jean-Denis Bredin relève que « la mort aussi avait creusé les rangs » et que beaucoup avaient disparu « sans avoir connu ce jour de victoire, pour lequel ils avaient donné une part de leurs forces [212] ». Cependant, vu le nombre d'acteurs directs encore concernés, cela faisait potentiellement du monde. Le public allait grossir alors que les audiences avançaient vers l'œuvre finale.

Le conseiller Clément Moras fut le premier à parler en audience publique. Le 18 juin 1906, il commença la lecture de son rapport. Il prit au mot, en ouverture, le général Zurlinden qui avait déclaré au procès de Rennes, en croyant savoir que la « lumière » n'irait pas jusqu'à la reconnaissance de l'innocence de Dreyfus – lui et les autres généraux de l'Affaire faisant tout pour l'empêcher : « Comme la nation, l'armée n'a qu'un intérêt ici, mais un intérêt bien haut : c'est de voir la lumière éclater, c'est de voir les débats planer au-dessus des colères et des passions et de savoir enfin si, oui ou non, le conseil de guerre a devant lui un officier qui a trahi sa patrie. Le vœu formé au nom de la nation et de l'armée par M. le général Zurlinden sera réalisé ici [213].

» Le rapport établit les conditions de cette seconde révision, la requête de Dreyfus, la lettre du ministre de la Justice, les réquisitions du procureur général, les différents faits nouveaux invoqués à l'appui de la révision, la question ou non du renvoi. Il se distingua du procureur général qui avait « fouillé cette affaire jusque dans ses replis. Leur étude juridique est ainsi devenue l'une des pages les plus émouvantes de l'histoire de ce temps. Elle vous a été distribuée ; vous avez apprécié l'étendue et la pénétration de ses recherches, son argumentation puissante, sa documentation précise » :

Notre œuvre sera nécessairement plus modeste. Il nous sera permis de glisser sur les points qui n'offrent plus qu'un intérêt d'histoire ou de polémique et de borner nos observations à l'examen des questions essentielles de fait et de droit dont les solutions vous paraîtront pouvoir servir de base à votre arrêt [214]. »

Néanmoins, le magistrat ne voulut pas limiter son étude au seul « moment où la révision a été ordonnée », c'est-à-dire la condamnation prononcée le 9 septembre 1899. « Le procès de Rennes ne doit pas être coupé de ses racines. Pour en avoir une claire compréhension et juger en pleine connaissance de cause les griefs qui y furent formulés, il faut nécessairement en connaître la genèse. » Si bien que le rapporteur fut lui aussi amené à revenir sur bien des aspects judiciaires de l'affaire Dreyfus en commençant par le premier acte, l'arrivée du bordereau à la Section de statistique et l'enquête des services de renseignement.

Et il lui arriva aussi de rappeler que la justice est un principe avec lequel on ne peut transiger, même pour des raisons politiques. Il s'agissait d'un cas d'école. À l'attention du général Mercier, il écrit, cinglant et définitif :

La politique a parfois de cruelles exigences ; toutefois, si elle peut imposer à un ministre de laisser aux tribunaux la responsabilité de se prononcer pour la non-culpabilité dans une affaire douteuse, elle n'a jamais pu exiger que les poursuites fussent engagées de manière à rendre impossible la défense de l'accusé et compromettre la manifestation de la vérité.
Obligé, admettons-le, de poursuivre pour crime de haute trahison cet officier, dont vous connaissiez la carrière et l'avenir, le ministre avait pour premier devoir d'observer la loi qu'il invoquait, d'agir avec prudence, de laisser à l'accusé toute la liberté de sa défense. C'étaient là ce qu'ordonnaient impérieusement le souci de la justice et le respect de l'honneur de l'armée [215].

Moras voulut aussi dire son fait – et le droit – à la mise en cause de « l'étranger » :

Les accusateurs de Dreyfus ont maintes fois interprété contre lui, ainsi que nous l'avons vu, des documents et des déclarations provenant de personnalités étrangères. Ils en avaient incontestablement le droit. Comme le faisait remarquer M. Trarieux devant le conseil de guerre [de Rennes], le témoignage des étrangers n'est pas repoussé du prétoire par la loi. Elle ne limite pas le champ des investigations dans lequel le juge doit rechercher toutes les preuves qui sont capables d'affermir et d'éclairer sa conscience. Ce qui est vrai contre Dreyfus est vrai aussi en sa faveur. La recherche sincère de la vérité exige donc que l'on ne passe pas sous silence les déclarations favorables à la défense faites par des étrangers.

Dans les affaires de cette nature toutefois, ces déclarations ne peuvent être admises qu'avec prudence. « Ce sont des témoignages auxquels on ne peut a priori donner toute sa confiance. Il faut les examiner de près, il faut qu'ils cadrent avec les vraisemblances ; il ne faudra pas les accepter, par exemple, s'ils sont démentis par d'autres faits de la cause. »

La défense de Dreyfus aurait désiré que la justice mît tout en œuvre pour obtenir de l'étranger, par voie diplomatique, la communication, qui aurait pu être décisive, des notes énumérées au bordereau. Elle a sollicité l'audition, par voie de commission rogatoire, des agents A et B [Schwartzkoppen et Panizzardi]. Les règles qui gouvernent les relations internationales et les convenances diplomatiques ont paru interdire cette procédure. Elle a dû se borner à avoir recours aux déclarations officielles et spontanées des gouvernements eux-mêmes ou de leurs représentants, à des communications officieuses, à des confidences émanant de personnes en situation de connaître la vérité.

Tous ces documents, dont vous avez lu la reproduction intégrale dans le mémoire de Me Mornard, affirment l'innocence de Dreyfus. Il en est, parmi eux, qui sont considérés comme présentant une importance capitale. La pensée qu'ils expriment n'est point enveloppée de ces formules étudiées qui prêtent volontairement à l'équivoque ; les termes en sont d'une clarté absolue, et l'esprit le plus subtil ne saurait y trouver des réticences qu'en les dénaturant.

On ne peut en discuter le sens. Il faut donc ou les admettre comme l'expression d'une vérité dont l'humanité exigerait la révélation, ou les rejeter comme des mensonges imposés par la raison d'État.

Vous choisirez entre ces deux hypothèses avec cette liberté d'esprit et cette impartialité qui savent rester indépendantes de tout préjugé [216].

Il établit alors la liste de toutes les déclarations des autorités italiennes et allemandes concernant l'Affaire et la non-implication de Dreyfus avec leurs services et leurs représentants [217].

Au terme de son rapport de l'instruction de la chambre criminelle, Clément Moras considéra trois faits nouveaux issus de l'enquête et qui étaient de nature à entraîner la révision. « Ils ont été inconnus des premiers juges, et nous pensons que vous pouvez dire en vertu du pouvoir souverain d'appréciation dont la loi vous investit en cette matière, qu'il en découle des présomptions d'erreurs assez graves pour autoriser une déclaration de recevabilité au fond [218]. »

1° L'altération de la pièce n° 371 du dossier secret, dans laquelle l'initiale D a été substituée à l'initiale P ;

2° L'altération de la pièce n° 26 où il est question de l'organisation des chemins de fer et dans laquelle la date véritable : « 28 mars 1895 » a été remplacée par la date fausse : « avril 1894 » ;

3° La découverte de la minute du commandant Bayle relative à l'attribution de l'artillerie lourde aux armées.

Concernant le fait n° 2, Moras ajouta à l'intention des juges : « Il ne s'agit donc pas d'une charge accessoire, d'une présomption sans importance ; mais bien d'une charge essentielle, indispensable à la solidité de l'armature de l'accusation. Vous vous souvenez d'ailleurs de la place prépondérante qu'elle a prise dans les débats et des nombreux témoins qui ont été entendus à son sujet. On ne tente pas de pareils efforts pour une présomption futile. Nous pouvons le dire aujourd'hui : le conseil de guerre n'a pas su, il n'a pas pu savoir que tous ces efforts s'agitaient autour d'une pièce qui, avant son altération, créait une présomption d'innocence en faveur de Dreyfus et dont l'altération a eu pour but de créer une présomption de culpabilité contre lui [219]. »

Le rapporteur examina ensuite les trois autres faits nouveaux relevés par le procureur général, le télégramme de Guérin, le témoignage Cernuszki, l'incident Val Carlos. Il les rejeta en raison de leur caractère trop contestable. Enfin, relativement à la cassation sans renvoi, le rapporteur demanda l'application stricte de la loi, c'est-à-dire, selon lui, le renvoi à un juge ordinaire du fond [220]. Il ne considérait pas le moyen de la révision sans renvoi offert par le code d'instruction criminelle.

« Je trouvai le rapport de M. Moras très ferme sur le néant des accusations portées contre moi, mais trop indulgent pour mes adversaires », jugea Alfred Dreyfus [221]. Son opinion était conforme à celle de son défenseur qui soulignait « l'intention évidente de ménager les accusateurs et d'excuser leurs actes, tout en étant cependant très ferme sur la constatation du néant de l'accusation [222] ». Arthur Ranc considéra pour sa part que le rapport du conseiller Moras n'était que modéré dans la forme, mais très efficace sur le fond, notamment en ce qui concernait le point de départ et le crime juridique commis contre Dreyfus lorsqu'il fut transformé par le général Mercier et ses subordonnés en coupable d'une trahison infamante. Il citait dans son article de *L'Aurore* [223] l'apostrophe du magistrat au général Mercier : « Obligé, admettons-le, de poursuivre pour crime de haute trahison cet officier dont vous connaissiez la carrière et l'avenir, le ministre avait pour premier devoir d'observer la loi qu'il invoquait, d'agir avec prudence, de laisser à l'accusé toute liberté de sa défense. C'est là ce qu'ordonnaient impérieusement le souci de la justice et le respect de l'honneur de l'armée. » Et Ranc d'écrire : « Y a-t-il rien de plus sanglant ? »

Alfred Dreyfus fut plus sévère quant à la recommandation du rapporteur de ne pas casser sans renvoyer à une juridiction ordinaire. Il jugea son argumentation « très faible » et se contredisant. Il analysa cette position comme un manque de courage, alors que la cassation sans renvoi ne pouvait être que « la conclusion nécessaire de l'examen très consciencieux qu'il venait de faire du dossier. Tout en reconnaissant l'inanité des charges, il n'eut pas le courage de demander à la Cour de proclamer elle-même mon innocence [224] ».

*Le réquisitoire du procureur général*

Les dreyfusards proches de Dreyfus, dont l'omniprésent et très politique Joseph Reinach, s'inquiétèrent de la teneur et de la forme que pourraient prendre le réquisitoire de Manuel Baudouin et sa lecture publique [225]. Cette attitude répétait le fiasco du procès de Rennes, où l'éthique de responsabilité, pour parler comme Max Weber [226], avait totalement étouffé l'éthique de conviction. Le capitaine Dreyfus souhaitait au contraire que la vérité soit dite par un magistrat quand bien même aucune poursuite pénale ne pourrait avoir lieu contre ses bourreaux par application de la loi d'amnistie.

Le procureur général fut à la hauteur des attentes. Il prononça un vif plaidoyer en faveur de la justice, de l'État de droit et du respect de la légalité. Et sa contrepartie fut de dénoncer sans complaisance les forfaitures des accusateurs de Dreyfus que seule la loi d'amnistie écartait de la mise en jugement. « De tous mes vœux je pressais ce moment qui va me permettre d'accomplir ce grand devoir de justice dans cette cause où l'intérêt de l'ordre social, lié si étroitement à l'intérêt particulier, a passionné le monde entier et depuis tant d'années tenu les esprits en suspens. Des gens, intéressés à jeter la suspicion sur notre œuvre qu'ils sentent destinée à étaler en pleine lumière leurs intrigues et leurs crimes, s'en allaient, répétant que la lenteur avec laquelle se déroulait la procédure était la preuve éclatante de notre embarras. Quelle serait notre déroute, disaient-ils, s'il était prouvé que la révision demandée n'est qu'une imposture basée sur une erreur et sur des faux commis par ceux qui la poursuivent ! [...] Qu'ils se tranquillisent, messieurs, ils vont avoir satisfaction et pourront mesurer avec tous l'œuvre accomplie [227] ! »

Avant d'entrer dans le fond de son réquisitoire, le procureur général s'expliqua sur les retards pris par la procédure et répondit au rapporteur qui avait renoncé à demander la révision sans renvoi : « J'ai la conviction profonde qu'il n'est de justice possible dans cette affaire que dans cette enceinte, et que le souci de la paix, aussi bien que la loi, vous commande et vous permet d'en finir avec ce déplorable conflit, qui ne peut que s'aggraver en se prolongeant [228]. »

Son jugement des accusateurs de Dreyfus fut sans appel. De même que celui de leur antisémitisme. Il n'est pas fondé, à cet égard, de dire qu'aucune parole officielle ne s'éleva contre l'antisémitisme et n'en reconnut la forte prégnance dans certaines administrations de l'État.

Le magistrat dénonça les préjugés en cours à l'État-major et à la Section de statistique. Il insista sur les sentiments du colonel Sandherr.

L'antisémitisme fut l'élément qui fit alors d'un « misérable détail », la ressemblance – pourtant d'une « inexactitude flagrante » – du mot « artillerie » sur le bordereau et sur l'en-tête de la fiche signalétique de 1893, le point de départ de toute une accusation échafaudée contre le capitaine Dreyfus. L'antisémitisme n'avait pas seulement permis d'imaginer l'accusation contre un officier juif forcément coupable. Il avait aussi permis de faire adopter cette vérité à tout un corps, tout un milieu prêt à accepter l'irrationnel et le mensonge, par soumission et par aveuglement [229].

« On a vivement contesté que les préjugés antisémites fussent dès ce moment répandus dans l'armée et plus spécialement dans l'État-major général. C'est nier l'évidence. Nous en avons la preuve dans les détails de l'affaire elle-même [230]. » Dreyfus représentait selon le procureur général une cible idéale parce qu'il ne taisait pas ses origines, parce qu'il n'était pas un Juif honteux cachant le fait qu'il était juif, parce que sa fortune et son bonheur familial, ses réussites professionnelles [231] ou son caractère [232] ne passaient pas inaperçus. Il est rare de lire dans l'affaire Dreyfus une telle condamnation de l'antisémitisme et de ses mécanismes de perversion de la police et de la justice, de destruction des simples principes d'équité et de vérité, prononcée de surcroît par un des plus hauts représentants des pouvoirs publics, à une époque où le préjugé antisémite était toléré.

La justice, par la voix du procureur général de la Cour de cassation, se dressait contre l'antisémitisme. Elle se dressait aussi contre le viol de la loi et de la simple morale commis par le général Mercier dès les débuts de l'Affaire, et notamment la violation du « principe fondamental qui domine toute notre organisation de la justice militaire » constituée en signant de sa main l'ordre d'arrestation du capitaine Dreyfus alors qu'il aurait dû émaner du gouverneur militaire de Paris. « C'est par cette violation flagrante de la loi que la procédure commençait, sans que Dreyfus ait été appelé à fournir une explication quelconque. Combien d'autres, hélas ! et bien plus graves encore, puisqu'elles vont aller jusqu'au crime, ne nous réservait-elle pas ? »

La justice ordinaire se dressait également contre les procédés de la justice militaire. Celle-ci pouvait ainsi être véritablement dessaisie par la seule volonté du ministre de la Guerre alors qu'à Paris le chef en était le général Saussier. Et le corps qui la constituait présentait aux yeux du procureur général de la Cour de cassation le défaut rédhibitoire d'être seulement formé de magistrats improvisés dont certains ne maîtrisaient pas la matière juridique. Ce fut le cas du commandant du Paty de Clam, « qui n'a aucune connaissance des affaires judiciaires, aucune pratique du droit ; c'est lui-même qui nous le dit [233] ». Le rôle qu'il s'est donné n'est pas celui de juge, alors qu'il aurait dû en être ainsi, mais celui d'« exécuteur ». Pour Manuel Baudoin il a tout faux : « On n'est pas plus naïf en vérité. Magistrat improvisé, je le veux bien ! mais magistrat, il a pour premier devoir d'être indépendant, impartial, de se dégager de toute prévention, de n'avoir d'autre souci que de rechercher la vérité. Il n'a pas besoin d'une grande expérience pour le savoir ; il suffit d'avoir une conscience. C'est lettre morte pour M. du Paty. Il a des ordres, il est militaire ; il a obéi ; il est "l'exécuteur". Voilà tout ce qu'il trouve pour excuser son étrange conduite.

Ajoutons, messieurs, qu'il se calomnie lui-même ; il ne s'est pas réduit au rôle rabaissé de subordonné platement obéissant ; il a eu l'initiative des mesures qu'il a prises et il en a la pleine responsabilité [234] ! »

Les procédés du commandant du Paty de Clam dans son instruction contre Dreyfus ulcérèrent le magistrat, notamment ses pratiques d'interrogatoire : « Quand on interroge un accusé sur un fait, le premier devoir du magistrat, c'est, n'est-il pas vrai ? de lui faire connaître le fait dans tous ses détails. Ici on impute à Dreyfus d'avoir écrit le bordereau ! Le premier soin de M. du Paty de Clam va donc être de lui montrer le bordereau, de lui dire comment on se l'est procuré, où il a été pris, d'en rapprocher sous ses yeux les pièces de comparaison. C'est le bon sens, c'est la loyauté qui l'exigent ; c'est le souci de la vérité qui veut qu'on ne néglige aucune précaution, si minutieuse soit-elle, pour éviter toute chance d'erreur. C'est évident pour tout le monde, non pour M. du Paty. Lui n'a qu'une préoccupation, qu'une idée : Dreyfus est coupable, il l'a décidé par ordre ; tout est permis pour le confondre ; toutes les ruses sont bonnes pour lui arracher l'aveu du crime. *La fin justifie les moyens.* Le bordereau, il ne le lui montrera jamais ! [...] Rien ne pouvait donc justifier une telle manière de procéder ! »

Manuel Baudouin critiqua le rapport de d'Ormescheville. Il démontra que la déclaration du commandant Henry au procès de 1894 accusant théâtralement Dreyfus relevait du faux témoignage. Il s'éleva plus solennellement contre la communication du dossier secret, un fait qui, « longtemps dissimulé, nié avec audace sous la foi du serment, a fini par être prouvé et avoué, et qui nous montre comment la condamnation de Dreyfus, dont l'acquittement était encore possible, a été enlevée par un crime, à vrai dire sans exemple dans les fastes judiciaires ; la communication secrètement faite aux juges dans la chambre du conseil, en arrière de l'accusé qui n'en a rien su, au mépris des droits les plus sacrés de la défense, d'un dossier secret composé de tout un ramassis de pièces qu'on appliquait contre toute raison à l'accusé, qui fut ainsi poignardé traîtreusement dans le dos par une abominable félonie [235] ».

Irrégularité sans importance, chicane de procédure, argutie d'avocat ! s'est écriée l'accusation quand on lui a reproché ce fait. Nous ne saurions, nous, messieurs, protester avec trop d'énergie contre cette monstrueuse violation des droits imprescriptibles de la défense. Elle intéresse les principes les plus indiscutables non seulement de notre droit français, mais du droit de toutes les nations ! Ce ne sont pas seulement les principes de 1789, la Déclaration des droits de l'homme et du citoyen qui sont violés ; ce sont les règles fondamentales du droit naturel, les principes essentiels de la civilisation qui sont en jeu et qui réclament l'appui de tous ceux qui ne veulent pas voir les sociétés modernes retourner à la barbarie [236].

Comme dans son réquisitoire écrit de 1906, il condamna le comportement de Mercier qui savait ce qu'il faisait en communiquant le dossier secret, tandis qu'il exonéra en partie les juges. Il fut d'autant plus sévère pour le général Mercier que celui-ci procéda ensuite à la destruction de la copie du commentaire qu'avait réalisée le colonel Sandherr : « Au premier crime : la communication, il en a joint un second : la destruction [237] », afin d'interdire la révision.

Face à ces manœuvres délirantes pour prouver la culpabilité de Dreyfus, le procureur général insista sur la position permanente de Dreyfus : « Depuis la première heure, il n'a jamais fléchi sous les efforts multiples pour lui arracher l'aveu dont les accusateurs sentaient l'impérieux besoin. Pas une défaillance ! pas une hésitation ! pas une équivoque ! pas un mot à double entente ! ni avant ni après la condamnation ! M. du Paty de Clam, M. d'Ormescheville, le constatent toujours avec dépit ! Non seulement il n'a pas avoué, mais il n'a cessé de soutenir même dans les entrevues les plus secrètes, dans les entretiens les plus confidentiels qu'il n'avait commis aucune imprudence, aucune légèreté, si mince fût-elle [238]. » Le procureur général revint alors sur la légende des aveux pour la réfuter une nouvelle fois et administrer une nouvelle leçon de justice.

« Je dis que soutenir dans ces conditions que Dreyfus a avoué devant le capitaine Lebrun-Renault, c'est un défi au bon sens, à la raison. » Il ajoute, solennel et révolté : « Je dis qu'il ne peut suffire, pour écarter cette contradiction violente, inexplicable, de dire avec le capitaine Lebrun-Renault, avec le général Mercier, avec le colonel Guérin : "Je ne puis donner d'explication... C'est à Dreyfus et à la défense de le faire... Ce sont [des] impressions personnelles dans lesquelles je n'ai pas à entrer." Cela, c'est le balbutiement de gens qui, placés en face d'une absurdité criante qu'ils soutiennent et doivent expliquer, perdent la tête et ne parviennent même pas à masquer leur déroute ! C'est qu'en effet, messieurs, si l'on pousse encore l'examen, on en vient vite à se convaincre qu'à ce moment personne n'a cru à cet aveu, qu'on a fabriqué ultérieurement de toutes pièces, comme le faux Henry, pour soutenir une accusation qui s'effondrait de toutes parts. » Et cela, tout simplement, parce que la thèse des aveux n'existait pas après la cérémonie de dégradation [239].

*Une haute parole de justice*

Le procureur général évoqua encore le séjour de Dreyfus à l'île du Diable. Il en parla brièvement mais fortement. Tout en écartant une parole de pitié, il voulut faire entendre une parole de justice sur l'héroïsme de l'homme, au milieu des magistrats de la cour suprême, dans la grande chambre de la justice.

Que de pensées nous envahiraient en effet en songeant à l'atroce supplice qui lui a été infligé pendant cinq ans sous cette surveillance haineuse, la palissade, la double boucle ; à tous ces raffinements de cruauté qui, avec une lenteur savante, désorganisaient la cervelle, la moelle de l'homme, usaient sa substance nerveuse, et, avec une certitude qui pouvait presque escompter les heures, le menaient à la mort par la solitude systématique, par la réclusion dans une cage obscure, sous un toit de zinc, dans ce pays de soleil torride, sans que rien, pas même une tentative d'évasion qui n'a jamais été préparée, justifiât de tels excès vis-à-vis de ce condamné, dont la soumission, la résignation, n'ont pas donné lieu à la plus légère observation, qui, enfermé vivant dans une véritable tombe, souffrant des mille misères de chaque jour, plus encore de toutes les tortures devinées de sa famille que de celles qu'il sentait lui-même, s'est courbé docilement sans réserve sous la plus inflexible discipline, sans qu'une plainte échappât de ses lèvres, et qui, soutenu par le sentiment de sa dignité et de son innocence, a su opposer aux efforts du supplice méthodique de méthodiques résistances, et triompher du climat qui l'opprimait, de la fièvre qui le rongeait, de la folie qui l'assiégeait, à force de ressort physique et de puissance morale !

Mais je me suis promis de ne pas faire appel à la pitié, de ne rien devoir à l'indignation, de ne rien demander au cœur, de ne m'adresser qu'à votre raison ; je tiendrai parole.

Et de ce temps maudit, où la cruauté des hommes a sans aucune nécessité restauré des tortures dignes des âges de barbarie, je ne retiendrai que cette correspondance que nous avons tous lue, que Dreyfus a échangée avec sa femme dont l'amour, la constance, la fidélité, ont fait l'admiration du monde entier, avec le président de la République à la justice duquel il n'a cessé de s'adresser.

Là encore, là toujours ce n'est qu'une longue protestation, qu'un infatigable cri d'innocence ! "Ce cri, je le jetterai de tout mon cœur de Français, de soldat, frappé dans ce qu'il a de plus précieux au monde, dans son honneur[240]."

Et ce déchirant leitmotiv se répète chaque jour au milieu des larmes, des sanglots et des spasmes.

Je ne sais rien de plus touchant, rien de plus décisif que cette plainte incessante, que cette protestation qui s'élève angoissante mais inlassable, de ce calvaire et de cette agonie[241] !

Il n'est pas fréquent que l'ordre élève ainsi une parole d'indignation aussi vive contre une situation de barbarie judiciaire. Elle signifiait que l'arbitraire le plus violent n'était pas toujours assuré d'une impunité totale. Une telle déclaration pouvait même susciter un espoir chez ceux qui s'estimait abandonnés définitivement dans leur souffrance et dans leur déshonneur. Mais ce qu'affirmait aussi le procureur général était que le choix de la résistance était toujours possible comme l'attestait l'exemple de Dreyfus. Dans les pires situations, l'homme pouvait ne pas être seulement une victime, mais encore une volonté et une conscience.

Afin de juger complètement l'énorme dossier et de le faire apprécier des magistrats, le procureur général se résolut à présenter « l'étude patiente de toutes ces évolutions de l'accusation, brûlant aujourd'hui ce qu'elle adorait hier, se contredisant brutalement, cyniquement, enlevant en 1894 la condamnation par des arguments qu'elle déclare insoutenables en 1899, à l'aide de pièces qu'elle reconnaît maintenant inapplicables à Dreyfus, obligée d'avouer à l'heure où je parle que nombre des documents invoqués et retenus à Rennes en 1899 ne sont que le résultat d'erreurs grossières aujourd'hui confessées par ceux-là mêmes qui les ont commises, ou le produit de faux désormais démontrés sans le moindre doute possible, luttant pourtant toujours quoique toujours battue, et ne reculant, pour atteindre son but, devant aucun procédé si répugnant soit-il, devant aucun crime si abominable qu'il apparaisse, pour voiler la vérité, pour tromper la justice et le monde, et pour maintenir de propos délibéré cette monstruosité, la condamnation d'un innocent. »

Baudouin insista sur la nécessité d'un tel examen. Il « s'impose avec une telle évidence que, malgré notre désir d'abréger ces débats et d'épargner votre fatigue, nous sommes tous, ministère public, avocat, rapporteur, obligés de reprendre tout ce qui est déjà connu, de suivre pied à pied depuis l'origine tous les détails si multiples de cette procédure. Nous avons mesuré l'acharnement de l'attaque ; nous devons y proportionner la force de la défense ; et vous ne nous pardonneriez pas, vous qui avez à juger, de rien négliger de ce qui peut servir à éclairer vos consciences [242] ».

Il voulait faire seulement appel « à l'intelligence seule, au bon sens seul, [...] à cette universelle conscience qui distingue le bien du mal, à cette universelle raison, qui juge entre l'absurde et le vrai ». « Mais, ajouta-t-il, il me sera sans doute difficile que parfois quelque émotion ne vienne me troubler au récit de toutes ces manœuvres ourdies pour assurer la perte d'un innocent, du martyre de cet homme arraché à l'amour des siens, aux bras de sa femme, aux baisers de ses enfants, pour subir pendant d'interminables années le plus atroce supplice qui se puisse imaginer [243] ».

Il ne voulait pas laisser sans réponse les provocations du général Mercier à Rennes. Il réagit particulièrement à l'argument consistant à dire que le mobile n'avait qu'un intérêt psychologique et qu'il ne s'intéressait qu'au « fait matériel et brutal ». « Et à sa suite les témoins à charge ont emboîté le pas ! »

J'admettrai volontiers, messieurs, et je reconnaîtrai que la recherche du mobile peut ne présenter qu'un intérêt purement psychologique, qui ne saurait entraver la répression, lorsque nous nous trouvons en face d'un fait positif, dont l'auteur est connu, sans qu'aucune discussion soit possible, comme par exemple lorsqu'un meurtre a été commis dont l'auteur est pris en flagrant délit, sans qu'on puisse découvrir le mobile qui a armé son bras. Le fait est là dans sa matérialité brutale, et le coupable n'est pas douteux puisque le flagrant délit le dénonce et le confond.

Mais qui donc admettra qu'il puisse être de même, lorsque l'accusation n'est plus basée que sur des présomptions toutes plus incertaines les unes que les autres ? Le défaut de mobile devient et reste alors une manifestation morale d'innocence de premier ordre. C'est à l'accusation qu'il incombe de la combattre et de la détruire. Et son aveu d'impuissance devient contre elle l'argument le plus décisif, l'objection la plus péremptoire [244].

Or le procureur général démontre que l'accusation a toujours été dans l'impossibilité de présenter un mobile sérieux de trahison, à moins de recourir au mensonge et à l'incohérence absolue. Tous les mobiles invoqués dès 1894 peuvent être matériellement réfutés ou ne tiennent pas l'analyse. L'idée de vengeance après la « cote d'amour » négative, lourdement développée par les accusateurs, était sans fondement.

Sans doute il a dû garder de ce pénible incident un souvenir douloureux ! Sans doute à l'occasion une plainte est revenue sur ses lèvres, quand il a pensé à l'injustice criante dont il a failli être la victime.

Mais quoi d'étonnant ? Et qui de nous n'en eût pas fait autant ? Et de là à faire de ce misérable incident aussitôt réparé [245] le mobile capital, unique, qui l'aurait poussé au crime de trahison, lui qui, à trente-cinq ans, était, malgré tous les obstacles semés sur sa route, capitaine breveté d'état-major, lui qui, à toutes les satisfactions d'amour-propre, joignait toutes les joies de la vie : un heureux mariage, de charmants enfants, la richesse, lui qui avait quitté le sol natal, ses intérêts locaux pour opter pour la France et suivre son drapeau, c'est en vérité défier le bon sens que de tirer de cette misère réparée cette monstrueuse conclusion [246] !

Et de terminer :

Constatons une fois de plus l'impuissance radicale de l'accusation de satisfaire à l'impérieuse obligation qui lui incombe. Elle ne peut, elle n'a jamais pu découvrir le motif plausible de l'acte abominable qu'elle impute à Dreyfus, alors que tout s'accumule ici comme partout, et sans qu'elle veuille le voir, contre Esterhazy, ruiné, traqué par ses créanciers, réduit aux pires expédients, aux spéculations de Bourse, aux fraudes dotales, à l'escroquerie, tendant sans vergogne la main à ces Juifs qu'il vilipende, mais dont il reçoit l'aumône et dont il mange le pain, vomissant l'injure et les menaces contre l'armée, contre la France, signalé de tous côtés comme le pourvoyeur attitré de l'espionnage étranger, et contraint enfin par l'évidence même qui l'écrase d'avouer qu'il est l'auteur du bordereau, c'est-à-dire du seul document dont l'accusation puisse faire sortir la preuve de la trahison, et qu'il a écrit de sa main [247].

Mais son œuvre n'était point terminée. Il reprit point par point les faux témoignages, les allégations sans preuve et les accusations par déduction, pour en montrer le vide cruel et la méthode scandaleuse [248]. Les accusations portant sur les « millions du syndicat [249] » furent balayées grâce à l'enquête de la chambre criminelle [250]. Il fut beaucoup plus net que le rapporteur sur le déni de justice que constitua le refus d'entendre les témoignages étrangers à Rennes :

> Ériger en principe contre eux une suspicion de mensonge, et les écarter systématiquement du débat, c'est commettre la pire des injustices, et fermer de propos délibéré les yeux à la lumière qu'ils peuvent apporter, en s'exposant à l'erreur. [...] Telle n'est pas votre conception de la justice et des devoirs que vous avez à remplir. Nous ne pouvons être entravés dans la recherche de la vérité, et si les convenances diplomatiques et les règles qui gouvernent les relations internationales ne nous permettent pas d'avoir en pareil cas recours à la voie des commissions rogatoires, nous avons du moins le droit et l'obligation de recueillir et d'étudier, avec toute l'attention qu'ils comportent, tous les documents, tous les témoignages qui sont de nature à nous éclairer [251].

Le procureur général poursuivit par une longue enquête au sujet d'Esterhazy et de sa culpabilité. Elle occupa toute la section XVIII de son réquisitoire [252]. Il se saisit ensuite d'un dernier dossier, celui des initiatives les plus basses contre la chambre criminelle en 1899 [253], l'espionnage de ses magistrats, les calomnies en tout genre. « Le capitaine [de gendarmerie] Herquié s'est fait assister de l'inspecteur Magnin qui, lui, descendant d'un cran dans l'ignominie, a suivi nos collègues aux *water-closets*, pour y mesurer le temps qu'ils y demeuraient, et, profitant de ces heureuses trouvailles, le capitaine refaisait "par ordre" sur les notes du policier ses rapports que ses chefs ne trouvaient pas suffisamment corsés [254]. »

Il flétrit publiquement ces procédés et en condamna les auteurs, jusqu'au gouverneur militaire de Paris lui-même qui a reçu et accepté les rapports injurieux pour la chambre criminelle : « Il a osé les approuver dans sa lettre au ministre de la Guerre du 28 février 1899 et "louer l'initiative prise en cette circonstance par son subordonné". Ah ! je sais que, depuis et au cours de la dernière enquête, le ton a baissé, et que le général Zurlinden, comprenant mieux sans doute combien sa responsabilité est engagée par de tels agissements, a allégué pour se justifier que ces rapports, auxquels il n'avait pas attaché grande importance, avaient été établis sans son ordre, qu'ils n'étaient pas destinés à sortir des archives du gouvernement militaire de Paris, qu'il ne les avait connus que tardivement et qu'il était allé s'en excuser auprès du premier président Mazeau [255]. » Ces excuses tardives apparaissaient bien faibles aux yeux du haut magistrat en regard des fautes commises. Il se lança dans une véritable réflexion sur le service de l'État pour tenter de comprendre comment de braves fonctionnaires se transformèrent en faussaires et en criminels, une réflexion qui aurait pu en éveiller d'autres, pendant et après la collaboration d'État en France quarante ans après ces événements [256].

Il n'y a pas eu que le fait des « règlements » qui ont précipité des serviteurs de l'État dans les pratiques monstrueuses de l'arbitraire et de la violence. Il y a eu aussi la perte du sens moral chez ces hommes, des chefs aux subordonnés.

Le fait parle assez haut, me semble-t-il. Il peint mieux que je ne saurais le faire et permet à tous de juger l'état d'esprit de celui qui l'a toléré et qui vainement a tenté de l'excuser.

Tel est, messieurs, l'ensemble des pratiques, des machinations et des crimes contre lesquels la vérité a eu si longtemps à lutter.

Quelle tristesse de penser que tant de vilenies aient pu être l'œuvre d'officiers de notre armée !

Pauvres gens qui seraient restés de braves gens si on ne les eût laissés à l'exercice normal de leur admirable profession !

D'absurdes règlements, qu'on nous dit abolis, en ont fait des policiers d'occasion, les ont fourvoyés en de quotidiennes et louches relations avec tout ce monde interlope d'espions tarés, d'aventuriers et d'escrocs où l'honneur et la probité n'ont rien à voir. [...]

Il n'en reste pas moins acquis que le général Zurlinden a reçu pendant quinze jours ces rapports dont l'un a été refait par ordre, qu'il les a produits devant la commission d'enquête, qu'il les a publiquement approuvés et défendus dans un document officiel.

Il était indispensable d'étaler tout cela au grand jour de l'audience, pour en prévenir à jamais le renouvellement, mais plus encore pour vous faire toucher du doigt les procédés à l'aide desquels la condamnation de l'innocent a pu être enlevée et maintenue [257].

Il conclut enfin sur les faits nouveaux et sur la cassation sans renvoi.

## Les faits nouveaux

Parmi les faits nouveaux que le procureur général avait dégagés de l'enquête de la chambre criminelle [258], il conserva ceux qu'il avait établis dans son réquisitoire écrit. Il écarta, comme il l'avait déjà fait, la légende du bordereau « annoté ». Il reconnut cependant que celle-ci, dont la réalité était niée par tout le monde, « a pourtant reçu accueil d'une partie de l'opinion publique, émue de la persistance et de la hardiesse avec laquelle elle était colportée. Il est certain d'autre part qu'à Rennes, pendant tout le procès, le bordereau « annoté » défrayait toutes les conversations des cercles militaires et des salons. « C'est M. Bernard Lazare, c'est M. Le Heno, dit Jacques Dhur, c'est Gribelin, c'est M. Ferlet de Bourbonne qui l'attestent. Et l'on a pu penser que cette campagne faite "pour baigner tous les membres du conseil dans cette atmosphère" n'a pas dû rester sans effet. Mais ce n'est là qu'une impression dénuée de toute preuve précise. [...] On ne saurait y voir autre chose que la preuve que quelques-uns des juges se sont préoccupés de la légende alors en cours, dont la presse parlait à ce moment même, sans que l'on puisse y trouver une indication quelconque qu'une pièce ait été secrètement communiquée aux juges et ait influé sur leur décision. J'estime qu'il convient d'écarter ce grief, à défaut de toute preuve qui l'établisse.»

Relativement à la disparition des cours de l'École de guerre, portée à charge de Dreyfus au procès de Rennes, et qui furent ensuite retrouvés, Baudouin stigmatisa les responsables de ce nouveau mensonge : « J'appelle cette déclaration [du lieutenant-colonel Rollin[259]] un *mensonge*, et, comme ce mensonge s'est produit à l'audience sous la foi du serment pour perdre l'accusé, je l'appelle "un faux témoignage" que, sans l'amnistie, l'article 361 du code pénal eût puni de la même peine que celle qui a frappé Dreyfus, c'est-à-dire de la détention et de la dégradation militaire[260].» En présentant le dossier secret devant la chambre criminelle, le général Chamoin releva l'erreur, et ce de sa propre initiative[261]. Ni Rollin ni Cuignet, qui lui remit le grand dossier secret, ne l'eussent alerté. Ils ne lui dirent rien. « Et si le général a procédé à la vérification des cours de l'École de guerre saisis chez Dreyfus, c'est pour obéir aux scrupules de sa conscience et à son ferme désir de ne produire en justice que des affirmations soigneusement vérifiées. À aucun moment, ni le colonel Rollin ni le commandant Cuignet n'ont voulu dissiper l'équivoque qu'ils avaient créée, éclairer la justice sur l'inanité d'une charge qu'ils avaient forgée à l'aide d'une erreur reconnue[262].»

Le procureur général opéra le même type de raisonnement et produisit la même condamnation des méthodes de l'État-major avec la minute Bayle dont la disparition avait été attribuée à Dreyfus – jusqu'à ce que ce document fût retrouvé[263] ! Cette affaire inconnue des juges de Rennes – devant lesquels cette fausse charge fut présentée par Mercier, Roget, Cuignet, etc. – constituait pour Baudouin le premier des faits nouveaux exigeant la révision du verdict.

Comme l'expliqua le magistrat, « la minute Bayle est et a toujours été dans les archives du ministère. Elle y a été retrouvée dès les premières investigations sérieuses qui ont été faites, dès le 12 mars 1904, par le lieutenant-colonel Fournier, chef de la section au 1er bureau de l'État-major et par le capitaine Hallouin du 2e bureau, en présence du commandant Élie et du capitaine de Lacombe placés sous les ordres du colonel Fournier. [...] Prévenu de l'incident, le ministre de la Guerre a, par note du 16 mars 1904, prescrit une enquête officielle qui a été faite par le général Maunoury, sous-chef de l'État-major de l'armée[264] ». Et pourtant, contre toutes les évidences de vérité, Mercier persista dans l'accusation lors de sa déposition devant la chambre criminelle le 26 mars 1904 :

*Le président.* – La note avait disparu ?
*Général Mercier.* – Oui, d'après l'enquête qui a été faite en 1895.
*Le président.* – Et si elle existait actuellement ?
*Général Mercier.* – Eh bien ! M. le président, si elle existait actuellement, ce serait une présomption qui disparaîtrait de l'amas de présomptions qui avaient été relevées contre Dreyfus. Il y en avait à ce moment-là, je crois, une dizaine que je citais dans ma déposition. S'il y en a une ou même deux de moins[265]... !

Mais l'affaire de la minute Bayle n'est rien pour Baudouin devant la gravité des « faux criminels » dont il entretint ensuite la Cour de cassation. Concernant la pièce n° 371, une lettre de l'attaché militaire italien au lieutenant-colonel von Schwartzkoppen, où l'initiale D apparaît de façon visible, il s'avéra que les différentes copies de cette lettre faites au sein de la Section de statistique (y compris celles réalisées à la machine à écrire) portaient l'initiale P. Ce fait fut établi par le capitaine (devenu commandant) Targe au cours de ses recherches dans les archives. Le grattage de l'initiale permettait aux faussaires des services de renseignement militaires de donner plus de poids et de force au document « Ce canaille de D... » ; les deux pièces se soutenaient mutuellement. Or l'une était fausse et l'autre abusivement attribuée à Dreyfus (elle désignait en réalité, comme on l'a déjà dit, l'agent Dubois)[266].

Pour se protéger, le général Mercier avait persisté devant la chambre criminelle en expliquant que la pièce n° 371 du grand dossier secret « n'a jamais constitué une preuve proprement dite de la culpabilité de Dreyfus. Ce n'était qu'une simple présomption, qu'une simple coïncidence venant s'ajouter à ce que nous considérons comme des preuves, c'est-à-dire l'examen technique et cryptographique du bordereau et de ses aveux[267] ». Le procureur général dénonça cette subtilité effrayante : « Son argumentation au sujet de la pièce n° 371 repose sur une ignorance complète des règles de notre droit. Qu'est-ce que cette distinction qu'il établit entre les preuves proprement dites et les présomptions ? Tout simplement la résurrection tentée des règles de la procédure de l'Inquisition. [...] Mais ces règles, notre droit moderne les a proscrites[268] ! »

Ce qui était proprement scandaleux avec cette pièce n° 371 c'était qu'elle formait en réalité un document innocentant Dreyfus. Elle constituait pleinement un fait nouveau.

Il aborda ensuite un troisième fait nouveau, la pièce n° 26 du grand dossier secret, pièce dite « de l'organisation des chemins de fer ». Ici,

« notre démonstration a l'honneur de déchaîner la fureur des adversaires de la révision. L'une des beautés de leurs diffamations, c'est le *crescendo* », releva-t-il. Il évoqua toutes les attaques de la presse antidreyfusarde contre la seconde révision. Elle accusait notamment de faux le ministre de la Guerre, le général André, le commandant Targe, le procureur général lui-même. « Mais qu'importe la vérité à ceux qui n'ont cessé de la violer[269] ! »

Au terme de sa démonstration des faits nouveaux, le procureur général de la Cour de cassation déclara que la révision était nécessaire et qu'elle n'impliquait pas de renvoi pour juger Dreyfus sur des faits qui lui étaient imputés et qui n'existent plus après l'instruction de la chambre criminelle[270]. Plaidant pour un droit respectueux du mouvement politique, social et intellectuel, il rappela que « la justice et la raison commandent d'adapter libéralement, humainement le texte aux réalités et aux exigences de la vie moderne[271] ».

L'innocence de Dreyfus était désormais un fait absolu. « Probable en 1899, [elle] est aujourd'hui certaine, indiscutable. La culpabilité d'Esterhazy l'est tout autant[272]. » Baudouin réfuta l'argument du rapporteur Moras qui disait que la Cour de cassation ne pouvait démontrer l'innocence de Dreyfus. De plus, le risque de renvoi à une troisième cour de justice militaire était que l'autorité de la Cour de cassation fût une nouvelle fois bafouée[273]. Aussi, « il n'y a plus à l'égard de Dreyfus ni crime ni délit ». Aucun renvoi ne devait donc être prononcé[274]. Pour le procureur général, au terme d'un réquisitoire sans équivalent, la France attendait une décision de justice et de vérité pour retrouver la paix et la gloire perdues. La Cour de cassation était mise devant sa responsabilité historique d'innocenter définitivement un homme et de lui rendre son honneur : c'était l'honneur de la France qu'elle allait en même temps restituer par un acte de justice[275].

### « Son argumentation fut très forte »

Alfred Dreyfus fut favorable à cette parole de justice qui s'autorisait l'indignation devant la révélation de tant de monstruosités exercées sur un seul homme : « Son argumentation fut très forte, d'une grande clarté, marquant pour toujours du sceau de l'infamie les auteurs des crimes contre la vérité et la justice. M. Baudouin appelait un faux un faux et un mensonge un mensonge, ce dont on ne saurait assez le louer[276]. »

Hormis sa famille qui adhérait à ce jugement[277], Dreyfus se retrouva isolé au milieu de ses amis dreyfusards. Beaucoup s'émurent de ce qu'ils qualifièrent d'outrance, d'exagération, de danger. Un processus pernicieux de disqualification de la parole du procureur général s'élabora, à la grande satisfaction des nationalistes qui reprirent ces critiques pour affaiblir l'arrêt qui allait venir. Joseph Reinach, en particulier, jugea incorrect le réquisitoire et se fit l'écho de ces critiques. Il y percevait « l'état d'esprit de tous les *détrompés* » qui compensait leur récente conviction par des jugements excessifs[278]. L'accusation était blessante. Reinach éprouvait peut-être une forme de jalousie pour un travail qu'il jugea presque sans intérêt : « Il n'y avait cependant chez Baudouin rien d'essentiel qui ne fût pas dans *Les Preuves* de Jaurès, dans les articles de Clemenceau et Guyot, dans les miens, surtout dans mon *Histoire*[279]. »

Ce que ne voit pas pourtant Reinach, et que perçoit au contraire très bien Dreyfus, ce sont le lieu où fut délivrée cette connaissance et le statut de l'homme qui l'avait établie : en audience publique des chambres réunies de la cour suprême de justice, le plus haut représentant du ministère public, parlant au nom de la société et de ses intérêts, déclarait que les accusateurs de Dreyfus avaient violé la loi et nié la vérité. Joseph Reinach aurait pu au contraire se féliciter de voir s'élargir les rangs de ceux qui voulaient défendre l'ordre de la justice contre les crimes d'État. De plus, le procureur général de la Cour de cassation n'assumait-il pas précisément le rôle que le même Reinach lui reconnut, qui était d'être « l'avocat de la loi[280] » et de démontrer qu'elle avait été violée par les accusateurs de Dreyfus ?

Pour la première fois dans toute l'histoire de l'affaire Dreyfus, les choses en effet étaient dites comme elles avaient déjà été formulées dans le réquisitoire écrit. Contre l'avis de Reinach et des dreyfusards du monde politique, et avec Dreyfus[281], on peut légitimement considérer que Baudouin incarna l'honneur de la magistrature, son courage et son indépendance. Mais les historiens de l'Affaire, se répétant ici les uns les autres, jugent le réquisitoire à l'aune de cette parole sans concession, comme si elle n'était ni légitime ni nécessaire[282]. En tout cas, le réquisitoire fit se remplir la grande salle d'audience. De nouveau, l'affaire Dreyfus et la justice passionnèrent l'opinion publique, mais dans le sens de la justice retrouvée[283]. C'est ce que releva aussi Reinach, soulignant que « beaucoup, même des députés, apprirent, feignirent d'apprendre, de découvrir l'Affaire[284] ».

De plus, le réquisitoire de Baudoin sema le trouble dans les rangs nationalistes. Les responsables des machinations dénoncées par le procureur général en furent réduits à protester auprès du premier président[285] et à rendre publiques leurs protestations, principalement dans *La Libre Parole*[286]. Le général Gonse accusa Picquart de mensonge sur la fameuse phrase où le chef de la Section de statistique lui déclarait emporter dans la tombe le secret de l'innocence de Dreyfus, et Picquart répondit que la parole de son ancien supérieur n'avait plus désormais aucune valeur[287]. *La Libre Parole* en appela au général Mercier afin qu'il dît enfin toute la vérité[288]. Mais l'ancien ministre de la Guerre, qui n'avait rien à dire sinon des mensonges, adressa au premier président une lettre sans intérêt. Il se contentait de protester contre le réquisitoire du procureur général, de discuter de la date de

950 LA MARCHE DE LA JUSTICE

la « nuit historique » et de proclamer en conclusion la culpabilité du traître [289].

## La plaidoirie de l'avocat de Dreyfus

Après le réquisitoire du procureur général vint la plaidoirie de l'avocat du capitaine Dreyfus. Elle reposait sur le *Mémoire de la défense* qu'il avait rédigé avec son client. Il développa la notion de système d'accusation, en relevant trois avant le procès de Rennes, puis un quatrième système présenté devant le conseil de guerre. Outre les éléments directement contenus dans ce quatrième système d'accusation et que l'enquête de la chambre criminelle avait détruits, Mornard s'attacha à recenser et classer tous les faux témoignages ou témoignages abusivement interprétés qui avaient été produits à Rennes pour charger Dreyfus, ainsi que les déductions et argumentations tirées du grand dossier secret par Mercier, Roget, Cuignet et tous les accusateurs principaux ou secondaires de Dreyfus. Enfin, Mornard établit la culpabilité d'Esterhazy. Son mémoire s'acheva sur les moyens de cassation et de révision [290].

Il critiqua la tendance excessive du rapporteur Moras à rechercher l'apaisement et la conciliation [291]. Il estima qu'il fallait faire entendre une voix solennelle de protestation contre la violation répétée de la justice à l'encontre d'un homme dont la condition le rejetait hors de la cité et du droit. Il se demandait : « Quelle fut donc la genèse de ces agissements dolosifs qui ont si rapidement fait évoluer cette affaire en dehors du domaine judiciaire, et qui ont rendu littéralement impossible le fonctionnement de la justice ? » Et aussi : pourquoi « l'accusation ayant pris naissance, l'instruction du procès [de 1894] a immédiatement dévié » ?

Pour bien comprendre l'origine des manœuvres déloyales qui ont faussé l'instruction de cette affaire, il faut rendre un compte exact de l'état d'esprit régnant dans les milieux où éclata comme un coup de tonnerre, en 1894, l'accusation de trahison dirigée contre le capitaine Dreyfus.

Il n'est plus possible aujourd'hui de nier que l'antisémitisme est la cause première non pas de l'accusation elle-même, je le répète, mais de la déviation de l'instruction judiciaire.

L'antisémitisme n'est pas un produit français. C'est un virus qui a été importé des régions de l'Est, et qui, inoculé à certains cerveaux, les met rapidement hors d'état de raisonner sur le cas spécial d'un Juif. Malheureusement, pour l'affaire actuelle, le fléau a exercé tout particulièrement ses ravages dans les milieux militaires ; ce qui s'explique un peu par les us et coutumes des pays dont il est originaire.

La cour sait que, dans certaines armées étrangères, et notamment en Allemagne, les israélites n'ont pas accès aux hauts grades de l'armée.

Théoriquement, il n'en est pas de même en France où pareil principe, par trop contraire à la Déclaration des droits de l'homme, ne saurait trouver droit de cité.

Mais l'idéal du haut personnel militaire fut longtemps (s'il n'est encore aujourd'hui), de faire adopter à cet égard, dans notre armée française, des pratiques semblables à celles de l'armée allemande. Au seuil même de l'affaire Dreyfus, on trouve la manifestation de cet idéal[292].

L'avocat fit entendre cette protestation contre l'antisémitisme qui pervertit les États et la justice, devant la Cour de cassation au grand complet et devant un large public :

C'est un Juif ! Il n'est pas besoin pour l'antisémite de rien chercher d'autre pour expliquer et prouver un crime de trahison. Vous avez cherché partout, messieurs, le mobile du crime imputé à Dreyfus, et vous ne l'avez pas trouvé ; mais il est tout révélé pour l'antisémite. N'oubliez pas que le Juif est celui qui trafique toujours, par l'effet d'une loi atavique ; qu'il sera toujours un trafiquant. Quand il a entre les mains des documents confidentiels, il est donc tout naturel qu'il tombe dans la trahison. Il n'y a pas à chercher de mobile au crime de trahison commis par un Juif ; c'est simplement la loi atavique qui exerce ici son influence fatale.

Voilà l'esprit régnant dans les hautes sphères militaires. À l'instar de l'Allemagne, on doit viser à écarter tout israélite du corps des officiers. Pas de Juifs à l'École de guerre, pas de Juifs à l'État-major de l'armée, pas de Juifs dans les états-majors particuliers, pas de Juifs au bureau du renseignement. Ils constituent dans tous ces milieux un danger public, car par atavisme le Juif est un homme qui trafique de tout, et ses instincts naturels sont ceux de Judas[293].

Pour Mornard, « toutes les irrégularités de l'instruction, toutes les félonies, tous les crimes commis contre l'accusé n'ont été que la résultante logique des raisonnements antisémites édifiés sur la base d'un credo irréductible : la traîtrise nécessaire du Juif. [...] C'est le credo antisémite qui, régnant en maître dans les cerveaux de tous ces magistrats improvisés, leur imposait comme un dogme la trahison du Juif, et annihilait en eux à cet égard toute faculté de raisonnement[294]. »

L'avocat pointait ainsi le mal irrémédiable de l'antisémitisme, à savoir son pouvoir de détruire la raison, le droit, l'esprit de justice, l'éthique de vérité, sa capacité d'instruire le procès de tous les démocrates. Car la violence antisémite des accusateurs n'avait pas seulement frappé Dreyfus et des Juifs, mais aussi Picquart et Loew, un catholique et un protestant, et de nombreux officiers ou magistrats qui avaient eu le tort de défendre la justice et la vérité. Ils furent considérés comme des amis des Juifs, qu'il s'agissait d'abattre. Mais lorsque le champ d'action de l'antisémitisme s'élargit à ce point, est-on encore dans l'antisémitisme ou sommes-nous déjà dans des processus tyranniques caractéristiques du xxe siècle ? Mornard a raison de dire que le procès de Dreyfus a jeté « l'émoi et la révolte de la conscience chez tous les peuples civilisés ». Mais la raison en était qu'il s'agissait bien plus du combat pour la vérité, la justice et l'honneur d'un homme que de la défense d'un Juif en tant que Juif. Derrière Dreyfus, il y avait l'humanité. Mais, pour le malheur du xxᵉ siècle, on ne comprit pas cela, qu'un Juif, comme tout homme ou femme ou enfant qu'écrasait la raison d'État, était l'humanité dans ce qu'elle avait de plus véridique.

Mornard n'avait pu aborder cette question de l'antisémitisme sans l'accord de Dreyfus. Et on doit mesurer ici la voie intelligente par laquelle la question fut amenée. L'avocat démontra que l'antisémitisme n'était pas l'affaire des Juifs mais de la démocratie. Il était l'indicateur le plus fort du basculement de la civilisation dans la barbarie.

Mornard établit ensuite « les systèmes d'accusation successivement réédifiés les uns sur les ruines des autres, au fur et à mesure que l'inanité de chacun d'eux se révélait [295] ». Il souligna leur aspect monstrueux et le rapporta à l'idée que, contre un Juif, tout est permis.

> Il n'est pas, je crois, d'autre exemple, dans les annales judiciaires, d'une accusation protéiforme comme celle dirigée contre Dreyfus. Dans tout procès de caractère vraiment judiciaire, lorsqu'une accusation s'écroule par l'effet de la découverte d'éléments nouveaux, la justice constate le néant de l'accusation formulée, et renvoie l'accusé des fins de la poursuite. Rien de tel dans le procès de l'officier juif. Quand la base de l'accusation s'effondre, le Juif n'en demeure pas moins le traître par essence ; le système d'accusation n'est qu'une chose secondaire, une sorte d'enveloppe et de parure dont on recouvre un dogme intangible : la traîtrise du Judas. On change donc le système ; aux bases écroulées on en substitue de nouvelles : tout change dans les articulations, dans les faits, dans les raisonnements. Une seule chose demeure, la conclusion : le Juif Dreyfus est coupable de trahison [296].

Dans le premier « système d'accusation », celui de 1894, l'écriture du bordereau était la base de l'accusation. Mais il s'effondra après la découverte d'Esterhazy et de son écriture. Ce fut le système d'Ormescheville, ou plutôt le système du Paty de Clam-d'Ormescheville [297].

Le deuxième système d'accusation, celui de 1897-1898, le système Gonse-Wattinne-Cavaignac, reposait sur le grand dossier secret. Il fut lancé après la découverte d'Esterhazy par le lieutenant-colonel Picquart. Et il s'effondra après la découverte du faux Henry [298].

Le troisième système d'accusation, établi par Mercier, Cuignet et Roget, devait s'opposer à la révision en marche après septembre 1898. Il reposait sur la légende des aveux, la discussion technique et cryptographique du bordereau, et sur le grand dossier secret encore perfectionné. Il s'effondra en partie devant le procès de Rennes et l'efficacité des dépositions de la défense, notamment les experts scientifiques qui pilonnèrent les théories de Bertillon. Alfred Dreyfus fut également très efficace, comme on l'a vu, pour démolir les allégations fumeuses et jamais soutenues par un système de preuves.

Le quatrième système d'accusation s'élabora pendant le procès de Rennes, face à la déconfiture du précédent. Le « dogme de la traîtrise de Judas, la présomption antisémite que tout officier juif est un traître en puissance » commençaient à voler en éclats. Le général Mercier était par ailleurs sous la menace d'une mise en accusation pour forfaiture : « Un projet de loi a été déposé en ce sens, et par une manœuvre que je ne veux pas qualifier, la discussion du projet a été renvoyée jusqu'après la clôture du procès de Rennes. » Mercier décida alors de défendre devant les juges la thèse suivante : l'acquittement de Dreyfus signe la condamnation de l'État-major de l'armée, de l'armée elle-même, de la France : « Il faut choisir : ou je suis coupable de forfaiture pour avoir, par des moyens illicites, fait condamner un innocent ; ou cet homme est un traître que j'avais le devoir patriotique de démasquer par tous les moyens. Il faut choisir entre moi, votre ancien ministre, moi général de division, commandant de corps d'armée, investi de toutes les dignités militaires, et ce capitaine juif ne figurant dans notre corps d'officiers que par une regrettable tolérance[299]. »

L'argumentation fondant le quatrième système était imparable, à moins, par une déclaration politique de grande envergure, de dire que l'enjeu n'était pas cela, que c'était le contraire, que l'honneur de la France et de son armée résidait dans l'honneur retrouvé de Dreyfus.

Vainement, mon éminent confrère, Mᵉ Demange, qui sentait bien que le principal obstacle à vaincre pour lui ne résidait pas dans les charges ridicules relevées contre Dreyfus, vainement Mᵉ Demange a-t-il protesté contre cette manière de poser la question. Il faut bien reconnaître que le projet de mise en accusation du général Mercier et l'ajournement de la discussion de ce projet jusqu'après le verdict de Rennes autorisaient l'ancien ministre de la Guerre à dire au conseil de guerre : « Vous allez décider qui est coupable, de Dreyfus ou de moi[300]. »

On le voit très clairement, la force d'une démocratie doit résider dans sa capacité à refuser ces chantages et à pouvoir juger d'un haut responsable lorsque la forfaiture est constituée. La France républicaine ne le pouvait pas à cette époque.

Le quatrième système d'accusation fut démontré par la chambre criminelle tandis qu'elle démolissait les fausses preuves constitutives du troisième. Mornard les étudia les unes après les autres, telles que les avait soigneusement énumérées et développées le commandant Cuignet dans sa déposition au procès de Rennes[301] : la légende des aveux, la discussion technique du bordereau, l'examen du grand dossier secret et les preuves cryptographiques de Bertillon[302].

Concernant la légende du bordereau « annoté », Mornard souligna le procédé d'argumentation suggestive de l'accusation. « Si je ne crois pas qu'il y ait eu communication secrète du document lui-même aux membres du conseil de guerre de Rennes, je suis bien persuadé que, par des déclarations officieuses émanant de source autorisée, l'accusation a fait tous ses efforts pour convaincre les juges de l'authenticité

de la légende affirmée par les journaux au service du bureau du renseignement. Sur ce point il n'est pas de doute possible. Les preuves
abondent. » Analysant la question posée par la cour à la veuve Henry :
« Ces papiers que votre mari dépouillait le soir, vous rappelez-vous si
c'était du papier épais ? – Je n'ai pas vu le bordereau de près. – Mais
vous l'avez vu travailler sur ce papier ? », il souligna que cet incident
montrait « sans équivoque possible que les juges avaient l'esprit hanté
par la légende du bordereau "annoté"[303] ».

*La cassation sans renvoi*

Mornard entra enfin dans la partie juridique de sa plaidoirie[304] et
demanda la cassation sans renvoi. « La Cour de cassation en matière
de révision, comme d'ailleurs en plusieurs autres, est constituée juge
suprême du fait et du droit. Voilà l'indiscutable vérité[305]. » Elle se
devait de répondre à la hauteur des enjeux posés par les principes des
accusateurs du capitaine Dreyfus.

Les raisons inexprimées de ces théories, les sentiments qui les ont inspirées, c'est bien en dernière analyse, chez les uns, le désir de soustraire
certaines juridictions au contrôle et à l'autorité nécessaires de la cour
suprême ; c'est chez d'autres (plus près de nous), le désir confus d'abdiquer
des pouvoirs dont l'exercice consciencieux expose en notre pays à tant de
lâches attaques et d'abominables calomnies. Mais, messieurs, plus la mission imposée par la loi est lourde, plus son accomplissement s'en révèle
pénible et parfois douloureux, plus impérieux est le devoir de ne pas s'y
dérober. Et pour cette mission si grande et si haute, qui consiste à éliminer
les erreurs de l'œuvre générale de la justice humaine, la Cour de cassation,
avec ses magistrats rompus à la science du droit, épris de vérité et de justice,
est toujours apparue comme l'arbitre nécessaire[306].

La conclusion allait de soi : « La cassation sans renvoi s'impose
comme une nécessité de droit. Ainsi nous avons parcouru toute
l'affaire en nous laissant guider par les trois grandes lumières qui
doivent éclairer le jugement des hommes : l'équité, la raison, le droit
écrit ; et par trois fois nous avons été invinciblement amenés à la
même conclusion[307]. »
La cassation sans renvoi était une « nécessité d'équité », une
« nécessité de logique et de raison », une « nécessité de droit ». « Elle
s'impose aussi impérieusement, messieurs, comme une nécessité
morale », ajouta l'avocat.

Il est impossible, en effet, de prolonger encore cette terrible crise de
conscience où l'antisémitisme affolant des uns, le défaut de courage civique
et les lâchetés criminelles des autres ont jeté le pays depuis près de douze
années.

Il est démoralisant pour l'esprit public de laisser les haines de race et de religion arrêter encore au vingtième siècle le cours de la justice, susciter des erreurs et en interdire indéfiniment la réparation.

Il est démoralisant pour l'esprit public de laisser se perpétuer le règne de ces sophismes délétères sur la raison d'État et l'honneur de l'armée, qu'on oppose toujours à la réhabilitation définitive du condamné de 1894.

L'honneur de l'armée n'est pas avec les officiers faussaires comme Henry ; il n'est pas avec ceux qui se parjurent ou commettent des forfaitures ; il n'est pas avec ceux qui, affublés de fausses barbes et de lunettes bleues, complotent d'odieux attentats contre la justice ; il n'est pas avec les forbans et les traîtres comme Esterhazy, qu'on proposait naguère encore aux embrassements de ses frères d'armes et aux ovations de la foule.

Continuer à imposer à l'armée cette dégradante solidarité, continuer à proclamer que l'honneur de l'armée impose de tels actes au respect public, c'est vouloir tuer nécessairement l'affectueuse estime dont est si justement entouré notre corps d'officiers. C'est donc une nécessité morale de soustraire notre armée, par un arrêt définitif, à l'action délétère de tous ces sophismes déshonorants.

C'est une nécessité morale aussi de sauver la conscience publique du sophisme dissolvant de la raison d'État, si souvent invoquée dans cette affaire.

Eh ! quoi les exigences du principe d'autorité imposeraient, dit-on, le sacrifice des individualités. [...] C'est avec de tels sophismes, messieurs, qu'on provoque dans un pays tous les affaissements de conscience, et qu'on y déprime toute idée de devoir. C'est avec de tels sophismes, que tous les Ponce Pilate s'efforcent de se dissimuler à eux-mêmes la responsabilité de leurs actes, lorsqu'ils laissent libre cours à l'injustice, et se lavent les mains des iniquités qu'ils provoquent par leurs coupables défaillances. [...]

Il est temps, il est grand temps que prenne fin ce régime de démoralisation ; il est grand temps que prenne fin ce régime des atermoiements et des concessions au crime. À le prolonger davantage, l'honneur même de la justice finirait par y rester [308] !

Cette conclusion fondait sa dimension morale sur une réflexion politique des institutions, du droit, de la justice. Elle montrait que l'affaire Dreyfus avait été un grand moment de découverte de l'esprit démocratique. Et que celui-ci avait été incarné par des hommes de grand courage qui recueillirent tous les outrages, les Georges Duruy, Édouard Grimaux, commandant Ducros, capitaine Freystaetter, colonel Hartmann, colonel Picquart [309] : « Combien d'autres encore, pour un cri de justice, ont été frappés ! Combien ont souffert de leur amour pour la vérité ? Faut-il évoquer ici les noms de ceux qui ne sont plus, Bernard Lazare, Duclaux, Giry, Molinier, Trarieux, Zola, Scheurer-Kestner, de ceux qui luttent toujours, Leblois, Gabriel Monod, Stapfer, Joseph Reinach, de Pressensé, et tant d'autres [310] ? »

Cette évocation des morts et des vivants préparait la conclusion de la plaidoirie : « Messieurs, la sentence que je demande à vos hautes consciences, ce n'est pas seulement un arrêt suprême qui rétablisse enfin le règne du droit si longtemps outragé ; ce n'est pas seulement une œuvre nécessaire d'assainissement moral ; c'est véritablement aussi un hommage pieux à l'éternelle justice, et à la mémoire de ceux qui sont morts pour l'avoir trop aimée ! (*Applaudissements.*)³¹¹ »

### Dreyfus, la justice, la patrie. Une plaidoirie à deux voix

Mais Mornard ne conclut pas avant d'avoir parlé du capitaine Dreyfus.

> Je ne veux pas refaire à mon tour le portrait du capitaine Dreyfus d'après mes connaissances personnelles. Voici huit années, en effet, que de toutes les forces de mon âme, je soutiens pour le défendre une lutte atroce ; voici huit années que je souffre de sa souffrance et de la souffrance des siens. Je sens bien que je serai suspect de partialité. Mais je regrette profondément, moi qui comme avocat ai recueilli parfois les épanchements de son pauvre cœur meurtri, je regrette profondément qu'il ne se laisse pas aller, en dehors de son cercle familial, à l'expansion de ses sentiments intimes. On le connaîtrait mieux : il ne pourrait qu'y gagner.
>
> Comment, d'ailleurs, lui imputer à crime, à lui qui, pendant tant d'années, a été traqué comme une bête fauve, et supplicié comme un martyr, comment lui imputer à crime de s'être ainsi complètement replié sur lui-même, de ne plus rien faire paraître de ses angoisses ou de ses affections, d'avoir ce qu'on pourrait appeler la pudeur de la souffrance³¹² ? [...]
> J'ai le droit de dire qu'une vie qui résiste d'une façon aussi admirable à une enquête aussi passionnée est une vie où il n'y a aucune tare. Lorsque à côté du résultat négatif de ces investigations haineuses vous placez le résultat de votre propre enquête, qui a été poursuivie non pas pendant douze ans, mais pendant quelques mois, non pas sur la vie tout entière des accusateurs, mais simplement sur les actes par eux accomplis pendant l'instruction, dites-moi, messieurs, quel est votre jugement ? Comparez ce que vous avez trouvé dans les actes des accusateurs et ce que l'on a trouvé dans la vie de l'accusé ; comparez et jugez.
> Je ne dis rien des accusateurs. Mais j'ai le droit de proclamer que l'ensemble des témoignages que je discute en ce moment, loin d'être une charge pour le capitaine Dreyfus, constitue, par son insignifiance même, la preuve la plus éclatante de la parfaite loyauté, en toute sa vie d'homme, comme en toute sa vie d'officier, du martyr que je défends³¹³.

Si Mornard parlait de et pour son client, c'était bien Dreyfus qui s'exprimait³¹⁴, Dreyfus qui expliquait pourquoi il souhaitait que la Cour ne procédât pas au renvoi. Il ne s'agissait pas d'un intérêt personnel, pour se soustraire au jugement d'un nouveau conseil de guerre, comme put le laisser entendre maladroitement le procureur général³¹⁵, mais de l'intérêt général afin que les arrêts de justice fussent rendus dans l'enceinte de la justice, selon ses règles et ses valeurs.

> Le capitaine Dreyfus n'est certainement pas un juriste, mais c'est un homme d'intelligence et de bon sens³¹⁶. Jamais il n'a eu la pensée qu'un arrêt émané de la plus haute juridiction de France, puisse ne pas avoir une

valeur et une autorité supérieures à celles d'une décision rendue par un tribunal subalterne composé de juges improvisés. Le capitaine Dreyfus sait parfaitement, d'ailleurs, qu'abstraction faite même de la haute autorité de la cour suprême et des éminents magistrats qui la composent, un arrêt rendu par vous aura toujours l'immense supériorité d'être motivé ; ce qui le rend essentiellement et intrinsèquement bien préférable à tous ces verdicts trop souvent inintelligibles qui, comme ceux des conseils de guerre, se formulent par un oui ou par un non, verdicts dont il est impossible d'apercevoir les raisons déterminantes.

Le rejet de la justice militaire, dont la justice précisément laisse à désirer, n'est pas un moyen pour le capitaine de se soustraire au verdict des juges en invoquant le fait de la grâce ou des circonstances exceptionnelles. « Le capitaine Dreyfus ne veut à aucun prix trouver dans des conclusions prises en son nom une argumentation quelconque basée soit sur une prescription, soit sur une grâce. » Il s'agit d'une question de principe. La grâce ne fut jamais le choix du capitaine Dreyfus. Elle ne peut fonder son attitude devant la justice. Elle n'a été pour lui qu'un moyen de survivre, c'est-à-dire d'être en mesure de revenir vers la justice et de la saisir. C'est son honneur, qui n'est pas seulement de voir l'innocence reconnue, mais qu'elle soit reconnue par la plus haute justice possible.

C'est un point d'honneur pour bien des personnes à la conscience délicate, de ne point invoquer la prescription dans leurs procès civils. Quoi d'étonnant à retrouver les mêmes scrupules chez le capitaine Dreyfus, dans une affaire où il lutte pour son honneur depuis de si longues et si douloureuses années ?

Et quant à la grâce qui lui fut octroyée d'office, elle ne compte pas à ses yeux, dans ce débat, où il a toujours réclamé la justice et jamais sollicité la clémence. « Moi parti, écrivait-il au ministre de la Guerre après sa condamnation de 1894, qu'on cherche toujours : c'est la seule grâce que je sollicite. »

Ce décret de grâce que Dreyfus n'a jamais demandé, le président de la République a parfaitement compris qu'il devait le signer pour une raison d'humanité. Il a compris que, pour l'honneur de la France, il n'était pas possible de laisser s'éteindre en son cachot le malheureux officier juif épuisé par son martyre. Mais la grâce ainsi octroyée n'a eu, je le répète, aux yeux du capitaine Dreyfus d'autre avantage que de lui permettre de vivre et de continuer la lutte pour son honneur. Il entend donc n'en tirer dans la discussion aucun argument.

Me Mornard fit ensuite savoir que le capitaine Dreyfus refusait l'indemnité due aux victimes des erreurs judiciaires [317]. Son avocat n'était pas de cet avis [318], mais il avait dû céder devant « la volonté inébranlable du capitaine ». Dans cette décision, celui-ci exprimait tout son rapport à la patrie et à l'armée. « Soldat, reprit Mornard en tentant d'expliquer sa décision, il avait voué sa vie à la patrie, il lui avait tout offert : elle a tout pris. Santé, bonheur, avenir, tout a été sacrifié. Le capitaine Dreyfus estime que la patrie avait le droit de tout prendre, puisqu'il lui avait tout donné. Il a supporté toutes les angoisses, toutes les misères et les tortures sans nom de l'île du Diable, comme les souffrances d'une campagne atroce. Il est soldat, et ne réclame rien qu'une chose : son honneur ; car cet honneur, c'est le patrimoine inaliénable et sacré de ses enfants : il le veut tout entier et sans tache[319]. »

Cette volonté exprimait, selon Joseph Reinach commentant la fin de la plaidoirie de Mornard, la véritable grandeur de l'officier que beaucoup ignoraient ou ne voulaient pas considérer : « Sa vie avait été bouleversée par les événements les plus extraordinaires ; mais il lui était arrivé des événements intérieurs plus graves encore qui avaient développé une rare noblesse dans cette âme repliée sur elle-même[320]. » On pourrait voir plus simplement dans l'attitude de Dreyfus la marque de sa constance dans ses choix. Il voulait que l'arrêt de la Cour de cassation eût la plus grande portée, qu'il fût autant une décision en sa faveur qu'une décision pour la justice. En demandant des indemnités, il aurait ramené l'intérêt particulier, mis du civil dans le pénal, affaibli la solennité de l'arrêt. Reinach, comme beaucoup de contemporains, s'obstinait à tout rapporter à la « psychologie ». Il semble qu'au contraire Dreyfus raisonnait d'abord et réfléchissait beaucoup.

CHAPITRE XVI

# La réhabilitation inachevée

Le 12 juillet 1906, la Cour de cassation, toutes chambres réunies, rendit son arrêt. Il proclamait la révision du procès de Rennes et déclarait l'innocence absolue du capitaine Dreyfus. La Cour de cassation avait rempli sa mission, l'arrêt du 12 juillet était sans restriction. À une situation d'injustice absolue il répondait par une solution supérieure de justice. Il est rare dans l'histoire qu'une tragédie comme celle de Dreyfus soit arrachée à sa logique et trouve son issue dans un acte de réparation solennelle. La Cour de cassation, à travers ses magistrats tant du siège que du parquet, releva ce défi proprement historique, en faveur d'un homme et de la justice confondus. Mais cette rencontre n'était pas fortuite. Dès son retour de l'île du Diable, le capitaine ne s'investit pas seulement dans la compréhension de son procès, mais également dans celle des enjeux judiciaires. Il en vint ainsi à sortir d'une logique strictement militaire – à savoir le souci d'être jugé pas ses pairs – à une raison plus judiciaire – être jugé par des juges. Après le procès de Rennes, il fut pleinement impliqué dans le processus qui allait conduire à la saisie de la Cour de cassation. Il en fut l'acteur en même temps qu'il en était l'objet. Ses *Carnets* sont à cet égard un grand livre de témoignage sur le fonctionnement de la justice à travers le droit, et simultanément le récit du devoir de justice qu'il devait à lui-même, à sa famille et à la France. L'arrêt du 12 juillet 1906 fut la rencontre entre ces deux exigences, individuelle, celle de Dreyfus, et collective, celle de la Cour de cassation et ceux qui luttèrent pour lui. Rares encore dans l'histoire du monde sont ces événements de réparation particulière qui dévoilent une signification aussi générale.

La réparation conférée par l'acte judiciaire fut totale. Et comme le dit très bien Dreyfus lui-même, d'un mal terrible sortit un bien encore plus grand. Son calvaire et le combat de ses défenseurs n'avaient donc pas été vains. La magistrature fut dans son rôle parmi les institutions de la France. Mais si la réhabilitation judiciaire fut complète et glorieuse, la réparation militaire et civique fut partielle et le demeure aujourd'hui.

La réhabilitation du capitaine Dreyfus fut en effet limitée à cette dimension judiciaire et morale. Le 13 juillet 1906, lendemain de l'arrêt de la Cour de cassation, la Chambre des députés vota bien la réintégration dans l'armée d'Alfred Dreyfus au grade de chef d'escadron. Mais la décision de ne pas procéder à une reconstitution de sa carrière en ne reconnaissant pas les cinq années de réclusion et de déportation comme des années d'ancienneté équivalait à la fois à briser un parcours qui s'annonçait très brillant en 1894 et à refuser d'accorder un statut d'innocence à ces années. La réparation militaire et administrative n'était pas entière, alors qu'elle l'avait été pour Georges Picquart, réintégré, comme Dreyfus, par le moyen de la loi, le même jour, et qui obtint la pleine reconstitution de sa carrière. Il réintégra ainsi l'armée au grade de général de brigade. Dreyfus aurait légitimement pu prétendre à celui de lieutenant-colonel. Privé de la carrière d'officier général dont il rêvait, il décida de démissionner. Personne ou presque ne le retint.

La représentation parlementaire avait été juste pour Picquart. Elle fut solennelle pour Émile Zola dont elle vota le transfert des cendres au Panthéon. Dreyfus n'eut droit qu'à une remise de la Légion d'honneur – dont il aurait été de toute manière titulaire comme tout officier atteignant un certain niveau. La cérémonie du 20 juillet 1906 à l'École militaire eut certes son importance, mais elle n'avait rien à voir avec l'hommage qui aurait pu se produire, en faveur du Dreyfus et de ceux qui, par lui et avec lui, défendirent la justice et la vérité. Le défilé du *Triomphe de la République* imaginé par Pierre Waldeck-Rousseau le 19 novembre 1899 avait eu assurément beaucoup plus de solennité. Pourtant l'événement célébré avait bien moins d'importance que l'arrêt du 12 juillet 1906.

Cette réhabilitation inachevée eut une triple conséquence négative. Elle empêcha la République de se représenter dans un événement emblématique des valeurs démocratiques et de l'État de droit. Elle laissa un homme dans la souffrance et l'injustice. Elle favorisa enfin le développement d'un nouvel antidreyfusisme prenant prétexte de cette réticence à réhabiliter totalement Dreyfus pour affirmer que tout n'était peut-être pas aussi clair que l'arrêt de la Cour de cassation voulait bien le dire et que Dreyfus ne méritait peut-être pas d'hommages trop appuyés.

Aucune institution ne se préoccupa de modifier cette situation qui alla en s'aggravant. La Cour de cassation et la magistrature en général, étrangères à une histoire autre que strictement juridique et judiciaire, s'éloignèrent de la signification morale et politique de l'arrêt. L'armée se contenta au mieux de constater la démission du capitaine Dreyfus et son exclusion volontaire de ses rangs. Le reste des pouvoirs publics ignora ou fit mine d'ignorer que l'arrêt de la Cour de cassation avait été prononcé « au nom du peuple français » et qu'il avait donc une portée officielle. Seule une partie de la société continua à reconnaître en Dreyfus un innocent réhabilité, sans même savoir que cette réhabilitation fut tronquée et qu'elle alimenta les rumeurs les plus ingénues ou les plus antisémites sur son compte.

Depuis 1906, la question de cette réhabilitation inachevée, de ce « sabre brisé » – pour reprendre le titre donné par Tim à la statue qu'il sculpta en 1985 –, n'a jamais été posée. Il est désormais temps de le faire. À défaut, l'histoire continuera d'être le lieu de l'écrasement et non celui de la liberté.

## L'ILLUSION DE LA VICTOIRE

Les débats en audiences publiques s'achevèrent le 8 juillet 1906. « Les magistrats de la cour suprême se montrèrent admirables de force, calme et sérénité. » Pour le capitaine Dreyfus, ce moment de justice était bien à la hauteur de ce qu'il avait espéré pour clore son affaire. Il avait atteint un premier but, qui était de proclamer la vérité – c'est-à-dire son innocence – avant, dans un second temps, avec l'arrêt de cassation sans renvoi qu'il espérait, de proclamer le droit – c'est-à-dire sa réhabilitation. Alors la vérité et le droit se retrouvaient. C'était là la justice. Dreyfus attendait cette rencontre, pour lui et plus encore pour l'idée qu'il s'était toujours faite de la justice.

Ces « paroles de justice attendues », délivrées dans le lieu de la Cour suprême, étaient aussi les plus efficaces contre les nationalistes. Elles procédaient d'une enquête complète qui avait démontré qu'aucun dossier, même le plus monstrueux, même le plus étendu dans le temps, ne pouvait demeurer dans l'impunité de l'ignorance et de l'oubli. Ce fut une magistrale leçon de justice.

> Toute l'entreprise abominable de forfaiture, de faux et de mensonges, fut passée au crible d'une critique impitoyable et tranquille. Les coupables furent marqués du sceau d'infamie par la main sûre de M. Baudouin. Et ce fut une chose remarquable et magnifique que cette haute magistrature prononçant, au nom d'un grand peuple libre, les paroles de justice attendues depuis des années, au milieu du respect de la nation tout entière, hormis quelques misérables, faussaires ou faux témoins, qui, avec leurs dignes amis, les Charles Maurras et les Drumont, balbutièrent de suprêmes mensonges. Le général Mercier, dans une lettre adressée au premier président de la Cour de cassation, osa revenir sur la prétendue « nuit historique ». Cet homme est grandiose de cynisme, d'audace et d'infamie.

Dreyfus redit dans ses *Carnets* combien s'imposait la cassation sans renvoi, un acte de justice digne de la vérité démontrée.

Ainsi, la Cour de cassation, usant de ses pouvoirs illimités, avait mis en pleine lumière mon innocence. J'estimais dès lors que si la Cour hésitait à proclamer cette innocence qu'elle-même avait rendue si évidente, elle paraîtrait reculer devant la vérité. Et si, ayant proclamé la vérité, la Cour hésitait à y conformer sa décision souveraine, elle paraîtrait reculer devant la justice [1].

## L'arrêt historique

Le 9 juillet, les conseillers se réunirent en chambre du conseil pour délibérer de l'arrêt à venir. Le premier jour fut consacré à l'examen des faits nouveaux susceptibles d'annuler le verdict du procès de Rennes. Il n'y eut aucune hésitation. La cassation du jugement fut votée à l'unanimité. La conséquence juridique de la cassation, c'est-à-dire un renvoi ou un arrêt définitif proclamant l'innocence du capitaine Dreyfus fut discutée lors des séances des 10 et 11. Les trois présidents de chambre, Alphonse Bard, l'ancien rapporteur de la première révision, pour la chambre criminelle, Louis Sarrut, pour la chambre civile, et Louis Tanon, pour la chambre des requêtes, étaient favorables à la cassation sans renvoi. Trente et un magistrats les suivirent, contre dix-huit qui s'opposèrent. Le premier président demanda au rapporteur Clément Moras s'il avait préparé un projet d'arrêt sans renvoi. Il ne l'avait pas fait. Ballot-Beaupré en avait préparé un, qu'il sortit, qu'il lut, et qui fut adopté sans discussion [2].

À 6 heures et demie du soir, le 11 juillet 1906, le capitaine Dreyfus apprit que la Cour avait voté la cassation sans renvoi. « Enfin, pouvait-il reconnaître, c'était la fin de mon supplice qui durait depuis douze ans, c'était la fin de mes angoisses pour l'avenir de mes enfants. Il me semblait qu'on soulevait l'immense poids qui depuis si longtemps oppressait mon cœur. »

La lecture de l'arrêt eut lieu le lendemain, jeudi 12 juillet. L'audience s'ouvrit à midi. Sauf les conseillers, siégeant assis, tous les assistants étaient debout, dans un grand silence. « Lourd, massif, encore élargi par l'ample costume [d'hermine], Ballot-Beaupré lut, simplement, comme il aurait lu tout autre arrêt, comme il les lisait. Pas un mot, pas une syllabe ne tomba, ne se perdit. » Joseph Reinach, qui, contrairement à Dreyfus, était présent à cette séance historique, remarqua simplement une émotion particulière dans sa voix claire et grave lorsqu'il prononça les mots par lesquels le capitaine Dreyfus était définitivement et entièrement réhabilité, lavé de tout crime, pleinement innocent. Rendu à son honneur [3].

Le texte de l'arrêt de la Cour de cassation[4] est reproduit *in extenso* dans ses *Carnets*. « Cet arrêt est un véritable monument historique, car c'est un remarquable résumé de l'affaire[5]. »

Trois faits déclarés « nouveaux » entraînaient *ipso facto* la révision du jugement de Rennes puisqu'ils étaient inconnus des juges du conseil de guerre : la falsification de la pièce n° 371, attestée par l'enquête du capitaine Targe, la falsification de la pièce n° 26, également attestée par l'enquête de Targe, et la découverte de la minute du commandant Bayle dont la disparition avait été imputée à Dreyfus au procès de Rennes.

Ces trois faits nouveaux, ces éléments inconnus du conseil de guerre de Rennes, qui étaient « de nature à entraîner l'innocence du condamné », suffisaient à fonder l'annulation de son verdict. Mais il y avait lieu aussi, disait l'arrêt, « de rechercher, au fond, s'il faut dans la cause appliquer le paragraphe final de l'article 445 aux termes duquel si l'annulation prononcée à l'égard d'un condamné vivant ne laisse rien subsister qui puisse être qualifié crime ou délit, aucun renvoi ne sera prononcé ». Suivait une seconde partie où les preuves de l'innocence étaient objectivement et directement exposées.

L'écriture du bordereau avait été analysée par nombre d'experts incontestés, dont les trois professeurs à l'École des chartes, Meyer, Molinier et Giry, comme n'étant pas de la main d'Alfred Dreyfus, mais de celle de l'ex-chef d'escadron Esterhazy. Les aveux de ce dernier avaient corroboré le résultat de cette démonstration. Par ailleurs, les expertises qui avaient appuyé l'accusation au procès de Rennes, particulièrement celles de Bertillon et de ses exégètes après 1899, furent détruites par les trois experts mathématiciens saisis par la chambre criminelle de la Cour de cassation.

Le texte du bordereau ne pouvait par ailleurs se rapporter à Alfred Dreyfus, comme le démontrait l'enquête des magistrats. Au contraire il désignait sans conteste Esterhazy.

Les autres accusations portées contre Dreyfus, relativement au secret de l'obus Robin, à la livraison des cours confidentiels de l'École de guerre, n'avaient pas résisté à l'investigation des magistrats, de même que la légende des aveux.

Le dossier secret et les pièces nombreuses qu'il comportait étaient sans intérêt pour Dreyfus. La seule pièce importante, la dépêche diplomatique dite « Panizzardi », se révéla avoir été traduite abusivement : son texte rétabli ne pouvait accuser Dreyfus, au contraire.

L'existence d'un bordereau annoté par l'empereur d'Allemagne est « une légende [qui] doit être mise à néant ».

Cette tâche historique autant que judiciaire accomplie, la Cour de cassation toutes chambres réunies, proclama l'innocence pleine et entière du capitaine Dreyfus.

La Cour, chambres réunies, [...]

Attendu que les études graphologiques de Bertillon et autres devant, par suite, être éliminées du débat, il reste acquis que le bordereau a été écrit par Esterhazy et non par Dreyfus ;

Attendu que, le bordereau ayant été écrit par Esterhazy, on ne comprend pas, dans l'état de la procédure, comment les pièces dont il annonçait l'envoi auraient été fournies par Dreyfus, puisqu'on n'allègue même pas qu'ils se soient connus ; [...]

Attendu, en dernière analyse, que de l'accusation portée contre Dreyfus, rien ne reste debout ; et que l'annulation du jugement du conseil de guerre ne laisse rien subsister qui puisse à sa charge être qualifié crime ou délit ;

Attendu, dès lors, que, par application du paragraphe final de l'article 445, aucun renvoi ne doit être prononcé ;

Par ces motifs,

Annule le jugement du conseil de guerre de Rennes qui, le 9 septembre 1899, a condamné Dreyfus à dix ans de détention et à la dégradation militaire, par application des articles 76 et 463 du code pénal et 1er de la loi du 8 juin 1850 ;

Dit que c'est par erreur et à tort que cette condamnation a été prononcée ;

Donne acte à Dreyfus de ce qu'il déclare renoncer à demander l'indemnité pécuniaire que l'article 446 du code d'instruction criminelle permettrait de lui allouer ;

Ordonne qu'en conformité de cet article le présent arrêt sera affiché à Paris et à Rennes et sera inséré au *Journal officiel*, ainsi que dans cinq journaux, au choix de Dreyfus ;

Autorise Dreyfus à le faire publier aux frais du Trésor et au taux des insertions légales dans cinquante journaux de Paris et de province, à son choix ;

Ordonne que l'arrêt sera transcrit sur les registres du conseil de guerre de Rennes et que mention en sera faite en marge de la décision annulée [6].

L'attente du capitaine Dreyfus était complètement satisfaite, à l'exception minime de l'affichage de l'arrêt dans toutes les communes de France – et pas seulement à Paris et à Rennes [7] – et de son insertion dans cinquante-cinq journaux, et non cent. Mais l'arrêt fut repris dans les journaux du monde entier.

## *« Mon honneur m'est rendu »*

Dreyfus était resté seul dans son appartement du 101, boulevard Malesherbes, au cinquième étage d'un immeuble discret. Tous les membres de sa famille s'étaient rendus au palais de justice, dans la grande chambre de la Cour de cassation, qui peut accueillir près de sept cents personnes, pour entendre la lecture de l'arrêt final de réhabilitation. Un reporter du *Temps* attendait avec Dreyfus, dans le « petit salon où la lumière et l'air frais entraient à flots. Assis près d'une fenêtre, il rêvait, les yeux perdus dans le ciel où couraient de petits nuages gris ».

L'épreuve a été dure et longue !
Oui, certes, elle a été longue surtout. L'enquête de la chambre criminelle, la dernière étape, m'a semblé interminable. Il me semblait qu'on ne finirait jamais. Mais le travail a calmé pour moi les angoisses de l'attente : aux côtés de Mᵉ Mornard, mon éminent avocat et mon ami, j'ai collaboré au mémoire qu'il a présenté aux juges. Et ce n'était pas une mince besogne que l'étude minutieuse d'un dossier des plus volumineux, que la révision et la réfutation de charges, nettes ou déguisées, accumulées contre un innocent. Maintenant je touche au terme de mes souffrances. Mon honneur m'est rendu.

Le journaliste l'interrogea sur la suite, sur sa réintégration dans l'armée. « Il est clair que l'arrêt de la Cour me replace dans mon grade et dans la situation que j'occupais en 1894. » Mais il affirme ignorer les intentions du gouvernement et ne peut répondre à la question des promotions dont il pourrait bénéficier afin d'être mis au rang de ses « camarades qui, plus heureux, ont poursuivi leur carrière sans encombre ». Puis il mit fin à l'entretien : « L'arrêt de la Cour de cassation était maintenant prononcé. Je suis officier, et, en cette qualité, obligé de me refuser à toute interview. Je n'ajoute qu'un mot, et c'est à l'adresse de ceux qui ont défendu la vérité et un innocent : merci [8] ! »

Effectivement, un rédacteur de L'Humanité qui tentait d'obtenir une interview du nouveau commandant en se rendant à son domicile fut amicalement congédié par son neveu, Paul Valabrègue qui lui précisa : « S'il a reçu un de [vos] confrères du Temps, c'est que la Cour n'avait pas encore rendu son arrêt. » Chez les concierges, raconta cependant le journal, « les cartes d'amis connus et inconnus s'accumulent, et des télégrammes arrivent de toutes parts [9] ».

Dans ses Carnets, Alfred Dreyfus est plus lyrique.

Notre joie à tous fut débordante. Mon souvenir ému alla à tous ceux qui n'étaient plus là pour jouir du triomphe d'une cause pour laquelle ils avaient tant souffert : Bernard Lazare, Zola, Scheurer-Kestner, Trarieux, Grimaux, Giry, Molinier, Zadoc Kahn, mon regretté beau-père et tant d'autres déjà disparus. Les parents, les amis accoururent en foule chez moi, tout à la joie de me voir parvenu au terme définitif de mes épreuves.

Dreyfus s'empressa d'écrire, pour témoigner à leur mari de sa reconnaissance émue, à Mme Trarieux, Mme Zola et Mme Bernard Lazare. Il écrivit également à Picquart, au lieutenant-colonel Hartmann, à ces officiers qui n'avaient pas fait que le défendre comme un innocent, mais aussi comme l'officier qu'il n'avait cessé d'être.

Un grand déjeuner fut organisé le jour même boulevard Malesherbes : « Vingt-deux couverts. Melons. Truites saumonées. Agneau jardinière. Poulets montés. Haricots verts. Glaces. Etc. dix bouteilles de champagne (frappé) », nota Lucie Dreyfus dans son carnet, à la date du 12 juillet 1906 [10].

*« La revanche est belle, et je la salue »*

Les dreyfusards rayonnèrent de bonheur. Un combat de douze ans prenait fin sur une victoire qui était elle de la France qu'ils aimaient. La réaction des « dreyfusards de la première heure [11] » fut particulièrement forte. Le commandant Forzinetti écrivit à Joseph Reinach :

> Enfin ! la vérité si tardive est arrivée. Vous devez être bien heureux, vous qui fûtes aussi une victime. Je buvais du lait en lisant le réquisitoire du procureur général qui a si bien stigmatisé Mercier et sa bande, et fait ressortir l'innocence de Dreyfus.
>
> Vous ferez sans doute un volume pour clôturer l'« Affaire » dont vous avez été l'« historien » ?
>
> J'estime que Dreyfus doit être réintégré dans la cour même de l'École militaire où se fit la dégradation, et qu'indépendamment de la croix on doit lui conférer le grade que possède actuellement celui de la promotion qui a été le plus favorisé.
>
> Vous faites partie de la commission de l'armée où vous êtes revenu, j'espère que vous êtes pour l'abolition des conseils de guerre en temps de paix !
>
> La revanche est belle, et je la salue [12].

D'Algérie, Victor Barrucand, l'ancien directeur de la *Revue blanche*, qui avait protesté en 1895 avec son ami Félix Fénéon du caractère barbare de la dégradation, félicita le capitaine Dreyfus pour sa réhabilitation.

Joseph Reinach lui-même, dans le tome final de sa grande *Histoire de l'affaire Dreyfus*, publia l'arrêt in extenso [13] et fit ce commentaire élevé :

> Ce grand arrêt, devenu inévitable, ne surprit personne. Il proclamait qu'il faisait jour alors que le soleil était déjà très haut sur l'horizon. Pourtant il fut accueilli avec joie par les partisans de Dreyfus, et avec satisfaction par l'immense majorité de l'opinion : il terminait irrévocablement la longue tragédie, libérait d'un lourd remords la conscience française, honorait la France elle-même devant le monde. Toutes les grandes choses de l'histoire ont été voulues, poursuivies par des minorités en lutte, presque toujours, pendant des années, contre tout le reste de leur pays. Cependant, le génie, l'âme historique du pays est dans cette minorité persécutée et honnie. C'est elle qui en a recueilli le dépôt, qui tient le flambeau, préserve le feu sacré. La France pouvait dire de nouveau : « Je suis le soldat du droit. » Elle le dit, et tout ce qu'il y avait dans le monde de cœurs droits et de nobles esprits applaudit à sa victoire [14].

Le Comité catholique pour la défense du droit publia un « ordre du jour » saluant « aujourd'hui avec joie l'arrêt solennel de la plus haute juridiction du pays, arrêt qui restaure souverainement le droit outrageusement violé et proclame l'innocence de l'officier injustement condamné [15] ». « Les télégrammes et les lettres affluèrent en de tels monceaux dans les jours qui suivirent qu'il me fut impossible d'y répondre », écrivit Dreyfus dans ses *Carnets*[16]. Parmi ses correspondants, des amis, des dreyfusards, des personnalités, des anonymes aussi. Et de très nombreux étrangers. Il dut passer par la voie des journaux pour remercier tous ses correspondants, amis ou anonymes[17].

Le général Maximilien von Schwartzkoppen écrivit aussitôt à sa femme : « As-tu lu que Dreyfus a *été entièrement acquitté* ! J'en suis bien content ! » Il eut même l'intention de lui écrire lui-même, précise Bernhard Schwertfeger dans les *Carnets* de l'ancien attaché militaire allemand, rappelant qu'il avait souffert de ne pouvoir en faire plus pour défendre un innocent. « Bien que plutôt antisémite, [il] n'en possédait pas moins un sentiment de justice très fortement développé et qui, à cause de cela, ainsi que le prouve sa correspondance et son attitude envers Sandoz et Joseph Reinach, avait utilisé toutes les occasions pour – malgré le devoir de silence qui lui avait été imposé par ses chefs – faire quand même parvenir des données exactes à ceux qui luttaient pour la révision du procès[18]. » Il appartient à la vérité de dire que Schwartzkoppen aurait pu faire bien plus pour défendre Dreyfus et qu'il ne l'a pas fait. Au moment de sa mort, semble-t-il, sa conscience ne le laissa point partir en paix[19].

*Un grand événement*

Les réactions publiques à l'arrêt furent considérables, à la mesure de l'attente, à la dimension d'une affaire qui avait déchiré la France et tenu le monde en haleine. Dans la presse française, les commentaires saluèrent sa portée historique. Quant aux journaux nationalistes, ils accusèrent le coup et parurent incapables de formuler une réponse cohérente.

Les textes furent souvent à la hauteur de l'événement. Paul Desachy, dans *Le Siècle*, rappela que ce n'étaient pas les dreyfusards qui avaient créé l'affaire Dreyfus. Ils l'avaient subie et ils l'avaient combattue. « Elle a été créée de toutes pièces par ceux qui se sont opposés, dès 1896 et dans les années qui suivirent à la demande raisonnable et légale de la révision judiciaire. Mais nous jugeons salutaire qu'elle se soit produite, ajoute l'éditorialiste. Elle a élevé l'âme du pays, elle lui a donné le sentiment du juste ; elle a trempé le caractère de nombre d'entre nous qui sont devenus meilleurs et plus virils après tant d'épreuves. Elle a révélé de véritables héros. Elle nous a affranchis de l'esprit de dogme et d'autorité qui entendait s'imposer contre l'autorité, contre la raison même et l'équité. Elle nous a sauvés de la domination cléricale et militaire qui rêvait de faire des descendants de la grande Révolution les sujets d'une "République jésuitique", selon la prédiction vraiment prophétique d'Edgar Quinet. Elle a avancé l'éducation de ce peuple, mûri son esprit. On ne doit pas désespérer des individus et des nations qui sont capables de telles émancipations et d'une telle vaillance dans la bataille des idées [20]. »

*L'Humanité* de Jaurès consacra toute sa une à l'événement. Gabriel Bertrand écrivit dans l'éditorial : « C'est une très haute satisfaction morale pour tous les esprits gardant dans la perpétuelle iniquité de notre régime social le culte jaloux de la justice que soit proclamée légalement l'innocence d'un homme qui incarna quelques années, en son douloureux martyre, le droit méconnu, la vérité outragée, la raison humiliée. C'est aussi une très haute satisfaction morale pour tous ceux qui, dans l'épouvantable tourment de mensonges, d'outrages, de calomnies et de haines, mirent toute leur énergie et tout leur cœur à soulever la pierre d'un tombeau. »

Bertrand rendit hommage aux premiers dreyfusards, sans oublier Dreyfus lui-même, dont la première condamnation, dont « le supplice » furent obtenus « par des faux, par des parjures, sous le souffle de l'antisémitisme ». Et, « par des faux, par des parjures, on étouffait la plainte désolée qui s'élevait des îles du Salut. Aux premières tentatives individuelles pour dissiper la monstrueuse légende, on ripostait en infligeant au capitaine Alfred Dreyfus la torture de la double boucle et la perpétuelle menace d'un gardien le veillant le revolver chargé. Jamais créature humaine ne tomba en un abîme plus profond. Déjà, cependant, quelques citoyens avaient perçu l'effroyable crime, mais leurs protestations étaient emportées dans l'orage qui en cette terre de clarté éteignait toute lumière. Ces citoyens, quels que soient leur origine, leur parti, leurs sentiments à d'autres heures et dans d'autres conflits, s'anoblirent en relevant la dignité humaine. Et ceux qui sont morts au lendemain de ce combat, des tristesses et des épreuves subies, méritent certes l'hommage respectueux qu'on s'apprête à leur décerner [21] ».

*Le Radical* honora les magistrats de la Cour de cassation dont « l'impartialité a été au-dessus de toutes les intrigues, de toutes les manœuvres, de toutes les menaces ; aucune clameur n'a pu les intimider. Grâce à eux, justice a été rendue dans une cause où toutes les puissances de recul, de ténèbres et de mensonges s'étaient coalisées pour écraser un innocent [22] ».

D'autres raillèrent la débâcle des antidreyfusards. Arthur Ranc, un dreyfusard des premiers jours, s'exclama dans *L'Aurore* : « Quel coup d'assommoir pour la bande nationaliste et antisémite ! Les journaux se consolent en racontant que l'arrêt lu par M. le président Ballot-Beaupré a été écouté dans un silence de glace et qu'il n'y a pas eu un applaudissement. Pauvres gens qui, quelques lignes plus haut, avaient eu la maladresse d'écrire que le ban et l'arrière-ban des dreyfusards s'étaient donné rendez-vous à la Cour de cassation. Et *La Patrie* citait ces dreyfusards de marque, qui n'ont pas jugé nécessaire d'exprimer leur grande joie par des applaudissements bruyants. À quoi bon une manifestation dans l'enceinte de la Cour de cassation quand nous savons que son arrêt sera acclamé par quiconque en France a un cerveau lucide et une conscience honnête [23] ? »

Les deux grands journaux libéraux qu'étaient *Le Figaro* et *Le Temps* accordèrent une très large place à l'arrêt et à ses conséquences. Ils en publièrent le texte *in extenso*, le premier dès la une. Gaston Calmette, son directeur, composa un éditorial de une intitulé : « La fin d'un cauchemar ». Ce « cauchemar, ce n'est ni celui de Dreyfus, ni celui de la justice bafouée et violée ». C'était seulement celui de la France divisée. Il demandait alors que tous s'inclinent devant l'arrêt, seule condition de l'apaisement possible et nécessaire. « Saluons donc la délivrance ; et demandons grâce aux vainqueurs de se contenter de la grande victoire morale qu'ils ont remportée ; ils en diminueraient la beauté par de vilaines représailles. » Il avertit même les dreyfusards devant le risque de l'injustice, alors que, selon lui, les juges militaires n'ont été que loyaux et dévoués. Pour lui, le devoir patriotique impose d'« éteindre jusqu'à la douleur du souvenir. » C'est-à-dire d'oublier Dreyfus et d'innocenter les coupables dans la grand-messe patriotique [24].

*Le Temps* soutint davantage l'œuvre de justice qui venait d'être réalisée. La décision de ne pas renvoyer Dreyfus devant un troisième conseil de guerre fut résolument saluée : « La Cour de cassation a bien agi. En démontrant l'innocence évidente du capitaine Alfred Dreyfus, elle a proclamé l'unité de la justice. Elle a voulu que, pour le respect de la loi et pour la garantie des citoyens, il y ait en France une juridiction suprême qui prononce le dernier mot. » Le journal voulut aussi rendre « cette justice que, pendant ces dix années de luttes pour le redressement d'une iniquité, la France a vécu d'une vie douloureuse et glorieuse. Tandis que les magistrats poursuivaient leurs recherches avec le calme et le sang-froid indispensables à la précision juridique, l'opinion a participé selon sa manière – qui est excessive, tumultueuse et désordonnée, mais vivante – à la conquête de la vérité. Elle a vu un grand citoyen comme Scheurer-Kestner, un soldat comme le colonel Picquart s'exposer aux pires attaques, braver les outrages et les périls, renoncer à tous les honneurs acquis ou prochains, pour obéir simplement à l'ordre de leur conscience. L'opinion a vu ensuite que l'exemple de l'héroïsme conduisait à la contagion du courage. »

Et *Le Temps* de déclarer : « La France a souffert les mille déchirements que la susceptibilité patriotique et l'ardeur pour la justice lui ont infligés. Elle a victorieusement subi cette épreuve, qui l'impose au respect de l'univers civilisé. Les étrangers conviennent que seul notre pays était capable de faire tant de sacrifices pour la conquête de la vérité. Et dans l'histoire de l'humanité où nous avons déjà marqué quelques pages en traits de sang (le nôtre) ou de lumière, la France inscrit ce principe civilisateur : "Il n'y a pas de raison d'État qui prime l'innocence [25]." »

*La Petite République*, pourtant bien plus à gauche que *Le Temps*, tint sensiblement le même discours : « La République sort fortifiée, et la France grandie, car nous pouvons dire avec orgueil que si l'erreur judiciaire et les manœuvres criminelles étaient possibles dans tous les pays, il n'y en avait qu'un où la révision pût s'accomplir en dépit de tous les obstacles. Et maintenant, n'en parlons plus. L'Affaire est close. Ceux qui, dans des circonstances et dans des mesures diverses, ont eu à souffrir dans cette lutte pour la vérité sont assez récompensés de leurs peines pour n'en garder rancune à personne [26]. » Gabriel Bertrand, en revanche, réclama des mesures : « Maintenant, nous attendons les sanctions. L'amnistie ne couvre que les bandits. Il reste les héros. Et encore, l'amnistie n'interdit que la répression juridique des crimes proclamés par la Cour de cassation. Et il y a d'autres châtiments que le bagne [27]. »

## L'accablement et les injures des nationalistes

La presse nationaliste et antisémite parut accablée, à l'image de *La Libre Parole*, preuve qu'une action méthodique en faveur de la vérité et du droit était politiquement payante. Mais elle rebondit en déclarant que la Cour de cassation avait violé la loi en ne renvoyant pas Dreyfus devant un nouveau conseil de guerre.

Le journal de Drumont reprocha à Mercier de n'avoir pas sauvé la cause antidreyfusarde en perdition. « Mon général, vous n'avez pas tenu votre engagement. Vous avez fait semblant de parler. Vous n'avez pas parlé. Vos deux lettres étaient des faux-fuyants. [...] Eh bien ! mon général, nous ne vous tenons pas quitte. [...] Laisserez-vous donc publier que Dreyfus est un innocent que vous avez fait condamner sur un faux, et que vous êtes, vous, un imposteur [28] ? »

Arthur Meyer, dans *Le Gaulois*, reprit l'antienne selon laquelle les dreyfusards voulaient la perte de la patrie : « Il n'est pas un de nous qui ne reconnaisse très haut le dévouement, plus héroïque qu'on ne le suppose, de Mme Dreyfus pour son mari, et la mère n'avait rien à craindre pour ses enfants que personne n'a essayé d'envelopper dans l'opprobre paternel. Mais il est une autre mère, celle de tous les Français, la patrie, dont la vision n'a jamais pu attendrir nos impitoyables adversaires. Qui bénéficiera du verdict de la cour suprême ? Les amateurs de chambardement, les chercheurs de représailles, ceux qui veulent diviser irrémédiablement le pays, l'affaiblir, pour édifier sur les ruines qu'ils préparent leur propre fortune [29]. »

Même discours de la part d'Ernest Judet, dans *L'Éclair*, un journal longtemps réputé proche de l'État-major : « En disant qu'il n'y a plus de crime *à la charge de Dreyfus*, on feint qu'il y a une charge établie quelques lignes plus haut contre Esterhazy : du moment qu'il y a une charge contre quelqu'un, Esterhazy ou Dreyfus, peu importe, c'est violer la loi que de casser sans renvoi. L'arrêt n'est donc qu'un coup de force politique, non un véritable arrêt juridique. On voit sur quel frêle support vont s'appuyer toutes les représailles qui sont annoncées, dont MM. de Pressensé et Breton veulent prendre l'initiative haineuse et passionnée. »

Guy de Cassagnac, dans son journal *L'Autorité*, soutint le même discours, mais il s'en prit aussi directement à Dreyfus : « On dansera désormais sur les ruines : ce sera plus grandiose et il n'y aura pas même besoin d'assassiner des invalides ou d'égorger un prévôt. On ordonnera une petite fête de famille, et tout sera dit. [...] Dreyfus sera bombardé commandant et on lui mettra autour du cou le cordon de la Légion d'honneur ! Judas n'eut qu'une cravate de chanvre... »

Malgré leurs moyens rhétoriques extrêmes, les nationalistes peinaient à s'opposer à la célébration de l'arrêt. Elle fut unanime à l'étranger.

*Les « acclamations du monde »*

La *Chronique* belge déclara que « la Cour de cassation a dit le dernier mot, le mot définitif dans l'affaire. Le capitaine Dreyfus est officiellement proclamé innocent, ce qu'il était déjà depuis dix ans dans la conscience universelle ».

Le *Times* de Londres écrivit : « Il est maintenant prouvé, par la procédure la plus minutieuse et la plus patiente, qu'une grande injustice a été commise à l'égard d'un homme absolument innocent, à l'aide d'une conspiration ourdie sans aucun respect pour la vérité et pour la justice. Il serait peut-être prudent de s'en tenir à la complète réhabilitation et de s'abstenir de tout ce qui pourrait tendre à provoquer les réclamations que les hommes modérés en France veulent éviter. Il n'y a maintenant qu'un sentiment parmi les Anglais : celui d'une profonde allégresse que leur cause ce fait que la France a non seulement résolu pour elle une question vitale en plaçant ses institutions au-dessus des atteintes de la réaction, mais qu'elle a satisfait son amour passionné de la justice en proclamant l'innocence de la victime désignée par les agitateurs. »

Le *Standard*, conservateur, souligna : « La France, par l'acquittement de Dreyfus, prouve qu'elle est prête à reconnaître ses erreurs à la face du monde et à faire ce qu'elle peut pour réhabiliter un homme injustement frappé. Il ne reste maintenant de cette affaire que l'acte nécessaire d'une grande et généreuse nation. Tout le monde civilisé se réjouira que la vérité ait triomphé. »

Le *Daily Telegraph* affirma que ce pouvait être une satisfaction pour le capitaine Dreyfus et pour sa famille qu'il fût ainsi officiellement déclaré innocent ; il se demanda aussi si l'acte de réparation ne venait pas trop tard pour guérir les blessures provoquées par des années et des années d'injustice [30].

D'autres journaux britanniques encore saluèrent les acteurs sans qui cet acte de justice et de vérité n'aurait pu avoir lieu. La *Tribune*, journal libéral, saluait le capitaine Dreyfus, auquel était due « la sympathie qu'appelle la souffrance », mais elle insista surtout sur le courage des héros Picquart et Zola. Le *Daily Chronicle*, sous le titre « Le triomphe de la justice », expliqua que si le capitaine avait bien été la victime de la tragédie, le colonel Picquart en était le héros.

Le *Lokal Anzeiger*, qui reflétait généralement l'avis des milieux gouvernementaux en Allemagne, rappela les menées des accusateurs de Dreyfus et comment les luttes violentes qui s'ensuivirent menacèrent plusieurs fois l'existence même de la République. Ce journal salua la campagne dreyfusarde : « Peu à peu, sous la direction de quelques hommes d'un magnifique courage, comme Zola et le sénateur Scheurer-Kestner, se répandit une puissance irrésistible, un changement dans l'opinion publique qui finit par triompher de toutes les difficultés. »

### Le 14 Juillet du commandant Dreyfus

« Le vendredi 13 juillet eurent lieu à la Chambre des députés et au Sénat deux admirables séances pour la France et pour la République. » Dreyfus et Picquart furent réintégrés dans l'armée par deux lois votées sur-le-champ par la représentation nationale.

Le lendemain de la proclamation de l'arrêt de réhabilitation, le ministre de la Guerre Eugène Étienne déposa en effet sur le bureau de la Chambre un projet de loi portant réintégration dans les cadres de l'armée du capitaine d'artillerie Dreyfus, avec le grade de chef d'escadron, ainsi qu'un autre projet réintégrant le lieutenant-colonel d'infanterie Picquart, avec le grade de général de brigade.

Le recours à la loi était nécessaire parce que Dreyfus n'avait pas exercé de commandement de troupe pendant deux ans : il ne pouvait dès lors, par application de l'article 4 de la loi du 20 mars 1880 modifiée par la loi du 24 juin 1890, être promu au grade supérieur. Le gouvernement souhaitait aussi que la réintégration se fît au travers d'un vote solennel de la représentation nationale.

En outre, précisa Étienne à la tribune de la Chambre sous les applaudissements de la gauche et de l'extrême gauche, « le gouvernement a l'intention d'inscrire le capitaine Dreyfus au tableau de concours pour la Légion d'honneur [31] ». Un député, Camille Fouquet, étonné par la différence entre les deux promotions, s'exclame : « Nommez-le tout de suite colonel », tandis qu'un autre, Charles Dumont, ajoute : « Nous espérons bien qu'il deviendra général ! »

Quelques heures plus tard, la Chambre se réunit en deuxième séance pour entendre le rapport de la commission de l'armée présenté par le député radical Adolphe Messimy. Il commença par rappeler que la Cour de cassation avait rendu un « arrêt définitif et irrévocable dans l'affaire qui depuis douze ans émeut profondément dans ce pays la conscience publique. La lumière a été faite, limpide, éclatante, absolue sur tous les points de la cause. » Devant la représentation nationale, ce député, lui-même ancien officier et démissionnaire pour avoir défendu l'innocence du capitaine Dreyfus [32], prononça le discours suivant :

Le capitaine Alfred Dreyfus est reconnu innocent du crime qui lui était imputé et qu'il a payé du sacrifice de son honneur, de la perte de son grade, d'une détention cruelle aggravée de mesures de rigueur particulières (*applaudissements à gauche et à l'extrême gauche*), enfin, de longues années d'incertitude et de doute.

Désormais – et l'aveu en éclate dans le camp même de ceux qui luttèrent dix années durant pour que la lumière et la clarté ne soient pas faites –, il faudra être obstinément et volontairement aveugle pour pouvoir élever la moindre restriction ou le plus petit doute, et pour ne pas se rendre à l'évidence de la vérité.

Reste à donner à l'arrêt de la Cour de cassation les sanctions indispensables et avant tout à procéder aux réparations nécessaires.

Le gouvernement a justement pensé que les premières qui s'imposaient étaient celles s'appliquant au capitaine Dreyfus et au lieutenant-colonel Picquart. (*Vifs applaudissements à l'extrême gauche et à gauche.*)

La victime même de l'erreur judiciaire qui, par l'ardeur des passions contradictoires qu'elle a suscitées, est devenue un grand drame national retenant l'attention universelle, Alfred Dreyfus, a été nommé capitaine le 12 septembre 1889. Le 5 janvier 1895, jour où il perdit la qualité d'officier – dans une cérémonie tragique, dont le souvenir poignant est resté présent à l'esprit de tous ceux qui, comme moi, en furent les spectateurs angoissés –, le capitaine Dreyfus avait donc six années de grade. Il en compterait aujourd'hui plus de seize si, comme l'équité et la loi sont d'accord pour l'exiger, il reprenait son rang d'ancienneté. Le gouvernement propose de le nommer chef d'escadron.

Cette mesure est équitable et juste, et ne représente même qu'une réparation très modeste, si on la met en balance avec les atroces souffrances matérielles et plus encore morales que le capitaine Dreyfus a courageusement endurées. (*Applaudissements à l'extrême gauche et à gauche.*)

Votre commission de l'armée a été unanime à vous demander de ratifier les propositions faites par le gouvernement, et je suis son interprète en remerciant celui-ci d'avoir pris, sans retard, l'initiative de ces mesures ; elles seront, j'en suis sûr, suivies d'autres dont l'urgence est évidente ; du moins elles apportent à la conscience universelle une première et décisive réparation de l'attentat inouï commis contre le droit commun et la justice, par une juridiction spéciale, qui s'est donné ainsi à elle-même le coup de grâce. (*Vifs applaudissements sur les mêmes bancs.*) [33]

Le projet de loi, comportant un article unique et qui prescrit que « le capitaine d'artillerie breveté Dreyfus (Alfred) est, par dérogation à l'article 4 de la loi du 20 mars 1880, modifiée par celle du 24 juin 1890, promu chef d'escadron pour prendre rang du jour de la promulgation de la présente loi », fut mis ensuite aux voix, personne n'ayant demandé la parole. Le texte est alors adopté par 473 voix contre 42, sur un total de 515 votants [34]. À l'annonce des résultats, le président de la Chambre déclara qu'il enregistrait « avec fierté ce vote (*vifs applaudissements à gauche et à l'extrême gauche*) ; il consacre par une loi ce triomphe de la justice (*nouveaux applaudissements à gauche*) qui depuis deux jours vaut à la France les acclamations du monde. (*Applaudissements répétés.*) [35] »

Au Sénat, le général Mercier tenta de s'opposer, sans succès, au vote de la loi. L'œuvre de réparation fut fermement défendue par la majorité républicaine et par le gouvernement, en la personne de Louis Barthou, ministre des Travaux publics, des Postes et Télégraphes. Le président de la Chambre haute se déclara, à l'issue du vote par 182 voix contre 30, très honoré de « proclamer ce vote qui libère la conscience française, en consacrant la réparation d'une grande erreur judiciaire, et qui honore une fois de plus cette assemblée d'où sont partis les premiers appels vers la vérité et vers la justice [36] ».

Le journal de Jaurès, lui qui avait tant fait pour la réhabilitation finale du capitaine Dreyfus, rendit hommage aux deux officiers réintégrés, et dont le destin était tellement confondu. « L'homme dont le colonel Picquart n'avait pas voulu emporter dans la tombe le secret de l'innocence, le martyr dont il poursuivait la libération au péril de sa vie, de son honneur, de ses sentiments les plus chers, et qui était à cette heure-là, dans la Chambre comme dans la rue, la cible de tous les outrages, chargé de tous les méfaits, réputé le plus ignominieux et le plus vil des criminels, Alfred Dreyfus, reçoit, avec Picquart, l'hommage d'une réparation tardive mais éclatante de cette même Chambre où leurs deux noms furent tant de fois honnis. »

Le jour du 14 juillet, lors des cérémonies de la fête nationale, le nom de Dreyfus fut applaudi.

## Des réparations sans représailles

Les débats parlementaires n'étaient pourtant pas terminés. Le même jour, 13 juillet, lors de la deuxième séance de la Chambre, Francis de Pressensé, député socialiste, président de la Ligue des droits de l'homme, monta à la tribune afin de saluer « le triomphe de la justice et la clôture judiciaire de cette grande crise », et de prendre acte des « réparations auxquelles le gouvernement nous a associés en ce qui concerne l'une des plus grandes iniquités commises dans les temps ». Il insista sur la similitude des dates, « à la veille de l'anniversaire du jour où nos pères ont pris la Bastille, non pas assurément pour renverser les pierres d'une forteresse, mais pour détruire un monument qui était pour eux le symbole de l'iniquité, de l'arbitraire et de l'oppression ».

Il demanda au gouvernement des mesures non pas d'ordre pénal, car la loi d'amnistie l'interdisait – ce qu'il regretta –, mais du point de vue disciplinaire, en agissant notamment contre les officiers généraux placés, comme Mercier ou Gonse, dans la 2ᵉ section du cadre de l'État-major, c'est-à-dire en position d'activité. Il demanda la mise à la retraite d'officiers qu'il qualifiait de « malfaiteurs [37] », et il déposa une proposition de loi en ce sens [38]. Le ministre de la Guerre lui répondit que le gouvernement était prêt à accorder « toutes les réparations légitimes », mais qu'il se refusait à entrer dans cette voie. Étienne termina en citant Waldeck-Rousseau et le jugement final de « l'histoire » [39].

Après l'intervention du nationaliste Joseph Lasies, le chef du gouvernement, Sarrien, s'exprima lui-même à la tribune. Il rappela : « La cour suprême a proclamé l'innocence du capitaine Dreyfus. Le gouvernement vous propose d'accorder les réparations nécessaires bien insuffisantes certainement pour les tortures morales et les souffrances physiques endurées. » Mais il repoussa ce qui pourrait ressembler à des mesures de représailles : « La victoire morale obtenue par la cause de la justice a été si grande que des représailles, quelles qu'elles soient, fussent-elles possibles, ne pourraient qu'en affaiblir la portée ; il faut dire à notre honneur que la France est peut-être le seul pays où l'on aura pu poursuivre un procès de révision comme celui-ci pendant un grand nombre d'années au milieu des difficultés de toute nature, pour aboutir au triomphe de la justice et de la vérité [40]. »

Et Sarrien prononça une forte évidence : « L'armée ne peut que retirer un haut bénéfice moral de l'arrêt de la Cour de cassation. Cet arrêt a une importance considérable, et je vous demande de ne pas en affaiblir la portée ni le caractère. » Enfin, à une question posée par Viviani, le président du Conseil annonça que l'arrêt « serait affiché dans toutes les communes de France au moyen du *Bulletin des communes*. (*Très bien ! très bien ! à gauche.*) [41]

*De Dreyfus à Zola. L'enjeu d'une panthéonisation*

L'œuvre de réparation n'était cependant pas achevée. Les républicains dreyfusards voulurent aller plus loin, non en faveur du capitaine Dreyfus pour lequel ils estimaient, à tort, avoir fait le nécessaire, mais pour Émile Zola. La Chambre des députés adopta une proposition de loi relative à la translation des cendres de Zola au Panthéon, présentée, discutée et votée, toujours ce 13 juillet 1906, « au lendemain du jour qui a enfin marqué le triomphe éclatant et définitif de cette œuvre grandiose de vérité, de justice et d'humanité [42] ». Ainsi, l'un des hommes qui s'étaient le plus décisivement engagés en faveur du capitaine Dreyfus était-il promis à la postérité la plus glorieuse, celle que la France réservait à ses héros. « Sans l'initiative héroïque de Zola, poursuit le député socialiste Jules-Louis Breton, qui présenta la proposition de loi au nom de ses collègues Jaurès, Allemane, Buisson, Sembat, Gérault-Richard, etc., l'innocent serait encore au bagne, à moins que la mort ne l'eût libéré des tortures morales et physiques que lui infligeaient ses criminels bourreaux. [...] Plus que tous ses chefs-d'œuvre, cette ferme, courageuse et admirable attitude fera de Zola une des plus belles et des plus grandes figures de l'histoire de notre époque[43]. » L'urgence fut votée, et la proposition de loi était adoptée par 316 voix contre 165. Mais au Sénat le débat ne put avoir lieu, les parlementaires n'ayant pu être réunis à la reprise de la séance, à 7 heures du soir, la plupart ayant déjà quitté le Palais de Luxembourg. Puis le décret de clôture de la session parlementaire tomba, interrompant les travaux de la Chambre haute. Le débat fut renvoyé après les vacances. Il revint devant le Sénat le 20 novembre 1906. Boissy d'Anglas lut le rapport fait au nom de la commission chargée d'examiner la proposition de loi. L'œuvre de justice de l'écrivain, son combat pour l'innocent supplicié, la rendaient hautement légitime. Par son engagement pour Dreyfus, Zola avait rejoint les quelques autres acteurs héroïques de l'histoire du pays qui refusèrent la violence judiciaire et religieuse : « La place de Zola est au Panthéon, à côté de Voltaire, qui défendit Calas soumis au supplice de la roue pour un crime que lui imputaient faussement les persécuteurs de sa croyance ; Sirven, également victime d'une erreur judiciaire ; La Barre, torturé et mis à mort à dix-neuf ans pour n'avoir pas salué une procession et dont la statue se dresse à Montmartre, devant le Sacré-Cœur, comme la protestation de tous les temps contre l'ignorance et la superstition[44]. » L'urgence fut alors votée au Sénat à une forte majorité : 143 voix contre 90. Le débat sur le fond eut lieu le 12 décembre. Las Cases défendit une motion d'ajournement, estimant que Zola n'avait pas les qualités pour entrer au Panthéon et considérant comme « excessifs » de tels honneurs pour un homme qui n'était venu à l'affaire qu'après Trarieux ou Scheurer-Kestner. Il reprochait surtout à l'auteur de « J'accuse... ! » d'avoir obtenu le plus détestable résultat et, loin d'avoir aidé à la révision, de l'avoir entravée[45]. Pour défendre un innocent, il s'était rendu coupable de diffamation envers le conseil de guerre qui avait acquitté Esterhazy, d'après le sénateur qui invoqua la parole des experts graphologues. Il estimait que Zola avait transféré l'Affaire du terrain judiciaire au terrain politique, qu'il en avait fait « une question de haine, de parti, de passion[46] ». Quant à son œuvre littéraire, Las Cases estimait qu'elle relevait surtout de la simple pornographie et de la complaisance pour le vice. « Je vous demande de ne pas voter pour Zola les honneurs du Panthéon, parce que ce serait renouveler l'Affaire, parce que cela paraîtrait, dans une certaine mesure, des représailles, et que dans les affaires de cette sorte, le meilleur moyen d'apaisement, c'est d'éviter toutes représailles[47]. » Le rapporteur réagit en développant les raisons de cet hommage nécessaire de la « patrie reconnaissante » :

Je veux seulement dire qu'il ne faut pas s'étonner d'entendre les détracteurs de Zola poursuivre sa mémoire de leurs imprécations, [...] de leurs critiques, si vous voulez, quand on a vu, dans l'enceinte du palais de justice, la foule ameutée contre cet homme de bien qui demandait la justice. À ce moment, l'opinion était affolée ; on peut dire qu'elle était démontée ; la lumière était voilée, obscurcie par les faux, les mensonges et la calomnie. (*Très bien ! à gauche.*)

Il est bon de rappeler aux générations qui viendront l'exemple de Zola, ce grand justicier qui a eu le courage, dans cet universel désarroi des consciences, de tenir haut et ferme le drapeau de la vérité.

Ce n'est pas seulement, mais c'est surtout le geste éloquent de la lettre immortelle "J'accuse... !", qui lui vaut cette gloire. C'est en vain que l'esprit de parti tente de faire dévier ce débat exclusivement politique et national.

Une assemblée parlementaire n'est point une académie. Une question politique, celle de savoir si l'hommage de la reconnaissance nationale est dû à Zola pour avoir préservé la République d'une honte indélébile, ne saurait se confondre avec un débat d'ordre littéraire sur l'esthétique réaliste et la conception du roman scientifique. [...] Nous n'avons point à juger le mérite littéraire de l'écrivain. Nous sommes un corps politique et nous avons à dire si Zola a bien mérité de la patrie.

Cependant, la discussion s'enlisa précisément sur les mérites littéraires de l'écrivain. Les sénateurs nationalistes commencèrent à se déchaîner contre lui. Il fut traité d'« Italien » (Gaudin de Villaine), traduit en allemand (Ponthier de Chamaillard), qualifié de « traître » qui s'était « caché pendant la guerre » (Gaudin de Villaine), qui n'avait « pas fait son devoir » (Provost de Launay). Ponthier de Chamaillard dit encore : « N'envoyez pas au Panthéon l'homme qui a diffamé la race française dans tous ses éléments ! (*Très bien ! très bien ! à droite.*) [48] »

Pour défendre l'écrivain, Eugène Lintilhac, qui avait été maître de conférences à la faculté des lettres de Paris, rapprocha l'attitude de l'écrivain – « où le devoir se présenta à lui de ne plus pratiquer seulement le culte de la vérité dans son cabinet de travail, son laboratoire d'études sociales » – de la position des « intellectuels » :

Jusque-là, ces savants et ces lettrés avaient passé leur vie à chercher la vérité dans leurs laboratoires et à l'enseigner dans leurs chaires, ou à la traduire dans leurs œuvres, visant à ce que leur suprême bonté ne fût faite que de sa splendeur. Or le malheur des temps voulut qu'au nom d'un intérêt d'État, fort trouble, hélas ! on vînt leur imposer, ainsi qu'au reste des citoyens abusés, d'accepter pour une vérité démontrée ce qui leur apparaissait comme ne l'étant pas du tout, s'ils appliquaient aux faits leur méthode critique. Écoutez ce qu'écrivait à Scheurer, si douloureusement en quête de la vérité, mon éminent compatriote et ami Duclaux. [Il lit sa lettre du 8 janvier 1898 publiée dans *Le Siècle* le 10 janvier.]

Il sembla donc à ces disciples de Bacon et de Descartes qu'ils avaient le devoir de ne pas se taire, sous peine de ne plus oser parler d'aucune vérité due à la méthode. Car ce qu'on insultait ainsi en eux, c'était elle, l'instrument le plus sacré de la connaissance, elle à laquelle toute leur foi, en vertu de laquelle s'exerçaient leurs énergies intellectuelles, de laquelle enfin dépendait la dignité de leur vie de chercheurs de vérité et aussi l'idéal. (*Vifs applaudissements à gauche.*) Et on prétendait leur imposer cette acceptation de la contre-vérité, ce déshonneur du silence, en face des plus impérieuses présomptions d'innocence d'un condamné, d'un persécuté, devant l'Europe qui regardait notre pays avec « stupeur et détresse », comme l'écrivit de Rome Bjørnson ! Ainsi se forma dans la France intellectuelle une tension morale si orageuse que l'éclair, précurseur de la vérité, en devait jaillir.

C'est alors que vint Zola. De la foule des hommes de pensée et de conscience libres où grondait cette colère d'esprit, il se détacha le premier. L'abdication de sa raison lui était apparue plus inacceptable et le devoir prochain plus inévitable qu'à tout autre. Avoir prêché la vérité dans tant de manifestes, l'avoir idolâtrée dans toute son œuvre, et la laisser profaner publiquement. [...] On étouffait : l'air même des prétoires était asphyxiant ; de son poing robuste il vint, suivant le mot de Séailles, casser la vitre. [...] Il se fit entendre. Des laboratoires et des chaires, des cabinets de travail et des académies mêmes sortit la phalange des serviteurs réfléchis de la vérité, étonnés certes de se trouver dans le tumulte des réunions publiques et des prétoires à peine moins tumultueux, mais étonnant encore bien plus les professionnels de l'action publique, en montrant de quelle ténacité triomphante est capable dans les têtes pensantes une idée forte. C'est aussi que chez eux la colère initiale de l'esprit était devenue un élan du cœur. (*Nombreuses marques d'approbation à gauche.*)[49]

Mais les efforts de Lintilhac furent insuffisants[50]. Georges Clemenceau monta alors à la tribune et délivra un discours qui écrasa les nationalistes et leurs objections. Président du Conseil depuis le 25 octobre 1906, Clemenceau tint ici tout son rôle devant l'histoire.

Ah ! les foules qu'on met si facilement en mouvement, qu'on passionne avec des mensonges, avec des faux, comme on le disait tout à l'heure, et à qui l'on arrive à faire croire que, pour la sécurité d'une nation c'est l'injustice et le mensonge qui doivent prévaloir ! (*Très bien ! Applaudissements à gauche.*)

Eh bien, mon cher collègue, on a trouvé des hommes pour résister aux rois les plus puissants, pour refuser de s'incliner devant eux : on a trouvé très peu d'hommes pour résister aux foules (*nouveaux applaudissements sur les mêmes bancs*), pour se dresser, tout seuls devant les masses égarées trop souvent jusqu'aux pires excès de la fureur, pour affronter, sans armes, les bras croisés, d'implacables colères, pour oser, quand on exige un « oui », lever la tête et dire « non ». (*Applaudissements répétés à gauche.*) Voilà ce qu'a fait Zola ! [...]

Depuis ce jour-là, je pris part à ses luttes. M. Lintilhac, tout à l'heure, vous a très éloquemment rappelé de quel prix fut payée cette héroïque résistance à une opinion publique affolée ! Je le sais, moi, je l'ai vu de près, Zola, aux heures lamentables, je l'ai accompagné dans ces fuites abominables, à l'issue des séances de la cour d'assises, sous les pierres, sous les huées, sous les cris de mort. J'étais là quand il a été condamné — nous étions douze — et, je l'avoue, je ne m'attendais pas à un pareil déploiement de haine ; si Zola avait été acquitté ce jour-là, pas un de nous ne serait sorti vivant. Voilà ce qu'il a fait, cet homme. Il a affronté son temps, il a affronté son pays [...], il a affronté son gouvernement ; il eût affronté l'humanité tout entière pour la justice et pour la vérité. (*Très bien* ! *très bien* ! *Nouveaux applaudissements sur les mêmes bancs.*) Eh bien, cela, c'est un acte qui n'est commun dans l'histoire d'aucun peuple.

Vous avez parlé de la France ; permettez-moi de vous dire qu'un tel acte n'était peut-être possible que dans notre France (*nouveaux applaudissements sur les mêmes bancs*), dans cette France éprise d'idéal, dans cette France passionnée pour toutes les grandes causes, dans cette France qui se glorifie de servir la cause de l'humanité. Zola aimait la vérité — il en a fait la preuve aux dépens de sa chair et de son cœur. Quand il a écrit sa lettre « J'accuse... ! », je peux l'avouer, je l'ai désapprouvé, moi, le soir-même. On vous a cité tout à l'heure une dure critique d'Albert Sarraut : combien peu, en ce temps, pouvaient comprendre la grandeur de l'acte de courage qui se commettait sous nos yeux ? J'ai dit à Zola : « Vous allez trop loin ! » et bientôt j'ai dû comprendre que c'était lui qui avait raison contre moi.

Vous êtes venus ici éplucher les termes de la lettre « J'accuse... ! » Mais ce n'est rien, cela ; il faut voir le geste, la grandeur, le courage, l'héroïsme de l'action ! Voilà par quoi il a été grand, voilà par quoi il a bien mérité de son pays. (*Applaudissements à gauche.*) Eh bien ! oui, messieurs, il s'est jeté tout entier ; il a fait — mon ami Lintilhac me pardonnera ce souvenir classique —, il a fait comme ce Philippe de Macédoine, dont parle Démosthène et qui, l'œil crevé, l'épaule fracassée, une jambe blessée, jetait à la Fortune toutes les parties de son corps qu'elle lui demandait pourvu qu'avec le reste il vécût glorieux !

*M. Dominique Delahaye.* — Zola n'a pas perdu un cheveu !

*M. le président du Conseil.* Laissez donc ! Vous ne pouvez pas comprendre ! (*Nouveaux applaudissements sur les mêmes bancs.*) Oui, il s'est jeté tout entier, il a donné sa fortune, son honneur, l'honneur des siens, car n'oubliez pas que non seulement on l'a insulté, vilipendé, calomnié, outragé, maudit, mais qu'on est encore allé chercher dans je ne sais quel dossier qui aurait dû rester à jamais ignoré du peuple des preuves qui tendaient à établir que son père avait failli à l'honneur ; on est allé étaler le prétendu déshonneur de sa famille.

Il ne connaissait rien, le malheureux, et quand on lui a fait part de ce qui se passait — j'étais là — je l'ai vu pleurer. Pas une plainte n'est sortie de ses lèvres. Je me rappelle l'unique parole qu'il a prononcée ; il a dit : « Je continuerai. » (*Vifs applaudissements à gauche.*)

Il a continué, et, grâce à lui, la vérité, la justice, ont triomphé. Eh bien ! maintenant, allez faire la critique de ses œuvres, allez faire la critique de ses actes ; il reste une chose que vous ne pouvez pas entamer, dont vous n'avez pas parlé, dont vous ne pouviez pas parler : il reste l'acte d'une conscience, d'une conscience noble, courageuse, qui a honoré son temps et son pays.

Voilà pourquoi le gouvernement tout entier demande qu'on dépose ses cendres dans un monument au fronton duquel est écrit : « Aux grands hommes... » — on pourrait ajouter : aux bons citoyens — « la patrie reconnaissante » ! (*Vifs applaudissements à gauche. M. le président du Conseil, en regagnant sa place, reçoit les félicitations d'un grand nombre de ses collègues.*)[51]

Le dernier mot revint à Anatole France, dans un article pour la *Neue Freie Press* intitulé précisément : « Émile Zola au Panthéon ». En votant le transfert des cendres d'Émile Zola, les députés radicaux et socialistes réalisaient un acte politique. « Je le dis sans détour, ajoutait Anatole France, ce n'est pas au romancier Zola, c'est au citoyen Zola qu'il faut accorder les honneurs du Panthéon. Un gouvernement même populaire n'est pas qualifié pour dire si l'on doit rendre à Zola des honneurs plus grands qu'à Balzac ou à Flaubert. Aucun Conseil des ministres, aucune Chambre, ne sont autorisés à faire une telle distinction. Mais le gouvernement de la République peut dire si Zola a accompli une grande action civique et s'il a bien mérité de sa patrie. Je veux donner à cette pensée l'expression la plus claire. C'est uniquement pour sa lettre ouverte « J'accuse... ! » que j'ai demandé que l'on accorde à Zola l'entrée au Panthéon. Si grande que puisse être son œuvre, elle sera un éternel sujet de dispute entre littérateurs ; l'acte qu'il a accompli avec « J'accuse... ! » est intelligible pour tout le monde et doit survivre comme un exemple immortel[52]. »

### La cérémonie de la Légion d'honneur, 20 juillet 1906

Réintégré dans l'armée, Dreyfus fut décoré de la Légion d'honneur lors d'une cérémonie qui sembla refermer l'Affaire sur un acte éminemment symbolique et politique, sur le lieu même où il avait été dégradé douze ans auparavant.

Le 20 juillet, le *Journal officiel* publia la nomination du capitaine Dreyfus dans l'ordre de la Légion d'honneur. Le général Mensier, membre du conseil de l'ordre, avait rapporté la veille sur la proposition du ministre de la Guerre. Il acheva ses conclusions en déclarant qu'une telle nomination était « une juste réparation vis-à-vis d'un soldat qui a enduré un martyre sans pareil[53] ». Le conseil de l'ordre décida à l'unanimité d'accorder cette distinction au nouveau commandant Dreyfus. Le commandant Targe fut promu le même jour au grade d'officier[54]. Il avait été l'un des acteurs les plus décisifs et les moins connus du processus qui avait conduit à la réhabilitation.

L'après-midi même de la publication au *Journal officiel*, le ministre de la Guerre organisa la cérémonie de remise de la décoration à l'École militaire. Il fut proposé à Dreyfus que la scène se passât dans la grande cour, c'est-à-dire à l'endroit même où il avait été dégradé, onze années et demie auparavant. Il refusa, craignant d'être submergé par l'émotion et que le souvenir de « l'atroce parade » ne triomphât de son courage[55]. La cérémonie eut donc lieu dans la « petite cour des jardins », au milieu du pavillon de l'artillerie, avec, pour rendre les honneurs, les deux batteries à cheval de la 1re division casernées à l'École militaire[56] et deux escadrons des 1er et 2e cuirassiers. Un service d'ordre très sévère interdisait l'entrée de la cour, où n'étaient admises que les personnes munies d'une autorisation spéciale. La famille d'Alfred et

Lucie était bien sûr présente, ainsi que le général Picquart – en civil –, le procureur général Baudouin, Anatole France, Joseph Reinach, le général et Mme Percin, M. et Mme Armand Dayot, les docteurs Paul Reclus et Brissaud, Victor Simon, Alfred Capus, Mme Arman de Caillavet, la femme de Bernard Lazare, Isabelle Lazare-Weiler, le commandant Émile Mayer, le capitaine Cassel « et de nombreux journalistes, tous armés d'appareils photographiques [57] ».

Les journalistes et photographes se massèrent sur l'un des côtés de la cour. Les invités prirent place dans les salles du premier étage aménagées au-dessus des écuries. Arriva le commandant Dreyfus, « sous un uniforme flambant neuf : dolman noir orné des tresses à quatre galons et képi à grenade d'or des officiers hors cadre. Il s'arrête un instant sous le porche du pavillon, mais déjà le chef d'escadron Targe, qu'on a prévenu de son arrivée, se montre et répond à son bonjour par un "Bonjour, commandant !" très amical. "Vous arrivez avant l'heure ! – C'est mon devoir, répond Alfred Dreyfus, qui fume une cigarette. – Venez avec moi, je vais vous conduire à la salle des rapports en attendant le rassemblement." Et il l'entraîne. Mais comme ils traversent la cour, quatre officiers des batteries désignées pour la parade se présentent et saluent leur chef et le commandant Dreyfus. Celui-ci s'entretient quelques minutes avec eux, puis se rend dans la salle des rapports [58] ».

À une heure et demie, un appel strident de trompettes mit en mouvement les troupes placées sous le commandement du lieutenant-colonel Gaillard-Bournazel. Les batteries d'artillerie se placèrent sur le côté nord, les deux escadrons s'alignèrent parallèlement aux bâtiments est et ouest [59].

Deux heures sonnèrent. Le général Gillain, commandant la 1re division de cavalerie, en uniforme de parade, « d'allure martiale, la moustache blanche », qui doit présider la cérémonie, franchit à pied la porte d'entrée, suivi du lieutenant-colonel Gaillard-Bournazel. Un bref commandement retentit, les troupes se mettent au port d'armes. Les commandants Targe et Dreyfus, qu'accompagnent deux officiers du 13e d'artillerie, font leur entrée. Ils portent tous deux le grand uniforme. Ils traversent la cour et vont se placer à la tête de la 1re batterie.

« Tous les regards sont dirigés vers le commandant Dreyfus. Il s'avance d'un pas ferme, se raidissant visiblement sous l'émotion qui l'étreint. D'aspect fatigué, il paraît beaucoup plus que son âge, et ses cheveux tout gris se détachent sur sa figure colorée où le sang afflue. On sent dans toute sa personne un incroyable effort de volonté qui se traduit par une rigidité toute militaire [60]. » Pour le rédacteur du *Temps*, le commandant Dreyfus ressemble à « une statue ».

Le silence qui s'était fait soudain réveilla chez Dreyfus « les souvenirs endormis d'il y a douze ans, les hurlements de la foule, l'atroce cérémonie, [ses] galons arrachés injustement, [son] sabre brisé et gisant à [ses] pieds en tronçons épars ». Il confia avoir dû faire « un effort immense » pour se ressaisir. Le commandement « Ouvrez le ban ! » le ramena à « la réalité réparatrice ». Les trompettes retentirent. Le général Gillain remit d'abord la croix d'officier au commandant Targe. Les applaudissements éclatèrent, des cris de « Vive la République ! » se firent entendre, puis le silence revint presque aussitôt. Le ban se referma et se rouvrit pour Dreyfus. Le général Gillain prononça les paroles réglementaires d'une voix émue : « Au nom du président de la République, en vertu des pouvoirs qui me sont conférés, commandant Dreyfus, je vous fais chevalier de la Légion d'honneur. » L'épée retomba trois fois sur ses épaules, et le général lui épingla « la rouge ». D'une voix douce, il ajouta : « Commandant Dreyfus, je suis heureux d'être chargé de vous décorer ; je sais quels excellents souvenirs vous avez laissés à la 1re division de cavalerie [61]. » « Puis il m'embrassa de tout cœur, et ses yeux se mouillèrent », se souvint le commandant Dreyfus [62]. « Quand on voit la moustache blanche du général effleurer la joue du commandant Dreyfus, toujours impassible, un frisson secoue tous les spectateurs », raconta la presse [63].

De nouveau les trompettes retentirent, les applaudissements éclatèrent et des cris s'élevèrent : « Vive l'armée ! Vive Picquart ! » Ce dernier venait d'apparaître à une fenêtre. Il protesta. « Non, non, vive Dreyfus ! »

« Vive Dreyfus ! Vive la République ! » répondit la foule.

Les troupes vinrent se placer, leur commandant en tête, précédées de la fanfare. Elles défilèrent devant le général Gillain, le commandant Targe et le commandant Dreyfus, les officiers saluant du sabre au passage. « Les cuivres chantèrent haut et clair en ce jour d'allégresse. »

Lorsque les troupes disparurent, les amis et la famille entourèrent le nouveau chevalier de la Légion d'honneur. Les mains se tendirent, des larmes coulèrent sur les joues. Son fils, traversant la foule, vint le rejoindre. Dreyfus évoqua la scène dans ses *Carnets* : « Tout cela était si émouvant que les mots sont impuissants à en donner la sensation [64]. »

Des voix crièrent : « Vive Dreyfus ! » Et lui de rectifier, solennel et historique : « Vive la République, vive la vérité ! »

Anatole France s'approcha à son tour. « Je suis très heureux et très ému. Je ne sais comment rendre hommage à la constance dont vous avez fait preuve au travers de tant de souffrances et qui nous a permis d'accomplir l'œuvre de justice et de réparation dont la solennité d'aujourd'hui est le couronnement [65]. – Vous y avez puissamment contribué, lui répondit Dreyfus, très ému. – Oh, fait l'écrivain, j'ai été dans tout cela pour bien peu de chose [66]. »

Le commandant Dreyfus rejoignit ses invités dans la salle où ils l'attendaient. Son fils se jeta dans ses bras, puis sa femme, sa fille, les siens. « Étreintes délicieuses de tous ceux que j'aimais, pour qui j'avais eu le courage de vivre. » Il s'avança vers Picquart qui lui serra chaleureusement les mains. Il lui exprima sa gratitude pour l'œuvre qu'il avait accomplie[67], ainsi qu'à Manuel Baudouin qui était venu à son tour le féliciter. Très ému, trop ému, Dreyfus pleura[68]. Une crise passagère de troubles cardiaques le saisit. Rapidement remis, il quitta l'École militaire en compagnie de son fils et d'un journaliste du *Figaro*, grand militant des droits de l'homme, Georges Bourdon[69]. *Le Temps* termina son article sur cette image de vrai bonheur : « Le commandant Dreyfus part en voiture découverte. [...] La foule lui fait une vive ovation, les chapeaux s'agitent. On crie : "Vive la justice ! Vive la République !" Le commandant Dreyfus, dont la physionomie est rayonnante, salue et remercie de la main[70]. »

## « Ce fut une belle journée de réparation »

Le jour de la cérémonie, Gabriel Monod écrivit à son amie la marquise Arconati-Visconti : « Nous avons frémi, pleuré et applaudi ensemble dans ces journées où l'on a célébré Zola à Paris, Trarieux à Bordeaux et où Dreyfus a reçu la croix de la Légion d'honneur au lieu même où il avait subi le pire des supplices. Qu'il ait assez vécu pour cette réparation, c'est beau, et on ne peut se défendre d'un petit mouvement d'orgueil d'avoir pris sa part, si petite soit-elle, à l'œuvre de réparation[71]. »

Mary Duclaux confia, alors qu'Émile Duclaux, l'homme qu'elle avait épousé pendant l'affaire Dreyfus, était mort le 3 mai 1904 :

J'écris ces mots à l'heure même de l'apothéose finale. Le dernier acte de réparation est accompli. Devant le front des troupes immobiles – là même où un général avait laissé tomber les effroyables paroles : « Au nom du peuple français, Dreyfus, nous vous dégradons ! » –, voici, honneur suprême ! l'armée qui défile, et les officiers qui inclinent leur épée devant le héros du bagne. Dreyfus est commandant et Picquart général. Les dreyfusards dressent la liste de leurs martyrs : Scheurer-Kestner, Grimaux, Trarieux, Zola. Il me semble qu'on a quelque peu oublié Duclaux. Et cela ne lui aurait pas déplu, à lui, qui aimait travailler sous terre, cacher sa vie, jeter la semence et laisser aux autres la gloire des moissons. Duclaux, dans cette affaire, est bien dans son rôle. Et, maintenant, que pourrait lui faire une reconnaissance tardive ? Ce n'est pourtant pas sans une joie très douce, que j'ai entendu l'autre jour sa vie proposée en exemple et en idéal à la jeunesse de sa ville natale. Aurillac a mis sous son parrainage le lycée, la rue où il naquit et la fontaine d'où jailliront bientôt les eaux du Cantal. Sa « petite patrie » lui est bien revenue. Elle comble d'honneurs la tombe dont elle est gardienne.

Dois-je regretter la lutte, si émouvante, qui lui a coûté la vie ? Puis-je trouver que le triomphe en a été payé trop cher ? Bien des nobles existences ont été détruites par les crimes impunis d'hommes trop légers, trop étourdis pour comprendre que nos héros sont morts de la douleur éprouvée pour la patrie. « Toute douleur est bonne, disait Duclaux si elle sert à nous agrandir l'âme.» Cette douleur-là est vénérable si elle a servi à augmenter la conscience française[72].

Cette cérémonie symbolique d'un honneur qui lui était rendu inspira à Dreyfus une page superbe de ses *Carnets* qu'il est nécessaire de reproduire ici dans son intégralité. Elle est le testament d'un homme, le sens de l'histoire, la promesse de l'avenir.

Mon affaire était terminée. Le lieutenant-colonel Picquart avait été réintégré dans l'armée avec le grade de général de brigade comme compensation des persécutions qu'il avait subies pour m'avoir défendu dès qu'il eut acquis la conviction de mon innocence. Si tous ceux qui avaient combattu pour la justice et qui étaient encore parmi les vivants n'avaient pu recevoir de même la récompense des souffrances endurées pour la vérité, il était certain qu'ils la trouveraient dans la satisfaction intime de leur conscience et dans l'estime que leurs sacrifices leur avaient méritée de la part de leurs contemporains. Et même s'ils parurent oubliés, ils ne furent pas les plus mal partagés, car ils ne luttèrent pas seulement pour une cause particulière, mais ils contribuèrent, pour une large part, à l'une des œuvres de relèvement les plus extraordinaires dont le monde ait été témoin, une de ces œuvres qui retentissent jusque dans l'avenir le plus lointain, parce qu'elle aura marqué un tournant dans l'histoire de l'humanité, une étape grandiose vers une ère de progrès immense pour les idées de liberté, de justice et de solidarité sociale.

Au début de l'affaire, en effet, il ne s'agissait pour la plupart de ceux qui y prirent part que d'une question de justice et d'humanité. Mais, à mesure que la lutte se poursuivait contre toutes les forces d'oppression coalisées, elle prenait une envergure insoupçonnée qui n'a cessé de croître jusqu'à ce que la lumière fût faite complète, entraînant avec elle une transformation capitale dans les idées. Les découvertes se firent successivement, apportant chaque jour un aliment nouveau, obligeant les esprits à réfléchir et à changer graduellement d'idées sur une foule de questions dont on ne se serait pas soucié autrement. Une éducation progressive se fit, des traditions s'évanouirent. Toutes les réformes importantes qui furent faites successivement par les ministères Waldeck-Rousseau et Combes n'auraient jamais été acceptées sans l'affaire qui y prépara peu à peu, mais sûrement, l'esprit public[73].

Le 27 mars 1912, à la Sorbonne, Alfred Dreyfus enregistra sur un disque une version résumée de cette déclaration : « Ce 20 juillet 1906, c'est une belle journée de réparation pour la France et la République. Mon affaire était terminée. Elle aura marqué un tournant de l'humanité, une étape grandiose vers une ère de progrès immense pour les idées de liberté, de justice et de solidarité sociale [74]. »

Fidèle à lui-même, le commandant Dreyfus considérait son « affaire » à la lumière de la marche du progrès, de la justice et de la liberté. Mais il savait déjà que sa réparation avait été incomplète et qu'elle rendrait plus difficile encore la défense de la vérité. Ses accusateurs n'avaient pas rendu les armes. Ils employaient au contraire les moyens idéologiques les plus extrêmes. Par principe national et racial, Dreyfus était un « traître ». La publication en 1904 du livre de Maurice Barrès *Ce que j'ai vu à Rennes* annonçait cette guerre totale contre Dreyfus.

Que Dreyfus est capable de trahir, je le conclus de sa race. Qu'il a trahi, je le sais parce que j'ai lu les pages de Mercier et de Roget qui sont de magnifiques travaux [75].

L'antisémitisme racial se nourrissait ainsi de la négation de la vérité. Et réciproquement. Le tout visait à détruire la France démocratique qui avait réhabilité Dreyfus par un acte solennel de justice. Derrière la condamnation antisémite, c'était la république qui était menacée. Or les républicains ne comprirent pas — ou ne voulurent pas comprendre — que l'idée républicaine imposait une complète solidarité avec l'officier réhabilité. Au contraire, ils firent tout pour s'éloigner de lui, à quelques exceptions près. La réhabilitation inachevée, par le refus de la réparation, fut une blessure infligée à Dreyfus autant qu'à la République. Elle demeure, un siècle plus tard.

## LA RÉPARATION REFUSÉE

Le 24 juillet 1906, le commandant Dreyfus fut reçu par Henri Brisson, président de la Chambre des députés. L'ancien président du Conseil, qui était parvenu en septembre 1898 à faire saisir la Cour de cassation du jugement de 1894, lui fit « un accueil touchant [76] ». Le lendemain, il fut reçu par le président de la République, Armand Fallières. « Il me rappela avec émotion mes souffrances imméritées de l'île du Diable, les illégalités et les injustices dont j'avais été la victime, et me dit qu'il avait toujours été de cœur avec moi. Il m'exprima l'espoir que je resterais dans l'armée ; je lui répondis que la situation qui m'avait été faite brisait ma carrière. »

La réponse pouvait surprendre, et elle dut surprendre le président de la République qui pensait de bonne foi que la réparation accordée avait été pleine et entière. Dreyfus dut s'en expliquer longuement dans ses *Carnets*. « Beaucoup d'amis ne s'étaient pas rendu compte que la loi qui me nommait chef d'escadron, ne comptant mon ancienneté que du jour de la promulgation de la loi, ne me replaçait pas dans les conditions normales où je me fusse trouvé si j'avais suivi normalement le cour de ma carrière ; aussi me conseillèrent-ils de rester dans l'armée [77]. »

*Un mécanisme d'exclusion*

Le projet de loi de réintégration lui-même s'opposait aux réparations légitimes. Il prévoyait qu'Alfred Dreyfus serait réintégré dans l'armée avec le grade de chef d'escadron d'artillerie (commandant) pour « prendre rang du jour de la promulgation de la présente loi ».

En revanche, le projet de loi en faveur de Picquart prévoyait que sa promotion au grade de général de brigade prenait effet le 10 juillet 1903 et précisait que « le temps passé par le lieutenant-colonel Picquart dans la position de réforme lui sera compté comme temps d'activité ». Il y a là une différence majeure de traitement entre les deux officiers. Picquart bénéficie d'une véritable reconstitution de carrière, et celle-ci ne subit aucune interruption. Au Sénat, le rapporteur explique avec précision qu'il s'agit de conférer le grade de général de brigade, « auquel sont parvenus soixante-quatre officiers moins anciens que lui dans le grade de lieutenant-colonel, ou d'une ancienneté égale, et de faire remonter sa nomination au 10 juillet 1903, veille du jour auquel a été promu le plus ancien de ces officiers généraux [78] ».

Pour Dreyfus, c'est une tout autre chose qui advint en vertu du texte proposé, voté et promulgué dans la journée du 13 juillet 1906. Le temps passé hors de l'armée ne lui était pas compté comme ancienneté. Il ne bénéficiait d'aucune reconstitution de carrière. Il recevait simplement une forme exceptionnelle de réparation, dans le même esprit qui avait prévalu pour sa nomination dans l'ordre de la Légion d'honneur. En pratique, la réparation était insuffisante.

Si les principes adoptés pour Picquart lui avaient été appliqués, Dreyfus aurait été promu au mieux lieutenant-colonel sans ancienneté ou presque, ou au pis aller commandant pour prendre rang en 1901, c'est-à-dire avec cinq ans d'ancienneté en 1906. Les deux lois étaient donc très différentes. C'est ce que constata l'intéressé dans ses *Carnets* : « En toute justice, on eût dû m'appliquer la règle qu'on avait suivie pour le lieutenant-colonel Picquart en le replaçant devant tous ceux qui, au moment où il avait quitté l'armée, étaient moins anciens que lui comme lieutenant-colonel [79]. »

La conséquence de cette mesure était de mettre un coup d'arrêt très net à sa carrière. Commandant à quarante-sept ans, il ne pouvait plus prétendre à une promotion d'officier général [80]. C'est en vain, sans savoir, que Charles Dumont pouvait déclarer espérer le voir général. La consultation des annuaires militaires permet de vérifier que plus d'une centaine de capitaines d'artillerie, moins anciens dans le grade que Dreyfus, étaient déjà chefs d'escadron au 13 juillet 1906. Le premier promu le fut dès le 12 octobre 1901. Des capitaines moins anciens dans le grade étaient déjà lieutenants-colonels [81].

L'exposé des motifs du projet montrait cependant que l'intention du législateur n'était pas d'appliquer des régimes différents aux deux officiers. Une reconstitution de carrière avait bien été prévue pour

Alfred Dreyfus, parce que l'arrêt de la Cour de cassation, établissant juridiquement et définitivement son innocence, « entraîne *ipso facto* la réintégration de cet officier dans les cadres de l'armée et efface tous les effets de la condamnation prononcée contre lui ». L'exposé des motifs poursuivait : « Le gouvernement est impuissant à réparer l'immense préjudice tant matériel que moral dont a souffert la victime d'une aussi déplorable erreur judiciaire. Il désire tout au moins replacer le capitaine Dreyfus dans la situation où il se retrouverait s'il avait poursuivi normalement le cours de sa carrière. »

L'article unique de la loi contredisait donc ses motifs. L'hypothèse du simple oubli fut avancée, mais elle demeure peu plausible en théorie, et elle a même été démentie par le ministre de la Guerre. Eugène Étienne écrivit en effet à Joseph Reinach, quatre jours après le vote de la loi : « Je ne comprends rien à l'amertume qu'éprouve Dreyfus. C'est avec *son assentiment* que je l'ai désigné pour la direction de Vincennes. Je n'ai pris la décision qu'après avoir eu son opinion à ce sujet. Je n'ai pas fait remonter son grade de commandant à une date antérieure parce qu'on m'avait dit qu'il ne voulait pas rester dans l'armée [82]. »

La raison avancée par le ministre pose de nombreuses questions. Jamais Dreyfus n'avait fait savoir qu'il souhaitait ne plus revenir dans l'armée. Au contraire, il avait toujours revendiqué ce droit. Il suffit de lire ses lettres de l'île du Diable où il déclarait vouloir vivre et combattre en soldat. Il s'était toujours pensé et considéré comme un officier luttant pour son honneur. Les sarcasmes de Georges Clemenceau sur Dreyfus « cocardier, militariste, partisan de l'infaillibilité des conseils de guerre, antidreyfusard en un mot » étaient bien là pour le rappeler.

Étienne ne pouvait pas ignorer que Dreyfus rêvait toujours de carrière militaire [83]. Et si certaines personnes dont il ne précisa pas l'identité lui dirent qu'il ne voulait pas rester dans l'armée, la chose la plus simple à faire était de l'interroger lui-même, à la fois parce que la décision le concernait personnellement et directement, et parce que le seul avis qu'il tenait contredisait toute l'attitude de Dreyfus depuis son entrée dans l'armée. Or il ne s'était pas tourné vers lui ni vers son frère ou son avocat. Étienne révélait pourtant dans la même lettre qu'il l'avait sollicité sur une question bien moins importante. Au mieux, Étienne fit preuve d'une très grande légèreté dans ce dossier, au pis aller d'une manœuvre frauduleuse qui pourrait s'apparenter, toutes proportions gardées, au mécanisme des « aveux ». Personne n'est allé enregistrer les véritables déclarations de Dreyfus, parce que tout le monde savait que celles qu'on lui imputait étaient fausses. Mais elles servaient trop parfaitement l'accusation.

Le commandant Targe voulut, très noblement, prendre sa part de responsabilité dans l'erreur tragique – puisqu'elle conduisit Dreyfus à renoncer à son rêve. Dans une lettre, il s'ouvrit à lui : « Vous savez ce qui s'est passé pour votre nomination et votre croix. Là, j'ai un remords ; on aurait dû ou vous nommer lieutenant-colonel, ou tout au moins antidater de quatre ou cinq ans votre promotion. Mais je dois vous avouer en toute franchise que si, de mon côté, je n'ai pas fait d'effort pour cela, c'est que, convaincu par les déclarations formelles de Mornard et de votre frère que vous prendriez votre retraite le 1er octobre 1906, je m'étais surtout attaché à vous faire obtenir la croix. Je voyais dans la cérémonie de la décoration le désaveu public de votre douloureuse dégradation, je crois ne pas m'être trompé sur ce point. Enfin vous vous rappelez certainement que, devant le défi de la presse nationaliste, j'ai insisté pour que vous ne démissionniez pas [84]. »

Néanmoins, l'erreur d'appréciation de Targe ne pouvait exonérer le gouvernement et les parlementaires de leurs responsabilités. Le pouvoir politique ne pouvait pas faire moins que de procéder à la réintégration du capitaine Dreyfus dans l'armée par application de la loi puisque son innocence venait d'être définitivement établie juridiquement. Il évita tout ce qui aurait pu créer de la polémique. Il avait donc placé l'ancien condamné dans les derniers rangs des commandants promus. Personne, au ministère de la Guerre, au gouvernement ni au Parlement, ne crut bon de réagir et de relever la différence de traitement entre Dreyfus et Picquart, et la contradiction intrinsèque de la loi de réintégration du premier. Jaurès lui-même resta silencieux.

Au cours d'une entrevue, le 8 octobre 1906, le commandant Targe lui révéla finalement les raisons cachées de la réparation partielle : le gouvernement craignait une réaction nationaliste. Il voulut minimiser la portée de la réparation en cherchant à prendre de vitesse les contradicteurs, comme il le fit pour la question de la Légion d'honneur accordée à Dreyfus. Là aussi, il se contenta d'une fausse réparation et d'une hâtive cérémonie de remise de décoration. Au sein du gouvernement, il y avait la volonté de refuser même toute réparation. Étienne, le ministre de la Guerre, dut affronter de réelles difficultés pour faire adopter son projet de loi par ses collègues. Le Conseil des ministres manifesta indéniablement sa mauvaise volonté et ne prit pas ses responsabilités alors que la Cour de cassation avait pris les siennes. Dreyfus fut renseigné sur ces circonstances. Targe lui confirma, lors de leur chaleureuse entrevue du 8 octobre 1906, que le gouvernement avait hésité « à proposer la loi me nommant commandant et à me donner la croix à laquelle j'eusse eu droit depuis longtemps sans mon inique condamnation, tant il avait peur de faire la justice [85]. »

Dreyfus reprit à son compte cette analyse dans ses *Carnets* [86]. Et il conseilla à Joseph Reinach, « pour votre tome 6e [de l'*Histoire de l'affaire Dreyfus*] de chercher à savoir exactement ce qui s'était passé dans les Conseils des ministres des 21 juin, 7 juillet et 9 juillet, 12 juillet au matin, 12 juillet au soir à l'Élysée. D'après certains renseignements, le courage n'y fut pas excessif, et des amis, auxquels j'aurais cru plus de courage, y furent de fameux froussards [87] ». Reinach écrivit ainsi dans son dernier volume que, « même pour décorer Dreyfus et le nommer chef d'escadron, Étienne s'était heurté à l'extrême prudence de plusieurs de ses collègues. Ceux-ci s'inquiétaient déjà d'en trop faire, alors que les Chambres ne demandaient qu'à ajouter à la victoire. S'ils avaient trouvé de la résistance, il n'y avait point de jour où ils eussent fait plus aisément honte à quiconque aurait marchandé à une telle victime une réparation qui, quelle qu'elle fût, serait toujours inégale à son infortune [88] ».

On peut s'interroger en particulier sur le rôle du très influent ministre de l'Intérieur du gouvernement présidé par Jean Sarrien. Depuis l'acceptation de la grâce, Georges Clemenceau estimait que Dreyfus s'était montré indigne de la cause qu'il incarnait et de l'engagement de ceux qui le défendirent. Seuls Poincaré et Barthou avaient l'autorité suffisante pour s'imposer à Clemenceau. Mais il est peu probable qu'ils le firent, n'étant que des dreyfusards du lendemain, des *dreyfusiens* d'abord soucieux de liquider l'Affaire où ils s'étaient montrés si peu courageux et clairvoyants. Le journal radical *L'Action,* bien renseigné, relata les manœuvres au sein du gouvernement Sarrien. Tout attendu blessant à l'encontre du général Mercier avait été soigneusement écarté du projet de loi de réintégration du capitaine Dreyfus, sur l'insistance de certains membres du cabinet, les mêmes qui s'opposèrent à la pleine réintégration de Dreyfus afin d'éviter des réactions au sein de l'armée [89]. Quant au projet de suppression des conseils de guerre demandée par *L'Action* comme par *Le Radical* et *L'Humanité,* il était clair qu'il n'avait aucune chance d'aboutir. Ironiquement, *L'Aurore,* le journal de Georges Clemenceau, déclara dans un article de Guérault-Richard que la réparation de Dreyfus serait la flétrissure de Mercier : « Je me soucie peu que Mercier et les autres soient marqués au fer rouge. Le véritable épilogue est dans la réparation accordée à la victime, non dans la peine des bourreaux, car l'apothéose de la justice ne comporte pas nécessairement une vision du bagne [90]. »

L'erreur que comportait la loi de réintégration de Dreyfus dans l'armée était bien volontaire, intentionnelle. La contradiction entre l'exposé des motifs et l'article de loi était criante. Le résultat fut, plus encore qu'une réparation incomplète, une fausse réparation, une sanction déguisée sous une promotion, une nouvelle humiliation d'autant plus vive qu'elle serait permanente et qu'elle empêchait Dreyfus de réellement protester. Qui irait le soutenir alors qu'il s'agissait manifestement d'un détail ? Or ce fut dans le détail que se joua cette exclusion. La légalité était, une fois de plus, violée dans l'histoire de Dreyfus.

La conclusion, c'était que la légalité ne se discutait pas. Et Dreyfus l'avait bien compris. Seulement il était seul. La manière dont Reinach narra l'événement dans son *Histoire de l'affaire Dreyfus* en dit long sur cette solitude. La narration ne comporte pas une mention de solidarité ni de compréhension. La réparation inachevée était considérée comme le seul problème de Dreyfus et ne concernait pas les dreyfusards. Il note :

« Dreyfus, redevenu capitaine par l'arrêt de la Cour, rentré dans son uniforme, dans tout le devoir et dans tout le préjugé militaire, dès qu'il connaîtra le texte de la loi, n'y verra que la date d'ancienneté. Ce petit chiffre à la place d'un autre va gâter pour lui la réparation, la joie de la victoire. Si toute la justice lui avait été rendue, il serait très probablement demeuré dans l'armée, ambitieux comme il l'avait été, repris par la belle vie active et forte [91]. »

Le gouvernement avait finalement agi avec une perversité redoutable dont ses membres ne devaient pas avoir totalement conscience. Mais elle était bel et bien réelle. Dreyfus était doublement piégé : s'il protestait, il apparaîtrait comme un mesquin et un ingrat, ce qu'écrivit du reste Étienne à Reinach. S'il consentait, il subirait une carrière militaire inférieure à celle à laquelle il aurait pu prétendre ; il ne pourrait que souffrir quotidiennement du sort qui lui était fait. Pour un homme et un soldat qui avait voué sa vie au service des armes et de la France, ce statut d'infériorité ne pourrait ressembler qu'à une torture permanente. Sa démission un an plus tard fut donc une sage décision, un acte de liberté et de dignité, le seul qui lui restait à ce stade. Car la situation lui échappa complètement.

Dreyfus ne fut informé en rien des intentions du gouvernement et ne découvrit la loi le concernant qu'une fois votée et promulguée. Celle-ci était d'une subtilité très recherchée. Outre la concession faite aux nationalistes de fausse réintégration de Dreyfus dans son corps, on peut noter aussi une formulation très intentionnelle dans l'exposé des motifs qui évoquait « une aussi déplorable erreur judiciaire » pour définir les mécanismes de culpabilité infligés à Dreyfus pendant près de cinq ans. Cette appréciation était en contradiction formelle avec les termes de l'arrêt de réhabilitation de la Cour de cassation qui reconnaissait l'ampleur des machinations répétées contre l'officier et l'intention qui les animaient.

## La réparation interdite

La réintégration incomplète accordée au capitaine Dreyfus se révéla pour lui une nouvelle épreuve. Épreuve de se voir ainsi rétrograder à un rang qu'il ne méritait pas. Épreuve de devoir à nouveau plaider sa cause. Épreuve enfin de voir les portes se fermer les unes après les autres. Dreyfus n'avait ni le profil ni le tempérament de se penser comme paria. L'un des buts essentiels de sa vie était ruiné. Il eut des phrases terribles dans ses *Carnets* sur la douleur du renoncement et le déshonneur du gouvernement :

> J'ignore ce qu'ont pu dire Mᵉ Mornard et mon frère de mes intentions [au commandant Targe], mais elles ne pouvaient pas être définitives avant que ne fût rendu l'arrêt de la Cour de cassation. Enfin le devoir strict du gouvernement, devoir étroit de son ministre de la Guerre Étienne, quelles

que pussent être d'ailleurs mes intentions, était de me replacer dans la situation à laquelle j'avais droit. En réalité, s'il ne fit pas toute la justice, du moins à mon égard, c'est qu'il eut peur[92].

Il affirma ensuite sa vocation à participer à la construction de l'armée nouvelle, une armée compétente et démocratique à laquelle songeaient d'autres officiers comme son ami le commandant Émile Mayer ou des leaders politiques comme Jaurès[93]. Sa mise à l'écart pouvait sonner comme l'échec prévisible de cette volonté de démocratisation de l'outil militaire français. Au colloque de janvier 2006 à Paris, « L'affaire Dreyfus. La naissance du XXᵉ siècle[94] », l'historien Jean-Jacques Becker n'hésita pas à lier les enseignements militaires de l'affaire Dreyfus avec les défaites du haut commandement en 1914 et en 1940. Dreyfus poursuivit :

> J'aurais été très heureux de répondre au désir exprimé par mes amis de consacrer le restant de mes forces à servir mon pays dans l'armée, à aider dans la mesure de mes moyens à la réalisation de l'idéal que nous rêvions pour mon armée dans un pays démocratique, mais la situation qui m'avait été faite par la loi de juillet 1906 ne me le permettait pas, sans m'amoindrir[95].

Dreyfus eut cependant la satisfaction d'enregistrer quelques soutiens, quelques compréhensions d'une affaire apparemment technique et finalement parfaitement symbolique d'un processus pernicieux d'élimination politique. Le commandant Forzinetti exprima son indignation, mais aussi son impuissance dans une lettre à Joseph Reinach le 27 septembre 1906 :

> La compensation accordée à Dreyfus n'a pas été suffisante. Le gouvernement, qui était animé des meilleures intentions, a manqué de courage. Il ne s'attendait pas à obtenir à la Chambre une majorité aussi grande. Est-ce pour cette crainte qu'il n'a pas fait pour Dreyfus ce qu'il a fait pour Picquart qui obtient aujourd'hui sa 3ᵉ étoile ?
> Nous devons, tout de même, une fière chandelle au général André et au commandant Targe. Sans eux, je crois fort que ce pauvre Dreyfus ne s'en serait jamais tiré. Mais quelle fripouille que ce Gonse ! [...]
> Pour finir, j'estime que Dreyfus doit reprendre son rang au milieu de ses camarades de l'armée, afin de ne pas donner prise à la malveillance de certaines feuilles, quitte à s'en aller après un séjour plus ou moins prolongé[96].

Le général André protesta dans un « bel article[97] » publié dans *Le Censeur* le 22 février 1908. « Les juges ont fait leur devoir ; il restait à la France, égarée si longtemps, à faire le sien ; il lui restait non pas à faire oublier à un martyr des douleurs inoubliables, mais à verser sur les blessures d'un supplicié le baume d'une réparation aussi éclatante qu'avait été l'outrage. [...] Comme s'il y avait à le punir d'avoir

séjourné à l'île du Diable, son avancement est retardé d'au moins cinq ans. Des amis de la première heure sont intervenus et ont été plaider sa cause en haut lieu. Rien n'y fit. *Vae victis*[98]. »
Mais les soutiens furent limités. Alfred Dreyfus perdit cet ultime et décisif combat, celui qui exigeait de le faire revenir pleinement dans son corps d'origine. Mais rien n'y fit. Notre analyse sur « le début de la fin », dans le chapitre III de cette biographie, trouve ici une confirmation : l'élimination des officiers modernistes était inscrite dans l'histoire... Après l'affaire Dreyfus, le nombre de polytechniciens – et parmi eux d'élèves d'origine ou de confession juive – à s'intéresser à la carrière militaire déclina fortement[99].

Joseph Reinach déçut particulièrement Alfred Dreyfus. Soucieux de préserver ses intérêts politiques, il refusa de faire de la pleine réintégration un dernier combat. Reinach assista à l'entretien que le président de la République avait accordé à Alfred Dreyfus le 25 juillet 1906. Alors que le nouveau commandant expliquait que les conditions de sa réintégration dans l'armée avaient brisé ses espoirs de carrière, Reinach déclara : « C'est un oubli. » En sortant de chez le président, Dreyfus eut une longue conversation avec Reinach sur ce qu'il appelait un « oubli ». Le soir même, voulant établir nettement sa pensée, il rédigea un mémo qu'il lui adressa.

Son ami Gabriel Monod était en revanche révolté contre le sort qui était fait à sa carrière. Il écrivit de nombreuses lettres à ce sujet. « Cela m'a fait mal au cœur de voir Merle, Beauvais et Parfait prendre place dans la dernière promotion parmi les chefs d'escadron juste après Dreyfus qui est singulièrement leur aîné », confiait-il ainsi le 7 octobre 1906 à Joseph Reinach[100]. Il s'était adressé également au général Picquart. Tout en le félicitant de sa nomination au grade de général de division, il s'étonnait que la loi conférant à Dreyfus celui de commandant n'eût pas mentionné l'ancienneté à laquelle il avait droit[101]. Mais rapidement il ne vit d'autre issue pour Dreyfus que son départ de l'armée : « Il ne peut pas sans être ridicule, aux yeux de ses petits camarades de l'armée, être le subordonné de petits conscrits de six et sept promotions après lui. [...] Donc il ne peut pas rester dans l'armée à côté de Targe qui va passer lieutenant-colonel et qui est de sept promotions après lui, de Picquart qui, de six ans son aîné, est déjà général de division[102]. »
Dreyfus ne voulait pourtant pas renoncer ainsi. Il rédigea pour Reinach un avant-projet de loi, au cas où le Parlement déciderait de revenir sur le premier texte. L'exposé des motifs était particulièrement instructif puisqu'il évoquait la responsabilité que la République devait assumer à l'égard de toute injustice – en se donnant le devoir de la réparer :

Il est inadmissible que le commandant subisse un préjudice aussi considérable par le fait des souffrances cruelles et imméritées qu'il a endurées ;

nous pensons qu'il est du devoir de la République de donner à la victime d'une erreur judiciaire la situation à laquelle il a le droit [103].

Mais la République ne devait pas être en position d'aller jusqu'au bout de la réparation qui était due. C'est en l'occurrence ce que le général Picquart, devenu ministre de la Guerre dans le gouvernement de Georges Clemenceau, lui expliqua de vive voix lorsque Dreyfus l'informa de sa résolution de quitter l'armée puisque aucun espoir ne paraissait exister. Tous ses amis et ses appuis politiques lui conseillaient de renoncer. Il ne comprenait pas quant à lui pourquoi sa réhabilitation ne pouvait être complète. « L'impossibilité » évoquée par Picquart lui sembla une forme de raison d'État. Il raconta sa dernière entrevue avec le nouveau ministre de la Guerre :

> J'estimai qu'il était de mon devoir d'avertir le général Picquart de la résolution que j'avais prise. J'allai le voir le 15 juin, au ministère de la Guerre. On le sentait embarrassé, la question lui était importune ; il voulut d'abord ergoter sur la portée de l'injustice qui avait été commise à mon égard, mais je lui en prouvai la réalité, chiffres en main. Il dut en convenir, ajouta alors qu'on eût dû faire le nécessaire en juillet 1906, qu'on avait été « lâche » à mon égard, mais que rien ne servait de récriminer et qu'il était de toute impossibilité pour le gouvernement de présenter une loi nouvelle. J'ignore quelle pouvait être cette impossibilité et je ne voulus pas avoir la cruauté de le lui demander. Je terminai en disant au général Picquart qu'il ne me restait dès lors qu'à prendre ma retraite, demeurant la victime jusqu'au bout. Il ne trouva rien à redire, et je le quittai en le priant d'aviser également Clemenceau de ma décision [104].

L'ergotage de Picquart puis son absence de réaction lorsque Dreyfus lui apprit son départ de l'armée pouvaient laisser entendre que la mesure tronquée de réparation avait ce but caché : couper tout lien entre Dreyfus et l'armée comme si l'officier d'état-major de 1894 n'avait plus sa place dans l'institution. À une forfaiture morale et légale, les gouvernements Rouvier puis Clemenceau rajoutaient leur soumission aux nationalistes pour qui le maintien d'Alfred Dreyfus parmi les cadres militaires était un sacrilège. Ainsi, dans un article de *L'Éclair* du 13 juillet 1906, le commandant Driant écrivit que, le jour où son colonel donnerait l'accolade à Dreyfus, il irait voir ce spectacle en se répétant : « Il y a quelque chose de plus fort que l'or. C'est le fer [105] ! » Ce journal réputé proche de l'État-major déclarait également que la Cour de cassation n'avait pas le droit de réhabiliter Dreyfus, considérant qu'il n'était pas possible d'affirmer que l'envoi du bordereau, quel qu'en soit l'auteur, ne constituait ni crime ni délit. Le journal faisait là une lecture erronée de l'arrêt qui justifiait l'absence de renvoi par le fait que *pour Dreyfus*, il n'y avait ni crime ni délit. Mais peu importait pour *L'Éclair*. Le but recherché par le journal nationaliste comme par *Le Soleil*, *L'Écho de Paris*, *La Libre Parole*, etc., était de démontrer que Dreyfus restait coupable de trahison et qu'un traître n'avait pas sa place dans l'armée. C'était la rhétorique attendue. Moins attendu cependant était le fait que le gouvernement semblait donner raison aux nationalistes et écarter Dreyfus par une manœuvre sournoise, sans prendre ses responsabilités et en les laissant toutes à Dreyfus. Le commandant Dreyfus retrouva néanmoins une affectation – qu'il demanda – au début de la Première Guerre mondiale. Mais il ne fut plus considéré par ses camarades comme l'un des leurs, il n'était plus officier alors qu'il en avait été l'un des plus valeureux devant l'épreuve. S'il mourut en 1935 sans avoir bénéficié de la réparation qui lui était due, il n'est cependant pas trop tard pour honorer sa mémoire par un acte posthume.

*Le renoncement sans soumission*

Malgré sa solitude et les conseils de résignation de ses derniers amis, Alfred Dreyfus poursuivit sans relâche, durant la fin de l'année 1906, ses efforts pour la justice dans son affaire et sa pleine réintégration dans l'armée. Le 23 septembre 1906, de retour d'une longue villégiature dans l'Oberland bernois, Joseph Reinach lui confirma que « le gouvernement n'oserait pas réparer l'injustice commise à [son] égard [106] ». Il lui conseillait de se retirer après quelques mois de service effectif. À la suite de différentes interventions d'amis [107] auprès du général Picquart, et par crainte de malentendus avec le nouveau ministre [108], Dreyfus demanda à le rencontrer. Il le vit donc une première fois le 29 novembre 1906. « Ce ne fut pas sans émotion que je me retrouvai assis en face de lui, au ministère de la Guerre, à une table de bureau, exactement comme au 15 octobre 1894, quand il fut chargé de me faire attendre, avant de m'introduire, pour la prétendue inspection, dans le bureau du général de Boisdeffre, où se préparait la scène imaginée par le sinistre du Paty de Clam. Lui-même rappela ce pénible souvenir, exprimant ses regrets de s'être prêté à cette lugubre comédie [109]. »

Malgré la qualité de ce premier contact, l'entrevue entre les deux hommes fut un échec, comme le raconta encore Dreyfus dans ses *Carnets*.

Le général Picquart fut fort aimable d'abord, mais quand je lui exposai le but de ma visite, il devint glacial ; le sujet le gênait visiblement. Je lui dis que je n'avais chargé personne de faire des démarches auprès de lui. Il me répondit que ces démarches étaient d'ailleurs parfaitement inutiles, qu'il ne ferait rien, rien. C'était au gouvernement qui était en formation au mois de juillet à qui il avait appartenu de faire le nécessaire, ajouta-t-il ; il n'y pouvait rien si cela n'avait pas été fait. C'était exact, mais je ne vois pas pourquoi le gouvernement qui avait suivi n'aurait pas pu réparer l'injustice commise. Mais je compris qu'il était inutile d'insister et je terminai l'entretien en félicitant le général Picquart de son entrée au ministère, car j'avais l'espoir, qui fut déçu d'ailleurs, de le voir devenir un réformateur hardi. Il me répondit que c'était grâce à moi qu'il était là. Je répliquai : « Non, c'est parce que vous avez fait votre devoir. »[110]

Picquart réitéra son refus, et celui du gouvernement auquel il appartenait, en réponse à une démarche qu'accomplit Francis de Pressensé le 1er avril 1907. Le président de la Ligue des droits de l'homme résuma la position de Picquart dans une lettre destinée à Dreyfus :

> Je sors du cabinet de Picquart. Le ministre reconnaît l'erreur commise en juillet. Il croit qu'il vous aurait appartenu d'indiquer nettement à ce moment-là que vous demandiez au nom de la justice votre promotion au rang que vous auriez obtenu comme tant de vos camarades sans l'effroyable iniquité de 1894. Il estime que ni le gouvernement ni la Chambre ne voudront rouvrir la question[111] [...] [Il croit que si Delpech propose au Sénat sa proposition, elle sera renvoyée à la commission de l'armée dont la composition dit assez ce qu'elle en fera][112].

L'hostilité manifeste d'un gouvernement[113] qui aurait dû être intéressé par la résolution de cette injustice ébranla Dreyfus et les quelques amis qui lui demeuraient fidèles. L'unité dreyfusarde appartenait bel et bien à un passé révolu. « L'infortune de Dreyfus a été pour beaucoup dans l'ascension politique de Clemenceau et de Picquart, analyse l'historien Michael Burns. Ces deux hommes qui se sont vaillamment battus pour la cause du capitaine Dreyfus traitent pourtant le protagoniste de l'affaire avec le même mépris que leurs prédécesseurs réactionnaires. Cette nouvelle insulte à Dreyfus était peut-être, pour Clemenceau, un geste de revanche, une façon de punir celui qui avait mis un terme à la phase héroïque de l'affaire en acceptant sa grâce. Pour Picquart, à qui l'on entendit dire qu'"on [avait] assez fait pour Dreyfus", elle est l'expression d'une jalousie teintée d'antisémitisme[114]. » Pour prolonger la réflexion de l'historien, on pourrait aussi remarquer que ni Clemenceau ni Picquart n'incarnèrent, dans leur pratique gouvernementale de 1906-1909, l'héroïsme que l'Affaire leur avait légué. Le gouvernement de Clemenceau et le ministère de la Guerre de Picquart ne furent guère pénétrés du souffle dreyfusiste caractéristique de la foi en un monde meilleur.

Devant le refus du gouvernement de rien changer à sa situation, Dreyfus se résigna à demander sa mise en retraite anticipée. Il en fit part au général André qui l'assura de la volonté de « nombre [de ses] amis » d'agir en sa faveur :

> Mais tout doit-il être terminé pour ceux qui ont conscience de leur devoir, parce que Étienne et plus tard Picquart n'ont pas su l'accomplir ? [...] À défaut des pouvoirs publics, des citoyens entendent se grouper et organiser la manifestation qui a manqué. On me sollicite, à cet effet, de divers côtés. Mais avant de rien faire dans ce sens, avant de lancer publiquement un

appel aux consciences non satisfaites, je tiens à vous informer de notre projet non pas pour vous demander votre assentiment, car c'est pour nous une affaire de conscience, mais pour savoir si nous ne vous contrarierons pas trop, en organisant, sous la forme spontanée, la manifestation à laquelle a failli le gouvernement[115].

Dreyfus lui répondit que sa décision de demander sa mise à la retraite anticipée rendait caduque cette généreuse initiative. Il décida d'en faire part directement à ses amis, à Arthur Ranc, à Henri Brisson, à Mme Zola. Cette dernière lui adressa une lettre émouvante en réponse à la sienne :

> Votre lettre, qui m'est si douloureuse, m'apporte un coin de votre grande bonté en me prouvant votre affection, merci de sentir combien vous m'êtes cher.
>
> Il n'est pas de jour où je donne des regrets de l'absence de mon cher mari, mais aujourd'hui ils sont encore plus cuisants, car vous voir rester une victime, comment tout mon être ne se révolterait-il pas ? Mon pauvre cher mort n'aurait pas vécu de cette idée et sûrement il se serait de nouveau soulevé, et il aurait bien fallu que la justice soit pour vous ainsi qu'elle est pour les autres, et elle aurait dû l'être plus pour vous, qui fûtes une victime ainsi que peu le furent.
>
> J'ai le cœur brisé de chagrin de voir votre situation à jamais perdue, lorsque vous devriez briller, ce que vous ne demandez pas je le sais ; et cela ne rachèterait pas les tortures intolérables dont vous avez souffert. Mais, chaque jour, votre nom devrait être tracé en lettres d'or dans tous les régiments. Votre nom sera pour la France une sanglante injure, puisqu'elle n'a pas su se rappeler le martyre que vous avez subi pour elle, Alfred Dreyfus reste victime, après la preuve de son innocence, preuve irréfutable, demeure un crime à son actif qui sera la stupéfaction dans les temps futurs[116].

Tout est dit dans cette lettre admirable. Que Dreyfus est l'honneur de la France et de l'armée. Que la réparation, inachevée, sonne comme une nouvelle dégradation. Que son sort – et celui de tant d'autres comme lui – sera de rester une victime alors qu'il a agi comme un héros. Qu'une femme dise cela est symbolique aussi, femme victime dans une société d'ordre et de contrainte que l'Affaire, en définitive, n'avait pas réussi à ébranler. La France marchait alors vers ses tragiques rendez-vous du XXᵉ siècle.

### Une dernière parole pour la justice

Par le décret du 25 octobre 1907, la retraite du commandant Alfred Dreyfus fut liquidée, à dater du 25 août, de 2 350 francs pour 30 ans, 10 mois et 24 jours de service. Il fut retraité comme capitaine, car il n'avait pas deux ans dans le grade de chef d'escadron. Sa détention à l'île du Diable ne lui fut pas comptée comme campagne, contrairement aux conséquences de l'arrêt de la Cour de cassation. Par décret du 12 octobre 1907, Dreyfus fut nommé au grade de chef d'escadron de réserve et affecté à l'état-major particulier du gouvernement militaire de Paris.

Le renoncement d'Alfred Dreyfus était sa réponse au risque de l'humiliation permanente. Comme l'avait très bien vu Gabriel Monod, le nouveau commandant aurait été maintenu dans un état d'infériorité hiérarchique incompatible avec son brillant début de carrière. La perversité du gouvernement, si tel fut le cas, était particulièrement sophistiquée. Elle consacrait en tout cas les manœuvres des républicains de gouvernement inquiets à l'idée des occasions d'offensive données à une opposition nationaliste virulente. Mais cette attitude était la meilleure façon de l'aider et de la renforcer. Elle était à l'opposé du choix fait par Jaurès en 1903 de faire du droit de Dreyfus un principe sur lequel ne jamais transiger. La lassitude avait envahi la politique, constatait Anatole France. Mais l'écrivain relevait aussi que la solidarité avec Dreyfus était venue, une nouvelle fois, de Norvège :

> La bourgeoisie radicale elle-même est fatiguée de l'Affaire. Dreyfus, réintégré dans l'armée, y a subi de nouvelles injustices contre lesquelles personne ne s'est élevé en France. Seul au monde, le noble Bjørnstjerne Bjørnson s'en est ému. Le général André a indiqué dans une lettre au grand Norvégien les raisons de cette indifférence des classes dirigeantes de la République. « L'effort nécessaire, écrit notre ancien ministre de la Guerre, a épuisé momentanément les forces de la conscience française... Cela est fort compréhensible et je dirai même excusable. Les organes cérébraux, pas plus que les muscles, ne peuvent être toujours tendus ; les consciences ne peuvent être en permanence à l'état de crise. Notre pays, ayant remporté une victoire mémorable, n'a pas su la mener à fond... La France n'en doit pas moins être félicitée du courage qu'elle a développé dans la bataille [117]. »

La seule consolation, pour Anatole France, fut de penser qu'Émile Zola allait bien entrer au Panthéon : « La déclaration du général André est exacte et, si nos députés radicaux et radicaux-socialistes font entrer Zola au Panthéon, tout seul entre une double haie de soldats, nous saurons que les législateurs pensent néanmoins à des sujets plus intéressants [118]. »

Mais le capitaine Alfred Dreyfus resta définitivement sur le bord du chemin. Il avait refusé tout compromis parce qu'il s'agissait d'une question de justice. Ses dernières paroles furent précisément pour la justice. Dans le mémo qu'il adressa le 25 juillet 1906 à Joseph Reinach après leur visite au président de la République, il refusa qu'on puisse réduire son élimination des hautes carrières à un simple « oubli ». Plus qu'un long discours, ce bref texte disait clairement les valeurs de justice qui l'animaient :

Je crois que nous ne nous sommes pas compris et je vous aime trop pour laisser une confusion dans votre esprit.

Je n'avais jamais demandé de faveur dans ma carrière, j'avais essayé d'arriver par mon travail. Après ma tragique et si imméritée condamnation de 1894, je n'ai demandé que de la justice. Pendant les cinq années effroyables de l'île du Diable, je ne me suis jamais humilié devant personne, fort de ma conscience, n'abdiquant rien de ma dignité. Aujourd'hui encore je n'avais à attendre que de la justice. Si on m'avait donné le rang auquel j'ai droit – je n'eusse voulu d'aucune faveur –, j'aurais pu réfléchir et peut-être, quel que soit l'état de ma santé (et de mon cœur que la Faculté reconnaît comme atteint), sacrifier encore quelque chose de ma vie. Mais on ne l'a pas fait. J'ai la conscience d'avoir fait [tout] mon devoir, le gouvernement n'a pas fait le sien. Je ne récrimine pas, je ne récriminerai jamais, mais je n'abdique rien de ma dignité, pas plus aujourd'hui qu'à l'île du Diable et je me retirerai à l'heure et au moment que je jugerai opportuns [119].

Dans une autre lettre conservée à la Bibliothèque nationale de France, il avait encore écrit que son retrait de l'armée aurait pour lui une immense signification, celle de la justice méprisée, de la réhabilitation inachevée. Il ne lui restait que sa liberté pour exister et dégager son honneur de l'aumône qu'on lui octroyait après le geste de pitié concédé en septembre 1899 par le général de Galliffet.

Aliéner la liberté de ma plume et de ma pensée pour cette espèce d'aumône qu'on m'a jetée, sacrifier tout ce qui me reste de force et d'intelligence pour une besogne mondaine sans aboutissement aucun, non, cher ami, n'y pensez pas. Comme je l'ai expliqué à Monod qui est avec nous ici, ce qu'on a fait était une réparation suffisante pour l'opinion publique, elle n'était pas la justice si l'on voulait penser me faire reprendre une carrière interrompue aussi tragiquement et aussi injustement. Je m'amoindrirais et je me diminuerais [120].

## Les faux-semblants de la Légion d'honneur

La nomination du commandant Dreyfus dans l'ordre de la Légion d'honneur revêtait incontestablement une signification très symbolique. À condition toutefois que la cérémonie fût à la hauteur. Parce que, en tant qu'officier, Dreyfus avait droit à cet honneur qui était automatique lorsqu'on atteignait le grade de commandant. Esterhazy était lui-même chevalier !

Or la symbolique donnée à la cérémonie du 20 juillet 1906 à l'École militaire fut des plus limitées. Il sembla même qu'elle fut organisée au plus vite pour qu'elle ne fût pas, précisément, un moment solennel d'hommage à Dreyfus. Beaucoup de ses défenseurs n'étaient pas présents et n'avaient pu être avertis.

Le général André, qui fut largement à l'origine de la réouverture de l'Affaire et de la marche vers la justice, était absent, de même que beaucoup d'autres. Le 20 juillet, il écrivit à son successeur au ministère de la Guerre pour lui rappeler que la parade de dégradation « restait pour nous tous le souvenir du martyre qui fut infligé à un officier innocent dans la cour de l'École militaire », et pour lui demander d'organiser une cérémonie militaire publique « pour effacer ou du moins atténuer dans l'âme du commandant Dreyfus le souvenir du supplice épouvantable qu'il eut à endurer le 5 janvier 1895. L'armée de Paris serait, comme à cette date, rassemblée dans la même cour de l'École militaire ; le commandant Dreyfus serait en grande tenue de service, sans armes. Le général commandant la place de Paris, prononcerait la formule réglementaire de "reconnaissance" et remettrait à cet officier supérieur un sabre d'ordonnance, au nom du gouvernement de la République. Les troupes défileraient devant le commandant Dreyfus [121]. »

Cette cérémonie de véritable hommage lui fut refusée, comme la pleine réhabilitation. La peur des nationalistes tétanisait le gouvernement, incapable de dire, comme Anatole France le fit pour la panthéonisation de Zola, qu'il y avait des actes politiques universels. Dans son article du *Censeur* du 22 février 1908, le général André fut cinglant :

> Qu'a-t-on fait ? Qu'a fait la France, ce pays qui, s'il est parfois, hélas, celui des cruelles erreurs, est aussi, et plus souvent encore, celui des généreux enthousiasmes ? Voici. Dans la cour retirée d'un quartier d'artillerie, en présence d'un public restreint, loin des yeux de la foule qui avait assisté et pris une part effective à l'opprobre de la dégradation, Dreyfus est présenté à quelques militaires et reçoit la croix de chevalier de la Légion d'honneur. [...] Pour avoir marchandé au revenant de l'île du Diable la grandiose manifestation qu'espérait la générosité de nos consciences, on a risqué de faire mettre en doute la fermeté de notre conviction en son innocence [122].

L'ancien ministre de la Guerre voyait juste. Le refus d'accorder au capitaine Dreyfus les réparations légales, la crainte d'associer la République à sa réhabilitation, allaient ancrer dans de larges parties de la société française l'idée que l'innocence de Dreyfus n'était pas certaine et qu'en tout état de cause il fallait se défier de cet homme dont l'affaire avait fait « tant de mal à la France ». Et c'est ainsi qu'à côté de la littérature pré-négationniste de l'Action française on allait subir toute une littérature du doute et du soupçon, supporter les élucubrations les plus futiles proférées du haut de l'érudition la plus revendiquée et la moins solide sur les « mystères cachés » de l'Affaire et de Dreyfus. Ignorant allègrement le travail des historiens et de la justice, cette prose inutile allait obliger les chercheurs à d'indispensables réfutations. Quand ces obsessions se cantonnaient à des auteurs isolés, passait encore. Mais lorsqu'on eut droit à ces démonstrations douteuses depuis des institutions d'État – le Service historique de l'armée de terre en 1994, les Archives nationales en 1997 –, la question pouvait se poser de la place du droit et de la vérité dans la République [123].

L'un des développements les plus pervers consista à réduire la réhabilitation de Dreyfus et les réparations nécessaires à un fait politique, à la décision d'un parti, et de nier qu'elles fussent établies sur un arrêt de justice rendu au nom du peuple français, une reconnaissance de l'innocence d'un homme s'imposant en tout lieu et en tout temps. Cette stratégie insidieuse se révéla dès que la question de la réintégration de Dreyfus fut posée au Parlement. Par peur des nationalistes et par manque de conviction, le gouvernement échoua à dire que l'acte de réparation était un devoir national. Il instilla le soupçon de la politique dans une décision de justice et une exigence morale. La représentation de l'Affaire et la perception de Dreyfus se développèrent alors sous ce registre destructeur de la vérité et du droit. La France actuelle en paie encore les conséquences.

*Le soupçon de la politique*

L'offensive nationaliste telle que nous allons la découvrir, s'acharnant sur Dreyfus pour mieux discréditer la république et effrayer les républicains, reçut tout d'abord les soutiens indirects de la droite modérée incarnée par le député catholique Denys Cochin. Celui-ci intervint lors du débat sur le projet de loi de réintégration de Picquart dans l'armée, le 13 juillet 1906 toujours. Messimy venait d'évoquer le lieutenant-colonel Picquart, « victime de sa noble passion pour la découverte de la vérité, et la réparation de l'injustice [124] ».

Denys Cochin lui répondit « que, dans tout cela, il ne s'était pas agi simplement de vérité et de justice, mais d'une grande machine de guerre politique [125] ». Victor Bérard, sous-secrétaire d'État aux Postes et Télégraphes, répondit. Barthou, toujours au nom du gouvernement, riposta en rappelant que l'honneur consistait à protester contre l'arrestation et la condamnation dès que leur illégalité était connue. Barrès intervint alors. « Lui qui, député durant toute une législature, ne monta que deux fois à la tribune, il se fit soudain le porte-parole des trente-deux irréductibles [qui votèrent contre le projet] pour qui aucun jugement, aucune raison, aucune vérité ne prévalut contre leur passion », remarque Alfred Dreyfus dans ses *Carnets* [126]. Le député de Nancy entreprit de saper l'autorité de la Cour de cassation et sa légitimité dans l'œuvre de réhabilitation :

> J'ai suivi les audiences du procès de Rennes ; j'ai entendu, j'ai vu ce long débat. J'ai suivi de mon mieux également ce qu'il nous a été possible de connaître de la procédure dernière devant la Cour de cassation. À Rennes, les témoins, leur confrontation, la physionomie des juges, la figure elle-même de l'accusé, étaient des éléments de connaissance. [...] Ce que je reproche aux longs débats qui se poursuivirent pendant deux ans devant la Cour de cassation, c'est le manque de contradiction... [...] En outre, je le sais, plusieurs témoins n'ont déposé que sur la recherche des faits nouveaux et n'ont pas été entendus sur le fond du débat [127].

Maurice Barrès banalisa l'idée de « vérité judiciaire » : « Je ne suis pas de ceux qui s'insurgent contre la vérité judiciaire. Dreyfus a été le traître pendant douze ans, par une vérité judiciaire. [...] Depuis vingt-quatre heures, par une nouvelle vérité judiciaire, il est innocent. C'est une bien grande leçon, messieurs, je ne dis pas de scepticisme, mais de relativisme, qui nous invite à modérer nos passions [128]. » Enfin, il voulut se dresser au nom de l'honneur, celui qu'il reconnut au général Mercier, et au nom de « ce qui était vivant dans [sa] conscience [129]. » Joseph Lasies, intervenant à sa suite, plaignit les juges de la Cour de cassation qui avaient jugé les actes du commandant Cuignet, entre autres celui d'avoir caché que les cours de l'École de guerre de Dreyfus étaient complets, des juges « qui portent de telles accusations sans entendre contradictoirement les témoins [130] ».

Au Sénat, le même jour, la discussion des deux lois déclencha une véritable attaque contre la Cour de cassation : le général Mercier souligna l'absence de défenseurs pour les juges du conseil de guerre et les témoins, dénonça le huis clos de l'enquête, nia qu'elle se fût intéressée à l'ensemble de l'Affaire, avança qu'« il a été matériellement impossible à MM. les conseillers de prendre personnellement connaissance de toutes les pièces de cet énorme dossier » et déclara que sa « conviction acquise par les débats de 1899 n'était aucunement ébranlée [131] ». Ce fut Barthou, après Delpech [132], qui se chargea de répondre au nom du gouvernement, défendant les juges, obligeant le général à battre en retraite et concluant que « c'est attaquer les juges et jeter sur eux une suspicion déshonorante que d'affirmer qu'ils ont prononcé leur jugement sans connaître les pièces du dossier [133] ».

Dans le débat sur la proposition de loi en faveur de sanctions disciplinaires contre les accusateurs de Dreyfus, le gouvernement montra sa faiblesse devant les nationalistes. Comme l'écrivit Gustave Rouanet dans L'Humanité au sujet du débat animé par Francis de Pressensé, « les paroles quelque peu confuses, souvent malheureuses, prononcées par le président du Conseil, produisirent une impression fâcheuse sur beaucoup. Soit que l'expression trahît sa pensée, soit qu'il ressentît vivement la crainte de voir les sanctions demandées par Pressensé devenir le point de départ d'une agitation, M. Sarrien parut redouter les suites que pourraient avoir dans le pays les mesures de justice que le souci de la morale et de l'honneur de la France commande. C'est parce qu'on redouta – M. Sarrien devrait s'en souvenir – les adversaires implacables de la vérité, parce qu'on recula devant l'association de malfaiteurs qu'ils formaient alors et qui n'est pas encore dissoute que la République fut conduite à commettre les fautes et les erreurs qu'elle répare aujourd'hui [134]. »

Pressensé opposa une vive résistance à la riposte des nationalistes. Lorsque Lucien Millevoye lui lança : « Votre langage est indigne d'un Français et indigne de la tribune [135] », il rétorqua : « Vous me permettez, messieurs, en dédaignant ces grossièretés, d'ajouter que j'ignorais que l'armée fût solidaire à un degré quelconque du parti des faussaires (*applaudissements à l'extrême gauche et à gauche*). J'ai toujours eu soin de séparer nettement l'ensemble de l'armée du petit nombre d'hommes que je vous ai signalés à la suite de la Cour suprême de ce pays, et vous ne réussirez pas à renouveler vos calomnies de jadis contre les champions du droit. (*Très bien ! très bien ! sur les mêmes bancs.*) [136] »

## Le général Mercier à la manœuvre

Le 6 juillet 1906, le général Mercier adressa une longue lettre au premier président de la Cour de cassation pour protester contre la forme et le fond du réquisitoire du procureur général. Il releva d'abord les « violences d'appréciation » et les « intempérances de langage » dont la Cour « trouverait difficilement l'équivalent dans ses archives ». Il critiqua les procédés de la chambre criminelle et demanda de « nouveaux débats publics et contradictoires, avec liberté complète pour nous de produire nos témoignages sur tous les points de la cause et de discussion de nos adversaires ». Il tenta d'affaiblir la portée et la validité de l'arrêt qui allait être rendu. Il renversa la proposition de Baudouin sur les propres méthodes des antidreyfusards, « une longue théorie "de mensonges habilement coupés de bribes de vérité" ». Mais il n'apporta aucune révélation sérieuse, se contentant de demander une enquête pour savoir comment la minute Bayle était réapparue subitement. Enfin, il tenta de faire passer les anciens accusateurs de Dreyfus pour des victimes et de prendre la tête de ces martyrs, imaginant une persécution qui précisément n'avait pas eu lieu, le gouvernement souhaitant avant tout l'apaisement [137].

Jaurès parla à juste titre de « manœuvre » : « Une fois de plus, il essaie de jeter le doute et le discrédit sur la Cour de cassation et sur ses travaux.[...] Voilà qui est d'une impudence inouïe. » Jaurès en profita pour rappeler la méthode de la Cour de cassation qui avait entendu tous les témoignages et pas seulement ceux qui voulaient réhabiliter Dreyfus. « Elle a entendu dans son enquête et Mercier et Rollin et Cuignet et du Paty. Il n'y a pas une seule source d'information qu'elle ait négligée. Le rapporteur qu'elle a désigné, M. Moras, n'était pas plus l'homme de Dreyfus que de Mercier. » Ce dernier visait à affaiblir essentiellement l'arrêt prochain, soit que la Cour proclame d'emblée la révision sans renvoi, soit qu'elle renvoie à un troisième conseil de guerre qui pourrait rééditer « le coup de Rennes » en s'écartant du cadre dressé pour les débats. « Et quand on sait sur quel monceau de crimes cette insolence est appuyée, lance Jaurès à l'intention de Mercier, on est stupéfait par tant d'audace. Il est temps d'y répondre par autre chose qu'une candeur imbécile et résignée [138]. »

Le 8 juillet, Mercier envoya une nouvelle lettre de protestation, cette fois à propos de la plaidoirie de Me Mornard. Elle reprenait certains des aspects de la précédente, points de détail ou mises en cause globales qui cherchaient à détruire par avance l'autorité du futur arrêt de la Cour [139].

Enfin, Mercier intervint au Sénat dans le débat sur le projet de loi de réintégration de Dreyfus dans l'armée. Il réitéra ses accusations contre la partialité de la Cour de cassation et l'illégalité de son arrêt. Il le faisait, comme il le déclara, au nom des valeurs de justice [140]. Le sénateur Antony Ratier lui répondit : « Est-ce à celui qui, en 1894, a obtenu une condamnation à la suite d'une audience à huis clos et d'une communication de pièces secrètes qu'il appartient de formuler de pareilles critiques ? » Et Mercier de lui rétorquer, procédurier, que l'arrêt présent de la Cour de cassation statuait sur le verdict du procès de Rennes et non pas sur celui de 1894. Milliès-Lacroix, Victor Leydet, intervinrent à leur tour pour repousser l'assaut du général Mercier. Celui-ci compara alors les deux procédures pour affirmer la suprématie de celle de Rennes et la nullité de l'arrêt de la Cour de cassation : « Je suis obligé de conclure que les débats y ont été beaucoup plus probants que ne peuvent l'être ceux de la Cour de cassation. [...] Dans ces conditions, je me crois obligé de déclarer que ma conviction acquise par les débats de 1899 n'est aucunement ébranlée. » Il ajouta que sa « conscience » ne lui permettait pas de s'associer au vote que la majorité républicaine s'apprêtait à rendre. Il fut interrompu à de nombreuses reprises. Le sénateur Delpech prit la parole en citant Waldeck-Rousseau et le tribunal de l'histoire. La droite l'injuria, le dénonçant comme franc-maçon, l'accusant de jouer. Delpech continua, saluant l'arrêt, regrettant la disparition de ceux qui donnèrent l'exemple du courage civique. « Cela nous suffit. Je suis de ceux qui, aujourd'hui, ne demandent pas d'autre répression contre les coupables. Je m'en tiens à ce jugement de l'histoire, implacable, dont Waldeck-Rousseau parlait en ces termes si beaux que je viens de rappeler. »

En la personne de Barthou, ministre des Travaux publics, des Postes et des Télégraphes, le gouvernement prit ensuite la parole pour élever une énergique protestation contre les paroles que venait de prononcer Mercier. Ces propos obligèrent ce dernier à battre en retraite, à reconnaître que la Cour de cassation avait suivi la loi, à dire qu'il n'avait pas attaqué les juges, mais seulement le mode de procédure qu'il estimait « défectueux ». Mais il déclara dans le même temps maintenir tout ce qu'il avait dit. Barthou réagit, lui rétorquant que c'était bien attaquer les juges et « jeter sur eux une suspicion déshonorante que d'affirmer qu'ils ont prononcé leur jugement sans connaître les pièces du dossier », et il renvoya l'ancien ministre de la Guerre aux circonstances gravissimes du procès de 1894 : « Je ne sais qu'une suspicion plus odieuse qui pourrait peser sur les juges d'une juridiction quelconque, c'est qu'en l'absence d'un accusé ils aient statué sur des pièces secrètes qui ne lui eussent pas été communiquées [141]. »

Les nationalistes ne renoncèrent pas pour autant. Ils se regroupèrent même autour de leur haine pour Dreyfus, plus que jamais objet de leur croisade. Après la séance de la Chambre du 13 juillet, Maurras avait écrit à Maurice Barrès pour le féliciter de son intervention. Cette courte lettre résumait parfaitement, remarque Philippe Oriol, « quels enjeux représentait pour lui l'Affaire » : [...] « N'est-ce pas que la pompe des cérémonies, la violence des haines, montrent bien à quel point nous avions raison et combien cette affaire était et *est* vitale pour nous ? À bas les Juifs ! À bas les Juifs ! Je vous serre la main et j'ai grand plaisir à cela. [...] Nous allons *la* réviser, n'est-ce pas [142] ? »

*L'âge du nationalisme moderne*

Les nationalistes imaginèrent un nouveau système d'accusation pour contester définitivement l'innocence de Dreyfus et de la « race juive » qu'il incarnait selon eux au plus profond de son « acte de trahison ». Ils entreprirent de démontrer que l'instruction de la Cour de cassation et surtout son arrêt violaient la loi. La cassation sans renvoi n'apparaissait plus alors que comme une décision politique, celle des républicains dreyfusards, celle des « amis de Dreyfus » pour imposer au pays la réhabilitation d'un traître. Ils axèrent particulièrement leur campagne, qui commença avant même le rendu de l'arrêt, sur le fait que la Cour avait utilisé un faux, en l'occurence un faux article 445 du code d'instruction criminelle. À l'inverse, l'application de ce que l'Action française présentait comme le texte véritable aurait interdit à la Cour de casser sans renvoi et l'aurait contrainte à renvoyer Dreyfus devant un troisième conseil de guerre.

Cette démonstration, qui elle-même constituait une imposture et reposait sur un faux – puisque la version de l'article 445 présentée par l'Action française était fausse –, nourrit une campagne de presse et d'opinion systématique et permanente. Celle-ci visait aussi bien Dreyfus que la Cour de cassation. Le refus de répondre à de telles provocations fut aussitôt présenté comme une preuve du bien-fondé de l'analyse de l'Action française, en pointe dans ce combat. Progressivement, Dreyfus resta seul à se battre avec la Ligue des droits de l'homme, le pouvoir politique renonçant à défendre l'arrêt de réhabilitation par peur de l'agitation nationaliste.

Alors que la cause de Dreyfus et celle de la justice apparaissaient indéfectiblement liées, cette dimension ne s'imposa pas dans les années qui suivirent la fin de l'Affaire. Mais il est important de souligner que la volonté de prouver la trahison de l'officier juif impliquait de détruire la justice et l'idée de justice en France.

Dreyfus devint le « traître réhabilité ». Les journaux nationalistes multiplièrent les provocations contre l'arrêt de la Cour de cassation. Alfred Dreyfus fut le seul à le défendre, alors qu'il incombait aux pouvoirs publics, au gouvernement de poursuivre les auteurs de ces attentats contre le droit. Paul Duché, directeur du *Nouvelliste de Bordeaux*, écrivit le 1ᵉʳ août 1906 que le capitaine, en acceptant sa grâce, avait avoué une deuxième fois sa culpabilité. Dreyfus somma le journal d'insérer la partie de l'arrêt relative à la légende des aveux. Duché riposta en le traitant de « traître réhabilité par ordre » et en le défiant d'exercer des poursuites en cour d'assises [143].

Le 9 septembre 1906, jour anniversaire de la condamnation à Rennes, l'Action française fit placarder à Paris et dans toute la France un « Appel au pays » intitulé : « La loi faussée par la Cour de cassation pour réhabiliter le Juif Dreyfus. » Ce texte s'achevait sur l'annonce d'une souscription pour offrir au général Mercier une médaille d'or commémorant la séance du 13 juillet au Sénat. Dans ce même Sénat lors de la discussion sur la proposition de loi en faveur de la translation des cendres de Zola au Panthéon, le nationaliste Dominique Delahaye accusa la Cour de cassation d'avoir falsifié l'article 445 du code d'instruction criminelle et mit le gouvernement au défi d'exercer contre lui des poursuites [144].

Un « triduum » de conférences fut organisé les 19, 20 et 21 décembre 1906, pour commémorer les séances du premier procès qui condamna Dreyfus. Lors de l'arrivée au ministère de la Guerre du général Picquart, le 26 octobre 1906, l'Action française avait réédité sa campagne d'appel au pays [145]. Cinq brochures relatant les thèses nationalistes sur l'affaire Dreyfus furent distribuées. L'Action française déploya une intense activité de propagande, comme le soulignèrent deux de ses militants les plus actifs, les colonels Larpent et Delebecque, alias « Dutrait-Crozon » : « On apposa 50 000 affiches, on distribua 1 500 000 feuilles volantes et plus de 300 000 brochures [146]. »

Le 5 janvier 1907, « douzième anniversaire de la dégradation [147] », une réunion eut lieu à la salle de la rue d'Athènes. Une seconde fut organisée le 19 janvier à la salle Wagram. Le commandant en retraite Lebrun-Renault y « fit à nouveau le récit de la scène des aveux ». Le 29 juin 1907, la médaille d'or destinée au général Mercier lui fut remise lors d'une autre cérémonie à la salle Wagram. Des conférences sur l'affaire Dreyfus tournèrent dans les principales villes ; elles étaient animées par les accusateurs de Dreyfus comme le commandant Cuignet ou Henri Vaugeois. « Ni la Cour de cassation, ni Dreyfus, ni Picquart ne poursuivirent *L'Action française* », se félicitèrent les colonels Larpent et Delebecque dans leur *Précis de l'affaire Dreyfus* [148].

Le 16 septembre 1908, *L'Action française* publiait une lettre du commandant Cuignet au premier président de la Cour de cassation, Ballot-Beaupré, accusé d'avoir violé ses convictions de 1899 et d'avoir inséré dans l'arrêt un faux article 445 afin de casser sans renvoi l'arrêt du conseil de guerre de Rennes. Il terminait en l'injuriant [149] et en le défiant de le poursuivre devant les tribunaux. L'Action française fit afficher la lettre de Cuignet partout où elle le put. L'ancien officier réitéra ses injures lors du meeting de protestation contre l'inauguration du monument à Bernard Lazare, le 4 octobre 1908, à Nîmes. La Cour de cassation ne demanda pas de poursuites.

D'autres attentats suivirent. Le 16 octobre 1908, à l'audience solennelle de rentrée de la Cour de cassation, un jeune partisan de l'Action française, Maxime Real del Sarte, interrompit le procureur général Manuel Baudouin pendant qu'il prononçait l'éloge de son prédécesseur Manau. Il accusa la Cour d'avoir violé la loi dans son arrêt du 12 juillet 1906 et lança dans la grande salle du palais de justice un placard reproduisant la lettre du commandant Cuignet [150].

Les nationalistes portèrent l'offensive à la Chambre. Le 20 octobre 1908, Biétry, député du Finistère, interpella le gouvernement en relevant l'impunité dont jouissaient les accusateurs de la Cour de cassation. Aristide Briand, garde des Sceaux, défendit l'arrêt du 12 juillet. Biétry riposta en le traitant d'«avocat du traître». La censure simple lui fut appliquée, puis la censure avec exclusion temporaire après qu'il eut déclaré que les magistrats de la Cour de cassation étaient des «prévaricateurs» et des «faussaires». La Chambre vota alors, par 424 voix contre 35, un ordre du jour «flétrissant énergiquement l'odieuse campagne d'injures menée contre la Cour de cassation». L'Action française riposta en s'attaquant au garde des Sceaux, relevant que son argumentation était inexacte et qu'il avait trompé la Chambre sciemment [151]. Dans un deuxième article, elle affirma que, si la Chambre «approuvait sciemment une violation flagrante de la loi» commise en faveur de Dreyfus, le Parlement ne pouvait plus prétendre à imposer aux Français le respect de la loi [152].

### La solitude de Dreyfus

Dans ses Carnets, Dreyfus insista sur la difficulté pour lui, seul, de répondre à de telles attaques de presse. La Cour de cassation et le gouvernement étaient muets. Seule la Chambre réagit, et encore, lorsque les provocations l'atteignirent directement.

Dreyfus entrevoyait aussi le piège dans lequel l'Action française voulait l'entraîner : « Ces misérables eussent voulu que je les traînasse en cour d'assises, sachant que, comme fonctionnaire, je ne pouvais pas les traduire en police correctionnelle. Or la cour d'assises, c'eût été Mercier et ses complices venant discuter, avec leur mauvaise foi habituelle, devant un jury incompétent, l'arrêt de la Cour de cassation. Les inculpés se seraient retranchés derrière leur autorité et auraient excipé de leur prétendue bonne foi, d'où acquittement probable. » Conseillé par Antonin Bergougnan, chroniqueur judiciaire du Temps [153], il étudia la possibilité d'une action au civil pour dommage causé après la publication du premier placard de septembre 1906, mais il renonça, craignant d'affaiblir encore l'autorité de l'arrêt de réhabilitation [154].

En mars 1908, l'Action française se pourvut d'un quotidien fondé pour le dixième anniversaire du mouvement. Elle fit figurer son « talisman », cette pseudo-démonstration du faux commis par la Cour de cassation sur l'article 445 afin de fonder la cassation sans renvoi. L'efficacité de *L'Action française* se vérifia au moment de la cérémonie de transfert des cendres de Zola au Panthéon. Le journal put occuper le terrain des mots d'ordre et créer un climat propice à toute sorte de violence dont la plus emblématique fut la tentative d'assassinat contre le capitaine Dreyfus lui-même. Dès lors, quand les attaques reprirent sur son compte et sur la Cour de cassation, Dreyfus décida d'agir. Il demanda la publication de lettres rétablissant la vérité et défendant son honneur [155] dans *L'Action française* [156], *La Libre Parole* [157], *L'Éclair* [158], *Le Gaulois* [159], *La Croix* [160], *La Patrie* [161], *L'Autorité* [162], *La Presse* [163], *Le Soleil* [164]. Mais *L'Action française* refusa à plusieurs reprises. Alors, il s'engagea dans des procédures judiciaires, sur les instances de la Ligue des droits de l'homme et surtout de l'un de ses membres les plus actifs, le professeur de droit Jean Appleton, qui lui assurèrent leur concours. Il regretta par la suite cette action [165].

Dreyfus avait opté pour deux types de procédure. Il assigna *L'Action française* devant le tribunal correctionnel pour refus d'insertion de lettres, en demandant vingt mille francs de dommages et intérêts. Il poursuivit en outre ce journal et *La Libre Parole* au civil pour « injures », par l'accusation de trahison portée contre lui. *L'Action française* écrivit qu'il n'avait pas porté plainte pour diffamation afin d'éviter le débat en cour d'assises [166]. Le 10 mars 1909, la première chambre du tribunal civil se déclara incompétente. *L'Action française* salua sa victoire. Dreyfus ne fit pas appel.

Concernant la première action, la 9ᵉ chambre du tribunal correctionnel s'était en revanche déclarée compétente le 10 février 1909. *L'Action française* fit appel, les juges confirmèrent leur jugement, le premier par défaut le 4 mai 1909, le deuxième sur opposition le 16 novembre 1909, et la Cour de cassation rejeta le pourvoi introduit par *L'Action française* le 21 décembre 1909. Le 8 février 1911, la 9ᵉ chambre put rendre son arrêt sur le fond et condamna *L'Action française* à quatre cents francs d'amende, deux mille huit cents francs de dommages et intérêts et à l'insertion des lettres et du jugement. Le 5 juin, le jugement fut confirmé en appel. Le 12 décembre 1911, *L'Action française* publia finalement les lettres et l'arrêt, mais les accompagna de la lettre du commandant Cuignet à Ballot-Beaupré, d'un article d'Émile Faguet sur l'article 445, et de divers documents.

Un deuxième appel, sur opposition, déboucha sur une seconde condamnation du journal nationaliste, le 19 décembre 1911. Une seconde insertion des lettres du capitaine Dreyfus fut ordonnée. La publication commença le 29 janvier 1912. Elle fut, « comme la première, l'occasion pour *L'Action française* de renouveler ses accusations contre Dreyfus et contre la Cour de cassation ». Henri Dutrait-Crozon estima ces procès et ces insertions comme très favorables à la cause antidreyfusarde :

Ces divers procès s'étaient tous déroulés devant des juridictions où la preuve n'était pas admise. Le vrai procès, le procès en cour d'assises, que *L'Action française* n'avait cessé de réclamer, ne fut jamais intenté par l'intéressé, et *L'Action française* put impunément poursuivre sa campagne par le journal, l'affiche et les réunions publiques. Chaque jour, elle publiait une éphéméride de l'Affaire et ce qu'elle appelait le « talisman », où étaient mis en regard le véritable texte de l'article 445 du code d'instruction criminelle et celui que la Cour de cassation, dans son arrêt, avait présenté comme authentique. [167]

Les articles étaient surtout systématiquement injurieux et profondément antisémites. La 29 janvier 1912, pour la seconde insertion, Charles Maurras écrivit, en guise de présentation : « Le traître juif Alfred Dreyfus ne lira point les six pages de ce numéro, sans entrevoir en frissonnant la plaine nue de Satory, où, quelques jours après la lecture d'un arrêt de justice – arrêt définitif, sans merci, celui-là ! –, douze balles lui apprendront enfin l'art de ne plus trahir et de ne plus troubler ce pays qui l'hospitalise [168]. »

*L'Autorité* agit de même, le 7 novembre 1908, par la voix de Guy de Cassagnac, le fils de Paul.

Vous n'avez rien d'un Français et rien d'un soldat. À l'épée droite et claire, vous avez préféré le bec de plume souillé d'encre, et le scribe a tué en vous ce qui pouvait demeurer de l'officier, après que le dernier galon eut été arraché de votre uniforme. Je voudrais vous plaindre, parce que la pitié est chrétienne, et je ne le puis pas. Votre froide insolence, votre hypocrisie tortueuse, que je voyais ramper dans votre signature à la fois onduleuse et ascendante, au bas de votre lettre écrite à la machine – car vous prenez la précaution aujourd'hui d'écrire vos bordereaux à la machine ! –, ne laissent place en nous qu'à un insurmontable dégoût. Vous ressemblez, monsieur, à un jeu de cartes, si étrange que puisse vous paraître cette comparaison. Vous vous plaisez à être battu après avoir été coupé. Il serait plus sage de vous en tenir là et, comme on dit au bridge, de faire le mort.

### Une tentative d'assassinat

Le 4 juin 1908, « M. Gregori, syndic de la presse militaire, tira deux coups de revolver sur Dreyfus, qui fut très légèrement blessé au bras. Le départ du président de la République, des ministres et des membres du Parlement donna lieu à des manifestations violentes », annonça fièrement Dutrait-Crozon dans le *Précis de l'affaire Dreyfus* [169].

Lorsque Maurras imagina en 1912 l'exécution rêvée du traître, il pouvait se souvenir et se féliciter de la tentative d'assassinat qui avait eu lieu contre Dreyfus, le 4 juin 1908, au cours de la cérémonie de transfert des cendres d'Émile Zola au Panthéon. Louis-Anthelme Gregori, un journaliste nationaliste, collaborateur d'Édouard Drumont pour l'édition illustrée de *La France juive*, tira deux balles en direction du capitaine Dreyfus. Celui-ci fut blessé au moment où, apercevant l'arme, il voulut se protéger. Dreyfus fut atteint légèrement au bras.

Le projet d'assassiner Dreyfus au cours de cette cérémonie en hommage au Zola dreyfusard avait été envisagé par les nationalistes. Une telle action allait viser les deux hommes les plus détestés des antidreyfusards, Dreyfus parce que Juif et surtout Juif choisissant de se battre au nom de la justice, Zola parce qu'il était venu à son secours et avait permis à l'Affaire de devenir une cause pour l'humanité. Des rapports de la préfecture de police firent état d'un plan discuté lors d'une réunion spéciale de l'Action française ; un royaliste proposa même « vingt mille francs pour l'exécution du traître ». Des solutions furent recherchées « pour favoriser l'évasion de son justicier ou le protéger contre les représailles possibles de la foule ». Cependant, Maurras se montra hostile à l'élimination de Dreyfus. En le supprimant, « l'Action française perdrait sa meilleure arme contre la République ».

Cependant, les articles d'injures publiés en permanence contre Dreyfus, et la dénonciation de la cérémonie du Panthéon ne pouvaient que créer un climat favorable à ce type d'exploit sanglant. L'Action française voulait faire de cette cérémonie la preuve de son pouvoir, en la perturbant du mieux qu'elle pouvait. Elle pourrait affirmer ainsi l'entrée dans le temps de la revanche, après la domination du radicalisme dreyfusard qui dominait le pays depuis la formation de la « défense républicaine ». S'attaquer à une cérémonie si symbolique, c'était bien marquer ce nouveau pouvoir pour lequel l'événement représentait un acte inaugural, le début d'une croisade et d'une conquête pour la vraie France et contre ses ennemis.

La campagne contre Dreyfus et Zola commença très tôt. Une affiche fut placardée, déclarant que la « vraie place » d'Émile Zola était « dans l'ordure qu'il aimait tant ». Léon Daudet parla de la « honte suprême » de l'honneur fait à Zola, « le grand métèque protecteur du traître juif[170] ».

Le 3 juin, *L'Action française* mobilisa ses troupes : « Amis, étudiants patriotes, qui ne voulez pas que la France soit dévorée toute vive par le Juif et le métèque, nous faisons appel à votre énergie, à votre solidarité, à votre esprit d'organisation. » Des bagarres rangées opposèrent des centaines de Camelots du roi avec des contre-manifestants. Léon Daudet galvanisa ces jeunes énergies : « Nous sommes ici pour grouper et élucider ces justes colères nationales. Un comité de surveillance des métèques du Quartier latin est une nécessité qui s'impose. [...] Nous mettons à sa disposition, bien entendu, les bureaux de *L'Action française*. » On conseilla à Alfred Dreyfus de s'abstenir de se montrer.

Le 4 juin, dès les premières heures de la matinée, la police, présente en masse, arrêtait tous les manifestants qui faisaient mine de se regrouper. La cérémonie débuta avec l'arrivée en grande pompe du président de la République Armand Fallières. Le cortège remonta la rue Soufflot encadré par des détachements militaires. Dreyfus était installé non loin des figures historiques du combat dreyfusard, à présent au sommet des pouvoirs et des honneurs : Clemenceau président du Conseil, le général Picquart ministre de la Guerre, Jaurès... L'ancien capitaine était assis entre sa femme et son frère.

Le ministre de l'Instruction publique prononça le discours pour Zola. La musique militaire entonna le *Chant du départ*. Puis le cortège officiel se forma, et Dreyfus se leva pour le rejoindre. À cet instant, il aperçut un homme brandissant vers lui un revolver. Il se protégea, leva le bras. La première balle se perdit, la seconde le blessa au bras. Il fut aussitôt secouru par sa famille et d'illustres médecins présents parmi les invités, dont le professeur et sénateur Samuel Pozzi [171]. L'agresseur fut aussitôt maîtrisé. Dreyfus fut soigné dans le commissariat de la place du Panthéon.

## « Parmi ces êtres se trouve votre amie »

Cet attentat bouleversa ses amis. La grande actrice Sarah Bernhardt lui adressa un message : « Vous avez encore souffert, nous avons encore pleuré. Mais vous ne devez plus souffrir, et nous ne devons plus pleurer. Le drapeau de la vérité est placé dans la main de l'illustre mort couché sous les voûtes glorieuses. Ce drapeau claquera plus haut que les aboiements de la meute. Ne souffrez plus, notre cher martyr. Regardez autour de vous, tout près, puis plus loin, plus loin encore, et voyez cette foule d'êtres qui vous aiment et vous défendent contre la lâcheté, le mensonge et l'oubli. Parmi ces êtres se trouve votre amie [172]. »

Au mois de septembre 1908, le procès Grégori fut une nouvelle occasion pour l'Action française de relancer l'agitation contre Dreyfus et l'arrêt de la Cour de cassation. Au cours des débats, André Gaucher, rédacteur à *L'Action française*, interrompit le président de la cour qui venait de rappeler que la Cour de cassation s'était prononcée de manière « formelle, définitive, irréfragable ». « En violant l'article 445 au moyen d'un faux », déclara-t-il. Cet incident fut largement mis en scène par *L'Action française* et *La Libre Parole* [173].

Dreyfus se présenta au procès, sans craindre d'affronter la foule et ses ennemis. Eugène Naville lui servit de garde du corps. Le professeur Pozzi accepta de témoigner. Il reçut plus tard de Dreyfus une lettre de vive reconnaissance. L'ancien déporté confia à l'illustre médecin : « Le verdict imputé n'atteint que ceux qui l'ont rendu ; il faut vraiment avoir une bizarre mentalité et une conscience bien accommodante pour répondre "non" à la question : "Est-il coupable de coups et blessures ?" Si le jury, après avoir frappé au nom de la justice, avait demandé l'application de la loi de sursis, je l'aurais volontiers compris, tant l'être ne mérite, par son attitude veule, qu'un mépris dédaigneux. Mais vous me connaissez assez, mon cher docteur, pour savoir que je ne m'émeus pas de ces vilenies. Il faut au contraire y puiser une force plus grande pour faire l'éducation des masses, et leur apprendre ce que les mots "justice", "vérité" et "conscience" nous imposent de devoirs et d'obligations. À vous de tout cœur [174]. » La cour d'assises acquitta Grégori le 11 septembre 1908. « C'est la révision de la révision », s'écria Grégori, préfigurant le cri de Charles Maurras condamé à la Libération pour intelligence avec l'ennemi : « C'est la revanche de Dreyfus ! » Le journaliste lui dédia son « compte rendu » du procès qui n'était rien d'autre qu'une collection d'extraits largement commentés et manipulés. Le livre fut publié par les soins de *La Libre Parole*. L'entreprise visait à *réviser* tous les actes judiciaires antérieurs favorables à Dreyfus [175].

L'acquittement de Grégori lança le signal d'une nouvelle campagne antisémite où s'illustra particulièrement le commandant Cuignet. La Cour de cassation fut attaquée à nouveau pour avoir fait afficher l'arrêt de réhabilitation. En 1908, l'inauguration du monument à Bernard Lazare à Nîmes donna lieu à une violente manifestation antisémite. Aristide Briand, devenu président du Conseil, réagit sans fermeté. Nationalistes et antisémites restèrent maîtres du terrain.

Quant à Léon Daudet, il interpellait son lecteur après l'attentat manqué de Grégori. « Veux-tu sortir Zola du Panthéon ? Veux-tu mener Dreyfus au poteau d'exécution ? Veux-tu briser le carcan juif ? Rappelle, exige, invoque ton roi [176]. » Au moins le fils du doux Alphonse Daudet avait de la suite dans les idées. Le 5 janvier 1894, il avait produit la même littérature pour rendre compte de la dégradation du capitaine Dreyfus. Presque quatorze années s'étaient écoulées et rien ne semblait avoir changé. Le procès antisémite de Dreyfus n'atteignait peut-être plus la grande presse, mais les mots étaient plus violents encore. Il fallait écraser non seulement un Juif, mais le symbole de la justice honnie, celle qu'avait révélée une république capable de réhabiliter le « traître ».

Entre 1894 et 1908, il y avait en effet une différence majeure : le grand combat pour la justice mené pour Dreyfus et l'héroïsme révélé d'un Juif qui avait survécu au « plus grand procès du siècle ». Cet engagement majeur, imprévu et conquérant obligeait le nationalisme à se transformer en une machine de guerre contre le dreyfusisme. Mais l'expérience de la justice par toute une société et le visage que lui avait donné le capitaine Dreyfus rendaient plus difficile la domination totale de l'antisémitisme et de la tyrannie d'État. Le siècle qui commençait était là, résumé dans son destin tragique et lyrique. Et Dreyfus était vivant, libre, réhabilité par la justice. Certes, il était désormais seul à la défendre. Il savait que les attaques contre l'arrêt du 12 juillet 1906 cachaient une offensive générale contre la Cour de cassation qui l'avait réhabilité et, au-delà, contre le principe de la loi et le pouvoir du droit seuls capables de résister à l'oppression. Mais il n'y eut bien que lui pour le comprendre à cette époque. Sans l'imaginer, il pointait du doigt les défaites futures du pays qui préféra la force au droit, l'arbitraire à la justice.

Dreyfus conservait intact son devoir de justice.

# Dreyfus dans la République
## « Une tradition de justice »

Le 25 juin 1907, le commandant Alfred Dreyfus avisa son supérieur, le directeur de l'artillerie de Vincennes, de sa décision de demander sa mise à la retraite. Il souhaitait le remercier de « l'excellent accueil » qu'il avait trouvé auprès de lui et des officiers de la direction[1]. Dreyfus venait de passer en effet huit mois sous ses ordres. Il avait repris le service actif le 15 octobre 1906, douze ans exactement après son arrestation au ministère de la Guerre. D'abord affecté à la direction de l'artillerie à Vincennes, Dreyfus prit ensuite le commandement de l'artillerie de l'arrondissement dc Saint-Denis[2]. Avant son retour dans l'armée, il avait été convié à dîner au Cercle militaire par les officiers d'artillerie de la 1re division de cavalerie. « Le commandant Targe porta un toast très touchant. Je fus heureux de me retrouver parmi tous ces jeunes officier des batteries à cheval où j'avais servi de 1883 à 1889, dans mes années de jeunesse, d'enthousiasme et de foi[3]. » Ces années étaient définitivement révolues et il le savait.

Il demanda officiellement sa mise à la retraite le 26 juin. Il le fit « avec une profonde tristesse [...] mais aussi avec le sentiment très vif de remplir [son] devoir de dignité ». Cette revendication de dignité était l'arme qu'il avait conçue contre l'injustice et l'arbitraire. Il s'en expliqua encore au président de la Ligue des droits de l'homme, Francis de Pressensé, en réponse à une lettre du 12 juillet adressée pour le premier anniversaire de l'arrêt solennel rendu par la Cour de cassation. L'ancien combattant dreyfusard lui déclarait combien il était malheureux de constater que « la victoire a été imparfaite : les réparations n'ont pas toutes égalé les injustices commises ». Dans une autre lettre, Pressensé avait déploré qu'« en juillet 1906 un acte de justice nécessaire [n'avait] pas été accompli pour l'honneur de la France et de la République[4] ». Le 12 juillet 1907, Pressensé voulut rappeler aussi à Dreyfus combien son nom était indissociable de l'Affaire :

C'est pour nous tous une joie sans mélange que d'adresser, dans les circonstances que nous traversons, l'expression de notre sympathie à celui qui fut la victime et sur lequel, malgré tant de souffrances, ne s'est pas encore épuisée la haine d'une faction scélérate. C'est pour nous d'autant plus une juste fierté d'avoir servi, fidèlement et du meilleur de notre cœur, une juste cause que, vous le savez, nous n'avons jamais séparée de celle de tant d'autres innocents qui continuent à souffrir. Si nous sommes heureux d'avoir pu accomplir notre devoir en apportant une aide fraternelle à l'homme énergique qui, même dans la pire adversité, ne désespéra jamais de lui-même et sut avoir la foi dans la puissance intrinsèque de la raison et du droit, c'est beaucoup pour la justice de votre cause, c'est surtout parce que, dans le souvenir de cette bataille, nous puisions la confiance de vaincre encore, au nom de cette grande cliente qui s'appelle l'humanité opprimée [5].

Mais Dreyfus était las de résister et il ne croyait plus à la mobilisation des hommes de justice pour renverser les décisions iniques de l'État. Il avait répondu négativement au général André qui sollicitait son accord pour « lancer publiquement un appel aux consciences non satisfaites [6] » : « Je répondis au général André que sa proposition m'avait profondément touché, mais que, ayant l'intention de demander ma mise à la retraite à la fin du mois, elle n'aurait plus aucun objet [7]. »

Le commandant Dreyfus, qui ne devait rester officiellement que capitaine après sa mise à la retraite [8], quitta alors l'armée dont il avait intensément rêvé, qu'il avait imaginée ouverte jusqu'au plus haut grade et qu'il devait laisser à jamais – il ignorait que surviendrait la Première Guerre mondiale. Ce fut pour lui une profonde blessure dont on ne mesurera jamais assez la gravité. Chaque jour, sa condition d'ancien officier devait lui rappeler que l'Affaire l'avait transformé en une victime alors qu'il était innocent et revendiquait, par l'appel à la justice, le droit de l'être.

L'insistance de Dreyfus à revenir dans son corps dans les conditions qu'il aurait connues s'il n'avait pas été frappé par la conspiration de l'état-major ne procédait pas d'un amour immodéré des armes et de la vie militaire. On a même vu qu'il se tenait à distance de ses camarades et préférait la réflexion intellectuelle au maniement des batteries – même s'il excellait avec ces dernières [9]. Le but qu'il poursuivait de parvenir au grade d'officier général – éventualité tout à fait plausible en 1894 compte tenu de ses états de service – signifiait à la fois que l'armée s'ouvrait aux forces vives de la nation comme celles qu'il représentait en tant que polytechnicien, juif, intellectuel et qu'à l'inverse la nation réservait aux couches nouvelles un accès égal aux hautes fonctions publiques. L'État aurait alors progressé comme la société.

L'éviction du capitaine Dreyfus ne fut bien sûr pas responsable de la faillite du haut commandement en 1914, de l'effondrement de 1940, du refus de servir le général de Gaulle ou de la guerre idéologique menée après la Libération dans les territoires de l'Empire. Mais elle est un symptôme de la fermeture d'un corps et de son aveuglement qui entraîna la France et le monde dans des désastres sans précédent. Il suffit de lire Marc Bloch et son témoignage à chaud de la défaite de 1940[10] pour comprendre qu'une occasion avait été manquée, au tournant du siècle, pour construire une armée ouverte sur la société et la pensée, une armée populaire et compétente, qui assumerait les fautes de l'affaire Dreyfus comme les violences coloniales. Mais rien n'y fit, et les différents gouvernements renoncèrent à imposer les réformes nécessaires. La Première Guerre mondiale aurait pu modifier la donne, mais l'euphorie de la victoire figea les positions. De la même manière, les éléments nouveaux issus de la Résistance ne servirent pas, en 1945, à construire l'armée de demain. Il fallut attendre 1961 et la réaction du pouvoir gaulliste au putsch des généraux à Alger pour amener les armées françaises, surtout l'armée de terre et la marine, à des changements radicaux, soixante ans après.

Et le symptôme continue. Si Dreyfus appartient à la mémoire nationale, comme le montrent les commémorations que nous évoquerons au terme de cet épilogue, il est loin de figurer dans le patrimoine historique de l'armée. Pourtant, les cadres actuels ne pourraient que s'inspirer de l'exemple de cet officier qui progressa par la réussite aux grandes écoles et l'excellence de son service d'état-major, qui prouva de hautes qualités de courage et de résistance en face d'une situation extrême que bien peu de soldats aurait affrontée comme il l'a fait, et qui exprima inlassablement son patriotisme, sa confiance dans ses chefs et sa volonté de se mettre au service de la France. Le jour où sa statue se dressera en face de l'École militaire, où il donnera son nom à une promotion de l'École militaire spéciale de Saint-Cyr, où les autorités de la République décideront d'un hommage véritable à un homme qui a honoré les valeurs nationales et démocratiques, alors seulement on pourra dire que la justice aura été rendue au capitaine Dreyfus.

Ayant quitté l'armée, Alfred Dreyfus se replia sur sa famille, sur ses amis, sur son passé et sur l'écriture qu'il choisit d'en donner. Il demeura dans l'Histoire par son souci de relire son « affaire » et d'en conserver toutes les traces documentaires et mémorielles. Il revint dans la grande histoire lors de la Première Guerre mondiale puisqu'il reprit du service et servit la France jusqu'au jour de la victoire. La fin de sa vie se passa entre ses enfants, sa femme et sa famille, devant le spectacle de la montée de l'intolérance en France et la marche des dictatures en Europe. Lorsqu'il mourut le 12 juillet 1935, à l'âge de soixante-seize ans, l'opinion publique fut silencieuse. À peine quelques hommages pour un homme dont le sort avait pourtant soulevé la conscience des peuples et des personnes. Seul en France Léon Blum, qui s'apprêtait à remporter avec le Front populaire les élections de mai-juin 1936, se rappela le grand engagement de sa jeunesse et publia « Souvenirs sur l'Affaire » dans *Marianne*.

*L'Action française* et les antidreyfusards, encore nombreux, se félicitèrent de ce silence. En revanche, de superbes articles rendirent hommage au capitaine en Angleterre et en Suisse romande. La famille de Dreyfus fut héroïque dans la Résistance. Mais le silence persista à la Libération. Alfred était l'exemple historique qui dérangeait. Le général de Gaulle l'avait qualifié d'« officier français », mais en privé seulement. Le voile de l'oubli commença à s'entrouvrir en 1994, lors du « premier » centenaire de cette énorme affaire. Le président de la République, Jacques Chirac joua un rôle dans cette remontée du souvenir.

## Le repli dans la vie

Dans les courtes années qui séparèrent la Belle Époque de la Grande Guerre, Alfred Dreyfus, revenu à la vie civile, se consacra d'abord à ses enfants. Indéniablement, il rattrapa avec eux le temps perdu, si cela était possible. Ce furent pour eux une grande chance d'avoir un père et leur mère aussi présents. En outre, comme nous l'avons vu dans ses lettres et dans ses textes de déportation, la manière dont il voulut les accompagner dans la vie était empreinte de beaucoup d'intelligence et d'humanité. Il est certain que la valeur de ses descendants, telle que nous avons pu personnellement l'apprécier, doit venir de cette attention de Dreyfus pour ses enfants et plus tard ses petits-enfants (il n'est pas indifférent de relever que plusieurs d'entre eux devinrent des médecins).

Ceux-ci furent aussi les témoins de sa souffrance, celle des cauchemars [11] qui emplissaient le silence des nuits dans son appartement du boulevard Malesherbes puis de la rue des Renaudes [12]. « Mon père, disait Pierre Dreyfus, qui, par nature, n'était pas d'un caractère très expansif, avait été marqué encore par cinq années de tortures et de solitude absolue et s'était concentré sur lui-même. Il vivait une vie intérieure intense, mais ne savait plus guère extérioriser ses sentiments. Il avait perdu l'habitude de les exprimer, et comme par ailleurs il répugnait à se plaindre, à exposer en public ses souffrances, il paraissait très froid, très distant à ceux qui le connaissaient peu [13]. »

Sa souffrance s'apaisait dans le travail qu'il effectua inlassablement sur les sources et la relation de son histoire. Les archives familiales, versées ou non dans les institutions patrimoniales (Bibliothèque nationale de France, Musée d'art et d'histoire du judaïsme, Musée de Bretagne), contiennent de multiples coupures de presse, brochures, livres qui portent de sa main les indications nécessaires de date et de lieu. Alfred Dreyfus fut archiviste en même temps qu'historien. Pour écrire la suite de son expérience – après *Cinq années de ma vie* –, il réunit une impressionnante documentation dont une partie a été enchâssée dans le texte même des *Carnets*. On peut dire qu'il a réuni ses

« preuves » et nous devons au travail de son fils d'abord (en 1935),
puis de Philippe Oriol ensuite (en 1994) de pouvoir les lire.
La rédaction de ses *Carnets* l'occupa tout au long de sa vie. Il
revendiquait par là un rôle majeur, celui d'opposer à la dernière injustice d'une réhabilitation tronquée la vérité et le pouvoir de l'histoire.
Nous ignorons précisément le temps de l'écriture de ces *Carnets* datés
du 4 octobre 1907, mais il est très probable que Dreyfus ait repris
l'ensemble du texte durant l'été 1907, après sa décision de prendre sa
retraite. Philippe Oriol a repéré trois temps d'écriture, de fin 1899 à
fin 1901 : pour réagir au procès de Rennes, en 1906 après le « triomphe final » en revenant sur les années précédentes, enfin une sorte
de récit au jour le jour des désillusions qui suivirent [14]. En 1901,
croyant la justice finale, il avait envisagé de continuer la publication
de ses *Souvenirs* [15]. Il semble qu'après 1907 la publication de ses *Carnets* n'ait plus été à l'ordre du jour. Il est vrai qu'ils auraient pu être
mal compris. De la même manière que le contexte politique et social
n'était plus en faveur d'une nouvelle réparation, celui-ci n'était pas
disponible non plus pour un récit qui l'eût fait passer pour un ingrat
et un récriminateur. Les indices fourmillent de sa mise à l'écart. Dans
une lettre à la marquise Arconati-Visconti, Joseph Reinach raconte
qu'Alphonse Aulard tremblait de peur à l'idée que Dreyfus puisse
demander à adhérer à la Société d'histoire de la Révolution française :
« Sauf vous et moi, personne n'invite Dreyfus à dîner ou à déjeuner,
à cause du monde ou à cause des domestiques [16]. »
Les choses en restèrent là. Ce ne fut qu'au tournant des années
trente qu'il reprit son manuscrit pour envisager un ensemble unique de
ses souvenirs. Mais il n'abandonna ni l'écriture ni la documentation. Il
correspondit avec les amis dreyfusards qui lui étaient restés fidèles,
reçut ou demanda les publications relatives à l'Affaire, continua de
découper la presse française et étrangère. Il se mit à fréquenter le salon
de la marquise Arconati-Visconti, grande protectrice des historiens [17].
Elle lui avait été présentée par Gabriel Monod, son « directeur spiri-
tuel ». « Ah ! capitaine ! lui écrivit-elle, vous avez peut-être sauvé ce
malheureux pays, car c'est l'Affaire qui, en éclatant, a montré ce qui
se tramait derrière le rideau de l'antisémitisme. Cette semence de dis-
cordes et de haines a montré ses semeurs, les troupes de Loyola et les
fidèles de l'Assomption [18]. »
Mais ces haines le poursuivaient toujours. Les militants de l'Action
française et les Camelots du Roi rêvaient toujours d'assassiner ou
d'enlever le « traître ». Ils allèrent, en 1912, jusqu'à investir le hall de
son immeuble. Ces nouvelles violences passèrent inaperçues de l'opinion publique et laissèrent le gouvernement indifférent alors qu'il était
tenu par l'arrêt de réhabilitation et le devoir de protéger tout citoyen
contre l'agression. La plupart des anciens dreyfusards l'avaient oublié
aussi, ou même rejeté à l'instar de Péguy – qui le dénonce dans *Notre*

*Jeunesse* en 1910 – ou de Clemenceau. Après l'avoir héroïsé, ceux-ci l'estimaient indigne du combat qui avait été livré pour lui.

Alfred Dreyfus trouvait une forme de consolation dans la profondeur de l'amitié, notamment celle qui l'unit à la marquise Arconati-Visconti. Ils échangèrent de 1909 à 1915 une belle correspondance. Dreyfus eut l'honneur d'être reçu en son château de Gaasbeek près de Bruxelles. Lors des « jeudis » à l'hôtel de la marquise à Paris, Dreyfus retrouvait notamment Joseph Reinach, Abel Lefranc, avec qui il partageait la même passion de Rabelais [19], Jean Jaurès avant d'être congédié définitivement par la marquise en mars 1913. Dreyfus donna aussi quelques comptes rendus d'ouvrages militaires à la *Revue historique* dirigée Gabriel Monod. Il prononça une conférence sur « L'histoire du syndicalisme en France ». L'armée l'occupa encore un peu. Il ne fut pas, comme son ami le colonel Mayer – qui lui aussi bénéficia d'une mesure partielle de réintégration –, un penseur de l'outil militaire et s'intéressa davantage à la stratégie et à l'artillerie. Effectuant des périodes militaires en tant qu'officier dans la réserve [20], il avait aussi un point de vue, parfois tranché, sur les questions militaires du temps. Comme Jaurès, il manifesta son hostilité à la loi des trois ans de service militaire, mais surtout par attachement à la loi des deux ans qui avait été l'œuvre du Bloc des gauches. Il en débattit par lettre avec la marquise :

La campagne contre le service de deux ans continue et on a mobilisé à cet effet toutes les vieilles culottes de peau qui sont trop contentes de prendre leur revanche du service de deux ans, contre lequel elles ont combattu de toutes leur forces. Il est bien plus commode de revenir à une forme archaïque que de chercher une solution nouvelle et adéquate à notre état social et à notre natalité [21].

Il adhéra à la Ligue des droits de l'homme, soutint les luttes sociales de son président François de Pressensé. En 1911, il le suivit dans la « nouvelle affaire Dreyfus [22] », provoquée par la condamnation inique du docker du Havre Jules Durand, accusé – par suite d'une manipulation judiciaire – d'avoir inspiré le meurtre d'un militant non gréviste. Il retrouva Jaurès dans l'engagement pour cette « affaire Dreyfus ouvrière », une « question tragique » posée à la République [23]. Il n'était pas un militant socialiste, mais il avait compris que son affaire avait signifié la réalisation d'une solidarité humaine où les ouvriers, les humbles, les opprimés, avaient joué un rôle essentiel. Ils s'étaient ouverts aux valeurs de liberté et de citoyenneté tandis qu'à l'inverse les bourgeois et les intellectuels regardaient vers les marges oubliées de la société. Après la grande grève des cheminots d'octobre 1910, Dreyfus critiqua cependant l'alignement excessif de Jaurès sur la CGT : « Je vous assure que, si vous m'aviez entendu parler de lui à un de ses amis intimes, narra-t-il à la marquise Arconati-Visconti, vous auriez vu que j'apprécie sévèrement son attitude dans la dernière grève et que je lui reproche vivement de n'oser pas être lui-même, au lieu de se traîner à la remorque des agitateurs de la CGT[24]. » Alfred Dreyfus se replongea avec bonheur dans l'ambiance chaleureuse de sa famille. Elle s'était élargie avec l'Affaire. Pierre fréquentait le fils de Joseph Reinach, Ado. Tous deux allaient au lycée Condorcet qui avaient été celui des frères Reinach, mais aussi celui d'Élie et de Daniel Halévy, de Xavier Léon, de Marcel Proust. Le 11 mai 1912, la fille de Mathieu Dreyfus, Marguerite, épousa Ado Reinach. La cérémonie eut lieu à Héricourt et une réception fut donnée à Belfort. Les occasions de réunions familiales se succédaient. Alfred assista ainsi, le 12 avril 1912, à une éclipse solaire sur le perron de la nouvelle maison d'Henry Bruhl au Vésinet. Lucie, on s'en souvient, avait connu cette ville-parc de l'Ouest parisien pour y avoir passé l'été 1897 lorsque son mari était toujours détenu à l'île du Diable. Frère d'Alice Bruhl et beau-frère de Lucien Lévy-Bruhl (cousin germain de Lucie), Henry avait racheté au début du siècle la « Villa Marguerite », la grande demeure de l'ancien maire et fondateur du Vésinet, Alphonse Pallu[25].

Après son succès au baccalauréat, Pierre Dreyfus entra au lycée Chaptal, là où son père avait été élève trente ans auparavant. Il prépara l'École centrale des arts et manufactures dont il réussit le concours en septembre 1910. Jeanne, en revanche, ne poursuivit pas ses études. En juillet 1914, elle célébra ses fiançailles, en Suisse, avec le docteur Pierre-Paul Lévy. L'été était une période heureuse. « Chaque année, le commandant Dreyfus partait avec sa famille un ou deux mois en Suisse, où il recevait toujours un accueil enthousiaste », devait se souvenir son fils[26]. Alfred lui-même raconta ces parenthèses enchantées dans ses *Souvenirs* inédits.

> Quand le temps devenait trop mauvais, ou trop frais pour rester à l'altitude, nous descendions vers l'Italie. C'est ainsi que nous avons séjourné au bord des lacs du nord de l'Italie, que nous avions tant aimés pour leur jolie lumière, leur calme et leur admirable bleu. Nous descendions ensuite jusqu'à Florence, petite ville exquise qui contient tant de trésors artistiques, où tout est harmonieux et dont le charme nous a laissé des souvenirs intenses. À la fin de la journée, lorsque nous étions las d'admirer tant de chefs-d'œuvre, nous allions nous asseoir sur la place Michel-Ange, au-dessus de l'Arno, au pied de San Miniato, ayant en face de nous les collines de Fiesole, jouir d'un admirable spectacle[27].

Dreyfus et sa famille étaient comme d'habitude en villégiature en Suisse, à Genève au bord du lac Léman, chez leurs amis les Naville, lorsque survinrent les événements de juillet 1914.

## La Grande Guerre

Dès que la mobilisation parut probable, le commandant Dreyfus partit pour Paris avec sa fille, ne voulant pas manquer celle des officier de réserve. Son fils, qui faisait son service militaire au 7e régiment d'artillerie stationné à Belfort, était toujours en garnison. À Paris, Mathieu suivait avec inquiétude la montée des hostilités. « J'avais avisé plusieurs fois Jaurès de la mauvaise foi des socialistes allemands, du développement considérable du pangermanisme, de l'opinion générale de l'Allemagne qu'une guerre contre la France serait fructueuse, facile, victorieuse et nécessaire pour s'attaquer ensuite à l'orgueilleuse Angleterre et établir définitivement en Europe l'hégémonie allemande en attendant la conquête du monde. [...] Mon ami M. Lévy-Bruhl, auquel souvent j'avais confié mes angoisses, me pria instamment d'essayer d'éclairer Jaurès sur les sentiments réels de l'Allemagne. J'y consentis et allai le voir. La conversation dura deux heures. Je racontai à Jaurès ce que je savais, je lui fis part des faits dont j'avais eu connaissance personnellement, d'une enquête faite procès de Rennes les autorités allemandes, et pour conclure je dis à Jaurès : "Mon ami, si j'avais votre notoriété, je ne mettrais jamais mon nom au bas d'un document qui pourrait affaiblir les forces défensives de la France." Jaurès resta silencieux, puis il me dit : "Mathieu, si vous avez raison, je serai le premier tué[28]." »

Sur le quai de la gare de Belfort, Alfred Dreyfus entendit un vendeur de journaux annoncer la mort de Jaurès. « J'en conçus un profond chagrin, c'était un prélude tragique à la guerre qui allait faucher, dans la fleur de l'âge, tant de jeunes hommes[29]. » Lucie voulut aller encore embrasser leur fils qui était déjà en position avec son régiment d'artillerie à Héricourt. « Mais elle eut le chagrin, après un voyage mouvementé, de ne plus le trouver » ; il était déjà en position près de la frontière et les communications étaient interrompues. Le commandant Dreyfus fut convoqué à Vincennes le 2 août 1914, et désigné pour être adjoint au colonel commandant l'artillerie de la zone nord du camp retranché de Paris. Soulagé de reprendre place dans cette armée qui n'avait pas voulu de lui et pour combattre l'ennemi, il voulait « prendre le collier pour de bon [...], afin d'en finir une fois pour toutes avec toutes ces querelles que l'Allemagne nous suscite constamment et liquider la situation. La guerre est évidemment une chose terrible, avec son cortège d'horreurs et de souffrances, mais tout vaut mieux que l'état de tension perpétuel, et les coups de Tanger et d'Agadir qui peuvent se renouveler à la première occasion[30] ».

Dans ses *Souvenirs* inédits, Dreyfus raconta brièvement sa guerre de 1914-1918. Il insista sur son expérience du front, particulièrement sur le chemin des Dames et à Verdun.

Au moment de la marche de Von Gluck sur Paris, notre émotion fut intense. Nous savions que la défense de la ville était très précaire, mais nous étions tous résolus à faire bravement notre devoir pour notre chère patrie. Un matin, alors que nous étions en observation au fort de Daumont, nous vîmes les troupes de Von Gluck déboucher de Luzarches et, au lieu de se diriger sur nous, obliquer vers l'est dans la direction de l'Ourcq. Ce fut un soulagement, c'était le prélude de la bataille de la Marne, victoire éclatante[31].

Dès les premiers mois de la guerre, j'eus le profond chagrin de perdre deux neveux, le fils [Émile] et le gendre [Ado] de mon cher frère Mathieu qui fut ainsi cruellement éprouvé.

Les officiers supérieurs étaient chargés de visiter les blessés dans les hôpitaux de la région. C'était une mission très pénible et qui vous arrachait le cœur. Un jour que je m'approchais d'un jeune blessé de vingt ans, amputé des deux jambes et que je cherchais à le consoler, il me dit, en me montrant son voisin aveugle, ce mot touchant : « Je plains davantage celui qui est à côté de moi et qui ne peut plus jouir de la vue des prés, des arbres, des fleurs ! »

Après avoir participé à la mise en état de défense de la zone nord du camp retranché, celle-ci étant à peu près terminée, je fus, sur ma demande, affecté aux armées et nommé au commandement du parc d'artillerie de la 168e division (20e corps d'armée).

À mon arrivée au front, je fus témoin d'un émouvant combat d'avions ; l'avion ennemi fut descendu.

Au mois de mars 1917, eut lieu la concentration des troupes pour l'attaque projetée du Chemin des Dames. Le 11 et 12 avril, la canonnade fut violente, le 13 nous fumes copieusement marmités. Un dépôt de munitions sauta à 300 mètres de nous, les éclats des projectiles nous enveloppèrent mais sans blesser personne.

Le 16 avril fut le début de l'offensive pour s'emparer des hauteurs du Chemin des Dames. Nous sommes arrêtés avant d'avoir pu franchir l'Aisne, nous apercevions le tir formidable de l'adversaire établi sur le chemin des Dames.

Cette offensive fut reprise le 4 mai, sans résultats. Notre bivouac devient intenable, nous sommes constamment marmités et je perds du monde. On nous fait alors reculer pour nous mettre à l'abri dans un ravin.

Puis nous quittâmes cette région pour aller tenir le secteur de Nancy, secteur relativement calme à cette époque.

Le 1er janvier 1918, nous sommes dirigés sur Verdun, par un froid glacial. Nous pataugeons dans la neige. À mon arrivée, j'apprends que nous relevons le 7e corps où sert mon fils que j'ai la joie d'embrasser. Parti simple soldat, il est maintenant lieutenant et l'objet de trois citations élogieuses, l'une à l'ordre de l'armée, les deux autres à l'ordre de la division. [...]

J'allai de mon poste de commandement visiter Verdun, un jour où le bombardement n'était pas trop intense. L'impression était inoubliable, et aucune photographie ne peut la rendre. C'est un amoncellement de ruines, de pierres enchevêtrées et le silence qui règne dans les choses mortes produit un effet saisissant. Hélas ! ce n'est pas la destruction causée par un cataclysme de la nature, c'est l'œuvre systématique de l'homme !

Il parut à cette époque une circulaire relative aux limites d'âge des officiers dans les unités combattantes ; en suite des dispositions de cette circulaire, je fus renvoyé à l'intérieur et mis à la disposition du ministre de l'Armement. Celui-ci me désigna pour prendre le commandement du parc d'artillerie d'Orléans [32].

Alfred Dreyfus termina la guerre avec le grade de lieutenant-colonel, il fut nommé le 25 septembre 1918. Il fut également promu au grade d'officier dans l'ordre de la Légion d'honneur. Une photographie le montra pendant la cérémonie, l'air très vieilli, les cheveux blancs, le regard intense. Son fils fut nommé capitaine et fait chevalier de la Légion d'honneur le 16 mars 1921, pour prendre rang du 16 juin 1920 [33]. Le père et le fils s'écrivirent beaucoup pendant le conflit. Dans l'une de ces lettres, Alfred expliqua à Pierre combien les Juifs de France devaient en faire toujours plus que les autres s'ils voulaient rester dignes dans le cœur de la France. De toute sa vie, ce fut probablement le seul moment où il insista sur ses origines juives [34]. Pierre Dreyfus honora ce conseil. Il se battit courageusement dans les batailles de Verdun et de la Somme.

De son côté, pendant toute la durée de la guerre, Lucie Dreyfus remplit les fonctions d'infirmière bénévole dans les hôpitaux de blessés.

## LE SURSIS D'APRÈS GUERRE

En 1918, il ne reste que dix-sept ans à vivre au lieutenant-colonel Dreyfus. De lui son fils dit qu'il fut « très usé par les fatigues de la guerre ». Et la joie de la victoire ne put éclipser les deuils si proches. Émile Dreyfus et Ado Reinach furent fauchés dans la fleur de l'âge, selon l'expression consacrée mais lourde de sens. « Vint l'armistice, puis la fin de la guerre. Elle nous rendait l'Alsace-Lorraine, qui nous avait été ravie en 1870 et d'où je fus exilé en 1872. [...] Espérons qu'aucune guerre ne pourra plus se produire et que les peuples communieront dans un grand souci d'humanité, de confiance réciproque et de compréhension mutuelle [35] », écrit-il dans ses *Souvenirs*. Sa belle-mère, Louise Hadamard, entreprit, bien que très âgée, de faire reconstruire le village de Morcourt, près de Saint-Quentin, entièrement détruit. Elle resta très proche de son gendre.

Malgré la victoire, Alfred Dreyfus ne devait plus jamais retourner dans sa terre natale. Il revint à la vie civile et reprit, selon son expression, « sa vie familiale [36] ». Il eut le bonheur de voir sa famille s'agrandir. Jeanne et le docteur Pierre-Paul Lévy eurent quatre enfants : deux filles, Simone et Madeleine, deux garçons, Jean-Louis et Étienne. Pierre, qui épousa Marie Baur, eut également quatre enfants dont trois filles, Françoise, Nicole et Aline. Simone, l'aînée, a été la seule à avoir longtemps connue leur grand-père. Mais Jean-Louis Lévy se souvint très clairement de ce grand-père qu'il perdit à l'âge de quinze ans.

J'allais le voir, le jeudi, dans son petit bureau de la rue des Renaudes. Penché sur sa collection de timbres, il fumait silencieusement la pipe. À condition qu'ils ne soient point trop turbulents, se trouvent exacts à table, respectent sa méditation, il aimait la compagnie de ses petits-enfants. (Et, plus que toutes, celle de ma sœur Madeleine, qui fut déportée à Auschwitz. Il lui chantonnait volontiers quelques airs de l'époque.) Avec nous il passait, au bord de la mer, une partie des grandes vacances. Je n'osais lui poser de questions. Jamais il ne nous parla de l'affaire, ni de son martyre à l'île du Diable. Je savais, par ma grand-mère, que des cauchemars hantaient ses nuits : la double boucle, le plomb du soleil tropical...
Je le revois, boulevard de Courcelles, fragile, voûté, nerveux, marchant d'un pas pressé, sa grosse montre toujours à portée de main... (combien de ces montres d'acier dont il semblait faire collection ne m'a-t-il offertes, dont je n'osais lui avouer la perte !) [37].

« Il continua à lire beaucoup et à s'intéresser particulièrement à tout ce qui paraissait relativement à l'Affaire », se rappelait son fils qui fut associé à partir de cette époque à la conservation des archives et des manuscrits paternels. Ses souvenirs portent trace de deux communications en provenance d'Allemagne, l'une de Bruno Weil, auteur d'une histoire de l'Affaire Dreyfus, et l'autre de la veuve de l'ex-colonel von Schwartzkoppen. L'affaire Dreyfus revenait dans l'actualité alors que s'accentuait la menace des nazis sur la République de Weimar.

Le 5 février 1930, M. Bruno Weil, éminent avocat de Berlin, fit une conférence sur le rôle du gouvernement allemand dans « l'affaire Dreyfus ». Il y déclara « que le gouvernement français s'était adressé, pendant le procès de Rennes, au gouvernement allemand, sous des formes pressantes. [...] Mais, chez le prince de Bulow, la raison d'État l'emporta sur la question humanitaire. Dans une dépêche du 27 septembre 1898, le prince de Bulow disait : « [...] Il n'est pas à souhaiter que la France, à la suite d'une rapide et éclatante réhabilitation de Dreyfus, puisse obtenir de nouveau la sympathie des libéraux et des israélites. Il vaut mieux que l'affaire continue à suppurer, qu'elle déconsidère l'armée française et provoque un grand scandale en Europe. »
Cette déclaration du prince de Bulow montre bien que les défenseurs de la justice en France étaient les seuls patriotes clairvoyants.
Dans le courant du mois de juin 1930, je reçus de madame de Schwartzkoppen le livre qui contient les carnets de son mari décédé, avec la lettre suivante dont je donne la traduction :
« Hannover, 11 juin 1930,
Très honoré monsieur Dreyfus,

Je vous adresse aujourd'hui par la poste les carnets de feu mon mari, le général d'infanterie von Schwartzkoppen, publiés par le colonel Bernhardt Schwertfeger : "La Vérité sur Dreyfus"[38].

Je crois agir dans l'esprit de mon mari dont le vœu a toujours été de témoigner dans le monstrueux procès dont vous avez été le point central et la victime. Pour des raisons diverses qu'indiquent clairement ses Souvenirs, il lui a été impossible de le faire de son vivant. [...]"

Ces carnets me firent revivre avec une intensité douloureuse des souffrances physiques et morales telles que les années écoulées n'ont pas atténuer le souvenir. Ils confirment d'une façon irréfutable les faits que l'enquête magistrale de la Cour de cassation avaient établis.

La lettre de madame de Schwartzkoppen est touchante, mais si son mari a agi en honnête homme en dévoilant finalement tout ce qu'il savait, il est cependant regrettable qu'il n'ait pas cru devoir le faire le jour où il a compris qu'un crime judiciaire avait été commis. Le général Schwartzkoppen s'était strictement soumis à la discipline militaire, alors que le colonel Picquart sacrifia tout, une carrière qui s'annonçait brillante, pour accomplir un devoir de conscience, dévoiler la vérité et démasquer le coupable.

Les *Souvenirs* inédits d'Alfred Dreyfus s'achèvent sur cette phrase et sur une date, janvier-mars 1931. À l'heure de clore le grand livre de sa vie, il terminait sur un hommage au colonel Picquart. Il oubliait sa lâcheté dans l'affaire de sa réintégration pour ne retenir que sa vertu et son courage devant le crime d'État.

L'achèvement de ces *Souvenirs* terminait une importante œuvre de refonte de tous ses écrits autobiographiques. Mais il laissa à son fils le choix de décider quelle forme prendrait leur éventuelle publication. Celui-ci, en 1936, décida d'utiliser la matière des souvenirs pour composer la troisième partie de *Souvenirs et correspondance* du capitaine Dreyfus, publiés après sa mort : « Les dernières années, 1906-1935. »

Les dernières années de ces « dernières années » furent certes caractérisées par le repli sur la sphère familiale et la vieillesse. Mais Dreyfus s'intéressa, comme avant la guerre, aux problèmes politiques et sociaux. Il conserva de nombreuses relations qu'il sut revivifier, notamment grâce au fils de Marie Hadamard[39], Jacques Kayser, journaliste et Jeune Turc radical – comme Mendès France et Jean Zay. Mais il ne voulait pas aller au-delà du besoin d'information de l'homme éclairé, se refusant à tout engagement public. L'une de ses rares sorties fut pour participer, en 1931, à la cérémonie d'inauguration d'une plaque commémorative apposée sur la maison où était mort Émile Zola, au 21[bis] de la rue de Bruxelles. Il assista aussi à la représentation, au théâtre de l'Ambigu, d'une pièce allemande adaptée en français par Jacques Richepin, et qu'évoque plus loin la philosophe Hannah Arendt. Le magazine illustré *Vu* en publia le texte intégral et reproduisit une belle photographie du capitaine vieillissant.

Car la vieillesse était là. Elle lui montrait le temps d'un antisémitisme de plus en plus violent et guerrier, différent en cela de celui qu'il avait subi à la fin du XIX<sup>e</sup> siècle. Il le menaçait directement. Des propagandistes comme Léon Daudet, avec son nouveau pamphlet antidreyfusard *Au temps de Judas*[40], ne laissaient d'être inquiétants. Alfred Dreyfus signa, en juillet 1927, une pétition d'universitaires en faveur d'un procès équitable pour les anarchistes Sacco et Vanzetti, mais il ne souhaita pas aller plus loin, comme il s'en expliqua dans le *New York Times*. Aux Américains, Anatole France avait lancé : « Entendez l'appel d'un vieil homme de l'Ancien Monde[41] ! »

Dreyfus s'impliqua davantage dans les œuvres juives libérales, comme la nouvelle organisation de l'Accueil fraternel israélite, aux côtés du fils de l'ancien grand rabbin Zadoc Kahn et de Léon Blum. Pierre, qui embrassa finalement une carrière d'industriel, en était même trésorier. Lucie continuait son action au Comité de bienfaisance israélite[42]. Mais les dernières années de la vie d'Alfred le virent se replier encore davantage. « Le colonel Dreyfus, raconta son fils, tout en conservant son intelligence intacte, vit ses forces diminuer, et il mena une vie de plus en plus casanière, entouré de l'affection des siens. Au cours de sa promenade quotidienne, qu'il écourta de jour en jour, il était fréquemment arrêté par des passants qui le saluaient, l'assurant de leur déférence et de leur sympathie[43]. »

L'affaire Dreyfus paraissait très lointaine, au sens propre avec Dreyfus fatigué, entouré des fantômes de tous les dreyfusards morts, comme au figuré avec les événements du 6 février 1934 en France et l'antisémitisme triomphant en Allemagne. Le *Précis* de Dutrait-Crozon fut réédité en 1924. Les Camelots du Roi attaquèrent les spectateurs de la première de la pièce de René Kestner[44], *L'Affaire Dreyfus* en 1931. « Le gouvernement (présidé par Pierre Laval) agit exactement comme ses prédécesseurs l'avaient fait près de trente ans auparavant : il s'empressa de se déclarer incapable de garantir une seule représentation sans troubles et les représentations furent arrêtées, ce qui assura aux antidreyfusards un dernier triomphe », releva la philosophe allemande réfugiée aux États-Unis Hannah Arendt, contemporaine de ces événements[45]. En Allemagne, la République de Weimar avait été balayée et les nazis s'acharnaient désormais sur les Juifs, sur les socialistes, sur les libéraux. Lucie comme Alfred voyaient arriver les réfugiés politiques et demander de l'aide à la France. Celle-ci les ignora pour la plupart, à l'exception des quelques organisations pour lesquelles œuvraient le capitaine, sa femme et ses enfants.

Alfred et ses proches pouvaient reprendre à leur compte le constat d'Emmanuel Levinas, le philosophe de Lituanie venu en France parce qu'il avait entendu, du fin fond de l'antisémitisme qui recouvrait sa vie, l'écho de l'affaire Dreyfus et de la bataille livrée pour défendre l'honneur et la dignité d'un Juif :

Il m'est arrivé de voir Brunschvicg malheureux. Il me souvient d'une matinée de dimanche, rue Scheffer, en automne 1932. Il pleuvait ou il faisait gris, et dans son grand bureau du premier, à côté de l'immense table de travail, Brunschvicg, en pantoufles, attendait ses visiteurs, ses étudiants. Il était tôt, et il n'y avait encore personne. « Les hommes de ma génération, dit Brunschvicg, ont connu deux victoires : l'affaire Dreyfus et 1918. » Dehors, il pleuvait et en Allemagne montaient les périls. « Et voici, jeta Brunschvicg avec ce petit air de ne pas avoir l'air qui lui était particulier, les deux batailles gagnées sont de nouveau en cause... À moins que ce ne soient des lamentations de vieillard », ajouta-t-il après un silence, déjà prenant distance par rapport à ce qu'il venait de dire [46].

## LA MORT DU CAPITAINE

À l'été 1934, Alfred Dreyfus, qui n'avait jamais pleinement récupéré de ses quatre ans de réclusion à l'île du Diable, contracta le mal qui devait l'emporter un an plus tard. Son fils, encore, témoigna.

Quand la maladie le terrassa, il ne se plaignit jamais. Il se savait perdu et disait seulement parfois que la vie, qui le faisait encore tant souffrir, lui avait été bien cruelle.

De nombreux médecins, parmi lesquels les professeurs les plus éminents, lui prodiguèrent leurs soins avec un dévouement touchant, considérant comme un inappréciable honneur d'être appelés à son chevet.

Et Pierre Dreyfus rendit alors hommage à sa mère pour le soutien inestimable qu'elle avait apporté à Alfred dans la tourmente, et qu'elle lui prodiguait désormais en face de la mort qui venait.

Pendant cette longue années de souffrances, le colonel Dreyfus fut constamment soutenu par celle qui porte si dignement son nom et qui, jusqu'à l'ultime minute, malgré des mois entiers de fatigue surhumaine, se tint à son chevet, le soigna avec une constance maternelle, et lui apporta, du seul fait de sa présence bien-aimée, un réconfort et un soulagement. Car, dans un regard de sa compagne, le malade retrouvait toute leur vie, faite de confiance réciproque, de luttes partagées, d'obstacles vaincus en commun, d'estime mutuelle, d'affinités d'esprit et de cœur, d'amour en un mot, d'amour profond, rayonnant, indestructible.

Dans cette chambre où son pauvre corps souffrait affreusement, une chose n'avait point changé. Ils étaient restés l'un pour l'autre tels qu'ils étaient sortis de l'épreuve, grandis, plus compréhensifs et plus humains. Le colonel, aux yeux de sa femme, était toujours le héros du plus tragique des destins, dont la fermeté d'âme, la noblesse de caractère, l'inébranlable courage avaient ému la terre entière. Et même, Mme Dreyfus n'avait jamais cessé d'être pour lui un être d'exception, son étoile protectrice, la lumière vers laquelle, du fond de son cachot, il s'était tourné jour et nuit. Il lui savait gré de sa confiance, de son âme fidèle, de son invincible foi, de ses vertus de mère et de sa réconfortante tendresse. Et il lui vouait une admiration sans bornes pour son stoïcisme et sa vaillance durant le pénible et long combat, alors que, voilée de deuil, simple et émouvante, elle rallia autour d'elle comme autour d'un permanent flambeau, tant d'enthousiasmes et tant d'énergies[47].

Le 11 juillet 1935, Dreyfus perdit connaissance. Il mourut le lendemain, entouré des siens. Son fils le veilla dans ses derniers instants :

> Le colonel Dreyfus garda longuement sa main dans les siennes sans proférer une parole, lui transmettant ainsi, dans ce geste muet, son ultime pensée. Et le lendemain, vers cinq heures de l'après-midi, entouré des siens, il ferma les yeux et s'éteignit doucement[48].

Jean-Louis Lévy le revit sur son lit de mort. Cette scène ultime lui inspira plus tard une profonde méditation sur le rôle historique de son grand-père :

> Avec un regard bleu de myope, d'une tendresse déchirante : un regard *retourné*. [...] Qu'y avait-il derrière cette lueur déchirante – quel souvenir, quelle blessure, quel désespoir – je ne me posais pas alors la question ? Ni aujourd'hui, je ne veux y répondre. Ou plutôt vais-je tenter.
> Il y avait, je crois, la plus secrète blessure du capitaine Dreyfus, celle que nul historien – et pour cause – n'a effleurée : le drame vécu de la *désintégration*. Drame brisant s'il en fut : drame de la folie frôlée, de l'éclatement, d'une sorte de dédoublement de la personnalité, de fente « schizophrénique » entre deux images de soi : ce *qu'est* Dreyfus et ce qu'il *représente*. Dreyfus antidreyfusard, s'est-on empressé de proférer ! Non. Simplement Dreyfus personnifie, aux yeux du public contemporain, le traître, et il le sait. Et cela il ne peut le supporter. [...] Quand l'écart entre l'image de soi et la représentation de soi atteint cette tension, comment, à la limite, le moi ne se désintégrerait-il pas[49] ?

Les obsèques du capitaine Dreyfus eurent lieu au cimetière du Montparnasse, le 14 juillet 1935. Le cortège, modeste par rapport à la notoriété positive qui fut celle de l'homme qu'on portait dans sa dernière demeure, traversa Paris. Passant par la place de la Concorde vers le cimetière du Montparnasse, la dépouille du lieutenant-colonel Dreyfus, officier de la Légion d'honneur, reçut des honneurs militaires imprévus par les troupes massées pour le défilé. Au même moment se tenaient les Assises pour la paix et la liberté. L'écrivain Jean Guéhenno était présent :

> Alors soudain d'elle-même et d'un seul mouvement toute la foule qui peuplait l'immense amphithéâtre se leva, et, dans un silence qui saisissait le cœur, chacun pensa à ce mort. Voilà ce que de lui-même peut le peuple, la « cohue ». Il n'est pas un de nous qui, à la limite des larmes, n'ait senti qu'il se faisait dans ce moment, d'une génération à l'autre, comme une transmission, *une tradition de la justice*[50].

Avec le silence de la France sur sa disparition, le capitaine Dreyfus vécut une deuxième mort. La France ignora son décès. Et par là-même, elle oubliait son histoire. Au point que l'Action française et les nationalistes se félicitèrent du silence de la presse française. Hannah Arendt releva ce fait : « À la mort de Dreyfus, en 1935, la grande presse évita tout commentaire ; les journaux de gauche reprirent les vieux arguments de l'innocence de Dreyfus et ceux de droite rappelèrent sa culpabilité. [...] L'Action française (19 juillet 1935) loua la réserve de la presse française, tout en exprimant l'opinion que "les fameux champions de la justice et de la vérité d'il y a quarante ans n'ont pas fait école" [51]. » L'insistance de la philosophe désignait une vérité : le silence de l'histoire sur les faits historiques est une défaite de la démocratie autant que du savoir.

De fait, le silence fut général en France. Il découlait de la crainte qu'un hommage plus conforme à ce qu'avait été Dreyfus dans l'événement et dans l'histoire pût réveiller l'Affaire et diviser une nouvelle fois la France. Les articles – au mieux une colonne – furent renvoyés en pages intérieures. Surtout, ils traitaient de l'homme et de l'événement comme s'ils appartenaient absolument et résolument au passé. Nulle part, sauf dans Marianne, Alfred Dreyfus ne fut lié à la « grande Affaire ». « Alfred Dreyfus », titra sobrement Le Figaro le 13 juillet 1935. Le Temps enterra l'Affaire en même temps que le lieutenant-colonel Dreyfus, renvoya dos à dos dreyfusards et antidreyfusards, comme si les deux postures s'équivalaient dans la France de 1935 : « Celui dont l'existence vient de se clore a durant cinq longues années, les pires qu'un homme puisse vivre, moralement et physiquement, occupé de son nom le monde entier dont une part – la moindre, à vrai dire – le tenait pour le type exécré du soldat traître à sa patrie, l'autre pour un grand martyr. Aujourd'hui et depuis longtemps, la paix est faite, la mort la consacre [52]. » Dans l'édition du lendemain, le journal modéré rendit compte des violentes manifestations antisémites de Berlin. Le lien entre les deux événements n'existait pas pour le journal comme pour les élites politiques de France. Jaurès, Barthou assassiné l'année précédente à Marseille, Waldeck-Rousseau n'étaient plus là. Tardieu et Laval dominaient la vie politique. L'affaire Dreyfus appartenait définitivement au passé. Elle était morte bien avant que ne disparût le capitaine Dreyfus.

Le Populaire annonça le 13 juillet que « le "capitaine Dreyfus" [était] mort hier », se contentant de raconter quelques épisodes de l'Affaire et de préciser en conclusion que le lieutenant-colonel Dreyfus était, « bien avant la guerre, rentré dans la vie privée ». L'Œuvre écrivit : « Le capitaine Dreyfus vient de s'éteindre au moment où la France semble de nouveau divisée comme elle le fut pour ou contre lui [53]. » Deux journaux jadis particulièrement intéressés par le capitaine Dreyfus et l'Affaire, L'Humanité de Jaurès et L'Aurore de Clemenceau, firent le minimum [54]. Dreyfus était certainement trop « à droite » pour

*L'Humanité* et trop « à gauche » pour *L'Aurore*. Mais c'étaient les journaux qui avaient changé, pas Dreyfus. Il n'est pas tout à fait exact d'écrire, comme le fait Michael Burns, que « la mort d'Alfred Dreyfus [ouvrit] les vannes de la mémoire ».

Le silence qui entoura la mort du capitaine Dreyfus donna plus d'écho encore au bruit des nationalistes. Non contente de saluer le silence de la France sur la mort du « traître », *L'Action française*, par la voix de « Dutrait-Crozon », dénonça les grands articles d'hommage parus dans la presse étrangère. Deux d'entre eux avivèrent leur colère, celui du *Journal de Genève* que Georges Larpent exécuta en relevant les erreurs et en revenant sur le « talisman », le faux réalisé bien évidemment par la Cour de cassation pour innocenter Dreyfus en 1906[55]. La grande évocation du *Times* de Londres irrita encore davantage le prurit nationaliste. Frédéric Delebecque se chargea cette fois d'administrer aux Anglo-Américains une pathétique leçon de méthodologie historique comme seule *L'Action française* savait le faire[56]. Maurras se réserva la censure idéologique de la presse française[57].

## LE CONFLIT DES MÉMOIRES

La colère de *L'Action française* découlait de l'importance et de la gravité de l'hommage donné conjointement au capitaine Dreyfus et à l'affaire Dreyfus, l'un incarnant l'autre et réciproquement. Pour les nationalistes maurrassiens, c'était la parole intolérable, venue de surcroît de l'étranger. « Alfred Dreyfus. The "Great" Affaire », titra le *Times* de Londres le samedi 13 juillet 1935. L'article du *Journal de Genève* fut aussi élogieux et solennel.

En France, *L'Univers israélite*, avec son numéro du 18 juillet 1935, et Léon Blum, avec ses « Souvenirs sur l'Affaire » publiés dès le 24 juillet dans l'hebdomadaire populaire de gauche *Marianne*, voulurent faire vivre sa mémoire. Le « journal des principes conservateurs du judaïsme » consacra tout un dossier à la vie et au courage du capitaine Dreyfus. Il s'ouvrait sur ses propos de l'île du Diable : « Je ne veux qu'une chose dont je rêve nuit et jour, dont mon cerveau est hanté à tout instant, c'est qu'on me rende mon honneur. »

L'article de Julien Benda, « Quarante ans après », posait nettement la question du rôle de Dreyfus dans l'Affaire. Il saluait l'homme et l'œuvre de résistance dignes de l'humanité et du judaïsme confondus :

> La victime du drame, qu'a-t-elle fait personnellement pour le triomphe de la justice ? L'officier frappé puis retranché du monde, qu'a-t-il fait par lui-même pour la cause du droit ? Il a fait la seule chose qui fût en son pouvoir, mais dont l'effet fut capital : il a refusé de se laisser abattre par les clameurs d'une foule en délire, il n'a cessé de porter la tête haute et d'affirmer son droit avec un accent dont la vérité troubla jusqu'à ses pires ennemis. [...]

On ne songe pas assez, pour admirer tant d'énergie, combien il était naturel à un homme qui voit un peuple entier dressé contre lui de penser que la lutte est impossible et qu'il n'a qu'à subir son malheur. C'est d'ailleurs ce refus d'accepter l'injustice – ce refus de faire comme les autres – que ce peuple lui reprochait le plus furieusement. Une fois de plus, s'est vérifié le mot de Renan : « Israël n'est pas résigné. » Une fois de plus s'est vérifié que, par ce refus de résignation, il est des ferments de libération du monde [58].

Citant un extrait de cet hommage dans son texte « Alfred Dreyfus, antihéros et témoin capital », Jean-Louis Lévy l'associa au salut de Bernard Lazare, trente-quatre ans plus tôt, découvrant *Cinq années de ma vie*. Les évocations convergeaient, venues pourtant, d'après lui, de « tempéraments plus différents que le rationaliste Benda et le mystique Lazare » : « Jamais je n'oublierai ce que j'ai souffert dans ma chair de juif le jour de votre dégradation alors que vous représentiez toute ma race martyre et insultée. J'ai retrouvé ce frisson en lisant celles de vos pages où vous rappelez cela. Comme vous êtres plus juif que vous ne pensez peut-être, par votre incoercible espérance, votre foi au meilleur, votre presque fataliste résignation. C'est ce fonds indestructible qui vous vient de votre peuple, c'est lui qui vous a soutenu. Chrétien, vous seriez mort en en appelant à la justice divine. Juif, vous avez voulu vivre pour la voir réaliser [59]. » Bernard Lazare définissait ainsi un judaïsme moderne, historique et non pas religieux, ancré dans les valeurs de la justice et non dans celle du dogme. Il l'attachait à Dreyfus dont il en faisait, par sa résistance ultime et son refus de la victimisation, l'image exemplaire.

Dans *L'Univers israélite*, Jean Cassou défendit pour sa part, avec « L'affaire Dreyfus et nous », l'idée que l'événement n'avait pas seulement apporté la « mystique » chère à Péguy mais également « toute une volonté de lucidité critique » qui assurait le passage vertueux de la « mystique » au « politique ». Ce passage n'inquiétait pas l'écrivain et conservateur de musée, futur artisan de la politique culturelle du Front populaire et résistant au nazisme : « Nous en acceptons l'impureté, nous en connaissons les voies et les raisons. Surtout, notre esprit critique en éveil sait les raisons qui peuvent se cacher derrière d'autres mystiques, non moins séduisantes, non moins entraînantes, mais louches et intéressées [60]. » Ce fut un signe, cette réflexion sur le sens critique de l'Affaire, unissant mystique et politique, dans un ensemble dédié au capitaine Dreyfus et à sa mémoire. Cassou ne parlait pas de Dreyfus, et pourtant il était bien là en pensée [61]. Fernand Corcos, le ligueur qui avait interpellé Victor Basch en 1909 à Rennes par un solennel « Il a protesté, monsieur Basch » en évoquant la vive riposte du capitaine Dreyfus aux accusations du général Mercier [62], dressa un portrait qui englobait une histoire de l'Affaire. Il fit précisément ce que redoutait l'extrême droite. Rappeler cette grande bataille – de la démocratie et de la France au moment de la mort de celui qui en avait été l'emblème et le héros [63].

Le grand rabbin Maurice Liber dressa d'Alfred Dreyfus un portrait très laïc où comptaient d'abord l'exactitude historique et le patriotisme. Parlant sur sa tombe, il souligna son patriotisme exacerbé et rendit hommage à celui de Lucie, citant un extrait de l'*Affaire Dreyfus* de Joseph Reinach : « Cette juive avait cette religion : le patriotisme, l'amour de la France. » Mais la religion ne semblait pas trouver prise sur l'homme qui venait de disparaître. Le grand rabbin fut contraint d'évoquer l'épouse, le fils : « La guerre terminée, Alfred Dreyfus reprit sa vie discrète, tandis que sa femme se dévouait avec une ardeur incomparable aux œuvres philanthropiques et sociales (tout récemment elle a été couronnée à ce titre par l'Association Zadoc Kahn). Son fils Pierre, rapproché du judaïsme par l'épreuve, est devenu un militant de nos œuvres. Il a fondé l'Accueil fraternel israélite, le Comité de défense des Juifs persécutés et il est membre du comité central de l'Alliance. » Comme son père, Pierre était dans l'histoire. « Aujourd'hui, ce n'est plus un Juif, c'est un demi-million de Juifs qui sont injustement persécutés en Allemagne, victimes non pas même d'une erreur judiciaire, mais de haines barbares qui ne s'embarassent d'aucune forme de procès, n'est-ce pas, Pierre Dreyfus ? », reprit le grand rabbin.

Maurice Liber revint sur le présent et la simple et modeste cérémonie : « Le dimanche 14 juillet au cimetière du Montparnasse. Voici la tombe du capitaine Mayer, tué en duel par un marquis antisémite et dont la mort tragique inaugura la campagne contre les officiers juifs... Le corbillard arrive, accompagné seulement par les proches. À la même heure, sur la place de l'Étoile, grande revue militaire, déploiements de troupes, décorations, acclamations. Ici, la voix du rabbin s'élève : *Menoukha nekhôna*. Que le véritable repos... Ah oui ! repose en paix, capitaine Dreyfus, tu l'as bien gagné. Mais voici qu'au bord de la tombe, le fils récite la prière suprême : *Yisgaddal*... Gloire à la justice divine, rémunératrice infaillible[64]. » Le grand rabbin releva ainsi l'oubli qui avait recouvert le capitaine Dreyfus et la forme d'ingratitude de la nation laissant se dérouler, sans elle, les obsèques d'un homme qui avait tant marqué son histoire. Seule veillait la religion, en ce jour de tristesse et de mort. Mais chacun pouvait continuer de revendiquer la dimension historique du capitaine Dreyfus. Il suffisait, comme le fit le grand rabbin, de l'appeler ainsi, « capitaine Dreyfus ».

Des extraits de grands textes de l'Affaire furent publiés à la suite sous le titre « Pages oubliées[65] ». Dans le même numéro, sous deux photos du capitaine et de Lucie dans les dernières années, *L'Univers israélite* revenait au temps présent et consacrait un article à l'« Émeute antijuive de Berlin ».

Des images de films et une photo de Dreyfus pendant la Grande Guerre illustrèrent le premier article de Léon Blum dans *Marianne*, en pleine page, qui allait se répéter pendant le début de l'été 1935. Les souvenirs de Blum, écrits dans l'instant et sous l'émotion de la mort du capitaine, eurent cette vertu d'exprimer la jeunesse qui fut celle de l'Affaire et de l'engagement dreyfusard. Léon Blum espérait aussi ressusciter les valeurs de ce combat pour en faire celles du Front populaire qui commençait. Mais on doit relever que ce ne fut pas une réussite. Léon Blum fut bien plus inspiré lorsqu'il défendit la République au procès de Riom...

Les *Souvenirs sur l'Affaire*[66] demeurent incontestablement l'un des plus beaux textes sur l'événement et sur sa portée intellectuelle et morale. En même temps, on ne peut pas dire que Léon Blum dresse d'Alfred Dreyfus un portrait conforme à ce qu'une simple connaissance des faits permettrait de répéter. Le chef du Front populaire répéta les poncifs du temps plus qu'il ne fit œuvre de vérité ni même de mémoire. Les *Souvenirs* s'ouvrent sur une évocation étrange du capitaine qui rappela celle que donna Victor Basch en 1909 pour le dixième anniversaire du procès de Rennes[67]. Autant dire que l'un comme l'autre n'avaient pas très bien compris qui était Dreyfus :

> Quelques semaines après le procès de Rennes et la grâce, Félix Valloton fit paraître un dessin que je vois encore. Le capitaine Dreyfus, grave et noir, était assis de face sur une chaise. Il faisait sauter sur ses genoux deux marmots joyeux, mais il détournait les yeux quand le plus petit lui demandait : « Père, une histoire ! »
> Une histoire ? Le capitaine Dreyfus eût été incapable alors de conter la sienne. Il ne la savait pas. Il vient de mourir après trente ans d'effacement volontaire, lui qui avait rempli le monde de son nom, et peut-être l'avait-il oubliée. C'était un homme modeste, à l'esprit sérieux, qui n'avait rien du héros qu'un muet et inébranlable courage. Comme il était parfaitement simple, qu'il manquait de prestige, de panache et d'éloquence, il n'avait pas trouvé devant ses juges le « cri de l'innocence ». Dans les lettres qu'il écrivait à sa femme pendant ses cinq années d'île du Diable, on ne surprend pas le moindre mouvement de révolte. Le sens de la hiérarchie était si puissant en lui qu'il ne se fiait qu'à ses chefs pour reconnaître et réparer l'erreur terrible. Il avait toujours obéi scrupuleusement à toutes les consignes ; il avait gardé un secret stoïque, même vis-à-vis de sa femme et de son frère Mathieu, au cours de l'instruction conduite par du Paty de Clam. Sa grandeur militaire était faite de servitude. Vraiment, il n'avait nulle affinité avec son « affaire », nulle vocation pour le rôle dont le chargeait un caprice de l'Histoire. S'il n'avait pas été Dreyfus, aurait-il même été « dreyfusard » ?
> L'histoire qu'il n'a pas contée, je n'ai pas dessein de la refaire à mon tour, bien que l'ignorance l'ait peu à peu enveloppée. Les jeunes gens, et même les hommes d'aujourd'hui, sont comme Alfred Dreyfus à son retour de l'île du Diable : ils ne connaissent pas « l'Affaire », et surtout ils ne la comprennent pas[68].

Tout était faux ou dénaturé dans cette évocation. L'effacement volontaire résultat de la dernière injustice qui lui fut infligé. Ce geste était un acte de dignité, non une retraite honteuse. L'homme doté du courage que décrit Léon Blum n'était pas incompatible avec l'idée du héros. Le « cri de l'innocence » qu'il n'a pas su trouver devant ses juges reste à discuter. Au procès de Rennes, il avait vivement interrompu le général Mercier par un tel « cri », précisément. De plus, pour un juriste qui, après la condamnation de Zola, avait développé une argumentation très méthodique et peu romantique dans les colonnes de la *Revue blanche*[69], une posture de défense fondée sur le travail des preuves et la réfutation des accusations avait du sens, beaucoup plus certainement que le « cri de l'innocence » théâtralisé et attendu. Il est par ailleurs strictement inexact d'affirmer que Dreyfus n'ait eu aucun mouvement de révolte à l'île du Diable. Sa correspondance prouve même le contraire. Le sens de la hiérarchie ne l'a pas empêché de défier les plus hautes autorités pour réclamer justice. Lorsqu'au procès de Rennes il comprit la responsabilité des anciens membres de l'état-major, il n'hésita pas à les accabler, parfois vivement. La notion de son honneur fut bien supérieure à son sens de la hiérarchie.

Dreyfus n'avait certes rien à voir avec son « affaire » lorsqu'elle se déclencha. Mais il sut très vite entrer en elle, construire une résistance et prendre sa défense en main lorsqu'il eut les éléments d'information pour le faire. Il n'aurait pas été non plus antidreyfusard s'il n'avait pas été Dreyfus. Avant l'événement, on le vit précisément indépendant, réfléchi, critique, autant de traits qui furent ensuite portés à sa charge par ses accusateurs. Durant son calvaire, son sens de la justice et sa volonté de la réhabilitation en firent un antidreyfusard bien atypique ! Alors que tous les éléments pour le connaître et parler de lui avec justesse existaient et que lui-même en avait disposé au moment de l'Affaire, Léon Blum se laissa porter par une forme d'oubli ou d'ignorance. Et il se laissa solliciter par les légendes qui distillaient le soupçon sur Dreyfus.

Pour cette raison, les *Souvenirs sur l'Affaire* demeurent un texte ambigu qui parle parfois davantage du présent de 1935 que de l'Affaire vécue. Blum se laissa emprisonner dans des préjugés qu'il lui aurait été facile de détruire. En les reprenant à son compte, il en renforçait la vigueur et leur donnait un caractère accru de vérité qui courut jusqu'à aujourd'hui. L'une des raisons probables de cette représentation imaginaire du capitaine Dreyfus tenait dans sa critique plus large des milieux juifs français. Il les présenta eux aussi comme « antidreyfusards », à la manière de ce qu'il disait de Dreyfus : « En règle générale, les Juifs avaient accepté la condamnation de Dreyfus comme définitive et comme juste. Un grand malheur était tombé sur Israël. On le subissait sans mot dire, en attendant que le temps et le silence en effacent les effets[70]. »

Blum stigmatisait particulièrement les officiers juifs soucieux selon lui d'avoir dénoncé la campagne de révision. Rien n'était plus inexact. Il fut certes très difficile de s'engager comme officier en faveur de Dreyfus, Picquart en fit l'expérience. Mais il n'est pas fondé d'affirmer qu'une telle distance traduisait une intention négative. Les sentiments prêtés à la « masse juive » ressemblaient beaucoup à ceux qu'il affectait à tort à Dreyfus ou qu'il cherchait à retrouver dans la France des années 1930 confrontée à la montée des périls [71]. Le mécanisme de la soumission accélérant la destruction était assez juste, surtout rétrospectivement, mais la situation qu'il décrivait des Juifs de France au moment de l'affaire Dreyfus ne peut se réduire à celle de « victimes offertes [72] ». Pour que la démonstration fut pleine et entière, il fallait que Dreyfus soit ainsi, en statut de victime écrasée par un destin supérieur. Or c'est bien le contraire qui se produisit avec lui.

De manière non intentionnelle mais réelle, la thèse de Léon Blum confortait les nationalistes qui recherchaient eux aussi un Dreyfus faible et dominé, incapable en tout cas d'incarner la France et la République. Le contraire aurait été beaucoup plus dangereux pour eux. Derrière cette critique, Léon Blum montrait la domination de sa pensée par des images aussi fausses que prégnantes. Les années trente furent remplies des portraits dégradants du capitaine, de manière intentionnelle, nourrissant un antidreyfusisme caché, ou bien sans savoir et sans comprendre comme le fit l'écrivain Armand Lanoux sur-interprétant le récit du compositeur Alfred Bruneau [73], ami d'Émile Zola, pour le téléfilm de Stellio Lorenzi en 1975 : « Le hâle brique des coloniaux a laissé place à une lividité jaune. Lui aussi porte des binocles. Il est encore plus modeste, plus citoyen moyen, plus anonyme auprès de Lucie. Il est terrible. Il est si plat, si banal, si bien tiré à des centaines de milliers d'exemplaires, si physiquement dépourvu de personnalité que l'on comprend qu'il n'existe pas, individuellement [74]. »

Avec sa thèse, Léon Blum s'interdisait aussi de retrouver aussi le temps de la jeunesse et de la morale. Mais tout changea devant les juges du procès de Riom. Se souvenant du procès Zola et de la bataille pour le droit, la vérité et la dignité, Blum retourna le procès et en fit le triomphe de la République. Il avait agi exactement comme le capitaine Dreyfus. Il l'ignorait, mais il était le même. Et sans le capitaine Dreyfus, il n'aurait pu dire ce qu'il lança aux juges pro-allemands le 11 mars 1942 :

Messieurs, j'ai achevé. Vous pourrez naturellement nous condamner. Je crois que, même par votre arrêt, vous ne pourrez pas effacer notre œuvre. Je crois que vous ne pourrez pas – le mot vous paraîtra peut-être orgueilleux – nous chasser de l'histoire de ce pays. Nous n'y mettons pas de présomption, mais nous y apportons une certaine fierté : nous avons, dans un temps bien périlleux, personnifié et vivifié la tradition authentique de notre pays, qui est la tradition démocratique et républicaine. De cette tradition, à travers l'Histoire, nous aurons malgré tout été un moment. Nous ne sommes pas je-ne-sais-quelle existence monstrueuse dans l'histoire de ce pays parce que nous avons été un gouvernement populaire : nous sommes dans la tradition de ce pays depuis la Révolution française. Nous n'avons pas interrompu la chaîne, nous ne l'avons pas brisée. Nous l'avons renouée et nous l'avons resserrée. [...]

Et, messieurs, par une ironie bien cruelle, c'est notre fidélité qui est devenue une trahison. Pourtant, cette fidélité n'est pas épuisée, elle dure encore. Et la France en recueillera le bienfait dans l'avenir où nous plaçons notre espérance, et que ce procès même, ce procès dirigé contre la République, contribuera cependant à préparer [75].

## LA FIDÉLITÉ DREYFUSARDE

Alors que la crainte du nazisme faisait taire beaucoup de ceux qui eussent pu parler, laissant inhumer le capitaine Dreyfus dans l'anonymat et être dégradé dans sa mémoire, d'ultimes tentatives furent faites pour restaurer le souvenir de l'Affaire et de son protagoniste. En 1932, Élie Halévy avait voulu définir la résistance de Lucien Herr dans l'Affaire par un héroïsme de la raison. Le germaniste dreyfusard Charles Andler avait dû renoncer, pour des raisons de santé, à prononcer l'hommage de l'Union pour la vérité à Lucien Herr disparu six ans plus tôt. Élie Halévy fut choisi pour le remplacer. Une note publiée dans sa correspondance expliqua comment le philosophe-historien énonçait les raisons constitutives d'un modèle de l'intellectuel démocratique et comment il envisageait les conditions éventuelles d'une reprise de l'engagement dreyfusard. Il entrevoyait là la « résistance lyrique » des débuts de la Seconde Guerre mondiale, avant sa politisation au tournant de l'année 1942. Le rôle incomparable de Lucien Herr dans la mobilisation des dreyfusards et la révélation de la vérité exprimait en effet, selon lui, une « action méthodique pour la défense et la glorification de l'esprit scientifique. L'affaire Dreyfus représenta sans doute le point culminant de son influence parce qu'elle mettait tout à la fois en péril les droits de l'humanité et les exigences de l'esprit critique [76] ».

Un an après la mort du capitaine, son fils Pierre était parvenu, au prix d'un travail énorme, à réunir la matière du livre *Souvenirs et correspondance* et à le publier aux éditions Grasset. Dans la préface, il revint sur ses interrogations et ses certitudes concernant son père. Il évoqua pour commencer le pouvoir du Livre : non pas celui de la religion mais ceux qui étaient issus des hommes et de l'histoire vécue et combattante. Des livres qui menaient vers d'autres travaux d'histoire et de connaissance :

> Au soir de ce jour où nous avons mené mon père à sa dernière demeure, j'ai pris dans ma bibliothèque ce livre extraordinaire qu'est *Cinq années de ma vie* et l'admirable *Histoire de l'Affaire*, de Joseph Reinach. J'en ai relu de longs chapitres.

Si, maîtrisant ma douleur, refoulant mon émotion, j'ai assisté sans une larme aux derniers moments de mon père et à toutes les affreuses cérémonies qui suivirent, j'ai pleuré comme un enfant à la lecture de ces pages qui retracent son long et effroyable martyre.

Je me suis alors demandé quels sont les mobiles qui régissent l'âme humaine, et pourquoi des êtes normaux, qui passent dans la vie courante pour de braves gens et qui croient l'être, ont torturé pendant des années un malheureux qu'ils savaient innocent. Pourquoi lui ont-ils refusé les droits élémentaires que la loi accorde même aux coupables ? Pourquoi ont-il rendu ses souffrances plus atroces, pourquoi les ont-ils prolongées sans raison [77] ?

Cette réflexion sur les mécanismes de la barbarie ordinaire, que le nazisme et l'occupation allemande en France devaient révéler si cruellement, Pierre Dreyfus les retrouvait dans les écrits de son père dont il citait un passage : « Je ne connais pas l'amertume, m'étant toujours élevé au-dessus des passions mesquines : j'ai cherché à comprendre comment ceux qui m'ont fait tant de mal, par orgueil de ne pas vouloir reconnaître une erreur, en étaient arrivés au mensonge, puis au crime ; mes pensées surtout sont allées à ces figures admirables dont le courage était à la hauteur de la valeur morale, dont la conscience a dicté leurs devoirs. Ce sont elles qui me réconfortent et j'aime à les évoquer dans mes longues heures de méditation [78]. » Le devoir de ces hommes avait été celui de la justice pour un homme qui représentait l'humanité. Et Pierre Dreyfus voulut témoigner à son tour de l'homme de justice qu'était Alfred. Il ne s'agissait pas d'un hommage ému au père par le fils aveuglé de chagrin.

Esprit net et précis, ennemi de toute agitation inutile, il voulait que sa cause restât désormais entre les mains de juristes. Il savait qu'il ne se sentirait pleinement satisfait que lorsque la démonstration irréfutable, absolument éclatante, de son innocence aurait été faite par les premiers magistrats de notre pays.

Pendant six longues années, il poursuivit sans faiblir la tâche qu'il s'était assignée, et ses souvenirs montrent avec quel esprit de suite, avec quelle logique, avec quel courage il l'accomplit [79].

Alfred Dreyfus eut d'ailleurs « pleinement raison », releva son fils. « Il obtint, le 12 juillet 1906, grâce à sa persévérance, la reconnaissance définitive de son innocence par la Cour de cassation qui, dans un magnifique arrêt, détruisit, comme il l'avait tant désiré, jusqu'à la moindre base de l'accusation [80]. » Pierre Dreyfus rappelait à cette occasion les liens que la Justice entretenait avec l'Histoire. C'est par un travail d'historiens que les magistrats étaient parvenus à leur arrêt de justice. Mais certains des dreyfusards n'avaient pas accepté ce choix de la justice par la vérité et le droit. Cette tâche leur paraissait médiocre, indigne du combat moral et révolutionnaire mené pour Dreyfus. Et pourtant n'était-ce pas la seule réponse forte et civilisatrice à apporter aux doctrines de haine et la dérive arbitraire et bientôt totalitaire des États ? La résistance par la justice et par la loi apparut dans toute son évidence avec l'expérience du capitaine Dreyfus. Son fils comprit les raisons pour lesquelles il était devenu un héros, non pas à travers une personnalité romantique qu'il n'avait pas, mais dans ses actes simples et ordinaires de résistance qui lui permirent d'affronter – et de triompher – d'une situation totale de violence et d'enfouissement. Pierre Dreyfus découvrait la signification historique de l'œuvre de son père. Elle donnerait du sens à toutes ces résistances individuelles à venir, dans les camps et dans les geôles, ces résistances simples et décisives qui arrachèrent des hommes et des femmes à leur statut de victimes et en firent des héros.

« L'homme qui sera, pour les générations futures, un des plus purs héros de l'histoire de notre chère France... [81] » : la « chère France » s'acharna surtout à lui refuser les hommages qu'imposaient pourtant son héroïsme et son patriotisme. La raison en était bien de cette dégradation insidieuse et répétée qui finit par présenter Dreyfus comme un être médiocre, menteur et méprisable. Cette légende est tenace. Cette biographie n'a pas eu pour but de la faire voler en éclat, mais seulement d'écrire avec l'objectivité des sources et des faits. Mais si elle peut contribuer à ruiner ces obsessions, elle trouvera son utilité publique.

La résistance au nazisme réveilla les valeurs pour lesquelles s'était battu le capitaine Dreyfus. Par un raccourci saisissant, on remarque que la mémoire demeurée des résistants, et notamment de ceux qui luttèrent dans les camps et les prisons, présente des béances aussi larges que pour celle du capitaine Dreyfus [82]. La violence des haines d'extrême droite et l'obsession antidreyfusarde de Charles Maurras finirent d'indigner certains des héritiers silencieux de l'Affaire. L'exemple de Marc Bloch est intéressant à cet égard. Son père, Gustave Bloch, avait été un ardent dreyfusard : il avait prononcé l'hommage dû à Émile Duclaux en 1905 [83]. Marc avait douze ans en 1898, mais l'affaire Dreyfus devait lui servir de repère pour penser « l'étrange défaite » de 1940 et la crise intellectuelle et morale de la France de l'entre-deux guerre. Les dernières phrases de L'Étrange défaite, par la revendication du courage civique et par l'adhésion à la maxime de Montesquieu sur la vertu comme ressort de l'État, caractérisent sans la nommer le principal enseignement de l'affaire Dreyfus, à savoir la reconnaissance politique du citoyen en démocratie : « Qu'importe si la tâche est ainsi rendue plus difficile ! Un peuple libre et dont les buts sont nobles court un double risque. Mais, est-ce à des soldats qu'il faut, sur un champ de bataille, conseiller la peur de l'aventure [84] ? » La référence n'est pas explicite, mais elle est présente.

Dreyfus et l'Affaire servirent ainsi de référent aux « quelques valeurs » – pour suivre l'expression de Raymond Aron – pour lesquelles les résistants, surtout au début, choisirent de combattre. Le pédiatre Robert Debré, qui avait été un ardent dreyfusard dans sa jeunesse aux côtés de Charles Péguy et de Lucien Herr[85], s'engagea dans une résistance héroïque à Paris, tandis que son fils Michel combattit pour la France libre. Henriette Guy-Loë devint elle aussi résistante avec Robert Debré, comme sa sœur Geneviève aux côtés de Jacques Monod. René Cassin, futur rédacteur de la Déclaration universelle des droits de l'homme de 1948 et de la constitution de la Ve République en 1958, prix Nobel de la paix en 1968, fut l'un des rares juristes à rallier le général de Gaulle en 1940, dans le souvenir du combat dreyfusard. Les résistants de l'intérieur Alexandre et René Parodi appartenaient quant à eux à une vieille famille dreyfusarde, comme celle de Jules Moch, fils de l'ami du capitaine Gaston, et dont le propre fils mourut héroïquement en combattant les nazis. Le souvenir de l'Affaire soutenait aussi les engagements de Jean Guéhenno, de François Mauriac et même de Jacques Maritain et de Georges Bernanos.

Les temps de la Libération ne furent pas seulement ceux des dernières obsessions antidreyfusardes de Maurras. Ils furent synonymes de peine et de souffrance pour la famille d'Alfred Dreyfus. Deux de ses petites-filles, Simone et Madeleine Lévy, s'engagèrent dans la résistance au nazisme, la première dans un réseau juif de Toulouse où elle rencontra son nouveau mari, la seconde à Combat puis aux Mouvements unis de la Résistance. Simone put échapper à la répression. Elle se chargea de rechercher sa grand-mère dans un couvent de Valence, cachée sous le nom de « Mme Duteil » (du nom de femme mariée de sa sœur Alice), puis de la ramener à Toulouse et finalement à Paris, où elle mourut le 14 décembre 1945. La grand-mère et la petite-fille avaient fait en 1944 un voyage qui rappelait celui du capitaine Dreyfus en septembre 1899, allant de Rennes à Carpentras en homme libre, accompagné de son frère. Madeleine en revanche, qui n'avait que vingt-cinq ans, ne fut pas sauvée. Arrêtée en novembre 1943 par la Gestapo à Toulouse, elle fut d'abord internée à Drancy au titre des déportés raciaux puis conduite à Auschwitz-Birkenau où elle mourut du typhus en janvier 1944. « Son nom, son âge, et la mention "Déportée par les Allemands" [...] seront gravés sur la tombe de ses grands-parents Dreyfus au cimetière du Montparnasse[86] », rappelle Michael Burns.

Les petits-fils de Lucie et d'Alfred Dreyfus s'illustrèrent eux aussi dans la Résistance, ainsi que plusieurs de leurs petits-neveux. Pour les premiers, Jean-Louis et Étienne Lévy, les frères de Simone et de Madeleine, et Charles, fils de Pierre, qui s'engagea depuis les États-Unis avec sa sœur aînée Françoise dans les Forces françaises libres. Son père avait fait sur le sol américain des conférences pour la France libre, sur la suggestion de Pierre Mendès France. Pour les seconds, Jean-Pierre Reinach, sous-lieutenant dans les FFL, mort en opérations au-dessus de la France à vingt-sept ans en mai 1942, et son beau-frère Emmanuel Amar, le mari de sa sœur Suzie, arrêté à Lyon avec un groupe de résistants et mort à Auschwitz après sa déportation en février 1944.

La famille de Dreyfus paya aussi un très lourd tribut à l'application en France, par les autorités de Vichy et les autorités allemandes, de la Solution finale contre les juifs. La sœur d'Alfred, Alice, la veuve de Léon Dreyfus, elle qui avait accompagnée Lucie à l'île de Ré en février 1895, fut arrêtée et déportée à Auschwitz d'où elle ne revint pas. Son autre belle-sœur, Rachel Dreyfus-Schil, qui avait écrit au général Mercier « qu'Alfred Dreyfus avait été "sacrifié" en tant que juif[87] », ne survécut pas à l'arrestation par la Gestapo, le 12 décembre 1941, de son fils Julien. Son neveu par alliance, René, fils de Jacques Dreyfus, l'un des membres de la famille les plus décorés de la Première Guerre, fut aussi déporté à Auschwitz où il mourut.

La France honora tardivement ces héroïsmes. Madeleine Lévy ne reçut qu'en 1950, à titre posthume, la Médaille militaire, la Croix avec palmes et la Médaille de la Résistance. L'horizon de l'Affaire continuait à s'inscrire, en ces temps incertains, entre exaltation de la Résistance et occultation de Vichy. Henriette Psichari, qui avait connu les temps héroïques de l'Affaire aux côtés de son père Jean et de la famille de Renan, avoua sa mélancolie dans ses Souvenirs. « Je lus la dédicace du livre de Jacques Kayser à Madeleine Lévy, la petite-fille de Dreyfus qui avait été "assassinée à Auschwitz en 1944 à l'âge de vingt-deux ans", et je compris que toute cette immense bagarre de l'affaire Dreyfus n'avait pas atteint son but puisque nous n'avions pas pu empêcher un tel martyrologue[88]. »

La famille perdit toutes ses racines alsaciennes. Jeanne Lévy et son mari continuèrent d'habiter Paris ainsi que leurs trois enfants survivants. Pierre Dreyfus, qui avait quitté la France avec sa famille pour les États-Unis en mai 1942, périt dans un accident d'avion en Écosse le 27 décembre 1946. Par un étrange hasard de circonstance, il avait pu partir à la dernière minute parce qu'un passager, malade de la grippe, avait libéré une place. Il s'agissait de Pierre Mendès France[89].

## LA PENSÉE CONTRE LE SILENCE

Ni la mémoire du capitaine Dreyfus ni même son histoire ne parvinrent pendant de longues années à percer un mur de silence qui engloba aussi la réflexion sur l'identité juive française après le génocide et la connaissance du régime de Vichy. Le nationalisme intégral fit entendre une dernière fois sa voix avec Maurras. Le 27 janvier 1945, le fondateur de l'Action française en pleine affaire Dreyfus fut jugé à Lyon pour « intelligence avec l'ennemi ». À l'énoncé du verdict qui le condamnait à la dégradation nationale et à la détention à vie, il lança : « C'est la revanche de Dreyfus ! » Sa propre revanche surtout avait échoué, malgré ses efforts pour épurer la France des « états confédérés » et parachever l'entreprise antidreyfusarde, au point par exemple d'imaginer avec Vichy de déporter l'ancien ministre (juif, radical et franc-maçon) Jean Zay à l'île du Diable[90]. La Résistance, y compris dans les milieux les plus conservateurs, démontra par contraste l'incapacité de la pensée maurassienne à incarner la France, sinon celle de la violence conservatrice alliée au totalitarisme nazi. Les derniers mois de Vichy soulignèrent encore l'errance d'un mouvement nationaliste qui s'enfuit dans les fourgons de l'occupant.

Le cinquantenaire de « J'accuse... ! » passa presque inaperçu en 1948 à l'exception du pèlerinage de Médan et d'un petit ouvrage commémoratif dû à Alexandre Zévaès, l'ancien socialiste. Le livre de Jacques Kayser paru à ce moment avait bien tenté de briser le silence, mais il n'eut guère d'écho malgré la qualité historique du récit[91]. Aux États-Unis, Hannah Arendt publia sa somme sur Les Origines du totalitarisme. Dans son récit de l'Affaire inclus dans le volume Sur l'antisémitisme, elle ignora Dreyfus, se contentant de déclarer sans aucune démonstration préalable : « Son héros n'est pas Dreyfus, mais Clemenceau[92]. » Savait-elle que cet argument d'autorité impliquait de reprendre aussi les attaques de Clemenceau contre le capitaine ? Percevait-elle aussi que Dreyfus incarnait le prototype du résistant au totalitarisme, puisqu'il sortit victorieux de situations proches du totalitarisme, en tout cas jamais expérimentées sur un homme à cette échelle-là et aussi longtemps ?

En 1956, Mendès France prononça la conférence du pèlerinage annuel de Médan. Dressant le portrait de Zola, il réfléchit avec hauteur au sens de son action dans l'Affaire :

> Le comportement de Zola fut celui d'un témoin de la vérité, au sens où l'on entend que les martyrs furent les témoins de la foi. Il respectait la vérité comme une idole, a dit sa fille. Freud a dit qu'il en était fanatique.
> La cause de la vérité et celle de la justice sont très proches l'une de l'autre ; mais, dans le domaine de la science, voire de la vie, la recherche de la vérité ne s'identifie pas pour tous avec la poursuite de la justice. Pour que l'une n'aille pas sans l'autre, il faut un élan du cœur. Le cœur de Zola a fait ses preuves ; "l'esprit dont son œuvre est pleine, c'est un esprit de bonté", a dit aussi Anatole France[93].

Mendès France insista sur ce rôle exemplaire, pour la justice et la vérité, de « cet homme timide, maladroit derrière ses lorgnons, quittant sa table de travail pour affronter la tempête[94] ». Mais l'ancien résistant et président du Conseil fut muet sur Dreyfus qu'il n'associa pas au combat d'Émile Zola.

Comme Mendès France, François Mitterrand fut l'invité du pèlerinage de Médan. Son hommage du 10 octobre 1976 était appuyé mais convenu. En 1988, réélu président de la République, il prononça un grand discours à Castres sur Jaurès sans évoquer l'engagement dreyfusard, qui compta tant pour le leader socialiste. Mitterrand prenait indiscutablement une distance certaine avec l'affaire Dreyfus. Il n'en allait pas de même pour de Gaulle, dont le père avait été d'esprit dreyfusard [95]. Certes, le Général ne s'exprima jamais publiquement sur le capitaine Dreyfus, mais l'homme qui contribua, dans les années trente, à forger son destin politique et historique était un des plus fervents officiers dreyfusards. Le colonel Mayer avait même assisté à la réhabilitation de 1906. Dans ses combats de la Résistance puis durant la guerre d'Algérie, de Gaulle se dressa contre de nombreux antidreyfusards, dont le maréchal Pétain qui avait refusé de serrer la main du général André, l'un des artisans de la réhabilitation [96]. Cette arméelà déplaisait profondément au chef de la France libre. Répondant en décembre 1962 à son ministre Alain Peyrefitte qui le questionnait sur « sur le prochain procès des conjurés du Petit-Clamart », il déclara :

> Les juges peuvent se tromper. Ils peuvent être aveuglés par des idées préconçues, par des préjugés de caste. Un tribunal militaire a bien condamné Dreyfus, et Weygand continuait mordicus à le croire coupable. Quand des militaires se persuadent de la culpabilité de Dreyfus des décennies après sa réhabilitation, c'est la meilleure preuve que ce sont des crétins. Des crétins, il y en a partout, même dans les tribunaux. C'est pourquoi il est nécessaire qu'il y ait des avocats qui puissent assurer une *bonne* défense [il *appuie*], une *vraie* défense. Il faut qu'il y ait des voies de recours. Mais il faut bien qu'il y ait des juges, des tribunaux, des prisons, des gens pour prononcer des peines et des gens pour les exécuter. Tant qu'il y aura des crimes, il faudra des châtiments [97].

Une seule fois à notre connaissance, le général de Gaulle, dont le père avait été proche des catholiques dreyfusards, évoqua la résistance et le patriotisme du capitaine. L'hommage aurait mérité d'être produit en public. En 1969 toujours, le Premier ministre, Maurice Couve de Murville, l'incitait à la plus grande prudence dans la nomination, comme ambassadeur dans un pays arabe en conflit avec Israël, de l'époux d'une des petites-filles du capitaine Dreyfus, Aline. « Mais c'est la petite-fille d'un officier français ! » lui rétorqua alors le président de la République. Et Michel Debré, ministre des Affaires étrangères, dont le père avait été dreyfusard et proche de Péguy [98], de quitter la pièce, très ému par cette affirmation solennelle de l'appartenance historique du capitaine Dreyfus à la mémoire nationale et à la tradition militaire de la France : « Je viens d'entendre une réponse du Général absolument sublime », confia-t-il aussitôt au chef de cabinet de De Gaulle, Pierre Lefranc – par ailleurs petit-fils d'un ami du capitaine, Abel Lefranc, qu'il rencontrait aux « jeudis » de la marquise Arconati-Visconti [99].

La recherche historique se développait à cette époque. Maurice Baumont s'était intéressé aux sources diplomatiques de l'affaire Dreyfus [100]. Les Anglo-Américains continuaient de travailler [101]. En 1961,

Fayard publia la grande étude de Marcel Thomas, *L'Affaire sans Drey-fus*. Ce travail, fondé sur une lourde investigation dans les sources, demeure indispensable pour aborder l'affaire Dreyfus et comprendre les mécanismes de conspiration contre le capitaine Dreyfus. Mais le directeur du département des Manuscrits de la Bibliothèque nationale ne s'intéressa pas au travail de justice et de vérité engagé dès l'arresta-tion et durant tout le temps de la déportation. L'année suivante, Fas-quelle réédita *Cinq années de ma vie* qui s'ouvrait sur une préface de François Mauriac intitulée « L'affaire Dreyfus vue par un enfant ». L'écrivain catholique y racontait comment l'Affaire avait fait de lui, enfant « chargé de[s] chaînes » de l'antisémitisme social un homme libre [102]. En 1975, *La République radicale* de Madeleine Rebérioux, au Seuil, transforma la lecture de l'affaire Dreyfus par le choix de l'his-toire de la confronter aux grands mouvements politiques, sociaux et culturels – et d'en suivre l'impact en leur sein.

La synthèse décisive réussie par Jean-Denis Bredin en 1983, *L'Affaire* chez Julliard, accorda une place importante au capitaine Dreyfus. Ce grand livre suscita une réflexion approfondie de la part de l'écrivain Maurice Blanchot dans un article sur l'engagement des intellectuels publié l'année suivante. Ce texte est capital pour apprécier la vérité du capitaine Dreyfus et son appartenance à l'éthique des intel-lectuels par-delà son judaïsme et celui des Juifs qui le défendirent. Reprenant l'aveu de Léon Brunschvicg à Emmanuel Levinas en 1932, Blanchot écrivait :

> Qu'est-ce qui frappe dans cette affirmation, murmurée un matin comme par une confidence destinée à être oubliée tant elle avait son poids de mal-heur ? D'abord, que de l'affaire Dreyfus ceux qui y avaient pris part gar-daient le souvenir moins de l'injustice qui avait été commise que de la victoire finalement remportée par la justice. La démocratie avait été la plus forte. La vérité juste, contre la véhémence des passions, s'est imposée par l'obstination des preuves. Victoire de la conscience, de la raison qui, aussi bien chez Dreyfus que chez Brunschvicg, se réclame de la seule humanité, non pour renier le judaïsme, mais pour le retrouver dans l'exigence ration-nelle, inséparable de la conscience morale. Et voici que ce qui semblait avoir été acquis – mais difficilement et parfois désespérément – est à nou-veau remis en question. Non seulement Dreyfus redevient en quelque sorte coupable, mais d'innombrables Dreyfus sont promis, sans jugement, à une mort pire que la mort. Brunschvicg, dans sa confiance en une société des esprits, peut paraître un naïf penseur par rapport à un Heidegger, et pourtant c'est Heidegger qui s'embrouille et s'enferre, et c'est Brunschvicg qui va tout de suite à l'essentiel en reconnaissant dans le nazisme l'afflux des mythes qui va susciter des fureurs et des crimes sans équivalent dans une histoire pourtant sanglante [103].

Maurice Blanchot s'interrogeait sur les raisons de l'oubli de la figure de Dreyfus. « Le plus étrange, relevait-il, c'est que Dreyfus semble avoir toutes les qualités qui, en d'autres temps, auraient pu le conduire au sacrifice suprême, celui de se reconnaître coupable d'un crime qu'il n'aurait pas commis, dans la mesure où cette reconnaissance aurait pu servir l'Armée, la Patrie et le Bien public. Mais il y avait en cet homme que tant de ceux qui l'ont défendu ont méconnu, une impuissance supérieure à faire défaut à ce qu'il appelle l'Honneur, c'est-à-dire son humanité même – ce qu'il a exprimé par cette phrase : "Ma vie appartient à mon pays, mon honneur ne lui appartient pas." [...] Et lui qui n'a jamais dit qu'il était persécuté en tant que juif fut sauvé parce qu'il avait reçu, d'un judaïsme qu'il ignorait, le pouvoir d'être un homme "à la nuque raide", incapable de rompre, voire de plier [104]. »

L'incompréhension par des intellectuels dreyfusards de cette dimension d'humanité et de résistance propre à Alfred Dreyfus interrogeait le fondement même de leur pouvoir et de leur savoir. « Quand on lutte pour que soit rendue l'innocence à un homme tel que Dreyfus, il ne suffit pas de plaider un dossier et d'examiner les pièces d'un procès ; c'est plus qu'un système qui est en cause, c'est la société, c'est la religion d'où l'antisémitisme dérive comme d'une source empoisonnée. L'intellectuel est alors tenté d'oublier le Juste pour l'élever à la réalité d'un symbole où celui-ci ne se reconnaît pas. Il devient un moraliste, un politique, un mystique même, comme le sera Péguy qui accablera celui qu'il a défendu en des termes aussi injustes que ceux qui ont servi à le condamner. Rappelons cette éloquence, peut-être sublime, mais sûrement détestable : "Investi héros malgré lui, investi victime malgré lui, investi martyr malgré lui, il fut indigne de cette triple investiture. Historiquement, réellement indigne. Insuffisant, au-dessous, incapable, indigne de ce triple sacre, de cette triple investiture." Phrases, à bien lire, absurdes qui montrent à quelle *altération* s'expose l'intellectuel devenu le messager de l'absolu, le substitut du prêtre, l'homme supérieur marqué par le sacré. » Les phrases de Péguy sur Dreyfus livrées dans *Notre jeunesse* étaient d'autant plus absurdes qu'elles brûlaient ce que le poète avait honoré par des mots sublimes que nous avons cités dans « Le triomphe de la République [105] ».

Alors Blanchot convoqua d'autres intellectuels pour évoquer la dignité du combat du capitaine Dreyfus. René Char et sa propre résistance pendant la Seconde Guerre mondiale, le philosophe Jean Cavaillès, l'ami d'Élie Halévy, dont Georges Canguilhem a témoigné superbement à la Sorbonne [106], et Spinoza également, auquel rendit hommage le même Georges Canguilhem. Le capitaine Dreyfus s'inscrivait dans cette lignée classique de la résistance à la barbarie et la portait vers le XXe siècle.

Spinoza a pris parti publiquement pour le droit à la liberté de penser. Ami de Jean de Witt, grand pensionnaire de Hollande, dont il partageait les convictions républicaines, il a été le témoin de son assassinat par des émeutiers orangistes, à La Haye, en 1672, quand les armées de Louis XIV ont envahi la Hollande. L'indignation et la douleur de Spinoza l'ont déterminé à sortir de son domicile pour apposer sur les murs de la ville un placard où il avait écrit : *Ultimi barbarorum*. On dit que son propriétaire dut user de violence pour le retenir. En somme, cette philosophie qui réfute et refuse les fondements de la philosophie cartésienne, le *Cogito*, la liberté en Dieu et en l'homme, cette philosophie sans sujet, plusieurs fois assimilée à un système matérialiste, cette philosophie vécue par le philosophe qui l'a pensée a imprimé à son auteur le ressort nécessaire pour s'insurger contre le fait accompli. D'un tel pouvoir de ressort, la philosophie doit rendre compte. [...] L'homme qui a écrit qu'on ne connaît pas toutes les capacités du corps humain et qu'à tort on les attribue parfois à l'âme, cet homme est sorti de sa demeure avec son cerveau, et certainement conformément à sa philosophie. Mais peut-être en est-il sorti par une imperceptible faille cartésienne de sa construction philosophique. À première vue, on pourrait penser que Spinoza a commis une erreur. Celle de croire que les barbares qu'il dénonçait publiquement étaient les derniers. Mais il savait le latin et il a voulu dire : les plus récents, les derniers en date. Par conséquent, les philosophes d'aujourd'hui, quelle que soit leur ligne de recherche, spinoziste ou cartésienne, sont assurés de ne pas manquer d'occasions ou de raisons pour aller, à leurs risques, en un geste d'engagement contrôlé par leur cerveau, inscrire sur les murs, remparts ou clôtures : *Ultimi barbarorum* [107].

Georges Canguilhem parlait en 1980, dans le cadre des conférences du Mouvement universel de la responsabilité scientifique, présidée à l'époque par l'hématologue Jean Dausset. Deux ans plus tard, l'éditeur François Maspéro rééditait *Cinq années de ma vie,* ouvert par le texte capital de Pierre Vidal-Naquet, « Dreyfus dans l'Affaire et dans l'histoire [108] ». Lors de la reparution de 1994 à La Découverte, Jean-Louis Lévy, petit-fils du capitaine Dreyfus, écrivit une longue postface, « Alfred Dreyfus antihéros et témoin capital ». Il y analysait les formes de dégradation d'un être imposé par des mémoires revanchardes ou des témoignages bâclées.

À cette époque – et pour preuve des choix éditoriaux de François Maspéro ou de Julliard –, l'affaire Dreyfus revenait dans l'histoire et dans la mémoire. Non sans de grandes difficultés. Mais les enjeux qui pesaient sur la place à assigner, dans cette mémoire, à celle du capitaine Dreyfus, révélèrent bien des impensés et des nécessités.

## LES TEMPS DE LA MÉMOIRE

L'arrivée au pouvoir de la gauche amplifia le retour de la mémoire. Celui-ci se fit pourtant avec de grandes difficultés, dues notamment aux préjugés d'une partie des socialistes, dont François Mitterrand, et à la persistance d'une médiocre historiographie du soupçon imaginant toutes les combinaisons pour ne pas accepter l'évidence des faits. Nous dépensâmes, chercheurs de l'Affaire, beaucoup d'énergie pour réfuter des hypothèses indûment présentées comme des vérités. Elles contribuèrent autant à égarer l'histoire que la mémoire[109]. On trouva même ce genre de littérature dans des services scientifiques publics. L'introduction de l'inventaire des *Scellés de l'affaire Dreyfus* publié par les Archives nationales en 1997 procédait ainsi par insinuation : finalement, certains des cours du capitaine Dreyfus à l'École militaire semblent bien avoir disparu des archives ; certes, ce ne sont de toute manière pas les cours qu'avaient obtenus le lieutenant-colonel von Schwartzkoppen, mais, quand même, ce fait est étrange, d'autant que, au moment de la confection des scellés au domicile de Dreyfus, la bonne, Virginie Hassler, s'était presque évanouie. Or cette femme « recevait fréquemment des individus à l'accent allemand[110] ». Autant préciser que les soupçons concernant la bonne avaient été rapidement écartés par les enquêteurs et que l'affaire des cours disparus – s'ils avaient bien disparu du fait de Dreyfus – n'ont rien à voir, de par leur date, avec l'espionnage mené par l'attaché militaire allemand. Ces réflexions étaient donc inutiles dans une introduction d'inventaire et laissent un sentiment étrange de manipulation du lecteur non averti. Il est regrettable que de pareils développements, ni archivistiques ni historiens, figurent dans un inventaire des Archives nationales. Les préjugés sont tenaces. Ce contexte sur Dreyfus explique en partie les crises de la mémoire publique dans les deux dernières décennies du siècle.

Dès 1981, le nouveau ministre de la Justice, Robert Badinter, fut sollicité par l'avocat général à la Cour de cassation Raymond Lindon assisté de l'avocat Jean-Denis Bredin. Ce haut magistrat qui s'était illustré dans les procès de la collaboration économique souhaitait organiser une cérémonie pour le soixante-quinzième anniversaire de l'arrêt ayant proclamé la pleine et entière innocence du capitaine Dreyfus. L'hommage eut lieu, mais il eut peu d'écho et les actes en demeurent indisponibles.

En 1984, le ministre de la Culture passa commande, au nom de l'État, d'une statue du capitaine Dreyfus. Retenu pour la campagne de création voulu par Jack Lang, le sculpteur et dessinateur Louis Mitelberg (dit Tim) se proposa pour la réaliser. Mais le choix du lieu où elle serait placée suscita une crise larvée au sein de l'État[111]. Ce bronze impressionnant de l'officier très droit, au garde-à-vous mais portant un sabre brisé ne put être installé à l'École militaire où Dreyfus avait été dégradé le 5 janvier 1895, ni même à l'École polytechnique dont il était un ancien élève. On ignora si Charles Hernu, alors ministre de la Défense, avait été interpellé par le haut commandement français ou si de lui-même il avait pris l'initiative de refuser cette installation compte tenu de l'idée que lui-même se faisait de la représentation de l'affaire Dreyfus dans l'institution militaire. À notre connaissance, aucun officier général n'avait à l'inverse suggéré un hommage au capitaine Dreyfus dont, pourtant, la valeur militaire et personnelle en avait fait un des futurs meilleurs cadres de l'état-major avant et l'un des

meilleurs exemples pour aujourd'hui. Particulièrement, l'École polytechnique et l'École de guerre auraient eu tout à gagner de s'enorgueillir de compter dans ses rangs un ancien élève qui prouva non
seulement son excellence en franchissant les étapes d'une belle carrière d'officier ingénieur mais aussi ses qualités de patriotisme et de
courage en résistant à l'épreuve de la déportation.

Mais ce ne fut pas en tout cas l'avis du président de la République
qui soutint vraisemblablement son ministre. Jean Daniel témoigna,
dans *Le Nouvel Observateur*[112], de la position de François Mitterrand :
« Un jour, Jack Lang propose que l'on érige la statue de Dreyfus faite
par Tim à l'entrée de l'École de guerre. Mitterrand répond : "Il faut
donner aux militaires un exemple, pas un remords." J'observe : Il faut
donc mettre la statue du colonel Picquart ? "C'est cela même". » Le
président commettait là une grave erreur d'appréciation. Un retour du
capitaine Dreyfus vers l'histoire montre aisément qu'il était autant
sinon plus que le colonel Picquart un exemple pour l'armée
d'aujourd'hui. Un effort pédagogique fondé sur une exigence d'histoire demeure encore on ne peut plus indispensable. En 2003, le professeur de médecine Didier Sicard, président du Comité national
d'éthique, écrivit un texte très personnel sur le sens de « La statue
errante du capitaine Dreyfus[113] ».

Vint en 1994 l'année du centenaire de la condamnation du capitaine
Dreyfus. L'impératif de la commémoration se posait à la fois par tradition nationale et parce qu'un monde d'interrogations était né des
remises en cause du rapport de la France et de ses citoyens d'origine
ou de confession juive, avec le problème de la cécité des responsables
politiques sur Vichy.

L'usage politique des commémorations historiques n'est pas une
découverte de la fin du XXᵉ siècle. Déjà le centenaire de la Révolution
française en 1889 avait permis à la République de célébrer ses origines
démocratiques en un grand moment de solennité officielle. En pleine
affaire Dreyfus, la commémoration du tricentenaire de l'édit de Nantes
(1898) avait été à l'inverse une occasion de rappeler aux républicains
en majorité hostiles à la révision du procès Dreyfus l'importance du
droit et de la tolérance dans la société française. Les commémorations
prirent néanmoins une importance plus grande depuis les grandes
messes du bicentenaire de la Révolution française en 1989. Cet investissement sur le passé et sa transformation en un présent souvent coupé
de l'histoire intervenaient à un moment d'épuisement du projet républicain, comme si l'acte de commémoration pouvait répondre aux
inquiétudes démocratiques. Aussi l'approche des dates anniversaires
devenait-elle une période d'intenses négociations ou tractations, l'un
des enjeux étant alors de décider de l'inscription de tel ou tel événement au panthéon national de la commémoration. Chaque année, la
Délégation aux célébrations nationales du ministère de la Culture, placée sous l'autorité du directeur des Archives de France, recense les

dates anniversaires qui méritent d'être retenues et soutenues par la puissance publique.

En 1994, l'affaire Dreyfus – à travers la date de la condamnation du 22 décembre 1894 – ne figura pas dans la liste de la Délégation. Cette non-inscription ne fut pas motivée. Néanmoins, trois raisons purent être invoquées plus ou moins officiellement : on ne célèbre pas un événement « négatif » comme une condamnation, de surcroît inique ; la période électorale et de cohabitation ne plaidait pas en faveur de la commémoration d'un événement dont on estimait qu'ayant divisé la France il pourrait à la faveur de cet anniversaire perturber une unité nationale déjà malmenée ; enfin, le gouvernement d'Édouard Balladur mais aussi la présidence de François Mitterrand peuvent avoir eu le souci d'éviter des tensions au sein d'institutions ayant conservé une vision répulsive de l'événement, en particulier l'armée de terre, comme l'avait montré l'affaire de la statue de Tim.

En 1994-1995, le gouvernement et les pouvoirs publics choisirent donc l'abstention. Deux cabinets ministériels, prévoyant probablement un fort intérêt de l'opinion pour ce moment anniversaire, avaient cependant décidé de soutenir le film d'Yves Boisset, *L'Affaire Dreyfus*, dont le scénario, dû à Jorge Semprun se fondait sur l'ouvrage de l'avocat et historien Jean-Denis Bredin. Le cabinet de François Léotard, ministre de la Défense, avait accepté que le cinéaste tournât à l'École militaire, tandis que les services de François Bayrou avaient décidé d'envoyer dans chaque établissement scolaire une vidéo-cassette du long-métrage. Le film mettait l'accent sur le rôle de Dreyfus, au moins autant que sur celui de Picquart et de Clemenceau. Mais les grands procès de Rennes et de réhabilitation étaient passés sous silence.

Le réveil médiatique, dès les premiers jours de janvier 1994, amena le chef du Service historique de l'armée de terre, le colonel Gaujac, à demander à ses subordonnés, presque sur-le-champ, une note sur l'affaire Dreyfus, laquelle fut plus que médiocre, puisqu'elle indiquait notamment que « l'innocence du capitaine Dreyfus [était] la thèse généralement admise par les historiens [114] ». Ce texte n'était pas fondamentalement antidreyfusard. Il était très maladroit et surtout très ignorant puisque l'innocence de Dreyfus avait été démontrée et proclamée par la Cour de cassation, au nom du peuple français, décision qui s'imposait en droit à toutes les institutions et à tous les citoyens en France. Il ne s'agissait pas, par ailleurs, d'une vérité d'État comme nous l'avons démontré plus haut. Le problème de cette note était d'une part qu'elle avait été influencée par les études de Jean Doise dont des critiques historiques convergentes ont montré depuis la très grande faiblesse, et d'autre part qu'elle fut aussitôt remise à l'hebdomadaire *Sirpa-Actualité* sans que ses rédacteurs ne fussent avertis de cette destination extérieure au service.

La note fut publiée le 31 janvier 1994. Immédiatement, Jean Guisnel, du journal *Libération*, se saisit de l'affaire et en fit un *scoop* (5 et

9 février 1994). François Léotard réagit aussitôt, limogea le colonel Gaujac et opéra des mutations-sanctions au sein du Sirpa, l'institution de communication publique des armées. Le ministre mit fin également à certaines interrogations de la hiérarchie relatives à la tenue d'une exposition sur l'affaire Dreyfus organisée par Musée d'histoire contemporaine au sein même de l'hôtel des Invalides à Paris. L'affaire dans l'Affaire fut définitivement close lorsque le successeur du colonel Gaujac, le général Mourrut, se rendit en service commandé devant le Consistoire israélite de France réuni à l'Hôtel de Ville le 7 septembre 1994. Le nouveau chef du SHAT déclara solennellement que l'affaire Dreyfus était « un fait divers judiciaire provoqué par une conspiration militaire [qui] aboutit à une condamnation à la déportation – celle d'un innocent – en partie fondée sur un document truqué ». *Libération* titra en une : « L'armée reconnaît l'innocence de Dreyfus. » Ce qui signifiait qu'elle ne l'avait pas reconnue dans le passé, malgré l'arrêt de la Cour de cassation rendu pourtant au nom du peuple français [115]. La déclaration était forte, mais son lieu étrange, comme si l'affaire Dreyfus ne concernait décidément que les Juifs de France.

Du côté de la justice, et alors que la nécessité était démontrée de développer une information et une compréhension de l'histoire judiciaire de l'Affaire et de la portée des grands arrêts de l'événement, rien n'eut lieu, à l'exception d'une ou deux brèves interventions du premier président de la Cour de cassation d'alors, Pierre Drai. Un colloque professionnel de magistrats, un moment envisagé, fut abandonné. La magistrature agissait comme si elle était gênée de l'importance de l'arrêt de réhabilitation et qu'il convenait de ne pas le rappeler excessivement. Pierre Drai et l'ancien ministre de la Justice, Robert Badinter, à l'époque président du Conseil constitutionnel, se retrouvèrent le 16 octobre 1994 à un colloque du CRIF et de l'INALCO qu'ils coprésidaient, mais celui-ci n'eut aucun impact. L'allocution du premier président de la Cour de cassation s'interrogeait pourtant sur les conditions présentes du métier de juge et sur la signification toujours actuelle de l'affaire Dreyfus. Renaud Donnedieu de Vabres, chargé de mission auprès du ministre de la Défense, évoqua la « modernité de Dreyfus » en tant qu'« officier moderne » issu ni du rang ni d'une caste : « Le cri de Dreyfus n'en est que plus poignant : non pas celui d'un officier juif, mais d'un officier français, dont l'honneur a été bafoué, qui demande justice. Dreyfus n'est pas dreyfusard. Il est le héros malgré lui d'une tragédie qui refuse de sortir d'une vie ordinaire et d'une carrière anonyme [116]. »

L'archevêque de Sens, Mgr Defois, déclara après avoir évoqué la dégradation et le cri d'innocence de Dreyfus : « Il faut toujours entendre l'appel de l'innocence, c'est la voix du sujet. La présomption d'innocence est l'un des points cardinaux des droits de l'homme, car c'est l'espace d'une conscience qui est là reconnue en dignité et en liberté. La justice humaine devient fragile quand l'opinion publique s'enflamme avant que le droit ait affirmé sa suprématie et sa transcendance. Le droit est la protection du sujet, mieux, il restitue son visage au condamné. Il est l'icône de nos valeurs et de nos raisons de vivre [117].» Le docteur Jean-Louis Lévy rappela, dans le portrait qu'il esquissa de son grand-père, que « ceux qui l'ont caricaturé, défiguré, idéalisé ou "passé à la trappe" oublient que cet officier est un être de chair et de sang qui fut dépouillé de l'image de lui-même.» Et pourtant, « arraché à son foyer, sa carrière brisée, broyé dans ses convictions les plus intimes, Dreyfus ne plie pas [118]». La sociologue Dominique Schnapper exprima son émotion à l'audition du témoignage du petit-fils du capitaine et révéla que, le 16 octobre 1983, le livre que son propre père, Raymond Aron, lisait le matin de sa mort n'était autre que L'Affaire de Jean-Denis Bredin [119].

Toujours à ce colloque, l'historien Alain Boyer releva qu'«on a trop longtemps parlé de l'affaire Dreyfus en oubliant le rôle joué par Alfred Dreyfus lui-même, rôle méconnu et souvent critiqué, mais indispensable. [...] Ce qui est caractéristique de Dreyfus, ce n'est pas sa révolte, c'est sa confiance : confiance en son droit, confiance en la justice de son pays, en ses institutions et en la droiture de ses dirigeants. Il n'incrimine pas l'armée, il n'attaque pas les hauts responsables de l'État, il considère seulement qu'abusés par une machination, ils se sont trompés. L'attitude remarquable de cet antihéros a incontestablement facilité le règlement de l'Affaire et fait de son combat combat en faveur des droits de l'homme [120]».

En 1998, pour le centenaire de « J'accuse... ! » et de la phase dreyfusarde de l'Affaire, la célébration prit un tout autre visage. « Le centième anniversaire de la publication de "J'accuse... !" a été dignement célébré, au-delà même de nos attentes, les 12 et 13 janvier 1998 », écrivit le président de la Société littéraire des amis d'Émile Zola, Henri Mitterand [121]. Il est vrai que l'investissement des chercheurs fut important. Déjà l'historien Philippe Oriol avait entrepris le très gros travail d'édition critique des Carnets d'Alfred Dreyfus qui allaient paraître chez Calmann-Lévy. L'investissement des pouvoirs publics fut soutenu – non sans arrière-pensées. Il convenait en effet de faire oublier le relatif fiasco de la commémoration du centenaire du conseil de guerre de 1894. Apparaissait aussi, en toile de fond, la concurrence entre les deux têtes de l'exécutif puisque la France vivait sa troisième période de cohabitation.

Toute une série de manifestations solennelles furent donc organisées à la Bibliothèque nationale de France et à la Sorbonne. Trois cérémonies se voulurent particulièrement solennelles et symboliques, la première à l'initiative du président de l'Assemblée nationale, Laurent Fabius, qui fit déployer sur la façade du Palais-Bourbon une gigantesque toile de 150 m reproduisant le « J'accuse... ! », la seconde, décidée par le Premier ministre qui réunit le 13 janvier ministres, magistrats et descendants des familles Dreyfus et Zola dans la crypte

du Panthéon, la troisième, organisée enfin par le ministre de la
Défense, Alain Richard, à l'École militaire le 2 février, avec dévoilement d'une plaque commémorative près de la cour d'honneur où avait
été dégradé l'officier. Intitulé « Hommage à Alfred Dreyfus (1859-
1935) », cette plaque gravait dans le marbre les mots suivants : « Dans
cette enceinte, le 5 janvier 1895, le capitaine Alfred Dreyfus était
dégradé pour un crime de haute trahison qu'il n'avait pas commis.
Dans ce lieu, le 21 juillet 1906, après avoir été réintégré dans l'armée
et promu au grade supérieur, le chef d'escadron Alfred Dreyfus était
fait chevalier de la Légion d'honneur. La vérité est en marche, et rien
ne l'arrêtera. » Le ministre de la Guerre insista sur la valeur du colonel
Picquart, selon le classique conflit des héroïsmes que nous n'avons
pas cessé d'observer : « La recherche de la vérité et le long combat
qui menèrent finalement à la réhabilitation, furent aussi l'œuvre de
militaires et, en grande partie d'abord, le fait du colonel Picquart. Il
restera à jamais le symbole de ces hommes qui n'hésitent pas, dans la
recherche de la justice, avec la vision clairvoyante de l'intérêt du service, à encourir le courroux et les vexations des institutions qu'ils
souhaitent servir. [...] Sachant que toute commémoration organisée
dans les institutions porte un message et une ouverture d'avenir devant
le temps présent, je suis heureux que ce centenaire nous ait donné
l'occasion d'évoquer ici même, à la veille d'un autre siècle et dans
une école, lieu de réflexion, de formation et de préparation du futur,
ces principes qui donnent du sens aux évolutions que nous voulons
conduire ensemble. [...] Elle est tout à la fois un hommage au combat
pour la vérité et le témoignage d'une nation unie autour de ses valeurs
fondamentales [122]. »

Ces cérémonies avaient été précédées d'une lettre du président de
la République « aux descendants d'Alfred Dreyfus et d'Émile Zola »,
rendue publique dès le 8 janvier 1998 : « Un demi-siècle après Vichy,
nous savons que les forces obscures, l'intolérance, l'injustice peuvent
s'insinuer jusqu'au sommet de l'État. Mais nous savons aussi que la
France sait se retrouver pour le meilleur, dans les moments de vérité,
grande, forte, unie et vigilante. C'est sans doute cela que nous disent,
par-delà les années, Émile Zola et Alfred Dreyfus. C'est parce qu'ils
avaient foi dans nos valeurs communes, les valeurs de la Nation et de
la République, et qu'ils aimaient profondément la France, que ces deux
hommes d'exception ont su la réconcilier avec elle-même. N'oublions
jamais cette magistrale leçon d'amour et d'unité [123]. » Ce texte fort,
qui prolongeait le discours que Jacques Chirac avait prononcé en 1994,
en tant que maire de Paris, pour l'inauguration de la statue à son actuel
emplacement du boulevard Raspail (place Pierre-Lafue), fit écho à
l'hommage qu'il prononça lors du pèlerinage de Médan, en
octobre 2002, pour le centième anniversaire de la mort d'Émile Zola.

Les initiatives se poursuivirent. Le 12 juillet 2000, le maire de Paris,
Jean Tibéri, fit donner à une petite place du 15e arrondissement le

nom d'Alfred Dreyfus. Cette décision rejoignait celles, beaucoup, plus anciennes, qui avaient vu le baptême de la rue Capitaine-Dreyfus à Mulhouse, et celles à venir, à Rennes notamment. Mais les initiatives prirent aussi le visage d'actes antisémites. La tombe du capitaine Dreyfus avait déjà été dégradée à plusieurs reprises. En 2002, la statue fut maculée de peinture jaune et son socle recouverte d'inscriptions antisémites. Une cérémonie de protestation eut lieu à l'initiative de Bertrand Delanoë, maire de Paris [124].

## DREYFUS AU PANTHÉON

La question est donc posée, pour le centenaire de l'arrêt de réhabilitation de l'hommage que la France doit rendre au capitaine Dreyfus et à l'Affaire. La Cour de cassation, par la décision de son premier président Guy Canivet, organise le 19 juin 2006 un ambitieux colloque avec la publication simultanée d'un ouvrage, *De la justice dans l'affaire Dreyfus*, aux éditions Fayard. À l'inverse, ni les Archives nationales ni la Bibliothèque nationale de France, grands établissements nationaux pour la conservation et la recherche, n'ont souhaité réaliser de grandes expositions alors qu'elles disposent sur le sujet de collections et de fonds exceptionnels [125]. C'est particulièrement vrai pour les Archives nationales qui disposent de l'immense et capital fonds de la Cour de cassation relatif à l'affaire Dreyfus (BB[19]). Ces documents dorment depuis leur versement en 1933 et 1952. Du moins ne risquent-ils pas de se dégrader au contact du public ! La moindre des choses serait alors de les prêter sans restriction aux institutions qui ont eu la volonté de s'engager dans de telles démarches scientifiques et patrimoniales. Ce qui fut fait finalement. Ainsi le Musée d'art et d'histoire du Judaïsme, assumant son rang parmi les grands musées nationaux ouvre-t-il en juin 2006 une grande exposition centrée sur Alfred Dreyfus et sous-titré « Le combat pour la justice », tandis que le Musée d'art et d'archéologie inaugure en juillet l'exposition « L'affaire Dreyfus révélée » par une documentation photographique inédite.

La connaissance du capitaine Dreyfus et la réflexion sur son histoire peuvent aussi venir de l'étranger, particulièrement des États-Unis. Le grand livre de Michael Burns sur la famille Dreyfus est paru en 1991 à Mount Holyoke College (Massachussets), tandis qu'en 1999, à l'Académie militaire des États-Unis, West Point, fut présentée la collection de l'américaine Lorraine Beitler. L'exposition mettait l'accent sur le capitaine Dreyfus. Et l'allocution prononcée par le secrétaire d'État à la Défense du président Clinton, William S. Cohen, souligna l'importance des enjeux qu'amenait avec elle une commémoration de l'Affaire et de Dreyfus :

More than a century after it began the Dreyfus case remains compelling and instructive, in part, because it is a story of one man's resilient character : his courage in the face of tragedy, his enduring dignity amid a cloud of disgrace, and his perseverance in pursuit of vindication. It is one of the most inspiring stories of personal trial and triumph in Western political history. But the story of Captain Alfred Dreyfus is far more than a memorable biography. It foreshadowed many of the defining events (positive and negative) of this century : the separation of civilian and military power in nation-states ; the rise of anti-Semitism that culminated in the Holocaust ; the codification of universal human rights ; and the growth of a powerful and independent press, among others. Although the setting of the Dreyfus case is turn-of-the-century France, the issues are timeless and global. And these issues offer enduring lessons in ethics, law, political psychology, ethnic tolerance, and international relations. How can nations protect the rights of the individual against the oppression of the majority ? What is the proper relationship between military and civilian standarts of justice ? How should individuals resolve conflicts when their personal sense of justice conflicts with the law of institutions ? What can institutions and nations do to guard against ethic discrimination and persecution ? All of these questions are as relevant today as they were a century ago [126].

Plus d'un siècle après qu'elle ait commencé, l'affaire Dreyfus demeure passionnante et pleine d'enseignements. D'abord parce qu'elle raconte l'histoire d'un homme seul qui a résisté avec ses seules forces : son courage devant la tragédie, sa dignité au milieu de tant de déshonneur, et son obstination à réclamer la réhabilitation. Son histoire est l'un des plus impressionnantes qui soit d'un combat et d'une victoire individuels dans le monde occidental.
Pour autant, l'histoire du capitaine Dreyfus est bien plus qu'une biographie, si mémorable soit-elle. Elle annonce bien des événements fondamentaux de ce xxe siècle, qu'ils soient positifs ou négatifs : la séparation du pouvoir civil et du pouvoir militaire dans les états-nations ; la montée de l'antisémitisme qui a culminé dans l'Holocauste ; la constitutionnalisation des droits de l'homme universels ; le développement d'une presse puissante et indépendante, entre autres fondements.
Bien que l'affaire Dreyfus ait eu pour cadre la France du tournant du siècle, les questions qu'elle a suscitées sont éternelles et universelles. Et ses réponses représentent d'exigeantes leçons concernant l'éthique, la loi, le comportement politique, la tolérance ethnique, les relations dans le monde. Comment, dans les nations, protéger les droits individuels de l'oppression de la majorité ? Quelle articulation fonder entre les principes de la justice civile et ceux de la justice militaire ? Comment les citoyens peuvent-ils agir quand leur idée de la justice entre en conflit avec la loi ? Que peuvent faire les institutions et les nations pour se préserver du racisme et de l'oppression ? Toutes ces interrogations sont aussi pertinentes aujourd'hui qu'elles l'étaient il y a un siècle.

La mémoire de Dreyfus comme être humain et comme acteur de l'Affaire a été perpétuellement dégradée, y compris par certaines institutions publiques. L'histoire est en permanence bafouée par des reconstructions aussi bien fausses scientifiquement qu'indignes moralement.

Comme si un Juif français de la fin du XIXᵉ siècle devait rester éternellement en dehors de la justice. Il est donc temps de remettre un peu de vérité dans la Cité. L'œuvre de biographie se veut une étape dans la restitution du savoir historique et sa transmission publique. La mise au Panthéon d'Alfred Dreyfus ne serait-elle pas aussi le moyen d'une réparation mémorielle en même temps que le ressort de la diffusion des idéaux civiques dans la société ? Cette proposition forte est légitime du point de vue historique. Elle repose sur les conclusions de cette entreprise biographique inédite. Elle souligne aussi la nécessité de repenser, en ce début du XXIᵉ siècle, la notion de « grand homme national ».

Dès avant son arrestation, Alfred Dreyfus fut un exemple d'officier par son investissement dans la carrière et sa volonté de participer à la construction d'une armée moderne et démocratique, ambition qui demeure pleinement d'actualité dans un monde dominé par la violence d'État et l'intolérance idéologique. Les qualités de soldat de Dreyfus furent confirmées et amplifiées par sa résistance à la déportation, acte de courage et de bravoure proprement militaires. De fait, la réintégration incomplète du 13 juillet 1906 est un scandale politique qui doit de toute manière être réparé d'une manière ou d'une autre. Le vote d'une nouvelle loi de réintégration, à titre posthume, pourrait être une solution. Mais l'entrée d'Alfred Dreyfus au Panthéon nous paraît la meilleure des réponses à cette injustice. Car Dreyfus n'est pas seulement un officier exemplaire dont les armées doivent s'inspirer pour penser les valeurs militaires démocratiques. Il fut un modèle de citoyen défendant son droit à la justice. Il fut un modèle de patriote, car il ne douta jamais de la capacité de son pays à aller vers la justice et la vérité. Il fut un modèle de Français, ne reniant jamais ses origines religieuses mais plaçant au-dessus d'elles les valeurs de raison et de progrès qui avaient précisément libéré les communautés juives de France et d'Algérie en les portant à l'universalité.

Alfred Dreyfus incarne enfin un héros ordinaire – et en cela exemplaire –, la figure de tous ces hommes, ces femmes et ces enfants qui, dans les camps, dans les bagnes et dans les sociétés, refusèrent le statut de victimes que des pouvoirs tyranniques leur imposaient pour trouver, dans la résistance la plus infime et la plus décisive, leur dignité et leurs raisons de croire en la justice, en la France et en l'humanité. Alfred Dreyfus emmène avec lui toutes ces personnes qui se retrouvèrent dans son combat puis dans sa mémoire, toutes celles qui comme lui engagèrent un combat désespéré contre les ténèbres et dont on a perdu la trace. Elles méritent qu'on se souvienne d'elles. En faisant entrer Dreyfus au Panthéon, elles y seront représentées dans la conscience publique qui traverse les âges et les pays. En faisant entrer Dreyfus au Panthéon, la France dira aux Français et au monde qu'elle veut encore demeurer la patrie du droit et de la vérité contre le racisme et l'antisémitisme, rappelant qu'un immense combat pour sauver un

Juif a été mené là, dans un XIX<sup>e</sup> siècle qui n'avait pas encore connu le XX<sup>e</sup> siècle, et que ce combat avait été victorieux puisque qu'un acte de la plus haute cour de justice, fondé sur le droit et l'histoire, s'était dressé contre les procès arbitraires, le lynchage des foules et la raison d'État.

Dreyfus est tout cela. Il est la France.

# Abréviations

## Institutions

AN = Archives nationales (Paris)
BNF = Bibliothèque nationale de France (Paris)
CAOM = Centre des archives d'outre-mer (Aix-en-Provence, affaires politiques 1, 3350-3359, ou microfilms)
JO = *Journal officiel de la République française*
MAHJ = Musée d'art et d'histoire du Judaïsme (Paris)

## Œuvres d'Alfred Dreyfus

*Carnets*

=*Carnets (1899-1907)*, édition par Philippe Oriol, préface de Jean-Denis Bredin, Paris, Calmann-Lévy, 469 p.

*Cinq années de ma vie*

=*Cinq années de ma vie*, précédé de « Dreyfus dans l'Affaire et dans l'histoire » par Pierre Vidal-Naquet, et suivi d'« Alfred Dreyfus, anti-héros et témoin capital » par Jean-Louis Lévy, Paris, La Découverte, 1994, 276 p.

*Ecris-moi souvent......*

=« *Ecris-moi souvent, écris-moi longuement....* ». *Correspondance de l'île du Diable*, édition par Vincent Duclert, préface de Michelle Perrot, Paris, Mille et une nuits, 2005, 350 p.

*Lettres d'un innocent*

= [Le Capitaine Dreyfus], *Lettres d'un innocent*, introduction : « Histoire d'une erreur judiciaire par un témoin de la vérité [Joseph Reinach], Appendices dont « Le capitaine Dreyfus à la prison du Cherche-Midi. Historique de la détention », Paris, P.-V. Stock, 1898, 279 p., avec fac-similés de lettres du capitaine Dreyfus à Lucie Dreyfus.

*Mes Souvenirs*

=Souvenirs inédits (1931), Archives Charles Dreyfus.

*Souvenirs et correspondance*

=*Souvenirs et correspondance publiés par son fils*, Paris, Grasset, 1936, 451 p.

Sources

Mathieu Dreyfus, *L'Affaire telle que je l'ai connue*

= Mathieu Dreyfus, *L'Affaire telle que je l'ai connue*, Paris, Grasset, 1978, 309 p.

*Le Parlement et l'affaire Dreyfus*

= *Le Parlement et l'affaire Dreyfus. Douze années pour la vérité*, édition par Vincent Duclert, préface de Laurent Fabius, introduction de Madeleine Rebérioux, Paris, Assemblée nationale et Société d'études jaurésiennes, 1998, 306 p.

Joseph Reinach, *Histoire de l'Affaire Dreyfus* (suivie de l'indication du tome et de la page)

= Joseph Reinach, *Histoire de l'Affaire Dreyfus*, Paris, Editions de la *Revue blanche* pour le tome I, puis Fasquelle. Tome I, *Le Procès de 1894*, 1901, 640 p. ; tome II, *Esterhazy*, 1903, 718 p. ; tome III, *La crise*, 1903, 661 p. ; tome IV, *Cavaignac et Félix Faure*, 1904, 635 p. ; Tome V, *Rennes*, 1905, 591 p. ; tome VI, *La révision*, 1908, 565 p. ; tome VII, *Index général, additions et corrections*, 1911, 299 p.

Documentation judiciaire imprimée

Procès Zola, I – II – III

=*L'affaire Dreyfus. Le Procès Zola devant la cour d'assises de la Seine et la cour de cassation (7 février-23 février, 31 mars, 2 avril 1898)*, Compte-rendu sténographique *in extenso* et documents annexes, 2 tomes, Paris, Aux bureaux du *Siècle* et P.-V. Stock, 1898, 551 et 546-X p.

Révision 1898-1899

=Première révision de la Cour de cassation, 26 septembre 1898-3 juin 1899

suivi de :

— *La Révision du procès Dreyfus à la Cour de cassation. Compte rendu sténographique* in-extenso *(27, 28 et 29 octobre 1898)*, Paris, P.-V. Stock, 1898, 271 p.

= Débats 1898

— *La Révision du procès dreyfus. Enquête de la Cour de cassation*, Paris, P.-V. Stock, 1899, 2 tomes (I : Instruction de la Chambre criminelle, 824 p., II : Instruction des Chambres réunies — Pièces annexes, 368 p).

= Instruction, I — II

— *La Révision du procès Dreyfus. Débats de la Cour de cassation.* Rapport de M. Ballot-Beaupré, conclusions de M. le procureur général Manau, mémoire et plaidoirie de Me Mornard, arrêt de la Cour, Paris, P.-V. Stock, 1899, 715 p.

= Débats 1899

3/ *Le procès Dreyfus devant le conseil de guerre de Rennes (7 août-9 septembre 1899)*, Compte-rendu sténographiques « in-extenso », 3 tomes, Paris, P.-V. Stock, 1900, 663, 584 et 826 p.

= Procès de Rennes, I – II — III

Réhabilitation 1903-1906

= Seconde révision de la Cour de cassation et réhabilitation, 25 décembre 1903-12 juillet 1906.

suivi de :

— *Révision du procès de Rennes, audiences des 3, 4 et 5 mars 1904*. Rapport de M. le conseiller Boyer, réquisitoire de M. le procureur général Baudouin, plaidoirie de Me Mornard, arrêt de la Cour. Documents annexes : réquisitoire écrit de M. le procureur général, mémoire de M. Alfred Dreyfus, conclusions de Me Mornard, débats parlementaires, etc., Paris, Ligue française pour la défense des droits de l'homme et du citoyen, 1904, 657 p.

= Débats 1904.

— *La Révision du procès de Rennes. Enquête de la chambre criminelle de la Cour de cassation*, édition officielle, 2 tomes, Paris, Imprimerie officielle, 1906. Réédition Paris, Ligue française pour la défense des droits de l'homme et du citoyen, 1908, 3 tomes.

= Instruction, off. I — II, ou I – II — III

— *La Révision du Procès de Rennes. Réquisitoire écrit de M. le Procureur Général Baudouin* [9 mars 1905], Paris, Ligue des Droits de l'Homme, 1907, 783 p.

= Réquisitoire écrit

— *L'Affaire Dreyfus. La révision du procès de Rennes, 15 juin 1906-12 juillet 1906*. Mémoire de Me Henry Mornard pour M. Alfred Dreyfus, Paris, Ligue des droits de l'homme et citoyen, 1907, 723-VIII p.

= Mémoire

— *La Révision du Procès de Rennes. Débats de la Cour de Cassation (Chambres réunies, 15 juin-12 juillet 1906)*, 2 tomes, Rapport de M. le Conseiller Moras. Réquisitoire de M. le Procureur Général Baudouin. Plaidoirie de Me Henry Mornard. L'Arrêt. Annexes, Ligue des Droits de l'Hommes, 1906, 639 et 665 p.

= Débats 1906, I ou II

# Notes

AVANT-PROPOS
## Le choix de l'histoire

1. Jean-Pierre Lévy, « Alfred Dreyfus, anti-héros et témoin capital », in *Alfred Dreyfus, Cinq années de ma vie*, p. 248.

2. Pour Esther Benbassa comme pour tant d'autres, l'affaire Dreyfus *et* le capitaine Dreyfus furent une éducation politique.

3. Cité par Esther Benbassa, *Libération*, 16 mars 2006 (entretien avec Luc le Vaillant).

4. Charles Péguy, *Notre jeunesse* [1910], Paris, Gallimard, coll. « Folio essais », 1993, pp. 139-142.

5. *Ibid.*, p. 142.

6. Voir l'épilogue, « Dreyfus dans la République "une tradition de justice" », pp. 1039-1040.

7. Voir pp. 911 et suiv.

8. Jean-François Deniau, *Le Bureau des secrets perdus*, Paris, Odile Jacob, 1998, p. 15.

9. Cité par Jean-Denis Bredin, *L'Affaire* [1983], nouvelle édition, Paris, Fayard-Julliard, 1993, p. 656. L'auteur cite lui-même un texte de l'un des petits-fils du capitaine Dreyfus, Jean-Louis-Lévy. L'origine de cette confession du capitaine Dreyfus se trouve dans un texte de Victor Basch, « Alfred Dreyfus et l'"Affaire" », *Cahiers des droits de l'homme*, 15-30 juillet 1935, cité *in* Victor Basch, *Le Deuxième Procès Dreyfus. Rennes dans la tourmente. Correspondances*, éditions établie par Françoise Basch et André Hélard, Paris, Berg International, 2003, p. 189. Mais rien ne permet d'attester que Dreyfus ait bien prononcé ces mots qui sont en complète opposition avec ses propos clairement revendiqués, notamment ceux qui conclurent la cérémonie de la Légion d'honneur (voir, dans ce livre, p. 984).

CHAPITRE PREMIER
## Le basculement du monde

1. Voir le chapitre VI, « Un crime d'État », pp. 297-350.

2. Alfred Dreyfus, *Cinq années de ma vie*, p. 51. Marcel Thomas, *L'Affaire sans Dreyfus*, Paris, Fayard, 1961, p. 145.

3. Ces précisions sont données par Alfred Dreyfus dans une lettre à Joseph Reinach datant de 1900, sans autre précision (BNF, Nafr. 13567, f° 16). Voir également Alfred Dreyfus, *Cinq années de ma vie*, p. 51.

4. Les historiens du fait militaire considèrent qu'il est inexact d'utiliser ainsi le terme « armée » au singulier. Il n'existe que « des armées ». À cette époque il existe deux armes principales, la marine et l'armée de terre, auxquelles il faut adjoindre la gendarmerie. La distinction se marquait du reste par la séparation, au sein du gouvernement de la République, entre un ministre de la Marine et un ministre de la Guerre. Par convention cependant et afin de ne pas alourdir le récit, nous parlerons seulement de l'armée, c'est-à-dire de l'armée de terre. Au sein de cette arme, les officiers et tous ceux qui ont affaire à elle usent du reste de ce vocable d'« armée », comme dans l'expression « État-major général de l'armée ». Dans l'esprit du temps, il n'y a qu'une seule armée, l'armée de terre, tandis que la marine est et reste la marine.

5. Alfred Dreyfus, *Mes souvenirs*, p. 4.

6. Alfred Dreyfus, *Cinq années de ma vie*, p. 50.

7. Pierre Dreyfus, Préface, *in* Alfred Dreyfus, *Souvenirs et Correspondance*, p. 12.

8. Alfred Dreyfus, *Mes souvenirs*, p. 4.

9. *Ibid.*

10. Picquart, *Procès de Rennes*, I, p. 372.

11. Georges Picquart est un officier d'infanterie. Son grade officiel de chef de bataillon équivaut à celui de commandant.

12. L'archiviste Gribelin avait revêtu une tenue civile afin de « ne pas éveiller les soupçons » (Cochefert, *Procès de Rennes*, I, p. 583).

13. *Procès de Rennes*, I, p. 583.

14. Procès-verbal d'arrestation du capitaine Dreyfus, 15 octobre 1894, *in* Réhabilitation 1903-1906, Instruction, III, pp. 602-603.

15. Alfred Dreyfus, *Cinq années de ma vie*, pp. 52 et suiv. Nous nous appuyons sur ce témoignage pour la suite du récit. Lorsque d'autres témoignages sont produits, une note en indique la référence.

16. Alfred Dreyfus, *Cinq années de ma vie*, p. 53.

17. Dreyfus, *Procès de Rennes*, I, p. 601.

18. Ministère de la Guerre, État-major de l'armée, Procès-verbal d'arrestation, 15 octobre 1894, Réhabilitation 1903-1906, Instruction, III, pp. 601-602.

19. Le commandant du Paty de Clam n'indique pas, par exemple, les phrases qu'il a effectivement prononcées et les questions qui ont été posées à Dreyfus, ce qui ajoute au flou des circonstances.

20. Du Paty, *Procès de Rennes*, III, p. 507.

21. Cochefert, *Procès de Rennes*, III, p. 520.

22. Selon le commandant Picquart, présent pendant les audiences (Révision 1898-1899, Instruction, I, pp. 128-139, et *Procès de Rennes*, I, pp. 380-381).

23. Du Paty de Clam, Réhabilitation 1903-1906, Instruction, off., I, p. 194.

24. « Pour un coupable, cette façon d'agir [le samedi 13 octobre] l'aurait mis immédiatement sur ses gardes et très certainement il aurait fui » (Alfred Dreyfus, *Mes souvenirs*, p. 4).

25. Alfred Dreyfus, *Cinq années de ma vie*, p. 53.

26. Alfred Dreyfus, *Mes souvenirs*, p. 5.

27. On peut néanmoins en savoir un peu plus sur ce qui s'est passé dans les locaux de l'État-major de l'armée. Voir le récit de la scène et les précisions d'Edgar Demange dans sa plaidoirie, III, 652.

28. Alfred Dreyfus, *Cinq années de ma vie*, p. 53.

29. *Ibid.*

30. Révision 1898-1899, Débats 1898, pp. 31-32.

31. Réhabilitation 1903-1906, Instruction, III, pp. 601 et suiv. Les originaux de ces documents ici imprimés sont conservés dans le fonds de la Cour de cassation déposé aux Archives nationales à Paris (sous-série BB[19], carton 128). Sur ce fonds judiciaire exemplaire, voir notre étude « Les Archives judiciaires de l'affaire Dreyfus : un enjeu d'histoire contemporaine », *Histoire et Archives*, hors-série n° 2, décembre 1998, pp. 367-394.

32. D'après le commissaire Cochefert (*Procès de Rennes*, I, p. 584).
33. Procès-verbal, *in* Réhabilitation 1903-1906, Instruction, III, pp. 605-607.
34. Dreyfus, *Procès de Rennes*, II, p. 526.
35. Cochefert, *Procès de Rennes*, I, p. 584.
36. *Ibid.*
37. Réhabilitation 1903-1906, Instruction, III, p. 604.
38. Procès-verbal, *in* Réhabilitation 1903-1906, Instruction, III, pp. 603-604.
39. Cochefert, *Procès de Rennes*, I, p. 584. III, pp. 520-521.
40. Gribelin, *Procès de Rennes*, I, p. 587.
41. Cordier, *Procès de Rennes*, II, p. 523
42. Cochefert, *Procès de Rennes*, I, p. 584.
43. Cochefert, *Procès de Rennes*, I, p. 582.
44. « J'ai rendu compte au ministre de la Guerre des opérations que nous avions faites ; et en présence du fait accompli, il m'a demandé quelle était mon impression. Je sentais qu'il voulait rassurer sa conscience. (*Mouvement.*) Je savais combien avaient été grandes ses préoccupations dès la première heure et je dois dire que j'ai reconnu très nettement que mon impression avait été que le capitaine Dreyfus pouvait être coupable. Cette impression, je dois le dire aussi, s'inspirait de la conviction [...] que j'avais qu'une longue enquête (ce sont les termes dont je me suis servi dans une de mes questions, et la Cour de cassation en a parlé), qu'une longue enquête avait été faite par le service des renseignements. » (Cochefert, *Procès de Rennes*, I, pp. 584-585.)
45. « L'inculpé protesta vivement de son innocence, et se laissa fouiller sans résistance : "Prenez mes clefs : ouvrez tout chez moi ; vous ne trouverez rien." Puis, il recommença ses serments et ses protestations ; je laissai passer ce flot, auquel je m'attendais être chose préparée pour le cas d'une arrestation. L'attitude un peu théâtrale de l'inculpé, ses gestes contrôlés du coin de l'œil dans une glace, ne produisirent pas une impression favorable sur les témoins de la scène. » (Rapport du Paty de Clam, 31 octobre 1894, *in* Baudoin, Réquisitoire, Réhabilitation 1903-1906, Débats 1906, II, pp. 434 et suiv.).
46. Gribelin, *Procès de Rennes*, I, p. 587.
47. Cochefert, *Procès de Rennes*, I, p. 584.
48. Révision 1898-1899, Débats 1899, rapport Ballot-Beaupré, p. 5.
49. Note du commandant Henry, citée *in* Réhabilitation 1903-1906, Réquisitoire écrit du procureur général de la Cour de cassation, p. 50.
50. La prison a été détruite pour faire place au bâtiment de fer et de verre qui abrite aujourd'hui l'École des hautes études en sciences sociales et la Maison des sciences de l'homme.
51. Ferdinand Forzinetti, « Le Capitaine Dreyfus à la prison du Cherche-Midi. Historique de la détention », *in* Alfred Dreyfus, *Lettres d'un innocent*, Appendice, p. 261.
52. Alfred Dreyfus, *Mes souvenirs*, p. 5.
53. Ferdinand Forzinetti, « Le Capitaine Dreyfus à la prison du Cherche-Midi. Historique de la détention », *in* Alfred Dreyfus, *Lettres d'un innocent*, Appendice, p. 261.
54. *Ibid.*, p. 261.
55. Rapport du Paty de Clam, cité par Joseph Reinach, *Histoire de l'affaire Dreyfus*, I, p. 129.
56. Joseph Reinach, *Histoire de l'Affaire Dreyfus*, I, p. 129. Lucie Dreyfus rédigera, à l'intention de Joseph Reinach qui le lui avait demandé, un historique des cinq années qu'elle vécut, arrachée à son mari et soumise, surtout les premières semaines, à la domination de ses propres accusateurs (BNF, Nafr. 24895, f° 2-18). Mais le récit de la première perquisition et de l'annonce de l'arrestation n'a pas été consigné par Lucie Dreyfus. Il ne se trouve pas en tout cas dans les archives de Joseph Reinach.

57. Nous suivons ici le récit de Lucie Dreyfus tel qu'il a été transmis à Joseph Reinach et utilisé par lui dans l'*Histoire de l'affaire Dreyfus*, I, p. 129 et suiv.

58. Voir pp. 310 et 315-318.

59. Rapport du Paty de Clam, cité *in* Joseph Reinach, *Histoire de l'affaire Dreyfus*, I, p. 130.

60. Joseph Reinach, *Histoire de l'Affaire Dreyfus*, I, p. 130.

61. Lucie Dreyfus, Note non datée, BNF, Nafr. 24895.

62. Cochefert, *Procès de Rennes*, I, p. 584.

63. Le lieutenant-colonel Picquart ajouta : « Derrière cette phrase il abritait le *fiasco* qu'il avait fait » (Picquart, *Procès de Rennes*, I, p. 377).

64. Lucie Dreyfus, Note sans date (BNF, Nafr. 24895, f° 2).

65. Il n'avait cependant jamais confié son trouble, et aucune lettre à ses proches n'en fait part. Il était cependant directement visé à moins qu'il n'ait considéré que sa situation d'officier breveté d'état-major le mettrait à l'abri de toutes les menaces.

66. Ces éléments sont révélés par la correspondance de Salomon Reinach déposée à la bibliothèque municipale Méjanes d'Aix-en-Provence. Sur Pierre-Victor Stock, on renverra à ses mémoires et souvenirs, *L'Affaire Dreyfus. Mémorandum d'un éditeur*, préface d'André Bay, Paris, Stock, 1938, 288 p. (rééd. 1994). Vers la fin de sa vie, il a vendu au fils du capitaine Dreyfus, Pierre, une partie de sa correspondance qui est aujourd'hui conservée par son fils Charles Dreyfus.

67. Viviane Benhamou, avec Alain Clavien, Dominique Ferrero et George White, *La Suisse face à l'affaire Dreyfus*, Genève, musée d'Art moderne, 1995, p. 13.

68. Sur les femmes dans l'affaire Dreyfus, nous renvoyons en priorité au très bel article de Michelle Perrot, « La Fronde des femmes au temps de l'affaire Dreyfus », *in* Kathryn M. Grossman *et alii* (dir.), *Confrontations. Politics and Aesthetics in Nineteenth-Century France*, Amsterdam-Atlanta, Rodopi, coll. « Faux titre », 2001, pp. 287-300 (avec une bibliographie).

69. H. Villemar [Hélène Naville], *Dreyfus intime*, Paris, P.-V. Stock, 1898, p. 14-15.

70. Alfred Dreyfus, *Mes souvenirs*, p. 4.

71. Alfred Dreyfus, *Cinq années de ma vie*, pp. 49-50.

72. Procès-verbal d'interrogatoire, 20 octobre 1894, *in* Réhabilitation 1903-1906, Instruction, III, p. 610.

73. Michael Burns, *Histoire d'une famille française. Les Dreyfus. L'émancipation, l'Affaire, Vichy*, traduit de l'anglais (États-Unis) par Béatrice Bonne, Paris, Fayard, 1994 (première édition, 1991), p. 90.

74. Voir notamment Francis de Pressensé, *L'Affaire Dreyfus. Un héros. Le colonel Picquart* (Paris, P.-V. Stock, 1898, XV-315 p.), H. Villemar [Hélène Naville], *Impressions du Cherche-Midi. Essai sur le colonel Picquart* (Paris, P.-V. Stock, 1899, 53 p.), et *Hommage des artistes à Picquart*. Album de 12 lithographies. Préface d'Octave Mirbeau, Société libre d'édition des gens de lettres, 1899.

75. Jean Daniel, « Le vrai héros de l'Affaire », *Le Nouvel Observateur. Téléobs*, 3 juin 1995.

76. Jean Daniel, « Encore Picquart ? », *Le Nouvel Observateur*, 10 juin 1995.

77. Alfred Dreyfus, *Cinq années de ma vie*, pp. 51-52.

78. Dreyfus, *Procès de Rennes* I, p. 601.

79. Pierre Dreyfus, Préface, *in* Alfred Dreyfus, *Souvenirs et Correspondance*, p. 13.

CHAPITRE II
## Le rêve français

1. Réhabilitation 1903-1906, Débats 1904, p. 68.

2. L'acte de naissance du père d'Alfred Dreyfus et l'acte de décès de son grand-père seront présentés à la chambre criminelle de la Cour de cassation, à la suite de la fausse assertion du procureur général, dans son Réquisitoire (p. 7). Réhabilitation 1903-1906, Instruction, III, documents annexes présentés par Mᵉ Mornard, p. 944-946.

3. Michael Burns, *Histoire d'une famille française, op. cit., p. 14.*

4. *Ibid.,* p. 13.

5. *Ibid.,* p. 14.

6. *Ibid.,* p. 17.

7. *Ibid.,* p. 31.

8. *Ibid.,* p. 48.

9. Odile Jurbert et Marie-Claire Waille, « Dreyfus avant Dreyfus. Une famille juive de Mulhouse », catalogue de l'exposition de la Filature, octobre 1994, Mulhouse, Ville de Mulhouse, 1994, p. 27. Voir Edouard Boeglin, *Dreyfus, une affaire alsacienne,* Paris, Bruno Leprince éditeur, 2006, 287 p.

10. H. Villemar [Hélène Naville], *Dreyfus intime, op. cit.,* pp. 7-8.

11. Alfred Dreyfus, *Mes souvenirs,* exemplaire manuscrit, archives Charles Dreyfus, p. 2.

12. Alfred Dreyfus, *Cinq années de ma vie,* p. 49.

13. Alfred Dreyfus, *Souvenirs et Correspondance,* p. 41.

14. Procès-verbal d'interrogatoire, 21 novembre 1894, *in* Réhabilitation 1903-1906, Instruction, III, p. 643.

15. *Id.*

16. Odile Jurbert et Marie-Claire Waille, « Dreyfus avant Dreyfus. Une famille juive de Mulhouse », *art. cit.,* p. 34.

17. H. Villemar [Hélène Naville], *Dreyfus intime, op. cit.,* 1898, pp. 8-9.

18. Alfred Dreyfus, *Mes souvenirs,* p. 2.

19. Alfred Dreyfus, lettre au ministre de la Guerre, 25 décembre 1897, dossier secret, pièce 108, *in* « Papiers Desachy », BNF, Nafr. 16464, f° 152. Ce passage est répété dans une lettre à Lucie Dreyfus du 6 décembre 1894, alors qu'il était détenu à la prison militaire du Cherche-Midi (voir p. 145).

20. Alfred Dreyfus, lettre à Joseph Reinach, jeudi [1900], BNF, Nafr. 13567, f° 16.

21. Alfred Dreyfus, *Mes souvenirs,* p. 2.

22. Mairie de Carpentras, « Extrait du registre des déclarations d'option pour la nationalité française faites par les Alsaciens-Lorrains », 30 novembre 1872 (musée d'art et d'histoire du Judaïsme, fonds Dreyfus).

23. À moins qu'il ne soit parti lui aussi pour Bâle. Mais cela est peu probable, puisque lui-même n'avait pas opté et que son lieu de résidence officiel était donc Mulhouse, désormais annexée à l'empire allemand.

24. Michael Burns, *Histoire d'une famille française, op. cit.,* p. 83.

25. Odile Jurbert et Marie-Claire Waille, « Dreyfus avant Dreyfus. Une famille juive de Mulhouse », *art. cit.,* p. 40.

26. *Ibid.*

27. *Ibid.,* pp. 40-41.

28. Pierre Dreyfus, *in* Alfred Dreyfus, *Souvenirs et Correspondance,* p. 41.

29. Citées dans Odile Jurbert et Marie-Claire Waille, « Dreyfus avant Dreyfus. Une famille juive de Mulhouse », *art. cit.,* p. 33.

30. La correspondance passive du philosophe et historien dreyfusard Élie Halévy fait apparaître de multiples témoignages de l'antisémitisme régnant dans les lycées français.

31. Alfred Dreyfus, *Correspondance.*

32. Alfred Dreyfus, « Cahiers de travail d'Alfred Dreyfus à l'île du Diable », 3 août 1898-29 avril 1899, BNF, Nafr. 24909.

Michael Burns cite également cet extrait significatif dans son livre (*Histoire d'une famille française*, op. cit., p. 87).

33. H. Villemar [Hélène Naville], *Dreyfus intime*, op. cit., p. 9.

34. *Ibid.*, pp. 9-10.

35. *Ibid.*, p. 10.

36. Joseph Reinach, *Histoire de l'affaire Dreyfus*, I, p. 149.

37. Havet, *Procès Zola*, I, pp. 545-546.

38. Havet, *Procès de Rennes*, III, p. 255.

39. Alfred Dreyfus, *Mes souvenirs*, p. 3.

40. Alfred Dreyfus, *Souvenirs et Correspondance*, p. 42.

41. Alfred Dreyfus, *Mes souvenirs*, p. 3.

42. « État des services » d'Alfred Dreyfus, novembre 1894, AN, BB¹⁹. Voir également les archives de l'École polytechnique.

43. Cette note, ainsi que celles qui suivent, a été lue par Mᵉ Demange au procès de Rennes, lors de la neuvième audience, le 22 août 1899 (*Procès de Rennes*, II, pp. 58-60).

44. Le 13 mai 1885, il passera lieutenant en premier (« État des services », art. cit.).

45. H. Villemar [Hélène Naville], *Dreyfus intime*, op. cit., p. 12.

46. Témoignage du général Brun, ancien professeur à l'École de guerre (Réhabilitation 1903-1906, Instruction, I, off., p. 975).

47. Procès-verbal d'interrogatoire, 19 novembre 1894, *in* Réhabilitation 1903-1906, Instruction, III, pp. 638-639.

48. Procès-verbaux d'interrogatoire, 24 et 27 novembre 1894, *in* Réhabilitation 1903-1906, Instruction, III, pp. 657 et 665.

49. Procès-verbal d'interrogatoire, 24 novembre 1894, *in* Réhabilitation 1903-1906, Instruction, III, p. 654.

50. Procès-verbal d'interrogatoire, 22 novembre 1894, *in* Réhabilitation 1903-1906, Instruction, III, p. 650.

51. Ce dossier qui fut conservé à la sous-préfecture de Mulhouse a été utilisé par Armand Charpentier dans son ouvrage de 1937, *Les Côtés mystérieux de l'affaire Dreyfus* (Paris, Rieder). Il n'a pas été retrouvé et semble avoir été détruit au cours de la Seconde Guerre mondiale, comme l'ont constaté Odile Jurbert et Marie-Claire Waille (« Dreyfus avant Dreyfus. Une famille juive de Mulhouse », art. cit., p. 42). Les renseignements qui suivent concernant les séjours d'Alfred Dreyfus à Mulhouse sont extraits du même travail.

52. Mathieu Dreyfus, lettre à Alfred Dreyfus, 19 septembre 1894 (AN, BB¹⁹ 105).

53. Michael Burns, *Histoire d'une famille française*, op. cit., p. 99.

54. Alfred Dreyfus, *Mes souvenirs*, p. 3.

55. Dreyfus, *Procès de Rennes*, II, p. 232.

56. Dreyfus, *Procès de Rennes*, II, p. 231.

57. Voir notamment Alain Corbin, *Les Filles de noce* [1978], Paris, Flammarion, coll. « Champs », 1982, 494 p.

58. Alfred Dreyfus, *Cinq années de ma vie*, p. 49 ; *Mes souvenirs*, p. 2.

59. Procès-verbal d'interrogatoire, 27 novembre 1894, *in* Réhabilitation 1903-1906, Instruction, III, p. 662.

60. Pierre-André Meyer, « La famille Hadamard : de Metz à Paris », *Revue du Cercle de généalogie juive*, n° 40, hiver 1994, p. 19.

61. Pierre-André Meyer, art. cit., p. 21. L'auteur s'aide lui-même de la « Nécrologie sur Madame Hadamard, née Lambert, de Metz », *Archives israélites de France*, t. IV, 1843, pp. 220-223.

62. Procès-verbal d'interrogatoire d'Alfred Dreyfus, 23 novembre 1894, *in* Réhabilitation 1903-1906, Instruction, III, p. 652.

63. Odile Jurbert et Marie-Claire Waille, « Dreyfus avant Dreyfus. Une famille juive de Mulhouse », *art. cit.*, p. 13.

64. Les deux officiers se connaissent depuis 1880, « époque à laquelle j'étais à Polytechnique et lui à Fontainebleau ; nous nous tutoyons » (Alfred Dreyfus, Procès-verbal d'interrogatoire, 16 novembre 1894, *in* Réhabilitation 1903-1906, Instruction, III, p. 637).

65. AN, BB¹⁹ 101. Le docteur Jean-Louis Lévy, l'un des petits-fils du capitaine Dreyfus, les a réunies et transcrites. Il les a mises à ma disposition. Je le remercie vivement.

66. Alfred Dreyfus avait demandé ce congé afin de se préparer le mieux possible au concours de l'École de guerre.

67. Lettre n° 1, Archives Jean-Louis Lévy.

68. Lettre n° 2, Archives Jean-Louis Lévy.

69. Lettre n° 4, Archives Jean-Louis Lévy.

70. Lettre n° 6, Archives Jean-Louis Lévy.

71. Lettre n° 7, Archives Jean-Louis Lévy.

72. Lettre n° 5, Archives Jean-Louis Lévy.

73. Il avait obtenu un congé de deux mois (Procès-verbal d'interrogatoire, 19 novembre 1894, Instruction d'Ormescheville, *in* Réhabilitation 1903-1906, Instruction, III, p. 639).

74. Procès-verbal d'interrogatoire, 21 novembre 1894, *in* Réhabilitation 1903-1906, Instruction, III, p. 643.

75. Dû à l'architecte Gabriel, achevé en 1772, il accueillit l'École royale militaire devenue en 1777 l'École supérieure des cadets qui est supprimée par la Révolution française.

76. Procès-verbal d'interrogatoire, 24 novembre 1894, *in* Réhabilitation 1903-1906, Instruction, III, p. 657.

77. H. Villemar [Hélène Naville], *Dreyfus intime, op. cit.*, p. 14. « Ma femme fut très malade » (Alfred Dreyfus, Procès-verbal d'interrogatoire, 27 novembre 1894, *in* Réhabilitation 1903-1906, Instruction, III, p. 662).

78. Réhabilitation 1903-1906, Débats 1904, p. 69.

79. À peine trois mille francs annuels proviennent de sa solde d'officier.

80. D'après le procureur général de la Cour de cassation, Réquisitoire du procureur général, Réhabilitation 1903-1906, Débats 1906, p. 618.

81. Ce que reconnaîtront même ses accusateurs qui constateront qu'il lui était impossible de masquer un trou dans la comptabilité. Rapport du Paty de Clam (cité *in* Réquisitoire du procureur général, Réhabilitation 1903-1906, Débats 1906, p. 618).

82. « Succession de Raphaël Dreyfus », Archives départementales du Haut-Rhin, 6 E 47/405, cité *in* Odile Jurbert et Marie-Claire Waille, « Dreyfus avant Dreyfus. Une famille juive de Mulhouse », *art. cit.*, p. 24.

83. *Ibid.*, pp. 28-29.

84. Roget, *Procès de Rennes*, I, p. 317.

85. Il mourut le 13 décembre 1893.

86. Procès-verbal d'interrogatoire, 19 novembre 1894, Instruction d'Ormescheville, Réhabilitation 1903-1906, Instruction, III, p. 639.

87. Procès-verbal d'interrogatoire, 21 novembre 1894, Instruction d'Ormescheville, Réhabilitation 1903-1906, Instruction, III, p. 642-643.

88. Michael Burns, *Histoire d'une famille française, op. cit.*, p. 125.

89. BNF, Nafr. 17387, f° 90.

90. *Id.*

91. Procès-verbal d'interrogatoire, 24 novembre 1894, *in* Réhabilitation 1903-1906, Instruction, III, p. 657.

92. Procès-verbal d'interrogatoire, 22 novembre 1894, *in* Réhabilitation 1903-1906, Instruction, III, p. 650.

93. *Id.*, p. 647.

94. *Id.*, p. 650.

95. Procès-verbal d'interrogatoire, 24 octobre 1894, *in* Réhabilitation 1903-1906, Instruction, III, p. 619.

96. Procès-verbal d'interrogatoire, 22 novembre 1894, *in* Réhabilitation 1903-1906, Instruction, III, pp. 647-648.

97. Procès-verbal d'interrogatoire, 27 novembre 1894, *in* Réhabilitation 1903-1906, Instruction, III, p. 662.

98. Procès-verbal d'interrogatoire, 24 octobre 1894, *in* Réhabilitation 1903-1906, Instruction, III, p. 619.

99. Procès-verbal d'interrogatoire, 24 novembre 1894, in Réhabilitation 1903-1906, Instruction, III, p. 653. Voir aussi Michael Burns, *Histoire d'une famille française, op. cit.*, pp. 130-131.

100. H. Villemar [Hélène Naville], *Dreyfus intime, op. cit.*, p. 13.

101. Voir pp. 170 et suiv.

102. Ernest Renan, *La Réforme intellectuelle et morale* [1871], éditée par Laudyce Rétat, Bruxelles, Complexe, 1990, 256 p.

103. Voir pp. 520 et suiv.

104. Marrus, *Les Juifs de France à l'époque de l'affaire Dreyfus*, [1972], préface de Pierre Vidal-Naquet, Bruxelles, Complexe, coll. « Historiques », 1985, 348 p.

105. Les experts de l'École polytechnique confirmeront par la suite que le marquis de Morès était armé pour la circonstance d'une épée de combat plus lourde que celles qui étaient admises pour les duels devant trancher les affaires d'honneur (voir Michael Burns, *Histoire d'une famille française, op. cit.*, p. 123).

106. *JO*, Débats de la Chambre des députés, séance du 26 juin 1892.

107. Ernest Crémieu-Foa, *La Campagne antisémite. Les duels. Les responsabilités. Mémoire avec pièces justificatives par Ernest Crémieu-Foa*, Paris, Alcan, 1892, 103 p.

108. À la nouvelle de la mort du capitaine Crémieu-Foa, sa mère écrivit une très belle lettre à l'ancien témoin de son fils, le commandant Esterhazy, au sujet duquel elle se trompait pourtant : « J'ai la suprême consolation que mon bien-aimé fils André est mort en soldat. La guerre de Dahomey est finie : dix-sept officiers morts, dont deux officiers juifs ! C'est notre réponse aux attaques de *La Libre Parole* [...]. Un service commémoratif sera célébré jeudi au temple israélite, en souvenir des braves morts au service de leur pays. Il me serait doux, au milieu de nos amis, de vous voir, vous le fidèle, qui, au milieu de tant de douleurs, êtes resté bon et dévoué, vous qui êtes de cette race de vaillants qui, je puis le dire hautement, mettent comme moi l'honneur avant la vie. » (Citée *in* Marcel Thomas, *L'Affaire sans Dreyfus, op. cit.*, p. 43.)

109. Pierre Birnbaum, *Les Fous de la République*, Paris, Fayard, 1992, 512 p. (rééd. Paris, Le Seuil, coll. « Points », 1994).

110. Procès-verbal, 27 novembre 1894, *in* Réhabilitation 1903-1906, Instruction, III, pp. 663-664.

CHAPITRE III
## Le début de la fin

1. Un mot qu'il emploie volontiers.

2. D'après Alfred Dreyfus, *Mes souvenirs*, p. 3. Le général commandant l'École de guerre, Lebelin de Dionne, parlera d'une cinquième place au procès de Rennes (II, p. 180). À ce même procès, Dreyfus précisera qu'il était arrivé dans les premiers dès la première année, « le quatrième ou le cinquième », et qu'à l'issue des examens de seconde année il avait « conservé à peu de choses près [son] rang » (*ibid.*, p. 180).

3. Alfred Dreyfus n'évoque pas cet incident dans *Cinq années de ma vie*. Voir pp. 100 et suiv.

4. Procès-verbal d'interrogatoire, 19 novembre 1894, *in* Réhabilitation 1903-1906, Instruction, III, p. 639.

5. Ces carnets sont conservés aux Archives nationales. Voir à leur sujet l'inventaire établi par Ségolène Barbiche de Dainville, *Les Scellés de l'affaire Dreyfus*, Paris, Centre historique des Archives nationales, 1997, 55 p.

6. Capitaine de Pouydraguin, lettre au général Gonse, 8 novembre 1897, citée *in* Mᵉ Mornard, Plaidoirie, Réhabilitation 1903-1906, Débats de la Cour de cassation, 1906, II, p. 309.

7. Témoignage du général Brun, ancien professeur à l'École de guerre (Réhabilitation 1903-1906, Instruction, off. I, p. 975).

8. Une interrogation orale, en langage d'élève des grandes écoles et des classes préparatoires.

9. Ducros, *Procès de Rennes*, III, p. 182-183.

10. *Ibid.*

11. Galopin, *Procès de Rennes*, III, p. 491.

12. Picquart, *Procès de Rennes*, I, p. 372.

13. Cité au procès de Rennes (II, p. 60).

14. Lebelin de Dionne, *Procès de Rennes*, II, pp. 178-179.

15. Voir Général André Bach, *L'Armée de Dreyfus. Une histoire politique de l'armée française de Charles X à « l'Affaire »*, Paris, Tallandier, 2004, p. 514.

16. Ils se tutoient, comme la lettre qui suit l'indique.

17. Citée par Alfred Dreyfus, *Carnets*, p. 242. Dreyfus n'indique pas l'auteur de la lettre. On peut supposer qu'il s'agit de l'ancien capitaine Fonds-Lamothe, comme lui stagiaire à l'État-major général au titre de la même promotion de l'École de guerre.

18. Reproduit dans les « Papiers Desachy », BNF, Nafr.16464, fᵒ 49.

19. *Id.*, fᵒ 50-51.

20. *Id.*, fᵒ 50.

21. Cité par l'avocat d'Alfred Dreyfus au procès de Rennes (Demange, II, p. 60).

22. Fabre, *Procès de Rennes*, I, p. 568. « Note au sujet de Dreyfus » *in* « Papiers Desachy », *id.*

23. Roget, *Procès de Rennes*, I, p. 318.

24. « Note au sujet de Dreyfus » *in* « Papiers Desachy », *id.*

25. Voir pp. 94 et suiv.

26. SHAT, dossier personnel du lieutenant-colonel Dreyfus.

27. La direction de l'artillerie à Paris.

28. « Note au sujet de Dreyfus » *in* « Papiers Desachy », *id., fᵒ* 51.

29. Cité au procès de Rennes par l'avocat du capitaine Dreyfus (Demange, II, p. 60).

30. Picquart, *Procès de Rennes*, I, p. 374.

31. Picquart, *Procès de Rennes*, I, p. 374.

32. Junck, *Procès de Rennes*, III, p. 528.

33. SHAT, dossier personnel du lieutenant-colonel Dreyfus.

34. Boullenger, déposition devant le rapporteur du premier conseil de guerre de Paris, 8 novembre 1894, *in* Révision 1898-1899, Instruction, II, p. 45.

35. Le capitaine Dreyfus ne sait pas que de telles facultés et initiatives constitueront autant de preuves de sa culpabilité. Ce fait « tout à fait exceptionnel » selon Godefroy Cavaignac, ministre de la Guerre entre juin et septembre 1898 et l'un de ses principaux accusateurs, est en réalité très classique. Il témoigne des qualités qui sont attendues d'un futur officier d'état-major comme le souligneront au procès de Rennes les deux capitaines témoins de la scène, Pouydraguin et Junck (voir chapitre xii).

36. Roget, *Procès de Rennes*, I, p. 316.

37. *Ibid.*, p. 317.

38. Procès-verbal d'interrogatoire du 21 novembre 1894, *in* Réhabilitation 1903-1906, Instruction, III, p. 644.

39. Ce fait fut porté à sa charge lors du procès de Rennes par le général Mercier qui fit lire une lettre du général Vanson concernant la personnalité du capitaine Dreyfus. Dans sa lettre, le général Vanson, qui était à l'époque directeur du musée historique de l'Armée, estima « que le fait que cet officier commettait cette grave indiscrétion en public et même sous mes yeux me parut exclure toute intention coupable ». (Général Vanson, lettre au général Mercier, 16 juin 1899, citée *in* Mercier, *Procès de Rennes*, I, p. 113.) Le général Mercier ne perçut pas la contradiction.

40. Interrogé dans sa cellule de la prison du Cherche-Midi par le commandant du Paty de Clam le 22 octobre 1894, il expliqua avoir été étonné que si peu de précautions soient prises pour préserver la confidentialité des travaux réalisés dans les bureaux de l'État-major de l'armée, notamment ceux des stagiaires (Réhabilitation 1903-1906, Instruction, III, p. 615).

41. Procès-verbal d'interrogatoire, 16 novembre 1894, *in* Réhabilitation 1903-1906, Instruction, III, p. 634.

42. Mercier, *Procès de Rennes*, I, p. 116.

43. Dreyfus s'en expliqua au procès de Rennes, ainsi que son supérieur de l'époque, qui le dédouana complètement (voir p. 707).

44. Ducros, *Procès de Rennes*, III, p. 183. Il avait rencontré Dreyfus à cheval au bois de Boulogne.

45. *Ibid.*, III, p. 183.

46. Les revues techniques ou de vulgarisation militaire étaient très nombreuses à cette époque.

47. Avant son départ pour le voyage d'état-major à Charmes, il fit savoir cependant qu'il ne pourrait plus « continuer à travailler avec lui, en vue de sa préparation à l'École de guerre » (Procès-verbal d'interrogatoire d'Alfred Dreyfus, 14 novembre 1894, *in* Réhabilitation 1903-1906, Instruction, III, p. 629).

48. Procès-verbal d'interrogatoire, 15 novembre 1894, *in* Réhabilitation 1903-1906, Instruction, III, p. 633.

49. Voir Ruth Harris, « Letters to Lucie : Spirituality, Friendship and Politics during the Dreyfus Affair », *French Historical Studies*, vol. 28, n° 4, 2005, pp. 624-625. Ruth Harris exploite ici les lettres que Georges Picquart adresse à Louis Havet et à sa femme Olympe (BNF, Nafr. 24503-1).

50. William Serman, *Les Officiers français dans la nation, 1848-1914*, Paris, Aubier, coll. « Histoire », 1982, 283 p. L'ouvrage classique de Raoul Girardet, *La Société militaire dans la France contemporaine* (Paris, Plon, 1953, 333 p.), est à citer également ainsi que les histoires générales des PUF (André Corvisier dir., *Histoire militaire de la France*, t. III, *De 1871 à 1940*, sous la direction de Guy Pedroncini, Paris, PUF, 1992, 522 p.) et de Fayard (William Serman et Jean-Paul Bertaud, *Nouvelle Histoire militaire de la France 1789-1919*, 1998, 855 p.)

51. Jérôme Hélie, « L'arche sainte fracturée », *in* Pierre Birnbaum (dir.), *La France de l'affaire Dreyfus*, Paris, Gallimard, coll. « Bibliothèque des histoires », 1994, pp. 226-250.

52. Général André Bach, *L'Armée de Dreyfus, op. cit.*, 622 p. L'auteur annonce une suite qui « traitera dans le détail des positions et de l'évolution du comportement des divers responsables des organismes militaires tout au long de l'Affaire jusqu'à sa résolution finale en 1906. De ce fait, [l'auteur, le général Bach] illustrera les propos tenus [*L'Armée de Dreyfus*]. Les acteurs militaires principaux, dont la carrière a déjà été longuement ou partiellement évoquée jusqu'ici, seront observés dans leurs actions pendant les douze années de déroulement de l'Affaire, et aussi bien après, car l'Affaire ne sera pas effacée, loin de là, dans les mentalités. Cette histoire est foisonnante, à scruter dans le détail, car elle est un formidable révélateur des relations de pouvoir politico-militaires en ce XIXe siècle finissant » (p. 566). Le général André Bach ouvre son introduction en indiquant avoir voulu relever le défi que je lançai

aux historiens du fait militaire dans l'un de mes propres articles (« Retour sur l'histoire d'un officier français », *Jean Jaurès, cahiers trimestriels*, n° 148, avril-juin 1998, pp. 63-88). La question militaire révélée par l'affaire Dreyfus a suscité en effet notre intérêt et dirigé certains de nos travaux.

53. William Serman et Jean-Paul Bertaud, *Nouvelle Histoire militaire de la France, op. cit.*, p. 514.

54. Général André Bach, *L'Armée de Dreyfus, op. cit.*, p. 499.

55. *Ibid.*, p. 502.

56. *Ibid.*, p. 516.

57. Général André Bach, *L'Armée de Dreyfus, op. cit.*, p. 558. Sur l'Ecole polytechnique, voir notamment *La Formation polytechnicienne 1794-1994*, sous la direction de Bruno Belhorte et *alii*, Paris, Dunod, 1994, 469 p.

58. Joseph Reinach, *Histoire de l'Affaire Dreyfus*, I, p. 270.

59. Général André Bach, *L'Armée de Dreyfus, op. cit.*, pp. 516-517.

60. Picquart, *Procès de Rennes*, I, p. 373.

61. Picquart, *Procès de Rennes*, I, p. 373.

62. Picquart, *Procès de Rennes*, I, pp. 383-384.

63. Le 18, ou le 22 juin 1895. Les deux dates apparaissent dans son dossier personnel conservé au SHAT.

64. Boisdeffre, *Procès de Rennes*, I, pp. 521-522.

65. Picquart, *Procès de Rennes*, I, p. 381.

66. Marc Bloch, *L'Étrange Défaite. Témoignage écrit en 1940*, [1946], préface de Stanley Hoffmann, Paris, Gallimard, coll. « Folio histoire », 1990, 328 p. [réédition coll. « Quarto », 2006, préface d'Annette Becker].

67. Fonds – Lamothe, *Procès de Rennes*, III, pp. 286 et suiv.

68. Joseph Reinach, *Histoire de l'Affaire Dreyfus*, I, pp. 69-70.

69. Citée par l'avocat du capitaine Dreyfus (Demange, *Procès de Rennes*, II, p. 60*)*.

70. Boullenger, *Procès de Rennes*, I, p. 570.

71. Général André Bach, *L'Armée de Dreyfus, op. cit.*, p. 517 et suiv.

72. Roget, *Procès de Rennes*, I, p. 316.

73. Roget, *Procès de Rennes*, I, p. 317.

74. « Comme vous le savez, les notes qu'on donne aux officiers sont plutôt banales, j'entends par là les notes qui sont réellement inscrites ; mais les notes que donnent les supérieurs directs indiquent généralement la physionomie réelle de l'officier et elles sont adoucies au fur et à mesure qu'elles arrivent aux échelons supérieurs. » (Roget, *Procès de Rennes*, I, pp. 316-317.)

75. Roget, Révision 1898-1899, Instruction, I, p. 85.

76. « Je cite tous ces faits pour bien constater que le capitaine Dreyfus était au courant de tout, et que quand il se retranche derrière son ignorance, il commet un mensonge. » (Mercier, *Procès de Rennes*, I, p. 116.)

77. Mercier, *Procès de Rennes*, I, pp. 110-111 (pour la citation plus haut). Couvrant le procès de Rennes pour *Le Figaro*, Jules Cornély commenta cette scène dans son article du 23 août 1899 : « Le sort de Dreyfus fut réglé à cette minute-là par l'envie, par la jalousie. Il sortit de cet entretien pour devenir la bête noire du ministère, la « tête de Turc » [...]. Sa promenade sur le pont de la Moselle – et aucun psychologue, aucun romancier ne me démentira – lui a valu sa promenade de quatre ans et demi à l'île du Diable. » (Jules Cornély, *Notes sur l'affaire Dreyfus. Édition du Figaro*, Paris, Société française d'édition d'art, s.d, p. 576).

78. Marc Bloch, *L'Étrange Défaite, op. cit.*, pp. 199 et suiv.

79. Joseph Reinach, *Histoire de l'affaire Dreyfus*, I, p. 70.

80. Alfred Dreyfus, *Mes souvenirs*, p. 4.

81. Voir Michel Wieviorka (dir.), *La Tentation antisémite. Haine des Juifs dans la France d'aujourd'hui*, Paris, Robert Laffont, 2005, 405 p. et l'ouvrage, plus controversé, dirigé par Emmanuel Brenner (pseudonyme de Georges Bensoussan

d'après amazon.com repris dans *Le Monde diplomatique), Les Territoires perdus de la République*. *Antisémitisme, racisme et sexisme en milieu scolaire*, Paris, Mille et Une Nuits, 2002, 240 p. Le problème n'est cependant pas limité à la première décennie du XXIᵉ siècle. La question de l'antisémitisme français a été récurrente dans les débats publics et dans les controverses d'historiens depuis l'attentat contre la synagogue de la rue Copernic à Paris, le 3 octobre 1980.

82. René Rémond, *La République souveraine. La vie politique en France 1879-1939*, Paris, Fayard, 2002, p. 20.

83. René Rémond, *La Vie politique en France*, t. I, *1789-1848*, t. II, *1848-1879*, Paris, Armand Colin, 1964 et 1969.

84. Général André Bach, *L'Armée de Dreyfus*, *op. cit.*, pp. 529-538.

85. Allan Mitchell, « La Mentalité xénophobe : le contre-espionnage en France et les racines de l'affaire Dreyfus », *Revue d'histoire moderne et contemporaine*, juillet-septembre 1982, pp. 489-499.

86. « On ne pourrait, sans s'aventurer beaucoup, déterminer dans quelle mesure exacte le fait que Dreyfus fût juif fit pencher du mauvais côté la balance où se joua son destin, lorsque son nom eût été prononcé pour la première fois. Certes, l'État-major, dans son ensemble, n'approuvait pas les outrances des campagnes menées par *La Libre Parole* contre les officiers juifs : ces violences semblaient de mauvais goût. Néanmoins, bon nombre des supérieurs et des camarades de Dreyfus avaient plus ou moins consciemment tendance à regarder l'État-major comme une chapelle où il était bon de rester "entre soi". Prisonniers, à leur insu bien souvent, de préjugés qu'ils auraient été les premiers à nier, ils étaient, eût pu dire Edmond Rostand des "pas antisémites, mais..." » (Marcel Thomas, *L'Affaire sans Dreyfus*, *op. cit.*, p. 128.)

87. Alfred Dreyfus, *Mes souvenirs*, pp. 3-4.

88. Repris *in* Réquisitoire du procureur général, Débats, 1906, I, p. 623.

89. Alfred Dreyfus, Procès-verbal d'interrogatoire, 27 novembre 1894, *in* Réhabilitation 1903-1906, Instruction, III, p. 663.

90. Le général Lebelin de Dionne parle ici de lui à la troisième personne.

91. Lebelin de Dionne, *Procès de Rennes*, II, pp. 179-180.

92. « Je ferai remarquer simplement que les notes qui m'ont été données officiellement sont des notes postérieures de six semaines ou deux mois à cette conversation, les notes qu'on a lues ici sont des notes de sortie de l'École de guerre ; par conséquent, si le général Lebelin de Dionne avait eu à ce moment-là des renseignements tels qu'il prétend les avoir reçus, il ne m'eût pas donné, deux mois plus tard, les notes officielles qui sont au dossier. Moi, je ne puis m'en rapporter qu'aux notes officielles qui m'ont été données à ma sortie de l'École de guerre. » (Dreyfus, *Procès de Rennes*, II, p. 181.)

93. Citée par Joseph Reinach, *Histoire de l'affaire Dreyfus*, III, pp. 589-590.

94. Joseph Reinach, *Histoire de l'affaire Dreyfus*, I, p. 429.

95. Voir Pierre Quillard, *Le Monument Henry. Liste des souscripteurs classés méthodiquement et selon l'ordre alphabétique*, Paris, P.-V. Stock, 1899, p. 8. Voir Stephen Wilson, *Ideology and Experience. Antisemitism in France at the time of Dreyfus Affair*, Londres-Toronto, Associated University Press et Fairlegh Dickinson University Press, 1982, pp. 125-165, et Bertrand Joly, « Remarques sur le "Monument Henry" », *Jean Jaurès Cahiers trimestriels*, nº 154, octobre-décembre 1999, pp. 29-38.

96. « Non », il n'a pas conservé d'aigreur et de mécontentement au sujet de son numéro de sortie de l'École de guerre. Et s'il a pu dire à sa femme : « c'est bien la peine de travailler dans cette armée où, quoiqu'on fasse, on n'arrive pas selon son mérite », il le fit sur le coup de son émotion à la sortie de l'École. « Il n'y a rien de plus naturel », assura-t-il sans se cacher (Procès-verbal d'interrogatoire 24 novembre 1894, *in* Réhabilitation 1903-1906, Instruction, III, p. 659). On remarquera que le capitaine Dreyfus, dans son commentaire général sur l'incident, voit parfaitement

juste en soulignant la difficulté à exister de la voie par le mérite en regard du système de cooptation.

97. *Procès de Rennes*, I, p. 373.

98. Lalance, *Procès Zola*, II, p. 178.

99. Lauth, *Procès de Rennes*, II, p. 528. La déposition de Jules Lauth visait surtout à discréditer l'autorité de celle d'Albert Cordier qui témoignait à décharge de Dreyfus.

100. Général Vanson, lettre au général Mercier, 16 juin 1899, citée *in* Mercier, *Procès de Rennes*, I, p. 113.

101. Du Paty de Clam, *Souvenirs* (collection particulière), citée par Marcel Thomas, *L'Affaire sans Dreyfus, op. cit.*, pp. 128-129.

102. Voir pp. 657 et suiv.

103. Retrouvée dans les archives du ministère de la Guerre et citée par le procureur général de la Cour de cassation dans son Réquisitoire, Débats, I, 1906, pp. 412-413.

104. Général Vanson, lettre au général Mercier, 16 juin 1899, citée *in* Mercier, *Procès de Rennes*, I, p. 114.

CHAPITRE IV
## Un homme devant ses juges

1. Picquart, *Procès de Rennes*, I, pp. 375-378.

2. « Le document portant le n° 1 a été écrit assis ; le document portant le n° 2 a été écrit debout ; le document portant le n° 3 a été écrit assis ; le document portant le n° 4 a été écrit debout ; le document portant le n° 5 a été écrit assis avec un gant ; le document portant le n° 6 a été écrit debout avec un gant ; le document portant le n° 7 a été écrit assis avec une plume ronde ; le document portant le n° 8 a été écrit debout avec une plume ronde ; le document portant le n° 9 a été écrit assis avec un gant et une plume ronde ; le document portant le n° 10 a été écrit debout avec un gant et une plume ronde. » (Procès-verbal d'interrogatoire, 18 octobre 1894, *in* Réhabilitation 1903-1906, Instruction, III, p. 608.)

3. *Ibid.*, p. 610.

4. Note de Mᵉ Demange sur le procès de 1894 remise à Mᵉ Mornard, *in* Révision 1898-1899, Débats 1899, p. 605. Mᵉ Demange riposta le lendemain en apportant un certificat du docteur Lutaud pour s'opposer à la conclusion de du Paty de Clam.

5. « Depuis mon retour d'Houlgate, le 16 août, jusqu'à la rentrée de ma femme, je suis rentré à Paris tous les lundis matin avec l'autorisation de M. le colonel Boucher, par le train qui arrive à Saint-Lazare à 11 heures et quart et j'arrivais au bureau vers midi. Une seule fois, un lundi, je suis arrivé à 1 heure et quart et je suis sorti après avoir pris les documents dont j'avais besoin pour surveiller un tirage photographique. Deux fois sûrement M. le commandant Mercier-Milon, étant arrivé avant l'heure, m'a trouvé à ma place. » Dreyfus précise également n'être venu dans les bureaux, en dehors des heures réglementaires de service, qu'une seule fois, un dimanche où il était précisément de service ; il se souvient avoir rencontré le général Gonse le matin et l'après-midi (Procès-verbal d'interrogatoire, 20 octobre 1894, *in* Réhabilitation 1903-1906, Instruction, III, pp. 610-611).

6. *Ibid.*, p. 611.

7. *Ibid.*, p. 613.

8. Voir p. 129.

9. Procès-verbal d'interrogatoire, 22 octobre 1894, in Réhabilitation 1903-1906, Instruction, III, pp. 614-616.

10. Procès-verbal d'interrogatoire, 24 octobre 1894, *in ibid.*, pp. 617-620.

11. « Cette lettre a été prise à l'étranger au moyen d'un portefeuille photographique, et nous en possédons le cliché pellicule » (*ibid.*, p. 622). Voir également la

lettre qu'Alfred Dreyfus adresse à Joseph Reinach le 24 novembre 1899, dans laquelle il lui fait le récit des interrogatoires subis à la prison du Cherche-Midi (BNF, Nafr. 13567, f° 12).

12. Procès-verbal d'interrogatoire, 29 octobre 1894, in Réhabilitation 1903-1906, Instruction, III, pp. 621-623.

13. Procès-verbal de l'interrogatoire, 30 octobre 1894 (in ibid., pp. 623-624). Il semble que du Paty de Clam ait posé la même question la veille, comme l'indique la lettre qu'il adresse le 29 octobre au général de Boisdeffre (voir p. 321).

14. Alfred Dreyfus, Cinq années de ma vie, pp. 54-55.

15. Alfred Dreyfus, Mes souvenirs, p. 6.

16. Or, à cet instant, seul Bertillon a déclaré que Dreyfus était l'auteur du bordereau. Gobert a dit le contraire.

17. Baudouin, Réquisitoire, Réhabilitation 1903-1905, Débats 1904, II, p. 74

18. Ibid., p. 75.

19. Forzinetti, Révision 1898-1899, Instruction, I, p. 378.

20. Forzinetti, Procès de Rennes, III, pp. 105-106 (et Ferdinand Forzinetti, « Le capitaine Dreyfus à la prison du Cherche-Midi. Historique de la détention », in Alfred Dreyfus, Lettres d'un innocent, Appendice, p. 262, ainsi que Forzinetti, Révision 1898-1899, Instruction, I, p. 378). Du Paty de Clam le traita d'affabulateur. « Tout cela ne repose sur rien que le demande d'un changement d'abat-jour » (ibid., p. 189). Le procureur général de la Cour de cassation écrivit, dans son rapport pour la seconde révision, à propos de l'incident qui opposa à Rennes les deux officiers : « Son étrangeté rend difficile d'admettre qu'il ait été imaginé par le commandant Forzinetti, alors qu'il rentre au contraire dans la manière de procéder habituelle de M. du Paty de Clam » (p. 52).

21. Alfred Dreyfus, lettre à Mathieu Dreyfus, 12 décembre 1894 (BNF, Nafr. 17387, f° 93-94).

22. Alfred Dreyfus, Mes souvenirs, p. 6.

23. Procès-verbal d'interrogatoire, 30 octobre 1894, in Réhabilitation 1903-1906, Instruction, III, p. 624 (le propos fait référence à l'interrogatoire du 29 octobre où la proposition avait déjà été faite, mais sans que le procès-verbal en question ne l'enregistre).

24. Procès-verbal d'interrogatoire, 30 octobre 1894 (in ibid., p. 624).

25. Ferdinand Forzinetti, « Le capitaine Dreyfus à la prison du Cherche-Midi. Historique de la détention », in Alfred Dreyfus, Lettres d'un innocent, Appendice, p. 262 (pour ce paragraphe et le précédent). Dans sa déposition au procès de Rennes, le commandant Forzinetti parle de la date du 23 octobre pour l'envoi de sa lettre au ministre de la Guerre (p. 104).

26. Commandant Forzinetti, lettre au ministre de la Guerre, 27 octobre 1894 (AN, BB¹⁹ 101 et BNF, Nafr. 24896, f° 296 : copie).

27. Ferdinand Forzinetti, « Le capitaine Dreyfus à la prison du Cherche-Midi. Historique de la détention », in Alfred Dreyfus, Lettres d'un innocent, Appendice, pp. 262-263.

28. AN, BB¹⁹ 101.

29. Réquisitoire du procureur général, in Réhabilitation 1903-1906, Débats 1906, I, p. 433.

30. Voir p. 19

31. Selon Picquart, in Révision 1898-1899, Instruction, I, p. 428 et Procès de Rennes, I, p. 378.

32. Alfred Dreyfus, lettre à Joseph Reinach, 24 novembre 1899 (BNF, Nafr. 13567, f° 12).

33. Voir pp. 625-626.

34. Alfred Dreyfus, Mes souvenirs, p. 7.

35. Procès-verbal d'interrogatoire, 14 novembre 1894, in Réhabilitation 1903-1906, Instruction, III, pp. 627-629.

36. Procès-verbal d'interrogatoire, 15 novembre 1894 (*in ibid.*, pp. 630-632).

37. Il ajoute, pour bien faire comprendre à Dreyfus qu'une telle insistance à obtenir cette charge était suspecte : ces fonctions « nécessitaient la tenue à jour, par ceux qui les remplissent, de dossiers importants conservés dans les archives du 4ᵉ bureau et qui permettent aux titulaires de ces emplois de conserver des relations permanentes avec ce bureau. Quel était le mobile de votre insistance pour obtenir ces fonctions spéciales ? » (*ibid.*, p. 633).

38. *Ibid.*, p. 634.

39. Procès-verbal d'interrogatoire, 19 novembre 1894, *in* Réhabilitation 1903-1906, Instruction, III, pp. 637-640.

40. Procès-verbal d'interrogatoire, 20 novembre 1894 (*in ibid.*, pp. 640-641).

41. Procès-verbal d'interrogatoire, 21 novembre 1894 (*in ibid.*, p. 644).

42. Procès-verbal d'interrogatoire, 21 novembre 1894 (*in ibid.*, p. 645).

43. Procès-verbal d'interrogatoire, 22 novembre 1894 (*in ibid.*, pp. 648-649).

44. À l'État-major de l'armée, il avait été chargé, dans le cadre de son stage au 2ᵉ bureau, de réaliser un travail sur l'artillerie allemande.

45. Procès-verbal d'interrogatoire, 23 novembre 1894, *in* Réhabilitation 1903-1906, Instruction III, p. 652.

46. Procès-verbal d'interrogatoire, 24 novembre 1894 (*in ibid.*, p. 654).

47. « Je sais que ma femme m'a dit que la cuisinière recevait quelquefois des compatriotes alsaciens qui venaient lui apporter des nouvelles de son pays ; Alsacien moi-même, je n'y voyais pas de mal. Du reste, l'oncle de ma cuisinière est un ancien cuirassier de Reichshoffen qui a été ensuite retraité comme maréchal des logis de gendarmerie et qui est aujourd'hui garde particulier à Suresnes. Pour moi, cette fille ne m'a jamais paru suspecte au point de vue national ; je ne l'ai jamais suspectée qu'au point de vue des mœurs ; elle n'a jamais rien pris chez moi, et je n'ai pas cru devoir la renvoyer. » (Procès-verbal d'interrogatoire, 24 novembre 1894, 2ᵉ interrogatoire, *in ibid.*, pp. 657-658.)

48. *Ibid.*, p. 658.

49. « Je n'avais qu'à me louer de toute la sympathie et de toute la bienveillance qu'on m'avait témoigné à l'École de guerre » (Procès-verbal d'interrogatoire, 27 novembre 1894, *in ibid.*, pp. 663-664).

50. *Ibid.*, p. 664.

51. Procès-verbal d'interrogatoire, 27 novembre 1894, 2ᵉ interrogatoire (*in ibid.*, pp. 663-664).

52. « Avant mon mariage, j'ai connu, comme tout garçon, beaucoup de femmes ; je faisais du service actif aux batteries à cheval de la 1ʳᵉ division de cavalerie et je n'ai jamais possédé aucun document confidentiel, par conséquent il eût été bien difficile qu'on me prît quoi que ce soit. Trois mois après mon arrivée à Bourges, je me suis fiancé ; à partir de ce moment-là, j'ai rompu avec toute ma vie de garçon. Après la naissance de mon second bébé, le 22 février 1893, ma femme fut très malade. Dans l'automne 1893, j'ai fait la connaissance de Mme Déry, dont il a été déjà parlé ; j'y suis allé deux ou trois fois, puis j'ai rompu. En avril 1894, j'ai fait la connaissance de Mme Cron, j'ai eu quatre ou cinq rendez-vous avec elle en plein air ; mais, au moment décisif, je rompis avec elle en juillet. Chaque fois, mon amour pour ma femme avait surmonté le désir de mes sens. Ni l'une ni l'autre n'ont jamais pu me prendre des documents puisque je n'en ai jamais eu. Quand j'ai parlé de ces deux femmes à l'officier de police judiciaire, mon attention était attirée sur une vengeance de femme ; alors, dans mon cerveau brûlé par la fièvre et ne connaissant pas la pièce incriminée, j'ai pu penser qu'il s'agissait peut-être d'une vengeance. » (Procès-verbal d'interrogatoire, 27 novembre 1894, 2ᵉ interrogatoire, *in ibid.*, pp. 662-663.)

53. « Cela date d'une dizaine d'années ; j'étais simplement invité à dîner, je ne me souviens plus par qui ; je suis parti aussitôt après le dîner. » (Procès-verbal d'interrogatoire, 28 novembre 1894, 2ᵉ interrogatoire, *in ibid.*, p. 665.)

54. *Ibid.*

55. *Ibid.*, pp. 666-667.

56. *Ibid.*, p. 667.

57. En fait, il ne l'est plus depuis l'ordre d'ouverture de l'information judiciaire, le 3 novembre 1894. Il est néanmoins maintenu sous un régime très dur de détention.

58. Procès-verbal d'interrogatoire, 29 novembre 1894, 2ᵉ interrogatoire, *in* Réhabilitation 1903-1906, Instruction, III, p. 668. Cette déclaration finale est également reproduite dans *Souvenirs et Correspondance*, p. 33, précédée de la phrase « Ce que j'ai de plus cher au monde, c'est mon honneur ; je défie qui que ce soit de me le prendre », qui ne figure pas dans le procès-verbal officiel.

59. Ferdinand Forzinetti, « Le capitaine Dreyfus à la prison du Cherche-Midi. Historique de la détention », *in* Alfred Dreyfus, *Lettres d'un innocent*, Appendice, pp. 263-264.

60. Ce rapport fut publié par *Le Siècle* le 7 janvier 1898 et suscita une vigoureuse offensive des dreyfusards. Il fut repris dans les annexes de l'édition des débats *in extenso* du procès Zola (« L'acte d'accusation contre le capitaine Dreyfus », *Procès Zola*, II, pp. 521-531), puis dans les pièces annexes réunies par les chambres réunies de la Cour de cassation en 1899 (Révision 1898-1899, Instruction, II, pp. 73-86).

61. Rapport d'Ormescheville, 3 décembre 1894, *in* Révision 1898-1899, Instruction, II, p. 85. Nous soulignons.

62. Ballot-Beaupré, *in* Révision 1898-1899, Débats 1899, p. 15.

63. Rapport d'Ormescheville, 3 décembre 1894, *in* Révision 1898-1899, Instruction, II, p. 80.

64. Ces scellés se trouvent conservés aux Archives nationales. Voir *Les Scellés de l'affaire Dreyfus. Inventaire des papiers saisis en 1894 au domicile de Dreyfus*, par Ségolène de Dainville-Barbiche, Paris, Centre historique des Archives nationales, 1997, 55 p.

65. Rapport d'Ormescheville, 3 décembre 1894, *in* Révision 1898-1899, Instruction, II, pp. 79-86.

66. *Ibid.*, p. 86.

67. « Les cercles tripots de Paris, tels que le Washington-Club, le Betting-Club, les Cercles d'escrime et de la presse, n'ayant pas d'annuaires, et leur clientèle étant en général très peu recommandable, les témoins que nous aurions pu trouver auraient été très suspects : nous nous sommes par suite dispensé de les entendre » (*ibid.*, p. 83).

68. Ferdinand Forzinetti, « Le capitaine Dreyfus à la prison du Cherche-Midi. Historique de la détention », *in* Alfred Dreyfus, *Lettres d'un innocent*, Appendice, p. 264.

69. Alfred Dreyfus, *Cinq années de ma vie*, p. 57.

70. Cité *in* Alfred Dreyfus, *Cinq années de ma vie*, p. 58.

71. Alfred Dreyfus, lettre à Lucie Dreyfus, 5 décembre 1894, *in* Alfred et Lucie Dreyfus, *Écris-moi souvent, écris-moi longuement*, Mille et Une Nuits, 2005, pp. 70-71.

72. D'après Joseph Reinach, *Histoire de l'Affaire Dreyfus*, I, p. 325.

73. *Ibid.*, p. 326.

74. Forzinetti, Révision 1898-1899, Instruction, I, p. 321.

75. Voir pp. 164 et suiv., et 355 et suiv.

76. Agent principal Fixary, « Rapport sur la détention de l'ex-capitaine Dreyfus », 5 janvier 1899 (AN, BB¹⁹ 116). Ce rapport fut adressé au ministre de la Guerre par le gouverneur militaire de Paris, le général Zurlinden, qui prescrivait qu'il soit communiqué à la chambre criminelle de la Cour de cassation pour l'édifier sur « les relations insolites entre la famille du condamné et le chef de bataillon Forzinetti » (lettre du 10 janvier 1899, *id.*).

77. Musée d'art et d'histoire du Judaïsme, fonds Gilbert Schil.

78. cf. Alfred et Lucie Dreyfus, *Écris-moi souvent, écris-moi longuement*, *op. cit.*, pp. 70 et suiv.

79. Pierre Vidal-Naquet, « Dreyfus dans l'Affaire et dans l'histoire », *in* Alfred Dreyfus, *Cinq années de ma vie*, pp. 5-6.

80. Alfred Dreyfus, lettre à Mathieu Dreyfus, 12 décembre 1894 (BNF, Nafr. 17387, f° 93-94).

81. Alfred et Lucie Dreyfus, *Écris-moi souvent, écris-moi longuement*, *op. cit.* Cette édition inédite, rendue possible par le soutien de tous les ayants droit du capitaine Dreyfus et par l'investissement des éditrices Sandrine Pallussière et Alexandrine Duhin, ne couvre qu'une partie des lettres échangées par les deux époux. Mais elle propose un cadre d'explication et de restitution de toute la correspondance croisée, comme le soulignent les introductions de Michelle Perrot et de Vincent Duclert.

82. À plusieurs reprises, Alfred Dreyfus est entré clandestinement en Alsace pour visiter sa famille à Mulhouse. Les demandes de permis sont fréquemment refusées, mais les autorités frontalières « ferment généralement les yeux » sur ces passages non autorisés (Michael Burns, *Histoire d'une famille française*, *op. cit.*, p. 117). Sur son patriotisme, voir ses *Souvenirs* inédits (fonds Charles Dreyfus et MAHJ) : « Les souvenirs de la guerre de 1870 étaient restés si vifs dans mon esprit que je me décidai à embrasser la carrière militaire, malgré la situation avantageuse que j'aurais pu avoir dans l'industrie familiale. Je pensai à l'Alsace frémissante sous le joug de l'étranger, à ceux dont le cœur était resté français et qui souffraient tant de l'oppression », p. 3.

83. Commencée le 30 août 1870, la bataille de Sedan dans les Ardennes scella la défaite de la France face à la Prusse. La capitulation de Napoléon III à la tête de ses armées le 1er septembre entraîna la déchéance de l'Empire et la proclamation, le 4 septembre, de la République.

84. Alfred Dreyfus, lettre à Lucie Dreyfus, 6 décembre 1894, *in* Alfred et Lucie Dreyfus, *Écris-moi souvent, écris-moi longuement*, *op. cit.*, pp. 71-72. Cette lettre commence sur ces mots : « J'attends avec impatience une lettre de toi. » Le lecteur aura noté qu'il a repris dans ses *Souvenirs* inédits le passage de la lettre qui commence par « Ma douleur fut telle [...] ». Voir p. 37 de ce livre.

85. Alfred Dreyfus, lettre à Lucie Dreyfus, 8 décembre 1895, *in ibid.*, pp. 72-73.

86. Alfred Dreyfus, lettre à Lucie Dreyfus, 11 décembre 1894, *in ibid.*, p. 75.

87. Alfred Dreyfus, lettre à Lucie Dreyfus, 14 décembre 1894, *in ibid.*, p. 76.

88. Alfred Dreyfus, lettre à Lucie Dreyfus, 17 décembre 1894, *in ibid.*, pp. 76-77.

89. Alfred Dreyfus, *Mes souvenirs*, p. 8.

90. Alfred Dreyfus, lettre à Lucie Dreyfus, 18 décembre 1894, *in* Alfred et Lucie Dreyfus, *Écris-moi souvent, écris-moi longuement*, *op. cit.*, pp. 78-79.

91. Ferdinand Forzinetti, « Le capitaine Dreyfus à la prison du Cherche-Midi. Historique de la détention », *in* Alfred Dreyfus, *Lettres d'un innocent*, Appendice, p. 264.

92. Joseph Reinach, *Histoire de l'Affaire Dreyfus*, I, p. 384.

93. Alfred Dreyfus, *Cinq années de ma vie*, p. 60.

94. La présence d'artilleurs parmi les juges militaires aurait pu faire comprendre à la cour l'inanité des charges découlant du bordereau, que le capitaine Dreyfus n'aurait jamais pu écrire de cette manière.

95. Joseph Reinach s'était mobilisé en faveur de Dreyfus et de la justice depuis le mois de décembre 1894. Voir pp. 247 et suiv.

96. Joseph Reinach, *Histoire de l'Affaire Dreyfus*, I, p. 387.

97. *Le Figaro*, 20 décembre 1894.

98. *L'Autorité*, 20 décembre 1894, cité *in* Joseph Reinach, *Histoire de l'Affaire Dreyfus*, I, p. 388.

99. Un seul témoin entendu par le commandant d'Ormescheville ne le fut pas au procès, le caporal Bernollin, employé au 2e bureau en 1893-1894. Sa déposition a été lue à l'audience. (Déposition, *in* Révision 1898-1899, Instruction, II, pp. 67-68.)

100. « Témoins à charge [outre les trois noms déjà cités] : 1/ministère de la Guerre : lieutenant-colonel d'Aboville, capitaine Brault, archiviste Gribelin, commandant Bertin-Mourot, capitaine Bretaud, capitaine Bresse, commandant Mercier-Milon, capitaine Boullenger, lieutenant-colonel Colard, capitaine Sibille, commandant Gendron, capitaine Maistre, capitaine Tocanne, capitaine Dervieu, capitaine Roy 2/26ᵉ d'artillerie du Mans : capitaine Cuny, capitaine Chatou. 3/MM. Cochefert, chef de la Sûreté, Gobert, Pelletier, Teyssonnières, Charavay, Bertillon, chef du Service de l'identité judiciaire. » (« Affaire Dreyfus. Liste des témoins entendus à l'audience », AN, BB¹⁹ 105.)

101. Son nom, Dreyfuss, n'a cependant pas été francisé comme celui du capitaine.

102. « Témoins à décharge : 1/colonel Clément, commandant Ruffey, commandant de Barberin, commandant Leblond, capitaine Meyer, capitaine Devaux, 2/MM. Dreyfuss, grand rabbin, Amson, Vaucaire, Lévy-Bruhl, Jeanmaire, Koechlin. » (AN, BB¹⁹ 105).

103. Alfred Dreyfus, *Cinq années de ma vie*, p. 60.

104. Joseph Reinach, *Histoire de l'Affaire Dreyfus*, I, pp. 611-612.

105. Alfred Dreyfus, *Mes souvenirs*, p. 8.

106. Alfred Dreyfus, *Cinq années de ma vie*, p. 60.

107. Picquart, Révision 1898-1899, Instruction, I, p. 129.

108. *Ibid.*, p. 402.

109. *Procès de Rennes*, II, p. 192, Maurel. Joseph Reinach cite de manière inexacte (*Histoire de l'Affaire Dreyfus*, I, p. 400).

110. Révision 1898-1899, Instruction, I, p. 9.

111. *Ibid.*

112. Lépine, Révision 1898-1899, Instruction, II, p. 9.

113. *Ibid.*, p. 10.

114. Révision 1898-1899, Instruction, I, 129.

115. Joseph Reinach, *Histoire de l'Affaire Dreyfus*, I, p. 387, note 1.

116. *Ibid.*, pp. 387-388.

117. Interrogé par Joseph Reinach après sa déposition dans le cadre de l'instruction Ravary ouverte contre Esterhazy, le 18 décembre 1897 (*ibid.*, p. 400, note 1).

118. Joseph Reinach, *Histoire de l'Affaire Dreyfus*, I, p. 403.

119. Demange, Note à Mᵉ Mornard, 7 mars 1899, *in* Révision 1898-1899, Débats 1899, p. 603.

120. Ces délégations sont ordinaires à tous les procès d'espionnage, expliqua Joseph Reinach en renvoyant à une lettre du ministre de la Guerre Zurlinden au garde des Sceaux en date du 16 septembre 1898 (*in* Révision 1898-1899, Instruction, II, p. 125).

121. Maurel, *Procès de Rennes*, II, 192.

122. Demange, Note à Mᵉ Mornard, 7 mars 1899, *in* Révision 1898-1899, Débats 1899, p. 605.

123. Autre version, *in* Picquart, Révision 1898-1899, Instruction, I, p. 129.

124. Picquart, *Procès de Rennes*, I, p. 381. Devant la chambre criminelle de la Cour de cassation, le 23 novembre 1898, le colonel Picquart expliquera avoir été « absolument bouleversé, sur le moment, par l'explication qu'il [Du Paty de Clam] a donnée à son interruption au milieu de la dictée faite à Dreyfus » (Réhabilitation 1903-1906, Instruction, I, p. 129).

125. Demange, Note à Mᵉ Mornard, 7 mars 1899, *in* Révision 1898-1899, Débats 1899, p. 605.

126. Cette hypothèse du commandant du Paty de Clam, provoquée par la défense efficace du capitaine Dreyfus, deviendra la thèse de l'État-major à partir du procès Zola, dans le cadre d'un nouveau système d'accusation.

127. Demange, Note à Mᵉ Mornard, 7 mars 1899, *in* Révision 1898-1899, Débats 1899, p. 602.

128. Cette note fut versée par Mᵉ Demange lors des débats de la Cour de cassation en mai-juin 1899 et publiée dans le volume correspondant (Révision 1898-1899, Débats 1899, p. 606). Elle est citée par Demange au procès de Rennes (III, p. 713).

129. Révision 1898-1899, Débats 1899, p. 121, lettre du ministre de la Guerre du 28 avril 1899. Et Joseph Reinach *Histoire de l'Affaire Dreyfus*, I, pp. 613-614 (Annexe XIV).

130. Dreyfus, Note remise à son défenseur, *in* Révision 1898-1899, Débats 1899, p. 606. Demange, Note à Mᵉ Mornard, *in ibid.*, p. 602. *Procès de Rennes*, I, p. 43, III, pp. 289 et p. 793.

131. Dreyfus, Note remise à son défenseur, *in* Révision 1898-1899, Débats 1899, pp. 606-607.

132. Picquart, *Procès de Rennes*, I, p. 398. Voir également la déposition de l'ancien capitaine Fonds-Lamothe, stagiaire à l'État-major en même temps que le capitaine Dreyfus (III, p. 291).

133. Alfred Dreyfus, *Cinq années de ma vie*, p. 60.

134. Gribelin, *Procès de Rennes*, I, p. 587.

135. Joseph Reinach, *Histoire de l'Affaire Dreyfus*, I, p. 411.

136. Révision 1898-1899, Instruction, II, p. 9.

137. Picquart, *Procès de Rennes*, I, p. 379, Révision 1898-1899, Instruction, I, p. 131.

138. Demange, *Procès de Rennes*, III, 731.

139. Révision 1898-1899, Instruction, II, p. 9.

140. Joseph Reinach, *Histoire de l'Affaire Dreyfus*, I, p. 414.

141. Demange, Note à Mᵉ Mornard, *in* Révision 1898-1899, Débats 1899, p. 606.

142. Joseph Reinach, *Histoire de l'Affaire Dreyfus*, I, p. 429.

143. Cette allégation est présente dans le « Rapport de police relatant le résultat des recherches sur les cercles que Dreyfus aurait fréquentés », daté des 4 et 19 novembre 1894 et cité *in extenso* par la Cour de cassation dans l'instruction des chambres réunies en 1899 (Révision 1898-1899, Instruction, II, p. 292).

144. Picquart, lettre au garde des Sceaux, 14 septembre 1898, *in* Révision 1898-1899, III, p. 207.

145. Charavay, *Procès de Rennes*, II, p. 462.

146. *Ibid.* et Révision 1898-1899, Instruction, I, p. 131 (Picquart).

147. Révision 1898-1899, Instruction, I, p. 272. *Procès de Rennes*, II, p. 304.

148. Gobert, Révision 1898-1899, Instruction, I, p. 271.

149. *Ibid.*, p. 272.

150. Ce document est conservé dans les collections du MAHJ.

151. Rapport d'Ormescheville, *in* Révision 1898-1899, Instruction, II, p. 78.

152. Révision 1898-1899, Instruction, II, p. 10.

153. *Ibid.*, p. 10.

154. « Personne n'y a rien compris » (Picquart, Révision 1898-1899, Instruction, I, p. 131).

155. Révision 1898-1899, Instruction, II, p. 7.

156. Maurel, *Procès de Rennes*, II, p. 192.

157. Révision 1898-1899, Instruction, I, p. 498.

158. Manau, Réquisitoire, Révision 1898-1899, Débats 1899, p. 111.

159. Alfred Dreyfus, *Cinq années de ma vie*, p. 61.

160. Lépine, Révision 1898-1899, Instruction, II, p. 9.

161. *Ibid.*

162. Picquart, Révision 1898-1899, Instruction, I, p. 131.

163. *Ibid.*, p. 129.

164. Voir p. 135.

165. Dreyfus, Note remise à son avocat, [22 décembre 1894], *in* Révision 1898-1899, Débats 1899, p. 607.

166. Lépine, Révision 1898-1899, Instruction, II, p. 9.

167. Picquart, Révision 1898-1899, Instruction, I, p. 129.
168. Alfred Dreyfus, *Cinq années de ma vie*, p. 61.
169. Variante dans le témoignage du lieutenant-colonel Picquart devant la Cour de cassation le 23 novembre 1898 : « Le képi doit ignorer ce qu'il y a dans la tête de l'officier. » (Révision 1898-1899, Instruction, I, p. 130).
170. Révision 1898-1899, Instruction, II, p. 10. Voir également le témoignage du lieutenant-colonel Picquart et du capitaine Freystaetter.
171. Dreyfus, Note à Me Demange, [21 décembre 1894], *in* Révision 1898-1899, Débats 1899, p. 608.
172. *Procès de Rennes*, I, pp. 379-522, et Révision 1898-1899, Instruction, I, p. 409.
173. *Procès de Rennes*, II, p. 514.
174. Instruction Fabre, citée par Baudoin, Réquisitoire, Réhabilitation 1903-1906, Débats 1904, p. 86.
175. Forzinetti, Révision 1898-1899, Instruction, I, p. 321.
176. Cité *in* Joseph Reinach, *Histoire de l'Affaire Dreyfus*, I, p. 432.
177. Citée *in* Réhabilitation 1903-1906, Instruction, III, pp. 488-489.
178. Lépine, Révision 1898-1899, Instruction, II.
179. *Ibid.*, p. 10.
180. Alfred Dreyfus, *Cinq années de ma vie*, p. 61.
181. Joseph Reinach, *Histoire de l'Affaire Dreyfus*, I, p. 435.
182. D'après Demange, Révision 1898-1899, III, p. 606 et *Procès de Rennes*, III, p. 596. Cité *in* Alfred Dreyfus, *Cinq années de ma vie*, p. 61.
183. Joseph Reinach, *Histoire de l'Affaire Dreyfus*, I, p. 436.
184. Alfred Dreyfus, *Cinq années de ma vie*, p. 61.
185. D'après le témoignage du lieutenant-colonel Picquart (Révision 1898-1899, Instruction, I, p. 234).
186. D'après le commandant Forzinetti, cité par Jean-Bernard, *Le Procès de Rennes 1899. Impressions d'un spectateur*, Paris, Alphonse Lemerre éditeur, 1900, p. 44.
187. *Ibid.*
188. « Jugement exécutoire de condamnation du 1er conseil de guerre permanent du gouvernement militaire de Paris », 22 décembre 1894, AN, BB19 95 et 101. Relativement à la mention du « nez busqué » du capitaine Dreyfus, il est à préciser que la fiche signalétique de l'École polytechnique, pour le concours de 1878, indique que le capitaine Dreyfus possède un nez « long ». Celui-ci devient donc « busqué » à l'issue de la campagne antisémite contre le « traître », menée avant son procès (« Fiche d'immatriculation » d'Alfred Dreyfus, promotion 1878, archives de l'École polytechnique. Ce document a été présenté dans le catalogue de l'exposition *Une tragédie de la Belle Époque. L'affaire Dreyfus*, Paris, comité du centenaire de l'affaire Dreyfus, 1994, p. 124).
189. Ce débat sur l'éthique de l'officier héroïque a duré en France tout le xxe siècle. En 1994, l'intervention aux Écoles spéciales militaires de Saint-Cyr Coëtquidan de Pierre Dabezies, ancien officier de la France libre, agrégé de science politique, auteur d'un rapport sur les relations entre armée et société, partisan d'une conception moderne de l'officier, suscita des remous (*Libération*, décembre 1994).
190. Rapport du conseiller Moras, *in* Réhabilitation 1903-1906, Débats 1906, p. 69.
191. Alfred Dreyfus, *Cinq années de ma vie*, p. 63.
192. Alfred Dreyfus, *Mes souvenirs*, p. 9.
193. Ces trois phrases sont extraites du témoignage de Ferdinand Forzinetti, « Le capitaine Dreyfus à la prison du Cherche-Midi. Historique de la détention », *in* Alfred Dreyfus, *Lettres d'un innocent*, Appendice, p. 264.
194. Révision 1898-1899, Instruction, I, p. 321. Le commandant Forzinetti fit le même récit devant le conseil de guerre à Rennes (*Procès de Rennes*, III, p. 106).

195. Mathieu Dreyfus, *L'Affaire telle que je l'ai vécue*, p. 44.
196. Variante : « Mon enfant, votre condamnation est la plus grande infamie du siècle » (Révision 1898-1899, Instruction, I, p. 322, Forzinetti et Ferdinand Forzinetti, « Le capitaine Dreyfus à la prison du Cherche-Midi. Historique de la détention », *in* Alfred Dreyfus, *Lettres d'un innocent*, Appendice, p. 264).
197. Cf. Alfred et Lucie Dreyfus, *Écris-moi souvent, écris-moi longuement*, op. cit., pp. 79 et suiv.
198. Le 22 décembre, à l'issue de son procès, le capitaine Dreyfus a été reconnu coupable à l'unanimité de haute trahison.
199. Alfred Dreyfus, lettre à Lucie Dreyfus, 23 décembre 1894, *in* Alfred et Lucie Dreyfus, *Écris-moi souvent...*, op. cit., pp. 79-80.
200. Alfred Dreyfus, *Souvenirs et Correspondance*, p. 47.
201. La loi l'autorise à l'accompagner, mais son application sera refusée à Lucie Dreyfus.
202. Lucie Dreyfus, lettre à Alfred Dreyfus, 23 décembre 1894, *in* Alfred et Lucie Dreyfus, *Écris-moi souvent...*, op. cit., pp. 80-81.
203. Lucie Dreyfus, lettre à Alfred Dreyfus, 23 décembre 1894 [soir], *in ibid.*, pp. 81-82.
204. Alfred Dreyfus, lettre à Lucie Dreyfus, 24 décembre 1894 [soir], *Écris-moi souvent...*, op. cit., p. 83.
205. Lucie Dreyfus souhaite l'accompagner sur son lieu de déportation, comme la loi l'y autorise.
206. Alfred Dreyfus, lettre à Lucie Dreyfus, 24 décembre 1894 [nuit], *in* Alfred et Lucie Dreyfus, *Écris-moi souvent...*, op. cit., pp. 83-84.
207. Lucie Dreyfus, lettre à Alfred Dreyfus, 25 décembre 1894, *in ibid.*, p. 85.
208. Lucie Dreyfus, lettre à Alfred Dreyfus, 25 décembre 1894, *in ibid.*, p. 87
209. Alfred Dreyfus avait demandé à sa femme de faire déposer cette somme au greffe de la prison (lettre du 24 décembre 1894, *in ibid.*, p. 84).
210. Lucie employait fréquemment ce diminutif pour s'adresser à son mari.
211. Lucie Dreyfus, lettre à Alfred Dreyfus, 26 décembre 1894, *in* Alfred et Lucie Dreyfus, *Écris-moi souvent...*, op. cit., pp. 88-89.
212. Alfred Dreyfus, lettre à Lucie Dreyfus, 27 décembre 1894, *in ibid.*, pp. 94-95.
213. Lucie Dreyfus, lettre à Alfred Dreyfus, 30 décembre 1894, *in ibid.*, p. 99.
214. Lucie Dreyfus, lettre à Alfred Dreyfus, 31 décembre 1894, *in ibid.*, pp. 100-101.
215. Alfred Dreyfus, lettre à Lucie Dreyfus, 31 décembre 1894, *in ibid.*, pp. 101-102.
216. Alfred Dreyfus, lettre à Lucie Dreyfus, 31 décembre 1894 [5 heures du soir], *in ibid.*, pp. 102-103.
217. Alfred Dreyfus, lettre à Lucie Dreyfus, 31 décembre 1894-1er janvier 1895, *in ibid.*, p. 103.
218. Alfred Dreyfus, lettre à Lucie Dreyfus, 1er janvier 1895, *in ibid.*, p. 106.
219. Ferdinand Forzinetti, « Le capitaine Dreyfus à la prison du Cherche-Midi. Historique de la détention », *in* Alfred Dreyfus, *Lettres d'un innocent*, Appendice, p. 265.
220. Forzinetti, Révision 1898-1899, Instruction, I, p. 321.
221. Alfred Dreyfus, *Cinq années de ma vie*, pp. 69-70.
222. Révision 1898-1899, Instruction, I, p. 321, Forzinetti.
223. Alfred Dreyfus, lettre à Lucie Dreyfus, 2 janvier 1895, *in* Alfred et Lucie Dreyfus, *Écris-moi souvent...*, op. cit., pp. 108-109.
224. Le général Tyssère est le chef d'état-major du gouverneur militaire de Paris.
225. Lucie Dreyfus, lettre à Henriette Valabrègue, *in* Henriette Valabrègue, lettre à ses enfants, 4 janvier 1895, dact., archives France Beck-Anne Cabau.
226. Alfred Dreyfus, *Cinq années de ma vie*, pp. 70-71.

227. Lucie Dreyfus « écrivit au gouverneur de Paris pour voir son mari dans d'autres conditions. Le général chef d'État-major m'écrivit pour me demander si cela était possible. Je répondis que, certaines fois, on avait accordé aux condamnés des parloirs de faveur, et que, pour mon compte, je n'y voyais aucun inconvénient pour Dreyfus. Dans ces conditions de faveur, le condamné était conduit par un sous-officier dans le parloir même, avec le visiteur. Le général me fit connaître qu'il me laissait toute latitude à ce sujet » (Forzinetti, Révision 1898-1899, Instruction, I, p. 321).

228. *Ibid.*, I, p. 321.

229. « Je lui fis la promesse de vivre et d'affronter courageusement la douleur de la lugubre cérémonie qui m'attendait » (Alfred Dreyfus, *Cinq années de ma vie*, p. 70).

230. Forzinetti, Révision 1898-1899, Instruction, I, p. 322, et *Procès de Rennes*, III, p. 108.

231. « *Le capitaine Dreyfus se rassied en pleurant. – Vive émotion* » (Dreyfus, *Procès de Rennes*, III, p. 108).

232. Alfred Dreyfus, *Cinq années de ma vie*, p. 71.

233. Joseph Reinach, *Histoire de l'affaire Dreyfus*, I, p. 490.

234. Alfred Dreyfus, lettre à Mathieu Dreyfus, 25 décembre 1894 (BNF, Nafr. 17387, f° 90).

235. Alfred Dreyfus, lettre à Mathieu Dreyfus, 25 décembre 1894 (BNF, Nafr. 17387, f° 99).

236. Alfred Dreyfus, lettre à Mathieu Dreyfus, 28 décembre 1894 (BNF, Nafr. 17387, f° 105-106).

237. Alfred Dreyfus, lettre à Henriette Valabrègue, sans date, dact., archives France Beck-Anne Cabau.

238. Alfred Dreyfus, lettre à Mathieu Dreyfus, 28 décembre 1894 (BNF, Nafr. 17387, f° 110).

239. Alfred Dreyfus, *Cinq années de ma vie*, p. 65.

240. Mathieu Dreyfus, *L'Affaire telle que je l'ai vécue*, p. 45.

241. Mercier, Révision 1898-1899, Instruction, I, p. 6, et *Procès de Rennes*, I, p. 100.

242. Forzinetti, *Procès de Rennes*, III, p. 106.

243. Alfred Dreyfus, lettre au ministre de la Guerre, 1er janvier 1894.

244. Le commandant Forzinetti exposera au procès de Rennes ce que lui a raconté aussitôt le capitaine Dreyfus (*Procès de Rennes*, I, p. 101 ; également, Réhabilitation 1903-1906, Instruction off., I, p. 290, et *Procès de Rennes*, III, p. 107).

245. Dans sa déposition, il précise : « À ce moment-là, sentant tout ce que je voulais et ne voulant pas lui permettre d'insulter ma famille, je l'ai arrêté en lui disant : "C'est assez. Je n'ai qu'un mot à vous dire, c'est que je suis innocent et que votre devoir est de poursuivre vos recherches." » (Révision 1898-1899, Débats 1899, p. 534).

246. Affaire Dreyfus, lettre à Me Demange, 31 décembre 1894, in Révision 1898-1899, Débats 1898, p. 65. et Débats 1899, pp. 534-535. *Procès de Rennes*, I, p. 101. Réhabilitation 1903-1906, Enquête criminelle off., I, p. 290. Cette lettre a été rendue publique le 14 janvier 1898.

247. *Procès de Rennes*, III, p. 513.

248. Du Paty de Clam, Révision 1898-1899, Instruction, I, p. 440 et Réhabilitation 1903-1906, Instruction, I, pp. 196-197.

249. *Ibid.*

250. Forzinetti, Révision 1898-1899, Instruction, I, p. 322.

251. Lettre produite au procès de Rennes par le général Mercier (I, p. 100). Il existe aussi deux notes, l'une du 24 septembre 1897, que du Paty de Clam dit avoir écrite de mémoire « dans un but dont il ne se souvient plus » (cassation 305), et l'autre sans date, qui fut présentée à la Cour de cassation en 1899 (cassation 642).

252. « Dreyfus. La dégradation », *Le Journal,* 6 janvier 1895.

253. Joseph Reinach, *Histoire de l'Affaire Dreyfus,* I, p. 483.

254. Alfred Dreyfus, lettre à Lucie Dreyfus, 3 janvier 1895, *in* Alfred et Lucie Dreyfus, *Écris-moi souvent...,* *op. cit.,* p. 110.

255. Joseph Reinach, *Histoire de l'affaire Dreyfus,* I, p. 489.

256. Alfred Dreyfus, lettre à Henriette et Joseph Valabrègue, 4 janvier 1895 (MAHJ).

257. Lucie Dreyfus ne sait pas encore que son mari sera déporté en Guyane, à la suite du vote en urgence de la loi du 31 janvier 1895 déposée par le ministre de la Guerre au nom du gouvernement, loi qui modifie la destination des déportés politiques.

258. Lucie Dreyfus, lettre à Alfred Dreyfus, 4 janvier 1895, *in* Alfred et Lucie Dreyfus, *Écris-moi souvent...,* *op. cit.,* pp. 112-113.

CHAPITRE V

## L'honneur d'un innocent

1. Voir Dominique Kalifa, *L'Encre et le sang. Récits de crimes et société à la Belle Époque,* Paris, Fayard, 1995, 351 p. et Anne-Claude Ambroise-Rendu, *Petits Récits des désordres ordinaires. Les faits divers dans la presse française des débuts de la IIIᵉ République à la Grande Guerre,* Paris, Seli Arslan, 2004, 332 p.

2. « Si j'étais son juge, eh bien ! moi, qui ne ferais pas le moindre mal à un animal, je commencerais par l'enfermer dans une cage en fer, comme une bête fauve, et je le ferais passer ainsi devant le front de plusieurs régiments au Champ de Mars. Là, chaque officier viendrait lui cracher au visage. Ensuite, la dégradation et le feu de peloton. Je le répète, c'est encore trop doux pour les traîtres à la patrie.» (*Le Petit Journal,* 9 novembre 1894).

3. Voir p. 66

4. « Est-il vrai que récemment une arrestation fort importante ait été opérée par ordre de l'autorité militaire ? L'individu arrêté serait accusé d'espionnage. Si la nouvelle est vraie, pourquoi l'autorité militaire garde-t-elle un silence absolu ? Une réponse s'impose.» (*La Libre Parole,* 29 octobre 1894).

5. *L'Éclair,* 1ᵉʳ novembre 1894.

6. « Je me trouvais hier soir avec notre ami Gauthier de Clagny, député de Seine-et-Oise. "Il ne sera pas possible, dit-il, d'après tous les codes et toutes les lois, de condamner à mort un tel misérable. – Si douloureuse que soit cette révélation, ajoutai-je, nous avons une consolation : *c'est que ce n'est pas un Français qui a commis un tel crime."* » (Commandant Z., « Haute Trahison, arrestation de l'officier juif A. Dreyfus », *La Libre Parole,* 2 novembre 1894.)

7. Joseph Reinach a disposé d'une photographie du document (Marcel Thomas, *L'Affaire sans Dreyfus, op. cit.,* p. 155).

8. « La trahison du Juif Dreyfus », *La Libre Parole,* 2 novembre 1894.

9. « Depuis quelques jours, tout ce que la juiverie compte d'amis au Parlement – et Dieu sait qu'ils sont en nombre – s'agite autour de nos ministres et leur met le marché en main. C'est Reinach qui mène toute l'intrigue, n'osant, à son ordinaire, donner de sa personne... Que Mercier se taise ou Reinach parlera. Tel est le mot d'ordre qui a passé au Palais-Bourbon comme au Sénat. Tout le monde a compris. Et Mercier se tait... » (G.M., « Haute Trahison », *La Libre Parole,* 4 novembre 1894.)

10. Cité *in* Patrice Boussel, *L'Affaire Dreyfus et la presse,* Paris, Armand Colin, coll. « Kiosque », 1960, pp. 47-49.

11. Cité ici par Salomon Reinach, *in* « L'archiviste », *Drumont et Dreyfus. Études sur* La Libre Parole *de 1894 à 1895,* Paris, P.-V. Stock, 1898, p. 32.

12. Cité *in* Patrice Boussel, *L'Affaire Dreyfus et la presse, op. cit.,* p. 54.

13. *Ibid.,* p. 55.

14. Marcel Thomas, *L'Affaire sans Dreyfus*, *op. cit.*, p. 169.

15. Marcel Thomas explique qu'il existait effectivement un lien, « mais si ténu que personne en dehors du ministère de la Guerre, ne le soupçonna : il semble bien en effet que l'on découvrit sur la personne d'un des deux Allemands une lettre du major Orlowski, un officier prussien dont Mme Bastian avait apporté en même temps que le bordereau une lettre adressée par lui à Schwartzkoppen » (*ibid.*).

16. Voir Maurice Paléologue : « Le général Mercier nous entraîne dans des complications très graves. Je l'ai prévenu dès le premier jour. Par deux fois, j'ai essayé de lui faire entendre raison, de lui montrer la folie de son aventure. Il n'a pas voulu me croire et maintenant le voilà débordé » (*Journal de l'affaire Dreyfus 1894-1899. L'affaire Dreyfus et le Quai d'Orsay*, Paris, Plon, 1955, p. 30).

17. Paul de Cassagnac, « Le Sous-Boulanger », *L'Autorité*, 13 décembre 1894.

18. Gaston Méry, « Le plan des Juifs », *La Libre Parole*, 5 décembre 1894.

19. Le 18 décembre 1894.

20. « Le huis clos s'impose », *L'Éclair*, 13 décembre 1894.

21. *L'Éclair*, 21 décembre 1894.

22. *Le Figaro*, 22 décembre 1894.

23. Albert Bataille cité par Patrice Boussel, *L'Affaire Dreyfus et la presse*, *op. cit.*, pp. 63-64.

24. *La Libre Parole*, 23 décembre 1894.

25. Joseph Reinach, *Histoire de l'affaire Dreyfus*, p. 471.

26. *Ibid.*, p. 464.

27. *Ibid.*, p. 465, note 6.

28. Voir pp. 248 et suiv.

29. Georges Clemenceau, « Le traître », *La Justice*, 25 décembre 1894, *in L'Affaire Dreyfus. L'Iniquité* [1899], introduction de Michel Drouin, Paris, Mémoire du livre, 2001, pp. 59-61.

30. Maurice Barrès, « La parade de Judas », *Le Journal* et *Scènes et Doctrines du nationalisme*, p. 135.

31. Léon Daudet, « Le châtiment », *Le Figaro*, 6 janvier 1895.

32. *Ibid.*

33. Jean-Denis Bredin, *L'Affaire*, Paris, Julliard, 1983, rééd. Fayard-Julliard 1983. Ici, l'édition de référence est la collection de poche « Press Pocket », p. 15.

34. Maurice Barrès, « La parade de Judas », *art. cit.*

35. Le 7 janvier 1895.

36. Le texte de la loi figure notamment dans l'expédition des documents accompagnant le capitaine Dreyfus aux îles du Salut (CAOM).

37. Article 6 : « Sera puni d'un emprisonnement de un à cinq ans et d'une amende de 1 000 à 10 000 francs, celui qui, sans avoir qualité à cet effet, mais sans que le but d'espionnage soit établi, se sera procuré, en tout ou partie, des objets, plans, écrits, documents ou renseignements, dont le secret intéresse la défense nationale ou la sûreté de l'État. »

38. *JO*, Débats de la Chambre des députés, 24 décembre 1894.

39. Joseph Reinach, *Histoire de l'Affaire Dreyfus*, I, p. 475.

40. Léon Mirman avait été élu député en 1893, alors qu'il n'avait pas encore accompli l'engagement décennal qui tenait lieu de service militaire pour les membres de l'Université. Démissionnaire de ses fonctions de professeur qui étaient incompatibles avec son mandat de député, il retombait, selon le ministère de la Guerre, sous le coup de la loi de recrutement. Le général Mercier avait informé la Chambre qu'il serait incorporé le 16 novembre 1894 (Joseph Reinach, *Histoire de l'affaire Dreyfus*, I, pp. 197-198).

41. *Le Parlement et l'Affaire Dreyfus*, *op. cit.*, p. 29. Jaurès répondait à Louis Barthou, ministre des Travaux publics, qui n'eut « qu'un mot » à lui répondre : « Vous savez que vous mentez. »

42. Ferdinand Forzinetti, « Le capitaine Dreyfus à la prison du Cherche-Midi. Historique de la détention », *in Lettres d'un innocent*, pp. 265-266.

43. « Dreyfus. La dégradation », *Le Journal*, 6 janvier 1895. Le rédacteur, qui signe « XX. », raconte que Dreyfus déclara au capitaine de la Garde républicaine : « Capitaine, vous vous faites l'instrument de la plus grande injustice du siècle. »

44. Rapport du lieutenant-colonel Guérin, sous-chef d'état-major du gouvernement militaire de Paris, sur la parade d'exécution du 5 janvier 1895 et sur les déclarations faites par l'ex-capitaine Dreyfus au capitaine Lebrun-Renault, de la Garde républicaine, 14 février 1895. Révision 1898-1899, Débats 1898, pp. 58-60.

45. Nous nous appuyons sur l'article bien documenté d'Eugène Clisson, « Récit d'un témoin », publié dans *Le Figaro*, 6 janvier 1894.

46. « Le 4 janvier 1895, j'étais déchargé de la lourde responsabilité qui m'incombait. Après avoir serré la main au capitaine Dreyfus, je le remettais aux gendarmes qui le conduisirent, menottes aux poings, à l'École militaire où il subit, en criant son innocence, la dégradation – supplice plus terrible que la mort – puis l'exil » (*art. cit. in, Lettres d'un innocent*, p. 265).

47. Révision 1898-1899, Instruction, I, p. 322.

48. Eugène Clisson, « Récit d'un témoin », *Le Figaro*, 6 janvier 1895.

49. « Dreyfus. La dégradation », *Le Journal*, 6 janvier 1895.

50. D'après *Le Journal*, 6 janvier 1895.

51. Léo Marchès, « La dégradation du capitaine Dreyfus », *Le Siècle*, 6 janvier 1895.

52. Ferdinand Forzinetti, « Le capitaine Dreyfus à la prison du Cherche-Midi. Historique de la détention », *in Lettres d'un innocent*, p. 265.

53. *Ibid.*

54. « Dreyfus. La dégradation », *Le Journal*, 6 janvier 1895.

55. Alfred Dreyfus, *Cinq années de ma vie*, p. 72.

56. *Procès de Rennes*, III, p. 82.

57. D'après l'agent principal Fixary dans son rapport déjà cité. Mais son témoignage n'est guère digne de foi.

58. Lebrun-Renault, *Procès de Rennes*, III, p. 74.

59. Eugène Clisson, « Récit d'un témoin », *Le Figaro*, 6 janvier 1895. Darras, Révision 1898-1899, Instruction, I, p. 278. Lebrun-Renault, *Procès de Rennes*, III, p. 74.

60. Eugène Clisson, « Récit d'un témoin », *Le Figaro*, 6 janvier 1895.

61. Alfred Dreyfus, *Cinq années de ma vie*, p. 72.

62. « De par la loi », entend le rédacteur du *Journal* (6 janvier 1894).

63. Darras, Révision 1898-1899, Instruction, I, p. 278.

64. Alfred Dreyfus, *Cinq années de ma vie*, p. 73.

65. *Ibid.*

66. Picquart, Révision 1898-1899, Instruction, I, p. 141.

67. « La dégradation d'Alfred Dreyfus », *Le Temps*, 6 janvier 1895.

68. Jean France, *Autour de l'affaire Dreyfus*, Paris, Rieder, 1930, p. 42. Maurice Paléologue, *Journal de l'affaire Dreyfus, op. cit.*, p. 97.

69. Alfred Dreyfus, *Cinq années de ma vie*, p. 73.

70. Joseph Reinach, *Histoire de l'Affaire Dreyfus*, I, p. 503.

71. *Le Journal*, 6 janvier 1894.

72. *L'Autorité*, 6 janvier 1894.

73. Druet, Révision 1898-1899, Instruction, II, p. 136.

74. *Le Figaro* précise que « devant cette déclaration nettement formulée, le capitaine fit informer le général Darras de la résolution de Dreyfus. Elle avait d'ailleurs été prévue, et un roulement de tambour devait lui couper la parole en cas de besoin. »

75. Darras, Révision 1898-1899, Instruction, I, p. 278.

76. Voir p. 204.

77. Eugène Clisson, « Récit d'un témoin », *Le Figaro*, 6 janvier 1895. Cet article a été cité par l'ancien président de la République Casimir-Perier au cours de sa déposition au procès de Rennes (I, pp. 68-70). Ce témoignage est également reproduit dans le rapport du conseiller Moras, Réhabilitation 1903-1906, Débats 1906, p. 75.

78. *Le Journal*, 6 janvier 1895.

79. Guérin, *Procès de Rennes*, III, p. 92.

80. Témoignage de Lebrun-Renault cité *in* Révision 1898-1899, Instruction I, p. 381 (Bayol).

81. Alfred Dreyfus, *Cinq années de ma vie*, p. 73.

82. Cité *in* Fournier, Révision, I, p. 405. Variante dans la lettre de Charles Dupuy, ministre de l'Intérieur et président du Conseil, au ministre de la Guerre, 15 novembre 1898, relative aux « aveux » de Dreyfus, *in* Révision 1898-1899, Instruction, II, p. 147.

83. « On a beau être escarpe, on ne supporte pas aisément le voisinage d'un traître », ajouta *Le Journal* (6 janvier 1895).

84. *Ibid.*

85. CAOM. Voir Vincent Duclert, *Dreyfus est innocent ! Histoire d'une affaire d'État*, Paris, Larousse, 2006, pp. 20 et suiv.

86. Cité *in* Fournier, Révision, I, p. 405. Variante dans la lettre de Charles Dupuy, ministre de l'Intérieur et président du Conseil, au ministre de la Guerre, 15 novembre 1898, relative aux « aveux » de Dreyfus, *in* Révision 1898-1899, Instruction, II, p. 147.

87. Cité *in* Alexandre Zévaès, *L'Affaire Dreyfus*, Paris, Éditions de la Nouvelle Critique, 1931, p. 51.

88. Citée par l'avocat Fernand Labori, *in Procès Zola*, II, p. 305-306.

89. BNF, Nafr. 17387, f° 116. (« Prison de la Santé, samedi soir »).

90. Alfred et Lucie Dreyfus, *Écris-moi souvent, écris-moi longuement*, Mille et Une Nuits, 2005, pp. 119-120 (« Prison de la Santé, soir de la dégradation – Samedi, après-midi »).

91. *Ibid.*, pp. 122-123 (« Samedi, 6 heures »).

92. *Ibid.*, p. 123 (« Samedi, 7 heures du soir »).

93. *Ibid.*, pp. 123-124 (« Samedi, 7 heures et demie »).

94. *Ibid.*, pp. 124-125 (« 6 janvier 1895, dimanche, 5 heures »).

95. BNF, Nafr. 17387, f° 119 (« Dimanche soir »).

96. Alfred Dreyfus, *Cinq années de ma vie*, p. 73.

97. Voir le rapport de Gabriel Fournier, inspecteur général des services administratifs, Révision 1898-1899, Instruction, I, p. 406.

98. Alfred et Lucie Dreyfus, *Écris-moi souvent...*, *op. cit.*, p. 131-132 (« Prison de la Santé, le 8 janvier 1895, mardi, 6 heures du soir »).

99. *Ibid.*, p. 129 (« 7 janvier 1895, lundi, 5 heures du soir »).

100. *Ibid.*, p. 131-132.

101. Voir Alfred Dreyfus, lettre à Lucie Dreyfus, 9 janvier 1894, *ibid.*, p. 134.

102. *Ibid.*, p. 130.

103. *Ibid.*, p. 138-140 (« Prison de la Santé, le 10 janvier 1895 »).

104. Alfred Dreyfus, *Cinq années de ma vie*, p. 73.

105. Alfred Dreyfus, *Écris-moi souvent...*, *op. cit.*, p. 136 (« 3 heures et demie »).

106. *Ibid.*, pp. 140-141 (« Vendredi 11 janvier 1895, 5 heures »).

107. *Ibid.*, pp. 141-142.

108. *Ibid.*, pp. 143-144 (« Samedi matin, 12 janvier 1895 »).

109. *Ibid.*, pp. 144-145 (« Samedi 12 janvier 1895, soir »).

110. *Ibid.*, p. 147 (« 3 heures »).

111. *Ibid.*, pp. 148-149 (« Lundi 14 janvier 1895 »).

112. Alfred Dreyfus, lettre à ses frères et sœurs, [14] janvier 1895, BNF, Nafr. 17387, f° 121.

113. Alfred Dreyfus, lettre à Suzanne Dreyfus et Lucie Bernheim, 17 janvier 1895, BNF, Nafr. 17387, f° 127 (cette lettre n'est pas de l'écriture d'Alfred Dreyfus, elle a probablement été recopiée par Suzanne, la femme de Mathieu à destination du reste de la famille).

114. Henriette Bernheim, lettre à Paul Valabrègue, 20 janvier 1895, dact., archives France Beck-Anne Cabau.

115. Un nommé Bouillard, selon Joseph Reinach (*Histoire de l'affaire Dreyfus*, I, p. 565).

116. Alfred Dreyfus, *Cinq années de ma vie*, p. 83.

117. *Ibid.*, pp. 83-84.

118. *Ibid.*, p. 84.

119. Alfred Dreyfus, lettre à Lucie Dreyfus, 21 janvier 1895, *in* Alfred et Lucie Dreyfus, *Écris-moi souvent...*, *op. cit.*, p. 166.

120. *Ibid.*

121. Alfred Dreyfus, *Cinq années de ma vie*, p. 85.

122. Par l'intermédiaire de sa femme, Alfred Dreyfus demande l'autorisation de fumer (Alfred Dreyfus, lettre à Lucie Dreyfus, 19 janvier 1895, *in* Alfred et Lucie Dreyfus, *Écris-moi souvent...*, *op. cit.*, p. 163).

123. Alfred Dreyfus, lettre à Lucie Dreyfus, 19 janvier 1894, *in ibid*, pp. 162-163

124. Alfred Dreyfus, lettre à Lucie Dreyfus, 21 janvier 1895, *in* Alfred et Lucie Dreyfus, *Écris-moi souvent...*, *op. cit.*, p. 167.

125. Alfred Dreyfus, lettre à Lucie Dreyfus, 31 janvier 1895, *in ibid.*, pp. 184-186.

126. *Ibid.*, p. 172.

127. Après « une semaine atroce » et « une nuit épouvantable », Alfred Dreyfus comprend une nouvelle fois qu'il doit vivre s'il veut conserver une chance de recouvrer son honneur : « Par un effort inouï de ma volonté, je me suis ressaisi. Je me suis dit que je ne pouvais ni descendre dans la tombe, ni devenir fou avec un nom déshonoré. Il fallait donc que je vive, quelle que dût être la torture morale à laquelle je suis en proie. » (Lettre d'Alfred Dreyfus à Lucie Dreyfus, 3 février 1895, *in ibid.*, pp. 189-191.)

128. *Lettres d'un innocent*, p. 89.

129. Alfred Dreyfus, lettre à Lucie Dreyfus, 28 janvier 1895, *in* Alfred et Lucie Dreyfus, *Écris-moi souvent...*, *op. cit.*, p. 180.

130. Alfred Dreyfus, lettre à Lucie Dreyfus, 25 janvier 1895, *in ibid.*, pp. 173-174.

131. Alfred Dreyfus, lettre à Lucie Dreyfus, 23 janvier 1895, *in ibid*, p. 170.

132. Alfred Dreyfus, lettre à Lucie Dreyfus, 25 janvier 1895, *in ibid.*, p. 173.

133. Alfred Dreyfus, lettre à Lucie Dreyfus, 28 janvier 1895, *in ibid.*, pp. 179-181.

134. Alfred Dreyfus, lettre à Lucie Dreyfus, 10 février 1895, *in ibid.*, pp. 197-199.

135. Lucie Dreyfus, lettre à Alfred Dreyfus, 5 février 1895, *in ibid.*, pp. 192-193.

136. Alfred Dreyfus, lettre à Lucie Dreyfus, 21 janvier 1895, *in ibid.*, p. 166.

137. Citée *in* Joseph Reinach, *Histoire de l'Affaire Dreyfus*, I, p. 569. Ces deux requêtes concernant son droit à la correspondance et au travail, Lucie Dreyfus les avait déjà adressées au ministre de l'Intérieur, à la demande de son mari (voir la lettre d'Alfred à Lucie Dreyfus du 19 janvier 1895, *in* Alfred et Lucie Dreyfus, *Écris-moi souvent...*, *op. cit.*, p. 163).

138. Voir p. 236.

139. Cité dans Mathieu Dreyfus, *L'Affaire telle que je l'ai vécue*, pp. 155-156.

140. « J'ai insisté auprès de votre frère pour qu'il fît cette copie. Elle vous sera très utile, le jour où vous croirez devoir commencer une campagne de presse. » (p. 52 et Mathieu Dreyfus, *L'Affaire telle que je l'ai vécue*, pp. 47-48).

141. Picqué, *Révision 1898-1899, Instruction,* I, p. 806. Les antidreyfusards écriront « que Dreyfus avait emporté cette copie du bordereau pour se livrer à des exercices d'écriture à l'île du Diable » (Henry Dutrait-Crozon, *Précis de l'affaire Dreyfus,* Paris, Nouvelle Librairie nationale, 1924, p. 48). Au contraire, le choix de conserver cette copie témoignait de son innocence puisque cela prouvait qu'il ne connaissait pas le texte du bordereau (Puybaraud, directeur des recherches à la Préfecture de police, *Réhabilitation 1903-1906, Instruction,* off., I, p. 162). Par ailleurs, le code de justice militaire (art. 112) l'autorisait à conserver ce document dont la saisie fut un abus de pouvoir : cf. Jouaust, *Procès de Rennes,* I, p. 26 et *Réhabilitation 1903-1906, Débats* 1906, I, p. 485.

142. Picqué, *Révision 1898-1899, Instruction,* I, pp. 806-807.

143. Voir la lettre de Lucie à Alfred Dreyfus du 10 février 1895, *in* Alfred et Lucie Dreyfus, *Écris-moi souvent..., op. cit.,* p. 199.

144. Alfred Dreyfus, lettre du 19 janvier 1895 à Lucie Dreyfus, *in ibid.,* p. 163.

145. Alfred Dreyfus, *Cinq années de ma vie,* p. 85.

146. Lettre d'Alfred Dreyfus à Lucie Dreyfus, 14 février 1895, *in* Alfred et Lucie Dreyfus, *Écris-moi souvent..., op. cit.,* pp. 200-201

147. Lettre d'Alfred Dreyfus à Lucie Dreyfus, 23 janvier 1895, *in ibid.,* pp. 169-171.

148. Voir notamment la lettre qu'il écrit à Lucie Dreyfus le 7 février 1895, *in ibid.,* pp. 193-195.

149. Dans sa lettre du 31 janvier 1895, il demandait à Lucie Dreyfus de lui pardonner son « style baroque et décousu. Je ne sais plus écrire, confie-t-il, les mots ne me viennent plus, tant mon cerveau est délabré » (*in ibid.* p. 185). Voir p. 234.

150. Alfred Dreyfus, *Mes souvenirs,* pp. 13-14.

151. Alfred Dreyfus, lettre au ministre de la Guerre, 14 février 1895 (AN, BB[19] 105).

152. Alfred Dreyfus, *Cinq années de ma vie,* p. 96.

153. La réalité ne sera pas aussi facile que se l'imagine le capitaine Dreyfus.

154. Heinrich Godefroy Ollendorff (une erreur orthographique s'est glissée dans l'édition originale des *Lettres d'un innocent*) était l'auteur d'un guide de langue à succès, *Clef de la nouvelle méthode pour apprendre à lire, à écrire et à parler, une langue en six mois appliquée* au russe, à l'anglais, à l'espagnol, à l'italien, au latin, etc., et l'auteur de nombreux manuels de langue.

155. Alfred Dreyfus, lettre à Lucie Dreyfus, 21 février 1895, *in* Alfred et Lucie Dreyfus, *Écris-moi souvent..., op. cit.,* pp. 203-204.

156. Alfred Dreyfus, *Cinq années de ma vie,* pp. 96-97.

CHAPITRE VI
# Le courage des principes

1. La journaliste Séverine protesta dans un article de *L'Éclair* du 24 janvier contre la tentative de mise à mort qu'avait subie le capitaine Dreyfus dans la gare de La Rochelle le 18 janvier 1895.

2. Émile Bergerat, « La prévention morale », *Le Journal,* 6 novembre 1894.

3. « Quelque goût que l'on puisse avoir pour le paradoxe, on ne risque pas celui de défendre un citoyen inculpé de haute trahison pour le plaisir de se singulariser bêtement... » (*ibid.*).

4. *Le Figaro* accuse même le général Mercier de violer l'indépendance des juges.

5. « Nous ne voyons que des avantages aux débats publics. » (*Le Siècle,* 2 décembre 1894.)

6. Édouard Drumont, « Le huis clos et l'affaire Dreyfus », *La Libre Parole,* 18 novembre 1894.

7. Voir le chapitre v, « L'honneur d'un innocent », pp. 187 et suiv.

8. « Prendre à un homme, à un soldat, son honneur et sa vie sans dire pourquoi ? La raison humaine interdit un pareil retour aux plus sombres traditions des tribunaux secrets de l'Espagne et des Pays-Bas. Le gouvernement de la République renouvelant et aggravant les mystérieuses et inavouables procédures de l'Inquisition de la Sainte-Vehme, quand il s'agit d'un officier français, et par pusillanimité ! C'est impossible, ce serait trop ignominieux. » (Paul de Cassagnac, *L'Autorité*, 8 décembre 1894.)

9. Cité par Joseph Reinach, *Histoire de l'Affaire Dreyfus*, I, p. 371 et 379. « Je me demande si, par hasard, le capitaine Dreyfus ne serait pas innocent. »

10. Cité par *in ibid.*, p. 379.

11. Joseph Reinach, *Histoire de l'Affaire Dreyfus*, I, p. 336. Voir *Le Temps* du 28 novembre 1894 : « Un journal du matin publie un article intitulé : *Espionnage militaire*, dans lequel on attribue certains propos au ministre de la Guerre. Le ministre n'a pas tenu ces propos. Il ne pouvait émettre un avis sur la solution d'une cause déférée à la justice militaire. D'autre part, il n'a pas pu parler des complices civils, puisque cette complicité, si elle eût existé, eût rendu la cause justiciable de la Cour d'assises, et non plus du conseil de guerre. »

12. *Procès de Rennes*, I, p. 66 ; Joseph Reinach, *Histoire de l'Affaire Dreyfus*, I, p. 357. Il s'adresse également au général Mercier qui l'éconduit.

13. Joseph Reinach, *Histoire de l'Affaire Dreyfus*, I, p. 367.

14. *Ibid.*, pp. 367-368.

15. Les humoristes les avaient surnommés les « frères je sais tout » (cf. Pierre Birnbaum, *Les Fous de la République*, *op. cit.*, p. 17).

16. « Les deux frères » de Louis Létang (Joseph Reinach, *Histoire de l'Affaire Dreyfus*, I, p. 339).

17. *Le Siècle*, 20 décembre 1894.

18. Michel Bréal : « Je ne crois pas à la culpabilité de Dreyfus, parce que la vie m'a instruit à ne croire que ce que je comprends. Or je ne comprends pas le crime de Dreyfus », cité par Léon Blum, *Souvenirs sur l'Affaire* [1935], préface de Pascal Ory, Paris, Gallimard, Folio, 1981, p. 36.

19. Monod, Révision 1898-1899, Instruction, I, p. 457.

20. Hanotaux, *Procès de Rennes*, I, p. 224. L'ancien ministre ajoute, sèchement : « Je crois, je suis certain de n'avoir fait allusion auprès de M. Monod qu'aux préoccupations patriotiques que j'avais eues et je crois que M. Monod a confondu ces préoccupations avec ses propres préoccupations patriotiques ou d'autres pensées qui étaient les siennes et qu'il n'avait pas découvertes et auxquelles il n'avait pas fait allusion. » Il est vrai aussi que l'affaire Dreyfus entama profondément la réputation de Gabriel Hanotaux, surtout dans les milieux intellectuels, et que son attitude en tant que ministre fut jugée sévèrement. Il ne fut pas reconduit à son poste de ministre des Affaires étrangères dans le gouvernement Waldeck-Rousseau (juin 1899).

21. Voir Vincent Duclert, « Jaurès, la justice et l'affaire Dreyfus », *Jean Jaurès cahiers trimestriels*, n° 141 juillet-septembre 1996, pp. 65-90.

22. *JO*, débats de la Chambre, séance du 24 décembre 1894.

23. *Le Temps*, 26 décembre 1894.

24. Voir Auguste Buchot, Claude-Gilbert Gauthey, *Histoire de Pierre Vaux. L'instituteur de Longepierre*, Pierre de Bresse, Écomusée de la Bresse bourguignonne, 1994, 486 p. [réimpression de l'édition de Louhans, 1889].

25. Au procès Zola, en février 1898, des avocats organisèrent le contrôle, par les nationalistes, du public de la salle d'audience au Palais de justice de Paris.

26. Lorsque, devenu ardent dreyfusard, Georges Clemenceau réunit ses articles de *L'Aurore*, il aura le courage d'inclure dans le premier tome, *L'Iniquité*, son article de *La Justice* (*op. cit.*, pp. 59-62).

27. « On ne fera jamais comprendre au public qu'on ait fusillé, il y a quelques semaines, un malheureux enfant de vingt ans coupable d'avoir jeté un bouton de sa tunique à la tête du président du conseil de guerre, tandis que le traître Dreyfus bientôt partira pour l'île Nou, où l'attend le jardin de Candide. Hier, à Bordeaux, le

soldat Brevert, du corps des disciplinaires du château d'Oloron, comparaissait devant le conseil de guerre de la Gironde pour bris d'objets de casernement. À l'audience, il lance son képi sur le commissaire du gouvernement. La mort. Et pour l'homme qui facilite à l'ennemi l'envahissement de la patrie, qui appelle les Bavarois de Bazeilles à de nouveaux massacres, qui ouvre le chemin aux incendiaires, aux fusilleurs, aux voleurs de territoire, aux bourreaux de la patrie, une vie paisible, toute aux joies de la culture du cocotier. Il n'y a rien de si révoltant » (« Le traître », *La Justice*, 25 décembre 1894, et *L'Affaire Dreyfus*, I, *L'Iniquité, op. cit.*, pp. 60-61).

28. Georges Clemenceau, *art. cit.*
29. *Ibid.*, pp. 61-62.
30. Voir Philippe Oriol, *Bernard Lazare*, Paris, Stock, coll. « Biographies », 2003, 457 p., Jean-Denis Bredin, *Bernard Lazare. De l'anarchiste au prophète*, Paris, Éditions de Fallois, 1992, 428 p. [réédition Fayard, 2006], et Nelly Wilson, *Bernard Lazare*, Paris, Albin Michel, coll. « Présences du judaïsme », 978, 461p..
31. Léon Chailley éditeur, VII-420 p. (voir Philippe Oriol, *Bibliographie de Bernard Lazare*, Paris, Éditions du Fourneau, 1994, pp. 7 et suiv.). Lors de sa réédition en 1982, Pierre Vidal-Naquet a signalé les défauts d'analyse de l'auteur et les usages pervers de son livre (« Sur une réédition », *Les Juifs, la mémoire et le présent*, II, Paris, La Découverte, « Essais », 1991, pp. 85-87). Ainsi que Philippe Oriol, *Bernard Lazare, op. cit.*
32. Bernard Lazare, « Le nouveau ghetto », *La Justice,* 17 novembre 1894.
33. Bernard Lazare, *art. cit.*
34. Du 13 novembre 1894 au 4 août 1896, Bernard Lazare publiera 69 articles dans *L'Écho de Paris*. cf. *Juifs et Antisémites,* édition établie par Philippe Oriol, Paris, Éditions Allia, 1992
35. Bernard Lazare, « Antisémitisme et antisémites », *L'Écho de Paris,* 31 décembre 1894, réédité in *Juifs & Antisémites, op. cit.*, p. 62).
36. *Ibid.*, pp. 64-65.
37. *Ibid.*, pp. 66-67.
38. Pierre-Victor Stock, *L'Affaire Dreyfus. Mémorandum d'un éditeur* [1938], préface d'André Bay, Paris, Stock, 1994, p. 32.
39. « La condamnation », *Le Temps*, 24 décembre 1894.
40. « Instinctivement, les personnes ignorantes de la législation militaire se sont demandé comment il se faisait qu'un code, qui porte la peine de mort à chaque ligne, ne frappait pas de peine capitale un crime comme celui pour lequel vient d'être condamné le capitaine Dreyfus.» (Yves Guyot, « L'espionnage », *Le Siècle*, 25 décembre 1894.)
41. « Dans le cas du capitaine Dreyfus, le mobile de l'argent n'existerait même pas, on ne sait pas à quelle aberration il aurait pu obéir » (*ibid.*).
42. « La foule s'est écoulée, émue. Dans la cour, on raconte qu'Alfred Dreyfus aurait fait allusion à sa conduite en parlant à ses gardiens, alors qu'il attendait l'heure d'être conduit dans la cour où il devait expier. Nous avons pu contrôler ses paroles ; les voici à peu près textuellement : "Je suis innocent. Si j'ai livré des documents à l'étranger, c'était pour amorcer et en avoir de plus considérables ; dans trois ans, on saura la vérité, et le ministre lui-même reprendra mon affaire". » (*Le Temps*, 6 janvier 1894.)
43. *Le Siècle*, 6 janvier 1895.
44. [Victor Barrucand et Félix Fénéon] « Passim », *La Revue blanche*, 1ᵉʳ février 1895, p. 144.
45. Venita Datta, *Birth of a National Icon. The Literary Avant-Garde and the Origins of the Intellectual in France*, New York, State University of New York Press, 1999, 327 p.
46. Sur *La Revue blanche*, voir Venita Datta, *La Revue blanche (1889-1903) : Intellectuals and Politics in Fin-de-Siècle France*, Ph.D. diss, New York, 1989.

47. Jean Ajalbert, « Crime et châtiment », *Gil Blas*, 9 janvier 1895, cité *in* Alexandre Zévaès, *L'Affaire Dreyfus*, Paris, Éditions de la Nouvelle Critique, 1931, p. 48.

48. Maurice Barrès a publié son article dans *Le Journal* et non dans *La Cocarde*.

48. Joseph Valabrègue, lettre à Henriette Valabrègue, fin janvier 1895, dact., archives France Beck-Anne Cabau.

49. Maurice Darnay, *Le Parti ouvrier*, 7-8 janvier 1895, cité *in* Alexandre Zévaès, *op. cit.*, p. 48.

50. Joseph Reinach, *Histoire de l'affaire Dreyfus*, I, p. 508, note 2.

51. Voir Ernst Pawel, *Theodor Herzl ou le labyrinthe de l'exil*, Paris, Le Seuil, 1992, pp. 189 et suiv.

52. Révision 1898-1899, Instruction, I, p. 457.

53. Révision 1898-1899, Instruction, I, p. 382, Vaux (erreur de page chez Joseph Reinach, *Histoire de l'Affaire Dreyfus*, I, p. 529).

54. Voir Léon Poliakov, *Histoire de l'antisémitisme*. Tome 2, *L'Âge de la science*, Paris, Calmann-Lévy, 1981, rééd. Le Seuil, coll. « Points Histoire », 1991, p. 300.

55. Picquart, *Procès de Rennes*, I, p. 382.

56. Commandant Forzinetti, lettre à Joseph Reinach, « Ce mardi 12 juin » (BNF, Nafr. 24896, f° 294-295). L'auteur évoquait à la fin de sa lettre les oraux publics des membres de ce gouvernement, dont Raymond Poincaré et Louis Barthou, en novembre 1898 à la chambre des députés.

57. Voir p. 176.

58. Mathieu Dreyfus, *L'Affaire telle que je l'ai vécue*, pp. 47-48.

59. Gobert, Révision 1898-1899, Instruction, I, p. 273.

60. Général Mercier, lettre à Eugène Pelletier, 24 novembre 1894 (MAHJ, 2005.42.001).

61. Joseph Reinach, *Histoire de l'Affaire Dreyfus*, I, p. 551.

62. Lucie Dreyfus, lettre à Alfred Dreyfus, 7 février 1895, *in* Alfred et Lucie Dreyfus, *Écris-moi souvent, écris-moi longuement*, *op. cit.*, 2005, p. 196.

63. Joseph Valabrègue, lettre à Paul Valabrègue, 31 décembre 1894, dact., archives France Beck-Anne Cabau.

64. Ce titre vient en écho à la postface que nous avons donnée à l'ouvrage d'Alfred et Lucie Dreyfus, *Écris-moi souvent...*, *op. cit.*, pp. 503-528.

65. Voir Marcel Thomas, *Esterhazy ou L'Envers de l'affaire Dreyfus*, Paris, Vernal/Philippe Lebaud, 1989 403p.

66. Lucie Dreyfus, « Note », s. d. (BNF, Nafr. 24895, f° 2-3).

67. Joseph Reinach, *Histoire de l'affaire Dreyfus*, I, p. 166.

68. Lucie Dreyfus, « Note », s. d. (BNF, Nafr. 24895, f° 2-3).

69. *Id.*

70. *Id.*

71. Cité par Joseph Reinach, *Histoire de l'Affaire Dreyfus*, I, p. 167. Mathieu Dreyfus écrit quant à lui dans ses souvenirs sur l'Affaire : « Pensez au Masque de fer » (*L'Affaire telle que je l'ai vécue*, p. 20).

72. « Votre mari est coupable, c'est mon absolue conviction. » (Mathieu Dreyfus, *in ibid.*, p. 20).

73. *Ibid.*, pp. 20-21.

74. Lucie Dreyfus, « Note », s. d. (BNF, Nafr. 24895, f° 2-3).

75. Voir pp. 20 et suiv.

76. Joseph Reinach, *Histoire de l'affaire Dreyfus*, I, p. 168.

77. *Ibid.*

78. *Ibid.*, p. 169.

79. Lucie Dreyfus, « Note », s. d. (BNF, Nafr. 24895, f° 2-3).

80. *In* Alfred et Lucie Dreyfus, *Écris-moi souvent...*, *op. cit.*, p. 96.

81. « Vers 2 heures de l'après-midi, M. du Paty de Clam et son greffier Gribelin vinrent avenue du Trocadéro. Je demandai à M. du Paty de Clam à l'entretenir seul,

hors de la présence de ma belle-sœur. M. Gribelin assista à notre discussion. »
(Mathieu Dreyfus, *L'Affaire telle que je l'ai vécue*, p. 22.)

82. « J'ai eu une joie enfantine hier soir en recevant enfin l'autorisation de te
voir deux fois par semaine. J'ai télégraphié aussitôt à Joseph qui m'avait offert si
gracieusement de m'accompagner, de venir au plus tôt, mais la famille s'y est opposée, de sorte qu'une fois j'ai dû faire taire la passion qui soulève mon cœur. » (Lucie
Dreyfus, lettre à Alfred Dreyfus, 10 février 1895, *in* Alfred et Lucie Dreyfus, *Écris-
moi souvent..., op. cit.*, p. 199).

83. Alferd Dreyfus, lettre à Lucie Dreyfus, 25 Janvier 1895, *in* Alfred et Lucie
Dreyfus, *Écris-moi souvent..., op. cit.*, p. 174.

84. Il s'agissait du gouvernement formé par Alexandre Ribot le 28 Janvier 1895,
en remplacement du ministère Dupuy.

85. Alferd Dreyfus, lettre à Lucie Dreyfus, 29 Janvier 1895, *in* Alfred et Lucie
Dreyfus, *Écris-moi souvent..., op. cit.*, p. 182.

86. Mathieu Dreyfus cité *in Dreyfusards !, op. cit.*, p. 56 et *L'Affaire telle que je
l'ai vécue*, pp. 60-61. (Voir la lettre de Bernard Lazare, août 1897.)

87. « La date me manque, mais elle est facile à retrouver, c'était le lendemain du
jour de l'arrivée de Dreyfus à La Rochelle, j'ai un souvenir très précis à cet égard. »
(BNF, Nafr. 24897, f° 245).

88. *Id.*, f° 245-255. Mathieu Dreyfus écrivit dans ses souvenirs : « Vers cette
époque M. Arthur Lévy, auteur d'un livre sur Napoléon Iᵉʳ, nous soumit un projet de
protestation contre la condamnation. Cette protestation, signée par ma belle-sœur,
devait être envoyée aux membres de la Chambre des députés et au Sénat, puis publiée
dans les journaux. Nous ne donnâmes pas suite à ce projet, estimant que l'opinion
publique était encore trop hostile. » (*L'Affaire telle que je l'ai vécue*, pp. 60-61).

89. Voir p. 239.

90. Lucie Dreyfus, lettre à Alfred Dreyfus, 25 décembre 1894, *in* Alfred et Lucie
Dreyfus, *Écris-moi souvent..., op. cit.*, p. 87. Voir aussi la lettre du 24 février 1895 où
elle parle de leurs enfants : « Je suis trop préoccupée pour pouvoir les élever avec
tout le dévouement dont ils ont besoin ; je ne passe plus des heures auprès d'eux
comme je le faisais, et ces promenades interminables sont pour moi un supplice.
C'est auprès de toi qu'il faut que je vienne, ma pensée ne peut être autre part ; tu as
été un mari si bon, si dévoué pour moi, tu as su me rendre si heureuse, que je me suis
attachée à toi d'une façon entière et absolue. L'existence seule m'est insupportable et
je me sens prête à tous les sacrifices pour alléger un peu tes pensées. À deux, on
supporte plus facilement le malheur » (*ibid.*, p. 219).

91. Lucie Dreyfus, lettre à Alfred Dreyfus, 24 février 1895, *in* Alfred et Lucie
Dreyfus, *Écris-moi souvent..., op. cit.*, p. 219.

92. *In ibid.*, p. 98.

93. L'article de Joseph Reinach, « Le Droit absolu de Mme Dreyfus », publié
dans *le Siècle* le 20 mars 1898, conduit *Le Temps* à interroger plusieurs juristes sur
la légalité de la procédure suivie par le ministre des Colonies (André Lebon). Le
comte d'Haussonville, rapporteur de la loi de 1873 réglant la condition des déportés,
et le sénateur Thézard, professeur de droit à la faculté de Poitiers, considèrent « le
droit de Mme Dreyfus comme absolument indéniable » (ce que conteste Léveillé
dans *Le Petit Temps*). Sur ce débat, voir Joseph Reinach, *Vers la justice par la vérité*,
Paris, P.-V. Stock, 1898, pp. 79-98.

94. Alfred Dreyfus, lettre à Lucie Dreyfus, 8 février 1895, *in* Alfred et Lucie
Dreyfus, *Écris-moi souvent..., op. cit.*, pp. 196-197.

95. Lucie Dreyfus, lettre à Alfred Dreyfus, 23 février 1895, *in ibid.*, pp. 217-218.

96. Lucie Dreyfus, lettre à Alfred Dreyfus, 1ᵉʳ février 1895, *in ibid.*, p. 186.

97. Mathieu Dreyfus, *L'Affaire telle que je l'ai vécue*, pp. 50 et 57.

98. Alfred Dreyfus, lettre à Lucie Dreyfus, 2 février 1895, *in* Alfred et Lucie
Dreyfus, *Écris-moi souvent..., op. cit.*, p. 188.

99. Voir notamment la lettre du 5 avril 1897 où Lucie annonce à Alfred leurs fiançailles (*in ibid.*, pp. 357-358).

100. *Ibid.*

101. Lucie Dreyfus, lettre à Alfred Dreyfus, 9 février 1895, *in ibid.*, p. 196.

102. Lucie Dreyfus, lettre à Alfred Dreyfus, 1er janvier 1895, *in ibid.*, pp. 107-108. Voir également le témoignage de Pierre Dreyfus dans *Souvenirs et correspondance*, pp. 11-12.

103. Lucie Dreyfus, lettre à Alfred Dreyfus, 27 janvier 1895, *in ibid.*, p. 177.

104. Lucie Dreyfus, lettre à Alfred Dreyfus, 17 février 1895, *in ibid.*, p. 202.

105. Lucie Dreyfus, lettre à Alfred Dreyfus, 22 janvier 1895, *in ibid.*, p. 168.

106. Lucie Dreyfus, lettre à Alfred Dreyfus, 29 janvier 1895, *in ibid.*, p. 182.

107. Mathieu Dreyfus, *L'Affaire telle que je l'ai vécue*, pp. 19-20.

108. Paul Dreyfus, « Note », s. d. (BNF, Nafr. 24895, f° 4-5).

109. Mathieu Dreyfus, *L'Affaire telle que je l'ai vécue*, pp. 22-23.

110. *Ibid.*, p. 24.

111. *Ibid.*, p. 26.

112. *Ibid.*, p. 27.

113. *Ibid.*, p. 27.

114. *Ibid.*, p. 26.

115. *Ibid.*, pp. 27-28.

116. *Ibid.*, p. 27.

117. Joseph Valabrègue, lettre à Paul Valabrègue, 31 décembre 1894, dact., archives France Beck-Anne Cabau.

118. Joseph Valabrègue, lettre à Henriette Valabrègue, fin janvier 1895, dact., archives France Beck-Anne Cabau.

119. Joseph Valabrègue, lettre à ses enfants, 23 janvier 1895, dact., archives France Beck-Anne Cabau.

120. Cette expression est passée dans le language commun de l'affaire Dreyfus, du moins chez les dreyfusards qui l'ont très souvent utilisée. De son frère, Alfred Dreyfus dit dans *Cinq années de ma vie* : « Mon cher frère Mathieu, qui s'était dévoué à moi depuis le premier jour, qui était resté sur la brèche pendant ces cinq années, avec un courage, une sagesse, une volonté *admirables* ; qui a donné le plus bel exemple de dévouement fraternel. » (p. 214. Nous soulignons).

121. Edgar Demange, cité *in ibid.*, pp. 31-32.

122. Mathieu Dreyfus, *L'Affaire telle que je l'ai vécue*, p. 35.

123. *Ibid.*, p. 35.

124. *Ibid.*, p. 37.

125. *Ibid.*, p. 37.

126. Note du colonel Sandherr, *in* Révision 1898-1899, Instruction, II, pp. 280-282. Ce récit fut corroboré par les dépositions que firent au procès de Rennes le lieutenant-colonel Cordier (*Procès de Rennes*, II, p. 517) et le général Mercier (II, p. 555), et par les souvenirs de Mathieu Dreyfus (*L'Affaire telle que je l'ai vécue*, p. 38).

127. Note du colonel Sandherr, *art. cit.*, pp. 280-281.

128. *Ibid.*, p. 282.

129. Voir pp. 639 et suiv. (chapitre XII, « Au cœur du procès monstre »).

130. Voir p. 246.

131. Mathieu Dreyfus, *L'Affaire telle que je l'ai vécue*, pp. 36-37.

132. *Ibid.*, p. 38.

133. *Ibid.*, pp. 44-45.

134. *Ibid.*, p. 46.

135. Joseph Reinach, *Histoire de l'Affaire Dreyfus*, I, pp. 487-488.

136. Salomon Reinach, *L'Accusation de meurtre rituel*, Paris, 1893, 22 p.

137. D'après Joseph Reinach qui donne cette information dans son *Histoire de l'affaire Dreyfus* (*ibid.*, II, p. 164, note 2).

138. On peut cependant estimer que Joseph Reinach fit ses recommandations à Mathieu Dreyfus et à Demange dès le début du mois de décembre 1894.

139. Joseph Reinach, *Histoire de l'Affaire Dreyfus*, II, pp. 393-394.

140. Voir Daniel Lindenberg et Pierre-André Meyer, *Lucien Herr. Le socialisme et son destin*, Paris, Calmann-Lévy, 1977, 319 p.

141. Le 14 janvier 1899, l'historien déposa longuement devant la chambre criminelle de la Cour de cassation et restitua son parcours dreyfusard (Révision 1898-1899, Instruction, I, pp. 456-462). Il avait rédigé préalablement sa déposition dont Rémy Rioux a publié le texte en 1990 (*in* Rémy Rioux, *Gabriel Monod. Visions de l'histoire et pratiques du métier d'historien (1889-1912)*, maîtrise de maîtrise, Université de Paris I, 1990, pp. 273-280). Il existe un autre exposé des étapes de l'engagement dreyfusard de Gabriel Monod dans son *Journal de l'affaire Dreyfus* resté inédit mais que Joseph Reinach a utilisé à plusieurs reprises pour l'*Histoire de l'affaire Dreyfus* Le *Journal de l'affaire Dreyfus* appartient au fonds Mario Rist que Rémy Rioux a pu consulter pour sa recherche, et l'exposé des étapes de l'engagement se trouve à la date du 9 juin 1898. Ce texte était suffisamment important aux yeux de Gabriel Monod pour qu'il précise en tête de son *Journal* : « Si je meurs, on doit publier tout de suite tout ce qui se trouve dans ce cahier à la date du 9 juin » (Rémy Rioux, *Gabriel Monod, op. cit.*, p. 273).

142. Gabriel Monod, texte manuscrit de la déposition devant la Cour de cassation, cité *in* Rémy Rioux, *op. cit.*

143. Lettre d'Alfred Dreyfus à Lucien Lévy-Bruhl, jeudi [27 décembre 1894], archives Raymond Lévy-Bruhl/IMEC. Un extrait a été cité par Pierre Birnbaum, *Destins juifs. De la Révolution française à Carpentras*, Paris, Calmann-Lévy, coll. « Essai Histoire », 1995, p. 81 (« Cette lettre, au caractère profondément intime, en dit long sur les liens entre le capitaine Dreyfus et Lucien Lévy-Bruhl. »)

144. Mathieu Dreyfus, *L'Affaire telle que je l'ai vécue*, p. 47.

145. Joseph Valabrègue, lettre à ses enfants, 6 novembre 1894, dact., archives France Beck-Anne Cabau.

146. Joseph Valabrègue, lettre à ses enfants, 9 novembre 1894, dact., archives France Beck-Anne Cabau.

147. Joseph Valabrègue, lettre à Paul Valabrègue, s. d., dact., archives France Beck-Anne Cabau.

148. Joseph Valabrègue, lettre à Paul Valabrègue, 20 décembre 1894, dact., archives France Beck-Anne Cabau.

149. Joseph Valabrègue, lettre à Paul Valabrègue, s. d., dact., archives France Beck-Anne Cabau.

150. Joseph Valabrègue, lettre à Paul Valabrègue, 27 décembre 1894, dact., archives France Beck-Anne Cabau.

151. Joseph Valabrègue, lettre à Paul Valabrègue, 31 décembre 1894, dact., archives France Beck-Anne Cabau.

152. Henriette et Joseph Valabrègue, lettre à Paul Valabrègue, 1er janvier 1895, dact., archives France Beck-Anne Cabau.

153. Voir pp. 177 et suiv.

154. Henriette Valabrègue, lettre à ses enfants, 4 janvier 1895, dact., archives France Beck-Anne Cabau.

155. Henriette Valabrègue, lettre à ses enfants, 4 janvier 1895, dact., archives France Beck-Anne Cabau.

156. Joseph Valabrègue, lettre à ses enfants, 23 janvier 1895, dact., archives France Beck-Anne Cabau.

157. Joseph Valabrègue, lettre à Henriette Valabrègue, 8 janvier 1895, dact., archives France Beck-Anne Cabau.

158. Joseph Valabrègue, lettre à xx, 26 décembre 1894, dact., archives France Beck-Anne Cabau.

CHAPITRE VII
# Un crime d'État

1. « Lettre missive », terme employé dans le rapport d'Ormescheville cité *in* Révision 1898-1899, Instruction, II, p. 74.

2. On verra que l'une des stratégies des accusateurs de Dreyfus, lorsqu'il s'est agi pour eux de reconstruire un système de culpabilité, fut d'affirmer que le bordereau datait d'avril ou de mai 1894 afin de prouver que l'officier allait bien « partir en manœuvres ». Les témoignages sérieux convergent pour montrer que le bordereau arriva bien à la Section de statistique à la fin du mois de septembre (voir notamment celui du lieutenant-colonel Cordier, adjoint du colonel Sandherr, *Procès de Rennes*, II, p. 515).

3. Voir Comte Maximilien von Schwartzkoppen, *La Vérité sur Dreyfus. Les carnets de Schwartzkoppen.* Édités par Bernard Schwertfeger et traduits du texte allemand par Alexandre Koyré. Préface de Lucien Lévy-Bruhl, Paris, Rieder, 1930, pp. 22-24.

4. Il n'existait pas de registre d'entrée et de sortie des pièces à la Section de statistique (Roget, Réhabilitation 1903-1906, Instruction, off., I, p. 596).

5. À propos du bordereau, Maximilien von Schwartzkoppen écrit dans ses *Carnets* : « Mme Bastian ou quelque agent secret a dû le trouver dans mon casier dans la loge du concierge, et, pour faire croire qu'il venait de mon panier à papier, l'a déchiré en petits morceaux (*La Vérité sur Dreyfus, op. cit.*, p. 24).

6. Lauth, Réhabilitation 1903-1906, Instruction, off., I, pp. 524-525. Matton, *id.* pp. 240-246.

7. Marcel Thomas rappelle que les agents de la Section de statistique se méfiaient de cet officier qui lui-même tenait en peu d'estime ses collègues. Il fut ensuite écarté de toute la conspiration développée contre le capitaine Dreyfus (*L'Affaire sans Dreyfus, op. cit.*, p. 117).

8. Le colonel Fabre témoigna à ce sujet au procès de Rennes : « Le 26 septembre 1894, M. le général Renouard, qui faisait alors fonction de chef d'État-major en remplacement du titulaire, en l'absence du général de Boisdeffre, nous montra une lettre sans signature qui avait été saisie, ce qu'on a appelé depuis le bordereau, lui paraissant émaner certainement d'un officier d'artillerie appartenant ou ayant appartenu à l'État-major de l'armée, afin que nous voyions si nous en connaissions l'écriture. J'ai examiné cette pièce en même temps que mes camarades, et je l'ai rendue après cet examen rapide au général Renouard en lui disant que non, que les officiers sous mes ordres n'étaient pas soupçonnables, que cette écriture ne me rappelait rien. » (Fabre, *Procès de Rennes*, I, p. 570).

9. Picquart, Révision 1898-1899, Instruction, I, p. 126. *Procès de Rennes*, I. p. 375.

10. Il était rentré la veille, le 5 octobre 1894 (*Procès de Rennes*, I, p. 574).

11. D'Aboville, *Procès de Rennes*, I, pp. 576-577.

12. Fabre, *Procès de Rennes*, I, p. 571.

13. Zurlinden, *Procès de Rennes*, I, p. 207. Ce témoignage fut répété devant la Cour de cassation (Réhabilitation 1903-1906, Instruction, off., I, p. 342).

14. Cité par le conseiller rapporteur Clément Moras, *in* Réhabilitation 1903-1906, Débats 1906, I, p. 217.

15. D'Aboville, *Procès de Rennes*, I, p. 580.

16. Cavard, Réhabilitation 1903-1906, Instruction, off., I, p. 892 (« Je connais l'affaire Dreyfus depuis le commencement jusqu'à la fin », déposition du 4 juin 1904).

17. *Ibid.*, p. 894.

18. Rapport d'Ormescheville, *in* Révision 1898-1899, Instruction, II, pp. 74-75.

19. D'Aboville, *Procès de Rennes*, I, p. 578.

20. Cordier, *Procès de Rennes*, II, p. 497.

21. Dreyfus, *Procès de Rennes*, I, p. 581.

22. Lettre à M<sup>e</sup> Mornard, 12 juillet 1904, citée in Louis Leblois, *L'Affaire Dreyfus. L'iniquité. La réparation*, les principaux faits et les principaux documents, Paris, Librairie Aristide Quillet, 1929, pp. 110-111.

23. D'après le Réquisitoire écrit du procureur général de la Cour de cassation, Réhabilitation 1903-1906, p. 43.

24. D'après les notes personnelles du commandant du Paty de Clam que Marcel Thomas a pu consulter et qui sont, de son avis, plus précises sur cette première phase de l'affaire Dreyfus que ses différentes dépositions devant la justice (Marcel Thomas, *L'Affaire sans Dreyfus*, *op. cit.*, p. 136).

25. *Ibid.*

26. Le général Billot, qui fut ministre de la Guerre d'avril 1896 à juin 1898 et qui affronta la grande offensive des dreyfusards, fit une déclaration à ce sujet devant la chambre criminelle de la Cour de cassation le 20 janvier 1899 : « On a dit, dans la presse, que le colonel Picquart avait, à un moment donné, reçu l'ordre d'aller dans le sud de la Tunisie remplir une mission pour y trouver le sort de Morès. Cette calomnie ne saurait atteindre le ministre de la Guerre. Il profite de l'occasion pour relever, avec la même indignation, une imputation qui lui a été faite à propos de Dreyfus : un journal a osé écrire que le général Billot, désapprouvant le procès Dreyfus, aurait dit qu'il fallait le faire assassiner. Le général Billot a pu, en homme de gouvernement qui estime que si la société a le droit et le devoir de se défendre, elle n'a pas besoin de se venger (en raison de la perte de force, de temps qu'entraîne toujours la vengeance), il a pu, il a dû dire que peut-être aurait-il trouvé un autre moyen de débarrasser l'armée d'un officier accusé de haute trahison. Les missions lointaines, la démission forcée et l'interdiction du territoire national sont des moyens que pratiquent constamment les gouvernements qui veulent, à propos de faits heureusement rares et isolés, assurer la défense nationale, tout en sauvegardant les intérêts du pays, l'union des citoyens et l'honneur de l'armée ; mais pas plus que pour M. Picquart, il n'a jamais songé, rétrospectivement, pour M. Dreyfus, à des procédés dignes d'un autre âge, et en tout cas étrangers à son caractère. » (Révision 1898-1899, Instruction, I, p. 552). Ce sursaut de scrupule a une raison très claire : il s'agit, pour l'ancien ministre de la Guerre, de condamner les procédés peu légaux auxquels voulait recourir le lieutenant-colonel Picquart pour démasquer définitivement Esterhazy. Or, les historiens de l'institution militaire ont montré, comme le général Bach, que ces pratiques étaient absolument admises au sein de l'État-major et du ministère. L'affaire Dreyfus le démontre aisément. La déclaration du général Billot est tout entière dirigée contre l'ancien chef de la Section de statistique. Mais ce qu'elle révéla des moyens d'élimination au sein de l'armée possède une complète pertinence, même dans la dénégation. Sur le général Billot, voir notre article « Le général Billot et l'affaire Dreyfus. Les antidreyfusards, la loi et l'État », *Bulletin de la Société des lettres, sciences et arts de la Corrèze*, tome 98, 1995, pp. 181-245.

27. Cité *in* Marcel Thomas, *L'Affaire sans Dreyfus*, *op. cit.*, p. 138.

28. Voir plus bas.

29. Forzinetti, Révision 1898-1899, Instruction, I, p. 316.

30. Gobert, *Procès de Rennes*, II, p. 299.

31. Casimir-Perier, *Procès de Rennes*, I, p. 150. Le général Mercier démentira.

32. Gobert, *Procès de Rennes*, II, p. 299.

33. « Messieurs, ajouta l'expert, la remarque que je viens de faire a une très grande valeur et une très grande importance, non pas pour moi bien entendu, mais enfin elle tend à faire ressortir que des documents pouvaient sortir du ministère de la Guerre avec une certaine facilité » (*ibid.*, p. 301).

34. Cité par Manuel Baudouin, Réhabilitation 1903-1906, Débats 1906, Réquisitoire écrit du procureur général de la Cour de cassation, p. 41.

35. Alfred Gobert, lettre au ministre de la Guerre, 13 octobre 1894 *in* Révision 1898-1899, Instruction, II, p. 299.

36. On lui avait remis des documents qui portaient l'écriture de Dreyfus mais d'où la mention de son identité avait été supprimée, comme sur sa fiche signalétique découpée sur le haut. Comme le reste des renseignements avait néanmoins été conservé (date de naissance, date de promotion), Alfred Gobert put savoir qu'il s'agissait du capitaine Dreyfus en consultant l'annuaire particulier de l'artillerie. Ce document était facile à se procurer. Alfred Gobert déclara même sous serment, devant la Cour de cassation (Révision 1898-1899, Instruction, I, p. 271) et le conseil de guerre de Rennes (II, p. 304) que cet annuaire se trouvait sur sa table de travail.

37. Gobert, *Procès de Rennes*, II, pp. 303-304. Voir également la confrontation entre l'expert et le général Gonse (*ibid.*, pp. 313-317).

38. Réhabilitation 1903-1906, Débats 1904, p. 670.

39. *Procès de Rennes*, I, p. 89.

40. Cité par le procureur général de la Cour de cassation dans son Réquisitoire écrit en 1906 (Réhabilitation 1903-1906, Débats 1906, p. 40). Variante dans le Réquisitoire du procureur général : «... avant qu'il eût pu établir un rapport avec des conclusions fermes.» (Réhabilitation 1903-1906, Débats 1906, I, p. 416).

41. Rapport d'Ormescheville, 3 décembre 1894, *in* Révision 1898-1899, Instruction, II, p. 75.

42. Voir p. 336.

43. Sur Alphonse Bertillon, voir Martine Kaluszynski, « Alphonse Bertillon et l'anthropométrie», *in Maintien de l'ordre et police en France et en Europe au XIXᵉ siècle*, Paris, Société d'histoire de la révolution de 1848 et des révolutions du XIXᵉ siècle, Créaphis, 1984, pp. 269-285.

44. Cité *in* Rapport d'Ormescheville, 3 décembre 1894, *in* Révision 1898-1899, Instruction, II, p. 78. Bertillon, *Procès de Rennes*, II, p. 322. Variante chez Marcel Thomas, *L'Affaire sans Dreyfus, op. cit.*, p. 145 : « Si l'on l'écarte l'hypothèse d'un document forgé avec le plus grand soin, il appert manifestement pour nous que c'est la même personne qui a écrit les pièces communiquées et le document incriminé.»

45. Alphonse Bertillon, Rapport au ministre de la Guerre, archives du parquet, cote 33, cité *in* Baudouin, Réquisitoire du procureur général, Réhabilitation 1903-1906, Débats 1906, I, pp. 432-433.

46. Voir Georges de Lantigny, *Le Redan de M. Bertillon*, 1 brochure avec deux planches hors texte, Paris.

47. Rapport de MM. les experts Darboux, Poincaré, Appell, dact., p. 118 (AN BB¹⁹ 131). Le texte du rapport a été publié dans Réhabilitation 1903-1906, Instruction, off., II, pp. 336-391.

48. Henri Dutrait-Crozon était un nom d'emprunt sous lequel se dissimulèrent deux officiers militants de l'Action française, les ex-colonels Larpent et Delebecque auteurs de cette somme pré-négationniste. Le *Précis de l'affaire Dreyfus* eut plusieurs éditions (première édition, Paris, Nouvelle Librairie nationale, 1909, in-16, XVI-812. Édition définitive, avec un répertoire analytique, Nouvelle Librairie nationale, 1924. Nouvelle édition, 1938, 672 p. et un encartage de 16 p. sur les événements de 1924-1938. Réédition de 1987, Paris, éditions du Trident, diffusion Librairie française, 674 p. [fac-similé de l'édition de 1938]).

49. Nous suivons ici l'édition de 1924, p. 36.

50. Casimir-Perier, *Procès de Rennes*, III, p. 65.

51. Mercier, *Procès de Rennes*, I, p. 90.

52. Réhabilitation 1903-1906, Instruction, III, pp. 10-11.

53. Le général Mercier évoqua au procès de Rennes l'« enquête préparatoire » (*Procès de Rennes*, I, p. 89).

54. Réhabilitation 1903-1906, Instruction, off., I, p. 874.

55. « Il faut du sang-froid, il faut de la perspicacité, il faut du tact, il faut une grande droiture de pensée et de procédés, il faut une impeccable loyauté, il faut l'amour du bien public, mais aussi le souci des droits de la défense qui doivent

toujours être respectés, et vis-à-vis de laquelle il est interdit de procéder par surprise. » (Baudouin, Réquisitoire du procureur général, Réhabilitation 1903-1906, Débats 1903, p. 72.)

56. De Luxer, Réhabilitation 1903-1906, Instruction, off., II, pp. 237-238.

57. Picquart, Réhabilitation 1903-1906, Instruction, off., I, pp. 668-669.

58. Révision 1898-1899, Instruction, I, p. 344.

59. Voir pp. 639 et suiv. (chapitre XII. « Au cœur du procès monstre »).

60. Dans ses *Souvenirs* inédits cités par Marcel Thomas, le commandant du Paty de Clam indique que l'idée émane du commissaire Cochefert (*L'Affaire sans Dreyfus*, *op. cit.*, p. 146).

61. Du Paty de Clam, Révision 1898-1899, Instruction, I, pp. 438 et suiv.

62. Voir chapitre XVI.

63. Forzinetti, *Procès de Rennes*, III, pp. 103-104.

64. *Ibid.*

65. Voir p. 259.

66. Du Paty de Clam, Rapport, *in* Joseph Reinach, *Histoire de l'affaire Dreyfus*, I, p. 130.

67. Joseph Reinach, *Histoire de l'Affaire Dreyfus*, I, p. 130.

68. Révision 1898-1899, Instruction, I, p. 127. Picquart, *Procès de Rennes*, I, p. 377. Cette démonstration est répétée dans le rapport d'Ormescheville (*in* Révision 1898-1899, Instruction, II, p. 80).

69. Au procès de Rennes, Cochefert data cette perquisition du même jour que la perquisition opérée au domicile de l'avenue du Trocadéro, ce qui est une erreur (*Procès de Rennes*, I, p. 585).

70. « Rapport de police relatant le résultat des recherches sur les cercles que Dreyfus aurait fréquentés. Paris, le 19 novembre 1894 », in Révision 1898-99, instruction, II, p. 292.

71. *Ibid.*, p. 293.

72. *Ibid.*, p. 292.

73. Cité *in* Marcel Thomas, *L'Affaire sans Dreyfus*, *op. cit.*, p. 150.

74. Cité *in* Réquisitoire du procureur général, Réhabilitation 1903-1906, Débats 1906, I, p. 433. Cette lettre a disparu des dossiers du ministère de la Guerre. Elle a été remise à la Cour de cassation par son auteur, lors de sa seconde enquête criminelle (*ibid.*, p. 434).

75. *Mémoires* inédits du commandant du Paty de Clam, cités *in* Marcel Thomas, *L'Affaire sans Dreyfus*, *op. cit.*, pp. 152-153.

76. Baudouin, Réquisitoire du procureur général, *in* Réhabilitation 1903-1906, Débats 1906, I, p. 435.

77. Rapport du Paty de Clam, cité *in ibid.*

78. Cité *in* Marcel Thomas, *L'Affaire sans Dreyfus*, *op. cit.*, p. 154.

79. Forzinetti, Révision 1898-1899, Instruction, I, pp. 219-320, et *Procès de Rennes*, III, pp. 104 et suiv.

80. Voir Marcel Thomas, *L'Affaire sans Dreyfus*, *op. cit.*, pp. 135-136.

81. Toute lettre suspecte était ainsi prise en copie, comme celle du 12 novembre 1894 envoyée par un certain Édouard Frambach, écrivant sur une feuille à en-tête du journal *La Médecine nouvelle*, afin de réclamer sa « quittance de loyer » qu'il n'a pas « osé encore aller chercher ». Comme beaucoup de lettres reçues par les Dreyfus, celle-ci apparaissait comme une manipulation grossière. Elle fit cependant l'objet d'une enquête approfondie du Contrôle général de la préfecture de police et d'un rapport en date du 27 novembre 1895 (AN, BB[19]).

82. À cette époque, la présidence du gouvernement ne disposait pas de services propres ni d'une résidence officielle. Le président du Conseil était toujours titulaire d'un des grands portefeuilles ministériels.

83. Tous les témoignages des ministres (Mercier, Guérin, Poincaré, Barthou), concordent. Voir celui du président du Conseil, Charles Dupuy, Révision 1898-1899, Instruction, I, p. 658 et *Procès de Rennes*, I, p. 92.

84. Interview, le 11 décembre 1894, citée par Marcel Thomas, *L'Affaire sans Dreyfus*, *op. cit.*, p. 175.

85. Cochefert, *Procès de Rennes*, I, pp. 585-586. Il précisa, au sujet de cette pièce que ses souvenirs restaient cependant très vagues. Voir également III, p. 521.

86. Mercier, *Procès de Rennes*, II, p. 98. À la question de M$^e$ Labori de savoir pour quelles raisons le général Mercier n'a pas fait part aux ministres de l'existence de ces pièces, il répondit : « Je ne crois pas avoir à répondre à cette question ; c'est une question politique qui n'est pas du ressort de la défense. (*Rumeurs*.) »

87. Mercier, *Procès de Rennes*, II, p. 222 (« C'est moi-même qui ai fait faire le dossier secret. »)

88. Marcel Thomas, *L'Affaire sans Dreyfus*, *op. cit.*

89. *Ibid.*, pp. 158-159.

90. Cordier, *Procès de Rennes*, II, pp. 513-514.

91. Voir Clément Moras, Rapport, in Réhabilitation 1903-1906, Débats 1906, I, p. 65.

92. Marcel Thomas, *L'Affaire sans Dreyfus*, *op. cit.*, p. 163.

93. AN.

94. Du Paty de Clam, *Procès de Rennes*, III, p. 512.

95. D'après ses *Souvenirs* inédits cités par Marcel Thomas, *L'Affaire sans Dreyfus*, *op. cit.*, p. 172.

96. Mercier, *Procès de Rennes*, II, p. 221.

97. Marcel Thomas, *L'Affaire sans Dreyfus*, *op. cit.*, p., 173.

98. Réhabilitation 1903-1906, Instruction, off., I, p. 50.

99. Réhabilitation 1903-1906, Instruction, off., I, p. 50.

100. Du Paty de Clam, Réhabilitation 1903-1906, Instruction, off., I, pp. 167-168.

101. Marcel Thomas avance une autre raison qui tient à la solidarité maintenue entre du Paty de Clam et l'ancien ministre de la Guerre : « Du Paty n'avait pas grand-chose à se reprocher personnellement puisqu'il n'avait pas participé aux trucages du dossier secret ; néanmoins il ne voulut pas communiquer à la Cour de cassation le double qu'il avait conservé de son "commentaire" avant que Mercier l'y eût expressément autorisé. » (*L'Affaire sans Dreyfus*, *op. cit.*, p. 183.)

102. « Nous l'avons mis en demeure de le représenter, expliqua le procureur général dans son réquisitoire pour les débats de 1906. Le refus a été catégorique. Mais j'étais décidé à ne rien négliger pour que la justice, trop longtemps bafouée, obtînt satisfaction. Le procureur général, le juge d'instruction, étaient prêts, s'il le fallait, pour vaincre cette résistance délictueuse. M. du Paty de Clam et ses conseils s'en sont rendus compte ; et le document a été déposé sur le bureau de la Cour. » (Réquisitoire du procureur général, Débats 1906, I, p. 451.)

103. Il manquait sur le brouillon la notice biographique développant la carrière militaire de Dreyfus et le résumé des notes de l'agent Guénée.

104. Réhabilitation 1903-1906, Débats 1906, Réquisitoire écrit du procureur général, pp. 78-79.

105. « Commentaire » du dossier secret, original du brouillon rédigé par le commandant du Paty de Clam, cité *in* Procureur général de la Cour de cassation, Réquisitoire écrit, Réhabilitation 1903-1906, Débats 1906, pp. 79-81.

106. Picquart, Réhabilitation 1903-1906, Instruction, off., I, p. 658. Le lieutenant-colonel Picquart réalisa une analyse critique très précise du « commentaire » pour la chambre criminelle de la Cour de cassation (pp. 82-83).

107. Maurice Paléologue, *Journal de l'affaire Dreyfus*, *op. cit.*, pp. 13-14, ici p. 14.

108. *Ibid.*, pp. 16-17 (« samedi, 10 novembre 1894 »). Paléologue, Révision 1898-1899, Instruction, I, p. 389.

109. Paléologue, *Procès de Rennes*, I, pp. 58-59.

110. Général de Boisdeffre, Révision 1898-1899, Instruction, I, p. 556.

111. Baudouin, Réhabilitation 1903-1906, Débats 1906, Réquisitoire écrit du procureur général, pp. 370-371.

112. Picquart, Révision 1898-1899, Instruction, I, p. 128.

113. Cité par Mathieu Dreyfus, *L'Affaire telle que je l'ai vécue*, *op. cit.*, p. 34.

114. Rapport d'Ormescheville, 3 décembre 1894, *in* Révision 1898-1899, Instruction, II, p. 74.

115. Maurice Paléologue, *Journal de l'affaire Dreyfus*, *op. cit.*, pp. 28-29.

116. Rapport d'Ormescheville, 3 décembre 1894, *in* Révision 1898-1899, Instruction, II, pp. 77-78.

117. Mercier, *Procès de Rennes*, I, p. 89.

118. « Je ne fus pas appelé comme je m'y attendais à compléter par un rapport les énoncés, les premières appréciations que j'avais données. C'est M. Bertillon qui en fut chargé. Je fus littéralement mis de côté.» (Gobert, *Procès de Rennes*, II, p. 305).

119. Gobert, *Procès Zola*, I, p. 478.

120. Alfred Gobert, Note, 1ᵉʳ mars 1898, Musée d'art et d'histoire du Judaïsme, 42005, f° 1-16.

121. Mercier, *Procès de Rennes*, I, p. 90. Il est intéressant de noter que dans la suite de sa narration des expertises, l'ancien ministre de la Guerre occulta totalement l'existence du rapport Gobert. Celui-ci n'existait plus pour lui.

122. Baudouin, Réquisitoire du procureur général, *in* Réhabilitation 1903-1906, Débats 1906, I, p. 432.

123. Voir Pierre Vidal-Naquet, *Mémoires*, tome 2, Paris, Seuil/La Découverte, 1998, pp. 365-367 (sur l'affaire Luc Tangorre, 1981-1992, une affaire très emblématique pour ce sujet).

124. Voir p. 333.

125. Cité par Demange, *Procès de Rennes*, III, p. 598.

126. Cockefect, *Procès de Rennes*, I, 584. III, 520.

127. Alfred Dreyfus, lettre à Lucie Dreyfus, 6 janvier 1895, *in* Alfred et Lucie Dreyfus, *Écris-moi souvent, écris-moi longuement*, *op. cit.*, pp. 124-125.

128. Voir pp. 197 et suiv.

129. *Le Figaro*. *Le temps* du 10 janvier 1895. Cité *in* Joseph Reinach, *Histoire de l'Affaire Dreyfus*, I, p. 543.

130. « L'Allemagne aurait eu plus d'avantage, aux yeux du monde, à ne pas jouer le vilain rôle de celui qui peut aider au salut d'un innocent et qui froidement assiste à sa perte, sans dire le mot qui le sauverait. D'autre part, cette crise tragique, effroyablement aiguë, n'a pas laissé la France affaiblie. Aux yeux de l'opinion universelle, elle est redevenue la nation humaine par excellence, champion du droit, où, en dépit des forces sociales conjurées pour imposer le maintien d'une condamnation imméritée, la justice et la vérité ont fini par l'emporter. La nation entière, et l'armée en particulier, malgré toutes les résistances, en ont eu conscience. Et lorsque le temps de la grande épreuve est venu, les Allemands ont pu s'apercevoir que l'"Affaire" n'avait pas entamé, tant s'en faut, l'énergie morale de leurs adversaires.» (*in* Maximilien von Schwartzkoppen, *La Vérité sur Dreyfus*, *op. cit.*, pp. XXVII-XXVIII).

131. Lettre du prince de Munster à Joseph Reinach, Bückebourg, 20 mai 1901, *in ibid.*, p. 348. Autre lettre du 10 mai 1901, publiée par *Le Temps* du 25 avril 1903 et versée au dossier de la Cour de cassation.

132. Maximilien von Schwartzkoppen, *La Vérité sur Dreyfus*, *op. cit.*, pp. XXII-XXIII.

133. *Ibid.*, p. IX.

134. *Ibid.*, pp. 50-51.

135. Voir les « papiers Desachy » cités par Marcel Thomas dans son *Affaire sans Dreyfus*, et son chapitre premier, « Le roman d'un tricheur » (*op. cit.*, pp. 23-58), ainsi que son ouvrage paru en 1989, *Esterhazy ou l'envers de l'affaire Dreyfus, op. cit.* Sur Desachy et Esterhazy, voir la note dans cet ouvrage, p. 369.

136. Selon Marcel Thomas, Esterhazy avait obtenu comme contrepartie que *La Libre Parole* cessât ses attaques contre Freycinet, accusé par elle d'avoir été mêlé au scandale de Panama. C'était pour le journal antisémite une vengeance contre un ministre de la Guerre qui avait vigoureusement défendu le droit des Juifs à faire partie de l'armée.

137. Marcel Thomas, *L'Affaire sans Dreyfus, op. cit.*, p. 46.

138. *Ibid.*, p. 51.

139. La femme de Maurice Weil était aussi la maîtresse du gouverneur militaire de Paris.

140. Maximilien von Schwartzkoppen, *La Vérité sur Dreyfus, op. cit.*, pp. 7-8.

141. *Ibid.*, p. 9.

142. Ce document en forme de questionnaire fut saisi par la Section de statistique.

143. *Ibid.*, p. 14.

144. Le 17 août, il utilisait ce papier pour écrire à un huissier qui lui réclamait le paiement d'une dette (Marcel Thomas, *L'Affaire sans Dreyfus, op. cit.*, p. 93).

145. Il commet ici une erreur (voir Marcel Thomas, *L'Affaire sans Dreyfus, op. cit.*, p. 102).

146. Selon Marcel Thomas (*ibid.*, p. 94).

147. Voir la déposition du capitaine Carvallo, *Procès de Rennes*, III, 156.

148. Marcel Thomas, *L'Affaire sans Dreyfus, op. cit.*, p. 97.

149. Maximilien von Schwartzkoppen, *La Vérité sur Dreyfus, op. cit.*, pp. 24-25.

150. *Ibid.*, p. 20.

151. Marcel Thomas, *L'Affaire sans Dreyfus, op. cit.*, pp. 100-102.

## CHAPITRE VIII
## L'arbitraire dans la République

1. « D. N'avez-vous pas eu quelques doutes sur l'attribution du bordereau à Dreyfus, et n'avez-vous pas échangé vos impressions à cet égard avec M. Poincaré et M. de Lanessan, auquel vous auriez tenu ce propos : "Je commence à croire que nous pouvons avoir été victimes d'une mystification en 1894" ? R. Le propos doit être celui-ci : "Je me demande si nous n'avons pas été victimes, en 1894, d'une mystification." C'était dans une conversation qui avait lieu dans les couloirs de la Chambre, et où il s'agissait de l'attribution du bordereau, du faux Henry, d'Esterhazy, de du Paty de Clam, etc.» (Dupuy, Révision 1898-1899, Instruction, I, p. 659.)

2. Celle-ci avait été effectuée par Vallecalle, greffier du conseil de guerre.

3. Cf. Mathieu Dreyfus, *L'Affaire telle que je l'ai vécue, op. cit.*, p. 35.

4. « Lorsque les débats s'ouvrirent, le huis clos fut prononcé presque immédiatement, et le défenseur fut même interrompu, dans ses observations à ce sujet, par le président. » (*Ibid.*, p. 128.)

5. Cf. Joseph Reinach, *Histoire de l'Affaire Dreyfus*, I, pp. 381-382.

6. Constaté par le commandant Picquart (Révision 1898-1899, Instruction, I, p. 131).

7. Maurice Paléologue, *Journal de l'affaire Dreyfus, op. cit.*, pp. 34-35.

8. Picquart, Révision 1898-1899, Instruction, I, p. 132, et *Procès de Rennes*, I, p. 381. Lettre du même au garde des Sceaux, 15 septembre 1898, citée dans Révision 1898-1899, III, p. 41.

9. Freysttaeter, Révision 1898-1899, Instruction, II, pp. 6-7.

10. Joseph Reinach, *Histoire de l'affaire Dreyfus*, I, p. 401.

11. Picquart, Révision 1898-1899, Instruction, I, p. 129.

12. C'est l'hypothèse notamment de Mᵉ Mornard, l'avocat de Dreyfus à la Cour de cassation (Plaidoirie, *in* Réhabilitation 1903-1906, Débats de la Cour de cassation, 1906, II, p. 319).

13. Picquart : « La personne honorable dont a parlé Henry est un rastaquouère : Henry m'a demandé une fois mille cinq cents francs pour l'aider à payer ses dettes de jeu ; il ne faut donc pas le considérer comme un personnage d'une indiscutable honorabilité. » (Révision 1898-1899, Instruction, I, 1899, pp. 129 et suiv.)

14. « Nous verrons, ajoute le magistrat, que Guénée, qui a été l'intermédiaire entre Val Carlos et Henry, l'affirme lui-même ; que pas une note du dossier ne le contredit, que les démarches les plus pressantes, les plus menaçantes, ont été faites auprès de M. de Val Carlos pour l'amener à confirmer la fausse déclaration d'Henry, et que sur sa résistance on n'a pas osé le citer à Rennes. » (Réquisitoire du procureur général, *in* Réhabilitation 1903-1906, Débats, 1906, p. 443).

15. Révision 1898-1899, Instruction, II, p. 5. *Procès de Rennes*, I, p. 380, II, p. 192. Réhabilitation 1903-1906, Instruction, off., I, p. 88.

16. *Procès de Rennes*, I, p. 380. Révision 1898-1899, Instruction, p. 89. *Procès Zola*, I, p. 382, II, p. 177. Lettre de Picquart au garde des Sceaux, *in* Réhabilitation 1903-1906, Instruction, I, pp. 113-114. Du Paty de Clam, Révision 1898-1899, Instruction, I, p. 442.

17. Mercier, *Procès de Rennes*, I, p. 95.

18. Dans son premier arrêt de révision du 3 juin 1899, la Cour de cassation constata ce refus de répondre et prit les deux officiers généraux à leur propre piège : « Attendu que d'autre part les généraux Mercier et de Boisdeffre, invités à dire s'ils savaient que la communication a eu lieu, ont refusé de répondre et qu'ils l'ont ainsi reconnu implicitement. » (Révision 1898-1899, Débats 1899, p. 709.)

19. Mercier, *Procès de Rennes*, II, p. 197.

20. Picquart, Révision 1898-1899, Instruction, I, pp. 132-134.

21. Maurel, *Procès de Rennes*, II, pp. 191-193.

22. Mercier, *Procès de Rennes*, II, p. 403, et III, p. 533.

23. Maurel, *Procès de Rennes*, II, pp. 191-193.

24. Mercier, *Procès de Rennes*, I, p. 99.

25. Freystaetter, *Procès de Rennes*, II, p. 401.

26. Maurel, *Procès de Rennes*, II, pp. 401-402.

27. Arrêt, *in* Révision 1898-1899, Débats 1899, p. 710.

28. Voir chapitre XIV, « Le spectre de la liquidation », pp. 809-875.

29. Mornard, Plaidoirie, *in* Réhabilitation 1903-1906, Débats 1906, I, pp. 307-308.

30. Maurel, *Procès de Rennes*, II, pp. 192, 195 et 400.

31. *Procès de Rennes*, I, p. 98, 162, 484. Réhabilitation 1903-1906, Instruction, off., I, pp. 280 et suiv. (voir leur déposition).

32. Voir p. 158

33. Picquart, Révision 1898-1899, Instruction, I, p. 132, et *Procès de Rennes*, I, p. 379.

34. Mercier, *Procès de Rennes*, II, p. 214.

35. Casimir-Perier, Réhabilitation 1903-1906, Instruction, off., I, pp. 676-677.

36. Maurice Paléologue, *Journal de l'affaire Dreyfus, op. cit.*, pp. 35-37.

37. Baudouin, Réquisitoire du procureur général de la Cour de cassation, *in* Réhabilitation 1903-1906, Débats 1906, I, p. 575.

38. AN, BB¹⁹.

39. Commandant Forzinetti, lettre à Joseph Reinach, « Ce mardi 12 juin », BNF, Nafr. 24896, f° 294.

40. Mercier, Réhabilitation 1903-1906, Instruction, I, p. 282. *Procès de Rennes*, II, p. 221 et III, p. 533.

41. *Ibid.*, et I, p. 162. Gonse, Révision 1898-1899, I, p. 568, *Procès de Rennes*, II, p. 331, et Réhabilitation 1903-1906, Instruction off., I, p. 230. Boisdeffre, Réhabilitation 1903-1906, Instruction, off., I, pp. 481-482.

42. « Le général Mercier. – D'après l'ordre que j'avais donné au colonel Sandherr je croyais qu'il ne restait plus rien, même en copie, de ce commentaire ; par conséquent quand en 1897 on m'a appris qu'il existait une copie contrairement à mes ordres, je l'ai détruite. (*Agitation*.) [...] Me Labori. – Quel intérêt avait-il à le faire disparaître en 1897, à un moment où on cherchait la lumière ? Le général Mercier. – Parce que j'avais donné l'ordre auparavant qu'il fût détruit. » (Mercier, *Procès de Rennes*, II, p. 221.)

43. *Procès de Rennes*, I, p. 163. « On conçoit en effet qu'il redoutait l'argument considérable que sa production allait fournir à la requête en révision comme elle avait jadis constitué devant le conseil de guerre de Paris une arme redoutable contre l'accusé », écrivit le procureur général de la Cour de cassation en 1906, dans son réquisitoire écrit (Réhabilitation 1903-1906, p. 78).

44. Me Labori a eu l'intention de le faire déposer sur ce point après une réponse du général Gonse à ce sujet : « Me Labori. – M. le président veut-il demander à M. le général Gonse pourquoi il a remis ce commentaire au général Mercier ? Le général Gonse. – J'en ai reçu l'ordre du chef d'État-major général. Je l'ai dit à la Cour de cassation tout au long. Me Labori. – Alors nous poserons la question à M. le général de Boisdeffre quand il sera là. (*Sensation*.) Je suis obligé de signaler au conseil que la question vaut la peine d'être posée, car il y a dans le code un article du code pénal qui est ainsi conçu... Le président. – C'est de la discussion. Me Labori. – Soit ! Je m'arrête, monsieur le président [interrompant l'avocat]. » (*Procès de Rennes*, II, pp. 221-222.)

45. Cette pièce, le commentaire secret, faisait partie des documents que la loi française protégeait, et protège toujours (loi sur les archives du 3 janvier 1979) de la destruction, soit qu'on la considère comme un acte d'un juge, fonctionnaire ou agent public, et alors sa destruction était passible des travaux forcés par application de l'article 173 du code pénal, soit qu'on la considère en tant que minutes ou actes originaux de l'autorité publique et alors sa destruction était punie de réclusion par l'article 439 du même code. Cf. Réquisitoire du procureur général, *in* Réhabilitation 1903-1906, Débats 1906, I, p. 450.

46. Mercier, *Procès de Rennes*, I, p. 162, Réhabilitation 1903-1906, Instruction, off., I, p. 286.

47. Marcel Thomas, *L'Affaire sans Dreyfus*, *op. cit.*, p. 183.

48. « Je lui envoyai donc le commandant du Paty de Clam, le 31 décembre, avec mission de lui dire que, sa condamnation étant prononcée et définitive, je ne pouvais rien à ce point de vue, mais que le gouvernement pouvait encore quelque chose pour l'application de la peine et qu'à ce point de vue, par exemple, pour le choix du lieu de déportation, pour la facilité qu'il pourrait avoir de l'habiter avec sa famille ou avec certaines personnes de sa famille, le gouvernement pourrait montrer de l'indulgence si, de son côté, il voulait entrer dans la voie du repentir. » (Mercier, *Procès de Rennes*, I, p. 100.)

49. « La condamnation du capitaine Dreyfus ayant été prononcée, le conseil de révision ayant statué sur l'arrêt du conseil de guerre, je considérais comme indispensable de tâcher d'obtenir du capitaine Dreyfus l'indication de ce qu'il avait dû livrer à l'Allemagne non seulement par le bordereau qui, lui déjà, donnait quelques indications précises, mais qui indiquait aussi bien nettement que ce n'était pas un acte isolé, qu'il y avait eu d'autres livraisons de pièces et d'autres trahisons commises. Je tenais, surtout au moment où nous étions en pleine élaboration du plan de mobilisation, à me renseigner autant que possible sur ce qui avait été livré par le capitaine Dreyfus. » (*Ibid.* pp. 99-100.)

50. *Procès de Rennes*, I, pp. 154 et suiv.

51. Commandant du Paty de Clam, lettre au général Mercier, 31 décembre 1894, citée *in* Mercier, *Procès de Rennes*, I, p. 100.

52. Du Paty de Clam, *Procès de Rennes*, III, p. 513. Confirmé par Ballot-Beaupré, *Révision 1898-1899, Débats 1899*, p. 180.

53. D'après *Le Journal* du 25 décembre 1894 et *L'Éclair* du 26 décembre, deux journaux généralement bien informés. Le second était réputé pour exprimer officieusement le point de vue de l'État-major.

54. Loi du 9 février 1895, modifiant l'article 2 de la loi du 23 mars 1872 : « La presqu'île Ducos et les îles du Salut sont déclarées lieux de déportation dans une enceinte fortifiée. »

55. Cf. « Dossier des aveux », *in* Révision 1898-1899, Instruction, II, pp. 131-148.

56. Eugène Clisson, « Récit d'un témoin », *Le Figaro*, 6 janvier 1894.

57. Casimir-Perier, *Procès de Rennes*, I, p. 70.

58. *Procès de Rennes*, I, p. 64. Dupuy, Révision 1898-1899, Instruction, I, pp. 658-659. Lebrun-Renault, *Procès de Rennes*, III, p. 74, I, p. 550.

59. *Procès de Rennes*, I, 403, et III, pp. 77-97. Réhabilitation 1903-1906, Instruction, off., I, p. 286.

60. « Est-il vrai qu'hier en revenant de la parade d'exécution, vous êtes allé au mess avec vos camarades et qu'au déjeuner vous leur avez raconté la conversation que vous aviez eue avec Dreyfus et les aveux qu'il vous a faits ? – Oui, c'est exact. » (Risbourg, *Procès de Rennes*, II, p. 232, III, p. 75, et Réhabilitation 1903-1906, Instruction, off., I, pp. 43-45.)

61. Rapport du lieutenant-colonel Guérin, sous-chef d'état-major du gouvernement militaire de Paris, sur la parade d'exécution du 5 janvier 1895 et sur la déclaration faite par l'ex-capitaine Dreyfus, avant sa dégradation, au capitaine Lebrun-Renault, de la Garde républicaine, 14 février 1898, cité *in* Révision 1898-1899, Instruction, II, p. 139.

62. Révision 1898-1899, p. 60.

63. Rapport du lieutenant-colonel Guérin, *op. cit.*, *in* Révision 1898-1899, Instruction, II, p. 139.

64. Révision 1898-1899, p. 59

65. Révision 1898-1899, p. 64.

66. « Nous causions ensemble, expliqua le capitaine Lebrun-Renault au procès de Rennes ; quelquefois il causait seul, je ne lui répondais pas. Ainsi nous avons parlé par exemple du lieu de déportation où il aurait pu être envoyé ; je lui ai parlé de la Nouvelle-Calédonie parce que, y étant passé en allant à Taïti [Tahiti] et y étant resté un mois, je pouvais lui donner quelques renseignements. En somme, vis-à-vis du capitaine Dreyfus, j'ai usé là de tous les moyens d'humanité que comportait la situation pénible où il se trouvait. » (*Procès de Rennes*, III, p. 78.)

67. Cf. Réquisitoire du procureur général, *in* Réhabilitation 1903-1906, Débats 1906, I, pp. 468-469.

68. Lebrun-Renault, *Procès de Rennes*, III, p. 78.

69. *Ibid.*, pp. 78-79.

70. « Je ne m'en souviens pas. On peut très bien ne pas considérer la déclaration de Dreyfus comme des aveux ; si l'on m'a parlé d'aveux, j'ai pu dire qu'il ne m'en avait pas fait. J'ai considéré que c'était plutôt des excuses que présentait Dreyfus. » (Révision 1898-1899, Instruction, I, p. 277.)

71. Cavaignac, *JO*, Débats parlementaires, Chambre des députés, séance du 7 juillet 1898.

72. Voir pp. 212 et suiv., et 928 et suiv.

73. Le procureur général de la Cour de cassation se permit d'ironiser, dans son réquisitoire prononcé devant les chambres réunies : « Profondément ému de la déclaration de Lebrun-Renault, des aveux qu'il rapporte, de ces aveux qui vont être pour tous un soulagement, en mettant fin à l'anxiété, à l'angoisse qui opprimait chacun,

son premier soin, à n'en pas douter, va être de le télégraphier au gouverneur ! » (Réquisitoire du procureur général, *in* Réhabilitation 1903-1906, Débats 1906, I, p. 481.)

74. Cité *in* Réhabilitation 1903-1906, Instruction, I, p. 45).

75. Rapport du lieutenant-colonel Guérin, *op. cit. in* Révision 1898-1899, Instruction, II, p.

76. Réquisitoire du procureur général, *in* Réhabilitation 1903-1906, Débats 1906, I, p. 484.

77. Le procureur général de la Cour de cassation a critiqué dans son réquisitoire (Débats, 1906) la date très tardive de la livraison de cette information : « Pour compléter les indications de ce mémoire, en ce qui concerne le compte rendu général et verbal, que j'ai fait au gouverneur militaire de Paris, dès mon retour place Vendôme après la parade, sur tous les incidents de la matinée du 5 janvier 1895, et en particulier sur l'entretien de Dreyfus avec le capitaine Lebrun-Renault, *je dois à la vérité* de signaler ce fait que M. le général Saussier manifesta son étonnement que Dreyfus eût tenu au capitaine de la Garde républicaine chargé de le garder avant la parade, le langage qui m'avait été rapporté par cet officier de gendarmerie, et qu'ensuite il eût protesté de son innocence devant les troupes. » (*Ibid.*, p. 483.)

78. Marcel Thomas, *L'Affaire sans Dreyfus, op. cit.* André Bach, *L'Armée de Dreyfus, op. cit.*

79. Bertrand Joly, « L'Affaire Dreyfus comme conflit entre administrations », *in* Marc Olivier Baruch et Vincent Duclert (dir.), *Serviteurs de l'État. Une histoire politique de l'administration française 1875-1945*, Paris, La Découverte, coll. « L'espace de l'histoire », 2000, pp. 229-244. Frédéric Monier, *Le Complot dans la République. Stratégies du secret de Boulanger à la Cagoule*, Paris, La Découverte, coll. « L'espace de l'histoire », 1998, 339 p. Sébastien Laurent, « Aux origines de la "guerre des polices" : militaires et policiers du renseignement dans la République (1870-1914) », *Revue historique*, 2004, n° 4, pp. 767-791.

80. « L'Affaire Dreyfus, l'État et la République », *in* Marc Olivier Baruch et Vincent Duclert (dir.), *Serviteurs de l'État, op. cit.*, pp. 37-68, et « Réflexions sur les usages du complot dans l'affaire Dreyfus », *in* Frédéric Monier, *Complots et conspirations en France du XVIIIᵉ au XXᵉ siècle*, Valenciennes, Presses universitaires de Valenciennes, coll. « Lez Valenciennes », n° 32, 2003, pp. 75-90.

81. André Bach, *L'Armée de Dreyfus, op. cit.*, pp. 552 et suiv.

82. *Ibid.*, p. 551.

83. Cf. Marcel Thomas, *L'Affaire sans Dreyfus, op. cit.*, p. 67.

84. Voir p. 189

85. Comme le releva Salomon Reinach, « ces paroles produisirent de l'effet, mais elles ne furent suivies d'aucun acte. Le ministre de la Guerre avait le devoir d'ouvrir une enquête pour découvrir l'auteur des abominables articles : « Les Juifs dans l'armée ». Il ne le fit point. » (Salomon Reinach, *Drumont et Dreyfus. Études sur La Libre Parole de 1894 à 1895, op. cit.*, p. 17.)

86. « Intéressante figure de Picquart. Et comme il est différent de son prédécesseur, l'astucieux et rude gendarme qu'était Sandherr ! Âgé de quarante-deux ans, cité pour actions d'éclat dans les campagnes du Tonkin, ancien professeur à l'École de guerre, très apprécié du général de Galliffet, Picquart est grand, mince, élégant, d'un esprit fin, judicieux, caustique, mais qui se dissimule ordinairement sous une réserve distante et guindée. Je n'ai d'ailleurs qu'à me louer des rapports officiels que nous entretenons, depuis qu'il dirige le service de renseignement. » (Maurice Paléologue, *Journal de l'affaire Dreyfus, op. cit.*, pp. 53-54.)

87. « Par ailleurs la besogne du service de renseignement, que je n'avais jamais vue d'aussi près, ne justifie guère le prestige romanesque et fascinant qu'elle exerce de loin. Qu'elle soit le plus souvent malpropre, nauséabonde, pleine d'impostures et de supercheries, elle l'est, pour ainsi dire, congénitalement : je ne le lui reproche donc pas. Mais ce qui la dépouille, à mes yeux, de toute sa fantasmagorie, ce qui

me la dépoétise radicalement, c'est qu'elle ait pour exécuteurs des officiers ! Alfred de Vigny n'avait pas prévu cette forme basse de la *Servitude militaire* ! Pourquoi nos mécanismes d'espionnage ne sont-ils pas transférés au ministère de l'Intérieur ? L'État-major garderait seulement l'inspiration des recherches et la critique de leurs résultats. Du reste, les choses ne m'ont point paru marcher très bien, au service de renseignement. Je n'y ai plus trouvé l'atmosphère de cordialité familiale qu'on y respirait à l'époque de Sandherr. Entre le chef et ses collaborateurs, j'ai plusieurs fois senti de la mésintelligence. Un soir, par exemple, comme je sortais du ministère avec Henry et que, sous le prétexte de "nous dégourdir un peu les jambes", il m'entraînait aux Champs-Élysées, il me dit brusquement, sur un ton âpre que je ne lui connaissais pas : "Hein ! Comprenez-vous que nous regrettions Sandherr ?... Quel poseur, ce Picquart. Et puis, si vous saviez quel mauvais esprit !... Enfin, parlons d'autre chose." » (*Ibid.*, pp. 54-55.)

88. Waldeck-Rousseau, *JO*, Débats parlementaires, Chambre des députés, séance du 28 février 1899, cité *in Le Parlement et l'Affaire Dreyfus, op. cit.*, p. 297.

89. Voir Jean-Jacques Becker, *Le Carnet B. Les pouvoirs publics et l'antimilitarisme avant la guerre de 1914*, Paris, Klincksiek, 1973, 226 p.

90. Citée par André Bach, *L'Armée de Dreyfus, op. cit.*, p. 548.

91. Allan Mitchell, « La Mentalité xénophobe : le contre-espionnage en France et les racines de l'affaire Dreyfus », *art. cit.*

92. André Bach, *L'Armée de Dreyfus, op. cit.*, pp. 548-549.

93. Voir à ce sujet Marcel Thomas, *L'Affaire sans Dreyfus, op. cit.*, pp. 59-79 (« La Guerre secrète à la Belle Époque »). Et Manuel Baudouin, Réquisitoire du procureur général, Réhabilitation 1903-1906, Débats 1904, I, p. 64.

94. Hanotaux, *Procès de Rennes*, I, p. 222.

95. *Ibid.*, p. 219. Joseph Reinach a établi un résumé précis du « petit Conseil » en appendice du premier tome de son *Histoire de l'Affaire Dreyfus* (pp. 582-586).

96. « Le ministre des Affaires étrangères nous représenta que les relations avec les puissances extérieures pourraient être gravement compromises si on mettait *ces puissances* directement en cause. Nous nous rendîmes, dans une certaine mesure, à ces observations ; mais nous convînmes simplement que des mesures seraient prises pour éviter de nommer ces puissances et de les faire intervenir, s'il y avait une suite judiciaire à donner à l'affaire. » (Mercier, *Procès de Rennes*, I, p. 88.)

97. Gabriel Hanotaux, Note, 6 janvier 1895, citée *in Procès de Rennes*, I, p. 220.

98. Le 13 décembre 1894, les journaux bien informés annoncèrent que le ministre était tombé malade.

99. Le président du Conseil Charles Dupuy, déjà ministre de l'Intérieur, prit l'intérim des Affaires étrangères durant le temps de la convalescence de Gabriel Hanotaux jusqu'à son retour à Paris le 9 janvier 1895.

100. Joseph Reinach, *Histoire de l'Affaire Dreyfus*, I, p. 79.

101. Dupuy, Révision 1898-1899, Instruction, I, p. 659.

102. La loi du 25 février 1875 « relative à l'organisation des pouvoirs publics » indiquait notamment à son article 3 que le président de la République « dispose de la force armée » et « nomme à tous les emplois civils et militaires ».

103. Joseph Reinach, *Histoire de l'Affaire Dreyfus*, I, pp. 336-337. Le mensonge du général Mercier apparut aussitôt puisque Charles Leser affirma dès le lendemain 29 novembre que le général Mercier avait bien déclaré ce qui avait été publié (*Le Figaro*, 29 novembre 1894).

104. Dupuy, Révision 1898-1899, Instruction, I, p. 657.

105. Dans sa déposition, Gabriel Hanotaux fait dater la rédaction de cette note du 5 janvier 1895 (Hanotaux, *Procès de Rennes*, I, p. 219).

106. *Ibid.*, p. 221.

107. Guérin, Révision 1898-1899, Instruction, I, p. 288 et *Procès de Rennes*, I, p. 231.

108. Guérin, Révision 1898-1899, Instruction, I, p. 290.

109. *Ibid.*, pp. 290-291.
110. *Ibid.*
111. Révision 1898-1899, Instruction, I, p. 273.
112. Poincaré, *JO*, Débats parlementaires, Chambre des députés, séance du 28 novembre 1898, cité *in Le Parlement et l'affaire Dreyfus, op. cit.*, pp. 162-163.
113. Joseph Reinach, *Histoire de l'Affaire Dreyfus*, I, pp. 340-341.
114. Gaston Méry, *La Libre Parole*, 5 décembre 1894.
115. Hanotaux, *Procès de Rennes*, I, p. 220.
116. « Inviter Mercier à produire son dossier, à mettre Hanotaux en mesure de répondre à Munster, autrement que par des équivoques ou des platitudes, briser l'arrogant s'il s'y refusait, cela dépassait le courage de Dupuy et de ses principaux collègues. » (Joseph Reinach, *Histoire de l'Affaire Dreyfus*, I, p. 343.)
117. *Ibid.*, pp. 345-346. Effectivement, le président de la République Casimir-Perier ignora tout de la teneur des déclarations de l'ambassadeur allemand (*Procès de Rennes*, I, p. 67).
118. « Sa Majesté l'empereur, ayant toute confiance dans la loyauté du Président et du gouvernement de la République, prie votre excellence de dire à M. Casimir-Perier que s'il était prouvé que l'ambassade d'Allemagne n'a jamais été impliquée dans l'affaire Dreyfus, Sa Majesté espère que le gouvernement de la République n'hésitera pas à le déclarer. Sans une déclaration formelle, les légendes que la presse continue à propager sur le compte de l'ambassade d'Allemagne subsisteraient et compromettraient la situation du représentant de l'empereur. » (Cité *in ibid.*, p. 62.)
119. *Ibid.*, pp. 63-65.
120. *Ibid.*, p. 67.
121. Cité *in* Joseph Reinach, *Histoire de l'Affaire Dreyfus*, I, p. 560.
122. Alfred Dreyfus, *Mes souvenirs*, p. 49, et *Carnets*, p. 181.
123. « J'étais certainement convaincu de sa culpabilité, puisqu'il avait été condamné à l'unanimité, disait-on, par des officiers français. Je partageais, sur ce point, l'opinion générale. Et cependant, je sentais en moi quelque chose qui protestait contre les formes employées, et qui troublait ma quiétude », indiqua-t-il encore (Auguste Scheurer-Kestner, *Mémoires d'un sénateur dreyfusard, op. cit.*, p. 55).
124. *Ibid.*, pp. 55-56.
125. Cf. Sylvie Aprile, « L'Engagement dreyfusard d'Auguste Scheurer-Kestner. Un combat pour l'honneur de l'Alsace et de la République », *Bulletin de la Société d'histoire du protestantisme*, 1996, et sa thèse restée inédite : *Auguste Scheurer-Kestner (1833-1899) et son entourage, étude biographique et analyse politique d'une aristocratie républicaine*, sous la direction d'Adeline Daumard, université de Paris-I, 1994.
126. « Ce que je vous conseille pour le moment, c'est de faire vos recherches sans bruit. Ne mêlez pas la presse à vos investigations. Tâchez de trouver le coupable puisqu'il doit y en avoir un. » (Auguste Scheurer-Kestner, *Mémoires d'un sénateur dreyfusard, op. cit.*, pp. 58-59.) Voir également Mathieu Dreyfus, *L'Affaire telle que je l'ai vécue*, p. 58.
127. Voir p. 247.
128. Baudouin, Réquisitoire du procureur général de la Cour de cassation, *in* Réhabilitation 1903-1906, Débats 1906, I, pp. 445-447.
129. *Ibid.*, p. 486.
130. Michelle Perrot, « La Prison », *in* Vincent Duclert et Christophe Prochasson (dir.), *Dictionnaire critique de la République*, Paris, Flammarion, 2002, p. 790.
131. Sylvie Clair, Marie-Pascale Mallé, *Les Îles du Salut. Guyane*, Paris, Inventaire général/Ibis rouge éditions, coll. « Itinéraire du Patrimoine », 2001, p. 6. Sylvie Clair est l'auteur d'un article sur « La Déportation politique en Guyane : le cas Dreyfus (*Histoire de la justice*, n° 7, 1994, pp. 145-161). Sur les bagnes de Cayenne et les îles du Salut, voir Michel Devèze, *Cayenne. Déportés et bagnards*, Paris,

Julliard-Gallimard, coll. « Archives », 1965, ainsi que les travaux de Marion Godfroy (*Bagnards*, Paris, Chêne, 2002, 215 p.).

132. Cité *in* Sylvie Clair, Marie-Pascale Mallé, *Les Îles du Salut. Guyane, op. cit.*, p. 8.

133. Joseph Reinach, *Histoire de l'Affaire Dreyfus*, II, p. 122.

134. Cité *in* Joseph Reinach, *Histoire de l'Affaire Dreyfus*, I, p. 550.

135. Lettre du ministre des Colonies au directeur de l'administration pénitentiaire, CAOM.

136. CAOM.

137. Cité par Marie-Antoinette Menier, « La Détention du capitaine Dreyfus à l'île du Diable 14 avril 1895-5 juin 1899, d'après les archives de l'administration pénitentiaire », communication présentée à la Société française d'histoire d'outre-mer, 27 avril 1977, pp. 4-5.

138. Dalloz, 1893, cité par Jean Hess, Notes, *in À l'île du Diable. Enquête d'un reporter aux îles du Salut et à Cayenne* [29 septembre-3 octobre 1898], Paris, Nilsson-Per Lamm, sd [1899], p. 246.

139. Ministre des Colonies, lettre au gouverneur de la Guyane, 20 juin 1895, CAOM.

140. Rapport du gouverneur de la Guyane, 1er avril 1895 (CAOM).

141. Ministre des Colonies, télégramme au gouverneur de la Guyane, 12 octobre 1895, CAOM.

142. CAOM.

143. Gouverneur de la Guyane, rapport au ministre des Colonies, 9 novembre 1895 (CAOM).

144. Sylvie Clair, Marie-Pascale Mallé, *Les Îles du Salut. Guyane, op. cit.*, p. 17.

145. Ministre des Colonies, lettre au gouverneur de la Guyane, 3 avril 1895, CAOM (pour cette mission, le surveillant-chef Lebars percevra un supplément mensuel de 50 francs).

146. Ministre des Colonies, lettre au gouverneur de la Guyane, 7 mai 1895 (CAOM).

147. CAOM.

148. Cité par Marie-Antoinette Menier, *art. cit.*, p. 11.

149. Ministre des Colonies, lettre au gouverneur de la Guyane, 2 avril 1895, CAOM.

150. D'après *Le Moniteur* de la colonie (*in* Marie-Antoinette Menier, *art. cit.*, p. 11).

151. CAOM.

152. Marie-Antoinette Menier, *art. cit.*, p. 14.

153. Cité *in ibid.*, p. 18.

154. « Défense leur était faite de parler au condamné et de répondre à aucune de ses questions, expliqua Georges Picqué, et je crois pouvoir dire qu'ils se sont strictement conformés à ces instructions et que, par suite, Dreyfus n'a dû leur faire aucune confidence. » (Picqué, Révision 1898-1899, Instruction, I, p. 808).

155. *Ibid.*

156. Voir pp. 561 et suiv.

157. *JO*, Chambre des députés, séance du 18 novembre 1896, p. 1612.

158. Cité par Marie-Antoinette Menier, *art. cit.*, p. 15.

159. Voir pp. 364 et suiv.

160. CAOM.

161. Jean Decrais *in* « Rapport officiel sur le séjour de Dreyfus à l'île du Diable », *Procès de Rennes*, I, pp. 248-258, ici pp. 248 et 249.

162. Colonies, télégramme au gouverneur de la Guyane, 3 septembre 1896, CAOM.

163. Colonies, télégramme au gouverneur de la Guyane, 4 septembre 1896 (CAOM). Également cité par Jean Decrais *in* « Rapport officiel sur le séjour de Dreyfus à l'île du Diable », *Procès de Rennes*, I, pp. 249-250.

164. Sylvie Clair, Marie-Pascale Mallé, *Les Îles du Salut. Guyane*, op. cit., p. 72.

165. Ministre des Colonies, dépêche au gouverneur de la Guyane, 4 août 1896, CAOM.

166. Cité *in* Joseph Reinach, *Histoire de l'Affaire Dreyfus*, II, p. 318, note 1.

167. Cité *in ibid.*, p. 320, note 1.

168. *JO*, Débats parlementaires, Chambre des députés, séance du 18 novembre 1896, p. 1612.

169. Lebon, *Procès de Rennes*, I, pp. 235-244.

170. Cité *in* Jean Hess, *À l'île du Diable*, op. cit., p. 70.

171. Le fac-similé de ce règlement est reproduit à la fin de l'édition de 1994 de *Cinq années de ma vie* ; le texte est non paginé. Jean Decrais en précise la date dans son rapport (« Rapport officiel sur le séjour de Dreyfus à l'île du Diable », *Procès de Rennes*, I, p. 250).

172. « Vers la fin de décembre [1899], je reçus d'un surveillant retraité à Cayenne et qui avait été préposé à ma garde à l'île du Diable le texte de la consigne qui m'avait été appliquée. Je n'avais pas encore pu me la procurer, car, dès qu'un surveillant était relevé et quittait l'île, la consigne lui était enlevée. Celui-ci avait réussi à la conserver. Cette consigne est encore un exemple de la déraison humaine » (Alfred Dreyfus, *Carnets*, pp. 273-274).

173. Par application de l'article 31.

174. « Ces transportés ne pourront avoir aucune communication avec le déporté ; ils seront, pendant la nuit, enfermés dans une case solidement construite et qui restera fermée jusqu'à la reprise du service de jour. »

175. Alfred Dreyfus, *Carnets*, p. 275.

176. Alfred Dreyfus, *Cinq années de ma vie*, p. 166.

177. Cités *in ibid.*, pp. 166-167.

178. Lettre du commandant supérieur des îles du Salut au directeur de l'administration pénitentiaire, 20 octobre 1896. CAOM.

179. Dreyfus avait été officiellement averti que, « à la moindre démonstration active de sa part ou de celle de l'extérieur, il pouvait même courir le risque de la vie » (Rapport du 7 mars 1895 cité *in* Jean Decrais, « Rapport officiel sur le séjour de Dreyfus à l'île du Diable », *Procès de Rennes*, I, p. 250).

180. Oscar Deniel, rapport du 27 juin 1897, cité *in ibid.*, pp. 250-251.

181. Alfred Dreyfus, *Cinq années de ma vie*, p. 179.

182. *Ibid.*, p. 178. L'approche de la goélette se révéla être une fausse alerte comme l'indiqua un rapport du gouverneur de la Guyane en date du 10 juin 1897 (cité *in* Jean Decrais, « Rapport officiel sur le séjour de Dreyfus à l'île du Diable », *Procès de Rennes*, I, p. 251).

183. Alfred Dreyfus, *Carnets*, p. 275.

184. Rapport du directeur de l'administration pénitentiaire au gouverneur de la Guyane, 10 décembre 1896.

185. Jean Decrais, « Rapport officiel sur le séjour de Dreyfus à l'île du Diable », *Procès de Rennes*, I, pp. 255-257.

186. Lebon, *Procès de Rennes*, I, p. 259.

187. Jean Decrais, « Rapport officiel sur le séjour de Dreyfus à l'île du Diable », *Procès de Rennes*, I, p. 250.

188. Oscar Deniel, Rapport (CAOM).

189. CAOM.

190. « Rapport sur la déportation », 12 novembre 1896, CAOM.

191. AN, BB[19].

192. D'après une estimation du député socialiste Étienne Dejeante lors du débat de l'interpellation Castelin le 18 novembre 1896 (*JO*, Chambre des députés, séance du 18 novembre 1896, p. 1614).

193. Cf. Marc Olivier Baruch et Vincent Duclert (dir.), *Serviteurs de l'État, op. cit.,* pp. 5-16.

194. Cf. Fournier, Révision 1898-1899, Instruction, I, p. 406.

CHAPITRE IX

# La déportation sur l'île du Diable

1. Voir p. 772 et suiv.

2. Alfred Dreyfus, « Mon journal », *in Cinq années de ma vie*, p. 157, note 3 (9 septembre 1896).

3. *Ibid.*, p. 162.

4. *In* « Lettre au président de la République » (*ibid.,* p. 158).

5. *Ibid.*, p. 103.

6. *Ibid.*, p. 158.

7. *Ibid.*, p. 173, note 2.

8. Il charge le ministre de faire remettre les documents à son frère Mathieu Dreyfus (CAOM, 133 MIOM 5).

9. La raison pour laquelle ces deux lettres ont été conservées est fournie par la note du directeur des services pénitentiaires : elles se trouvaient « incidemment jointes à la correspondance administrative » (« Note pour le ministre, 12 octobre 1900, CAOM, 133 MIOM 5).

10. Lettre du ministre des Colonies à Alfred Dreyfus, 20 octobre 1900 (CAOM, 133 MIOM 5).

11. CAOM, 133 MIOM 5.

12. Alfred Dreyfus, « Mon journal », *in Cinq années de ma vie*, p. 104. Effectivement, les lettres où Alfred Dreyfus conseillait à sa femme des recherches à faire pour retrouver le coupable furent arrêtées par ordre. Certaines furent retrouvées puis publiées (Alfred et Lucie Dreyfus, *Écris-moi souvent, écris-moi longuement*, Mille et Une Nuits, 2005, p).

13. Alfred et Lucie Dreyfus, *Écris-moi souvent..., op. cit.*, p. 355.

14. Alfred Dreyfus, *Mes souvenirs*, p. 37.

15. *Ibid.*, p. 39.

16. Pierre Vidal-Naquet, « Dreyfus dans l'Affaire et dans l'histoire », *in* Alfred Dreyfus, *Cinq années de ma vie*, p. 6.

17. Jean Decrais, « Rapport officiel sur le séjour de Dreyfus à l'île du Diable », *Procès de Rennes*, I, p. 255.

18. Marie-Antoinette Menier, *art. cit.*, p. 12.

19. CAOM.

20. « Le Traître Dreyfus », *La Libre Parole*, 5 juillet 1895.

21. « L'Île du Diable », 1er juin 1895. « Dreyfus à l'île du Diable », 20 septembre 1895.

22. *La Revue blanche*.

23. Jean Hess, *À l'île du Diable. Enquête d'un reporter aux îles du Salut et à Cayenne*, orné de nombreuses illustrations d'après les photographies de l'auteur, Paris, Librairie Nilsson – Per Lamm, sans date [1899], 252 p.

24. *Ibid.*, pp. I-II.

25. Joseph Reinach, *L'Affaire Dreyfus. À l'île du Diable*, Paris, P.-V. Stock, 1898. *L'Affaire Dreyfus. La voix de l'île*, Paris, P.-V. Stock, 1898.

26. Sur les initiatives internationales, nous nous permettons de renvoyer à notre livre *Dreyus est innocent ! Histoire d'une affaire d'État*, Paris, Larousse, 2006, 248 p. Pour exemple, voir *The Golden Penny*, march 26, 1898 : « How to rescue Dreyfus.

A Thrilling Short Story. » Voir également les fonds Dreyfus du Musée d'art et d'histoire du Judaïsme et les documents présentés dans l'exposition « Dreyfus. Le combat pour la justice ».

27. *Procès de Rennes*, I, pp. 248-258.

28. Le gouverneur de la Guyane répondit par lettre du 25 juin 1904 que « les dossiers dont il s'agit ont été immédiatement emballés dans une caisse en zinc soudée et placée elle-même dans une autre caisse en bois. [...] Le colis sera remis au commissaire du gouvernement à bord de la *Loire* au premier voyage de ce navire à la Guyane. » L'inventaire des pièces est en revanche adressé par ce courrier-ci à Paris (CAOM).

29. À ce moment, en 1904, le gouverneur de la Guyane avait également proposé au ministre de détruire les archives locales de la déportation (d'après Marie-Antoinette Menier, *art. cit.*, p. 2).

30. Jusqu'au 28 avril 1938, les archives de la déportation du capitaine Dreyfus demeurèrent au ministère des Colonies et restèrent ignorées de tous. Elles furent découvertes au fond d'un coffre-fort par les soins du service intérieur du ministère des Colonies, sommairement inventoriées par le 4ᵉ bureau des Affaires politiques, puis versées aux Archives nationales, à la section d'outre-mer installée rue Oudinot. Ce ne fut qu'en 1975 que Marie-Antoinette Menier en réalisa le classement (*ibid.*, p. 1).

31. *Ibid.*, p. 3.

32. *Ibid.*

33. Papiers Waldeck-Rousseau cités par Pierre Vidal-Naquet, « Dreyfus dans l'Affaire et dans l'histoire », *art. cit.*, p. 6.

34. Auguste Scheurer-Kestner, *Mémoires d'un sénateur dreyfusard, op. cit.*, p. 59.

35. Rapport du médecin de 1ʳᵉ classe des Colonies Rançon [*sic*], commissaire du gouvernement, à bord du vapeur affrété Ville-de-Saint-Nazaire au gouverneur de la Guyane française, 10 mars 1895. Original, CAOM. Rapport du docteur Ranson [*sic*], *in Procès de Rennes*, I, pp. 47-51, ici p. 47.

36. « Cette fouille est restée infructueuse et n'a amené la découverte d'aucun papier ni objet suspect. » (*Ibid.*)

37. Rapport manuscrit et original du docteur Rançon, 10 mars 1895 (CAOM).

38. *Ibid.*, p. 48.

39. Alfred Dreyfus, *Cinq années de ma vie*, p. 98.

40. Rapport du docteur Ranson, *in Procès de Rennes*, I, p. 47.

41. *Ibid.*, p. 49.

42. *Ibid.*, p. 50.

43. *Ibid.*, pp. 48-49.

44. Une indiscrétion a inquiété par la suite le fonctionnaire qui déclara : « Peut-être tout cela va-t-il indisposer contre moi M. le ministre des Colonies. » (*Ibid.*, p. 51.)

45. Alfred Dreyfus, *Mes souvenirs*, p. 16.

46. Alfred Dreyfus, *Cinq années de ma vie*, p. 104.

47. CAOM. Une lettre du 14 mars 1895 reprend ces informations et les précise. Le gouverneur insiste sur les garanties de sécurité apportées par l'île du Diable, l'existence de rochers qui interdit l'accès facile des embarcations et l'état de violence permanent de la mer.

48. Lettre du gouverneur de la Guyane au ministre des Colonies, 14 mars 1895. CAOM.

49. *Ibid.*

50. Ministre des Colonies, lettre au gouverneur de la Guyane française, 2 avril 1895, CAOM.

51. Cf. Alfred Dreyfus, *Cinq années de ma vie*, p. 103.

52. Alfred Dreyfus, « Mon journal », *in Cinq années de ma vie*, p. 105.

53. CAOM.

54. Cité par Marie-Antoinette Menier, *art. cit.*, p. 8.
55. CAOM.
56. Alfred et Lucie Dreyfus, *Écris-moi souvent... op. cit.*, p. 220.
57. *Ibid.*, p. 223.
58. *Ibid.*, p. 229 (lettre du 27 avril 1895).
59. *Ibid.*, p. 221 (lettre du 12 mars 1895).
60. Alfred Dreyfus, *Cinq années de ma vie*, p. 99.
61. CAOM.
62. Alfred Dreyfus, *Mes souvenirs*, p. 16.
63. *Ibid.*
64. Minute, sans date (CAOM).
65. « J'avais entendu parler de Dreyfus depuis décembre 1894. J'approchais alors de fort près un homme dont la mémoire m'est restée très chère, Michel Bréal. C'était bien par lui que j'avais entendu tenir des propos qui se résumaient à peu près ainsi : "Je n'ai pas à croire ou à ne pas croire à l'innocence de Dreyfus. Mais je ne crois pas à sa culpabilité, parce que la vie m'a instruit à ne croire que ce que je comprends. Or, je ne comprends pas le crime de Dreyfus. Et je ne comprends pas parce que, jusqu'à présent, on ne m'a fourni aucun mobile intelligible. J'écarte l'hypothèse d'une action humaine à laquelle il est impossible d'assigner des raisons..." C'est vrai, le "père Bréal" avait dit cela, devant moi.» (Léon Blum, *Souvenirs sur l'Affaire*, [1935], préface de Pascal Ory, Paris, Gallimard-Folio, 1981, p. 38.)
66. Alfred Dreyfus, « Mon journal », *in Cinq années de ma vie*, pp. 103-104.
67. *Ibid.*, p. 104.
68. *Ibid.*, p. 105.
69. « Un falot » (Alfred Dreyfus, *Mes souvenirs*, p. 16).
70. Alfred Dreyfus, *Cinq années de ma vie*, p. 99.
71. Ils ne seront lavés qu'une fois durant les autres années de détention (Marie-Antoinette Menier, *art. cit.*, p. 9).
72. Alfred Dreyfus, « Mon journal », *in Cinq années de ma vie*, p. 105 (14 avril 1895).
73. Alfred Dreyfus, *Cinq années de ma vie*, pp. 99-100.
74. Jean Decrais, « Rapport officiel sur le séjour de Dreyfus à l'île du Diable », cité *in Procès de Rennes*, I, p. 252.
75. *Ibid.*
76. Alfred Dreyfus, « Mon journal », *in Cinq années de ma vie*, p. 110 (19 avril 1895).
77. *Ibid.*, p. 142 (7 décembre 1895).
78. *Ibid.*, p. 110 (19 avril 1895).
79. *Ibid.*, p. 111 (20 avril 1895).
80. Jean Zay, *Souvenirs & Solitude*, préface de Pierre Mendès France, introduction et notes d'Antoine Prost, précédé de « Jean Zay, ministre de l'intelligence française » de Patrick Pesnot, éditions de l'Aube, coll. « Document », 2004, 385 p.
81. Alfred Dreyfus, *Cinq années de ma vie*, p. 99.
82. Alfred Dreyfus, « Mon journal », *in Cinq années de ma vie*, p. 105 (14 avril 1895).
83. *Ibid.*, p. 108.
84. *Ibid.*, p. 108 (15 avril 1895).
85. Alfred Dreyfus, *Cinq années de ma vie*, p. 100.
86. Alfred Dreyfus, « Mon journal », *in Cinq années de ma vie*, p. 108 (15 avril 1895).
87. *Ibid.*, p. 113 (23 avril 1895).
88. *Ibid.*, p. 110 (19 avril 1895).
89. *Ibid.*, p. 109 (16 avril 1895).
90. *Ibid.*, p. 110 (19 avril 1895).
91. *Ibid.*, p. 114 (25 avril 1895).

92. *Ibid.*, p. 113 (22 avril 1895).

93. Marie-Antoinette Menier, « La Détention du capitaine Dreyfus à l'île du Diable », *art. cit.*, p. 10.

94. Les archives du CAOM conservent chacune de ses lettres accompagnant l'envoi de la somme. Exemple : Lettre du gouverneur au ministre des Colonies, 9 novembre 1895.

95. Rapport du surveillant au surveillant-chef, 6 mars 1896, CAOM.

96. Commandant supérieur des îles du Salut au directeur de l'administration pénitentiaire, 7 mai 1896, CAOM.

97. Alfred Dreyfus, *Mes souvenirs*, p. 16.

98. Alfred Dreyfus, lettre au directeur de l'administration pénitentiaire, 22 novembre 1895, CAOM.

99. Lettre du ministre des Colonies au gouverneur de la Guyane française, 6 janvier 1896, CAOM.

100. Alfred Dreyfus, « Mon journal », *in Cinq années de ma vie*, p. 112 (21 avril 1895).

101. *Ibid.*, p. 125 (15 juin 1895).

102. *Ibid.*, p. 149 (28 février 1896).

103. Alfred Dreyfus, « Mon journal », *in Cinq années de ma vie*, p. 140 (4 novembre 1895).

104. Voir p. 439.

105. Alfred Dreyfus, « Mon journal », *in Cinq années de ma vie*, p. 105 (14 avril 1895).

106. *Ibid.*, p. 127 (6 juillet 1895).

107. *Ibid.*, p. 115.

108. *Ibid.*, p. 124 (5 juin 1895).

109. *Ibid.*, p. 132 (4 août 1895).

110. *Ibid.*, p. 144 (14 décembre 1895).

111. *Ibid.*, p. 121 (10 mai 1895).

112. *Ibid.*, p. 113 (22 avril 1895).

113. *Ibid.*, pp. 144-145 (20 décembre 1895).

114. *Ibid.*, p. 128 (mercredi 10 juillet 1895).

115. *Ibid.*, p. 129 (12 juillet 1895).

116. *Ibid.*, p. 132 (2 août 1895).

117. *Ibid.*, p. 118 (2 mai 1895, 5 heures du soir).

118. *Ibid.*, p. 110 (19 avril 1895).

119. *Ibid.*, pp. 118-119, 123.

120. *Ibid.*, p. 105 (14 avril 1895).

121. Dans son journal, il écrivit le mercredi 12 juin 1895 : « Comme on sent la douleur, le chagrin épouvantable de tous, percer entre chaque ligne. Je me reproche encore davantage d'avoir écrit, au début de mon arrivée ici, des lettres navrantes à ma femme. Je devrais savoir souffrir tout seul, sans faire partager à ceux qui souffrent déjà assez par eux-mêmes mes cruelles tortures. » (*Ibid.*, pp. 124-125).

122. *Ibid.*, p. 130 (28 juillet 1895).

123. *Ibid.*, p. 125 (12 juin 1895).

124. *Ibid.*, p. 127 (4 juillet 1895).

125. *Ibid.*, p. 132 (2 août 1895, 7 heures soir).

126. « Journée terriblement longue. Premières pluies. Obligé de me confiner dans mon cabanon. Rien à lire. Les livres annoncés par la lettre du mois d'août ne me sont pas encore parvenus. » *Cinq années de ma vie*, p. 140.

127. Rapport mensuel d'août 1895, cité *in* Jean Decrais, « Rapport officiel sur le séjour de Dreyfus à l'île du Diable », *Procès de Rennes*, I, p. 253.

128. Alfred Dreyfus, « Mon journal », *in Cinq années de ma vie*, p. 139 (nuit du 2 au 3 novembre 1895).

129. *Ibid.*, pp. 140-141 (15 novembre 1895).

130. *Ibid.*, p. 143 (12 décembre 1895).
131. *Ibid.*, p. 145 (25 décembre 1895).
132. *Ibid.*, p. 146.
133. *Ibid.*, p. 147 (30 décembre 1895).
134. *Ibid.*, p. 147 (1ᵉʳ janvier 1896).
135. Rapport mensuel d'août 1896, cité *in* Jean Decrais, « Rapport officiel sur le séjour de Dreyfus à l'île du Diable », *Procès de Rennes*, I, p. 253.
136. Ministre des Colonies, lettre au gouverneur de la Guyane, 3 décembre 1895. CAOM.
137. Rapport mensuel de janvier 1896, cité *in* Jean Decrais, « Rapport officiel sur le séjour de Dreyfus à l'île du Diable », *Procès de Rennes*, I, p. 253.
138. Alfred Dreyfus, « Mon journal », *in Cinq années de ma vie*, p. 149 (4 mars 1896).
139. *Ibid.*, p. 112 (21 avril 1895).
140. *Ibid.*, pp. 129-130 (20 juillet 1895).
141. *Ibid.*, p. 136 (1ᵉʳ octobre 1895).
142. *Ibid.*, p. 138 (6 octobre 1895).
143. *Ibid.*, p. 144 (16 décembre 1895).
144. *Ibid.*, p. 149 (28 février 1896).
145. CAOM.
146. Alfred Dreyfus, « Mon journal », *in Cinq années de ma vie*, p. 148 (8 janvier 1896).
147. *Ibid.*, p. 154 (5 septembre 1896).
148. *Ibid.*, p. 153 (2 septembre 1896).
149. *Ibid.*, p. 117 (1ᵉʳ mai 1895).
150. *Ibid.*, p. 141 (3 décembre 1895).
151. *Ibid.*, p. 130 (24 juillet 1895).
152. *Ibid.*, p. 149 (8 mars 1896).
153. *Ibid.*, pp. 146-147 (29 décembre 1895).
154. BNF, Nafr. 24909, cahier de travail, 3 août 1898-29 avril 1899.
155. Alfred Dreyfus, « Mon journal », *in Cinq années de ma vie*, p. 117 (29 avril 1895).
156. *Ibid.*, p. 112 (21 avril 1895).
157. *Ibid.*, p. 115 (26 avril 1895).
158. *Ibid.*, p. 125 (19 juin 1895).
159. *Ibid.*, p. 129 (16 juillet 1895). Également le 4 août 1895 (p. 133).
160. *Ibid.*, p. 140 (4 novembre 1895).
161. *Ibid.*, p. 138. (« Vent violent. »)
162. *Ibid.*, p. 140 (9 novembre 1895).
163. *Ibid.*, p. 131 (30 juillet 1895).
164. *Ibid.*, p. 106 (nuit du 14 avril 1895).
165. *Ibid.*, p. 126 (22 juin 1895).
166. *Ibid.*, p. 151 (5 avril 1896).
167. *Ibid.*, p. 150 (15 mars 1896).
168. *Ibid.*, p. 136 (29 septembre 1895).
169. *Ibid.*, p. 113 (22 avril 1895).
170. *Ibid.*, p. 114 (nuit du 25 avril 1895).
171. *Ibid.*, p. 114 (nuit du 25 avril 1895).
172. *Ibid.*, p. 117 (29 avril 1895).
173. *Ibid.*, p. 110 (19 avril 1895).
174. *Ibid.*, p. 112 (21 avril 1895).
175. « Rapport au sujet du déporté », 7 mai 1896.
176. CAOM.
177. Alfred Dreyfus, « Mon journal », *in Cinq années de ma vie*, p. 113 (22 et 23 avril 1895).

178. *Ibid.*, p. 114 (26 avril 1895).

179. *Ibid.*, p. 121 (9 mai 1895).

180. Rapports mensuels des gardiens-chefs cités *in* Jean Decrais, « Rapport officiel sur le séjour de Dreyfus à l'île du Diable », p. 257.

181. Alfred Dreyfus, « Mon journal », *in Cinq années de ma vie*, p. 122 (17 mai 1895).

182. *Ibid.*, p. 122 (19 mai 1895).

183. *Ibid.*, p. 125 (15 juin 1895).

184. *Ibid.*, p. 130 (23 juillet 1895).

185. Cité *in* Jean Decrais, « Rapport officiel sur le séjour de Dreyfus à l'île du Diable », *Procès de Rennes*, I, p. 257.

186. *Ibid.*

187. *Ibid.*

188. Télégramme, 1er juillet 1896, CAOM. Cité en partie *in ibid.*

189. Télégramme du 2 juillet 1896. CAOM.

190. Gouverneur de la Guyane [signé Simon], télégramme, 1er juillet 1896. CAOM.

191. Ministre des Colonies, dépêche au gouverneur de la Guyane, 4 août 1896, CAOM.

192. Alfred Dreyfus, « Mon journal », *in Cinq années de ma vie*, p. 131 (29 juillet 1895).

193. *Ibid.*, p. 144 (13 décembre 1895).

194. *Ibid.*, p. 107 (nuit du 14 avril 1895).

195. *Ibid.*, p. 146 (28 décembre 1895).

196. *Ibid.*, p. 152 (30 août 1896).

197. Rapport mensuel de juillet, cité *in* Jean Decrais, « Rapport officiel sur le séjour de Dreyfus à l'île du Diable », *Procès de Rennes*, I, p. 253.

198. *Ibid.*

199. Rapport mensuel de septembre 1895, cité *in ibid.*

200. Alfred Dreyfus, « Mon journal », *in Cinq années de ma vie*, p. 141 (30 novembre 1895).

201. Alfred et Lucie Dreyfus, *Écris-moi souvent...*, *op. cit.*, p. 222 (lettre du 12 mars 1895).

202. Alfred Dreyfus, « Mon journal », *in Cinq années de ma vie*, p. 107 (nuit du 14 avril 1895).

203. *Ibid.*, p. 126 (19 juin 1895).

204. *Ibid.*, p. 152 (1er septembre 1896).

205. *Ibid.*, p. 106 (14 avril 1895).

206. *Ibid.*, p. 134 (2 septembre 1895).

207. *Ibid.*, pp. 143-144 (13 décembre 1895).

208. *Ibid.*, p. 119 (4 mai 1895).

209. *Ibid.*, pp. 133-134 (10 août 1895).

210. *Ibid.*, p. 129 (14 juillet 1895).

211. *Ibid.*, p. 134 (6 septembre 1895).

212. *Ibid.*, p. 154 (4 septembre 1895).

213. Ceci est précisé dans une petite note d'Alfred Dreyfus où il indiquait que cette lettre, ainsi que celle du 24 juillet et deux autres adressées par Lucie (4 juillet 1896, BNF, Nafr.16610, f° 267 et 18 juillet 1896, *id.* f° 269), lui furent rendues le 17 décembre 1900 à sa demande (note : f° 226).

214. BNF, Nafr. 16609, f° 227-228.

215. Alfred Dreyfus, « Mon journal », *in Cinq années de ma vie*, p. 155 (6 septembre 1896).

216. *Ibid.*, p. 155 (6 septembre 1896).

217. Joseph Reinach, *Histoire de l'affaire Dreyfus*, II, pp. 315-316.

218. Gouverneur de la Guyane, télégramme au ministre des Colonies, 21 octobre 1896, cité *in* Jean Decrais, « Rapport officiel sur le séjour de Dreyfus à l'île du Diable », *Procès de Rennes*, I, p. 250. Voir également Jean Hess, *À l'île du Diable*, *op. cit.*, p. 75.
219. Alfred Dreyfus, *Cinq années de ma vie*, p. 163.
220. Jean Hess, *À l'île du Diable*, *op. cit.*, pp. 74-75.
221. Joseph Reinach, *Histoire de l'affaire Dreyfus*, II, p. 319.
222. Il rappela son scoop dans son reportage de 1898, *À l'île du Diable*, *op. cit.*, pp. 76-78.
223. Alfred Dreyfus, « Mon journal », *in Cinq années de ma vie*, pp. 155-156 (7 septembre 1896).
224. Pierre Mendès France s'adresse au commissaire du gouvernement. Il ajoute à son intention : « Vous avez bien travaillé pour Hitler – et pour votre avancement ! » (*In Liberté, liberté chérie* [1943], *in Œuvres complètes*, I, *S'engager 1922-1943*, Paris, Gallimard, 1984, p. 473.)
225. Alfred Dreyfus, « Mon journal », *in Cinq années de ma vie*, p. 156 (7 septembre 1896).
226. *Ibid.*, p. 156 (8 septembre 1896).
227. *Ibid.*, p. 157 (mardi 8 septembre 1896).
228. *Ibid.*, p. 157 (9 septembre 1896).
229. Alfred Dreyfus, « Mes souvenirs », p. 37.
230. Alfred Dreyfus, *Cinq années de ma vie*, p. 163.
231. Le 12 novembre (d'après Joseph Reinach, *Histoire de l'Affaire Dreyfus*, II, p. 321).
232. Marie-Antoinette Menier, *art. cit.*, p. 9.
233. « L'administration coloniale qui l'exploite dans son domaine forestier du Maroni, en fait commerce. Lorsqu'elle construisit la prison de Dreyfus, elle épuisa son stock du mois ; et les particuliers qui en avaient besoin ne trouvèrent à acheter que des pièces de rebut. » (Jean Hess, *À l'île du Diable*, *op. cit.*, p. 92.)
234. Jean Decrais, « Rapport officiel sur le séjour de Dreyfus à l'île du Diable », *Procès de Rennes*, I, p. 250.
235. Cité par Jean Decrais, *in ibid.*
236. CAOM.
237. Alfred Dreyfus, *Cinq années de ma vie*, p. 164.
238. Alfred Dreyfus, « Mes souvenirs », p. 37.
239. Cité par Jean Decrais, « Rapport officiel sur le séjour de Dreyfus à l'île du Diable », *Procès de Rennes*, I, p. 250.
240. Jean Hess, *À l'île du Diable*, *op. cit.*, p. 84.
241. Alfred Dreyfus, *Cinq années de ma vie*, p. 181.
242. Rapport du 7 septembre 1896, cité *in* Jean Decrais, « Rapport officiel sur le séjour de Dreyfus à l'île du Diable », *Procès de Rennes*, I, p. 250.
243. *Ibid.*
244. Lettre du commandant supérieur des îles du Salut au directeur de l'administration pénitentiaire, 5 octobre 1896, CAOM.
245. Alfred Dreyfus, *Cinq années de ma vie*, p. 162.
246. Alfred Dreyfus, « Mes souvenirs », p. 39.
247. Voir chapitre suivant, « La résistance de Dreyfus », pp. 481-560.
248. Jean Hess, *À l'île du Diable*, *op. cit.*, p. 66.
249. *Ibid.*, p. 100.
250. *Ibid.*, pp. 96-97.
251. *Ibid.*, pp. 98-99.
252. Alfred Dreyfus, *Cinq années de ma vie*, p. 173.
253. Lucie Dreyfus, lettre à Alfred Dreyfus, 20 février 1897, in *Écris-moi souvent...*, *op. cit.*, pp. 352-353.

254. Lucie Dreyfus, lettre à Alfred Dreyfus, 13 juillet 1897, in *ibid.*, p. 369. La lettre de Lucie du 1er juillet 1897 fut arrêtée par ordre.

255. Alfred Dreyfus, *Cinq années de ma vie*, p. 190.

256. Sur l'enveloppe de cette lettre : « Lettre arrêtée par ordre du ministre, 12 7bre [septembre] 1896 » (CAOM, Affaires politiques 1, carton 3359). Cette lettre se poursuit le 20 septembre 1896 (Alfred et Lucie Dreyfus, *Écris-moi souvent...*, *op. cit.*, pp. 314-321).

257. Mot difficilement lisible.

258. Mot difficilement lisible.

259. Il s'agit du chef d'État-major de l'armée.

260. Jean Decrais, « Rapport officiel sur le séjour de Dreyfus à l'île du Diable », *Procès de Rennes*, I, p. 252.

261. Marie-Antoinette Menier, *art. cit.*, p. 9.

262. Jean Decrais, « Rapport officiel sur le séjour de Dreyfus à l'île du Diable », *Procès de Rennes*, I, p. 251.

263. Alfred Dreyfus, *Cinq années de ma vie*, p. 182. Jean Decrais, « Rapport officiel sur le séjour de Dreyfus à l'île du Diable », *Procès de Rennes*, I, p. 252.

264. Alfred Dreyfus, *Cinq années de ma vie*, p. 183.

265. Cf. Alfred Dreyfus, *Mes souvenirs*, p. 40.

266. « Rapport sur la déportation », 12 novembre 1896, CAOM.

267. Rapport du 26 novembre, cité in *Procès de Rennes*, I, p. 256.

268. Alfred Dreyfus, *Cinq années de ma vie*, p. 183.

269. Voir p. 392.

270. Alfred Dreyfus, *Cinq années de ma vie*, p. 184.

271. *In* Joseph Reinach, *Histoire de l'affaire Dreyfus*, I, p. 550. Déjà cité, p. [renvoi].

272. Jean Hess, *À l'île du Diable*, *op. cit.*, pp. 70-71.

273. *Ibid.*, pp. 86-90.

274. Citée par Marie-Antoinette Menier, *art. cit.*, p. 18.

275. Ce « Rapport au gouverneur de la Guyane », du 7 octobre 1897, devint la pièce n° 115 du grand dossier secret (BNF, Nafr. 16464, f° 157-161).

276. Pièce n° 116 (*id.*, f° 162-163).

277. Alfred Dreyfus, *Cinq années de ma vie*, p. 191.

278. *Ibid.*, p. 193.

279. Alfred et Lucie Dreyfus, *Écris-moi souvent...*, *op. cit.*, p. 330.

280. *Ibid.*, p. 360.

281. *Ibid.*, p. 364.

282. *Ibid.*, p. 370.

283. *Ibid.*, p. 379.

284. *Ibid.*, p. 386 (lettre du 22 octobre 1897).

285. *Ibid.*, p. 389 (lettre du 4 novembre 1897).

286. *Ibid.*, p. 385.

287. *Ibid.*, pp. 392-393.

288. *Ibid.*, p. 411.

289. Citée in Révision 1898-1899, Débats 1898, Conclusions Manau, pp. 124-127.

290. Alfred Dreyfus, lettre au général de Boisdeffre, 3 juillet 1897 (BNF, Nafr. 16464, f° 145. Cette lettre forme la pièce n° 104 du grand dossier secret.

291. Voir pp. 531 et suiv.

292. Alfred Dreyfus, « Mes souvenirs », p. 42.

293. Jean Decrais, « Rapport officiel sur le séjour de Dreyfus à l'île du Diable », *Procès de Rennes*, I, p. 257.

294. *Ibid.*, p. 37.

295. Cité par Marie-Antoinette Menier, *art. cit.*, p. 11.

296. Rapport du 12 avril 1897, cité *in* Jean Decrais, « Rapport officiel sur le séjour de Dreyfus à l'île du Diable », *Procès de Rennes*, I, p. 258.
297. Cité *in ibid.,* p. 257.
298. Rapport du 26 mai 1897 cité *in ibid.*
299. Rapport mensuel du 7 octobre 1897, cité *in ibid.*, p. 254.
300. Télégramme adressé au directeur de l'administration pénitentiaire par le commandant des îles du Salut, cité *in ibid.*, p. 258.
301. Marie-Antoinette Menier, *art. cit.*, p. 16.
302. *Ibid.*
303. Rapport de décembre 1897, cité *in* Jean Decrais, « Rapport officiel sur le séjour de Dreyfus à l'île du Diable », *Procès de Rennes*, I, pp. 254 et 258.
304. Marie-Antoinette Menier, *art. cit.*, p. 16.
305. *Ibid.*
306. Rapport du 23 mars 1898, cité *in* Jean Decrais, « Rapport officiel sur le séjour de Dreyfus à l'île du Diable », *Procès de Rennes*, I, p. 258.
307. Rapport du 15 avril 1898, cité *in ibid.*
308. Alfred Dreyfus, *Cinq années de ma vie*, p. 197.
309. *Ibid.*, p. 199.
310. *Ibid.*, p. 199.
311. Alfred et Lucie Dreyfus, *Écris-moi souvent..., op. cit.*, p. 435.
312. Rapport du 25 novembre 1898 cité par Joseph Reinach, *Histoire de l'Affaire Dreyfus*, IV, p. 370.
313. *Ibid.*, p. 371.
314. Alfred Dreyfus, *Cinq années de ma vie*, p. 200.
315. *Ibid.*, p. 201.

## CHAPITRE X

## La résistance de Dreyfus

1. Voir p. 172.
2. Alfred et Lucie Dreyfus, *Écris-moi souvent..., op. cit.*, p 221.
3. Alfred Dreyfus, « Mon journal », *in Cinq années de ma vie*, pp. 109-110, 19 avril 1895.
4. *Ibid.*, p. 111, nuit du 20 au 21 avril 1895.
5. *Ibid.*, p. 135, 22 septembre 1895.
6. *Ibid.*, pp. 123-124, 3 juin 1895.
7. *Ibid.*, p. 136, 27 septembre 1895.
8. *Ibid.*, p. 151, 5 avril 1896.
9. *Ibid.*, p. 117, 29 avril 1895.
10. *Ibid.*, pp. 158-159, 10 septembre 1896.
11. Alfred Dreyfus, *Cinq années de ma vie*, p. 166.
12. *Ibid.*, p. 165.
13. Lucie Dreyfus, lettre à Alfred Dreyfus, 13 août 1895, in *Écris-moi souvent...,* *op. cit.*, pp. 308-309.
14. Alfred Dreyfus, « Mon journal », *in Cinq années de ma vie*, p. 127, 4 juillet 1895.
15. *Ibid.*, p. 119.
16. Alfred et Lucie Dreyfus, *Écris-moi souvent..., op. cit.*, 8 mai 1895.
17. *Ibid.*, pp. 237-238, 18 mai 1895.
18. *Ibid.*, pp. 239-240, 27 mai 1895.
19. *Ibid.*, pp. 246-247, 2 juillet 1895.
20. *Ibid.*, pp. 260-261, 27 septembre 1895.

21. Alfred Dreyfus, « Mon journal », *in Cinq années de ma vie*, p. 153, 2 septembre 1896.

22. BNF, Nafr. 16609, f° 372-373.

23. Alfred Dreyfus, « Mon journal », *in Cinq années de ma vie*, p. 135, 22 septembre 1895.

24. Voir p. 439.

25. Alfred Dreyfus, « Mon journal », *in Cinq années de ma vie*, p. 135, 22 septembre 1895.

26. *Ibid.*, p. 116, 28 avril 1895.

27. *Ibid.*, p. 142, 5 décembre 1895.

28. *Ibid.*, p. 136, 27 septembre 1895.

29. Rapport du 7 octobre 1897, cité *in* Jean Decrais, « Rapport officiel sur le séjour de Dreyfus à l'île du Diable », *Procès de Rennes*, I, p. 254.

30. Rapport du 10 mars 1898 cité *in ibid.*

31. Alfred Dreyfus, « Mon journal », *in Cinq années de ma vie*, p. 123, 29 mai 1895.

32. *Ibid.*, p. 149, 28 février 1896.

33. Jean Decrais, « Rapport officiel sur le séjour de Dreyfus à l'île du Diable », *Procès de Rennes*, I, p. 252.

34. Rapport de septembre 1896, cité *in ibid.*, p. 254.

35. Rapport d'avril 1896, cité *in ibid.*

36. *Ibid.*, p. 253.

37. Alfred Dreyfus, « Mon journal », *in Cinq années de ma vie*, p. 110, 19 avril 1895.

38. *Ibid.*, p. 125.

39. *Ibid.*, p. 157, 9 septembre 1896.

40. Rapport de M. Pottier, officier d'administration, commandant supérieur des îles du Salut, au directeur de l'administration pénitentiaire, 28 novembre 1895, CAOM.

41. Alfred et Lucie Dreyfus, *Écris-moi souvent...*, *op. cit.*, p. 190.

42. *Ibid.*, p. 343.

43. *Ibid.*, pp. 388-389.

44. Voir pp. 531 et suiv.

45. Alfred Dreyfus, « Mon journal », *in Cinq années de ma vie*, p. 111, 20 avril 1895.

46. *Ibid.*, pp. 134-135, 27 septembre 1895.

47. *Ibid.*, p. 129, 12 juillet 1895.

48. *Ibid.*, p. 242, 3 juin 1895.

49. Alfred Dreyfus, « Mon journal », *in Cinq années de ma vie*, p. 147, 30 décembre 1895. Nous soulignons.

50. *Ibid.*, p. 123, 2 juin 1895.

51. Rapport mensuel, mars 1895, *in* Jean Decrais, « Rapport officiel sur le séjour de Dreyfus à l'île du Diable », *Procès de Rennes*, I, pp. 252-253.

52. Alfred Dreyfus, « Mon journal », *in Cinq années de ma vie*, p. 107, nuit du 14 avril 1895.

53. Alfred et Lucie Dreyfus, *Écris-moi souvent...*, *op. cit.*, p. 257, 7 septembre 1895.

54. Alfred Dreyfus, « Mon journal », *in Cinq années de ma vie*, p. 119-120, 4 et 6 mai 1895.

55. *Ibid.*, p. 147-148, 1er janvier 1896.

56. Alfred et Lucie Dreyfus, *Écris-moi souvent...*, *op. cit.*, p. 233, 8 mai 1895.

57. *Ibid.*, p. 241, 3 juin 1895.

58. Alfred Dreyfus, « Mon journal », *in Cinq années de ma vie*, p. 126, 19 juin 1895.

59. *Ibid.*, pp. 138-139, 26 octobre 1895.

60. *Ibid.*, p. 148, 8 janvier 1896.

61. Alfred et Lucie Dreyfus, *Écris-moi souvent...*, *op. cit.*, p. 233, 8 mai 1895.
62. Charles Péguy, *Œuvres en prose complètes*, II, Paris, Gallimard, coll. « Bibliothèque de la Pléiade », 1988, p. 78.
63. Alfred et Lucie Dreyfus, *Écris-moi souvent...*, *op. cit.*, p. 233, 8 mai 1895.
64. Alfred Dreyfus, « Mon journal », *in Cinq années de ma vie*, p. 122.
65. Alfred et Lucie Dreyfus, *Écris-moi souvent...*, *op. cit.*, p. 241.
66. Alfred Dreyfus, « Mon journal », *in Cinq années de ma vie*, p. 121, 9 mai 1895.
67. *Ibid.*, p. 121, 9 mai 1895.
68. Alfred et Lucie Dreyfus, *Écris-moi souvent...*, *op. cit.*, pp. 246-248, 2 juillet 1895 et 2 juillet, 11 heures du soir.
69. Alfred Dreyfus, « Mon journal », *in Cinq années de ma vie*, p. 120.
70. *Ibid.*, p. 120, 8 mai 1895.
71. *Ibid.*, p. 132, 2 août 1895.
72. *Ibid.*, p. 121, 16 mai 1895.
73. *Ibid.*, p. 151, 26 juillet 1896.
74. *Ibid.*, p. 151, 2 août 1896.
75. Alfred Dreyfus, lettre à Lucie Dreyfus, 24 juillet 1896, *in Écris-moi souvent...*, *op. cit.*, p. 308.
76. Voir chapitre XI, « L'espoir de Rennes », pp. 561-637.
77. Alfred et Lucie Dreyfus, *Écris-moi souvent...*, *op. cit.*, p. 221.
78. *Ibid.*, pp. 223-224, 20 mars 1895.
79. *Ibid.*, pp. 228-229, 27 avril 1895.
80. *Ibid.*, pp. 232-233, 8 mai 1895.
81. *Ibid.*, p. 202, 17 février 1895.
82. *Ibid.*, p. 257, 7 septembre 1895.
83. *Ibid.*, pp. 260-262, 27 septembre 1895.
84. *Ibid.*, pp. 342-343, 4 janvier 1897.
85. *Ibid.*
86. *Ibid.*, pp. 233-234, 9 mai 1895.
87. *Ibid.*, pp. 248-249, 8 juillet 1895.
88. BNF, Nafr. 16609 f° 423-424, 30 mai 1899.
89. Lucie Dreyfus omet de dire – elle ne le peut et ne le voudrait de toute façon pas – que le gouvernement et le Parlement tentent de stopper la marche de la justice en défendant le principe d'une loi de dessaisissement de la chambre criminelle de la Cour de cassation qui instruit avec succès le dossier de la condamnation de 1894.
90. Alfred et Lucie Dreyfus, *Écris-moi souvent...*, *op. cit.*, pp. 455-456, 30 janvier 1899.
91. Alfred Dreyfus, « Mon journal », *in Cinq années de ma vie*, p. 147, 30 décembre 1895.
92. *Ibid.*, p. 145, 20 décembre 1895.
93. *Ibid.*, p. 122, 19 mai 1895.
94. Alfred et Lucie Dreyfus, *Écris-moi souvent...*, *op. cit.*, pp. 149-150.
95. Alfred Dreyfus, « Mon journal », *in Cinq années de ma vie*, p. 144, 13 décembre 1895.
96. *Ibid.*, p. 107, 15 avril 1895.
97. *Ibid.*, p. 140, 7 novembre 1895.
98. Jean Decrais, « Rapport officiel sur le séjour de Dreyfus à l'île du Diable », *Procès de Rennes*, I, p. 253.
99. Alfred Dreyfus, « Mon journal », *in Cinq années de ma vie*, p. 229, 27 avril 1895.
100. *Ibid.*
101. *Ibid.*, p. 229, 27 avril 1895.
102. *Ibid.*, p. 232, 8 mai 1895.
103. *Ibid.*, p. 244, 11 juin 1895.

104. *Ibid.*, p. 248, 2 juillet 1895, 11 heures du soir.

105. Isaac Kayser est un cousin éloigné de Lucie et Marie Hadamard. Le couple aura deux enfants, Jacques Kayser (1900-1963), journaliste, diplomate, historien, vice-président du parti radical-socialiste, auteur d'une *Histoire de l'affaire Dreyfus* (Paris, Gallimard «La suite des temps», 1946, 311 p.) et Fernand Kayser (1905-1966), doyen de la faculté de pharmacie de Nancy.

106. Alfred et Lucie Dreyfus, *Écris-moi souvent...*, *op. cit.*, pp. 357-358, 5 avril 1897.

107. BNF, Nafr. 16609.

108. Alfred Dreyfus, *Cinq années de ma vie*, p. 204.

109. Marie-Antoinette Menier, *art. cit.*, p. 10.

110. Ministre des Colonies, lettre au gouverneur de la Guyane française, 25 mars 1895, CAOM.

111. Cité par Jean Hess, *À l'île du Diable*, *op. cit.*, pp. 159 et suivantes. L'administration se vengea de Paul Dufourg, lui faisant subir de multiples tracasseries. «Au moment où l'on ne doutait point à Cayenne de la culpabilité du déporté, l'homme qui s'occupait ainsi de lui passa pour un traître.» (*Ibid.*, p. 163.)

112. Ministre des Colonies, lettre au gouverneur de la Guyane, 27 juin 1895, CAOM.

113. *Id.*

114. CAOM.

115. Alfred Dreyfus, lettre au commandant supérieur des îles du Salut, 31 décembre 1895, CAOM.

116. Alfred Dreyfus, «Mon journal», in *Cinq années de ma vie*, p. 112, 21 avril 1895.

117. *Ibid.*, p. 114, 26 avril 1895.

118. *Ibid.*, p. 131, 30 juillet 1895.

119. *Ibid.*, p. 142, 8 décembre 1895.

120. *Ibid.*, p. 157, 9 septembre 1896.

121. Cité par Jean Hess, *À l'île du Diable*, *op. cit.*, p. 183.

122. *Ibid.*, pp. 186-187.

123. Cf. Julien Gracq, *En lisant en écrivant*, Paris, José Corti, 1981, 305 p.

124. Jean Decrais, «Rapport officiel sur le séjour de Dreyfus à l'île du Diable», *Procès de Rennes*, I, p. 255.

125. *Ibid.*

126. Alfred Dreyfus, «Mon journal», in *Cinq années de ma vie*, p. 115, 26 avril 1895.

127. Alfred et Lucie Dreyfus, *Écris-moi souvent...*, *op. cit.*, pp. 344-345.

128. *Ibid.*, p. 232 (8 mai 1895).

129. Alfred Dreyfus, «Mon journal», in *Cinq années de ma vie*, p. 122, 27 mai 1895.

130. Alfred et Lucie Dreyfus, *Écris-moi souvent...*, *op. cit.*, pp. 232-233, 8 mai 1895.

131. *Ibid.*, p. 154, 5 septembre 1896.

132. *Ibid.*, p. 119, 4 mai 1895.

133. *Ibid.*, p. 120, 4 mai 1895, le soir.

134. *Ibid.*, p. 120, 6 mai 1895.

135. *Ibid.*, p. 146, 28 décembre 1895.

136. *Ibid.*, pp. 157-158, 9 septembre 1896.

137. BNF, Nafr., 24909 (quatorze cahiers de travail d'Alfred Dreyfus à l'île du Diable, 3 août 1898-29 avril 1899). On a perdu la trace des autres cahiers.

138. Dreyfus avait rencontré dans sa jeunesse le père du romancier. Voir p. 44.

139. BNF, Nafr. 24909, f° 12.

140. *De la démocratie en Amérique*, 2 tomes, 1835 et 1840.

141. BNF, Nafr. 24909, f° 206.

142. « Avant le départ du courrier, je veux encore te faire entendre..., t'envoyer l'écho de mon immense affection » (*id.*, f° 43).

143. « Je garde pour toujours en mon âme obstinée/Le souvenir de ces longues et mornes journées/Or je vais, la tête vide, le corps épuisé/Dans l'avenir désert, songeant ma destinée » (*id.*, f° 33).

144. *Id.*, f° 81.

145. *Id.*, f° 88.

146. *Id.*, f° 106.

147. *Id.*, f° 197.

148. La censure aurait pu y voir un message codé.

149. Alfred et Lucie Dreyfus, *Écris-moi souvent...*, *op. cit.*, pp. 240-241.

150. Michael Burns, *Histoire d'une famille française*, *op. cit.*, pp. 250-251.

151. Alfred et Lucie Dreyfus, *Écris-moi souvent...*, *op. cit.*, pp 382-383.

152. Alfred Dreyfus, « Mon journal », *in Cinq années de ma vie*, p. 141, 3 décembre 1895.

153. *Ibid.*, p. 114, nuit du 25 avril 1895.

154. *Ibid.*, pp. 110-111, 20 avril 1895.

155. *Ibid.*, p. 112, 21 avril 1895.

156. *Ibid.*, p. 113, 23 avril 1895.

157. *Ibid.*, p. 113, 22 avril 1895.

158. *Ibid.*, p. 113, 22 avril 1895.

159. *Ibid.*, p. 116, 28 avril 1895.

160. *Ibid.*, p. 110, 19 avril 1895.

161. *Ibid.*, p. 108, 15 avril 1895.

162. *Ibid.*, p. 141, 15 novembre 1895.

163. *Ibid.*, p. 116, 28 avril 1895.

164. *Ibid.*, p. 141, 30 novembre 1895.

165. *Ibid.*, p. 144, 14 décembre 1895.

166. *Ibid.*, p. 155, 7 septembre 1896.

167. *Ibid.*, p. 107, 15 avril 1895.

168. *Ibid.*, p. 127, 28 juin 1895.

169. *Ibid.*, p. 130, 20 juillet 1895.

170. *Ibid.*, p. 148, 27 janvier 1896.

171. *Ibid.*, p. 150, 15 mars 1896.

172. Durant le dernier été de bonheur, en 1894, Lucie Dreyfus et les deux enfants séjournèrent à Houlgate sur la côte normande. Alfred les rejoignait chaque weekend. Voir p. 25.

173. Alfred Dreyfus, *Cinq années de ma vie*, p. 164.

174. Rapport du 6 mai 1897, cité *in* Jean Decrais, « Rapport officiel sur le séjour de Dreyfus à l'île du Diable », *Procès de Rennes*, I, p. 254.

175. Alfred Dreyfus, « Mon journal », *in Cinq années de ma vie*, pp. 111-112, 20 avril 1895.

176. Jean Decrais, « Rapport officiel sur le séjour de Dreyfus à l'île du Diable », *Procès de Rennes*, I, p. 253 (cité de manière légèrement inexacte par Joseph Reinach, *Histoire de l'affaire Dreyfus*, I, p. 483).

177. Lettre citée *in* Révision 1898-1899, Débats 1899, p. 325.

178. AN, BB¹⁹ 106.

179. BNF, Nafr. 16464, f° 146-147 (pièces 105 et 105 bis du grand dossier secret).

180. Cette correspondance a été citée par l'avocat du capitaine Dreyfus, dans sa plaidoirie finale du *Procès de Rennes*. « Vous entendez celui qui parle. Quoi ! ce n'est pas là l'innocent, celui qui a conçu dans sa cellule de pouvoir saisir sur un territoire neutre l'homme qui possède les secrets ? Il veut que son frère lui arrache le nom du misérable ! » (*Procès de Rennes*, III, pp. 605-607).

181. BB¹⁹ 105.

182. Alfred Dreyfus, *Cinq années de ma vie*, p. 148.

183. « Monsieur le ministre, j'ai mis sous les yeux de M. le président de la République la supplique du condamné Dreyfus que vous avez bien voulu me faire parvenir le 14 novembre. M. le Président me charge d'avoir l'honneur de vous informer qu'il partage votre manière de voir. La demande en révision du procès n'étant appuyée sur aucun des cas prévus par l'article 443 du code d'instruction criminelle, la supplique du condamné Dreyfus est sans objet. J'ai l'honneur de vous retourner cette supplique, en vous priant de vouloir bien inviter M. le ministre des Colonies à faire communiquer au condamné Dreyfus, verbalement et par l'administration pénitentiaire, la décision de M. le président de la République » (lettre du 16 novembre 1895, AN, BB¹⁹ 106).

184. Rapport mensuel de janvier 1896, cité *in* Jean Decrais, « Rapport officiel sur le séjour de Dreyfus à l'île du Diable », *Procès de Rennes*, I, p. 253.

185. Alfred Dreyfus, lettre au président de la République, 25 novembre 1897, citée *in* Révision 1898-1899, Conclusions Manau, p. 127.

186. « Mes enfants grandissent déshonorés, ce sont des parias ; leur éducation est impossible, et j'en deviens fou de douleur... Les mêmes intérêts ne peuvent cependant pas exiger que ma chère femme, mes pauvres enfants leur soient immolés » (*ibid.*).

187. AN, BB¹⁹ 105. Citée *in* Révision 1898-1899, Conclusions Manau, p. 128.

188. Mot difficilement lisible.

189. Mots illisibles.

190. Mots illisibles.

191. Alfred et Lucie Dreyfus, *Écris-moi souvent...*, *op. cit.*, pp. 374-376, 20 août 1897.

192. *Ibid.* pp. 409-410.

193. *Ibid.*, p. 410.

194. *Ibid.*, p. 411.

195. AN, BB¹⁹ 105.

196. Alfred Dreyfus, lettre au président de la République, 12 janvier 1898, citée *in* Révision 1898-1899, Conclusions Manau, p. 129.

197. AN, BB¹⁹ 105. Alfred Dreyfus, lettre au président de la République, 16 janvier 1898, citée *in ibid.*

198. AN, BB¹⁹ 105.

199. Voir p. 474.

200. Citée *in* Révision 1898-1899, Conclusions Manau, p. 118.

201. Alfred Dreyfus, *Cinq années de ma vie*, p. 195.

202. Alfred et Lucie Dreyfus, *Écris-moi souvent...*, *op. cit.*, pp. 408-409.

203. Citée *in* Alfred Dreyfus, *Cinq années de ma vie*, p. 194.

204. Alfred et Lucie Dreyfus, *Écris-moi souvent...*, *op. cit.*, p. 414.

205. Nous n'avons pas trouvé trace d'un tel télégramme dans les fonds d'archives connus, notamment au CAOM d'Aix-en-Provence.

206. AN, BB¹⁹ 105.

207. CAOM.

208. AN, BB¹⁹ 105.

209. AN, BB¹⁹ 105.

210. Alfred Dreyfus, *Cinq années de ma vie*, p. 197.

211. Joseph Reinach, *Histoire de l'affaire Dreyfus*, IV, p. 295.

212. *Ibid.*

213. « Henry ou Lebon avait supprimé le courrier de l'époque du procès Zola, des paroles réconfortantes qui eussent fait du bien au malheureux qui s'obstinait à ne pas mourir » (*ibid.*, p. 294).

214. « Je viens de recevoir ta lettre du 5 mars, ce sont des nouvelles relativement récentes pour nous qui sommes habitués à tant souffrir de l'irrégularité des courriers, et j'ai une agréable surprise en voyant une date aussi rapprochée. Comme les malheurs vous changent ! Avec quelle résignation on est obligé d'accepter des choses

qui vous semblent impossibles à supporter... Quand je dis que j'accepte avec résignation, c'est inexact. Je ne récrimine pas, parce que, jusqu'à ce que ta pleine innocence soit reconnue, je dois vivre et souffrir ainsi, mais au fond mon être se révolte, s'indigne et, comprimé par ces longues années d'attente, il déborde d'impatience à peine contenue.» (Alfred et Lucie Dreyfus, *Écris-moi souvent...*, *op. cit.*, pp. 416-417).

215. Alfred Dreyfus, *Cinq années de ma vie*, p. 199.

216. *Ibid.*

217. *Ibid.*, et Révision 1898-1899, Débats 1899, p. 330.

218. Lettre d'Alfred Dreyfus à Oscar Deniel, 30 octobre 1898, citée par Joseph Reinach, *Histoire de l'affaire Dreyfus*, IV, p. 370.

219. Alfred et Lucie Dreyfus, *Écris-moi souvent...*, *op. cit.*, p. 435.

220. BNF, Nafr. 16609.

221. Alfred et Lucie Dreyfus, *Écris-moi souvent...*, *op. cit.*, pp. 433-435.

222. Jules Huret, « Dreyfus à Carpentras », *in Tout yeux tout oreilles*, Paris, Charpentier, 1901, p. 370.

223. Alfred Dreyfus, *Cinq années de ma vie*, p. 200.

224. Alfred et Lucie Dreyfus, *Écris-moi souvent...*, *op. cit.*, pp. 437-438.

225. Alfred Dreyfus, *Cinq années de ma vie*, p. 202, note 2.

226. Elle ne fut rendue à Dreyfus par le ministère des Colonies qu'en octobre 1900 (Alfred Dreyfus, *Souvenirs et Correspondance*, p. 176).

227. Alfred et Lucie Dreyfus, *Écris-moi souvent...*, *op. cit.*, pp. 435-436.

228. Joseph Reinach, *Histoire de l'Affaire Dreyfus*, IV, p. 372.

229. Cité *in ibid.*

230. « Simple Récit », *Le Siècle*, 12 novembre 1898.

231. Ordonnance de la chambre criminelle de la Cour de cassation, 14 novembre 1898, citée *in* Révision 1898-1899, Instruction, I, pp. 52-53.

232. Cité *in* Alfred Dreyfus, *Cinq années de ma vie*, p. 200.

233. *Ibid.*, p. 201.

234. « Dreyfus ne connaissait encore que le bordereau – ni les pièces secrètes, ni les aveux, ni les faux d'Henry, ni le nom même d'Esterhazy. Même la copie qu'il avait prise du bordereau lui avait été enlevée, à l'île de Ré ; il en avait presque oublié le texte.» (Joseph Reinach, *Histoire de l'Affaire Dreyfus*, IV, p. 375.)

235. Alfred Dreyfus, *Cinq années de ma vie*, p. 201.

236. Alfred et Lucie Dreyfus, *Écris-moi souvent...*, *op. cit.*, pp. 439-440.

237. Alfred Dreyfus, *Cinq années de ma vie*, p. 201.

238. Alfred et Lucie Dreyfus, *Écris-moi souvent...*, *op. cit.*, pp. 438-439.

239. « Outré par une interprétation aussi inexacte de ma pensée, j'écrivis aussitôt à M. le gouverneur de la Guyane une lettre conçue à peu près dans ces termes : "Par la lettre que je viens de recevoir de Mme Dreyfus, je vois qu'il lui a été donné connaissance, en partie seulement, d'une lettre que je vous avais adressée en septembre dernier, vous déclarant que je cessais ma correspondance, en *attendant la réponse* aux demandes de révision que j'avais adressées au chef de l'État. En ne communiquant à Mme Dreyfus qu'un extrait de ma lettre, on lui a donné une interprétation qui a dû être plus que douloureuse pour ma chère femme. Il y a donc un devoir de conscience pour celui – que j'ignore et que je veux ignorer – qui a commis cet acte et à qui il appartient de le réparer" » (Alfred Dreyfus, *Cinq années de ma vie*, p. 202).

240. Alfred et Lucie Dreyfus, *Écris-moi souvent...*, *op. cit.*, pp. 441-442.

241. Un rapport d'Oscar Deniel, du 25 novembre 1898, rapporte ses propos au médecin qui est venu l'ausculter : « Ce qu'on craint, c'est que ma famille ne donne communication de la fameuse lettre incriminée... N'a-t-on pas peur aussi que ma femme ne prenne ses deux enfants à la main et n'aille se jeter aux pieds de l'empereur d'Allemagne en lui demandant justice ? » (Cité par Joseph Reinach, *Histoire de l'Affaire Dreyfus*, IV, pp. 295-296.)

242. Jean Decrais, « Rapport officiel sur le séjour de Dreyfus à l'île du Diable », *Procès de Rennes*, I, pp. 254-255.

243. Alfred Dreyfus, *Cinq années de ma vie*, pp. 203-204.

244. Manau, Réquisitoire, Révision 1898-1899, Débats 1898, pp. 153-208 *bis*.

245. Jean-Pierre Manau fut même destinataire du prospectus, *ibid.* p. 159.

246. « Ceci n'est pas contestable, car le dossier contient deux lettres du ministre de la Guerre, adressées au garde des Sceaux, les 10 et 16 septembre derniers, qui constatent que le commandant Henry a été délégué pour déposer dans le procès Dreyfus précisément au nom des services de renseignement » (*ibid.*, p. 160).

247. *Ibid.*, p. 161.

248. *Ibid.*, p. 165.

249. *Ibid.*, p. 183.

250. *Ibid.*, p. 191.

251. *Ibid.*, pp. 203-204.

252. BNF, Nafr. 16609, f° 405.

253. Cité *in* Révision 1898-1899, Instruction, I, pp. 815-816.

254. Alfred Dreyfus, *Cinq années de ma vie*, p. 204.

255. BNF, Nafr. 16609, f° 407, 31 janvier 1899.

256. *Id.*, f° 413.

257. Alfred Dreyfus, *Cinq années de ma vie*, p. 204.

258. BNF, Nafr. 16069, f° 415.

259. *Id.*, f° 418.

260. *Id.*, f° 420, 8 mars 1899.

261. CAOM, 133 MIOM, 8. À l'annonce de la révision, Lucie Dreyfus était repartie avec ses enfants à Chatou, chez ses parents, dans la maison de son enfance. Elle se reposait après une pleurésie qui l'avait beaucoup fatiguée. Entre novembre 1898 et juin 1899, Lucie Dreyfus put communiquer avec son mari par dépêches.

262. Il est écrit « arrêté » dans la citation faite par *Cinq années de ma vie* (p. 207), mais il s'agit d'une erreur.

263. Alfred Dreyfus, *Cinq années de ma vie*, pp. 207-209.

264. BNF, Nafr. 16609.

265. Citée *in* Joseph Reinach, *Histoire de l'Affaire Dreyfus*, V, pp. 195-196.

266. Alfred Dreyfus, *Cinq années de ma vie*, p. 209.

267. *Ibid.*

268. « Il leur distribua ses livres » (Joseph Reinach, *Histoire de l'Affaire Dreyfus*, V, p. 196). La déposition devant la Cour de cassation d'un inspecteur général des services administratifs, Gabriel Fournier, indiqua que les simples gardiens affectés à la surveillance de Dreyfus étaient convaincus de son innocence (Révision 1898-1899, Instruction, I, p. 406).

269. Alfred Dreyfus, *Cinq années de ma vie*, p. 210.

270. Joseph Reinach, *Histoire de l'Affaire Dreyfus*, V, p. 196.

271. Alfred Dreyfus, *Cinq années de ma vie*, p. 210.

272. *Ibid.*

273. *Le Temps*, 2 juillet 1899.

274. Alfred Dreyfus, *Cinq années de ma vie*, p. 211.

275. *Ibid.*, p. 212.

276. Joseph Reinach, *Histoire de l'Affaire Dreyfus*, V, p. 201 (Joseph Reinach cite Michelet et son *Histoire de France*, II, p. 16).

277. Le 27 juin Gabriel Syveton, trésorier de la Ligue de la patrie française, tint un meeting dans la ville.

278. Joseph Reinach, *Histoire de l'Affaire Dreyfus*, V, pp. 198 *sq.*

279. Alfred Dreyfus, *Cinq années de ma vie*, pp. 211-212.

280. Alfred et Lucie Dreyfus, *Écris-moi souvent...*, *op. cit.*, p. 468, 22 juin 1899.

281. En 1936, le gouvernement du Front populaire ouvrit les portes des bagnes de l'île de Paulo Condor (aujourd'hui Con Dao). Le journaliste Albert Londres, qui

se destinait à enquêter sur Paulo Condor (après son reportage sur les bagnes de Guyane) périt en 1932, au large d'Aden, dans l'incendie du navire *Georges-Philippe* qui l'emmenait vers l'Indochine.
282. Alfred Dreyfus, *Cinq années de ma vie*, p. 206.
283. Germaine Tillion, *Ravensbrück* [1973], Paris, Le Seuil, coll. « Points histoire », 1997. *À la recherche du vrai et du juste. À propos rompus avec le siècle,* textes réunis et présentés par Tzvetan Todorov, Paris, Le Seuil, 2001, 419 p.
284. Alfred Dreyfus, *Cinq années de ma vie*, pp. 212-213.

CHAPITRE XI
L'espoir de Rennes

1. Alfred Dreyfus, *Cinq années de ma vie*, p. 213.
2. Cité *in* Colette Cosnier et André Hélard, *Rennes et Dreyfus en 1899. Une ville, un procès*, Paris, Pierre Horay éditeur, 1999, p. 134.
3. Alfred et Lucie Dreyfus, *Écris-moi souvent...*, p. 470 (lettre de Lucie Dreyfus du 2 juillet 1899, 6 heures du matin)
4. Voir p. 561.
5. Les *Souvenirs sur l'Affaire* de Léon Blum intercalent un fac-similé d'une lettre que lui adressa Alfred Dreyfus en décembre 1894 (*op. cit.*, pp. 87-89).
6. AN, BB[19] 130.
7. BNF, Nafr. 24895 (lettre du 1er juillet 1899).
8. Voir p. 772.
9. *La Petite République*, 7 juillet 1899.
10. *Cf.* Alfred et Lucie Dreyfus, *Écris-moi souvent..., op.cit.*, p. 468 (lettre de Lucie Dreyfus du 22 juin 1899).
11. *Cf.* Colette Cosnier et André Hélard, *Rennes et Dreyfus en 1899, op. cit.* Voir également Jean Guiffan, *La Bretagne et l'Affaire Dreyfus*, Rennes, Terre de Brume, coll. « Essais », 1999, 272 p. (avec le fac-similé de l'article de V. Chirac paru dans le bi-mensuel socialiste *L'Ouvrier du Finistère*, du 24 juin-8 juillet 1899 : « Le Devoir. Salut au Martyr [...] Puisse la France, cette vieille Terre de générosité, ne pas faillir à ses traditions de justice, de vérité et de lumière. »). Et Jean Baleau, *Renan et la Bretagne*, Paris, Champion, 1992, 312 p.
12. Victor Basch, « Le capitaine Dreyfus à Rennes », *Le Siècle*, 8 juillet 1899.
13. Pierre Dreyfus, *in* Alfred Dreyfus, *Souvenirs et Correspondance*, p. 230.
14. Cité dans Alfred Dreyfus, *Souvenirs et Correspondance*, p. 230 (lettre du 29 juin 1899). Plusieurs milliers de lettres adressées à Alfred et Lucie Dreyfus sont conservées au Musée de Bretagne à Rennes et au MAHJ à Paris. L'historienne Marie Aynié les étudie.
15. Citée *in* Alfred Dreyfus, *Souvenirs et Correspondance*, pp. 235-236 (nous soulignons). Joseph Reinach joignit à sa lettre un exemplaire de sa brochure *Le Curé de Fréjus ou Les Preuves morales,* afin que Dreyfus sût « quel invincible raisonnement » lui avait donné la « foi » de son innocence.
16. *Ibid.*, p. 236.
17. *Ibid.*, pp. 237-238 (6 juillet 1899).
18. Cité *in* Émile Zola, *Correspondance*, t. IX, *op. cit.*, p. 508, note 3.
19. Cité *in* Alfred Dreyfus, *Souvenirs et Correspondance*, p. 239 (juillet 1899).
20. *Ibid.*, p. 239 (lettre du 10 juillet 1899).
21. *Ibid.*, pp. 234-235 (4 juillet 1899).
22. *Ibid.*, pp. 241-243 (10 juillet 1899).
23. *Ibid.*, pp. 231-232 (2 juillet 1899).
24. *Ibid.*, pp. 232-233 (2 juillet 1899).
25. *Ibid.*, p. 233 (3 juillet 1899).
26. *Ibid.*, p. 234 (2 juillet 1899).

27. *Ibid.*, p. 244 (8 août 1899).

28. Publiée par *Le Figaro*, 3 juillet 1899.

29. Fonds Naville, Bibliothèque de Genève.

30. Archives Charles Dreyfus.

31. « Dreyfus à Rennes », *La Petite République*, 5 juillet 1899.

32. « Dreyfus à Rennes. La journée du prisonnier », *ibid.*, 6 juillet 1899.

33. Alfred Dreyfus, *Cinq années de ma vie*, p. 214.

34. Révision 1898-1899, Débats 1898, pp. 267-268.

35. Révision 1898-1899, Débats 1899, pp. 709-710.

36. Cité *in* Révision 1898-1899, Débats 1899, pp. 711-713. Et *in* Réhabilitation 1903-1906, Débats 1904, pp. 18-19.

37. Révision 1898-1899, Débats 1899, pp. 706-707.

38. Ces débats furent publiés avant la fin de l'année 1898 par Pierre-Victor Stock : Révision 1898-1899, Débats 1898, 268 p.

39. Toute l'instruction fut également publiée par Pierre-Victor Stock, en deux volumes : Révision 1898-1899, Instruction, I [chambre criminelle], 824 p., et Instruction, II [chambres réunies], 368 p.

40. Cette dernière partie de la procédure de révision fut également éditée par Stock en 1899 : Révision 1898-1899, Débats 1899, 714 p.

41. « Lettre du colonel Picquart à M. Brisson, président du Conseil, en réponse au discours de M. Cavaignac à la Chambre », citée *in* E. de Haime, *L'Affaire Dreyfus*, *op. cit.*, p. 161.

42. Jean Jaurès, « La pièce fausse », *La Petite République*, 28 août 1898, et *Les Preuves*, [1898], Paris, La Découverte, 1998, et *Œuvres de Jaurès*, VI, vol. 1, *Les Temps de l'affaire Dreyfus (1897-1898)*, Paris, Fayard, 1998, pp. 207-225.

43. « C'est au mois d'août 1896 qu'à la suite d'une affaire dont je ne soupçonnais pas d'abord la corrélation avec l'affaire Dreyfus je fus amené à me convaincre de l'innocence de ce dernier, de rechercher le coupable. Je veux parler de l'affaire Esterhazy. » (Révision 1898-1899, Instruction, I, p. 143.)

44. Particulièrement, la « note du lieutenant-colonel Picquart sur Esterhazy », du 1er septembre 1896 (Révision 1898-1899, Instruction, II, pp. 87-89).

45. Révision 1898-1899.

46. Picquart, Révision 1898-1899, Instruction, I, p. 143.

47. *Ibid.*, pp. 125-214.

48. *Ibid.*, p. 142.

49. *Ibid.*, p. 155.

50. Cité *in* Révision 1898-1899, Instruction, II, p. 89.

51. Picquart, Révision 1898-1899, Instruction, I, p. 162.

52. Citée in Joseph Reinach, *Histoire de l'Affaire Dreyfus*, IV, pp. 262 et suiv.

53. Picquart, Révision 1898-1899, Instruction, I, pp. 167-168.

54. Ces procédés étaient admis par l'institution militaire et notamment par le ministre de la Guerre de l'époque, le général Billot (voir Vincent Duclert, « Le général Billot et l'affaire Dreyfus. Les antidreyfusards, la loi et l'État », *Bulletin de la Société des lettres, sciences et arts de la Corrèze*, tome 98, 1995, pp. 181-245).

55. Cité *in Dreyfusards !*, *op. cit.*, p. 85.

56. Philippe Oriol, *Bernard Lazare*, *op. cit.*, pp. 179 et suiv.

57. Bernard Lazare, « Mémoire à Joseph Reinach », *in Bernard Lazare anarchiste et nationaliste juif*, *op. cit.*, p. 246.

58. Cf. Philippe Oriol, *Bernard Lazare*, *op. cit.*, pp. 200-201, et Goeff Woollen, « Captain Hunter, The Nonpariel and The South Wales Argus », *Bulletin de la Société internationale de l'affaire Dreyfus*, n° 3, automne 1997, pp. 27-32.

59. Gaston Calmette, *Le Figaro*, 8 septembre 1896.

60. Voir p. 181.

61. Voir p. 246.

62. Lissajous, « Le traître », *L'Éclair*, 14 novembre 1896.

63. Bernard Lazare, *Une erreur judiciaire, la vérité sur l'affaire Dreyfus*, 1ʳᵉ éd., Bruxelles, Imprimerie Veuve Monnom, 1896, p. 65. (2ᵉ éd., Paris, P.-V. Stock, 1896, avec le fac-similé du bordereau publié par *Le Matin*). C'est l'auteur qui souligne.

64. Cf. Pierre-Victor Stock, *L'Affaire Dreyfus. Mémorandum d'un éditeur*, op. cit., pp. 27 et suiv. («Comment je suis devenu "dreyfusard"»).

65. Le document avait été vendu au journal par l'expert du procès de 1894, Pierre Teyssonnières.

66. Bernard Lazare, *Une erreur judiciaire. L'affaire Dreyfus*, deuxième mémoire avec des expertises d'écriture, Paris, P.-V. Stock, 1897, 303 p.

67. *Ibid.*, non paginé.

68. *Le Temps*, 15 novembre 1897.

69. Fille de Jean Psichari, sœur d'Ernest Psichari, petite-fille de Renan, Henriette Psichari a vécu l'Affaire à l'âge de l'adolescence.

70. Henriette Psichari, *Des jours et des hommes (1890-1961)*, Paris, Grasset, 1962, p. 34.

71. Daniel Halévy, *Regards sur l'affaire Dreyfus*, Paris, Bernard de Fallois, 1994, p. 31.

72. *Ibid.* Sur Daniel Halévy, voir Sébastien Laurent, *Daniel Halévy. Du libéralisme au traditionnalisme*, préface de Serge Berstein, Paris, Grasset, 2001, 601 p.

73. « J'admets encore possible que Dreyfus soit *complice*, je crois probable qu'il est innocent. En tout cas, un crime relatif à l'affaire Dreyfus a été commis par Esterhazy ; tant qu'on ne m'aura pas prouvé que le crime de Dreyfus est compatible avec le crime d'Esterhazy, je tiendrai (provisoirement) Dreyfus pour innocent » (Élie Halévy, *Correspondance*, op. cit., p. 205).

74. *Ibid.*, pp. 207-208. Sur Élie Halévy, voir Michèle Bo Bramsen, *Portrait d'Élie Halévy*, préface de Raymond Aron, Amsterdam, 1978, 381 p., et Henry Loyrette (dir.), *Entre le théâtre et l'histoire. La famille Halévy*, Paris, Fayard. RMN, 1996, 376 p.

75. Gabriel Monod, *Le Temps*, 6 novembre 1897.

76. Georges Clemenceau, « La Raison d'État », *L'Aurore*, 26 novembre 1897, et *L'Iniquité*, op. cit., pp. 87-88.

77. Émile Duclaux, *Le Siècle*, 10 janvier 1898.

78. Cet article fut repris dans le recueil de 1901, *La Vérité en marche*, qu'il ouvrit.

79. Émile Zola, *Correspondance*, tome IX, op. cit., p. 109.

80. Émile Zola, entretien avec Paul Brulat, *L'Événement*, 1ᵉʳ décembre 1897, publié par Philippe Oriol (éd.), « J'accuse.. ! ». *Émile Zola et l'Affaire Dreyfus*, Paris, Flammarion, coll. « Librio », 1998, pp. 32-43.

81. « Anatole France, L. Halévy, d'Haussonville, Heredia, Lavisse, Gréard, Paris, Boissier, Sully Prudhomme, Cherbuliez, Vandal ; Duclaux, Roux ; Anatole Leroy-Beaulieu, Monod, Fr. Passy ; Giry, Paul Meyer, Perrot, Bréal ; Seignobos, Langlois, Aulard, Brunot, Lemonnier, Boutroux, Lévy-Bruhl, Appell, Bouché-Leclercq, L. Havet, Painlevé, Perrin, Koenig, Silvain Lévi, Andler, Bédier, Tannery, Poincaré, Séailles ; Ch. Richet, Delbet, Gley, Langlois ; Pressensé, Bérard, Hervé de Kerohant, Gaston Deschamps, Gaston Moch, Clemenceau, Jaurès, Valfrey, Mirbeau ; Porto-Riche, Marcel Prévost, Hervieu » (École normale supérieure, liste de personnes à contacter en faveur de Dreyfus, Exposition, n° 73, prêt Mme Herr. Deux organisations sont également envisagées par Lucien Herr, « Alliance française-Arbitrage et Paix »).

82. Cf. Christophe Charle, *Naissance des « intellectuels » 1880-1900*, Paris, Minuit, coll. « Le sens commun », 1990, 272 p. Louis Bodin, *Les Intellectuels existent-ils ?*, Paris, Bayard éditions, coll. « Société », 1997, 202 p.

83. « N'est-ce pas un signe, tous ces *intellectuels*, venus de tous les coins de l'horizon, qui se groupent sur une idée et s'y tiennent inébranlables ? Sans les menaces qu'on a répandues dans tous les établissements d'instruction publique, combien seraient venus qui n'osent manifester le trouble de leur conscience !

Combien viendraient encore sans la timidité de ceux qui, jadis, ont prétendu guider la jeunesse, et qui, au moment où ils devraient se montrer, se terrent ? Pour moi, j'y voudrais voir l'origine d'un mouvement d'opinion au-dessus de tous les intérêts divers, et c'est dans cette pacifique révolte de l'esprit français que je mettrais, à l'heure où tout nous manque, mes espérances d'avenir.

« Les malheureux qui ont cru en finir avec une question de droit, et de justice par le double et le triple huis clos, c'est-à-dire par le silence, n'ont abouti qu'à la retentissante complication du procès Zola. Ils croient en finir maintenant avec Zola en essayant de l'empêcher de faire la preuve, et ne pourraient, s'ils devaient réussir, que nous jeter dans des péripéties plus graves. Ne voit-on pas que les revendications deviennent plus nombreuses et plus bruyantes à mesure qu'on annonce leur fin ? On ne peut réduire au silence les hommes résolus qui demandent justice qu'à la condition de les satisfaire » (Georges Clemenceau, « À la dérive », *L'Aurore*, 23 janvier 1898 et *L'Iniquité, op. cit.*, pp. 217-218).

84. Cité *in* Vincent Duclert, *L'Affaire Dreyfus*, Paris, La Découverte, coll. « Repères », 1994, nlle édition 2006, pp. 40-42, et *in extenso, in* Jacques Julliard et Michel Winock (dir.), *Dictionnaire des intellectuels français*, Paris, Éditions du Seuil, 1996, pp. 374-391.

85. *JO*, débats parlementaires, Chambre des députés, 24 février 1898, cité *in Le Parlement et l'Affaire Dreyfus, op. cit.*, p. 113.

86. « Mais quelle tache de boue sur votre nom – j'allais dire sur votre règne – que cette abominable affaire Dreyfus ! » (Émile Zola, « Lettre à M. Félix Faure, président de la République », *L'Aurore*, 13 janvier 1898, et *in J'accuse... ! La Vérité en marche*, Bruxelles, Complexe, coll. « Historiques – Politiques », 1988, p. 97.)

87. « Le lieutenant-colonel Picquart avait rempli son devoir d'honnête homme. Il insistait auprès de ses supérieurs au nom de la justice. Il les suppliait même » (*ibid.*, p. 105). « [Auguste Scheurer-Kestner] a été le grand honnête homme, l'homme de sa vie loyale, il a cru que la vérité se suffisait à elle-même, surtout lorsqu'elle lui apparaissait éclatante comme le plein jour » (*ibid.*, p. 110).

88. *Ibid.*, p. 101.

89. « Il n'osa pas, dans la terreur sans doute de l'opinion publique, certainement aussi dans la crainte de livrer tout l'État-major, le général de Boisdeffre, le général Gonse, sa compter les sous-ordres. Puis, ce fut là qu'une minute de combat entre sa conscience et ce qu'il croyait être l'intérêt militaire. Quand cette minute fut passée, il était déjà trop tard. Il s'était engagé, il était compromis. Et, depuis lors, sa responsabilité n'avait fait que grandir, il a pris à sa charge le crime des autres, il est aussi coupable que les autres, il est plus coupable qu'eux, car il a été le maître de faire justice et il n'a rien fait. Comprenez-vous cela ! Voici un an que le général Billot, que les généraux de Boisdeffre et Gonse savent que Dreyfus est innocent, et ils ont gardé pour eux cette effroyable chose ! Et ces gens-là dorment, et ils ont des femmes et des enfants qu'ils aiment ! » (*Ibid.*, p. 104).

90. Comme le rôle d'Henry, Émile Zola montre ici qu'il sous-estime celui de Mercier que Dreyfus qualifiera de « criminel en chef » (*cf. Carnets*, p. 181).

91. *Cf.* Vincent Duclert, « Le procès Zola en 1898 : l'accomplissement de "J'accuse... !" », in *Confrontations. Politics and Aesthetics in Nineteenth-Century France*, édité par Kathryn M. Grossman, Michael E. Lane, Bénédicte Monicat et Willa Z. Silverman, Amsterdam-Atlanta, Éditions Rodopi, 2001, pp. 215-237.

92. Le gérant de *L'Aurore* était poursuivi en même temps que Zola pour avoir publié « J'accuse... ! ».

93. Procès Zola, II, pp. 479-480.

94. *JO*, débats parlementaires, Chambre des députés, 2 avril 1898, cité *in Le Parlement et l'Affaire Dreyfus, op. cit.*, p. 125.

95. « Ligue française pour la défense des Droits de l'Homme et du Citoyen », *Le Siècle*, 6 juin 1898.

96. *Ibid.*

97. Henri Sée, *Histoire de la Ligue des droits de l'homme (1898-1926)*, Paris, Ligue des droits de l'homme, 1927, p. 14.

98. « J'avais entendu parler de Dreyfus depuis décembre 1894. J'approchais alors de fort près un homme dont la mémoire m'est restée très chère, Michel Bréal. C'était bien par lui que j'avais entendu tenir des propos qui se résumaient à peu près ainsi "Je n'ai pas à croire ou à ne pas croire à l'innocence de Dreyfus. Mais je ne crois pas à sa culpabilité, parce que la vie m'a instruit à ne croire que ce que je comprends. Or je ne comprends pas le crime de Dreyfus. Et je ne comprends pas parce que, jusqu'à présent, on ne m'a soumis aucun mobile intelligible. J'écarte l'hypothèse d'une action humaine à laquelle il est impossible d'assigner des raisons..." C'est vrai, le "père Bréal" avait dit cela devant moi. Par qui encore avais-je entendu prononcer le nom de Dreyfus ? Ah oui, par Bernard Lazare, un matin, à la *Revue Blanche*, dans le bureau de Lucien Muhlfeld. » (Léon Blum, *Souvenirs sur l'Affaire, op. cit.*, p. 38.) Voir également le long témoignage de Michel Bréal in E. de Haime, *Les Faits acquis à l'histoire, op. cit.*, pp. 345-349 (« Encore un témoignage »).

99. Albert Réville, *Les Étapes d'un intellectuel. À propos de l'affaire Dreyfus*, Paris, P.-V. Stock, 1898, pp. 18-19.

100. *Ibid.*, p. 129.

101. *Le Libertaire*, n° 113, cité in Sébastien Faure, *Les Anarchistes et l'affaire Dreyfus*, édité par Philippe Oriol, Paris, Au Fourneau, Collection noire, 1993, pp. 16-18.

102. Jean Jaurès, *Les Preuves, op. cit.*, pp. 465-466.

103. Ferdinand Buisson, discours du 10 mai 1899, Grand Orient de France, in *Le Colonel Picquart en prison*, Paris, Paul Ollendorff, 1899, pp. 10-11.

104. « L'Affaire Dreyfus et la Crise du parti socialiste », *La Revue blanche*, 15 septembre 1899, et *Œuvres en prose complètes*, Paris, Gallimard, « Bibliothèque de la Pléiade », I, pp. 229-230.

105. Michael Burns, *Histoire d'une famille française. Les Dreyfus. L'émancipation, l'Affaire, Vichy, op. cit.* France Beck avait conservé de très importantes archives de son grand-père que l'historien américain exploita dans un dialogue permanent avec elle. Le docteur Anne Cabau, fille de France Beck, a hérité de ce rôle après la mort de sa mère.

106. Mathieu Dreyfus, *L'Affaire telle que je l'ai vécue*, p. 47.

107. *Ibid.*, pp. 131-132.

108. Joseph Reinach, *Histoire de l'Affaire Dreyfus*, V, p. 203.

109. *Ibid.*, IV, pp. 348-349.

110. Alfred et Lucie Dreyfus, *Écris-moi souvent...*, p. 440 (lettre du 1er décembre 1898).

111. *Ibid.*, 570 p.

112. Voir différentes lettres à ce sujet (1896, 1897) (CAOM, 133 MIOM 1).

113. *Cf.* rapport du commandant des Îles du Salut au directeur de l'administration pénitentiaire, 9 juillet 1896 (CAOM, 133 MIOM 2).

114. « Mon commandant, Ma femme m'annonçait l'envoi par les courriers des mois de Décembre et de Janvier derniers, de nombreuses revues ainsi que des livres. Je vous serais vivement reconnaissant si vous vouliez avoir l'obligeance de faire demander si ces envois, qui ont dû être faits à mon nom, ne seraient pas restés en souffrance à la douane de Cayenne » (Lettre au commandant des Îles du Salut, 9 mars 1896). Le commandant est contraint d'en aviser le directeur de l'administration pénitentiaire (CAOM, 133 MIOM 2). Dreyfus signale tout incident dans le service de sa détention (voir par exemple le problème signalé dans le courrier du 6 mai 1896), et ses protestations sont d'autant plus fermes qu'il ne pratique pas, par ailleurs, d'obstruction procédurière abusive.

115. Lettre du 2 mai 1897 (CAOM, 133 MIOM 5).

116. Voir la lettre par laquelle Lucie Dreyfus remercie Joseph Reinach de « l'excellente nouvelle » de l'intervention d'Auguste Scheurer-Kestner en faveur de son mari (lettre du 18 juillet 1897, archives Simone Perl).

117. Joseph Reinach, *Histoire de l'Affaire Dreyfus*, II, p. 549. André Lebon ajouta, avec une ironie teintée de mépris : « Je puis vous rassurer et vous pouvez rassurer Scheurer. Sa santé est fort bonne. D'ailleurs, sa femme lui écrit régulièrement qu'on s'occupe de lui. »

118. « Conseil de cabinet du 10 novembre 1897 », CAOM, 133 MIOM 5.

119. Révision 1898-1899, Instruction, I, p. 52.

120. Jules Huret, « Dreyfus à Carpentras », 22 septembre 1899, in *Tout yeux, tout oreilles*, Paris, Charpentier, 1901, p. 370. Dreyfus compléta sa réponse : « Le 16 novembre de l'année dernière, j'ai reçu la dépêche de la Cour de cassation ainsi conçue [...]. Je n'ai pas compris ce que cela voulait dire. J'ai considéré cette dépêche comme une sorte d'accusé de réception de mes nombreuses pétitions, puisque j'ignorais tout, la loi sur la révision, etc. Pour moi, "recevable en la forme" voulait dire "en la forme juridique". Mais n'importe ! Un espoir m'arriva ce jour-là. La sensation que j'eus alors fut celle d'une fin possible, comprenez-vous ? Jusqu'alors je ne voyais pas de fin. »

121. Alfred et Lucie Dreyfus, *Écris-moi souvent...*, p. 438 (lettre du 22 novembre 1898).

122. *Ibid.*, p. 441 (lettre du 26 décembre 1898).

123. *Ibid.*, p. 442.

124. Citée in E. de Haime, *L'Affaire Dreyfus, op. cit.*, pp. 177-179.

125. Elle adressa en même temps une supplique au pape (Joseph Reinach, *Histoire de l'affaire Dreyfus*, tome II, p. 378). Mathieu Dreyfus expliqua que « ce fut vers la fin de septembre que M. X. proposa d'envoyer à Léon XIII une supplique que ma belle-sœur devait signer et dans laquelle elle ferait appel à la bienveillante intervention du chef de la catholicité, en faveur de son mari innocent et martyr. Ma belle-sœur consentit à faire cette tentative et elle signa une supplique en latin, rédigée par M. X. et que ce dernier se chargeait de faire parvenir au pape. Sa supplique resta sans réponse » (Mathieu Dreyfus, *L'Affaire telle que je l'ai vécue*, p. 84).

126. *Ibid.*, p. 83.

127. Le droit de pétition, forme de démocratie directe, avait été progressivement encadré et vidé de son pouvoir. Les pétitions étaient en général transmises au ministère concerné et la Chambre ne s'en emparait plus sur le fond.

128. Rapport sur la pétition n° 2707 du 3 décembre 1896.

129. Même *Le Siècle*, qui devint ensuite l'un des plus actifs journaux dreyfusards, prétendait écarter la pétition de Lucie Dreyfus et ses termes, tout en réservant l'avenir pour le cas où une faute, ou une forfaiture, eurent été commises : « La pétition s'appuie sur un article de *L'Éclair*, écrit son directeur, Yves Guyot. Il est évident que les allégations d'un journal ne peuvent suffire pour déterminer une commission des pétitions à demander la révision d'un procès. Si on a produit en dehors de la défense, une pièce sur laquelle aurait été basée la condamnation, c'est là un acte inqualifiable et qui frapperait le jugement de nullité. Mais il faudrait le prouver » (cité par Joseph Reinach, *Histoire de l'Affaire Dreyfus*, II, p. 454, note 3).

130. La déclaration de Lucie Dreyfus fut publiée in E. de Haime, *L'Affaire Dreyfus, op. cit.*, p. 115. Cette publication documentaire était due à A. (ou E.) de Mersier, fils d'Émilie de Mersier, sœur d'Eugène Naville dont la femme Hélène écrivait au même moment *Dreyfus intime (op. cit.)*. De Morsier prit le pseudonyme de E. de Haime (« M »).

131. *Cf. L'Intransigeant* (31 octobre, 1er, 2, 7 novembre 1897).

132. *Cf. Le Parlement et l'Affaire Dreyfus, op. cit.*, p. 67.

133. « Monsieur le Ministre, J'ai reçu par votre ordre la visite du commandant du Paty de Clam auquel j'ai déclaré encore que j'étais innocent et que je n'avais même jamais commis la moindre imprudence. Je suis condamné, je n'ai aucune grâce à

demander, mais, au nom de mon honneur, qui, je l'espère, me sera rendu un jour, j'ai le devoir de vous prier de vouloir bien continuer vos recherches. Moi parti, qu'on cherche toujours, c'est la seule grâce que je sollicite » (in *Lettres d'un innocent*, p. 273. Cette lettre est citée par Lucie Dreyfus dans sa propre lettre à Cavaignac, et elle a été conservée dans les archives).

134. « Et c'est le lendemain du jour où il écrivait cette lettre que mon mari aurait fait l'aveu que vous avez présenté à la Chambre comme la preuve de la culpabilité d'un martyr, d'un innocent ! La démarche de M. du Paty de Clam prouve que jusqu'à la fin le général Mercier a eu des doutes sur la culpabilité de l'homme qu'il n'avait pu faire condamner qu'en violant la loi et qu'en trompant les officiers du Conseil de guerre. La lettre authentique de mon mari dément le propos qui lui a été prêté (*ibid.*, pp. 273-274).

135. *Ibid.*, pp. 275-276.

136. Léon Blum faisait partie de l'équipe des conseillers juridiques de Mᵉ Labori. Voir Léon Blum, *Souvenirs sur l'Affaire*, *op. cit.*, pp. 122 et suiv., et notre article.

137. Voici la question posée à Mme Alfred Dreyfus par Mᵉ Labori : « Je voudrais que Mme Dreyfus ait la bonté de nous dire ce qu'elle pense de la bonne foi de M. Émile Zola, et, à ce propos, de nous faire savoir dans quelles conditions, en 1894, elle a appris l'arrestation de son mari, et quelle a été, à ce moment, l'attitude de M. le colonel du Paty de Clam, qui n'était encore que commandant » (*Procès Zola*, I, p. 84).

138. « Le Président a refusé avec raison de poser à la dame Dreyfus les questions sollicitées par la défense, et qu'il sera passé outre aux débats » (*Ibid.*, p. 91).

139. *Ibid.*, pp. 125-129 et p. 173.

140. *Ibid.*, p. 195.

141. Joseph Reinach apporta des précisions que lui seul pouvait connaître : « C'était, depuis longtemps, comme je l'ai dit, mon avis de déposer cette requête. Labori et Demange hésitaient, ainsi que Mathieu. Lalance sur de Siegfried, sénateur, que Milliard, le garde des Sceaux de Méline, s'était étonné de n'avoir pas reçu de demande en annulation. Buisson, professeur à la Sorbonne, décida enfin Mathieu. La requête fut rédigée par Demange, et Mornard accepta de la soutenir » (*Histoire de l'affaire Dreyfus*, IV, p. 17, note 1).

142. *Ibid.*, pp. 141 et suiv.

143. « Le droit de provoquer la révision, lorsque survient un fait nouveau, appartient, aux termes de la loi, au garde des Sceaux. Sarrien préférait être saisi par Lucie Dreyfus ; ainsi il n'ouvrira pas de lui-même la procédure ; le premier pas vers la justice, ce n'est pas le ministre de Justice qui l'aura fait » (*Ibid.*, p. 234).

144. « Une réunion qui se tint chez moi et qui comprenait Demange, Trarieux, Labori, Mornard, Ranc et Mathieu Dreyfus. » (*Ibid.*, p. 243, note 5.)

145. CAOM, 133 MIOM, 8. À l'annonce de la révision, Lucie Dreyfus était repartie avec ses enfants à Chatou, chez ses parents, dans la maison de son enfance. Elle se reposait après une pleurésie qui l'avait beaucoup fatiguée. Entre novembre 1898 et juin 1899, Lucie Dreyfus put communiquer avec son mari par dépêches. Mais le ministère de la Guerre tenta de limiter le droit de Lucie Dreyfus de communiquer avec lui. Par une lettre du 10 novembre 1898, le cabinet du général de Galliffet estima que « l'arrêt de la Cour de cassation n'ayant rien changé au régime pénal du condamné » et qu'il était dès lors « naturel de continuer, jusqu'à nouvel ordre à soumettre sa correspondance aux mêmes restrictions qu'auparavant » (CAOM, 133 MIOM 5). Cependant, par une note en date du 14 novembre 1899, le cabinet du ministre choisit de s'écarter d'une telle position en arguant du fait que cinq lettres, « adressées au déporté par sa famille », lui avaient été remises. Ces lettres contenaient des « indications suffisamment explicites pour mettre, d'une manière générale, le détenu au courant de la situation » créée par l'annonce de l'ouverture de la procédure de révision (CAOM, 133 MIOM 5).

146. Alfred Dreyfus, Lettre à Lucie Dreyfus, 24 décembre 1894 in, *Écris-moi souvent...*, pp. 83-84.

147. Joseph Reinach, *Histoire de l'Affaire Dreyfus*, tome II, p. 179.

148. Par application des lois du 23 mars 1872 et du 28 mars 1973. Pour le dossier complet de l'affaire, voir Joseph Reinach, « Le droit d'une femme », in *Vers la justice par la vérité*, Paris, P.-V. Stock, 1898, pp. 79-98.

149. Citées dans Joseph Reinach, *Histoire de l'Affaire Dreyfus*, tome II, p. 179.

150. *Ibid.*

151. Émile Chautemps adressa une lettre sur cette affaire au *Figaro* le 10 septembre 1896.

152. Joseph Reinach, *Histoire de l'Affaire Dreyfus*, II, p. 181.

153. Elle lui adressa une lettre en date du 3 janvier 1896.

154. Citée dans Joseph Reinach, *Histoire de l'Affaire Dreyfus*, II, p. 182.

155. La cour d'assises refusa de l'entendre (*ibid.*, III, pp. 345-346).

156. « La loi s'applique aux *transportés* et non aux *déportés*. En 1871, quelques déportés de la presqu'île Ducos purent appeler auprès d'eux leurs femmes. Ils bénéficièrent d'une faveur que le gouvernement était parfaitement libre de leur octroyer et aussi de leur refuser. » (Citée in *Vers la justice par la vérité*, « Le droit d'une femme », Paris, P.-V. Stock, 1898, pp. 79-80.)

157. « En résumé, la loi confère à Mme Dreyfus le droit *absolu* d'aller rejoindre son mai aux Îles du Salut. J'en appelle à M. le comte d'Haussonville, à tous les jurisconsultes, à tous les hommes de droit. Le gouvernement de la République entend-il, oui ou non, refuser plus longtemps à l'admirable femme du capitaine Dreyfus l'exercice d'un droit qui lui est conféré par la loi ? » (*Ibid.*, p. 98.)

158. En 1898, l'argument du gouvernement tel que le présenta le député de Paris et juriste Louis Léveillé, n'avait rien de juridique. « C'est la crainte que la présence de Mme Dreyfus à l'île du Diable faciliterait l'évasion de son mari. » (*Ibid.*, p. 95.)

159. À la suite de ces nouvelles conditions de détention, Dreyfus cesse d'écrire son journal à la date du 10 septembre 1896, journal qui sera publié avec d'autres documents dans l'édition de *Cinq années de ma vie*. Ce journal lui a été restitué le 20 août 1900 à sa demande (Ministère des Colonies, Lettre et envoi à Alfred Dreyfus, CAOM, 133 MIOM 5).

160. Lebon, *Procès de Rennes*, I, p. 242.

161. Dreyfus devait désormais faire directement ses commandes, ce qui eut pour conséquence d'augmenter considérablement les délais de livraison.

162. Lorsqu'Alfred Dreyfus demanda après la grâce, par lettre au ministre (24 septembre 1900), la « remise des lettres de sa femme, qui ont été arrêtées, par ordre du Gouvernement, ainsi que des originaux de celles qui ne lui ont été transmises qu'en copie durant son internement à l'île du Diable », il résulta, écrit dans une note au ministre des Colonies en date du 12 octobre 1900 le conseiller d'État directeur des services pénitentiaires, que « les lettres visées par la requête de Dreyfus [...] ont été détruites en exécution des ordres du Ministre : les deux seules communications de Mad⁰ Dreyfus, qui subsistent encore, ont été conservées parce qu'elles se trouvaient incidemment jointes à la correspondance administrative. » (CAOM, 133 MIOM 5.)

163. « Depuis le mois de septembre 1896, l'on avait supprimé les originaux des lettres et l'on ne remettait à ma belle-sœur que des copies, avec des retards considérables, quelquefois trois ou quatre semaines après l'arrivée du courrier. Le mois suivant, en octobre, ma belle-sœur se rendit au ministère des Colonies, pour protester contre cette mesure et demander, ce qu'elle avait déjà fait plusieurs fois, à rejoindre son mari. Le chef du bureau, M. Schmidt, lui répondit que cette mesure avait été prise sur un ordre verbal de M. Lebon, ministre des Colonies. Il ajouta qu'il était impossible de lui permettre de rejoindre son mari. » (Mathieu Dreyfus, *L'Affaire telle que je l'ai vécue*, p. 85.)

164. « À André Lebon, ministre des Colonies », Appel d'Arthur Ranc pour Dreyfus, *Le Radical* cité par *Le Siècle*, 30 janvier 1898.

165. « Les lettres d'un innocent », *Le Siècle*, 19 janvier 1898.

166. Joseph Reinach, *Histoire de l'Affaire Dreyfus*, III, p. 251.

167. *Ibid.*, II, p. 504.

168. *Ibid.*, III, p. 166. Joseph Reinach se montra irrité par ce refus, ne comprenant pas manifestement les raisons de Lucie Dreyfus.

169. *In* E. de Haime, *L'Affaire Dreyfus, op. cit.*, p. 361.

170. Joseph Reinach, *Histoire de l'Affaire Dreyfus, op. cit.*, p. 326.

171. Alfred Dreyfus, *Lettres d'un innocent*, pp. 268-279.

172. [Joseph Reinach], « Histoire d'une erreur judiciaire par un témoin de la vérité », in *ibid.*, pp. 19-20.

173. Louis Havet utilise d'autres lettres pour montrer qu'il s'agissait bien d'un legs, « comme quelqu'un qui fait son testament, qui exprime ses dernières volontés, à ceux qui l'avait fait condamner, un devoir ». (*Le Procès de Rennes*, III, p. 255.)

174. *Ibid.*, pp. 254-255. Certains éléments de cette déposition ont été déjà cités p. 42.

175. Louis Leblois, *L'Affaire Dreyfus, op. cit.*, p. 1025.

176. Jean Jaurès, « Première séance », *La Petite République*, 31 mai 1899, citée in *Œuvres de Jean Jaurès*, tome 7, vol. 2, *op. cit.*, p. 396.

177. Joseph Reinach, *Histoire de l'affaire Dreyfus*, V, pp. 107-109.

178. *Le Siècle*, 30 juin 1899.

179. Louis Havet, *Le Siècle*, 5 juin 1899.

180. Lettre de la Ligue des droits de l'homme sur la révision, *Le Siècle*, 4 juin 1899.

181. Frédéric Passy, « Réparation », *Le Siècle*, 6 juin 1899. « C'est devant le front des troupes qu'il a subi l'affreux supplice de la dégradation. C'est devant le front des troupes, aux sons des musiques militaires, qu'il faut que son grade, son uniforme et son épée lui soient rendus. Ce n'est pas assez. S'il y a la victime, il y a les bourreaux. C'est en leur présence, en présence des généraux Mercier, de Boisdeffre, Gonse, de Pellieux et Roget, qu'amende honorable doit être faite, au nom de l'honneur de l'armée, compromis par eux, à l'officier sans tâche dont ils avaient fait le rebut de l'armée. Il faut qu'ils soient tous là, comme au pilori. »

182. *Le Siècle*, 30 juin 1899.

183. Émile Zola, « Justice », *L'Aurore*, 5 juin 1899, et *La Vérité en marche* (repris dans Émile Zola, *Combats pour la vérité*, Paris, Pocket, coll. « Classiques », 2002, pp. 93-94).

184. Émile Zola, lettre à Mᵉ Labori, 7 août 1899, *in* Émile Zola, Lettres à Mᵉ Ferdinand Labori (1898-1902), *La Grande Revue*, mai 1929, p. 371.

185. Émile Zola, Lettre à Fernand Labori, 7 août 1899 (*Correspondance*, IX, p. 514).

186. *Cf.* Pierre-Victor Stock, *L'Affaire Dreyfus, op. cit.*, pp. 111 et suiv. *Le Procès Dreyfus*, « Compte rendu complet des Débats, paraissant tous les soirs à Rennes – édition spéciale du FIGARO. Quatre heures du soir : ce numéro, qui contient le compte rendu sténographique du Conseil de guerre de Rennes et qui est publié immédiatement après l'audience, est envoyé gratuitement à tout abonné du FIGARO. Il est expédié dans toute la France et à l'étranger par les courriers du soir et, pour toutes les personnes non abonnées, il est mis en vente, à partir de cinq heures, au prix habituel du FIGARO, c'est-à-dire de 15 centimes, à Paris, 20 centimes dans les départements », *Le Figaro*, 12 août 1899.

187. *Le Temps* : Jules Claretie (pseudonyme de « Linguet »). *Le Journal* : Maurice Barrès. *La Petite République* : Jean Jaurès. *La Lanterne* : René Viviani. *La Fronde* : Marguerite Durand et Séverine. *Les Droits de l'homme* : Bradamante. *Le Figaro* : Jules Cornély. *Le Petit bleu* : Émile Blavet. *L'Écho de Paris* : Georges Bonnamour.

*New-York Herald* : Marcel Prévost. Les Postes firent de grands profits avec les télégrammes.

188. Lord Russell Killowen, chief justice, envoyé par la reine d'Angleterre, adressa un rapport (Lord Russell of Killowen, « Report to Quenn Victoria », 16 septembre 1899, *in* R. Barry O'Brien, *The Life of Lord Russell of Killowen*, London, Smith, Elder and Co, 1901, cité *in* Michael Burns, *France and the Dreyfus Affair. A Documentary History*, Boston-New York, Bedford/ST. Martins's, 1999, pp. 152-154). Dépêche adressée par le ministre de la Guerre au général Chamoin, son représentant en mission à Rennes (Hôtel Moderne), Archives Nationales, BB[19] 116 : « Lord Russfell Killowen, Lord Chief justice d'Angleterre et son secrétaire se rendent à Rennes pour assister vendredi et samedi aux séances du procès. Tâchez de savoir où ils descendent et voyez avec le Président du Conseil de Guerre à leur réserver des places en rapport avec leur haute situation. »

189. André Chevrillon, « Huit jours à Rennes », *La Revue du Palais*, 1er février 1900.

190. *Cf.* Viviane Benhamou (dir.), *La Suisse face à l'affaire Dreyfus*, Genève, Petit Palais-Musée d'art moderne, 1995, p. 17.

191. Les processions du 15 août furent supprimées (AN, F[7] 12464).

192. *Cf.* Colette Cosnier et André Hélard, *Rennes et Dreyfus en 1899, op. cit.*, 300 p. Voir également André Hélard, *L'Honneur d'une ville. La naissance de la section rennaise de la Ligue des droits de l'homme*, préface de Madeleine Rebérioux, Rennes, Éditions Apogée, 2001, 175 p.

193. Georges Clemenceau, *L'Aurore*, 9 juillet 1899.

194. Joseph Reinach, « Le Rocher des supplices », *Le Siècle*, 7 et 12 juillet 1899.

195. Frédéric Passy, « Les tortures de Dreyfus », *Le Siècle*, 13 juillet 1899.

196. *Le Siècle*, 8 et 21 juillet 1899.

197. Une autre lettre fut publiée par *Le Siècle* le 11 juillet 1899. Elle attaquait André Lebon, qui se défendit. Louis Havet riposta le 17 juillet dans *Le Siècle* et encore le 20 juillet.

198. Jules Cornély, « Double boucle et otages », 14 juillet 1899, et *Notes sur l'affaire Dreyfus, op. cit.*, p. 475. Cornély associa la cruauté de Lebon aux pratiques barbares de la mission Marchand, de retour de Fachoda, et qui avait laissé à Toulon « trente Yakomas, ramenés en France comme otages ». Avec les progrès des mœurs, l'otage se raréfie comme le kanguroo. Pourquoi a-t-on laissé les otages là-bas ? J'aurais tant aimé assister à un défilé d'otages » (*ibid.*, p. 476).

199. Joseph Reinach, *Histoire de l'Affaire Dreyfus*, II, p. 320, note 1.

200. *Ibid.*, p. 320.

201. « Bernard Lazare et moi, fin mai 1899, attendions l'arrêt que la Cour de cassation devait rendre [...], il avait été entendu entre nous que nous partirions immédiatement pour la ville qu'elle aurait désignée afin d'étudier la mentalité qui y régnait et les mesures à prendre sur place. » (Pierre-Victor Stock, *L'Affaire Dreyfus, op. cit.*, p. 94.)

202. Note du 6 juillet 1898, sûreté générale (AN, F[7] 12464).

203. Rapport de police, Sûreté générale « Albert », 15 juin 1899 (AN, F[7] 12465).

204. AN, F[7] 12464.

205. Voir les portraits tracés par Victor Basch en 1938 dans les *Cahiers des droits de l'homme*, 10-15 juillet, pp. 408 et suiv.

206. Mais aussi de la haute administration, comme le secrétaire général de la préfecture d'Ile-et-Vilaine. Voir l'extrait d'une lettre de Victor Basch à sa femme, citée par François Basch, *Victor Basch, op. cit.*, p. 45.

207. BNF, Nafr. 24896.

208. « Le Comité de la Ligue s'est réuni mercredi soir. Le parti ouvrier fait afficher demain matin un manifeste que j'ai rédigé, préconisant l'union républicaine et prévenant les meneurs stipendiés qu'ils trouveront à qui parler sur la voie publique. » (Victor Basch, lettre à Joseph Reinach, 9 juin 1899, BNF, Nafr. 24896.)

209. « Toute la pensée des républicains, des plus modérés aux plus avancés, se résuma dans une heureuse formule : *Défense républicaine*, trouvée on ne sait par qui, jaillie comme du sol, de l'instinct de conservation », (Joseph Reinach, *Histoire de l'affaire Dreyfus*, V, p. 118.)

210. Henri Sée, lettre à A.-F. Hérold, 12 juin 1899, citée par Colette Cosnier et André Hélard, *Rennes et Dreyfus en 1899*, *op. cit.*, p. 102.

211. Victor Basch, Lettre à Joseph Reinach, 12 juin 1899 (BNF, Nafr. 24896).

212. Colette Cosnier et André Hélard, *Rennes et Dreyfus en 1899*, *op. cit.*, pp. 105 et suiv.

213. Henri Sée, *Histoire de la Ligue des droits de l'homme*, *op. cit.*, p. 106.

214. « Notre petite armée qui a si vaillamment marché et à qui est dû, pour la plus grande partie, le calme qui règne à Rennes depuis trois semaines et qui a permis à Mme Dreyfus et au capitaine d'arriver dans notre ville sans qu'aucune manifestation n'ait été même tentée. » (Victor Basch, Lettre à Joseph Reinach, 7 juillet 1899, BNF, Nafr. 24896).

215. Victor Basch, *L'Avenir*, 27 juillet 1899, cité par Colette Cosnier et André Hélard, *Rennes et Dreyfus en 1899*, *op. cit.*, p. 112.

216. Jules Cornély, « Le spectre », *Le Figaro*, 30 juin 1899 et *Notes sur l'affaire Dreyfus.*, *op. cit.*, pp. 450-451.

217. Jules Cornély, « À Rennes », *Le Figaro*, 7 août 1899, et *ibid.*, pp. 524-527.

218. Jean Jaurès, « Leur plan », *L'Humanité*, 4 juillet 1899.

219. Joseph Reinach, *Histoire de l'affaire Dreyfus*, V, p. 228, note 1.

220. *Ibid.*, pp. 228-229.

221. *Ibid.*, p. 229.

222. *Ibid.*, pp. 233-234 (et pour la citation suivante).

223. *Le Journal*, 30 août 1899.

224. Commandant Forzinetti, Lettre à M. Blanchy, secrétaire du Prince de Monaco, 10 octobre 1899 (copie dact., Archives Jean-Louis Lévy).

225. Jean-Bernard, *Le Procès de Rennes 1899*, *Impressions d'un spectateur*, Paris, Alphonse Lemerre éditeur, 1900, p. 2.

226. *Ibid.*, p. 10.

227. *Ibid.*, pp. 10-11.

228. D'après Jean-Bernard (*ibid.*, p. 69), à la suite de la tentative d'assassinat contre Labori.

229. *Ibid.*

230. Séverine, *Vers la lumière*, Paris, Stock, 1900, p. 363.

231. Roger Gatineau, « L'audience », *La Petite République*, 9 août 1906.

232. Cité *in* Joseph Reinach, *Histoire de l'affaire Dreyfus*, V, p. 282, note 3.

233. *Ibid.*

234. Jean-Bernard, *Le Procès de Rennes 1899.*, *op. cit.*, pp. 12-13.

235. Il notait que Dreyfus « rosissait comme un petit cochon ».

236. Jean-Bernard, *Le Procès de Rennes 1899*, *op. cit.*, p. 15.

237. *Ibid.*, p. 17.

238. Commandant Forzinetti, lettre à Joseph Reinach, 9 août 1899, BNF, Nafr. 24896, f° 263.

239. Cité par Jean-Bernard, *Le Procès de Rennes 1899*, *op. cit.*, pp. 13-14.

240. Joseph Reinach, *Histoire de l'Affaire Dreyfus*, V, pp. 280-281.

241. Cité par Jean-Bernard, *Le Procès de Rennes 1899*, *op. cit.*, p. 22.

242. Jules Cornély, « Dreyfus », *Le Figaro*, 8 août 1899, et *Notes sur l'affaire Dreyfus*, *op. cit.*, pp. 529-530.

243. Julien Benda, « Notes d'un Observateur », *Le Siècle*, 16 août 1899.

244. Alfred et Lucie Dreyfus, *Écris-moi souvent...*, pp. 470-471.

CHAPITRE XII
## Au cœur du procès monstre

1. Jules Cornély, « Dreyfus », *art. cit.*
2. Le compte rendu sténographique *in-extenso* indiqua que le capitaine Dreyfus, « *se levant, avec force* », déclara : « C'est ce que vous devriez dire (*Applaudissements*). » Une note de l'édition Pierre-Victor Stock ajouta : « Ces deux parenthèses sont supprimées dans le *Compte rendu sténographique revisé par le général Mercier* » (Procès de Rennes, I, p. 143 et note 1). De toute évidence, Dreyfus a réellement protesté, avec une implication physique dont il n'était pas coutumier. Victor Basch reconstruit l'histoire.
3. Victor Basch, discours publié dans *Le Procès de Rennes, dix ans après*, Paris, Ligue des droits de l'homme, 1928, in Françoise Basch, *Victor Basch. De l'affaire Dreyfus au crime de la Milice*, Paris, Plon, 1994, pp. 356-357.
4. Cinq années de ma vie, pp. 214-215.
5. Jules Cornély, « Dreyfus », *Le Figaro*, 8 août 1888, et *Notes sur l'affaire Dreyfus*, *op. cit.*, pp. 530-531 et suiv. Voir pp. 135 et suiv.
6. BNF, Nafr. 26610.
7. Dreyfus, *Procès de Rennes*, I, pp. 21-22.
8. *Ibid.*, I, p. 22.
9. D'Ormescheville, déposition du 7 novembre 1894 citée in Révision 1898-1899, Instruction II, pp. 39-40.
10. Dreyfus, *Procès de Rennes*, I, pp. 22-23. Nous précisons.
11. *Ibid.*, I, p. 23.
12. *Ibid.*, I, p. 25.
13. *Ibid.*, I, p. 25.
14. *Ibid.*, I, p. 27.
15. *Ibid.*, I, pp. 27-29.
16. *Ibid.*, I, pp. 27-29.
17. *Ibid.*, II, pp. 83-84.
18. « Avant de faire ma déposition, je demande l'autorisation de verser aux débats la brochure de menaces que j'ai reçue et où l'on m'accuse d'être un faux témoin » (Jeannel, *Procès de Rennes*, II, p. 77).
19. Ce fait fut rappelé par Me Demange : « Je ne comprends pas cette procédure qui consiste à appeler un témoin, à l'entendre, et à ne pas dresser procès-verbal de sa déposition. [...] Je ne sais pas si M. le commissaire du gouvernement et M. le rapporteur d'ici trouvent ce procédé régulier ; j'espère qu'à Rennes on procède autrement qu'à Paris » (*ibid.*, II, pp. 79-80).
20. Jeannel, *ibid.*, II, p. 80.
21. « Mon colonel, comme je l'ai dit au conseil de guerre de 1894, il était facile de se procurer ce manuel de tir. Il est certain qu'un officier aurait pu demander ce manuel et qu'on le lui aurait donné. Je ne l'ai pas eu et je ne l'ai pas demandé par cette considération que je savais que je ne devais pas aller aux écoles à feu et parce que je faisais des travaux différents : par conséquent, si je n'ai pas demandé ce projet de manuel de tir, c'est que je n'en avais nul besoin, mais il était de la plus grande facilité pour un officier d'artillerie d'avoir ce projet de manuel ; par conséquent, ceci ne peut s'appliquer qu'à un officier étranger à l'arme » (Dreyfus, *Procès de Rennes*, I, p. 29. Il fut alors coupé par le président).
22. Jouaust, *ibid.*, I, p. 29.
23. Dreyfus, *ibid.*, I, p. 29.
24. Jouaust, Carrière, *ibid.*, I, pp. 29-30.
25. Jouaust, *ibid.*, I, pp. 32-33.
26. Dreyfus, *ibid.*, I, p. 36.
27. Voir p. 163.
28. Voir p. 181.

29. Dreyfus, *Procès de Rennes*, I, p. 41.

30. *Ibid.*, II, p. 238.

31. *Ibid.*, III, 82-83.

32. *Ibid.*, III, pp. 88-89

33. « Non, je n'avais pas du tout à dire au capitaine Lebrun-Renault ce qu'il avait à faire. M. le capitaine Lebrun-Renault avait des chefs, il était sous les ordres du colonel commandant la Garde républicaine et, de plus, il était sous les ordres de la place de Paris. Je n'avais pas à m'immiscer, moi, officier d'état-major du gouvernement militaire de Paris, dans les détails d'un autre service. » (*ibid.*, III, p. 93).

34. « Dreyfus a été remis à l'autorité civile ce jour-là ; le gouverneur de Paris était complètement dessaisi, il n'avait plus rien à faire » (*ibid.*). Il est à noter que l'autorité militaire ne cessa de s'intéresser à la détention de Dreyfus passé sous le régime de l'autorité civile).

35. Peyrolles, *ibid.*, III, pp. 96-97.

36. Dreyfus, *ibid.*, III, pp. 98-99.

37. Besse, *ibid.*, II, pp. 71-72.

38. Dreyfus, *ibid.*, II, pp. 76-77.

39. « Dreyfus proteste de sa loyauté de soldat. Or, quand on est un soldat loyal, on ne ment pas, et Dreyfus, le 7 août 1899, n'a pas dit la vérité » (lettre du capitaine Lemonnier au commandant Maistre du 19 août 1899 lue à l'audience du 2 août 1899 et versée aux débats, *ibid.*, II, p. 88).

40. Dreyfus, *ibid.*, II, pp. 90-91.

41. *Ibid.*, II, pp. 96-97.

42. *Ibid.*, II, p. 100.

43. *Ibid.*, II, p. 103.

44. *Ibid.*, II, p. 108. Dans sa lettre du 24 août 1899, le beau-frère de Mme Bodson défendit son honneur et celui du capitaine Dreyfus (citée in *ibid*, p. 104).

45. *Ibid.*, III, pp. 117-118.

46. Jouaust, *ibid.* III, p. 118.

47. Dreyfus, *ibid.*, II, p. 184.

48. *Ibid.*, II, p. 261.

49. *Ibid.*, III, p. 123.

50. *Ibid.*, III, pp. 69-70.

51. *Ibid.*, I

52. *Ibid.*, I, p. 339.

53. *Ibid.*, I, p. 516.

54. *Ibid.*, I, p. 601.

55. Mᵉ Demange : « Voudriez-vous, monsieur le président, demander au capitaine Junck ceci : En 1894 il connaissait les faits qu'il a énumérés tout à l'heure au sujet de la vie privée de Dreyfus et dont il fait évidemment aujourd'hui une charge contre le capitaine Dreyfus ; comment dès lors et pourquoi a-t-il dit à la Cour de cassation (page 294 [Révision 1898-1899, Instruction I]) : « Je me suis trouvé pendant de longs mois travaillant à côté de lui et rien de chez lui ne faisait prévoir qu'il pouvait se rendre coupable de trahison. » Comment concilie-t-il cette appréciation avec son attitude d'aujourd'hui ? – Le capitaine Junck. – Devant la Cour de cassation j'ai raconté l'incident de Valtesse... En effet, pendant que je travaillais avec Dreyfus à l'état-major, je ne l'ai jamais vu faire un travail pouvant me faire supposer qu'il ait trahi. Après cela on m'a demandé ce que je connaissais ; je raconte les faits tels qu'ils se sont passés » (*ibid.*, I, p. 652).

56. Dreyfus, *ibid.,* I, pp. 654-656.

57. *Ibid.*, II, p. 28.

58. *Ibid.*, II, p. 28.

59. *Ibid.*, II, pp. 33-34.

60. *Ibid.*, II, p. 36.

61. Voir p. 674.

62. Dreyfus, *ibid.*, II, p. 386.
63. *Ibid.*, II, p. 398. « La réponse que j'ai fait faite à M. Bertillon conviendra également pour le témoin. »
64. Mercier, Dreyfus, *ibid.*, I, pp. 142-143.
65. Jean-Bernard, *Le Procès de Rennes 1899*, *op. cit.*, p. 61.
66. Jules Cornély, « Une séance dramatique », *Le Figaro*, 12 août 1899 (et *Notes sur l'affaire Dreyfus*, *op. cit.*, p. 543).
67. *Ibid.*, pp. 543-545 (« Il a parlé », *Le Figaro*, 13 août 1899)
68. *Ibid.*, p. 542 (« Une séance dramatique, *op. cit.*).
69. Dreyfus, *Procès de Rennes*, II, pp. 65-66.
70. *Ibid.*, I, p. 247.
71. Jean-Bernard, *Le Procès de Rennes 1899*, *op. cit.*, p. 87.
72. Dreyfus, *Procès de Rennes*, III, pp. 107-108.
73. « C'est exact. Dans la dernière entrevue que le capitaine Dreyfus a eue avec madame Dreyfus, le capitaine Dreyfus lui a dit : Pour toi et pour mes enfants, je subirai le calvaire de demain. Ce sont là les propres paroles qu'a dites le capitaine Dreyfus, la dernière fois qu'il a vu sa femme au Cherche-Midi » (Forzinetti, *ibid.*, III, p. 108).
74. Jules Cornély, « Toujours les aveux », *Le Figaro*, 1er septembre 1899.
75. Jean-Bernard, *Le Procès de Rennes 1899*, *op. cit.*, p. 290.
76. Forzinetti, *Procès de Rennes*, III, p. 101.
77. Forzinetti avait été empêché de répondre à une question de Labori, à ce sujet, par le président de la cour (*ibid.*).
78. *Ibid.*, III, pp. 101-102.
79. « Je lui ai dit en effet : "Je ne sais rien, je ne puis vous dire si Dreyfus a fait des aveux" » (*ibid.*, III, 108)
80. *Ibid.*, III, p. 109.
81. *Ibid.*, pp. 109-110.
82. *Ibid.*, III, p. 104.
83. *Ibid.*, III, p. 105.
84. Cordier, II, p. 515.
85. *Ibid*, II, p. 516.
86. *Ibid.*
87. *Ibid.*, II, p. 521.
88. Jean-Bernard, *Le Procès de Rennes 1899*, *op. cit.*, pp. 98-99.
89. Joseph Reinach, *Histoire de l'Affaire Dreyfus*, V, p. 392.
90. Lauth, *Procès de Rennes*, III, p. 467.
91. *Ibid.*
92. Gonse, *ibid.*, III, p. 267.
93. Picquart, *ibid.*, III, p. 271.
94. Gonse, *ibid.*, III, p. 272.
95. Picquart, *ibid.*, III, pp. 272-273
96. Voir la confrontation entre le lieutenant-colonel Picquart et l'archiviste Félix Gribelin (*ibid.*, I, pp. 603-604).
97. Labori, *ibid.*, III, pp. 273 et suiv.
98. *Ibid.*, I, p. 477.
99. *Ibid.* p. 394.
100. Joseph Reinach nota que Picquart était pleinement responsable de son statut : « Par sa faute, parce qu'il avait fait demander au Conseil d'État de surseoir à l'examen de son pourvoi contre sa mise en réforme et alors qu'il était certain d'avoir gain de cause, c'est-à-dire de rentrer en possession de son grade avant le procès de Rennes » (*Histoire de l'Affaire Dreyfus*, V, p. 395)
101. *Ibid.*, V, p. 529.
102. *Ibid.*, V, p. 395.
103. Freystaetter, *Procès de Rennes*, II, pp. 399-400.

104. Maurel, *ibid.*, II, p. 193.

105. Dreyfus, *ibid.*, III, pp. 304-305. M<sup>e</sup> Demange précisa que la note avait été versée aux chambres réunies de la Cour de cassation par M<sup>e</sup> Mornard, et le rapporteur Ballot-Beaupré demanda au ministre de la Guerre la communication de la circulaire.

106. Fonds-Lamothe, *ibid.*, III, pp. 291-293.

107. *Ibid.*, III, p. 303.

108. *Ibid.*, III, pp. 286-308.

109. Jean-Bernard, *Le Procès de Rennes*, *op. cit.*, pp. 310-312.

110. Il s'agit d'une expression de Joseph Reinach, qui est bien appropriée (*Histoire de l'Affaire Dreyfus*, IV, p. 515)

111. Sebert, *Procès de Rennes*, III, pp. 168-169.

112. *Ibid.*, III, p. 169.

113. Roget, Révision 1898-1899, Instruction I, p. 80

114. Sebert, *Procès de Rennes*, III, p. 174

115. *Ibid.*, III, pp. 178-179.

116. Moch, Révision 1898-1899, Instruction, I, pp. 512-513.

117. Hartmann, *Procès de Rennes*, III, p. 195.

118. *Ibid.*, III, p. 201.

119. *Ibid.*, III, p. 202.

120. Au départ, précisa-t-il, sur les bordereau d'envoi, il est mentionné « confidentiel » (*ibid.*, III, p. 211).

121. *Ibid.*, III, p. 215.

122. *Ibid.*, III, p. 227.

123. Voir p. 71.

124. Ducros, *Procès de Rennes*, III, p. 184.

125. Les officiers de réserve (le seconde section pour les officiers généraux) restaient soumis à l'autorité militaire ; ils n'étaient pas « à la retraite ».

126. « Sa voix, tout son vieux corps tremblaient, mais, maintenant, il s'endormira, s'en ira sans remords », note Joseph Reinach, *Histoire de l'Affaire Dreyfus*, V, p. 433.

127. Charavay, Procès Rennes, II, 466.

128. Voir pp. 311 et suiv.

129. *Procès de Rennes*, II, pp. 297-298

130. *Ibid.*, II, pp. 298-299

131. Gobert, *ibid.*, I, p. 586. Il ajouta qu'il aurait été facile de repérer Esterhazy, notamment en réalisant une surveillance de l'ambassade d'Allemagne, ce qui ne fut jamais fait.

132. Havet, *ibid.*, III, pp. 247 et suiv.

133. *Ibid.*, III, p. 246 et suiv.

134. *Ibid.*, III, p. 250.

135. Voir pp. 42-43.

136. Havet, *Procès de Rennes*, III, p. 255.

137. *Ibid.*, III, p. 258.

138. Cf. Philippe Oriol, *Bernard Lazare*, *op. cit.*

139. Scheurer-Kestner, lettre au président du conseil de guerre, 5 août 1899, in *Procès de Rennes*, II, pp. 46-52 (ici p. 52).

140. Trarieux, *ibid.*, III, pp. 482-483.

141. Jouaust, *ibid.*, III, p. 483.

142. Au président qui lui faisait remarquer que ce n'était plus un témoignage qu'il apportait, il répliqua : « Je m'incline respectueusement devant vos observations, mais elles s 'appliquent aussi à d'autres témoins. » (Trarieux, *ibid.*, III, p. 484).

143. *Ibid.*, III, p. 484.

144. *Ibid.*, III, pp. 440-441.

145. Joseph Reinach, *Histoire de l'Affaire Dreyfus*, V, p. 499.

146. Jean-Bernard, *Le procès de Rennes*, *op. cit.*, pp. 365-368.

147. Brogniart, *Procès de Rennes*, III, p. 441. Carrière, *ibid.*, III, p. 445.

148. Joseph Reinach, *Histoire de l'Affaire Dreyfus*, V, pp. 499-500.

149. Billot, *Procès de Rennes*, III, p. 487.

150. Bertulus, *ibid.*, I, p. 348.

151. *Ibid.*, I, p. 349.

152. *Ibid.*, I, p. 357.

153. Le juge Bertulus faisait en effet reposer sa conviction de l'innocence de Dreyfus sur le fait que le Cour de cassation avait « souverainement jugé » que le bordereau fut d'Esterhazy. Cette affirmation n'est pas pleinement exacte, l'arrêt du 3 juin ne le disant pas explicitement. Cependant, l'instruction ayant mené à l'arrêt le démontre explicitement (Révision 1898-1899, Instruction, I et II).

154. Bertulus, *Procès de Rennes*, I, p. 360.

155. *Ibid.*, I, p. 361.

156. *Ibid.*,

157. *Ibid.*, I, p. 362.

158. Meyer, *ibid.*, III, p. 1.

159. *Ibid.*, III, p. 12.

160. *Ibid*, III, pp. 13-14.

161. Jouaust, *ibid.*, III, p. 16.

162. Meyer, *ibid.*, III, p. 16.

163. Paraf-Javal, *ibid.*, II, pp. 406-436.

164. Bernard, *ibid.*, II, pp. 436-445.

165. Cf. Vincent Duclert, « Paul Painlevé et l'affaire Dreyfus. L'engagement singulier d'un savant », in Claudine Fontanon et Robert Frank (dir.), *Paul Painlevé 1863-1933. Un savant en politique*, Rennes, Presses universitaires de Rennes, coll. « Carnot », 2005, pp. 23-40.

166. Il était également professeur adjoint à la faculté des sciences de Paris (depuis 1895) et avait été, en 1896 et 1897, le suppléant de Maurice Lévy au Collège de France.

167. Painlevé, *Procès de Rennes*, III, p. 328.

168. *Ibid.*, III, pp. 328-329.

169. Il s'agit d'une expression du procureur général Manuel Baudouin dans son réquisitoire écrit pour la révision du procès de Rennes (Réhabilitation 1903-1906, Débats 1906, Réquisitoire écrit du procureur général, p. 116).

170. Lettre de Henri Poincaré à Paul Painlevé, *Procès de Rennes*, III, pp. 329-331.

171. Picquart, *ibid.*, I, p. 398.

172. Mercier, *ibid.*, I, pp. 96-98.

173. Trarieux, *ibid.*, III, p. 448.

174. Weill, *ibid.*, III, p. 320.

175. *Ibid.*, III, p. 322.

176. « Après les débats relatifs à l'interpellation Castelin » (Painlevé, *ibid.*, III, p. 325). « Vers le mois de mai ou de juin » précise Paul Painlevé (*ibid.*, III, p. 331).

177. Painlevé, *ibid.*, III, p. 332.

178. *Ibid.*, III, pp. 325-327.

179. Jules Cornély, « Il nie tout », *Le Figaro*, 9 août 1899, et *Notes sur l'affaire Dreyfus, op. cit.*, p. 533.

180. Voir p. 731.

181. Painlevé, *Procès de Rennes*, III,

182. Painlevé, Révision 1898-1899, Instruction, I, pp. 758-759.

183. *Ibid.*, p. 755.

184. *Procès de Rennes*, III, p. 333.

185. Painlevé, *ibid.*, III, p. 335.

186. « Cette indication me causa beaucoup d'inquiétude, expliqua le mathématicien aux juges du conseil de guerre de Rennes ; la pensée qu'un propos que je ne

connaissais pas et qui m'était attribué pouvait peser, si peu que ce fût, sur l'esprit d'un des juges, m'était insupportable » (*ibid.*).

187. « Monsieur le président, J'ai appris par M. Maurice d'Ocagne, ingénieur des Ponts et chaussées (lequel le tenait du général de Boisdeffre et de M. Cavaignac), qu'une conversation que j'aurais eue en juin 1897 avec un de mes collègues à la Sorbonne, M. Hadamard, figurerait (ou en tout cas aurait figuré) au dossier Dreyfus. Je suis surpris qu'une conversation – que le général Gonse m'avait demandé de lui rapporter en personne, et qu'il avait jugée, après audition, insignifiante et inutile à noter – ait laissé une trace quelconque au dossier. Si la pièce en question a été transmise à la Cour de cassation, comme ladite conversation m'est revenue à plusieurs reprises déformée de la façon la plus grave, je serais très désireux d'être entendu par la Cour, pour m'expliquer sur sa portée et sa teneur précise. Je vous prie d'agréer..., Paul Painlevé, maître de conférences à l'École normale supérieure, 99, rue de Rennes » (Révision 1898-1899, Instruction, I, p. 754, lettre de Paul Painlevé au président de la chambre criminelle, 2 février 1899).

188. *Procès de Rennes*, III, p. 336.

189. Cité par Paul Painlevé (*ibid.*, III, p. 337).

190. Il a cependant écrit aussitôt au premier président de la Cour de cassation « pour opposer un démenti formel à l'allégation formulée devant la chambre criminelle par M. le général Roget » (*ibid.*, III, p. 337)

191. *Ibid.*, III, pp. 337-338.

192. « Cette phrase est la suivante ; d'après une conversation recueillie de ma bouche par M. le général Gonse, M. Hadamard aurait tenu le propos suivant : "Je n'ai pas voulu vous dire que je croyais Dreyfus innocent ; d'ailleurs, depuis son arrestation, nous avons eu, dans sa famille, connaissance de certains faits de sa conduite qui font que nous ne pouvons pas répondre de lui » (*ibid.*, III, p. 338).

193. *Ibid.*, III, p. 338.

194. « Dans le courant de l'année 1897, M. Painlevé, professeur à l'École normale supérieure, à déclaré à M. d'Ocagne, professeur à l'École des ponts et chaussées, qu'il était prêt à affirmer le fait suivant : Quelque temps après le départ de Dreyfus pour les îles du Salut, M. Hadamard, cousin de Dreyfus, faisait part à M. Painlevé, son collègue à la Sorbonne ou au Collège de France, de ses doutes sur la régularité du jugement. En présence de l'attitude de M. Painlevé, qui coupa court à la conversation sur ce sujet en affirmant sa conviction dans l'exactitude du jugement rendu, M. Hadamard, craignant d'être allé trop loin, a ajouté textuellement : "Je n'ai pas voulu vous dire que je croyais Dreyfus innocent ; d'ailleurs, depuis son arrestation, nous avons eu dans sa famille connaissance de certains faits de sa conduite qui font que nous ne pouvons pas répondre de lui." M. Painlevé, dans les premiers jours de mars 1898, a confirmé, en présence du général Gonse et de M. d'Ocagne, la présente déclaration. Paris, le 8 mars 1898. Le général, Sous-chef d'état-major général, *Signé* : Gonse. » (*ibid.*, III, p. 339).

195. *Ibid.*, III, p. 339. La déposition de Paul Painlevé fut elle même validée par celle de Jacques Hadamard qui la précéda immédiatement, le 4 septembre 1899 (*ibid.*, III, pp. 325-327).

196. La plus importante concernait « le texte exact des paroles, telles que je les ai rapportées au général Gonse : "M. Hadamard, après m'avoir affirmé l'innocence de Dreyfus, me dit qu'il n'apportait dans la question, aucune sentimentalité, aucun esprit de famille ; que Dreyfus n'était pas pour lui un ami dont il se fît le garant *a priori*, mais bien un étranger ; qu'il l'avait vu une seule fois dans sa vie, le jour de son mariage ; qu'il ne lui avait pas été sympathique ; qu'on lui avait même rapporté, depuis sa condamnation, certains faits privés qui lui déplaisaient." Il ajoutait, et cette dernière phrase je l'ai répétée à M. le général Gonse, textuellement, parce que j'en étais sûr : "Mais c'est un fait que j'affirme, quand j'affirme que sa culpabilité ne repose sur rien." Donc les phrases que j'ai dites à M. le général Gonse ont été encadrées entre les deux affirmations formelles de l'innocence de Dreyfus formulées

par M. Hadamard ; de plus, il n'a jamais parlé qu'en son nom personnel, et sous une forme vague, de faits qui pouvaient lui déplaire dans la vie privée du capitaine Dreyfus. Jamais il n'a dit que cette opinion fût celle de la famille » *ibid.*, III, p. 342).

197. Gonse, *ibid.*, III, p. 348.

198. *Ibid.*, III, p. 345.

199. Voir par exemple Jean Jaurès, « La pièce secrète » et « Roget se dérobe », *La Petite République*, 13 et 23 avril 1899. Publiés in *Œuvres de Jean Jaurès*, tome 7, *op. cit.*, pp. 260 et 339.

200. Joseph Reinach ajouta : « Cependant les soldats ne voyaient toujours dans ces vilenies que des incidents de guerre, d'une guerre dont l'armée était l'enjeu. Toujours la même peur, le même prétexte : donner tort aux chefs, c'est détruire l'armée ! » (*Histoire de l'Affaire Dreyfus*, V, pp. 408-409).

201. Maurice Barrès, *Ce que j'ai vu à Rennes*, Paris, Sansot, 1904, p. 42.

202. Joseph Reinach releva « l'art de la mise en scène » des antidreyfusards comme Mercier qui « se fût gardé de paraître en veston devant un tribunal de soldats ». Il citait le témoignage de l'écrivain Jean Ajalbert qui avait entendu ce dialogue à Rennes : « Mon général, n'y avait-il pas une observation à faire ? Peut-être n'y avez-vous pas pensé ? – Oh ! j'y pensais, répondit Mercier, mais je ne l'ai pas faite parce que je n'étais pas en uniforme » (*Histoire de l'Affaire Dreyfus*, V, pp. 395-396).

203. Charles Maurras, *La Gazette de France*, 5 et 6 septembre 1898.

204. Amélie, Veuve Henry, Procès de Rennes, I, p. 366.

205. *Ibid.*, I, p. 367.

206. Il s'opposa notamment efficacement au général Mercier (*ibid.*, II, p. 24).

207. Cf. Révision 1898-1899, Instruction II.

208. Joseph Reinach, *Histoire de l'Affaire Dreyfus*, V, p. 382.

209. Cité in *ibid.*, p. 382, note 2.

210. Lord Russel of Killowen, « Report to Queen Victoria », *art. cit.*, pp. 153-154.

211. Comme le relève Mᵉ Mornard dans sa plaidoirie, Débats de la Cour de cassation, 1906, II, p. 304.

212. Réhabilitation 1903-1906, Débats 1906, Réquisitoire du procureur général, II, p. 22.

213. In André Hélard, « Au cœur de l'affaire Dreyfus : le colonel Jouaust et le commandant de Bréon, ou "les deux" », *Bulletin et mémoires de la Société archéologique et historique du département d'Ille-et-Vilaine*, tome CV, 2002, p. 226.

214. Jean-Denis Bredin, *L'Affaire*, *op. cit.*, pp. 497 et suiv.

215. *In* Jules Cornély, *Notes sur l'affaire Dreyfus*, *op. cit.*, p. 609.

216. « Si je me permets de raconter ces détails, c'est que je les connais » (*ibid.*)

217. Cf. Colette Cosnier et André Hélard, *Rennes et Dreyfus en 1899*, *op. cit.*

218. *Procès de Rennes*, III, p. 808, 810, 813-815.

219. Réhabilitation 1903-1906, Débats 1906, I, p. 125.

220. *Ibid.*, I, p. 130.

221. Maurel, *Procès de Rennes*, II, p. 192 (pp. 192-196 pour les autres citations de la déposition de l'ancien président du conseil de guerre de 1894).

222. Voir p. 355.

223. Maurel, *Procès de Rennes*, II, p. 192.

224. (*Vives rumeurs*.) (in Gonse, *Procès de Rennes*, III, p. 278).

225. *Ibid.*

226. *Ibid.*, III, pp. 278-279.

227. Lebrun-Renault, *ibid.*, III, p. 78.

228. Demange, *ibid.*, p. 78.

229. Lebrun-Renault, *ibid.*, p. 80.

230. Demange, *ibid.*, I, p. 244.

231. Cité in Rapport du conseiller Moras, Réhabilitation 1903-1906, Débats 1906, I, p. 137.

232. Mornard, Réhabilitation 1903-1906, Débats 1906, II, p. 307.

233. Lebon, *Procès de Rennes*, I, p. 235.

234. *Ibid.*, I, p. 235.

235. « Tout ce que je puis vous dire, c'est qu'alors même que mon opinion n'eût pas été ce qu'elle était et ce qu'elle demeure encore, les mesures, si rigoureuses soient-elles, si pénibles soient-elles, que j'ai été obligé de prendre en septembre 1896, les seules mesures que j'ai prises qui aient eu une réaction quelconque sur le régime de l'accusé d'aujourd'hui, en mon âme et conscience, je déclare que si demain je me trouvais en présence d'un homme condamné pour le même crime et dans les mêmes circonstances, je n'hésiterais pas à les prendre encore » (*ibid.*, I, p. 235)

236. *Ibid.*, I, p. 245.

237. Mercier, *ibid.*, I, p. 142.

238. Voir pp. 660-661.

239. Cuignet, *Procès de Rennes*, I, p. 487.

240. *Ibid.*, p. 489.

241. Dreyfus, *ibid.*, I, 491

242. À la suite de ses déclarations, Ludovic Trarieux saisit le ministre de la Guerre.

243. *Procès de Rennes*, I, p. 578.

244. Mercier, *ibid.*, II, p. 201.

245. *Ibid*, II, p. 203.

246. Voir p. 72.

247. Boisdeffre, *Procès de Rennes*, I, p. 528.

248. *Ibid.*, p. 530.

249. Dreyfus, *ibid.*, I, p. 535.

250. Besse, *ibid.*, II, p. 71.

251. Maistre, *ibid.*, II, p. 87. Roy, *ibid.*, II, 93. Dervieu, *ibid.*, II, p. 95.

252. *Ibid.*, I, p. 587.

253. *Ibid.*, III, p. 315.

254. *Ibid*. III, pp. 128-131.

255. Réhabilitation, 1903-1906, Instruction, off, II, p. 450.

256. Dont il était chargé en tant que stagiaire au 1er Bureau.

257. Fabre, *Procès de Rennes*, I, p. 569.

258. *Ibid.*, I, p. 573.

259. Roget, *ibid.*, p. 570.

260. D'Aboville, *ibid.*, I, p. 579.

261. *Ibid.*, I, p. 581.

262. Mercier, *ibid.*, I, pp. 110-114.

263. Cavaignac, *ibid.*, I, p. 188.

264. Junck, *ibid.*, I, p. 653. De Pouydraguin explique quant à lui qu'il n'a attaché « sur le moment aucune importance à cet incident ; car nous avions tous passé au 4e bureau, et nous connaissions tous la concentration qui figurait dans les notes du plan que nous avions à notre disposition. La plupart d'entre nous étaient d'ailleurs pourvus de fonctions, en cas de mobilisation, qui rendaient nécessaire la connaissance de cette concentration. » (*ibid.*, I, p. 115).

265. Mercier, *ibid*, I, pp. 126 et suiv. Cavaignac, *ibid*, I, pp. 188-189.

266. *Ibid.*, I, pp. 116 et 485.

267. « Lorsque le capitaine Dreyfus est arrivé dans mon service, un des premiers travaux que je lui aie confiés était une étude sur les ouvrages minés, question touffue, difficile, à propos de laquelle un règlement venait d'être publié ou allait être publié. Je n'ai donc pas trouvé étonnant que le capitaine Dreyfus, chargé de cette étude sur les ouvrages minés, ait été en relations avec le capitaine Cuignet qui était chargé de la première section. » (Bertin-Mourot, *ibid.*, II, p. 42).

268. *Ibid.*, II, pp. 45-46.

269. *Ibid.*, p. 44.

270. *Ibid.*, II, p. 71. Confirmé par le témoignage du sergent Lévêque (*ibid.*, II, p. 296).

271. *Ibid.*, II, 296-297.

272. *Ibid.*, II, p. 73.

273. *Ibid.*, II, pp. 34 et 95.

274. « Il était de règle absolue, qu'un officier restât toujours de service dans chaque bureau », selon le capitaine Junck interrogé par la Cour de cassation (Réhabilitation, 1903-1906, Instruction, off, I, pp. 517 et 987).

275. Roget, *Procès de Rennes*, III, p. 109.

276. *Ibid.*, III, p. 110.

277. Le général de Boisdeffre apparut cependant moins déterminé que Mercier et Roget à détruire la réputation de l'ancien chef des prisons militaire de Paris. Le commandant Forzinetti indiqua dans sa lettre au secrétaire du Prince de Monaco (du 10 octobre 1899, *art. cit.*) que « le général de Boisdeffre seul, à mon grand étonnement, me croisant dans la salle des témoins, le premier jour, m'a demandé de mes nouvelles et m'a tendu la main ». Boisdeffre avait eu également une attitude digne après le suicide du lieutenant-colonel Henry en présentant par lettre au ministre de la Guerre sa démission de son poste de chef d'État-major (Boisdeffre, *Procès de Rennes*, I, pp. 529-530. Lettre citée in Joseph Reinach, *Histoire de l'Affaire Dreyfus*, IV, pp. 191-192).

278. Jouaust, *Procès de Rennes*, III, p. 110.

279. Forzinetti, *ibid.*, III, pp. 110-111.

280. Lauth, *ibid.*, II, p. 528.

281. Billot, *ibid.*, III, pp. 487-489.

282. Mercier, *ibid.*, I, pp. 480-484.

283. Forzinetti, lettre au secrétaire du prince de Monaco, 10 octobre 1899, *art. cit.*

284. Cuignet, *Procès de Rennes*, I, p. 505.

285. Boisdeffre, *ibid.*, I, p. 527.

286. *Ibid.*, I, p. 533.

287. Boisdeffre, Demange, Jouaust, *ibid.*

288. Mercier, *ibid.*, III, p. 186.

289. « S'il m'avait consulté, moi, je lui aurais dit : "Écoutez, mon cher ami, il y a une raison pour ne pas le faire ; c'est une raison indépendante de toute question de méfiance. C'est que le ministre l'a défendu, et je vous demande pardon, j'en fais la principale raison, parce que les ministres, en général, donnent des ordres qu'ils croient bons et ont pour cela toute expérience, parce qu'il y a très longtemps qu'il y a des ministres qui s'occupent des affaires du pays" » (Deloye, *ibid.*, III, p. 229).

290. « C'est que, à l'école de Versailles, M. Valério n'a pas eu l'occasion de pousser assez loin ses études sur le calcul des probabilités » (*ibid.*).

291. Il avance que l'assertion de Sebert est fausse par ailleurs (*ibid.*, III, p. 244).

292. Boisdeffre, *ibid.*, III, p. 297

293. Mercier, *ibid.*, III, p. 300.

294. Roget, *ibid.*, III, p. 302.

295. Roget, *ibid.*, III, p. 304.

296. *Ibid.*, III, p. 304.

297. Jouaust, III, p. 307.

298. Mercier, *ibid.*, III, p. 535.

299. Hippolyte Laroche, ancien résident à Madagascar, entendu par la cour, déclara qu'il s'agissait d'un mensonge (*ibid.*, III, p. 540).

300. Le général Mercier déclara vouloir « disqualifier » le capitaine Freystaetter (*ibid.*, I, p. 89 ; II, pp. 313-314).

301. *Ibid.*, II, p. 402.

302. Hartmann, *ibid.*, III, p. 232.

303. *Ibid.*, III, p. 235.

304. « M. le général Deloye a dit : "Je n'apporte aucun fait sur l'affaire Dreyfus, je ne les connais pas ; je viens simplement exprimer mon opinion, émettre des possibilités" » (*ibid.*, III, pp. 235-236)

305. Hartmann, *ibid.*, III, p. 235.

306. *Ibid.*, III, p. 237.

307. *Ibid.*, III, p. 240.

308. Gonse, *ibid.*, II, pp. 314-315.

309. Gobert, *ibid*, II, p. 315.

310. « Ce sont des détails oiseux », lui dit-il alors qu'il ne faisait que répondre au général Gonse (*ibid.*, II, p. 316).

311. Dreyfus, *ibid.*, II, p. 317.

312. Gonse, *ibid.*, II, p. 317.

313. Mercier, *ibid.*, I, pp. 139-140.

314. Meyer, Molinier, Giry, *procès Zola*, I, pp. 496 et suiv., et II, pp. 88 et suiv.

315. Joseph Reinach, *Histoire de l'Affaire Dreyfus*, V, p. 343.

316. *Ibid.*, p. 344. Joseph Reinach appuyait son récit sur des reportages de presse, notamment les versions du *Temps* et de *L'Aurore*.

317. Capitaine Dreyfus, note au président du conseil de guerre citée in Joseph Reinach, *Histoire de l'Affaire Dreyfus*, V, p. 367 note 3.

318. *Procès de Rennes*, I, p. 229.

319. Joseph Reinach, *Histoire de l'Affaire Dreyfus*, V, pp. 368-369.

320. Labori, *Procès de Rennes*, II, p. 2.

321. Bertillon, *ibid.*, II, p. 318.

322. *Ibid.*, II, pp. 368-369.

323. Il avait adressé au président plusieurs lettres exposant sa méthode, comparable à celle de Bertillon (Réhabilitation 1903-1906, Réquisitoire du procureur général, Débats 1906).

324. *Procès de Rennes*, II, p. 397.

325. Mercier, *ibid.*, I, p. 141.

326. *Ibid.*

327. Mercier, *ibid.*, I, p. 140. Il s'agit d'Alice May, la sœur d'Alfred Dreyfus.

328. Cavaignac, *ibid.*, I, p. 193

329. Jules Cornély, « Sans haine », *Le Figaro*, 15 août 1899, et *Notes sur l'affaire Dreyfus, op. cit.*, p. 549.

330. Zurlinden, *Procès de Rennes*, pp. 210-211.

331. Cuignet, *ibid.*, I, p. 487.

332. *Cf.* Paul Marie (pseudonyme de Paul Dupuy), *Le général Roget et Dreyfus.* Étude critique sur la déposition du général Roget devant la Cour de cassation (21, 23, 24 novembre 1898, 28 janvier et 3 février 1899), Paris, P.-V. Stock, 1899. Et Jean Roget, *L'Affaire Dreyfus. Ce que tout Français doit en connaître.* Préface du commandant Cuignet, Paris, Librairie de « l'Action Française », 1925, 96 p.

333. Le général Roget venait d'affirmer qu'il aurait été « impossible » à Esterhazy « de se procurer les documents qui sont énumérés au bordereau » (Roget, *Procès de Rennes*, I, p. 276).

334. Roget, *ibid.*, I, pp. 276-277.

335. Cf. Jean Jaurès, « Une honte », *La Petite République*, 27 août 1899, et *Œuvres de Jean Jaurès*, tome 7, *op. cit.*, pp. 765-768.

336. *Ibid.*, p. 767.

337. Jean Jaurès, « Obstination scélérate », *La Petite République*, 18 août 1899, cité in *Œuvres de Jean Jaurès*, tome 7, *op. cit.*, p. 727.

338. Joseph Reinach, *Histoire de l'Affaire Dreyfus*, V, pp. 438-439.

339. Paul Duché, *Le Nouvelliste de Bordeaux*, 29 août 1899. Cité in *ibid.*, p. 440.

340. Cf. *L'Aurore* du 31 août 1899 : « Je suis sûr que Labori n'a pas lu *Le Nouvelliste de Bordeaux* du 29 août. C'est un tort. » (*ibid.*, p. 440).

341. Jaurès, Réhabilitation 1903-1906, Instruction, off., I, p. 378.

CHAPITRE XIII
## La victoire de Dreyfus

1. Jules Cornély, « Une lutte », *Le Figaro*, 17 août 1899, et *Notes sur l'affaire Dreyfus*, *op. cit.*, p. 554.

2. Victor Basch, « Discours de Victor Basch », in *Le Procès de Rennes, dix ans après*, Paris, Ligue des droits de l'homme, 1928, cité dans François Basch, *Victor Basch*, *op. cit.*, p. 353.

3. Gaston Paris, lettre à Louis Havet, 4 septembre 1899, BNF, Nafr. 24464, f° 223.

4. *Id.*, f°, 357 (Cerisy, 1ᵉʳ septembre [1899]).

5. Gaston Paris, lettre à Louis Havet, 4 septembre 1899, BNF, Nafr. 24464, f° 223.

6. Mathieu Dreyfus, *L'Affaire telle que je l'ai vécue*, pp. 230-231.

7. Jean Jaurès, « L'accusé Mercier », *La Petite République*, 24 août 1899, et *Œuvres de Jean Jaurès*, tome 7, *op. cit.*, p. 755. Voir également les articles suivants de la *Petite République* des 25 août, 31 août, etc. (cités in *ibid.*, pp. 757 et suiv.).

8. In *ibid.*, p. 809.

9. L'article fut publié le 10 septembre 1899 dans *La Petite République* (et repris dans *Œuvres de Jean Jaurès*, tome 7, *op. cit.*, pp. 812-815).

10. *Ibid.*, p. 812.

11. Mathieu Dreyfus, *L'Affaire telle que je l'ai vécue*, p. 169.

12. Fonds Naville. Bibliothèque de Genève.

13. Le service des télégraphes fit apporter tout un sac place Laennec, au domicile de Labori.

14. Élie Halevy, lettre à Célestin Bouglé, 15 août 1899, *Correspondance, op. cit.*, p. 265

15. « Pour perdre Dreyfus, l'état-major, en 1894, avait supprimé la défense ; cette fois, il trouve plus simple de supprimer les défenseurs. » (« Par l'assassinat », *La Petite République*, 16 août 1899 – et non le 15 août comme l'écrit Joseph Reinach –, et *Œuvres de Jean Jaurès*, tome 7, 2, *op. cit.*, p. 722).

16. AN, F⁷ 12923 (télégramme du 15 août 1899). Il existe un second télégramme de Charles Péguy, à la même date, adressé cette fois à Bernard Lazare (« hôtel Moderne de Rennes ») : « Il faut que ce soit Jaurès à présent qui présente défense faisant fonctions avocat sans aucun délai. Charles Péguy, 17 rue Cujas. » Mathieu Dreyfus écrit dans *L'Affaire telle que je l'ai vécue* : « Quelques-uns voulurent que Jaurès remplaçât Labori » (p. 219).

17. Célestin Bouglé, lettre à Élie Halévy, [juillet 1899], Archives Henriette Guy-Loë.

18. Élie Halévy, *Correspondance, op. cit.*, p. 266-267 (lettre à Célestin Bouglé du 18 août 1899). Sur « l'histoire Brô » : dans une lettre au général Billot du 25 octobre 1897, Esterhazy avait insinué que les mots du bordereau qui pouvaient ressembler à sa propre écriture avaient été calqués sur le manuscrit d'une étude que lui avait demandée en 1894 un officier du ministre de la Guerre, le capitaine Brô. Toute cette histoire fut connue à travers la déposition du commandant Esterhazy à Londres et par un livre qu'il publia, *Les dessous de l'affaire Dreyfus* (Paris, Fayard, sd [1898], 226p.). L'« histoire Brô », forgée de toute pièce par Esterhazy et acceptée par l'État-major, cherchait à renforcer le système de culpabilité visant le déporté de l'île du Diable. Au procès Esterhazy, Brô affirma qu'il n'avait demandé aucune étude à l'inculpé. Les défenseurs de Dreyfus rappelèrent cette nouvelle machination devant la Cour de cassation.

19. Dominique Parodi suggère ensuite à Élie Halévy de prendre lui-même contact avec la « revue de ce pauvre Labori », Dominique Parodi, lettre à Élie Halévy, 15 août 1899, Archives Henriette Guy-Loë.

20. André Beaunier, lettre à Élie Halévy, 27 août 1899, Archives Henriette Guy-Loë.

21. Élie Halévy, *Correspondance, op. cit.*, p. 267 (lettre à Xavier Léon du 24 août 1899).

22. Gabriel Monod, *Journal*, ainsi qu'une lettre à sa tante, Nathalie Herzen, du 26 août 1899 : « La plus forte impression que j'ai est l'horreur de l'humanité. – L'homme est évidemment un être naturellement menteur, vil et féroce [...]. La tristesse finit par envahir tout mon être – car l'état moral de mon pays m'apparaît comme irrémédiablement mauvais. L'Affaire Dreyfus n'est qu'un symptôme. »

23. Voir, p. 163.

24. Jules Cornély, « Un mot d'apaisement », *Le Figaro*, 19 août 1899, et *Notes sur l'affaire Dreyfus, op. cit.*, pp. 562-563.

25. Jules Claretie, *le Temps,* 6 septembre 1899.

26. « Je m'adresse à vous au nom de la justice et de l'humanité. Je lis dans un journal autrichien que le colonel Panizzardi aurait en sa possession la note sur Madagascar, écrite de la main d'Esterhazy, avec plusieurs lettres [*Aurore* du 18 août citant la *Wiener Allgemeine Zeitung*]. L'heure est si grave, la vérité est menacée à un tel point que je n'hésite pas à vous demander de tenter auprès du colonel Panizzardi une démarche suprême. Le connaissez-vous ? Connaissez-vous quelqu'un qui pourrait vous présenter à lui ? Allez le voir en mon nom, dites-lui que je le supplie, les mains jointes, au cas où il posséderait de tels documents, de les faire parvenir au conseil de guerre par la voie qui lui semblera la plus convenable. De quel poids décisif seraient ces documents ! La vérité triompherait enfin, un désastre épouvantable serait peut-être épargné à la France, au monde entier. Et le colonel Panizzardi serait un héros de la conscience et de la solidarité humaine. Je vous autorise à lui montrer ma lettre. Dites-lui que je me serais rendu moi-même à Rome pour le supplier, si je n'étais pas cloué ici par ma propre situation. Je passe mes jours dans l'angoisse et dans la tristesse. Puisse le grand soleil de la vérité dissiper les mensonges pour rendre enfin la paix à la terre ! J'insiste, et j'adresse par votre intermédiaire cet ultime appel au colonel Panizzardi, au soldat et à l'honnête homme (Émile Zola, Lettre du 28 août 1899) *Correspondance*, X, *op. cit.*, pp. 518-519.

27. Publiée dans *La Patria* de Rome le 6 octobre 1902 et dans la *Wiener Allgemeine Zeitung* le 11. Lupinacci précisa dans *La Patria* le 6 octobre 1902 : « Inutile de dire que je fis auprès de Panizzardi la démarche souhaitée », *ibid*, p. 519.

28. Trarieux, *Procès de Rennes*, III, pp. 428-429.

29. *Ibid.*, III, p. 431.

30. Jean Jaurès, « Vérité internationale », cité in *Œuvres de Jean Jaurès*, tome 7, *op. cit.*, p. 805.

31. Citée in *Procès de Rennes*, III, p. 516.

32. *Ibid.*, III, p. 517.

33. Jean Jaurès, « Dégoût », cité in *Œuvres de Jean Jaurès*, tome 7,*op. cit.* p. 809.

34. *Ibid.*, pp. 809-810.

35. Colonel Panizzardi, dépêche, *Le Figaro*, 17 août 1899, citée in *Procès de Rennes*, I, p. 280, note. *Le Figaro* publia également le témoignage de la marquise Arconati-Visconti, « fille d'Alphonse Peyrat, ancien député et sénateur de la Seine, qui avait communiqué au journal un extrait de la lettre que lui adressait, peu de temps avant sa mort, l'ambassadeur Ressman : « Je sens la mort qui vient, mais elle ne me fait pas peur. Je souffre tant ! Je n'ai qu'un regret : c'est de mourir avant de voir proclamer l'innocence de ce malheureux Dreyfus ! »

36. Mercier, *Procès de Rennes*, I, p. 339. Cf. Jules Cornély, « Le témoignage de l'étranger », *Le Figaro*, 18 août 1899, et *Notes sur l'affaire Dreyfus, op. cit.*, pp. 557-561.

37. Colonel Schneider, télégramme publié dans *Le Figaro* et dans *Procès de Rennes*, I, p. 145. Ce télégramme fut suivi d'une lettre (*ibid.*, p. 145). Jean Jaurès consacra plusieurs pages à cette nouvelle manipulation du général Mercier (dont « Enquête nécessaire », *La Petite République*, 21 août 1899, et *Œuvres de Jean Jaurès*, tome 7, *op. cit.*, pp. 738-741).

38. Cf. Réhabilitation 1903-1906, Instruction, off., II, p. 503

39. « Thonne, le 6 juillet 1899, Monsieur le professeur, Je reçois votre lettre du 5 courant, et je m'empresse de vous répondre. J'ai eu en effet l'honneur d'assister en 1896 aux manœuvres d'armées près d'Angoulême. M. le colonel de Schwartzkoppen se mit un jour à me parler, sans aucune provocation de ma part, de Dreyfus, et me dit entre autres, qu'on avait commis en 1894 une épouvantable erreur judiciaire, que Dreyfus était *innocent*, et, en me montrant le colonel du Paty de Clam, me dit « qu'il ne voudrait pas être dans sa peau », car c'était lui qui avait dirigé l'enquête. Le colonel de Schwartkoppen n'avait aucune raison de *m'affirmer sur l'honneur* qu'il n'avait eu aucune relation avec Dreyfus, et je ne lui ai pas demandé. Encore une fois, je n'ai pas du tout provoqué cette conversation, cette affaire ne me regardait pas, je ne l'ai pas allongée, elle m'avait naturellement beaucoup frappé à cette époque, et je l'ai racontée à mon retour en Suisse, à quelques camarades ; une âme bien intentionnée l'a publiée l'en dernier, je crois, à mon insu, dans les journaux ; cela m'a été très désagréable, car, grand ami de la France, je ne veux pas me mêler de cette histoire ; aussi je m'en remets à votre loyauté, et vous prie de ne faire aucun usage de ma lettre en faveur de la presse et de ne pas mettre mon nom en avant. Je vous donne ces renseignements à titre particulier lors même que je n'ai pas l'honneur de vous connaître. » Cité en partie dans Alfred Dreyfus, *Souvenirs et correspondance.*, pp. 304-305. Adressée finalement au garde des Sceaux en septembre 1899 (Réhabilitation 1903-1906, instruction, III, p. 776 : publication in extenso).

40. Voir p. 662.

41. Joseph Reinach, *Histoire de l'Affaire Dreyfus* V, p. 444. Jules Cornély a retenu cependant le « cri déchirant de Dreyfus » (« Toujours les aveux », *Le Figaro*, 1ᵉʳ septembre 1899, et *Notes sur l'affaire Dreyfus, op. cit.*, p. 600).

42. Joseph Reinach, *Histoire de l'Affaire Dreyfus*, V, p. 444.

43. Voit p. 665.

44. Jean Jaurès, « L'accusé Mercier », *La Petite République*, 14 août 1899.

45. Joseph Reinach, *Histoire de l'Affaire Dreyfus* V, pp. 335-336.

46. Lord Russel of Killowen, « Report to Queen Victoria », *art. cit.*, p. 153.

47. Maurice Barrès, *Ce que j'ai vu à Rennes, op. cit.*, 1904, pp. 26-27.

48. Ce fut le cas de Jaurès. Voir pp. 743 et suiv.

49. Joseph Reinach, *Histoire de l'Affaire Dreyfus*, V, p. 388.

50. Joseph Cornély, « À mi-côte », *Le Figaro*, 23 août 1899, et *Notes sur l'affaire Dreyfus, op. cit.*, p. 570.

51. L'ancien garde des Sceaux devenu le premier président de la Ligue des droits de l'homme insista sur cette dérive, dans sa déposition (*Procès de Rennes*, III, pp. 411 et suiv.

52. *Procès de Rennes*, I, pp. 9-20.

53. Voir la déclaration publique d'Émile Duclaux à son sujet (p. 594). En ce qui concerne la manière dont l'acte d'accusation a pu être récupéré par Mathieu Dreyfus et publié dans *L'Aurore* et dans *Le Siècle*, voir Joseph Reinach, *Histoire de l'affaire Dreyfus*, III, pp. 160 et suiv.

54. Cette lecture de l'arrêt de la Cour de cassation faisait que la lecture de l'acte d'accusation n'était pas nécessairement illégale, comme l'expliqua Manuel Baudouin au cours des débats de recevabilité de la seconde révision en 1904 (*Réhabilitation 1903-1906*, débats 1904, pp.126-127).

55. Trarieux, *Procès de Rennes*, III, p. 483.

56. Billot, *ibid.*, III, p. 487.

57. Jean-Bernard, *Le Procès de Rennes 1899, op. cit.*, p. 203.
58. Signalé dans *La Petite République* du 13 août 1899 et dans Joseph Reinach, *Histoire de l'affaire Dreyfus*, V, p. 336.
59. Voir p. 725.
60. Dreyfus, *Procès de Rennes*, I, p. 309.
61. Jouaust, *ibid.*, I, p. 309.
62. Mornard, citant le colonel Jouaust, in Réhabilitation 1903-1906, Débats 1906, II, p. 287.
63. Voir p. 594.
64. Joseph Cornély, « À mi-côte », *Le Figaro*, 23 août 1899, et *Notes sur l'affaire Dreyfus, op. cit.*, p. 570.
65. Général de Galliffet, lettre du 18 juillet 1899, citée in *Réhabilitation 1903-1906*, instruction, III, pp. 385-386.
66. *Ibid.*, pp. 387-389.
67. *Ibid.*, pp. 388-389.
68. *Ibid.*, pp. 390-391 (nous soulignons).
69. Notamment : « Ministère public, 21, 46, 247 » (*ibid.*, p. 386).
70. *Ibid.*, p. 386.
71. Havet, *Procès de Rennes*, III, p. 261.
72. Alfred Dreyfus, *Carnets*, p. 182.
73. Cf. Réhabilitation 1903-1906, Instruction II, 1, pp. 135-138.
74. Alfred Dreyfus, *Carnets*, pp. 182-183.
75. Cf. Colette Cosnier et André Hélard, *Rennes et Dreyfus en 1899, op. cit.*
76. Alfred Dreyfus, *Cinq années de ma vie*, pp. 215-217.
77. Labori, *Procès de Rennes*, p. 356.
78. *Ibid.*, pp. 335-336.
79. Jean Jaurès, « Les prétendus aveux », *La Petite République*, 2 septembre 1899, et *Œuvres de Jean Jaurès*, tome 7, *op. cit.*, pp. 785-786.
80. Bernard Lazare intervint par téléphone. Voir Joseph Reinach, *Histoire de l'Affaire Dreyfus*, V, pp. 515 et suiv.
81. « Ces documents seraient la copie des pièces énumérées au bordereau et fournies à l'Allemagne par Esterhazy. » (« Rennes, le 20 août 1899 »), AN, F⁷ 12923.
82. Victor Basch, *Cahiers des droits de l'homme* 1928, texte de 1909, cité in Françoise Basch, *Victor Basch, op. cit.*
83. Jean-Bernard, *Le Procès de Rennes 1899, op. cit.*, pp. 326-328.
84. *Ibid.*, pp. 328-339.
85. Dominique Parodi, lettre à Élie Halévy, 3 juillet [1899], archives Henriette Guy-Loë.
86. BNF, Nafr. 24449, f° 313.
87. Carrière, *Procès de Rennes*, III, p. 573.
88. *Ibid.*, III, pp. 581 et suiv.
89. *Procès de Rennes*, III, p. 577 et suiv. Ce mépris est d'autant plus grave que le commandant Carrière a déclaré solennellement, au début de son réquisitoire, qu'il s'inclinait « sans restriction et dans toute son ampleur devant l'arrêt de la Cour de cassation » (*ibid.*, p. 574).
90. *Ibid.*, p. 589.
91. *Ibid.*, p. 592.
92. La peine a été commuée, comme nous l'avons vu par la Constitution de 1848 et la loi du 1ᵉʳ juin 1850, en déportation fortifiée, hors du territoire continental de la République.
93. *Procès de Rennes*, III, pp. 592-593.
94. Demange, *ibid.*, III, p. 395.
95. *Ibid.*, III, p. 595.
96. *Ibid.*, III, p. 599 et suiv..
97. *Ibid.*, III, p. 613.

98. Demange, *ibid.*, III, p. 743.

99. *Ibid.*, III, pp. 743-744.

100. Labori, *ibid.*, III, pp. 755-756. L'avocat signala ne pas avoir modifié les notes de sa plaidoirie après avoir entendu celle de Demange.

101. *Ibid.*, pp. 806-807.

102. Joseph Reinach, *Histoire de l'Affaire Dreyfus*, V, pp. 235-236.

103. Carrière, *Procès de Rennes*, III, p. 745.

104. *Ibid.*, III, pp. 745-746.

105. L'historien Carlo Ginzburg explique avoir reconnu dans ces pratiques d'examen des émotions du corps de l'accusé – censée dévoiler son âme – et qui furent exercées par les juges sur Sofri les méthodes des procès de l'Inquisition (Entretien in « Les mercredis de l'histoire », Arte, 21 novembre 2001. Voir également, du mépris historien, *Le juge et l'historien – Considérations au marge du procès Safri*, traduit de l'italien, Paris, Verdier, 1997, 190 p.). La scène dite de la « dictée », qui précéda l'arrestation du capitaine Dreyfus au ministère de la Guerre, met en lumière ces pratiques archaïques. Dreyfus tremblait de la main en écrivant la lettre que lui avait demandé de prendre en copie le lieutenant-colonel du Paty de Clam. Ce dernier et les fonctionnaires virent aussitôt l'aveu de la culpabilité de l'officier qui répondit pourtant qu'il avait froid.

106. Jouaust, *Procès de Rennes*, III, p. 746.

107. Suit le dispositif des différentes articles de loi, du code pénal et du code de justice militaire (*ibid.*, III, pp. 747-748).

108. *Ibid.*, III, p. 748.

109. Cf. Joseph Reinach, *Histoire de l'Affaire Dreyfus*, V, p. 534.

110. Charles Chincholle, « La dernière journée à Rennes », *Le Figaro*, 10 septembre 1899.

111. Victor Basch, cité in Françoise Basch, *Victor Basch, op. cit.*, p. 363.

112. Alfred Dreyfus, *Cinq années de ma vie*, p. 217. Également, *Carnets*, p. 28.

113. Joseph Reinach, *Histoire de l'Affaire Dreyfus*, V.

114. Émile Zola, « Le cinquième acte », *L'Aurore*, 12 septembre 1899 et *J'accuse... ! La vérité en marche, op. cit.*, pp. 159-162.

115. Cf. Paul Appell, *Souvenirs d'un Alsacien*, 1923, pp. 213-214.

116. *Le Siècle*, 10 septembre 1899.

117. *Le Radical*, 9 septembre 1899.

118. *Le Voltaire*, 9 septembre 1899.

119. Jules Cornély, « Après l'arrêt », *Le Figaro*, 10 septembre 1899, et *Notes sur l'affaire Dreyfus, op. cit.*, p. 632.

120. Jean-Bernard, *Le Procès de Rennes 1899,* p. 383.

121. Joseph Reinach, « Il faut dégager l'honneur de la France », *Le Siècle*, 11 septembre 1899.

122. Rapporté dans *Le Figaro*, 10 septembre 1899.

123. P. Villars, *Le Figaro*, 10 septembre 1899.

124. Cf. Egal Feldman, *The Dreyfus Affair and the american conscience, 1895-1906*, Detroit, Wayne State University Press, 1981, « La réception de l'Affaire aux États-Unis », *L'Affaire Dreyfus de A à Z* (Michel Drouin dir.), Paris, Flammarion, 1994, pp. 565-570, et « L'affaire Dreyfus et la conscience américaine », *Revue de la Bibliothèque nationale de France*, Été 1994, pp. 4-11. Martin Cornick, « La réception de l'Affaire en Grande-Bretagne », *L'Affaire Dreyfus de A à Z* (Michel Drouin dir.), Paris, Flammarion, 1994, pp. 575-580, et « Les grandes revues victoriennes et l'affaire Dreyfus », *La Revue des revues*, n° 17, 1994, pp. 53-74. Il manque néanmoins une véritable étude sur l'affaire Dreyfus comme événement international. Nous nous y emploierons.

125. Voir Lushington, « The court-martial at Rennes », *National Review*, septembre 1899, et « The verdict at Rennes », octobre 1899.

126. G. Mittag-Leffler, lettre à Charles Hermite, 9 septembre 1899, citée in Pierre Dugac, *Histoire de l'analyse*. *Autour de la notion de limite et de ses voisinages*, préface de Jean-Pierre Kahane, Paris, Vuibert, 2003, p. 219.

127. *Le Figaro*, 10 septembre 1899.

128. Voir pp. 729 et suiv.

129. Mathieu Dreyfus, *L'Affaire telle que je l'ai vécue*, pp. 122-123.

130. Joseph Reinach, *Histoire de l'Affaire Dreyfus*, V, p. 493.

131. *Ibid.*, p. 494.

132. Paléologue, Réhabilitation 1903-1906, Instruction, IV, p. 203.

133. Joseph Reinach, *Histoire de l'Affaire Dreyfus*, V, p. 495.

134. M. de Schoulepnikov, lettre à Alfred Dreyfus, 13 septembre 1899, in Alfred Dreyfus, *Souvenirs et correspondance*, p. 250. Joseph Reinach évoqua plus de vingts grandes capitales ou métropoles du monde où eurent lieu de gandes manifestations de protestation (*Histoire de l'Affaire Dreyfus*, V, p. 543).

135. Jules Cornély, *Notes sur l'affaire Dreyfus*, *op. cit.*, pp. 633-635.

136. *Ibid.*, p. 636

137. Ferdinand Forzinetti, lettre à M. Blanchy, 10 octobre 1899 (archives Jean-Louis Lévy).

138. Louis Havet, lettre à Alfred Dreyfus, 21 août 1899, in Alfred Dreyfus, *Souvenirs et correspondance*, p. 245.

139. Réjane, lettre à Lucie Dreyfus, 8 septembre 1899, in *ibid.*, pp. 245-246).

140. « Dans les quelques jours qui suivirent le verdict de Rennes, je reçus des milliers de télégrammes et de lettres de tous les points de la France et du monde entier, protestations indignées des consciences honnêtes contre l'iniquité » (Alfred Dreyfus, *Carnets*, p. 27).

141. Émile Duclaux, lettre à Alfred Dreyfus, 10 septembre 1899, in Alfred Dreyfus, *Souvenirs et correspondance*, p. 247.

142. Louis Havet, lettre à Alfred Dreyfus, 9 septembre 1899, in *ibid.*, pp. 246-247.

143. Émile Boutroux, lettre à Alfred Dreyfus, 10 septembre 1899, in *ibid.*, p. 248.

144. Jules Barbier, lettre à Alfred Dreyfus, 11 septembre 1899, in *ibid.*, p. 249.

145. J. Viollet, lettre à Alfred Dreyfus, 10 septembre 1899, in *ibid.*, p. 248.

146. André Chevrillon, lettre à Alfred Dreyfus, 15 septembre 1899, in *ibid.*, pp. 251-252.

147. *Le Siècle*, 12 septembre 1899.

148. *Ibid.*

149. *Le Siècle*, 11 septembre 1899 [message du 9 septembre 1899].

150. *Le Siècle*, 15 septembre 1899.

151. *Le Siècle*, 12 septembre 1899.

152. François Simiand, lettre à Élie Halévy, 13 septembre [1899], archives Henriette Guy-Loë.

153. *L'Aurore* proposa une variante du texte de l'adresse, « Nous demandons la justice pour Dreyfus ! », que refusa sèchement *Le Siècle* : « Nous ne voyons pas, pour notre part, tout en applaudissant à la généreuse pensée de notre confrère de *L'Aurore*, la nécessité de modifier en quelque sens que ce soit, le libellé de la pétition qui, depuis huit jours, se couvre de signatures. Nous nous en tiendrons donc AU TEXTE ARRÊTÉ À RENNES et que nous reproduisons tous les jours (*Le Siècle*, 18 septembre 1899).

154. Ainsi que Gaston Moch, oublié mais signataire dès le soir. Lettre dans *Le Siècle* du 16 septembre 1899.

155. *Le Siècle*, 11 septembre 1899. « De nouvelles listes circulent actuellement qui recueillent les signatures de tous les défenseurs de la justice présents à Rennes. »

156. Cette adresse fut envoyée à Zola le 13 septembre 1899 (BNF, Nafr 24522, f°470-471).

157. Cf. « Lettre d'un magistrat », *Le Siècle*, 18 septembre 1899

158. Joseph Reinach, *Les blés d'hiver*, Paris, P.-V. Stock, pp. 115-135

159. Lettre citée dans P.-V. Stock, *Mémorandum d'un éditeur. L'affaire Dreyfus anecdotique, op. cit.*, pp. 82-83

160. *Ibid.*

161. Jules Andrade lui avait écrit le 5 juillet 1899. Le 6 juillet, avant le procès, le colonel Chauvet lui répond, en attestant les propos que lui avait tenus le colonel de Schwartzkoppen (in Alfred Dreyfus, *Souvenirs et correspondance*, pp. 304-305). Mais le colonel Chauvet ne renouvela pas sa déposition devant l'ambassadeur de France à Berlin, M. Bihoud, comme le lui conseillaient Dreyfus et Mornard.

162. « Le Coin, par Collonges-sous-Salève (Haute-Savoie), septembre 1899, Monsieur le ministre,

J'ai l'honneur de vous adresser un document qui, *par la date du fait qu'il atteste*, permet de démontrer l'innocence du capitaine Dreyfus. Il n'a pas dépendu de moi que ce document ne fût produit devant le tribunal militaire de Rennes ; en effet, j'avais informé le président de ce tribunal que je possédais une preuve de l'innocence de l'accusé, mais le colonel Jouaust n'a pas cru devoir me répondre.

Ainsi, dès aujourd'hui, la production du document ci-inclus définit un fait inconnu des juges dont la majorité a dicté l'arrêt du 9 septembre 1899. Je crois devoir signalé à votre haute attention ce *fait nouveau* qui me paraît constituer un motif légitime de revision ; je le fais d'ailleurs avec la réserve que me commande mon ignorance des formes juridiques.

163. Gabriel Monod, « L'esprit de l'armée », *Le Siècle*, 20 septembre 1899.

164. Georges Clemenceau, *L'Aurore*, cité dans *La honte, op. cit.*

165. *Le Siècle*, 13 et 14 octobre 1899.

166. François Simiand, lettre à Élie Halévy, 13 septembre 1899 : « Une raison de plus d'être antimilitariste : car si je n'avais pas été aux armées, cet embarras n'aurait pas eu lieu. Mais cette raison n'est pas la plus grave, n'est-ce pas ? Je ne comptais pas que le jugement de Rennes nous le montrerait aussi complet. Cela nous réserve encore de belles batailles, mais je doute moins que jamais [de] la Victoire ». (archives Henriette Guy-Loë).

167. Émile Duclaux, *Propos d'un solitaire. II. Les conseils de guerre*, Paris, Au siège de la Ligue pour la défense des droits de l'homme et du citoyen, 1899, 18 p. [articles parus dans *le Siècle* en septembre 1899].

168. Émile Zola, « Le Cinquième Acte », *art. cit.*

169. Henri Hauser, *Le Siècle*, 21-22 septembre 1899

170. Raoul Allier, « Cinq joues », *Le Siècle*, 21 septembre 1899.

171. BNF, Nafr. 24449, f°316. 316, Cerisy-la-Salle, lundi 11 septembre 1899 [après la suivante, semble-t-il]. Gaston Paris écrit à Mme Dreyfus et rédige un projet d'« Adresse à monsieur le président de la République ». Cette lettre fait partie de celles qui sont publiées dans l'ouvrage d'Ursula Bähler, *Gaston Paris dreyfusard*, Paris, CNRS éditions, 1999, pp. 151-153.

172. Jean Jaurès, « Déshonneur inutile », *La Petite République*, 12 septembre 1899, et *Œuvres de Jean Jaurès*, tome 7, *op. cit.*, p. 821.

173. Georges Clemenceau, « Vers la Victoire », *L'Aurore*, 10 septembre 1899.

174. *Le Siècle* du 10 septembre 1899 évoqua dans un premier temps les noms des capitaines Beauvais et Parfait.

175. Joseph Reinach, *Histoire de l'Affaire Dreyfus*, V, pp. 533-534.

176. Ferdinand Forzinetti, lettre à M. Blanchy, 10 octobre 1899 (archives Jean-Louis Lévy).

177. Élie Halévy, *Correspondance, op. cit.*, pp. 267-268 [lettre à Xavier Léon du 12 septembre 1899].

178. Henri Rochefort, *L'Intransigeant*, 9 septembre 1899.

179. *Les Carnets de Schwartzkoppen, op. cit.*, p. 337.

180. Jean Jaurès, « La bataille », *La Petite République*, 11 août 1899, et *Œuvres de Jean Jaurès*, tome 7, *op. cit.*, p. 716.

181. Le témoignage des *Souvenirs inédits* (archives Charles Dreyfus) qui suit est d'autant plus important que Dreyfus refusa de s'exprimer sur son procès dans *Cinq années de ma vie* (n'évoquant que le pourvoi) : « Je ne raconterai pas ici les débats du procès de Rennes » (Alfred Dreyfus, *Cinq années de ma vie*, p. 217).

182. À ce propos, Jaurès écrivit : « Sans vaine bravade, sans forfanterie provocatrice, il a mis dans son accent et dans sa parole la force accusatrice de la vérité. [...] Sous cette parole de vérité et d'humanité, je ne sais quelle surprise de joie s'éveillait dans le regard de Dreyfus, où semble dormir une souffrance si profonde » (« Un bon commencement », *La Petite République*, 19 août 1899, et *Œuvres de Jean Jaurès*, tome 7, *op. cit.*, p. 723).

183. Alfred Dreyfus, *Mes souvenirs*, pp. 49-50.

184. *Ibid.*, p. 50 et Alfred Dreyfus, *Cinq années de ma vie*, p. 217 (avec quelques variantes minimes).

185. Alfred Dreyfus, *Cinq années de ma vie*, pp. 217-218.

186. *Les carnets de Schwartzkoppen*, *op. cit.*, p. 337.

187. Claude Vanderpooten, *Samuel Pozzi*, *op. cit.*, p. 238.

188. Alfred Dreyfus, *Souvenirs et correspondance*, pp. 265-266. Dreyfus insiste sur les éléments d'intelligence du personnage, et montre la communion d'âme des dreyfusards. Republié dans les *Carnets*, p. 27.

189. Voir p. 790.

190. *Le Siècle*, 13 septembre 1899.

191. Fonds Naville, Bibliothèque de Genève.

192. Salomon Reinach, lettre à Carlos Blacker (vers le 12 septembre 1899), traduite de l'anglais par France Beck (archives docteur Anne Cabau ; cette lettre appartient à Robert Maguire qui l'a communiquée à France Beck).

193. Alfred Dreyfus, *Cinq années de ma vie*, pp. 217-218.

194. Alfred Dreyfus, *Carnets*, p. 28.

195. Déclaration d'Alfred Dreyfus, *L'Aurore*, 21 septembre 1899. Publié dans Alfred Dreyfus, *Carnets*, pp. 28-29.

196. Joseph Reinach, « Il faut dégager l'honneur de la France », *Le Siècle*, 11 septembre 1899.

197. Louis Havet, « L'incident est clos », *Le Siècle*, 26 septembre 1899 (article écrit le 24 septembre).

198. *Précis de l'affaire Dreyfus*, Paris, Nouvelle Librairie nationale, 1909. édition définitive avec un répertoire analytique, Nouvelle Librairie nationale, 1924, nouvelle édition, 1938, 672 p. (encartage de 16 p. sur les événements de 1924-1938), réédition en 1987, Paris, éditions du Trident, diffusion Librairie française, 674 p. (fac-similé de l'édition de 1938).

199. Voir p. 853.

200. Emile Zola, « Lettre à Madame Alfred Dreyfus », *L'Aurore*, 29 septembre 1899, et *J'Accuse... ! La Vérité en marche*, *op. cit.*, pp. 175-183.

201. Charles Péguy, « Le Ravage et la Réparation », *La Revue blanche*, 15 novembre 1899, et *Œuvres en prose complète*, tome 1, *op. cit.*, pp. 281-282 (nous soulignons).

202. « Une déclaration de Dreyfus », *La Petite République*, 22 septembre 1899 et *Œuvres de Jean Jaurès*, tome 7, *op. cit.*, p. 825.

203. Lettre de Waldeck-Rousseau à Reinach, in Joseph Reinach, *Histoire de l'Affaire Dreyfus*, V, p. 520. Voir aussi : Alfred Dreyfus, *Carnets*, pp. 67 et suiv. Joseph Reinach en avertit par lettre Mathieu Dreyfus qui la montra ensuite à Labori (cf. Mathieu Dreyfus, *L'Affaire telle que je l'ai vécue*, p. 277).

204. La Chambre s'étant ajournée jusqu'au 26 juin 1899, Waldeck-Rousseau avait pu agir (en ramenant notamment Louis Lépine à la tête de la préfecture de police) et faire agir de Galliffet. Des mesures s'imposaient d'urgence car l'agitation dans l'armée avait redoublé pendant la vacance du pouvoir, et pas seulement dans l'armée de terre (la marine fut également touchée). Les généraux Roget, Hartschmidt, sont

déplacés le 26 juin, Coubertin et le colonel de Saxcé furent frappés, le général Metzinger sommé de se taire. Une circulaire fut adressée aux chefs de corps d'armée par le ministre : « Silence dans les rangs ! » Le 8 juillet, le général Brugère était nommé gouverneur militaire de Paris en remplacement de Zurliden qui restait au Conseil supérieur de la guerre. Le 26 juillet, le général de Pellieux était lui aussi déplacé. Le 24 octobre, les généraux Hervé et Giovianinelli étaient mis à la retraite d'office. Auparavant, le général de Négrier avait été frappé pour avoir, comme l'expliqua, devant la Chambre, le 14 novembre 1899, le ministre de la Guerre, « avoir excité les officiers au mépris et à la haine du gouvernement [et] avoir laissé supposer que le conseil supérieur de la guerre avait pris parti et était prêt à agir ». La tentative de cet officier pour monter le Conseil supérieur de la guerre contre le gouvernement avait cependant échoué. Galliffet en avait profité pour rappeler à cette institution, comme il le dira devant la Chambre, qu'elle n'était pas, en temps de paix, un instrument de guerre, mais un instrument de travail », sous l'autorité du ministre de la Guerre, et que ses membres inspectaient que ce qui concernait la mobilisation, les approvisionnements et l'instruction militaire des troupes. « Quant au commandement, quant à la discipline et même à l'administration, ils n'ont pas à y intervenir. [...] Veuillez ne pas oublier, messieurs, que la seule institution légale dans la matière c'est le commandant de corps d'armée. Lui seul est responsable devant le ministre, et nul autre. » On le vit clairement, la « mise au pas de l'armée » signifia un net accroissement de l'autorité du ministre de la Guerre, une double autorité même, militaire face à la hiérarchie et civile au sein du gouvernement. C'est l'équilibre entre ces deux autorités qui assurait le républicanisme du système. Le pouvoir militaire révélé par l'affaire Dreyfus se définissait par l'autorité de la hiérarchie militaire sur un ministre de la Guerre qui cultive sa différence au gouvernement, recherchant écoute et protection du côté de la présidence de la République. En intégrant la Guerre dans le cabinet, en considérant l'armée comme un domaine politique, en lui imposant une autorité politique, Waldeck-Rousseau et Galliffet restaurèrent le droit, la discipline et l'efficacité dans l'armée. Celle-ci se soumit sans heurt, preuve que la mise au pas du pouvoir militaire ne signifiait pas nécessairement l'humiliation de l'armée mais plutôt une pédagogie du fait militaire et de son rôle dans la nation (cf. Pierre Sorlin, *Waldeck-Rousseau*, Paris, Armand Colin, 1966, pp. 405-410).

205. Cf. Joseph Reinach, *Histoire de l'affaire Dreyfus*, V, pp. 536-537.

206. Émile Zola, « Lettre à Madame Alfred Dreyfus », *L'Aurore*, 29 septembre 1899, et *J'Accuse !... La Vérité en marche*, *op. cit.*, pp. 175-183.

207. Galliffet, lettre à Waldeck-Rousseau, 8 septembre 1899, publiée in Joseph Reinach, *Histoire de l'Affaire Dreyfus*, V, pp. 579-581.

208. Cf. *ibid.*, pp. 538-539.

209. Mathieu Dreyfus, *L'Affaire telle que je l'ai vécue*, p. 252.

210. Réhabilitation 1903-1906, Débats 1904, p. 636.

211. Cité par Joseph Reinach, *Histoire de l'affaire Dreyfus*, V, p. 540.

212. Récits de Waldeck-Rousseau et de Mornard, cités *ibid.*

213. Lettre du 13 septembre 1899 citée in *ibid*, pp. 881-882.

214. D'après Joseph Reinach, Mathieu Dreyfus leur dit : « Il faut la grâce, la grâce sans retard, ou mon frère va mourir. » (*Ibid.*, p. 547).

215. Mathieu Dreyfus, *L'Affaire telle que je l'ai vécue*, p. 238.

216. *Ibid.*, p. 239.

217. *Ibid.*

218. Joseph Reinach, *Histoire de l'Affaire Dreyfus*, V, p. 549.

219. Mathieu Dreyfus, *L'Affaire telle que je l'ai vécue*, p. 239.

220. *Ibid.*, p. 240, et Joseph Reinach, *Histoire de l'Affaire Dreyfus*, V, p. 550.

221. Mathieu Dreyfus, *L'Affaire telle que je l'ai vécue*, p. 240.

222. *L'Aurore*, 13 septembre 1899, citée in Joseph Reinach, *Histoire de l'Affaire Dreyfus*, V, pp. 550-551, note 1.

223. Mathieu Dreyfus, *L'Affaire telle que je l'ai vécue*, pp. 241-242.

224. Joseph Reinach, *Histoire de l'Affaire Dreyfus*, V, p. 557.

225. *Ibid.*, p. 558. Mathieu Dreyfus, *L'Affaire telle que je l'ai vécue*, p. 242.

226. *Ibid.*, p. 243.

227. Galliffet, lettre à Waldeck-Rousseau, 13 septembre 1899, art. cit., publiée in Joseph Reinach, *Histoire de l'Affaire Dreyfus*, V, pp. 581-582.

228. *Ibid.*

229. Waldeck-Rousseau avait même demandé à Joseph Reinach qu'il persuadât Mathieu Dreyfus de rendre sa parole à Alexandre Millerand (Mathieu Dreyfus *L'Affaire telle que je l'ai vécue*, p. 245). Deux ministres, Georges Leygues et Jean Lanessan, très inquiets, avaient sollicité Joseph Reinach pour cette mission.

230. *Ibid.*, p. 245.

231. *JO*, 22 décembre 1899. Publiée également in Joseph Reinach, *Histoire de l'Affaire Dreyfus*, V, pp. 582-584.

232. Gallifet, Réhabilitation 1903-1906, Instruction, off., I, pp. 906-907.

233. *Ibid.*, p. 907.

234. Mathieu Dreyfus, *L'Affaire telle que je l'ai vécue*, p. 247.

235. Alfred Dreyfus, *Carnets*, p. 29.

236. Jules Huret, « En liberté. Le voyage d'Alfred Dreyfus », in *Tout yeux, tout oreilles*, op.cit., p. 336.

237. Alfred Dreyfus, *Carnets*, p. 29.

238. Jules Huret, « En liberté. Le voyage d'Alfred Dreyfus », in *Tout yeux tout oreilles*, p. 338.

239. *Ibid.*, pp. 338-340.

240. *Ibid.*, pp. 341-342.

241. Alfred Dreyfus commit une erreur ; il vit la mer et le ciel pendant deux années, et le ciel seulement pendant deux autres années.

242. Jules Huret, « En liberté. Le voyage d'Alfred Dreyfus », in *Tout yeux, tout oreilles*, art. cit., pp. 343-344.

243. *Ibid.*, p. 343.

244. *Cf.* Philippe E. Landou « Les officiers juifs et l'Affaire », *Archives juives* n° 27/1, 1994, pp. 5-14.

245. Jules Huret, « En liberté. Le voyage d'Alfred Dreyfus », in *Tout yeux, tout oreilles*, op. cit., pp. 346-347.

246. *Ibid.*, pp. 349-350.

247. *Ibid.*, p. 351.

248. *Ibid.*, p. 354-355.

249. *Ibid.*, p. 355.

250. *Ibid.*, pp. 355-356.

251. *Ibid.*, pp. 356-357.

252. Voir p. 815.

253. Jules Huret, « En liberté. Le voyage d'Alfred Dreyfus », in *Tout yeux tout oreilles*, art. cit., pp. 360-362.

254. *Ibid.*, p. 364.

255. *Ibid.*, p. 363.

256. *Ibid.*, p. 362.

257. Jean-Bernard, *Le Procès de Rennes 1899*, p. 412.

258. Alfred Dreyfus, *Carnets*, p. 30.

259. *Ibid.*, p. 29.

260. *Ibid.*, p. 30.

261. Voir p. 9.

262. Alfred Dreyfus, *Carnets*, p. 30.

263. *Ibid.*, p. 31.

264. Jules Huret, « En liberté. Dreyfus à Carpentras », in *Tout yeux tout oreilles*, art. cit., pp. 369-371.

265. Alfred Dreyfus, *Carnets*, p. 30.

266. Ferdinand Forzinetti, lettre à M. Blanchy, 10 octobre 1899 (archives Jean-Louis Lévy).

267. Alfred Dreyfus, *Carnets*, p. 31.

268. *Ibid.*, pp. 31-32.

269. *Les Carnets de Schwartzkoppen, op. cit.*, p. 340.

270. *Ibid.*, p. 30.

271. Alfred Dreyfus, *Mes souvenirs*, (cette lettre recopiée figure en annexe).

272. Lady Stanley, lettre à Alfred Dreyfus, 22 septembre 1899, publiée in Alfred Dreyfus, *Souvenirs et correspondance*, pp. 254-255.

273. De Schad, lettre à Alfred Dreyfus, 24 septembre 1899, publiée in *ibid.*, pp. 255-256.

274. Yves Guyot, lettre à Alfred Dreyfus, 27 septembre 1899, in *ibid.*, p. 256.

275. Georges Clemenceau, lettre à Alfred Dreyfus, 15 octobre 1899, in *ibid.*, p. 258.

276. Georges Picquart, lettre à Alfred Dreyfus, 20 octobre 1899, in *ibid.*, p. 259.

277. Lalance, *Procès Zola*, II pp. 177-180.

278. Auguste Lalance, lettre à Alfred Dreyfus, 27 septembre 1899, in *ibid.*, p. 287.

279. Cité dans une lettre de Joseph Reinach à sa femme, du 1er octobre 1899 : « Il y a trop d'épithètes, mais Tacite n'est pas mal » (BNF, Nafr, 14381, f° 368-369).

280. Charles Péguy, « Le "Triomphe de la République" », *Cahiers de la Quinzaine*, 5 janvier 1900 in *Œuvres en prose complètes, op. cit.*, pp. 309-310.

CHAPITRE XIV

## Le spectre de la liquidation

1. « La grâce », *Le Figaro*, 20 septembre 1899 et Jules Cornély, *Notes sur l'affaire Dreyfus, op. cit.*, pp. 639-640.

2. *Ibid.*, pp. 640-646.

3. Auguste Lalance, lettre à Alfred Dreyfus, 27 septembre 1899, *in* Alfred Dreyfus, *Souvenirs et correspondance*, pp. 257-258.

4. Cité *in* Pierre-Victor Stock, *L'Affaire Dreyfus, op. cit.*, p. 99.

5. Michel Colline [Paul Stapfer], « Billets de la province », *Le Siècle*, 24 septembre 1899. Voir aussi Francis de Pressensé, *L'Aurore*, 11 et 12 septembre 1899.

6. Pierre Vidal-Naquet, « Dreyfus dans l'Affaire et dans l'histoire », *art. cit.* et « Joseph Reinach : vers la grâce de Dreyfus » suivi de « Journal de Joseph Reinach », *in Les Juifs, la mémoire et le présent*, II, Paris, La Découverte, coll. « Cahiers libres/essais », 1991, pp. 129-158.

7. Voir p. 247.

8. Cf. *Le Parlement et l'Affaire Dreyfus, op. cit.*, pp. 297-298, et 216-227.

9. Voir p. 784.

10. Mathieu Dreyfus, *L'Affaire telle que je l'ai vécue*, p. 246 : « Je refusai énergiquement », conclut Mathieu Dreyfus.

11. Le 21 septembre, le général marquis de Galliffet, ministre de la Guerre, adressa à l'armée française « l'ordre général » dont il exigea la lecture dans toutes les compagnies et batteries et tous les escadrons : « L'incident est clos !

Les juges militaires, entourés du respect de tous, se sont prononcés en toute indépendance. Nous nous sommes, sans arrière-pensée aucune, inclinés devant leur arrêt.

Nous nous inclinons de même, devant l'acte qu'un sentiment de profonde pitié a dicté à M. le président de la République.

Il ne saurait plus être question de représailles, quelles qu'elles soient.

Donc, je le répète, l'incident est clos.

Je vous demande et, s'il était nécessaire, je vous ordonnerais d'oublier ce passé pour ne songer qu'à l'avenir.

Avec vous tous, mes camarades, je crie de grand cœur : "Vive l'armée !" à celle qui n'appartient à aucun parti, mais seulement à la France. »

12. Cf. Vincent Duclert, « La République devant l'armée, les ministres de la Guerre pendant l'affaire Dreyfus (1894-1899) » in *Militaires en république 1870-1962, op. cit.*, pp. 613-643.

13. Cf. *La Libre Parole* : « Ordre à l'armée », 22 septembre 1899. *La Patrie* : Lucien Millevoye, « Dreyfus est le traître », 23 septembre 1899.

14. Gallifet, Réhabilitation 1903-1906, instruction off., I, p. 906.

15. *Ibid.*, p. 907.

16. Clemenceau réagit lui aussi dans *L'Aurore* : « Ce n'est pas vrai » (24 septembre 1899 et *Injustice militaire*, Paris, P.-V. Stock, 1902, pp. 226 et suiv.).

17. Louis Havet, « L'incident est clos », *art. cit.*

18. Alfred Dreyfus, *Carnets*, p. 32.

19. Cf. Joseph Reinach, *Histoire de l'Affaire Dreyfus*, V, pp. 559 et suiv.

20. *Ibid.*, p. 563.

21. Alfred Dreyfus, lettre à Jean-Jules Clamageran, publiée dans *Le Siècle*, 5 décembre 1899 (ainsi que dans *L'Aurore*).

22. *Le Siècle*, 22 septembre 1899, *L'Aurore*, 24 et 26 septembre 1899.

23. « Caractère énergique, M. Havet, membre de l'Institut et professeur au Collège de France, n'hésita pas dès qu'il vit où était la vérité. Il soutint de toute son ardeur, par la plume et la parole, la cause de la justice. Mme Havet fut une admirable compagne pour ma femme dans les moments les plus douloureux. » (Alfred Dreyfus, *Carnets*, p. 35.)

24. Celui-ci est entendu par la commission d'amnistie du Sénat présidée par Jean-Jules Clamageran. Cf. Émile Zola, *Correspondance*, X, *op. cit.*, pp. 136 et suiv.

25. Pour le résumé de leurs déclarations devant la commission, voir Alfred Dreyfus, *Carnets*, pp. 33-34.

26. L'idée d'une amnistie datait de l'automne 1898. Le 12 novembre, Picquart avait même écrit une lettre au président du Conseil pour protester contre les rumeurs d'amnistie et demander l'ouverture d'une instruction judiciaire contre le général Gonse et l'archiviste Gribelin.

27. Émile Zola souhaitait voir se tenir son procès à Versailles. Cf. *L'Aurore* du 12 septembre 1899 et *Le Siècle* du 22 septembre 1899.

28. Ce procès, d'abord fixé au 23 novembre 1899, fut inscrit finalement pour le 8 mars 1900. Procès Reinach-Veuve Henry, juin 1902. Première chambre du tribunal civil de la Seine. Joseph Reinach fut condamné à verser mille francs (moitié pour le fils du lieutenant-colonel Henry). Reinach fit appel. Quesnay de Beaurepaire commenta le jugement, dans *Le Gaulois* du 4 juillet 1902.

29. Les juges renoncèrent à porter l'affaire dans l'action civile. Zola renonça à son procès contre les experts, qui gardèrent les trente mille francs versés par Émile Zola. Les considérants qui avaient condamné le nationaliste Ernest Judet lui suffisaient (cf. Joseph Reinach, *Histoire de l'Affaire Dreyfus*, III, p. 608).

30. Il reçut de nombreuses lettres de soutien : « Dans les premiers jours de janvier 1900, les témoignages de sympathie recommencèrent d'affluer. Il me fut matériellement impossible d'y répondre, mais j'en fus profondément touché. » (Alfred Dreyfus, *Carnets*, p. 32.)

31. Lettres publiées dans *Le Temps* du 11 mars 1900.

32. Le nombre d'adhérents dépassait déjà les douze mille (chiffre constaté à l'assemblée générale du 23 décembre 1899, Henri Sée, *op. cit.*, p. 27).

33. Alfred Dreyfus, *Carnets*, p. 32.

34. *Ibid.*, pp. 32-33.

35. *JO*, séance du 22 mai 1900. Texte additionnel dû à Chapuis. Ripostes d'Yves Guyot dans *Le Siècle* (23-26 mai 1900) et de Francis de Pressensé dans *L'Aurore* (23-25 mai 1900).

36. Cf. Alfred Dreyfus, *Carnets*, pp. 34, 42 et suiv.

37. *Le Parlement et l'Affaire Dreyfus*, p. 110 (24 février 1898).

38. Alfred Dreyfus, *Carnets*, p. 38.

39. Émile Zola, *J'accuse... !*, *op.cit.*, p. 192.

40. « Ils ne peuvent régner sans elle [l'affaire Dreyfus], ils ont un continuel besoin d'elle pour dominer le pays par la terreur » (*ibid.*, p. 197).

41. Émile Zola, « Lettre au Sénat », *L'Aurore*, 29 mai 1900, et *J'accuse... !*, *op. cit.*, pp. 197-198.

42. Galliffet, comme Chanoine, démissionna en pleine séance de la Chambre, le 28 mai 1900 (cf. Clemenceau, *La Honte*, Paris, P.-V. Stock, 1903, 356 p.).

43. Zola, dans sa « Lettre au Sénat » publiée dans *L'Aurore* le 29 mai 1900, dénonce ce projet de loi : « L'amnistie est faite contre nous, contre les défenseurs du droit, pour sauver les véritables criminels, en nous fermant la bouche par une clémence hypocrite et injurieuse, en mettant dans le même sac les honnêtes gens et les coquins, suprême équivoque qui achèvera de pourrir la conscience nationale. »

44. Le 28 janvier 1900, par 703 voix contre 287.

45. Cité *in Le Parlement et l'Affaire Dreyfus*, *op. cit.*, p. 248.

46. *Ibid.*, p. 247.

47. « La conservation, le développement, la paix morale d'un pays, sont un problème plus complexe dans lequel l'utilisation et la direction des forces tiendront toujours la première place et le premier rang, et toujours aussi il faudra se demander s'il convient de les épuiser dans la répression ou de les rassembler, de les unir en vue d'une œuvre plus haute et plus féconde. (*Très bien ! très bien ! à gauche...*) C'est la raison même des amnisties. Or, messieurs – et je ne ferai qu'indiquer ces idées –, après de longues années, après bien des hésitations, peut-être des faiblesses, je ne veux pas dire des reculs, il est temps, et il n'est que temps d'apercevoir l'ennemi que nous avons oublié et qui, lui, ne nous a pas oubliés (*vifs applaudissements à gauche*) ; il est temps de donner au gouvernement républicain sa charte définitive, ses lois et ses garanties nécessaires. (*Nouveaux applaudissements sur les mêmes bancs.*) Eh bien ! pour accomplir une pareille œuvre, je le déclare hautement, ce n'est pas trop des efforts et de l'union de tous les républicains. (*Très bien ! très bien ! à gauche.*) Il faut faire disparaître ces mots et ces paroles qui ont créé entre certains d'entre nous de si funestes malentendus » (*ibid.*, p. 250-251).

48. *Ibid.*, p. 251.

49. *Ibid.*, p. 247.

50. *Ibid.*, p. 250.

51. *Ibid.*, p. 251.

52. « [La loi] s'inspire non pas de la clémence ni même du sentiment de la justice positive, elle s'inspire de l'intérêt politique, exclusivement de l'intérêt politique ; et quand on veut savoir si une loi d'amnistie doit être votée ou si elle doit être repoussée, il ne faut point s'attacher à l'intérêt que méritent les personnes, il faut se demander ce qu'exige l'intérêt général » (*ibid.*, p. 248).

53. Alfred Dreyfus, *Carnets*, p. 53.

54. Le projet de loi fut voté le 2 juin (231 voix contre 32). À la Chambre, le projet tarda plusieurs mois devant la commission d'amnistie, et la discussion commença le 6 décembre. Le projet fut modifié et seul Dreyfus fut finalement exclu de l'amnistie. Le vote de la loi intervint à la Chambre le 18 décembre (155 voix contre 2) et au Sénat le 19 (194 voix contre 10).

55. Zola renonça à s'opposer à l'arrêt de la cour d'appel qui l'avait condamné au profit des experts.

56. Voir p. 995.

57. Alfred Dreyfus, *Carnets*, pp. 63.

58. *Ibid.*, p. 63.

59. Alfred Dreyfus, *Carnets*, p. 43.

60. Jules-Louis Breton, lettre à Alfred Dreyfus, citée *in* Alfred Dreyfus, *Carnets*, p. 64.

61. *Ibid.*, pp. 63-64.

62. Dans *Le Petit Bleu* du 8 novembre 1900.

63. *Le Siècle*, 22 septembre et 25 octobre 1899.

64. Lettre ouverte aux sénateurs, *L'Aurore*, 29 mai 1900.

65. *L'Aurore* des 18, 24 et 26 septembre et 20 novembre 1899.

66. *L'Action*, 26 janvier 1905.

67. Gabriel Monod, *Journal.*

68. Edmond Lepelletier, « Les compères de l'amnistie », *L'Écho de Paris*, 13 mars 1900. Ce fut l'occasion pour Labori de prononcer une plaidoirie hostile à l'amnistie (*L'Aurore*, 24 mai 1900).

69. *La Dépêche*, 3 janvier 1900.

70. Voir également sa lettre à Fernand Labori du 7 mars 1901, au sujet des affaires Judet et des experts, où l'écrivain dit son dégoût de la solution de l'amnistie et sa volonté de conserver la pureté du combat passé : Émile Zola, « Lettres à Mᵉ Fernand Labori (1898-1902) », *La Grande Revue*, nᵒ 5, mai 1929, pp. 374-376.

71. « Lettre à M. Émile Loubet, président de la République », publiée dans *L'Aurore* le 22 décembre 1900.

72. Émile Zola, « Lettre à M. Émile Loubet, président de la République », *J'accuse... !*, *op. cit.*, p. 225.

73. « Quand je t'ai dit que j'ignore l'affaire Dreyfus, je constate un fait : à savoir que, le jour où Dreyfus a accepté (ou, pour mieux dire, sollicité, accepté de solliciter) sa grâce, il a, au point de vue dramatique, clos l'incident. Je m'intéresse donc plus, actuellement, aux lois sur la scolarité et l'association, au rapport Pelletan sur le budget militaire, qu'aux révélations, possibles ou impossibles, d'Esterhazy. Qu'y puis-je ? Je m'intéresse davantage aussi à la politique anglaise, allemande, russe. Qu'y puis-je ? » (Élie Halévy, lettre à Célestin Bouglé, 16 février 1900, *Correspondance, op. cit.*, p. 276.)

74. Élie Halévy, « L'ère des tyrannies », *art. cit.*, p. 216.

75. Alphonse Darlu, lettre à Élie Halévy, Paris, 5 octobre 1899, archives Henriette Guy-Loë.

76. Cf. Vincent Duclert, *L'Affaire Dreyfus, op. cit.*, pp. 80-82.

77. Frédéric Passy, lettre à Louis Havet, 27 décembre 1899, BNF, Nafr. 24502 II, fᵒ 193 [Société française pour l'arbitrage entre nations, revue mensuelle].

78. Alfred Dreyfus, *Carnets*, p. 35.

79. *Ibid.*, p. 36.

80. L'amnistie accentua les clivages révélés par la grâce. Jules Cornély, en juin 1901, fut renvoyé du *Figaro*. Reinach le fit prendre comme chroniqueur judiciaire à *La Grande Revue* dirigée par Labori. Car toutes les autres portes s'étaient refermées. Comme il était partisan de la grâce et de l'amnistie, Labori le renvoya à son tour en novembre 1902.

81. Cf. Bertrand Joly, *Déroulède. L'inventeur du nationalisme français*, Paris, Perrin, 1998, 440 p. Voir aussi, du même auteur, *Dictionnaire biographique et géographique du nationalisme français (1880-1900)*, Paris-Genève, 1998, 689 p.

82. Vives attaques (Albert de Mun) lors de la discussion de la loi sur le contrat d'association en mars 1901.

83. Alfred Dreyfus, *Carnets*, p. 35.

84. Gabriel Monod, « Les enseignements de l'histoire », cité *in ibid.* p. 37.

85. Rui Barbosa, *Le Premier Plaidoyer pour Dreyfus*, cité *in ibid.*, p. 38.

86. Célestin Bouglé, « Intellectuels et manuels », *Pour la démocratie française*, Paris, Cornély, 1900, p. 94. Je remercie mon ami Jeremy Jennings de m'avoir signalé ce texte et de me l'avoir communiqué.

87. Alfred Dreyfus, *Carnets*, p. 42.

88. Alfred Dreyfus, *Carnets*, p. 43 et note 66, pp. 297-298. Voir *Les Carnets de Schwartzkoppen, op. cit.*, pp. 343-344. Voir aussi Maurice Baumont, *Aux sources de l'Affaire, op. cit.*, pp. 280-282,

89. Alfred Dreyfus, *Carnets*, p. 43.
90. *Ibid.*
91. Abbé Pichot, *La Conscience chrétienne et l'affaire Dreyfus*, Paris, Société d'éditions littéraires, 1899, in-16, 32 p. Sur les chrétiens et l'affaire Dreyfus, voir Pierre Pierrard, *Les Chrétiens et l'affaire Dreyfus*, Paris, Éditions de l'Atelier, 1998, 236 p., Jean-Marie Mayeur, « Les catholiques dreyfusards », *Revue historique*, avril-juin 1979, pp. 337-361 (que l'on peut prolonger par notre contribution : « Raison démocratique et catholicisme critique au début du XX<sup>e</sup> siècle. À la recherche des influences cachées de Paul Viollet », *in* Fondation Charles de Gaulle. La jeunesse et la guerre 1890-1920, Paris, Plon, coll. « Fondation Charles de Gaulle », 2001, pp. 107-118).
92. Alfred Dreyfus, *Carnets*, p. 43.
93. Alfred Dreyfus, lettre à Ludovic Trarieux, 13 septembre 1900, publiée *in* Alfred Dreyfus, *Carnets*, p. 45.
94. *Ibid.*, p. 45.
95. Article cité par Philippe Oriol dans Alfred Dreyfus, *ibid.*, pp. 298-299.
96. Cité *in ibid.*, p. 46.
97. *Ibid.*, pp. 49-50.
98. *Ibid.*, p. 59.
99. « Lui et sa femme, fille d'Ernest Renan, furent d'ardents défenseurs de ma cause » (*ibid.*, p. 60).
100. *Ibid.*, p. 63.
101. *Ibid.*, p. 62.
102. *Ibid.*, p. 83.
103. Cf. *Livre d'hommage des Lettres françaises à Émile Zola*, Paris-Bruxelles, Société libre d'édition des gens de lettres – Georges Balat, 1898, pp. 93-97.
104. Alfred Dreyfus, *Carnets*, p. 76.
105. *Ibid.*, pp. 60 et suiv.
106. *Ibid.*, pp. 62-63. Texte de la lettre en date du 7 décembre 1900.
107. *Ibid.*, pp. 97-98.
108. Voir l'Épilogue de ce livre, pp. 1013 et suiv.
109. Alfred Dreyfus, *Carnets*, p. 65.
110. Mathieu Dreyfus, *L'Affaire telle que je l'ai vécue*, p. 257.
111. Cité *in* Alfred Dreyfus, *Carnets*, p. 75.
112. « Quant à ce qui s'était passé à Rennes, il était certain que le gouvernement avait été d'une faiblesse coupable, qu'il avait été constamment trompé et que sous le prétexte de ne pas influencer la justice, il avait laissé faire les adversaires de la justice et leur avait permis de se livrer aux manœuvres les plus criminelles » (*ibid.*, p. 78).
113. *Ibid.*, pp. 70-71.
114. Joseph Reinach, *Histoire de l'Affaire Dreyfus*, p. 52, et Philippe Oriol, *in* Alfred Dreyfus, *Carnets*, pp. 320-321.
115. Jules Cornély, « Échos. Une lettre du lieutenant-colonel Picquart », *Le Figaro*, 29 décembre 1900.
116. Alfred Dreyfus, *Carnets*, p. 76.
117. Séverine, « Le scapulaire du général Mercier », *La Fronde*, 20 décembre 1900.
118. *La Fronde* était surnommée « *Le Temps* en jupons ».
119. Alfred Dreyfus, lettre à Waldeck-Rousseau, 28 décembre 1900, publiée *in Carnets*, p. 77.
120. Jules Cornély, « Échos. Une lettre du capitaine Dreyfus », *Le Figaro*, 28 décembre 1900.
121. « Deux lettres », *Le Temps*, 29 décembre 1900.
122. Alfred Dreyfus, *Carnets*, p. 77.
123. *Ibid.*, pp. 79 et suiv.

124. Louis Havet, lettre à Joseph Reinach, 6 janvier 1901.

125. Alfred Dreyfus, lettre à Mathieu Dreyfus, 8 janvier 1901, citée *in* Alfred Dreyfus, *Carnets*, p. 84.

126. *Ibid.*, p. 84.

127. *Procès Zola*, I, p. 376. Alfred Dreyfus précisa même cette page-ci dans ses *Carnets*.

128. Alfred Dreyfus, *Carnets*, p. 86.

129. Joseph Reinach, lettre à Mathieu Dreyfus, 7 septembre 1899, citée *in ibid.*, pp. 67-68.

130. *Ibid.*, p. 50.

131. *Supra.*

132. Alfred Dreyfus, *Carnets*, pp. 53 et suiv. (pour ces lettres).

133. *Ibid.*, p. 88.

134. *Ibid.* p. 92.

135. Mathieu Dreyfus, lettre à Alfred Dreyfus, 20 avril 1901 (collection Nicolas Philippe, vente Binoche, 19 février 1997, n° 13 bis, p. 11).

136. Alfred Dreyfus, *Carnets*, p. 89.

137. *L'Indépendance belge* publia également le texte le 13 mai 1901, dans une version légèrement différente.

138. Alfred Dreyfus, *Carnets*, p. 91.

139. « Le mal politique et les partis », *La Grande Revue*, 1er novembre 1901.

140. Alfred Dreyfus, *Carnets*, p. 93.

141. Jean Jaurès, « L'article de Labori », *La Petite République*, 9 novembre 1900, cité *in ibid.*, pp. 93-94.

142. Voir le témoignage d'Alphonse Bard, futur président de la chambre criminelle, recueilli par Dreyfus à l'automne 1902 (*Carnets*, pp. 119-120). Sur Alphonse Bard, voir *Six mois de vie judiciaire. Mon rôle dans l'affaire Dreyfus*, août 1898-février 1899, manuscrit (BNF, Nafr. 13501).

143. *Ibid.*, p. 94 et suiv.

144. Citée dans les *Carnets*, pp. 110-111.

145. Le texte fut donné par la presse nationaliste : « Que cette canaille de Dreyfus envoie au plus tôt les pièces promises. Signé : Guillaume », Millevoye, lors d'une réunion publique le 15 février 1898 à Suresnes, cité dans *Le Temps*. *La Libre Parole* du 6 septembre : « Envoyez le plus vite possible les pièces mentionnées. Faites en sorte que la canaille de Dreyfus se hâte. » Rochefort le 15 décembre 1900 : « Envoyez-moi au plus vite les pièces désignées. Faites en sorte que cette canaille de Dreyfus se dépêche. » *La Croix* le 20 septembre 1899. *La Vérité* le 17 octobre 1899, etc.

146. Alfred Dreyfus, *Souvenirs et correspondance*, p. 323.

147. Alfred Dreyfus, *Carnets*, p. 86.

148. Joseph Reinach, *Histoire de l'Affaire Dreyfus*, VI, p. 209.

149. *Ibid.*, p. 210 pp. 285 et suiv.

150. Mathieu Dreyfus, *L'Affaire telle que je l'ai vécue*.

151. La correspondance du docteur Dumas a été déposée au Musée d'art et d'histoire du Judaïsme à Paris par le docteur Anne Cabau.

152. Lettre citée *in extenso* dans sa déposition, Cour de cassation, 7 mai 1904, II, pp. 293 et suiv.

153. Marcel Huton, « Les incidents Labori-Reinach et Picquart-Dreyfus », *L'Écho de Paris*, 30 novembre 1901. Joseph Reinach avait décidé de demander ses dossiers à Fernand Labori et de renoncer à le conserver comme avocat dans le procès intenté par la veuve du lieutenant-colonel Henry. La procédure courait depuis l'automne 1898.

154. « Je vous communique une coupure de *L'Écho de Paris* d'hier. Je *savais* que je serais un jour attaqué par les Juifs et notamment par les Dreyfus. Je ne savais pas que le jour serait si proche et qu'on emploierait pour cela la plume du Juif Hirsch

(*alias* Marcel Hutin), de *L'Écho de Paris* » (BNF, Nafr. 23503, f° 213). Sur Picquart, voir Ruth Harris, *art. cit.*.

155. Alfred Dreyfus, *Carnets*, pp. 99-100.

156. *Ibid.*, p. 100.

157. *Ibid.*

158. Mathieu Dreyfus communiqua le détail des chiffres à son frère dans une lettre du 18 décembre 1901 (MAHJ). Voir Philippe Oriol, *in* Alfred Dreyfus, *Carnets*, p. 351, et Jean-Louis Lévy, « Alfred Dreyfus, anti-héros et témoin capital », *in Cinq années de ma vie*, pp. 247-248.

159. Ludovic Trarieux, lettre à Alfred Dreyfus, 13 décembre 1901, citée *ibid.*, p. 104. Dans cette lettre, Trarieux félicite Dreyfus pour sa lettre et souhaita « qu'elle fût connue du plus grand nombre possible de nos amis ».

160. Alfred Dreyfus, lettre à Ludovic Trarieux, 10 décembre 1901, citée *ibid.*, pp. 102-104.

161. Philippe Oriol, *ibid.*, p. 352.

162. *Ibid.*, p. 106.

163. Gabriel Monod, *in* Rémy Rioux, *op. cit.*, pp. 193 et suiv.

164. Cf. Robert Burac, *Charles Péguy. La Révolution et la grâce*, Paris, Robert Laffont, 1994, 347 p. et Daniel Lindeberg et Pierre-André Meyer, *Lucien Herr. Le socialisme et son destin*, Paris, Calmann-Lévy, 1977, 318 p.

165. Alfred Dreyfus, *Carnets*, p. 32.

166. Gabriel Monod, *in* Rémy Rioux, *op. cit.*, p. 195.

167. « Ce sont de beaux souvenirs : ils nous laissent sans joie. Voici quelques années, nous ne pouvions nous rencontrer sans causer de nos luttes, comme de vieux soldats causent de leurs campagnes. C'est un sujet que nous négligeons aujourd'hui, et peut-être que nous évitons. [...] Vainqueurs, que nos voix sont discrètes ! » (Daniel Halévy, 1908.)

168. Frédéric Passy, *Le Siècle*, 22 septembre 1899.

169. Gabriel Monod, « Nécrologie », cités in Rémy Rioux, *op. cit.*, p. 193.

170. Le mal qui emporta Giry s'était accru à Rennes de ses émotions et de ses colères (cf. Joseph Reinach, *Histoire de l'Affaire Dreyfus*, III, p. 492).

171. Archive de la préfecture de police, 1096. Rapport de police sur les obsèques de G., daté du 15 novembre 1899.

172. Joseph Reinach, *Histoire de l'Affaire Dreyfus*, III, p. 492. Clemenceau écrivit dans *La Honte* : « Il chancelle sous le poids du malheur : il ne fit plus que traîner » (p. 144).

173. P. 197 *op. cit.*,

174. Gustave Bloch, *Annuaire de l'Association des anciens élèves de l'École normale supérieure*, 1905, p. 91.

175. *Ibid.*, p. 92.

176. Mary Duclaux, *La vie d'Émile Duclaux*, Laval, L. Barnéoud et Cie imprimeurs, 1906.

177. Pour la première fois, les élections ne se firent pas sur la forme du régime ou sur de vagues programmes théoriques, mais, comme en Angleterre, sur la politique du cabinet (Gabriel Monod, « Le ministère et les élections », *Le Siècle*, 3 mai 1902). De Witt, le seul député de droite qui s'était prononcé clairement pour la révision, fut battu.

178. *Le Temps*, 27 avril 1902. Les premiers mots de Jaurès étaient les suivants : « Républicain et socialiste, je viens vous redemander de défendre la République, de fortifier la démocratie, d'organiser et d'émanciper les travailleurs industriels et agricoles. »

179. « Jaurès qui, sans bruit et sans phrases, avait toujours été admirable, avait déjà fait, sur ma demande, une première démarche auprès du ministère Waldeck-Rousseau pour que l'enquête sollicitée par Reinach fût accordée. » (Alfred Dreyfus, *Carnets*, p. 110.)

180. Émile Zola, *J'accuse... !*, édité par Jean-Denis Bredin, Paris, Imprimerie nationale, 1999, p. 201 : « Les amants de la vérité et de la justice n'ont cessé et ne cesseront de contribuer à l'histoire. »

181. « On nous a bien promis, en dédommagement, la justice de l'histoire. C'est un peu comme le paradis catholique, qui sert à faire patienter sur cette terre les misérables dupes que la faim étrangle. On nous a promis l'histoire, je vous y renvoie, monsieur le président. » (*ibid.,* pp. 256-257.)

182. Alfred Dreyfus, *Souvenirs et correspondance*, pp. 231-232.

183. *Ibid.*, p. 242.

184. Par exemple, la correspondance Leblois Scheurer-Kestner du 1ᵉʳ août au 25 octobre 1897 (voir l'article de Raoul Allier dans *Le Siècle* du 26 mai 1901).

185. Des souvenirs comme ceux de Vaughan, d'abord publiés dans *L'Aurore* en mai 1901, ou ceux de Jean Steens, directeur du *Sifflet* qui raconta les « souvenirs d'un dreyfusard » dans *La Patrie* en mars-avril 1902.

186. « Par les mensonges qui étaient alors la vérité légale, et par tous ceux, plus nombreux encore, qui étaient la vérité populaire, tels que le syndicat, la conspiration contre l'armée, si bien que tous les promoteurs de la révision vécurent deux ans sous la haine et le mépris. Cet effort de probité intellectuelle si vous ne pouvez pas le faire, fermez ce livre » (Joseph Reinach, *Histoire de l'Affaire Dreyfus*, III, p. 156).

187. Voir notamment sa critique de la note de Jean Dupuy, ministre de l'Agriculture et directeur du *Petit Parisien*, qu'il fit publier dans son journal le 1ᵉʳ octobre 1900 (Alfred Dreyfus, *Carnets*, pp. 46 et suiv.)

188. Lettre à Berthold Frischauer du 13 novembre 1899 (*Correspondance X, op. cit.*, p. 94).

189. Joseph Reinach, *Histoire de l'Affaire Dreyfus*, III, pp. 406-409. *A contrario*, Bertillon, parmi les experts, est ridiculisé, au mental comme au physique : « Un rictus tordait son masque de faux savant » (*ibid*, p. 411).

190. Joseph Reinach, « Les petits mystères du bordereau », *Le Siècle*, 20, 24 et 25 novembre 1898.

191. Joseph Reinach, « Le rôle d'Henry », *La Grande Revue*, 1ᵉʳ janvier 1900.

192. Alfred Dreyfus, *Carnets*, p. 49.

193. Reinach, Réhabilitation 1903-1906, Instruction, off. I, p. 550.

194. Lettre du 14 juillet 1901 : il ne pouvait violer le secret professionnel, « même vis-à-vis de l'historien dont il admirait la grande activité ». Reinach insista, disant qu'un historien juge mieux un homme qu'il voit que « celui dont il ne connaît même pas le portrait » (*ibid.*, p. 558).

195. Joseph Reinach, *Histoire de l'Affaire Dreyfus*, VI, p. 182.

196. *Nouvelle Presse libre* du 5 octobre 1899, et Joseph Reinach, *Histoire de l'Affaire Dreyfus*, V, p. 487.

197. Alfred Dreyfus, *Carnets*, p. 109.

198. *Ibid.*, p. 110.

199. Cité *ibid.*, p. 110-111.

200. *Ibid.*, p. 111.

201. *Ibid.*, p. 111.

202. *Ibid.*, p. 112.

203. Ludovic Trarieux, lettre à Alfred Dreyfus, citée *ibid.*, p. 113.

204. Note M/1017, « Albert », Paris, 14 mai 1902, AN F ⁷ 12469.

205. « C'est Paraf-Javal et quelques autres qui feraient ces conférences au cours desquelles toutes les voiles seraient déchirées, dit-on déjà, sans souci des personnages quels qu'ils soient. En disant cela, on faisait surtout allusion au baron de Mohrenheim, ancien ambassadeur de Russie à Paris, auquel on prête dans toute cette affaire un rôle qui n'a jamais été éclairci » (*ibid*).

206. Arthur Ranc, « L'incident Hugues Le Roux », *Le Radical*, 28 juillet 1902.

207. « Comme tout le monde sait aujourd'hui que je ne suis pas l'auteur du bordereau, certaines gens répandent le bruit qu'en effet je n'ai jamais eu de rapports avec

l'Allemagne, mais que j'en aurais eu avec la Russie. Cela ne s'imprime pas, mais cela se colporte. Selon les uns, j'aurais vendu à la Russie nos vrais états de mobilisation, qui auraient démontré la fausseté des états produits par le général de Boisdeffre lors de la conclusion de l'alliance. Selon les autres, j'aurais été invité par le général de Boisdeffre lui-même à faire parvenir à la Russie nos états de mobilisation (que le général lui-même m'aurait remis) afin que les chiffres des effectifs obtenus par l'espionnage confirmassent les chiffres officiellement donnés. Vous haussez les épaules, cher monsieur et ami, devant de pareilles sottises ! Il y a quelques semaines, le général de Galliffet disait à notre ami M. Joseph Reinach, qui m'a autorisé à faire de ce propos l'usage que je voudrais : "Le bordereau est d'Esterhazy, qui avait deux complices. Quant à Dreyfus, il n'a jamais eu de rapports avec l'Allemagne. Mais quelqu'un, que je ne puis pas nommer, m'a dit, à Marienbad, que "Dreyfus aurait été au service de la Russie." Joseph Reinach protesta, mais le général de Galliffet garda sa conviction. Ai-je besoin de vous dire que toute cette histoire est un abominable mensonge et que je n'ai jamais eu de rapports avec la Russie, pas plus qu'avec l'Allemagne ? Vous me rendriez un grand service, cher monsieur Ranc, en publiant cette lettre. C'est le seul moyen pour moi de tuer cette autre légende, atroce et stupide. Il faut qu'elle soit produite au grand jour. Ainsi elle sera détruite. On croira peut-être le gouvernement russe quand il affirmera qu'il n'a jamais eu de rapports avec moi. Je défie le général de Boisdeffre de dire que j'ai été en rapports avec la Russie. M. Hugues Le Roux raconte que M. Félix Faure lui a dit : "La révision du procès Dreyfus est nécessaire parce qu'elle est légale." M. Félix Faure passe pour avoir connu mieux que personne toutes les circonstances relatives à l'alliance franco-russe. Il savait, lui aussi, que j'étais entièrement, absolument innocent » (Alfred Dreyfus, « Lettre d'Alfred Dreyfus », *Le Radical*, 31 juillet 1902).

208. *Ibid.*

209. Édouard Drumont, « Le général de Galliffet et la grâce de Dreyfus », *La Libre Parole*, 1er août 1902.

210. *Le Radical* écrivit, le 2 août 1902, à la suite de la lettre de l'ancien ministre : « Depuis quelque temps, le général de Galliffet écrit beaucoup, mais la quantité fait du tort à la qualité. Ce qui manque le plus aux élucubrations épistolaires de M. de Galliffet, c'est la précision et la clarté. [...] Le général de Galliffet ne fait pas la moindre allusion à ce passage [de la lettre de Dreyfus où il est question de lui], et il néglige de parler des propos qu'il a tenus. Ce n'est pourtant que de cela qu'il s'agit. Nous prenons donc acte de ce que M. le général de Galliffet n'a pas osé contester l'exactitude de sa conversation avec M. Joseph Reinach. On considérera son silence sur ce point comme la confirmation de cette conversation. » *La Petite République* s'exprima le même jour, sous la plume de Gabriel Bertrand dans un article intitulé « Le culot de Galliffet » : « Le général de Galliffet excelle décidément dans tous les genres : l'assassinat, la servitude, la trahison, la bouffonnerie et le cynisme. On sait la férocité de ses prouesses de fusilleur. Au début du ministère de M. Waldeck-Rousseau, qui avait cru devoir s'assurer le concours de ce condottiere, on l'a vu à plat ventre devant les députés de l'extrême gauche. Il multipliait alors les témoignages de son zèle en donnant par surcroît satisfaction à de personnelles rancunes. Sa démission fut une réédition du coup du général Chanoine avec l'allure de fourberie prudente d'un homme qui traîne un câble à sa patte. Les petits papiers que, sous la forme de "Souvenirs", il sème dans un journal du soir et un journal du matin, rappellent tantôt la littérature du bagne, tantôt les plus saugrenues anecdotes d'almanach. Il semblait qu'il ne pouvait plus nous étonner ni par son ignominie ni par sa bêtise. Et voilà qu'il nous révèle un culot tellement prodigieux qu'il nous faut nous arrêter un instant à sa dernière cabriole. Il écrit, en effet, ces lignes extravagantes au *Journal des Débats*, confident habituel de ses cocasseries [suit la lettre du général de Galliffet]. Ce langage est d'une rare audace, mais il est aussi d'une rare sottise. Si, en signant son recours en grâce, Alfred Dreyfus s'est reconnu coupable, comment, pourquoi, à quel prix le général de Galliffet, dans un long document inséré au *Journal officiel*,

a-t-il soumis au président de la République le décret libérant l'innocent ? Comment, pourquoi, à quel prix a-t-il pris la responsabilité qui pèse tout entière sur lui de soustraire le traître au châtiment déjà si étrangement bénin prononcé par le conseil de guerre de Rennes ? Quant au gouvernement, s'il n'a pas été le gouvernement de l'acquittement, il a été le gouvernement en cette cause de toute la justice possible et de toutes les réparations en son pouvoir. Il ne s'est nullement incliné devant l'arrêt scandaleux et incompréhensible des juges. Il l'a brisé d'un décret, et ce décret porte, sous la signature du président de la République, la signature du général de Galliffet. »

211. Alfred Dreyfus, « Une lettre de M. Alfred Dreyfus », *Le Journal des Débats*, 5 août 1902.

212. « Mon cher Vaughan, Je crois devoir sortir de mon silence pour donner à M. Hugues Le Roux le plus formel démenti. Jamais Alfred Dreyfus n'a signé de recours en grâce ; jamais il n'a reconnu être coupable même d'une incorrection. Aujourd'hui, comme autrefois, j'affirme sa complète innocence, et j'ai gardé pour sa personne la plus grande admiration et la plus grande tendresse. J'attends l'inévitable justice, avec la seule amertume de voir que pas un de ceux qui savent et qui peuvent ne trouve le courage de guérir la France du mal honteux dont elle souffre. Bien amicalement à vous », Émile Zola, lettre à Vaughan, Paris, 13 mai 1902, *L'Aurore*, 14 mai 1902.

213. Joseph Reinach, « Déclaration », *La Liberté*, 5 août 1902.

214. Louis Havet, « Dreyfus et le général de Galliffet », *Le Siècle*, 5 août 1902.

215. Voici ce qu'écrivait ainsi le journal *La Patrie* le 2 août 1902 : « Et voici que le condamné de Rennes oblige l'un des ministres de Waldeck-Rousseau à relever une imposture. Il s'attire du général de Galliffet cette accablante réponse : "En signant son recours en grâce, Dreyfus s'est reconnu coupable !" La clémence présidentielle n'a donc été que la confirmation des arrêts qui ont proclamé la trahison, frappé le traître. Dreyfus est traître même aux yeux des politiciens portés au pouvoir pour le réhabiliter. Voilà bien la sentence définitive. Le cabinet chargé d'arracher Dreyfus à ses geôliers et à ses juges lui signifie, par la voix de Galliffet, qu'il doit s'incliner devant la vérité légale. Aucun des collègues de Galliffet n'a protesté, aucun ne protestera contre cette interprétation si nette, si rigoureuse. L'ancien ministre de la Guerre s'exprime avec l'assurance d'un homme qui ne craint pas de démentis. La villégiature de Waldeck n'en sera pas troublée. Il ne parlera pas, il n'écrira pas, il ne contredira pas. Cette fois, le débat s'ouvre entre les défenseurs de Dreyfus et les ministres qui ont proposé sa grâce. L'un d'eux leur a dit brutalement que leur client n'a plus le droit de plaider "non coupable". Les autres se taisent. S'il reste aux Jaurès, aux Ranc, aux Pressensé quelque foi dans la cause qu'ils ont soutenue avec tant d'ardeur, c'est à Waldeck qu'ils en demanderont des explications. Le général de Galliffet était-il autorisé à leur jeter sur la tête ce formidable pavé ? Car le général leur indique le dernier recours..., la Haute Cour, des poursuites, des preuves. "Si le gouvernement ou l'un de ses membres a manqué à son devoir, c'est à la Haute Cour qu'il appartient de le juger, avec des pièces à l'appui"... S'ils reculent, s'ils baissent la tête..., quelle confession ! Ils ont agité ce pays, ils ont appelé l'étranger à leur aide. » *La Patrie*, 2 août 1902.

216. « Les dreyfusards n'ont pas encore réussi à faire taire leur Dreyfus. Ils auraient cependant tout intérêt à lui recommander et même à lui imposer le silence, car ce maladroit Avinain ouvre la bouche que pour débiter de grossières inexactitudes et provoquer de redoutables répliques. Il ne cesse de décourager les derniers partisans de sa cause. Il se fait juger par les gens dont il invoque le témoignage. Il finira par lasser la patience et recueillir le désaveu de Reinach lui-même ! Hier, il essayait de s'abriter sous le patronage d'un mort. Il nous racontait que Félix Faure a cru à son innocence... Tu mens, canaille ! Nous ne te permettrons pas de te raccrocher aux branches des cimetières. Ne soulève pas la pierre des tombeaux. D'autres flétrissures en sortiraient. Le président Félix Faure a pénétré et détesté ton crime... S'il

avait connu un autre coupable, sa conscience l'aurait désigné. Est-il possible d'adresser à sa mémoire une plus grande offense ? Par quel odieux calcul aurait-il laissé au bagne un innocent ? Tu n'avais à attendre de lui ni pardon ni grâce. Il aimait la France, que tu avais trahie », *ibid.*

217. « Lors même que, dans la déclaration publiée par le *Journal des Débats*, je n'aurais pas employé les termes juridiques exacts en ce qui concerne la grâce dont a bénéficié Dreyfus, je n'en reste pas moins décidé à me maintenir dans le silence le plus absolu, ne voulant à aucun prix rallumer un incendie que j'ai contribué à éteindre en y consacrant toutes mes forces et tout mon pouvoir. Veuillez croire... », Général de Galliffet, *Le Journal des Débats*, 6 août 1902.

218. Cité *in* Alfred Dreyfus, *Carnets*, p. 115.

219. *Ibid.*, pp. 115-116.

220. Sur les conditions de sa mort et les interrogations qu'elle suscite, voir la récente mise au point d'Owen Morgan : « Introduction biographique », *Correspondance*, X, pp. 34 et suiv. Alain Pagès a l'intention d'enquêter plus en profondeur sur cette fin aussi mystérieuse que tragique de l'auteur de « J'accuse... ! » (voir déjà Alain Pagès et Owen Morgan, *Guide Émile Zola*, *op. cit.*, 2002, pp. 163-181). Voir aussi Jean Bedel, *Zola assassiné*, préface d'Henri Mitterand, Paris, Flammarion, 2002, 221 p.

221. Zola avait écrit à Alexandrine Zola le 31 octobre 1899 cette lettre prémonitoire : « Bien que Jules ait relevé la trappe, il s'est produit une telle fumée qu'il a fallu s'enfuir en ouvrant toutes les fenêtres. Dans la rue, on a cru à un incendie. [...] Desmoulin prétend que des antidreyfusards sont montés sur le toit boucher nos cheminées » (*Correspondance*, X, *op. cit.*, p. 87).

222. Alfred Dreyfus, *Carnets*, p. 116.

223. Alain Pagès, Owen Morgan, *Guide Émile Zola*, *op. cit.*, p. 164.

224. Puis Mme Zola leur raconta l'histoire de la « fameuse cheminée » : « Zola lui avait fait une surprise il y a deux ans en faisant construire dans la malheureuse chambre une cheminée toute neuve puisque cette pièce n'en possédait point avant. Ils avaient senti déjà à plusieurs reprises des mauvaises odeurs, mais ne s'en étaient pas autrement préoccupés, excepté pour mettre un ventilateur ou pour aérer la chambre. Cette fameuse cheminée, probablement fort mal construite, hier encore donnait une très épaisse fumée et l'on aurait pu croire que l'acide carbonique sortait de toutes les fissures du plancher » (« Jeudi », archives Anne Cabau).

225. Alfred Dreyfus, *Carnets*, p. 117.

226. Selon *L'Aurore* (5 et 6 octobre 1902).

227. Commandé par le capitaine Ollivier. Celui-ci fut giflé par un camarade à son retour à la caserne. Il se battit en duel avec son agresseur (Alain Pagès, Owen Morgan, *Guide Émile Zola*, *op. cit.*, p. 165).

228. Anatole France, cité par Alfred Dreyfus, *Carnets*, p. 118.

229. Proposition du 2 décembre 1902, signée de Jaurès et Jules-Louis Breton, Francis de Pressensé, Ferdinand Buisson, Gérault-Richard, Vazeille et Marcel Sembat. Jaurès était toujours demeuré fidèle à Zola, particulièrement dans ces trois années qui le séparèrent de la mort. « Zola ne voit plus personne autour de lui : signe cruel d'un changement de l'air du temps. Plus personne, sinon Mirbeau et Jaurès. Ce n'est pas rien » (Henri Mitterand, préface, *Correspondance*, X, p. 10). Jaurès consacra en particulier deux grands articles à *Travail* dans *La Petite République*, les 23 et 25 avril 1901.

230. Alfred Dreyfus, *Carnets*, p. 118.

231. *Ibid.*, p. 120.

232. « J'en fus douloureusement affecté, car j'aimais beaucoup cet excellent homme » (*ibid.*).

233. *Ibid.*, p. 120.

234. *Ibid.*, p. 120.

235. Voir pp. 778-779.

236. Alfred Dreyfus, *Carnets*, p. 123 (et pp. 122-123 pour l'extrait du *Gaulois*).

237. Dans les premiers jours de février, Mᵉ Leblois donna rendez-vous à Dreyfus chez Mornard, et critiqua leurs projets, en son nom et en ceux de Picquart « et de quelques autres amis » : « Si je déposais ma demande d'enquête seulement après l'intervention de Jaurès, j'aurais l'air de marcher dans son sillon. Je lui répondis qu'il serait bien moins naturel que Jaurès marchât dans le mien. Il ajouta ensuite qu'en agissant ainsi je laissais accaparer l'Affaire par Jaurès, qui représente le parti socialiste. Je lui répondis que Jaurès s'intéressait à l'Affaire par conviction et comme homme public, que tous les partis républicains étaient appelés à y prendre part, que d'ailleurs je le défiais de trouver au Parlement un député qui osât prendre une semblable initiative. » (Alfred Dreyfus, *Souvenirs et correspondance*, p. 346.)

238. Alfred Dreyfus, *Carnets*, p. 124.

239. « Qu'importe dès lors à la droite que M. Ribot soit convaincu qu'Esterhazy est un traître et que Dreyfus a été martyrisé par des bandits ? Elle-même n'est pas loin de le croire. Mais elle veut continuer à exploiter contre la République et les républicains les ignorances haineuses, les préjugés violents qu'elle a pendant des années accumulés dans les esprits. M. Ribot, qui n'est pas personnellement compromis dans les crimes de l'État-major, fournit aux nationalistes la molle couverture de probité dont ils ont besoin pour couvrir leur cynique entreprise ; et les cymbales de sa vertu servent d'accompagnement au charlatanesque tapage des professionnels du patriotisme. Il est pour eux la diversion nécessaire, l'indispensable caution. Il est l'enseigne de modération et d'impartialité qui attire les badauds, rebutés par le tumulte de la rue, à la maison où l'on continue à distribuer le mensonge empoisonné et la calomnie », Jean Jaurès, « Clarté », *La Petite République*, 25 mars 1903.

240. *Ibid.*

241. Jean Jaurès, *La Petite République*, 12 janvier 1903.

242. Alfred Dreyfus, *Carnets*, p. 125.

243. *Ibid.*, pp. 125 et suiv.

244. *Ibid.*, pp. 128. et suiv.

245. Un matin d'avril 1902, Judet se rendit chez de Galliffet. Le général lui parla des pressions de Waldeck-Rousseau pour faire acquitter Dreyfus à Rennes. Il lui montra une lettre qu'il avait adressée au président du Conseil. Judet alla ensuite chez Lemaître et lui livra des phrases qui résumaient cette lettre : « On verrait d'un côté l'armée, le pays et les législateurs ; de l'autre le ministère, les dreyfusards et l'étranger. » (En réalité, Galliffet a écrit : « Nous serons donc dans la posture suivante : d'un côté toute l'armée, la majorité des Français (je ne parle pas des députés et des sénateurs), et tous les agitateurs ; de l'autre...) Lemaître en fit une affiche, en commentant ces phrases : « La résolution de briser la justice militaire par la justice civile de Monis aurait abouti à un monstrueux attentat sans la résistance du ministre de la Guerre... Le ministère actuel a été qualifié implicitement de *ministère de l'étranger* dans une lettre officielle écrite par le général de Galliffet. » Le 21 avril 1902, il présenta l'affiche dans une réunion organisée par Gabriel Syveton. Galliffet désavoua l'affiche dans une lettre au *Journal des Débats*. Syveton fut élu au premier tour.

246. Elle entendit Lemaître, Judet et Cochin, qui certifièrent l'authenticité de la lettre du général de Galliffet au président de la République

247. Conférence du 27 janvier à l'hôtel des Sociétés savantes contre les atrocités de la Mano negra. Discours à Vierzon le 31 janvier où il annonça officiellement la « reprise de l'Affaire ». La délégation des gauches fut avertie par le groupe socialiste de la décision de Jaurès.

248. Jaurès savait qu'il allait se heurter aux députés nationalistes. Ceux-ci lui rétorquèrent qu'il ne débattait pas de l'élection de Syveton, et que l'affaire Dreyfus était classée. Mais Jaurès se souvenait que le président de la commission avait répondu à l'un de ses collègues qui s'étonnait que les témoins de Syveton puissent porter un jugement sur la politique de la majorité républicaine depuis trois ans, que

« les faits dont on parle sont connexes ». Il pouvait alors demander pour lui-même cette connexité.

249. Raoul Allier, *Le Bordereau annoté, étude de critique historique*, 1903, Paris, Société nouvelle de librairie et d'édition (Librairie Georges Bellais), IX-124 p. [paru dans *Le Siècle* à partir du 12 avril 1903 et jusqu'au 4 mai de la même année].

250. Alfred Dreyfus, *Carnets*, p. 132.

251. Jean Jaurès, *La Petite République*, 6 février 1903.

252. *La Lanterne*, 7 février 1903.

253. *Jo*, Débat de la chambre des députés, séance du 6 avril 1903, p. 5.

254. *Ibid.*, p. 6-7.

255. « Je n'exclus personne, je ne juge personne, j'essaye de continuer ma démonstration » (*ibid.*, p. 8).

256. « Il s'agit de savoir si nous acceptons indéfiniment ce système de calomnies, et, lorsque nous élevons ici la parole pour répondre et pour protester, il y a des hommes, même dans le parti dont je suis, qui nous disent : "Prenez garde, il ne faut pas rouvrir une agitation qui a été close !" » (*ibid.*)

257. « Et moi, je dis qu'il ne faut pas être dupe de la tactique de l'ennemi. (*Très bien ! très bien ! à l'extrême gauche et à gauche.*) Il prétend clore l'agitation pour nous et la continuer pour lui-même, il a donné de l'amnistie une interprétation unilatérale. Au nom de la politique d'amnistie, il prétend nous interdire de continuer, dans l'intérêt de ce que nous avons cru et de ce que nous croyons être la vérité et le droit, des recherches légitimes et lui, il ne laisse passer aucune occasion d'exploiter contre nous ce qui a pu rester encore d'obscurité dans les esprits [...] Voilà comment on entend l'amnistie, voilà comment on pratique l'apaisement. » (*ibid.*)

258. *Ibid.*, pp. 8-9. Jaurès dit plus loin : « Nous ne sommes pas ici dans des affaires d'ordre civil et privé ; il s'agit de responsabilités politiques, et nous avons le droit de demander des explications à un parti politique sur des affirmations publiques qu'il a produites devant le pays » (*ibid.*,p. 33).

259. *Ibid.*, pp. 10-11.

260. Jean Jaurès, *Le faux impérial. Discours prononcé à la Chambre des députés*, Paris, G. Bellais – Société nouvelle de Librairie et d'Édition, 1903.

261. « Les souverains, [...] lorsqu'ils emploient des instruments de police, ils les traitent comme des instruments, comme des choses, [...] ils ne s'abaissent pas à les injurier, parce qu'ainsi ils s'abaissent eux-mêmes. [ ...] Il est impossible d'attribuer à un souverain étranger une imprudence que ses agents accrédités en France ne commettaient pas » (*ibid.*, p. 19).

262. *Ibid.*, p. 21.

263. *Ibid.*, pp. 123-128. L'ambiance à la Chambre était tendue dès la première séance. De nombreuses interruptions de députés nationalistes marquèrent le début de la seconde, en particulier de la part du marquis de Dion (« Oui ! vous pouvez m'expulser de votre Parlement, je me sentirai très honoré quand j'aurai été mis à la porte par vous tous. ») M. Prache : « Enfin, est-ce qu'il s'agit de l'élection de Dreyfus ? »

264. *Ibid.*, p. 82.

265. *Ibid.*, pp. 83-84.

266. *Ibid.*, p. 106.

267. *Ibid.*, pp. 113-114.

268. « *Vifs applaudissements au centre et à droite* ». (*ibid.*)

269. *Ibid.*, p. 115.

270. *Ibid.*, pp. 114-115.

271. Jaurès considéra comme une « provocation préméditée et personnelle que rien dans ses paroles n'avait justifiée » (*ibid.*, p. 129).

272. *Ibid.*, p. 164.

273. « La Chambre, prenant acte des déclarations du gouvernement et repoussant toute addition, passe à l'ordre du jour. »

274. « La Chambre, applaudissant en toute occasion à la révélation de tout scandale et de tout crime qui déconsidère le militarisme et en accélère la ruine au profit du socialisme, décide d'une enquête sur tous les méfaits du militarisme et sur les réclamations contre les jugements des conseils de guerre. »

275. « La Chambre invite le gouvernement à s'opposer énergiquement à toute reprise de l'affaire Dreyfus. Elle l'invite également à faire aboutir au plus tôt la réforme fiscale et la loi sur les retraites ouvrières. » (ibid.)

276. « La Chambre, confiante dans le gouvernement et résolue de ne pas laisser sortir l'affaire Dreyfus du domaine judiciaire, passe à l'ordre du jour. » (ibid.)

277. Ibid., pp. 190-191.

278. 212 voix pour et 318 contre (sur 530 votants).

279. « La Chambre, confiante dans le gouvernement et résolue à ne pas laisser sortir l'affaire Dreyfus du domaine judiciaire, passe à l'ordre du jour » (sur 325 votants, 250 voix pour et 75 contre).

280. (Sur 509 votants, 228 voix pour et 281 contre).

281. Alfred Dreyfus, Carnets, p. 134.

282. Ibid., p. 134.

283. Clemenceau, convié, répondit par une lettre qui attaquait implicitement Mathieu Dreyfus (pour la réunion au ministère du Commerce) et Jaurès (pour la « politique » qui a donné l'amnistie).

284. Cette demande d'enquête portait : « 1° Sur l'usage qui avait été fait contre lui au procès de Rennes d'un prétendu bordereau annoté de la main du souverain d'une nation voisine, document qui était faux ; 2° Sur le caractère mensonger et frauduleux du témoignage du sieur Cernusky, l'un des témoins entendus par le conseil de guerre de Rennes » (Réhabilitation 1903-1906, débats 1904, Rapport de M. le conseiller Moras, p. 7).

285. Congrès de 1903 de la Ligue des droits de l'homme. 30 mai 1903. À la suite d'un rapport de Jean Appleton, la Ligue adopta un vœu sur l'affaire Dreyfus :

« Considérant que la demande d'enquête formée par Alfred Dreyfus est pleinement justifiée et par les pièces dont Jaurès a donné connaissance à la Chambre et par divers documents publiés depuis ;

Considérant, d'autre part, qu'au cours des dernières années, le ministère de la Justice a procédé à des enquêtes toutes les fois que d'une articulation de faits a pu résulter la présomption d'une erreur judiciaire ; que de même, le ministre de la Guerre a, dans l'affaire du soldat Voisin, prescrit une enquête ;

Qu'ainsi le devoir du gouvernement est nettement tracé et par l'intérêt supérieur de la justice et par les précédents ;

Qu'il y a urgence à délivrer le pays de l'anxiété qui pèse sur sa conscience et de la honte de n'avoir pu encore faire reconnaître l'innocence de Dreyfus, connue de tout l'univers et proclamée par un arrêt de la Cour de cassation (statuant toutes chambres réunies) ;

Émet le vœu que le gouvernement ordonne au plus tôt l'enquête demandée par Dreyfus. » (La République, 3 juin 1903.)

286. Lettre-dossier d'Alfred Dreyfus dans les Carnets (pp. 138-145). Il terminait ainsi sa longue lettre : « Victime de manœuvres criminelles et d'une violation de la loi par deux fois commise à mon égard, je m'adresse avec confiance au chef suprême de la justice militaire et, m'appuyant sur le fait nouveau révélé par M. Ferlet de Bourbonne et sur l'existence définitivement démontrée du prétendu bordereau annoté par l'empereur d'Allemagne, je vous demande de bien vouloir prescrire une enquête ».

287. Alfred Dreyfus, lettre du 21 avril 1903, Réhabilitation 1903-1906, Débats 1904, pp. 631-638.

288. Ibid., p. 633.

289. Ibid., p. 635.

290. Voir p. 867.

291. Alfred Dreyfus, *Souvenirs et correspondance*, p. 358.

292. Témoignage de Francis de Pressensé cité par Alfred Dreyfus, *Carnets*, p. 137.

293. « En conséquence, Pressensé me demanda, en son nom personnel et au nom de Buisson, de faire le sacrifice de ne pas envoyer ma demande d'enquête. "Je sais, me dit-il, que vous serez blâmé, mais je sais aussi que vous avez toujours fait abandon de votre amour-propre, que vous n'avez jamais cherché à vous mettre en avant, ne visant que le but que vous vouliez atteindre ; il faut encore en faire autant aujourd'hui." J'accédai à la demande de Pressensé et de Buisson. » (Alfred Dreyfus, *Souvenirs et correspondance*, p. 359).

294. *Ibid.*, p. 363.

295. Citée par Alfred Dreyfus, *Carnets*, p. 148.

296. Réhabilitation 1903-1906, Instruction, off., I, pp. 631-633.

297. *Ibid*, pp. 638-641.

298. Raoul Allier, *Le Bordereau annoté, op. cit.*

299. Lettre envoyée après la mort de Bernard Lazare. Jaurès lui répondit le 16 septembre 1903. (Alfred Dreyfus, *Souvenirs et correspondance*, pp. 370-371.)

300. Lettre citée par Alfred Dreyfus, *Carnets*, p. 152.

301. *Ibid.*, p. 155. Le capitaine Targe commença son travail dès le 4 juin 1903, et découvrit rapidement plusieurs faux dans les dossiers du ministère de la Guerre.

302. Moras, Rapport, Réhabilitation 1903-1906, Débats 1906, p. 216. À propos de la pièce n° 14 du dossier secret, voir Réhabilitation 1903-1906, Débats 1906, Réquisitoire du procureur général, I, p. 596.

303. Réhabilitation 1903-1906, Débats 1904, pp. 403-406.

304. *In ibid.*, p. 21.

305. Depuis le 19 octobre 1903, « à chaque Conseil des ministres, le général André demandait, sans succès, sa transmission au garde des Sceaux. » (Alfred Dreyfus, *Souvenirs et correspondance*, pp. 372-373).

306. *Ibid.*, p. 373.

307. *Ibid.*, pp. 373-374.

308. Texte de la demande de révision en date du 25 novembre 1903 dans Alfred Dreyfus, *Carnets*, pp. 163-165.

309. Alfred Dreyfus, lettre au garde des Sceaux, 25 novembre 1903, *in* Alfred Dreyfus, *Carnets*, p. 163. La date est ici erronée, la date officielle de la demande étant le 26 novembre, puisque la requête fut déposée ce jour-là et enregistrée à la chancellerie le 27 novembre 1903 : Alfred Dreyfus, « Demande de révision », 26 novembre 1903, *in* Réhabilitation 1903-1906, Débats 1904, pp. 448-450.

310. Légende ouverte par un article de *La Libre Parole*, 4 novembre 1897, voir la suite *in* Baudouin, Réhabilitation 1903-1906, Débats 1904, p. 198.

311. Alfred Dreyfus, « Demande de révision », 26 novembre 1903, *in ibid.*, pp. 449-450.

312. Henri Rochefort, « L'affaire n'est pas éteinte », *L'Intransigeant*, 7 août 1902.

313. Voir p. 865.

314. Jaurès, lettre à Alfred Dreyfus, citée *in* Alfred Dreyfus, *Carnets*, p. 149.

315. Alfred Dreyfus, *Carnets*, p. 138.

316. *Ibid.*, p. 157.

317. *Ibid.*, pp. 159-160.

318. Code d'instruction criminelle, cité *in* Réhabilitation 1903-1906, Débats 1904.

319. Cf. Georges Clemenceau, « Des faux ! des faux ! », *L'Aurore*, 1er décembre 1903. Cet article fut évoqué par Alfred Dreyfus (*Carnets*, p. 167).

320. Alfred Dreyfus, *Carnets*, p. 171.

321. Jean Jaurès, « L'eau qui dort », *La Petite République*, 5 décembre 1903. Alfred Dreyfus en cite cet extrait dans ses *Carnets*, pp. 168-169.

322. Alfred Dreyfus, *ibid.* p. 169. Il s'agit, précise Philippe Oriol dans les notes de l'édition des *Carnets*, de l'article « Le parti de l'éponge ». Gabriel Monod, qui

n'avait pas de leçon à recevoir de Clemenceau, lequel était entré plus tard que lui dans la bataille dreyfusarde, lui répondit par une autre lettre publiée le 12 décembre dans *L'Aurore*.

CHAPITRE XV

## La marche de la justice

1. Alfred Dreyfus raconta dans ses *Carnets* que, le 26 novembre 1903, jour où la requête devait être déposée, Émile Combes lui fit demander, toujours par l'intermédiaire de Thomson, de différer encore sa demande « jusqu'au moment où le ministère serait consolidé ». Dreyfus fit savoir par M$^e$ Mornard qu'il ne pouvait plus reculer à ce stade et que, de toute manière, les craintes de Combes étaient injustifiées : « Car s'il s'était produit une interpellation, elle aurait au contraire contribué au succès du gouvernement » (Alfred Dreyfus, *Carnets*, p. 166).

2. Mornard, Conclusions, Réhabilitation 1903-1906, Débats 1904.

3. *Ibid.*

4. Eugène Durand, membre de la chambre civile ; André Marignan et Fernand Alphandéry, membres de la chambre des requêtes.

5. Gabriel Geoffroy, directeur des affaires criminelles ; Victor Mercier, directeur des affaires civiles ; Paul Dupré, directeur du personnel.

6. Alfred Dreyfus, *Souvenirs et correspondance*, p. 380.

7. Réhabilitation 1903-1906, Débats 1904, p. 6.

8. *Ibid.*, p. 8.

9. *Ibid.*, p. 9.

10. Il demanda une enquête sur les manipulations de la comptabilité de la Section de statistique (Baudouin, Réquisitoire, Réhabilitation 1903-1906, Débats 1904).

11. Mornard, Plaidoirie, Réhabilitation 1903-1906, Débats 1904, pp. 451-465.

12. Jean Chambareaud confia le dossier à Gaston Boyer. Ce conseiller n'avait pas participé à la première révision, mais il était très estimé pour la solidité de son caractère et sa science juridique.

13. Voir p. 163.

14. La disposition de ce document était légale. Mais le fait de l'avoir dissimulé justifia – aux yeux de Georges Picquet – une saisie qui était par ailleurs illégale.

15. Voir p. 141.

16. Alfred Dreyfus, Mémoire, Réhabilitation 1903-1906, Débats 1904, pp. 407-447.

17. *Ibid.*

18. Alfred Dreyfus, *Carnets*, p. 170.

19. « La copie de ce rapport avait été remise à Jaurès par un ami, qui la tenait lui-même de la fille du général Billot, épouse divorcée de M. Wattinne » (*ibid.*, pp. 174-175).

20. « Ce rapport, établi sous l'inspiration du lieutenant-colonel Henry, est un effroyable amas de pièces fausses ou dénaturées. La pièce décisive y est celle qui fut connue par la suite sous la désignation de « faux Henry », et elle lui paraissait tellement probante que M. Wattinne avait écrit cette perle : "Cette pièce se passe de commentaires" » (*ibid.*, p. 175).

21. *Ibid.*, p. 173.

22. Alfred Dreyfus, Mémoire, Réhabilitation 1903-1906, Débats 1904, p. 407.

23. *Ibid.*, p. 408.

24. *Ibid.*, pp. 421-422.

25. *Ibid.*, p. 423.

26. *Ibid.*, p. 427.

27. *Ibid.*, p. 440.

28. *Ibid.*, pp. 441-442.

29. *Ibid.*, pp. 443-444.
30. *Ibid.*, p. 445.
31. *Ibid.*, p. 447.
32. Alfred Dreyfus, *Carnets*, p. 177.
33. Son rapport fut « bien ordonné, mais tout à fait incolore », nota Alfred Dreyfus qui assistait bien évidemment à l'audience (*ibid.*).
34. Baudouin, Réquisitoire, *in* Réhabilitation 1903-1906, Débats 1904, p. 56.
35. *Ibid.*, p. 58.
36. *Ibid.*, pp. 59-60.
37. *Ibid.*, p. 61. « Nous avons, messieurs, incontestablement le droit de consulter ces documents, et d'en faire la base même de notre examen » (p. 62).
38. Révision 1898-1899, Débats 1899, p. 13.
39. Baudouin, Réquisitoire, Réhabilitation 1903-1906, Débats 1904, p. 68.
40. *Ibid.*
41. *Ibid.*, p. 69.
42. *Ibid.*, p. 76.
43. *Ibid.*, (et *Procès de Rennes*, I, p. 450).
44. *Ibid.*, p. 167.
45. *Ibid.*, pp. 167-170.
46. *Ibid.*, p. 174.
47. *Ibid.*, p. 185.
48. *Ibid.*, p. 189.
49. *Ibid.*, pp. 226-227.
50. Mornard, Plaidoirie, Réhabilitation 1903-1906, Débats 1904, *Ibid.*
51. *Ibid.*, p. 276.
52. *Ibid.*, pp. 229-230.
53. « Sur la recevabilité en la forme de la demande de révision :
Attendu que la Cour est saisie par son procureur général en vertu d'un ordre exprès du ministre de la Justice, agissant après avoir pris l'avis de la commission instituée par l'article 444 du code d'instruction criminelle ; que la demande rentre dans les cas prévus par le dernier paragraphe de l'article 443 ; qu'elle a été introduite dans le délai fixé par l'article 444 ; qu'enfin le jugement dont la révision est demandée est passé en force de chose jugée ;
Sur l'état de la procédure :
Attendu que les pièces produites ne mettent pas la Cour en état de statuer au fond et qu'il y a lieu de procéder à une instruction supplémentaire.
Par ces motifs,
Déclare la demande recevable en la forme ; dit qu'il sera procédé par la Cour à une instruction supplémentaire » (Réhabilitation 1903-1906, Débats 1904, pp. 277-278).
54. *Le Radical*, 29 novembre 1903. Le journal avait présenté auparavant un long résumé de l'affaire Dreyfus.
55. « Le procès Dreyfus », *Le Journal*, 6 mars 1903, cité par extraits *in* Alfred Dreyfus, *Carnets*, p. 177. Labori fut félicité par les nationalistes pour son coup d'éclat. Voir *L'Écho de Paris*, *Le Gaulois*, *L'Intransigeant*, 6 mars 1903.
56. Voir Rémi Fabre, *Francis de Pressensé et la défense des Droits de l'homme. Un intellectuel au combat*, Rennes, PUR, 2005, 418 p.
57. Réhabilitation 1903-1906, Instruction, I, pp. 46-47.
58. Une commission de trois membres dépouilla toutes les pièces, du 7 au 15 mars 1904, et notamment des pièces communiquées à Rennes et annexées au dossier secret.
59. Baudouin, Réquisitoire, Réhabilitation 1903-1906, Débats 1906, I, p. 378.
60. *Ibid.*, I, pp. 378-379.
61. Baudouin, Réquisitoire écrit, Réhabilitation 1903-1906, pp. 7-8.
62. Baudoin, Réquisitoire, Réhabilitation 1903-1906, I, p. 380.

63. Réhabilitation 1903-1906, Instruction, III, pp. 266-268.

64. Baudouin, Réquisitoire écrit, Réhabilitation 1903-1906, pp. 7-8.

65. Réhabilitation 1903-1906, Instruction.

66. Cf. Baudouin, Réquisitoire, Réhabilitation 1903-1906, Débats, 1906, II, p. 105, et Enquête criminelle, citée par le procureur général.

67. *Ibid.*, p. 109.

68. Réhabilitation 1903-1906, Instruction, I, p. 354.

69. Réhabilitation 1903-1906, Instruction, II, pp. 219-224 et Réquisitoire du procureur général, Débats 1906, II, p. 100.

70. Alfred Dreyfus, *Carnets*, p. 204.

71. *Ibid.*

72. pp. 58-59.

73. Réhabilitation 1903-1906, Instruction, off., I, pp. 975-977.

74. *Ibid.*, p. 576.

75. *Ibid.*, p. 977.

76. *Ibid.*, pp. 977-978.

77. *Ibid.*, p. 985.

78. *Ibid.*, p.533.

79. *Ibid.*, p. 534.

80. Jaurès, *ibid.*, p. 549.

81. *Ibid.*, pp. 556-557.

82. *Ibid.*, p. 559.

83. 83. *Ibid.*, p. 560.

84. L'idée du livre se résumait, selon Jaurès, à : « L'idée dreyfusiste est la véritable idée chrétienne » (*ibid.*).

85. *Ibid.*, p. 561.

86. « Je voyais assez fréquemment à cette époque M. d'Ocagne qui est mon collègue à l'École polytechnique, et au début de l'affaire Esterhazy [novembre 1897], M. d'Ocagne me dit que M. Joseph Reinach avait entretenu la princesse Mathilde de sa certitude de l'innocence de Dreyfus et qu'il avait ébranlé la princesse. Il ajouta que, heureusement, le général de Boisdeffre, prévenu, était venu à deux reprises chez la princesse Mathilde et l'avait entièrement rassurée en lui faisant connaître des preuves formelles de la culpabilité de Dreyfus. Voilà ce que me dit M. d'Ocagne. J'ajoute que deux ou trois jours après, il me dit que le bruit courait dans certains journaux que le général de Boisdeffre aurait montré à la princesse Mathilde une lettre autographe de l'empereur d'Allemagne nommant Dreyfus. Il ajouta que cette nouvelle était absolument fausse, et il me pria de la démentir si j'en entendais parler » (Painlevé, Réhabilitation 1903-1906, Instruction, off., I, p. 643).

87. D'Ocagne, *ibid.*, p. 631.

88. Painlevé, *ibid.*, p. 643.

89. *Ibid.*, p. 647.

90. *Ibid.*

91. Dreyfus, Réhabilitation 1903-1906, Instruction, off., I, p. 991.

92. Lettre de Gabriel Monod à Alfred Dreyfus, 30 décembre 1903, *ibid.*, pp. 994-995. Dans une lettre d'Albert Dez à Gabriel Monod du 20 février 1904, il est précisé : « Rocheblave se considère comme au courant d'un fait (*inconnu de son beau-frère*) établissant de façon péremptoire la trahison d'État. Naturellement, il garde pour lui ce fait dont je n'aurais pas d'ailleurs voulu recevoir la confidence dans le cas actuel » (*ibid.*, p. 996).

93. « Son idée très arrêtée est de ne pas discuter avec vous le témoignage contraire à Dreyfus dont il croit être armé. Il aurait voulu vous le dire et a même été sur le point de vous répondre. La difficulté de vous écrire avec toute la déférence qu'il vous doit et qu'il a pour vous, sans engager un commencement de discussion est ce qui l'a paraît-il arrêté ! Je vous le dis donc pour lui, ce qui m'est plus facile » (lettre d'Albert Dez à Gabriel Monod, 21 janvier 1904, *ibid.*, p. 995).

94. Lettre de Gabriel Monod à Alfred Dreyfus, 22 janvier 1904, *ibid.*, p. 996.

95. Un membre de la Cour, et le procureur général : « Est-ce une opinion ou un fait ? Si c'est un fait, vous le devez à la justice. [...] En somme, vous ne savez rien. [...] Vous ne savez rien et vous voulez avoir l'air de savoir quelque chose ; cela ne semble pas être le rôle d'un éducateur de jeunesse. [...] Eh bien, si vous avez offert [notre témoignage] à Rennes, pourquoi ne parlez-vous pas ? [...] Aujourd'hui qu'on vous demande de parler, vous gardez le silence » (*ibid.*, pp. 999-1000).

96. *Ibid.*, p. 999.

97. « C'est une conversation que j'ai entendue à Paris, en 1899, dans l'été, d'une personne que je ne puis malheureusement pas mettre en cause — c'était là la difficulté — et qui parlait comme d'une chose sûre, connue, courante à Saint-Pétersbourg et qu'elle ne croyait pas m'apprendre, ceci : c'est que la version parfaitement accréditée, dans les milieux les plus officiels militaires et diplomatiques, à la cour de Saint-Pétersbourg, était que le capitaine avait révélé à la Russie le secret de la poudre sans fumée et celui de la différence des effectifs réels avec les effectifs portés sur le papier, pour la mobilisation française » (*ibid.*, p. 1000). Pour une « question de galanterie, de convenance et de conscience », Rocheblave refuse de nommer son informatrice (*ibid.*, p. 1002).

98. « Cette idée a été mise en circulation, discutée, débattue ; il n'y a pas grand inconvénient à l'indiquer de nouveau. Ce n'est pas une révélation, c'est une révélation seulement sous la forme où vous la présentez, mais le fait de la trahison au profit de la Russie a été déjà examiné ici » (*ibid.*, p. 1002).

99. Du Paty de Clam, Réhabilitation 1903-1906, Instruction, off., I, p. 291.

100. *Ibid.*, pp. 291 et 296 (pour la citation suivante).

101. Mercier, *ibid.*, p. 378.

102. *Ibid.*, p. 401.

103. *Ibid.*, p. 409.

104. *Ibid.*, p. 413.

105. *Ibid.*, p. 417.

106. *Ibid.*, p. 421.

107. *Ibid.*, pp. 422-423.

108. *Ibid.*, p.423.

109. *Ibid.*, p. 429.

110. *Ibid.*, p. 431.

111. *Ibid.*, p. 431.

112. *Ibid.*, p. 432.

113. *Ibid.*, pp. 457-458 (texte de la note).

114. Reinach, *ibid.*, p. 550.

115. *Ibid.*, p. 556.

116. *Ibid.*, p. 558.

117. *Die Affaire Dreyfus. Eine Kriminalpolitische Studie*, Berlin, 1899, préface datée du 13 juin 1899 (*ibid.*, p. 567).

118. *Ibid.*

119. Cité dans la déposition de Joseph Reinach (*ibid.*, p. 562).

120. *Ibid.*, pp. 562-563.

121. *Ibid.*, pp. 725-728.

122. *Ibid.*, p. 569.

123. *Ibid.*

124. Lettre du procureur général près la Cour de cassation au ministre de la Guerre, 4 mai 1904, *in* Réhabilitation 1903-1906, Instruction, off., I, p. 957.

125. Cette commission devait être placée sous la présidence du procureur général près la Cour de cassation, à l'invitation du ministre de la Guerre (lettre du ministre de la Guerre au procureur général près la Cour de cassation, 5 mai 1904, citée *ibid.*). Mais le magistrat déclina l'offre, par souci d'équité.

126. « Questions techniques soulevées au cours de l'affaire Dreyfus », cité *in* Réhabilitation 1903-1906, Instruction, off., I, p. 960.

127. *Ibid*, p. 961. Voulant aller plus loin, les membres de la commission se demandèrent si les documents que pouvait recouvrir cette note « contenaient des renseignements assez complets et assez précis pour permettre la construction d'un frein hydropneumatique pareil à celui du canon de 120 court ». « Assurément non, est leur réponse. Il semble donc bien, comme l'indique le texte du bordereau, et en supposant qu'il s'applique au canon de 120 court et à son frein hydropneumatique, qu'il s'agit d'une simple note, donnant peut-être, au moins dans l'esprit de son auteur, des renseignements intéressants mais ne pouvant permettre en aucune façon la construction d'un engin intéressant » (*ibid.*).

128. « Du reste, pour mieux éclairer la question, ils ont fait faire des recherches dans trente rapports, pris au hasard, des commissions de Calais et de Bourges chargées depuis longtemps des essais du matériel de l'artillerie. On y a trouvé quinze fois l'expression "se comporte" ou "s'est comportée" et pas une fois l'expression "se conduit" ou "s'est conduite" » (*ibid.*, pp. 961-962).

129. *Ibid.*, p. 963.

130. « Le projet de manuel de 1894, dont plus de deux mille exemplaires avaient été envoyés par la 3e direction, ne pouvait être confidentiel. [...] Les difficultés signalées ici par l'auteur du bordereau indiquent seulement qu'ici au moins, il a voulu faire valoir sa marchandise. Si, par hasard il avait été sincère en s'imaginant des difficultés qui n'existaient pas, il faudrait simplement en conclure qu'il se faisait une idée imparfaite des habitudes de l'artillerie, de la préparation et du fonctionnement des écoles à feu » (*ibid.*, p. 964).

131. *Ibid.*, p. 971.

132. Il cita intégralement celui des généraux artilleurs (*ibid.*, p. 150).

133. Ordonnance du 18 avril 1904, Réhabilitation 1903-1906, Instruction, off., II, p. 335. Charles Maurras protesta dans un article de *La Gazette de France* du 12 mai 1904.

134. Après le procès de Rennes, expliqua le procureur général dans son réquisitoire écrit : « On aurait pu croire qu'à raison de la haute autorité de celui qui la formulait [Henri Poincaré], cette sévère appréciation eût été de nature à clore le débat sur ce point. Il n'en a rien été » Réhabilitation 1903-1906, Réquisitoire écrit p. 117).

135. L'« enquête relative à l'encoche du bordereau » concerna la lettre dite « du buvard » sur laquelle Bertillon a fondé une partie de son système (Réhabilitation 1903-1906, Instruction, off., II, pp. 177-189) ; l'« enquête relative à l'auteur anonyme de la "brochure verte" » se rapporta au travail publié de l'un des exégètes de Bertillon (*ibid.*, pp. 252-255).

136. « [La cour de cassation, chambre criminelle] dit, en conséquence, que — pour l'accomplissement de leur mission — MM. les experts pourront d'une part se mettre en rapport avec les auteurs (sus-désignés et autres, s'il y échet) des systèmes ou études précités, afin de provoquer de leur part toutes précisions ou explications ; qu'ils sont admis, d'autre part, à faire appel aux concours techniques qui leur paraîtraient utiles, tel celui, s'il y a lieu, du Bureau des longitudes, et à mettre en œuvre, en un mot, *tous moyens d'ordre scientifique pour contribuer à la manifestation pleine et entière de la vérité* (nous soulignons) » (Ordonnance, *art. cit.*, p. 335.)

137. « Rapport de MM. les experts Darboux, Appell et Poincaré », Réhabilitation 1903-1906, Instruction, off., II, p. 391 (l'original est conservé aux Archives nationales, BB[19] 131).

138. Gabriel Monod opéra différentes critiques des travaux de « perfectionnement » du système Bertillon.

139. Alfred Dreyfus, *Carnets*, pp. 187 et suiv.

140. *Ibid.*, p. 203.

141. *Ibid.*

142. *Ibid.*

143. Voir pp. 551-552.
144. Dreyfus, Réhabilitation 1903-1906, Instruction, off., I, p. 986.
145. *Ibid.*, p. 988.
146. *Ibid.*, pp. 989-990.
147. *Ibid.*, p. 990.
148. *Ibid.*, p. 991.
149. *Ibid.*
150. *Ibid.*, p. 992. La référence donnée par Alfred Dreyfus est bien sûr exacte.
151. Dreyfus, Réhabilitation 1903-1906, Instruction, off., I, pp. 992-993.
152. *Ibid.*, p. 994.
153. Bastian, *Procès de Rennes*, II, p. 415.
154. Alfred Dreyfus, *Carnets*, p. 186.
155. *Ibid.*, p. 174.
156. Baudouin, Réquisitoire, Réhabilitation 1903-1906, Débats 1906, II, p. 79.
157. Voir à ce sujet Christopher E. Forth, *The Dreyfus Affair and the Crisis of French Manhood*, Baltimore and London, The Johns Hopkins University Press, 2004, 300 p.
158. Baudouin, Réquisitoire, Réhabilitation 1903-1906, Débats 1904, p. 84.
159. Baudouin, Réquisitoire, Réhabilitation 1903-1906, Débats 1906, II, pp. 109-110.
160. Mornard, Mémoire, Réhabilitation 1903-1906, 723-VIII p. Alfred Dreyfus, *Carnets*, pp. 210 et suiv.
161. *Ibid.*, p. 214 et suiv.
162. *Ibid.*, pp. 216-217.
163. *Ibid.*, p. 215.
164. *Ibid.*
165. *Ibid.*, p. 214.
166. L'étude est très précisément résumée dans les *Carnets* (*ibid.*, pp. 214-217). Dreyfus reprend ici des phrases intégrales de cette partie du mémoire, preuve qu'il en est bien l'auteur (*ibid.*, p. 217).
167. Alfred Dreyfus souhaitait demeurer très vigilant quant aux accusations que pouvait porter sa défense. Il s'opposa à Mᵉ Mornard sur ce point (*ibid.*, p. 240).
168. *Ibid.*
169. *Ibid.*, p. 205.
170. Voir pp. 916 et suiv.
171. Alfred Dreyfus, *Carnets*, p. 226.
172. « Le temps ne leur pressait pas comme à moi, depuis dix ans que je vivais dans cet abominable cauchemar » (*ibid.*, p. 204).
173. Réhabilitation 1903-1906, Débats de la Cour de cassation, 1906, II, p. 276.
174. Baudouin, Réquisitoire écrit, Réhabilitation 1903-1906, Débats 1906, p. 9.
175. *Ibid.*, pp. 11-12.
176. *Ibid.*, pp. 13-30.
177. *Ibid.*, p. 35.
178. *Ibid.*, p. 36.
179. *Ibid.*, pp. 41-42.
180. *Ibid.*, p. 47.
181. « Il a fallu que M. Cochefert suppléât à leur silence qui l'a surpris, et vînt établir ainsi à la décharge de l'accusé un fait aussi caractéristique » (*ibid.*, pp. 47-48).
182. *Ibid.*, p. 52-53.
183. « Après avoir parlé à Dreyfus, le 15 octobre, des "documents saisis", alors que le bordereau était la pièce unique que l'accusation eût entre les mains, il ne craignait pas, le 18, de lui affirmer que les "experts constataient l'identité de son écriture avec celle du bordereau" quand, à ce moment, des deux experts qui avaient été consultés, M. Gobert et M. Bertillon, ce dernier seul s'était prononcé contre

lui. Il est regrettable d'avoir à signaler de telles inexactitudes, qui ne peuvent être involontaires, dans la bouche d'un officier de police judiciaire, et il est difficile de n'y pas voir la résolution préméditée et persistante de tromper l'inculpé et de surprendre ses déclarations » (*ibid.*, p. 53).

184. *Ibid.*, p. 101.

185. *Ibid.*, pp. 64-65.

186. « La défense est le droit de l'accusé, mais elle est en même temps la garantie de la justice et le moyen le plus puissant d'arriver à la connaissance de la vérité » (*ibid.*, p. 74).

187. Révision, Instruction, I, pp. 676-677.

188. Baudouin, Réquisitoire écrit, Réhabilitation 1903-1906, Débats 1906, p. 82.

189. *Ibid.*, pp. 92-108.

190. *Ibid.*, p. 108.

191. *Ibid.*, p. 108.

192. *Ibid.*, p. 91.

193. « Reconnaissons qu'en soit le fait est peu vraisemblable et qu'il le devient moins encore quand on rapproche de sa longue, persistante, inflexible protestation, de ses dénégations ardentes, émouvantes, toujours identiques, le propos incertain et flottant dont l'accusation prétend faire ressortir la charge suprême qui doit terrasser la défense » (*ibid.*).

194. *Ibid.*, pp. 105-106.

195. *Ibid.*, p. 99. Citation du capitaine Dreyfus au procès de Rennes (III, p. 83).

196. *Ibid.*, p. 99.

197. *Ibid.*, pp. 797-798.

198. Cf. Auguste Scherner-Kestner, *Mémoires d'un sénateur dreyfusard, op. cit.*, p. 179.

199. Alfred Dreyfus, *Carnets*, p. 206.

200. *Ibid.*

201. Alfred Dreyfus, *Carnets*, p. 232.

202. Joseph Reinach, *Histoire de l'Affaire Dreyfus*, VI, p. 375.

203. Alfred Dreyfus, *Carnets*, p. 228.

204. Cf. Philippe Oriol *in* Alfred Dreyfus, *ibid.*, p. 888.

205. Arthur Ranc, « Encore pour la justice », *Le Radical*, 23 novembre 1905, cité par Alfred Dreyfus, *ibid.*, pp. 232-233.

206. *Ibid.*, p. 235.

207. Dans ses *Carnets*, Alfred Dreyfus se souvient qu'il fut l'un des seuls sénateurs à honorer de sa présence les obsèques de Scheurer-Kestner, le 25 septembre 1899 (*ibid.*, p. 237). Voir aussi Mathieu Dreyfus, *L'Affaire telle que je l'ai vécue*, pp. 300-301.

208. Aux élections des 7 et 14 mai 1906, les nationalistes ne furent que 23, dans une opposition réduite à 117 députés, contre 246 radicaux et radicaux socialistes, 77 républicains de gauche, 7 radicaux dissidents, 22 indépendants, 64 progressistes et 53 socialistes.

209. Commandant Forzinetti, lettre à Joseph Reinach, 22 mai 1906, BNF, Nafr. 24896, f° 306.

210. *Daily News*, 16 juin 1906 [traduction de « M. 1196 »], AN, F⁷ 12472.

211. « Ces raisons étaient basées sur les circonstances dans lesquelles les déclarations avaient été faites », à savoir, rappelons-le, devant le Reichstag (Alfred Dreyfus, *Carnets*, p. 239).

212. Jean-Denis Bredin, *L'Affaire, op. cit.*, p. 639.

213. Moras, Rapport, Réhabilitation 1903-1906, Débats 1906, I, pp. 5-6.

214. *Ibid.*, I, pp. 17-18.

215. *Ibid.*, I, p. 43.

216. *Ibid.*, I, pp. 252-253.

217. *Ibid.*, I, pp. 253-258.

218. *Ibid.*, I, pp. 270-271.

219. *Ibid.*, I, p. 279.

220. Voir les arguments résumés du procureur général et Mᵉ Mornard, *ibid.*, I, pp. 361-367.

221. Alfred Dreyfus, *Carnets*, p. 240.

222. Moras, cité *ibid.*

223. Arthur Ranc, « À la Cour de cassation », *L'Aurore*, 20 juin 1906, cité *in* Alfred Dreyfus, *ibid.*, pp. 240-241.

224. Alfred Dreyfus, *ibid.*, p. 241.

225. Il a occupé les audiences des 25, 26, 27, 28, 30 juin, 2, 3 juillet et la première partie de l'audience du 5 juillet 1906 (Baudouin, Réquisitoire, Réhabilitation 1903-1906, Débats, 1906, I, p. 369).

226. Max Weber, *Le Savant et le Politique*, (*1917-1919*), Paris, La Découverte, 2003, 206 p.

227. Baudouin, Réquisitoire, Réhabilitation 1903-1906, Débats 1906, I, p. 370.

228. *Ibid.*, I, p. 372.

229. « Les événements qui se sont déroulés depuis [l'arrestation du capitaine Dreyfus] révèlent trop aisément l'accueil que l'accusation ainsi formulée contre un israélite devait rencontrer dans ce milieu nerveux, surchauffé, oppressé depuis long-temps par cette anxiété sans cesse croissante. » (*Ibid.*, I, p. 411.)

230. *Ibid.* À l'appui de son assertion, le magistrat cite « l'incident inouï de la cote d'amour », les préventions contre les Juifs du colonel Cordier, l'antisémitisme déclaré et revendiqué du colonel Sandherr, les précautions du commandant Picquart (*ibid.*, I, pp. 411-413).

231. « De tels succès se paient un jour ou l'autre ! » (*Ibid.*, I, p. 414.)

232. « Et si vous ajoutez à tout cela que Dreyfus est d'un extérieur rigide, d'une extrême myopie, que sa voix est monocorde, et qu'il apporte en toute occasion un soin jaloux à dissimuler ses impressions, à dompter, même dans les moments les plus tragiques, les élans de son cœur et les manifestations les plus légitimes de son âme, vous comprendrez alors comment il a pu devenir aisément le bouc émissaire de tous les péchés d'Israël, ce maudit que des philtres de haine habilement répandus ont fait exécrer de tout un peuple » (*ibid.*, I, pp. 414-415).

233. Le procureur général de la Cour de cassation cite la déposition de du Paty de Clam devant la chambre criminelle (Réhabilitation 1903-1906, Instruction, off., I, p. 138) : « J'étais un juge improvisé ; je manquais d'expérience ; je suis parfaitement d'accord là-dessus. J'ai tâché simplement une chose, de faire de mon mieux. Et puis je n'étais pas libre ; j'ai reçu des instructions de mes chefs qui m'ont indiqué de quelle manière je devais opérer, quels procédés je devais employer. J'ai eu des ordres ; j'étais militaire, je les ai exécutés, et je ne vois pas pourquoi on vient m'atta-quer personnellement, quand je ne suis pas l'auteur des faits, mais simplement l'exé-cuteur. »

234. Baudouin, Réquisitoire, Réhabilitation 1903-1906, Débats 1906, I, pp. 420-421.

235. *Ibid.*, I, pp. 443-444.

236. *Ibid.*, I, p. 445.

237. *Ibid.*, I, p. 451.

238. *Ibid.*, I, p. 461.

239. *Ibid.*, I, pp. 474-475.

240. Alfred Dreyfus, lettre au président de la République, 20 juin 1898, cité *in* Révision 1898-1899, Instruction, *ibid.*, II, p. 14.

241. Baudouin, Réquisitoire, Réhabilitation 1903-1906, Débats 1906, I, pp. 486-487.

242. *Ibid.*, I, pp. 372-373.

243. *Ibid.*, p. 373.

244. *Ibid.*, I, p. 618.

245. Pas exactement. Mais le général Lebelin de Dionne, commandant l'École de guerre, a admis qu'il s'agissait d'une injustice à réparer » (*Procès de Rennes*, II, pp. 178-179).

246. Baudouin, Réquisitoire, Réhabilitation 1903-1906, Débats 1906, I, p. 624.

247. *Ibid.*, I, p. 626.

248. *Ibid.*, I, p. 627.

249. Cf. *Procès de Rennes*, II, pp. 556, 447, 448.

250. Réhabilitation 1903-1906, Instruction, off., I, p. 890.

251. Baudouin, Réquisitoire, Réhabilitation 1903-1906, Débats 1906, II, pp. 6-8.

252. *Ibid.*, II, pp. 40 et suiv.

253. Ce « bas espionnage », a dit le sénateur Henry Bérenger à la tribune du Sénat le 27 février 1899, repris par le procureur général (*ibid.*, II, p. 109).

254. *Ibid.*

255. *Ibid.*, II, pp. 109-110.

256. Cf. Marc Olivier Baruch et Vincent Duclert, *Serviteurs de l'État. Une histoire politique de l'administration française 1875-1945*, op. cit.

257. Baudouin, Réquisitoire, Réhabilitation 1903-1906, Débats 1906, II, pp. 110-111.

258. *Ibid.*, II, p. 112. Sur le bordereau « annoté », voir pp. 149 et suivante, ici p. 158.

259. Rollin, *Procès de Rennes*, II, p. 13.

260. Baudouin, Réquisitoire, Réhabilitation 1903-1906, Débats 1906, II, pp. 180-181.

261. Réhabilitation 1903-1906, Instruction, off., I, p. 334.

262. Baudouin, Réquisitoire, Réhabilitation 1903-1906, Débats 1906, II, pp. 181-182.

263. *Ibid.*, II, pp. 183 et suiv.

264. *Ibid.*, II, p. 185.

265. Réhabilitation 1903-1906, Instruction, I, p. 427.

266. Baudouin, Réquisitoire, Réhabilitation 1903-1906, Débats 1906, II, pp. 187 et suiv.

267. Mercier, Réhabilitation 1903-1906, Instruction, off., I, p. 263.

268. Baudouin, Réquisitoire, Réhabilitation 1903-1906, Débats 1906, II, p. 190.

269. *Ibid.*, II, p. 194.

270. *Ibid.*, II, pp. 219 et suiv.

271. *Ibid.*, II, p. 221.

272. *Ibid.*, II, p. 265. Voir Jules Soury et sa lettre (citée) qui appelait au meurtre de Dreyfus, 28 juillet 1904 (*ibid.* pp. 256-257).

273. *Ibid.*, II, p. p. 269.

274. *Ibid.*, II, p. 270.

275. *Ibid.*, II, p. 272.

276. En revanche, Dreyfus ne loua pas le magistrat de faire de lui « un portrait peu flatté en citant les dépositions de certains témoins à charge » (Alfred Dreyfus, *Carnets*, pp. 241-242). Certes, le procureur général le fit, mais en rappelant d'une part comment de telles impressions émanaient « d'un esprit quinteux et mal bâti » (celui du commandant Bertin-Mourot) et combien il fallait les apprécier en regard des préjugés antisémites dominant l'État-major.

277. La famille adhérait à sa position. « La séance de la Cour a été très belle. Baudouin a flétri avec beaucoup d'énergie du Paty de Clam et Mercier. [...] C'est un passionné. En parlant du crime de Mercier, il frappait sur son pupitre, en disant que sa place était au bagne. Cela faisait du bien à entendre. » Et « M. Baudouin démontre très clairement qu'il y a lieu de casser sans renvoi, car il n'y a aucune charge à juger contre Alfred puisqu'il est innocent et qu'Esterhazy, le coupable, a été acquitté » (Mme Mathieu Dreyfus, lettre à sa mère Mme Émile Schwob, citée par Jean-Denis Bredin, *L'Affaire*, op. cit., pp. 640-641).

278. « Baudouin, avec son argumentation passionnée, son manque d'indulgence, sa haine récente, toute fraîche, est la voix de ces retardataires qui se pressent, de cette immense arrière-garde qui rejoint la petite armée victorieuse » (Joseph Reinach, *Histoire de l'affaire Dreyfus*, VI, p. 445). Plus loin, dans son livre, Joseph Reinach reconnaît cependant que l'essentiel du réquisitoire est « solide, bâti sur de bons matériaux, d'une certitude parfois excessive, mais fortement cimentée » (*ibid.*, p. 446).

279. *Ibid.*, p. 449.

280. *Ibid.*, p. 444.

281. Alfred Dreyfus, *Carnets*, pp. 241-242.

282. Même Jean-Denis Bredin ironisa sur « l'interminable philippique du procureur général » et insiste sur cette dimension : « Parlant d'une voix forte, souvent emportée, improvisant ou lisant, il excommunie au passage tous ceux qui, à un moment quelconque, ont entravé l'œuvre de vérité » (*L'Affaire, op. cit.*, p. 640).

283. « Il fait, à la Cour de cassation, épouvantablement chaud, et il y a un monde fou depuis que le procureur a commencé son réquisitoire » (Mme Mathieu Dreyfus, lettre à sa mère Mme Émile Schwob, citée par Jean-Denis Bredin, *ibid.*, p. 641).

284. Joseph Reinach, *Histoire de l'Affaire Dreyfus*, VI, p. 449.

285. Ces lettres furent consignées et publiées dans les documents judiciaires de la réhabilitation (lettre du commandant Cuignet, Réhabilitation 1903-1906, II, p. 208 ; lettre du lieutenant-colonel du Paty de Clam, *ibid.*, pp. 250 et 667 ; lettre de Félix Gribelin, *ibid.*, p. 666 ; lettre du général Zurlinden, *ibid.*, pp. 252 et 670 ; lettre du général Gonse, *ibid.*, pp. 682 et 684 ; lettre du commandant Esterhazy, *ibid.* p. 675 ; lettre d'Eugène Cavaignac, fils de Godefroy Cavaignac, *ibid.*, pp. 256 et 669).

286. Le fils de Cavaignac adressa au directeur du *Temps* une lettre qui fut publiée par le grand quotidien républicain modéré en juillet 1906.

287. Le général Gonse dément avoir tenu à Picquart le propos : « Si vous ne dites rien, personne ne le saura » (lettre du 4 juillet 1906 au premier président Ballot-Beaupré, *art. cit.*). Le 5 juillet, Picquart écrivit au premier président une lettre dans laquelle il disait : « Gonse a si souvent altéré la vérité au cours de cette affaire, verbalement ou par écrit, que sa parole n'a désormais aucune valeur » (Réhabilitation 1903-1906, Cassation, II, p. 684). Un duel s'ensuivit, le 9 juillet, entre les deux hommes. Gonse manqua Picquart, et Picquart ne tira pas. Il est intéressant de noter que les témoins du général Gonse furent le général Deloye et le nationaliste Ernest Judet, ceux de Picquart étant Edmond Gast et le commandant Targe (Joseph Reinach, *Histoire de l'Affaire Dreyfus*, VI, p. 450, note 7). Le procureur général de la Cour de cassation avait souligné qu'à plusieurs reprises Gonse avait été pris en flagrant délit de mensonge et de faux, tandis que « jamais, sur aucun point, la parole vérifiée de Picquart n'a été trouvée inexacte » (cité *ibid.*).

288. *La Libre Parole*, 6 juillet 1906.

289. Général Mercier, lettre au Premier président de la Cour de cassation, 6 juillet 1906, *in* Joseph Reinach, *Histoire de l'Affaire Dreyfus*, VI, pp. 526-531.

290. *L'Affaire Dreyfus. La révision du procès de Rennes 15 juin 1906-12 juillet 1906. Mémoire de Me Henry Mornard pour M. Alfred Dreyfus*, Paris, Ligue française pour la défense des droits de l'homme et du citoyen, 1907. Plus de 750 p. de texte.

291. Mornard, Plaidoirie, Réhabilitation, Débats de la Cour de cassation, 1906, II, p. 274.

292. *Ibid.*, II, p. 277.

293. *Ibid.*, II, p. 285.

294. *Ibid.*, II, 293.

295. *Ibid.*, II, p. 294.

296. *Ibid.*, II, p. 297.

297. *Ibid.*, II, pp. 297 et suiv.

298. *Ibid.*, II, pp. 300 et suiv.

299. *Ibid.*, II, p. 302.

ALFRED DREYFUS

300. *Ibid.*, II, pp. 302-303.
301. Cuignet, *Procès de Rennes*, I, pp. 485 et suiv.
302. Mornard, Plaidoirie, Réhabilitation 1903-1906, Débats 1906, II, pp. 304 et suiv.
303. *Ibid.*, II, p. 398.
304. *Ibid.*, pp. 418 et suiv.
305. *Ibid.*, II, p. 467.
306. *Ibid.*, II, p. 468.
307. *Ibid.*, II, p. 473.
308. *Ibid.*, II, pp. 475-479.
309. « Georges Duruy a vu supprimer son cours à l'École polytechnique pour avoir tenu des propos de même nature. Grimaux s'est vu retirer sa chaire pour avoir osé proclamer qu'il fallait réparer l'erreur commise, et son amour de la justice l'a conduit dans la tombe. Le commandant Ducros, après avoir laissé parler sa conscience, n'a eu d'autre ressource que d'aller mourir au Tonkin. Le commandant Freystaetter, pour avoir protesté contre les procédés déloyaux par lesquels on avait surpris sa religion de juge, a été abreuvé d'amertume et a dû quitter l'armée. Il en fut de même pour cette conscience d'élite, le colonel Hartmann, qui avait osé s'élever contre les subterfuges techniques avec lesquels l'accusation s'efforçait de leurrer les juges. Le colonel Picquart n'a jamais témoigné en justice sans être placé sous le coup d'une mise en réforme ou d'une mise en accusation ; et, toujours, le coup l'a frappé après ses trop consciencieuses dépositions. Mise en réforme, arrestation, mise au secret, accusations infamantes et variées, rien n'a été négligé pour briser cette conscience et pour étouffer cette voix. » (*Ibid.*, II, p. 477.)
310. *Ibid.*
311. *Ibid.*, II, pp. 476-477.
312. *Ibid.*, II, p. 310.
313. *Ibid.*, II, p. 311.
314. On en a une preuve dans le fait qu'à la suite de ce passage un commentaire juridique est développé qui est l'œuvre cette fois du capitaine Dreyfus (*ibid.*,II, p. 420).
315. Mornard déclare pour commencer : « M. le procureur général vous a dit que le capitaine Dreyfus était hanté par l'idée de comparaître à nouveau devant ses pairs ; et que peut-être il pensait qu'une décision du conseil de guerre serait pour lui préférable à un arrêt de la Cour de cassation » (*ibid.*, II, p. 419).
316. Qu'est-ce qu'un juriste, pourrait-on se demander ? Dreyfus avait accumulé malgré lui une connaissance de terrain qui en faisait un bon professionnel. D'autre part, un juriste réfléchit aussi à la portée et au sens du droit. Ce qu'il sut faire.
317. *Ibid.*, II, p. 473.
318. Me Mornard n'était pas de cet avis, considérant notamment qu'une demande d'indemnité pouvait obliger la justice à se retourner contre les faux témoins, mais il a dû céder devant la détermination de son client : « J'ai lutté, je dois l'avouer, contre la volonté de mon client à cet égard. C'est que non seulement le défaut de réparation de l'énorme préjudice matériel et des cruelles souffrances physiques et morales imposées à un martyr par une erreur judiciaire, monstrueuse à tous égards, m'apparaissait comme une atteinte à la justice ; c'est que non seulement cette absence de réparation me semblait vraiment contraire à la dignité même du pays ; mais c'est aussi, d'autre part que le recouvrement de cette indemnité opéré par l'État conformément à l'article 446 du code d'instruction criminelle sur les faux témoins et autres auteurs des manœuvres dolosives perpétrées pour tromper les juges, eût été à mes yeux une satisfaction nécessaire donnée à la morale publique » (*ibid.*, II, 473-474).
319. *Ibid.*
320. Joseph Reinach, *Histoire de l'Affaire Dreyfus*, VI, p. 466.

CHAPITRE XVI
## La réhabilitation inachevée

1. Alfred Dreyfus, *Carnets*, p. 242.

2. D'après Alfred Dreyfus (*ibid.*, p. 243). Les nationalistes affirmèrent que l'auteur de l'arrêt était Louis Sarrut. Par cette révélation, ils pensaient peut-être affaiblir l'autorité de l'arrêt et l'équité de la Cour puisque le président de la chambre criminelle avait conseillé Scheurer-Kestner. Mais cela n'a en réalité aucune importance. Le premier président s'entoure des avis et conseils qu'il juge légitimes, et la Cour de cassation est pleinement souveraine dans ses arrêts. Et s'il faut voir en Louis Sarrut un dreyfusard, c'est d'abord parce qu'il était et qu'il demeura juriste en des temps où la justice était menacée.

3. Joseph Reinach, *Histoire de l'Affaire Dreyfus*, VI, p. 470.

4. Réhabilitation 1903-1906, Débats 1906, II, pp. 481-502.

5. Alfred Dreyfus, *Carnets*, p. 243.

6. *Ibid.* pp. 501-502.

7. Mais le gouvernement en décida autrement en faisant afficher l'arrêt dans toutes les communes de France au moyen du *Bulletin des communes* (cf. 2e séance du 13 juillet 1906).

8. « Chez le capitaine Dreyfus », *Le Temps*, 13 juillet 1906.

9. « Chez le capitaine Dreyfus », *L'Humanité*, 13 juillet 1906.

10. Archives Simone Perl, Cahier de Lucie Dreyfus (rue Logelbach, du 10 mai 1906 à fin 1913).

11. Mornard, Plaidoirie, Réhabilitation 1903-1906, Débats 1906, II, p. 476.

12. Commandant Forzinetti, lettre à Joseph Reinach, 14 juillet 1906, BNF, Nafr. 24896, f° 307.

13. Joseph Reinach, *Histoire de l'Affaire Dreyfus*, VI, appendices VIII, pp. 530-555.

14. *Ibid.* p. 477.

15. Pour le Comité, notamment, Léon Chaine et Paul Viollet de l'Institut.

16. Alfred Dreyfus, *Carnets*, pp. 262-263.

17. Alfred Dreyfus, « Remerciements », *L'Aurore*, 17 juillet 1906.

18. Alfred Dreyfus, *Carnets*, pp. 292-23.

19. Voir pp. 843 et suiv.

20. Paul Desachy, *Le Siècle*, 13 juillet 1906.

21. Gabriel Bertrand, « Dreyfus proclamé innocent », *L'Humanité*, 13 juillet 1906. Suit un long hommage à la « force du prolétariat » sans qui rien n'aurait été possible, d'après le commentateur politique...

22. *Le Radical*, 13 juillet 1906.

23. *L'Aurore*, 13 juillet 1906.

24. « L'armée va s'incliner respectueusement devant l'arrêt des chambres réunies, mais il faut pour cela que les hommes politiques abandonnent tout esprit de vengeance et de représailles et permettent à notre chère armée de se réjouir sans arrière-pensée d'une sentence qui, devant le monde, lave l'uniforme français d'une tache imméritée » (*Le Figaro*, 13 juillet 1906).

25. *Le Temps*, 13 juillet 1906.

26. *La Petite République*, 13 juillet 1906.

27. Gabriel Bertrand, *art. cit.*

28. *La libre Parole*, 14 juillet 1906.

29. *Le Gaulois*, 14 juillet 1906.

30. *L'Humanité*, 14 juillet 1906.

31. Débats de la Chambre des députés, 13 juillet 1906, reproduit *in* Réhabilitation 1903-1906, Débats 1906, II, p. 508.

32. Voir Vincent Duclert et Philippe Oulmont, « Adolphe Messimy, un officier "jaurésien" ? », *Jean Jaurès cahiers trimestriels* n° 142, pp. 55-73.

33. Adolphe Messimy, Discours, 13 juillet 1906, in *Le Parlement et l'affaire Dreyfus, op. cit.*, pp. 266-267. Le compte rendu *in extenso* des débats figure dans Réhabilitation 1903-1906, Débats 1906, II, pp. 508 et suiv.

34. Après vérification, le scrutin a été établi comme ceci : 464 votants, 432 voix pour et 32 contre.

35. Le député nationaliste Pugliesi-Conti s'exclame : « Et l'indignation douloureuse des patriotes ? » (*Ibid.*, II, p. 511.) À l'issue du vote du projet de loi en faveur de Picquart, Ferdinand Buisson intervient pour rendre hommage au président de la Chambre, Henri Brisson (*vifs applaudissements à gauche et à l'extrême gauche*) qui a été au gouvernement le premier, le plus clairvoyant et le plus courageux artisan de l'œuvre de réparation. » À son époque, c'était vrai.

36. *Ibid.*, II, p. 539.

37. *Ibid.*, II, p. 560.

38. *Ibid.*, II, 569-570.

39. Voir, p. 823.

40. Pressensé : « Sans vous ! » (Réhabilitation 1903-1906, Débats 1906, II, p. 578.)

41. *Ibid.*, II, p. 582. L'ordre du jour de Pressensé est repoussé, par 338 voix contre 194.

42. Jules-Louis Breton, *ibid.*, II, p. 590.

43. *Ibid.*, II, p. 591.

44. Débats parlementaires du Sénat, séance du 20 novembre 1906, reproduit *in ibid.*, II, pp. 606-607.

45. « Les brutalités de M. Zola [...] ont commencé à créer le courant d'opinion qui a rendu si difficile la révision et qui a causé tant de trouble dans notre malheureux pays » (*ibid.*, II, p. 616).

46. « Je crois que c'est là une grande faute commise par M. Zola qui, défendant son idée, sa pensée qu'il considérait sans doute comme la vérité et comme la justice, n'a pas suffisamment pensé à la France. Il ne s'est pas rendu compte de cette vérité que, dans ce pays-ci, quand on discute des questions de justice, quand on les discute avec ardeur, c'est entendu, mais sans passion, et surtout sans injustice, on peut toujours espérer avoir le pays derrière soi. C'est ainsi, ce me semble, que la révision aurait pu se faire, et sans M. Zola, nous n'aurions pas eu ces divisions terribles, ces angoisses et ces luttes qui ont fait tant de mal au pays, tant de mal à la patrie » (*ibid.*, II, pp. 619-620).

47. *Ibid.*, II, p. 626.

48. *Ibid.*, II, p. 648.

49. *Ibid.*, II, pp. 635 et suiv.

50. *Ibid.*, II, p. 627.

51. Georges Clemenceau, discours au Sénat, 11 décembre 1906, cité in *Le Parlement et l'Affaire Dreyfus, op. cit.*, pp. 293-295.

52. Anatole France, « Courrier viennois. Émile Zola au Panthéon », *Neue Freie Press*, 16 avril 1908.

53. Cité par Alfred Dreyfus, *Carnets*, p. 263.

54. En revanche, le conseil de l'ordre écarta de la promotion le nom de Sarah Bernhardt au motif qu'elle n'était pas professeur (*L'Humanité*, 21 juillet 1906).

55. Alfred Dreyfus, *Carnets*, p. 263.

56. Elles furent placées sous le commandement du chef d'escadron Targe.

57. André Nède, « La cérémonie à l'École militaire », *Le Figaro*, 22 juillet 1906. Les renseignements concernant l'assistance sont issus de cet article, plus complet sur ce point que les souvenirs d'Alfred Dreyfus reproduits dans ses *Carnets* (pp. 263-265), ainsi que de l'article d'Henri Amoretti, « La réhabilitation. Une cérémonie émouvante à l'École militaire », publié sur deux colonnes à la une dans *L'Humanité* (22 juillet 1906).

58. *Le Temps*, 22 juillet 1906.

NOTES 1183

59. D'après *Le Temps*, « par une saisissante coïncidence, un de ces deux escadrons a, parmi ses officiers, le lieutenant Chanoine, fils de l'ancien ministre de la Guerre », précise André Nède. Le lieutenant Chanoine s'était rendu tristement célèbre pour ses tueries et ses massacres lors d'une expédition militaire dans l'île de Madagascar.

60. André Nède, *art. cit.*

61. Version du *Figaro* : « Je me félicite d'avoir eu à saluer votre entrée dans la Légion d'honneur et de l'avoir fait dans la cour de ce quartier [de l'artillerie] où vous avez passé six années de votre vie et où vous n'avez laissé que des amis ... »

62. Alfred Dreyfus, *Carnets*, p. 264.

63. *Le Temps*, 22 juillet 1906.

64. Alfred Dreyfus, *Carnets*, p. 264.

65. *Ibid.* et André Nède, *art. cit.*

66. D'après André Nède, *ibid.*

67. D'après André Nède : « Une voix retentit, qui veut paraître enjouée, et que l'on devine très émue : "Allons, chevalier, venez par ici qu'on vous félicite" [...] C'est le général Picquart qui s'est avancé au-devant du nouveau légionnaire, et qui lui prend affectueusement les deux mains. Alfred Dreyfus, les yeux pleins de larmes, ne trouve pas de paroles : "Ah ! général, général ! ... Comment vous remercier ? – Laissez donc, et oubliez maintenant vos souffrances. [...] – Mais vous avez bien souffert aussi." Alors, le général, gaiement : "Par exemple ! Nous n'allons pas comparer, j'imagine, une villégiature au Cherche-Midi avec un voyage à l'île du Diable !" » *Ibid.*

68. D'après *Le Temps*, 22 juillet 1906.

69. Le général Picquart et le commandant Targe rentrèrent à pied à l'École de guerre.

70. *Le Temps*, 22 juillet 1906.

71. Correspondance Gabriel Monod – marquise Arconati-Visconti, lettre du 21 juillet 1906.

72. Mary Duclaux, *La Vie d'Émile Duclaux*, *op. cit.*, pp. 257-258.

73. Alfred Dreyfus, *Carnets*, p. 265.

74. Voir http://gallica.bnf.fr/anthologie/notices/01326.htm

75. Maurice Barrès, *Ce que j'ai vu à Rennes*, *op. cit.*, p. 42.

76. Alfred Dreyfus, *Carnets*, p. 266.

77. *Ibid.*

78. Débats parlementaires du Sénat, séance du 20 novembre 1906, reproduit *in ibid.*, II, p. 540.

79. Alfred Dreyfus, *Carnets*, p. 262.

80. « Toute chance lui est enlevée d'atteindre les hauts grades qui ont été l'ambition de sa vie, avant qu'elle ne fût brisée » (Joseph Reinach, *Histoire de l'Affaire Dreyfus*, VI, p. 479).

81. Dans ses *Carnets*, Dreyfus cite le cas du lieutenant-colonel de Laguiche, son condisciple de l'École, promu le 25 mars 1906 (*ibid.*, p. 284). Joseph Reinach mentionne la situation de Debou, de l'artillerie coloniale, lieutenant-colonel depuis le 9 avril 1903.

82. Eugène Étienne, lettre à Joseph Reinach, 17 juillet 1906, musée d'Art et d'Histoire du judaïsme (fonds famille Dreyfus).

83. « Étienne, qui n'avait pas seulement le sentiment des choses de l'armée, mais aussi la connaissance plus rare de la mentalité militaire et qui, s'étant rencontré plusieurs fois avec Dreyfus, savait combien l'homme était soldat dans les moelles, se rendit compte de son erreur et la commit quand même » (Joseph Reinach, *Histoire de l'Affaire Dreyfus*, VI, pp. 479-480).

84. Citée, sans date, *in* Alfred Dreyfus, *Carnets*, pp. 277-278.

85. *Ibid.*, p. 272.

86. « S'il ne fit pas toute la justice, du moins à mon égard, c'est qu'il eut peur » (*ibid.*, p. 278).

87. Alfred Dreyfus, lettre à Joseph Reinach, sd (« mardi »), BNF, Nafr. 13569, f° 180.

88. Joseph Reinach, *Histoire de l'affaire Dreyfus*, VI, p. 480.

89. Cité dans la revue de presse du commandant Targe, 13 juillet 1906 (AN, BB[19] 122).

90. Cité dans la revue de presse du commandant Targe, 13 juillet 1906 (AN, BB[19] 122).

91. Joseph Reinach, *Histoire de l'affaire Dreyfus*, VI, pp. 480-481.

92. Alfred Dreyfus, *Carnets*, p. 278.

93. Voir notamment *Jaurès et la défense nationale*, actes du colloque de Paris, *Cahier Jaurès*, III, 1993, 208 p., *Militaires en république 1870-1962. Les officiers, le pouvoir et la vie publique en France*, *op. cit.* et général André Bach, *L'Armée de Dreyfus*, *op. cit.*

94. Colloque organisé par l'EHESS les 23-25 janvier 2006. Actes à paraître en 2007 aux éditions La Découverte.

95. Alfred Dreyfus, *Carnets*, p. 278.

96. Commandant Forzinetti, lettre à Joseph Reinach, 27 septembre 1906, BNF, Nafr. 24896, f° 308.

97. Philippe Oriol, *in* Alfred Dreyfus, *Carnets*, p. 436.

98. Général André, « Une réparation », cité par Philippe Oriol, *ibid.*, pp. 436-437.

99. Philippe E. Landau, « Les officiers juifs et l'Affaire », *art. cit.*

100. BNF, Nafr. 13569, f°204.

101. L'existence de cette lettre est connue grâce au témoignage de Dreyfus. Celui-ci, reçu par le commandant Targe, est mis en présence de la lettre adressée par l'historien au général Picquart (*Carnets*, p. 271).

102. Gabriel Monod, lettre à Joseph Reinach, 4 septembre 1906, citée par Philippe Oriol, *ibid.*, p. 431.

103. Alfred Dreyfus, « Exposé des motifs », BNF, Nafr. 13570, f° 38-39.

104. Alfred Dreyfus, *Carnets*, p. 280.

105. Cité dans la revue de presse du commandant Targe, 13 juillet 1906 (AN, BB[19] 122).

106. Alfred Dreyfus, *Carnets*, p. 267.

107. Mme Zola faisait partie de ces personnes (*ibid.*, p. 273).

108. « Plusieurs de mes amis avaient fait la même démarche auprès de lui, envoyés, croyait-il, par moi, ce qui était une erreur. Dans ces conditions, je crus devoir demander une entrevue au général Picquart » (*ibid.*).

109. *Ibid.*

110. *Ibid.*

111. Francis de Pressensé, lettre à Alfred Dreyfus, sd, citée *in* Alfred Dreyfus, *Carnets*, p. 279.

112. Cette précision apparaît dans la lettre qu'Alfred Dreyfus adresse à Joseph Reinach (BNF, Nafr. 13570, f°42, cité par Philippe Oriol, *ibid.*, pp. 435-436).

113. Désirant connaître encore plus nettement la position de Picquart, Dreyfus se rendit chez Pressensé et fit à Joseph Reinach le récit de son entrevue (BNF, Nafr. 13570, f°42-43, cité par Philippe Oriol, *ibid.*, p. 436).

114. Michael Burns, *Histoire d'une famille française*, *op. cit.*, pp. 385-386.

115. Général André, lettre à Alfred Dreyfus, 6 juin 1907, citée *in* Alfred Dreyfus, *Carnets*, p. 280.

116. Elle poursuivait encore : « Comment parmi nos amis n'en est-il pas un qui crie cela de toutes ses forces ? Si nous n'étions pas dans un terrible pétrin, avec le ministère affolé, j'aurais tenté une visite chez Clemenceau, car chez Picquart, je la crois inutile ; vous vous souvenez que je l'avais faite, j'ai senti que je ne devais pas y revenir. Que je voudrais donc être une puissance pour quelques minutes ! Mais, hélas, je ne suis rien et je le déplore. Il n'y avait décidément que mon mari capable

de bravoure » (Alexandrine Zola, lettre à Alfred Dreyfus, sd, MAHJ, citée *ibid.*, p. 281).

117. Anatole France, « Courrier viennois. Émile Zola au Panthéon », *Neue Freie Press*, 16 avril 1908.

118. *Ibid.*, pp. 258-259.

119. Alfred Dreyfus, lettre à Joseph Reinach, 25 juillet 1906, citée *in* Alfred Dreyfus, *Carnets*, pp. 266-267.

120. Alfred Dreyfus, lettre à Joseph Reinach, sd (« Vendredi ») (BNF, Nafr. 13569, f° 188).

121. Général André, lettre au ministre de la Guerre, 20 juillet 1906, publiée notamment dans *L'Humanité*, 22 juillet 1906.

122. Général André, « Une réparation », *art. cit.*

123. Infra.

124. Reproduit *in* Réhabilitation 1903-1906, Débats 1906, II, p. 512.

125. *Ibid.*, p. 521.

126. Alfred Dreyfus, *Carnets*, p. 262.

127. Reproduit *in* Réhabilitation 1903-1906, Débats 1906, II, p. 572. Il s'attaque également au procureur général de la Cour de cassation, en parlant de « la violence insultante de M. Baudouin ». Le président de la Chambre, Henri Brisson, lui répond que, « dans une affaire où peut-être beaucoup d'autres se sont conduits différemment, M. le procureur général Baudouin a rempli son devoir avec courage. La République l'en remercie ».

128. *Ibid.*, II, p. 573.

129. *Ibid.*

130. *Exclamations à l'extrême gauche et à gauche.* Le président de la Chambre : « Monsieur Lasies, vous n'avez pas le droit de parler ainsi de la plus haute juridiction de la République » (*ibid.*).

131. *Ibid.*, II, p. 532 et suiv.

132. Auguste Delpech cita un extrait du discours de Waldeck-Rousseau, lors du débat du 2 juin 1900 sur l'amnistie, expliquait que « la justice qui siège dans les prétoires n'est pas toute la justice. Il en est une autre formée par la conscience publique, qui traverse les âges, qui est l'enseignement des peuples et qui, déjà, entre dans l'histoire. » « Cela nous suffit. » « Je suis de ceux qui, aujourd'hui, ne demandent pas d'autre répression contre les coupables, ajouta Delpech. [...] Et maintenant que le souvenir de leurs crimes reste lourd sur ceux qui les ont commis. Si nous voulions pousser plus loin notre besoin de justice et notre légitime sévérité, il est un de ces hommes qui devraient, pour notre entière satisfaction, remplacer au bagne l'honorable victime dont l'innocence, après de si longues et terribles souffrances, a été proclamée hier : cet homme, c'est vous, monsieur ! » (*ibid.*, II, p. 536.)

133. *Ibid.*, p. 538.

134. Gustave Rouanet, « L'affaire Dreyfus au Parlement », *L'Humanité*, 14 juillet 1906.

135. Reproduit *in* Réhabilitation 1903-1906, Débats 1906, II, p. 565.

136. *Ibid.*, p. 566.

137. Général Mercier, lettre au premier président de la Cour de cassation, 6 juillet 1906, publiée dans *L'Humanité*, 8 juillet 1906.

138. *Ibid.*

139. Général Mercier, lettre au Premier président de la Cour de cassation, 8 juillet 1906, publiée dans *L'Humanité*, 10 juillet 1906.

140. « Lorsqu'un accusé a commis un crime, si épouvantable qu'il soit, il trouve toujours un défenseur ; s'il n'en trouve pas un de bonne volonté, la loi lui en désigne un d'office. Eh bien, dans ce procès de révision, les juges du conseil de guerre, les témoins qui ont figuré dans le procès soumis à la révision n'ont pas eu de défenseur. L'enquête s'est poursuivie à huis clos, sans publicité des dépositions, sans publicité des débats, sans confrontation des témoins (*exclamations à gauche*). » La droite le

soutient : Dominique Delahaye : « Très bien ! très bien ! » L'amiral de Cuverville : « Laissez parler ! C'est une constatation de fait. » (Reproduit *in* Réhabilitation 1903-1906, Débats 1906, II, p. 532).

141. *Applaudissements prolongés à gauche*, note la sténographie officielle (*ibid.*, p. 538).

142. Charles Mauras, lettre à Maurice Barrès, *in La République ou le Roi*, cité par Philippe Oriol (Alfred Dreyfus, *Carnets*, p. 432).

143. Henri Dutrait-Crozon, *Précis de l'affaire Dreyfus*, *op. cit.*, pp. 561-562.

144. *In* Réhabilitation 1903-1906, Débats 1906, II, p.

145. « Picquart au ministère ; l'indiscipline, le faux témoignage et le faux à l'ordre du jour de l'armée » (*ibid.*, p. 563).

146. Henri Dutrait-Crozon, *Précis de l'affaire Dreyfus*, *op. cit.*, p. 563.

147. *Revue de l'Action française* du 15 septembre 1906 citée par Henri Dutrait-Crozon, *ibid.*, p. 562.

148. *Ibid.*, p. 563.

149. « Si, dans la Cour de cassation de la République, vous êtes le premier en dignité, vous êtes aussi le premier en forfaiture et en infamie. » (Commandant Cuignet, lettre, *L'Action française*, 16 septembre 1906.)

150. Henri Dutrait-Crozon, *Précis de l'affaire Dreyfus*, *op. cit.*, p. 568.

151. *L'Action française*, 22 octobre 1908.

152. *L'Action française*, 6 novembre 1908.

153. Antonin Bergougnan était également le cousin de l'ancien procureur général de la Cour de cassation Jean-Pierre Manau, pour la première révision de 1898-1899.

154. « L'argument qui me fit abandonner à ce moment toute idée de poursuivre *L'Action française* était que, pour demander des dommages-intérêts pour préjudice causé, il fallait reconnaître que leurs attaques avaient pu diminuer l'autorité qui était attachée à l'arrêt rendu par la cour suprême. Or de cela, je n'en voulais pas, et en réalité leur affiche ne produisit aucun effet, pas plus qu'une affiche qu'ils placardèrent ensuite contre le général Picquart. » (Alfred Dreyfus, *Carnets*, p. 268.)

155. Voir Philippe Oriol, *ibid.*, p. 433 et suiv.

156. 1ᵉʳ, 2, 7, 8, 9 11, 23 octobre 1908.

157. 3, 4 octobre 1908.

158. 5, 17 et 18 octobre 1908.

159. 7 octobre 1908.

160. 7 octobre 1908.

161. 12 octobre 1908.

162. 14 et 18 octobre 1908.

163. 11, 19, 23 et 24 octobre 1908.

164. 22 octobre 1908.

165. Cf. Alfred Dreyfus, *Carnets*, p. 269.

166. Henri Dutrait-Crozon, *Précis de l'affaire Dreyfus*, *op. cit.*, p. 568.

167. *Ibid.*, p. 570.

168. Charles Maurras, « L'Action française aura raison », *L'Action française*, 29 janvier 1912.

169. Henri Dutrait-Crozon, *Précis de l'affaire Dreyfus*, *op. cit.*, p. 567.

170. Cité par Michael Burns, *Histoire d'une famille française*, *op. cit.*, p. 396.

171. « Pozzi, présent dans la tribune d'honneur, s'est précipité pour lui donner les premiers soins, sans souci de tacher son uniforme d'académicien » (Claude Vanderpooten, *Samuel Pozzi*, *op. cit.*, p. 344).

172. Sarah Bernhardt, lettre à Alfred Dreyfus, 6 juin 1908, *in* Alfred Dreyfus, *Souvenirs et correspondance*, p. 442.

173. Cité par Michael Burns, *Histoire d'une famille française*, *op. cit.*, p. 399 (11 septembre 1908).

174. Claude Vanderpooten, *Samuel Pozzi*, *op. cit.*, p. 344.

175. *Le Procès du Panthéon. Grégori, Dreyfus et Zola devant le jury* [4 juin-10 et 11 septembre 1908], préface de Grégori. Compte rendu sténographique et révisé des débats, Paris, Bureaux de *La Libre Parole* (s.d.) [1908], 168 p.

176. Cité par Michael Burns, *Histoire d'une famille française, op. cit.*, p. 398.

ÉPILOGUE

## Dreyfus dans la République

1. Alfred Dreyfus, lettre au colonel Bouisson, 25 juin 1907, reproduit in Alfred Dreyfus, *Carnets*, p. 281.

2. *Ibid.*, p. 272.

3. *Ibid.*, p. 267.

4. Francis de Pressensé, lettre à Alfred Dreyfus, 1er avril 1906, *ibid.*, p. 279.

5. Francis de Pressensé, lettre à Alfred Dreyfus, 12 juillet 1907, *ibid.*, p. 283.

6. Général André, lettre à Alfred Dreyfus, 6 juin 1907, *ibid.*, p. 280.

7. *Ibid.*, p. 280.

8. Voir pp. 990 et suiv.

9. Voir p. 47.

10. « Le malentendu date, je pense, de l'affaire Dreyfus. [..] Combien de fois, voyant mes camarades boire comme petit-lait aux sources de haine et de bêtise que continuaient à dispenser, durant la guerre même, de sordides hebdomadaires, ne me suis-je pas dit : "Quel dommage que de si braves gens soient si mal renseignés ! Quelle honte surtout que personne, jamais, n'ait véritablement cherché à les éclairer." » Marc Bloch, *L'Étrange Défaite* (1940), Paris, Gallimard « Folio », 1992, pp. 201-202.

11. « Dans ses dernières années encore, il lui arrivait parfois de se réveiller en poussant un cri terrible : il se croyait attaché sur son lit par les chevilles, encloses dans une boucle de fer. Et lui qui cependant ignorait la haine, il conserva un profond ressentiment contre cet ministre des Colonies, cet André Lebon qui, par basse passion politique, lui avait infligé sans raison cette abominable torture. Car s'il comprenait, sans les excuser, les erreurs, puis les infamies de quelques chefs militaires, poussés par des haines religieuses ou un esprit de caste, il ne pouvait admettre qu'un homme qui n'avait aucun motif valable pour lui souhaiter du mal, qui par ses fonctions mêmes se devait d'agir avec une scrupuleuse conscience, ait cru devoir prendre la responsabilité d'aggraver son supplice, à l'encontre des règlements et de la plus élémentaire équité » (Pierre Dreyfus, in Alfred Dreyfus, *Souvenirs et correspondance*, p. 15).

12. Il y emménagea avec Lucie vers 1927.

13. Pierre Dreyfus, in Alfred Dreyfus, *Souvenirs et correspondance*, p. 13

14. Alfred Dreyfus, *Carnets*, p. 20.

15. Cette volonté est attestée par de deux lettres à Joseph Reinach (BNF. Nafr. 13567, f° 82-83 et 89-89v°) datées par Philippe Oriol du mois de février 1901 (Alfred Dreyfus, *Carnets*, p. 288).

16. Cité par Gérard Baal, « Jaurès et les salons », *Jaurès et les intellectuels*, Paris, Editions de l'Atelier, 1994, p. 114.

17. Baal Gérard, « Un salon dreyfusard, des lendemains de l'Affaire à la Grande Guerre : la marquise Arconati-Visconti et ses amis », *Revue d'histoire moderne et contemporaine*, juillet-septembre 1981, pp. 433-463, et « Le capitaine chez madame Verdurin », *L'Histoire*, janvier 1994, pp. 74-78.

18. Cité par Gérard Baal, « Jaurès et les salons », *art. cit.*, p. 100.

19. Alfred Dreyfus posa sa candidature à l'adhésion à la Société d'études rabelaisiennes.

20. Cf. Alfred Dreyfus, lettre à Joseph Reinach, 1909, BNF, Nafr. 13570.

21. Alfred Dreyfus, lettre à la marquise Arconati-Visconti, sd, citée in Gérard Baal, « Un salon dreyfusard, des lendemains de l'Affaire à la Grande Guerre : la marquise Arconati-Visconti et ses amis », *art. cit.*, p. 461.

22. Francis de Pressensé, « La nouvelle affaire Dreyfus », *L'Humanité*, 4 janvier 1911.

23. Jean Jaurès, « La question tragique », *L'Humanité*, 28 novembre 1910, reproduit dans le *Bulletin de la Société d'études jaurésiennes*, n° 3, octobre 1961, pp. 4-5.

24. Alfred Dreyfus, lettre à la marquise Arconati-Visconti, automne 1910, cité in Gérard Baaal, « Un salon dreyfusard, des lendemains de l'Affaire à la Grande guerre : la marquise Arconati-Visconti et ses amis », *art. cit.*, p. 458.

25. Une photographie de la famille réunie pour l'éclipse est présentée au Musée d'art et d'histoire du judaïsme. Je remercie Raymond Lévy-Bruhl, petit-fils de Lucien Lévy-Brulh, pour ses précisions complémentaire.

26. Pierre Dreyfus, in Alfred Dreyfus, *Souvenirs et correspondance*, pp. 442-443.

27. Alfred Dreyfus, *Mes souvenirs*, p. 65. Le passage qui suit a été rayé sur le manuscrit : « Rome intéressa surtout par les souvenirs historiques qu'elle éveille du grand Empire romain. Quand on contemple le Forum du haut du Palatin, on se dit avec surprise que la vie d'un grand peuple a tenu dans un si petit espace. Il est vrai que l'État romain n'était pas un État véritable ; ses organes étaient adaptées au gouvernement d'une cité antique. »

28. Mathieu Dreyfus, *L'Affaire telle que je l'ai vécue*, pp. 306-307.

29. Alfred Dreyfus, *Mes souvenirs*, p. 65.

30. Alfred Dreyfus, lettre à la marquise Arconati-Visconti, automne 1911, cité *in* Gérard Baaal, « Un salon dreyfusard, des lendemains de l'Affaire à la Grande guerre : la marquise Arconati-Visconti et ses amis », *art. cit.*, p. 461.

31. Pierre Dreyfus précisa, dans les *Souvenirs et correspondance* de son père : « Il n'est d'ailleurs pas sans intérêt de noter que c'est de ce fort de Daumont que partit un des premiers avis signalant la manœuvre des armées ennemies et qui permit, grâce au génie de Gallieni, d'engager et de gagner la bataille de la Marne » (p. 443).

32. Alfred Dreyfus, *Mes souvenirs*, pp. 65-67.

33. Archives Charles Dreyfus.

34. Archives Charles Dreyfus.

35. Alfred Dreyfus, *Mes souvenirs*, p. 67.

36. *Ibid.*

37. Jean-Louis Lévy, « Alfred Dreyfus, anti-héros et témoin capital », in Alfred Dreyfus, *Cinq années de ma vie*, pp. 245-246.

38. Voir pp. 339 et suiv.

39. Cf. Alfred et Lucie Dreyfus, *Ecris-moi souvent...*

40. Léon Daudet, *Au temps de Judas*, in *Souvenirs et polémiques*, Paris, Robert Laffont, coll. « Bouquins », 1992, pp. 511-640.

41. Cité in Michael Burns, *Histoire d'une famille française*, pp. 496-497.

42. *Ibid.*, p. 504.

43. Pierre Dreyfus, in Alfred Dreyfus, *Souvenirs et correspondance*, p. 445.

44. Pseudonyme de Rehfisch et Wilhem Herzog.

45. Hannah Arendt, *Les Origines du totalitarisme. Sur l'antisémitisme* [1951], traduction française, Paris, Le Seuil, coll. « Points », 1984, p. 199.

46. « L'agenda de Léon Brunschvicg », *Évidences*, 1949, n° 2, republié dans *Difficile liberté*, Paris, Albin Michel, coll. « Présences du judaïsme », 1963 et 1976, et réédition Hachette, coll. « Biblio Essais », 1984, pp. 67-68.

47. Pierre Dreyfus, in Alfred Dreyfus, *Souvenirs et correspondance*, pp. 445-446.

48. *Ibid.*, p. 446.

49. Jean-Louis Lévy, in *Alfred Dreyfus, Cinq années de ma vie*, pp. 246-247.

50. Jean Guéhenno, *Entre le passé et l'avenir,* Paris, Grasset, 1979, p. 275 [receuils de textes extraits de la revue *Europe*, 1929-1935]. Nous soulignons.

51. Hannah Arendt, *Les Origines du totalitarisme*, p. 199.

52. « Mort du lieutenant-colonel Dreyfus », *Le Temps*, 14 juillet 1935.

53. *L'œuvre*, 13 juillet 1935.

54. *L'Aurore, L'Humanité*, 13 juillet 1935 (« Le "capitaine Dreyfus" est mort »).

55. Georges Larpent, « Le "Journal de Genève" et l'affaire Dreyfus », *L'Action française*, 19 juillet 1935.

56. Frédéric Delebecque, « Un panégyrique de Dreyfus », *L'Action française*, 18 juillet 1935.

57. Charles Maurras, « Dreyfus », *L'Action française*, 15 juillet 1935.

58. Julien Benda, « Quarante ans après », *L'Univers israélite*, 18 juillet 1935, p. 697.

59. Citée par Jean-Louis Lévy, *art. cit.*, p. 245.

60. Jean Cassou, « L'Action française et nous », *L'Univers israélite*, 18 juillet 1939, p. 698.

61. *L'Univers israélite* tint aussi à rendre hommage à « Bernard Lazare et Dreyfus », et s'opposer à Péguy qui les avait si vivement opposés dans *Notre jeunesse* (*op. cit.*), *ibid.*, p. 700 (une lettre de témoignage de Mathieu Dreyfus sur Bernard Lazare, adressée à Pierre Quillard le 21 juillet 1906 fut publiée).

62. Voir p. 661.

63. Fernand Corcos, « Alfred Dreyfus », *L'Univers israélite*, 18 juillet 1935, p. 704.

64. Maurice Liber, « Alfred Dreyfus », *ibid.*, pp. 699-700.

65. *Ibid*, pp. 706-707 (deux lettres du capitaine Dreyfus à Lucie Dreyfus du 5 janvier 1895 et du 4 septembre 1897, l'Appel aux femmes de France lancé par Jean Psichari en faveur de Lucie Dreyfus dans *Le Siècle* du 24 mars 1898, l'hommage au colonel Picquart de Francis de Pressensé, le discours à Émile Zola prononcé à ses funérailles par Anatole France, et « L'antisémitisme et l'affaire Dreyfus », le discours prononcé par Pierre Quillard à l'inauguration du monument Bernard-Lazare à Nîmes en 1908).

66. Léon Blum, *Souvenirs sur l'Affaire, op. cit.* En 2006, ils ont été traduits et publiés en Allemagne.

67. Voir chapitre XI, « L'esprit de Rennes », pp. 561 et suiv.

68. Léon Blum, *Souvenirs sur l'Affaire, op. cit.*, pp. 33-34.

69. « Un juriste », *La Revue blanche*, 15 mars 1898. Cet article fut suivi, le 15 juin 1898, d'un second, consacré aux « lois scélérates », et d'un troisième, sur « L'article 7 » le 1er avril 1900.

70. Léon Blum, *Souvenirs sur l'Affaire, op. cit.*, p. 42.

71. « Les Juifs riches, les Juifs de moyenne bourgeoisie, les Juifs fonctionnaires avaient peur de la lutte engagée pour Dreyfus exactement comme ils ont peur aujourd'hui de la lutte engagée contre le fascisme. Ils ne songeaient qu'à se terrer et à se cacher. Il s'imaginait que la passion antisémite serait détournée par leur neutralité pusillanime. Ils maudissaient secrètement ceux d'entre eux qui, en s'exposant, les livraient à l'adversité séculaire. Ils ne comprenaient pas mieux qu'ils ne le comprennent aujourd'hui qu'aucune précaution, aucune simagrée, ne tromperaient l'adversaire et qu'ils resteraient les victimes aussi offertes de l'antidreyfusisme ou du fascisme triomphant » (Léon Blum, *Souvenirs sur l'Affaire, op. cit.* p. 44).

72. La situation fut différente de celle que Léon Blum désigna hâtivement ici. Cf. Philippe E. Landau, *L'opinion juive et l'affaire Dreyfus*, Paris, Albin Michel, coll. « Présences du Judaïsme », 1995, 153 p.

73. Cf. Alfred Bruneau, *À l'ombre d'un grand cœur*, Paris, Fasquelle, 1931, pp. 164-166.

74. Cité par Jean-Louis Lévy, *art. cit.*, p. 240. L'écart entre les deux textes est saisissant. Le texte de Bruneau fut tout simplement *inversé*, souligne Jean-Louis Lévy.

75. Léon Blum, « Le procès de Riom », *Discours politiques*, présenté par Alain Bergounioux, Paris, Imprimerie nationale, coll. "Acteurs de l'histoire", 1997, pp. 274-275.

76. « Le groupe des "dreyfusards" eut d'ailleurs ses romantiques en même temps que ses scientifiques. Et la tragique querelle de Charles Péguy avec Lucien Herr doit être, croit M. Halévy, interprétée comme une révolte des premiers contre les seconds » (note manuscrite, in Elie Halévy, *Correspondance, op. cit.*, p. 780).

77. Pierre Dreyfus, in Alfred Dreyfus, *Souvenirs et correspondance*, p. 11.

78. Cité *ibid.*, p. 16.

79. *Ibid.*, pp. 16-17.

80. *Ibid.*, p. 17.

81. *Ibid.*, p. 18.

82. Des travaux en préparation vont combler ces lacunes dont le livre à venir de Claire Andrieu sur la résistance civile en France.

83. Voir pp. 845-846.

84. Marc Bloch, *L'Étrange défaite, op. cit.*, p. 208.

85. Cf. Robert Debré, *L'Honneur de vivre. Témoignage*, Paris, Stock, 1974, pp. 37 et suiv.

86. Michael Burns, *Histoire d'une famille française*, p. 569.

87. Cité in *ibid.*, p. 572.

88. Henriette Psichari, *Des jours et des hommes (1890-1961)*, Paris, Grasset, 1962, p. 55.

89. Simone Gros, *Pierre Mendès France au quotidien*, préface de Michel Mendès France, Paris, L'Harmattan, 2004.

90. Cf. Jean Zay, *Souvenirs et solitude*, préface de Pierre Mendès France, introduction d'Antoine Prost, Précédé de « Jean Zay, ministre de l'intelligence française » de Patrick Pesnot, La Tour d'Aigues, éditions de l'Aube, 2004, pp. 31-32.

91. Jacques Kayser, *L'affaire Dreyfus*, Paris, Gallimard, coll. « La suite des temps », 1946, 311 p.

92. Hannah Arendt, *Sur l'antisémitisme, op. cit.*, p. 209.

93. Pierre Mendès France, « Émile Zola », in *La vérité guidait leurs pas*, Gallimard, coll. « Témoins », 1976, pp. 73.

94. *Ibid.*, p. 80.

95. Cf. Vincent Duclert, « Raison démocratique et catholicisme critique au début du XXᵉ siècle. À la recherche des influences cachées de Paul Viollet », *art. cit.*, pp. 107-118.

96. Cf. « Philippe Pétain », in Benoît Yvert, *Dictionnaire des ministres, de 1789 à 1789*, Paris, Perrin, 1990, 1028 p.

97. Alain Peyrefitte, *C'était De Gaulle*, tome II, Le Livre de Poche, 1999 (1ʳᵉ éd. 1994), p. 177.

98. Cf. Robert Debré, *L'honneur de vivre, op. cit.*, pp. 69 et suiv.

99. Témoignage de Pierre Lefranc in Vincent Duclert, « Retour sur l'histoire d'un officier français », *Jean Jaurès cahiers trimestriels*, n° 148, avril-juin 1998, p. 88. Lettre à l'auteur de Mme Aline Dreyfus Dufournier, 2 mai 2006.

100. Maurice Baumont, *Aux sources de l'affaire Dreyfus d'après les archives diplomatiques*, Paris, Productions de Paris « Documents de notre époque », 1959, 287 p.

101. Guy Chapman, *The Dreyfus Case. A reassessment*, Londres, Rupert Hart et Davies, 1955, 400 p. (différentes éditions remaniées : 1963, 1972, 1979). Nicolas Halasz, *Captain Dreyfus : The story of a Mass Hysteria*, New York, Simon and Schuster, 1955, 380 p.

102. François Mauriac, « L'affaire Dreyfus vue par un enfant », in *Cinq années de ma vie*, Paris, Fasquelle, 1962, pp. 11-21.

103. Maurice Blanchot, « Les intellectuels en question. Ébauche d'une réflexion », *Le Débat*, mars 1984, pp. 18-19.

104. *Ibid.*, p. 10.

105. Voir pp. 807-808.

106. Georges Canguilhem, *Vie et mort de Jean Cavaillès*, Paris, Allia, 1996, 62 p.

107. Georges Canguilhem, « Le cerveau et la pensée » [1980], in *Georges Canguilhem. Philosophe, historien des sciences*, Paris, Albin Michel, coll. « Bibliothèque du Collège international de philosophie », 1993, pp. 30-32.

108. Pierre Vidal-Naquet, « Dreyfus dans l'Affaire et dans l'histoire », in *Cinq années de ma vie*, pp. 5-45.

109. Pour une mise au point sur cette question, nous nous permettons de renvoyer à nos études : « Retour sur l'histoire d'un officier français », *Jean Jaurès cahiers trimestriels*, n° 148, avril-juin 1998, pp. 63-88, et « Dreyfus. De l'oubli à l'histoire (I) », *Cahiers de l'affaire Dreyfus*, n° 1, 2004, pp. 63-91.

110. *Les Scellés de l'affaire Dreyfus. Inventaire des papiers saisis en 1894 au domicile de Dreyfus* par Ségolène Dainville-de Barbiche, Paris, Centre historique des Archives nationales, 1997, p. 8.

111. Cf. *Tim : être de son temps*, catalogue de l'exposition du Musée d'art et d'histoire du judaïsme, Paris, MAHJ-Herscher, 2003, 223 p.

112. *Le Nouvel Observateur*, 5-11 janvier 2006, p. 11.

113. Didier Sicard, « La statue errante du capitaine Dreyfus », *Les Temps modernes*, février-avril 2003, pp. 3-6.

114. Cf. Vincent Duclert, « Histoires françaises de l'affaire Dreyfus », *Jean Jaurès cahiers trimestriels*, n° 136, avril-juin 1995, pp. 10-45.

115. Pour plus d'informations, voir Vincent Duclert, « Histoires françaises de l'affaire Dreyfus », *art. cit.*, les différents bulletins de la Société internationale d'histoire de l'affaire Dreyfus (http ://www.sihad.com) et les différentes chroniques de la revue annuelle *les Cahiers naturalistes*.

116. « Une tragédie de la Belle Époque, l'affaire Dreyfus. Colloque, 16 octobre 1994 », sans éditeur, p. 9.

117. *Ibid.*, p. 22.

118. *Ibid.*, pp. 26-27.

119. *Ibid.*, p. 43.

120. *Ibid.*, p. 33.

121. « Centenaire de "J'accuse". Hommage à Alfred Dreyfus et Émile Zola, texte des allocutions officielles », fascicule hors série des *Cahiers naturalistes*, 1998, 40 p.

122. *Ibid.*

123. *Ibid.*

124. Il n'y eut pas d'article sur la signification de cet événement à l'exception de notre texte « Antisémitisme, République et démocratie. Le modèle Dreyfus », *Esprit*, n° 7, juillet 2002, pp. 171-174.

125. Les Archives de France ouvriront cependant en octobre 2006 un site documentaire sur le web conçu par Charles-Louis Foulon à la délégation aux célébrations nationales. Le département des manuscrits de la Bibliothèque nationale de France a organisé quant à lui, le 19 juin 2006, une journée d'études sur les sources et l'historiographie de l'Affaire introduite par le président de la BNF, Jean-Noël Jeanneney.

126. *The Dreyfus Affair. Voices of honor*, United States Military Academy, edited by Lorraine Beitler, september 17-october 30 1999, New Jersey, The Beitler Family Foundation, 1999, p. XI.

127. Jack Lang, « Lettre au Président de la République », 2 mai 2006, citée *in* « Alfred Dreyfus. Les deux France », *Tribune juive*, juin 2006, p. 12.

128. Voir l'ouvrage paru à l'occasion de la tenue de ce colloque historique : Cour de cassation (dir.), *De la justice dans l'affaire Dreyfus*, Paris, Fayard, 2006, 419 p.

129. Cité *in* www.courdecassation.fr.

# Note sur les sources

Du fait du destin particulier d'Alfred Dreyfus, d'abord saisi au sommet par les principales institutions d'État en France puis devenu l'emblème du combat national et international qui s'est noué autour de son nom et de son sort, sa présence dans les fonds d'archives et les collections documentaires est considérable. Les principales archives de l'officier Dreyfus se trouvent aux Services historiques de la défense, dans l'ancien Service historique de l'armée de terre (SHAT) ; elles concernent tant son dossier personnel que les différentes étapes du grand dossier secret constitué contre lui à l'État-major de l'armée. Les archives de la déportation à l'île du Diable sont conservées au Centre des archives d'outre-mer (CAOM) à Aix-en-Provence dans la série « Affaires politiques 1, cartons 3350 à 3359 » ; ces archives ont été consultées à partir des originaux ou bien des microfilms. Les archives judiciaires relèvent du fonds BB[19] des Archives nationales (AN) au Centre historique des archives nationales à Paris. Ils s'agit des archives de la Cour de cassation réunies lors de la seconde révision, celle du procès de Rennes, entre 1903 et 1906. Ces archives sont exceptionnelles dans la mesure où, contrairement aux usages, tous les documents ayant servi à la Cour de cassation pour juger n'ont pas été redistribués aux institutions concernées et sont demeurés en l'état, si bien que ce fonds réunit l'essentiel des archives judiciaires, mais également une grande partie des archives militaires et policières relatives au capitaine Dreyfus et à l'affaire Dreyfus. Il existe un inventaire manuscrit pièce à pièce de ce fonds, outil de travail peu utile, et qui est complété pour les derniers cartons relatifs aux scellés réalisés par la justice militaire au domicile d'Alfred Dreyfus, par un inventaire plus scientifique.

L'intérêt de l'affaire Dreyfus réside cependant dans le fait qu'une partie importante de la documentation judiciaire, notamment les débats de procès pénaux et les instructions de la Cour de cassation, a été publiée. Nous renvoyons ici, pour le détail de ces très précieux ouvrages documentaires, à la liste qui apparaît au début des notes qui détaille les abréviations utilisées.

Archives privées et archives publiques sont mêlées dans le cas d'un homme dont le « privé » a d'abord appartenu à l'État – selon un processus particulièrement dur de déshumanisation – puis a relevé de l'humanité du fait de l'ampleur de la passion nationale et internationale pour cet homme. Une partie des archives privées d'Alfred Dreyfus reste conservée par les ayants droits, sa famille et particulièrement ses petits-enfants. Une autre partie est actuellement conservée dans des institutions patrimoniales, principalement la Bibliothèque nationale de France (BNF) à Paris, le Musée d'art et d'histoire du Judaïsme (MAHJ) à Paris, le Musée de Bretagne à Rennes.

Alfred Dreyfus a beaucoup écrit dès lors qu'il est devenu prisonnier d'État. Son écriture, entre pratique épistolaire et forme diariste, était pour lui une forme de résistance. Les originaux sont conservés aussi bien à la BNF qu'au MAHJ et chez les ayants droits. Une partie importante de cette œuvre a été publiée, dont voici les titres classés par ordre de parution :

[Le Capitaine Dreyfus], *Lettres d'un innocent,* introduction : « Histoire d'une erreur judiciaire par un témoin de la vérité [Joseph Reinach], Appendices dont « Le capitaine Dreyfus à la prison du Cherche-Midi. Historique de la détention », Paris, P.-V. Stock, 1898, 279 p., avec fac-similés de lettres du capitaine Dreyfus à Lucie Dreyfus.
*Cinq années de ma vie, 1894-1899,* Paris, E. Fasquelle, 1901, 360 p.
Réédition en 1962 (préface de François Mauriac), 1982 (préface de Pierre Vidal-Naquet), et 1994 (texte précédé de « Dreyfus dans l'Affaire et dans l'histoire » par Pierre Vidal-Naquet, et suivi d'« Alfred Dreyfus, anti-héros et témoin capital » par Jean-Louis Lévy, Paris, La Découverte, 1994, 276 p. Une réédition en poche a été réalisée chez le même éditeur en 2006).
Traduction. *Five Years of my Life,* translated from the French by James Mortimer, London, George Newnes, 1901, et *Cinque Anni della mia vita.* Otto disegni autografi retratti dell'autore e della sua faliglia, Milano, Sonzogno, sd [1901].
*Souvenirs et correspondance publiés par son fils,* Paris, Grasset, 1936, 451 p.
*Carnets (1899-1907),* édition établie par Philippe Oriol, préface de Jean-Denis Bredin, Paris, Calmann-Lévy, 469 p.
*« Ecris-moi souvent, écris-moi longuement.... ». Correspondance de l'île du Diable,* édition établie par Vincent Duclert, préface de Michelle Perrot, Paris, Mille et une nuits, 2005, 350 p.

D'autres publications devraient intervenir dans les prochaines années. Sa correspondance pourrait faire l'objet d'une publication intégrale en deux ou trois volumes, de la même manière que pourraient être édités les principales notes comprises dans ses cahiers de travail de l'île du Diable, du moins ceux qui, conservés à la BNF, sont facilement accessibles. Le capitaine Dreyfus n'a en effet pas cessé d'écrire. Et, de ce point de vue, on peut retrouver, derrière l'image somme toute peu valorisante que l'histoire a retenue du personnage, une autre dimension du capitaine Dreyfus, celle d'un intellectuel et d'un écrivain.

Le capitaine Dreyfus écrivit d'abord comme militaire d'élite formé à l'École polytechnique et à l'École de guerre. Il existe de lui différents carnets de notes, notamment relatif à ses stages de futur officier d'État-major (Archives nationales, et Archives Charles Dreyfus et Anne-Cécile Lévy). Dans le temps qui précéda sa condamnation, il écrivit fréquemment des lettres à sa famille, à son frère Mathieu, à ses sœurs et notamment à Henriette qui l'éleva en partie et dont il était très proche. Fiancé à Lucie Hadamard, il lui adressa de nombreuses lettres lorsqu'il était à Bourges et elle à Paris (1889-1890).

À partir de son arrestation et jusqu'à son retour de l'île du Diable, il fit de l'écriture une pratique majeure. Elle prit trois formes. Alfred Dreyfus écrivit d'abord d'innombrables lettres à sa femme Lucie, d'autres à ses enfants et sa famille. D'autres sont très nombreuses lettres plus administratives, les unes envoyées aux plus hauts représentants de l'État et de la République pour protester de son innocence et réclamer que lumière soit faite et que justice lui soit rendue, les autres adressées aux responsables ayant autorité directe sur lui et particulièrement le commandant des îles du Salut afin d'exiger le strict respect des règles légales de détention. Il écrivit enfin, pendant près de deux ans, un journal commencé le 14 avril 1895, qui ressemblait lui aussi à une très longue lettre à sa femme. C'est à elle que devait être remis ce qu'il désigna comme « Mon journal ».

La très grande partie des lettres qu'Alfred Dreyfus adressa à sa femme servit à la publication en 1898 chez Stock des *Lettres d'un innocent* (à l'initiative de Joseph Reinach). Ce premier livre du capitaine Dreyfus eut un profond retentissement, en France comme à l'étranger.

Après le procès de Rennes et sa libération le 19 septembre 1899, Alfred Dreyfus décida de témoigner de son histoire dans l'Affaire en rédigeant ses souvenirs. Sa correspondance avec Joseph Reinach (conservée à la BNF) explicita précisément ses intentions à cette époque, fin 1899-début 1900.

En 1901, il fit donc paraître le livre *Cinq années de ma vie* aux éditions Fasquelle Cette édition comprenait le journal stricto-sensu, tenu du 14 avril 1895 au 10 septembre 1896, précédé d'un bref récit de sa vie avant l'arrestation du 15 octobre 1894 et de l'évocation plus précise des événements qui eurent lieu jusqu'à sa déportation, et suivi d'un nouveau récit retraçant les deux nouvelles années à l'île du Diable puis l'annonce de la révision de la Cour de cassation et son retour en France. Ce second récit, qui s'achevait le jour de sa libération le 19 septembre 1899, faisait alterner des souvenirs rédigés et de nombreux extraits de lettres échangées avec sa femme Lucie. « Elles rendent nos impressions de cette époque », expliqua Alfred Dreyfus dans le premier récit qui présentait un nombre particulièrement important d'extraits de cette correspondance. En annexe étaient présentés deux appels solennels d'Alfred Dreyfus, l'un du 26 janvier 1895 adressé au Président du Conseil Charles Dupuy, le second du 8 juillet 1897 au Président de la République.

La seconde partie des souvenirs qu'Alfred Dreyfus souhaitait faire paraître était, comme il l'écrit en 1901 à Joseph Reinach, « toute la discussion du procès de Rennes, y compris l'acte d'accusation d'Ormescheville qui a reparu en 1899 ». Mais il souhaitait attendre d'« être mieux informé ». Ce projet « ne se réalisa pas », remarque Philippe Oriol, pas sous cette forme : il nous est permis d'avancer que les différents mémoires qu'Alfred Dreyfus rédigea pour la Cour de cassation, dans le cadre de sa seconde instruction aboutissant à la réhabilitation, contiennent en partie cette analyse. Par ailleurs, Pierre Vidal-Naquet, qui préfaça l'édition de 1982 (et de 1994) de *Cinq années de ma vie*, a pu accéder à des documents inédits, « les notes que prit Dreyfus à Rennes, en juillet-août 1899, pour commenter l'acte d'accusation – celui de 1894, qui avait été réutilisé – et diverses dépositions hostiles qui figuraient dans les volumes de l'enquête de la Cour de cassation. La réponse au rapport accusateur du commandant d'Ormescheville est particulièrement frappante ».

Enfin, Alfred Dreyfus commença dès 1900 un récit très circonstancié de ce qu'il vivait et des efforts en vue d'obtenir justice. « Dans la 3e partie qui commence à l'heure où je suis sorti de prison, je raconte longuement mon voyage, comment j'appris la mort de Sch. K., mon émotion, etc. », précisait-il encore à Joseph Reinach. Ce récit s'achève le 4 octobre 1907 sur le constat qu'une réparation totale ne lui serait jamais accordée, qu'il resterait « la victime jusqu'au bout », tout en se consolant que l'iniquité dont il avait « si prodigieusement souffert aura servi la cause de l'humanité et développé les sentiments de solidarité sociale ». Cette troisième partie a été rédigée sur cinq cahiers d'écolier, d'où le nom de « Carnets » qu'ils prendront lors de leur publication intégrale en 1998. Les originaux sont conservés à la Bibliothèque nationale de France, au département des manuscrits.

En 1930, Alfred Dreyfus reprit ces différents textes et prépara une édition globale de ses *Souvenirs*, travail qui fut semble-t-il achevé en janvier-mars 1931. Le manuscrit original est conservé par son petit-fils Charles Dreyfus, et un tapuscrit figure parmi les fonds du Musée d'art et d'histoire du Judaïsme. La première partie, intitulée « Préface. [...] 1894. L'île du Diable. Le Procès de Rennes » est assez proche de

*Cinq années de ma vie*. La presque totalité de la correspondance présente dans cette édition a certes été retirée, tandis qu'un certain nombre de développements nouveaux ont été ajoutés. Mais, dans l'ensemble, les deux versions diffèrent peu. L'essentiel de ce qui avait été écrit entre 1899 et 1901 a été repris dans cette nouvelle version. La seconde partie, « Après le procès de Rennes », est moins complète que la version écrite en 1899-1907, mais elle comporte en revanche des pages nouvelles qui portent succinctement sur la période 1908-1930 dont le retour de Dreyfus aux armées pendant la Première Guerre mondiale. Le manuscrit original est accompagné de deux lettres d'Alfred Dreyfus à son fils Pierre. Datée du 18 et du 25 mars 1930, elles indiquent que son auteur n'est pas hostile à la publication de ses souvenirs, et qu'il s'en remettra, après sa mort, à la décision de son fils. Il est possible qu'Alfred Dreyfus évoque ici la première version de ses souvenirs, et particulièrement les cinq cahiers d'écoliers couvrant la période 1899-1907 de la « troisième » affaire Dreyfus. En effet, il indique remettre à son fils « l'exemplaire de ses souvenirs qui était chez M^e Rafin », considérant que la clause de son testament stipulant que cet exemplaire devait être remis à son décès à la Bibliothèque nationale (qui n'aurait pu le publier que 20 ans après sa mort) n'était plus d'actualité avec l'entrée de son fils dans l'âge de la maturité. Ce qui est néanmoins peu compréhensible, c'est qu'Alfred Dreyfus mentionne ne plus avoir le courage de se relire (« Tout cela est trop pénible »), alors même que le manuscrit original, en possession de Charles Dreyfus, porte la date de 1931 et évoque des faits postérieurs à l'écriture des deux lettres. Il semble bien qu'Alfred Dreyfus ait eu l'intention, fin 1930-début 1931, de réunir l'ensemble de ses écrits autobiographiques et d'imaginer un ensemble cohérent, de véritables « souvenirs » conçus en continuité et en totalité. Cette cohérence ressort en tout cas de l'exemplaire manuscrit que nous avons pu consulter et qui présente notamment une homogénéité graphique très nette de l'écriture, preuve qu'il date bien de 1931, date portée sur la dernière page comme nous l'avons indiqué. Par commodité, nous avons nommé cet ensemble inédit de 1931 *Mes Souvenirs*.

En 1936, au lendemain de la mort du capitaine Dreyfus, son fils Pierre publia un ouvrage certes hybride mais très dense et très utile qu'il intitula *Souvenirs et correspondance publiés par son fils*. La première partie consistait dans « La vie du capitaine Dreyfus exposée par son fils 1859-1899 ». Elle mêlait une évocation assez circonstanciée de l'affaire Dreyfus jusqu'en 1899 avec un récit du destin personnel du capitaine Dreyfus très inspiré de es propres textes autobiographiques, à la fois ceux publiés dans *Cinq années de ma vie* et ceux restés inédits des « Souvenirs ». Des extraits de correspondance, plus nombreux encore que dans *Cinq années de ma vie*, soutenaient le récit. Pierre Dreyfus disposait pour ce faire de l'ensemble de la correspondance croisée de ses parents durant le temps de la détention et de l'île du Diable. De nombreuses lettres de Lucie Dreyfus sont ainsi présentées dans cette édition, ainsi qu'un ensemble de lettres reçues à son arrivée à Rennes. Ce choix d'insérer de larges pans de sa correspondance dans le récit s'inspirait de ce qu'avait fait Dreyfus lui-même pour l'édition de *Cinq années de ma vie*. Dans une seconde partie intitulée « Les souvenirs du capitaine Dreyfus », Pierre Dreyfus publia la presque totalité des « Carnets ». Enfin, une courte troisième partie présenta « Les dernières années 1906-1935 ». De la même manière que pour la première partie, mais sans le recours systématique à la correspondance, Pierre Dreyfus s'inspira des « Souvenirs » de 1931. Ce livre ne fut, comme les *Lettres d'un innocent*, jamais réédité, contrairement à *Cinq années de ma vie*.

En 1998, Philippe Oriol réalisa une édition critique in extenso des « Carnets », publiée sous le même nom aux éditions Calmann-Lévy (avec une préface de Jean-Denis Bredin et une présentation et des notes de Philippe Oriol). Par le caractère in extenso de la publication du manuscrit et l'importance de l'appareil critique, cet ouvrage est tout à fait essentiel.

En 2006, nous avons publié la correspondance croisée d'Alfred et Lucie Dreyfus durant le temps de détention et de déportation (1894-1899), « *Ecris-moi souvent, écris-moi longuement....* ». *Correspondance de l'île du Diable*. Cette publication non extenso comprend 313 lettres sur près de 500 recensées.

Les sources historiques – archives, images et documentations –relatives à l'affaire Dreyfus dans laquelle s'inscrit bien évidemment cette biographies sont massives. Nous renvoyons ici aux références fournies dans les notes de cet ouvrage et aux bibliographies des ouvrages cités dans l'approche bibliographique, ainsi qu'à notre ouvrage de 2006, *Dreyfus est innocent ! Histoire d'une affaire d'État* (Paris, Larousse, 248 p.) qui est fondé sur les abondantes ressources documentaires de l'événement.

Bernard Lazare, *Une erreur judiciaire. La vérité sur l'affaire Dreyfus*, 1re éd., Bruxelles, Imprimerie Veuve Monnom, 1896, 24 p. [2e éd., Paris, P.-V. Stock, 1896]. *Une erreur judiciaire. La vérité sur l'affaire Dreyfus*, Paris, P.-V. Stock, 1897, 304 p. Deuxième mémoire, avec des expertises d'écriture de MM. Crépieux-Jamin, Gustave Bridier, De Rougement, Paul Moriaud, E. de Marneffe, De Gray-Birch, Th. Gurrin, J.H. Schooling, D. Carvalho. Traduit en allemand dans la revue *Humanitas* (Jean Boldt, décembre 1897) et en roumain. *Comment on condamne un innocent*. L'acte d'accusation contre le capitaine Dreyfus, Paris, P.-V. Stock, 1898, 23 p. [Reproduction et analyse du rapport d'Ormescheville paru le 7 janvier 1898 dans *Le Siècle*]

Edmond de Haime [pseudo de A. de Morsier], *Les Faits acquis à l'histoire*. Lettre de Gabriel Monod, introduction d'Yves Guyot. Avec des lettres et déclarations de Bréal, Duclaux, Anatole France, Giry, Grimaux, Havet, Meyer, Molinier, Scheurer-Kestner, Trarieux, Ranc, Guyot, Zola, Jaurès, Clemenceau, Reinach, Bernard Lazare, Réville, Séailles, Psichari..., Paris, P.-V. Stock, 1898, 400 p.

Jean Jaurès, *Les Preuves*, Paris, P.-V. Stock / Société nouvelle de librairie et d'édition, XVI-294 p., réédition (par Vincent Duclert), Paris, La Découverte, 1998, et Fayard in *Œuvres de Jean Jaurès*, tome 6, *L'affaire Dreyfus* (édition établie par Eric Cahm), 2001, pp. 458-691.

Louis Leblois, *L'Affaire Dreyfus. Les principaux faits et les principaux documents*, Paris, Aristide Quillet, 1929, 1 086 p.

*Le Parlement et l'affaire Dreyfus. Douze années pour la vérité*, édition par Vincent Duclert, préface de Laurent Fabius, introduction de Madeleine Rebérioux, Paris, Assemblée nationale et Société d'études jaurésiennes, 1998, 306 p.

Joseph Reinach, *Histoire de l'Affaire Dreyfus*, Paris, Editions de la *Revue blanche* pour le tome I, puis Fasquelle. Tome 1, *Le Procès de 1894*, 1901, 640 p. ; tome II, *Esterhazy*, 1903, 718 p. ; tome III, *La crise*, 1903, 661 p. ; tome IV, *Cavaignac et Félix Faure*, 1904, 635 p. ; tome V, *Rennes*, 1905, 591 p. ; tome VI, *La Révision*, 1908, 565 p. ; tome VII, *Index général, additions et corrections*, 1911, 299 p. Nouvelle édition, Paris, Fasquelle, 1929, et Paris, Robert Laffont, coll. « Bouquins », 2 volumes, préface de Pierre Vidal-Naquet, édition établie par Hervé Duchêne, 2006, 1137 p. et 1180 p.

Émile Zola, *J'accuse... ! La vérité en marche* [1901], présentation de Henri Guillemin, Bruxelles, Complexe, coll. « Historiques-Politiques », 1998, 238 p.

NB. Les citations en anglais et en américain ont été traduites par Diana M. Gonzalez en collaboration avec l'auteur.

# Approche bibliographique

## HISTOIRE DU CAPITAINE DREYFUS

Ouvrages :
Michael Burns, *Histoire d'une famille française, les Dreyfus. l'éman-cipation, l'Affaire, Vichy*, traduit de l'anglais (Etats-Unis) par Béatrice Bonne, Paris, Fayard, 1994, 700 p.
Sébastien Falletti, *Alfred Dreyfus*, Paris, Hatier, coll. « Figures de l'histoire », 2002, 96 p.

Articles :
Gérard Baal, « Le capitaine chez Madame Verdurin », *L'Histoire*, janvier 1994, pp. 74-78
Jean-Denis Bredin, « Alfred Dreyfus », in *L'Affaire Dreyfus de A à Z* (sous la direction de Michel Drouin), Paris, Flammarion, 1994, pp. 161-169.
Sylvie Clair, « La déportation politique en Guyane : le cas Dreyfus », *Histoire de la Justice*, n° 7, 1994, pp. 145-161.
Sylvie Clair, « Le Bagne, l'île du Diable », *L'Affaire Dreyfus de A à Z* (Michel Drouin dir.), Paris, Flammarion, 1994, pp. 323-322.
Danielle Donet-Vincent, « Lucie Dreyfus, ou le fil d'Ariane », *Lunes*, n° 13, pp. 49-58.
Vincent Duclert, « Dreyfus. De l'oubli à l'histoire (I) », *Cahiers de l'affaire Dreyfus*, n° 1, 2004, pp. 63-91.
« Lucie Dreyfus dans l'Affaire », in « Les héroïnes », *Les Cahiers du judaïsme*, n° 12, automne 2002, pp. 34-54.
Jean-Louis Lévy, « Alfred Dreyfus, anti-héros et témoin capital », in *Cinq années de ma vie*, 1994, *op. cit.*, pp. 231-254.
Jean-Louis Lévy, « L'Affaire "avec" Dreyfus ou les chemins de l'histoire », *Une tragédie de la Belle Epoque : l'Affaire Dreyfus*, Clichy, Comité du Centenaire de l'Affaire Dreyfus-INALCO, 1994, pp. 37-38.
Jean-Louis Lévy, « Wer war Alfred Dreyfus ? », *Dreyfus und die Folgen*. Colloque organisé à Potsdam du 9 au 12 mai 1994 par le Centre

Moïse Mendelssohn d'Etudes juive-européennes et l'Université de Potsdam, Berlin, Edition Hentrich, 1995, pp. 205- 210

Marie-Antoinette Meunier, « La détention du capitaine Dreyfus à l'île du Diable (14 avril 1895-5 juin 1899) d'après les archives de l'administration pénitentiaire », Société française d'outre-mer, 27 avril 1977.

Régine Plas et Jacqueline Carroy, « Dreyfus et la somnambule », *Critique*, janvier-février 1995, pp. 36-59.

Pierre Vidal-Naquet, « Dreyfus dans l'Affaire et dans l'histoire », in *Cinq années de ma vie*, 1994, La Découverte, pp. 5-44.

## HISTOIRE DE L'AFFAIRE DREYFUS

Marc Olivier Baruch et Vincent Duclert (dir.), *Justice, politique et République, de l'affaire Dreyfus à la guerre d'Algérie*, Bruxelles, Complexe, coll. « Histoire du temps présent », 2002, 266 p.

Pierre Birnbaum, *L'affaire Dreyfus. La République en péril*, Paris, Gallimard, coll. « Découvertes », 1994, 144 p.

Pierre Birnbaum (dir.), *La France de l'affaire Dreyfus*, Paris, Gallimard, coll. « Bibliothèque des histoires », 1994, 594 p.

Jean-Denis Bredin, *L'Affaire* (1983), nouvelle édition augmentée, Paris, Fayard/Julliard, 1993, 856 p.

Michel Drouin (dir.), *L'affaire Dreyfus de A à Z*, Paris, Flammarion, 1994, 715 p., réédition 2006.

Vincent Duclert, *L'affaire Dreyfus* (1994), nouvelle édition augmentée, Paris, La Découverte, coll. « Repères », 2006, 128 p.

Vincent Duclert, *Dreyfus est innocent ! Histoire d'une affaire d'Etat*, Paris, Larousse, 2006, 248 p.

Vincent Duclert, « Histoire, historiographie et historiens de l'affaire Dreyfus (1894-1997) », *La postérité de l'affaire Dreyfus* (sous la direction de Michel Leymarie), Lille, Presses universitaires du Septentrion « histoire », 1998, pp. 151-233.

Laurent Gervereau et Christophe Prochasson (dir.), *L'affaire Dreyfus et le tournant du siècle*, Nanterre-Paris, BDIC-Musée d'histoire contemporaine, 1994, 287 p.

Madeleine Rebérioux, *La République radicale ? 1898-1914*, Paris, Le Seuil, coll. « Points-histoire. Nouvelle histoire de la France contemporaine », 1975, 255 p.

Marcel Thomas, *L'Affaire sans Dreyfus*, Paris, Fayard, 1961, 587 p.

HISTOIRES PARTISANES ET NON SCIENTIFIQUES
(PAR ORDRE CHRONOLOGIQUE)

Henri Mazel, *Histoire et psychologie de l'affaire Dreyfus*, Paris, Boivin, 1934, 317 p.

Henri Giscard d'Estaing, *D'Esterhazy à Dreyfus*, Paris, Plon, 1960, 180 p.

Michel de Lombarès, *L'affaire Dreyfus. La clef du mystère*, Paris, Robert Laffont, « Les ombres de l'histoire », 1972, 253 p. [les commentaires que l'auteur propose des photographies du capitaine Dreyfus sont édifiants de subjectivité et n'ont pas leur place dans un livre sérieux. « Alfred Dreyfus capitaine d'artillerie. On notera le regard atone qui lui a nui, comme sa voix » ; « Le chef d'escadron Dreyfus quitte l'Ecole militaire, où il vient d'être fait chevalier de la Légion d'Honneur. Tout à ses pensées, il paraît indifférent à ceux qui l'entourent. »)

Michel de Lombarès, *L'affaire Dreyfus*, Paris-Limoges, Lavauzelle, coll. « L'histoire, le moment », 1985, 236 p.

Jean Doise, *Un secret bien gardé. Histoire militaire de l'affaire Dreyfus*, Paris, Le Seuil, coll. « XXᵉ siècle », 1994, 230 p.

Jean-François Deniau, *Le Bureau des secrets perdus*, Paris, Odile Jacob, 1998, 320 p.

Armand Israël, *Les vérités cachés de l'affaire Dreyfus*, préface de Claude Charlot, Paris, Albin Michel, 2000, 490 p.

# CHRONOLOGIE

**1859**    *9 octobre* : naissance d'Alfred Dreyfus à Mulhouse.

**1870**    *23 août* : naissance de Lucie Hadamard à Paris.

**1878**    Alfred Dreyfus est reçu à vingt et un ans à l'École polytechnique, 182e sur 236. Classé 128e sur 235 au concours de sortie, il opte pour la carrière militaire et l'arme savante de l'artillerie.

**1880**    Sous-lieutenant élève à l'École d'application de l'artillerie et du génie de Fontainebleau. Il y entre 38e sur 103, en sort 32e sur 97.

**1889**    Adjoint à l'École de pyrotechnie de Bourges. Il est promu capitaine le 12 septembre 1889.

**1890**    *18 avril* : mariage d'Alfred Dreyfus et Lucie Hadamard à Paris.

        *21 avril* : admis par décision ministérielle à suivre les cours de l'École supérieure de guerre.

**1892**    *Mai-juin* : campagne de *La Libre Parole* contre les « officiers juifs » dans l'armée.

        *26 juin* : obsèques du capitaine Armand Mayer, blessé à mort lors d'un duel avec l'antisémite de Morès.

        *19 novembre* : Dreyfus sort de l'École de guerre 9e sur 81. Il est breveté d'état-major, avec la mention « très bien ». Il quitte le 23e régiment d'artillerie et devient stagiaire à l'état-major général de l'armée.

**1894**   *30 mai* : nomination du général Mercier au ministère de la Guerre (jusqu'au 28 janvier 1895).

*2e semestre* : Dreyfus est attaché au 3e Bureau de l'état-major général. Au cours de ce semestre, il réalise un stage au 39e régiment d'infanterie.

*20 juillet* : le commandant Esterhazy entre en contact avec l'attaché militaire allemand von Schwartzkoppen.

*25 septembre* : circulaire ministérielle affectant Dreyfus au 39e régiment d'infanterie, du 1er octobre au 31 décembre.

*Vers le 25 septembre* : arrivée du « bordereau » à la Section de statistique (service de renseignements et de contre-espionnage) au ministère de la Guerre.

*Fin septembre* : l'état-major admet que le coupable doit être un officier en stage au ministère de la Guerre. Le lieutenant-colonel d'Aboville, sous-chef du 4e Bureau, et son chef, le colonel Fabre, affirment reconnaître l'écriture de Dreyfus sur le bordereau. Des motivations antisémites ont soutenu la dénonciation d'Aboville. Le chef de la Section de statistique considère Dreyfus comme coupable, du fait qu'il est juif. Son profil moderniste menace le système de cooptation au sein de l'état-major de l'armée.

*11 octobre* : un « petit conseil » des ministres du gouvernement autorise le ministre de la Guerre à faire procéder à l'arrestation de l'officier suspect, mais exige du général Mercier de nouvelles preuves de sa culpabilité.

*14 octobre* : le général Mercier signe l'ordre d'arrestation de Dreyfus.

*15 octobre* : arrestation du capitaine Dreyfus à la suite de la scène dite de « la dictée », et incarcération à la prison militaire du Cherche-Midi. Le commandant du Paty de Clam, désigné pour procéder à l'instruction, procède avec le commissaire de police Cochefert, chef de la Sûreté, à une perquisition infructueuse au domicile de Dreyfus.

*29 octobre* : le commandant du Paty de Clam, qui a interrogé Dreyfus à sept reprises à la prison du Cherche-Midi, écrit au général de Boisdeffre, chef d'état-major général, que la fragilité de la preuve matérielle, qui doit servir de base à l'accusation, risque de déterminer un acquittement.

*31 octobre* : le commandant du Paty adresse son enquête au général Mercier. Note de l'agence Havas annonçant l'arrestation d'un officier « soupçonné d'avoir communiqué à un étranger quelques documents peu importants, mais confidentiels ».

*1ᵉʳ novembre* : *La Libre Parole* annonce l'« arrestation de l'officier juif A. Dreyfus ». Début d'une vaste campagne de presse. Les ministres, réunis en Conseil de cabinet, décident, malgré l'avis contraire de Gabriel Hanotaux, de l'ouverture d'une instruction judiciaire.

*3 novembre* : le général Saussier, gouverneur de Paris, signe l'ordre d'informer contre Dreyfus. Le commandant d'Ormescheville est désigné comme magistrat instructeur.

*4 novembre* : rapport de l'agent François Guénée, accusant à tort Dreyfus de fréquenter des cercles de jeu. Ce rapport sera infirmé par la préfecture de police, mais le ministre de la Guerre cachera les renseignements fournis par la préfecture de police.

*7 novembre* : début du travail d'instruction.

*23 novembre* : dernières dépositions reçues par le commandant d'Ormescheville.

*Début décembre* : le commandant du Paty établit avec le colonel Sandherr un commentaire qui doit accompagner le Dossier secret réuni contre le capitaine Dreyfus par la Section de statistique et le ministère de la Guerre.

*3 décembre* : le rapport du commandant d'Ormescheville (acte d'accusation) est remis au gouverneur militaire de Paris.

*4 décembre* : sur la base de l'acte d'accusation, le général Saussier signe l'ordre de mise en jugement de Dreyfus.

*19 décembre* : première audience du procès Dreyfus devant le Conseil de guerre de Paris. Arrêt de huis clos.

*20 décembre* : seconde audience du procès. Faux témoignages du commandant Henry.

*21 décembre* : troisième audience.

*22 décembre* : quatrième audience. Plaidoirie de Mᵉ Demange. Réplique du commissaire du gouvernement. Délibérés de la cour. Le Dossier secret et son commentaire sont apportés par le lieutenant-colonel Henry obéissant aux ordres du ministre de la Guerre et communiqués secrètement aux juges militaires. Le capitaine Dreyfus est reconnu à l'unanimité coupable de trahison, et condamné à la peine maximale, la dégradation et la détention à perpétuité dans une enceinte fortifiée. Son avocat se pourvoit devant le conseil de révision.

*24 décembre* : dépôt par le général Mercier d'un projet de loi du gouvernement punissant de mort le crime d'espionnage. Intervention de Jean Jaurès. La Chambre prononce contre lui la censure et l'exclusion temporaire. Le projet de loi est néanmoins repoussé par les parlementaires.

*31 décembre* : rejet du pourvoi en révision, non motivé, par le conseil de révision.

**1895**  *5 janvier* : dégradation de Dreyfus dans la grande cour de l'École militaire. Le capitaine proteste à haute voix de son innocence. Il est ensuite transféré au dépôt, puis à la prison de la Santé. La légende de prétendus aveux faits au capitaine Lebrun-Renault après la dégradation est forgée à ce moment. Des consignes d'extrême fermeté sont données contre Dreyfus. L'état signalétique publié par *Le Matin* porte : « Dreyfus n'a exprimé aucun regret, fait aucun aveu, malgré les preuves irrécusables de sa trahison. Il doit en conséquence être traité comme un malfaiteur endurci tout à fait indigne de pitié. »

*5-17 janvier* : incarcération d'Alfred Dreyfus à la prison de la Santé.

*17 janvier* : Félix Faure est élu président de la République par le Congrès réuni à Versailles.

*17 janvier au soir* : brutal transfert vers l'île de Ré. En gare de La Rochelle, Dreyfus est reconnu et battu par la foule.

*18 janvier* : Dreyfus est embarqué à La Rochelle pour l'île de Ré et détenu au bagne de Saint-Martin.

*9 février* : loi adjoignant les îles du Salut à la presqu'île Ducos comme lieu de déportation.

*21 février* : Dreyfus est embarqué à La Rochelle pour les îles du Salut. Le docteur Gibert entretient de l'affaire Dreyfus son ami Félix Faure et apprend de lui que Dreyfus a été condamné sur une pièce secrète – mais le président de la République niera par la suite cet aveu.

*15 mars* : Dreyfus est débarqué aux îles du Salut.

*13 avril* : Dreyfus est transporté à l'île du Diable.

*8 juin* : loi modifiant les articles 443 à 447 du Code d'instruction criminelle, notamment en ce qui concerne les faits nouveaux.

*1er juillet* : le commandant Picquart est nommé chef de la Section de statistique.

**1896**  *Mars* : arrivée du *petit bleu* à la Section de statistique et remise du document à Picquart par le capitaine Lauth. Le commandant Esterhazy se trouve ainsi signalé à Picquart par un document provenant de l'ambassade d'Allemagne. Début de l'enquête du commandant Picquart sur Esterhazy.

*6 avril* : le commandant Picquart est promu lieutenant-colonel.

*Août* : Esterhazy demande à être employé au ministère de la Guerre.

*5 août* : Picquart rencontre, à la gare de Lyon, le général de Boisdeffre qui rentre de Vichy et lui fait connaître le résultat de ses recherches sur Esterhazy.

*Début septembre* : Picquart prend connaissance du dossier secret concernant Dreyfus et découvre que le bordereau est de l'écriture d'Esterhazy.

*1er septembre* : note officielle de Picquart résumant les charges qui accusent Esterhazy au terme de son enquête.

*3 septembre* : le *Daily Chronicle* annonce faussement l'évasion de Dreyfus. Le ministre des Colonies André Lebon ordonne l'ordre de mettre Dreyfus à la double boucle pendant la nuit. Sur l'ordre de Boisdeffre, Picquart se rend auprès du général Gonse, en permission à Cormeilles-en-Parisis, et lui remet sa note du 1er septembre. Le sous-chef d'état-major lui répond qu'il faut séparer les deux affaires et continuer de rechercher des charges contre Dreyfus.

*14 décembre* : *L'Éclair*, daté du 15, révèle la communication secrète aux juges du procès de 1894.

*15 septembre* : retour de Gonse à Paris. Entrevue avec Picquart. Celui-ci termine la conversation en disant : « Je n'emporterai pas ce secret dans la tombe. »

*18 septembre* : Lucie Dreyfus adresse à la Chambre, pour demander la révision du procès de son mari, une pétition qui sera rejetée par la Commission, sur un rapport de Charles Loriot.

*26 octobre* : signature d'un ordre du ministre envoyant Picquart en mission sur la frontière de l'Est.

*2 novembre* : le commandant Henry remet à l'état-major les faux dont il est l'auteur, et notamment celui qui portera son nom.

*6 novembre* : publication à Bruxelles d'*Une Erreur judiciaire* de Bernard Lazare, dont une seconde édition paraîtra à Paris quelques jours plus tard chez Stock.

*10 novembre* : *Le Matin* publie un fac-similé du bordereau, ce qui permet à la famille de Dreyfus – dont son frère Mathieu – et aux premiers dreyfusards de réaliser les premières comparaisons d'écriture.

*15 décembre* : faux télégrammes et lettres contre Picquart, émanant de la Section de statistique.

**1897**   *1er janvier* : il est prescrit au surveillant de garde de Dreyfus de prévenir « même par les moyens les plus décisifs » l'enlèvement ou l'évasion du déporté.

*2 avril* : Picquart rédige un exposé de l'affaire Dreyfus, de forme testamentaire, destiné au président de la République seul. Fin juin, il confie à son avocat Louis Leblois un mandat général de défense.

*13 juillet* : Louis Leblois avertit le vice-président du Sénat Auguste Scheurer-Kestner des découvertes de Picquart sur l'innocence de Dreyfus.

*14 juillet* : Scheurer-Kestner déclare à ses collègues du Sénat qu'il vient d'acquérir la conviction de l'innocence de Dreyfus et qu'il s'emploiera à lui faire rendre justice.

*10 septembre* : Leblois et Scheurer-Kestner décident d'une série d'interventions auprès de hauts personnages de la République.

*16 octobre* : Scheurer-Kestner s'engage auprès d'un envoyé du ministre de la Guerre, le général Billot, à ne rien entreprendre avant de le voir.

*19 octobre* : création du journal *L'Aurore* par Ernest Vaughan. Sa direction politique est confiée à Georges Clemenceau.

*29 octobre* : Scheurer-Kestner rencontre le président de la République au sujet de Dreyfus. Échec de la démarche.

*7 novembre* : l'écriture du commandant Esterhazy est reconnue par un courtier parisien sur les fac-similés diffusés par Bernard Lazare.

*14 novembre* : Scheurer-Kestner, dans une lettre au sénateur Arthur Ranc que *Le Temps* publiera le lendemain, fait connaître la substance de l'entretien qu'il avait eu avec le général Billot, atteste de l'innocence de Dreyfus et affirme que le véritable coupable est connu.

*15 novembre* : sur le conseil de Scheurer-Kestner, Mathieu Dreyfus dénonce Esterhazy par une lettre au ministre de la Guerre.

*20 novembre* : le général de Pellieux est chargé d'une « information judiciaire préliminaire » contre Esterhazy. À la demande de ce dernier, il ordonne une perquisition chez Picquart.

*26 novembre* : le général Billot, ministre de la Guerre, déclare aux obsèques du général de Jessé : « L'armée française est comme le soleil, dont les taches, loin d'assombrir sa lumière, donnent à ses rayons une plus éclatante splendeur. »

*1er décembre* : premier article d'Émile Zola sur l'affaire Dreyfus, en hommage aux premiers dreyfusards : « Le Syndicat. »

*2 décembre* : Esterhazy écrit au général de Pellieux pour demander à être envoyé devant un conseil de guerre.

*3 décembre* : le général de Pellieux adresse son rapport au gouverneur militaire de Paris.

*4 décembre* : le général Saussier signe l'ordre d'informer contre Esterhazy. L'instruction est confiée au commandant Ravary. Esterhazy est laissé en liberté. Interpellation des députés Marcel Sembat et Albert de Mun sur l'attitude du gouvernement. Le président du Conseil déclare, en réponse à une question du nationaliste de Castelin : « Il n'y a pas d'affaire Dreyfus... » Le général Billot, répondant ensuite aux interpellations, déclare qu'il considère Dreyfus comme coupable. Il supplie la Chambre d'arrêter « une campagne poursuivie contre l'honneur national et contre l'honneur de l'armée ». La Chambre « affirme l'autorité de la chose jugée, s'associe à l'hommage rendu à l'armée par le ministre de la Guerre », « approuve les déclarations du Gouvernement » (addition Alphonse Humbert) ; et « flétrit les meneurs de la campagne odieuse entreprise pour troubler la conscience publique » (addition Marcel Habert et Pierre Richard).

*7 décembre* : interpellation solennelle de Scheurer-Kestner au Sénat. Échec de la tentative politique.

*9 décembre* : apparition du journal *La Fronde*.

*13 décembre* : Émile Zola publie une *Lettre à la jeunesse*.

*18 décembre* : *Le Figaro* abandonne sa campagne en faveur de la révision.

*31 décembre* : le commandant Ravary conclut à un non-lieu. Le commissaire du gouvernement Hervieu conclut de même.

**1898**  *2 janvier* : le général Saussier signe cependant l'ordre de mise en jugement du commandant Esterhazy.

*4 janvier* : dépôt par Me Leblois d'une plainte en faux formée par le colonel Picquart contre les auteurs des faux télégrammes (« Speranza » et « Blanche ») et contre leurs complices.

*6 janvier* : lettre de Trarieux au ministre de la Guerre afin de lui demander d'élucider avant le conseil de guerre les points suspects du procès de 1894 et les manœuvres dont bénéficie Esterhazy.

*7 janvier* : *Le Siècle* publie le rapport d'Ormescheville, acte d'accusation du procès de 1894. Émile Zola publie une *Lettre à la jeunesse* sous forme de brochure.

*8 janvier* : Émile Duclaux, directeur de l'Institut Pasteur, écrit à Auguste Scheurer-Kestner une lettre de soutien et d'adhésion dreyfusarde. Sa lettre est publiée dans *Le Siècle* daté du 10 janvier. Création du journal *Les Droits de l'homme* par Henri Deloncle.

*9 janvier* : Esterhazy se constitue prisonnier, la veille de son procès.

*10 janvier* : première audience du procès Esterhazy. Le conseil de guerre rejette les demandes de déposition de Lucie Dreyfus et de Mathieu Dreyfus. Il décide que les débats seront publics « jusqu'au moment où leur publicité pourrait devenir dangereuse pour la défense nationale ». Il entend Scheurer-Kestner et d'autres témoins civils.

*11 janvier* : seconde et dernière audience du procès. Le conseil de guerre entend Mᵉ Leblois et les témoins militaires, procède à certaines confrontations et prononce l'acquittement du commandant Esterhazy sous les applaudissements d'une grande partie de l'assistance.

*13 janvier* : sous le titre « J'accuse... ! » d'Émile Zola, *L'Aurore* publie une lettre ouverte au président de la République. Le lieutenant-colonel Picquart est arrêté et conduit au Mont-Valérien. À la Chambre, interpellations d'Albert de Mun sur les mesures que le ministre de la Guerre entend prendre à la suite de l'article de Zola. Décision de porter plainte et dépôt d'une plainte par le ministre de la Guerre, le général Billot. Auguste Scheurer-Kestner perd son siège de vice-président du Sénat.

*14 janvier* : première « pétition des intellectuels ».

*15 janvier* : seconde Protestation ; premier meeting en faveur de la révision du procès Dreyfus à Paris, salle du Tivoli.

*17 janvier* : le gouvernement, mis en demeure de publier les prétendus aveux de Dreyfus au capitaine Lebrun-Renault, fait déclarer par l'agence Havas « qu'il ne veut pas mettre en doute l'autorité de la chose jugée ». À la Chambre, interpellation du député radical nationaliste Cavaignac. Le gouvernement pose la question de confiance et obtient 310 voix contre 252. Organisation d'« grand meeting de protestation contre les agissements du Syndicat de la Trahison » à Paris.

*18 janvier* : la plainte du général Billot contre Émile Zola et le gérant de *L'Aurore*, Alexandre Perrenx, est transmise au ministre de la Justice. Manifeste de 32 députés socialistes déclarant se désintéresser du sort de Dreyfus qui « appartient à la classe capitaliste, à la classe ennemie ». Début des grandes manifestations antisémites à Paris et dans les grandes villes de province. Bagarres à Rennes où la faculté est envahie.

*19 janvier* : *Le Siècle* commence à publier « Les lettres d'un Innocent » d'Alfred Dreyfus, à l'initiative de Joseph Reinach.

*20 janvier* : citation en cour d'assises de Zola et de Perrenx.

*21 janvier* : le général Billot donne au gouverneur de Paris l'ordre de convoquer un conseil d'enquête appelé à émettre un avis sur la mise en réforme de Picquart.

*22 janvier* : à la Chambre, Cavaignac interpelle le gouvernement sur les prétendus aveux de Dreyfus. À la suite de la réponse de Jules Méline, il retire son interpellation, que reprend alors Jaurès. Celui-ci est insulté et frappé par Bernis. Bagarre générale. La salle est évacuée.

*23 janvier* : violences antisémites à Alger. Un mort antisémite.

*24 janvier* : à la commission du budget du Reichstag, M. de Bulow, ministre des Affaires étrangères, déclare « qu'entre l'ex-capitaine Dreyfus, actuellement détenu à l'île du Diable, et n'importe quels organes allemands, il n'a jamais existé de relations ni de liaisons, de quelque nature qu'elles soient ». À la Chambre, à Paris, Jaurès reprend son interpellation et demande si, oui ou non, il y a eu communication de pièces secrètes au procès de 1894. Méline refuse de répondre.

*25 janvier* : troubles graves à Alger. À Saint-Malo, on brûle le mannequin de Dreyfus sur la place publique.

*6 février* : affichage d'un « Appel aux Français », signé Édouard Drumont, directeur de *La Libre Parole*, Georges Thiébaud, Jules Guérin, où les jurés du procès Zola sont menacés.

*7 février* : première audience du procès Zola qui se tiendra tous les jours jusqu'au 23 février, sauf le dimanche.

*9 février* : manifestations contre Zola. Yves Guyot est assailli sur les marches du Palais de justice de Paris par une bande de nationalistes emmené par Jules Guérin.

*17 février* : le général de Pellieux évoque le faux Henry au procès Zola.

*18 février* : le général de Boisdeffre confirme à l'audience les déclarations du général de Pellieux et menace de donner sa démission. Picquart déclare qu'il y a lieu de considérer comme un faux la pièce en question et, sur une question de M<sup>e</sup> Labori, déclare expressément : « C'est un faux. » Manifestations violentes devant le Palais de justice. Ovations aux généraux. Des citoyens qui crient « Vive la République » sont menacés ou frappés.

*20 février* : première réunion en vue de la création d'une Ligue française pour la défense des droits de l'homme et du citoyen. Au domicile de Trarieux, elle rassemble les savants Émile Duclaux, Arthur Giry, Édouard Grimaux, Louis Havet, le Dr Héricourt, Paul Meyer, Jean Psichari et Paul Viollet.

*23 février* : Émile Zola est condamné au maximum de la peine prévue (un an de prison et 3 000 francs d'amende). Alexandre Perrenx est lui aussi condamné (quatre mois de prison et 3 000 francs d'amende).

*24 février* : à la Chambre des députés, Jules Méline répond aux interpellations, celle d'un défenseur des droits de l'homme (Hubbart), celles des nationalistes (Gauthier de Clagny, Castelin, etc.). Il déclare qu'il n'y a plus « ni procès Zola, ni procès Esterhazy, ni procès Dreyfus », et ajoute : « Il faut que cela cesse. [...] À partir de demain, ceux qui s'obstineraient à continuer la lutte ne pourraient plus arguer de leur bonne foi... Nous leur appliquerons toute la sévérité des lois. »

*26 février* : le lieutenant-colonel Picquart est chassé de l'armée.

*2 avril* : la Cour de cassation annule le verdict du procès Zola pour vice de forme (le ministre de la Guerre ne pouvait porter plainte en lieu et place du conseil de guerre s'estimant diffamé par Émile Zola). Nouvelle plainte en bonne et due forme contre Zola et Perrenx, et nouveau procès devant la cour d'assises de Seine-et-Oise à Versailles.

*8 mai* : élections législatives. Maintien de la majorité républicaine modérée antirévisionniste.

*23 mai* : procès Zola à Versailles.

*4 juin* : première assemblée de la nouvelle Ligue française pour la défense des droits de l'homme et du citoyen.

*7 juillet* : discours menaçant de Godefroy Cavaignac, nouveau ministre de la Guerre du gouvernement d'Henri Brisson, à la Chambre des députés. À la tribune, il mentionne les « faux Henry » sans connaître la nature exacte des pièces. L'affichage du discours est voté par 572 voix.

*12 juillet* : arrestation du commandant Esterhazy et de sa maîtresse ordonnée par le juge Bertulus.

*13 juillet* : arrestation du lieutenent-colonel Picquart.

*18 juillet* : nouvelle condamnation de Zola, qui décide de partir en Angleterre.

*25 juillet* : plainte de Georges Picquart à l'encontre de du Paty de Clam, accusé d'être l'auteur du télégramme « Blanche » et le complice de la fabrication du télégramme « Speranza ».

*27 juillet* : le procureur de la République Guillaume Feuilloley invite le juge Bertulus à se déclarer incompétent pour instruire la plainte, du Paty étant officier.

*5 août* : le juge Bertulus est dessaisi de ses enquêtes qui menaçaient les machinations opérées au ministère de la Guerre contre Dreyfus et Picquart. Les pourvois en cassation de Zola et Perrenx sont rejetés.

*7 août* : le capitaine Cuignet, aide de camp du ministre de la Guerre Cavaignac, constate à la lumière de sa lampe que la pièce Henry est un faux.

*10 août* : Jaurès commence dans *La Petite République* la série des « Preuves » qui concluera à l'existence de faux à l'état-major et au ministère de la Guerre.

*30 août* : convocation du lieutenant-colonel Henry au ministère de la Guerre. Aveux de l'officier de la réalisation de faux documents contre Dreyfus.

*31 août* : suicide d'Henry à la forteresse du Mont-Valérien où il a été mis aux arrêts.

*3 septembre* : démission du ministre de la Guerre Cavaignac, toujours persuadé de la culpabilité de Dreyfus. Demande de révision déposée par Lucie Dreyfus.

*4 septembre* : Esterhazy s'enfuit en Belgique puis en Angleterre.

*12 septembre* : Conseil des ministres au sujet d'une éventuelle saisie de la Cour de cassation après les aveux d'Henry. Devant l'opposition de la majorité des ministres, Félix Faure fait repousser la décision jusqu'au 17 suivant.

*17 septembre* : décision favorable du Conseil des ministres.

*20 septembre* : ordre d'informer contre Picquart (accusé d'avoir falsifié le « petit bleu » adressé à Esterhazy, qui est arrêté.

*21 septembre* : comparution de Picquart devant la 8e Chambre correctionnelle ; le substitut Léon Siben demande le renvoi de l'affaire afin d'attendre le résultat de l'instruction militaire.

*22 septembre* : Picquart est transféré à la prison militaire du Cherche-Midi et mis au secret.

*26 septembre* : à la suite du rapport de la commission de révision qui conclut à la nécessité d'une enquête, le Conseil des ministres autorise le ministre de la Justice à transmettre à la Cour de cassation la demande en révision formée par Lucie Dreyfus.

*25 octobre* : démission du nouveau ministre de la Guerre, qui entraîne la chute du gouvernement.

*29 octobre* : la chambre criminelle de la Cour de cassation déclare recevable la demande de révision du procès Dreyfus et décide de l'ouverture d'une enquête. Elle entend aussitôt les anciens ministres de la Guerre.

*31 octobre* : formation du gouvernement modéré de Charles Dupuy.

*24 novembre* : le lieutenant-colonel Picquart est renvoyé devant le 2e conseil de guerre de Paris.

*13 décembre* : dans *La Libre Parole*, article de Marie-Anne de Bovet en soutien à la veuve du lieutenant-colonel Henry, « Aux braves gens ». Ouverture le jour même d'une souscription pour lui permettre de poursuivre Joseph Reinach devant les tribunaux (le « monument Henry »).

*28 décembre* : mémoire de Jules Quesnay de Beaurepaire, président de la Chambre civile de la Cour de cassation, énumérant sept faits de prévenance de Bard et de Loew en faveur de Picquart et des avocats de Dreyfus, et concluant au dessaisissement de la chambre criminelle.

*31 décembre* : fondation de la Ligue de la Patrie française hostile aux intellectuels dreyfusards.

**1899**  *5 janvier* : le capitaine Dreyfus est interrogé, sur commission rogatoire par le président de la Cour d'appel de Cayenne.

*6 janvier* : Quesnay réclame une enquête sur les magistrats de la chambre criminelle de la Cour de cassation.

*8 janvier* : n'ayant pas reçu de réponse, Quesnay démissionne.

*30 janvier* : projet de loi de Georges Lebret, ministre de la Justice, dessaisissant la chambre criminelle au profit des trois chambres réunies, dans le but d'empêcher le processus de révision du procès Dreyfus.

*9 février* : clôture de l'enquête de la chambre criminelle.

*10 février* : vote de la loi de dessaisissement de la Chambre criminelle de la Cour de cassation. Lebret conseille aux députés : « Regardez dans vos circonscriptions ! »

*16 février* : mort de Félix Faure à l'Élysée.

*18 février* : à Versailles, élection d'Émile Loubet, réputé favorable aux dreyfusards, à la présidence de la République. Hué à son retour à Paris par la Ligue des Patriotes et les « gens du Roy ».

*23 février* : funérailles de Félix Faure, et tentative de coup d'État de Paul Déroulède, chef de la Ligue des patriotes.

*3 mars* : la Chambre criminelle, après avoir examiné la demande en règlement de juges formée par Picquart, déclare que la plupart des faits retenus contre ce dernier par la juridiction militaire étaient « connexes » des communications faites à Louis Leblois, lesquelles relevaient des juridictions de droit commun. Le conseil de guerre est « dessaisi ».

*10 mars* : visite de Jaurès à Zola à Norwood en Angleterre.

*21 mars* : première séance plénière de la Cour de cassation, toutes chambres réunies sous la présidence de Charles Mazeau.

*31 mars* : début de la publication dans *Le Figaro* des dépositions recueillies par la chambre criminelle de la Cour de cassation (via Mathieu Dreyfus et Joseph Reinach). Publication jusqu'au 30 avril.

*31 mai* : la cour d'assises de Paris acquitte Déroulède et Marcel Habert pour leur tentative de coup d'État.

*3 juin* : arrêt de révision. Dreyfus est renvoyé devant le Conseil de guerre de Rennes.

*4 juin* : scandale d'Auteuil. Le président de la République est agressé par un royaliste.

*5 juin* : arrivée de Zola en gare du Nord tôt le matin. Remise à Dreyfus, sur l'île du Diable, d'une dépêche annonçant la révision et le replaçant provisoirement dans son grade.

*9 juin* : départ de Dreyfus de l'île du Diable, pour la France, à bord du croiseur *Sfax*. À Paris, Picquart est libéré après 324 jours de détention.

*22 juin* : formation du gouvernement de Waldeck-Rousseau dit de « Défense républicaine ».

*30 juin* : dans la nuit, Dreyfus est débarqué à Port-Haliguen sur la presqu'île de Quiberon et conduit à la prison militaire de Rennes.

*9 juillet* : le commandant des îles du Salut Oscar Deniel est relevé de ses fonctions.

*7 août* : début des audiences du procès de Rennes.

*14 août* : tentative d'assassinat contre l'avocat de la défense Ferdinand Labori.

*9 septembre* : dernière audience. Dreyfus est condamné à la majorité des 5 voix contre 2 à dix ans de détention. À la même majorité, il lui est accordé des circonstances atténuantes. Dreyfus signe un pourvoi en révision dont il se désistera le 15 septembre.

*19 septembre* : grâce présidentielle. Dreyfus est libre. Mort d'Auguste Scheurer-Kestner.

*21 septembre* : déclaration publique d'Alfred Dreyfus : « Je vais continuer à poursuivre la réparation de l'effroyable erreur judiciaire dont je suis encore victime... »

*9 octobre* : fondation de la première université populaire, 157, rue du faubourg Saint-Antoine, à l'initiative de Georges Deherme.

*14 novembre* : projet de loi de Waldeck-Rousseau sur les associations.

*19 novembre* : inauguration, par le gouvernement, les corps constitués et les Parisiens, de la statue du « Triomphe de la République » de Jules Dalou place de la Nation.

*Fin de l'année* : le film de Georges Méliès, *L'Affaire Dreyfus*, réalisé après la grâce, est interdit par le gouvernement.

**1900**     *Avril* : inauguration de l'Exposition universelle.

*6 décembre* : début de la discussion du projet de loi d'amnistie à la Chambre des députés.

*18 décembre* : vote par la Chambre d'un projet de loi modifié (155 voix contre 2).

*24 décembre* : vote du Sénat (194 voix contre 10).

*27 décembre* : promulgation de la loi d'amnistie.

**1901**     *15 janvier* : début de la discussion du projet de loi sur les associations.

*29 mars* : vote du projet de loi sur les associations à la Chambre.

*21-23 juin* : naissance du Parti républicain, radical et radical-socialiste.

*22 juin* : vote au Sénat de la loi sur les associations.

*1er juillet* : promulgation de la loi sur les associations.

**1902**    *27 avril-11 mai* : élections législatives. Victoire du Bloc des gauches.

*7 juin* : formation du ministère radical d'Émile Combes.

*5 octobre* : funérailles d'Émile Zola. Discours d'Anatole France, parlant pour « J'accuse... ! » d'un « moment de la conscience humaine ».

**1903**    *6-7 avril* : grand discours de Jaurès à la Chambre des députés, qui relance une « troisième » affaire Dreyfus. Ouverture d'une « enquête personnelle » du ministre de la Guerre, le général André, sur les faux pouvant encore exister au ministère de la Guerre.

*25 décembre* : le gouvernement saisit la Cour de cassation de l'arrêt du procès de Rennes.

**1904**    *5 mars* : arrêt de recevabilité de la Cour de cassation. Début de l'enquête de la chambre criminelle.

*19 novembre* : fin de l'enquête de la chambre criminelle.

**1905**    *Juillet* : loi de séparation de l'Église et de l'État.

**1906**    *12 juillet* : la Cour de cassation casse l'arrêt du conseil de guerre de Rennes et réhabilite le capitaine Dreyfus sans le renvoyer devant un troisième conseil de guerre.

*13 juillet* : lois réintégrant Dreyfus et Picquart dans l'armée.

*21 juillet* : le commandant Dreyfus est fait chevalier de la Légion d'honneur, lors d'une cérémonie à l'École militaire.

*15 octobre* : le chef d'escadron Dreyfus est affecté à la direction de l'artillerie.

*25 octobre* : le général Picquart devient ministre de la Guerre dans le nouveau gouvernement de Georges Clemenceau.

**1907**    *26 juin* : demande de mise à la retraite du commandant Dreyfus en raison de sa réintégration incomplète dans l'armée.

**1908**    *4 juin* : transfert des cendres d'Émile Zola au Panthéon. Dreyfus est blessé par le journaliste nationaliste Grégori qui sera acquitté par la cour d'assises de la Seine.

*19 janvier* : mort accidentelle du général Picquart. Obsèques nationales.

**1914-**
**1918** Mobilisation du commandant Dreyfus et affectation à la zone nord de Paris puis au front. Il terminera la guerre au grade de lieutenant-colonel et sera fait officier de la Légion d'honneur.

**1935** *12 juillet* : mort d'Alfred Dreyfus à Paris.
Publication des *Souvenirs sur l'Affaire* de Léon Blum.

**1936** *Souvenirs et correspondance*, publiés par son fils.

**1938** Interdiction de diffusion, par le gouvernement français, du film américain – Academy Award – *The Life of Emile Zola*.

**1945** *27 janvier* : Charles Maurras, condamné pour intelligence avec l'ennemi, s'exclame à l'issue du verdict : « C'est la revanche de Dreyfus. »

**1972** Le conseil municipal de Rennes refuse de donner au Lycée le nom d'Alfred Dreyfus. Il est finalement baptisé lycée Émile Zola.
*14 décembre* : mort de Lucie Dreyfus à Paris.

**1985** Commande officielle par le ministre de la Culture Jack Lang, à Louis Mitelberg (TIM) d'une statue de Dreyfus. Le ministre de la Défense Charles Hernu refuse qu'elle soit installée à l'École polytechnique et à l'École militaire. Elle sera finalement placée dans le jardin des Tuileries, propriété de l'État à Paris.

**1994** Centenaire de la condamnation du capitaine Dreyfus. Aucune manifestation officielle n'est prévue ni par la présidence de la République, ni par le gouvernement, ni par le Parlement. Pas d'inscription à l'ordre des « célébrations nationales » (Délégation générale aux célébrations nationales auprès de la Direction des archives de France, ministère de la Culture).
*31 janvier* : note du Service historique de l'armée de terre (SHAP) indiquant que « l'innocence du capitaine Dreyfus est la thèse généralement admise par les historiens ». Révélée par les quotidiens *Libération* et *Le Monde*, la teneur de l'article fait aussitôt scandale. Le chef du SHAT, le colonel Gaujac, est limogé par le ministre de la Défense du gouvernement d'Édouard Balladur, François Léotard.

*16 octobre* : installation de la statue du capitaine Dreyfus place Pierre Lafue (angle boulevard Raspail et rue Notre-Dame-des-Champs) au cours d'une cérémonie présidée par Jacques Chirac, maire de Paris.

**1995** *18 et 19 mai* : première diffusion, sur Arte, du film d'Yves Boisset, *L'Affaire Dreyfus*, qui a bénéficié d'un important soutien du ministère de la Défense et de l'Éducation nationale.

*7 septembre* : déclaration du général Mourrut, nouveau chef du SHAT, devant le Consistoire des Israélites de France : l'affaire Dreyfus est « un fait divers judiciaire provoqué par une conspiration militaire [qui] aboutit à une condamnation à la déportation – celle d'un innocent – en partie fondée sur un document truqué ».

*30 et 31 octobre* : diffusion sur France 2 du film d'Yves Boisset.

**1998** « Second centenaire » de l'affaire Dreyfus, commémorant « J'accuse... ! » et l'engagement dreyfusard.

*8 janvier* : lettre du président de la République Jacques Chirac aux « descendants d'Alfred Dreyfus et d'Émile Zola ». « Aujourd'hui, je voudrais dire aux familles Dreyfus et Zola combien la France est reconnaissante envers leurs ancêtres d'avoir su, avec un courage admirable, donner tout leur sens aux valeurs de liberté, de dignité et de justice ! »

*13 janvier* : cérémonie du Panthéon, à l'initiative du Premier ministre Lionel Jospin. Allocutions du Premier ministre et du Premier président honoraire de la Cour de cassation Pierre Drai, en présence de la ministre de la Justice, Élisabeth Guigou.

*2 février* : cérémonie d'hommage à l'École militaire de Paris, en présence du ministre de la Défense Alain Richard et dévoilement d'une plaque.

**1999** *17 septembre-30 octobre* : exposition *The Dreyfus Affair : Voices of Honor* à l'Académie militaire des États-Unis (West Point).

**2002** *Octobre* : le président de la République Jacques Chirac commémore le centenaire de la mort d'Émile Zola au musée de Médan, dans les Yvelines.

**2006**     Centenaire de la réhabilitation du capitaine Dreyfus.

*13 Juin* : inauguration d'une exposition nationale consacrée au capitaine Dreyfus au musée d'Art et d'Histoire du Judaïsme à Paris.

*19 juin* : colloque de la Cour de cassation pour le centenaire de l'arrêt de réhabilitation.

*12 juillet* : date anniversaire de l'arrêt de réhabilitation.

# Généalogie

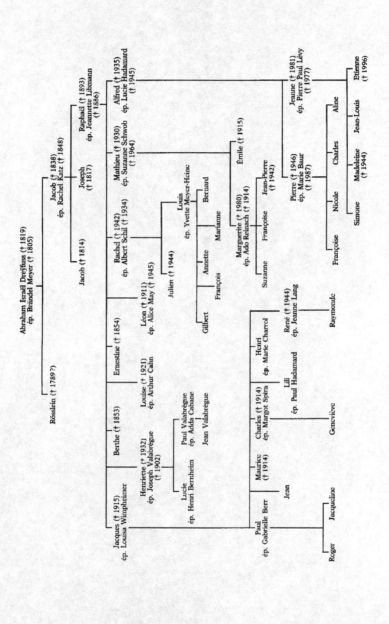

# Index des noms de personnes

NB. La mention historien désigne des historiens actuels de l'affaire Dreyfus.

365, 369, 372, 375, 377, 420, 464, 476, 479, 483, 529-530, 540, 574-575, 584-585, 596, 628, 663-664, 690, 704-705, 708-709, 733, 740, 749, 898, 920, 925, 994.

BOISSY D'ANGLAS, Francis (sénateur) : 976.

BOIVIN-CHAMPEAUX (avocat) : 181.

BONAPARTE : 520.

BONNARD (ingénieur) : 896.

BONNEFOND, général de : 105-107,110-111.

BONNET (professeur) : 764.

BOUCHÉ-LECLERCQ, Auguste (membre de l'Institut) : 567.

BOUCHER, lieutenant-colonel : 87, 115, 306-307, 708.

BOUGLÉ, Célestin (professeur) : 592, 725-726, 825, 828.

BOUILLARD (délégué du ministre) : 399.

BOULANCY, Madame de : 344.

BOULANGER, Georges (général) : 197, 375, 380.

BOULAY (condamné à mort) : 287.

BOULLENGER, Jean, capitaine : 76, 95, 130-131, 157, 162, 911.

BOULLOCHE (conseiller) : 887.

BOUQUET, Amédée : 763.

BOURDON, Georges (journaliste) : 602, 763, 983.

BOURGEOIS, Léon (ministre) : 267, 385.

BOURGET, Paul : 44, 513, 520.

BOURMONT (expert) : 599.

BOUSSARD (secrétaire) : 11, 14.

BOUSSEL, Patrice (historien) : 199.

BOUTMY, Émile (directeur de l'Ecole libre des sciences politiques) : 764.

BOUTROUX, Émile (professeur) : 288, 761.

BOUXIN, Augustin, adjudant : 211.

BOYER, Auguste (rapporteur) : 882, 887-888.

BRAULT (militaire) : 158.

BRAUN, A., commandant : 285.

BRAVARD, commandant : 403, 406, 412, 416, 421, 430, 434, 439, 445,

449, 451, 458-459, 464, 493, 514, 559.

BRÉAL, Auguste : 764.

BRÉAL, Michel (professeur) : 248, 433, 602.

BREDIN, Jean-Denis : 933.

BRÉON, Lancrau de (commandant) : 751, 768.

BRETAUD, capitaine : 158, 303.

BRETON, Jules-Louis : 823-824, 971, 975.

BRIAND, Aristide : 1006, 1011.

BRISSAUD, Édouard (docteur) : 763, 789, 804, 831, 981.

BRISSET, Camille, commandant : 142, 148-149, 160, 164, 168.

BRISSON, Henri : 207, 385, 581-582, 613, 789, 833, 859, 863, 869, 985, 996.

BRÔ, Joseph (officier) : 119, 727.

BROGNIART, François, lieutenant-colonel : 751, 768

BRUCHARD, de (intellectuel) : 763.

BRÜCKER, Martin-Joseph (agent) : 897.

BRUGERETTE, abbé Joseph : 571, 898.

BRUHL, Alice : 281.

BRUHL, David : 53, 275.

BRUHL-HADAMARD, Clotilde : 53.

BRUHL-HADAMARD, Eugénie : 275.

BRUN, Jean-Jules, général : 47, 71, 907.

BRUNEAU, Alfred : 853.

BRUYERRE, Louis-Joseph, lieutenant : 763.

BUISSON, Ferdinand (professeur) : 604, 814, 854, 856, 859, 864, 866-868, 975.

BÜLOW, Bernhard von : 341, 757.

BURDEAU, Auguste (député) : 251.

BURNS, Michael (historien) : 32, 61, 523, 605, 995.

BYNG, John (affaire) : 730.

CABANEL, Patrick (historien) : 573.

CAHN, Arthur : 49, 275.

CAHN-DREYFUS, Louise : 34, 39, 49, 222, 275, 283, 293-294, 430, 802.

CALAS, Jean : 593, 621, 976.

# Remerciements

Ce livre n'aurait pu voir le jour sans les recherches et l'amitié de Marc Oliver Baruch, Christophe Prochasson, Anne Rasmussen, Bertrand Joly, Gilles Candar et Perrine Simon-Nahum. Ils savent, ou ils découvriront, ce que ce livre leur doit. Il n'aurait pas pu exister non plus sans le milieu intellectuel et scientifique que composent pour moi l'École des hautes études en sciences sociales, l'université de Columbia à Paris et la Société d'études jaurésiennes. Ce livre n'aurait pu naître enfin sans le soutien, la patience et le travail de mon éditeur, Denis Maraval, de ses assistantes Éva Dolowski et Nathalie Reignier, de Christelle Kremer et Caroline Ballagny et de son correcteur René Clémenti. Cette petite équipe du département Histoire de Fayard honore l'édition française. Merci également aux compositeurs de Nord Compo.

Pour ne citer ici que les principaux fonds archivistiques et documentaires longuement dépouillés et sur lesquels se fonde cette biographie, l'accès aux sources et à la documentation imprimée m'a été très libéralement facilité, au Centre historique des Archives nationales par Jean-Daniel Pariset (Musée de l'histoire de France), Bertrand Joly et Yvette Le Brigand (Section du XIX<sup>e</sup> siècle), et Claire Berche (Bibliothèque historique). Au Centre des archives d'outre-mer, par Hélène Taillemite et Isabelle Dion. Au département des manuscrits de la Bibliothèque nationale de France par Monique Cohen et Mauricette Berne. Au Musée d'art et d'histoire du Judaïsme, par Laurence Sigal, Anne-Hélène Hoog et Odile Lemonnier. La mise à disposition des archives de la famille a été faite également par les descendants du capitaine Dreyfus avec une générosité qui les honore. J'ai plaisir à remercier ici Simone Perl, Charles Dreyfus et Jean-Louis Lévy, trois de ses petits-enfants, ainsi que le docteur Michel Dreyfus, l'ami très cher, le docteur Anne Cabau, Anne-Cécile Lévy, Fanchette Léon, Raymond Lévy-Bruhl, sans oublier la très regrettée Henriette Guy-Loë, nièce d'Élie Halévy, dont le souvenir ne m'a pas quitté et sa sœur Geneviève.

De nombreux historiens et historiennes m'ont précédé dans cette histoire de l'affaire Dreyfus, ici retrouvée à travers celle du capitaine Dreyfus. Je suis heureux de remercier de leur legs scientifique et amical : Sylvie April, Gérard Baal, le général André Bach, Jean Baubérot,

Jean-Denis Bredin, Michael Burns, Patrick Cabanel, Venita Datta, Michel Drouin, Hervé Duchêne, Ruth Harris, André Hélard, Raymond Huard, Jacques Julliard, Gerd Krumeich, Jacqueline Lalouette, Géraldi Leroy, Isabelle Lespinet-Moret, Pierre Lévêque, Jean-Pierre Machelon, Jean-Marie Mayeur, Emmanuel Naquet, Philippe Oriol, Alain Pagès, Jean-Pierre Rioux, Florence Rochefort, Laurent Rollet, Odile Rudelle, Marcel Thomas.

Deux grandes dames de l'histoire ont accompagné ce travail, Michelle Perrot et Madeleine Rebérioux sans oublier, *last but not least*, Pierre Vidal-Naquet et François Furet. Il m'est précieux aussi de remercier pour leur aide intellectuelle Mona Ozouf, Pierre Rosanvallon et Dominique Schnapper.

Des historiens et éditeurs ont publié les premiers travaux qui ont mené à ce livre : Carl Aderhold et Valérie Perrin, Pierre Birnbaum, Bernard de Fallois, Olivier Forcade et Éric Duhamel, Laurent Gervereau et Geneviève Dreyfus-Armand, Michel Drouin et Sophie Berlin, François Gèze et Pascal Iltis, Sandrine Palussière et Alexandrine Duhin, Perrine Simon-Nahum et Gilles Haéri, Véronique Sales, Henri Rousso et André Versaille, Willa Silverman.

Le temps de la recherche, c'est aussi le temps de l'amitié, avec Anne-Claude Ambroise-Rendu, Claire Andrieu, Philippe Artières, Henriette Asséo, Stéphane Audouin-Rouzeau, Isabelle Backouche, Béatrice Blanchet, Marie-Claude Barré, Esther Benbassa, Ed Berenson, Brune Biebuck, Lionel et Tania Bottineau, Hamit Bozarslan, Agnès Calle, Jordi Canal, Gilles Candar, Marianne Cayatte, Frédéric Cépède, André Chabin, Jean-François Chanet, Frédéric Chauvaud, Alain Chatriot, Sophie Cœuré, Isabelle et Philippe Colliat, Jean-Louis Crémieux-Brilhac, Dominique Djian, Yves-Marie et Frédérique Doublet, Renaud Ego, Pierre Encrevé, Jean-Louis Fabiani, Marion Fontaine, Frédérique et François Gallix, Nadine Gastaldi, Nilüfer Göle, Nancy Green, Jérôme Grondeux, Simone Gros, le colonel Frédéric Guelton, Anita Guerreau-Jalabert, François Hartog, Danièle Hervieu-Léger, Françoise Hildesheimer, José Kagabo, Dominique Kalifa, Alice Ingold, Jeremy Jennings, Irène Lafaye, Michèle de La Pradelle, Sébastien Laurent, Laura Lee Downs, Frédéric Monier, Daniel Nordman, Maurice Olender, Philippe Oulmont, Gilles Pécout, Denis Pelletier, Pierre Piganiol, Christine Pineau, André Prochasson, Alain Provost, Jacques Revel, Aline Richard, Paul André Rosental, Jean-Frédéric Schaub, Esther Siepe, Orhan Taylan, Anahide Ter Minassian, Stéphane Tirard, Rachel Vanneuville, François Weill, Gayle Zachmann.

L'écrivain américain Michael Connelly m'a donné, à travers ses romans, des pistes d'écriture. Je l'en remercie, ainsi que Sezen Aksu et Yann Tiersen pour leur pouvoir d'inspiration. Julia, Louise et Diana, ainsi que mes parents, sont les dédicataires privés de ce livre, pour leur affection. N'oublions pas Bénédicte qui a vu naître ce projet, Popi et Léo qui l'ont vu s'achever.

Le lecteur qui sera parvenu au terme de cette histoire d'Alfred Dreyfus qui résume un siècle d'histoire de France et d'histoire de la France dans le monde comprendra pourquoi ce livre est dédié à deux historiens, Jean-Jacques Becker et Madeleine Rebérioux. Il comprendra aussi la dédicace à Madeleine Lévy. Elle aurait eu quatre-vingt-huit ans aujourd'hui. Mais sa vie s'arrêta il y a cinquante ans. En 1941, elle choisit la Résistance alors que tant de Français « patriotes », collaboraient sans honte avec l'occupant étranger et allaient continuer après la guerre à donner des leçons de morale, de religion et de politique. Arrêtée, déportée, Madeleine Lévy mourut en Pologne au camp d'Auschwitz-Birkenau. Elle était bien la petite-fille d'un patriote français, dans ce que la France a de plus authentique et universel.

De nombreux lecteurs m'ont adressé des messages, commentaires et témoignages, à la suite de la parution de ce livre (avril 2006). Je les remercie vivement.

Eva Dolowski a assuré, avec le même talent, la préparation de cette seconde édition.

# Table des matières

*Aubin Imprimeur*
LIGUGÉ, POITIERS

Achevé d'imprimer en juillet 2006
N° d'imprimeur L 70166
Dépôt légal : juillet 2006
N° d'édition : 76518
ISBN 2-213-62795-9
35-65-2995-5/02